Arkeoloji
Kuramlar, Yöntemler ve Uygulama

Arke

homer *kitabevi*

YEDİNCİ EDİSYON

TÜRKÇE 1.BASIM

COLIN RENFREW
PAUL BAHN

Arkeoloji

Kuramlar, Yöntemler ve Uygulama

Çeviren **Gürkan Ergin**

ISBN: 978-9944-483-71-1

Arkeoloji
Kuramlar, Yöntemler ve Uygulama

Colin Renfrew, Paul Bahn

Özgün Adı
Archaeology: Theories, Methods and Practice
© 1991, 1996, 2000, 2004, 2008, 2012 ve 2016
Thames & Hudson Ltd, Londra

Çeviren
Gürkan Ergin

Metin Düzeltme
Berkay Dinçer

Ofset Hazırlık
Homer Kitabevi

Baskı ve Cilt
Altan Basım San ve Tic. Ltd. Şti.
Yüzyıl Mah. Matbaacılar Sitesi No: 222
Bağcılar/İstanbul
Sertifika No.: 11968

1. Basım 2017

© Homer Kitabevi ve Yayıncılık Ltd. Şti.
Sertifika No: 16972

Homer Kitabevi ve Yayıncılık Ltd. Şti.
Yeni Çarşı Caddesi, No: 52 Galatasaray
34433, Beyoğlu/İstanbul

Tel: (0212) 249 59 02 - 292 42 79
Faks: (0212) 251 39 62
e-mail: homer@homerbooks.com
www.homerbooks.com

İÇİNDEKİLER

AYRIM II
İnsan Yaşantısının Çeşitliliğini Keşfetmek

5   Toplumlar Nasıl Örgütlenmişti?

6   Çevre Nasıldı?

7   Ne Yiyorlardı?

8   Aletleri Nasıl Yaptılar ve Kullandılar?

AYRIM III
Arkeoloji Dünyası

15 Geçmişin Geleceği

16 Yeni Araştırmacılar

ÖNSÖZ

Bu kitabı yirmi beş yıl önce yayımlamaya başladığımızdan beri altı kez gözden geçirdik. *Arkeoloji. Kuramlar, Yöntemler ve Uygulama*'nın bu yeni edisyonu ise arkeolojik yöntem ve kurama dair mevcut en kapsamlı giriş kitabıdır. Çalışma eğitmenler ve öğrenciler tarafından yöntem ve kuramlara giriş derslerinde kullanıldığı gibi, arazi yöntemleri, arkeolojiye yardımcı bilimler ve birtakım başka derslerde de kendisinden yararlanılmaktadır.

Kitap 21. yüzyılda arkeoloji dünyasının güncel ve doğru bir panoramasını sunar. Teoriyle yöntem arasındaki karmaşık ilişkilerin ve bunların günümüz arkeoloji pratiğiyle –kazılarda, müzelerde, kültürel mirası koruma çalışmalarında, literatürde ve medyada– bağlantılarının ciddi anlamda farkındayız. Kitap boyunca kutu yazıları kazı projelerinin özel örneklerini anlatmakta, belirli teknikleri veya teorik yaklaşımları açıklamaktadır. Atıflar ve kaynakça, çalışmanın güncel akademik bilgiye ulaşılmasını sağlamaktadır. Bu anlamda eser lisans öğrencileri kadar profesyonel arkeologlar için de bir referans kitabıdır. Aynı zamanda kitabın olabildiğince açık ve amaca uygun şekilde yazıldığını, ister günümüzde konuya genel bakış isterse belirli ilgi alanlarını takip etmek için olsun, genel okuyucu açısından gerçekten kıymetli bir çalışma ortaya koyduğumuzu umuyoruz.

Kitapta arkeolojinin tartışmalı konularına –teori ya da siyaset– girmemeye ve kendimize ait özgün düşünceleri katmamaya çalıştık. Örneğin İnsanların Biyoarkeolojisi'nde (11. Bölüm) başka yerlerde kolayca bulunmayan bir açıklama önereceğiz ve Bilişsel Arkeoloji ile Arkeolojide Yorum üzerine olan bölümler (10 ve 12) bir dizi özgün bakış açısı sunan sentezler ortaya koyacak. Arkeoloji disiplini daima bir değişim içindedir ve biz de bugün bulunduğu noktayı yakalayarak bunu göstermeye gayret ettik.

Kaynaklar

Bu basımla birlikte öğrenciler www.thamsehudsonusa.com/web/archaeology adresindeki çevrimiçi ücretsiz eğitim rehberine erişebilecekler. Sayfadaki küçük sınavlar, bölüm özetleri, hafıza kartları ve web projeleri öğrencilerin kitabı sınamalarına ve yeni araştırma alanları keşfetmelerine imkân sağlar. Eğiticiler için sınıfta kullanılmak üzere bir çevrimiçi el kitabı, bir test bankası ve görüntülerle diyagramlar (JPEG formatında ve PowerPoint sunumları olarak) mevcuttur. Kuzey Amerika dışındaki okuyucular daha fazla bilgi için education@thameshudson.co.uk adresine e-posta gönderebilirler.

21. Yüzyılda Arkeoloji

İnsanlık tarihiyle ilgili temel sorulara cevap arayan ve hızlı gelişen bir disiplinin heyecanını aktarmak için yola çıktık. Arkeolojik kayıt kökenlerimiz hakkındaki soruları cevaplayabilmemizin tek yoludur. Hem türümüzün evrimi hem de ilk uygarlıklarla onlar üzerine kurulmuş günümüz toplumlarının ortaya çıkmasına neden olan kültürel ve toplumsal gelişmelerin anlaşılması bağlamında bu kayıttan yardım alırız. Dolayısıyla yapılan araştırmalar kendimize, kökenlerimize, bizi biz yapanın ne olduğuna ve dünya görüşümüzün nasıl oluştuğuna dair tetkiklerin toplamıdır. İşte bu yüzden arkeoloji günümüzle doğrudan ilgili bir disiplindir: Sadece bu yolla insanlığın durumu hakkında geniş çaplı bir perspektif elde edebiliriz. Şunu da vurgulamamız gerekir ki arkeoloji sadece nesnelerin ve yapıların kendisini değil, esasında insanları inceler.

Arkeoloji bilimindeki hızlı değişim, elinizdeki kitabın devam eden evrimine ve özellikle de gözden geçirilmiş yedinci basıma yansımaktadır. Her bölüm ve bütün konular yeniden gözden geçirilmiş ve güncellenmiş, yeni yöntemler, değişen teoriler, son keşifler kitaba dâhil edilmiştir. Arkeoloji alanındaki bu dinamizm kısmen dünyanın her köşesinde sürdürülen araştırmaların sonucudur ve bu da arkeoloğun ulaşabildiği bilgilerin sürekli arttığı anlamına gelir.

Öte yandan, getirilen yeni açıklamalar sadece bize yeni bilgiler sağlayan kazıların ürünü değildir. Bu açıklamalar aynı zamanda araştırma tekniklerindeki yeni gelişmelere de dayanmaktadır, zira arkeoloji bilimi hızla gelişen bir alandır. İlerlemenin ve olayları daha iyi kavrayışımızın, arkeoloji teorisindeki kesintisiz gelişmelerden ve giderek artan miktarda bulguyu ele alırken sorduğumuz soruların değişken doğasından ileri geldiğine inanıyoruz. Üstelik sorduğumuz sorular sadece akademik araştırmalardan değil, aynı zamanda günümüz toplumunun değişen ihtiyaçları ve bakış açılarından, bunların kendi geçmişimizi nasıl yansıttıklarından kaynaklanmaktadır.

Yirmi birinci yüzyıl arkeolojisi başlamıştır. Günümüz savaşlarında elde edilen ganimetler, bunların yanısıllığı değer ve çıkar çatışmaları; arkeolojinin böyle olaylarla nasıl başa çıktığı gibi sorunlar bunu göstermektedir. Bütün savaşlar arkeolojik mirası tahrip etme tehlikesini beraberinde getirmektedir. Büyük Britanya ancak şimdi, "İslam Devleti"nin arkeolojik alanlarda yaptığı yıkıcı tahribatın ardından 1954 Hague Konvansiyonu ve bununla ilgili iki Silahlı Çatışmalarda Kültür Varlıklarının Korunması Protokolü'nü imzalamayı planlamaktadır. Amerika Birleşik Devletleri ise 2009'da imza atmıştır. On beşinci Bölüm'de 1993'te Hırvat toplarıyla tahrip edilen Mostar'daki 16. yüzyıl köprüsünden bahsediyoruz. İkinci örneğimiz ise, Kuzey Hindistan'daki Ayodhya'da bulunan caminin Hindu köktendincileri tarafından yıkılmasıdır (14. Bölüm).

Ayodhya'da cereyan eden olayların altında yatan dini hoşgörüsüzlüğün, Taliban'ın Bamiyan-Afganistan'daki devasa Buda heykellerini kasten tahribiyle karşılaştırılacak düzeye geldiğini, hatta onu bile geçtiğini söylemek üzücüdür (14. Bölüm). Burada da, bir etnik gruba ait önemli bir kültürel mirasın bir başkasının saldırısına uğradığını görmekteyiz. Aslında tahribat sadece doğrudan çatışma hâlindeki farklı dini veya etnik gruplardan kaynaklanmamakta, yakın zamanda dünya kültürel mirasına karşı yapılmış en zalimce eylemlerden birine damgasını vuran genel bir put kırıcılık ruhunu da yansıtmaktadır. Çok daha yakın bir tarihte, 2011'de Mısır'da yaşanan "Arap Baharı" sırasındaki kargaşa, hırsızların hem ünlü Kahire Müzesi'nden hem de Mısır'ın arkeolojik alanlarından eser yağmalamasına fırsat vermiştir. Dünya başka eski anıtlar yanında, Irak'taki Ninova'nın Nergal Kapısı'nda bulunan insan yüzlü kanatlı boğa kabartmasının tahribiyle bir şok yaşamış ve eylem Şubat 2015'te "İslam Devleti" militanları tarafından yayımlanmış bir videoyla duyurulmuştur. Dijital çağda kültürel mirasa yönelik bu tür saldırıların ilanı, hem reklam hem de propaganda için bir araçtır. Bütün bu gerilimler ve kayıplar, ihtiyat ve antik kültürel mirasın değerini her fırsatta kamuya duyurma konusunda arkeologlar, kültürel miras yöneticileri ve müze küratörlerine duyulan ihtiyacı vurgular.

Kitabın Düzeni

Her bilimsel disiplinde olduğu gibi arkeolojide de ilerleme doğru soruları sormakla sağlanabilir. Elinizdeki kitap bu ilkeye göre hazırlanmıştır ve hemen her bölümde arkeolojinin ana sorularına cevap bulabilmek için nasıl bir yol izlenmesi gerektiği tartışılmıştır. Birinci Ayrım, yani "Arkeolojinin Kapsamı", arkeolojinin tarihine ve bulunduğu yere nasıl geldiğine değinmektedir. Bir anlamda "Şu an olduğumuz yere nasıl ulaştık?" sorusunu cevaplar. Geçmiş keşifler ve fikirler bugün arkeoloji hakkında ne düşündüğümüzü şekillendirir.

Bunların ardından sıra ilk önemli soruya geliyor: "Ne?" Bu soru arkeolojinin asıl konusuyla, yani geçmişten günümüze nelerin kaldığı, arkeolojik kaydın nasıl oluştuğu ve bunları nasıl gün ışığına çıkardığımızla ilgilidir. Üçüncü Bölüm'de sorulan "Nerede?" sorusu, arkeolojik arama, araştırma ve kazılar çerçevesinde cevaplanacaktır. Bunu takip eden "Ne zaman?" belki de en önemli sorudur, çünkü arkeoloji geçmişle ilgilidir ve nesnelere zamanın perspektifinden bakar; dolayısıyla kesin (mutlak) tarihleme çalışmaları arkeoloji için büyük öneme sahiptir.

Arkeolojinin ne olduğunu ana hatlarıyla açıkladıktan sonra, arkeolojinin ana konusuna geliyoruz. Bazı eleştirmenler ve yorumcular İkinci Ayrım'a "Toplumlar Nasıl Organize Olmuştu?" sorusuyla başlamamızdan dolayı şaşkınlıklarını ifade etmişlerdir, çünkü bazen erken dönemlerde geçim kaynakları ve ticaretten bahsetmek sosyal organizasyon hakkında konuşmaktan daha kolaydır. Fakat gerçekte, toplumun büyüklüğü ve doğası sadece bu meseleleri tayin etmekle kalmaz, özellikle biz arkeologların bu ve benzeri sorunları inceleme şeklimize de hükmeder. Genelde, avcı-toplayıcı toplumlara ait haklarında oldukça az bilgiye sahip olduğumuz yerleşimler, ilk uygarlıkların göz alıcı ve zengin tabakalanmaya sahip kalıntılarına nazaran daha farklı bir yaklaşıma ihtiyaç duyar. Elbette bazı istisnalar vardır: Florida'daki yerli Calusa kavmi hakkındaki çalışmalar (13. Bölüm) yerleşik, merkezi ve siyaseten güçlü, fakat neredeyse tamamen avcılık, balıkçılık ve toplayıcılıkla geçinen bir toplumun varlığını ortaya çıkarmıştır.

Bunların ardından erken toplulukların yaşadığı çevreyi, beslenme şekillerini, teknolojilerini ve ticari faaliyetlerini nasıl araştıracağımıza dair sorular sormaya başlayabiliriz. Onuncu Bölüm'de "Ne düşünüyorlardı?" diye sorduğumuzda hızla gelişen bilişsel arkeolojinin alanına giriyoruz demektir ve eylemlilik, maddesellik, bağlanma kuramı gibi yeni kuramsal yaklaşımlara yer verilmiştir. Bunlar "Neden her şey değişir?" sorusunu yönelttiğimizde de arkeolojik yorumun tartışmalı alanlarını kapsayacak şekilde yeniden karşımıza çıkacaktır.

Şu hâlde kitabın iskeleti sorular temelinde, yani öğrenmek istediklerimiz çerçevesinde oluşturulmuştur. Bu sorular içinde en çekici olanları "Kimlerdi? Neye benziyorlardı?" gibileridir (11. Bölüm). İlk soruyu cevaplamanın kuramsal anlamda çok zor olduğu giderek daha iyi anlaşılmaktadır; üstelik etnik kökenin gerçekte ne olduğu sorunu da bununla ilgilidir. Bu noktada, arkeogenetik ve arkeolinguistik gibi alanlarda yapılan yeni çalışmalara göz atacağız. İkinci soru ise birkaç değişik şekilde cevaplanabilir ve burada da arkeogenetik ile DNA araştırmalarının giderek daha fazla kullanılması söz konusudur.

Üçüncü Ayrım, yani "Dünya Arkeolojisi", 13. Bölümü'de I ve II. ayrımlardaki soruların dünyadan beş örnek projede, avcı-toplayıcılardan karmaşık uygarlıklara ve şehirlere kadar nasıl ele alındığını gösterir. Son üç bölüm ise (aşağıya bakınız) geçmişi kimin sahiplendiğini ve kültürel kaynağın yönetimi yanında arkeolojide kariyer konularında daha geniş bir biçimde bakar.

Araştırmaları yürüten toplumların, bunlara para sağlayanların veya arkeoloğun ortaya çıkardıklarını "tüketen" halkın ilgi alanları ve bakış açıları kadar çok arkeoloji bulunduğunu şimdi daha iyi anlıyoruz. Aynı zamanda arkeoloji dünyasının baskın siyasi fikirler tarafından nasıl yönlendirildiğini açıkça fark ediyoruz. İşte bu yüzden "arkeolojik etik" kitap boyunca giderek artan şekilde öne çıkmaktadır

Bu Baskıdaki Yenilikler

Bu kitabın altıncı edisyonuna "Yeni Araştırmacılar-Arkeolojide Kariyer Yapmak" başlıklı bir son bölüm eklemiştik. Farklı ülkelerden gelmiş, farklı geçmişlere sahip ve arkeoloji disiplininin çeşitli branşlarında çalışan aktif kariyere sahip beş profesyonel arkeolog seçmiştik: araştırmada, kültürel miras korumasında ve müzede. Şimdi ise, arkeolojik araştırma ve kazı giderek artan bir şekilde imar faaliyetlerine cevap verme ihtiyacı tarafından yönlendirildiği için Birleşik Krallık'tan sözleşmeli arkeolog Gill Hey de onların arasına katılıyor. Amaç, günümüzde arkeolojik uygulama gerçeği hakkında bir fikir vermek ya da daha ziyade dünyanın farklı yerlerinde arazideki arkeoloğun fiilen arkeoloji –doğru arkeoloji– yaparken karşılaştığı çeşitli gerçekleri göstermektir. Hava araştırmasındaki büyük ilerlemeler ve yeni teknikleri –arkeolojik alanların ve kalıntıların insansız hava araçlarıyla tespiti, hem arkeolojik alanda hem de kazı sonrasında hem de sayısal veri yakalama ve kayıt sistemlerinin kullanımı– yansıtmak amacıyla 3. Bölüm'ü genişletmeye devam ettik. "Bir Kentsel Arkeolojik Alanın Kazısı" başlıklı yeni kutu, arkeologların kesintisiz iskân görmüş kasaba ve şehirlerde kazı yapmanın zorluklarıyla nasıl başa çıktıklarını, Londra Arkeoloji Müzesi'nin Bloomberg projesi örneğiyle göstermektedir.

Dördüncü Bölüm'de arkeolojik kalıntıların tarihlenmesindeki yeni ve gelişmiş yöntemleri vurguluyor, yeni gelişen arkeogenetik tarihleme alanı ve bunun insan evriminin rekonstrüksiyonu için anlamını; ayrıca uranyum-toryum yönetiminin dünya mağara sanatı kronolojisini anlamamıza yaptığı katkıyı ele alıyor, hatta belirli sanat eserlerinin Neanderthal'lere atfedilme ihtimali üzerinde duruyoruz.

Beşinci Bölüm'de tanıştırdığımız sosyal arkeoloji canlı bir tartışmayı, en çok da Stonehenge ve çevresinin anlamı ve yorumlanması konusunda beslemeye devam etmektedir. İki yeni kutu, "Erken Wessex'te Anıtlar, Yönetim Birimleri ve Egemenlik Alanları" ve "Stonehenge'i Yorumlamak", bu bölgedeki heyecan verici araştırmaların geçmişini ve gelecekteki ilerleyişini sunmakta, bu ikonik anıt ve onu çevreleyen arazi hakkındaki son savları tartışmaktadır. Bir başka yeni kutu olan "Mississippi Dönemi Spiro'sunda

Açık Hiyerarşi", arkeolojik kuramın bir arkeolojik alanı ve onu yaratmış eski bir toplumu anlamamıza nasıl katkı sağladığını ve arkeolojik kanıta dair yeni yorumlara ilham vermek üzere kuramın disiplinle birlikte nasıl geliştiğini sergiler.

On Birinci Bölüm'de iki yeni kutu geçmişten iki dikkat çekici bireyi tanıtmakta ve fiziksel kalıntılarının beslenme alışkanlıkları, vücut yapısı, sağlık, giyim kuşam ve statü hakkında bize neler söyleyebileceklerini ortaya koymaktadır. Aynı zamanda arkeologların eski çağlarda yaşam ve ölüme dair bu türden hususları öğrenmek amacıyla başvurdukları yöntemlere de bakılmaktadır. Bu iki bireyden biri olan Danimarka'nın talihsiz Grauballe Adamı, Avrupa'nın Demir Çağ turbiyer bedenlerinden biridir ve muhtemelen üyesi bulunduğu topluluk tarafından kurban edilmiştir, fakat defnedildiği bataklığın koşulları sayesinde olağanüstü ölçüde iyi korunmuştur. Diğer beden, İngiltere kralı III. Richard, 2013'te Leicester'deki bir araba parkının altında keşfedilmiştir. Bu keşif dünya medyasının hayal gücünü harekete geçirmiştir, fakat her iki birey de –isimsiz olan ve ünlü olan– geçmiş insanlar hakkında doğrudan bilgi sahibi olmamız için imkânlar sunmaktadır.

Bir kez daha kalabalık bir uzman ve öğretim görevlisi ordusu bu basım için yardım etmiş, detaylı yorumlar, bilgiler ve resimler sağlamıştır. Bu kişilere önceki basımlarda bize yardım eden bilim insanlarıyla birlikte kitabın arkasındaki "Teşekkür" bölümünde ismen teşekkürlerimizi sunuyoruz.

Colin Renfrew
Paul Bahn

GİRİŞ
Arkeolojinin Niteliği ve Amaçları

Arkeoloji kısmen geçmişe ait hazinelerin keşfi, kısmen zahmetli bilimsel analizler ve kısmen de yaratıcı hayal gücünün icraatıdır. Aynı zamanda Orta Asya'nın çöl sıcağında bir kazıda çalışmak; Alaska'nın karlarında İnuit'lerle birlikte yaşamak; Florida açıklarındaki İspanyol batıklarına dalmak ve Roma dönemi York'unda kanalizasyon şebekesini araştırmaktır. Ayrıca zahmetli bir yorum işidir ki, böylece günümüze gelen kalıntıların geçmiş dönem insanları için ne anlam ifade ettiğini anlamaya çalışırız. Arkeoloji bir yandan da, dünya kültürel mirasının yağma ve tahribata karşı korunmasıdır.

O hâlde arkeoloji hem arazideki fiziksel hem de çalışma odasında ve laboratuvarda yapılan düşünsel faaliyetlerdir; bu da onu çekici kılan unsurlardan biridir. Tehlike ve dedektifliğin zengin karışımı, arkeolojiyi yazarlar ve film yapımcıları için mükemmel bir araç yapmaktadır: Agatha Christie'nin *Mezopotamya'da Cinayet*'inden Steven Spielberg'ün Indiana Jones'una kadar... Bu ve benzeri yapıtların tasviri aslından ne kadar farklı da olsa, arkeolojinin heyecan verici bir macera –kendimiz ve geçmişimiz ile ilgili bir macera– anlamına geldiği gerçeğini özlerinde taşımaktadırlar.

Şu soruları da kendimize sormamız gerekir: Arkeoloji kendisi gibi insanlığın geçmişiyle ilgili antropoloji, tarih vb. disiplinlerle nasıl bir ilişki içindedir? Arkeoloji tek başına bir bilim midir? Tarihin siyasi amaçlar için manipüle edildiği ve "etnik temizliğin" kültürel miras tahribatıyla el ele gittiği günümüz dünyasında arkeoloğun sorumlulukları nelerdir?

Antropoloji Olarak Arkeoloji

Antropoloji en geniş anlamıyla insanlığın bilimidir; bizim bir hayvan olarak özelliklerimizi ve **kültür** olarak adlandırdığımız, biyoloji kaynaklı olmayan kendimize özgü nitelikleri inceler. Bu anlamda kültür, 1871'de antropolog Edward Tylor'ın faydalı bir şekilde özetlediği üzere "bilgi, inanç, sanat, ahlak, yasa, âdet ve insanın toplumda bir üye olarak edindiği diğer yeteneklerdir." Antropologlar kelimeyi daha sınırlı anlamıyla, belli bir toplumun kültüründen, yani o topluma özgü ve onu diğer toplumlardan ayıran biyoloji dışı özelliklerinden bahsederken kullanırlar.

"Arkeolojik kültür" ise 3. Bölüm'de açıklanacağı gibi özel ve farklı bir anlama sahiptir. Dolayısıyla antropoloji çok geniş bir disiplindir ve bu yüzden üç gruba ayrılmıştır: biyolojik antropoloji, kültürel antropoloji ve arkeoloji.

Biyolojik antropoloji ya da önceki adıyla fiziki antropoloji, insanın biyolojik özelliklerini ve bunların nasıl evrimleştiğini inceler. **Kültürel antropoloji** –ya da sosyal antropoloji– insan kültürünü ve toplumları çalışır. İki alt gruba ayrılmıştır: **Etnografya** (yaşayan kültürlerin birinci elden incelenmesi) ve **etnoloji** (etnografik kanıtlardan yola çıkarak farklı kültürlerin karşılaştırılması ve insan toplumları hakkında genel çıkarımların yapılması).

Arkeoloji ise "antropolojinin geçmiş zamanıdır." Kültürel antropologlar yaşayan toplumların çağdaş deneyimlerini temel alarak bazı sonuçlara varırken, arkeologlar geçmiş insanları ve toplulukları bütünüyle arkalarında bıraktıkları kalıntılarla –yapılar, aletler ve **maddi kültürü** oluşturan diğer bütün nesneler– incelerler.

Günümüzde arkeoloğun karşılaştığı en zorlu işlerden biri, maddi kültürü insanı merkez alarak açıklamaktır: Bu çanak çömlekler nasıl kullanılıyordu? Neden bazı evler yuvarlak bazıları kare planlıdır? Bu noktada arkeolojik ve etnografik yöntemler örtüşür. Son zamanlarda arkeologlar **etnoarkeoloji** kavramını geliştirmiştir. Arkeologlar etnograflar gibi çağdaş toplumlarla yaşamakta, böylece bu toplumların maddi kültürü nasıl kullandıklarını –alet ve silahlarını nasıl yaparlar, neden yerleşimler kurarlar ve nereye kurarlar vs.– anlamaya çalışmaktadır.

Bunlara ilaveten, arkeoloji koruma alanında da aktif bir role sahiptir. **Kültürel miras** çalışmaları sürekli gelişen bir daldır; dünya kültürel mirası giderek yok olan bir değerdir ve farklı toplumlarda farklı algılanmaktadır. Arkeolojinin gün ışığına çıkardığı buluntuların kamuya sunumu da zorlu siyasi sorunlardan kaçamamaktadır. Müze küratörleri ve arkeolojiyi halkla buluşturanlar bu konuda çeşitli sorumluluklar üstlenmektedirler, fakat bu sorumlulukların bir kısmı başarı getirmemiştir.

Tarih Olarak Arkeoloji

Eğer arkeoloji geçmişle ilgileniyorsa, o hâlde tarihten nerede ayrılır? En geniş anlamıyla, arkeoloji antropolojinin olduğu kadar tarihin de –insanlığın yaklaşık 3 milyon yıl önce başlayan tarihi– bir parçasıdır. Aslında kültürel gelişimimizden ziyade biyolojik evrimimizi inceleyen fiziki antropolojiyi bir kenara bırakırsak, bu muazzam zamanın % 99'undan fazlası için arkeoloji –geçmiş maddi kültürün incelenmesi– eldeki en önemli bilgi kaynağıdır. Geleneksel anlamda tarihi kaynaklar MÖ 3000 civarlarında Yakındoğu'da yazılı kayıtların ortaya çıkması ile birlikte başlar; dünyanın diğer bölgelerinde bu geçiş daha geç olmuştur (örneğin Avustralya'da MS 1788'de). *Tarihöncesi* –yazılı kaynaklardan önceki dönem– ile dar anlamıyla tarih arasında yapılan ayrımın temelinde geçmişin yazılı kanıtlar ışığında çalışılması gelmektedir. Bazı ülkelerde "tarihöncesi" artık küçük gören bir kelime olarak algılanmaktadır. Terim yazılı kaynakların sözlü tarih geleneğinden daha önemli olduğunu ima etmesinin yanı sıra, Batı kaynaklı kayıt yöntemlerinin ortaya çıkışına kadar bu geleneği sürdüren toplumları ikinci derece görmektedir. Oysa her kültürü ve her dönemi araştıran arkeoloji için tarihle tarihöncesi arasında ayrım yapmak uygundur. Bu, modern dünyada yazıya dökülmüş kelimelerin önemini vurgular, fakat hiçbir şekilde sözlü tarihin içerdiği yararlı bilgileri küçümsemez.

0.1 *Elimizde yazılı kaynakların olduğu nispeten kısa dönem ("tarih") ile tarihöncesinin geniş zaman aralığı arasındaki karşılaştırma. MÖ 3000'den öncesi için maddi kalıntılar tek kanıtlarımızdır.*

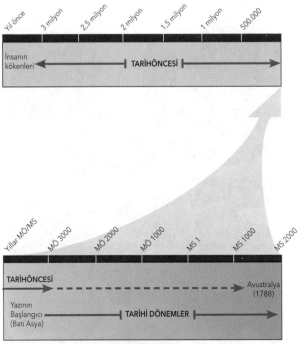

Elinizdeki kitapta açıkça görülecektir ki, arkeoloji dokümanların, yazıtların ve diğer edebi kaynakların bulunduğu dönem ve yerlerde bile geçmişi anlamamıza çok büyük katkılarda bulunur. Bu tür kanıtları gün ışığına çıkaranlar da sıklıkla arkeologlardır.

Bilim Olarak Arkeoloji

Arkeolojinin amacı insanlığı anlamak olduğundan, kendisi insanla ilgili bir disiplindir ve beşeri bir çalışmadır. Aynı zamanda insanın geçmişini ele aldığından ötürü tarihi bir bilimdir de. Fakat yazılı tarih çalışmalarından –ondan yararlanmasına rağmen– temel bir farkı vardır: Arkeologların gün ışığına çıkardığı buluntular bize ne düşünmemiz gerektiğini doğrudan söylemezler. Tarihi kayıtlar fikir beyan eder, açıklama önerir, yargıya varır (bazen yargıların ve önerilerin kendileri de açıklanmaya ihtiyaç duysalar bile). Öte yandan arkeologların bulduğu nesneler bize doğrudan bir şey anlatmazlar; bunlardan anlamlar çıkaran *biz* oluruz. Bu bağlamda, arkeoloji daha ziyade bilim insanına ait bir uğraştır. Bilim insanı veri (kanıt) toplar, deneyler yürütür, bir varsayım (verileri açıklayan önerme) formüle eder, varsayımını daha fazla veri ile test eder ve daha sonra sonucu bir model (verilerde görülen şablonu en iyi şekilde özetleyecek tanım) olarak kurar. Bilim insanının nasıl doğaya dair tutarlı bir tablo oluşturması gerekiyorsa, arkeoloğun da geçmişin resmini ortaya çıkarması gerekir; bu, hazır bulunan bir şey değildir.

Kısaca arkeoloji, beşeri bir uğraş olduğu gibi aynı zamanda bir bilim dalıdır. Bu da onun disiplin olarak cazibelerinden biridir: Arkeoloji modern bilim insanı kadar modern tarihçinin yaratıcılığını yansıtır. Arkeolojinin radyokarbon tarihlemesinden gıda artıklarının incelenmesine kadar uzanan teknik yöntemleri bu açıdan en açık kanıttır. Aynı derecede önemli bir husus da, analizde ve çıkarsamada kullanılan bilimsel yöntemlerdir. Bazı yazarlar "Ara Alan Teorisi" olarak tanımladıkları bir kavrama duyulan ihtiyacı dile getirmektedirler. Söz konusu "Ara Alan", ham arkeolojik kanıtlarla bunlardan çıkarılan gözlemler ve sonuçlar arasındaki boşluğu dolduracak farklı bir dizi fikre ev sahipliği yapacaktır. Bu, soruna yaklaşmanın bir yoludur. Fakat biz kuramla yöntem arasında keskin bir ayrım yapmaya gerek olmadığını düşünüyoruz. Bizim amacımız arkeologların geçmişi incelerken kullandıkları yöntem ve teknikleri açık bir şekilde anlatmaktır. Arkeoloğun analitik görüşleri laboratuvardaki araçlar gibi bu yaklaşımları meydana getirmektedir.

Arkeolojinin Türleri ve Kapsamı

Günümüzde arkeoloji birbirinden farklı, ama bu kitapta bahsedilen aynı yöntem ve yaklaşımların bir ara-

GİRİŞ: ARKEOLOJİNİN NİTELİĞİ VE AMAÇLARI

Modern arkeolojinin çeşitliliği

Bu sayfa **0.2** (sağda) Kent arkeolojisi: Londra merkezinde bir Roma yerleşimi kazısı. **0.3** (sol altta): Türkiye'deki Çatalhöyük'ten çıkmış buluntular üzerinde laboratuvar çalışması ve mikromorfolojik kesitlerin incelenmesi (s. 46-47'ye bakınız). **0.4** (sağ altta) Sibirya'da Oroçi halkının hayatlarını inceleyen bir etnoarkeolog kısa süre önce öldürülmüş bir geyiğin bağırsaklarından sosis yapıyor.

Karşı sayfa: **0.5** (üstte sağda) Sualtı arkeolojisi: İskenderiye yakınlarında su altında kalmış bir antik şehrin kalıntıları arasında bulunmuş devasa bir Mısır heykeli. **0.6** (sol altta) "Buz Kızı" olarak bilinen bir İnka mumyası Peru'daki Ampato volkanının tepesindeki mezarından çıkarılıyor (s. 67'ye bakınız). **0.7** (sağ ortada) Guatemala'daki erken Maya arkeolojik alanı San Bartolo'dan gelen zarif bir duvar resminin parçaları birleştiriliyor (s. 426'ya bakınız). **0.8** (aşağıda solda) İmardan önce kurtarılanlar: Batı Han Hanedanı'na ait 2000 yıllık bir mezar yapısı Guangzhou'daki (Çin) inşaat alanında kazılıyor.

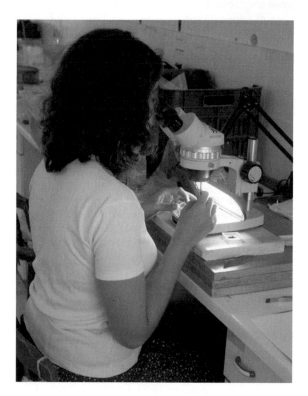

da tuttuğu "arkeolojileri" kapsayan geniş bir camiadır. Tarihöncesiyle tarihi dönemlerin arkeolojisi arasında zaten bir ayrım yapmıştık. Bu kronolojik ayrım arkeologların uzmanlaşabileceği alt gruplara bölünmüştür: erken devirler (Eski Taş Devri ya da Paleolitik, 10.000 yıl ve öncesi) veya daha geç dönemler (Amerika ve Çin'in büyük uygarlıkları, Mısırbilim; Yunanistan ve Roma'nın klasik arkeolojisi) gibi. Son yirmi-otuz yıl içinde yaşanan en büyük gelişme, arkeolojinin daha yakın dönemlere yapabileceği katkının farkına varılmasıdır. Kuzey Amerika ve Avustralya'da tarihi arkeoloji –sömürge ve sömürge sonrası yerleşmelerinin arkeolojisi– büyük ölçüde gelişme göstermiştir. Aynı şekilde, Avrupa'da Ortaçağ ve Ortaçağ sonrası arkeolojisinde ciddi ilerlemeler vardır. Dolayısıyla, Amerika Birleşik Devletleri'ndeki sömürge yerleşmesi Jamestown'dan ya da Ortaçağ Avrupa'sının Londra'sı, Paris'i, Hamburg'undan bahsederken arkeoloji başlıca kaynaklarımızdan biridir.

Bu kronolojik alt grupların hepsiyle ilişki içinde olan uzmanlık alanları, birçok farklı arkeolojik döneme katkıda bulunmaktadır. Örneğin çevresel arkeoloji böyle bir alandır: Diğer disiplinlerden arkeologlar ve uzmanlar, insanların bitki ve hayvanlardan nasıl yararlandıkları, geçmiş toplumların değişen çevre şartlarına nasıl uyum sağladıkları üzerinde çalışırlar. Büyük cesaret ve yetenek isteyen sualtı arkeolojisi de bu kategoriye dâhildir. Son 40 yıl içinde sualtı arkeolojisi son derece bilimsel bir alan hâline gelmiş ve birer zaman kapsülü olan batıklardan deniz ve karadaki hayat hakkında birçok şey öğrenmemizi sağlamıştır.

Etnoarkeoloji de yukarıda kısaca değindiğimiz gibi modern arkeolojideki başlıca uzmanlık alanlarından biridir. Şimdi farkına varıyoruz ki, arkeolojik kaydı –yani bulduklarımızın– ancak onların nasıl oluştuğunu kavrarsak anlayabiliriz. Oluşum süreçleri yoğun araştırmalara konu olmaktadır. İşte bu noktada etnoarkeoloji devreye girmektedir: Yaşayan toplumları ve onların maddi kültürlerini inceleyerek arkeolojik kayıtları anlama konusunda ilerleme kaydetmek. Örneğin avcı-toplayıcılarda et kesim uygulamalarını Alaska'daki Nunamiut Eskimoları arasında çalışan Lewis Binford, arkeolojik kaydın nasıl meydana geldiği hakkında yeni fikirler edinmiştir. Böylece dünyanın diğer bölgelerinde insanlar tarafından tüketilmiş hayvanların kemiklerini yeniden değerlendirme olanağı ortaya çıkmıştır.

Bu çalışmalar sadece basit toplumlar ya da küçük gruplarla sınırlı değildir. Çağdaş maddi kültür de kendi çapında bir inceleme konusu oluşturmaktadır. 21. yüzyıl arkeolojisinin kapsamı daha şimdiden Coca Cola şişeleri ve bira kutularının tasarımından savaş suçları ve mezalimlerin araştırılmasında (Bosna, Batı Afrika ya da Irak) kullanılan adli patolojiye kadar uzanan bir yelpazeye yayılmıştır. Arkeolojide günceli içeren çalışmalar, Çöplük

Projesi'nin mimarı William L. Rathje'nin öncülüğünde başlamıştır. Rathje Arizona'daki Tucson şehrinin değişik bölgelerindeki atıkları incelemiş ve modern şehirli nüfusun tüketim alışkanlıklarına ayna tutmuştur. İkinci Dünya Savaşı'ndan (1939-1945) kalma havaalanları ve silah mevzileri gibi yerler, Soğuk Savaş zamanına ait haberleşme yapıları ve bir zamanlar Doğu ve Batı Almanya'yı birbirinden ayıran, fakat 1989'da yıkılan Berlin Duvarı antik anıtlar gibi korunmaktadır. Aynı şekilde, 1950'de Amerika Birleşik Devletleri'nin silah denemek için inşa ettiği Nevada Test Bölgesi şimdi arkeolojik araştırma ve koruma konusudur.

0.9 *Günümüzde arkeolojinin gelenekleri, deyimleri ve buluntularına çağdaş toplumda ve çağdaş sanatta giderek daha fazla atıfta bulunulmaktadır. Antony Gormley'nin "İngiliz Adaları'nın Arazisi" adlı çalışması Mezoamerika veya Güneydoğu Avrupa kazılarında bulunmuş tarihöncesi heykelciklere benzeyen binlerce pişmiş toprak figürden meydana gelir. Bunların önünde duran bir izleyicide çok kuvvetli bir etki bırakır.*

Yirminci yüzyıl arkeolojisi bile kendi yağmacılarını üretmiştir: Titanik'ten çıkarılmış nesneler yüksek fiyatlarla özel koleksiyonculara satılmıştır. Yirmi birinci yüzyıl arkeolojisi ise 11 Eylül 2001'de New York'taki Dünya Ticaret Merkezi ikiz kulelerinde yaşanan felaketin ardından başlatılan kurtarma çalışmalarıyla acı bir başlangıç yapmıştır. Yıkılan kulelerin bulunduğu alan (Ground Zero) şimdi koruma altına alınmıştır ve New York'un en dikkate değer hatıra anıtı haline gelmiştir.

Bugün arkeoloji yeni uzmanlık alanları ve alt disiplinler üretmeye devam etmektedir. Yirminci yüzyılın sonlarında yaygın olarak önemi vurgulanan çevresel yaklaşımdan biyoarkeoloji (insan çevresi ve beslenme alışkanlıklarında bitkiler, hayvanlar ve diğer canlıların incelenmesi) doğmuştur; tıpkı erken çevresel şartların rekonstrüksiyonu ve taş malzemenin incelenmesi için jeolojik bilimlerin arkeolojiye uygulanmasını içeren jeoarkeoloji gibi. Arkeogenetik, yani moleküler genetik tekniklerini kullanarak insan geçmişinin araştırılması hızla gelişen bir alandır. Bunlar ve adli antropoloji gibi diğer yeni doğan alanlar, hem bilimdeki gelişmeler hem de arkeologlar arasında böyle ilerlemelerin geçmişin araştırılmasında nasıl kullanılabileceklerine dair artan farkındalığın sonuçlarıdır.

Arkeoloji Etiği

Arkeolojik uygulamaların birçok ahlaki problem ortaya çıkardığı; arkeolojinin siyasi ve ticari alandaki istismarının neredeyse her zaman manevi ve etik soru işaretleri yarattığı giderek daha fazla anlaşılmaktadır (14 ve 15. bölümler). Afganistan'daki Bamiyan Buda'larının ya da Bosna'daki tarihi Mostar Köprüsü'nün tahribi ya da sözde "İslam Devleti"nin Ninova ve diğer arkeolojik alanları yerle bir etmesi gibi arkeolojik kalıntılara yönelik kasti tahribatların, ahlaki standartlara göre özünde kötücül eylemler oldukları açıktır. Yol açtığı tahripkâr sonuçlar açısından Irak'a giren koalisyon güçlerinin arkeolojik varlıkları ve alanları korumadaki üzücü başarısızlığı bunlarla karşılaştırılabilir. Fakat diğer meseleler bu kadar aşikâr değildir: Arkeolojik alanların hangi şartlar altında yeni yollar ya da barajlar gibi önemli inşaat projelerini engellemesine izin verilmelidir? Çin Kültür Devrimi sırasında Başkan Mao "geçmiş geleceğe hizmet etsin" sloganını ortaya atmıştı, fakat bu bazen antik olan her şeyin yok edilmesi için bir bahane sayılmıştır.

Geçmişten ticari anlamda faydalanılması da birçok sorunu ortaya çıkarmaktadır. Bugün birçok arkeolojik alan kaldırabileceğinden daha fazla ziyaretçi akınına uğramakta ve çok sayıda iyi niyetli turist bu yerlerin korunmasına yönelik ciddi sıkıntılar yaratmaktadır. Bu durum Britanya'nın güneyindeki çok önemli bir tarihöncesi anıt olan Stonehenge'de uzun zamandan beri sorundur ve Birleşik Krallık hükümetinin on yıllardan

beri mesele hakkında etkili hiçbir şey yapamaması genel bir hoşnutsuzluğa neden olmuştur. Belki de hepsinden daha ciddisi, yasadışı ve menşei belirsiz antikaları satın alarak dünya kültürel mirasının yağmalanmasına göz yuman büyük müzelerdir. İtalya hükümetinin New York Metropolitan Sanat Müzesi, Malibu'daki Getty Müzesi ve Cleveland Sanat Müzesi'yle kaçırılan eserlerinin ülkeye iadesi konusunda mutabakat isteği, bazı müze müdürleri ve vakıf üyelerinin güvenilirliği hakkında kuşkular doğurmaktadır. Bu kişilerden geçmişin tahribine yol açan ticari süreçlere iştirak etmeleri değil, o geçmişi koruyacak ve savunacak bilgili insanlar olmaları beklenmektedir.

Amaçlar ve Sorular

Amacımız insanlığın geçmişini öğrenmekse, ne öğrenmeyi umduğumuz gibi önemli bir soru karşımıza çıkar. Geleneksel yaklaşımlar arkeolojinin amacını temelde bir rekonstrüksiyon olarak görme eğilimindedir; ona biçilen görev yapbozun parçalarını bir araya getirmektir. Ancak günümüzde sadece geçmiş dönemlerin maddi kültürünü yeniden yaratmak veya daha yakın dönemlerin resmini tamamlamak yeterli değildir.

Arkeolojinin amaçlarından biri olarak "arkeolojik kalıntıların sahibi toplumların yaşam tarzlarını yeniden kurma" gösterilmektedir. İnsanların nasıl yaşadıkları ve çevrelerinden nasıl yararlandıkları elbette bizi ilgilendirir, fakat aynı zamanda *neden* bu şekilde yaşadıkları sorusuna da cevap ararız: Davranış şekilleri neden böyledir? Neden yaşam tarzları ve maddi kültürleri bulundukları biçimi almıştır? Kısacası, değişimi *açıklamakla* ilgileniriz. Kültürel değişim süreci ile ilgili bu merak, *süreçsel arkeolojiyi* tanımlayan unsurdur. Süreçsel arkeoloji, ilerlemek için önce araştırmanın amaçlarını belirleyen herhangi bir bilimsel projede olduğu gibi, bir dizi soru sorarak yoluna devam eder; önce soruları şekillendirir sonra da cevaplamaya koyulur.

Toplumların sembolik ve bilişsel yönleri genellikle *postsüreçsel* veya *yorumsal arkeoloji* gibi yakın zamanda ortaya çıkan yeni yaklaşımların altında toplanmaktadır. Ne var ki bu bakış açısının görünürdeki bütünlüğü şimdi çeşitli ilgi alanları yüzünden değişmektedir. "Postmodern" dünyada farklı toplumların farklı ilgi alanları ve kaygıları olduğu, bu yüzden her birinin kendine özgü düşünceleri ve geçmişin yeniden kurgulanmasına dair görüşleri bulunduğu haklı olarak öne sürülmektedir. Bu anlamda birçok arkeoloji vardır. Farklı ve bazen birbirine rakip etnik grupların var olduğu Üçüncü Dünya ülkelerinde bu durum daha açık bir şekilde görülmektedir.

Bugün zihnimizi meşgul eden birçok önemli soru vardır. Atalarımızın ilk kez ortaya çıktığı dönemlerde var olan şartları anlamak isteriz: Her şey sadece ve sadece şimdi söylendiği gibi Afrika'da mı başlamıştı? İlk insanlar tam anlamıyla avcılar mıydı yoksa sadece leşçiler miydi? Bizim ait olduğumuz *Homo sapiens* alt türü hangi şartlar altında gelişti? Paleolitik sanatın ortaya çıkışını nasıl açıklamalıyız? Batı Asya, Mezoamerika ve dünyanın diğer bölgelerinde avcılık-toplayıcılıktan tarıma nasıl geçildi? Bütün bunların hepsi sadece birkaç binyıl içinde nasıl meydana geldi? Şehirlerin dünyanın farklı yerlerinde birbirinden bağımsız olarak ortaya çıkışını nasıl izah edebiliriz? Toplumların ve bireylerin kimlikleri nasıl oluşur? Bir bölge ya da ulusa ait kültürel mirasın korunmaya değer olduğuna nasıl karar veririz?

Sorular uzar gider ve genel soruların dışında bir de daha özel konularla ilgili olanlar vardır. Bunların cevaplarını da bilmek isteriz: Belli bir kültür bulunduğu duruma nasıl gelmiştir, kendisine özgü özellikler nasıl ortaya çıkmıştır ve gelişimini nasıl etkilemiştir? Arkeolojinin gün ışığına çıkardığı birçok etkileyici sonuç ileriki sayfalarda kendisini gösterecektir. Bu kitap saydığımız türden sorulara verilen geçici cevaplar üzerinde durmamaktadır; onun yerine daha ziyade böyle soruların cevaplanmasında kullanılan *yöntemleri* inceler.

Kitabın Düzeni

Arkeolojinin yöntemleri birçok değişik şekilde incelenebilir. Önsöz'de belirtildiği gibi, bizim seçtiğimiz yol cevaplarını bulmayı istediğimiz *sorular* bazında düşünmekti ve bundan kısaca tekrar bahsedeceğiz. Arkeolojinin felsefesi bir bütün olarak, sorduğumuz sorulara ve bu soruları nasıl ortaya koyduğumuza göre ifade edilmektedir diyebiliriz.

Ayrım I arkeolojinin bütünüyle ilgilidir; disiplinin geçmişine değinir ve üç özel soruya cevap arar: Nesneler nasıl günümüze gelmiştir, nasıl bulunurlar ve nasıl tarihlenirler?

Ayrım II sosyal organizasyon, çevre ve geçim kaynakları, teknoloji, ticaret, insanların düşünme ve iletişim şekilleri gibi konularda daha çeşitli ve sorgulayıcı sorular sormaktadır. Ardından bu insanların fiziksel olarak neye benzedikleri sorusu gelir. Son olarak en ilgi çekici soru ortaya atılır: Her şey *neden* değişir?

Ayrım III arkeolojinin uygulanışını ele alır ve arazi projelerinde değişik fikirlerle tekniklerin bir araya geldiğini gösterir. Bu amaçla Güney Meksika'dan, Amerika Birleşik Devletleri'nin güneyinde Florida'dan, Kuzey Avustralya'dan, Tayland'dan ve İngiltere'de York'tan beş proje örnek olarak kitaba dâhil edilmiştir.

Sonuç kısmında toplumsal arkeoloji konusuna ayrılmış iki bölüm arkeolojinin modern dünyadaki faydaları ve istismarını; bunların arkeoloğa ve kazanç ya da siyasi amaçlar için arkeolojiyi kullanan herkese yüklediği sorumluluğu tartışır. Nihayet son bölüm, dünyanın değişik yerlerinde çeşitli alanlarda çalışan beş arkeoloğun kişisel hikayelerini sunar. Bu şekilde kitabın arkeolojik araştırmanın tüm yöntemleri ve amaçları hakkında iyi bir fikir vermesini planlıyoruz.

İLERİ OKUMA

Aşağıdaki kitaplar arkeolojinin bugünkü zenginliği hakkında bir fikir verir; çoğu iyi görsel malzemeye sahiptir:

Bahn, P.G. (ed.). 2001. *The Penguin Archaeology Guide*. Penguin: Londra.

Bahn, P.G. (ed.). 2000. *The World Atlas of Archaeology*. Facts on File: New York.

Cunliffe, B., Davies, W. & Renfrew, C. (ed.). 2002. *Archaeology, the Widening Debate*. British Academy: Londra.

Delgado, J.P. (ed.). 1997. *The British Museum Encyclopaedia of Underwater and Maritime Archaeology*. British Museum Press: Londra; Yale University Press: New Haven.

Fagan, B.M. (ed.). 1996. *The Oxford Companion to Archaeology*. Oxford University Press: Oxford & New York.

Forte, M. & Siliotti, A. (ed.). 1997. *Virtual Archaeology*. Thames & Hudson: Londra; Abrams: New York.

Renfrew, C. & Bahn P. (ed.). 2014. *The Cambridge World Prehistory*. Cambridge. Cambridge University Press. 3 cilt.

Gowlett, J. 1993. *Ascent to Civilization: The Archaeology of Early Humans*. (2. Basım). McGraw-Hill: Londra & New York.

Scarre, C. (ed.). 1999. *The Seventy Wonders of the Ancient World. The Great Monuments and How they were built*. Thames & Hudson: Londra & New York.

Schofield, J. (ed.). 1998. *Monuments of War. The Evaluation, Recording and Management of Twentieth Century Military Sites*. English Heritage: Londra.

AYRIM I

Arkeolojinin Kapsamı

Arkeoloji geçmiş insan deneyimlerinin tamamıyla ilgilenir. İnsanlar nasıl sosyal gruplar hâlinde organize oldular; çevre şartlarından nasıl yararlandılar; ne yediler, ne yaptılar ve neye inandılar; nasıl ilişki kurdular ve yarattıkları toplumlar neden değişti gibi soruların yanıtlarını arar. Bunlar elinizdeki kitabın ilerideki bölümlerinde ele alınacaktır. Fakat daha önce, zaman ve mekân açısından bir çerçeveye ihtiyacımız var. Geçmişle ilgili fikir ve yöntemleri, arkeologların hangi maddi kalıntıları çalıştıklarını ya da bu kalıntıların nerede bulunduğunu ve nasıl tarihlendiğini bilmeden anlamaya çalışmamızın bize çok az yararı dokunacaktır. Aslına bakılırsa, kendi keşif öykümüzü anlatmadan önce geçmiş kuşak arkeologlarının ne kadar ilerledikleri ve hangi yolları izlediklerini bilmek de isteyebiliriz.

Bundan dolayı, Ayrım I arkeolojinin temel çalışma çerçevesine odaklanmaktadır. İlk bölüm ise arkeoloji biliminin tarihine ve özellikle de, bu alanda çalışan kişilerin geçmiş hakkındaki sorularımızı nasıl yeniden tanımladığı ve etkilediğine değinecektir. Ardından soracağımız ilk soru "Ne?" olacaktır: Elimizde geçmişten ne kalmıştır ve günümüze gelen arkeolojik kalıntı yelpazesi nedir? İkinci soru olan "Nerede?", arkeolojik yerleşmelerin tespiti, kazı ve ilk değerlendirme yöntemleriyle ilgilidir. Üçüncü sorumuz "Ne zaman?", insanın zamanla olan tecrübesini ve bunun ölçümünü ele alır; günümüzde arkeologların geçmişi tarihlendirmek için ellerinin altında bulunan birçok tekniği değerlendirir. Bu soruları temel alarak, Ayrım I'in sonuç ve Ayrım II'in giriş kısımlarında insanlığın öyküsünü özetleyen bir kronoloji sunabiliyoruz.

ARAŞTIRMACILAR 1
Arkeolojinin Tarihçesi

Arkeolojinin tarihi çoğunlukla büyük keşiflerin tarihi olarak görülür: Mısır'da Tutankhamon'un mezar yapısı, Meksika'nın kayıp Maya şehirleri, Fransa'daki Lascaux Mağarası'nda yer alan Eski Taş Çağı'na ait duvar resimleri, Tanzanya'daki Olduvai Boğazı'nın derinliklerinden ele geçen en eski insan atalarımızın kalıntıları gibi. Fakat bütün bunların ötesinde arkeolojinin tarihi, insanlığın geçmişinden kalan maddi kanıtlara yeni bir bakış açısıyla bakmayı öğrenmemizin ve bu yolda bize yardımcı olacak yeni yöntemlerin ortaya çıkışının hikâyesidir.

Hemen hatırlatalım ki çok değil, daha bir buçuk yüzyıl öncesine kadar bugün bildiğimiz hâliyle arkeoloji biliminin temellerini atan Batı dünyasındaki en kültürlü insanlar bile dünyanın ancak birkaç bin yıl önce (dönemin İncil yorumuna göre tam olarak MÖ 4004 yılında) yaratıldığını zannetmekteydiler. Uzak geçmiş hakkında bilinen her şey sadece ilk tarihçilerden, yani eski Yakındoğu, Mısır ve Yunan tarihçilerinden geriye kalanların bize anlatabildikleri kadardı. Yazının icadından önceki dönemlere ait bir tarihin olabileceğine dair tutarlı bir düşünce dahi yoktu. Danimarkalı bilgin Rasmus Nyerup'un sözleriyle (1759-1829):

> Bize putperestler çağından kalan her şey kalın bir sis perdesinin içine sarılmıştır: Bizim ölçemeyeceğimiz bir zaman dilimine aittir. Hıristiyanlıktan bile daha eski olduğunu bilsek de, acaba birkaç yıl mı, birkaç yüzyıl mı yoksa bin yıldan da mı eskidir? Bu konuda tahminden öteye asla geçemeyeceğiz.

Bugün, geçmişe ait bu kalın sis perdesini aralayabiliyoruz. Bunun nedeni sadece sürekli yapılan yeni keşifler değil, ama aynı zamanda bazı *doğru soruları* sormayı öğrenmemiz ve bu soruları cevaplamak için bazı *doğru yöntemler* geliştirebilmemizdir. Arkeolojik kaydı oluşturan maddi kültür çok uzun zamandır göz önündedir. Yeni olan şey ise, arkeolojik yöntemlerin bize geçmiş, hatta tarihöncesi (yani yazının

1.1 *Roma şehri Pompeii İtalya'daki Vezüv Yanardağı'nın gölgesine uzanmaktadır. Yanardağ MS 79'da patladığında tüm şehir lavların altına gömülmüş ve 18. yüzyılın ortalarında başlayan kazılara dek unutulmuştur. Olağanüstü keşifler geçmişte geniş ilgi uyandırmış ve sanatı çok etkilemiştir (s. 24-25'teki kutuya bakınız).*

icadından önceki) dönemler hakkında bilgi verebileceğinin farkına varmamızdır. Bu durumda arkeolojinin tarihi demek bir anlamda *fikirlerin*, kuramların ve geçmişe bakış açılarının tarihi demektir. Ardından, gelişen araştırma yöntemlerinin, fikirlerin hayata geçirilmesinin ve sorulara aranan cevapların bir tarihçesi gelir. Arkeolojik keşiflerin tarihçesi ise ancak üçüncü sırada yer alır.

Geçmişle ilgili bilgi birikimimizin yukarıda saydığımız yönleri arasındaki ilişki basit bir diyagram ile gösterilebilir:

1.2

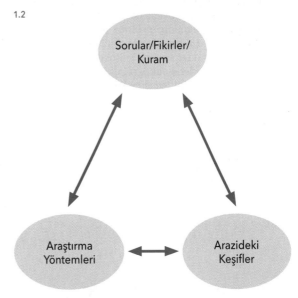

Bu bölümde ve kitabın genelinde sorular ve fikirlerin gelişimiyle yeni araştırma yöntemlerinin uygulanması üzerinde durulacaktır. Hatırlamamız gereken en önemli nokta ise, geçmişle ilgili her türlü bakış açısının ortaya atıldıkları dönemin eseri olduğudur; fikirler, kuramlar ve yöntemler sürekli evrim geçirmektedir. Günümüzün arkeolojik yöntem ve kuramlarını tanımlarken biz sadece bu evrim sürecinin izlediği yollardan birinden bahsedebiliyoruz. Birkaç onyıl, hatta belki sadece birkaç yıl içinde bu yöntemlerin de modası geçecek ve güncelliklerini yitireceklerdir. Bir disiplin olarak arkeolojinin böyle dinamik bir doğası vardır.

NAZARİ DÖNEM

İnsanlar hep geçmişlerini tasavvur etmeye çalışmışlardır ve hemen her kültürün nasıl ortaya çıktığıyla ilgili kendi doğuş efsanesi vardır. Örneğin MÖ 800 civarında yaşamış Yunan ozan Hesiodos, *İşler ve Günler* adlı epik şiirinde insanlığın geçmişini beş döneme ayırır: Altın Çağ ve bu çağda "kendi topraklarında huzur, barış ve bolluk içinde yaşayan" Ölümsüzler; insanların soyluluğunun azaldığı Gümüş Çağı; Tunç Çağı; Kahramanlar Çağı ve en son olarak ozanı da içinde alan, "insanların gündüzleri bitmek bilmeyen iş ve acılardan kurtulamadığı, geceleri ise yavaş yavaş çürüdüğü" Demir ve Korkunç Acılar Çağı.

Kültürlerin pek çoğu kendilerinden önce gelip geçmiş toplumlara karşı bir hayranlık ve merak beslerler. Aztekler Tolteklerle olan ata bağlarını o kadar abartmışlardı ki, yüzlerce yıl önce terk edilmiş muazzam Meksika şehri Teotihuacan'ı yanlış bir şekilde Toltekler'le ilişkilendirerek buradan aldıkları taş tören maskelerini kendi Büyük Tapınak'larının temel çukurlarına yerleştirmişlerdi. (s. 570-571'deki kutuya bakınız). Bazı ilk medeniyetlerde bilginlerin, hatta bazen kralların geçmiş zamanlara ait birtakım nesneleri toplama ve bunlar üzerinde çalışma merakı olduğunu biliyoruz. MÖ 555-539 arasında hüküm sürmüş Babil'in son yerli kralı Nabonidus eski eserlerle oldukça ilgiliydi. Şehrin önemli tapınaklarından birisini temeline kadar kazdırıp 2200 yıl önce yerleştirilmiş bir temel taşı bulmuştu. Bulduklarını Babil'deki müze benzeri yapıda saklamıştır.

Avrupa'da bilimin yeniden doğduğu Rönesans'ta (14-17. yüzyıl), prensler ve üst sınıftan insanlar "antika dolapları" diye isimlendirdikleri, içinde eski eserlerin yanı sıra egzotik minerallerin ve bir "doğal tarih" müzesine ait olabilecek birçok nesnenin gelişigüzel yerleştirilip sergilendiği bir takım koleksiyonlar oluşturmaya başladılar. Aynı dönemde bilginler de antik çağlardan kalma eserleri toplayıp çalışıyorlardı. Gelişmiş Yunan ve Roma uygarlık merkezlerinden çok uzaktaki kuzey ülkeleri de kendi geçmişlerine ait yerel kalıntıları topluyorlardı. Bu dönemde çalışılanlar daha ziyade açık arazideki anıtlardı. Genellikle taştan yapılmış ve hemen göze çarpan bu kalıntılar arasında Kuzeybatı Avrupa'daki heybetli taş mezar yapıları, şimdi tarihöncesine ait olduğunu bildiğimiz Stonehenge ya da Brittany'deki Carnac bulunmaktaydı. İngiliz William Stukeley (1687-1765) gibi dikkatli bilginler sistematik çalışmalar yaparak bunlardan bir kısmının günümüzde de hâlâ işe yarayan detaylı planlarını çıkarmışlardır. Stukeley ve meslektaşları, söz konusu yapıların devler ya da bunlara verilen Şeytan Okları gibi yerel isimlerin aksine, şeytanlar tarafından inşa edilmediğini, fakat geçmiş çağlarda yaşamış insanların eserleri olduklarını göstermeyi başardılar. Stukeley aynı zamanda, toprak

1.3 *William Stukeley'nin günlüğünden bir sayfa. Avebury'deki (Güney İngiltere) tarihöncesi anıtların çizimi.*

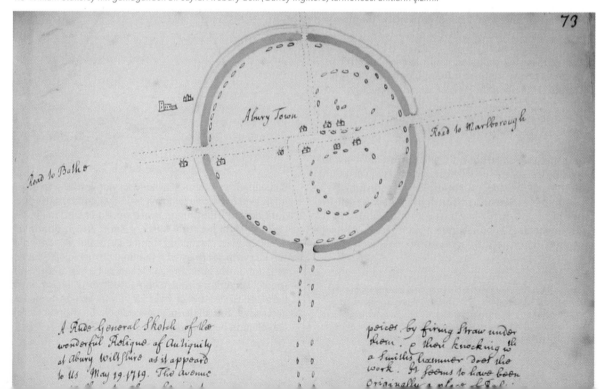

üstündeki eserlerin tabakalanmasını açıklamada da başarı sağlamıştır: Roma yolları anıtların bulunduğu tümsekleri kestiği için bunların anıtlardan daha geç olduğunu açığa çıkarmıştır. Aynı dönemde, 1675 civarında, Carlos de Sigüenza y Góngora Teotihuacan'daki Ay Piramidi'ne bir tünel açarak Yeni Dünya'nın ilk arkeolojik kazısını gerçekleştiriyordu.

İlk Kazılar

On sekizinci yüzyılda daha fazla macera düşkünü araştırmacı çok önemli bazı yerleşimlerin kazı çalışmalarını başlattı. Bunlardan biri, gerçek anlamda ancak 19. yüzyılda kazılacak olan Roma döneminden kalma olağanüstü buluntulara sahip İtalya'daki ünlü Pompeii şehriydi (arka sayfadaki kutuya bakınız). 1765'te Peru kıyısındaki Huaca de Tantalluc'ta yapılan bir höyük kazısında, çukur içinde bir adak bulunmuş ve höyüğün tabakalanması detaylı şekilde tarif edilmişti. Bununla birlikte geleneksel olarak "arkeoloji tarihindeki ilk bilimsel kazı çalışmasını" daha sonra Amerika Birleşik Devletleri'nin üçüncü başkanı seçilecek Thomas Jefferson'un (1743-1826) yaptığı kabul edilir. Jefferson Virginia'daki arazisinde bulunan bir tümülüsü 1784 yılında boydan boya bir açma açarak kazmıştı. Jefferson'ın çalışmaları Nazari Dönem'in sonunu işaret eder.

Jefferson'ın zamanında insanlar Mississippi Irmağı'nın doğusundaki yüzlerce tanımlanamayan höyüğün Kızılderililer değil de, yok olmuş mitolojik bir "höyük yapıcı" kavim tarafından meydana getirildiğini zannediyorlardı. Jefferson bugün bilimsel yaklaşım olarak tanımlayabileceğimiz bir yol izlemişti. Höyükler hakkındaki görüşleri eldeki somut delillere dayanarak test etmek için içlerinden birini kazdı. Yöntemlerindeki titizlik sayesinde, açtığı açmada farklı tabakaların bulunduğunu ve alt tabakadaki insan kemiklerinin, üst tabakadakilere nazaran daha kötü korunmuş olduklarını gözlemleyebilmişti. Bunlara dayanarak höyüğün farklı dönemlerde tekrar tekrar kullanılmış bir gömüt yeri olduğu fikrine vardı. Jefferson höyük yapıcıların kim olduğu sorusunun açıklığa kavuşabilmesi için daha çok kanıta ihtiyaç duyulduğunu bilmesine rağmen, o günlerde bölgede yaşayan Kızılderililerin atalarının bu höyükleri yapanlar olmadığını düşündürecek bir neden görmemekteydi.

Jefferson zamanının ilerisindeydi. İzlediği sağlam yol, yani modern arkeolojinin pek çok yönden temellerini oluşturacak dikkatle kazılmış kanıtlardan yapılan mantıklı çıkarımlar, Kuzey Amerika'daki takipçileri tarafından ciddiye alınmamıştı. Bu arada Avrupa'da da geniş çaplı kazılar yapılmaktaydı. Örneğin İngiliz Richard Colt Hoare (1758-1838) 19. yüzyılın başlarında Britanya'nın güneyinde yüzlerce tümülüs kazmıştı. Bu arazi anıtlarını, bugün de kullanılan çan tümülüsü gibi kategorilere başarıyla ayırdı. Ancak bu kazıların hiçbiri geçmiş hakkındaki bilgi dağarcığını arttırmıyordu, çünkü yapılan yorumlar hâlâ insanın yeryüzündeki varlığının hayli kısa olduğunu öne süren İncil yorumlarına dayalıydı.

1.4 *İlk kazılar: Richard Colt Hoare ve William Cunnington 1805'te Stonehenge'in kuzeyinde bir kazı yürütüyor.*

POMPEii'Yİ KAZMAK: GEÇMİŞ VE BUGÜN

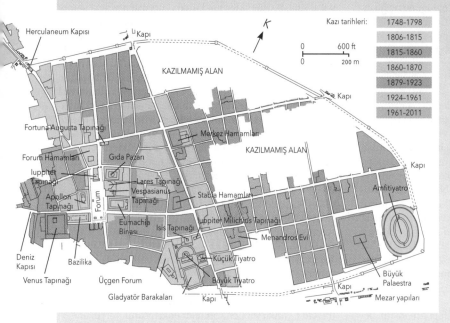

Kazı tarihleri:
1748-1798	
1806-1815	
1815-1860	
1860-1870	
1879-1923	
1924-1961	
1961-2011	

1.5 Pompeii'nin kazılmış alanlarını gösteren genel plan.

İtalya'nın Napoli Körfezi'ndeki Vezüv Yanardağı'nın eteğinde uzanan Pompeii ve Herculaneum şehirleri arkeoloji tarihinde çok özel bir yere sahiptir. Birçok büyük yerleşimin sistematik olarak kazıldığı bugün bile mükemmel bir şekilde korunmuş bu Roma şehirlerini ziyaret etmek dokunaklı bir deneyimdir.

Pompeii'nin kaderi, Romalı yazar Genç Plinius'un da bahsettiği dehşet verici bir olayla, MÖ 79 Ağustos'unda Vezüv'ün patlamasıyla çizilmişti. Şehir metrelerce kalınlıkta volkanik kül altında kalırken, çoğu şehir sakini kaçışları esnasında oksijensiz kalıp boğuldu. Yakınlardaki Herculaneum volkanik çamur içine gömüldü. On sekizinci yüzyılın başında geçmiş dönemlere merakın artmasına dek şehirler her şeyleriyle toprak altında yatıyorlar ve sadece tesadüfi keşiflerden biliniyorlardı.

Bölgede işlenmiş mermerlerin haberini alan Elboeuf Prensi, 1710'da bugün Herculenaum olarak bilinen arkeolojik alanını kuyular ve tünellerle incelemeye girişti. Şans eseri antik tiyatroyu -o zamana dek bulunmuş ilk eksiksiz Roma tiyatrosu- buldu, fakat aslında koleksiyonu için sanat eserleriyle ilgileniyordu. Bunları, konumları hakkında herhangi bir kayıt tutmadan topladı.

Elbouf'un akabinde Herculaneum'da 1738'de biraz daha sistematik şekilde temizlik başladı ve 1748'de Pompeii keşfedildi. Çalışmalar Napoli kral ve kraliçesinin gözetiminde devam etti, ama antik şaheserlerle kendi saraylarını süslemek dışında çok az şey yaptılar. Kısa süre sonra Herculaneum'un eteklerinde, heykelleri ve bütün bir kömürleşmiş papirüs kütüphanesiyle muhteşem bir villa keşfedildi: Papirüsler Villası. J. Paul Getty California Malibu'daki kendi müzesini bu villanın boyutlarını kullanarak inşa etti.

Kraliyet koleksiyonunun ilk kataloğu 1755'te basıldı. Sıklıkla klasik arkeolojinin babası olarak anılan Alman bilim adamı Johann Joachim Winckelmann Herculaneum buluntularıyla ilgili ilk bültenini yayımladı. O tarihten itibaren her iki şehirde ortaya çıkarılan buluntular müthiş bir uluslararası ilgi konusu oldu; mobilya ve iç dekorasyon üsluplarını etkiledi ve bir dizi romantik romana ilham kaynağı oldu.

Ancak Guiseppe Fiorelli'nin Pompeii'deki çalışmanın başına gelmesine kadar iyi şekilde kayıt altına alınmış kazılar başlamadı. Fiorelli 1864'te kül tabakasındaki iskeletlerin içinde bulunduğu boşluklarla ilgilenmenin dâhice bir yolunu buldu. Sadece boşlukların içini sıva alçısıyla doldurdu. Boşluğu çevreleyen kül tabakası kalıp görevini gördü ve sıva bozunmuş vücudun tam şeklini aldı (hafirler daha yeni bir teknikte kemiklerin ve buluntuların görülmesini sağlayan saydam cam elyafı kullanmıştır). Yirminci yüzyılda Amadeo Maiuri 1924-1961 arasında Pompeii kazılarını yönetti ve ilk kez MS 79 tarihli

1.6 Vücudun şekli nasıl elde edilir:

1 Volkanik tüf ve kül MS 79'da bir kurbanın üzerini örter.

2 Vücut gitgide çürür ve geride bir boşluk bırakır.

3 Arkeologlar boşluğu bulur ve içine sıvı alçı döker.

4 Alçı sertleşir ve tüfle külün ufalanarak temizlenmesine imkân verir.

zemin tabakasının altında sistematik kazılar yapılarak şehrin daha erken safhalarına ait kalıntılar gün ışığına çıkarıldı. Son yıllarda bu çalışmalara pek çok uluslararası arkeolog tarafından gerçekleştirilen hedefli kazılar eklendi. Kazılar değişen mülk sınırları ve arazi kullanımına dair karmaşık bir geçmişi açığa çıkararak Pompeii'nin küçük bir taşra yerleşiminden gelişkin bir Roma şehrine doğru nasıl büyüdüğünü göstermiş, sosyal ve ekonomik gelişimine ışık tutmuştur.

Pompeii bugüne kadar yapılmış en eksiksiz şehir kazısıdır. Şehir planı ana hatlarıyla açıktır ve çoğu kamu binası çok sayıda dükkân ve özel konutla birlikte araştırılmıştır. Yine de daha yeni çalışmalar ve yorumlar için muazzam bir potansiyel vardır.

Bugün Pompeii'yi ziyaret eden birisinin, bir buçuk yüzyıldan fazla bir süre önce Shelley'nin *Napoli'ye Övgü*'sündeki dizeleri hatırlamak zor değildir: "Topraktan çıkmış şehirde durdum/ve duydum sonbahar yapraklarını/sokaklardan geçip giden ruhların hafif ayak sesleri gibi/ve duydum dağın uykulu sesini zaman zaman/çatısız odalardan geçen heyecanı."

1.7–10 *(en üstte) Pompeii'nin başlıca işlek caddesi Via dell' Abboddanza'da 20. yüzyılın başında yapılan kazılar. (üstte) İffetli Âşıklar Evi'nden bu duvar resminde bir köle kız ziyafetin tadını çıkaran yarı çıplak çiftleri seyrediyor. (solda) İnsan vücudunun geride bıraktığı boşluğa dökülen alçı, kaçarken ölmüş bir Pompeii sakininin son hâlini yeniden ortaya çıkarır. (sağda) Pompeii'deki koruma koşulları olağanüstüdür. Mesela birçok kömürleşmiş yemiş, tohum ve yumurta günümüze gelmiştir.*

MODERN ARKEOLOJİNİN BAŞLANGICI

On dokuzuncu yüzyılın ortalarına gelindiğinde, arkeoloji disiplini hâlâ tam anlamıyla kurumsallaşmamıştı. Öte yandan, bir bilim dalı olarak yeni yeni gelişen jeolojide çok önemli bazı ilerlemeler meydana geliyordu. İskoçyalı jeolog James Hutton (1726-1797), *Theory of Earth* (1785) adlı kitabında, kayaların stratigrafisini, yani üst üste gelen katmanlar hâlinde dizilişlerini çalışmış, arkeolojik kazıların temelini oluşturacak birtakım prensipler ortaya çıkarmıştı. Bu prensiplerin bir kısmı zaten Jefferson'ın çalışmalarında da öngörülmüştü. Hutton kayalardaki katmanlaşmanın denizlerde, akarsularda ve göllerde hâlen devam eden bazı hareketlere bağlı olduğunu göstermişti. Bu "benzerlik kuramı" diye bilinen prensipti. Aynı görüş, Charles Lyell (1797-1875) tarafından *Principles of Geology* (1833) isimli kitabında savunulmuştur: Eski zamanların jeolojik koşulları aslında bizim zamanımızdakilere benzemekteydi veya "aynı aşamalardan geçmişti." Bu tez insanlığın geçmişine de uygulanabilirdi ve arkeolojinin en temel kavramlarından biri de böylece ortaya çıktı: Geçmiş birçok yönden aslında günümüze çok benziyordu.

İnsanın Kökeni

Bu fikirler, 19. yüzyıl entelektüel tarihindeki en önemli olaylarından birinin (aynı zamanda da arkeoloji disiplinindeki olmazsa olmaz bir niteliğin) temelini oluşturmuştur: insanın ortaya çıkışı. İnsan elinden çıkma aletlerin varlığına dair inandırıcı kanıtlar (bugün "el baltaları" ya da "iki yüzeyliler" olarak adlandırdığımız yontulmuş taşlar) ve soyu tükenmiş hayvanlara ait kemikler, bir gümrük memuru olan Fransız Jacques Boucher de Perthes (1788-1868) tarafından 1841'de yayımlandı. Somme Irmağı yakınındaki iri kum ocaklarında araştırmalar yapan Perthes, elindeki buluntuların insanlık tarihini İncil'deki Tufan'dan çok daha önceye götürdüğünü iddia ediyordu. Fikirleri pek çok kişi tarafından önceleri kabul görmedi. Ancak 1859'da iki önemli İngiliz bilim adamı, John Evans (1823-1908) ve Joseph Prestwich (1812-1896), Perthes'i Fransa'da ziyaret ettiler. Döndüklerinde delillerin gerçekliği konusunda bir şüpheleri kalmamıştı.

Günümüzde insanın kökeninin çok daha uzak bir geçmişe uzandığı genel olarak kabul edilir. Dolayısıyla, İncil'de öne sürüldüğü üzere dünyanın ve üzerindeki tüm varlıkların günümüzden sadece birkaç binyıl önce yaratıldığı düşüncesi kabul edilemez. İnsanlığın bir tarihöncesine sahip olması ihtimali ve aslına bakarsanız böyle bir tarihe duyulan *ihtiyaç*, kendisini göstermişti. "Tarihöncesi" veya "prehistorya" terimi, John Lubbock'un en çok satanlar listesine giren *Prehistoric Times* (1865) kitabının yayımlanmasından sonra genel olarak kullanılmaya başlamıştır.

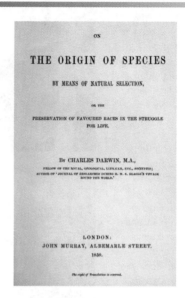

1.11 *Darwin'in kitabının kapak sayfası. Darwin'in evrim konusundaki fikirleri özellikle arkeoloji üzerinde büyük bir etki yapmıştır.*

Evrim Kavramı

Bu fikirler, 19. yüzyılın bir diğer büyük bilim adamı Charles Darwin'in (1809–1882) 1859 yılında yayımlanan temel eseri *Türlerin Kökeni*'nde belirtilen buluntularıyla da uyum içindeydi. Kitap, evrim kuramını bitki ve hayvanların ortaya çıkışını en iyi açıklayabilen teori olarak ortaya atmıştı. Evrim fikri yeni değildi; daha önceleri de bazı bilim insanları canlıların çağlar boyunca değiştiklerini veya evrim geçirdiklerini ileri sürmüşlerdi. Darwin ise bu değişimin *nasıl* meydana geldiğini göstermiştir. Darwin'in kelimeleriyle, doğanın temel düzeni "doğal seçilim"e veya "en iyi uyum sağlayanın hayatta kalması"na dayalıydı. Bu savaşta çevreye daha iyi adapte olmuş bireyler ya da canlı türleri yaşamayı başarırken, onlar kadar iyi uyum sağlayamayanlar ölmekteydi. Hayatta kalan bireyler sahip oldukları faydalı özellikleri bir sonraki nesle kalıtım yoluyla aktarabiliyorlar ve zaman içinde tüm türü öyle değiştiriyorlardı ki yeni bir canlı türü ortaya çıkıyordu. İşte bu, evrim süreciydi. Darwin'in diğer önemli eseri olan *İnsanın Türeyişi* 1872 yılına kadar yayımlanmamıştı, ama vardığı sonuçlar açıktı: İnsan türü de aynı sürecin bir parçasıydı. O hâlde, insanın kökeninin arkeolojik yöntemler kullanarak maddi kalıntılar içinde aramasına artık başlanabilirdi.

Üç Çağ Sistemi

Daha önce belirttiğimiz gibi, arkeolojik yöntemlerin bir kısmı –özellikle kazı alanında– zaten sürekli geliştirilmekteydi. Buna paralel olarak, tarihöncesi Avrupa çalışmala-

EVRİM: DARWIN'İN BÜYÜK FİKRİ

Evrim fikri arkeolojik düşüncenin gelişiminde büyük öneme sahip olmuştur. Her şeyden önce *Türlerin Kökeni* (1859) başlıklı eseriyle bitki ve hayvan türleri yanında insanın kökeni ve gelişimi meselesini de etkili bir şekilde açıklamış Charles Darwin'in adıyla özdeşleşmiştir. Bunu, bir tür içinde varyasyonların bulunduğu (bir birey diğerinden farklıdır), fiziksel özelliklerin de sadece kalıtımsal olduğu ve doğal seçilimin hayatta kalmayı belirlediği üzerinde durarak başarmıştır. Şüphesiz Darwin'in öncelleri vardı. Bunlardan Thomas Malthus nüfus baskısı nedeniyle rekabet kavramıyla ve jeolog Charles Lyell da kademeli değişim vurgusuyla etkili olmuştu.

Arkeoloji Üzerindeki Etkisi

Darwin'in çalışması Pitt-Rivers, John Evans ve Oscar Montelius gibi arkeologlar üzerinde etkisini hemen göstererek buluntuları tipolojik olarak incelemenin temellerini attı. Sosyal düşünürler ve antropologlar üzerindeki etkisi çok daha fazla oldu. Karl Marx (Marx aynı zamanda Amerikalı antropolog Lewis Henry Morgan'dan etkilenmiştir; ana metine bakınız) bu kişilerden biriydi.

Evrim ilkelerinin sosyal organizasyona uygulanışı, biyolojik olarak tanımlanmış türlerde geçerli detaylı kalıtsal aktarım mekanizmalarına her zaman uymaz. Kültür *öğrenilebilir* ve çoğunlukla ebeveynlerden çocuklara olduğundan çok daha fazla, nesilden nesile aktarılır. Aslında bir sav ya da yorum için kullanılan "evrimsel" terimi basitçe "genelleyici" anlamına gelir. Burada, 19. yüzyılın sonunda antropolojide Lewis Henry Morgan ve Edward Tylor'ın kapsamlı genellemelerinden, sıklıkla "tarihsel tikelcilik" diye adlandırılan

PROF. DARWIN.

1.12 Charles Darwin 1874'te bir maymun olarak karikatürize edilmiş. Çizime William Shakespeare'in Aşkın Çabası Boşuna *adlı oyunundan bir satırla başlık atılmıştır: "İşte bu maymun suret."*

ve antropolog Franz Boas'la ilişkilendirilen daha detaylı, betimleyici yaklaşıma doğru büyük bir geçiş yaşandığını bilmek önemlidir. İkinci Dünya Savaşı'ndan önceki ve sonraki yıllarda Leslie White ve Julian Steward gibi Amerikalı antropologlar Boas'ı kabul etmeyip uzun vadeli değişimlere genellemeler ve yorumlar getirmenin yollarını arayan yenilikçilerdi. White yıllar boyunca *The Evolution of Culture* (1959) gibi eserleriyle "kültürel evrimcilik" denebilecek akımın tek

taraftarı oldu. White ve Steward 1960 ve 70'lerde Yeni Arkeoloji'nin temsilcilerini, özellikle de Lewis Binford, Kent Flannery ve D.L. Clarke'ı güçlü biçimde etkiledi.

Son Yaklaşımlar

Evrimsel düşünce doğal olarak insanın kökenlerine dair görüşlerde önemli bir rol oynamaya devam etmiştir. Doğal seçilimin yanı sıra genetik sürüklenme ve bunun ifade ettiği her şey de biyolojik evrimde önemli bir etkendi. Evrim sürecinin kademeli olması gerekmediği anlaşılmıştır. Burada "kesintili denge" (ya da sıçramalı evrim) kavramı sahneye çıkar. Basit olması da gerekmez: Öz örgütlenen sistemler ve felaket teorisi 12. Bölüm'de tartışılmıştır. Amerika Birleşik Devletleri'ndeki yeni "akıllı tasarım" da yarar sağlamamış görünmektedir. Tanrı'nın varlığı hakkındaki geleneksel görüşlerde tasarımcının kimliğini gizlemek üzere değişiklik yapılmış bir versiyondur ve bilim değildir. Bununla birlikte Darwinci evrimsel düşünüşün, henüz insan kültürünün gelişimindeki süreçleri uygun şekilde açıklayan mekanizmalar üretmediği bilinmektedir. Richard Dawkins'in "gen" kavramına dayalı değişime özgü aktarılabilir bir aracı olan "mem" pratikte fayda sağlamamıştır. Evrimsel psikolojinin uygulanması da tam anlamıyla yararlı olmamıştır, ama birçok problemi çözebilmiştir. Burada Darwin'in evrim teorisinin yanlış ve uygunsuz olduğu iddiasında bulunulmamaktadır. Ayrıca şimdi moleküler genetik yanında dilbilim ve maddi kültüre de uygulanan çeşitlenmeye (filogenetik çalışmaları) yönelik bilgisayar destekli simülasyon çalışmaları ve yaklaşımları tatbik için yeni yollar sunmaktadır.

1.13 *C.J. Thomsen Üç Çağ Sistemi'ne göre düzenlenmiş Danimarka Ulusal Müzesi'nde ziyaretçilere etrafı gösteriyor.*

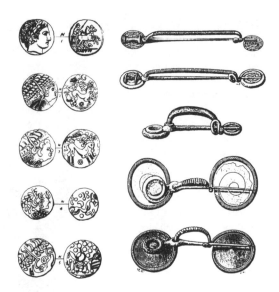

1.14 *Darwin'in etkisi bu erken tipolojilerde belirgindir: (solda) John Evans alttaki Kelt-İngiliz sikkelerinin üstteki Makedonia Philippos'a ait altın staterden geldiğini göstermenin yollarını aradı. (sağda) Montelius'un Demir Çağı fibulalarını (manto iğnesi) düzenleme şekli geçirdikleri evrimi gösteriyor.*

rında çok önemli rol oynayacak bir diğer kavramsal araç da oluşum aşamasındaydı: 1808 gibi erken bir tarihte Colt Hoare kazdığı höyüklerde taş, pirinç ve demir nesnelerden meydana gelen bir silsilenin farkında varmıştı, fakat konu ilk kez Danimarkalı bilim adamı C.J. Thomsen'in (1788-1865) 1836'da Kopenhag Ulusal Müzesi için hazırladığı rehberle sistematik olarak çalışıldı. Eser 1848'de *Guide to Northern Archaeology* olarak İngilizceye çevrildi. Bunda Thomsen koleksiyonların Taş, Tunç ve Demir olmak üzere üç ayrı çağ altında sınıflandırılıp incelenebileceğini belirtiyordu. Bu sınıflandırma çok geçmeden Avrupa'daki bilim insanları tarafından da kullanılmaya başlandı. Daha sonraları Taş Çağı, Paleolitik/Yontmataş Devri ve Neolitik/Cilalı Taş Devri olmak üzere ikiye ayrılmıştır. Bu terminoloji Afrika'da, Sahara'nın güneyindeki tunçtan habersiz bölgelerle tuncun pek önemli olmadığı ve demirin ancak Avrupalıların fetihlerinden sonra kullanıldığı Amerika kıtaları için genellikle geçersizdir. Fakat bir kavram olarak Üç Çağ Sistemi son derece önemliydi. Böylece, tarihöncesi buluntuların çalışılması ve sınıflandırılmasıyla kronolojik bir düzenlemenin yapılabileceği ve bunların ait olduğu dönemler hakkında bir kanıya varılabileceği ilkesi ortaya konulmuştu. Arkeoloji artık geçmişin tasavvurundan çıkıp titiz kazıları ve gün ışığına çıkan buluntuların sistematik incelenmesini içeren bir disiplin hâline dönüşmekteydi. Üç Çağ Sistemi kronolojik tarihleme alanındaki ilerlemelerin (4. Bölüm'e bakınız) gölgesinde kalmasına rağmen, arkeolojik buluntuların sınıflandırılmasında bugün de ağırlığını korumaktadır.

Bu üç büyük kuramsal gelişmenin –yani *insanın kökenleri*, Darwin'in *evrim kuramı* ve *Üç Çağ Sistemi*– sonucunda, geçmişi çalışabilmemiz ve geçmişe dair zekice sorular sorabilmemiz için sağlam bir yapısal çerçeve oluşmuştur. Darwin'in fikirleri başka bir açıdan da etkili oldu: İnsan kültürlerinin bitki ve hayvanlar gibi evrim geçirmiş olabilecekleri görüşü ortaya çıktı. 1859'dan hemen sonra, kendisinden ileride daha fazla bahsedeceğimiz General Pitt-Rivers ve John Evans gibi İngiliz bilim insanları buluntuların formlarını evrimsel bir çerçeveye oturtmanın yollarını aramaya başladılar. Bu çabalar bir süre sonra "tipoloji" denilen yöntemin –buluntuların kronolojiye veya gelişim süreçlerine göre sıralanması– gelişmesini sağladı. Sistem daha sonra İsveçli bilim adamı Oscar Montelius (1843–1921) tarafından daha da ileri götürülmüştür.

Etnografya ve Arkeoloji

Dönemin fikir dünyasındaki en önemli gelişmelerden birisi de etnografların dünyanın farklı yörelerinde yaşayan toplulukları çalışmalarıydı. Arkeologlar bunlardan yola çıkarak şüphesiz benzer basit araç gereçleri kullanmış olan kendi yerli atalarının yaşam şartlarını anlamaya yönelmişlerdi. Örneğin Kuzey Amerika'daki Kızılderililerle kurulan ilişkiler, tarihçilerin Keltler ve Britonların dövmeleri üzerine bir model oluşturmasına yardım etmiştir. Daniel Wilson ve John Lubbock gibi bilim insanları bu tür etnografik yaklaşımları sistematik olarak kullanmışlardır.

Aynı sıralarda etnograflar ve antropologlar da insanın gelişimini açıklamayı amaçlayan sınıflandırmalar önermekteydiler. Darwin'in evrim hakkındaki fikirlerinden etkilenen İngiliz antropolog Edward Tylor (1832-1917) ve Amerikalı meslektaşı Lewis Henry Morgan (1818-1881) 1870'lerde insan topluluklarının *vahşilikten* (basit avcılık), önce *barbarlığa* (basit tarım), sonra da *medeniyete* (en yüksek toplum düzeni) doğru evrim geçirdiğini ileri süren önemli eserler yayımladılar. Morgan'ın *Eski Toplum* (1877) adlı kitabı, kısmen onun Kuzey Amerika'da yaşayan Kızılderili topluluklarına dair engin bilgisine dayanmaktaydı. Onun fikirleri, özellikle de insanların bir zamanlar kaynakları eşit olarak paylaştıkları ilkel bir komünist sistem içinde yaşadıkları düşüncesi, Karl Marx ve Friedrich Engels'i etkilemiştir. Her ikisi de kapitalizm öncesi toplumlar hakkındaki yapıtlarında Morgan'dan büyük ölçüde faydalanmıştır. Bu görüşler daha sonraları birçok Marksist arkeoloğu etkiledi.

Eski Medeniyetlerin Keşfi

1880'lere gelindiğinde, modern arkeolojinin temelini oluşturan pek çok fikir geliştirilmişti. Ancak bunlar 19. yüzyılda Eski ve Yeni Dünya'daki eski medeniyetlerin keşfiyle şekillenmiştir.

Eski Mısır medeniyetinin ihtişamı Napoleon'un bölgeye 1798-1800 arasında düzenlediği askeri seferlerden sonra hevesli bir topluluğun zaten dikkatini çekmişti. Napoleon'un askerlerinden birinin bulduğu Rosetta Taşı Mısır hiyerogliflerinin çözümünde anahtar rol oynadı. Taşın üzerindeki metnin hem Mısırca hem Yunanca birer kopyası bulunuyordu. Fransız Jean-François Champollion (1790-1832) bu çift dilli yazıtı kullanarak 14 yıllık bir çalışmanın ardından 1822'de hiyeroglif yazısını deşifre etmeyi başardı. Buna benzer başka bir parlak başarı, Mezopotamya'daki birçok dilin yazıya geçirilmesinde kullanılan çivi yazısının gizemlerinin ortaya çıkarılmasıydı. 1840'larda Paul Emile Botta (1802-1870) önderliğindeki Fransızlar ve Austen Henry Layard'ın (1817-1894) başını çektiği İngilizler, "hangi tarafın en kısa zamanda ve en az ödenekle Mezopotamya harabelerinden daha çok sanat eseri çıkarabileceğini" görmek için alelacele yapılmış üstünkörü "kazılarla" rekabete girmişlerdi. Bu yarış esnasında titiz olmaktan uzak, kaba birtakım arkeolojik kazılar gerçekleştirdiler. Layard çok satan kitaplar yazdı ve Koyuncuk'ta bulunan büyük bir çivi yazılı tablet kütüphanesiyle devasa Asur kanatlı boğa heykellerini de kapsayan keşifleri sayesinde ünlendi. Henry Rawlinson (1810-1895) 1850'lerde kendisinden önceki araştırmacıların çalışmalarına dayanarak çivi yazısını deşifre etmesinden sonra Koyuncuk'un İncil'de anlatılan Ninova olduğu ortaya çıktı. Rawlinson çivi yazısını çözmeden önce, 20 yılını Bağdat'la Tahran arasında, geçit vermez sarp bir kayalık üzerindeki MÖ 6. yüzyıldan kalma üç dilli bir yazıtı kopyalayarak ve çalışarak geçirdi.

Mısır ve Yakındoğu aynı zamanda Amerikalı avukat ve diplomat John Lloyd Stephens'in (1805-1852) de ilgisini çekmişti, ancak tanınması Yeni Dünya'da gerçekleşecekti. İngiliz ressam Frederick Catherwood'la (1799–1854) birlikte gittiği Meksika'daki Yucatán bölgesi seyahatlerinden sonra, 1840'larda ikisi birlikte mükemmel resimlere sahip kitaplar yayımladılar. Bu kitaplar hevesli bir okuyucu kitlesine eski Maya uygarlığının harabe şehirlerini ilk kez göstermişti. Kuzey Amerika'daki toprak işlerinin yok olmuş bir beyaz "höyük yapıcılar" kavmi tarafından inşa edildiğini öne süren çağdaşı Kuzey Amerikalı araştırmacıların aksine (arka sayfadaki kutuya bakınız) Stephens, son derece doğru bir tespitle Maya anıtlarının "İspanyol fetihleri sırasında burada yaşayan aynı yerel ırk tarafından yapıldığını" öne sürmüştü. Aynı zamanda, farklı yerleşim yerlerinde benzer hiyeroglif yazıtların bulunduğunu da belirtmişti. Bundan yola çıkarak, Maya krallığında kültürel bütünlüğün oldu-

1.15 *Frederick Catherwood tarafından Copan'daki bir stelin doğru, ama kısmen romantik çizimi. Catherwood arkeolojik alanını 1840'da ziyaret ettiği sırada Maya hiyeroglifleri henüz deşifre edilmemişti.*

KUZEY AMERİKA ARKEOLOJİSİNİN ÖNCÜLERİ

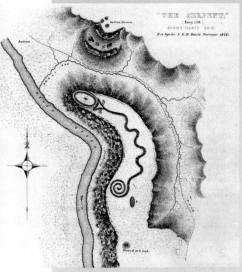

1.16 Squier ve Davis tarafından 1846'da hazırlandığı hâliyle Ohio'daki Büyük Yılan Höyüğü'nün planı.

On dokuzuncu yüzyıl Kuzey Amerika arkeolojisi hakkındaki incelemelere iki konu hâkimdir: Höyük Yapıcılar denilen kayıp bir kavmin varlığına dair kalıcı inanç ve "buzul adam"ın aranması. Sonuncusuna, yüzyılın ortasında Boucher de Perthes'in Somme Irmağı'ndaki keşifleri neden olmuştur. Buna göre Avrupa'da olduğu gibi Amerika kıtasında da insan fosilleri ve Taş Devri aletlerinin soyu tükenmiş hayvanlarla birlikte bulunacağı düşünülüyordu. Bu konuların iç yüzünü anlayabilmenin bir yolu, onları başlıca figürlerin çalışmaları aracılığıyla incelemektir.

Caleb Atwater (1778-1867)

Yeni kurulmuş Amerikan Antikacılar Derneği ilk çalışma raporu *Archeologia Americana*'da (1820), yerel bir postane müdürü olan Atwater'ın Circleville'deki (Ohio) tümülüsler ve toprak işler hakkında bir makalesine yer verilmişti. Atwater'ın araştırma çalışması değerlidir, zira incelediği tümülüsler zaten hızla yok oluyordu ve bugün artık hiçbiri kalmamıştır. Fakat Atwater höyüklerin buluntularına çok az ilgi gösterdi ve yorumları kendine özgüydü. Atwater bunları üç döneme ayırdı: modern Avrupalıların, modern Amerika yerlilerinin ve Hindistan'dan gelip daha sonra Meksika'ya yerleştiğine inandığı asıl Höyük Yapıcıların höyükleri.

Ephraim Squier (1821-1888)

Squier daha sonra diplomat olmuş Ohio'lu bir gazeteciydi. Ohio'lu doktor Edwin Davis'le birlikte tarihöncesi höyükler üzerine yaptığı çalışmasıyla ünlenmiştir. İkisi 1845-1847 arasında 200'ün üzerinde höyük kazmış ve birçok başka yapay toprak oluşumda doğru şekilde araştırmalar yapmıştır. Squier ve Davis'in, 1848 tarihli baş yapıtı *Ancient Monuments of Mississippi Valley*, yeni kurulmuş Smithsonian Enstitüsü'nün ilk yayınıydı ve bu eser hâlen faydalıdır. Yerleşimcilerin batıya doğru ilerlerken yok ettikleri de dâhil olmak üzere yüzlerce höyüğü kaydetmişler, kesitlerini ve planlarını vermişler, genel anlamda işlevin (gömüt yerleri, inşaat platformları, heykeller, tahkimatlar vs.) çıkarılabileceği

basit bir sınıflandırma sistemini benimsemişlerdir

Birçok çağdaşı gibi Squier ve Davis de höyüklerin "çalışmaya uzak duran avcılar" olan Amerika yerlilerinin kapasitelerinin üzerinde olduğunu düşündüler. Dolayısıyla işgalci Höyük Yapıcı ırk efsanesine bağlı kaldılar.

Samuel Haven (1806-1881)

Amerikan Antikacılar Derneği'nin kütüphane müdürü olarak Haven, Amerika arkeolojisi hakkındaki yayınlara dayanan ansiklopedik bilgi biriktirmişti. Okumadan gelen bu servetten 1856'da dikkat çekici bir sentez üretti: Modern Amerikan arkeolojisinin temel taşlarından biri olan Smithsonian Enstitüsü'nün yayımladığı *The Archaeology of United States*.

Bu eserde Haven ikna edici bir şekilde Amerika yerlilerinin çok kadim bir geçmişe sahip olduğuna ve kafatasıyla diğer karakteristik özelliklerine dayanarak Asya ırklarıyla muhtemel bağlarına işaret etti. Atwater ve Squier'a şiddetle karşı çıkarak gizemli höyüklerin yaşayan Amerika yerlilerinin ataları tarafından meydana getirildiği sonucuna vardı. Tartışma şiddetle devam etti, fakat Haven'in özenli yaklaşımı sorunun John Wesley Powell ve Cyrus Thomas tarafından çözülmesi için yolu açtı.

John Wesley Powell (1834-1902)

Ortabatı'da yetişmiş Powell, gençlik dönemini çoğunlukla höyükleri kazarak

1.17 Squier

1.18 Haven

1.19 Powell

1.20 Thomas

1.21 Putnam

1.22 Holmes

ve jeoloji öğrenerek geçirdi. Sonunda Birleşik Devletler Rocky Dağları Bölgesi Coğrafi ve Jeolojik Araştırması'nın başına getirildi. Hızla azalan Amerika yerli kültürleri üzerine kapsamlı bilgiler yayımladı. Washington'a giden bu enerjik bilim adamı sadece Jeolojik Araştırma'ya başkanlık etmekle kalmayıp, aynı zamanda kendi fikri olan Kuzey Amerika yerlilerini incelemek için kurulmuş Amerikan Etnoloji Dairesi'ni de yönetti. Amerika yerlilerinin hakları için mücadele eden cesur bir kampanyacı olan Powell, Kızılderililer için ayrılmış arazilerin meydana getirilmesini önerdi ve ayrıca kabilelerin sözlü geleneklerini kaydetmeye başladı.

Powell 1881'de dairenin arkeolojik programını yürütmek ve Höyük Yapıcıları konusunu nihai olarak neticelendirmek üzere Cyrus Thomas'ı görevlendirdi. Yedi yıl süren arazi çalışması ve binlerce höyüğün araştırılmasından sonra Thomas, Höyük Yapıcı ırkın asla var olmadığını kanıtladı: Anıtlar hayattaki Kızılderililerin ataları tarafından yapılmıştı.

Bununla birlikte Powell'ın dairesinin karşılaştığı tek ihtilaflı konu bu değildi.

1876'da New Jersey'li doktor Charles Abbott elindeki yontulmuş taşları, bunların Fransa'da bulunmuş Taş Devri aletlerine benzeyen Paleolitik örnekler olduğunu düşünen Harvard'lı arkeolog Frederic Putnam'a gösterdi. "Paleolitler" sorunu, Fransa'dan yeni dönmüş başka bir arkeolog olan Thomas Wilson'ın Kuzey Amerika'da Taş Devri iskânının varlığını ispatlamak üzere başlattığı mücadeleyle 1887'de sonuca vardı. Powell konuyla ilgilenmesi için William Henry Holmes'u kiralamıştı.

William Henry Holmes (1846-1933)

Holmes kariyerine jeolojik çizimci olarak başlamıştı ve bu eğitimi daha sonra arkeolojiyle ilgilendiğinde yararlı oldu. Powell'ın isteği üzerine beş yılını "paleolit" meselesini incelemek için harcadı. Sayısız örnek topladı ve bunların Taş Çağı aletleri olmadığını, sadece "Kızılderililerin yakın tarihli alet üretimlerinden kalma artıklar" olduğunu ispatladı. Hatta bizzat onlarla aynı "paleolitler" üretti. Abbott, Putnam ve Wilson yüzeysel benzerlikler üzerinden Fransız Taş Devri aletleriyle yanlış karşılaştırmalar yapmaya ikna edilmişlerdi.

1.24 *Putnam Fransa'dan tarihöncesi baltaları (solda) yanlışlıkla Charles Abbott'ın "paleolit"leriyle (sağda) karşılaştırdı. Holmes bunların daha yakın tarihli olduklarını ispatladı.*

Holmes'ün sistematik yöntemi aynı zamanda Amerika Birleşik Devletleri'nin doğusundaki yerli çanak çömleğine dair mükemmel bir sınıflandırma etüdü yapmasına, Güneybatı ve Meksika'daki kalıntılarla ilgili çalışmalarına yardım etti. Sonunda Powell'ın ardından Amerikan Etnoloji Dairesi'nin başına geçti. Ancak olgulardan ziyade teorilere kitlenip kalması yüzünden, kariyerinin sonlarına doğru 1920'lerdeki yeni keşiflerin ortaya koyduğu üzere insanların nihayetinde Kuzey Amerika'ya Eski Taş Devri'nde ulaşmış olma ihtimalini kabul etmesi zordu.

1.23 *Okutman Munro Dickeson tarafından 19. yüzyılda kendi höyük kazılarını göstermek üzere hazırlanmış 106 m genişliğindeki resmin bir bölümü.*

ğunu iddia etti. Ancak 1960'lara kadar Champollion veya Rawlinson gibi Maya hiyerogliflerini çözümleyebilecek biri ortaya çıkmadı (s. 414-415'teki kutuya bakınız).

İncil Mısır ve Yakındoğu'daki uygarlıkların gün ışığına çıkartılmasında nasıl önemli bir esin kaynağı olduysa, Homeros'un Troia Savaşı'nı anlatan destansı şiiri *Ilias* da Alman banker Heinrich Schliemann'ın (1822-1890) kayıp Troia şehrini bulmak için yola çıkmasına öncülük etmişti. Şansın büyük yardımı ve yerinde kararların ardından 1870 ve 1880'lerde Türkiye'nin batısında, Hisarlık kasabası civarında yaptığı bir dizi kazı çalışmasıyla Troia şehrini tespit edebildi. Bununla da yetinmeyerek Yunanistan'daki Mykenai'da yaptığı kazılarla Troia'daki gibi yine daha önce bilinmeyen bir uygarlığı gün ışığına çıkardı. Schliemann'ın kazı yöntemi üstünkörü ve gözü kara olmakla eleştirilmiştir. Ancak onun zamanında yapılan kazıların çok azında titiz yöntemler uygulanmaktaydı. Ayrıca Schliemann, bir höyükteki tabakaların yorumlanarak geçmişin yeniden kurgulanabileceğini gösterdi. Ancak tam anlamıyla modern arazi tekniklerini yerleştirmek, General Pitt-Rivers ve William Flinders Petrie gibi bir sonraki neslin arkeologlarına düştü (karşı sayfadaki kutuya bakınız).

İlginçtir ki Avrupa'da geçmişin araştırılmasına yönelik yavaş gelişen yöntemler, 1862'de Hindistan Arkeoloji Araştırması'nın kurulmasıyla geri planda kaldı. Bu kurum Hindistan hükümeti tarafından kurulmuştu, çünkü Genel Sömürge Valisi Lord Canning, "aydın yönetici güç olarak eğer bu tür araştırmalara izin vereceksek, bu tür gelişmelerin dışında kalmak bizim hiç yararımıza olmaz" diye düşünmekteydi. 1922'de Sir John Marshall, büyük Eski Dünya medeniyetlerinin sonuncusunu, yani İndus medeniyetini keşfetti. 8 hektarlık bir kısmı gün ışığına çıkarılmış Tunç Çağı'na ait Mohenjodaro'da ve antik Taksila'da yaptığı büyük ölçekli kazıların yüksek niteliği, dönemin kazı raporlarına günümüzde de bu yerleşimlerin mekân kullanım analizleri için başvurulmasından anlaşılabilir.

SINIFLANDIRMA VE GÜÇLENEN TEMELLER

Böylece, 19. yüzyıl son bulmadan modern arkeolojinin birçok temel prensibi yerine oturmuştu ve eski uygarlıkların çoğu da keşfedilmişti. Bunu takip eden ve 1960'a kadar süren dönemi, Gordon Willey ve Jeremy Sabloff *A History of American Archaeology* adlı kitaplarında "sınıflandırmalı-tarihsel dönem" olarak tanımlamaktadır. Onların da değindikleri gibi, bu dönemdeki en önemli ilgi alanı kronolojiydi. Bölgesel kronoloji sistemlerinin geliştirilmesi ve her bölgede kültürlerin gelişimlerinin tanımlanması için oldukça çaba harcanmıştır.

Erken medeniyetlerin ortaya çıktığı bölgelerde yapılan yeni araştırmalar ve keşiflerle kronolojideki boşluklar dolduruldu. Alfred Maudslay (1850-1931) Maya arkeolojisinin gerçek bilimsel temellerini atarken, Alman bilim adamı Max Uhle (1856-1944) de 1890'larda Peru'nun kıyı kesiminde yer alan Pachacamac'taki kazılarıyla Peru uygarlığının sağlam bir kronolojisini geliştirmeye başladı. Flinders Petrie'nin (1853-1942) Mısır'da titizlikle yürüttüğü çalışmalar, Howard Carter'ın (1874-1939) (s. 64-65'deki kutuya bakınız) 1920'de Tutankhamon'un mezar yapısını bulmasıyla sürdü. Ege bölgesinde Arthur Evans (1851-1941), Girit'te daha önce bilinmeyen bir uygarlık keşfetti ve bu uygarlığa "Minos" adını verdi; Minos uygarlığının, Schliemann'ın Miken uygarlığından bile daha eski olduğu ortaya çıktı. Mezopotamya'da ise Leonard Woolley (1880-1960) İncil'de Hz. İbrahim'in doğduğu kent olarak geçen Ur'u kazdı ve Sümerleri eski dünya coğrafyasına yerleştirdi.

Bununla birlikte, 20. yüzyılın ilk yarısındaki en önemli katkıların bazılarını Avrupa ve Kuzey Amerika'daki tarihöncesi toplumları çalışan bilim insanları gerçekleştirmiştir. Britanya'da yaşayan parlak Avustralyalı Gordon Childe (1892-1957), tarihöncesi Avrupa ile genel anlamda Eski Dünya tarihi üzerine öncü düşünür ve yazardı. Amerika Birleşik Devletleri'nde antropologlar ve Kızılderilileri çalışan arkeologlar arasında yakın bağlar bulunuyordu. Antropolog Franz Boas (1858-1942), öncelleri Morgan ve Tylor'un yarattığı geniş ölçekli evrimsel şemalara şiddetle karşı çıkmış, arazi çalışması esnasında kanıtların toplanmasına ve sınıflandırılmasına daha çok ilgi gösterilmesi gerektiğini vurgulamıştır. Çanak çömlek ve sepetler üzerindeki desenler veya mokasen tipleri gibi kültürel özellikleri içeren geniş kapsamlı envanterler oluşturulmaya başlandı. Bu gelişmeler, "doğrudan tarihsel yaklaşım"a yakından bağlıydı ve bu yaklaşımı benimseyen arkeologlar, modern Kızılderili çanak çömleğiyle diğer üslupların kökenlerini "doğrudan" uzak geçmişe kadar izlemeye çalışmışlardır. Amerika Birleşik Devletleri'nin doğusunda Cyrus Thomas ve daha sonra W.H. Holmes'un (s. 30-31'deki kutuya bakınız) çalışmaları, A.V. Kidder'ın (1885-1963) 1915-1929 arasında Amerika Birleşik Devletleri'nin güneydoğusundaki Pecos Pueblo'da yaptığı kazılarla desteklenmiştir. Bu kazılar Kidder'ın söz konusu bölge için kronolojik bir çerçeve oluşturmasına yardım etmiştir (s. 35'teki kutuya bakınız). Daha sonra, James A. Ford (1911-1968) Güneybatı Amerika için ilk temel kronolojik çerçeveyi oluşturdu. 1930'lara gelindiğinde, yerel kronolojilerin sayısı o kadar artmıştı ki W.C. McKern liderliğinde bir araya gelen bilim insanları "Ortabatı Sınıflandırma Sistemi" olarak bilinen çalışmalarıyla o güne kadar bilinen bütün koleksiyonlar arasındaki benzerlikleri tanımlayarak kronolojilerin karşılaştırmalı sonuçlarını yayımladılar. Bu yöntem başka alanlarda da uygulandı.

Bu arada, Gordon Childe Avrupa'nın tarihöncesi kronolojileri üzerine tek başına benzer karşılaştırmalar yapıyor-

ARAZİ TEKNİKLERİNİN GELİŞİMİ

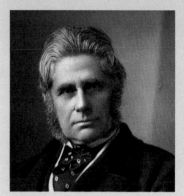

1.25 *General Pitt-Rivers*

Bilimsel kazılar için sağlam bir metodoloji ancak 19. yüzyılın sonunda benimsenmeye başlanmıştır. O tarihten itibaren ve 20. yüzyıl boyunca önemli figürler kendilerine ait çeşitli yollarla bugün kullandığımız modern arazi yöntemlerinin oluşturulmasına katkıda bulunmuşlardır.

General Augustus Lane-Fox Pitt Rivers (1827-1900)

Hayatının büyük bölümünde profesyonel asker olan Pitt-Rivers, Güney İngiltere'deki arazilerinde yaptığı mükemmel derecede düzenli kazılarına yılların birikimi olan askeri yöntemleri, tetkikleri ve kesinliği getirdi. Planlar, kesitler hatta modeller yaptı ve her bir nesnenin kesin yerini kaydetti. Güzel hazineler bulmakla değil, ne kadar sıradan olursa olsun bütün nesneleri çıkarmakla ilgilendi. Eksiksiz kayıt konusundaki ısrarıyla bir öncüydü ve Cranborne Chase'te 1887-1898 arasında yaptığı kazıları şahsen bastırdığı dört ciltte anlattı. Bunlar arkeolojik yayıncılığın en yüksek standardını temsil ediyordu. Aslına bakılırsa kayıtları o kadar titizdi ki, arkeolojik alan bugün de bu monografilerle yeniden yorumlanmaya devam etmektedir.

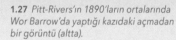

1.26 *Charborne Chase'teki Wor Barrow'da süren kazı (yukarıda). Sonunda höyük tamamen kaldırılmıştır.*

1.27 *Pitt-Rivers'ın 1890'ların ortalarında Wor Barrow'da yaptığı kazıdaki açmadan bir görüntü (altta).*

1.28 *Pitt-Rivers'ın titiz kayıtlarına bir örnek (aşağıda): Cranborne Chase'deki Höyük 27'nin planı.*

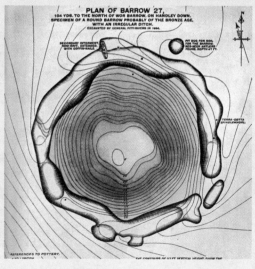

Sir William Flinders Petrie (1853-1942)

Pitt-Rivers'ın daha genç çağdaşı olan Petrie, tıpkı onun gibi titiz kazıları, sadece güzel nesnelerin değil, bulunan her şeyin toplanması ve tarifi yanında eksiksiz yayın ısrarıyla bilinir. Bu yöntemleri önce Mısır ve daha sonra Filistin'de 1880'lerden ölümüne kadar örnek kazılarında uyguladı. Petrie ayrıca kendisine ait bir kronolojik sıralama veya "stratigrafik silsile tarihlemesi"ni geliştirerek bunu Yukarı Mısır'ın Nakada mezarlığındaki 2200 çukur mezarı kronolojik düzene oturtmak için kullandı (4. Bölüm'e bakınız).

1.29 Mısır'daki Gize'de, 1880'lerin başında içinde yaşadığı mezar yapısının dışında Flinders Petrie (yukarıda).

Sir Mortimer Wheeler (1890-1976)

Wheeler her iki dünya savaşında da İngiliz ordusunda çapışmıştı ve Pitt-Rivers gibi kazılarına askeri hassasiyeti getirdi. En dikkat çekici olanlardan biri plankare tekniğidir (3. Bölüm). İngiliz yüksek kaleleri, özellikle de Maiden Castle'daki çalışmasıyla tanınır.

    Bununla birlikte, Hindistan'da Arkeoloji Genel Müdürlüğü yaptığı 1944-1948 yılları arasındaki başarıları aynı derecede önemlidir. Burada modern arazi yöntemleri üzerine eğitim sınıfları kurmuş ve Harappa, Taksila, Çarsadda ve en meşhur kazılarından biri olan Arikamedu gibi yerleşimleri kazmıştır. Ancak Maiden Castle, Arikamedu ve Çarsadda'da daha sonra yapılan kazılar kaçınılmaz olarak temel savlarının düzeltilmesini gerektirmiştir.

1.30–31 Sir Mortimer Wheeler (yukarıda) ve Hindistan'daki Arikamedu'da yaptığı kazı, 1945 (aşağıda).

Dorothy Garrod (1892-1968)

Dorthy Garrod 1937'de Cambridge'te herhangi bir bölüme atanmış ilk kadın profesör ve muhtemelen dünyada bu mevkiyi elde etmiş ilk kadın tarihöncesi uzmanı oldu. Irak'taki Zarzi ve Filistin'deki Karmel Dağı'nda yürüttüğü kazılar, Orta Paleolitik'ten Mezolitik'e kadar Yakındoğu'nun büyük bir kısmı için anahtar rolünü üstlenmiştir. Garrod ayrıca Neanderthal'ler ile *Homo sapiens* arasındaki ilişkiyi anlamamız açısından önem taşıyan fosil insan kalıntıları bulmuştur. İlk tarım topluluklarının öncesi olan Natuf kültürünü keşfetmesiyle birlikte bugün tam anlamıyla çözülmemiş bir dizi yeni sorun ortaya attı.

1.32 Dorothy Garrod (yukarıda) tarihöncesi Yakındoğu'yu sistematik olarak incelemiş ilk kişilerden biriydi.

Julio Tello (1880-1947)

"Amerika'nın ilk yerli arkeoloğu" Tello Peru'da doğmuş ve çalışmış, kariyerine Peru dilbilimi üzerine araştırmalarıyla başlamış ve antropolojiye geçmeden önce tıp doktoru olmaya hak kazanmıştır. Dikkatleri Peru'nun arkeolojik mirasına çekmek için çok çabalamış ve anahtar arkeolojik alan Chavín de Huantar ile aslında Sechín Alto, Cerro Sechín ve Wari'deki diğer büyük arkeolojik alanların önemini ilk fark eden kişi olmuştur. Aynı zamanda Peru'daki medeniyetin otonom yükselişini vurgulayan başlıca bilim adamıdır ve Peru Ulusal Arkeoloji Müzesi'ni kurmuştur.

Alfred Kidder (1885-1963)

Kidder zamanının önde gelen Amerika arkeolojisi uzmanıydı. Maya arkeolojisinde önemli bir figür olmasının yanı sıra, New Mexico'nun kuzeyindeki büyük bir Kızılderili yerleşimi olan Pecos kalıntılarında 1915-1929 arasında yaptığı kazılarla Birleşik Devletler'in güneybatısının arkeolojik haritaya girmesinden büyük ölçüde sorumludur. Bölgedeki araştırmalarını konu alan *Study of Southwestern Archaeology* (1924) bir klasik olmuştur.

Kidder buluntuların ve insan kalıntılarının incelenmesine yardım edecek bir uzman ekibi kullanan ilk arkeologlardan biriydi. Ayrıca bir bölgesel strateji için yarattığı "şablon" dolayısıyla da önemlidir: (1) keşif; (2) arkeolojik alanların kalıntılarını kronolojik olarak sınıflandırmak için kıstasların seçilmesi; (3) muhtemel bir kesit için kronolojik sıralama; (4) özel sorunları çözmek için stratigrafik kazı (5) bunları takiben daha detaylı bölgesel araştırma ve tarihleme.

1980'den sonra Arazi Çalışmaları

1980'den beri arkeolojik arazi çalışmaları birkaç yeni yönde ilerlemiştir. Bunlardan biri, George Bass'in Güney Türkiye açıklarındaki Tunç Çağı Gelidonya batığında yaptığı çalışmalarla ciddi bir araştırma yöntemi olarak ortaya çıkmış sualtı arkeolojisidir. Bu, bütünüyle deniz tabanında kazılmış ilk eski gemi kalıntısıydı. Bass ve ekibi şimdi birçoğu standartlaşmış sualtı teknikleri icat etmiş ya da geliştirmiştir (s. 113 ve 380-381'deki kutulara bakınız).

Karada ise 1960'lardaki ekonomik patlama birçok arkeolojik alanı tehdit ve yok eden yol ve bina inşaatlarına yol açtı. Böylece ya koruma ya da tahribat öncesi kayıt ve kazıyla kültürel kaynakların yönetimine yapılan vurgular arttı (s. 574-75'deki kutuya bakınız).

Avrupa'da tarihi şehir merkezlerinin yeniden imarı birçok dönemi kapsayan ve yeni analiz tekniklerine ihtiyaç duyan çok karmaşık kazılara yol açtı. Nihayet, son yıllarda arazi çalışmalarında bilgisayarın kullanımı, geçmiş toplumların geride bıraktığı kalıntıları çıkarma ve anlamada bize yardım edecek yeni araçlar sunmuştur.

1.33–35 *Muhtemelen 20. yüzyılın en büyük Yerli Amerikalı -Quechua yerlisi- sosyal bilimcisi ve Peru arkeolojisinin babası Julio Tello (sol altta). Alfred Kidder (sağ altta) ve Pecos Kızılderili yerleşmesindeki stratigrafiyi gösteren ona ait kesit çizimi (altta).*

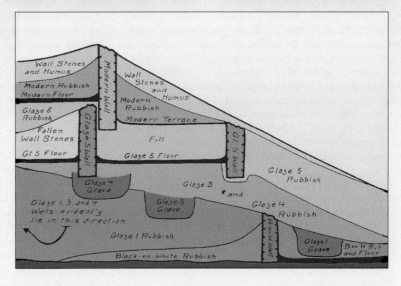

1.36 *Profesör Gordon Childe Orkney'deki Skara Brae'da bulunan Neolitik yerleşimde, 1930.*

du. Hem onun hem de Ortabatı Sınıflandırma Sistemi'nin uyguladığı yöntemler eldeki malzemeyi bir düzene sokmayı, bunların dönemlerini belirlemeyi ve öteki buluntularla çağdaş olup olmadıkları gibi soruları cevaplamayı amaçlıyordu. Sonuncu sorun, Gordon Childe'ın açıkça belirttiği bir varsayımı da içinde barındırıyordu: Kendisini devamlı olarak arkeolojik kayıtlarda gösteren bir koleksiyon ya da bir buluntu "grubu" (Childe'ın terminolojisinde "kültür"; McKern'de "unsur") belli bir topluluğun temsilcisi maddi donanımı oluşturur. Bu yaklaşım, "bu nesneler kimlere aitti?" sorusunu çok genel anlamda cevaplayabilme ümidini sunuyordu. Cevap da tarihöncesi topluluklara orijinal isimleri yerine modern isimler vermekti (12. Bölüm'de tartışacağımız gibi, böyle bir adlandırmanın tehlikeleri vardır).

Childe *The Dawn of European Civilization* (1925) ve *The Danube in Prehistory* (1929) gibi önemli eserlerinde, sadece kültürel kronolojileri tanımlayıp karşılaştırmalı ilişkiler kurmanın ötesinde kültürlerin kökenini araştırmaya yönelmiştir.

On dokuzuncu yüzyılın sonunda Montelius gibi bilim insanları, Yakındoğu'da günışığına çıkartılan eserlerin zenginliğine bakarak taş mimariden metal silahlara kadar bütün kültür vasıflarının buradan Avrupa'ya ticaret veya göç yoluyla yayıldığını ya da "nüfuz ettiğini" ileri sürmüşlerdi. Elinin altında çok geniş bir kanıt yelpazesi bulunan

Childe, bu aşırı uç "yayılmacı" (difüzyonist) yaklaşımda değişiklikler yapmış ve Avrupa'nın da kendi içinde bazı gelişmeler gösterdiğini iddia etmiştir. Fakat yine de, büyük kültürel değişimleri Yakındoğu etkisine bağlamıştır.

Man Makes Himself (*Kendini Yaratan İnsan*, 1936) gibi sonraki kitaplarında Childe çok daha zor bir soruyu cevaplamaya çalıştı: Uygarlık neden Yakındoğu'da ortaya çıkmıştı? Marksist fikirlerden ve Rusya'da yakın tarihte meydana gelen Marksist devrimden etkilenen Childe, tarımın ortaya çıkışına neden olan bir Neolitik Devrim'in, daha sonra da ilk şehirlerin oluşumunu sağlayan bir Kentsel Devrim'in varlığını ileri sürdü. Childe geçmişte neden birtakım olayların gerçekleştiğini ve değiştiğini sorgulayabilen neslinin en cesur arkeologlardan biriydi. Çağdaşlarının çoğu kronolojiler ve kültürel devamlılıklar oluşturmakla meşguldü. Ancak İkinci Dünya Savaşı'ndan sonra geleneksel yaklaşımları sorgulayan bilim insanları yeni fikirleriyle ortaya çıktılar.

Çevrebilimsel Yaklaşım

Kuzey Amerika'daki bu yeni nesil bilim insanları arasında antropolog Julian Steward (1902-1972) en etkililerinden biriydi. Childe gibi o da kültürel değişimi açıklamaya çalışıyordu, fakat aynı zamanda yaşayan kültürlerin nasıl işlediği hakkında bir antropologun gözüyle sorular sormuştur. Ayrıca kültürlerin birbirleriyle olduğu kadar çevreyle de etkileşim içinde bulunduğu gerçeğinin altını çizmiştir. Çevreye uyum sağlama sürecinin kültürel değişimlere yaptığı etkilerin araştırılması, Steward tarafından "kültürel çevrebilim" olarak adlandırılmıştır.

Bu fikirlerin arkeolojiye doğrudan etkisi, özellikle Steward'ın lisansüstü çalışma arkadaşlarından Gordon Willey'in 1940'larda Peru'daki Virú Vadisi'nde yaptığı öncü çalışmalarda görülebilir. Kolomb öncesi yerleşimlerin 1500 yıllık tarihi üzerine olan bu proje detaylı haritalar ve hava fotoğraflarının incelenmesi (s. 82-83'deki kutuya bakınız), yüzey araştırmaları, kazı çalışmaları ve yüzeyden çanak çömlek toplanması yoluyla yerleri tespit edilmiş yüzlerce tarihöncesi yerleşimin tarihlendirilmesini amaçlamaktaydı. Ardından Willey, vadideki yerleşimlerin farklı dönemlerdeki dağılımlarını haritalar üzerinde işaretlemiş ve bunları yerel çevreyle karşılaştırmıştır. Bu, arkeolojideki ilk yerleşim modeli çalışmalarından biriydi (bkz. 3 ve 5. bölümler).

Öte yandan, Steward'tan bağımsız olarak İngiliz arkeolog Grahame Clark (1907-1995) arkeolojik arazi çalışmalarıyla daha doğrudan ilişkili bir çevrebilimsel yaklaşım geliştirmişti. Çağdaşlarının buluntu ağırlıklı kültürel tarih yaklaşımını reddederek insanların çevrelerine nasıl uyum sağladıklarının araştırılmasıyla eski toplumların birçok yönünün anlaşılabileceğini öne sürdü. Bunun için arkeolojik kayıtlarda hayvan kemikleri ve bitki kalıntılarını tespit edebilecek yeni türden uzmanlarla işbirliği şarttı: Onlar sadece tarihöncesi çevrenin nasıl olduğunu değil, aynı zamanda tarihöncesi

1.37 *Gordon Willey Belize Vadisi projesi sırasında Barton Romie'deki bir test açmasında Maya yerleşme şekillerini inceliyor, 1953-1960.*

insanların beslenme alışkanlıklarını ortaya çıkarmak için de gerekliydi. Clark'ın 1950'lerde Kuzeydoğu Britanya'daki Star Carr'da yaptığı kazı bir dönüm noktası olmuş ve taş mimarisi bulunmayan, üstelik Buzul Çağı'nın hemen sonrasına tarihlenen ve "umut vaat etmeyen" bir yerleşimden ne kadar çok bilgi elde edilebileceğini de göstermiştir. Dikkatli çevre analizleri ve organik kalıntılar, insanların alageyik avladığı ve bol miktarda yabani bitki yiyerek beslendiği, bir zamanlar göl kıyısında bulunan bir konak yeri meydana çıkardı. Çevrebilimsel yaklaşım sadece münferit yerleşimlerle ya da yerleşim gruplarıyla sınırlı kalmamıştır. Clark, *Prehistoric Europe: The Economic Basis* (1950) adlı asıl önemli eserinde, çeşitli insan topluluklarının Avrupa coğrafyasına binlerce yıl boyunca süren adaptasyonlarını geniş bir perspektifle ele almıştır.

Bu erken çevrebilimsel uygulamaların bir sonucu olarak, 6 ve 7. bölümlerde bahsedeceğimiz gibi, çevre ve beslenme alışkanlıklarının rekonstrüksiyonlarıyla ilgilenen bir alan ortaya çıkmıştır.

Arkeolojiye Yardımcı Bilimlerin Ortaya Çıkışı

İkinci Dünya Savaşı'nı takip eden dönemdeki bir diğer çarpıcı ilerleme, arkeolojiye yardımcı bilim dallarında yaşanan hızlı gelişmeydi. Çevrebilimsel yaklaşımın öncülerinin bu alandaki uzmanlarla yaptıkları çalışmalardan yukarıda söz etmiştik. Fakat daha da önemlisi, fizik ve kimya bilimlerinin arkeolojiye uygulanmasıdır.

En önemli yenilik tarihleme konusunda olmuştur. Amerikalı kimyager Willard Libby (1908-1980) 1949'da rad-

yokarbon (C_{14}) izotopuyla tarihleme yöntemini bulduğunu dünyaya duyurdu. Fakat bu önemli teknik başarının etkileri ancak on yıl sonra hissedilmeye başlandı (aşağıya bakın). Bununla birlikte vaat ettikleri açıktı: Nihayet arkeologlar genellikle yazılı kaynaklar sayesinde tarihlenebilmiş bölgelerle karmaşık kültürel karşılaştırmalar yaparak diğer yerleşim ve buluntuların yaşını saptamak zorunda kalmadan, dünya üzerindeki herhangi bir yere veya nesneye bağımsız biçimde bir tarih verebileceklerdi.

Dolayısıyla geleneksel olarak tarihöncesi Avrupa, erken dönem Yunanistan'ıyla arasındaki varsayılan ilişkilere göre tarihlendirilmekteydi. Öte yandan, Yunanistan'ın kronolojisi de yazılı kaynaklar yardımıyla kendi içinde tarihlendirilebilen Eski Mısır'a dolaylı yoldan bağlıydı. Şimdi radyokarbon yöntemiyle tarihöncesi Avrupa için tamamen bağımsız bir kronoloji yaratabilme olanağı vardı. Dördüncü Bölüm'de genel olarak tarihleme yöntemleri ve özellikle de radyokarbon yöntemi üzerinde ayrıntılı olarak durulacaktır.

Bilimsel tekniklerin arkeolojide kullanımı öylesine yaygınlaşmıştı ki, 1963'e gelindiğinde Don Brothwell ve Eric Higgs (1908–1976) tarafından yayına hazırlanan *Science in Archaeology* başlıklı kitap 600 sayfayı dolduracak kadar kapsamlı bir çalışma olmuştu. Elli beş uzmanın katkıda bulunduğu eser sadece tarihleme teknikleriyle hayvan ve bitki kalıntılarının incelenmesine değil, aynı zamanda insan kalıntıları (11. Bölüm'e bakınız) ve insan elinden çıkma nesnelerin analiz metotlarına da (8 ve 9. bölümler) eğiliyordu.

İnsan yapısı buluntuların incelenmesi erken dönem ticaret ilişkilerini anlayabilmemiz açısından son derece önemlidir. Böylece belli nesnelerin hammaddelerini tespit etmek ve bunların hangi kaynaklardan geldiklerini saptamak iz element analizi (madde içinde çok az bulunan elementlerin ölçümü) adı verilen teknikle mümkün olmuştur (s. 366-370'e bakınız). Birçok yöntem gibi bu alandaki araştırmaların da kökeni, Avusturyalı arkeolog Richard Pittioni'nin (1906-1985) iz element analizini eski bakır ve bronz nesnelere uyguladığı 1930'lara dayandırılabilir. Yine de, bu ve benzeri yeni bilimsel teknikler ancak savaş sonrası yıllarda arkeoloji üzerinde önemli bir etki yapacaktı. Örneğin bilgisayar ve yazılımların giderek artan gücü, bu yöntemleri veri işlemenin birçok farklı unsuru için zorunlu kılmıştır.

Son on yıl içinde biyokimya ve moleküler genetikteki ilerlemeler, moleküler arkeoloji ve arkeogenetik gibi yeni disiplinlerin ortaya çıkmasına yol açmıştır. Organik kimyanın hassas teknikleri organik kalıntıların kesin tanımlarına izin vermeye başlamış, öte yandan izotop çalışmaları hem beslenme alışkanlıkları hem de yiyeceklere dair yeni içgörüler sağlamaktadır. Modern ve eski DNA'ların incelenmesi insan evriminin çalışılmasında yeni yaklaşımlar sunmuştur; şimdi de bitkilerin kültüre alınması ve hayvanların evcilleştirilmesiyle ilgili araştırmaları sistematik, moleküler düzeye taşımaya başlamıştır.

ARKEOLOJİNİN KADIN ÖNCÜLERİ

İlk kadın arkeologların öyküleri çoğunlukla dışlanma ve tanınmama ya da terfi mahrumiyeti, hatta işsizlikle bezelidir. Dahası akademideki birçok parlak kadın evlendikten sonra profesyonel bir kariyerlerinin olmayacağını kabullenmiş ve tanınırlıkları olmaksızın eşlerinin akademik çalışmalarını desteklemişlerdir.

Bu durum günümüze kadar süregelmiştir; dolayısıyla aşağıdaki kadın öncüler daha çok öne çıkmaktadır.

1.38 *Harriet Boyd Hawes, Girit'teki Minos yerleşmesi Gournia'nın kâşifi (1892'de).*

Harriet Boyd Hawes (1871-1945)

İyi eğitim görmüş olan Hawes, Klasik bilimlerde uzmanlaştı ve Eski Yunancası akıcıydı. Yirmili yaşlarının başında mezun olur olmaz, tek başına ya da bir kadın arkadaşıyla birlikte katır sırtında Girit'in tehlikeli bölgelerinde tarihöncesi arkeolojik alanları aradı. 1901'de bir Tunç Çağı yerleşimi olan Gournia'yı –gün ışığına çıkarılan ilk Minos kasabası- keşfetti ve sonraki üç sene boyunca yüz kadar yerel işçiyi yöneterek kazı yaptı. Buluntuları örnek alınacak bir şekilde bol resimli ve bugün de başvurulan

bir yayında topladı. Hawes nesneleri kendi zamanının Girit kırsal yaşamında görülen etnografik benzerliklerden faydalanarak potansiyel işlevlerine göre sınıflandırmasıyla dikkat çeker.

Getrude Caton-Thompson (1888-1985)

Cambridge'te tarihöncesi ve antropoloji derslerini takip etmiş varlıklı bir İngiliz araştırmacı olan Caton-Thompson, akabinde Mısır'daki Fayum'da yürüttüğü disiplinler arası öncü araştırma ve kazı projesiyle, ama belki de daha fazla Büyük Zimbabve'deki çalışmasıyla tanınmıştır. Zimbabve'de 1929'da yaptığı kazılarda stratigrafi veren bir konteksten tarihlenebilir buluntular ortaya çıkardı ve arkeolojik alanın Afrika kökenli önemli bir kültürü temsil ettiğini doğruladı (s. 480-481'teki kutuya bakınız). Rodezya'daki (Zimbabve'nin o zamanki adı) beyaz topluluğun buluntulara gösterdiği sert tepki onu öylesine hayal kırıklığına uğrattı ki, Güney Afrika'da daha başka çalışmalar yapmayı reddetti ve Mısır'la Arabistan'a yöneldi.

Anna O. Shepard (1903-1973)

Arkeoloji dışında çok çeşitli müspet bilimlerde eğitim almış bir Amerikalı olan Shepard, daha sonra çanak çömleklere ilaveten Mezoamerika ve Güneybatı Amerika arkeolojisi konularında uzmanlaştı. Arkeolojik çanak çömleğin

1.40 *Anna O. Shepard Güneybatı Amerika ve Mezoamerika çanak çömleği konusunda uzmandı.*

petrografik analizinde öncülerden biriydi (s. 365-366'ya bakınız); çömlek hamuru, boya ve katkı maddeleri üzerinde yoğunlaştı. Yeni Dünya çanak çömlek teknolojisi üzerinde kapsamlı yazılar yazdı ve standart bir kitap olan *Ceramics for Archaeologist* adlı kitabı kaleme aldı. Çalışmalarının çoğunu evindeki laboratuvarında görece bir tecrit içinde nadiren araziye çıkarak yürütmesine rağmen uzmanlık alanında kendisine özel bir yer edindi.

Kathleen Kenyon (1906-1978)

Çetin bir İngiliz arkeoloğu ve bir British Museum müdürünün kızı olan Kenyon, Mortimer Wheeler'ın yanında Britanya'daki Roma arkeolojik alanları konusunda eğitim gördü (s. 34'teki kutuya bakınız) ve onun sıkı stratigrafik kontrol yaklaşımını benimsedi. Daha sonra bunu Filistin'deki en karmaşık ve en çok kazılmış iki merkez olan Eriha ve Kudüs'te uyguladı. Eriha'da 1952-1958 arasında iskân tarihini Buzul Çağı'nın sonlarına çeken kanıtlar buldu ve genellikle "dünyadaki en eski şehir" diye

1.39 *Getrude Caton-Thompson – Büyük Zimbabve'deki çalışması arkeolojik alanın önemli bir Afrika kültürünün eseri olduğunu doğruladı.*

1.41–43 *Kathleen Kenyon (sol üstte) büyük bir hafirdi ve Yakındoğu'nun en önemli iki arkeolojik alanı olan Eriha ve Kudüs'te çalıştı. Tatiana Proskouriakoff (üstte ortada) mimarlık eğitimi gördü ve aslen müze sanatçısı olarak çalıştı - bu çizim (sağ üstte) Maya arkeolojik alanı Xpuhil'in kendisine ait rekonstrüksiyonudur. Maya hiyeroglifleri üzerine yaptığı çalışmalar nihai çözüme büyük katkılar sağladı.*

bilinen bir Neolitik tarım toplumuna ait suru olan bir köyü ortaya çıkardı.

Tatiana Proskouriakoff (1909-1985)

Sibirya'da doğan Proskouriakoff 1916'da ailesiyle birlikte Pennsylvania'ya yerleşti. 1930'da Büyük Bunalım sırasında mimar olarak işsiz kaldıktan sonra Pennsylvania Üniversitesi'nde müze sanatçısı ünvanıyla çalışmaya başladı. Piedras Negras adlı Maya arkeolojik alanına yaptığı ziyaret geri kalan bütün hayatını Maya mimarisi, sanatı ve hiyerogliflerine adamasıyla sonuçlandı. Yetenekli bir sanatçı olan Proskouriakoff, Chichen Itza ve Copan'ın mimarisiyle ilgili çeşitli planlar yanında, *A Study of Classical Mayan Architecture* isimli eksiksiz bir kitap yayımladı.

Proskouriakoff ayrıca ölümüne kadar Maya hiyeroglif yazısının karmaşık meseleleri hakkında tek başına çalışarak yazıtların sadece takvim ve astronomi bilgileri içerdiği fikrine karşı çıktı; Mayaların aynı zamanda siyasi ve hanedan tarihlerini de kaydettiğini öne süren öncü görüşünü açıkladı. Böylece çalışmasıyla Maya hiyerogliflerinin çözülmesinde çığır açan ilerlemelere katkı sağladı.

Mary Leakey (1913-1996)

Puro ve viski için İngiliz arkeoloğu Leakey, kocası Louis'le birlikte (s. 42'ye bakınız) seçtikleri bilim alanını dönüştürdüler. Neredeyse yarım yüzyıl boyunca Doğu Afrika'daki birçok buluntu yerinde çalıştılar ve özellikle Tanzanya'daki Olduvai Boğazı'nda titiz kazılar yürüttüler. Burada Mary Leakey 1959'da yetişkin bir Australopithecus olan 1,79 milyon yıllık *Zijantrophus boisei* kafatasını gün ışığına çıkardı. Laetoli'de ise 3,7 milyon yıl önce oluşmuş fosil hominin ayak izlerini kazdı. Ayrıca sayısız Tanzanya kaya sanatı örneğini kaydetti.

Faces of Archaeology in Greece (Hood, 1998), Girit'teki Knossos'ta Sir Arthur Evans'ın baş çizeri Piet

1.44 *Mary Leakey neredeyse yarım yüzyıl boyunca Doğu Afrika'daki çeşitli erken hominin buluntu yerlerinde çalıştı ve insanlığın gelişimi hakkındaki bilgilerimizi değiştirdi.*

de Jong'un harika karikatürleri eşliğinde 20. yüzyılın ilk yarısında Yunanistan arkeolojisindeki kadınlar kadar erkeklerin de kariyerlerine ve kişiliklerine olağanüstü şekilde ışık tutar. Tanınmış arkeologlar arasında Lesbos Adası'ndaki Thermi'nin (erken dönem Troia'sıyla çağdaş) hafiri Winifred Lamb (1894-1963), Tunç Çağı Eutresis'inin hafiri Hetty Goldman (1881-1972) ve Roma amfora ticareti konusunda dünya çapında uzman Virginia Grace (1901-1994) bulunur. Bu bilim kadınlarının hiçbiri evlenmemiştir. Evlenmiş ve dolayısıyla profesyonel kariyerlerini sonlandırmış bilim kadınlarının –Vivian Wade-Gery (1897-1988) ya da Josephine Shear (1901-1967) gibi– akademik anlamda en az diğerleri kadar başarılı oldukları açıktır.

1.45–46 *Burada Piet de Jong'un tasvirleriyle görülen Virginia Grace (sol üstte) ve Hetty Goldman (sağ üstte) 20. yüzyılın başlarında Yunanistan'da çalıştı. İkisi de arkeolojide uzun ve çok saygın kariyerler yaptılar.*

ARKEOLOJİDE BİR MİLAT

1960'lar arkeolojinin gelişimi açısından bir dönüm noktasıdır. Konuların araştırılmasında izlenen yollar hakkında çeşitli hoşnutsuzluklar dile getirilmeye başlanmıştır. Bunlar kazı teknikleri veya yeni geliştirilen bilimsel yöntemlerden ziyade, sonuçların nasıl elde edildiğiyle ilgiliydi. İlk ve aşikâr eleştiri, tarihlemenin arkeolojideki rolü hakkındaydı. Diğeri bunun da ötesine geçiyordu: arkeoloğun nesneleri nasıl açıkladığının ve arkeolojik muhakeme sürecinde takip edilen usullerin sorgulanması. Radyokarbon yönteminin ortaya çıkışıyla birlikte tarihler birçok durumda çok çabuk bir şekilde, eskisi gibi uzun ve zahmetli kültürel karşılaştırmalara gerek duyulmaksızın elde edilebiliyordu. Bir tarih saptamak artık araştırmaların başlıca sonuçlarından biri değildi. Tarihlendirme hâlâ önemliydi, ancak şimdi çok daha etkin bir şekilde yapılabiliyordu. Böylece arkeologlara kronolojiden daha önemli ve zorlu sorunlara eğilme fırsatı doğmuştu.

İkinci ve belki de daha temel bir itiraz, geleneksel arkeolojinin insan topluluklarının göçleri ve aralarındaki tahmini "etkileşimler" dışında hiçbir şeyi açıklayamıyor gibi görünmesiydi. Daha 1948'lerde, Amerikalı arkeolog Walter W. Taylor *A Study of Archaeology* isimli eserinde bu problemlerin bir kısmına değinmişti ve kültürel sistemlerin tüm ögelerinin değerlendirileceği "birleşik" bir yaklaşım fikrini öne sürmüştü. 1958'de Gordon Willey ve Philip Phillips (1900-1994) *Method and Theory in American Archaeology* adlı kitaplarında arkeolojinin sosyal yöne, yani daha geniş bir "süreçsel açıklamaya" veya kültür tarihine yön veren genel süreçlere odaklanması gerektiğini vurguladılar. Üzerinde durdukları diğer bir nokta da, "sosyokültürel kurallar ve sebep-sonuç ilişkileri hakkındaki ortak araştırmaların nihai senteziydi."

Bütün bunlar teoride gayet iyi görünüyordu, fakat pratikte ne anlama gelmekteydi?

Yeni Arkeoloji'nin Doğuşu

Amerika Birleşik Devletleri'nde bu soru, Lewis Binford liderliğinde arkeolojik yorumlamaya yeni bir yaklaşım getirmeye çalışan bir grup genç arkeolog tarafından kısmen de olsa cevaplandı. Bu yeni akım, önce karşıtları sonra da takipçileri tarafından "Yeni Arkeoloji" olarak adlandırılmıştır.

Bir dizi makale ve ardından *New Perspectives in Archaeology* (1968) adlı derlemede Binford ve meslektaşları, arkeolojik verilerin bir çeşit "uydurma tarih" yazmak için kullanılmasına çalışan yaklaşıma karşı çıktılar. Arkeolojik kanıtların sunduğu potansiyel, geçmiş toplumların sosyal ve ekonomik özelliklerinin araştırılmasında zannedilenden daha büyük bir önem taşıyordu.

Yeni Arkeoloji'nin savunucuları arkeolojiye bakışlarında öncellerinden daha iyimserdi.

Ayrıca arkeolojik muhakemenin daha kesin kurallara göre yapılmasını savundular. Sonuçlar sadece açıklama getiren bilim insanının kişisel otoritesine göre değil, mantıksal argümanların kesin çerçevesi içinde değerlendirilmeliydi. Bu konuda bilim felsefesinin mevcut fikirlerinden destek alıyorlardı: Eğer sonuçlar "geçerli" sayılacaksa, sınanmaya da açık olmalıydılar.

Willey ve Phillips'in savunduğu süreçsel arkeolojinin sınırları içinde sadece tanımlamak yerine *açıklamayı* ilke edinmişler ve bu yolla diğer bilim dallarında olduğu gibi geçerli genellemeler getirmenin yollarını aramışlardır.

Bunu yaparken bir kültürün diğerine olan "etkisi" gibi muğlâk ifadelerden kaçınmışlar, kültürü alt sistemlere ayrılabilen bir sistemler bütünü olarak analiz etmişlerdi. Bu da geçim olgusunu kendi içinde incelemeyi; teknolojiyi, sosyal alt sistemi, ideolojik alt sistemi, ticaret ve demografiyi buluntu tipolojisine ve sınıflandırmaya çok daha az yer vererek çalışmayı mümkün kılmıştır. Yaptıklarının

1.47 *"Yeni Arkeoloji"nin kurucusu Lewis Binford Alaska'nın Nuniamut avcıları arasında yaptığı çalışmalar hakkında bir konferans veriyor.*

SÜREÇSEL ARKEOLOJİ: TEMEL KAVRAMLAR

Yeni Arkeoloji'nin ilk zamanlarında, akımın başlıca taraftarları eski ve geleneksel arkeolojinin sınırlamalarının zaten farkındaydılar. Aşağıda sıklıkla vurguladıkları farklar sunulmuştur.

ARKEOLOJİNİN NİTELİĞİ: Açıklayıcıya karşı Betimleyici
Arkeolojinin rolü şimdi sadece geçmişi ve insanların nasıl yaşadıklarını yeniden kurgulamak değil, geçmişteki *değişimleri* açıklamaktı. Bu *açık kuramın* kullanılmasını içerir.

AÇIKLAMA: Kültür Sürecine karşı Kültür Tarihi
Geleneksel arkeoloji tarihsel açıklamaya dayalı olarak görülüyordu. *Bilim felsefesinden* yararlanan Yeni Arkeoloji *kültür süreci* bakımından ekonomik ve sosyal yaşamda değişimlerin nasıl meydana geldiği üzerinde durur. Bu, *genellemeye* işaret eder.

AKIL YÜRÜTME: Tümdengelime karşı Tümevarım
Geleneksel arkeologlar arkeolojiyi bir yapboz gibi görüyorlardı: İşleri "geçmişi dağılmış parçalarından tekrar bir araya getirmekti." Bunun yerine şimdi uygun görülen prosedür *varsayımlar* oluşturmak, *modeller* yaratmak ve bunlardan sonuç çıkarmaktır.

DOĞRULAMA: Sınamaya karşı Otorite
Varsayımlar sınanmalı ve sonuçlar itibara ya da araştırmacının mevkiine dayanarak kabul edilmemelidir.

ARAŞTIRMANIN ODAĞI: Proje Amacına karşı Veri Toplama
Araştırma sadece ilgisiz daha fazla bilgi üretmek yerine belirli sorulara cevap verecek şekilde ekonomik olarak tasarlanmalıdır.

YAKLAŞIM TERCİHİ: Nicele karşı Basit Niteliksel
Sayısal istatistik değerlendirmeye izin veren ve *örnekleme* ile *serisel bilgi* imkânı sağlayan nicel verilerin faydası görüldü. Bu, genellikle tamamen geleneksel sözlü yaklaşıma tercih edildi.

KAPSAM: Olumsuza karşı Olumlu
Geleneksel arkeologlar çoğunlukla arkeolojik verilerin *sosyal organizasyon* ve *bilişsel sistemlerin* yeniden kurgulanmasına uygun olmadığını vurgular. Yeni Arkeologlar daha olumlu bir tavır içindeydiler ve bu sorunların, onları çözmeye çabalamadan ne kadar zor olacaklarının bilinemeyeceğini savunuyorlardı.

bir kısmı, "geçim alt sistemi" diyebileceğimiz olguyu yukarıda saydığımız başlıklar altında çalışmış 1950'lerin çevrebilimsel yaklaşımı tarafından önceden denenmişti.

Yeni Arkeologlar amaçlarına ulaşabilmek için tarihsel yaklaşıma büyük ölçüde sırtlarını çevirerek doğa bilimlerine yöneldiler. Bu sırada Britanya'da David L. Clarke'ın (1937-1976) özellikle *Analytical Archaeology* (1968) adlı kitabında tanımlanan benzer gelişmelerden etkilenmişti. Clarke'ın eseri, Yeni Arkeologların daha karmaşık nicel –gerektiğinde bilgisayar destekli (bilgisayarlar ilk kez 1960'larda veri depolama, düzenleme ve analiz için kullanılmaya başlanmıştı)– tekniklere başvurma ve başta coğrafya olmak üzere diğer disiplinlerden fikir edinme isteklerini yansıtıyordu.

Kabul etmek gerekirse birtakım yeni teknikleri benimsemek ve uygulamak hevesindeki Yeni Arkeologlar, kendilerini eleştirenlerin jargon olarak kullanmayı reddettiği arkeolojiye yabancı terimleri de (sistemler kuramı, sibernetik vb. alanlardan) tanıştırmışlardır. Aslında son yıllarda bazı bilim insanları Yeni Arkeoloji'nin hedeflerini bilimsel kabul etmeyip daha çok "abartılı bilimsellik" [burada kastedilen, doğa bilimlerindeki yöntemlerin istisnasız bütün araştırmalara uygulanabileceği fikridir –ç.n.] ya da "işlevsellik" gibi tanımları uygun görmektedir. Süreçsel arkeolojinin ilk dönemlerinde özellikle işlevsel ile çevrebilimsel açıklamalar üzerinde durulmuştur ve artık ilk on yılını "işlevsel-süreçsel" safha olarak görmek mümkündür. Son yıllarda bunu, eski toplumların sembolik ve bilişsel yönlerini de araştırmalara dâhil etmenin yollarını arayan "bilişsel-süreçsel" safha izlemiştir. Bu konu 12. Bölüm'de daha ayrıntılı ele alınacaktır, ama arkeolojinin artık eskisi gibi olmayacağı şüphesizdir. Birçok bilim insanı, hatta Yeni Arkeoloji'ye ilk zamanlarında karşı çıkanlar bile etkisini açıkça kabul etmekte ve arkeolojinin asıl hedefinin geçmişte olanları betimlemek kadar açıklamak da olduğu konusunda birleşmektedir. Aynı zamanda, arkeolojiyi layıkıyla yapabilmek için varsayımlarımızı kesin olarak belirtmenin ve ardından bu varsayımları sorgulamanın zorunluluğu da anlaşılmıştır. David Clarke 1973'teki bir makalesinde arkeolojinin "masumiyetini kaybettiğini" yazarken ima ettiği de buydu.

DÜNYA ARKEOLOJİSİ

Yeni Arkeoloji'nin sorgulayıcı tavrı yanında kesin ve nicel sonuçlar sağlayan süreçlere duyduğu ihtiyaç, arazi çalışmalarında yeni gelişmelere yol açtı. Bunların çoğu, kendilerini yeni düşünce okulunun mensupları olarak görmeyen arkeologların hâlihazırda yürüttükleri arazi çalışmalarına temel oluşturmuş ya da onlarla işbirliği içinde olmuştur.

Her şeyden önce, iyi tanımlanmış hedefleri olan saha çalışmalarına –geçmişle ilgili belirli soruları cevaplamak amacındaki çalışmalara– çok daha fazla önem verilmekteydi. İkinci olarak, çevrebilimsel yaklaşımın getirdiği yeni içgörüler, birçok temel soruna izole yerleşimler yerine bütün bölgeyi ve çevresini dikkate almak sayesinde cevap bulunabileceğini göstermişti. Yukarıdakilerle ilişkili olan üçüncü gelişme, bu amaçları başarıyla gerçekleştirmek için yoğun saha araştırmaları ve titiz kazıların yanında yeni tekniklerin uygulanması gerekliliğinin anlaşılmasıydı. Bunlara istatistiksel örnek toplama ve kazı toprağının elenmesi gibi ileri veri toplama yöntemleri de dâhildi.

Saydıklarımız modern arazi çalışmalarının anahtar ögeleridir ve 3. Bölüm'de daha ayrıntılı işlenecektir. Burada belirtmemiz gerekir ki söz konusu yöntemlerin yaygınlaşması gerçek bir dünya disiplininin ortaya çıkmasını sağlamıştır: yerkürenin bütününü kapsayan ve insanın ortaya çıkışından modern zamanlara kadar uzanan bir arkeoloji bilimi.

İnsanın Kökenlerinin Araştırılması

Hedefe iyi odaklanmış projelerin öncüleri arasında Chicago Üniversitesi'nden Robert J. Braidwood (1907-2003) yer alıyordu. Braidwood farklı disiplinlerden gelen üyelerin oluşturduğu ekibi ile birlikte 1940'larda ve 50'lerde Irak Kürdistanı'nındaki yerleşimlerde, sistematik olarak Yakındoğu'da tarımın kökenine dair kanıtlar aradı (7. Bölüm'e bakınız). Richard MacNeish (1918-2001) tarafından yürütülen bir başka proje Braidwood'un yaptıklarını Yeni Dünya'da gerçekleştirdi. 1960'larda Meksika'nın Tehuacan Vadisi'nde yapılan araştırmalar, mısır tarımının uzun soluklu gelişimini anlamamız için büyük bir adım olmuştur.

Geçen on yıllarda sağlam hedeflere sahip araştırmalara konu olan tarımın kökenleri gibi, karmaşık toplumların ve medeniyetlerin doğuşu da diğer bir inceleme alanıydı. Özellikle, biri Robert Adams tarafından Mezopotamya'da (saha araştırmasına ilaveten bolca kullanılan hava fotoğraflaması), diğeri de Kent Flannery ve Joyce Marcus tarafından Meksika'daki Oaxaca Vadisi'nde yürütülen iki Amerikan projesi (13. Bölüm'e bakınız) büyük başarı kazanmıştır.

Ancak bütün arkeoloji tarihinde tek bir kesin hedefi olan en kararlı proje sıfatı, belki de Louis Leakey (1903-1972) ve Mary Leakey'nin (1913-1996) araştırmalarına verilmelidir. Bu iki bilim insanı birlikte, atalarımızın bilinen yaşlarını birkaç milyon yıl geriye götürmüşlerdir. 1931'de insan fosilleri bulmak için Doğu Afrika'daki Olduvai Boğazı'nda araştırmalara başlamışlar, fakat olağanüstü azimleri ancak 1959'da meyvelerini vermiş ve Mary Leakey (s. 39'daki kutucuğa bakınız) vadideki birçok hominin (ilk insan) fosilinden ilkini ortaya çıkarmıştır. Günümüzde, insanın ilk dönemleriyle ilgili çalışmalarda Afrika büyük bir önem taşımaktadır; Lewis Binford, C.K. Brain, Glynn Isaac (1937-1985) ve diğer bilim insanlarının, en eski atalarımızın olası avcılık ve toplayıcılık davranışları üzerine yaptıkları teorik tartışmalara şahit olmuştur (bkz. 2 ve 7. bölümler)

Kıtalar Arkeolojisi

Afrika'daki araştırmalar arkeolojinin zamansal ve mekânsal sınırları nasıl zorladığına dair iyi bir örnektir. Demir Çağı Afrikalıları'na ait Büyük Zimbabve Yapısı gibi başarılar (s. 480-481'deki kutu) ve geçmişin arkeoloji sayesinde gün ışığına çıkarılması da en az insanın kökeniyle ilgili çalışmalar kadar önemli bir öyküdür. 1970'lere gelindiğinde, bütün kıtanın arkeolojik verileri alanının önde gelen araştırmacılarından J. Desmond Clark'ın (1916-2002) The Prehistory of Africa adlı ilk sentez çalışmasına konu olacak düzeye ulaşmıştı. Bu sırada, Afrika gibi az çalışılmış başka bir kıta olan Avustralya'da, John Mulvaney'nin Güney Queensland'teki Kenniff Mağarası'nda yürüttüğü kazılardan elde ettiği radyokarbon tarihleri, burada yerleşimin Buzul Çağı'nın sonuna dek sürdüğünü gösterdi. Böylece, Avustralya dünyadaki yeni arkeolojik araştırmalar için en verimli bölgelerden biri hâline geldi.

Avustralya'daki çalışmalar modern arkeolojideki iki önemli eğilimi öne çıkarmıştır: Etnoarkeoloji veya "yaşayan arkeoloji" ile geçmişin "eserlerini" ve fikirlerini kimin kontrol edeceği ya da "sahipleneceğine" dair dünya çapında giderek artan tartışmalar.

Yaşayan Geçmiş

Yeni Arkeoloji başından beri açıklamalara –özellikle de arkeolojik verilerin nasıl oluştuğu, kazılan yapı ve buluntuların insan davranışları açısından ne anlama geldiği hakkındaki açıklamalara– çok önem vermişti. Bu tür sorulara cevap bulmaya yönelik en etkili yöntemlerden birinin, yaşayan toplumların davranışlarını ve maddi kültürlerini incelemek olduğu yavaş yavaş anlaşıldı. Etnografik gözlemin kendisi aslında yeni bir şey değildi; 19. yüzyıldan beri antropologlar Kızılderilileri ve Avustralya yerlilerini çalışmaktaydılar. Yeni olan, arkeolojik odaklı bir bakış açısıydı ve kendisine verilen etnoarkeoloji ismi de buna vurgu yapıyordu. Richard Gould'un Avustralya yerlileri, Richard Lee'nin Güney Afrika'daki !Kung San kabilesi ve Lewis Binford'un Nunamiut Eskimoları hakkındaki çalışmaları (bunlara 5. Bölüm'de daha detaylı değinilecektir) etnoarkeolojinin yerini yakın geçmişindeki en önemli gelişmelerden biri olarak pekiştirmiştir.

Ancak arkeologların yaşayan toplumlara giderek artan ilgileri, aynı zamanda bu toplumların kültürel miraslarının farkına varmalarına ve üzerlerinde hak iddia etmelerine yol açmıştı. Bu durum beraberinde şu soruyu da getiriyordu: Geçmişe kimin erişmeye ya da sahip çıkmaya hakkı vardı? Örneğin, Avrupalıların gelmesinden önce Avustralya'da kıtanın yerlileri yaşıyordu. Dolayısıyla 20.000 yıl öncesine tarihlenen atalarının kazıları bile onların kontrolüne mi verilmeliydi? Bu önemli sorun 14. Bölüm'de etraflıca tartışılacaktır.

John Mulvaney ve Rhys Jones (1941-2001) gibi arkeologlar örneğin Tasmanya'da, Avustralya'nın değerli kültürel mirasının inşaat sektörü tarafından yok edilmesine karşı yerlilerle omuz omuza mücadele etmişlerdir. Fakat dünya ekonomisinde son 30 yılda görülen hızlı ilerlemeyle birlikte, dünyanın dört bir yanındaki arkeologlar kaçınılmaz olarak buldozer ve pulluk tehdidi karşısında geçmişten ne kalmışsa kurtarabilmenin yollarını bulmak ve öğrenmek zorunda kalmışlardır.

Aslında büyük bir kısmı devletten ödenek alan kurtarma kazılarındaki artış, modern şehirlerin arkeolojisine yeni bir ivme kazandırmıştır. Böylece Avrupa'da Ortaçağ ya da Ortaçağ sonrası arkeolojisi, Amerika Birleşik Devletleri'nde tarihsel arkeoloji olarak adlandırılan dallar ortaya çıktı.

Kimler Araştırmacıdır?

Kurtarma kazılarının çoğalması, bizi "Günümüzde arkeolojinin gerçek araştırmacıları kimlerdir?" sorusunu sormaya yönlendirir. Yüz yıl önce bu kişiler genellikle geçmiş hakkında fikir yürütmeye ve kazılar yapmaya yetecek boş vakti olan zengin kimselerdi. Bazı durumlarda ise birtakım uzak yerlere gitmek için nedeni olan gezginler bu fırsatı araştırma yapmak için kullanmışlardı. Otuz yıl önce arkeologlar genellikle üniversitelerdeki bilim insanları, müzelerinin koleksiyonlarını genişletmek isteyen müze görevlileri veya merkezleri Avrupa'nın gelişmiş başkentlerinde ve Amerika Birleşik Devletleri'nde bulunan entelektüel cemiyetlerin ve akademik enstitülerin (Mısır Keşif Cemiyeti gibi) üyeleri ve çalışanlarıydı.

Bugün dünyadaki ülkelerin çoğu devlete bağlı arkeolojik ve tarihi araştırmalar yapan kurumlara sahiptir. Günümüz arkeolojisinin durumu 14 ve 15. bölümlerde incelenecektir. Ancak bugün "araştırmacı" (yani profesyonel arkeolog) denildiğinde, genellikle bağımsız araştırmacılardan ziyade dolaylı ya da doğrudan devlet görevlisi olarak bir kurtarma projesinde çalışan personel akla gelir. Günümüzün "araştırmacıları", 16. Bölüm'de bahsettiğimiz çağdaş profesyonellerin kariyerlerinde görüleceği gibi çok çeşitli görevlere atanabilmektedir.

Yeni Düşünce Akımları

Önce mimarlık teorisi ve edebiyat çalışmalarından, daha sonra da sosyolojik ve felsefi alanlardan esinlenen 1980 ve 90'ların yeni düşünce akımları, geçmişe yaklaşımlarda büyük bir çeşitliliğe sebep olmuştur. Birçok saha arkeoloğu teorik tartışmalardan nispeten uzak kalmış ve

Yeni Arkeoloji'nin kurduğu süreçsel gelenek devam etmiş olmasına rağmen yeni bazı yaklaşımlar ortaya çıkmıştır. İlginç ve zor sorularla uğraşan bu akımların tümü bazen postsüreçsel başlığı altında toplanmaktadır. Bir kısmı ilk kez Ian Hodder (Çatalhöyük hafiri; s. 46-47'deki kutuya bakınız) ve öğrencileri tarafından ortaya atılmış etkili iddialar, arkeolojiden çıkarılacak sonuçların bizi tek bir doğruya götüremeyeceğini, nesnelliğe ulaşmanın imkânsız olduğunu savunuyordu. Arkeolojik bulguların kendileri bile "kuramlarla yüklüydü" ve araştırmacı sayısı kadar farklı "okuma" vardı. Bu görüşlerin en radikal olanları "görecelik" suçlamalarına maruz kaldı ya da "her şeyin mubah olduğu" ve arkeolojiyle kurgu (ya da bilimkurgu) arasındaki sınırın bulanıklaştığı araştırma tekniklerine yol gösterdi.

Michael Shanks ve Christopher Tilley'nin ilk yazıları, özellikle de "kırmızı" ve "siyah" kapaklı kışkırtıcı kitapları, başlangıçta yukarıda bahsedilen türde tepkiler aldı. Ancak sonraki çalışmalarında onlar ve hatta postsüreçsel arkeologların çoğu, yakın zamanda bilim karşıtı tutumlarında daha az saldırgan davranmaktadır. Vurgulanan noktalar da farklı alanlarla ilgilerin geliştirilmesinde kişisel ve insancıl bakış açılarının kullanımı; değişik sosyal gruplara ait farklı perspektiflerin algılanması ve bunun neticesinde postmodern dünyada "çoksesliliğinin" kabullenilmesi gibi alanlara kaymıştır. Epistemolojik tartışmalar şimdilik sona ermiş görünmektedir. Retoriğe kayan taraf tutmalar azalmakta, tek ve tutarlı bir postsüreçsel arkeoloji yerine, çeşitli düşünsel kaynaklarla zenginleşen bir dizi yorumsal yaklaşımın varlığı giderek kabul görmektedir (arka sayfadaki kutuya bakınız). Michael Shanks ve Ian Hodder "yorumsal arkeolojiler"in (çoğul) "postsüreçsel"den daha olumlu bir niteleme olduğunu düşünmektedir. Bunlar şimdi eski tartışmalardır ve son yıllarda görüşler birbirlerine yaklaşarak farklı bakış açılarının bir araya gelebileceği daha bütünsel bir yaklaşıma eğilimi arttırmıştır.

Yorumsal yaklaşımın avantajlarından biri geçmiş bireylerin eylemleri ve düşüncelerini merkeze koyar ki, bu aynı zamanda bilişsel arkeolojinin de hedefidir (12. Bölüm'e bakınız). Fakat ikincisindeki metodolojik bireyciliğin ötesine geçerek geçmişi anlamak ve açıklamak için empatik yönteme başvurulması, söz konusu insanların "akıllarına girilmesi" ve düşüncelerinin tasavvur edilmesi gerektiğini savunur. Sembolik sistemleri (mesela karmaşık bir ikonografi kullanan resimler gibi figüratif eserler) incelerken bu belki mantıklı bir amaçtır, fakat ikonografik veri olmadığında sorunlara yol açar.

Çeşitli yorumsal arkeolojiler çoğunlukla kültürler arası karşılaştırmalara yönelik eğilimleri ve süreçsel arkeolojinin genelleştirici karakterine dayalı açıklama biçimlerini reddeder. Aynı şekilde, klasik arkeoloji ya da Ortaçağ arkeolojisi gibi yazılı kaynakların çok zengin olduğu alanlarda, yaklaşımın bağlama özgü olması gereği doğmaktadır.

YORUMSAL YA DA POSTSÜREÇSEL ARKEOLOJİLER

Postsüreçsellik geçmişe dair bir dizi yaklaşıma topluca verilen addır. Bunların hepsi 1980'lerde ve 1990'larda gelişmiş postmodern düşünce akımından türemişlerdir:

Neo-Marksist ögelerle toplumsal bilinç arasında güçlü bir bağlantı vardır: Arkeoloğun görevi sadece geçmişi tarif etmek değil, fakat böyle içgörüleri kullanarak günümüz dünyasını değiştirmektir. Bu, birçok süreçsel arkeoloğun nesnellik istekleriyle oldukça güçlü biçimde tezat oluşturur.

Postpozitivist yaklaşım, süreçsel arkeolojinin özelliği olan bilimsel yöntemin sistematik usullerine yönelik vurguyu reddederek modern bilimi bazen bireye düşman gibi görür ve onun, kapitalist güçlerin "hegemonyalarını" uyguladıkları "sistemler hâkimiyeti"yle ayrılmaz bir bütün oluşturduğunu düşünür.

Fenomenolojik yaklaşım bireyin kişisel tecrübelerini, maddi dünya ve onun içindeki nesnelerle etkileşimlerin dünya algımızı şekillendirme yollarını vurgular. Örneğin arazi arkeolojisinde, arkeolog insan faaliyetleriyle değiştirilmiş ve meydana getirilmiş araziyi deneyimlemek amacını taşır.

Praksis (uygulama) "insan eylemliği"nin merkezi rolüne ve sosyal yapının şekillenmesinde insan faaliyetlerinin (praksis) büyük önemine dikkat çeker. Birçok sosyal norm ve yapı, alışkanlığa dayalı tecrübelerle ortaya çıkar ve biçimlenir (aynı şekilde *habitus* kavramı da sosyal yapı ve uygulama arasında aracılık eden birey tarafından benimsenmiş üstü kapalı strateji üretici ilkelere atıfta bulunur). Böylece bireyin önemli bir özne olarak rolü vurgulanır.

Hermeneutik (ya da yorumbilimsel) görüş süreçsel arkeolojinin bir diğer özelliği olan genellemeyi reddeder. Daha ziyade her toplumla kültürün özgünlüğünü ve bunlardan her birinin tüm bağlamını kendi zengin çeşitliliği dâhilinde incelenmesi gerektiğini vurgular. Bununla ilişkili bir görüş, tek bir doğru açıklamanın olamayacağını belirtir: Her gözlemci ya da araştırmacı geçmiş hakkında kendi görüşüne bağlıdır. Dolayısıyla bir görüş çeşitliliği ve çok farklı bakış açıları olacaktır. Bu yüzdendir ki yorumsal arkeolojilere (çoğul) vurgu yapılır.

Dolayısıyla karmaşık toplumların ortaya çıkışı gibi sorunlar hakkında Kent Flannery, Henry Wright veya Tim Earle gibi bilim insanları tarafından yürütülen en ilginç çalışmalar, yeni yorumsal ya da postsüreçsel geleneğin dışında gelişmektedir. Söz konusu kişiler, daha genel bir kültürel çerçeve içinde kültürler arası karşılaştırmalar yapma gayreti içindedirler. İnsanın Paleolitik Çağ'daki gelişimiyle ilgili çalışmalar da kıtalar arası hominin fosilleri ve maddi kültür karşılaştırmasına ihtiyaç duymaktadır. İnsanın zihinsel yeteneklerinin gelişimine dair sorular da yeni bir enerjiyle dile getirilmektedir, fakat tartışmanın düşünsel içeriği genelde süreçsel (ya da bilişsel-süreçsel) ve bilimsel geleneğin sınırları içinde kalmaktadır. Farklı toplumların karşılaştırıma külfetli bir sorun olmaya devam etmektedir. Toplumları basitçe "devlet" ya da "şeflik" diye adlandırmak, yukarıda da tartışıldığı gibi karşılaştırmayı daha etkili kılmaz.

Yakın zamanda öne çıkan bir konu da, insan ilişkilerinde ve teknolojik/sosyal değişimin ilerleyişinde bizzat nesneler –maddi şeyler– tarafından oynanan rolün anlaşılmasıdır. Böyle bir bakış açısı, Karl Marx gibi ekonomi düşünürlerindeki erken materyalizminin ötesine geçer ve insan toplumlarının kendini ifade edişinde nesnelerin sembolik rollerine daha detaylı bakar. Aynı zamanda ister insanlarda isterse nesnelerde eylemliğin göz önünde tutulmasını da içerir. Belirli nesnelerin sembolik anlamı olduğu ve sosyal hayatta aktif roller üstlendiği görüşü, şeylerin "aktör" oluşundan söz etmeyi uygun kılmaktadır. bu, Eylemlilik Ağı Kuramı'nın getirdiği yeniliklerden biridir (5. Bölüm'e bakınız). Giderek genişleyen bir diğer özel ilgi alanı da insan bedeni ve ona nasıl bakıldığı, kavramsallaştırıldığı, farklı toplumlarda sembolik olarak ne şekilde temsil edildiğidir.

Çoğalan Geçmişler

Yorumsal arkeologlar geçmişle ilgili açıklamalarımızın ve –müzelerdeki gibi– sunumlarımızın ya da modern uluslara ait doğuş efsanelerinin, eldeki bulguların tarafsız değerlendirilmesinden ziyade araştırmacıların ve onların hitap ettiği kitlenin duygu ve fikirlerine dayalı seçimleri içerdiği konusunda kuşkusuz haklıdır. Amerika Birleşik Devletleri'nin büyük ulusal müzelerinden biri olan Washington D.C.deki Smithsonian Enstitüsü 1995'te, harp malulleri ve Japonya'nın hassasiyetlerine karşı duyarlı liberalleri kızdırmadan 50 yıl önceki Hiroşima faciasıyla ilgili bir serginin açılmasına imkânsız gözüyle bakmıştı. Yerel arkeoloji çalışmaları da benzer sorunları gündeme getirmektedir (14 ve 15. bölümler).

Avustralya Aborjin İncelemeleri Enstitüsü müdürü olarak görev yapmış ve burada yerel sesler için bir platformun yaratılarak tarafların dinlenmesi gereğini çabucak kavramış İngiliz arkeolog Peter Ucko (1938-2007) tarafın-

1.48 *Geçmişin temsilleri beklenmedik şekilde ihtilaflı, ayrıca nesnellik yoksunu ve farklı geçmiş perspektiflerine karşı duyarsızlık açısından eleştirilerine açıktır. 1995'te Smithsonian Enstitüsü'ndeki Hiroşima sergisi bunu göstermiştir.*

dan kurulan Dünya Arkeoloji Kongresi'nde bu meseleler ön plana çıkmıştır. Hindistan'daki Yeni Delhi'de yapılan 1994 toplantısı Hindistan'ın iç ihtilafları yüzünden lekelenmiş ve Arap devletleriyle gelişmekte olan ülkelere kongrenin 2003'teki Washington toplantısı için ABD'ye giriş vizeleri verilmemiştir. Buna rağmen kongre yeni kurulan ülkelerle ve farklı etnik grupların saygı gördüğü ve teşvik edildiği bir forum yaratmada başarı sağlamıştır.

Arkeolojinin güncel sosyal, politik ve entelektüel olaylara karışmaktan kaçamayacağı açıktır. Randall McGuire'ın *Archaeology as a Political Action*'da tartıştığı üzere, arkeoloji yapanlardan bazıları bunun arkeolojinin başlıca rolü olduğunu düşünmektedirler. Feminizmin arkeolojiye gecikmeli de olsa etkisi ve nispeten yeni bir dal olan toplumsal cinsiyet çalışmalarıyla yolu kesişen feminist arkeoloji, buna güzel bir örnek teşkil eder (bkz. 5. Bölüm). Tarihöncesinde kadının önemine değinen öncü bilim insanlarından birisi Marija Gimbutas'tı (1921-1994). Balkanlarda yaptığı araştırmalar onu, bir "Ana Tanrıça"ya tapan ilk çiftçilerle bağdaştırdığı "Eski Avrupa" modeli inşa etmeye yöneltti. Günümüzde birçok feminist arkeolog Gimbutas'ın yaklaşımındaki çeşitli noktalara itiraz etse de, kendisi kuşkusuz cinsiyet tartışmalarına önemli katkılarda bulunmuştur.

Margaret Conkey ve Janet Spector 1984'de yayımlanan bir makalede, arkeoloji disiplinindeki erkek egemen bakış açısına dikkat çekmişlerdir. Margaret Conkey'nin de belirttiği gibi, "kadınların deneyimlerine yeniden geçerlik kazandırmaya, bu deneyimlerin kuram hâline getirilmesine ve bunların bir siyasi eylem oluşturmak amacıyla kullanılmasına" ihtiyaç vardı. Ancak ortaya attıkları sorular 1990'lara kadar etraflıca tartışılmadı, çünkü arkeolojide henüz buna fırsat verecek ortam yoktu. Britanya'da bu, postsüreçsel arkeolojinin kuramsal gelişimi sayesinde sağlandı ve feminist çalışmaların çoğu bu çerçeve içinde yer aldı. Kuzey Amerika'da ise feminist eleştiri, tarihsel arkeolojideki ilerlemeler ve yerel halkların kendi geçmişlerine gösterdikleri ilginin birleşimi tartışmaların başlayabileceği entelektüel bir ortam yarattı.

Benzer meseleler eski emperyalist güçlerin boyunduruğundan çıkmış önceki kolonilerin topraklarında gelişmekte olan yerel arkeolojilerde görülmeye devam etmektedir. Kültürel kaynak yönetimi ve aslında kültürel mirasın kendisi için doğru politika çıkar grupları tarafından, bazen etnik çizgiler etrafında tartışılmaktadır. Avustralya Aborjinleri gibi ötekileştirilmiş gruplar kültürel mirasın tanımlanması ve yönetimi konusunda daha fazla söz sahibi olmanın yollarını aramış, çıkarlarının görmezden gelindiğine ve yanlış anlaşıldığına sıklıkla şahit olmuşlardır.

Bu arada, batıdaki teknolojik ilerlemelerin sonucu olarak ortaya çıkan küreselleşmenin doğası ve "kültürel miras" denen kavramın Batı düşününün bir ürünü olduğu gibi daha derin sorunlar da baş göstermektedir. Sömürgecilik sonrası düşünürler, Batı kaynaklı kültürel kaynak yönetimi kavramını Batı değerlerinin dayatılması olarak görmekte, resmen benimsenen "miras" fikrinin kültürel çeşitliliğin homojenleşmesine ve hak ettiğinden daha az önemsenmesine yol açacağını savunmaktadır. Hatta bu bakış açısına göre, UNESCO destekli "Dünya Mirası Listesi'ne" Batının formüle ettiği "miras" kavramları hükmetmektedir.

Bu tip problemler Batı dünyası içindeki arkeologlar tarafından da ortaya atılmaktadır. Yakın yüzyıllardan günümüze kadarki zaman dilimini konu edinen arkeolojilere artan bir ilgi vardır ve bu da "miras" kelimesinin kesin anlamını tartışma konusu yapmaktadır.

Yeni binyılın başlangıcında arkeolojinin bazı yönleri kaçınılmaz olarak ihtilaflı kalmakla birlikte, bazıları da çok olumlu sonuçlar doğurmuştur. Günümüz dünyası için geçmişin değerini ve önemini vurgulamış, kültürel mirasın insan çevresinin ayrılmaz bir parçası olduğuna ve bazı yönlerden doğal çevre kadar kırılganlaşabileceğine dikkat çekmiştir. Bunlar, çağdaş dünya hakkında –ki o da geçmişin kaçınılmaz bir ürünüdür– dengeli bir bakış açısı elde edilmesi için arkeoloğu önemli bir rol almak zorunda bırakır. Açıklama görevi şimdi eskisinden daha karmaşık görünmektedir ve bu da elli yıl önce Yeni Arkeoloji'ye eşlik etmiş "yitirilen masumiyet"in bir parçasıdır.

ÇATALHÖYÜK: YORUMSAL ARKEOLOGLAR İŞ BAŞINDA

TÜRKİYE
• Çatalhöyük

Bu önemli erken tarım yerleşimindeki araştırmaların tarihi, 20. yüzyılın ikinci yarısında arkeolojiye farklı yaklaşımları çok iyi anlatır.

İlk Kazılar

Yerleşim 1958'de, Türkiye'nin orta güneyindeki verimli Konya Ovası'nda 1951'de başladığı araştırmalar sırasında James Mellaart tarafından keşfedilmiştir. Mellaart burayı kazmaya 1961'de başladı ve çok geçmeden yaptığı keşfin çarpıcı niteliği ortaya çıktı. 21 m yüksekliğindeki höyük "küme" planlı 13 hektarlık bir ilk Neolitik (erken tarım) yerleşimin kalıntılarını gizliyordu (s. 409'a bakınız) ve derin stratigrafik tabakalar en az MÖ 7200'e kadar gitmekteydi. İyi korunmuş odaların sıvalı duvarları vardı; bazıları duvar resimlerine ve boğa kafataslarıyla birleşik sıva süslemelerine sahipti. Buluntular arasında bazıları kadın olan pişmiş toprak figürinler vardı. Bazı bilim insanları bunların "Ana Tanrıça" kültüne işaret ettiğini düşünmüştür. İyi

korunmuş kumaş parçaları (keten), bitki ve hayvan kalıntıları ortaya çıkarıldı. Ayrıca çok sayıda aletin yapımı için kullanılmış ve iz element analizleriyle (s. 366-370'a bakınız) yerel kaynaklı olduğu anlaşılan obsidyen bulundu. Kazı 1965'te durdu ve arkasında cevaplanmamış birçok soru bıraktı. Özellikle, Mellaart'ın höyüğün güneybatısındaki kazılarında bir "kült mekânları mahallesi" mi ortaya çıkardığı ya da resimli duvarlara sahip odalar ve diğer sembolik buluntuların höyüğün diğer kısımlarında tekrarlanıp tekrarlanmadığı açıklığa kavuşmadı.

Yeni Araştırmaların Hedefi

1980'ler ve 1990'lardaki postsüreçsel akımda etkili bir figür olan Ian Hodder, arkeolojik alanın ortaya koyduğu sorunlarla ilgilendi ve 1993'te yüzey araştırması yaptıktan sonra 1995'te kazılara başladı. Projenin amaçlarından biri arkeolojik alanın yapısını ve yapıların işlevlerini incelemek, böylece Mellaart'ın çözümsüz bıraktığı bazı önemli sorunları cevaplamak için

1.50 *Mellaart'ın kazılarında bulunmuş, kedigillerden iki yırtıcının desteklediği "Ana Tanrıça"nın pişmiş topraktan büyük figürini.*

modern arazi teknikleri kullanmaktı. Buna ilaveten alandaki taban suyu seviyesinin düşmesi ahşap mimari, ahşap nesneler, sepetler ve belki de fırınlanmamış kil tabletleri iyi koruduğu bilinen daha derindeki hiç incelenmemiş kısımlarda 1999 sezonunda 6 aylık bir kazı ihtiyacı doğurdu.

Bununla birlikte Hodder postsüreçsel tartışmadan doğan "yorumsal" yaklaşıma uygun daha iddialı iki hedefi vardı. İlki stratigrafik kazıya daha esnek ve açık bir yaklaşım getirmekti. Bu, "malanın ucundaki" [yani öznel -ç.n.] yorumu teşvik ediyordu. Çatalhöyük'te kazı süreci hafir ve çok çeşitli uzmanların tartışmalarıyla çevrilidir. Farklı uzmanlar hafire bilgi geri bildirimi yapabilmek için açmadan çıkan malzemeyi hızla işlerler. Hafirler aynı zamanda kazı süresince yorumları hakkında video kaydı ve günlük tutmalıdır. Bütün veriler interaktif bir veritabanında erişime sunulur.

İkinci hedef aynı şekilde yerleşimin bir bütün olarak yorumlanmasına dair daha açık uçlu ve çok sesli bir yaklaşıma izin vermekti. Sadece farklı uzmanların değil, ayrıca yerel sakinler ve ziyaretçilere, özellikle de Çatalhöyük'ün "Ana Tanrıça" kültünün doğuşunda önemli olduğunu düşünenlere de (merhum Marija Gimbutas'la birlikte)

1.49 *Mellaart'ın "Tapınak VI.A.10" hakkındaki yayınından bir rekonstrüksiyon. Duvardaki boğa kafataslarına ve sıva kabartmalara dikkat edin.*

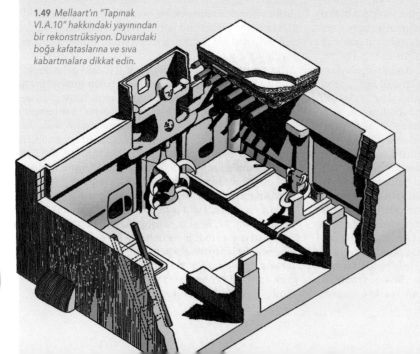

söz söyleme imkânı tanınmıştır (s. 45, 227-228 ve 422-423'e bakınız).

Dolayısıyla kazı verilerine projenin İnternet sayfasından (http://www.catalhoyuk.com) erişim sağlama kararı, buluntuları vakit kaybetmeden yayımlama niyetinin ötesine geçmektedir: Kazıya katkıda bulunmayı seçen bütün herkesin çok yönlü ve alternatif yorumlarına dair postsüreçsel ya da yorumsal istekleri daha ileriye

1.52 Ian Hodder tarafından yönetilen yeni kazılar.

1.51 Yakın zamanda ele geçmiş iskelet biçimli figürin.

taşır. Hafirler kendi açıklamalarını ileri sürmek için arkeolojik alan hakkındaki uzmanlık bilgilerini kullanma sorumluluğunu taşımakla birlikte, bu açıklamalara varmak üzere kapsamlı bir yaklaşım aranır.

Kazıya eşlik eden antropolojik proje çevredeki köylerde yaşayan yerel nüfusa (bazıları kazıda çalışmak üzere işe alınmıştır), höyüğü ziyaret eden yerli ve yabancı turistlere, Ana Tanrıça toplulukları ve müritlerine, yerel memurlara ve devlet memurlarına, yerleşimle ilgilenen sanatçı ve moda tasarımcılarına odaklanır. Bu "çok mahalli" etnografi Çatalhöyük'te başvurulan "dönüşlü yöntemin" ayrılmaz bir parçası olarak görülür.

Aynı ruhla çalışan yarı bağımsız dört kazı ekibi daha vardır. Bunlardan biri daha önce Mellaart tarafından kazılmış güneydeki alanda, Berkeley'den olan ikisi höyüğün kuzeyinde ve dördüncüsü batıda ayrı bir höyükte çalışmaktadır. Bunların hepsine ilaveten antropoloji/kültürel miras projesi, müze ve halka açık bilgilendirici sergiler

(yeni inşa edilmiş ziyaretçi merkezinde) proje lideri olarak Ian Hodder'ın genel direktörlüğü altında işler.

Sonuçlar

25 yıl sürmesi planlanan kazı şu an itibarıyla 20 yılını doldurmuştur ve dönüşümlü metodolojinin sunduğu içgörünün bundan 40 yıl öncekilerinden farkı olarak ne kadar mesafe kat ettiğini değerlendirmek mümkündür. Elbette çok sayıda yayın çıkmıştır ve bunlara yöredeki köyden gelen arkeolojik alan bekçisi Sadrettin Dural'ın yazdığı bir tanesi de dâhildir.

Ev tabanlarındaki dolguların detaylı mikromorfolojik, mikroartık ve kimyasal incelemeleri Mellaart'ın adlandırdığı "Tapınak VI.A.10" gibi yapıların çok farklı günlük işlevlere sahip evler olduğunu göstermiştir. Çatalhöyük'ün karmaşık sembolizmi günlük hayatın ayrılmaz bir parçasıydı. Kadın figürinlerinin erkeklerin ve hayvanlarınkiyle birlikte çöp dolgularında bulunması, bunların tanrı ve tanrıça olmadıklarını düşündürür.

Hodder'in yaklaşımı eleştirilse de, kazı farklı ve tutarlı yaklaşımıyla arkeolojik uygulama üzerinde gerçekten güçlü bir etki bırakan önemli bir projedir.

1.53 Yapı 1'deki keşiflere dayanan yakın tarihli bir rekonstrüksiyon.

ÖZET

▌ Arkeolojinin tarihi hem fikirlerin hem geçmişe bakış şekillerimizin hem de bu fikirleri uygulamanın, soruları araştırmanın tarihidir.

▌ Thomas Jefferson 1784'te arkeoloji tarihindeki ilk bilimsel kazıyı yapana dek insanlar her zaman geçmişleri hakkında tahminlerde bulunmuşlardır. Arkeoloji disiplini 19. yüzyılın ortasında üç büyük ilerlemeyle yerini sağlam bir şekilde pekiştirmiştir: İnsan türünün eskiliğinin kabulü, evrim kavramı ve Üç Çağ Sistemi'nin geliştirilmesi geçmiş üzerine çalışmak ve akıllıca sorular sormak için çerçeve sunmuştur.

▌ Arkeolojinin "sınıflandırıcı-tarihsel" dönemi 19. yüzyılın başından yaklaşık 1960'lara kadar sürmüş, başlıca ilgi alanı kronolojilerin geliştirilmesi ve çalışılması olmuştur. Bu süre zarfında arkeolojiye yardımcı bilimlerde, özellikle tarihleme alanında hızlı gelişmeler meydana gelmiştir.

▌ Arkeolojide 1960'lar bir dönüm noktasıdır ve sınıflandırıcı-tarihsel yaklaşıma duyulan memnuniyetsizlik Yeni Arkeoloji'nin doğuşuna yol açmıştır. Süreçsel arkeoloji olarak da bilinen bu akımın savunucuları geçmişi basitçe tarif etmekten ziyade açıklamanın yollarını aramıştı. Bunu gerçekleştirebilmek için Yeni Arkeologlar bilimin lehinde tarihsel yaklaşımlardan uzaklaşmışlardır.

▌ Postmodern düşünce 1980'ler ve 90'larda yorumsal ya da postsüreçsel arkeolojinin gelişmesine neden oldu. Takipçileri arkeolojik çıkarım yapmanın tek bir doğru yolu bulunmadığına ve araştırmada nesnelliğin imkânsız olduğuna inanıyorlardı. Yorumsal arkeologlar farklı sosyal gruplara dair çeşitli perspektiflere vurgu yaparak herkesin geçmişi aynı şekilde tecrübe etmediğini öne sürmektedirler.

▌ Sömürgecilik sonrası dünyada arkeoloji ulusal ve etnik kimliğin inşasında belirgin bir rol oynar ve kültür turizmi kârlı bir iş koludur.

İLERİ OKUMA

Arkeolojinin tarihi hakkında bazı iyi giriş kitapları:

Bahn, P.G. (ed.). 1996. *The Cambridge Illustrated History of Archaeology*. Cambridge University Press: Cambridge & New York.
Bahn, P.G. (ed.). 2014. The History of Archaeology: *An Introduction*. Routledge: Londra.
Browman, D.L. & Williams, S. (ed.). 2002. *New Perspectives on the Origins of Americanist Archaeology*. University of Alabama Press: Tuscaloosa.
Daniel, G. & Renfrew C.. 1988. *The Idea of Prehistory*. Edinburgh University Press: Edinburgh; Columbia University Press: New York.
Fagan B.M. 1996. *Eyewitness to Discovery*. Oxford University Press: Oxford & New York.
Fagan, B.M. 2004. *A Brief History of Archaeology: Classical Times to the Twenty-First Century*. Prentice Hall: Upper Saddle River, NJ.
Freeman, M. 2004. *Victorians and the Prehistoric: Tracks to a Lost World*. Yale University Press: New Haven, CT.
Hodder, I. 2003. *Reading the Past. Current Approaches to Interpretation in Archaeology*. (3. Basım). Cambridge University Press: Cambridge & New York.
Johnson, M. 2010. *Archaeological Theory. An Introduction*. (2. Basım). Blackwell: Oxford & Malden, MA.

Lowenthal, D. 1999. *The Past is a Foreign Country*. Cambridge University Press: Cambridge & New York.
Preucel, R.W. & Hodder I. (ed.). 1996. *Contemporary Archaeology in Theory, a Reader*. Blackwell: Oxford.
Renfrew, C. 2007. *Prehistory: The Making of the Human Mind*. Weidenfeld & Nicolson: Londra; Modern Library: New York.
Renfrew, C. & Bahn, P. (ed.). 2004. *Key Concepts in Archaeology*. Routledge: Londra & New York.
Rowley-Conwy, P. 2007. *From Genesis to Prehistory: The Archaeological Three Age System and its Contested Reception in Denmark, Britain, and Ireland*. Oxford University Press: Oxford.
Schnapp, A. 1996. *Discovering the Past*. British Museum Press: Londra; Abrams: New York.
Schnapp, A. & Kristiansen, K. 1999. Discovering the Past, *Companion Encyclopaedia of Archaeology* (G. Barker ed.), 3-47. Routledge: Londra & New York.
Trigger, B.G. 2006. *A History of Archaeological Thought*. (2. Basım). Cambridge University Press: Cambridge & New York.
Willey, G.R. & Sabloff J.A. 1993. *A History of American Archaeology* (3. Basım). Freeman: New York.

GERİYE NE KALDI? 2
Kanıtların Çeşitliliği

İnsanların geçmişteki faaliyetlerine ait kalıntılar etrafımızı sarmaktadır. Mısır piramitleri, Çin Seddi, Mezoamerika ve Hindistan'daki tapınaklar gibi bazıları baki kalmaları için özellikle inşa edilmiştir. Meksika ve Belize'deki Maya sulama sistemleri gibi kalıntılar ise görenleri etkilemek amacıyla yapılmamıştır, ancak girişilen işin boyutlarını göstermesi açısından günümüzde bile hayranlık uyandırırlar.

Arkeolojik kalıntıların çoğu daha alçakgönüllüdür. Bunlar insanların günlük faaliyetlerinden geriye kalan nesnelerdir. Yiyecek kalıntıları, çanak çömlek parçaları, kırık taş aletler; kısacası insanların günlük hayatlarını sürdürürken oluşan artıklar bu gruba girer.

Bu bölümde temel arkeolojik terimleri tanımlayacak, günümüze gelen buluntuların kapsamını kısaca gözden geçirecek ve bunların elimize hangi yollarla geçtiğine bakacağız. Örneğin Rusya steplerinin donmuş topraklarından çıkan ve kabile şeflerine ait olduğu anlaşılan muhteşem Pazırık buluntuları arasında mükemmel şekilde korunmuş ahşap, dokuma ve deri parçaları vardır. Peru'nun kuru mağaralarından ve diğer kurak iklimlerden de genelde yok olmaya mahkûm iyi korunmuş dokumalar, sepetler ve diğer nesneler gün ışığına çıkarılmaktadır. Buna karşılık, Florida'nın bataklıklarından ya da İsviçre'nin göl kıyısındaki yerleşimlerinden çıkarılan organik kalıntılar ise nemsiz ortamların aksine nemin yüksek olduğu yerlerde daha iyi korunmuştur.

Aşırı sıcak ve nem gibi uç değerler de birçok kalıntıyı günümüze taşır. Pompeii ve Herculaneum'u tahrip eden volkanik patlama (s. 24-25'teki kutuya bakınız) bunlardan en ünlüsüdür, fakat başkaları da vardır: MS 2. yüzyılda El Salvador'da, güney Maya bölgesinde araziyi ve yerleşimleri tamamen örten Ilopango yanardağının patlaması bunlardan biridir.

İnsanlığın en erken geçmişi hakkındaki bilgilerimiz, arkeolojik kaydı oluşturan insan faaliyetleri ve doğal etkenlerle neyin kaldığına ve neyin sonsuza kadar kaybolduğuna uzun bir süreç içinde karar veren daha başka faktörlere bağlıdır. Bugün bize kalanların büyük bölümünü geri kazanabilmeyi ve doğru soruları doğru şekilde sorarak bunlardan bir şeyler öğrenmeyi umabiliriz.

TEMEL ARKEOLOJİK KANIT GRUPLARI

Arkeoloğun başlıca ilgi alanlarından biri şüphesiz *buluntuların*, yani insanlar tarafından yapılan, kullanılan ve değiştirilen nesnelerin çalışılmasıdır. Ancak Grahame Clark ve çevrebilimsel yaklaşımın diğer öncülerinin gösterdiği gibi (1. Bölüm), *organik* ve *çevresel kalıntıların* –bazen "doğal malzeme" diye adlandırılır– meydana getirdiği geniş bir kategori daha vardır. Bunlar da geçmiş insan faaliyetleri hakkında aydınlatıcı olabilirler. Arkeolojik araştırmalar büyük ölçüde küçük buluntuların analizi ve *buluntu yerlerinde* birlikte bulunan söz konusu organik ve çevresel kalıntılarla doğrudan ilgilidir. Yerleşimlerin kendileri ise en verimli şekilde onları çevreleyen araziyle birlikte incelenebilir ve birlikte *bölgelere* ayrılır.

Buluntular, taş aletler, çanak çömlek ve metal silahlar gibi insan elinden çıkma ya da insanın üzerinde değişiklik yaparak kullandığı taşınabilir nesnelerdir. Sekizinci Bölüm'de insanlığın alet yapımında kullandığı malzeme üzerindeki ustalığı ve bunu incelemenin yolları ele alınacaktır. Fakat buluntular bize bu kitapta yönelttiğimiz anahtar soruların hepsini –sadece teknik olanları değil– cevaplamamız için gerekli kanıtları sunar. Tek bir kilden çömlek ya da kaptan birçok değişik şekilde bilgi edinebiliriz: Kil analizi kabı ya da kabın bulunduğu yeri tarihlendirebilir (4. Bölüm). Aynı zamanda kilin kaynağı tespit edilerek kabı yapan topluluğun yayılım alanı ve ilişkilerini tespit etmek mümkündür (5 ve 9. bölümler). Kabın üzerindeki motif ve resimler tipolojik bir kronoloji elde etmek amacıyla kullanılabilir (3. Bölüm) ya da eğer özellikle tanrılar veya başka figürler resmedilmişse, bunlar dönemin inançları hakkında fikir verebilir (10. Bölüm). Kap formunun incelenmesi ve kabın içinde bulunan artıklar da işlevini (örneğin pişirme kabı olup olmadığını) ve dönemin beslenme alışkanlıklarını açığa çıkarabilmektedir (7. Bölüm).

Bazı araştırmacılar "buluntu" terimini bir buluntu yeri veya arazide insan tarafından değiştirilmiş ocaklar, ahşap

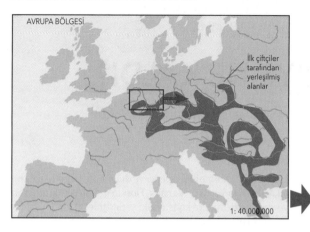

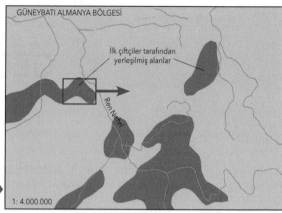

direk delikleri ve saklama çukurları gibi her türlü unsuru kapsayacak şekilde genişletir. Fakat bu ve benzeri taşınamayan mimari kalıntılar için **taşınmaz mimari buluntular** daha uygun bir terimdir. Ahşap direk delikleri gibi basit kalıntılar ya da ocaklar, tabanlar hendekler vb. elemanlar evlerden tahıl ambarlarına, saraylardan tapınaklara kadar çeşitli karmaşık yapı komplekslerine dair kanıt sunarlar.

İnsan elinden çıkmamış organik ve **çevresel kalıntılar** ya da doğal malzemeler, insan iskeletleri, hayvan kemikleri ve bitki kalıntıları yanında toprak ve çökeltiler gibi insanlığın geçmiş faaliyetlerine ışık tutabilecek unsurları içerir. Bunlar önemlidir, çünkü örneğin bize insanların ne yediklerini ve hangi şartlarda yaşadıklarını anlatır (6 ve 7. bölümler).

Arkeolojik alanlar buluntuların, mimari kalıntıların, yapıların, organik ve çevresel kalıntıların bir arada bulunduğu yerler olarak düşünülebilir. Yapılacak çalışmanın amacı doğrultusunda bu tanım daha da basitleştirilebilir ve arkeolojik yerleşmeler insan faaliyetine dair önemli izlerin bulunduğu yer olarak değerlendirilebilir. Böylece bir köy veya şehir kadar Ohio'daki Serpent Mound ya da İngiltere'deki Stonehenge gibi izole yerleri de arkeolojik alan olarak kabul etmek mümkündür. Aynı şekilde, taş alet ve çanak çömlek parçalarıyla dolu bir alan birkaç saatten fazla yerleşim görmemiş olabileceği gibi, Yakındoğu'daki bir höyük belki de binlerce yıllık bir geçmişe ev sahipliği yapabilmektedir. 5. Bölüm'de çeşitli arkeolojik buluntu yerlerine daha ayrıntılı bakacak, arkeologların bunları ne şekilde sınıflandırdıklarını ve bölgesel yerleşim modelleri araştırmalarının bir parçası olarak nasıl incelediklerini göreceğiz. Ancak burada daha ziyade münferit buluntu yerlerinin doğası ve nasıl oluştuklarıyla ilgileneceğiz.

Kontekstin Önemi

Bir yerleşmedeki insan faaliyetlerini yeniden kurgulamak için küçük buluntu, mimari kalıntı, yapı, organik kalıntı ya da herhangi bir buluntunun **kontekstini** anlamak gerekir. Bir buluntunun konteksti, onu çevreleyen **matrisi** (yani çaytaşları, kum ya da kil gibi toprak ve kaya tabakaları), **konumunu** (fiziksel ortam içinde yatay ve dikey pozisyonunu) ve diğer buluntularla olan **ilişkisini** (genellikle aynı matris içinde diğer arkeolojik kalıntılarla birlikteliğini) içerir. 19. yüzyılda taş aletlerin bozulmamış çökeltilerde ve fiziksel ortamlarda soyu tükenmiş hayvan kemikleriyle ilişkilendirilebileceği kanıtlanınca insanlığın ne kadar uzun bir geçmişe sahip olduğu anlaşılmıştı (1. Bölüm). O tarihten beri arkeologlar buluntu yerlerindeki kalıntılar arasındaki ilişkileri tespit etmenin ve kayıt altına almanın önemini giderek daha fazla kavramışlardır. Bu yüzden definecilerin buluntu yerlerini değerli nesneler ele geçirmek için fiziksel ortam, konum ya da bağlantıları kaydetmeksizin gelişigüzel kazmaları büyük bir talihsizliktir; kontekstle ilgili bütün bilgiler kaybedilmiştir. Kaçak kazılarda ortaya çıkarılmış bir vazo koleksiyoncular için çekici bir nesnedir, ancak eğer arkeologlar onun nerede bulunduğunu (mezar yapısı, hendek ya da ev?); diğer buluntular ve organik kalıntılarla (silahlar, aletler veya hayvan kemikleri?) ilişkisini kaydedebilseler çok daha fazla şey öğrenilebilir. Örneğin Kuzey Amerika'nın güneybatısındaki Mimbres halkına ait birçok bilgi bugün kaybolmuştur, çünkü defineciler bu kültürün 1000 yıl önce ürettiği olağanüstü şekilde boyanmış ve çok aranan kapları ele geçirmek amacıyla yerleşimlerini buldozerlerle tahrip etmişlerdir (s. 561'deki kutuya bakınız).

Günümüzde (veya geçmişte) defineciler bir arkeolojik alanı tahrip ettiği zaman ve belki de ilgilenmedikleri nesneleri bir kenara attıklarında, o nesnelerin **birincil kontekstini** yok etmiş olurlar. Daha sonra söz konusu yerleşmeyi kazan arkeologlar yeri değişmiş buluntuların aslında artık **ikincil kontekste** olduklarını anlamalıdır. Yakın geçmişte yıkılmış bir Mimbres buluntu yeri için bunu fark etmek kolay olabilir, ancak eski çağlarda tahrip edilmiş yerlerde durum zorlaşmaktadır. Üstelik tahribat sadece insan eliyle olmaz:

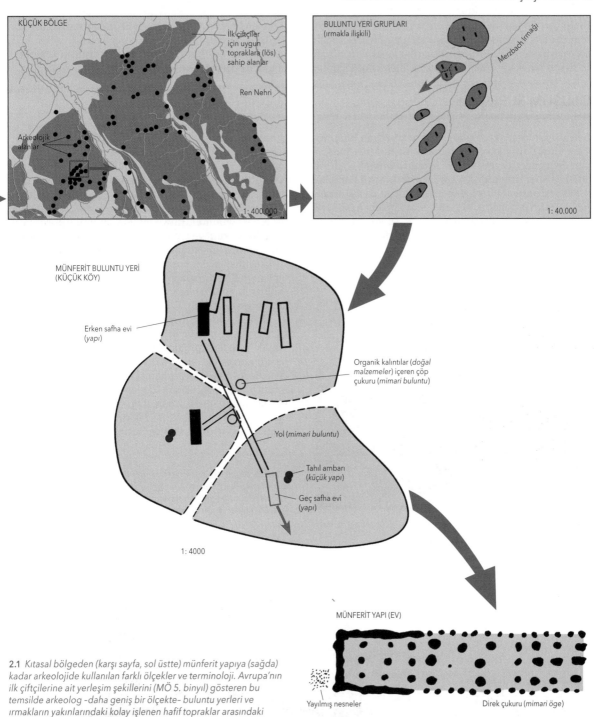

KÜÇÜK BÖLGE

İlk çiftçiler için uygun topraklara (lös) sahip alanlar

Ren Nehri

Arkeolojik alanlar

1: 400.000

BULUNTU YERİ GRUPLARI
(ırmakla ilişkili)

Merzbach Irmağı

1: 40.000

MÜNFERİT BULUNTU YERİ
(KÜÇÜK KÖY)

Erken safha evi
(yapı)

Organik kalıntılar (doğal malzemeler) içeren çöp çukuru (mimari buluntu)

Yol (mimari buluntu)

Tahıl ambarı
(küçük yapı)

Geç safha evi
(yapı)

1: 4000

MÜNFERİT YAPI (EV)

Yayılmış nesneler

Direk çukuru (mimari öge)

1: 400

Yapıyla bağlantılı inşa yapımı nesneler ve mimari ögeleri bulunmuştur.

2.1 Kıtasal bölgeden (karşı sayfa, sol üstte) münferit yapıya (sağda) kadar arkeolojide kullanılan farklı ölçekler ve terminoloji. Avrupa'nın ilk çiftçilerine ait yerleşim şekillerini (MÖ 5. binyıl) gösteren bu temsilde arkeolog -daha geniş bir ölçekte- buluntu yerleri ve ırmakların yakınlarındaki kolay işlenen hafif topraklar arasındaki ilginç ilişkiyi çalışabilir (7. Bölüm'e bakınız). Daha küçük ölçekte evlerin başka evlerle ve tahıl ambarları gibi diğer yapılarla bağlantısı (kazılarla tespit edilmiştir; 3. Bölüm), örneğin bu dönemdeki sosyal organizasyon ve yerleşim sürekliliği hakkında sorular doğurur.

51

Yontmataş Çağı ya da Paleolitik gibi yüz binlerce yıllık bir zaman dilimini kapsayan dönemlerle uğraşan arkeologlar doğa güçlerinin –yükselen deniz ya da buz tabakaları, rüzgâr ve suyun hareketi– orijinal konteksti sürekli bozduğunun farkındadır. Avrupa'daki ırmak iri kumlarından çıkarılan Taş Devri aletlerinin büyük bir kısmı ikincil kontekstlerden gelmektedir; su onları orijinal kontekstlerinden kopararak bulundukları yerlere taşımıştır.

OLUŞUM SÜREÇLERİ

Geçmiş yıllarda arkeologlar, *oluşum sürecinin* buluntuların toprak altında kalma yollarını ve bu süre içinde ne gibi değişimler geçirdiklerini –yani *tafonomi*– giderek daha iyi kavramışlardır (s. 292-293'teki kutuya bakınız).

Kültürel oluşum süreçleri ve kültür dışı ya da *doğal oluşum süreçleri* arasında yararlı bir ayrım yapılabilir. Kültürel süreçler insanların alet yaparken ya da kullanırken; yapıları inşa veya terk ettiklerinde; arazilerini sürdüklerinde ve

benzeri durumlarda bilinçli ya da bilinçsiz olarak yaptıkları eylemlerdir. Doğal oluşum süreçleri ise arkeolojik kalıntıların toprak altında kalmasına veya toprak üstüne çıkmasına etki eden doğal faktörlerdir. Pompeii şehrinin haritadan silinmesine yol açan ani volkanik patlama (s. 24-25'teki kutuya bakınız) nadir bir doğal oluşumdur. Daha sık rastlanan bir örnek, buluntuların ve mimari kalıntıların rüzgârın sürüklediği kum ve toprakla örtülmesidir. Benzer şekilde, yukarıda sözünü ettiğimiz taş aletlerin ırmaklarla birlikte sürüklenmesi de bir başka doğal oluşumdur. Hayvanların bir buluntu yeri üzerindeki faaliyetleri de –toprakta açtıkları delikler; kemikleri ya da ahşapları kemirmeleri– yine aynı kategoriye girer.

İlk bakışta bu ayrım arkeolog için çok önemli değilmiş gibi görünebilir, fakat aslında geçmiş insan faaliyetlerinin doğru şekilde yeniden kurgulanabilmesi için hayatidir. Mesela belli bir arkeolojik kanıtın insan eliyle mi yoksa başka bir nedenle mi meydana geldiğini bilmek önemli olabilir. Eğer keresteler üzerindeki kesim izlerine bakarak insanların ağaç işleme faaliyetlerine ışık tutmaya çalışıyorsanız, kunduzların dişleriyle yaptıkları izlerle insanların taş veya metal aletlerle yaptığı izleri ayırt edebilmeniz gerekir (8. Bölüm).

2.2–3 *İlk insanlar güçlü avcılar mıydı (solda) yoksa sadece leşçiller miydi (aşağıda)? Oluşum süreçlerine dair bildiklerimiz, Afrika'daki fosil kayıtlarından gelen insan yapımı aletlerin hayvan kemikleriyle ilişkisini açıklama yöntemlerimiz tarafından yönlendirilir.*

Daha kayda değer bir örnek verelim: Yontmataş Çağı'nın ya da Paleolitik Çağ'ın başlarında, yani insanların Afrika'daki ilk zamanlarında, arkeolojik alanlarda bulunmuş taş aletler ve hayvan kemiklerinin ilişkilendirilmesine dayanarak ilkel avcı geçmişimiz üzerine büyük teoriler üretilmişti. Kemiklerin insanlar tarafından aletlerle avlanan ve kesilen hayvanlara ait olduğu düşünülüyordu. Ancak C.K. Brain, Lewis Binford ve diğerlerinin hayvan davranışları ve hayvan kemikleri üzerindeki kesim izlerine dair çalışmaları, ortaya çıkarılan kemiklerin birçok durumda başka yırtıcılar tarafından avlanmış ve yenmiş hayvanlara ait olduğunu ileri sürmekteydi. İnsanlar taş aletleriyle birlikte sahneye sonradan, hayvanlar arasındaki hiyerarşinin son halkasını temsil eden leş yiyiciler olarak dâhil oluyorlardı. Bu leş yiyici varsayımı hiçbir şekilde genel kabul görmüş değildir. Burada vurgulamak istediğimiz nokta, sorunun en iyi şekilde kültürel ve doğal oluşum süreçlerini –yani insan kaynaklı faaliyetleri ve insan dışı etkenleri– ayırt etmekte kullandığımız tekniklerin gelişmesiyle çözülebileceğidir. Günümüzde kemiklerdeki izlerin taş aletlerin ya da yırtıcı hayvanların eseri olup olmadığı sorusu birçok araştırmanın konusudur (7. Bölüm). Deneysel olarak üretilmiş (replika) taş aletler kullanılarak etleri kemiklerden ayırmaya yönelik modern deneyler faydalı yaklaşımlardır. Başka deneysel arkeoloji denemeleri arkeolojik buluntuların fiziksel korunma şartları hakkında yol gösterici olabilir (aşağıdaki kutuya bakınız).

Bu bölümün geri kalanı farklı kültürel ve doğal oluşumların detaylı tartışmasına ayrılmıştır.

DENEYSEL ARKEOLOJİ

Oluşum süreçlerini incelemenin etkili yollarından biri uzun vadeli deneysel arkeolojidir. İngiltere'nin güneyindeki Overton Down'da 1960'ta inşa edilmiş deneysel toprak işi mükemmel bir örnektir.

Bu, 21 m uzunluğunda, 7 m genişliğinde, 2 m yüksekliğinde önemli miktarda tebeşir ve turbadan bir set ile ona paralel kazılmış bir hendekten meydana gelir. Deneyin amacı set ve hendeğin zaman içinde nasıl değişime uğradığını tespit etmenin yanı sıra, 1960'ta buraya gömülmüş çanak çömlek, deri ve kumaş gibi malzemeye ne olduğunu anlamaktı. Set ve hendek boyunca 2, 4, 8, 16, 64 ve 128 yıllık aralıklarla (gerçek zamanda 1962, 1964, 1968, 1976, 1992, 2024 ve 2088) kesitler (açmalar) açılmıştır (ya da açılacaktır). Bu, katılan herkes için kayda değer bir sorumluluktur.

Bu zaman çizelgesine göre proje şu an nispeten erken bir safhadadır, ama ilk sonuçlar ilginçtir. 1960'larda set yüksekliğinden 25 cm kaybetti ve hendek de oldukça hızlı şekilde doldu. Ancak 1970'lerde yapı belli bir dengeye oturmuştur. Gömülen malzemeye gelince, dört yıl sonraki testler çanak çömleğin değişmeden kaldığını ve derinin

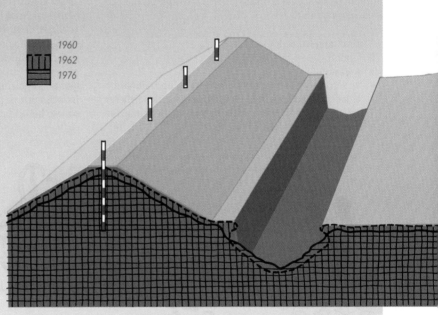

1960
1962
1976

çok az etkilendiğini, ama kumaşların daha şimdiden zayıfladığını ve renklerini kaybettiğini gösterdi. 1992 kazıları biyolojik anlamda daha az aktif olan tebeşir sette korunma koşullarının, kumaşların ve bir kısım ahşabın tamamen kaybolduğu turba dolguya göre daha iyi olduğunu gösterdi. Yapının kendisi 1976'dan beri çok az değişmesine karşın, toprak solucanları ince malzemeli dolguları

2.4 *1960'ta yapılan set ve hendek ile 1962 ve 1976'da toprak işi boyunca açılmış kesitlerin ortaya çıkardığı değişimler.*

hatırı sayılır miktarda yeniden işlemiş ve nakletmişti. Deney arkeologları ilgilendiren birçok değişimin gömüden sonra on yıllar içinde meydana geldiğini ve bu değişimlerin boyutunun zannedilenden çok daha büyük olduğunu şimdiden göstermiştir.

KÜLTÜREL OLUŞUM SÜREÇLERİ - İNSANLAR GÜNÜMÜZE KALAN ARKEOLOJİK KALINTILARA NASIL ETKİ ETTİ?

Bu oluşumları kabaca ikiye ayrılabiliriz: İlki, bir yerleşme ya da buluntu toprakla örtülmeden önceki zaman dilimindeki özgün insan davranışını ve faaliyetini yansıtanlar; ikincisi, bunların toprak altında kalmasından sonra saban ya da kaçak kazılar gibi faktörlerle meydana gelenler. Pek çok büyük arkeolojik buluntu yeri karmaşık kullanım silsileleri, gömüt ve tekrar kullanım süreci geçirmiştir. Öyle ki bunlarda sadece iki gruba ayrılmış kültürel oluşum süreçlerini pratikte uygulamak fazla basit kaçabilir. Yine de amacımız geçmişin özgün insan davranışları ve faaliyetlerini yeniden kurgulamak olduğu için bir denemede bulunmalıyız.

Özgün insan davranışı genellikle arkeolojik olarak en az dört büyük fâaliyette kendini gösterir. Örneğin bir alet söz konusuysa bunlar:

1 Hammaddenin elde edilişi;
2 Üretim;
3 Kullanım;
4 ve son olarak alet yıprandığında ya da bozulduğunda elden çıkarmadır (elbette alet yeniden biçimlendirilerek veya işlenerek ikinci kez kullanılmış olabilir, yani 2 ve 3. basamaklar tekrar edilmiştir).

Aynı şekilde, buğday gibi bir mahsul önce hasat edilecek (elde etme), işlenecek (üretim), kullanılacak (yemek) ve elden çıkarılacaktır (hazmedilecek ve işe yaramayanlar bedenden atılacaktır). Buraya sadece ara basamak olarak kullanımdan önce depolamayı eklemek gerekebilir. Arkeoloğun bakış açısından önemli olan faktör, buluntuların bu aşamaların herhangi birinde ortaya çıkabileceğidir. Bir alet kaybolabilir ya da üretim aşamasından defolu çıkabilir; mahsul yanlışlıkla yakılabilir bu yüzden daha işleme sırasındayken korunmuş olur. Özgün faaliyeti yeniden kurgulamak için elimizdeki buluntunun yukarıdaki aşamalardan hangisinde ele geçtiğini anlamaya çalışmamız gerekir. Örneğin taş aletler söz konusu olduğunda ilk aşamayı tespit etmek kolaydır, çünkü taş yatakları yerdeki derin delikler ve bunlarla ilintili yonga ve ham yongaların varlığıyla kendini göstermektedir. Öte yandan kömürleşmiş bitki kalıntılarının bir harman yeri zemininden mi yoksa bir ev tabanından mı geldiğini mantıklı bir kuşku payı bırakmadan söyleyebilmek imkânsız gibidir. Bu durum aynı zamanda bitkisel beslenme alışkanlıklarını ortaya çıkarmayı zorlaştırır, çünkü bazı faaliyetler sadece belirli bitki türlerinin günümüze kalmasına sebep

2.5 *İnsan yapımı bir nesne kullanım süresi boyunca bu dört safhadan herhangi birinde arkeolojik kayda girebilir. Arkeoloğun görevi söz konusu buluntunun hangi safhayı temsil ettiğine karar vermektir.*

1

Vurgaç

Düzelti artıkları

HAMMADDENİN ELDE EDİLİŞİ

2

Bitmiş iki yüzeyli uç

Düzelti artıkları

ÜRETİM

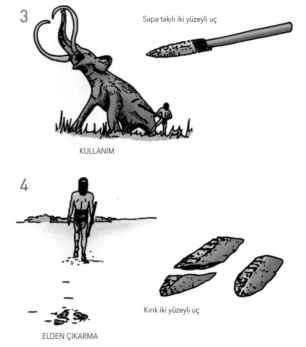

3

Sapa takılı iki yüzeyli uç

KULLANIM

4

Kırık iki yüzeyli uç

ELDEN ÇIKARMA

olabilmektedir. Bu tartışmalı konu 7. Bölüm'de daha geniş şekilde ele alınacaktır.

Bilinçli olarak gömülen nesneler veya gömüler arkeolojik kayıtlarda kendine önemli bir yer edinmiş özgün insan davranışlarından biridir. Genellikle çatışma ya da savaş zamanında insanlar değerli eşyalarını korumak amacıyla gömer; daha sonra da bunları almak için geri dönerler. Ancak bazen birkaçı eşyalarını geri almayı başaramaz. Bu **defineler** belli dönemler için başlıca kanıtlardır: Örneğin metal nesne definelerine sıkça rastlanan Avrupa Tunç Çağı ya da gümüş ve diğer değerli metallerden yapılmış eşyaların ortaya çıkarıldığı Roma Dönemi Britanya'sı gibi. Arkeolog daha sonra tekrar alınmak üzere kasıtlı olarak gömülmüş definelerle belki de kızgın doğaüstü güçleri yatıştırmak amacıyla (örneğin bir turbiyerdeki tehlikeli geçiş noktasına) bir daha alınmamak üzere bırakılmış nesneleri ayırt etmekte zorlanabilir.

Arkeologların doğaüstü güçler ve ölümden sonra hayat inanışının varlığını göstermek için yaptığı çalışmalar 10. Bölüm'ün konusudur. Burada defineler dışındaki en önemli bilgi kaynağımız **gömütlerdir**. Bunlar basit mezarlar, özenli tümülüsler veya büyük piramitler olabilir. Genellikle pişmiş toprak kap ya da silah gibi buluntular içerirler; Mısır ve Meksika'daki gibi örneklerde resimli mezar odalarına rastlanabilir. Aslında Mısırlılar daha da ileri giderek ölülerini mumyalamışlar (aşağıya bakınız), böylece onları sonsuza kadar muhafaza edebileceklerini düşünmüşlerdir. Aynı düşünce tarzı krallarını Cuzco'daki Güneş Tapınağı'nda saklayan ve özel törenler için dışarıya çıkaran Peru'daki İnkalarda da gözlenir.

Arkeolojik kayıtların insan eliyle tahribi yukarıda bahsettiğimiz üzere, eski tabakaları bozan yeni gömütlerden kaynaklanabilir. Fakat eski insanlar öncellerine ait izleri kazara veya bilinçli olarak birçok şekilde silmiştir. Örneğin yöneticiler kendilerinden önceki liderlere ya da krallara ait anıt ve yazıtları çoğunlukla tahrip etmişlerdir. Bunun en tipik örneği Mısır'da yaşanmıştır: MÖ 14. yüzyılda ülkeye yeni bir din getirmeye çalışan firavun Akhenaton ardılları tarafından yerden yere vurulmuş ve onun döneminde inşa edilmiş yapılar yıkılarak taşları yeni binalarda kullanılmıştır. Donald Redford liderliğindeki Kanadalı bir ekip Teb'de kullanılan bu taş blokların yıllarca kaydını tutmuş ve bilgisayar destekli veritabanı sayesinde, Akhenaton'un tapınaklardan birini büyük bir yapbozun parçaları gibi kâğıt üzerinde kısmen birleştirmiştir.

Yok etme amacını taşıyan insan kaynaklı tahribatların bir kısmı istemeden de olsa bazı şeyleri arkeologlar için korumuştur. Mesela yangın her zaman tahrip etmeyebilir: Bitki gibi çeşitli kalıntıların günümüze kalmasını çoğunlukla yangınlara borçluyuz. Yanma esnasında bitkilerin karbonlaşması onları zamanın yıkıcı etkilerine karşı korumuştur. Kil sıva ve kerpiç genellikle yok olmaya mahkûmdur, ama eğer bina yangın geçirmişse kerpiç bir tuğla kadar sertleşir. Aynı şekilde, Yakındoğu'da ele geçmiş binlerce tablet kazara yanmış ya da bilinçli olarak fırınlanmış ve korunmuştur. Ahşap hatıllar da kömürleşebilir ve yapıların içinde korunabilir ya da en azından yangın sonucu sertleşmiş kerpiçte iz bırakır.

Günümüzde insanların arkeolojik kayıtlar üzerindeki tahribatı drenaj, tarla sürme, inşaat, definecilik vb. faaliyetlerin artmasıyla korkutucu bir hızda devam etmektedir. Bütün bunların arkeolojiyi genelde nasıl etkilediğini ve gelecek için neler ifade ettiğini 14. Bölüm'de tartışacağız.

DOĞAL OLUŞUM SÜREÇLERİ-DOĞA GÜNÜMÜZE KALAN ARKEOLOJİK KANITLARA NASIL ETKİ EDER?

Yukarıda ırmak hareketleri gibi doğal oluşum süreçlerinin, arkeolojik buluntuları barındıran özgün konteksti nasıl bozduğunu gördük. Şimdi ise buluntuların kendisi ve onların bozulmasına ya da korunmasına sebep olan doğal oluşumları inceleyeceğiz.

Pratikte, sıra dışı şartlar altında bitki kalıntılarından metallere kadar her arkeolojik malzeme günümüze ulaşabilir. Fakat genellikle inorganik olanlar organiklerden daha iyi korunur.

İnorganik Buluntular

Arkeolojik anlamda korunan inorganik nesnelerin başında taş, kil ve metaller gelir.

Taş aletler son derece iyi durumda günümüze gelmişlerdir; bazılarının yaşı 2 milyon yılın üzerindedir. Bu yüzden Paleolitik Çağ'daki insan faaliyetleri için temel kanıtlarımız olmaları şaşırtıcı değildir. Ahşap ve kemik daha az şanslı olmalarına rağmen en az taş aletler kadar önemlidirler. Taş aletler bazen o kadar az hasar görmüş ya da değişime uğramıştır ki, arkeologlar aletlerin kesici kenarlarındaki yıpranma izlerini mikroskop altına inceleyerek bunların ağaç mı yoksa hayvan derisi kesmekte mi kullanıldıklarını anlayabilirler. Bu yöntem artık önemli arkeolojik araştırma dallarından biridir (8. Bölüm).

Pişmiş kil (örneğin çanak çömlek ve kerpiç) eğer iyi fırınlanmışsa neredeyse yok edilemez olur. Dolayısıyla çanak çömlek yapımının ortaya çıkmasından hemen sonraki dönemler için (Çin'de yaklaşık 18.000 ve Yakındoğu ile Güney Amerika'nın bazı bölgelerinde 9000 yıl önce) pişmiş toprak kapların arkeoloğun başlıca kanıtı olması şaşırtıcı değildir. Bölümün başında gördüğümüz gibi çanak çömleklerin biçimlerini, yüzey süslemelerini, mineral yapılarını, hatta içlerinde kalmış yiyecek artıklarını ve diğer kalıntıları incelemek mümkündür. Asitli topraklar fırınlanmış kilin yüzeyini tahrip edebilir, gözenekli ya da kötü fırınlanmış kaplar ve kerpiç nemli ortamlarda kırılganlaşabilirler. Fakat dağılmış kerpiç bile Peru köyleri ya da Yakındoğu höyüklerindeki yapı katlarını tespit etmemize yardımcı olur (s. 58'deki fotoğrafa bakınız).

Altın, gümüş ve kurşun gibi **metaller** gayet iyi korunurlar. Düşük kaliteli alaşıma sahip bakır ve bronz ise asitli toprakların hedefi olur; o kadar çok oksitlenirler ki geriye ancak yeşil bir tortu veya pas kalır. Paslanma demiri yok eden hızlı ve güçlü bir etkendir. Paslanan demir toprakta sadece renk bozukluğu yaratır. Ancak 8. Bölüm'de görüleceği gibi, bazen yok olup gitmiş demir nesnelerin toprakta veya bir korozyon kütlesi içinde bıraktıkları boşluklardan kalıplarını elde etmek mümkündür.

Deniz çok tahripkârdır; su altındaki kalıntılar akıntılar, dalgalar ve gelgitler yüzünden kırılır ya da dağılır. Öte yandan metal nesnelerin kalın madeni tuz tabakasıyla (klorür, sülfit, ve karbonatlar gibi) örtülmesini sağlayarak korunmalarına yardım eder. Eğer buluntular sudan çıkarılarak hiçbir önlem alınmadan bırakılırsa, tuzlar havayla reaksiyona girerek metali yok eden asidi serbest bırakır. Ancak elektroliz kullanarak önlem alınabilir: Nesne kimyasal bir çözeltinin içine konulur ve kendisini saran metal bir ızgarayla arasından zayıf bir akım geçirilir. Akım zararlı tuzları katottan (buluntu) anoda (ızgara) geçirir; metali temiz ve sağlam bırakır. Bu yöntem sualtı arkeolojisinde standart bir uygulamadır ve güllelerden yakın zamanda Titanik'ten çıkarılan eşyalara kadar her türlü nesne üzerinde kullanılır.

Organik Buluntular

Organik nesnelerin korunma durumu büyük oranda fiziksel ortam (onları çevreleyen maddeler), iklim koşulları (yerel ya da bölgesel) ve bazen volkanik patlamalar gibi doğal felaketlerden etkilenir.

Matris daha önce de sözünü ettiğimiz gibi çökelti ya da toprak çeşitleridir. Bunların organik buluntulara etkileri değişir: Örneğin tebeşir insan ve hayvan kemiklerini (ayrıca inorganik metalleri) iyi korur. Asitli toprak içindeki kemik ve ahşaptan birkaç yıl içinde iz kalmaz, ama aynı toprak bir zamanlar direk deliklerinin ya da kulübe temellerinin bulunduğu yerleri gösteren renk değişimlerini muhafaza eder. Benzer siyah ve kahverengi izlerle iskeletlerden arta kalan siyahi siluetler kumlu topraklarda iyi saklanmıştır (11. Bölüm'e bakınız).

Sıra dışı durumlarda fiziksel ortam metal cevheri, tuz ya da petrol gibi maddeler de içerebilir. Bakır muhtemelen zararlı mikroorganizmaların faaliyetlerini engelleyerek organik kalıntıların korunmasına yardımcı olur. Orta ve Güneydoğu Avrupa'daki tarihöncesi bakır madenleri ahşap, deri ve dokuma gibi birçok kalıntıyı barındırır. Türkiye'nin güney kıyısı açıklarındaki MÖ 14. yüzyıla ait Uluburun batığında (s. 380-381'deki kutuya bakınız) ele geçen bakır külçelerinin arasındaki organik dolgu malzemesi aynı neden sayesinde elimize geçmiştir.

2.6 Bu bölümde değinilen ve doğal oluşum süreçlerinin -ıslaktan çok kuruya ya da soğuk şartlara kadar- sıra dışı şekilde iyi korunmuş arkeolojik kalıntılarla sonuçlandığı önemli buluntu yerleri ve bölgeler.

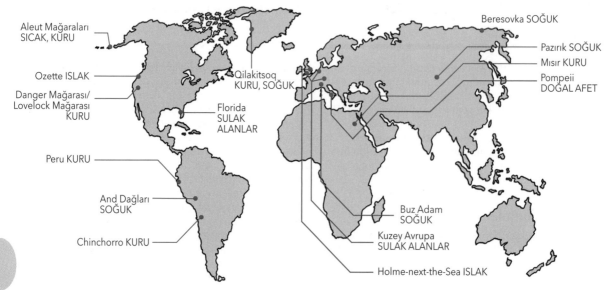

Beresovka SOĞUK
Pazırık SOĞUK
Mısır KURU
Pompeii DOĞAL AFET
Aleut Mağaraları SICAK, KURU
Ozette ISLAK
Qilakitsoq KURU, SOĞUK
Danger Mağarası/ Lovelock Mağarası KURU
Florida SULAK ALANLAR
Peru KURU
And Dağları SOĞUK
Buz Adam SOĞUK
Kuzey Avrupa SULAK ALANLAR
Chinchorro KURU
Holme-next-the-Sea ISLAK

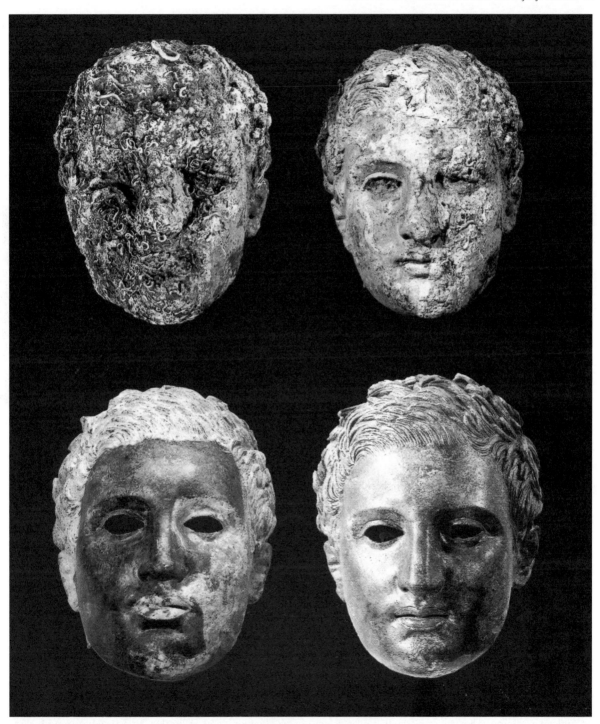

2.7 Bir Yunan erkek atlete ait bu tunç baş 2001'de Hırvatistan açıklarında bulunmuştur. Tunç deniz suyunda iyi korunur, fakat yaklaşık 2000 yıl sonra üzerindeki katılaşmış maddelerin konservatörler tarafından titizlikle temizlenmesi gerekmiştir.

2.8–9 *Kerpiç Yakındoğu'nun kuru şartlarında çok iyi korunur. Burada, Suriye'deki Tell Brak'ta, kazılar 3000 yıldan daha eski kerpiç duvarları gün ışığına çıkarmıştır. Arka plandaki modern yapı da kerpiç tuğlalarla inşa edilmiştir.*

Avusturya'daki Demir Çağı yerleşimi Hallstatt'ta yer alan tuz madenleri organik buluntuların korunmasında rol oynamıştır. Daha da olağanüstü bir örnek Polonya'daki Starunia'da ortaya çıkarılmıştır. Burada tuz ve petrol bileşimi sadece tüylü bir gergedanı ve derisini korumakla kalmamış, hayvanın çevresindeki tundraya özgü meyveleri de muhafaza etmiştir. Hayvan güçlü bir akıntı sonucunda, doğal bir petrol kaynağından sızan ham petrol ve yağ ile kirlenmiş bir göletin içine sürüklenmişti. Bakterilerin iş göremediği bu tip ortamlarda, tuz deri altına işleyerek onu korumuştur. Bunun gibi, Los Angeles'ta bulunan La Brea'daki asfalt çukurları, barındırdıkları olağanüstü sayıda ve iyi durumdaki çeşitli tarihöncesi hayvan ve kuş iskeletleriyle ünlüdür.

İklim de organik kalıntıların korunmasında önemli bir rol oynar. Bazen mağara gibi yerlerde "yerel iklimden" söz etmek mümkündür. Mağaralar doğal "koruma laboratuvarlarıdır" çünkü içleri iklimsel değişimlere kapalıdır ve alkali ortamlar (kalker mağaralarda) mükemmel bir koruma sağlar. Eğer su baskınları ya da insan ve hayvanların gezintilerinden dolayı bozulmamışlarsa, kemik ve ayak izi gibi narin buluntuların yanı sıra Üst Paleolitik'e ait Lascaux (Fransa) mağarasın-dan bir parça halat benzeri elyaf örneklerini bozulmadan barındırabilirler.

Çoğunlukla bölgesel iklim daha önemlidir. *Tropikal iklimler* yoğun yağış, asitli topraklar, yüksek sıcaklıklar, yüksek nem, erozyon, bitki örtüsünün yoğunluğuyla böcek nüfusunun fazlalığı gibi faktörlerden dolayı arkeolojik kalıntılara en çok zarar veren iklim tipleridir. Tropikal yağmur ormanları bir arkeolojik alanı oldukça hızlı şekilde örtebilir; ağaç kökleri duvarları yerinden oynatarak yapıları yıkar; şiddetli yağmurlar boya ve sıvaların dökülmesine sebep olur; ahşap tamamen çürür. Örneğin Güney Meksika'da arkeologlar bitki örtüsünü yerleşimlerden uzak tutabilmek için sürekli savaşmak zorunda kalırlar (s. 89'daki kutuya bakınız). Öte yandan cangıl ortamı, definecilerin bugünkünden daha fazla yerleşime el atmalarını engellediği için yararlı sayılabilir.

Ilıman iklimler Avrupa ve Kuzey Amerika'nın büyük bölümüne hükmeder ve organik malzeme için elverişli bir ortam değillerdir. Nispeten yüksek, fakat değişken sıcaklıklar ve oynayan yağış miktarları birleşince bozunma hızlanmaktadır. Ancak bazı durumlarda yerel şartlar bu sürecin tersine işleyebilir. Kuzey İngiltere'de Hadrianus Suru'nun yakınındaki Vindolanda'da bulunan Roma kalesi buna iyi bir örnektir. Arkeolog Robin Birley kazılarda incecik kayın ve akça ağaç tabakalarına mürekkeple yazılmış 1300 mektup ve belge bulmuştur. MS 100 civarına tarihlenen buluntular toprağın sıra dışı kimyasal özelliklerinden dolayı günümüze gelebilmiştir. Yerleşimin tabakaları arasında sıkışan kil oksijensiz cepler yaratmış (oksijenin yokluğu organik malzemenin korunması için önemlidir), eğrelti otları, kemikler ve diğer kalıntıların ürettiği kimyasallar araziyi bu yerde etkili şekilde kıraçlaştırmıştır.

Ilıman iklimlerde görülen bir diğer olağandışı örnek, Potterne'de (Güney İngiltere) MÖ 1000 civarına tarihlenen bir Son Tunç Çağı çöp yığınında ortaya çıkarılmıştır. Normalde sızan yeraltı sularının kemikleri –ayrıca yanmamış tohum ve çanak çömleği– mineralleştirmesi gerekirken, burada glokonit adlı bir mineral (bir mika çeşidi) yeşil kum ana kayadan ayrılarak organik malzemelerle etkileşime girmiş ve istikrarlı bir bileşim oluşturmuştur.

Doğal afetler bazen arkeolog için yerleşimlerle birlikte organik malzemeyi de korur. En yaygın afetler şiddetli fırtınalardır. Böyle bir fırtına Orkney Adaları'ndaki Skara Brae Neolitik kıyı köyünü kumlar altında bırakmıştır. Amerika'nın kuzeybatı kıyısındaki tarihöncesi Ozette köyünü yutan çamur kayması veya Roma şehri Pompeii'yi kül ile örten Vezüv yanardağı, bu yerleri mükemmel şekilde günümüze ulaştırmıştır (s. 24-25'teki kutuya bakınız). Yaklaşık MS 595'te El Salvador'da meydana gelen başka bir volkanik patlama ise buradaki bir Maya şehrinin yoğun yerleşim görmüş kısmını kalın ve geniş bir kül tabakasıyla kaplamıştır. Payson Sheets ve ekibi tarafından yürütülen çalışmalar Cerén adlı yerleşmede palmiye ve otlardan oluşan çatılar, hasır parçaları, sepetler, depolanmış tahıl, hatta saban izlerini ortaya çıkarmıştır. Altıncı Bölüm'de göreceğimiz gibi, volkanik küller Almanya'daki Miesenheim'da tarihöncesi bir ormanı kısmen korumuştur.

Bu özel örneklerin dışında organik malzeme nemin oranının uçlarda gezdiği yerlerde, yani kuru, donmuş veya su basmış ortamlarda oldukça sağlam kalabilmektedir.

Organik Malzemenin Korunduğu Olağandışı Durumlar

Sulak Ortamlar. Kara arkeolojisinde (sualtı arkeolojisinin aksine) sert ve sulak yerlerdeki arkeolojik alanlar arasında ayrım yapılabilir. Buluntu yerlerinin çoğu nem oranı ve organik malzemenin kötü korunma şartları çerçevesinde "kuru" olarak adlandırılır. Sulak buluntu yerleri göller, su altındaki alçak araziler, çayırlı bataklıklar ve turbalıklar gibi yerlerde bulunan örneklerin hepsini içerir. Böyle ortamlardaki organik malzemeler, su miktarının kazı tarihine kadar az çok aynı düzeyde kaldığı sulak ve havasız (anaerobik ya

da daha doğrusu anoksik) yerlerde günümüze iyi durumda gelebilmektedir. Ancak sulak bir buluntu yeri mevsimlik olarak bile kurumaya başlarsa organik malzemede bozunma yaşanabilir.

Britanya'da sulak alan arkeolojisinin öncülerinden biri olan John Coles böyle bir buluntu yerinde buluntuların %75-90'ının, bazen tamamının organik olabileceğini tahmin etmektedir. Kuru alanlardaki buluntu yerlerinde ahşap, deri, dokuma, sepet ve her türlü bitki kalıntısı gibi organik kalıntıların ya çok azı ele geçer ya da bunlar hiçbir iz bırakmaz. Bu yüzden arkeologlar geçmiş insan faaliyetleri hakkında zengin kanıtlar sağlayabilecek benzer sulak yerleşimlere giderek daha fazla önem vermektedir. Dünya karalarında sadece %6 yer kaplayan sulak arazilerdeki drenaj çalışmaları ve yer kömürü madenciliği hızlı davranmayı gerekli kılmaktadır.

Sulak alanlarda buluntuların korunma dereceleri çok çeşitlidir. Asitli turbalıklar ahşaba ve bitki kalıntılarına az zarar verirken kemik, demir hatta çanak çömlekte ciddi hasarlara yol açabilmektedir. İsviçre, İtalya, Fransa ve Güney Almanya'nın Alpler'de kalan bölgelerindeki göl yerleşmeleri, buluntuları iyi durumda saklayabilmiştir.

Neredeyse hepsi kuzey enlemlerde bulunan **turba bataklıkları** sulak arazi arkeolojisi için çok önemli alanlardır. Güney İngiltere'deki Somerset Levels'da yer alan Glastonbury ve Meare'da bu yüzyılın başında çok iyi korunmuş Demir Çağı göl yerleşmeleri ortaya çıkarılmıştır. Son yirmi yılda bölgede yapılan daha geniş çaplı araştırmalar çok sayıda ahşap yürüyüş yolu (aralarında 6000 yıllık 1,6 km uzunluğunda dünyanın en eski yolu da vardır; s. 336-337 kutuya bakınız), erken dönem ahşap işçiliğine (8. Bölüm) ve dönemin çevre şartlarına (6. Bölüm) dair detaylar ortaya çıkarmıştır. Kıta Avrupa'sında ve İrlanda'daki turbalıklarda benzer yollara, hatta bazılarında üzerlerinden geçen yük arabalarına ait izlere ve diğer narin buluntulara rastlanmıştır. Avrupa'nın kıyı çayırlı bataklıkları gibi diğer sulak arazilerinde oyma kütük kayıklar ve kürekler yanında balık ağları ve livarlar ele geçmiştir.

Kuzeydoğu Avrupa turba bataklıklarından çıkmış en bilinen buluntular, çoğu Demir Çağı'na tarihlenen **turbiyer bedenleridir.** Bunların korunma dereceleri farklıdır ve bedenlerin bulunduğu yerlerin özel şartlarına göre değişmektedir. Gömülenlerin vahşi bir ölümle karşılaştığı anlaşılmaktadır. Bundan ötürü, gömütlerin mahkûmlara veya buraya koyulmadan önce kurban edilmiş kişilere ait olduğu düşünülmektedir (s. 456-457'deki kutuya bakınız). Örneğin 2003'te İrlanda'daki turbalıklarda Demir Çağı'na tarihlenen iki adet kısmen korunmuş beden ele geçmiştir: Clonycavan Adamı balta darbeleriyle öldürülmüş ve muhtemelen karnı deşilmişti. Öte yandan devasa Old Croghan Adamı (1,91 m boyunda) hançerlenmiş, başı kesilmiş, sakat bırakılmış ve bir bataklık göletinin dibine bağlanmıştı (arka sayfadaki çizime bakınız). Danimarka'da keşfedilmiş Grauballe Adamı gibi örnekler gerçekten çok iyi durumdadır (s. 456-457'ye

ISLAK ŞARTLARDA KORUNMA:
OZETTE ARKEOLOJİK ALANI

2.10 *Ozette arkeolojik alanını çevreleyen arazinin güneyine doğru genel görünüşü. Ufukta Vancouver Adası uzanmaktadır.*

2.11 *Bir şamanın ahşap asasındaki baykuş başı.*

Amerika Birleşik Devletleri'nin kuzeybatı kıyısındaki Washington'da bulunan Ozette arkeolojik alanında özel bir tür su baskını meydana gelmiştir. MS 1750 civarında büyük bir çamur kayması bir balina avcısı yerleşmesini kısmen toprak altında gömmüştür. Köy iki yüzyıl boyunca korunaklı şekilde kalmış, ama unutulmamıştı, çünkü köy sakinlerinin torunları atalarının yurduna ait hatıraları canlı tutmuşlardı. Daha sonra deniz çamuru kaldırmaya başlandı ve yerleşimin definecilere kurban gideceği anlaşıldı. Yerel halk yerleşimin kazılması ve kalıntıların korunması için devletin kazı yapmasını talep etti. Makah kabilesinin reisi, Washington Eyalet Üniversitesi arkeoloğu Richard Daugherty'den arkeolojik alanı kazmasını ve kalıntıları kurtarmasını istedi. Çamur basıncı hortumla temizlendikçe çok miktarda organik malzeme açığa çıktı.

21 m uzunluğunda ve 14 m genişliğinde birkaç sedir ev yanında, keserle düzeltilip oyulmuş paneller (kurtlar ve gök gürültüsü kuşu betimlerinin de dâhil olduğu siyah renkli

tasvirler), çatı destek dikmeleri ve alçak bölme duvarları bulundu. Bu evlerde ocaklar, uyku sekileri, saklama kutuları, hasır döşekler ve sepetler vardı.

Mükemmel şekilde korunmuş 50.000'in üzerinde buluntu ele geçti ve bunların neredeyse yarısı ahşaptı. En göz alıcı olanı bir balinanın sırt yüzgeci şeklinde oyulmuş bir metre yüksekliğinde kırmızı ardıç kütüğüydü.

Çok sayıda balina kemiğiyle birlikte hâlen yeşil olan yaprakları bile günümüze gelmişti.

Proje arkeologlar ve yerel halk arasındaki işbirliğinin mükemmel bir örneğiydi. Makah Kızılderilileri arkeologların kendi geçmişlerini anlamak için yaptığı katkıya değer veriyorlardı ve buluntuları sergilemek için bir müze inşa ettiler.

2.12 *Ekipten bir Makah Kızılderilisi Ozette evlerinden birine ait ahşap parçasını ölçüyor.*

2.13 Tarak ve ağırşak içeren bir sepetin temizlenmesi.

2.14–17 Ozette'ten seçme buluntular (sağdan saat yönünde): kunduz dişinden bıçağı olan ahşap oyma aleti; bir balinanın sırt yüzgeci şeklinde, 700 deniz samuru dişi kakılmış (bazıları yılan tutan bir gök gürültüsü kuşu tasviri meydana getirir ki, bu balinayı şaşırtacak ve böylece kuş onu pençeleriyle kavrayabilecektir) kırmızı ardıçtan oyma; sedir kabuğu kesesinde korunmuş midye kabuğundan balina zıpkını bıçağı; fok ya da balina yağı için içi insan saçıyla dolu insan formunda bir kâse (yağ kurutulmuş balığın içine yatırıldığı sıvıydı).

bakınız). Turbalıktaki su ve tanen asidinin meydana getirdiği kirlenmeler, bunların yakın geçmişte değil Demir Çağı'nda gömüldüğüne işaret etmektedir. Genellikle kemikler ve iç organların çoğu yok olmakla birlikte, mide ve muhtevası günümüze ulaşabilmektedir (7. Bölüm). Florida'da tarihöncesi insanlara ait beyin kalıntıları bile korunmuştur (11. Bölüm).

Bazen sulak ortamlar mezar tümülüslerinin içinde meydana gelmektedir; yani Sibirya'daki durumun ılıman iklimlerdeki versiyonuna tanık oluruz. Kuzey Avrupa'daki Tunç Çağı'na ait meşe kefenlerde ve özellikle de bunların Danimarka'daki MÖ 1000'lere tarihlenen örneklerinde, ağaç kütüğünden oyulan tabutun içi taşlarla örülmüş, üzerine yine taştan bir tepecik yığılmıştır. Tümülüsün içine nüfuz eden su kütüklerden sızan tanen asisiyle birleşince, kemikleri yok eden fakat deriyi (turbiyer bedenlerindeki gibi renksizleştirerek), saçı ve bağ dokuları olduğu kadar giysileri ve beyaz kayın ağacı kabuklarından kovaları da koruyan bir ortam doğmuştur.

2.18–19 *Old Croghan Adamı'nın vücudundan günümüze kalmış kısımları, özellikle de elleri çok iyi korunmuştur. İyi durumdaki el tırnakları ve nasırların bulunmayışı bireyin nispeten yüksek statüye sahip olduğunu gösterebilir. Mide muhtevasının analizi tahıl ve ayrandan müteşekkil son öğününü ortaya çıkarmıştır.*

Benzer bir durum Vikinglerin tabut olarak kullandıkları gemilerde görülmektedir. Örneğin MS 800'lerde yaşamış bir Viking kraliçesini taşıyan Norveç'teki Oseberg gemisi killi toprağa gömülmüş, ardından taş ve turbayla örtülerek günümüze gelmesi garantilenmiştir.

Bir yüzyıl önce İsviçre göllerindeki evleri taşıyan ahşap platformlara ait direklerin ortaya çıkarılmasıyla birlikte **göl yerleşmeleri** en az turbiyer bedenleri kadar ilgi görmektedir. Göllerde ahşap direkler üzerine inşa edilmiş köylerin varlığını ileri süren romantik yaklaşım, 1940'lardan itibaren gerçekleştirilen ayrıntılı araştırmalar sonucunda terk edilmiştir; bunların kıyı yerleşmeleri olduğu fikri ağırlık kazanmıştır. Korunmuş buluntuların çeşitliliği hayret vericidir: Sadece ahşap yapılar, eşyalar ve dokumalar değil, örneğin Neolitik Çağ'a ait Charavines'de (Fransa) fındık, yumuşak meyveler ve diğer meyveler de günümüze gelebilmiştir.

Göl yerleşimlerinin Avrupa'nın diğer sulak alanlarından farklı olarak arkeolojiye yakın zamanda yaptığı en büyük katkı belki de iyi korunmuş kütüklerdir. Bunlar ağaç halkalarının yıllık büyümelerine göre yapılan tarihleme çalışmalarında önemli rol oynamaktadır. Kuzey Avrupa'nın belli bölgelerinde binlerce yıl geriye giden sağlam ağaç halkası kronolojilerinin oluşturulmasında bu kütüklerin nasıl çığır açtığı 4. Bölüm'de ele alınacaktır.

Islak hâlde korunmuş kütüklerin bulunduğu yerlerden biri de kasaba ve şehirlerin eski limanlarıdır. Arkeologlar Londra'nın Roma ve Ortaçağ dönemi limanlarını ortaya çıkarmada başarılı olmuşlardır, ancak böyle keşifler sadece Avrupa'yla sınırlı değildir. Arkeologlar 1980'lerin başlarında New York'ta, East River limanını korumak için batırılmış çok

2.20 *1998'deki erozyon, İngiltere'nin Norfolk sahilindeki Holme-next-the-Sea'de, Tunç Çağı'na tarihlenen tabakalar içinde "Seahenge" olarak bilinen bu anıtı ortaya çıkarmıştır. Kökleri dışarda kalacak şekilde tersine toprağa gömülmüş bir meşe ağacı, oval bir çember oluşturan birbirine yakın çoğu meşe 54 keresteyle çevrilmiştir. Kum ve deniz suyu altında kalarak korunmuş anıtın, törensel bir yapı, belki de daha sonra denizin alıp götüreceği cesetlerin bırakıldığı bir "sunak" olduğu düşünülmüştür. Ağaç halkalarına göre yaklaşık MÖ 2050/2049'a tarihlenmiştir.*

iyi durumda bir 18. yüzyıl gemisi bulmuşlardır. En zengin sulak alan buluntuları sualtı arkeolojisinin ilgi alanına giren ırmaklar, göller ve özellikle denizlerden çıkmaktadır (s. 113'teki kutuya bakınız). Kıyı erozyonu da İngiltere'nin doğu sahilinde gün ışığına çıkan tarihöncesi ahşap dairevi yapı gibi suya gömülmüş mimari kalıntıları koruyabilir.

Sulak alanlardan gelen buluntular, bilhassa ahşap söz konusu olunca karşımıza çıkan en büyük arkeolojik sorun, bunların bir kere havayla temas etmeye başladıklarında hemen çürümeleridir; kururlar ve neredeyse anında çatlarlar. Onun için laboratuvarda işlemden geçirilinceye ya da dondurularak kurutuluncaya kadar ıslak tutulmak zorundadırlar. Bu tip konservasyon önlemleri hem sulak alan hem de sualtı arkeolojisinde karşılaşılan yüksek maliyetleri açıklamaktadır. Tahminlere göre "ıslak arkeoloji"nin maliyeti "kuru arkeoloji"ninkinden dört kat daha fazladır, fakat yukarıda bahsedildiği gibi ödülü de muazzamdır.

Gelecekteki ödüllerin de büyük olacağı anlaşılmaktadır. Örneğin Florida'da 1,2 milyon hektar turbalık vardır ve mevcut kanıtlara bakılırsa bu alanlar dünyadaki diğer yerlerden çok daha fazla organik kalıntı içermektedir. Şimdiye kadar bölgedeki sulak alanlar bize tarihöncesine ait en büyük su

taşıtları koleksiyonu yanında MÖ 5000'e kadar giden totemler, maskeler ve figürinler sunmuştur. Mesela Okeechobee Havzası'nda bir dizi hayvan ve kuşu temsil eden oymalı ahşap totem direkleriyle süslü MÖ 1. binyıla ait bir mezar platformu bulunmuştur. Bir yangından sonra platform üzerinde bulunduğu göletin içine çökmüştür. Florida'daki buluntular ancak son zamanlarda titiz arkeolojik kazılar sayesinde ele geçmiştir. Genelde birçok yer kömürü dolgusu ve onlarla birlikte çok zengin arkeolojik buluntular drenaj çalışmalarıyla yok olmuştur (s. 519-524'teki Florida'daki Calusa örnek vakasına bakınız).

Kuru ortamlar. Çorak ya da kuru ortamlar su barındırmadıkları için çürümeyi önler; böylece buluntulara zarar veren mikroorganizmaların oluşması da engellenir. Arkeologlar bunun farkına Mısır'da varmışlardır (s. 64-65'teki kutuya bakınız). Nil Vadisi'nin büyük bölümü o kadar kuru bir havaya sahiptir ki Hanedanlar Öncesi Dönem'e (MÖ 3000'den önce) ait cesetler derileri, saçları ve tırnaklarıyla –üstelik mumyalama ve tabut olmaksızın sadece kumdaki sığ mezarlara gömüldükleri hâlleriyle– günümüze gelmişlerdir. Hızlı kurumaya, kumun suyu çekme özelliği eklenince ortaya

KURU ŞARTLARDA KORUMA: TUTANKHAMON'UN MEZARI

MISIR

Teb •

Mısır'a egemen olan kuru iklim, sayısız elyazması papirüs belgeden (bir Nil bitkisinin özünden yapılır) Gize'deki Büyük Piramit'in yanına gömülmüş eksiksiz iki ahşap tekneye kadar çok çeşitli nesnelerin korunmasına katkıda bulunmuştur. Ancak en meşhur ve olağanüstü buluntu grubu 1922'de Howard Carter ve Lord Carnarvon tarafından firavun Tutankhamon'un MÖ 14. yüzyıla ait mezar yapısında keşfedilmiştir.

Tutankhamon'un saltanatı kısa sürmüştü ve Mısır tarihinde nispeten önemsiz bir yere sahipti. Bu durumu firavun standartlarına göre fakir sayılabilecek mezarına yansımıştır. Aslen başka biri için inşa edilmiş mezar yapısının içinde servet

2.22 *Tutankhamon'un lahdi iç içe giren dört türbe içinde bulunur. Lahdin içinde de, sonuncusunda firavunun mumyasının bulunduğu üçlü kefen vardır.*

2.21 *Tutankhamon'un üç tabutundan en dıştaki altın varakla kaplanmış servi ahşabındandı.*

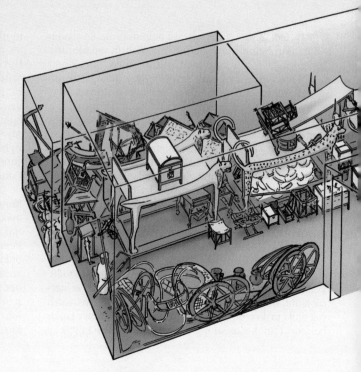

değerinde bir hazine yatıyordu, zira Tutankhamon ölümden sonraki hayatında ihtiyaç duyabileceği her şeyle birlikte gömülmüştü. Giriş koridoru ve dört mezar odası binlerce kişisel mezar eşyasıyla doluydu. Bunlar arasında takılar ve ünlü altın maske gibi değerli metallerden nesneler, yiyecek ve giyecek mevcuttu. Fakat heykeller, sandıklar, türbeler ve üç tabuttan ikisi gibi ahşap nesneler mezar yapısı muhteviyatının büyük kısmını oluşturuyordu. İnsan kalıntıları -firavun ve ölü doğmuş çocukların mumyaları- birden çok bilimsel incelemenin konusu olmuştur. Mezar eşyaları arasında diğerlerinden ayrı bulunmuş bir tutam saç analiz edilmiş ve genç firavunun başka bir

2.24 *Tutankhamon'un mezar buluntuları arasında çok iyi korunmuş yaldızlı tören sediri.*

mezar yapısında yatan annesi Tiye'nin mumyasından geldiği anlaşılmıştır.

Mezar mobilyalarının hepsi Tutankhamon için değildi. Bazıları ailesinin diğer üyeleri için yapılmış ve genç firavun beklenmedik şekilde ölünce alelacele ona uydurulmuştur. Ayrıca firavunun küçükken kullandığı sandalye ve üzerinde "majestelerinin elini kesen bir kamış" yazılan basit bir kamış dalı gibi insanı duygulandıran nesneler de vardı. Yas tutanların ikinci ve üçüncü tabutlara bıraktığı taçlar ve cenaze çelenkleri bile kuru ortamda korunmuştu.

TUTANKHAMON'UN MEZAR YAPISINDAKİ BULUNTULAR

Okçuluk teçhizatı • sepetler • yataklar • teskere • tekne modelleri • bumeranglar ve fırlatma çubukları • botanik örnekler • kutular ve sandıklar • sandalyeler ve tabureler • savaş arabası teçhizatı • kıyafet • tabutlar • kozmetik malzemeleri • göğüs zırhı • tanrısal figürler • yelpazeler • yiyecekler • oyun malzemeleri • altın maske • tahıl ambarı modeli • diz yastıkları • takılar • boncuklar • muskalar • kandiller ve fenerler • mumyalar • müzik aletleri • taşınabilir çadır • krallık sembolleri • tören sedirleri • krali figürler • lahitler • Uşabti figürleri ve ilgili nesneler • kalkanlar • türbeler ve ilgili nesneler • dallar ve değnekler • kılıçlar ve hançerler • aletler • kaplar • şarap testileri • yazı araç gereçleri

2.23 *Mezar yapısını ve içindeki hazineleri 1922'de keşfedildiği hâliyle gösteren kesit görünümü. Giriş odasının yüzlerce mezar eşyasından tamamen temizlenmesi Şubat 1923'ü buldu. Carter ve ekibi ancak bundan sonra mezarın diğer odalarını inceleyebildiler.*

çıkan harikulade sonuçlar Hanedanlar Dönemi Mısırlılarına mumyalama hakkında fikir vermiş olabilir.

Güneydoğu Amerika'ın Pueblo Kızılderilileri (yaklaşık MS 700-1400) ölülerini Mısır'daki gibi doğal kuraklığın olduğu kuru mağara ve kaya barınaklarına gömmüşlerdi. Bunlara genellikle insanlar tarafından hazırlanmış mumyalar gözüyle bakılsa da aslında böyle değildir. Bazıları kürklü battaniyelere ya da tabaklanmış derilere sarılı hâlde bulunmuştur ve o kadar iyi durumdadırlar ki saç şekillerini incelemek bile mümkün olmuştur. Hasır sandaletlerden kumaş önlüklere kadar çeşitli giyim eşyalarının yanı sıra sepet, tüylü takılar ve deri gibi buluntular da ortaya çıkarılmıştır. Aynı bölgedeki daha uzak yerleşmelerde de organik kalıntılara rastlanmıştır. MÖ 9000'den itibaren kullanılmış Utah'daki Danger Mağarası'nda ahşap oklar, tuzak ipleri, bıçak sapları ve başka ahşap aletler; Nevada'daki Lovelock Mağarası'nda ağlar; Durango mağaralarında (Colorado) mısır koçanları, asmakabakları, ayçiçekleri ve hardal bitkisi tohumları bulunmuştur. Son örnekteki gibi bitki kalıntıları eski beslenme alışkanlıkları hakkında bir fikir edinmemize yardımcı olur (7. Bölüm).

Orta ve Güney Peru sahillerinde yaşamış –ve ölmüş– insanlar yukarıdakilere benzer kuru bir ortamda yaşamışlardı. O kadar ki, vücutlarında yer alan dövmeleri görmek mümkündür. Yine aynı bölgede, Ica ve Nazca'daki mezarlıklarda ele geçmiş büyük ve göz alıcı renklerle bezeli dokumaları takdir etmemek elde değildir. Mezarlıklar bunların yanı sıra sepetler, deri eşyalar, mısır koçanları ve yemek kalıntılarını da barındırmaktadır. Şili'deki Chinchorro'da bulunan en eski insan elinden çıkma mumyalar kuru çöl ortamı sayesinde günümüze ulaşabilmişlerdir.

Alaska'nın batı sahilleri açıklarındaki Aleut Adaları'nda ölüler, volkanik faaliyetlerin ısıtarak iyice kuruttuğu mağaralara bırakılmış ve bu sayede korunmuşlardır. Görünüşe bakılırsa ada sakinleri cesetleri düzenli bir şekilde silerek ya da ateş üzerinde asılı bırakarak doğal kurumanın etkisini arttırmıştır. Bazı örneklerde iç organları çıkarmışlar ve yerlerine kuru ot koymuşlardır.

Soğuk Ortamlar. Doğal soğuk çürüme sürecini binlerce yıl erteleyebilir. Belki de donmuş hâlde ortaya çıkarılan ilk buluntular, Sibirya'nın sürekli donuk topraklarında keşfedilmiş çok sayıda mamut kalıntısıdır. Bunlardan birkaçı etleri, postları ve mide muhteviyatıyla birlikte ele geçmiştir. Bu talihsiz hayvanlar karın içindeki yarıklara düşmüş ve sulu toprağın üzerlerini örtmesi neticesinde dev bir doğal buzdolabına hapsolmuşlardır. En iyi bilinen mamut kalıntıları 1901'de bulunan Beresovka ile 1977'de gün ışığına çıkarılan bebek Dima'dır. Bazen şartlar o kadar elverişlidir ki köpekler etleri lezzetli bulabilmekte bu yüzden uzakta tutulmaları gerekebilmektedir.

En ünlü donmuş arkeolojik kalıntılar şüphesiz Güney Sibirya'da, Altaylar'daki Pazırık'ta bulunan bozkır göçebelerine ait kurganlardır. Demir Çağı'na ait (yaklaşık MÖ 400) gömütler önce yere kazılan çukurlara yerleştirilmiş ve çukurların iç kenarları kütüklerle kaplanmış, ardından taş yığınlarıyla üzerleri örtülmüştür. Gömme işlemi toprağın donmasından önce, sıcak bir mevsimde yapılmış olmalıdır. Mezarların içindeki sıcak hava yükselmiş ve nemini üzerindeki taşlara geçirmiştir. Bir miktar nem aynı zamanda mezar odalarına nüfuz etmiş ve şiddetli geçen kış sırasında aşırı donarak yazlarda bile çözülmemişlerdir. Bunun sebebi, kurganlarda kullanılan taşların ısıyı iletmemeleri, böylece rüzgâr ve güneşin kurutucu etkilerine karşı kalkan oluşturmalarıdır. Sonuç olarak, Rus arkeolog Sergei Rudenko buluntuları çıkarmak için kaynar su kullanmasına rağmen en kırılgan malzemeler bile zarar görmeden ele geçmiştir.

Pazırık'ta bulunmuş vücutlar ahşap yastıkları olan kütükten tabutların içine yerleştirilmiştir ve üzerlerindeki olağanüstü dövmeler bugün bile görülebilecek durumdadır.

2.25–26 *(sol üstte) Güney Sibirya'nın donmuş ortamı, Pazırık'taki bozkır göçebelerinin yaklaşık MÖ 400'e tarihlenen kurganlarındaki dikkat çekici buluntuların günümüze gelmesine yardım etmiştir. (sağ üstte) Bir şefin üst gövdesinde ve kollarındaki dövme şekilleri.*

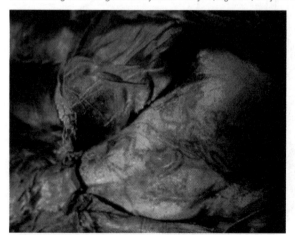
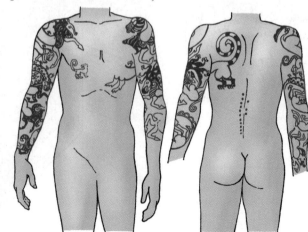

SOĞUK ŞARTLARDA KORUNMA 1: DAĞ "MUMYALARI"

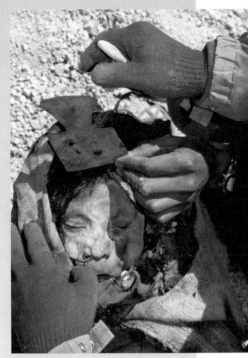

Güney Amerika'da And Dağları'nın yüksek kesimlerinde 1950'lerden beri zaman zaman donmuş bedenler bulunmaktadır. Herhangi bir yapay mumyalama işlemi yapılmadan, sadece soğuk sayesinde korunmuş olmalarına rağmen bunlar mumyalar olarak bilinir. MS 15-16. yüzyıllarda İnkalar imparatorluklarının en yüksek zirvelerine 100'den fazla törensel merkez inşa etmiştir, zira tarlalarını besleyen suyu sağladığına inandıkları zirveleri karlı dağlara ibadet ediyorlar ve dolayısıyla dağların mahsülün ve hayvanların bereketini kontrol ettiğine inanıyorlardı.

Dağ tanrılarına bıraktıkları sunular arasında yiyecek, alkollü içecekler, kumaşlar, çanak çömlek ve figürinlere ilaveten çoğu kez küçük çocuklardan meydana gelen insan kurbanlar vardı. Amerikalı arkeolog Johan Reinhard 1990'larda And Dağları'nın yüksek zirvelerinde bir dizi keşif gezisine çıktı ve bu "ekstrem arkeoloji" sayesinde

şimdiye kadarki en iyi korunmuş vücutların bazılarını keşfetti.

6132 metredeki Ampato Yanardağı'nda içinde bir İnka kızı olan bir kundak buldu. "Buz Kızı" ya da "Juanita" olarak bilinen bu kız (s. 15'e bakınız), yaklaşık 14 yaşında bir tören sırasında -başına aldığı bir darbeyle- kurban edilmiş ve figürinler, yiyecek, kumaş ve çanak çömlekle defnedilmişti. Daha sonra 5850 metrede bir oğlan ve kızın gömülmüş bedenleri kazıldı.

Reinhard 1999'da, Llullaillaco'nun 6739 metredeki zirvesinde hepsi de figürinler ve kumaşlarla defnedilmiş 7 yaşında bir oğlan ve 15 ile 6 yaşında iki kıza rastladı.

Bütün bu bedenlerin korunma durumları o kadar mükemmeldir ki iç organları, DNA'ları ve saçları üzerinde detaylı analizler yapılabilmektedir. Örneğin saçlardaki izotoplar bu insanların bugün de bölgede yaygın bir alışkanlık olan koka yapraklarını çiğnediklerini gösterdi.

2.27–28 *Daha genç olan Llullaillaco kızı (yukarıda) gümüş bir levha giymiş hâlde bulundu; daha yaşlı ve daha iyi korunmuş olan kızın (aşağıda) düzgün şekilde örülmüş saçları vardı ve çeşitli süs eşyaları takmıştı.*

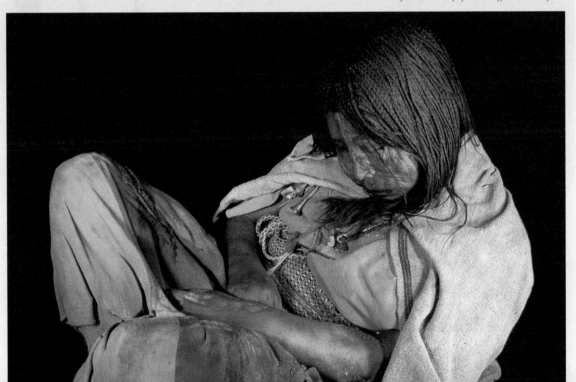

SOĞUK ŞARTLARDA KORUNMA 2: KAR YAMASI ARKEOLOJİSİ

Kar yamaları Norveç'in dağlarında ve dünyanın başka yerlerinde, Alaska, Rocky Dağları ve Alpler gibi yüksek irtifalarda ya da enlemlerde görülen daimi kar ve buzul birikintilerdir. İnsanlar (çoğunlukla avcılar) tarafından kaybedilmiş ya da atılmış nesneler bu şartlarda genellikle iyi korunurlar ve bu birikintiler yeteri kadar eridiklerinde kenar kısımlarında bulunabilirler. Orta Norveç'in Oppdal yakınındaki dağ arkeolojik alanlarında, 2010 ve 2011'de beş Neolitik (MÖ 4000-1800) ok ve bir Neolitik yaya ait parçalar ele geçmiştir. Bunlar İskandinavya'da bilinen en eski kar yaması buluntularıdır. Bazı ok gövdeleri kayrak taşından küçük ok uçlarıyla birlikte bulunmuştur ve birinde bunları birbirlerine tutturan bağlayıcı da günümüze gelmiştir. Bir diğerinde hâlen kendisine bağlı iki kas kirişi halkası ilişmiş hâlde duruyordu.

Aynı şekilde, yine Norveç'te 2011 yılında çok iyi korunmuş bir Demir Çağı gömleği ele geçmiş ve radyokarbon yöntemiyle MS 230-390 arasında tarihlenmiştir. Kaliteli kuzu yününden yapılmış gömleğin düğmeleri ya da bağlama yeri yoktur ve muhtemelen bir kazak gibi başın üzerinden geçirilerek giyiliyordu. Gömlek yaklaşık 1,70 m boyunda ince bir adama uyacaktı. Günümüze büyük oranda hasarsız gelen gömleğin yer yer yıprandığı görülmüştür.

Bu nesneler sadece erken okçuluk teknolojisi ve tarihöncesi giyim kuşam hakkında bilgi vermezler, fakat aynı zamanda eriyen kar yamalarında sürekli olarak keşfedilen organik malzemeler bu arazilerde meydana gelmiş değişimler hakkında da -ısı ve iklim değişiklikleri- uyarıcı görevi görür. Son yıllarda böyle buluntu alanlarında daha da ileri derecede erimelere şahit olunmuştur ve hem uzun süreden beri bilinen arkeolojik alanlarda hem de yenilerinde giderek artan sayıda buluntu keşfedilmektedir.

2.29-30 *(solda) Orta Norveç'teki Oppdal'da, bir kar yamasında (altta) Neolitik geyik avcıları tarafından kaybedilmiş bir el yayı ve kayrak taşından uçlara sahip iki ok. Buz ve kar bu nesnelerin üzerindeki ahşap, kiriş ve bağlayıcıyı 5000 yıldan fazla bir süre korumuştur.*

2.33 *Pazırık'tan tahttaki bir figüre yaklaşan bir atlıyı gösteren aplike keçeden duvar kumaşının çizimi.*

2.31-32 *Bu gömlek Norveç'teki Lendbreen dağ buzulunda, yaklaşık 1900 m yükseklikte buruşuk hâlde ele geçmiştir. Güneşe maruz kaldığı için kumaşı düzensiz şekilde ağarmıştır. Kumaşı korumak için gömlek temiz suda dikkatlice yıkanmış ve Oslo'daki Kültür Tarihi Müzesi'nde dondurularak kurtulmuştur. Kumaş geçmişte yünün işlenişi ve kullanımına dair iyi bir örnektir. Gömlek açık bej ve koyu kahverengi tonlarında yün ipliklerle baklava şekilli çapraz dokuma tekniğiyle işlenmiştir.*

Burada, hâlihazırdaki hava ve iklim koşullarıyla bir ilişkinin söz konusu olduğu aşikârdır. Orta Norveç'te eski buzullar erimekte, alp donmuş toprakları gerileyerek incelmektedir. Bugün itibarıyla ele geçen insan yapımı nesnelerin miktarı ve eskiliği, bölgedeki yüz yıllık geçmişe sahip kar yaması yüzey araştırmalarında daha önce görülmedik düzeydedir.

Kar yaması arkeolojisi bu meselenin başında yer alır ve hâlihazırda nadir olan hassas ve değerli organik buluntuların bozunmayı hızlandırıcı modern çevresel şartlara yenik düşerek dış etkilere maruz kalıp kayboldukları açıkça görüldüğünden daha da önemlidir. Aslında bazı iklim uzmanları Norveç'in yüksek dağlarındaki buzulların bu yüzyılın sonunda yok olacağını düşünmesi, bu önemli çalışmanın aciliyetini arttırmaktadır.

Giyim eşyaları arasında keten gömlekler, süslemeli kaftanlar, göğüslükler, çoraplar, keçe ve deriden başlıklar yer alır. Ayrıca kilimler, duvar levhaları, üzeri yemek dolu masalar, at başlıkları ve eyer gibi koşum takımları da bulunmuştur. Bölgede keşfedilen bir başka iyi korunmuş mezar ise altı atın eşlik ettiği bir kadın cesediyle gümüş bir ayna ve çeşitli ahşap nesneler içermektedir.

Benzer korunma şartları Grönland ve Alaska gibi kutup bölgelerinde görülür. Barrow yerleşmesi buna iyi bir örnek teşkil eder. Barrow gibi yine Alaska'da yer alan St. Lawrence Adası'nda donmuş toprak milattan sonraki ilk yüzyıllara ait kolları dövmeli bir İnuit kadınını korumuştur. Bir diğer örnek, Alaska'nın kuzey kıyısında, modern Barrow'daki Utqiagvik'te sahile vurmuş dallar ve çimlerden yapılmış bir evdir. Çok iyi korunmuş olan yapı, 500 yıllık iki İnupiat kadını ve üç çocuğa ait bozulmamış bedenlere ilaveten ahşap, kemik, fildişi, tüyler, saç ve yumurta kabukları içermekteydi. Daha güneydeki bölgelerin yüksek kısımlarında aynı etkiyi görmek mümkündür. Örneğin Andlar'daki Cerra El Plomo'da bulunan lama yününden panço giymiş bir erkek çocuğa ait bir İnka dönemi mezarı, doğal donmanın yarattığı kuruluk sayesinde sağlam kalabilmiştir (karşı sayfadaki kutuya bakınız). Alplerde, İtalya-Avusturya sınırı yakınında keşfedilmiş olan "Buz Adam", buz içinde 5300 yıl geçirmiştir (yan sayfadaki kutuya bakınız).

Qilakitsoq'ta (Grönland) bulunan 15. yüzyıla ait İnuit cesetleri kaya mezarları içinde donarak kurumuştur ve bozulmadan korunmuştur; derileri büzülmüş ve renksizleşmiştir, fakat dövmeleri görülebilmektedir (s. 460-61'deki kutuya bakınız); giysiler ise çok iyi durumdadır.

Daha yakın zamana ait doğal buzlanma örneği, 1846'da Sir John Franklin'in keşif grubundayken ölen üç İngiliz denizcinin Kuzey Kutbu'ndaki mezarlarıdır. Vücutlar Kuzey Kanada'nın Beechey Adası'nda, buz içinde çok iyi şekilde korunmuştur. 1984'te Kanadalı antropolog Owen Beattie'nin liderliğindeki bir ekip cesetleri yeniden gömmeden önce otopsi için kemik ve doku örneği almıştır.

Ötztaler Alpleri
İTALYA

SOĞUK ŞARTLARDA KORUNMA 3: BUZ ADAM

Dünyanın bütünüyle korunmuş en eski insan vücudu 1991 Eylül'ünde Alman uzun mesafe yürüyüşçüleri tarafından Güney Tyrol'un Ötztaler Alpleri'ndeki Similaun buzulu yakınında bulunmuştur. Yürüyüşçüler 3200 m yükseklikte sarımsı kahverengi derili kurumuş bir insan vücudu fark ettiler. Dört gün sonra vücut ve yanındaki nesneler Avusturyalı yetkililer tarafından kaldırıldı ve Innsbruck Üniversitesi'ne götürüldü. Cesedin eski olduğuna dair şüpheler zaten vardı, ama kimsenin ne kadar eski olduğu konusunda fikri yoktu.

Buz Adam günlük kıyafeti ve gereçleriyle bulunan ilk tarihöncesi insandır ve muhtemelen öldüğü sırada günlük işlerini yapıyordu. Diğer benzer tarihöncesi bozulmamış vücutlar ya özenle gömülmüş ya da kurban edilmiştir. Buz Adam bizi kelimenin tam anlamıyla uzak geçmişle yüz yüze getirir.

Vücut üzerinde gerekli işlemlerin yapılması için Innsbruck Üniversitesi Anatomi Bölümü'ne verildi ve ardından -6°C'lik bir dondurucuda ve %98 nem oranıyla muhafaza edildi. Sonrasında yapılan incelemeler cesedin –Similaun Adamı, Ötzi ya da sadece "Buz Adam"– İtalya'nın 90 m içinde bulunduğunu ortaya çıkardı ve Buz Adam ile ona eşlik eden nesneler Bolzano'da bir müzeye taşındı. Burada cesedi araştırmak için taramalar, x-ışınları ve radyokarbon tarihlemesinin de dâhil olduğu çeşitli bilimsel teknikler uygulandı. Vücut, nesneler ve botlardaki otlardan on beş radyokarbon tarihi elde edildi. Bunlar kabaca uyum içindeydi ve MÖ 3365-2940 arasını gösteriyor, MÖ 3300 civarında bir ortalama veriyorlardı.

İlk araştırmacılara göre Buz Adam muhtemelen dağda yorgunluğa yenik düşmüştü; belki de sise ya da kar fırtınasına yakalanmıştı. Öldükten sonra ılık bir sonbahar rüzgârı vücudunu kurutmuş ve ardından buz içinde hapsolmuştu. Vücut bir çukur içinde kaldığından üzerindeki buzul hareketinden 5300 yıl boyunca korunmuş ve Sahara kaynaklı bir fırtınanın buzul üzerine serdiği güneş ışığını emen toz tabakasının ısısıyla buz çözülmüştü.

Neye Benziyordu?

Buz Adam 40'larının ortalarında ya da sonunda koyu tenli bir erkekti ve 1500-1600 cm³ hacminde bir kafatası vardı. Sadece 1,56-1,6 metre uzunluğunda olan Buz Adam'ın endamı ve morfolojisi İtalya ve İsviçre Son Neolitik nüfusunun ölçü aralığına gayet iyi uyuyordu. DNA analizi kahverengi saçlarla gözlere sahip ve laktoza duyarlı olduğunu, en yakın akrabalarının da Sardunya ile Korsika'da bulunduğunu ortaya çıkardı. İlk DNA analizleri Avrupa'nın kuzeyiyle olan bağlarını doğrular nitelikteydi.

Ceset şimdi sadece 54 kg gelmektedir. Dişlerinin, özellikle de ön kesicilerin fazlasıyla aşınmış olması yarma tahıl yediğini ya da onları sürekli alet gibi kullandığını düşündürmektedir. Döneme özgü bir özellik olarak yirmilik dişleri bulunmamaktadır ve üst ön

2.34-35 *Bir bütün olarak korunmuş en eski insan olan Buz Adam, 1991'de bulunduğu hâliyle onu 5000 yıl boyunca korumuş eriyen buzun içinden ortaya çıkarken (solda). Vücudu şimdi çeşitli teknikler kullanılarak incelenmektedir (üstte).*

Tabaklanmış evcil keçi derisinden ceket

Dana derisinden kemer ve içinde üç adet çakmaktaşı alet, bir adet kemik bız ve organik malzeme (kav için) bulunan kese

Hançer: örme ot kın içinde dişbudak saplı çakmaktaşı dilgi

Deri peştamal

Deri tozluklar

Bakır balta, porsukağacından sap ve ikisini bağlayan deri şeritler

Ayakkabılar: içi otla dolu; tabanı ayı, üst kısım geyik postu

Porsukağacından uzun yay (bitirilmemiş)

Ayı postundan başlık

Geyik postundan oklukla birlikte kartopu bitkisi ve kızılcık ağacından 14 ok sapı (sadece ikisi bitmiş), geyik boynuzundan bir ok ucu iki uç parçası, sarılı ip, 2 deste hayvan siniri

Kürk sırt çantası için fındık ağacı ve karaçamdan çerçeve

Örme ot ya da kamıştan manto

Huş ağacı kabuğundan iki kap (bir tanesinde ateş izi)

2.36 *Buz Adam'ın teçhizatı ve kıyafeti günlük hayata dair bir sanal zaman kapsülüdür. Kendisine ait 70'in üzerinde nesne bulunmuştur.*

dişler arasında dikkat çekici bir boşluk vardır.

Buz Adam bulunduğu zaman keldi, ama vücudun etrafında ve giysilerinin üzerinde yaklaşık 9 cm uzunluğunda kıvırcık kahverengimsi siyah saçlar ele geçti. Bunlar ölümden sonra dökülmüşlerdi ve muhtemelen sakalı da vardı. Sağ kulak memesinde hâlen oyuğa benzer sivri köşeli dörtgen bir çukurun izleri vardır. Buna göre bir zamanlar orada olasılıkla bir süs taşı takılıydı.

Bir vücut taraması beyini, kas dokuları, akciğerler, kalp, karaciğer ve sindirim organlarının mükemmel durumda olduğunu gösterdi. Bununla birlikte olasılıkla açık ateş yakmaktan dolayı akciğerlerinde dumana bağlı kararma vardı ve atardamarlarıyla diğer kan damarlarında sertleşme mevcuttu. Saçın izotopik bileşimi Buz Adam'ın hayatını son birkaç ayında bir vejeteryan olduğunu gösteriyordu, fakat mide muhtevasına dair yapılan yeni analizler, son yemeğinde yaban keçisi eti, buğday kepeği ve eriklerden müteşekkil ağır, yağlı bir öğün yediğini ortaya koymuştur.

Ayak küçük parmaklarından birinde kronik soğuk ısırması tespit edildi ve kaburgalarından sekizi çatlamıştı, ama öldüğü sırada bunlar ya iyileşmişti ya da iyileşme yolundaydı. Buzdan çıkarılırken sol kolunda bir çatlak ve sol leğen kemiği bölgesinde ağır bir hasar oluşmuştu.

Belin altına doğru her iki yanda, sol baldırında ve sağ ayak bileğinde çoğunlukla paralel mavi çizgiler şeklinde bir grup dövme; sağ dizinin içinde ise mavi renkli bir çarpı işareti bulundu. İsle yapılmış bu işaretler belki de boyunda, sırtın aşağısında ve sağ kalçadaki kireçlenmeye yönelik iyileştirici bir işlev görüyordu.

Tırnakları düşmüştü, ama bir el tırnağı ele geçti. Analiz, Buz Adam'ın sadece ağır iş yaptığını değil, fakat aynı zamanda -ölümünden 4, 3 ve 2 ay önce- tırnak uzamasında ciddi bir hastalığa (bakteriler Lyme hastalığına bağlı enfeksiyona işaret eder) işaret eden bir düşüş olduğunu gösteriyordu. Düzenli olarak sakatlanmaya eğilimi olması, Buz Adam'ın hava muhalefetine yenik düştüğünü ve donarak öldüğü görüşünü destekliyordu. Ancak son

çalışmalardan anlaşıldığı kadarıyla sol omuzuna saplanıp kalmış bir ok ucu ve ellerinde, el bileklerinde, göğüs kafesinde kesikler bulunduğunu; başına -ya birisinin vurmasıyla ya da düşmeyle- bir darbe aldığını açığa çıkarmıştır. Sonuncusu muhtemelen ölümüne neden olmuştu. Buz Adam'ın bir platform üzerinde gömüldüğü iddia edilmişse de, bazı uzmanlar buna karşı çıkmaktadır.

Buz Adam'ın dişlerindeki ve kemiklerindeki izotoplar yeme alışkanlıkları hakkında kanıt sunabilirdi (s. 312-313'e bakınız). Yapılan analizler bölgenin su ve toprağında bulunan özel formlarla karşılaştırıldı. İnceleme sayesinde bilim insanları Buz Adam'ın bütün hayatını bulunduğu yerin 60 km civarında geçirdiği sonucuna vardı.

Cesetle birlikte soğuk ve buz tarafından korunmuş çoğu organik malzemeden eşya, günlük hayata dair sıra dışı bir "zaman kapsülü" oluşturur. Çok çeşitli ağaçlar ile gelişmiş deri ve ot işleme teknikleri kullanılarak meydana getirilmiş 70 parçalık koleksiyon, dönem hakkında bildiklerimize yeni bir boyut katar.

ÖZET

Arkeolojinin başlıca ilgi alanlarından biri buluntuların, yani insan elinden çıkma taşınabilir nesnelerin incelenmesidir. Bunlar geçmiş hakkındaki sorularımızı cevaplamaya yardım eder. Ocaklar ve ahşap direk delikleri gibi sabit unsurlar ise taşınmaz mimari buluntular olarak adlandırılır. İnsan faaliyetine dair önemli izler sergileyen, esasen buluntular ve taşınmaz mimari buluntuların birlikte görüldüğü yerlere arkeolojik alanlar denmektedir.

Geçmiş insan faaliyetlerinin anlaşılması için kontekst çok önemlidir. Bir buluntunun konteksti onun matrisi (kendisini çevreleyen malzeme, mesela belirli bir toprak tabakası), konumu (fiziksel ortam içindeki yatay ve dikey konumu) ve yakınında ele geçmiş diğer buluntularla ilişkisinden meydana gelir. Geçmişteki orijinal yerlerinde kazılmış buluntular birincil kontekstlerindedirler. Doğal afetler veya insan faaliyeti neticesinde asıl bırakıldıkları yerden başka bir noktaya taşınmış nesneler ikincil kontekstlerde bulunurlar.

Arkeolojik alanlar oluşum süreçleriyle meydana gelirler. Bir binanın inşası, pullukla sürme gibi hem bilinçli hem de tesadüfi insan faaliyetleri kültürel oluşum süreçleridir. Antik şehri kaplayan volkanik kül ya da buluntuları örten rüzgâr kumu gibi doğal olaylar, doğal oluşum süreçleri olarak adlandırılır.

Uygun çevresel şartlar sağlandığında herhangi bir malzemeden yapılmış bir buluntu korunabilir. Taş, kil ve metal gibi inorganik malzemeler genellikle kemik, ahşap veya dokuma gibi sıra dışı ortamlar dışında çürümeye meyilli organik malzemelerden daha iyi korunurlar.

Organik malzemelerin günümüze gelebilmeleri etraflarını saran fiziksel ortama ve bulundukları iklime bağlıdır. Tropik iklimlerin asitli toprakları en çok organik malzemeye zarar verirken kuru çöl şartları ve aşırı soğuk ya da sulak çevreler yüksek ihtimalle onları korur.

İLERİ OKUMA

Arkeolojik malzemenin çeşitli korunma yolları ve sorunlar konusunda şu giriş kitaplarından faydalanılabilir:

Aldhouse-Green, M. 2015. *Bog Bodies Uncovered: Solving Europe's Ancient Mystery*. Thames & Hudson: Londra & New York.

Binford, L.R. 2002. *In Pursuit of the Past: Decoding the Archaeological Record*. University of California Press: Berkeley & Londra.

Coles, B. & J. 1989. *People of the Wetlands: Bogs, Bodies and Lake-Dwellers*. *Thames & Hudson*: Londra & New York.

Lillie, M.C. & Ellis, S. (ed.). 2007. *Wetland Archaeology and Environments: Regional Issues, Global Perspectives*. Oxbow Books: Oxford.

Menotti, F. & O'Sullivan, A. 2012. *The Oxford Handbook of Wetland Archaeology*. Oxford University Press: Oxford.

Nash, D.T. ve Petraglia, M.D. (ed.) 1987. *Natural Formation Processes and the Archaeological Record*. British Archaeological Reports, International Series 352: Oxford.

Purdy, B.A. (ed.) 2001. *Enduring Records. The Environmental and Cultural Heritage of Wetlands*. Oxbow Books: Oxford.

Schiffer, M.B. 1996: *Formation Processes of the Archaeological Record*. University of Utah Press: Salt Lake City.

Sheets, P.D. 2006. *The Ceren Site: An Ancient Village Buried by Volcanic Ash in Central America*. (2. Basım) Wadsworth: Stamford.

NEREDE?

Buluntu Yerleri ile Taşınmaz Buluntuların Araştırılması ve Kazısı

Açık bir hedefi ve hareket planı olan birinin, bunlardan yoksun bir başkasından daha başarılı olacağı söylenir ve bu, arkeoloji için şüphesiz doğrudur. "Hedef" ve "hareket planı" gibi askeri imalar içeren kelimeler arkeolojiye kesinlikle uygundur, çünkü teferruatlı arazi projelerinde çalışacak elemanların istihdamı, finansmanı ve koordinasyonu gerekir. Arazi tekniklerinin iki öncüsü Pitt-Rivers ve Mortimer Wheeler'ın emekli askerler olması tesadüf değildir (s. 33-34'teki kutuya bakınız). Günümüzde bu tip çalışmalarla ilgilenenlerin çoğalması ve bilimsel titizliğe önem veren Yeni Arkeoloji'nin etkisi sayesinde arkeologlar işin başında amaçlarının ve çalışma planlarının ne olacağını açıkça belirtmektedir. Bu süreç genellikle *araştırma planı* kurmak olarak bilinir ve kabaca dört aşamadan meydana gelir:

1 Belli bir sorunu, bir varsayım veya fikri sınamak için bir *araştırma stratejisi oluşturma*;
2 çoğunlukla bir uzman ekip ve arazi çalışması yardımıyla fikri sınamaya yönelik *kanıt toplama ve kayıt altına alma*;
3 kanıtların *işlenmesi ve analizi*, bunların sınanacak fikir ışığında açıklanması;
4 sonuçların makale, kitap vb. olarak *yayımlanması*.

Birinci basamaktan dördüncüsüne kadar doğrudan ilerlemenin olması sık rastlanan bir şey değildir. Gerçekte, araştırma stratejisi kanıt toplandıkça ve analiz edildikçe tekrar tekrar gözden geçirilir. Çoğunlukla ve affedilmez şekilde yayın ihmal edilebilir (15. Bölüm), fakat çok iyi planlanmış bir araştırmada genel hedefe cevaplanması gereken genel soru veya sorularla ulaşmak için kullanılan stratejiler değişse bile hedefin kendisi kalır.

Ayrım II'de toplumların nasıl organize olduğu, geçmişteki çevresel özellikler, insanların ne yedikleri, yaptıkları aletleri, ticaret ilişkileri, inançları; aslında toplumların zaman içinde *neden* evrimleşip değiştikleri hakkındaki sorulara cevap arayan arkeologların benimsedikleri bazı araştırma stratejilerini göreceğiz.

On üçüncü Bölüm beş projeyi detaylı olarak inceleyerek, başından sonuna kadar bir araştırmanın pratikte nasıl yürütüldüğüne yakından bakacaktır. Bu bölümde ise araştırma sürecinin yukarıda bahsedilen ikinci basamağı, yani arkeologların fikirlerini sınamak için aradıkları kanıtları ortaya çıkarmak amacıyla kullandıkları yöntem ve teknikler ele alınacaktır. Unutulmamalıdır ki, uygun kanıtlar daha önce kazılmış yerleşmelerde yapılan yeni çalışmalarla da ortaya çıkarılabilir. Ian Hodder'ın Çatalhöyük'te başlattığı yeni kazılar (s. 46-47'deki kutuya bakınız) bu açıdan iyi bir örnektir. Birçok zengin ve değerli buluntu da müzelerle enstitülerin kapıları ardında kilitli durmakta, yaratıcı yeni tekniklerle analiz edilmeyi beklemektedir. Örneğin Tutankhamon'un 1920'de açılan mezar yapısından (s. 64-65'teki kutuya bakınız) gelen bitki kalıntıları ancak yakın zamanda incelenebilmiştir. Bununla birlikte arkeolojik araştırmaların büyük bölümü hâlen arazi çalışmalarından gelen yeni malzemelere dayanmaktadır.

Önceleri arazi çalışmaları geleneksel olarak ve çoğunlukla buluntu yerlerinin keşfi ve kazılması şeklinde algılanmaktaydı. Ancak günümüzde bunlar yine çok önemli olmasına rağmen, çalışmaların ilgi alanı bütün araziyi ve kazı yerine ya da kazıya ilâveten yapılan yüzey araştırmalarını kapsayacak şekilde genişlemiştir. Arkeologlar "sit dışı" veya "sitsiz" çok miktarda kanıtın varlığının farkına varmışlardır. Alet topluluklarından, insanın çevreyi nasıl kullandığı hakkında önemli ipuçları sağlayan saban izleri ve sınır taşlarına kadar uzanan geniş bir yelpaze söz konusudur. Bölgesel araştırmayla bütün bir coğrafyanın incelenmesi arkeolojik arazi çalışmalarının önemli bir parçası olmuştur. Arkeologlar kazıların yüksek maliyetini ve tahrip edici etkilerini giderek daha fazla fark etmektedir. Yüzey araştırmaları ve zararsız yeraltı ölçüm cihazları önem kazanmıştır. Arkeolojik yerleşmeler ve yerleşme dışı mimari ya da aletlerin *keşfinde kullanılan yöntemler* ile *arkeolojik alanların ve mimari kalıntıların saptanmasından sonra* başvurulanlar arasında bir ayrım yapabiliriz. Sonuncusuna detaylı araştırma ve münferit buluntu yerlerinde yapılan seçici kazılar da dâhildir.

ARKEOLOJİK YERLEŞMELER VE MİMARİ KALINTILARIN KEŞFİ

Arkeoloğun başlıca görevlerinden biri, buluntu yerlerinin ve mimari kalıntıların nerede olduğunu saptamak ve kayıt altına almaktır. Bu başlık altında yerleşmelerin aranmasında kullanılan bazı önemli tekniklerden bahsedilecektir. Fakat bazı anıtların hiçbir zaman toprak altına girmediği hatırlanmalıdır: Mısır piramitleri veya Mexico City yakınındaki Teotihuacan'da bulunan piramitler, Çin Seddi ve Romanum'daki Forum birçok bina her zaman gelecek kuşakların gözü önünde olmuştur. Bunların asıl işlevleri ya da amaçları yüzyıllar boyunca tartışılmışsa da, mevcudiyetlerinden hiçbir zaman şüpheye düşülmemiştir.

Hiç kimse arkeologları bir zamanlar kayıp olan bütün şehirlerin keşfiyle ilişkilendiremez. Şimdiye kadar bir sayım yapılmamıştır, fakat bugün bilinen yerleşimlerin önemli bir kısmı tesadüfen bulunmuştur: Fransa'daki Lascaux'da yer alan mağaralar ve deniz altındaki girişi bir dalgıç tarafından 1985'te görülmüş Cosquer Mağarası; kuyu açmak için toprağı kazan çiftçilerin 1974'te keşfettiği Çin'in ilk imparatoruna ait göz kamaştırıcı pişmiş toprak ordu; balıkçılar, sünger avcıları ve dalgıçların rastladığı sayısız batık bunlara örnektir. Yeni yollar, tüneller, barajlar ve binalar inşa eden işçiler de ciddi katkılarda bulunmuştur; örneğin Mexico City'deki Azteklere ait *Templo Mayor* ya da Büyük Tapınak böyle ortaya çıkarılmıştır (s. 570-71'deki kutuya bakınız).

Bununla birlikte bu buluntu yerlerini sistematik şekilde kayıt altına almaya çalışanlar arkeologlar olduğu gibi, geçmişin çok çeşitli doğal görüntülerini meydana getiren büyük ya da küçük bütün buluntu yerlerini ve mimari kalıntıları araştıranlar da yine onlardır. Peki bunu nasıl başarmaktadırlar?

Arazide yapılan keşifler (**yer keşfi**) ve hava ya da uzaydan yapılan keşifler (**hava araştırması**) olmak üzere pratik bir ayrıma gidilebilir. Öte yandan herhangi bir arazi projesi genellikle ikisini de uygulayacaktır.

Yer Keşfi

Yerleşmeleri saptamaya yönelik metotlar yazılı kaynaklar ve yer adları tarafından sunulan kanıtların kullanılmasını, fakat daha önemlisi fiili arazi çalışmasını içerir ki bu da inşaatları denetleyen kurtarma arkeolojisini veya arkeoloğun daha serbest hareket edebildiği yüzey araştırmasını bünyesinde barındırmaktadır.

Yazılı Kaynaklar. Birinci Bölüm'de Schliemann'ın Homeros'un yazdıklarına olan sarsılmaz inancı sayesinde Troia'yı nasıl keşfettiğini görmüştük. Daha yakın zamana ait benzer bir başarı öyküsü, büyük ölçüde Ortaçağ Viking söylencelerine dayanarak Newfoundland'deki Viking yerleşmesi L'Anse aux Meadows'u keşfeden ve kazan Helge ve Anne Stine Ingstad'a aittir. İncil arkeolojisinin önemli bir bölümü, Yakındoğu'da

3.1 *Kısmen gömülü, ama asla kayıp değil:* antik Forum Romanum'daki yapıların İtalyan sanatçı Ippolito Caffi tarafından 19. yüzyıl başında yapılmış resmi.

3.2 *Uzunluğu 2000 km'den fazla olan Çin Seddi'nin inşası MÖ 3. yüzyılda başladı. Forum Romanum gibi o da gelecek nesillere kalmıştır.*

3.3 *L'Anse aux Meadows'daki alçak höyüklerin, yığma tezekten duvarlar ve bir ahşap çerçeveyle desteklenen tezek çatılara sahip kulübelere ait kalıntıları olduğu anlaşılmıştır. Yeniden inşaata dair kanıt bulunmaması bunun kısa süreli bir yerleşme olduğuna işaret etmektedir.*

Eski ve Yeni Ahit'in bahsettiği yerleşmeleri –aynı zamanda insanları ve olayları– aramakla ilgilenir. Bölgedeki yerleşmeleri saptamada muhtemel bir bilgi kaynağı olarak görülen İncil, aslında zengin bir yazılı kaynak gibi de kullanılabilmektedir. Ancak metinlerin içerdiği kesin dini gerçeklere körü körüne inanmanın, bunların arkeolojik açıdan geçerliliklerini tarafsız gözle irdelemeyi engellemesi gibi bir tehlike vardır.

İncil arkeolojisi alanındaki birçok araştırma kitaplarda adı geçen yerleri arkeolojik olarak bilinenlerle ilişkilendirmeye dayalıdır. Diğer taraftan yer isimlerine bağlı kanıtlar aynı zamanda yeni arkeolojik yerleşmelerin keşfine de yardımcı olabilir. Örneğin Güneybatı Avrupa'da birçok tarihöncesi mezar yapısı, haritalardaki eski yer isimlerinde bulunan yerel dilden kalma "taş" ya da "mezar" kelimelerinin yardımıyla bulunmuştur. Eski haritalar ve eski sokak adları tarihi şehirlerin önceki planlarını tespit etmede çok daha önemli rol oynarlar. İngiltere'nin iyi belgelenmiş Ortaçağ şehirlerinde MS 12. yüzyıla, hatta daha eskiye ait birçok sokak, ev, kilise ve kale bu yolla bir plana geçirilebilmiştir. Bu haritalar araştırma ve kazıdan en iyi sonucun alınabileceği yerleri saptamada güvenilir araçlardır.

Kültürel Kaynak Yönetimi ve Uygulamalı ya da Sözleşmeli Arkeoloji (Kurtarma Arkeolojisi). Bu uzmanlık alanında (15. Bölüm'de daha ayrıntılı incelenmiştir) görev yapan bir arkeoloğun amacı yeni yollar, binalar, barajlar ya da sulak alanlardaki yer kömürü çıkarma ve drenaj faaliyetleri ile yok edilmeden önce yerleşmeleri saptayarak kayıt altına almaktır. Amerika Birleşik Devletleri'nde 1970'lerde oldukça genişletilmiş ve güçlendirilmiş kültürel kaynak yönetimi yasaları dolayısıyla her yıl çok sayıda buluntu yeri kaydedilmektedir. Müteahhitlerle kurulan doğru ilişkiler arkeolojik araştırmanın yol güzergâhı ya da inşaat projesiyle eş güdümlü ilerlemesini mümkün kılar. Bu süreçte meydana çıkarılacak önemli yerleşmelerde kazı ihtiyacı doğabilir ve bazı durumlarda inşaat projelerinin değiştirilmesi gerekebilir. Roma ve Mexico City'deki metro inşaatlarında rastlanan arkeolojik kalıntılar, istasyon mimarisine entegre edilmiştir.

ABD'de olduğu gibi Britanya'da da de çoğu kazı ve yüzey araştırması kültürel kaynak yönetimi bağlamında yürütülmektedir. İngiliz "Ulusal Planlama Politikası Genel Yönetmeliği"nin (National Planning Policy Framework) etkisiyle, imarcıların arkeolojiye harcadıkları miktar yıllık 10 milyon pound (15,4 milyon dolar) civarı bir rakama ulaşmıştır.

Yüzey Araştırması. Arkeolog yazılı kaynaklar ve kurtarma kazıları olmaksızın yerleşmeleri nasıl tespit edebilir? Geleneksel ve hâlâ geçerli olan bir yöntem, arazideki en dikkat çekici kalıntıları, özellikle de duvarları ve Kuzey Amerika'nın doğusunda ya da Britanya'nın güneyindeki Wessex'te olduğu gibi tümülüsleri aramaktır. Ancak çoğu yerleşme sadece yüzeye dağılmış insan elinden çıkma buluntular sayesinde kendini belli eder ve bu yüzden tespit edilmeleri için daha detaylı bir araştırma –buna yüzey araştırması diyebiliriz– gerekir.

Yakın zamanda arkeologların, insanın araziden nasıl yararlandığıyla ilgili rekonstrüksiyonlara giderek daha fazla ilgi göstermesiyle bir yerleşmeye işaret etmeyen, fakat önemli insan faaliyetlerinin varlığını gösteren insan yapımı buluntulara ait zayıf izlerin farkına varmaya başlamışlardır. Bu yüzden Robert Dunnell ve William Dancey gibi bilim insanları, "sit dışı" ya da "sitsiz" yerlerin (yani düşük yoğunlukta buluntu içeren bölgeler) tespit ve kayıt edilmesini teklif etmişlerdir ki, bu da ancak dikkatli örnekleme süreçlerini içerecek sistematik araştırmalarla mümkündür (aşağıya bakınız). Böyle bir yak-

SYDNEY KIBRIS YÜZEY ARAŞTIRMASI PROJESİ

Glasgow Üniversitesi'nden Bernard Knapp ve Michael Given 1992-1998 arasında sürdürdükleri Sydney Kıbrıs Yüzey Araştırması Projesi dâhilinde, Kıbrıs'ın Trodos Dağları'nda (Karlıdağ) 75 km²'lik bir alanda yoğun bir arkeolojik araştırma yaptılar. Burası Tunç Çağı gibi erken bir dönemden beri çıkartılan bakır sülfür cevherleriyle biliniyordu.

Proje 5000 yıllık bir süre içinde arazide insanların neden olduğu dönüşümü inceledi ve bölgesel bağlam içine oturttu. Disiplinlerarası bir yaklaşım arkeoloji, arkeometalürji, etnotarih, jeomorfoloji, ekoloji, Coğrafi Bilgi Sistemleri (CBS; s. 88'e bakınız) ve uydu fotoğrafları gibi çok farklı alanları bölgenin insan deneyimindeki yerini atlamaksızın araştırmanın bünyesinde topladı.

Projenin Amaçları ve Planlaması

Projenin ana hedefi, zaman içinde tarımsal ve metalürjik kaynakların üretimi ve dağıtımı arasındaki ilişkileri analiz etmek için arkeolojik arazi verilerini kullanmak ve karmaşık bir toplumla ona mensup bireylerin değişen durumlarını göstermekti.

Çok safhalı bir araştırma planlaması benimsendi ve "buluntu yeri" kavramı tartışmaya açıldı. Yoğun sistematik araştırmaya yönelik stratejinin ilk ihtiyaçlarından biri iyi haritalardı. Tüm araştırma bölgesinin güncel durum haritasını oluşturmak için büyütülmüş hava fotoğrafları kullanıldı. Bir CBS programı olan MapInfo sayesinde fotoğraflar tarandı ve güncel durum haritasının üzerine bindirilmiş 100 m aralıklı gridlerle evrensel çapraz merkatora girildi. Kıbrıs Arazi ve Kadastro Dairesi çalışılan alandaki araştırma noktalarının GPS (küresel konumlandırma sistemi) değerlerini vererek katkıda bulundu.

Kullanılan analitik birim araştırma biriminin kendisiydi: Arazide ve hava fotoğraflarında tarımsal arsalar açıkça tanımladığı zaman, bunlar temel kayıt birimlerini meydana getiriyorlardı. Temel yüzey araştırması yaklaşımı aşağıdaki stratejileri içeren bir kesit yüzey araştırmasıydı:

1. Araştırma alanının kapsamlı bir sistematik örneğini elde etmek için, alanda 500 m aralıklarla kuzey-güney doğrultusunda 50 m genişliğinde kesitleri yürümek (aralarında 5 m mesafe olan arazi yürüyüşçüleriyle);
2. Hangi topografik, jeolojik ve arazi kullanım etkenlerinin toprak üstündeki kültürel malzemeyi belirlediğini anlamak için günlük olarak CBS'ye girilen konumsal bilgilerin kullanımı;
3. Erken endüstriyel, tarımsal ya da yerleşim faaliyetlerine ait kapsamlı kanıtlara sahip "Özel İlgi Alanları"nda parsel temelli araştırmalar yürütmek;
4. "Özel İlgi Alanları" olarak dikkat çekici kalıntılar ya da çok yoğun buluntularla tanımlanmış yerleri araştırmak.

Her bir birimde kültürel malzemeyi temsil eden bir örnek toplandı: çanak çömlek, yontulmuş taş, öğütme taşı, metaller, cüruf, cevherler, eritilmiş metal, cam ve kiremitler. Genellikle tanımlayıcı olmayan diğer malzemeler sadece sayıldı ve birimde bırakıldı.

Sydney Kıbrıs Yüzey Araştırması Projesi'nin başlıca unsurlarından biri

arazideki sayma, toplama ve kayıt stratejisinin sonuçlarını göstermek için CBS'den elde edilmiş tematik haritalar kullanmayı içeriyordu. Araştırma birimlerinin anlamı ve önemini değerlendirmede çanak çömlek anahtar analitik öğeydi ve çanak çömlek verileri (yoğunluk ve dağılım) CBS haritalarına işleniyordu. Görüş mesafesi ve diğer faktörlere göre ayarlanmış bir çanak çömlek indeksi, bir birim içindeki özel bir zaman aralığının önemini göstermek için kullanılıyordu. Gübreleme gibi tarımsal faaliyetlerden kaynaklanan seyrek çanak çömlek dağılımının belirtisi olarak 500-1000 arası bir çanak çömlek indeksi alındı. Öte yandan 10.000'lik bir çanak çömlek indeksi büyük yerleşimlerde görülen çok yüksek yoğunluklara işaret ediyordu.

Sonuçlar

Tamamı 6,54 km² ya da inceleme alanının %9,9'unu kaplayan 1150 araştırma birimi, 5'er m aralıklarla yürüyen araştırmacılar tarafından tarandı. Araştırma 11 Faaliyet Alanı, 142 Özel Faaliyet Noktası tespit etti ve bunlar çalışıldı. Arazide toplamda 87.600 çanak çömlek parçası, 8111 kiremit parçası ve 3092 taş alet bulundu. Bunların yaklaşık üçte biri toplandı, analiz edildi ve projenin veritabanına girildi.

Veriler şimdi hem veritabanı hem de CBS şeklinde Arkeolojik Veri

3.4–5 Mitsero Mavrouvounos Ortaçağ yerleşmesinin haritalandırılması (sağda). (aşağıda) Araştırma alanının görülebilirlik analizi (s. 202'ye bakınız): siyah noktalar Ortaçağ yerleşimleri/modern yerleşimlerdir ve hafif renkli alan Mitsero'dan nerelerin görülebildiğini belirtir.

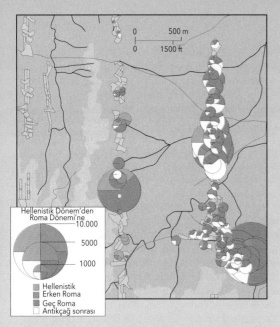

Hellenistik Dönem'den Roma Dönemi'ne
10.000
5000
1000

- Hellenistik
- Erken Roma
- Geç Roma
- Antikçağ sonrası

3.6 *Araştırma alanının kuzeydoğu kısmına ait çanak çömlek dağılım diyagramı (çanak çömlek indeksi) muhtemelen gübrelemeden kaynaklanan düşük yoğunluklu "örtüleri", sağ altta Tamssos şehrinin sınırını ve çiftlikler ya da küçük yerleşimlere ait birtakım yoğunluk artışlarını gösterir.*

Servisi'nde (York Üniversitesi) erişime açıktır. Sonuç olarak proje, bölgesel arazinin değerlendirilmesi hakkında yeni bir perspektif getirecek kronotip kataloglamanın ve bilgi sisteminin, çanak çömlek analizlerine ve CBS haritalandırmasına entegre edildiği bir çalışma olarak sona erdi. Çanak çömlek indeksi teorik ve metodolojik olarak bölgesel çanak çömlek verilerine yeni bir kesinlik ve özen getirmenin yollarını arıyordu. CBS haritaları canlı ve dinamik bir ortamda, 8000 yılı kapsayan malzemelerin tabakalarını ve tiplerini sergilemiştir.

Yaklaşık 75 km²'lik bir alanın kabaca %10'unda yürütülen yoğun bir araştırmasının altı yıl sürmesi önemlidir. Üstelik "kronotip" kataloglama sistemi, zaten iyi kurulmuş bir tipolojik sisteme göre sınıflandırılabilecek makul miktardaki çanak çömlek buluntusuna dayanıyordu. Kronolojik açıdan hassas bu türden bir göstergenin varlığı herhangi bir artzamanlı araştırma için çok önemlidir. Bununla birlikte sistem aynı zamanda, daha önce Kıbrıs'taki herhangi bir arazi projesi tarafından tarihlendirilememiş çok sayıda çanak çömleği bilinçli olarak kendisine dâhil etmiştir.

laşım özellikle arkalarında az sayıda arkeolojik kayıt bırakan göçebe hayat tarzını seçmiş topluluklarda işe yaramaktadır. Afrika'nın büyük kısmı bu tip hayat tarzını benimsemiştir ve konu 5. Bölüm'de daha ayrıntılı ele alınacaktır.

Yüzey araştırması başka bir nedenden dolayı da önemlidir: Bu şekilde bölgesel araştırmalarda gelişme sağlanmaktadır. Gordon Willey'nin Peru'daki Virú Vadisi'nde ve William T. Sanders'in Meksika Havzası'nda yaptığı öncü araştırmalar sayesinde arkeologlar yerleşme biçimlerini (belli bir bölgedeki arazi içinde bulunan yerleşmelerin dağılımı) incelemek için daha fazla istek duymaktadır. Geçmiş toplumları anlamada bu çalışmaların önemi 5. Bölüm'ün konusudur. Burada, arkeolojik arazi çalışmalarına olan etkisini kısaca belirtebiliriz: Artık sadece tek bir buluntu yerini tespit etmek ve diğerlerinden bağımsız olarak araştırmak ya da kazmak nadiren yeterlidir. Bölgeler bütünüyle araştırılmalı ve bu araştırma bir program dâhilinde yürütülmelidir.

Son birkaç onyılda yüzey araştırmaları arazi çalışması için (kazı yapmak için uygun yerleşimler araştırmak amacıyla) bir ön basamak olmaktan çıkıp kazıyla elde edilemeyecek bilgiler sağlayan başlı başına bir alan hâline gelmiştir. Bazı durumlarda izin alınamadığı için ya da zaman ve kaynak yetersizliği yüzünden kazılar yapılamazken –çünkü modern kazılar pahalı ve yavaştır– yüzey araştırması hızlı ve ucuzdur; üstelik verdiği zarar göreli olarak azdır. Gerekli olan sadece GPS'dir, fakat çoğunlukla arkeologlar yüzey araştırmalarını kendilerini ilgilendiren veya kazının cevaplayamayacağı özel sorular için bölgesel veri kaynağı olarak bilinçli şekilde kullanırlar.

Yüzey araştırması çok çeşitli tekniklerden yararlanır. Artık sadece yerleşmelerin tespiti ve yüzey buluntularının sınıflandırılmasından ibaret değildir, fakat bazen taş ve kil gibi doğal ve mineral kaynakların örneklendirilmesidir. Günümüzde araştırmaların çoğu insan faaliyetlerinin uzamsal dağılımını, bölgeler arasındaki farklılıkları, zaman içindeki nüfus değişimlerini, insanlar, arazi ve kaynaklar arasındaki ilişkileri ele alır.

Uygulamada Yüzey Araştırması. Bölgesel temelde cevabı aranan sorular için, o sorulara uygun veri toplamak gerekir. Fakat bunu yaparken asgari çaba ve masrafla azami bilgi edinilmelidir. Öncelikle araştırılacak bölgenin tanımlanmasına ihtiyaç vardır. Söz konusu bölgenin sınırları doğal (vadi veya ada gibi), kültürel (bir alet tipinin dağılımına göre) veya tamamen tartışmalı olabilir. Ancak en kolayı doğal sınırları belirlemektir.

Bölgenin tarihsel gelişimi incelenerek hem önceki arkeolojik çalışmalar ve yerel malzeme hakkında fikir sahibi olmak hem de jeomorfolojik süreçlerle toprak altında gömülmüş ya da yok olmuş kalıntıların oranını tahmin etmek mümkündür. Fakat örneğin, daha yakın zamanda akarsu faaliyetiyle gelmiş toprakta tarihöncesi malzeme aramak anlamsız olacaktır. Yüzeyden toplanan kanıtları etkileyen başka faktörler de vardır. Afrika'nın büyük kısmında geniş hayvan sürüleriyle toprağı

3.7–8 *Mısır çölünde sistematik yüzey araştırması: Arkeologlar GPS kullanarak aralarında 100 m bulunan küçük alanları örneklemekte ve Orta Paleolitik taş aletleri aramaktadırlar. Bundan sonra buluntular elektronik kumpaslar ve el bilgisayarlarıyla ölçülmektedir.*

eşeleyen hayvanlar sıklıkla yüzey malzemesini tahrip eder ve bu yüzden arkeologlar sadece genel dağılım örüntülerini çalışabilmektedir. Böyle durumlarda jeologlar ve çevrebilimciler genellikle işe yarayacak tavsiyelerde bulunabilirler.

Bu arka plan bilgileri araştırmadaki toprak üstü buluntularının yoğunluğunu saptamaya yardımcı olur. Dikkate alınması gereken diğer faktörler zaman ve mevcut kaynaklardır. Aynı zamanda bölgeye ulaşımın ve envanter çıkarmanın ne kadar kolay olduğu da hesaplanmalıdır. Bitki örtüsünün az olduğu kurak ve yarı kurak alanlar bu tür çalışma için en uygun adaylarken, ekvatoral kuşaktaki yağmur ormanlarında –işgücü ve zaman ağaçlar arasında kareleme sistemi uygulamaya elvermediği sürece– çalışmalar sadece ırmakların açıkta bıraktığı topraklar üzerinde gerçekleştirilebilmektedir. Elbette bazı bölgeler çok çeşitli arazileri bünyesinde barındırmaktadır ve tek bir araştırma stratejisi bunların hepsi için çoğunlukla yetersiz kalır. Yaklaşımların esnek olabilmesi gerekir: Alan farklı görünürlük derecelerine göre "katmanlara" ayrılmalı ve her biri için uygun teknikler geliştirilmelidir. Ayrıca unutulmamalıdır ki, bazı arkeolojik evreler (tanımlanabilir buluntular ya da çanak çömlek formlarıyla birlikte) diğerlerine kıyasla daha "görünürdür" ve göçebe avcı-toplayıcı toplumların arazide bıraktığı izler tarım yapan ya da şehirleşmiş toplumlarınkilerden çok

farklı ve genellikle daha seyrektir (5. Bölüm'e bakınız). Bütün bu faktörler araştırma yapısını ve veri toplama tekniklerini planlarken göz önünde bulundurulmalıdır.

Dikkate alınması gereken başka bir nokta da malzemenin toplanmasının mı yoksa sadece ilişkiler ve kontekst (Afrika gibi kontekstin tahrip olduğu yerlerde toplama en akıllıca seçenektir) açısından incelenmesinin mi doğru olacağıdır. Genel veya kısmi toplamanın mı yapılacağı sorusuna gelince, genelde tercih örnekleme yöntemi doğrultusundadır (karşı sayfadaki kutuya bakınız).

İki temel yüzey araştırması çeşidi vardır: ***düzensiz*** ve ***sistematik***. İlki daha basittir ve alanın her kısmını (mesela sürülmüş her tarlayı) gezmekten ve güzergâhtaki arazi şeridini taramaktan ibarettir. Bu sırada yüzeydeki malzeme toplanır ya da incelenir ve buluntu yeri etrafındaki –eğer varsa– mimari kalıntılarla birlikte kaydedilir. Ancak genellikle sonuçların önyargılı olacağı veya yanlış yönlendirmeye yol açabileceği gibi genel bir kanı vardır. Bütün alanı temsil eden örnek bir alanda çalışmak arkeologların değişik dönem ve tiplerde malzeme dağılımı çeşitliliğini değerlendirme imkânı sunarken yüzey araştırmasına çıkanların hedefi doğal olarak malzeme bulmaktır ve dolayısıyla bu açıdan zengin yerlere odaklanacaklardır.

Birçok modern araştırma kareleme sistemi ya da eşit bölünmüş çapraz ve enlemesine güzergâhlar gibi sistematik yöntemlere başvurmaktadır. Araştırılacak alan sektörlere bölünür ve bunlar (ya da bunları temsil eden örnekler) bir plan dâhilinde gezilir. Böylece alanın hiçbir kısmı araştırmada gereğinden az ya da fazla öne çıkmaz. Bu metot aynı zamanda buluntu yerlerinin haritasını çıkarmayı kolaylaştırır, çünkü araziyi gezen kişilerin kesin yerleri her zaman bilinmektedir. Hatta çapraz güzergâhlar belli uzunluklara sahip alt birimlere bölünerek ve bazıları daha yakından incelenerek oldukça kesin sonuçlar elde edilebilir.

Bütün bir bölgeyi sürekli araştıran uzun vadeli projeler daha güvenilir olur, zira yerleşmelerin görünürlüğü bitki örtüsü ve arazi kullanımı yüzünden yıldan yıla, hatta mevsimden mevsime değişmektedir. Üstelik arazi ekibindeki üyelerin gözlem gücü kadar yerleşmeleri tanıma ve tanımlama yetenekleri de (biri daha dikkatli bakar; diğeri daha tecrübelidir; bir başkası daha fazla şey görür) kaçınılmaz olarak birbirinden farklıdır. Bu faktörler hiçbir zaman bütünüyle bertaraf edilemez, fakat araştırmanın belli zamanlarda tekrarlanması böyle olumsuzlukların etkilerini azaltmaya yardım edebilir. Standart kayıt formlarının kullanımı, verileri daha sonraki aşamalarda bilgisayara aktarırken kolaylık ya da arazide el bilgisayarları kullanılabilir.

Yüzeyde bulunan malzemenin büyük oranda kez üst tabakaları pullukla, erozyonla ve daha geç tarihli imar faaliyetleriyle kaldırılmış ya da kaldırılan arkeolojik alanları temsil ettiğini vurgulamak önemlidir. Diğer taraftan yüzey malzemesi altta nelerin bulunduğuna işaret etmekte yetersiz kalabilir. Mesela eğer çanak çömlek gübrelemeyle bir yere

ÖRNEKLEME STRATEJİLERİ

Arkeologlar belirli bir bölgedeki bir buluntu yerini ya da tüm buluntu yerlerini eksiksiz şekilde incelemek için gerekli zamana ve paraya genellikle sahip değildir. Dolayısıyla araştırılacak alanı örneklemeye ihtiyaçları vardır.

Arkeologların örneklemeyi kullanma yöntemi, sadece birkaç bin kişinin örneklerini kullanarak milyonlarca kişi hakkında genellemeler yapan kamuoyu yoklamalarındaki metotlara benzer. Çoğu kez şaşırtıcı şekilde, yoklamalar aşağı yukarı doğru sonuçlar verir. Bunun sebebi, örneklenen kitlenin yapısının iyi bilinmesidir (mesela bireylerin yaşlarını ve işlerini biliriz). Öte yandan arkeolojide çalışmak için bu türden arka plan bilgisi çok daha azdır. Anketlerde olduğu gibi arkeolojik çalışmada da örnek ne kadar çoksa ve iyi düzenlenmişse sonuçların geçerli olma ihtimali o derece yüksektir.

Bununla birlikte belirli bir bölgedeki buluntu yerleri diğerlerinden daha erişilebilirdir ya da arazide çok daha belirginlerdir. Bunlar daha bilgilendirici bir örneklendirme stratejisine olanak sağlayabilir. Arazide geçen uzun yılların getirdiği tecrübe, bazı arkeologlara çalışma yapılabilecek doğru yerlere dair sezgisel bir "his" kazandırabilir.

Örnekleme Türleri

En basit türü **basit rastlantısal örnektir**. Bunda örneklenecek alanlar bir rastlantısal sayılar tablosu kullanılarak seçilir. Ancak rastlantısal sayıların doğası bazı alanların kare öbeklerine atanmalarına, bazılarının ise hiç dokunulmadan kalmalarına –dolayısıyla örnekleme doğası itibarıyla taraflıdır– sebep olur.

Bu durumun bir çözümü, **zümrelere göre örneklemedir**. Bunda bir bölge ya da buluntu yeri ekili arazi ve orman gibi doğal kuşaklarına (zümreler) bölünür. Ardından kareler aynı rastlantısal sayı işlemine göre seçilir, ama bir farkla: Her bir kuşak kapladığı alanla orantılı kare

sayısına sahiptir. Dolayısıyla eğer orman alanın %85'ini kaplıyorsa, ormana karelerin %85'i tahsis edilmelidir.

Diğer çözüm olan **sistematik örnekleme**, eşit mesafeli yerlerden meydana gelen bir ızgara planı seçimini –mesela diğer her kareyi seçmek– zorunlu kılar. Kareler arasında böylesine düzenli mesafeler benimsenerek, aynı derecede düzenli bir dağılım şeması içinde her bir örneği kaçırma (ya da bulma) riski de göze alınmış olur. Bu bir başka potansiyel yanlılık kaynağıdır.

Daha tatminkâr bir yöntem olan **zümrelere göre sırasız sistematik örnekleme**, yukarıda anlatılan tekniklerin temel unsurlarını bir araya getirir. Charles Redman ve Patty Jo Watson Türkiye'deki büyük Girikihaciyan höyüğünde buluntu toplarken 5 metrelik karelerden oluşan bir ızgara planı kullanmış, fakat bunu arkeolojik alanın ana kuzey-güney/doğu-batı ekseni boyunca yönlendirmiştir. Örnekler bu eksenlere istinaden seçilmiştir. Seçilen zümre 9 blok kareden (3x3) meydana geliyordu ve her bir bloktaki tek bir kare rastlantısal sayılar tablosundan kuzey-güney/doğu-batı koordinatları seçilerek kazı için ayrıldı. Bu yöntem sadece

yanlı olmayan ve arkeolojik alanın tümüne daha eşit şekilde dağılmış bir dizi örneği garantilemekle kalmaz, aynı zamanda sınırları tanımlamayı da gereksiz kılar, çünkü ızgara planı herhangi bir yöne doğru genişletilebilir.

Enlemesine Kesitler ve Kareler

Büyük çaplı araştırmalarda enlemesine kesitler (çizgisel yollar) bazen karelere tercih edilir. Özellikle tropik yağmur ormanı gibi yoğun bitki örtüsüne sahip alanlarda bu geçerlidir. Rastlantısal olarak dağılmış çok sayıda kareyi kesin şekilde lokalize etmek ve incelemektense, bir dizi rotayı izlemek daha kolaydır. Üstelik kesitler rahatlıkla birimlere bölünebilirken bir karenin belirli bir kısmını tespit etmek ve tanımlamak zor olabilir. Ayrıca kesitler buluntu yerlerini bulmak dışında arazi boyunca buluntu yoğunluklarını kaydetmek için de kullanışlıdır. Öte yandan kareler araştırma yapacak daha fazla alan ortaya çıkarma ve kesişen buluntu yerleri ihtimalini arttırma avantajları vardır. İki yöntemin birleşimi genellikle en iyisidir: Uzun mesafeleri kat etmek için kesitler, fakat malzeme yoğunluğunun daha fazla olduğu durumlarda kareler.

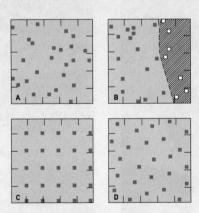

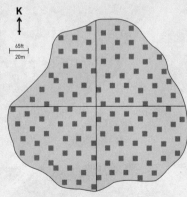

3.9 Örnekleme tipleri: (A) basit rastlantısal; (B) zümrelere göre örnekleme; (C) sistematik; (D) zümrelere göre sırasız sistematik.

3.10 Türkiye'deki Girikihaciyan'da bir kenarı 5 m uzunluğundaki karelerden oluşan zümrelere göre sistematik örnekleme.

gelmişse ya da kültürler akeramikse ve dolayısıyla yüzey araştırmasında yetersiz temsil edilmişse, bu mümkündür. Bu yüzden yüzey bulgularını desteklemek ya da doğrulamak için küçük çaplı kazılar yapılması (özellikle kronoloji, çağdaşlık veya yerleşimin işlevi gibi sorunlar hakkında) ya da araştırmadan çıkan varsayımların sınanması gerekebilir. Bu iki inceleme de birbirini dışlayıcı değil tamamlayıcı niteliktedir. Aralarındaki en büyük fark, kazının bir yerleşmenin küçük bir kısmı için bile çok şey anlatması ve sadece bir kez yapılabilmesi, araştırmanın ise birçok yerleşme hakkında daha az şey söylemesi, ama tekrarlanabilir olmasıdır.

Geniş Alanlı ve Yoğun Yüzey Araştırmaları. Araştırmalar komşu bölgelerdeki bir dizi münferit projenin sonuçları da dâhil edilerek daha kapsamlı bir hâle getirilebilir ve böylece bir arazide zaman içinde meydana gelen değişimlerin, arazi kullanımının ve yerleşim tarihinin geniş ölçekli değerlendirmesi yapılabilir. Ancak ekip içindeki üyeler gibi farklı araştırmaların doğrulukları ve nitelikleri de büyük farklılıklar gösterir. Bölgesel araştırmaların dikkat çekici örnekleri, bu tip çalışmaların uzun bir geçmişe sahip olduğu Mezoamerika'nın bazı kısımlarında (13. Bölüm) ve Mezopotamya'da yürütülmektedir.

Örneğin Mezopotamya'da Robert Adams ve diğerlerinin öncülüğünü yaptığı çalışmalar yüzey ve hava araştırmalarını birlikte kullanmıştır. Sonuçta zaman içinde ilk şehirlerin meydana gelmesine yol açan yerleşme boyut ve yoğunluklarındaki değişimlere dair bir resim ortaya çıkmıştır: Dağınık tarım köyleri nüfus artıkça kümelenmeye başlamış ve nihayet Erken Hanedanlar Dönemi'nde (MÖ 3. binyıl) birbirlerine İletişim ağlarıyla bağlı büyük dağıtım merkezleri ortaya çıkmıştır. Yine bu araştırmalar sayesinde, eski su yolları ve kanalları, hatta muhtemel tarım arazileri tespit edilmiştir. Araştırmalar tek bir büyük yerleşim ya da yerleşim grubunu kapsayacak şekilde daha yoğun bir içeriğe –mikro-bölgesel araştırma– kavuşturulabilir. Dünyanın en büyük ve en ünlü yerleşimlerinden hiçbirinin bu şekilde incelenmemiş ya da daha yeni incelenmiş olması bir çelişkidir, çünkü ilgi genelde görkemli anıtların kendilerine yönelmiş, onları belli bir bölgesel kontekst içine yerleştirme çabaları göz ardı edilmiştir. 1960'larda Mexico City yakınlarındaki Teotihuacan'da başlatılan geniş çaplı bir haritalandırma projesi, büyük piramit tapınakların çevresindeki alanlara dair bilgilerimizi önemli ölçüde arttırmıştır (s. 98-99'a bakınız).

Yüzey araştırması arkeolojik çalışmalarda hayati bir yere sahiptir ve giderek önem kazanmaktadır. Ancak günümüzde genellikle (sıklıkla araştırmadan önce), bu yüzyılda arkeolojideki en önemli gelişmelerden biri olan havadan keşifle desteklenmektedir. Aslında hava fotoğraflarının mevcudiyeti, yüzey araştırması için alan seçmede ve sınır belirlemede önemli bir etken olabilir.

Havadan ve Uydudan Keşif

Havadan veya uzaydan algılamayı kullanan arkeolojik araştırma iki ögeden meydana gelir: *Veri toplama* uçaktan ya da uydudan fotoğraf elde etmeyi içerir. *Veri analizi* bu görüntülerin analiz edilmesi, yorumlanmasını kapsar; aynı

3.11–12 *Hava fotoğrafçılığının iki erken örneği. (solda) Stonehenge'in (ya da herhangi bir arkeolojik alanın) 1906'da bir balondan çekilmiş ilk hava fotoğrafı. (sağda) Louisiana'daki Poverty Point'te ekin izleri MÖ 1500-700'e tarihlenen muazzam toprak işlerini ortaya çıkarmıştır.*

zamanda –sıklıkla– yüzey araştırması, yer temelli uzaktan algılama ya da yazılı belgelerden gelen diğer kanıtları dâhil eder. Fotoğrafları yorumlayanın ya da görüntü analistinin bakış açısından uydu görüntüleri, çok bantlı/hiperspektral verilerle geleneksel hava fotoğrafları –boyut ve çözünürlükleri dışında– potansiyel olarak kullanışlı kaynaklardır ve farklı yorum sorunlarını bünyelerinde barındırırlar. Bu veriler toplu olarak "hava görüntüleri" olarak adlandırılacaktır.

Şimdiden milyonlarca hava görüntüsü çekilmiştir ve bunların bir kısmına uzman kütüphanelerinde başvurulabilmekte, daha az sayıdaki bir bölümü de çevrimiçi elde edilebilmektedir. Çoğu, önceden tanımlanmış alanları kapsaması amacıyla birbiri üzerine gelen diziler şeklinde çekilmiş hava görüntülerini kapsayan "hava araştırmalarından" gelir. Küçük bir bölümü de hafif hava araçları kullanarak arkeologlar tarafından ileriye yönelik araştırmalar için hafif bir uçaktan her yıl çekilmektedir. Hava görüntülerinin, hatta gelecekte planlanan araştırmalara ait olanların çok çeşitli arkeolojik amaçlar için kullanıldığı vurgulanmalıdır: Buluntu yerlerinin keşfi ve kaydından, zaman için bunlarda meydana gelen değişimlerle yapıların ve diğer kentsel imar faaliyetlerine (ve diğer gelişmelere) kadar uzanabilmektedir. Aslında "yarın bulundukları yerde olmayabilecek" hemen her şeyin kaydı tutulur. Yine de uçak veya uydudan hava görüntülerinin alınması ve analizi birçok arkeolojik keşfe neden olmuştur ve sayı her yıl artmaktadır.

Hava keşfinin, özellikle de hava fotoğrafçılığının sadece, hatta ağırlıklı olarak yerleşme tespiti için kullanılmadığını, daha çok kayıt, yorum ya da zaman içindeki değişimleri takip amaçlı işlevleri olduğunu belirtmek gerekir. Yine de hava fotoğrafçılığı uzaydan görüntüleme teknikleri ile birlikte (aşağıya bakınız) bir dizi keşiften sorumludur ve her yıl yenilerini listeye eklemektedir.

Hava Görüntüleri Nasıl Kullanılır? Havadan çekilen fotoğraflar sadece sonuca ulaşmayı sağlayan araçlardır. Resimlerin kendileri yerleşmeleri açığa çıkarmaz; bunu yapan araziyi ve fotoğrafları inceleyen fotoğrafçı ve yorumcudur. Uzun süreli tecrübe ve keskin gözler arkeolojik izleri araçlarınkinden, eski ırmak yatakları ve modern tarım kaynaklı izlerden ayırt etmek için gereklidir. Bu uzmanlık, çağdaş süreçleri bilmesi ve arazinin geçmişini daha kapsamlı bir şekilde anlamasıyla yararını göstermektedir. Gerçekten de İkinci Dünya Savaşı yıllarında, istihbarat servis ekiplerinde fotoğraf yorumlamak için görevlendirilmiş arkeologlar bulunuyordu.

Hava görüntülerinin iki tipi mevcuttur: *eğik* ve *düşey*. Her ikisinin de avantajları ve dezavantajları vardır, fakat eğik fotoğraflar arkeologlar tarafından arkeolojik önemi olduğu düşünülen ve havadan izlenebilen yerleşmeler için tercih edilirken, düşey fotoğraflar daha ziyade arkeoloji dışı araştırmalar (örneğin haritacılık) amacıyla çekilir. Her iki yöntem de birbiri üzerine gelen üç boyut etkili (stereoskopik) negatif baskı çiftlerinin yardımıyla daha güvenilir yorum-

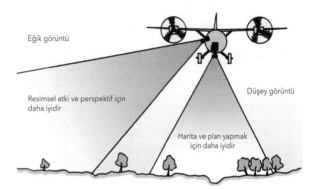

3.13 *(yukarıda) Hava fotoğraflarının iki tipi vardır: eğik ve düşey. Eğik fotoğrafları incelemek ve anlamak düşeylere göre kolaydır, fakat verileri plan görünümlerine aktarmak zorunda olan kişi için daha fazla zorluk arz eder.*

3.14 *Ohio'daki Peebles yakınlarında bulunan Büyük Yılan Höyüğü'ne (Great Serpent Mound) ait toprak işi. MS 1070 civarında yapılmış bu yılan şekli dünyadaki en büyük örnektir.*

lamaya imkân tanır. Pakistan'daki Mohenjodaro'nun yere bağlı balonlardan çekilen stereoskopik fotoğrafları, mevcut yapılardan fotogrametrik (kesin dış çizgilerle belirtilmiş) planlar çıkarılmasını sağlamıştır. Benzer şekilde, büyük alanlar üst üste bindirilmiş görüntülerle araştırılabilir ve bunlar daha sonra havadan tespit edilmiş bütün arkeolojik kanıtları içeren çok kesin fotogrametrik ana haritalar hâline getirilir. Böyle görüntüler analitik yüzey araştırmasını bilgilendiren kullanışlı bir araçtır.

Havadan Görülebilen Kalıntılar

Hava görüntülerinde arkeolojik alanların başarılı bir şekilde tespiti, görünmesi beklenen mimari kalıntı tipleri ve terk edilmelerinden sonra bunları etkilemiş olabilecek gömülme sonrası süreçler (oluşum süreçleri) hakkında bilgi gerektirir. Genelde bir arkeolojik alanın herhangi bir uzaktan algılama yöntemiyle tespiti için, toprağı ya da alt toprağı değiştirmiş olması gerekir. Bu değişimler yere açılmış deliklerden (hendekler ve çukurlar) bunların üzerine yerleştirilmiş mimari ögelere (setler, tümülüsler ve duvarlar) kadar çeşitlilik gösterebilir. Bunlar yükselti olarak günümüze kalmış olabilirler ya da düzleştirilmiş ekili alanın altında gömülü bulunabilirler. Alanda daha önceden yapılmış arazi çalışması ve kazı, yukarıdan görülebilecek arkeolojik ögelerin kapsamını ve özelliklerini teşhis edecektir, fakat bunların en küçük boyutlu olanları (mesela direk delikleri) görülmeyebilir veya sadece en net ve büyük ölçekli görüntülerde anlaşılabilirler. Alan ya da bölge hakkında bu türden bir bilgi, yorumcuya arkeolojik ve arkeolojik olmayan kalıntıları ayırt etmede yardım edecektir.

Ayaktaki Arkeolojik Alanlar

Benzer deliklerin ve tümseklerin doğanın müdahalesinden (buzul çevresi faaliyetinden dolayı meydana gelen çatlak ya da çukur toprak) ya da yakın tarihli değişimlerden (örneğin arazi sınırlarının düzleştirilmesi veya küçük taş ocakları) ötürü ortaya çıkabileceği hatırlanmalıdır. Tecrübeli bir görüntü analisti bunları saptamalı ve bunlar arasından arkeolojik kalıntıları ayırt edebilmelidir.

Güney İngiltere'deki deneysel Overton Down toprak işi üzerinde açılmış kesitler (s. 53'ya bakınız) bozulmamış kireçtaşı bir arazide ot topluluğunun 16 yıl sonra setin hendeğe düşmesine izin vermeden dengede tuttuğunu göstermiştir. Benzer toprak setlerin dünyanın çeşitli yerlerinden hava fotoğraflarında tümsek olarak görülebilmesi, böyle arkeolojik alanların terk edilmelerinden birkaç yıl sonra "fosilleştiklerini" düşündürmektedir.

Hava görüntüleri yüksek arkeolojik alanları ışık ve gölge kombinasyonu şeklinde belli eder; dolayısıyla günün saati ve mevsim bu türden arkeolojik alanlarda en bilgilendirici görüntüyü yaratmak için önemli etmenlerdir. Işık ve gölgeden elde edilebilen bilgiyi arttırmak amacıyla farklı zamanlarda görüntüler almak gerekli olabilir. Bu, LIDAR (ALS) kullanmanın avantajlarından biridir (s. 83-84'e bakınız). Yazılım izleyicinin, güneşin yönünü ve azimutunu taşımasına izin verdiği için hava görüntülerinden elde edilebilecek bilgiden daha fazlasını sağlayabilir. Düşey hava fotoğrafları ve uydu görüntülerine gölgeler kullanıcıya doğru düşecek şekilde bakılmalıdır. Aksi takdirde ters yükselti algılanabilir.

Düzlenmiş Arkeolojik Alanlar

Dünyanın bazı kesimlerinde çoğu arkeolojik alan düzlenmiştir ve

3.15 Basitleştirilmiş arkeolojik alan oluşum süreci. Sağdaki çizim tarımla düzlenmiş bir arazide nelerin görülebilir olabileceğini gösterir. Tahıl bitkileri farklı derinliklerdeki topraklardan çeşitli şekillerde etkilenirler ve bunun sonucunda havadan fotoğrafları çekilebilecek "ekin izleri" meydana getirirler. Sürülmemiş bir arazide (sağ altta) arkeolojik alanın esas kalıntıları hafif yükselti şeklinde görülecektir. Bunları havadan ya da yerden çukur set ve eski bir set ya da rampanın uzandığı yükselmiş taşlı bir kuşak olarak görmek farklı ekinlerden daha kolaydır. Bu kanıtlardan farklı ekinlerden veya hafif yükseltilerden ne tür kalıntıların temsil edildiğini tahmin etmemiz gerekir. Orijinal arkeolojik alan (sol altta) yuvarlak bir ev, onunla ilişkili evcil çiftlik hayvanlarına ait bir ağıl ve başka çitle çevrili alanları içine alan bir set ve hendekten meydana gelmektedir. Orijinal arkeolojik alanın farklı kısımları tamamen düzlendiği zaman da yükselti şeklinde belirlenebilirken, bazılar da bu türden bir tespit yöntemiyle asla geri getirilemeyeceklerdir.

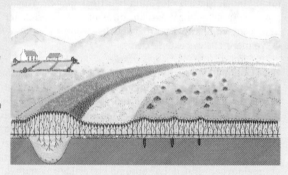

3.16 Bu fotoğrafın solundaki ekin işaretleri, İngiltere'de, Doğu Anglia'nın su altındaki alçak arazilerinde bulunan Holbeach Roma-İngiliz çiftliğinin kalıntılarını gösterir. Tarlalalarla diğer mülklerin sınırlarını meydana getirmek, yolları sınırlandırmak ve arazinin drenajını yapmak üzere hendekler kazılmıştır. Bu kalıntılar sağa doğru, yeniden toprakla doldurulmuş ve şimdi yetişen ekinlerin altında kalan alana doğru devam etmektedir. Soldaki arazinin üst kısmında uzanan yol (A-B) sağda, eski hendeği dolduran daha derin toprak sayesinde ekinlerin gelişimini arttırmış daha koyu bir kuşak (C-D) olarak belirgindir. Eski su yollarının siltle dolmuş kanalları, ekinlerin daha fakir toprakta az büyüdüğü açık tonda geniş kuşaklar şeklinde görünür.

şimdi ekilebilir araziler üzerinde yer almaktadır. Bunlar belirli bir derecede tahribata maruz kalmışsa da (ve birçoğu yıllık tarımla hâlen tahrip edilmektedir), hava görüntüleriyle incelendiklerinde değerli olabilirler. Yaz aylarında belirli ekinler farklı topraklarda ve toprak derinliklerinde farklı şekillerde büyüyebilirler. Bu şekilde arkeolojik ve doğal ögelerin varlığına işaret edebilirler. Bazen ekin izleri olarak adlandırılan bu farklılaşmalar, hava araştırmasının arkeolojik kalıntıları kaydetmesine aracılık eden ana mecradır. Aslında bu şekilde, diğer araştırmalara kıyasla çok daha fazla kalıntı keşfedilmiştir. Bu ekin farkları ya da işaretleri, hava araştırmasının kaydettiği arkeolojik

kalıntıların asıl mecrası olmuştur. Aslına bakılırsa, bu yolla başka araştırma yönetemlerine kıyasla daha fazla kalıntı gün ışığına çıkarılmıştır. Ekin izlerinin çoğu tahıl ürünleri söz konusu olduğunda fark edilir, ancak kuraklıkta

otlar da bazen toprak altı farklılıklarına tepki verebilirler. Mesela 2013'te Stonehenge'de kavrulan otlar, büyük kumtaşı çemberi tamamlayabilecek daha önce keşfedilmemiş taş delikleri ortaya çıkarmıştır.

3.17 Venedik yakınlarındaki kayıp Roma limanı Altinum yakın tarihte, ciddi bir kuraklık ekin izlerini belirginleştirince haritalandırılmıştır. Bu dikey görüntüdeki alışılmadık renkler, bunun kızılötesine yakın dalgaboylarında çekildiğini gösterir.

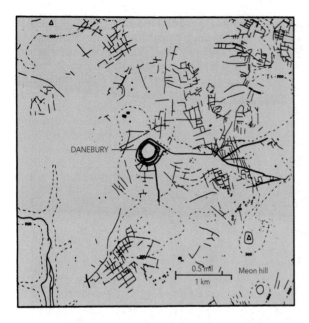

DANEBURY

0.5 mil
1 km

Meon hill

3.18 Güney Britanya'da tahkimli bir Demir Çağı yüksek kalesi olan Danebury'nin (MÖ 6-2. yüzyıllar) çevresindeki alanın haritası eski tarlalar, izler ve kapalı alanlarıyla birlikte hava fotoğrafından oluşturulmuştur.

Şehirlerin havadan nasıl tespit edildiği ve yorumlandığı arka sayfadaki kutuda anlatılmıştır. Genelde eğik görüntülerde arkeolojik kalıntıları daha açık görmek mümkündür. Düşey fotoğraflar ise böyle kanıtlar arayan yorumcular tarafından incelenmelidir. Her iki görüntü türünde de bilgisayar programları sayesinde düzeltme ya da coğrafi yer tanımlaması yapılabilir. Bu, eğik görüntülerin boyut ve perspektif bozulmalarını kaldırır; dikey görüntülerde eğimi ve açılı bozulmaları da düzeltir. Düzeltme işleminde sayısal arazi modelinin kullanılması (LIDAR veya ALS taraması aracılığıyla ya da konturlara dayanarak arazinin üç boyutlu bir modelini yaratma – aşağıya bakınız), arazinin engebeli veya yüksek olduğu yerlerde daha fazla kesinlik sağlar. Bilgisayarda dönüştürme işleminden sonra ortaya çıkan görüntü, bir grafik yazılımında ya da bir CBS'de (s. 94'e bakınız) katmanlarına ayrılır ve tespit edilmiş arkeolojik mimari kalıntılar bunların üzerine çizilerek yorumlanabilir. Arkeolojik alanlara özel 1:2500 ölçeğindeki haritalandırma bir arkeolojik alan dâhilinde oldukça fazla detay gösterebilir ve ± 1 metreye kadar hassas sonuçlar verebilirler. Bu, mimari kalıntıların ölçülüp karşılaştırılmasına izin verir. Aynı zamanda kazı açmalarının doğru şekilde ve az maliyetle yerlerini belirlemek üzere kesin konumların elde edilmesi için gereklidir. Bu Britanya ile Avrupa'da hava görüntülerinden arkeolojik mimari kalıntıların haritalandırılması için kullanılan olağan yöntemdir ve başka yerlerde de yararlı bir araç olabilir.

Münferit arkeolojik alanların hava fotoğraflarından haritalandırılmasına toplumsal arkeolojide sıklıkla gerek duyulmaktadır ve araştırmallarla kurtarma kazıları için gerekli olduğu gibi, arazi haritalandırması ve arazinin anlaşılması için de temel teşkil eder. Geniş alanları bu şekilde çalışma olanağı çoğunlukla sadece hava kaynaklarını kullanarak mümkündür. Britanya'da Rog Palmer doğu haritalar elde edebilmek için Danebury Demir Çağı yüksek kalesi çevresindeki 450 km²'lik alanın tek tek binlerce fotoğrafını kullanmıştır. Ekin izleri (s. 82-83'teki kutuda açıklanmıştır) düzenli şekilde dağılmış arklı 120 yerleşim ve yüzlerce dönümlük küçük tarım arazisi ortaya çıkarmıştır. Bunlara ilaveten, şekillerine ve/veya yüzey buluntularına bakılırsa çoğu Danebury ile kabaca çağdaş 240 km uzunluğunda kanallar ve sınır çalışmaları da keşfedilmiştir.

Amerika kıtasının güneybatısında Chaco Kanyonu'ndaki tarihöncesi yolların varlığı bilinmesine rağmen, yol sisteminin kapsamı ancak 1970'lerde Ulusal Parklar İdaresi'nin başlattığı büyük bir hava keşif projesi sonucunda bütünüyle anlaşılabilmiştir. Hava fotoğraflarının ihtiva ettiği geniş alan yardımıyla tarihöncesi yollar belirlenerek haritalara işlenmiştir (s. 404'e bakınız). Bu işlemi seçici yüzey araştırmaları ve bazı arkeolojik kazılar takip etmiştir. Resimlerden anlaşıldığı kadarıyla MS 11-12. yüzyıllara tarihlenen sistem 2400 km uzunluğundadır, fakat sadece 208 km'lik bir kısmı yer seviyesinde incelenmiştir.

Son Gelişmeler. Yeni teknolojiler hava fotoğrafçılığına farklı şekillerde etki etmiştir. Mevcut görüntülerin çoğu filme kaydedilmiş olmasına rağmen –siyah beyaz (pan-kromatik), renkli ya da sahte renkli mor ötesi– son birkaç yıl içinde sayısal algılayıcılar düşey kameralarda ve arkeologlar tarafından kullanılan el kameralarında hassas sonuçlar verecek kadar gelişmiştir. İster birbirine paralel ve üst üste gelen şeritlerden müteşekkil düşey fotoğraflar elde etmek, isterse seçilmiş bir alanın arkeolog tarafından incelenmesi için olsun, modern uçuşlar genellikle GPS (Global Positioning System = Küresel Konumlama Sistemi) navigasyonundan yararlanmak üzere planlanır ve kaydedilir. Arkeolojik amaçlı bir uçuşta izlenen yol, üzerinden geçilmiş ve araştırılmış kara parçasına ait kesintisiz bir kayıt elde etmek için önceden belli aralıklarla kaydedilir. Buna ilaveten ileriye dönük bir arkeolojik uçuş için bir GPS yolu kaydedilir. Ayrıca bazı el kameraları GPS'yle bağlantılandırılarak fotoğraf çekilişinde koordinatlar alınabilir. Bu, arkeolog yerde çalışmaya başladığı zaman fotoğraflarını yerlerini belirleme sorununu kolaylaştırır. Ayrıca görüntülerin hızlı şekilde geri çağrılmasına imkân tanıyan bir depolama sistemi geliştirmek, bunu doğru şekilde yedeklemek ve tekil olabilecek verilerin iyi arşivlenmesi amacıyla sayısal formatların kısa ömürlerini hesaba katmak akıllıcadır.

Günümüzdeki eğilimlerden biri, düşey fotoğraflarla uydu görüntülerinin coğrafi yer tanımlamasını yapmak ve mozaiklemektir. Böylece bir CBS'de katmanlara ayrılabilirler

(s. 88'e bakınız). Bu, kıyaslamalı veri sağlar, fakat yorum için ideal değildir. Bunun için hâlâ en iyi yol stereoskopik baskıları ya da görüntüleri üst üste getirmektir. Üstelik kuzey yarımkürenin ekrandaki görüntülerini kuzey üstte olacak şekilde incelemek, gölgeleri izleyiciye doğru yöneltme idealine nazaran daha olağan bir uygulamadır. Fotoğraf yorumu ve fotogrametrinin uzun bir geçmişi vardır. Her ikisi de hava fotoğraflarının okunmasına yardımcı olmaları için geliştirilmiştir ve eğer biraz daha eski döneme ait bazı "püf noktalarının" farkındalarsa birçok CBS kullanıcısına katkı sağlayacaktır.

Sayısal görüntü analizinin uygulanması artık yüzey araştırması yapan arkeoloğun alet çantasında yer almaktadır. Kazı ve hava keşfinde olduğu gibi, uzaktan algılama araştırması da kapsamlı bir yöntem kullanılarak iyi planlanmalı ve uygulanmalıdır. Otomatik ya da yarı otomatik görüntü analizi büyük datasetler üzerinde çalışan çevresel uzaktan algılama gibi disiplinlerde yaygındır. Bu gelişmelerin bazıları arkeolojide de uygulama alanı bulmuştur ve uzmanlar, bilgisayar uygulamalarının hiperspektral araştırmalar tarafından üretilecek bu türden büyük datasetleri güvenilir şekilde nasıl işletecekleri üzerine çalışmaktadırlar.

Verilerden tanımlanmış özelliklere sahip kalıntıları (mesela çukurlar ya da höyükler) çıkarabilecek yazılım yazılabilir ve bunlar geleneksel görüntü analizinin faydalı tamamlayıcıları olacaklardır. ALS (Airborne Laser Scanning=Havadan Lazer Taraması) gibi sayısal veriler ciddi ölçüde otomaktikleştirilmiş iş akışına gayet iyi yanıt verirler. Almanya'da Baden-Wüttemberg'de altı yıllık bir proje, denetlenen otomatik sınıflandırmayla 35.000 km^2'lik bir alanı araştırmış ve 600.000 kadar muhtemel arkeolojik alan tespit etmiştir. Bununla birlikte arazideki gözlemler, arkeolojik yorumlama ve insan uzmanlığı zaruridir.

İnsansız hava araçlarının (İHA) Structure from Motion (SfM) yazılımıyla birlikte arkeolojik sit alanlarının kaydı için kullanımı giderek popülerleşmiştir. Bataryayla çalışan küçük İHA'lar bir dizi aletle kameralar taşıyabilir ve bir alanı araştırmak ya da üst üste gelen bir set meydana getiren seri fotoğraflar çekmek, bir arkeolojik alanı, kalıntıyı veya kazıyı her açıdan belgelemek için programlanabilir. SfM yazılımı bu görüntüleri bir üç boyutlu model oluşturmak üzere bir araya getirebilmekte ve böylece daha sonra koordinat sistemiyle referans verilebilecek ve doğru çizimler yapmak için kullanılabilecek ortofoto seti yaratabilmektedir. Jesse Casana

3.19 *Maslinovik'teki kısmen kazılmış Yunan kulesinin üç boyutlu bir modeli. Hırvatistan'ın Hvar Adası'ndaki Stari Grad Ovası'nda bulunan UNESCO Dünya Mirası'na ait bu arkeolojik alanın alttaki fotoğrafı 2013'te Sara Popovic tarafından bir İHA'nın çektiği 23 görüntü birleştirilerek meydana getirilmiştir.*

HAVA GÖRÜNTÜLERİYLE YORUMLAMA VE HARİTALANDIRMA

Hava görüntülerinde ne tespit edildiğini tanımlayabilmenin en net yolu, bunların yorumunu içeren bir harita oluşturmaktır. Böyle haritaların birçok kullanım alanı vardır: Konservasyon ve miras yönetimi için bir rehber görevi görürler; arkeolojik alanlar ve çevreleri arasındaki ilişkileri göstererek arazi çalışmaları için temel bir araç sağlarlar; yürüyerek yapılan yüzey araştırmaları için kontekst sunarlar; jeofizik araştırmalarının ve kazı açmalarının yerlerinin belirlenmesi için arkeolojik kalıntıların kesin konumlarını verebilirler.

Metne eşlik eden çizim Birleşik Krallık'taki Cambridge yakınında bulunan arkeolojik, doğal ve daha geç tarihli kalıntılarını göstermek amacıyla hazırlanmıştır ve bir güneş tarlası inşası öncesinde arazi araştırmasına hazırlık amacıyla müteahhit tarafından sipariş verilebilecek bir görüntü canlandırması sunar. Haritadaki katmanlar, doğal özellikleri ve geç tarihli kalıntılar eklenerek elde edilmiş ilave değeri gösterir.

Tablo A şematik bir modern harita üzerinde mevcut hava görüntüleri serisine göre yorumlanmış arkeolojik verileri sergiler. Çizime, daha önce bu alanın büyük kısmını kaplayan sabandan kaynaklı Ortaçağ sırt-oluk toprak işleme faaliyetini temsil eden paralel çizgili alanlar hâkimdir. Buradaki modern tarlalar en azından 1960'lardan beri yoğun olarak işlenmekte ve arazinin orijinal dalgalı şekli düzlenmektedir. Dolayısıyla Ortaçağ toprak işleme faaliyetlerinin arazideki izleri yok olurken, bu düzlenmiş tarlalardaki ekinler büyümelerindeki farklılıklar sayesinde gömülü Ortaçağ hendek açma faaliyetlerinin varlığı fark edilebilir. Hava görüntüleri bunları ekin izleri olarak kaydedebilir. Cambridge bölgesinde yapılan kazılar, Ortaçağ'daki toprak işleme faaliyetlerinin Roma Dönemi ve tarihöncesi arkeolojik alanlarını tahrip edebildiğini göstermiştir; modern tarım da arkeolojik kontekstlerin daha da fazla erozyona uğramasına yol açmaktadır. Bu arkeolojik alana dair tüm bilgiler kazı yerine ekinlerin büyüme şekillerindeki farkların haritalandırılmasıyla elde edildiğinden, Ortaçağ ya da modern, erken hendeklere verilen zararın kapsamını bilmiyoruz.

Tablo B'de çok erken kanalların (batıdakinin merkezinde modern bir akarsu vardır) varlığına işaret eden daha derin toprağa sahip alanlar ve bitişiğindeki daha yüksek toprağın işlenmesinden dolayı toprağın aktığı kuru bir vadi de (güneyde) işaretlenmiştir. Konturların yokluğunda, menşeilerine bakılmaksızın, bu derin toprak alanları en alçak zemini gösterir ve kazılmış yerlerin daha yüksek zeminde yer aldığını belirtir.

Sondaki Tablo C, dört çeşit yakın tarihli faaliyeti de (yani Ortaçağ sonrası) dâhil ederek haritanın arkeolojik bütünlüğü, daha da önemlisi eğer herhangi bir koruma ya da konservasyon yapılacaksa arkeolojik katmanların durumu hakkında bizi bilgilendirir. Günümüzdekiler gibi yakın tarihli tarla sınırları da incelenen hava

Arkeolojik kalıntılar

— hendek

— sırt-oluk

Doğal özellikler

▓ derin toprak

Yakın tarihli kalıntılar

▨ Elle kazılmış ocak

— Boru hattı

— Tarla sınırı

— Tarla drenajı

3.20 *Birleşik Krallık'taki Cambridge yakınlarında çekilmiş bir hava fotoğrafından üretilen haritalar arkeologların ilgisini çekebilecek potansiyel arazi özelliklerini belirtmektedir. (A) arkeolojik kalıntıları gösterir; (B) toprak derinliğindeki değişimleri belirtir ve (C) daha geç tarihli arazi özelliklerini dâhil eder.*

görüntülerinde herhangi bir arkeolojik bilginin kaydedilmediği arazi parçalarını görmemize yardım ederler. Bunlar farklı toprak işleme usulleri (yani "duyarsız" ekinlerin olduğu tarlalar) olduğunu gösterebilirler ve böylece arkeolojik resimdeki bazı boşlukları açıklamamıza katkıda bulunurlar. Diğer hava görüntülerinin incelenmesi belgelemenin diğer eksikliklerini giderebilir.

Tablo C'nin güney kısmındaki bir boru hattı bazı kalıntıları kesmektedir ve muhtemelen bu hat üzerindeki arkeolojik kontekstlerin, hattın her iki yanında toprağın kaldırıldığı alana -büyük ihtimalle erişimi sağlamak için- ya hasar vermiş ya da onları yok etmiştir. Benzer bir tahribat, arazi drenaj borularının döşenmiş olduğu ve bazı arkeolojik hendekleri kestiği kuzeydeki kalıntı topluluğunda da meydana gelmiştir. Elle kazılmış ocaklar birçok kırsal yerde yaygındır ve belirli topraklardan yerel olarak faydalanılmasının sonucudur. Bu tablodaki iki küçük ocak kaydedilmiş bazı arkeolojik hendeklere yakındır. Eğer bu arkeolojik alan batıya doğru uzanmış olsaydı, ki bu mümkündür, ocaklar daha erken tarihli kalıntılara hasar vermiş olabilirdi. Boru hattı ve arazi drenajının neden olduğu tahribat deneme açmalarının nerede açılacağına ve böyle arkeolojik alanların korunup korunmayacağına dair karar vermekte yardımcıdır. İmara yönelik arkeoloji için bu türden görüntü yorumlama ve haritalandırma çoğunlukla küçük çaplı jeofizik ve yürüyerek yapılan yüzey araştırmalarına giriş teşkil eder. Hava görüntülerinden haritalandırma, daha detaylı araştırmaların talep ettiği zaman ve maliyet kısıtlamaları çerçevesinde yüzlerce kilometrekarelik arkeolojik arazileri etkili bir şekilde gösterebilir. Böyle haritaların incelenmesi arazi çalışmasının problem odaklı olmasına, dolayısıyla sınırlı para ve zamanın arkeolojik açıdan en etkili biçimde kullanılmasına izin verir.

ve meslektaşları tarafından yürütülmüş yakın tarihli bir deneyde, optik ve termal kameralarla donatılmış bir İHA, New Mexico'daki Chaco Dönemi Blue J arkeolojik alanının çeşitli kısımlarını belgelemek için kullanılmıştır. Uçuş, yerdeki farklı kalıntılardan termal tepkilerin alınabileceği gündüz saatleriyle çakışacak şekilde önceden belirlenmiş bir rotada gerçekleştirilmiştir. Her bir alıcıdan gelen görüntüler yer kontrol noktalarıyla bağlanmış ve diğerleriyle hassas şekilde karşılaştırılabilecek bir ortofoto mozaiği üretmek üzere birleştirilmiştir. Blue J arkeolojik alanı yüzey araştırmaları ve başka incelemelerden iyi bilinmektedir; dolayısıyla yöntem için iyi bir pilot bölge olmuştur. Termal görüntüleme bilinen tüm arkeolojik kalıntıları ortaya koymuş ve benzer kalıntıların beklenebileceği yerler için kullanışlı bir araç olduğunu kanıtlamıştır.

3.21 *New Mexico'daki (ABD) Blue J'de Chaco Dönemi (MS 900-1180) ev yerleşkesi. Bir İHA tarafından saat 05.18'de toplanan termal görüntüler (sol üstte) bir oda grubu, çevre duvarı ve bir meydanı göstermektedir. Bunların hepsi geleneksel yüzey araştırması ve test kazılarıyla (sağ üstte) doğrulanmıştır. Bu kalıntılar renkli fotoğrafta belli değildir (ortada solda) ve saat 21.50'ye (ortada sağda) ya da 06.18'e (sağ altta) ait termal görüntülerde bitki örtüsünün "gürültüsü" yüzünden seçilmeleri zordur. Güneşin doğuşundan hemen sonra, saat 07.18'de alınmış termal görüntüler (sol altta) ev yerleşkesinin hemen göze çarpmayan topografyasını ortaya koyar.*

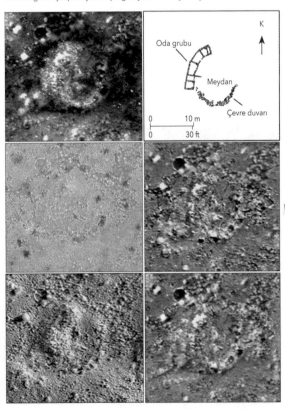

LIDAR ve SLAR. LIDAR (Light Detection and Ranging = Lazerli Algılama ve Ölçme) –ALS (Airborne Laser Scanning = Havadan Lazer Taraması) olarak da bilinir– son birkaç yılda çok değerli olduğunu göstermiştir. Teknik, yere bir dizi hızlı ışın atımı yapabilen lazer tarayıcılı bir uçak kullanır; uçağın kesin konumu farklı GPS'ler aracılığıyla bilinir. Bu ışınların uçağa geri dönüşüne kadar geçen zaman hesaplanarak üç boyutlu hassas bir "nokta bulutu" yaratılır. Bu, hatasız sayısal yükselti modelleri (ya da sayısal yüzey modelleri) ve verinin çok çeşitli görselleştirmelerini üretmek için işlenebilir. LIDAR arkeologlar için geleneksel hava fotoğraflarına göre iki büyük avantaj sağlar: Lazerin bitki örtüsündeki açıklıklardan yere nüfuz edebildiği yerlerde ağaç örtüsü ortadan kaldırılabilir ve üç boyutlu modeller, yerdeki kalıntıların en uygun ışık altında (bazen doğal olarak imkânsız) görülebilmesi için sadece Güneş'in açısı ve azimutunun hareket ettirilmesiyle birçok farklı yolla görselleştirilebilir. Her iki araç da yeni arkeolojik alanların bulunduğu İngiltere'de –çoğunlukla arazi sistemine yapılmış eklemeler– kullanılmış ve Stonehenge etrafındaki doğal çevrenin mevcut kaydında bölgesel düzeltmeler yapılmıştır. Bir arkeolojik alanda LIDAR'ın pratikte uygulanmasına dair iyi bir örnek, Meksika'daki Maya şehri Caracol'da görülebilir.

Yana bakışlı hava radarı (SLAR = sideways-looking airborne radar) adıyla bilinen başka bir uzaktan algılama tekniği, Mayalarda tarımın önceleri düşünüldüğünden daha yoğun yapıldığını göstermiştir. Söz konusu uygulama, uçaktan gönderilen elektromanyetik radyasyon atımlarının radar görüntüleriyle birleştirilmesinden ibarettir. Radar bulutlara ve bir dereceye kadar yoğun yağmur ormanlarına nüfuz edebildiğinden, Richard Adams ve meslektaşları yüksek irtifada uçan bir NASA uçağıyla Mayalara ait 80.000 m²'lik alçak araziyi SLAR sayesinde tarayabilmiştir. Bu görüntüler sadece eski şehirleri ve arazi sistemlerini açığa çıkarmakla kalmamış, bazıları kanal olabilecek gri renkte kafes şekilleri de tespit etmiştir. Daha sonra buralarda kanoyla yapılan araştırmalar tahminleri doğrular nitelikte sonuçlar vermiştir. Eğer yeni başlayan arazi çalışmaları su kanallarının eski olduğu ispatlarsa, Mayaların kusursuz bir sulama ve su taşımacılığı sistemine sahip olduğu ortaya çıkacaktır.

Uydu görüntüleri ve Google Earth. Artık Google Earth'e erişip buradaki yüksek çözünürlüklü hava fotoğraflarını ve uydu görüntülerini kullanmak ya da bunların kopyalarını satın almak olağan hâle gelmiştir. Örneğin Birinci Dünya Savaşı'nda (1918) Arabistanlı Lawrence tarafından kullanılmış bir çöl kampı kısa süre önce Ürdün'de, çağdaş fotoğraflarda görülen muhtemel bir yeri incelemek üzere Google Earth'ün kullanılması sayesinde tespit edilmiştir.

IKONOS (yaklaşık 1 m çözünürlükte), Quickbird (60 cm) ve GeoEye (40 cm) uydularından elde edilen yüksek çözünürlüklü görüntüler hava fotoğraflarıyla kıyaslanabilecek veriler sunarken Google Earth asıl taban olarak NASA'nın LANDSAT serilerinden (28,5 m) yararlanır. Bununla birlikte IKONOS, QuickBird ve GeoEye'dan parselleri, bazı başka uydu görüntüleri ve geleneksel hava fotoğraflarını

3.22 *LIDAR uygulaması: İngiltere'nin Forest of Dean bölgesinde bulunan Demir Çağı yüksek kalesi Welshbury, sıradan hava fotoğraflarında neredeyse fark edilmez (solda). İlk LIDAR görüntüsü çok az bir gelişme sergiler (ortada), fakat bir yazılım algoritması kullanılarak yapraklar ve ağaçlardan gelen yansımalar ("ilk yansıma") bir kez filtre edildiğinde toprak işleri açıkça görülür (sağda).*

 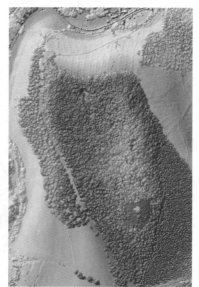 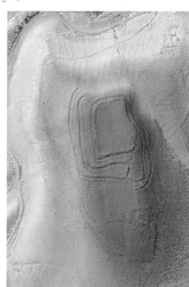

ORMANDAKİ LAZERLER

Arkeolojide LIDAR (ya da ALS) uygulamasının en iyi örneklerinden biri, Belize'de MS 500-900 arasında gelişmiş bir Maya şehri olan Caracol'da gerçekleştirilmiştir. Orta Florida Üniversitesi'nden Arlen ve Diane Chase bu arkeolojik alanın 25 yıldan fazla bir süredir kazıyordu ve sık tropikal ormana rağmen bu zaman boyunca araştırmacılar yerde toplam 23 kilometrekarelik yerleşim alanını haritalandırmayı başarmışlardı. Bununla birlikte havadan araştırma birkaç hafta içinde çok daha büyük bir alanın tamamlanmasına izin vererek ve şehrin aslen 177 km²'den fazla bir alanı kapladığını ortaya çıkararak 25 yılın sonuçlarını gölgede bıraktı.

Aynı üniversiteden biyolog John Weishampel projenin LIDAR kullanımını tasarladı. Weishampel ormanları ve diğer bitki örtülerini çalışmak için yıllarca lazer kullanmıştı, fakat bu teknik şimdi tropik yağmur ormanı altındaki bir arkeolojik kalıntının belgelenmesi için uygulandı. Lazer sinyalleri cangıl örtüsüne nüfuz etti ve altındaki topraktan geri yansıdı. 2009'daki kurak

3.23 Caracol'daki Meydan A; şehrin toplam alanından sadece küçük bir kısmı ormandan arındırılmıştır.

mevsimin sonunda alınan görüntülerin toplanması yaklaşık 4 gün (24 saatlik uçuş süresi) sürdü. Küçük bir uçak şehir üzerinde aşağı yukarı uçarak altındaki yer şekillerinin 4 milyardan fazla ölçümünü yaptı. Bunu, uzaktan algılama uzmanlarının üç haftalık analizi takip etti.

Caracol'un bütün bir doğal görünümü yeni kalıntıların, tarımsal terasların ve daha uzak yerleşimlere uzanan yükseltilmiş taş yolların keşfini sağlamış üç boyutlu görüntüler şeklinde izlenebilmektedir. Bu, LIDAR'ın böylesine büyük bir arkeolojik alana ilk uygulanışıydı ve tekniğin bu türden zorlu doğal çevrelerdeki arkeolojik alanların araştırılmasını kökten değiştireceği açıktır. Ancak nasıl uzaktan algılamaya dayalı bulguları sadece kazı doğrulayabilirse, Caracol'da havadan elde edilen veriler de arazide doğrulanmak zorundadır.

3.24-25 Caracol merkezinin orman örtüsü kaldırılmış hâliyle LIDAR görüntüsü (sol altta); tarımsal teraslar vadiler ve yamaçlardaki dalgalanmalar şeklinde görünür. (aşağıda) Uçağın havadaki 24 saatlik rotası sırasında milyonlarca ölçü alındı.

3.26 Caracol LIDAR araştırmasının üç boyutlu izdüşümü (aşağıda ortada) cangıl örtüsünün altındaki unsurları gösterir.

3.27–28 Üstteki siyah-beyaz fotoğrafla birlikte Albay T.E. Lawrence'ın "dişli bir tepe"den bahseden, o ve ekibinin kamp yaptığı yere bir gönderme yapan kendi yazıları, Bristol Üniversitesi'nden bir ekibin Lawrence'ın Kuzeybatı Arabistan'da operasyonlar yaparken gecelik konakladığı kamp yerini tespit etmelerini sağlamıştır.

da içerir. IKONOS, QuickBird ve GeoEye'ın tümü hem çok bantlı (MS = multispectral) hem de pankromatik (PAN) yüksek çözünürlüklü görüntüler sağlar. Bunlarda binalar gibi detaylar rahatlıkla görülür. Veriler analiz için uzaktan algılama görüntülerini işleyen yazılımlar dışında CBS paket programlarına da gönderilebilir.

LANDSAT serilerine ait görüntülerle bazı erken tarihli ve yararlı çalışmalar yapılmıştır. Tarayıcılar Dünya yüzeyinden yansıyan ışığın ve kızılötesi radyasyonun yoğunluğunu ölçerek, bunları elektronik olarak fotoğraf görüntülerine dönüştürürler. LANDSAT görüntüleri Mezopotamya'daki eski set sistemlerinin, Suudi Arabistan çöllerinden Kuveyt'e kadar uzanan eski bir ırmak yatağının ya da Etiyopya'nın Rift Vadisi civarında hominin fosili barındıran sediman yataklarının tespitinde kullanılmıştır.

Google Earth'ün ortaya çıkışı gerçek bir "hava devrimi" olmuştur, çünkü her arkeoloğa yeri inceleme ve arkeolojik alanları arama fırsatı vermektedir. Mesela paleontologlar tarafından Afrika'da fosil bulmak için kullanılmaktadır ve 2008'de Güney Afrika'da 500 yeni mağara gün ışığına çıkarılmıştır. Bu mağaralardan birinde de *Australopithecus sediba*'ya ait kemikler (s. 168'e bakınız) ele geçmiştir. Afganistan'da yüzlerce yeni arkeolojik alan ve Suudi Arabistan'da binlerce mezar yapısı yine bu yöntemle keşfedilmektedir. Ancak aynı görünürlük kuralları, geleneksel hava fotoğrafları gibi bu görüntüler için de geçerlidir ve belirli bir tarihte herhangi bir kanıtın yokluğu, söz konusu alanda hiçbir şeyin bulunmadığı anlamına gelmez. Microsoft'un Bing'i daha sınırlı

3.31 (karşıda) Hava keşfinde kullanılan başlıca teknikleri özetleyen tablo.

3.29–30 Ermenistan'daki Erivan yakınlarında bulunan MÖ 782'de kurulmuş Urartu sitadeli Erebuni'nin iki uydu görüntüsü: Solda, yaklaşık 2 m çözünürlükteki görüntü 1971'e ait Amerikan CORONA serisindendir. Sağdaki ise Google Earth'ün 2006 tarihli bir QuickBird görüntüsüdür. Her ikisi de gölgelerin, topografya ve yapıların fotoğraftan doğru şekilde okunmasına yardım edebilmeleri için üst tarafları güneye gelecek şekilde gösterilmektedir.

	TEKNİK	KULLANIMI	AVANTAJLARI	DEZAVANTAJLARI	AÇIK ERİŞİM
Hava fotoğrafları	Eğik	Bir gözlemci tarafından arkeolojik kalıntıların kaydı	"Arkeolojik alanlar"ın net görüntülerini sağlar İyi çizimler üretir	Fotoğraflanmadan önce kalıntıların belirlenmiş olması gerekir	Uzman hava fotoğraf kütüphaneleri
	Dikey	Arazileri bütünüyle belgeler Tarihi fotoğraflar arazi kullanımını ve imarı; ayrıca arkeolojik alanlara yönelik tehditleri belgelemek için kullanılabilir	Mevcut milyonlarca görüntü Fotoğraflar genellikle stereoskopik olarak incelenmek için çekilir	Birçok fotoğraf arkeolojik verileri kaydedecek en iyi zaman aralıklarında çekilmemiştir İyi bir yorum uzmanlık gerektirir	Google Earth, Microsoft Bing, birçok AB ülkesi için Geoportal sayfaları USGS Earth Explorer ABD'nin bazı kesimler için bedava erişime sahiptir Bazı koleksiyonların en azından küçük görsellere çevrimiçi erişimi vardır
	Çok alçak irtifa (İHA, UAV, uçurtma, balon, direk	Bilinen bir arkeolojik alanı, kazıyı ya da önceden belirlenmiş bir alanı kaydeder	Nispeten ucuzdur Çizim için iyidir Yazılım uygun fotoğraflardan üç boyutlu modeller üretebilir	Çoğu mevcut havacılık yasası görünmez uçuşlara izin vermediği için uzaktan araştırma mümkün değildir (şimdilik)	Çoğunlukla araştırma odaklı özel koleksiyonlar
Görünür dalga boyları (uydu görüntüsü)	CORONA		Ucuzdur En iyi çözünürlük yaklaşık 2 m'dir	Kapsamı dünya ölçeğinde değildir Toplama tekniği yüzünden ciddi görüntü bozulmaları	USGS Earth Explorer aramaların yapılmasına izin verir. Küçük görseller bulut örtüsü için incelenebilir
	WorldView/ QuickBird/ IKONOS/ GeoEye	Hava fotoğraflarının elde edilebilir olmadığı yerlerde yüksek çözünürlüklü görüntüler sunar	Çoğu Internet'te ücretsiz olarak elde edilebilir Metreden daha hassas çözünürlük çok çeşitli tipte arkeolojik kalıntıların tanımlanmasına izin verir	Hayli pahalı olabilir	DigitalGlobe'un Internet sayfası genel bir tanıtım ve galeri sunar; görüntü arama motoruyla aramaya izin verir
	LANDSAT	1972'den beri görünür ve görünmeyen dalgaboylarında veri toplama	Birçok tarihe ait sürekli yinelenen dünya çapında kapsam	Kaba çözünürlük	Görüntüler LANDSAT'ın Internet sayfasından incelenebilir ve indirilebilir
	Havadan Lazer Taraması (ALS) ya da LIDAR	Ayaktaki kalıntıların ve bulundukları arazinin hassas modellerini sağlar	Çok yüksek çözünürlük Yazılım orman örtüsünü kaldırarak kesin bir arazi modeli oluşturabilir	Pahalı Veri yakalamadan önce en iyi yer çözünürlüğüne karar vermek uzmanlık ister Keşif, ustalıkla işlenmesi gereken muazzam nokta bulutları üretir	ABD'de USGS tarafından yürütülen Ulusal LIDAR Programı vardır. Nokta yoğunluğu arkeoloji için çok düşük olabilir, ama genel topografya için yararlıdır Avrupa'da ulusal çevre daireleri verilere sahip olabilir
Görünmez dalga boyları (hava/uzay)	Çok bantlı/ hiperspektral	Görülen ve kızılötesi dalga boylarında algılanan olguları inceler	Bilgileri en uygun hâle getirmek için farklı dalga boylarını birleştirme potansiyeli	Otomatik işleme kullanılarak başlangıç analizi gerektiren veri yığınları	DigitalGlobe uzaydan alınmış çok bantlı görüntülere sahiptir
	SLAR/SAR/SIR-C	Hassas topografik "harita" ve arazi model sağlar Ayaktaki büyük arkeolojik kalıntıları kaydedebilir Özel koşullarda yer altı kalıntılarına ait görüntüler sunabilir	Hava algılayıcılarından metre altı çözünürlük Yazılım hassas arazi modeli sağlamak için orman örtüsünü kaldırabilir	Uzay kaynaklı verilerin hayli kaba çözünürlüğü olabilir	NASA ve USGS arşiv verileri barındırmaktadır
	Termal radyometre	Farklı termal özellikleri olan nesneleri kaydeder Uzay, hava ya da çok düşük irtifadan veri toplama	Toprak üstü ve bazı toprak altı kalıntılarını algılayabilir	Eski hava verileri düşük çözünürlüktüdür Uzay verileri (ASTER) anıtsal arkeolojik kalıntılar dışındakilerin tespiti için çok yüzeyseldir	Çoğunlukla araştırma odaklı özel koleksiyonlar

3.32–33 *(solda) MÖ 2600-2000 arasında tarihlenen Tell Brak (Kuzeydoğu Suriye) çevresindeki merkez doğrultusunda yürüyüş yollarının CORONA fotoğrafı (sahte renk eklenmiştir). (altta) Bölgedeki binlerce kilometrelik izler Jason Ur tarafından bir coğrafi bilgi sistemi veritabanı kullanılarak haritalandırılmıştır. Alan yaklaşık 80 km genişliğindedir. Tell Brak merkezde, Habur Irmağı'nın kuzeyindedir.*

kapsamda hava görüntüsü sunar, fakat bunlar bazen Google Earth'ünkilerden farklıdır ve onu tamamlarlar. NASA'nın World Wind'i ve Microsoft'un Live Search'ü aynı şekilde tüm yer küreyi kapsamaktadır, fakat çözünürlükleri düşüktür ya da başka yerlerde mevcut görüntüleri kullanırlar. Şunu da önemle belirtmek gerekir ki çoğu kullanıcı böyle görüntüleri açıklamak üzere eğitim almamıştır ve arkeolojik alanların her zaman görülebilir olduğunu düşünmektedir.

Hem Quickbird hem IKONOS görüntüleri "kütüphane-lerde" saklanırlar ve bunlara düşük bir ücretle erişilebilir. Fotoğraflar ise sipariş edilebilmesine rağmen, en düşük maliyet bile bazı arkeolojik projeler için yüksek olabilir. Haritaların gizli kabul edildiği ya da bulunmadığı yerlerde güncel uydu görüntüsü arkeolojik araştırmalar için bir "temel harita" elde etmenin belki de tek yoludur.

Her iki uydunun "sahipleri" de fiyatı düşük olan daha eski görüntülerin arşivini tutar. Soğuk Savaş döneminin CORONA uydu fotoğraflarıyla (en iyileri 2 m çözünürlüktedir) birçok şey yapılmıştır ve bunlar kullanışlı temel haritalar ve daha sonra arazi çalışmasıyla kontrol edilebilecek geçici arkeolojik alan yorumlarına izin verir. Örneğin CORONA görüntüleri eski yollar, harabeler, sulama ağları gibi çok çeşitli arkeo-lojik kalıntıların tespitini ve detaylı haritalandırılmasını sağlamıştır. CORONA aynı noktanın iki görüntüsünü aldığı için (önce ve sonra) bu görüntüler stereoskopik bakış ve üç boyutlu sayısal yüzey modeli oluşturmak üzere işlenebilirler.

Harvard Üniversitesi'nden Jason Ur, CORONA uydu fotoğ-raflarını Kuzey Mezopotamya boyunca (Suriye, Türkiye ve Irak) devam eden doğrusal yürüyüş yollarını incelemek için kullanmıştır. Bu geniş ve sığ kalıntılar (sıklıkla "çukur yollar"

olarak adlandırılır) insanlar bir yerleşimden diğerine ve yerleşimlerden tarlalara ve otlaklara yürüdükçe oluşmuştu. Çökmüş yer şekilleri, nem ve bitki örtüsünün etraflarında toplanmalarından dolayı CORONA görüntülerinde rahatça görülebilmekteydi. Yaklaşık MÖ 2600-2000 arasındaki Tunç Çağı kentsel genişleme dönemine tarihlenen modern öncesi bu kalıntıların 6025 km kadarı ortaya çıkarıldı. Yürüyüş yolları genellikle buluntu yerlerinden tekerlek parmakları şeklinde 2-5 km dışarı uzanıyorlardı. Bölge birtakım büyük merkezlere ev sahipliği yapmış olmasına karşın bütün arke-olojik alanlar ve bölgeler arası hareket bir yerden diğerine gitmekle sağlanıyordu; büyük merkezler arasında doğrudan izler mevcut değildi. Siyasi merkezileşme muhtemelen zayıftı ve otorite karşılıklı mutabakata dayalıydı. Seçkinler bile yolculuklarını yaparken bu yerel arazi kullanım haklarına uymak zorundaydılar.

Diğer uydu teknikleri. Arkeoloğun cephaneliğine son zamanlarda eklenmiş bir diğer teknik SAR'dır (Synthetic Aperture Radar = Yapay Açıklıklı Radar). Bunda birden fazla radar görüntüsü (genellikle uzaydan ve ayrıca uçaktan çekilirler) haritalar, veritabanları, arazi kullanım çalışmaları vd. için çok detaylı ve yüksek çözünürlüklü sonuçlar sağlar. SAR yükseklik bilgisini de kaydeder ve araştırılan alan için arazi modelleri temin edebilir. Sunduğu avantajlardan biri, geleneksel hava fotoğraflarının aksine hava koşullarına rağmen gece ve gündüz netice vermesidir. Uydulardan alınan çok bantlı verilerle birlikte araştırma yapılan alandaki arkeolojik alanların envanterini oluşturmak için kullanılabilir. Buluntu toplamaya dayanmadığı için bazı durumlarda zaman ve emekten büyük tasarruf sağlayan, yüzey araştırmasına alternatif hızlı ve zarar vermeyen bir yöntemdir.

Uluslararası Büyük Angkor Projesi, Kuzey Kamboçya'daki Angkor'un 1000 yıllık tapınak kompleksine ait uçsuz bucaksız kalıntıların 3000 km²'lik bir alanı kaplamış olabileceğini ortaya çıkarmıştır. Cangılla örtülmüş ve kara mayınlarıyla çevrelenmiş harabeler, NASA uydularına ait yüksek çözünürlüklü radar görüntüleri kullanan çalışmalara konu olmuştur. Görüntülerdeki siyah kare ve dikdörtgenler taş hendekleri ve tapınak etrafındaki gün ışığını yansıtan havuzları temsil etmektedir. Angkor Wat'taki asıl tapınak kompleksi ise siyah ile çevrili küçük bir kare olarak hemen fark edilmektedir. Arkeologların şimdiye kadar yaptıkları en büyük keşif, şehri çevreleyen kanal sisteminin varlığıdır. Görüntülerde açık renkli çizgilerle kendini belli eden kanallar pirinç tarlalarına, havuzlara ve hendeklere su götürüyordu. Aynı zamanda muhtemelen kompleksin inşasında ihtiyaç duyulan ağır taşların nakli için de bu alanda yapılan son LIDAR araştırması uydu kaynaklarından alınan bilgileri ciddi ölçüde tamamlamıştır.

ASTER (Advanced Spaceborne Thermal Emission and Reflection Radiometry = İleri Uzay Termal Emisyonu ve Yansıma Radyometrisi) NASA'nın Dünya Gözlem Sistemi'nin (Earth Observing System = EOS) bir parçası olarak 1999'da fırlattığı Terra uydusundaki bir görüntüleme aygıtıdır ve yeryüzünün sıcaklığına, yansıtırlığına ve yükseltilerine ait detaylı haritalar elde etmek için kullanılır. Görülebilir dalga boylarından termal kızılötesine kadar 14 bant yüksek uzamsal çözünürlük içeren veri yakaladığından LANDSAT'ın ötesine geçer ve aynı zamanda sayısal yükselti modellerinin yaratılması için üç boyutlu görüş imkânı sağlar. En iyi yer çözünürlüğü 15 m olduğundan, Ortadoğu'nun tipik "tell" yerleşimleri gibi çok büyük olmadıkları sürece arkeolojik alanlardan ziyade arazinin incelenmesi için uygundur.

Hem uzaktan algılama hem de arkeoloji geçmişi olan arkeologların yürüttüğü uydudan uzaktan algılama projeleri çok imkân sunabilir, ancak uydu arkeolojisi arkeolojik kazı ya da yüzey araştırmasının alternatifi değildir. Sadece arkeologların araştırmalarında başvurmak isteyebilecekleri birçok araçtan biridir. Yer üstü ve altındaki mimari kalıntıları (daha önce araştırılmış alanlarda bile) belirlemenin dışında, uyduda algılama arkeolojik alanları daha geniş bir bağlamın içine yerleştirerek arazinin sosyal panoramasını bütün karmaşıklıklarıyla ortaya koyar ve niteliksel değerlendirmeye büyük katkıda bulunur. Uydu görüntülerinin analizi nerenin kazılacağına karar verirken yardım olabilir. Dolayısıyla arkeologlar bu yeni bilgiler ışığında, özellikle de görüntü çözünürlüğü artmaya devam ettikçe araştırma ve kazı stratejilerini gözden geçirmelidir.

Yüzey Araştırmalarında Yerleşimlerin Belgelenmesi ve Haritalandırılması

Hava araştırmasını tartışırken belirttiğimiz gibi, bölgesel haritalarda arkeolojik alanların ve kalıntıların kesin yerlerini saptamak yüzey araştırmasının temel basamaklarından biridir. Bir yerleşmeyi keşfetmek önemlidir, ancak

3.34 *Kamboçya'daki muazzam Angkor arkeolojik alanına ait bir SAR uydu görüntüsü. En büyük tapınak olan Angkor Thom, cangıl örtüsünün arasından büyük ve yeşil bir alan olarak görülmektedir; yanında daha küçük Angkor Wat vardır. Bu siyah dikdörtgenler rezervuarlardır.*

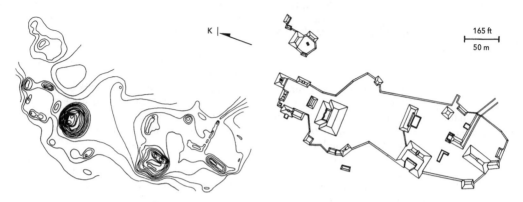

3.35 *Nohmul Maya arkeolojik alanından (Belize) bu resimlerin gösterdiği şekliyle araştırmaları sunmanın iki yolu. (solda) Arkeolojik alanın yer şekilleriyle bağlantısını kuran bir topografik harita. (sağda) Arkeolojik alanın münferit mimari özelliklerini gösteren planimetrik harita.*

bunlar sadece usulünce belgelendiği zaman bir bölgenin arkeolojisine dair bilgiler bütününe dâhil olabilir.

Haritalandırma araştırma verilerinin kesin kaydı için anahtardır. Yapılar ve yollar gibi kalıntılar için hem *topografik* hem de *planimetrik* haritalar kullanılır. Topografik haritalar yükseklikleri eş yükselti eğrileriyle gösterir ve eski kalıntıların çevrelerindeki araziyle ilişkisini kurmaya yardım eder. Planimetrik haritalar ise eş yükselti eğrilerini ve topografik bilgileri içermez; onun yerine kalıntıların genel özelliklerine odaklanarak farklı yapıların birbiriyle olan ilişkisini kolayca anlayabilmeyi mümkün kılar. Bazı arkeolojik alan haritalarında iki teknik bir arada uygulanır; doğal yükseklikler topografik ve arkeolojik kalıntılar planimetrik olarak verilir.

Bir yerleşmenin harita üzerinde işaretlenmesine –kesin enlem ve boylamı, haritadaki yatay ve dikey hatlar sistemi üzerindeki yeri (ya da UTM=Universal Transverse Mercator Grid/Evrensel Çapraz Merkator) projeksiyonu referans noktası)– ek olarak bulunduğu yerin tayinini sağlayacak gerekli bilgilerin kaydedilmesi gerekir. Ayrıca arkeolojik alanın bulunduğu arazinin sahibi, durumu ve diğer ayrıntıları içeren bir kayıt formu hazırlanmalıdır. Yer tayini dünyanın çeşitli bölgelerine göre farklılık gösterebilir. Amerika Birleşik Devletleri'nde her eyalet için iki haneli bir sayı, her ilçe için de bir çift harf kodlanmıştır. Bunların ardından gelen sayı bulunan yerleşmenin söz konusu ilçedeki kaçıncı yerleşme olduğunu gösterir. Örneğin 36WH297 kodu, Pennsylvania eyaletindeki (36) Washington bölgesinde (WH) bulunan 297. yerleşmeyi ifade eder. Bu, Meadowcroft kaya barınağındaki Paleo-Kızılderili yerleşmesinin kodudur. Alfanümerik sistemlerin en büyük avantajlarından biri, kurtarma kazıları ya da yerleşim modeli araştırmaları sırasında bilgisayarda saklanmalarının ve gereğinde erişilmelerinin kolay oluşudur.

Coğrafi Bilgi Sistemleri

Arkeolojik haritalandırmada önemli yeni gelişmelerden biri CBS'nin (=Coğrafi Bilgi Sistemleri/GIS= Geographic Information Systems) kullanılmaya başlanmasıdır. Bir resmi raporda CBS için "haritanın icadından beri coğrafi bilgilerin işlenmesinde en büyük adım" denmiştir. CBS bir veritabanı için harita temelli arabirim sağlar. Başka bir deyişle CBS uzamsal verilerin toplanması, depolanması, geri çağrılması, analizi ve gösterilmesi için tasarlanmıştır. CBS 1970'lerde bilgisayar destekli tasarım ve haritalandırma programlarından (CAD/CAM) doğmuştur. AutoCAD gibi bazı CAD programları ticari veri tabanlarına bağlanabilir ve arkeolojik yerleşimlerin otomatik haritalandırılmasında ve bunların bilgisayar ortamında saklanmasında kullanılabilir. Ancak gerçek bir CBS aynı zamanda yerleşim dağılımıyla ilgili istatistiki analizler yapabilir ve yeni bilgiler üretebilir: Örneğin eğim ve uzaklığı vererek *maliyet yüzey analizi* yapmak, havzaları ve yerleşim arazilerini çevrelerindeki alanlarla birlikte haritalandırmak gibi. Program ve sayısal arazi bilgileriyle birlikte 5 km'lik bir yürüyüş için 1 saat değeri (standart ölçü olarak) bilgisayara girilir. Bundan sonra program farklı tipteki arazilerde kat edilen yollar için sarf edilecek enerjiyi hesaplar. Bu nedenle CBS'nin kaydetme ve haritalandırmanın ötesine geçen uygulamaları vardır. Analitik kapasitelerine ise 5 ve 6. bölümlerde değineceğiz.

Bir CBS kaydedilen her nokta ya da yerleşmenin konumu ve özellikleri hakkındaki bilgileri değerlendirir. Uzamsal veriler üç temel tipe indirgenebilir: nokta, çizgi ve çokgen (veya alan). Bunların her biri tanımlayıcı bir etiket ve isim, tarih ya da malzeme gibi uzamsal olmayan özelliklerle birlikte depolanabilir. Dolayısıyla tek bir arkeolojik buluntu, iki konum arasında doğuya ve kuzeye gidildiğinde sırasıyla boylam ve enlemde meydana gelen uzaklık farkıyla temsil edilebilir. Tarihi bir yol ise koordinat çiftleri ve ismiyle gösterilecektir. Alan söz konusu olduğunda, her bir alanın sınırını takip eden koordinat dizileriyle birlikte isim ve sayılar yeterli olacaktır. Her harita (bazen CBS'de katman veya örtü olarak tanımlanır) noktalar, çizgiler, çokgenler ve bunların uzamsal olmayan özelliklerini içerebilir.

Bir harita katmanı dâhilinde veriler noktalar, çizgiler ve çokgenlerden meydana gelen *vektör* ya da küçük kutulardan oluşan *kare hücresel (raster)* formatında kaydedilebilir. Örneğin bitki örtüsünü gösteren bir ızgara katmanında her bir kutucuk o noktadaki bitkiler hakkındaki verileri saklar. Esasında CBS vektör ya da ızgara temelli sistemlerdir. Ancak günümüzde ticari sistemler bu farklı veri şekillerinin karışık şekilde kullanılmasına izin vermektedir.

Topografik haritalar yer şekilleri, iletişim, hidroloji vb. hakkında muazzam bilgi bilgiler içerirler. Bunlardan CBS ortamında yararlanabilmek için eldeki bilgileri her biri tek bir değişken içerecek farklı katmanlar şeklinde düzenlemek gerekir. Arkeolojik veriler de çoğunlukla farklı zaman dilimlerine ayrılmış katmanlar hâline sokulabilmektedir. Uzamsal olarak bir yere oturtulabilecekleri sürece CBS'ye birçok değişik veri entegre edilebilir. Bunlar yerleşim planları, uydu görüntüleri, hava fotoğrafları, jeofizik araştırması ve haritalar olabilir. Birçok farklı veri tipinin bir CBS'ye entegre edildiği iyi bir örnek, Mısır'daki Gize Platosu Haritalandırma Projesi'dir. (arka sayfaya bakınız)

Hava fotoğraflarının entegrasyonu yerleşimlerin keşfinde özellikle önemlidir, çünkü arazi kullanımı hakkında detaylı ve güncel bilgiler verirler. Birçok topografik veri artık CBS'ye yüklenebilir sayısal harita formatındadır. Arkeoloji projelerinde haritalandırma için yer koordinatlarının doğru olarak bilinmesi ve arkeolojik maddi kültürde yayılım şablonlarını öğrenmek çok önemlidir. Bu, bir el GPS aygıtıyla yapılabilir ve arkeologlar böylece küresel bir uydu sistemine bağlanarak yer konumlarını (bazı durumlarda 3 cm'ye kadar iner) saptayabilirler. Yaklaşık bir X ve Y verisi elde edebilmesi için GPS'nin en az dört uyduyla bağlantıda olması gerekir. GPS gelen bilgileri enlem/boylam (derece dakika saniye) ya da verileri doğu ve kuzey doğrultusu olarak veren UTM koordinat sistemi şeklinde gösterebilir. Bu veriler haritalandırılmamış bir bölgede veya haritaların eski ve yanlış olduğu yerlerde çok kullanışlıdır.

Bir arkeolojik alanın ana hatları GPS ile makul bir kesinlikle belirlendikten ve arkeolojik alanın etrafına kontrol noktaları yerleştirildikten sonra standart uygulama, daha detaylı özelliklerin çok kesin bir şekilde kaydetmek üzere Total Station kullanılmasıdır. Bu alet belirli bir noktadan uzaklıkları okumak üzere geliştirilmiş elektronik bir mesafe ölçere sahip elektronik bir teodolittir. Açılar ve uzaklıklar Total Station'dan araştırma yapılan noktalara doğru ölçülür ve bu noktalara ait koordinatlar (X, Y, Z ya da kuzey doğrultusu, doğu doğrultusu ve yükseklik) Total Station'ın konumuna göre olan pozisyonları hesaplanır. Veriler araştırılan alanın genel bir haritasını çıkarmak üzere Total Station'dan bilgisayara yüklenebilir. Bütün

VERİ KATMANLARI

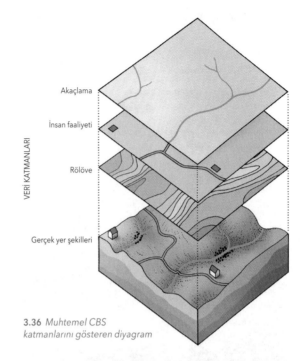

Akaçlama

İnsan faaliyeti

Rölöve

Gerçek yer şekilleri

3.36 *Muhtemel CBS katmanlarını gösteren diyagram*

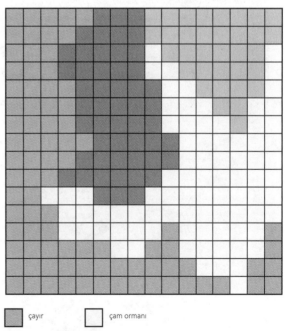

☐ çayır ☐ çam ormanı

☐ meşe ormanı ☐ üzüm bağları

3.37 *Bitki örtüsünü gösteren veri katmanının kare hücresel görüntüsü.*

COĞRAFİ BİLGİ SİSTEMLERİ VE GİZE PLATOSU

Amerikalı Mısırbilimci Mark Lehner yaklaşık otuz yıldır, piramitler inşa eden işgücüne ev sahipliği yapmış bir arkeolojik alanı sistematik olarak araştırmaktadır. Bu geniş şehir merkezi Heit-el Gurab ("Karga Duvarı") ya da "Piramit Ustalarının Kayıp Şehri" olarak bilinir. Lehner'in Eski Mısır Araştırma Dostları da (Ancient Egypt Research Associates=AERA)

Sfenks'in güneybatısında, Menkaure Vadisi Tapınağı çevresinde ve kraliçe Khentkawes'in mezar yapısına yakın kasabada çalışmaktadır.

Camilla Mazzucato ve Rebekah Miracle tarafından yürütülen AERA'nın CBS'si, projenin tüm çizimlerini, binlerce sayısal fotoğrafı, notları, formları ve buluntuları tek bir organize veri deposuna entegre etmek için

kullanmıştır. Bu, ekibin mimari modelleri, gömütleri, buluntuları ve yiyecekler gibi diğer malzemeleri haritalandırmasına imkân vermiştir. Mesela daha büyük evlerde yaşayanların en iyi eti (sığır eti) ve balığı (tatlı su levreği) yedikleri, diğerlerinin ise domuz ve keçiyle beslendikleri görülmüştür. Farklı alanlarda, yapılarda, odalarda, hatta mimari unsurlardaki çeşitli buluntu tiplerinin yoğunlukları ve dağılımlarını yansıtan renk kodlu grafikler ve tablolar üretilebilmiştir.

Sonuç olarak AERA, tüm bu verileri dünyanın her yerinde araştırmacıların ulaşabileceği şekilde bir çevimiçi veribankasında ve CBS formatında erişime açmayı planlamaktadır.

3.38 *Gize Platosu Haritalandırma Projesi (solda) bütün bir alanın kültürel ve doğal ögelerine dair fazlasıyla hassas bir araştırmayla başladı. Araştırmanın ızgara planı Büyük Piramit'i merkez almıştır.*

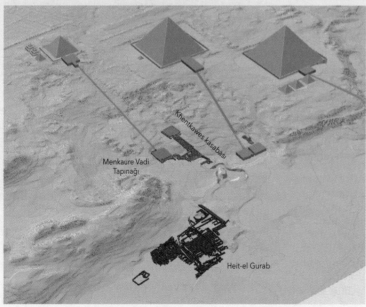

Menkaure Vadi Tapınağı

Khentkawes kasabası

Heit-el Gurab

3.39 *Platonun bir metrelik eş yükselti eğrilerini ve piramit kompleksinin mimari bileşenlerine sahip CAD verilerini kullanan projenin CBS ekibi, üçgenleştirilmiş düzensiz ağ modeli (triangulated irregular network=TIN) olarak adlandırdığımız üç boyuta yakın bir yüzey yarattı. Bunun üzerine haritalar gibi diğer veri katmanları yerleştirildi. Burada (solda) Gize Platosu Haritalandırma Projesi araştırma karelajı platonun yüzeyine yayılmıştır. Piramit Ustalarının Kayıp Şehri öndeki alanda açıkça belli olmaktadır.*

---

30 yıl boyunca toplanarak bütünüyle CBS'ye aktarılmış veriler

- 6000'in üzerinde arazi çizimi
- 19.000 üzerinde arkeolojik kalıntı
- Yüzey araştırması ve uzaktan algılama verisi
- tarihi haritalar
- Buluntu/doğal malzeme içerikleri ve her bir mimari buluntunun yayılma bilgisi

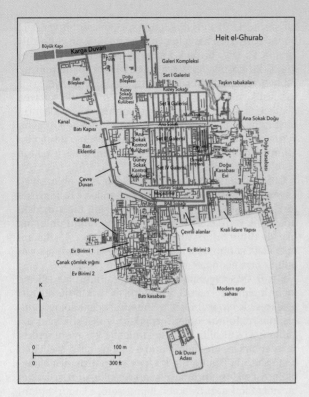

Heit el-Ghurab

3.40 *(solda) 1988'den beri araştırma ve kazılar, Sfenks'in 400 m kadar güneyindeki "Piramit Ustalarının Kayıp Şehri" olarak bilinen alanda yoğunlaşmıştır. Dördüncü Hanedan'ın sonunda (MÖ 2575-2465), yani Gize'deki piramit inşası döneminde terk edilmiş bu yerleşmenin detaylı planı (solda) şimdi CBS'nin bir parçasıdır.*

3.43 *(sağda) Buluntuların uzamsal dağılımını CBS içinde göstermek kolaydır. Burada dört farklı çanak çömlek tipinin (mavi, yeşil, sarı ve turuncu) dağılımı, Heit el-Gurab yerleşiminin Doğu Kasaba Evi olarak bilinen kısmında gösterilmiştir. Çizim aynı zamanda evin duvarlarını kesmiş geç tarihli gömütleri de sergilemektedir.*

3.41–42 *(sol altta ve sağda) Gize Platosu Haritalandırma Projesi'nin en büyük ve karmaşık kazı alanlarından biri olan Krali İdare Yapısı'nda (KİY) sayısal olarak kaydedilmiş mimari ögelerin CBS sunumu.*

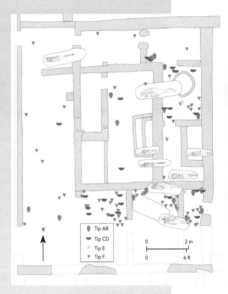

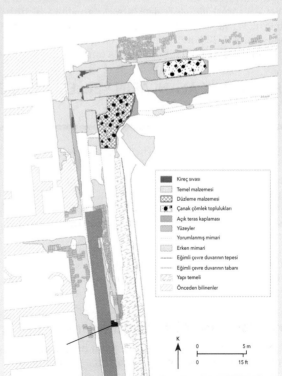

bilgiler kaydedilir ve ardından CBS verisi olarak müşteriye ya da çalışmanın sponsor kuruluşuna teslim edilir.

Veriler bir kez CBS'ye girildikten sonra istenilen doğrultuda haritalar yaratmak ve arkeolojik alanın belli özellikleri seçilerek gösterilmesi için veritabanı sorgulanabilir. Tek tek harita katmanları ya da katman kombinasyonları araştırılacak konuya göre seçilebilir. CBS'nin arkeolojik verileri modern bayındırlık haritalarıyla birleştirebilmesi, bu verilerin arkeolojik sonuçlarını daha kesin bir şekilde değerlendirebilmemizi sağlar.

CBS'nin ilk ve en yaygın kullanım alanlarından biri, yerleşim alanlarına ait *tahmini modellerin* yaratılmasıdır. Bu tekniklerin büyük kısmı Kuzey Amerika arkeolojisi bünyesinde gelişmiştir. Bunun nedeni, Kuzey Amerika'daki yerleşim alanlarının çok geniş olmasından dolayı araştırmaların her zaman ayrıntılı şekilde yapılamamasıdır. Bu tip modellerin hepsinde çıkış noktası, belli arkeolojik yerleşimlerin benzer yerlerde kendilerini gösterme eğilimidir. Örneğin bazı yerleşimler tatlı su kaynaklarına yakındır ve güneye bakar, çünkü bütün bunlar insanların yaşayabileceği ideal ortamı (fazla soğuk değil ve yürüme mesafesinde su kaynağı) yaratırlar. Bu bilgileri kullanarak belli bir yerin bilinen çevresel özellikleri doğrultusunda arkeolojik alan içermeye ne kadar elverişli olduğunu modelleyebiliriz. Bir CBS ortamında bu işlem bütün bir arazi için yapılabilir ve alanın tamamını kapsayan tahmini bir model oluşturulabilir.

Böyle bir örnek Illinois Eyalet Müzesi tarafından eyaletin güneyindeki Shawnee Ulusal Parkı için geliştirilmiştir. Söz konusu model, 12 km²'lik belli alan bir içinde bilinen 68 yerleşimin özelliklerini dikkate alarak ormanın herhangi bir yerindeki 91 km²'lik alanda tarihöncesi bir yerleşim bulma olasılığını hesaplar. Parkın tamamı için yükseklik, eğim, şekil, suya uzaklık, toprak tipi ve deniz seviyesinden yükseklik gibi bilgiler içeren bir veritabanı hazırlanmıştır. Bilinen yerleşimlerin karakteristik özellikleriyle yerleşme içermedikleri bilinen alanların özellikleri, lojistik regresyon denilen bir istatistiki işlem süreci yardımıyla karşılaştırılmıştır. Bu, bilinen çevresel özelliklere sahip herhangi bir yerin tarihöncesi bir arkeolojik alanı kapsama ihtimalini tahmin etmek için kullanılabilecek bir denklem barındıran bir olasılık modelidir.

CBS ile yapılan tahmini modellemelerin potansiyeli Kuzey Amerika dışında özellikle Hollanda ve Britanya'da fark edilmiştir. Böyle modeller hem belli bir arazideki arkeolojik yerleşmelerin muhtemel dağılımını anlamak hem de kültür mirası yönetimi dâhilinde (bkz. 15. Bölüm) arkeolojik kalıntıların korunmasını ve idaresini sağlayabilmek açısından önemlidir.

Birçok CBS uygulaması, bilhassa tahmini modelleme tabanlı olanlar, coğrafi determinizme yakın durdukları gerekçesiyle eleştirilmiştir ve bunun nedeni kolayca anlaşılabilir. Toprak tipleri, ırmaklar, yükseklik ve arazi kullanımı ölçülebilir, haritalandırılabilir ve sayısal verilere çevrilebilirken, arazinin kültürel ve toplumsal özellikleri daha sorunlu konulardır. Bu işlevsel analizlerden olabildiğince uzaklaşmak amacıyla arkeologlar, araziye hâkim bir noktadan gözün seçebildiği mesafeye kadarki alanı gösteren CBS uygulamalarını kullanarak araziye insan unsurunu katmaya çalışmaktadır (s. 76-77'deki kutuya ve s. 201-202'deki ana metine bakınız).

ARKEOLOJİK ALANLARIN YERLEŞİM DÜZENLERİNİ VE KALINTILARINI DEĞERLENDİRMEK

Arkeolojik alanlarla kalıntıları bulmak ve belgelemek arazi çalışmasındaki ilk basamaktır; bir sonraki ise arkeolojik alanın büyüklüğü, tipi ve planı hakkında değerlendirmeler yapmaktır. Bunlar sadece nerede ve nasıl kazı yapacağına karar verecek arkeologlar için değil, kazı yerine yerleşim şekilleri, yerleşim sistemleri ve arazi arkeolojisine eğilenler için de önemlidir.

Hava görüntülerinin arkeolojik alan planlarını çıkarmada ve onları keşfetmede nasıl kullanılabileceğini gördük. Arkeolojik alanları kazmadan incelemenin diğer yolları nedir?

Arkeolojik Alan Yüzey Araştırması

Bir arkeolojik alanın büyüklüğü ve planı hakkında bilgi edinmenin en basit yolu, yüzeyde araştırma yaparak görülebilen kalıntıların dağılımını incelemek ve toprak üstündeki buluntuları kaydetmek, gerektiğinde toplamaktır.

Örneğin Teotihuacan Haritalandırma Projesi, MS 200-650 arasındaki en parlak günlerinde Mezoamerika'nın en büyük ve güçlü kentsel merkezi olan Teotihuacan'ın planı ve konumunu araştırmak için arkeolojik alan yüzey araştırmasını kullanmıştır. Bu iki konu on yıllar boyunca bilim insanlarının ilgisini çekmişti, fakat muazzam piramit tapınakları, meydanları ve ana caddeyi –şimdi tören merkezi olarak bilinen yer– şehrin kapsadığı alanın tümü olarak kabul ediyorlardı. Teotihuacan Haritalandırma Projesi'nin yürüttüğü araştırmadan sonradır ki şehrin dış sınırları, büyük doğu-batı ekseni ve ızgara planı keşfedilerek tanımlanmıştır. Bereket versin ki yapı kalıntıları yüzeyin hemen altında bulunuyorlardı. Böylece ekip hava ve yüzey araştırması birleşimiyle haritalandırma yaparak

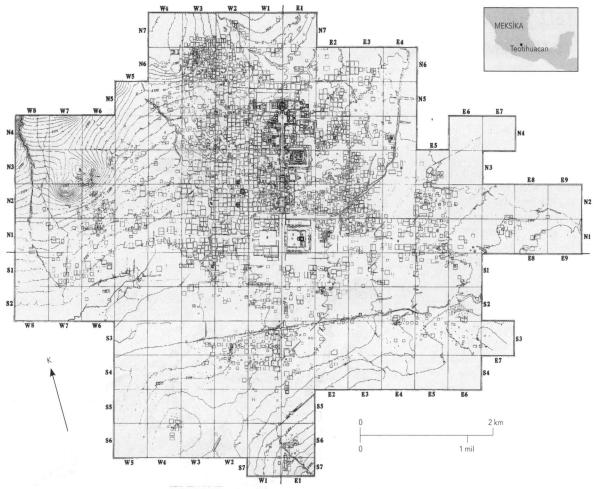

3.44 *Teotihuacan Haritalandırma Projesi tarafından üretilmiş arkeolojik ve topografik Teotihuacan haritası (yukarıda). 500 metrelik karelerden meydana gelen araştırma karelaj sistemi şehrin kuzey-güney eksenine, özellikle merkezi "Ölüler Yolu"na doğru konumlandırılmıştır (haritada W1 ve E1'i ayırır).*

3.45 *(sağda) Ölüler Yolu boyunca güneye doğru görünüş. Solda, arkasındaki dağın siluetini anımsatan Güneş Piramidi öne çıkmaktadır.*

TELL HALULA: ÇOK DÖNEMLİ YÜZEY ARAŞTIRMALARI

Avustralyalı arkeolog Mandy Mottram'ın Kuzey Suriye'deki Tell Halula'da 1986'da yaptığı yüzey araştırması, temsil edilen farklı kültürler kadar bunlara ait yerleşimlerin yeri ve genişliğini tespit ederek bu çok dönemli arkeolojik alanın yerleşim tarihini de ortaya koymak amacındaydı. Olasılığa dayanmayan örnekleme yöntemlerini kullanmış önceki araştırmalar, Halaf Dönemi'nde, yaklaşık MÖ 5900-5200'de daha sonra ikinci derecedeki yerleşimlerin takip ettiği önemli bir iskânın varlığına işaret ediyordu. Ancak akabinde Neolitik'in çanak çömleksiz bir dönemine ait malzemelerin keşfi, buluntu yerinde yerleşim tarihinin önceleri düşünüldüğünden çok daha karmaşık olduğunu düşündürdü.

3.46 *Tell Halula'da teodolit kullanan araştırma ve toplama ekibi.*

3.47 *Höyüğün yerini ve örnekleme alanının sınırlarını gösteren Halula bölgesine ait CORONA uydu görüntüsü.*

Arkeolojik alanın sınırları belirlendikten sonra, bir ızgara sistemine dayanan zümrelere göre sıralı rastlantısal örnekleme işlemiyle yüzeyden çanak çömlek parçaları ve taş aletler toplandı. Bu ızgarada örneklenen kırk altı kare, 12,5 hektarlık arkeolojik alanın %4'üne denk geliyordu. Buluntuların tipolojik analizi Mottram'ın 15 farklı kültürel dönemi temsil eden 10 ana yerleşim safhasını tanımlamasına imkân tanıdı. Geçiş tipi buluntuların varlığı yerleşimin bir safhadan diğerine sürekli olduğunu gösteriyor, uzun vadeli siyasi ve ekonomik istikrarı kanıtlıyordu.

Farklı yerleşimlerin höyük üzerinde nerede bulunduğunu belirlemek için her bir yerleşim safhasına ait buluntuların dağılımları CBS yazılımı kullanılarak haritalandırıldı. Sonuçta çıkan buluntu yoğunluğuna dair eşyükselti haritaları daha sonra arkeolojik alanın kabartma haritasının ve birbirlerinin üzerine serildiğinde, dağılımların hem yüzey topografyası hem de ana dolguların

100 m

muhtemel stratigrafik ilişkileri ışığında yorumlanmasına izin verdi. Mevcut konumlarına uzun vadeli süreçlerden ziyade rastlantılar sonucu ulaşmış olması muhtemel malzemeleri elemeye yardım eden "gürültü kestirimi"nin uygulanması bu sürecin ayrılmaz bir parçasıydı.

Araştırmanın Sonuçları

Farklı yerleşimlerin sayısını, büyüklüğünü ve kronolojisini belirtmesi dışında söz konusu çalışmanın bir diğer önemli sonucu, höyüğün oluşumuyla yakından ilgili süreçlerden bazılarını ve bunların toprak üstündeki kalıntıları nasıl etkilediğini belirlemesiydi. Önemli keşiflerden biri arkeolojik alanın aslen iki höyükten (biri güneydoğuda diğeri kuzey ve batıda) meydana geldiğinin anlaşılmasıydı. Haritalar ayrıca arkeolojik alanın ciddi bir aşınmaya uğradığını ve yüzeydeki mimarinin yakın tarihlerde tasfiye edilmesiyle durumun açıkça daha da kötüleştiğini ortaya çıkardı.

Daha geç tarihli yerleşim dolguları yoğun biçimde aşınarak geriye adamakıllı açığa çıkan erken tabakaları bırakmıştı. Dolayısıyla daha geç tarihli birçok yerleşmenin, mevcut kalıntıların işaret ettiğinden daha geniş olması muhtemeldir. Aynı zamanda arkeolojik alandaki en kapsamlı iskânın önceden düşünülenin aksine Halaf Dönemi'ne değil de Çanak Çömleksiz Neolitik'e (yaklaşık MÖ 7900-6900) ait olduğu artık kesindir.

Başka bir önemli keşif arkeolojik alanın kesinkes ancak Hellenistik Dönem sonunda (ya da Roma Dönemi'nin başında), MÖ 60 civarında terk edilmiş olmasıydı. Bulunan daha geç tarihli malzemenin tümü, yakındaki bir arkeolojik alanın sakinleri tarafından alanda yapılan gübrelemenin ürünüydü ve bu durum son iki bin yıl ya da daha uzun bir süreden beri Tell Halula'nın aslen tarımsal arazi olarak kullanıldığını gösteriyordu.

Dolayısıyla CBS ile birleştirilen yüzey araştırması, bu çok dönemli arkeolojik alandaki karmaşık yerleşim dizisini daha iyi anlamanın mümkün olduğunu göstermiştir.

3.48 Örnek toplama kareleri ve höyüğün taslak planını gösteren Tell Halula planı, 10 yerleşim safhasından 5'i süresince yerleşimin değişen yeri ve büyüklüğünü vermektedir.

Topografya ve toplama alanları

200 m

K

Çanak Çömleksiz Neolitik B

8,0 ha

Halaf

6,9 ha

Obeyd-Son Kalkolitik

2,3 ha

Uruk-İlk Tunç Çağı

1,9 ha

Orta-Son Demir Çağı

1,2 ha

bunların sonuçlarını sınamak için sadece küçük ölçekli kazılar yürütmüştür. Milyonlarca çanak çömlek parçası toplanmış ve 5000'in üzerinde yapı ve faaliyet alanı kaydedilmiştir. Meksika Arkeoloji ve Tarih Enstitüsü'nden Rubén Cabrera Castor'un liderliğindeki çok disiplinli yeni bir ekip, Teotihuacan Haritalandırma Projesi'nin çok başarılı bir şekilde ortaya çıkardığı resmi 1980'den beri genişletmektedir. Diğer ekipler jeofizik yöntemlerini yapı malzemesi çıkarılan mağara ve tünel sistemlerini haritalandırmanın yanında gömütler ve törenler için kullanmıştır. Ulusal Özerk Meksika Üniversitesi'nden bir ekibin Linda Manzanilla başkanlığında yürüttüğü manyetometre ve özdirenç araştırmaları (s. 104-05'e bakınız), yeraltı hatlarının üç boyutlu rekonstrüksiyonunu yaratmak amacıyla yapılmıştır.

Yüzey araştırmasında toplanmış ya da tespit edilmiş diğer insan yapımı buluntular ve nesnelere gelirsek, eğer bunlar kötü korunmuş ikincil kontekstlerden geliyorlarsa münferit konumlarını haritalandırmak gerekli olmayabilir. Tek tek yerlerini gerçekçi bir şekilde kaydedemeyeceğimiz kadar fazla buluntu da olabilir. Örneğin Frank Hole ve meslektaşları 5 metrelik karelerden oluşan ızgara planı dâhilinde, Meksika'daki Oaxaca Vadisi'nde tarihöncesi açık hava arkeolojik alanının 1,5 hektarlık yüzeyinden tüm buluntuları topladılar ve sonuçları haritalara geçirdiler. Fakat haritalardaki konturlar yükseltileri değil, çeşitli tiplerde malzemeleri ve buluntuların görece yoğunluklarını göstermekteydi. Bundan sonra bazı mermiyat uçları gibi bazı nesnelerin açıkça yamaçlardan aşağı inerek ikincil kontekstlere yerleştiği, diğerlerinin ise birincil kontekstlerinde bulundukları anlaşıldı. İkinci gruptakiler çakmaktaşı işleme, tohum ezme ve et kesimi gibi belirgin alanları ortaya çıkardı. Bu alanlar sonraki kazı için kılavuz oldular.

Benzer bir yüzey araştırması Pakistan'daki Tunç Çağı yerleşmesi Mohenjodaro'da yürütülmüştür. Burada Pakistan, Almanya ve İtalya'dan arkeologlar zanaat alanlarına ait kalıntıları incelemiş ve bu alanların şehir içindeki belirli bir üretim bölgesiyle sınırlı kalmadığını, aksine çeşitli küçük ölçekli işliklerin yerleşime yayıldığını şaşırarak fark etmişlerdir.

Yüzey Buluntularının Güvenilirliği. Arkeologların kazıdan önce bir yerleşmenin tarihini ve planını tespit etmekte kullandıkları yöntemlerden biri her zaman sınırlı sayıdaki yüzey buluntusunu incelemek olmuştur. Ancak yüzey araştırması artık sadece kazıya hazırlık olmaktan çıkıp bazı durumlarda –önceki bölümlerde bahsettiğimiz gibi maliyet ya da başka sebeplerden– onun yerine geçtiği için, şimdi yüzeydeki izlerin yer altındaki kalıntıların dağılımını ne dereceye kadar yansıttığı konusunda hararetli bir tartışma vardır.

Mantıken tek bir dönemi barındıran ya da kültür tabakası derin olmayan yerleşmelerin toprak altında yatanlar için en güvenilir yüzey kanıtlarını sunmasını bekleyebiliriz. Bu beklentimiz kültür tabakaları derin olmayan Teotihuacan ve Frank Hole'un yukarda bahsettiğimiz Oaxaca'sı gibi yerleşmelerin durumlarından kaynaklanmaktadır. Aynı şekilde Yakındoğu höyükleri veya köy yerleşmeleri gibi birçok derin kültür tabakası barındıran yerlerin yüzeyinde, en eski ve en derin tabakalara ait ya çok az iz bulabileceğimizi ya da hiçbir iz bulamayacağımızı tahmin etmek zor değildir. Fakat Suriye'deki Tell Halula yüzey araştırmasının gösterdiği üzere bu asla her zaman doğru değildir (önceki sayfadaki kutuya bakınız).

Yüzey araştırmalarının geçerliliğini savunanlar toprak üstünde yakın dönemlere ait buluntulara doğru nicel bir kaymanın varlığını kabul etmekle birlikte, yüzey araştırması yapan birçok arkeolog buluntuları dikkatli topladıktan sonra yerleşimlerinin aslında ne kadar çok kültürlü olduğunu görünce şaşırdığını belirtmektedir. Bu durumun nedenleri henüz tam anlamıyla aydınlatılmamıştır, ama şüphesiz 2. Bölüm'de ele aldığımız oluşum süreçlerinin –erozyon, hayvanların tahribatı, toprak sürme gibi insan faaliyetleri– etkisi olmalıdır.

Toprak üstü ve toprak altı kanıtlar arasındaki ilişki kuşkusuz karmaşıktır ve bir arkeolojik alandan diğerine değişir. Bu yüzden mümkün olduğunca yerin altındakiler tespit edilmelidir. Yerleşmenin yatay uzamını belirlemek için deneme açmaları (genellikle metrekare ölçüsünde) açmak ve sonunda ciddi anlamda kazı yapmak gerekebilir (s. 110-130'a bakınız). Fakat kazıdan önce denenebilecek çeşitli yeraltı algılama yöntemleri vardır. Tahrip edici ve pahalı bir iş olan kazıdan önce –ve bazen onun yerine– bunlar kullanılabilir.

Yeraltı Algılama

Sondalar. En geleneksel teknik toprağa metal çubuk veya burgular sokarak inceleme yapmak ve bunların nerede engele takıldıklarını, nerede boşluğa rastladıklarını not etmektir. "T" şeklinde sapları olan metal çubuklar en yaygın aletlerdir, ancak burgular da –benzer saplara sahip büyük tirbuşonlar– kullanılmaktadır ve takıldıkları örnekleri dışarıya çıkarabilirler. Birçok arkeolog rutin olarak küçük ve yoğun karotlar çıkaran elde taşınabilir sondalar tercih eder. Bunlar, örneğin Washington'daki Ozette arkeolojik alanındaki çöplüğün derinliğini hesaplamada (s. 60-61) veya Çinli arkeologlar tarafından ülkenin ilk imparatoruna ait pişmiş toprak ordunun yakınındaki 300 kadar çukuru araştırmada kullanılmıştır. 1980'lerin ortalarında Amerikalı arkeolog David Hurst Thomas ve ekibi sistematik olarak yerleştirilmiş 600'ün üzerinde sondadan yararlanmıştır. Benzinle çalışan bu burgulu sondalar sayesinde Amerika Birleşik Devletleri'nin Georgia Eyaleti açıklarında bulunan St. Catherine Adası'ndaki 16. yüzyıla ait kayıp bir İspanyol misyonerlik kompleksi açığa çıkarılmıştır. Burgulu sondalar arkeolojik alanlardaki toprak katmanlarını inceleyen

jeomorfologlar tarafından da kullanılmaktadır. Ancak her zaman toprak altındaki kalıntıları tahrip etme riski bulunmaktadır.

Bu teknikteki en dikkat çekici ilerlemelerden biri, 1950'lerde İtalya'da MÖ 6. yüzyıla ait Etrüsk mezar yapılarını inceleyen Carlo Lerici'nin eseridir. Hava fotoğrafları ve toprak öz direnciyle (aşağıya bakınız) kesin yerini tespit ettiği mezarlara ulaşan 8 cm çapında bir delik açmış ve bunun içinden ışıklı periskopa bağlı küçük bir kameraya sahip bir boruyu mezarın içine indirmiştir. Lerici bu yolla 3500 kadar Etrüsk mezar yapısını inceleyerek hemen hepsinin boş olduğunu görmüş, böylece arkeologları ciddi bir zaman kaybından kurtarmıştır. Ayrıca duvar resimlerine sahip yirminin üzerinde mezar tespit etmiş ve küçük bir çabayla resimli Etrüsk mezar yapılarının sayısını iki katına çıkarmıştır.

Hızlı Sondaj ve Deneme Açmaları. Yüzeyin altında neyin yattığına dair geçici bir fikir edinmek için birbirinden düzenli aralıklarla açılmış küçük çukurlar kazılabilir. Avrupa'da bunlar geleneksel olarak bir metrelik karelerdir, fakat Kuzey Amerika'nın bazı kesimlerinde bir yemek tabağı çapında ve bir metreden daha sığ küçük çukurlar açılır. Bunlar bir alandan nelerin ortaya çıkabileceğini gösterir ve muhtemel bir arkeolojik alanın sınırlarını belirlemeye yardım eder. Bu arada çukur topraklarının elenmesiyle elde edilen malzemenin analizi ve plana geçirilmesi, farklı türden buluntuların yoğunlaştığı kısımlara ait haritaların yapılmasına imkân tanır. Bu yöntem, kötü görünebilirliğe sahip ormanlık doğu kıyısı gibi kesimlerde kültürel kaynak yönetimi projeleri dâhilindeki arkeolojik alan yüzey araştırmalarının bir parçası olarak yaygındır.

Avrupa'da deneme açmaları şimdi bir metrelik karelerden daha etkili olduklarını kanıtlamışlardır. Yaklaşık 20-50 m uzunluğundaki bu açmalar, alanın belirli bir yüzdesini (genellikle %2-5 arası) açığa çıkarmak için ekseriyetle bir plankarenin ya da hava fotoğrafları veya jeofizik araştırması gibi başka yöntemlerle önceden belirlenmiş hedefe yönelik kalıntıların üzerinde düzenlenir. Sadece Britanya'da böyle binlerce açma açılmaktadır.

Piramitlerin Araştırılması. Modern teknoloji bu tip araştırmaları endoskopinin ve minyatür kameraların geliştirilmesiyle daha da ileri götürmüştür (bkz. 11. Bölüm). Lerici'ninkine benzer bir yöntemle bir sonda, 1987'de Mısır'da Keops (Khufu) Piramidi'nin yakınındaki bir kayık çukuruna indirilmiştir. Bu çukur, 1954'te kazılmıştı ve 3. binyıla ait 43 m uzunluğunda sedir ağacından krali bir kayığın çok iyi durumdaki sökülmüş parçalarını içeren benzer başka bir çukura bitişikti (s. 338'e bakınız). Sonda, açılmamış çukur içinde gerçekten parçaları sökülmüş bir kayık olduğunu gösterdi. Waseda Üniversitesi'nden bir ekip 2008'de kayığın durumunu öğrenmek ve güvenli bir şekilde yerinden kaldırılıp kaldırılamayacağını öğrenmek için ikinci bir sondayı çukura soktu.

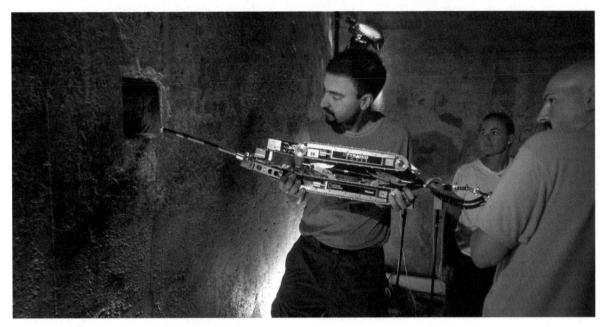

3.49 *Robotlar ilk kez Büyük Piramit'in "hava bacaları"nı araştırmak ve temizlemek üzere 1993'te kullanılmışlardır. Pyramid Rover robotu 2002'de daha detaylı bir araştırma için bu bacalardan ikisine yeniden girerek önceki ekibin aşamadığı dönüşlerden geçmiştir.*

Çukuru kapatan taş bloklar ve kayığın ahşapları 2011'de usulüne uygun olarak kaldırıldı. Minyatür kameralı robot sondalar, sözde "hava bacaları"ndan ikisinin gizli odalara bağlanıp bağlanmadığını keşfetmek üzere Büyük Piramit'te kullanılmıştır. Ne yazık ki yukarı çıkışı kapatan taş bloklar daha fazla araştırma yapmayı engellemektedir.

Bu tip projeler birçok arkeoloğun bütçesini aşmaktadır, ancak gelecekte benzer sondaların Mısır'daki diğer yerleşmelerde, Maya yapılarındaki boşluklarda veya Çin'deki birçok kazılmamış mezarlarda bütçelerin izin verdiği ölçüde kullanılması mümkündür.

Büyük Piramit'in kendisi yakın zamanda içinde hâlâ keşfedilmemiş odalar ya da koridorlar olduğuna inanan Fransız ve Japon ekipleri tarafından araştırılmıştır. Normalde baraj duvarlarındaki zayıflıkları tespit etmekte kullanılan ve bir taşın arkasında boşluk olup olmadığını söyleyebilen çok hassas mikrogravimetrik donanımlarla yapılan incelemelerde, bir koridor duvarının 3 m gerisinde boşluk saptanmıştır. Ancak bu bilgiyi doğrulayacak deneme sondajları hâlen yapılmamıştır ve böyle denemelerin hepsi Mısır arkeolojisine potansiyel katkısı belirlenene kadar Mısır otoriteleri tarafından dikkatle izlenmektedir. Bu türden projeler birçok arkeoloğun mali kaynaklarının ötesindedir, fakat gelecekte kaynaklarına elverdiği ölçüde başka Mısır arkeolojik alanlarında, Maya yapılarındaki boşluklarda ya da Çin'deki birçok kazılmamış mezar yapısında böyle sondalar kullanılabilir.

Yer Temelli Uzaktan Algılama

Sondaj teknikleri yararlıdır, fakat kaçınılmaz olarak arkeolojik alana bazı zararlar verebilmektedir. Ama kazıdan önce –ya da kazı yapmadan– bir arkeolojik alan hakkında daha fazla şey öğrenmek isteyen arkeolog için bir dizi zararsız teknik vardır. Bunlar aktif veya pasif jeofizik ölçümler yapabilen aletlerdir. Aktif ölçüm, topraktan çeşitli enerji tiplerinin geçirilmesi ve yüzey altında nelerin bulunduğunun anlaşılması için bunlara verilen tepkilerin "okunması"ndan ibarettir. Pasif ölçümde ise enerji aktarımı olmaksızın manyetizma ve yer çekimi gibi fiziksel özellikler değerlendirilir.

Sismik ve Akustik Yöntemler. Sonar gibi bazı yankı sondası tipleri arkeolojide kullanılmıştır. Tespit edilen anomaliler mağara gibi oyukları ortaya çıkarabilir. Normalde petrol arayanların kullandığı sismik yöntemler, Vatikan'daki (Roma) St. Peter Bazilikası'nın bulunmasına yardım etmiştir.

Ancak yankı sondajlarının arkeolojideki en önemli uygulaması sualtında geçekleşmiştir (s. 113'deki kutuya bakınız). Türkiye kıyısı açıklarında tunçtan bir Afrikalı erkek çocuk heykeli bir sünger avcısının ağına takılınca, George Bass ve meslektaşları heykeli taşıyan Roma gemisini ekolokasyon (yankıyla yer bulma) sistemleriyle tespit etmişlerdir. Çok ışınlı sonar kullanımıyla batık arkeolojik alanlardan muazzam miktarda veri, üç boyutlu arazi modelleri yaratmak için toplanabilmektedir. Sonar, su altındaki deniz tabanıyla ve araştırma gemisinin her iki yanını kapsar ve gemi iler-ledikçe deniz tabanındaki binlerce nokta için sürekli ve iyi konumlandırılmış nokta rakımları alır.

Elektromanyetik Yöntemler. Yukarıda bahsedilenlere temelde benzeyen, fakat ses yerine radyo dalgaları kullanan bir yöntem de *jeoradardır* (ya da yer/yeraltı radarı). Bir verici toprak altına kısa dalgalar gönderir. Bu dalgalar sadece toprak ve tabakalarda olan doldurulmuş hendekler, mezarlar, duvarlar vb. değişimleri geri yansıtmakla kalmaz, aynı zamanda bu değişimlerin hangi derinlikte bulunduğunu gönderilen atımların gidip gelme süresini temel alarak hesaplar. Bundan sonra veri işleme ve görüntü üretme programlarıyla yeraltındaki arkeolojik kalıntıların üç boyutlu haritaları çıkarılabilir.

Arkeolojik araştırma ve haritalandırmalarda anten bir araç tarafından çekilir veya enlemesine eşit kesitlere ayrılmış yüzey üzerinde yürüme hızında gezdirilir; anten bu esnada saniyede birçok atım gönderir ve alır. Yansıma verileri artık sayısal olarak kaydedilir ve bu da karmaşık verilerin işlene-rek analizine imkân tanımakta, böylece açıklaması kolay temiz ve keskin yansıma kayıtları elde edilebilmektedir. Güçlü bilgisayarlar ve yazılımlar üç boyutlu büyük jeoradar veri setlerini depolamaya ve işlemeye izin verir. Bilgisayar teknolojisindeki ilerlemeler karmaşık yansıma profillerini tanımlamaya yardım eden otomatik veri ve görüntü işlemeyi mümkün kılmıştır.

Böyle bir gelişme "zaman dilimleri" ya da "dilim haritaları"nın kullanılmasıdır. Binlerce münferit yansıma sonradan yatay olarak "dilimlenebilecek" tek bir üç boyutlu veri setinde birleştirilir. Her bir dilim yer topraktaki belli bir tahmini derinliği temsil eder ve her derinlikteki gömülü kalıntıların genel şekli ve konumunu gösterir. Örneğin Roma'nın 100 km kuzeyinde antik bir pazar yeri olan Forum Novum'da, Birmingham Üniversitesi'yle Roma'daki İngiliz Arkeoloji Enstitüsü'nden arkeologlar kazılmamış bir alan hakkında hava fotoğrafları ve özdirenç gibi tekniklerin (aşağıya ba-kınız) verdiklerinden daha fazla bilgi edinmek istemişlerdi. Alana ait bir dizi jeoradar kesiti duvarları, odaları, kapı eşiklerini, avluları, kısacası yerleşmenin mimari planını oraya çıkarmıştır. Bunun anlamı şudur: Gelecekteki kazılar yapıların temsili örneklemeleri üzerine yoğunlaşabilecek, böylelikle bütün alanı açmak gibi masraflı ve zaman alan bir işe girişmeye gerek kalmayacaktır.

İngiltere'nin en büyük dördüncü Roma yerleşmesi olan Shropshire'daki Wroxeter (s. 106'daki kutuya bakınız) yakın zamanda jeoradarla incelenmiştir. Farklı derinliklerden alınan "zaman dilimleri" şehrin 400 yıllık tarihini yansıtır.

Japonya'da Kanmachi Mandara'daki MS 350'ye tarihlenen tümülüs kültür varlıkları kanunu yüzünden kazılamadığı için tümülüs içindeki gömüt yerini tespit etmek ve planını çıkarmak amacıyla jeoradar kullanılmıştır. Tümülüs bo-yunca 50 cm aralıklarla 1 m derine kadar nüfuz edebilen atımların oluşturduğu radar profilleri alınmıştır.

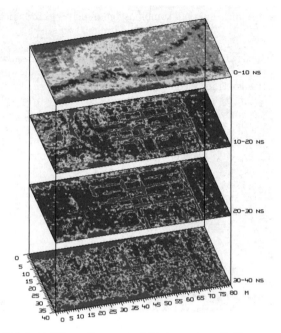

3.50 *İtalya'daki Forum Novum arkeolojik alanına ait genlik dilim haritası. 0-10 nanosaniyelik (bir nanosaniye=0-50 cm) en üstteki dilim iki çakıllı yolu yansıtan "Y" biçimli bir anomali açığa çıkarmıştır. Dilimler daha derine indikçe Roma duvarları çok açık şekilde görünür ve iyi düzenlenmiş oda, kapı ve koridor planları sunar. En derin dilim odaların gerçek zemin seviyesini ve bunların üzerinde korunmuş nesneleri gösterir.*

Özdirenç. Birkaç onyıldan beri arkeolojik yerleşmelerde, özel-likle de Avrupa'da kullanılan yaygın bir yöntem *elektriksel özdirençtir*. Tekniğin temelinde toprağın ne kadar nemli olursa elektriği o kadar iyi ileteceği prensibi yatar; yani toprak elektriğe daha az direnç gösterecektir. Böylece toprağa yer-leştirilmiş elektrotlara bağlı bir direnç ölçer, bu elektrotların arasından geçirilen akıma karşı çeşitli derecelerde kendini gösteren yeraltı direncini ölçebilir. Dolmuş hendekler ve çu-kurlar taş duvarlardan ya da yollardan daha fazla nem tutar; bu yüzden taş yapılara göre daha düşük direnç üretirler.

Teknik bilhassa kireçtaşı ve çakıl tabakaları içindeki hendeklerle çukurlar, ayrıca kilden duvarlar için elveriş-lidir. Öncelikle birbirinden "uzak" iki sabit sonda toprağa yerleştirilir. Daha sonra, bir kasa üzerine monte edilmiş iki "seyyar" sonda ve ölçüm aleti her bir okuma için toprağa saplanır. Bunun bir türü olan "direnç profili"nde toprağın direnci arkeolojik alan boyunca giderek artan derinliklerde ölçülür. Bu yapılırken sondaların aralıkları açılarak dikey bir "yalancı kesit" çıkarılır. Direnç profilinin tıp bilimle-rinden alınan daha teknik bir versiyonu elektrik tomogra-fisidir. Şüphesiz gelecekte gömülü kalıntıların üç boyutlu görüntülerini yaratabilecek, arkeolojik alanı boydan boya yansıtan çoklu profil kombinasyonları da (ve jeoradar için üretilenlere benzeyen "zaman dilimleri") göreceğiz.

Tekniğin bir kusuru, toprakla elektrik teması sağlama ihtiyacı yüzünden oldukça yavaş işlemesidir. Tekerlek üzerine monte edilmiş sondaj düzeneğine sahip seyyar direnç sistemleri Fransız jeofizikçiler tarafından araştırma süresini kısaltmak ve daha fazla alan taramak için geliştirilmiştir. Özdirenç yönteminin diğer bir dezavantajı, toprağın çok kuru ya da sert olması durumunda iyi çalışmaması ve derin kültürel katmanlara sahip karmaşık şehirlerden ziyade tek bir dönemde iskân edilmiş az tabakalı yerleşimlerde etki göstermesidir. Yine de diğer uzaktan algılama yöntemleri için geçerli bir yardımcıdır. Aslında çoğunlukla manyetizmaya dayalı yöntemlerin (aşağıya bakınız) yerine geçer, çünkü bunlardan bazılarının aksine şehirleşmiş bölgelerde, elektrik hatlarına yakın ve demirli metal içeren yerlerde kullanılabilirler. Manyetizma tarafından tespit edilebilen birçok şey özdirençle de algılanabilmektedir ve bazı arazi projelerinde kalıntıların saptanmasındaki en başarılı yöntem olduğu kanıtlanmıştır. Bununla birlikte manyetizmaya dayalı teknikler hâlen arkeologlar için çok önemlidir.

Manyetik Araştırma Yöntemleri. Bunlar araştırmada kullanılan en yaygın yöntemlerden biridir. Özellikle ocak ve çanak çömlek fırınları gibi pişmiş topraktan mimari kalıntılar, demir nesneler, çukurlarla hendeklerin tespitinde yararlıdır. Böyle gömülü kalıntılar Dünya'nın manyetik alanında hafif, fakat ölçülebilen değişimler yapabilir. Bu değişimler kalıntıların özelliklerine göre değişir, fakat çok küçük miktarlarda da olsa manyetik minerallerin varlığına bağlıdır. Örneğin kil içindeki demir oksit zerreleri 700°C veya üzerinde fırınlandığında, Dünya'nın manyetik alanı doğrultusunda kalıcı olarak sıraya dizilirler (eğer kil fırınlanmamışsa mıknatıslıkları rasgele dağılmıştır). Dolayısıyla fırınlanmış kil zayıf ve daimi bir mıknatıs hâline gelerek çevresindeki manyetik alanda bir anomali yaratır (sıcaklıkla kalıcı mıknatıslama adı verilen bu olay, manyetik tarihlemenin temelini oluşturmaktadır – bkz. 4. Bölüm).

Bütün manyetik aletler muhtemelen arkeolojik kalıntıları gösteren bilgilendirici yerleşim planları meydana getirebilir (s. 108'deki kutuya bakınız). Yer özdirenç sonuçlarını göstermenin en yaygın yolları arasında, kontur haritalarına ilaveten renkli ve gri tonlu haritalar bulunur. Manyetik araştırmaların kontur haritalarında, aynı manyetik alan yoğunluk değerine sahip bütün noktaları birleştiren çizgiler bulunur. Bu, bir mezarlıktaki mezar yapıları gibi münferit anomalileri başarıyla saptar.

Bilgisayar destekli görüntü işlemedeki yeni gelişmeler sayesinde, sahte yansımaları en aza indirmek ve ince arkeolojik anomalileri öne çıkarmak için jeofizik veri setlerinde oynamalar yapılabilmektedir. Örneğin "yönlü süzme" herhangi bir dikey ölçeğe ait veri "yüzeyi"nin farklı yönlerden ve yüksekliklerden "aydınlatılmasına", böylece yerel manyetik alandaki en yüksek anomalilerin gösterilmesine olanak verir. Bu tip veri işleme, alçak güneş ışığının toprak işlerini göz önüne seren etkilerini taklit etmektedir, fakat işin içine bilgisayar düzeltmelerini sokarak esneklik sağlamaktadır.

Günümüzde birden fazla algılayıcı –hem elektromanyetik hem manyetik– sıklıkla hareketli platformlara veya "seyyar sıralı düzenek"lere entegre edilerek eş zamanlı ölçümler yapılabilmektedir.

Metal Dedektörleri. Bu elektromanyetik aletler de gömülü kalıntıların –sadece metal olanların değil– tespitinde yardımcı olurlar. Bir iletken bobinden geçirilen akımla alternatif bir manyetik alan oluşturulur. Bu alanda sapma yaratan toprak altındaki metal nesneler, yarattıkları elektrik sinyal paketleri sayesinde bir alıcı bobin tarafından algılanırlar.

Metal dedektörleri arkeologlar için değerlidir, çünkü çabuk sonuç verirler ve yüzey yakınındaki modern metal nesneleri algılarlar. Aynı zamanda arkeolog olmayanlar tarafından da kullanılırlar. Bunların çoğu sorumluluk sahibi hevesli amatörlerken, bazıları ise yerleşimleri düşüncesizce tahrip eden ve genellikle kanuna aykırı kazılar yaparak bulduklarını kaydetmeyen ya da bildirmeyen kişilerdir; böylece buluntuların hangi kontekste ait olduğu bilinememektedir. Sadece Britanya'da kayıtlı 30.000 metal dedektör kullanıcısı vardır. İngiliz Taşınabilir Kültür Varlıkları Projesi (s. 576'daki kutuya bakınız) bu amatör dedektör kullanıcılarının ilgisini arkeolojinin çıkarına kullanmayı hedeflemektedir. Projenin yakın tarihteki en büyük başarılarından biri, bir amatör dedektör kullanıcısı tarafından keşfedilmiş Anglo-Sakson altın ve gümüş işlerinden meydana gelen olağanüstü Staffordshire definesidir (görsel 3.57'ye bakınız).

Diğer Teknikler. Sık başvurulmayan, fakat gelecekte daha fazla kullanılması mümkün birkaç yöntem –özellikle aşağıda yer verilen jeokimyasal analiz– vardır.

Termal Algılama (termografi) yukarıda, hava fotoğrafçılığı hakkındaki bölümde kısaca yer almıştı. Teknik, sıcaklıktaki zayıf değişimlere (bir derecenin onda biri kadar küçük) dayanmaktadır: Yerin altındaki yapıların termal özellikleri kendilerini çevreleyen topraktan farklıdır. Ölçüm çoğunlukla bir uçaktan yapılır; yerde kullanılabilen termal kameralar da bulunmaktadır. Kiliselerdeki kapatılmış kapı eşikleri gibi binaların görülmeyen özelliklerini ortaya çıkarmada etkili olabilirler. Şimdiye kadar termografi, özellikle tarihöncesi yapı gruplarının ya da Roma binalarına benzer yüksek ve masif yapıların tespitinde kullanılmıştır.

Bir arkeolojik alandaki **bitki örtüsünün** haritalandırılması ve çalışılması buradaki geçmiş faaliyetler hakkında öğretici olabilir. Belirli türler toprağın karıştırıldığı yerlerde büyürler ve örneğin Sutton Hoo'da, bir bitki uzmanı bu höyükte önceki yıllarda açılmış birçok çukur tespit edebilmiştir.

Jeokimyasal analiz bir arkeolojik alanda ve çevresinde, yüzeyden belli aralıklarla (örneğin birer metre) alınan toprak

ROMA DÖNEMİ WROXETER'İNDE JEOFİZİK ARAŞTIRMASI

Yaklaşık 78 hektarlık bir alanı kaplayan Roma dönemi Wroxeter'i ya da Viroconium Cornoviorum, Britannia Eyaleti'ndeki dördüncü büyük şehir merkezi ve Cornovii kaviminin başşehriydi. Bugün için önemlidir, çünkü Britanya'daki diğer birçok Roma kasabasının aksine Wroxeter günümüze büyük hasar görmeden gelmiş ve üzerine herhangi bir modern yerleşme inşa edilmemiştir.

Şehir 1859'dan beri ilgi odağıydı ve antikacılar şehrin kamu binalarında kapsamlı kazılar yaptı. Büyük çaplı modern kazılar İkinci Dünya Savaşı'ndan sonra Graham Webster ve Philip Barker tarafından yürütüldü, fakat kazı şehrin gelişimi için yegâne kaynak değildi. Yıllarca süren yoğun hava araştırması şehrin planı ve muhtemel gelişimi hakkında önemli kanıtlar sağlayarak birtakım safhaların açıklığa kavuşturulmasına ve oldukça detaylı bir kasaba planı çıkarılmasına imkân tanıdı.

Dolayısıyla Roma'nın XIV ve XX. lejyonları için MS 60'ta bir kale inşası ve Civitas Cornoviorum'un kuruluşundan Roma sonrası iskânına dair ilginç kanıtlara kadar yerleşmenin kendisi ve tarihiyle ilgili epey bilgi mevcuttur, ancak bu bilgi son derece değişkendir. Modern kazılar yerleşmenin sadece çok küçük bir kısmını, kesinlikle %1'ini gün ışığına çıkarmıştır. Hava fotoğrafları ise tüm bir alanda etkili değildir; sıklıkla sadece taş binaları yansıtır ve bunların bile hepsini göstermez. Netice itibarıyla yerleşmenin büyük bölümü hakkında o kadar az şey biliniyordu ki, Britanya'daki en iyi korunmuş Roma şehrinin belki de %40'ı fiilen henüz araştırılmamıştı.

Şehrin Araştırılması

Wroxeter Artbölgesi Projesi (1994-1997) şehrin artbölgesi üzerindeki etkisini araştırmaya koyuldu ve bu çalışmanın bir parçası olarak iç yerleşime ait daha eksiksiz bir planın gerekliliği anlaşıldı. Mevcut şehrin tümünde jeofizik araştırması yapılmasına karar verildi. Alanın büyüklüğü göz önüne alındığında bunun başarmak için radikal bir çözüme ihtiyaç vardı. Proje İngiliz ve yabancı jeofizikçilerden oluşan uluslararası bir ekibe ilaveten English Heritage ve GSB Prospection gibi ulusal kurumlar tarafından birkaç yıl

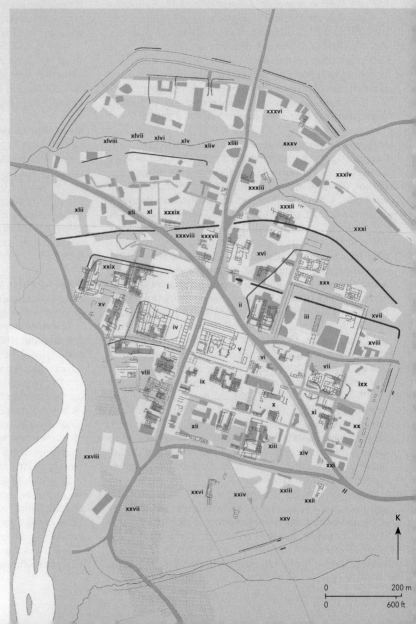

3.51 *Wroxeter Roma şehrinin tümüne ait manyetometre verisinin kompozit planı. Sokak dokusuyla şehrin kuzey ve doğu sınırları açıkça seçilebilmektedir. Gösterilen alan bir ucundan diğerine 1 km'dir.*

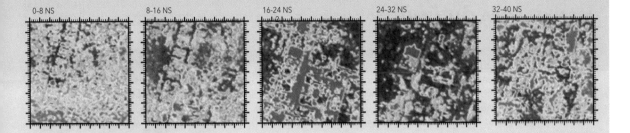

0-8 NS 8-16 NS 16-24 NS 24-32 NS 32-40 NS

3.52 *Araştırmadaki bir binanın zaman dilimli radar görüntüsü.*

boyunca yürütüldü. Onların faaliyetleri ve elde ettikleri sonuçlar etkileyicidir: Yaklaşık 63 hektarlık bir alan gradiyometre (eğimölçer) tetkikine tâbi tutuldu. Beş hektarın üzerindeki yeraltı radarı verisi şimdi zaman dilimleme yazılımı yanında sismik, iletkenlik ve sezyum manyetometresi dâhil pek çok başka teknik dâhilinde kullanılmak üzere (mimari kalıntıların derinliğine dair bilgi edinmek konusunda; s. 104-105'e bakınız) erişime açıktır. Bazı teknikler o kadar kapsamlı uygulanmamış olsa da paha biçilmez karşılaştırmalı sonuçlar sunmaktadır.

3.53–54 *David Wilson'ın hava fotoğrafı çalışmasından ve manyetometreden elde edilmiş Roma dönemi Wroxeter'ine ait plandan bir detay (aşağıda). (sol altta) Wroxeter ekibi yeraltı radar araştırması için ekipmanları kuruyor.*

Sonuçlar

Bu çalışmanın sonucu, bir Roma-İngiliz halkına ait bir başkentin şimdilik eldeki en kapsamlı ve tam planı olmuştur. Büyük oranda şehrin merkezinde ve güneybatısında yoğunlaşmış aristokrat yapılarıyla birlikte genellikle doğu ve kuzeyde toplanmış zanaatkâr mahallesine dair kanıtlar mevcuttur. Şehrin kuzeybatı kısmındaki yoğun çukur açma faaliyeti, uzmanlaşmış endüstriyel bir alanda yapılan tabaklama gibi tarımsal-endüstriyel faaliyetlerle ilgili olabilir. Şehrin doğu tarafındaki en yüksek noktada yer alan dikdörtgen alan *forum boarium* (sığır pazarı) olarak yorumlanabilir.

Gradiyometre verilerindeki aynı derecede önemli bir diğer husus, şehrin kuzeybatısındaki "tersine çevrilmiş" manyetik bulgulardır. Bu durum en mantıklı şekilde şehri baştanbaşa kaplamış büyük bir yangının kanıtı olarak açıklanabilir; yangın inşaat taşlarının manyetik özelliklerinde değişime sebebiyet vermiştir.

Jeofizik aynı zamanda yerleşmenin tarihöncesine bir bakış sağlamıştır: Araştırma verileri içinde Tunç Çağı'na ait birtakım çember hendekler tespit edilebilmektedir. Küçük bir çevrili alan ve bununla alakalı başka alanlar görünüşe göre erken dönem Roma arazi organizasyonuyla ilgilidir.

Wroxeter'de jeofizik aracılığıyla meydana getirilen plan fevkalade detaylıdır ve pahalı ya da tahripkâr bir kazma-kürek çalışması yapılmamıştır. Çoğu arkeolojik uygulamanın aksine bunun tekrar edilebilir bir deney olması önemli bir avantajdır. Teknolojiler geliştikçe şehri yeniden ziyaret edip hakkında daha fazla şey öğrenebiliriz. Dolayısıyla çalışma sadece verilerin kapsamı ve hatta kalitesinden dolayı değil, süregelen daha büyük bir araştırma programının parçası olduğu için önemlidir.

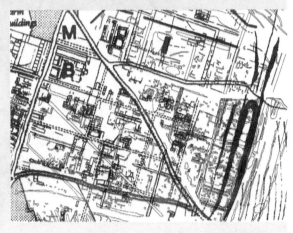

MANYETİZMA ÖLÇÜMÜ

Birçok yer manyetometre araştırması ya manyetik alan dedektörü ya da alkali-metal buhar manyetometresiyle yapılır.

Manyetik alan dedektörü genellikle yatay tutulan bir borunun iki ucuna sıkıca sabitlenmiş iki alıcıdan meydana gelir ve sadece yerel manyetik güç alanının dikey bileşenini ölçer. Manyetometre, önceden araştırılmış ızgara sistemiyle ilişkili şekilde genellikle 0,5-1 m aralıklı bir dizi enlemesine hat boyunca, bütün alan tamamlanıncaya kadar taşınır. Sinyal otomatik olarak kaydedilir ve sonradan indirilip işlenmek üzere aletin hafızasında saklanır. Büyük alanların kat edilmesini hızlandırmak için iki ya da daha fazla dedektör arkeolojik alanda aynı anda -operatör tarafından taşınan bir çerçeve veya bazen bir el arabasında- yürütülebilir. Bu sayede hektarlarca alan çukurlar, hendekler, ocaklar, fırınlar ya da bütün bir yerleşim kompleksi ve onunla ilgili yollar, yürüyüş yolları ve mezarlıklarıyla birlikte oldukça hızlı şekilde kat edilebilir.

Alternatif ve bazen daha etkili manyetometre **alkali-metal buhar** tipidir ve genel anlamda bir sezyum manyetometresidir. Daha pahalı ve çalıştırması epey zor olmasına karşın, bu manyetometrelerin bir avantajı daha hassas dedektörlere sahip olmaları, dolayısıyla çok zayıf manyetizma yayan veya normalden daha derine gömülmüş kalıntıları algılayabilmeleridir. Böyle aletler kıta Avrupa'sında uzun yıllar boyunca büyük başarıyla kullanılmıştır ve başka yerlerde de rağbet görmektedir. Gradiyometre dedektörünün aksine toplam manyetik alanı ölçer (fakat iki dikey yerleştirilmiş algılayıcıyla ayarlanmışsa toplam alan gradiyometre gibi çalıştırılabilirler). Bu algılayıcılardan iki ya da daha fazlasının genellikle manyetik olmayan bir el arabasına monte edilerek bir arada kullanılması mümkündür. Böyle sistemlerle yapılan araştırmalar her gün 5 hektarlık bir alanı yüksek çözünürlük örnekleme aralığıyla (0,5x0,25 m) kat edebilir. Şimdi dedektör algılayıcılarından oluşan diziler de uygulamaya konmuştur, ama birçok araştırma ikili algılayıcı sistemiyle (üstteki fotoğrafta

3.55 *Tek eksenli, dikey parçalı yüksek denge manyetik alan gradiyometre dedektör sistemi Bartington Grad601-2.*

görüldüğü gibi) yaklaşık 0,1x0,25 m örnekleme aralığında yürütülmektedir. Dedektörler düşük maliyetleri, çok yönlü oluşları ve sezyum sistemlerine yakın menzilde algılama becerileri nedeniyle sıklıkla tercih edilir.

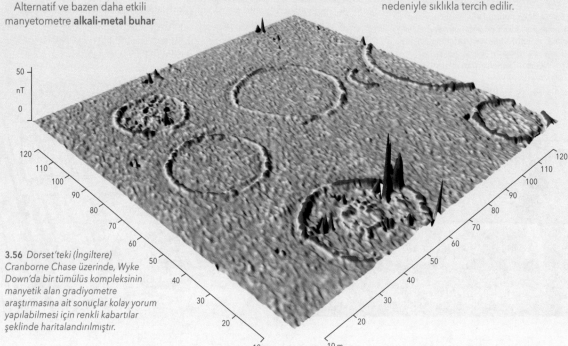

3.56 *Dorset'teki (İngiltere) Cranborne Chase üzerinde, Wyke Down'da bir tümülüs kompleksinin manyetik alan gradiyometre araştırmasına ait sonuçlar kolay yorum yapılabilmesi için renkli kabartılar şeklinde haritalandırılmıştır.*

3.57 *Şimdiye kadar bulunan en büyük altın ve gümüş Anglo-Sakson definesi olan Staffordshire definesinin bir kısmı. Bir metal dedektörü kullanıcısı tarafından (arazi sahibinin izniyle) Temmuz 2009'da bulunan define kılıç başları gibi silahlara özgü 1500'ün üzerinde çok kaliteli parçadan meydana gelir. MS 7 ya da 8. yüzyıla ait olduğu tahmin edilen buluntu grubu 5 kg altın ve 1,3 kg gümüş içermektedir. Defineye 3,2 milyon sterlin değer biçilmiştir.*

örneklerinin element içeriğini inceler. Eski yerleşmelerle topraktaki yüksek fosfat oranları arasındaki yakın ilişki ilk kez İsveç'te 1920'ler ve 1930'lardaki arazi çalışmaları sırasında ortaya çıkmıştır. Kalıntılara ait organik malzeme yok olabilir, ancak inorganik ögeler kalır. Bunlardan magnezyum ya da kalsiyum analiz edilebilmektedir, fakat fosfatlar en kolay tanınabilen ve çalışılabilenlerdir. Akabinde bu metot Kuzey Amerika ve Kuzeybatı Avrupa'daki arkeolojik alanların tespitinde kullanılmaya başlanmıştır. Örneğin Ralph Solecki Batı Virginia'daki gömütleri bu şekilde keşfetmiştir.

İngiltere'deki arkeolojik alanların yüzeyinden 20 cm aralıklarla alınmış toprak örnekleri üzerinde yapılan yakın tarihli fosfat testleri, toprak altındaki dokunulmamış arkeolojik mimari kalıntıların toprağın üst tabakasına kesin bir şekilde yansıdığını göstermiştir. Geçmişte, üst tabaka toprağının stratigrafiden yoksun olduğu, dolayısıyla arkeolojik bilgi içermediği kabul ediliyordu. Bu yüzden incelenmeden mekanik olarak ve hızlıca kaldırılıyordu. Ancak şimdi, tamamıyla sürülerek yok edilmiş görünen bir arkeolojik alanın bile yerleşmenin kesin olarak nerede bulunduğuna işaret edebilecek kimyasal veri barındırdığı anlaşılmaktadır.

Fosfat yöntemi görünürde hiçbir dâhili mimari kalıntıya rastlanılmayan arkeolojik alanlar için büyük önem taşımaktadır. Bazı durumlarda, kazılmış bir arkeolojik alandaki farklı kısımların işlevlerini açığa kavuşturmaya yardım edebilir. Örneğin, Kuzey Galler'deki Cefn Graeanog'da bulunan bir antik Roma-İngiliz çiftliğinde, J.S. Conway kazılmış kulübelerin tabanlarından ve çevredeki arazilerden 3 m aralıklarla toprak örneği toplamış, bunların içeriğindeki fosforu kontur çizgisi olarak haritaya geçirmiştir. Bir yapının ortasındaki yüksek fosfor yoğunluğu, burada iki hayvan bölmesiyle bunların aralarından geçen bir idrar kanalı bulunduğunu göstermiştir. Bir başkasında ise iki ocağın varlığı yüksek fosfor okuması sayesinde açığa çıkarılmıştır.

Bu tip tetkikler yavaştır, çünkü önce plankare çizilmesi, ardından örneklerin toplanması, tartılması ve analiz edilmesi gerekmektedir. Ancak böyle çalışmalar arkeolojik projelerde giderek yaygınlaşmaktadır, zira öteki tekniklerle tespit edilemeyen özellikler açığa çıkarılabilmektedir. Manyetizma ve özdirenç yöntemleri gibi (bunlar tamamlayıcı tekniklerdir), bunlar da hava fotoğrafları ve yüzey araştırmasıyla belirlenmiş geniş alanlarda arkeolojik açıdan önemli ögelerin daha detaylı bir manzarasını yansıtır.

Jeofiziksel yöntemler yapıları tespit edebilmekle birlikte, bu yapılarda ne tür süreçlerin ya da faaliyetlerin gerçekleştiğini gösteren jeokimyasal yöntemlerdir. Taşınabilir kızılötesi spektrometreler 1980'lerin sonunda ortaya çıkmıştır ve bugün x-ışını flüoresans tarayıcıları ve spektrometreleri örnek almaya gerek kalmadan toprakların, pigmentlerin, kalsitin, kireçtaşının, plaster vb.nin kimyasal bileşenlerinin detaylı analizini yapmak için düzenli olarak kullanılmaktadır. Aslına bakılırsa yüksek hassasiyetli aletlerin fiyatlarındaki düşüş ve taşınılabilir olmaları, arazi arkeolojisinde büyük bir değişim yaratmaktadır. Bunun bir büyük avantajı, böyle araçlar sayesinde arkeolojik alanların dışındaki laboratuvarlara bel bağlamaktan kaçınabilme fırsatıdır, zira örnekler üzerindeki analizleri aylarca süren gecikmelere yol açmaktadır.

Buraya kadar arkeolojik alanları tespit ettik ve bunlara ait birçok toprak üstü ve altı kalıntısını olabildiğince haritalandırdık. Fakat yüzey araştırmasının artan önemine rağmen, yüzey verilerinin güvenilirliğini sınamanın, uzaktan algılama tekniklerinin doğruluğunu ve bu arkeolojik alanların gerçek kalıntılarını görebilmenin tek yolu kazı yapmaktır. Üstelik yüzey araştırması büyük bir alan hakkında bize az şey söyler, fakat sadece kazı küçük bir alan hakkında çok daha fazlasını anlatır.

KAZI

Kazı arazi çalışmaları içindeki merkezi konumunu korumaktadır, çünkü arkeologların ilgilendiği iki ana bilgi türü hakkında en güvenilir kanıtları sağlar: (1) geçmişte belli bir dönemdeki insan faaliyetleri ve (2) bu faaliyetlerin dönemden döneme geçirdiği değişimler. Kabaca, çağdaş faaliyetlerin **uzamda yatay**, bu faaliyetlere dair değişimlerin de **zamanda dikey** olarak yer aldığını söyleyebiliriz. Kazı yöntembiliminin temelini işte bu yatay "zaman dilimleriyle" zaman boyunca dikey kesitler arasındaki ayrım meydana getirir.

Yatay boyutta arkeologlar, bozulmamış bir kontekstle bağlantılı bulunmuş nesneler ve kalıntıları kazı aracılığıyla kanıtlayarak çağdaşlığı (yani faaliyetlerin aslında aynı zamanda meydana geldiğini) gösterirler. Elbette 2. Bölüm'de gördüğümüz gibi, bu birincil konteksti bozan birçok oluşum vardır. Önceki bölümlerde değinildiği üzere, araştırma ve uzaktan algılama sürecinin başlıca amaçlarından biri, makul ölçülerde bozulmuş kazı bölgeleri ya da bölgeler içindeki alanları seçmektir. Eğer bir Doğu Afrika ilk insan kamp yeri gibi tek dönemlik arkeolojik alanda insan faaliyetleri doğru olarak yeniden kurgulanacaksa bu, hayati önem taşır. Ancak bir Avrupa şehri veya Yakındoğu'daki höyükler gibi uzun ömürlü, çok dönemli arkeolojik alanlarda bozulmamış katmanlardan oluşan geniş alanlar bulmak neredeyse imkânsızdır. Burada arkeologların kazı sırasında ve sonrasında, kontekste ne gibi bir bozulma olduğunu kalıntılardan anlamaları ve bunu nasıl yorumlayabileceklerini düşünmeleri gerekir. Şüphesiz yorum süreci başarıyla sonuçlandırılmak isteniyorsa kazı süresince düzgün kayıtlar tutulmalıdır. Dikey boyutta arkeologlar stratigrafiyi inceleyerek geçen zaman süresince meydana gelen değişimleri analiz ederler.

3.58 *Tabakalanmanın karmaşıklığı arkeolojik alan tipine göre değişir. Bir şehir dolgusu boyunca uzanan bu farazi kesit, arkeoloğun hem yatay hem de dikey boyutta karşılaşabileceği karmaşık stratigrafi türünü sergiler. Toprak altı su seviyesine yaklaştıkça, su altındaki dolgularda korunmuş organik malzeme bulma ihtimali artar.*

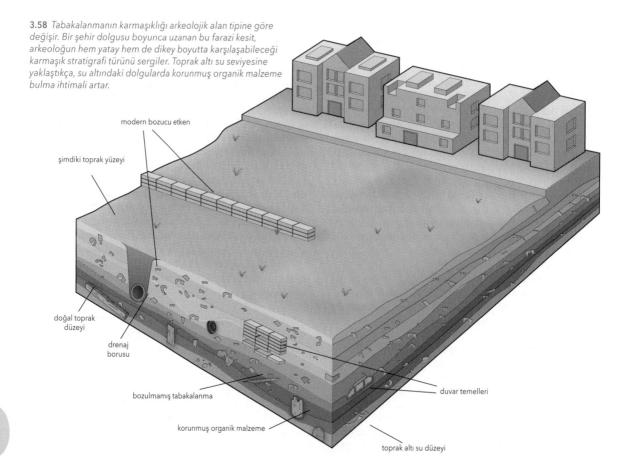

modern bozucu etken

şimdiki toprak yüzeyi

doğal toprak düzeyi

drenaj borusu

bozulmamış tabakalanma

korunmuş organik malzeme

duvar temelleri

toprak altı su düzeyi

Stratigrafi. Birinci Bölüm'de gördüğümüz gibi, insanlığın çok eskiye uzanan geçmişini kavrayabilme yolundaki ilk adımlardan biri jeologların stratigrafiyi (tabaka veya katmanların hâlen devam etmekte olan süreçlere göre üst üste gelmeleri) tanımlamasıydı. Arkeolojik tabakalar (herhangi bir kazıda izlenen kültürel ya da doğal kalıntı katmanları) jeolojik çağlara göre çok daha kısa zaman dilimlerinde meydana gelir, fakat yine de aynı *üst üste gelme kuralına* tâbidirler. Daha basit tabiriyle buna göre, iki tabaka üst üste geldiğinde bunlardan alttaki ilk oluşandır. Dolayısıyla bir dizi tabakayı gösteren dikey profil, zaman içinde birikmiş bir süreci oluşturur.

Dördüncü Bölüm bu olgunun tarihlemedeki önemini ele almaktadır. Burada üst üste gelme kuralının farklı tabakalardaki nesnelerin yaşına *değil*, sadece birikmenin sırasına işaret ettiğini belirtmeliyiz. Aslında alt tabakaların

3.59 *Kent arkeolojisi: Londra'nın Trafalgar Meydanı'ndaki St Martin-in-the-Fields Kilisesi civarında bir Roma lahdi ve Sakson mezarları kazılmıştır.*

içerdiği malzeme genellikle üst tabakalarda bulunanlardan daha eskidir, ama arkeolog bunu basitçe farz etmekten kaçınmalıdır. Daha üstteki bir tabakada açılmış çukurlar, tünel kazan hayvanlar (hatta toprak solucanları) aşağıdaki tabakalara yeni tarihli nesneler getirebilirler. Üstelik bir tabaka, bir yükseltiden bir çukurun dibine doğru aktığı zamanda olduğu gibi ters yüz hâle gelebilir.

Arkeologlar belli bir tabakada bulunmuş insan yapımı nesnelerin –çoğunlukla taş veya kemik– oraya sonradan mı geldiklerini yoksa tabakayla çağdaş mı olduklarını test etmek için özgün ve etkili bir yol bulmuşlardır. Şaşırtıcı miktarda taş yonganın ve kemiğin tekrar bir araya getirilebileceğini, bunların çıktığı orijinal taş ya da kemik parçasını yeniden oluşturabileceklerini fark etmişlerdir. Örneğin İngiltere bir Mezolitik Çağ (Orta Taş Çağı) yerleşmesi olan Hengistbury Head'de, eski kazı sonuçlarının tekrar incelenmesi sonucunda iki farklı tabakada bulunmuş çakmaktaşı yongalarının kendi aralarında birleşebildiği fark edilmiştir. Bu durum söz konusu iki tabakanın stratigrafisi üzerine şüphe düşürmüş ve arkeolojik alanı kazan hafirin, yongaların iki farklı insan grubu tarafından üretildiğine dair savı çökmüştür. Stratigrafi sorunlarını açığa kavuşturmak dışında bir araya getirme ve tekrar birleştirme çabaları eski teknolojiyle ilgili arkeolojik çalışmaların çehresini değiştirmektedir (8. Bölüm).

O hâlde stratigrafi tabakalanmanın araştırılması ve doğrulanması, yani dikeydeki zaman boyutunda bir tabaka dizisinin yataydaki mekân boyutunda incelenmesidir (ancak pratikte sadece birkaç tabaka kesinlikle yataydır).

Bu bilgiyi elde etmek için kullanılan en iyi kazı yöntemleri nelerdir?

Kazı Yöntemleri

Kazı hem masraflı hem de tahrip edicidir; o yüzden asla hafife alınmamalıdır. Araştırmanın hedeflerine ulaşmak amacıyla, mümkün olduğunca kazı yerine yukarıda değindiğimiz zarar vermeyen yöntemlere başvurulmalıdır. Kazıya karar verildiğini, gerekli mali kaynak ve izinlerin alındığını varsayarsak, benimsenecek en iyi yöntem ne olmalıdır?

Bu eser bir kazı ya da arazi el kitabı değildir ve okuyucu bu kısmın sonundaki ya da genel kaynakçadaki çalışmalara yönlendirilmektedir. İlerideki sayfalarda ve 13. Bölüm'de yer verilen örnekler (ayrıca başka bölümlerdeki birçok kutu) çok farklı türlerde kazıların pratikte nasıl yapıldığı hakkında iyi örnekler sunarlar. Aslında iyi yönetilen bir kazıda harcanacak birkaç gün ya da hafta konu hakkındaki herhangi bir kitabı okumaktan daha yararlıdır. Yine de burada başlıca yöntemlere dair kısa rehber bilgiler verilebilir.

Bütün kazı yöntemlerinin araştırmayla ilgili aklımızdaki soru ve arkeolojik alanın doğasına göre uyarlanması

3.60 *Sri Lanka'daki Anuradhapura'nın Abhayagiri Budist manastırında ızgara planlı kazı.*

gerektiği aşikârdır. Yüzlerce karmaşık yapıya, binlerce birbirini kesen çukura sahip derin stratigrafisi olan şehri, bir-iki yapı ve insan yapımı birkaç yüz nesneyi barındıran az tabakalanmalı Paleolitik açık hava buluntu yeriymiş gibi kazmak bir yarar getirmeyecektir. Örneğin bu Paleolitik buluntu yerinde bütün unsurları ortaya çıkarma, onların dikeyde ve yatayda kesin konumlarını –yani **menşei**– kaydetme şansı vardır. Zamansal ve mali kısıtlamalardan dolayı şehirde bunu yapmanın imkânı yoktur. Bunun yerine, bir örnekleme stratejisi (s. 79'daki kutuya bakınız) benimsenmelidir ve sadece sikkeler (tarihleme için önemlidirler; s. 142'ye bakınız) gibi başlıca buluntuların menşei üç boyutlu olarak kayıt altına alınmalıdır. Geri kalanlar bulundukları tabakaya ve belki de plankareye göre düzenlenebilir.

Burada dikey ve yatay boyutlara yeniden döndüğümüz fark edilecektir. Bunlar kazı yöntemleri kadar kazının arkasındaki ilkeler için de önemlidir. Kazı teknikleri kabaca ikiye ayrılabilir:

1 Stratigrafiyi açığa çıkarmak üzere tabakalara derinlemesine inen, yani dikey boyuta önem verenler;
2 Belli bir tabakaya ait geniş alanları açarak bu tabakadaki nesnelerin ve kalıntıların mekânsal ilişkilerini ortaya çıkarmak için yatay boyuta odaklananlar

Çoğu hafir her iki stratejinin bileşimini uygular, ama bunu elde etmenin farklı yolları da vardır. Hepsi de arkeolojik alanın haritalandırılarak ölçülmesini ve doğru

kayıt için alanın üzerine plankarelerin yerleştirilmesini şart koşarlar. Bir arkeolojik alan plankaresi basitçe, o arkeolojik alandaki tüm yatay ve dikey ölçümler için referans noktası olarak hizmet eden seçilmiş bir yerden, yani başlangıç noktasından (sıfır noktası ya da ana nokta) yola çıkılarak hazırlanır. Böylece arkeolojik alan doğru şekilde haritalandırılabilir ve herhangi bir nesnenin ya da mimari kalıntının kesin konumu gerekliyse veya mümkünse üç boyut içinde kaydedilebilir. Total Station'ın giderek artan kullanımı plankare oluşturma ihtiyacını ortadan kaldırmaktadır.

Wheeler kutu plankaresi 1. Bölüm'de belirtildiği gibi General Pitt Rivers'ın çalışmaları sonucunda gelişmiştir. Plankarelerin arasında toprak setler bırakarak farklı tabakaları arkeolojik alan boyunca izleyebilmeyi ve bağdaştırılabilmeyi, böylece hem dikey hem de yatay boyutlarda istenilen sonuçları alabilmeyi amaçlamaktadır. Arkeolojik alanın yayılımı ve genel planı anlaşıldıktan sonra bazı setler kaldırılabilir ve plankareler özel ilgi gerektiren mimari kalıntıların (mozaik taban gibi) açığa çıkarılması için birleştirilebilir.

İngiliz hafir Philip Barker gibi *açık alan kazısının* savunucuları, kesitlerden öğrenmemiz gereken ilişkilerin, setlerin her zaman yanlış yerde ya da doğrultuda olmasından dolayı aydınlatılamayacağını ve çok geniş alanlarda uzamsal bağlantıların ayırt edilmesini engelleyeceğini ileri sürmektedir. Onlara göre, böyle geçici ya da yarı-geçici setler olmamalıdır; bunun yerine büyük alanlar açılmalı ve karmaşık stratigrafik ilişkilere ışık tutulması gereken yerlerde dikey kesitlerin kazılması (alanın ana plankaresi hangi açıya ihtiyaç duyuyorsa) çok daha iyidir. Bu "uzayan kesitler"in dışında, dikey boyut, kazı ilerledikçe kesin üç boyutlu ölçümlerle kaydedilir ve kazı sonunda kâğıt üzerinde yeniden kurulur. Wheeler'ın zamanından beri ortaya çıkan bilgisayarların da dâhil olduğu gelişmiş kayıt yöntemleri, bu zahmetli açık alan metodunu daha uygulanabilir kılmıştır ve örneğin İngiliz arkeolojisinde standart hâle gelmiştir.

Açık alan yöntemi tek bir tabakanın yüzeye yakın olduğu Neolitik Yerel Amerika veya Avrupa uzun evlerine ait kalıntılar için özellikle etkilidir. Burada zaman boyutu yanal hareketle (eski bir yerleşmenin üzerine değil, ama yanına kurulmuş yeni yerleşme) temsil edilebilir ve yeniden inşanın karmaşık bağlantılarını aydınlatmak için geniş yatay alanların kazılması önemlidir. Büyük açık alan kazıları, alanın zarar göreceği durumlarda kurtarma amacıyla yapılır. Yoksa çiftçiler sürülmüş araziler üzerinde büyük alanların açılmasına sıcak bakmamaktadır. Kutu plankare yöntemi Wheeler'ın bunu 1940'larda uyguladığı Güney Asya'da hâlen kullanılmaktadır. Çok sayıda eğitimsiz işçinin açmaların içinde birkaç ekip elemanı tarafından yönetilmesini mümkün kıldığından yaygın bir tekniktir.

SUALTI ARKEOLOJİSİ

Sualtı arkeolojisine ilk kez büyük ivme kazandıran olay, 1853-1854 kışında İsviçre göllerindeki özellikle düşük su seviyesinin muazzam miktarda ahşap dikme, çanak çömlek ve diğer buluntuları ortaya çıkarılmasıdır. İlkel dalgıç hücreleri kullanan ilk araştırmalardan itibaren sualtı arkeolojisi karadaki çalışmaların değerli bir tamamlayıcısı hâline gelmiştir. Kuyular, obruklar ve kaynaklar (mesela Meksika'daki Chichen Itza'da bulunan büyük kurban kuyusu) içeren çeşitli arkeolojik alanları; su altında kalmış göl kıyısı yerleşimlerini (mesela Alpler bölgesindekiler); gemi batıklarından sular altındaki limanlara (mesela İsrail'deki Caesarea) kadar uzanan deniz arkeolojik alanlarını ve sulara gömülmüş şehirleri (mesela Jamaika'daki Port Royal) kapsar.

Yirminci yüzyılda küçük denizaltıların, diğer batiskafların ve her şeyden önemlisi *scuba* dalış takımının icadı, dalgıçların deniz altında daha fazla kalma ve önceleri ulaşılması imkânsız derinliklerdeki arkeolojik alanlara erişme olanağı tanıdı. Sonuç olarak keşiflerin hızı ve boyutları büyük oranda arttı. Akdeniz'in sığ sularında 1000'den fazla batık bilinmektedir, fakat sonar, çok güçlü ışıklandırmalar ve kameralarla donanmış minyatür insansız denizaltılar (uzaktan kumandalı ve kendini idare eden sualtı araçları) gibi derin deniz batiskafları 850 metreye çıkan derinliklerde Roma batıkları bulmaya başlamıştır. İsrail

açıklarında keşfedilmiş amfora dolu iki Fenike batığı derin denizde şimdiye dek bulunan en eski teknelere aittir.

Sualtı Keşif İncelemesi

Karadaki arkeolojik alanların tespit edilmesinde olduğu gibi, su altındaki arkeolojik alanların bulunmasında da jeofizik yöntemleri kullanılışlıdır. Mesela Kanada'nın Ontario Gölü'nde 1812 Savaşı sırasında 90 m derinliğe batmış *Hamilton* ve *Scourge* adlı iki savaş guletini 1979'da keşfeden, manyetometreyle geniş taramalı sonarın birleşimiydi. Son teknoloji çok ışın demetli yan taramalı sonar çok temiz görüntüler verir ve deniz yatağındaki gemi batıklarının doğu ölçümlerini almaya imkân tanır. Yine de Akdeniz gibi bölgelerde buluntuların büyük kısmı, binlerce saatlerini deniz tabanını tarayarak geçiren yerel sünger avcılarıyla konuşmak kadar basit yöntemlerle ortaya çıkarılmıştır.

Sualtı Kazısı

Sualtında kazı karmaşık ve pahalıdır (kazı sonrası gerekli ve çok zahmetli konservasyonla analitik çalışma da cabası). Kazı bir kez başladı mı muazzam miktarda çökeltinin kaldırılması ve saklama kapları (amforalar), metal külçeler ve gülleler gibi çok çeşitli hacimli nesnelerin belgelenmesiyle kaldırılması işin içine

girebilir. Texas'taki Sualtı Arkeolojisi Enstitüsü'nün kurucusu George Bass ve diğerleri, nesneleri su yüzüne çıkaran balonlara bağlı sepetler ve buluntularla çökeltileri kaldıran emme hortumu gibi birçok yardımcı alet geliştirmişlerdir. Eğer teknenin gövdesi en küçük şekilde korunmuşsa üç boyutlu bir plan yapılmalıdır. Böylece uzmanlar daha sonra teknenin formunu ve siluetini ya kağıt üzerinde ya da üç boyutlu model olarak yeniden kurgulayabilirler. İngiltere'nin *Mary Rose*'u (MS 16. yüzyıl) gibi bazı nadir örneklerde korunma durumu gövdenin kaldırılmasına izin verecek kadar iyidir.

Sualtı arkeologları şimdiden 100'den fazla batığı kazmış ve sadece bunların nasıl inşa edildiğini açığa kavuşturmamışlar, aynı zamanda denizde hayat, yükler, ticaret yolları, eski metalürji ve cam işçiliğine dair birçok bilgi sunmuşlardır. İki projeye daha yakından bakacağız: Kanada'daki Red Bay (arkada sayfadaki kutuya bakınız) ve Türkiye'deki Uluburun (s. 380-381) batıkları.

3.62 *Sualtı kazı teknikleri (aşağıda): solda nesneleri çıkarmak için kaldırma balonu; ortada, buluntuları in situ ölçme ve belgeleme; sağda, sedimanları kaldırmak için emme pompası.*

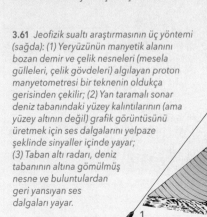

3.61 *Jeofizik sualtı araştırmasının üç yöntemi (sağda): (1) Yeryüzünün manyetik alanını bozan demir ve çelik nesneleri (mesela gülleleri, çelik gövdeleri) algılayan proton manyetometresi bir teknenin oldukça gerisinden çekilir; (2) Yan taramalı sonar deniz tabanındaki yüzey kalıntılarının (ama yüzey altını değil) grafik görüntüsünü üretmek için ses dalgalarını yelpaze şeklinde sinyaller içinde yayar; (3) Taban altı radarı, deniz tabanının altına gömülmüş nesne ve buluntulardan geri yansıyan ses dalgaları yayar.*

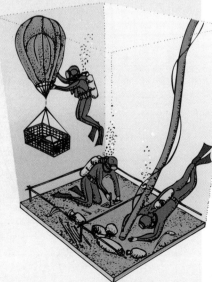

RED BAY BATIĞI KAZISI

Arşiv araştırması ve kara arkeolojisiyle bir arada yürütülen sualtı arkeolojisi, MS 16. yüzyılda Labrador'daki Red Bay'de Bask balıkçılarının balina avına dair detaylı bir resim sunmuştur. Basklar bu dönemde başlıca balina yağı –aydınlatma ve sabun gibi ürünlerde kullanılan önemli bir madde- tedarikçileriydi. Red Bay'i önemli bir balina avcılık merkezi olarak gösteren İspanyol arşivlerinin harekete geçirdiği Kanadalı arkeolog James A. Tuck, 1977'de Red Bay limanının önündeki ada üzerinde kazılara başladı. Burada balina yağını işlemekte kullanılan yapıların kalıntılarını buldu. Ertesi yıl Robert Grenier başkanlığında Parks Canada sualtı arkeologlarından bir ekip, arşivlerde 1565'te battığı söylenen Bask kalyonu *San Juan*'ı aramaya koyuldu.

Keşif ve Kazı

San Juan'a ait olduğuna inanılan bir batık küçük bir teknenin arkasında çektiği bir dalgıç tarafından 10 m derinlikte saptandı. Bir fizibilite çalışması 1979'da arkeolojik alanın potansiyelini doğruladı ve Parks Canada, 1980'den 1985'e kadar konservatörler, teknik ressamlar ve fotoğrafçıları da içeren 15-25 kişilik ekibin desteklediği 15 sualtı arkeoloğuyla bir araştırma ve kazı projesi yürüttü. Limanda üç tane daha kalyon bulundu, ama sadece *San Juan* tamamen kazıldı. Kazı, arkeolojik alanın üzerine demirlemiş ve işliğe, nesneler için depolama havuzlarına, kalasları kaldırmak için bir vince ve ince kumu temizlemek üzere 12 emme pompasını çalıştırabilen bir kompresöre sahip özel donanımlı bir mavnadan yönetiliyordu. Deniz suyu güvertede ısıtılıyor ve hortumlar aracılığıyla neredeyse donma koşullarında çalışan dalgıçların kıyafetlerine pompalanıyordu. Böylece 14.000 saatlik dalış gerçekleştirildi.

3.63 *Proje başkanı Robert Grenier bir usturlabın (seyrüsefer aleti) kalıntılarını inceliyor*

Proje sırasında geliştirilen önemli bir teknik, gemi kalaslarının deniz altında bulundukları konumlarında kesit kalıplarını almak için doğal kauçuk lateks kullanımıydı. Buna uygun olarak tekne şekli ve alet izleriyle ağaç damarları gibi detaylar doğru şekilde yeniden oluşturuldu. Ardından kalaslar kesin kayıtlar için yüzeye çıkartıldı ve daha sonra yeniden arkeolojik alana bırakıldı.

Analiz ve Yorum

Teknenin nasıl yapıldığını, neye benzediğini anlamaya yardım etsin diye titiz çizimler ve kalıpların sunduğu

3.64 *Limanın dibindeki batığın yapısal planı (2 metrelik plankareler)*

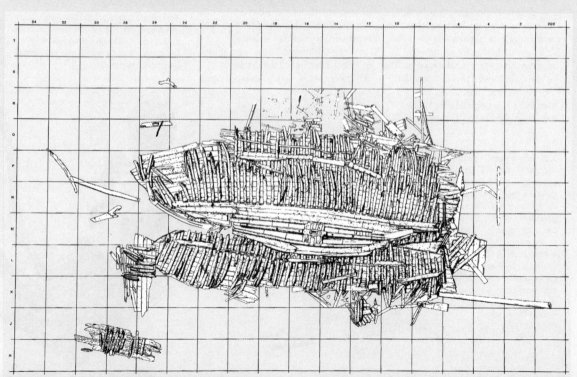

114

kanıtlara dayanarak 1:10 ölçekte bir model inşa edildi. Birçok ilginç detay ortaya çıktı: Mesela 17,7 m uzunluğundaki gemi omurgası ve buna bitişik kalas sırası (dip sıra borda kaplaması) tek bir kayın ağacından –bu boyuttaki bir gemi için çok sıra dışı–) oyulmuştu. Geminin geride kalanı neredeyse tamamen meşedendi. Genele bakıldığında araştırma modeli, çoğunlukla 16. yüzyıl ticaret gemilerine özgü olduğu düşünülen yuvarlak fıçı şeklinden çok farklı zarif hatlara sahip bir balina avcı gemisini gözler önüne serdi. Balina kemikleri üzerinde yapılan DNA testleri, Kuzey Atlantik'in

batısındaki Başkların ana hedefini önceden düşünüldüğü gibi bir çubuklu balina türü yerine kutup balinasının meydana getirdiği konusunda güçlü kanıtlar sundu.

İlişikteki tablonun (sol altta) işaret ettiği üzere, batıktan gelen çok sayıda nesne talihsiz kalyonun yüküne, denizcilik donanımına, silahlarına ve

gemi hayatına ışık tutmaktadır. Bu Parks Canada projesinin bütünleşmiş araştırma planı sayesinde –Kanada sularında yürütülmüş en büyük proje– 16. yüzyıl Bask denizciliği hakkında birçok yeni bakış açısı ortaya çıkmaktadır. Beş ciltlik kapsamlı rapor *The Underwater Archaeology of Red Bay* 2007 Mart'ında yayımlanmıştır.

3.65–66 *Kalyona ait korunmuş kalasların nasıl bir araya gelebileceğini gösteren 1:10 ölçeğindeki model. Geminin taslağı 2001 UNESCO Sualtı Kültürel Mirasının Korunması Kongresi logosunun bir parçasını oluşturmaktadır (sağ altta).*

RED BAY'DE BULUNMUŞ KÜLTÜREL MALZEME

GEMİLER

San Juan olduğuna inanılan balina avlama gemisi: gövde kalasları (3000'den fazla) • donanım: bocurgat, dümen, cıvadra • arma: palangalar, müteharrik torno, çarmıklar, diğer halat takımları • çıpa • demir çivi parçaları
Üç başka balina avlama gemisi
Üç küçük tekne (bazıları balina avı için kullanılmış)

BULUNTULAR

Yük: ahşap variller (10.000 parçadan fazla) • ahşap istif nesneleri: demir çubuklar, takozlar, kamalar • safra taşları (13 tondan fazla)
Seyrüsefer aletleri: pusula dolabı • pusula • cam kumu • parakete, seyir günlüğü • usturlap
Yiyecek depolama, hazırlama ve servisi: Çanak çömlek: kaba toprak kaplar, İtalyan çinisi, cam parçaları, kurşun-kalay alaşımlı kap parçaları • ahşap antika eşya: kaplar ve servis tabakları • sepet işleri • bakır alaşımlı tıkaç
Yiyecekle ilgili buluntular: morina kılçıkları • memeli kemikleri: kutup ayısı, fok, inek, domuz • kuş kemikleri: ördekler, martılar, auk • ceviz kabukları, fındık kabukları, erik çekirdekleri, altın ahududu
Giysi buluntuları: deri ayakkabılar • deri parçaları • kumaş parçaları
Kişisel eşyalar: marka • oyun pulu • tarak
Silahlar: verso (mil üzerinde dönen silah) • kurşun saçmalar • top gülleleri • ahşap ok(?)
Aletler: ahşap alet sapları • fırçalar • bileğitaşı
İnşaat malzemesi: pişmiş toprak çatı kiremit parçaları
Balina avcılığıyla ilgili: balina kemikleri

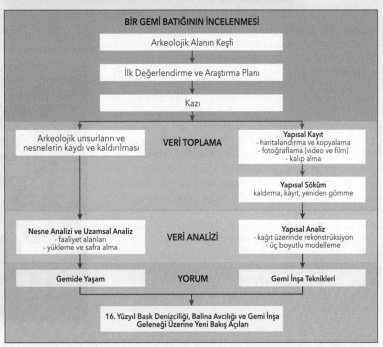

BİR GEMİ BATIĞININ İNCELENMESİ

Arkeolojik Alanın Keşfi

İlk Değerlendirme ve Araştırma Planı

Kazı

VERİ TOPLAMA

Arkeolojik unsurların ve nesnelerin kaydı ve kaldırılması

Yapısal Kayıt
- haritalandırma ve kopyalama
- fotoğraflama (video ve film)
- kalıp alma

Yapısal Söküm
kaldırma, kayıt, yeniden gömme

VERİ ANALİZİ

Nesne Analizi ve Uzamsal Analiz
- faaliyet alanları
- yükleme ve safra alma

Yapısal Analiz
- kağıt üzerinde rekonstrüksiyon
- üç boyutlu modelleme

YORUM

Gemide Yaşam

Gemi İnşa Teknikleri

16. Yüzyıl Bask Denizciliği, Balina Avcılığı ve Gemi İnşa Geleneği Üzerine Yeni Bakış Açıları

3.67 *(yukarıda) Illinois Irmağı Vadisi'ndeki Amerika yerlilerine ait Koster arkeolojik alanı. Yerleşme tabanlarını ve faaliyet alanlarını tespit etmek için uzun yatay alanlar açıldı. Ancak bu derin dolgulu arkeolojik alanda dikey boyutun analiz edilebilmesi için kazı derinleştikçe yüksek basamaklar oluşturuldu. Bu karmaşık arkeolojik alanda yaklaşık MÖ 7500'den MS 1200'e kadar tarihlenen 14 yerleşim tabakası saptandı.*

Bununla birlikte hiçbir yöntem genel kabul görmeyecektir. Örneğin katı plankare yöntemine Yakındoğu yerleşmeleri gibi derin tabakalı arkeolojik alanlarda nadiren başvurulmaktadır, çünkü aşağı inildikçe açmalar birden bire rahatsızlık verici ve tehlikeli olmaya başlar. Buna yaygın olarak getirilen çözüm **basamaklı açmadır**: Açılan büyük bir alan, kazı derinleştikçe büyük merdivenler hâlinde kademeli olarak daraltılır. Teknik Illinois'daki Koster arkeolojik alanında verimli bir şekilde kullanılmıştır.

Tehlikeli derecede derinleşen kazılar için başka bir çözüm Coppergate (York) ve Billingsgate'te (Londra) denenmiştir. Buralarda kazı alanının çevresine palplanj batardo inşa edilmiştir. Batardolar ayrıca batık kazılarında ya sadece suyun akışını kontrol etmek (Yorktown-Virginia'daki Amerikan Bağımsızlık Savaşı'ndan kalma batığın kazısındaki gibi) ya da suyu tamamen boşaltmak için kullanılır. Batarda pahalı olduğundan kazı iyi bir ödeneğe sahip olmalıdır.

Şu açıktır ki arkeolojik alanlar birbirlerinden farklıdır ve bunların şartlarına uyum sağlamak gerekir: Mesela bazı durumlarda gelişigüzel ayrımlar kullanmak ya da olmadığı hâlde sahte bir düzen varmış gibi göstermek yerine, doğal jeolojik katmanları veya arkeolojik tabakalarını izlemek gibi. Yöntem ne olursa olsun (mesela s. 123'deki görseller, tümülüsler ve mağara arkeolojik alanlarında kullanılanları gösterir), bir kazı ancak kullandığı koruma ve kayıt teknikleri kadar iyidir. Kazı kanıtların çoğunu tahrip etmek anlamına geldiğinden, tekrar edilmesi imkânsız bir faaliyettir. İyi düşünülmüş

Bazen, eğer para kısıtlıysa ve yapılar yüzeye yeteri kadar yakınsa üst toprak sadece belli miktarda alınarak geniş alanlar açılabilir. Nicholas Postgate Irak'taki Tell Abu Salabikh'te bir erken Mezopotamya şehrinin geniş ölçekli planını böyle çalışmıştır.

Britanya'da büyük alanların araştırılmasına ve kalıntılarla buluntuların arasındaki ilişkilerin belirlenmesine imkân veren "kaldır, haritalandır ve örnekle" (strip-map-and-sample) yöntemi kullanılır. Yöntem özellikle imar (ocaklar ya da inşaat projeleri gibi) tehlikesi altında bulunan yerlere uygundur. "Kaldırma"dan kastedilen, üst toprağın -genellikle pulluk toprağı- bir kazı makinesiyle kaldırılmasıdır. Bundan sonra açığa çıkan yüzey elle temizlenir; arkeolojik kalıntılar GPS ya da Total Station gibi yer ölçüm teknolojileriyle "haritalandırılır", çizilir ve fotoğraflanır. Ardından kalıntılar arasındaki ilişkileri gösteren kesin bir arkeolojik alan planı bir araya getirilir. Bunu takiben genellikle yerel ilçe arkeoloğuna danışılarak üzerinde anlaşılan örnekleme düzeyiyle birlikte hangi kalıntıların kazılacağına -bu "örnekleme" sürecidir- dair bir karara varılır.

3.68 *Batardo kullanan bir kazı: Virginia'daki Yorktown'da, bir tüccara ait Amerikan Bağımsızlık Savaşı sırasında batırılmış YO 88 olarak adlandırılan batık.*

JAMESTOWN'UN YENİDEN KEŞFİ: KAZI SÜRECİ

13 Mayıs 1607'de yüz kadar İngiliz erkek Virginia'daki Jamestown Adası'nda bir yerleşim kurdular. Kısa süre sonra Amerika yerlilerinin saldırıları yüzünden bu erkekler, askerler ve işçiler hızla ahşap bir kale inşa ettiler. Yerleşimcilerin ve dükkânların düzenli tedariki, mali destek veren Londra Virginia Şirketi ve burada ihracat mahsulü tütünün keşfi girişimin sürmesini sağladı. Nihayetinde Jamestown ilk kalıcı İngiliz kolonisi ve dolayısıyla modern Amerika ile İngiliz İmparatorluğu'nun doğum yeri oldu. Yüzyıllar boyunca kaleyi barındıran arkeolojik alanı yakındaki James Irmağı'nın aşındırıp yok ettiği düşünüldü, fakat 1994'ten beri Jamestown Keşif Projesi'nin kazıları "kayıp" arkeolojik alanın gerçekte erozyondan kurtulduğunu ispatladı. Kaleye ait arkeolojik izlerin büyük kısmı ve bir milyonun üzerinde buluntu ele geçti. Bunların en azından yarısı yerleşmenin mücadeleyle geçen ilk üç yılına aitti.

Jamestown Yeniden Keşif Projesi araştırma planı basit, ama çok boyutludur: kazı, kayıt ve James Kalesi kalıntılarının yorumu; orijinal ve gelişen kale planının tespiti; yerleşimcilerin ve Virginia'lı Amerika yerlilerinin günlük hayatları hakkında olabildiğince çok şey öğrenme; tarihöncesi ve James Kalesi sonrası yerleşimlerinin belgelenmesi. Bütün bunları gün ışığına çıkartmak ve kaydetmek için geleneksel plankare kontrol sistemiyle açık alan kazısını birleştiren karma bir kazıya ihtiyaç duyulacağı baştan belliydi. Hem başlangıçta ve sonrasında araştırılacak alanları tespit etmek hem de kazının ortaya koyacağı yeni ve daha karmaşık sorunların ışığında kayıtları yeniden değerlendirmek üzere kapsamlı bir belge çalışması da mecburiydi.

Devam Eden Arazi Süreci

Kazılacak her alanda başlangıç olarak 3 metrelik karelerden bir plankare meydana getirilerek kale sonrası tabakalardaki nesnelerin (genellikle 18-19. yüzyıla ait sürülmüş veya 1861'de İç Savaş dönemi toprak işinin inşası sırasında birikmiş toprak) kaydı kolaylaştırıldı. 17. yüzyıl tabakası bir kez açığa çıktıktan sonra geleneksel plankare sisteminin yerine buluntu temelli açık alan kayıt yöntemine dönülmüştür. Bu safhada hem fiziksel kalıntılar hem de toprak rengi ve dokusundaki değişimler birimleri belirler: yapı temelleri, şömineler,

3.69 *James Kalesi'nde karelaj (önde) ve açık alan (arkada) kazıları.*

ahşap dikme delikleri, mahzenler, kuyular, çukurlar, hendekler ve mezarlar. Bu tanımlanmış kontekstler, daha sonra Total Station temelli CBS arkeolojik alan haritasına girilip artarak giden Jamestown Yeniden Keşif numarası verilir. Açık alanın boyutları ve şekli dikme deliklerinin dörtgen dizilişleri ya da başka hizalı ve ilgili dolgular gibi açıkça belirlenmiş mimarinin kapsamına bağlıdır.

Mimari unsurları ya da bunlara bağlı bileşenleri kısmen veya tamamen kazma (ya da kazmama) kararı, bunların duvar izleri gibi James Kalesi/Jamestown dönemine (1607-1624) ait bilinen diğer kalıntılarla ilişkili olup olmadıklarına bağlıdır. Daha geç tarihli buluntular genellikle haritalandırılmış, ama kazılmamıştır. Mevcut bir mimari unsurun kale yerleşmesinin bir parçası olma ihtimali kabul edildiğinde kazı, toprak rengi ve dokusu ya da tabaka kalıntıları tarafından işaret edilen kültürel dolgu sürecini belirler. Ardından her bir tabakaya sıralı olarak bir harf verilir (I, O, U harfleri hariç). Bu şekilde Jamestown Yeniden Keşif numarası ve harf, her bir münferit buluntu ve tabakası farklı kontekstler olarak nitelendirir. Bundan sonra çoğu kontekst çizilir, fotoğraflanır, sistematik olarak arşivlenir ve sonunda CBS

arkeolojik alan haritasıyla ilişkilendirilir.

Buluntular iki safhada toplanır: hem buluntu tabakaları kazılırken hem de sonrasında gevşek toprak ıslak ve kuru elenirken (ikincisi elle ya da mekanik olarak). Kullanılan özel eleme süreci kontekstin yaşı ve bozulma durumuna göre değişir. Elde edilen buluntu

3.70 *Geri dolgu yapılmış bir metal işliğinin/ ekmek fırını mahzeninin açık alan kazısında tam bir mimari tanımı çıkarıldıktan sonra içindeki silahlar ve zırhların titizlikle kaldırılışı.*

3.71 *Jamestown Tarihi Parkı ziyaretçileri tarafından incelenen James Kalesi kuyusu gibi mimari unsurlar (yukarıda) CBS arkeolojik alan haritasına işlenmek üzere Total Station tarafından kaydediliyor.*

3.72 *Basınçlı su hortumları ve bir dizi kademeli elek kullanan sulu eleme (solda).*

grupları üzerinde Jamestown Yeniden Keşif numaraları ve harfleri kalıcı kalmak suretiyle arkeolojik alandaki bir laboratuvarda yıkanır, korumaya alınır ve kataloglanır. Buna ilaveten açıklayıcı bir ana kontekst ("yapı 185", "çukur 8", "kuyu 3" vb.) atanır.

Münferit tabakaların toprak örnekleri ileriki yüzdürme ve/veya kimyasal analizler için toplanarak arşivlenir. Bir alandaki seçilmiş arkeolojik mimari kazıldığında ve/veya belgelendiğinde söz konusu alan jeotekstille örtülür ve genellikle 50 cm kalınlığında toprakla yeniden kapatılır. 2011 itibarıyla kaledeki arkeolojik mimarinin %15'i kısmen ya da tamamen kazılmıştır; geri kalanlar ileriki araştırmalar için koruma altındadır.

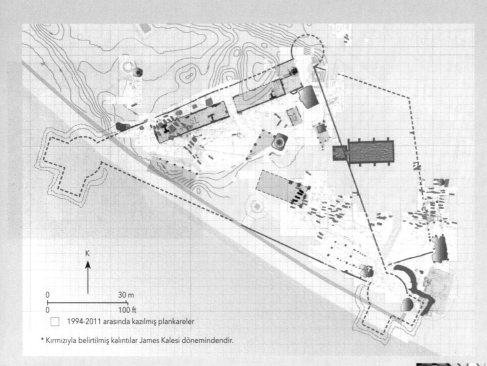

K

↑

```
0          30 m
├──────────┤
0          100 ft
```

☐ 1994-2011 arasında kazılmış plankareler

* Kırmızıyla belirtilmiş kalıntılar James Kalesi dönemindendir.

3.73 *1994-2010 James Kalesi açık alan kazısının CBS arkeolojik alan haritası (solda)*

3.74 *Kataloglama ve karşılaştırmalı kontekst analizi sırasında iklim kontrollü bir mahzende tutulan Jamestown araştırma koleksiyonu (aşağıda).*

Buluntuların Yönetimi

İlk temizlenmelerinden sonra buluntular, kurtarılma gerekliliği ve yorumsal potansiyeli bulunan uzun vadeli koruma unsurları dengelenerek konservasyon ihtiyaçlarına göre sıralanırlar. Metal nesnelere ve organik malzemelere x-ışını kaydı ve mekanik/ kimyasal işlemler de dâhil birtakım teknikler uygulanır.

Bilgisayar kataloglama programı asgari özellik alanlarından (sayı, malzeme, form ve tasarım) yararlanır; basittir ve arama yapmaya izin verir. Analizi ve yayın yapmayı kolaylaştırmak için sayısal katalog CBS arkeolojik alan haritasına bağlanmıştır; böylece planlar, fotoğraflar ve buluntular tek bir bilgisayar istasyonundan yorumlanabilir. Konservasyon ihtiyaçlarına uygun olarak bütün nesneler uygun bir ortamda (sabit oda sıcaklığına ve çok düşük neme sahip yerlerden ısıtılmayan depolara kadar değişir) saklanır ya da arşivlenir. Kazının her yılı için tanımlayıcı raporlar yazılır, fakat yorum projenin sürmesi nedeniyle kısıtlı tutulur.

William M. Kelso

3.75 *Kazı verileri ve tarihi kayıtlara göre James Kalesi'nin rekonstrüksiyonu.*

AMESBURY OKÇUSU KAZISI

BİRLEŞİK
KRALLIK

Amesbury•

"Amesbury Okçusu" olarak bilinen bireye ait gömüt Stonehenge'in 5 km uzağında bulunmuştur ve şimdiye kadar Avrupa'da keşfedilmiş en donanımlı ("zengin") Bell Beaker Kültürü (Bakır Çağı) gömütlerinden biridir. Arkeolojik kanıtlar söz konusu bireyin kalibre edilmiş tarihe göre MÖ 2380-2290 civarında -Stonehenge'deki ana yapı evresinden bir ya da iki yüzyıl sonra- ölmüş, savaşçı ve metal ustası mevkine sahip 35-40 yaşlarında bir erkek olduğunu göstermiştir.

Mezar, yeni bir okul inşasından önce bağımsız Wessex Arkeoloji birimi tarafından yürütülen rutin bir müteahhit destekli kazıda çıkmış bir başkasının ("Yoldaş" adı verilmiştir) 3 m uzağında keşfedilmişti. Yüzey toprağı bir kazı makinesiyle alındı ve kireçtaşı üzerinde siyah izler olarak görülen bütün arkeolojik unsurlar Total Station ile incelendi.

Standart kazı ve belgeleme yöntemleri kullanıldı. Mezarlara sıradaki kayıt numarası verildi ve her birinin şekli kazıdan önce plana geçirildi. İlk nesneler bulunana dek toprak kazmayla kaldırıldı. Bundan sonra kazı mala, küçük metal aletler (sıvacı spatulaları) ve boya fırçalarıyla yürütüldü.

Amesbury Okçusu'nun mezarına ahşap bir oda yapılmıştı ve bununla doğal kireçtaşı arasındaki boşluk gevşek kireçtaşıyla doldurulmuştu. İskeletin ölçekli bir çizimi yapıldı ve fotoğrafı çekildi. İskeletin ne kadar tam olduğu ve ne kadar iyi korunduğu da kaydedildi. Öncelikle boğaz, karın, eller ve ayakların civarından toprak örnekleri alındı. Bu, kazı sırasında gözden kaçabilen küçük kemikleri (mesela parmak kemikleri) elde edebilmek için rutin olarak tekrar edildi. Her bir örneğe özgün bir numara verildi ve daha sonra laboratuvarda ıslak elemeden geçirildi. İleriki analizleri hızlandırmak üzere iskeletin kemikleri kaldırılınca anatomik gruplara göre (mesela "sol kaburga kemikleri") torbalara konmuştur.

Ancak mezarda altın bir süsün bulunmasıyla kazının mahiyeti değişti. Bu süslerin çiftler hâlinde ve yüksek bir sosyal konuma ait bir

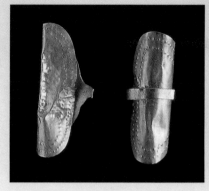

3.77 Sadece 22 mm uzunluğundaki altın süsler, Britanya'da şimdiye kadar bulunmuş en eski altın nesnelerdir.

gömütte bulunmasına dayanılarak önceden alınmış örneklere ilaveten mezardaki bütün toprağın muhafaza edilmesine karar verildi. Hâlihazırda mezardan çıkarılmış ve hemen yakında biriktirilmiş toprak yeniden ele alındı ve buluntuların araştırılması için sulu elemeye tâbi tutuldu.

3.76 Mezar ve mezar eşyalarının çizimi. Arkeolojik alan güvence altına alınamadığı için gömüt kazısı gece de devam etmiştir.

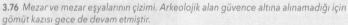

3.78 Amesbury okçusu. Koyu renkli nesne bir taş alet ya da metal işlemek için bir örstür.

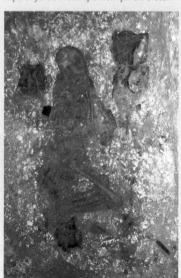

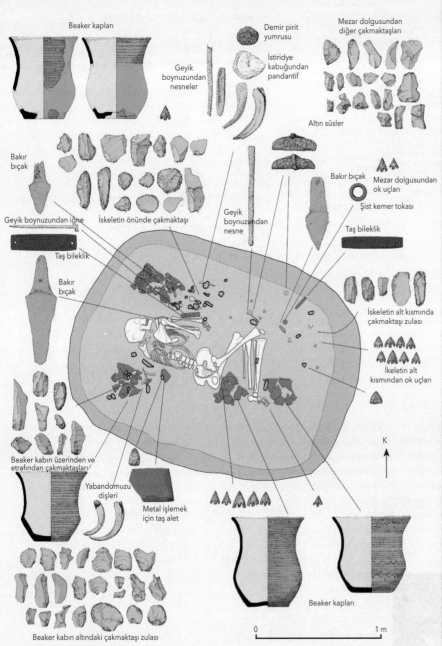

Beaker kapları

Demir pirit yumrusu

İstiridye kabuğundan pandantif

Mezar dolgusundan diğer çakmaktaşları

Geyik boynuzundan nesneler

Altın süsler

Bakır bıçak

Bakır bıçak

Mezar dolgusundan ok uçları

Şist kemer tokası

Geyik boynuzundan nesne

Taş bileklik

Geyik boynuzundan iğne

İskeletin önünde çakmaktaşı

Taş bileklik

Bakır bıçak

İskeletin alt kısmında çakmaktaşı zulası

İskeletin alt kısmından ok uçları

K

Beaker kabın üzerinden ve etrafından çakmaktaşları

Yabandomuzu dişleri

Metal işlemek için taş alet

Beaker kabın altındaki çakmaktaşı zulası

Beaker kapları

0   1 m

3.79

Amesbury Okçusu'nun mezar eşyaları

Kıyafet
2 altın saç süsü; geyik boynuzundan mandal; şistten kemer tokası; bir pandantif gibi kullanılmış delikli istiridye kabuğu

Silahlar
18 çakmaktaşı ok ucu; okçular için 2 taş bileklik; 3 bakır bıçak; çakmaktaşı bıçaklar; ok ucu yapmak için işlenmemiş taşlar

Metal işçiliği
Taş metal işleme aleti, muhtemelen örs; muhtemelen metal nesneleri cilalamak için 2 fildişi (taşla birlikte bulundu)

Aletler
Çakmaktaşı işlemek için geyik boynuzundan alet; çakmaktaşı dilgiler; deri işlemek için çakmaktaşı kazıyıcılar; ateş yakmak için çakmaktaşı dilgi ve yuvarlak demir pirit parçasından müteşekkil alet grubu

Yiyecek tüketimi
5 Beaker formunda çanak çömlek kap; süt temelli yiyeceklere ait izler

Tanımlanmamış buluntular
Bir yaya ait geyik boynuzundan iki şerit parçası?

Buluntular ve Analizleri

Mezarda 18 çakmaktaşı ok ucu ve gömüte adını veren okçulara özgü 2 taştan iki bileklik de dâhil 100'ün üzerinde buluntu ele geçti. Nesneler bedenin yanına yerleştirilirken iskeletle aynı kontekst numarasını aldılar ve her birine özgün bir numara daha verildi. Yine her buluntu için bir kayıt formu hazırlandı, konumları ölçekli bir çizime geçirildi ve üç boyutlu ölçümleri yapıldı. İşlemler boyunca fotoğraflar da çekildi.

Kazının ardından tüm buluntular temizlenmeden önce incelendi. Bunun sebebi, kapların üzerindeki yiyecek

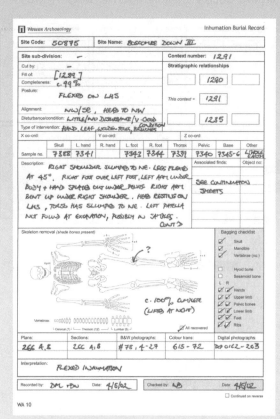

3.80 *Amesbury Okçusu'na ait gömüt kayıt fişi.*

artıkları ve çakmaktaşı aletlerdeki kullanım izlerinin kazara tahrip olmasını önlemekti. Bu inceleme safhası böyle beklenmedik keşifler için önemlidir, çünkü detaylı bir araştırma tasarısı hazırlamak ve analizle yayın için gerekli zaman ve parayı tayin etmeye imkân tanır. Malzeme analizi için konservasyon ve örnekleme ihtiyaçlarına karar verildi; buluntular üzerindeki çalışmalar bu örnekleme ve konservasyonun öncesinde ve sonrasında yapıldı. Ardından bulutular tam korumaya alındı ve müze sergilemesi için restore edildi.

Yorum

Analizler bu iki erkek ve yaşadıkları dünya hakkında çok fazla bilgi sunmuştur. Radyokarbon tarihlemesi birbirlerinden bir ya da iki nesil ayrı ve ayak kemiklerindeki nadir bir metrik olmayan kemik özelliği de akraba olduklarını göstermektedir. Her iki mezarda da benzer saç süsleri bulunmuştur.

İzotop sonuçları diğer erkekten önce yaşamış Amesbury Okçusu'nun daha soğuk bir iklimden, muhtemelen Alpler bölgesinden göçtüğünü göstermektedir.

Amesbury Okçusu'nun yüksek mevkini açıklamakta anahtar buluntu, metal işlemek için kullanılmış taş alettir. Okçunun mezarı şimdiye kadar Britanya'da bulunan en eski metal ustası mezarıdır. Avrupa kıtasından geldiğine göre metal işçiliğine dair bilgisi ve metale erişimi vardı. Bu ona yüksek bir mevki vermiş olabilir ve karşılaştırmalı çalışmalar, Kıta Avrupası'nda metal işleyenlere ait mezarların çok iyi donatıldığını göstermiştir.

İzotop sonuçları Britanya ve ötesinde tarihöncesi göç ve işgale olan ilgiyi yeniden canlandırmış, dünya medyasının dikkatini çekmiştir. Kapsamlı kazı raporu *The Amesbury Archer and the Boscombe Bowmen*, 2011'de yayımlanmıştır.

Andrew Fitzpatrick

3.81 *Mezardan çıkan çakmaktaşı ok uçları. Sağ alttaki örnek işlenmemiştir.*

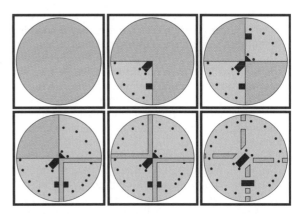

3.82–84 Kazı yöntemleri. (sol üstte) Alabama'daki Moundville'de bir tümülüsten kesit alma. (üstte) Tümülüs kazısında uygulanan kadran yönteminin altı safhası. Burada amaç toprak altı arkeolojik unsurları ortaya çıkarırken stratigrafik analiz için dört çapraz kesitin korunmasıdır. (solda) Güney Afrika'daki Blombos Mağarası'nda arkeologlar işbaşında (s. 396'ya bakınız). Mağara kazıları özellikle zayıf ışıklandırılmış ve kısıtlı ortamları yüzünden çeşitli sorunlar barındırır. Mağara dolguları çok karmaşık olabilir ve bir tabakadan diğerine geçişteki değişimler zorlukla fark edilir. Dolayısıyla belgelemenin titiz kontrolü gereklidir.

3.85 Eleme: Kuzeydoğu Libya'daki Haua Fteah Mağarası'nda arkeologlar kazı toprağını ufak nesneleri, hayvan kemiklerini ve diğer kalıntıları elde etmek için elekten geçiriyorlar.

koruma metotları temel şartlardan birdir ve kazının her safhasında ayrıntılı kayıtlar tutulmalıdır.

Koruma ve Bulguların Kaydı

Yukarıda gördüğümüz gibi, farklı arkeolojik alanların farklı gereksinimleri vardır. Tek dönemli az tabakalanmaya sahip bir Paleolitik ya da Neolitik buluntu yerindeki her türlü insan yapımı nesnenin üç boyutlu konumunu belirlemek ve gün ışığına çıkarmak hedeftir. Bu hedef şehir kazan bir arkeolog için aynı derecede uygulanabilir değildir. Her iki arkeolojik alan tipinde de zaman kazanmak açısından yüzey toprağı mekanik kazıcılarla kaldırılabilir (fakat üst yüzey toprağı yararlı arkeolojik bilgi içerebilir; s. 109'a bakınız). Bundan sonra bir Paleolitik ya da Neolitik uzmanı küçük nesneler, hayvan kemikleri veya sulu elek yöntemiyle (6. Bölüm'e bakınız) bitki kalıntılarını elde etmek için olabildiğince fazla hafriyat toprağını incelemek ve elemek isteyecektir. Öte yandan şehir kazan bir arkeolog, elek yönteminde daha seçici davranarak sadece bitki kalıntılarının bekleneceği yerlerde –örneğin mutfak ya da çöp çukuru– kullanacaktır.

Yapılacak elemenin tipine, eleğin ve elek aralığının büyüklüğüne; ıslak ya da kuru elemeden mi en iyi sonuç alınacağına karar vermek gerekir. Doğal olarak bütün bu etkenler kazı projesinin kaynaklarına, arkeolojik alanın dönemine ve büyüklüğüne, kuru ya da su altında olup olmadığına, ne tür malzemenin korunabilmiş olabileceğine ve bunların çıkarılıp çıkarılamayacağına bağlıdır.

Bir buluntu gün ışığına çıkarılıp konumu kaydedildikten sonra, bir katalog defterine ya da bilgisayara buluntu numarası girilir ve aynı numara saklandığı torbaya da verilir. Kazının günlük ilerleyişi not defterlerine ya da üzerinde özel hazır soruların bulunduğu önceden hazırlanmış kâğıtlara işlenir. Bunlar ileride yapılacak bilgisayar analizi için tek tip veri yaratılmasına katkıda bulunur.

Gelecekteki incelemeler için saklandıkları yerden çıkarılabilen insan yapımı nesnelerin aksine, mimari kalıntılar ve yapıların ya bulundukları yerde (*in situ*) bırakılmaları ya da kazı bir sonraki tabakaya geçtiği sırada kaldırılmaları gerekir. Dolayısıyla bunların sadece kazı defterlerinde tarif edilmemesi, ama ölçekli doğru çizimler ve resimlerle kayıt altına alınması zaruridir. Dikey profiller (kesitler) için de aynı şeyler geçerlidir ve her yatay tabakanın yüksek bir yerden veya bir ipe bağlı balondan tepe fotoğrafı çekilmelidir.

Dijital Çağda Kazı

Yeni dijital teknolojilerin gelişimi son yıllarda arkeolojide, özellikle de kazı ve arkeolojik alan kaydıyla ilgili olarak yeni bir çığır açmıştır. Görüntü temelli üç boyutlu modelleme özel bir öneme sahiptir. Kazı doğası gereği tahripkâr olduğundan, bir arkeolojik alanı hassas şekilde kaydedebilen ve dolayısıyla "koruyabilen" bir yöntem çok değerlidir. Yeni teknoloji arkeoloğun geleneksel iki boyutlu kayıttan (planlar, çizimler, kesitler, profiller fotoğraflar) arkeolojik alanın şimdi ve gelecekte daha iyi anlaşılmasını sağlayacak üç boyutlusuna geçmesini sağlar. Artık zaman alan elle çizim sürecine ihtiyaç kalmamıştır; arkeoloji kağıtsız bir bilim hâline gelmektedir.

Kazıların bilgisayar ürünü üç boyutlu görüntüleri çalışmadan önce yaratılır ve ardından kağıt üzerindeki kayıt işlemi gibi, çalışma ilerledikçe kazının her safhası belgelenir. Günün sonunda, çalışmaya dâhil herkes sanki arkeolojik alanda bizzat bulunuyormuş gibi "sanal kazı"yı ziyaret edebilir. Böylece kanıtları ortaya çıktıkça inceleyebilir ve bunları yorumlamak için uzmanlıklarını birleştirebilirler. Yüksek kaliteli sonuçlar üretmek için pahalı ve özel ekipmanlar isteyen üç boyutlu lazer taramasına karşılık, yeni yöntem basit bir kamera ve bazı yazılımlara ihtiyaç duyar. Diğer bir deyişle ucuzdur ve herkesin erişimine açıktır.

Örneğin eğer arkeologlar bir gömütü kazıyorlarsa, artık iskeleti ve mezarı plan olarak (ustalık ister) çizmelerine gerek yoktur. Bunun yerine sadece, gömüt açıldıkça kazının her safhasında olabildiğince fazla açıdan bir dizi dijital fotoğraf (15-80) çekmeleri yeterlidir. PhotoScan adı verilen bir yazılım fotoğraflardan ve iskeletin sayısallaştırılmış planlarından üç boyutlu konturlar çıkarabilir.

Yöntemin sadece küçük çaplı kazılara ya da münferit kalıntılara uygulanmasında gerek yoktur. Belçika'da, iyileştirilmiş bir sulak arazi üzerindeki 12-13. yüzyıla ait bir Sistersiyan manastırının bulunduğu Boudelo-2 arkeolojik alanı buna bir örnektir. Burada, 2012 yılı kazı sezonu sırasında 60 metrelik bir toprak profili ve kazılmış tüm kerpiç yapılar hem görüntü tabanlı üç boyutlu modelleme hem de geleneksel elle kayıt teknikleriyle, ayrıca eğik fotoğraflamayla kaydedilmiştir. Bundan sonra çalışma kazının eksiksiz bir üç boyutlu kaydını oluşturmaya odaklanmıştır. Normalde kağıt üzerine kaydedilen her şey böylece bir yedekleme sistemine gönderilmiştir.

Bir üç boyutlu model üretmek için birbiriyle örtüşen yüksek kalitede bir fotoğraf serisi ve bilinen x, y, z koordinatlarına sahip en az üç yer kontrol noktasına (GPS ile kaydedilmiş) ihtiyaç vardır. Bu sayede faaliyet alanının kesin metrik bilgileri alınabilir ve ortofotolarla sayısal yüzey modelleri hesaplanabilir. PhotoScan yazılımı kayıttan hemen sonra işlenen üç boyutlu modeller üretir. Ortofotolar ve sayısal yüzey modelleri (tabakalar kaldırıldıkça arkeolojik alandaki yükseklik değişikliklerini çalışmaya yardım eder) arazide kazı planı olarak kullanılır. Otomatik süreç verinin bir gecede işlenmesine olanak sağlar ve böylece düşük çözünürlüklü modeller olarak ertesi gün arazide kullanılmak üzere hazır olurlar. Yüksek çözünürlüklü modellerin üretilmesi daha fazla zaman almaktadır ve sadece arazi sezonu bittikten sonra elde edilebilir.

Elbette etiketler, tanımlar ve yorumlar kazı sürdükçe hâlen gereklidir ve daha öznel bu ögeler kayda hemen eklenemezler; bu nedenle başka bir yerde tutulmalı ve kazı kaydıyla daha sonra birleştirilmelidirler. Dolayısıyla bu türden veriler ilk önce tablet bilgisayarlarda depolanır. Bunlar şimdi arazide kullanılabilecek kadar güçlü ve ucuzdur. Birçok arkeolojik alanda -örneğin birkaç yıl önce Apple iPad'lerin dizüstü bilgisayarların yerini aldığı Pompeii'de- değerlerini kanıtlamışlardır.

Kısacası, yeni teknoloji geleneksel yöntemlerle, ki bunlar sıklıkla hatalara meyillidir, karşılaştırıldığında kayıt kalitesinde ciddi bir artışı desteklemektedir. Üç boyutlu şekil ve dokunun hassas kaydı arkeolojide çok önemlidir. Hassas ölçümler, üç boyutlu şekillendirme ve detaylı doku kazının çok daha nesnel ve güvenilir bir kaydını sunar. Bu, "sanal olarak ziyaret edilebilir": Kazı alanında ve profiller boyunca gezilebilir. Sayısal formatın kullanılması zamandan kazandırmaktadır, çünkü bu sayısal kayıt aletleri bilgiyi kazılan birimin tipi, morfolojisi ve içeriğini doğrudan tabletlere, hatta arkeolojik alandaki akıllı telefonlara yüklerler. Geleneksel kağıt üzerine kayıt ve kazı not defterlerinin yerine geçerek önemli bir eğitimi aracı olabilecek görünüş açısından cazip grafikler üretirler. Buna ilaveten, üç boyutlu kazı verileri daha

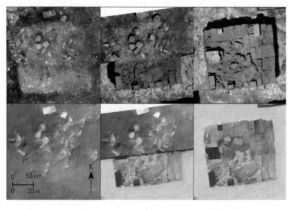

Yükseklik (deniz seviyesinden m)

Yüksek 3,75

Alçak 3,35

0   5 m
0   15 ft

K

3.86 (sağda) Boudelo-2 (Belçika) arkeolojik alanının 60 m uzunluğundaki açması, görüntü temelli üç boyutlu modelleme kullanılarak kaydedilmiştir. Solda arkeolojik kalıntıların çizgilerle belirtildiği tüm açmaya ait ortofotosu görülmektedir. Arkeolojik alanın sadece bu tabakası için üç boyutlu model yaklaşık 300 fotoğraf ve 150 yer kontrol noktasından yaratılmıştır. Her günün verileri gece işlenerek kayıt çıktılarının kontrolünü ve ertesi gün için geleneksel kazı planı yerine en son (düşük çözünürlükte) ortofotoyla sayısal yüzey modellerinin kullanılabilmesini sağlar.

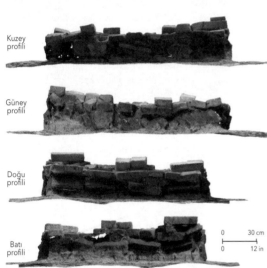

Kuzey profili

Güney profili

Doğu profili

Batı profili

0   30 cm
0   12 in

3.87–89 (yukarıda) Boudelo-2'den tek bir kerpiç yapının kaydı: Kazı süreci bir dizi ortofoto ve bunlara karşılık gelen sayısal yüzey modelleriyle görselleştirilmiştir (üstte). Dikey ortogörüntüler yapıyı dört cephede profilden gösterirler. (altta) Arkeolojik alandan bir kesitin dikey ortogörüntüsü (in situ dikmeyle birlikte) ve bu görüntüden üretilmiş sayısal çizim.

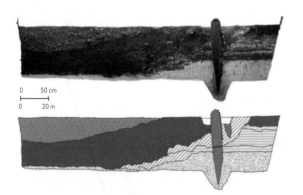

0   50 cm
0   20 in

önce yapılmış jeofizik araştırmalarının sonuçlarıyla karşılaştırılıp birleştirilebilir.

Bilgisayar teknolojisi o kadar hızlı gelişmektedir ki, düşen maliyetler ve bilgisayarların artan gücüyle birlikte yeni yazılımlar şüphesiz gelecek birkaç yıl içinde kazıları birçok yönden düzene koyacak ve ilerletecektir. Ne var ki sayısal veri yakalama tüm koşullarda her derde deva değildir. Bilgisayarlar gözlem ve yorum meselelerine kendi hükümlerini getirerek nesnellikle ilgili kendilerine özgü sorunlar ortaya koyarlar. Arkeologlar sayısal verilerin gerçekte neler söylediğini her zaman titizlikle ele almalıdırlar.

Kazının tam kaydı kazı defterleri, ölçekli çizimler, resimler ve bilgisayar kayıtlarından –kazılmış nesneler, hayvan kemikleri ve bitki kalıntılarına ilaveten– meydana gelir; arkeolojik alanlarla ilgili bütün açıklamalar bunlara dayanır. Kazı sonrası incelemeleri aylar, belki de yıllar alır. Ancak bazı ön incelemeler, özellikle buluntuların tasnifi ve sınıflandırılması, kazı sırasında arazide yapılır.

BİR KENTSEL ARKEOLOJİK ALANIN KAZISI

Kesintisiz iskân görmüş kasaba ve şehirlerdeki arkeolojik alanlar iki özel zorluk sunar: Birincisi, metrelerce derinlikte karmaşık bir arkeolojik çalışmayla sonuçlanacak yüzlerce yıllık inşa ve yeniden inşadan kalma kalıntıların nasıl tanımlanacağı, kaydedileceği ve yorumlanacağıdır. İkincisi ise modern imar faaliyetlerinin yarattığı ekonomik baskıdır. Roma dönemi Londonium'unun üzerinde yükselen modern Londra şehri örneğinde bunlar özellikle ağır sorunlardır. Arkeolojik çalışmalar titizlikle planlanmalı ve maliyetli gecikmelerden kaçınmak için yıkım ve inşaat faaliyetlerine entegre olarak sürdürülmelidir.

Bloomberg Kazısı

Yaklaşık 1,20 hektarlık arkeolojik alan, bugün Walbrook olarak bilinen toprak altında kalmış bir nehrin üzerindedir. 1950'lerde yürütülen sınırlı kazılar burada 3. yüzyıla ait bir Roma tapınağını gün ışığına çıkarmıştı. Global finans bilgi şirketi Bloomberg, Avrupa genel merkezi için burada yeniden imar faaliyetlerine

3.90 *Roma Londra'sı yaklaşık 400 yıl boyunca iskân görmüş ve arkasında derin ve karmaşık arkeolojik tabakalar bırakmıştır. Bunlar modern Londra şehrinin altındadır ve arkeologların karşısına kendine has zorluklar çıkarır.*

başlamak istedi. Londra Arkeoloji Müzesi'nden bir proje yürütücüsü Bloomberg'ün tasarım ekibine dâhil oldu.

Planlama ve Strateji

Londra Arkeoloji Müzesi'nin masa başı ve arkeolojik alandaki çalışmaları, 1950'lerdeki tahribata rağmen yer yer 7 metreye kadar çıkabilen suyla dolu kültür tabakalarının belirli alanlarda korunmuş olabileceğini gösterdi. Kazılması gereken 250 m²'lik bir alan bulunuyordu. İlk zorluk, süreç sırasında önemli arkeolojik tabakaları tahrip etmeden bu derin (12 m) kazı sahasının kenarlarını güvence altına almaktı. Geçici açmalar ve sondaj delikleri açılarak Roma ahşap ve Ortaçağ taş örgüleri gibi sert engellerin

3.91 *Londra Arkeoloji Müzesi'nde 50 kişilik bir arkeolog ekibi Londra Bloomberg arkeolojik alanını altı ay boyunca kazdılar. Bu, Londra'da son yirmi yıl içinde yapılmış en pahalı ve önemli kazıdır.*

3.92 *Arkeolojik alanın bir kısmına ait bu evre planı (sağda) sayısal kayıtlardan üretilmiş Roma taş duvarlarını, kerestileri, zeminleri göstermektedir. Sayılar zemin kotunu metre olarak gösterir.*

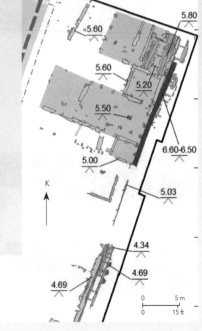

- ■ Taş duvar
- ▨ Yapı keresteleri
- □ Kil duvar
- ■ Mozaik döşemeler

3.93–94 Bu deri gladyatör ayakkabısı ve kehribar gladyatör tılsımı, arkeolojik alanın Roma tabakalarından elde edilmiş 14.000 küçük buluntu arasındadır. Bir kez konservasyona alındıktan sonra, kazı sonrası analiz bu dikkat çekici nesneler hakkında daha fazlasını açığa kavuşturacaktır.

belirlenmesi, kaydedilmesi ve kaldırılması sağlandı. Ardından kazının çevresi boyunca yere 15 metrelik levha kazıkları çakıldı.

Önemli araştırma hedeflerinden bazıları yerel arazi oluşum süreçlerini ve bunların en erken yerleşimin konumuna etkisini; Walbrook'un idaresi ve kullanımını; ayrıca Roma tapınağıyla çağdaş arazinin anlaşılmasını kapsıyordu.

Arazi Teknikleri

Bir Londra Arkeoloji Müzesi proje memuru, arkeolojik alanın belirli yerlerini yöneten kıdemli arkeologların desteğiyle alanın müdürü olarak görev aldı. Jeoarkeologlar gibi uzmanlar gerektiğinde kazıya katıldılar. Bütün ekip ahşap kaydetme ve Roma çanak çömleğini tanımlama gibi özel beceriler için eğitildiler.

Birbiriyle ilişkili ve birbirini kesen yüzlerce kültür tabakası tek kontekstli kayıt sisteminin kullanılmasına ihtiyaç duyar. Bunun sayesinde, her bir arkeolojik "olay" ya da sürece ait kanıta bir "kontekst" numarası verilir, şeffaf bir çizim filmi üzerinde plan konumu belirtilir ve bir kontekst sayfasına kaydedilir. Her buluntu ya da çevresel örnek kontekstine bağlanarak projenin her ögesini arkeolojik alandaki menşeiyle ilişkilendirir. Böylece kazıdan sonra arkeolojik bir rekonstrüksiyon yapılabilir. Harris matrisinin (kontekstlerin stratigrafik ilişkilerini temsil eden diyagram) kullanılması elzemdir.

Arkeolojik alanda elle yapılan detaylı kayıt hâlen bu stratigrafinin karmaşıklığını yakalayabilecek en etkili yoldur. Ardından her bir plan sayısal hâle getirilir ve kontekst detaylarıyla birleştirilir. Buluntular ve çevreye dair bilgiler Londra Arkeoloji Müzesi Oracle veritabanında saklanmaktadır.

Kazı Sonrası Analiz ve Sivil Katılımı

Kazı muazzam bir arkeolojik buluntu grubunu gün ışığına çıkardı: 3 ton Roma çanak çömleği, yaklaşık 400 ahşap yazı tableti ve Roma Britanya'sından en iyi kumaş örnekleri.

Proje müdürü ve kıdemli arkeologlar kazı sonrası analizi yürüterek arkeolojik alan arşivini karşılaştırmakta ve buluntularla çevresel verilerin değerlendirilmesini sağlamak için bütün alanı kapsayan bir Harris matrisleri üretmektedirler. Stratigrafi ekibi uzmanlarla birlikte çalışarak analizin büyük kısmıyla çalışmaya devam etmektedir.

Bu analiz safhası 2017'de stratigrafik silsile (Roma Dönemi'ne odaklı), buluntular ve yazı tabletleri olmak üzere üç monografiye öncülük edecektir.

Proje aynı zamanda bir sivil katılım stratejisi benimseyerek kazının profesyonel video kaydını tutan, personelle söyleşiler yapan Walbrook Discovery Programı adında bir Internet günlüğü oluşturmuştur. Günlükte ayrıca, 1954'te burada çalışmış (ve daha sonra Virginia'daki Colonial Williamsburg'ü kazmış) arkeolog Ivor Noël Hume ile mülakatları da içeren bir sözlü tarih projesi mevcuttur ve 1950'lerdeki tapınak kazılarını izlemiş ziyaretçilerin anıları da toplanmaktadır.

Sophie Jackson

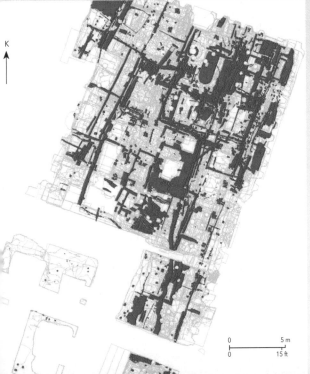

K

3.95 CBS buluntuların, arkeolojik kalıntıların ve çevresel malzemenin dağılımına dair çok yönlü analiz sağlaması için sorgulanabilir. Buradaki görüntüde tüm Roma keresteleri belirtilmiştir. Bunlar alanda arkeolojik olarak incelenmiş ve veriler ilgili kontekst bilgisi ve dendrokronolojik tarihlerle birlikte CBS'ye kaydedilmiştir.

0   5 m
0   15 ft

İşleme ve Sınıflandırma

Kazının kendisi gibi, kazılmış malzemenin arazideki laboratuvarlarda işleme tâbi tutulması da dikkatli bir planlama ve organizasyon gerektirir. Örneğin hiçbir arkeolog rutubetli bir arkeolojik alan kazısına, su almış ahşap konservasyonunda uzman heyet üyeleri ve böyle malzemelerle ilgilenilebilecek tesisler olmaksızın asla tek başına girişmemelidir. Okuyucu, arkeologların karşılaştığı konservasyon sorunları ele alan birçok el kitabına yönlendirilecektir. Elbette sadece insan yapımı nesneler değil, "doğal malzemeler" de (organik ve çevresel kalıntılar) ele geçmektedir ve bunların tarihleme (4. Bölüm) ya da analiz (6 ve 7. bölümler) için nasıl seçileceğini göreceğiz.

Bununla beraber, burada arazi laboratuvarlarının yöntemlerine dair iki noktaya kısaca değinmeliyiz. Bunlardan ilki buluntuların temizlenmesi, diğeri sınıflandırılmasıyla ilgilidir. Her iki durumda da yeni kazılmış malzemenin hangi sorulara yanıt verebileceğini arkeoloğun önceden değerlendirmesi gerektiğini vurgulamak isteriz. Sözgelimi, insan yapımı nesnelerin titiz temizliği dünyadaki her kazının geleneksel bir parçasıdır. Ancak Ayrım II'de tartıştığımız yeni bilimsel tekniklerin çoğu, bir uzman incelemeden önce malzemenin temizlenmesinin gerekli *olmadığını* göstermektedir. Mesela yemek artıkları sıklıkla çömleklerin dibinde kalır ve taş aletlerde kan izlerine rastlamak mümkündür (7. Bölüm). Kanıtlar yok olmadan önce bu tip korunma ihtimalleri değerlendirilmelidir.

Yine de, eğer tasnif edilecek ve sınıflandırılacaksa, çoğu buluntu sonuçta bir dereceye kadar temizlenmelidir. Başlangıç aşamasında taş aletler, çanak çömlek ve metal nesneler gibi kaba bir ayrım yapılır. Ardından bu kategoriler alt gruplara ayrılır ya da sınıflandırılır ve böylece sonradan çalışılabilecek kullanışlı gruplar yaratılabilir. Sınıflandırma yaygın olarak üç özelliğe ya da **niteliğe** göre yapılır:

1 yüzey nitelikleri (bezeme ve renk dâhil)
2 şekilsel nitelikleri (boyutlar ve şeklin kendisi)
3 teknolojik nitelikleri (esasen hammadde)

Benzer nitelikleri taşıdığı düşünülen nesneler bir arada nesne tiplerine ayrılır. Bu tiplerin oluşturulmasına karşılık gelen **tipoloji** terimi buradan çıkmıştır.

Tipoloji 1950'lere kadar arkeolojik düşünceye hâkim olmuştur ve hâlen önemli bir rol oynamaktadır. Bunun sebebi gayet basittir: İnsan yapımı nesneler arkeolojik bulguların büyük bir kısmını meydana getirir ve tipoloji arkeologların bu kanıt yığınına bir düzen vermesine yardımcı olur. Birinci Bölüm'de gördüğümüz gibi, daha başlarda C.J. Thomsen nesnelerin taş, tunç ve demir şeklinde bir sıra ya da Üç Çağ Sistemi içinde düzenle-

nebileceğini göstermişti. Bu keşif, tipolojinin hâlen bir tarihleme yöntemi olarak kullanılmasının –zamanın akışını hesaplamanın (4. Bölüm)– altında yatan sebeptir. Tipolojiye ayrıca belirli bir zaman aralığındaki mimari kalıntıların tanımlanmasında başvurulur. Belirli bir zaman diliminde ve yerde bulunan bir grup nesneye (ve yapılara) **buluntu topluluğu** adı verilir ve bunların oluşturduğu gruplar **arkeolojik kültürleri** tanımlamak için kullanılır. Bu tanımlar köklüdür ve ilk kez 1929'da Gordon Childe tarafından şu ifadeyle sistematik olarak tarif edilmiştir: "Belirli tipte buluntuları –kaplar, aletler, süslemeler, gömüt gelenekleri ve ev biçimleri– sürekli bir arada buluruz. Birbiriyle ilişkili böyle unsurların bütününü 'kültürel grup' ya da sadece 'kültür' olarak adlandıracağız. Bu tip bir bütünü, günümüzde 'halk' diye isimlendireceğimiz bir topluluğun maddi ifadesi olarak kabul edeceğiz." Ayrım II'de göreceğimiz gibi sorun, bu terminolojiyi beşeri kavramlara çevirmeye ve bir arkeolojik kültürü geçmişteki gerçek bir grup halkla ilişkilendirmeye çalıştığımızda çıkmaktadır.

Bu durum bizi sınıflandırmanın amacı konusuna geri döndürmektedir. Tipler, buluntu toplulukları ve kültürler düzensiz kanıtları bir düzene sokmak için tasarlanmış suni kurgulardır. Önceki nesilden araştırmacıların düştüğü tuzak, bu kurguları kanıtları sınıflandırmanın sadece bir yolu olarak görmek yerine, onların kendi düşünme tarzlarını belirlemelerine izin vermeleriydi. Şimdi ise, sormak istediğimiz farklı sorular için farklı sınıflandırmaların gerektiğini daha açık şekilde anlıyoruz. Çanak çömlek teknolojisiyle ilgilenen bir araştırmacı hammadde türleri ve üretim yöntemleri üzerine bir sınıflandırmaya başvururken çeşitli depolama, pişirme vb. kaplarını çalışan bir başkası ise bu kapları form ve boyut açısından sınıflandırabilir. Yeni sınıflandırmalar yapma ve bunlardan daha iyi yararlanabilme becerimiz, arkeologlara binlerce nesneye ait çeşitli özellikler arasındaki ilişkileri karşılaştırma fırsatı veren bilgisayarlar sayesinde ölçülemeyecek derecede artmıştır.

Laboratuvar ya da depodaki kazı sonrası çalışma temizlik, etiketleme ve sınıflandırmayla bitmez. Buluntulara gereken ihtimamın gösterilmesi de çok önemlidir ve nesnelerle malzemelerin konservasyonu sadece uzun vadeli depolama değil, aynı zamanda genel olarak koleksiyonların idaresinde de büyük bir rol oynamaktadır. Malzeme korunmalı, gelecekteki çalışmalar, yeniden yapılacak yorumlar ve bazı durumlarda kalıcı ya da geçici sergiler için erişilebilir olmalıdır.

Özetle yüzey araştırması, kazı ve kazı sonrası çalışmalara harcanan bütün çabalar, sonuçlar öncelikle geçici raporlar ve akabinde geniş çaplı monografi şeklinde yayımlanmadıkça büyük ölçüde boşa gidecektir (15. Bölüm).

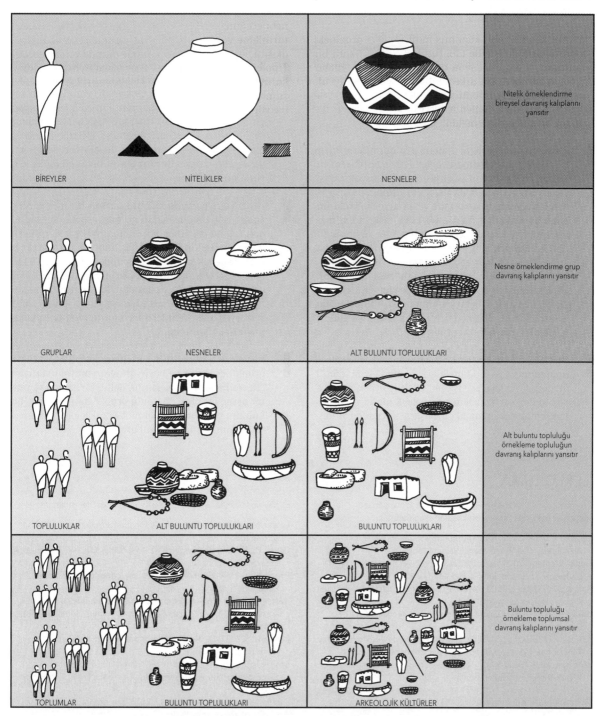

3.96 Bir çömleğin niteliklerinden (biçim, süsleme) bütün bir arkeolojik kültüre kadar arkeolojik sınıflandırmada kullanılan terimler: Amerikalı arkeolog James Deetz'in geliştirdiği bir diyagram. Soldaki ve sağdaki sütunlar terimlerden insanların çıkardığı anlamı gösterir. Böyle bir sınıflandırmadan ne ölçüde davranışsal çıkarımlar yapılabileceği 12. Bölüm'de tartışılmıştır.

ÖZET

Herhangi bir arkeolojik kazının ilk basamağı, bir araştırma planının geliştirilmesidir. Bu, cevabı aranacak açık bir soru, kanıtların toplanması ve kaydedilmesi, bu kanıtların işlenmesi ve incelenmesi, son olarak da sonuçların yayımlanmasını içerir.

Arkeologlar arkeolojik alanların konumunu yerden keşif ve hava araştırması yöntemleriyle tespit ederler. Yerden keşif yüzey araştırmasını da kapsayan çeşitli yöntemleri barındırabilir. Yüzey araştırması, potansiyel arkeolojik alanları dolaşmak ve bir arkeolojik alanın planı hakkında bir fikir sahibi olabilmek için mimari kalıntı ya da nesnelerin yoğunluğunu kayıt altına almayı içermektedir. Havadan keşif genellikle hava fotoğrafları yoluyla yapılmaktadır. Bunlar kütüphaneler, koleksiyonlar ve Internet'te hâlihazırda mevcuttur. Uçurtma, balon ya da uçaktan çekilen fotoğraflar çoğu kez yerden fark edilemeyen mimari kalıntıları açığa çıkarmaktadır. Bu fotoğraflardan hazırlık haritaları ve planları meydana getirilmektedir.

Haritalandırma araştırma verilerini doğru kaydetmenin anahtarıdır. CBS (Coğrafi Bilgi Sistemleri), yani coğrafi verileri düzenleyen ve işleyen bilgisayar donanım ve yazılımları, arkeologların arkeolojik alanları haritalandırmak için kullandıkları başlıca araçlardan biridir.

Arkeologlar kazı öncesi toprak altından veri elde edebilmek için çeşitli yöntemler kullanırlar. Bu yöntemlerden bazıları zarar vermeyen cinstendir; yani veri toplanması sırasında toprağı bozmaz. Örneğin jeoradar yer altına nüfuz edebilmek için radyo dalgalarını kullanır ve duvar gibi kalıntıları tespit eder. Elektrik direnci ve manyetik ölçümler, hatta metal dedektörleriyle jeokimyasal tekniklerden de kazı öncesi bilgi sağlamak için yararlanılmaktadır.

Arazi çalışmasında kazının önemli bir rolü vardır, çünkü belli bir dönemdeki geçmiş insan faaliyetlerini gün ışığına çıkardığı gibi, bu faaliyetlerde dönemden döneme meydana gelen değişimleri de gösterir. Kazı üst üste gelme kuralını göz önünde bulundurur. Buna göre, eğer bir stratigrafik tabaka bir başkasının üzerine gelmişse, alttaki önce oluşandır. Kazı masraflı ve tahrip edicidir; sadece araştırmada sorulan sorular zarar vermeyen araştırma teknikleri tarafından cevaplanamıyorsa kullanılmalıdır.

Benzer özelliklere sahip nesneler genellikle birlikte gruplandırılırlar ve böyle gruplar yaratma faaliyeti "tipoloji" olarak adlandırılır. Belirli bir zaman ve yere ait nesne grupları "buluntu grubu" adıyla anılır. Bu buluntu grupları da çoğunlukla arkeolojik kültürleri tanımlamak amacıyla kullanılır.

İLERİ OKUMA

Arkeolojik alanları tespit etmek ve araştırmak için kullanılan yöntemler hakkında yararlı giriş kitapları aşağıdadır:

Conyers, L.B. 2012. *Interpreting Ground-Penetrating Radar for Archaeology*. Left Coast Press: Walnut Creek, CA.
English Heritage. 2008. *Geophysical Survey in Archaeological Field Evaluation*. (2. basım) English Heritage: Londra.
Gaffney, V. & Gater, J. 2003. *Revealing the Buried Past. Geophysics for Archaeologists*. Tempus: Stroud.
Oswin, J., 2009. *A Field Guide to Geophysics in Archaeology*. Springer: Berlin.
Wheatley, D. & Gillings, M. 2002. *Spatial Technology and Archaeology. The Archaeological Applications of GIS*. Routledge: Londra.
Wiseman, J.R. & El-Baz F. (ed.). 2007. *Remote Sensing in Archaeology* (CD ile birlikte). Springer: Berlin.

Yeni başlayanlar için zengin görsellerle:

Catling, C. 2009. *Practical Archaeology: A Step-by-Step Guide to Uncovering the Past*. Lorenz Books: Leicester.

En yaygın kullanılan el kitapları arasında aşağıdakiler bulunur:

Carver, M. 2009. *Archeological Investigation*. Routledge: Agbingdon & New York.
Collis, J. 2001. *Digging up the Past: An Introduction to Archaeological Excavation*. Sutton: Stroud.
Drewett, P.L. 1999. *Field Archaeology: An Introduction*. (2. basım) Routledge: Londra.
Hester, T.N., Shafer H.J. & Feder, K.L. 1997. *Field Methods in Archaeology* (7. basım). Left Coast Press: Walnut Creek (Amerikan yöntemleri).
Roskams, S. 2001. *Excavation*. Cambridge University Press: Cambridge & New York.
Scollar, I., Tabbagh, A., Hesse, A. & Herzog I., (ed.). 1990. *Remote Sensing in Archaeology*. Cambridge University Press: Cambridge & New York.
Zimmerman, L.J. & Green W. (ed.). 2003. *The Archaeologist's Toolkit* (7 cilt). AltaMira Press: Walnut Creek.
Archaeological Prospection (1994'ten beri).

NE ZAMAN? 4
Tarihleme Yöntemleri ve Kronoloji

Her insan zamanı bizzat yaşar. Bir birey belki 70 yıl kadar bir hayat süresini tecrübe eder. Aynı birey ailesinin ve büyük ebeveynlerinin anıları sayesinde bir ya da iki nesil öncesi gibi daha eski dönemleri dolaylı olarak belki 100 yıldan öncesine değin yaşayabilir. Tarihin çalışılması ise –daha az dolaylı olmasına rağmen hiç de renksiz denmeyecek– kaydedilmiş zamanın yüzlerce yılına erişim imkânı tanır. Fakat sadece arkeoloji, özellikle de tarihöncesi arkeoloji, insan mevcudiyetinin binlerce hatta milyonlarca yıl öncesine dair hayal edilemeyecek manzaraları gözler önüne serer. Bu bölüm bizlerin arkeologlar olarak bu geniş zaman dilimi içerisinde geçmiş olayları hangi yollarla tarihlendirdiğimizi inceleyecektir.

Şaşırtıcı olabilir, ama belirli bir dönemin ya da olayın kaç yıl önce vuku bulduğunu kesin şekilde bilmek her zaman gerekli değildir. Bir olayın bir diğerinden önce mi yoksa sonra mı gerçekleştiğini bilmek çoğu kez faydalıdır. Buluntuları, dolguları, toplumları ve olayları silsileler içinde, erkeni geçin önüne koyup düzenleyerek geçmişteki gelişmeleri her bir evrenin ne kadar uzun sürdüğünü ya da bu değişimlerin ne kadar yıl önce meydana geldiğini bilmeksizin çalışabiliriz. Bir şeyin diğerine göre daha eski (ya da yeni) olduğu fikri *göreli tarihlemenin* temelini meydana getirir.

Bununla birlikte, sonuçta bu kronolojik silsiledeki farklı olayların veya bölümlerin günümüzden tam olarak kaç yıl önce meydana geldiğini öğrenmek isteriz. Bunun için de *kesin (mutlak) tarihlemeye* ihtiyacımız vardır. Kesin tarihler tarımın ortaya çıkışı gibi olayların hangi hızla gerçekleştiğini ve bunların dünyanın farklı bölgelerinde aynı zamanlarda mı yoksa farklı dönemlerde mi meydana geldiğini öğrenmemize yardımcı olur. Sadece son 60 yılda bağımsız tarihleme yöntemleri kullanılabilir hâle gelmiş ve süreç içinde arkeolojiyi değişime uğratmıştır. Bundan önce güvenilir kesin tarihler, sadece eski Mısır firavunu Tutankhamon'un saltanat yılı gibi tarihi olanlardı.

Zamanı Ölçmek

Zamanın geçtiğini nasıl belirleriz? Kendi hayatlarımızda gece ve gündüz fark edilen karanlık ve aydınlıktan, akabinde mevsimlerin yıllık döngüsünden anlarız. Aslında modern astronomi ve nükleer fiziğin gelişme göstermesinden önce,

insanlık tarihi boyunca zamanı ölçmenin tek yolu bunlardı. İleride göreceğimiz üzere, bazı tarihleme yöntemleri hâlen mevsimlerin yıllık sırasına göre yapılmaktadır. Ancak arkeolojinin tarihleme yöntemleri çoğu insan gözüyle fark edilmeyecek fiziksel süreçlerden giderek artan ölçüde yararlanmaktadır. Bunlar arasında en önemli olanı radyoaktif saatin kullanımıdır.

Genellikle parantez içinde belirtilen ve birkaç yüzyıl hatta binyıla kadar uzanabilen bir miktar yanılma payı, herhangi bir tarihleme yöntemini kullanırken kaçınılmazdır. Fakat tarihleme yöntemlerinin arkasındaki bilim her zamankinden daha gelişmiş olmasına karşın hataların asıl kaynağı, tarihleme için kötü örnekleri seçmesi ya da sonuçları yanlış yorumlaması yüzünden arkeologdur.

Anlamlı olması için yıl bazındaki zaman çizelgemiz zamanda sabit bir noktayla bağlantı kurmalıdır. Hıristiyan dünyasında bu, geleneksel olarak varsayıldığı üzere İsa'nın doğduğu kabul edilen MS 1 yılıdır (0 yılı diye bir şey yoktur). Buna göre yıllar İsa'dan önce (İÖ) ya da İsa'dan sonra (İS) şeklinde sayılır. Ancak tek sistem bu değildir. İslam dünyasında temel sabit nokta Muhammed'in Mekke'den ayrılışı, yani Hicret'tir (Hıristiyan takvimine göre MS 622). Farklılıklardan dolayı bazı bilim insanları "Milattan Önce" (MÖ) ve "Milattan Sonra" (MS) terimlerini tercih eder.

Radyoaktif yöntemlerin sunduğu tarihleri kullanan ve yukarıdaki takvimlerden hiçbirine bağlı kalmak istemeyen arkeologlar, yılları günümüzden geriye doğru saymayı (BP=*Before Present*, yani "Günümüzden Önce=GÖ") seçmektedirler. Ancak bilim insanları da sabit bir nokta istediklerinden, GÖ'yü "1950'den önce" (Libby'nin ilk radyoaktif yöntem olan radyokarbonu geliştirdiği yaklaşık tarih) olarak alır. Bu bilim insanları için uygun olabilir, ama diğer herkes için kafa karıştırıcıdır (GÖ 400 400 yıl değil, MS 1550'ye, yani günümüzden sayarsak yaklaşık 460 yıl öncesine denk gelir). Dolayısıyla son birkaç binyıl için herhangi bir GÖ tarihini MÖ/MS sistemine çevirmek daha açıklayıcıdır.

Ne var ki Paleolitik Çağ (MÖ 10.000'den iki ya da üç milyon öncesine kadar uzanır) için arkeologlar "GÖ" ve "...yıl önce" terimlerini birbirinin yerine kullanmaktadır, çünkü aralarındaki 50 yıl ya da daha fazla bir farkın bir önemi yoktur; bu çok uzak geçmişe ait çağ için arkeolojik alanları veya olayları "gerçek" tarihlerinin en iyi ihtimalle birkaç bin yıl civarına tarihliyoruz. Paleolitik için en kesin tarihler bize döneme sadece birkaç bin yıllık aralarla bakmamızı sağlasa da, arkeologlar hiçbir zaman Paleolitik'teki olayları geleneksel bir tarih gibi yeniden kurgulayamayacaklardır. Öte yandan, Paleolitik arkeologları modern insan evriminin gidişatını şekillendiren bazı uzun vadeli temel değişimleri kavrayabilirler ki bunlar, daha büyük ölçekli gelişmelerin çok fazla "detay" yüzünden anlaşılamadığı kısa dönemleri çalışan arkeologların gözünden kaçmaktadır.

Bu yüzden, arkeologların araştırmalarını yürütme biçimi büyük ölçüde söz konusu dönemden elde edebilen tarihlemenin kesinliğine bağlıdır.

GÖRELİ TARİHLEME

Arkeolojik araştırmaların büyük kısmında ilk ve bazı açılardan en önemli basamak, her şeyin belli bir sıraya koyulmasıdır. Sıraya koyulacak şeyler bir stratigrafik kazıdaki arkeolojik tabakalar ya da tipolojik bir düzenlemedeki nesneler olabilir.

Dünya iklimindeki değişimler de yerel, bölgesel ve küresel çevre dizgelerine yol açabilir. Buzul Çağı'ndaki küresel su seviyesi değişimleri buna örnektir. Bütün bu dizgeler göreli kronoloji için kullanılabilir.

STRATİGRAFİ

Stratigrafi 3. Bölüm'de gördüğümüz gibi tabakalanmanın, yani birbiri üzerine gelen yatay tabakaların (dolguların) incelenmesidir. Göreli tarihleme açısından önemli ilke, alttaki tabakanın meydana gelmiş ilk tabaka olduğu, dolayısıyla üzerindeki tabakadan daha erkene tarihleneceğidir. Ardı ardına gelen tabakalar erkenden (en alttan) geçe (en üste) doğru ilerleyen bir görece kronolojik sıra verecektir.

Bir arkeolojik alandaki iyi bir stratigrafik kazı, böyle bir kesiti elde etmek için planlanmıştır. Bu çalışmanın bir kısmı, tabakaların orijinal oluşumlarından sonra herhangi bir doğal ya da insan kaynaklı bozulmaya maruz kalıp kalmadıklarının tespitidir (bir yerleşmenin yeni sakinleri tarafından daha erken tabakalara inen çöp çukurlarının açılması, çukur kazan hayvanlar ve tabakaları süpürerek başka bir yerde, ikincil kontekst içine yerleştiren su baskınları gibi). Dikkatlice gözlemlenmiş stratigrafik veriyle donanmış bir arkeolog, farklı tabakaların dizilişi için güvenilir bir göreli kronoloji oluşturmayı umabilir.

Fakat elbette çoğunlukla tarihlemek istediğimiz şey, tabaka ya da katmanlardan ziyade bunların içindeki insan elinden çıkma malzemelerdir (nesneler, yapılar, organik kalıntılar). Sonuçta arkeolojik alandaki geçmiş insan faaliyetlerini –eğer sistematik şekilde çalışılırlarsa– bunlar açığa çıkarır. Burada *ilişkilendirme* düşüncesi önemlidir. İki nesnenin aynı arkeolojik tabaka içinde ilişkili olduklarını söylediğimizde, genellikle bunların aynı zamanda toprağa gömüldüğünü kastederiz. Söz konusu tabakanın kilitlenmiş olduğu, başka tabakalardan stratigrafik ihlallere uğramadığı bilindiğinde, ilişkilendirilen nesnelerin tabakanın kendisinden daha sonra oluşmadığı söylenebilir. Böylece art arta gelen bozulmamış tabakalar, bunların içinde birbiriyle ilişkili nesnelerin gömülme zamanı için bir silsile –ve göreli kronoloji– vermektedir.

Bu anlaşılması gereken önemli bir kavramdır, çünkü eğer bu nesnelerden biri için ileride kesin bir tarih verilecekse –mesela bir odun kömürü parçası laboratuvarda radyokarbon yöntemiyle tarihlenebilir– bu tarih sadece odun kömürü parçasına değil, aynı zamanda bozulmamış tabaka ve onunla ilişkilendirilen diğer nesneler için de kullanılabilir. Bu şekilde elde edilmiş farklı tabakalardan bir dizi tarih bütün bir zaman kesitine kesin kronoloji sağlayabilir. İşte, arkeolojik alanlarla bunların muhteviyatlarını tarihlemedeki en güvenilir temeli oluşturan şey, kesin kronoloji yöntemleriyle tarihlenmiş stratigrafik silsilelerin birbirleriyle bağlantılarıdır. Karşı sayfadaki örnekte Sir Mortimer Wheeler'ın İndus Vadisi'nden (modern Pakistan) bir höyük kesitine ait çizimi görülmektedir. Arkeolojik alan daha yakın tarihli çukurlar tarafından bozulmuştur, fakat tabakaların sırası hâlen seçilebilmektedir ve tarihi bilinen Harappa mührü 8. tabakadaki bozulmamış bir kontekstte ele geçmiştir. Bunlar söz konusu tabakayı ve ona bitişik duvarı tarihlemeye yardım eder.

Bununla birlikte dikkate alınması gereken başka bir nokta daha vardır. Şimdiye kadar göreli ve şans eseri kesin olarak tabakaların oluşma zamanını ve bunlarla ilgili malzemenin tarihlerini saptadık. Ne var ki, gördüğümüz gibi, asıl istediğimiz bu tabakaların ve onlara ait malzemenin yansıttığı geçmiş insan faaliyetleri ve davranışlarını yeniden kurgulamak ve tarihlemektir. Eğer bir dolgu içinde çanak çömlek barındıran bir çöp çukuruysa, bu dolgunun kendisi insan faaliyetinin bir örneği olarak ilgiyi hak eder ve onun tarihi aynı zamanda insanların çukuru ne zaman kullandığını da gösterir. Bu tarih bir yandan da çukur içindeki çanak

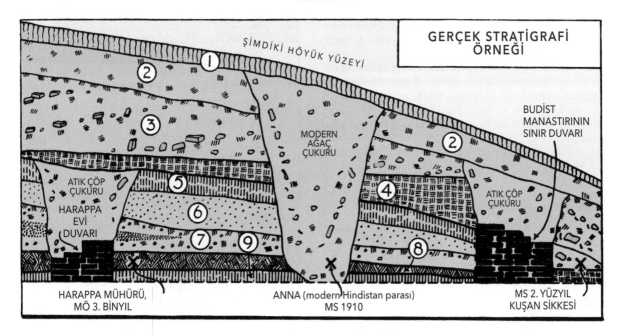

4.1 *Mortimer Wheeler'ın İndus Vadisi'ndeki (bugünkü Pakistan) bir höyük boyunca açılmış kesite ait çizimi. Çukurların tahribatı tarihlemeyi güçleştirmektedir, ama Tabaka 8'deki bozulmamış bir kontekstte bulunan Harappa mührü (başka yerlerde bulunmuş mühürlerden tarihi bilinmektedir) söz konusu tabakanın ve dayandığı duvarın tarihlenmesine yardım eder.*

çömleğin en son ne zaman gömülmüş olduğuna işaret eder, ancak insanların o çanak çömlekleri kullandıkları dönemi *belirtmeyecektir*. Çanak çömlekler bir kenara atılmadan önce onlarca, hatta yüzlerce yıl dolaşımda kalmış olabilirler; belki de başka atıklarla birlikte toplanarak söz konusu çukura bırakılmışlardır. Dolayısıyla, hangi faaliyetin tarihlenmeye çalışıldığı ya da o anki şartlar altında güvenli şekilde tarihlenebilme konusunda açık olunmalıdır.

TİPOLOJİK SIRALAMA

İnsan yapımı nesnelere, yapılara ya da etrafımızdaki herhangi bir insan yaratısına baktığımızda, çoğumuz bunları zihnen kabaca bir kronolojik sıralamaya koyarız: Bir uçak modeli diğerinden daha eski görünür; bir kıyafet bir başkasından daha "demodedir." Arkeologlar bu göreli tarihleme becerisinden nasıl yararlanırlar?

Arkeologlar çömlek gibi bir nesnenin formunu malzeme ve bezeme gibi özgün nitelikleriyle tanımlar. Aynı niteliklere sahip çömlekler bir çömlek tipi meydana getirir ve **tipoloji** nesneleri bu türden tipler dâhilinde gruplar. Tipoloji yoluyla göreli tarihleme kavramının altında iki ayrı fikir yatmaktadır.

Bunlardan birincisi, belirli bir döneme ve yere ait malların tanınabilen bir **üslup** barındırmalarıdır: Ayırıcı şekil ve bezemeleri sayesinde, bunlar bir anlamda kendilerini üreten toplumun belirleyici özelliğidir. Arkeolog ya da antropolog çoğu kez tek nesneleri biçimlerine göre tanıyabilir

ve sınıflandırabilir; böylece tipolojik sıralamada belirli bir yere yerleştirilebilir.

İkinci fikir, nesnelerin üsluplarındaki (form ve bezeme) değişimin genellikle tedrici ya da evrimsel olduğudur. Aslında bu fikir Darwin'in türlerin evrimiyle ilgili teorisinden gelmektedir ve "benzer benzeriyle birliktedir" gibi çok pratik bir kuralın varlığından haberdar olan 19. yüzyıl arkeologları tarafından benimsenmiştir. Başka bir deyişle, aynı dönemde üretilmiş belirli nesneler (örneğin tunç hançerler) genellikle birbirine benzerken, birkaç yüzyıl arayla üretilenler yüzyılların getirdiği değişimle farklılaşır. O hâlde, bilinmeyen bir tarihe ait bir dizi hançerle karşılaştığımızda, önce bunlardan birbirine en çok benzeyenleri yan yana gelecek şekilde sıralamak mantıklıdır. Böylece gerçek kronolojik sıralama oluşacaktır, çünkü bu "benzer benzeriyle birliktedir" ilkesinin en iyi yansımasıdır. Arka sayfadaki diyagram otomobil ve tarihöncesi Avrupa baltaları göreli kronolojik sıralaması dâhilinde bir düzene sokulmuştur, ancak değişim oranı (otomobil için bir yüzyıl, balta için bin yıl) yine de kesin tarihleme yöntemlerinden çıkarılmalıdır.

Birçok amaç için bir nesneye göreli tarih vermenin en iyi yolu, sağlam bir tipolojik sistemde doğru tanımlanmış diğer bir nesneyle karşılaştırmaktır. Kronolojik sistemin belkemiğini genellikle çanak çömlek tipolojileri meydana getirir ve neredeyse her bölge kendisine ait iyi oturmuş bir çanak çömlek silsilesine sahiptir. Örneklerden biri Güneybatı Amerika'nın eski toplumları için oluşturulan ve sağda görülen oldukça ayrıntılı çanak çömlek silsilesidir. Eğer bu silsile

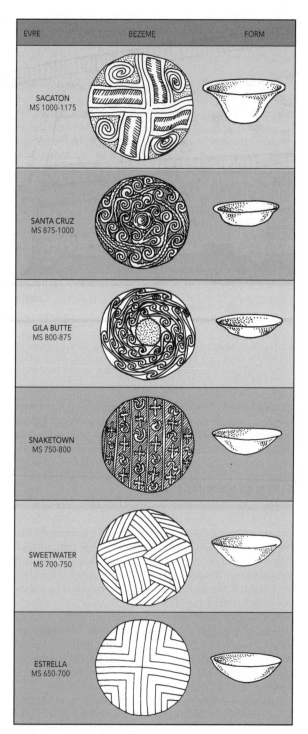

4.2 Buluntu tiplerinin bir sıraya göre düzenlenmesi iki basit fikre dayanır: İlki, belirli bir dönem ve yere ait ürünlerin özgün bir üslubu ya da tasarımı vardır. İkincisi, üsluptaki değişimler tedrici ya da evrimseldir. Tasarımdaki tedrici değişimler tarihöncesi Avrupa baltasında (1: taş; 2-5: tunç) ve otomobillerde açıktır. Bununla birlikte değişim hızı (otomobil biçin bir yüzyıl, balta için bin yıl) kesin tarihleme yöntemleriyle belirlenmelidir.

4.3 Güneybatı Amerikan Hohokam kâse üsluplarının 500 yıllık silsilesiyle temsil edilen çanak çömlek tipolojisi.

radyokarbon ya da diğer mutlak sonuç veren yollarla tarihlenebilen stratigrafik bir tabaka silsilesine bağlanabilirse, o zaman tipolojik dizideki nesneler yıl olarak kesin tarihlere kavuşabilir.

Farklı tiplerdeki nesnelerin biçimlerinde görülen değişimler farklı hızlarda gerçekleşebilir ve dolayısıyla işaret ettikleri kronolojik ayrımlar da çeşitlenmektedir. Çanak çömlek söz konusu olduğunda, genellikle yüzey bezemeleri formlardan çok daha hızlı değişir (sıklıkla birkaç onyıl içinde) ve bu yüzden, kronolojik olarak tipolojik dizi için kullanılabilecek en iyi özelliktir. Öte yandan bir kabın formu pratik ihtiyaçlardan fazlasıyla etkilenebilir. Örneğin, su depolama kaplarının yüzyıllaca değişime ihtiyacı olmamıştır.

Metal silahlar veya aletler gibi diğer nesneler oldukça hızlı şekilde üslup değiştirebilirler ve bu yüzden kullanışlı kronolojik göstergelerdir. Buna karşı el baltaları gibi taş aletlerin değişimleri genellikle çok yavaş olduğundan, zamanın geçişi için nadiren hassas gösterge sayılırlar (ve çok uzun dönemler arasında ayrım yapmak için daha yararlıdırlar).

Kronolojik Sıralama

"Benzer benzeriyle birliktedir" ilkesinin sunduğu açılımlar, izole şekilde ele alınan münferit nesnelerin biçimlerinden ziyade buluntuların (mal/buluntu toplulukların) ilişkilendirilmesini hesaba katacak şekilde daha da geliştirilmişlerdir. Bu *kronolojik sıralama* tekniği buluntu toplulukları art arda ya da sıralı olarak düzenlenmesine izin verir ve bu da zaman içindeki sıralamalarını ya da göreli kronolojilerini göstermek için kullanılır.

Mısır arkeolojisinin büyük öncüsü Sir William Flinders Petrie, bir mezarlıktaki mezarları, içlerinde bulunmuş çeşitli çanak çömlek formları arasındaki ilişkileri dikkatli ve sistematik olarak dikkate alarak göreli sıralamaya koyan ilk kişilerden biridir. Petrie'nin 19. yüzyılın sonundaki öncülüğünü elli yıl sonra alan Amerikalı bilim insanları şunun farkına vardılar: Bir yerleşimin birbirini izleyen tabakalarında belgelendiği şekliyle belirli bir çanak çömlek üslubunun sıklığı başlangıçta küçüktü; popülerlik kazandıkça zirve yapıyor ve ardından inişe geçiyordu.

Sağdaki diyagram, bu tekniğin 1700-1860 arasına tarihlenen Connecticut merkezindeki mezarlıklarda üç mezar taşı motifinin popülerlik oranına nasıl uyarlandığını göstermektedir. Her bir motifin inişli çıkışlı ömrü, birbirini takip eden karakteristik "gemi eğrileri" [bir grafikte, bir olgunun zaman içinde ortaya çıkışı ve kayboluşunu gösteren iki ucu sivri biten karşılıklı simetrik dışbükey kenarlara sahip iki boyutlu alan –ç.n.] meydana getirir. New England'ın diğer kesimlerinde olduğu gibi Ölüm'ün başını gösteren motif (zirvede olduğu zaman 1710-1739) kademeli olarak Keruv [Tanrı'nın yüceliğiyle birlikte görülen göksel varlıklar –ç.n.] (zirvesi 1760-1789) ve o da sırasıyla kül vazosu ve söğüt ağacıyla (zirvesi 1840-1859) yer değiştirmiştir.

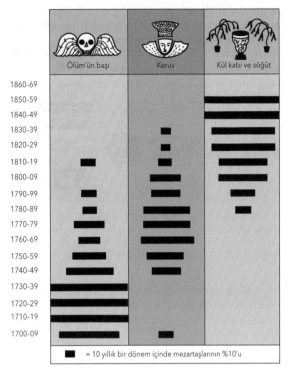

4.4–5 *Sıklık sıralaması: Connecticut merkez mezarlıklarında 1700'den 1860'a kadar üç mezar taşı tasarımın popülaritesindeki (ya da sıklığındaki) değişimler. Popülaritedeki artış ve azalmalar, her bir tasarımın değişen akıbeti için karakteristik gemi biçimli eğri ortaya koymuştur. New England'ın diğer kısımlarında olduğu gibi, Ölüm'ün başı tasviri (altta; en popüler dönemi 1710-1739) yerini kademeli olarak melek çocuk tasvirine (en popüler dönemi 1760-1789) bırakmış, kül kabı ve söğüt de (en popüler dönemi 1840-1859) onun yerini almıştır.*

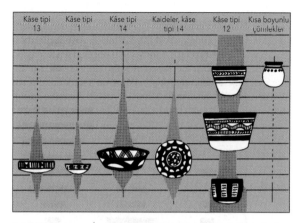

| Kâse tipi 13 | Kâse tipi 1 | Kâse tipi 14 | Kaideler, kâse tipi 14 | Kâse tipi 12 | Kısa boyunlu çömlekler |

4.6 *Sıklık sıralaması: İran'ın Deh Luran Yaylası'ndaki arkeolojik alanlardan Susiana devetüyü üzerine siyah renkli çanak çömlekleri temsil eden kâse tiplerinin Frank Hole tarafından yapılmış sıralaması. Gemi eğrileri stratigrafik kazılarca doğrulanan popülaritedeki iniş çıkışları belirtir.*

Kronolojik sıralama arkeolojik bağlamda Amerikalı arkeolog Frank Hole'un İran'daki Deh Luran Yaylası'nda yaptığı kazılarda kullanılmıştır. Hole'un çalıştığı Neolitik çanak çömlek grupları stratigrafiye sahip kazılardan ele geçmişti; dolayısıyla sıklık sıralamasıyla elde edilmiş silsileleri kazılarda ortaya çıkan gerçek stratigrafik silsileleri karşılaştırmak mümkündü. Ciddi bir çelişkinin görülmemesi yöntemin geçerliliğini bir kez daha kanıtlamıştır.

DİLBİLİMSEL TARİHLEME

Eksik kalmaması için kronoloji sorununa ilginç bir yaklaşımdan burada bahsetmek gerekir. Söz konusu yöntem nesnelere değil, birbiriyle ilişkili dillerin kelime hazineleri arasında yapılan karşılaştırmalarla incelenen **dil** değişimlerine uygulanır. Başlangıçta bir çeşit kesin tarihleme yöntemi olduğu iddia edilmesine rağmen, bu iddialar büyük ölçüde (ve haklı olarak) reddedilmiştir. Yine de, göreli kronoloji açısından oldukça ilgi uyandırıcıdır (ayrıca s. 488-489'daki kutuya bakınız).

Temel ilke basittir: Eğer aynı dili konuşan iki insan topluluğunu alıp aralarında hiçbir temas olmayacak biçimde ayırırsanız, ikisi de şüphesiz aynı dili konuşmayı sürdürecektir. Ancak zaman ilerledikçe her bir toplulukta değişimler meydana gelecektir; yeni kelimeler yaratılacak ve kullanılacak, bazıları da kaybolacaktır. Böylece, birkaç yüzyıl sonra iki ayrı topluluk artık tam olarak aynı dili konuşmayacak, birkaç binyılın ardından ise birinin konuştuğu dil muhtemelen diğeri tarafından anlaşılamayacaktır.

Sözlük istatistiği alanı kelime hazinesinde meydana gelen böyle değişimleri çalışmayı hedefler. Popüler yöntemlerden biri, yaygın 100 ya da 200 kelime seçmek ve karşılaştırmaya

tâbi tutulan iki dil arasında bunlardan kaçının ortak bir köke sahip olduğunu anlamaktır. 100 ya da 200'den çıkan pozitif sayı, tek oldukları tarihten beri birbirlerinden ne kadar uzaklaştıklarını konusunda bir ölçü verir.

Oldukça kuşkulu bir disiplin olan *glotokronoloji* daha da ileri gidilebileceğini savunarak bir telaffuz formülü kullanır ve benzerlik-benzemezlik ölçümüne göre iki dilin tek oldukları zamandan itibaren birbirlerinden ne derece ayrıldıklarını hesaplar. Yöntemin başlıca savunucularından Amerikalı bilim adamı Morris Swadesh, 1000 yıllık bir ayrılığın ardından iki akraba dilin orijinal dile ait kelime hazinesinin %86'sını koruduğu sonucuna varmıştır. Ancak gerçekte, bu şekilde istikrarlı ve ölçülebilir bir değişim oranı için bir temel bulunmamaktadır. Dilbilimsel değişimi etkileyen birçok faktör vardır (okuryazarlık da bunlara dâhildir).

Yakın zamanda *ağ analizinin* de dâhil olduğu daha gelişmiş yöntemler tarihsel dilbilimsel verilerde düzen aramak için kullanılmaktadır ve anlaşılan bunlar dilbilimsel ilişkileri açığa çıkaracaktır. Söz konusu yöntemler aynı zamanda daha etkili nicel karşılaştırmalara izin verebilmelerine ilaveten, Latince ve ondan türemiş Latince kökenli diller ya da en erken Sami dilleriyle onların modern temsilcilerinden Arapça arasındaki gibi belgelenmiş değişimler (çünkü bunlar yazıyla kaydedilmiştir) karşısında dilbilimsel zaman cetvellerinin "kalibrasyonunu" mümkün kılarlar. Böyle bir yaklaşım yakın tarihte, çoğunlukla kelime hazinesi verilerinden ağaç diyagramlarını şekillendirmeye izin veren filogenetik analiz kullanılarak ve ardından bilinmeyen düğümlerin tarihleriyle tarihleri bilinen ayrılma noktaları arasında karşılaştırma yapılarak geliştirilmiştir. 2003'te Russell Gray ve Quentin Atkinson Hint-Avrupa dil ailesindeki ilk ayrılma için 9000 yıl öncesini önermişlerdir.

İKLİM VE KRONOLOJİ

Bu bölümün başında münferit arkeolojik alanlar için stratigrafik ve nesneler için tipolojik açıdan oluşturulabilecek silsileleri ele aldık. Bunlara ilaveten, dünyanın iklimindeki değişimleri baz alan temel bir silsile kategorisi vardır ve yerel, bölgesel, hatta küresel ölçekte tarihlemede kullanışlı olduğu kanıtlanmıştır.

Bu çevresel kronoloji silsilelerinden bazıları ayrıca çeşitli kesin tarihleme yöntemleriyle de tarihlenebilir (İklimsel ve çevresel değişimlerin insan hayatı üzerindeki etkisi, "Çevre Nasıldı?" başlıklı 6. Bölüm'de detaylıca tartışılacaktır).

Pleistosen Kronolojisi

Uzak geçmişte meydana gelmiş büyük Buzul Çağı (Pleistosen Çağı) fikri 19. yüzyıldan beri bizimle birliktedir. Dünyada sıcaklık düştükçe buz mantoları –ya da buzullar– genişlemiş ve yerkabuğunun büyük kısımlarını örterek küresel deniz seviyesinin düşmesine sebep olmuşlardı (kayıp sular tam anlamıyla buzun içinde hapsolmuştu). Jeolojik katmanlardaki bariz izleri inceleyen ilk jeologlar ve paleoiklimbilimciler, çok geçmeden Buzul Çağı'nın uzun ve kesintisiz tek bir zaman dilimi olmadığını anladılar. Bunun yerine, çağın dört büyük *glasiyal* ya da glasiyal ilerleme dönemi tespit ettiler (Kıta Avrupa'sında erkenden geçe doğru Günz, Mindel, Riss ve Würm olarak adlandırılan bu dönemler 1960'lara kadar muğlaktı. Kuzey Amerika'da ise farklı isimler seçilmiştir: Örneğin Würm'ün karşılığı Wisconsin'dir). Bu soğuk dönemlerin arasına *buzularası* olarak bilinen evreler girmiştir. Bu ana dönemler içindeki daha küçük dalgalanmalara ise *stadyal* ve *interstadyal* adı verilmiştir. İkinci Dünya Savaşı'ndan sonra ortaya çıkan radyoaktif saatler gibi kesin tarihleme yöntemlerine kadar arkeologlar, uzun Paleolitik Çağ'ın tarihlenmesi için büyük ölçüde arkeolojik alanların bu buzul silsilesiyle arasında bağ kurma çabalarına bel bağlamışlardı. Buzul tabakalarından çok uzakta kalan Afrika'daki bölgelerde arkeolojik alanları yağış miktarındaki değişimlerle (nemli [plüvyal] ve daha kurak [interplüvyal] devir) ilişkilendirmek için üstün çabalar sarf edilmiştir. Bu dalgalanmalarla buzul dönemleri sıralaması arasında bir şekilde bağlantı kurmak umut ediliyordu.

Bilim insanları artık Buzul Çağı'ndaki iklim değişimlerinin düşünüldüğünden çok daha karmaşık olduğunu anlamışlardır. Günümüzden 1,7 milyon yıl önceki Pleistosen'den 780.000'e kadar (Alt Pleistosen'in sonu) daha sıcak ara dönemlerin birbirinden ayırdığı belki de on soğuk dönem yaşanmıştır. Günümüzden 780.000-10.000 yıl öncesine kadar, Orta ve Üst Pleistosen'i belirlenen bir diğer sekiz ya da dokuz ayırt edici soğuk devir vardır (daha sıcak dönem olarak bilinen Holosen ise son 10.000 yılı kapsamaktadır). Arkeologlar artık Paleolitik'i tarihlemek için karmaşık buzul ilerleme ve gerileme hareketlerini temel almamaktadırlar. Ancak polen içeren derin deniz karotları, buzul karotları ve çökeltilerde belgelenen Pleistosen ile Holosen'deki iklim değişiklikleri tarihleme için çok değerlidir.

Derin Deniz ve Buzul Karotları

Küresel ölçekte iklim değişikliklerinin en tutarlı kaydı derin deniz karotları tarafından sağlanır. Bu karotla *foraminifera* adında, yavaş ve sürekli sedimentasyon sonucunda deniz tabanında biriken mikroskobik deniz organizmalarının kabuklarını barındırmaktadır. Kabukların kimyasal yapılarındaki

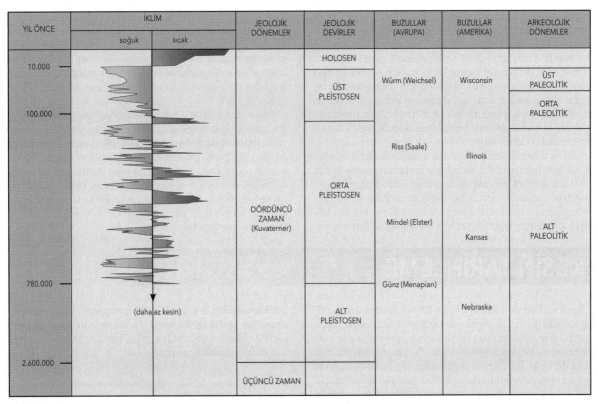

YIL ÖNCE	İKLİM		JEOLOJİK DÖNEMLER	JEOLOJİK DEVİRLER	BUZULLAR (AVRUPA)	BUZULLAR (AMERİKA)	ARKEOLOJİK DÖNEMLER
	soğuk	sıcak					
10.000				HOLOSEN			
				ÜST PLEİSTOSEN	Würm (Weichsel)	Wisconsin	ÜST PALEOLİTİK
100.000							ORTA PALEOLİTİK
					Riss (Saale)	Illinois	
				ORTA PLEİSTOSEN			
			DÖRDÜNCÜ ZAMAN (Kuvaterner)		Mindel (Elster)		ALT PALEOLİTİK
						Kansas	
780.000					Günz (Menapian)		
	(daha az kesin)			ALT PLEİSTOSEN		Nebraska	
2.600.000							
			ÜÇÜNCÜ ZAMAN				

4.7 *Pleistosen'in ana iklimsel değişikliklerini, buzul terminolojisini ve arkeolojik evreleri özetleyen tablo.*

4.8 *Foraminifera. Bu ufak (en fazla 1 mm'ye erişirler) deniz kabukları okyanus tabanında birbirini takip eden derin deniz çökelti katmanlarını meydana getirir. Sıralı çökelti katmanlarındaki kabukların analizi (s. 233'e bakınız) dünya deniz suyu sıcaklıklarındaki değişimlerin kaydını sağlar.*

değişimler, organizmaların canlı olduğu sırada deniz sıcaklığına dair hassas göstergelerdir. Derin deniz karotlarındaki soğuk kısımlar buzul ilerlemesinin yaşandığı buzul devirlerine, sıcak kısımlar ise buzul erimelerinin görüldüğü buzularası dönemlere karşılık gelir. Radyokarbon ve uranyum serisi tarihlemeleri de (aşağıya bakınız) silsile için kesin tarihler elde etmek için foraminifera kabuklarına uygulanmaktadır ve böylece 2,3 milyon yıl geriye gidilebilmektedir.

Derin deniz tabanlarında olduğu gibi, Kuzey Kutbu ve Antarktika'dan çıkarılan karotlar geçmiş iklimsel salınımları açığa çıkaran etkileyici kesitler sunmuştur. Sıkışmış buz katmanları, son 2000-3000 senenin sayılabilen varvlarını temsil eder; dolayısıyla kesitin bu kısmı için kesin kronoloji verirler. Daha erken zaman aralıkları için –daha derinlerde– yıllık tabakalanma artık görülemez ve buzul karotlarının tarihlendirilmesi o kadar kesin değildir. Derin deniz karotu çalışmalarından çıkarılmış iklimsel dalgalanmalarla iyi korelasyonlar kurulmuştur.

Büyük volkanik patlamalara dair kanıtlar da buzul karotlarında korunmuş olabilir. Bunun teorik olarak anlamı, Ege'de yaklaşık 3500 yıl önce meydana gelmiş Thera patlaması gibi belirli patlamalara (bazı bilim insanları tarafından Girit'teki Minos saraylarının yıkılışıyla ilişkilendirilir; s. 164-165'teki kutuya bakınız) kesin bir tarih verilebileceği anlamına gel-

mektedir. Ne var ki pratikte buzulda korunmuş volkanik bir doğa olayıyla tarihi olarak belgelenmiş belirli bir patlama arasında bağlantı kurulması zordur. Bu, dünyanın başka bir yerinde meydana gelmiş bilinmeyen bir patlamaya da ait olabilir.

Polen Tarihlemesi

Bütün çiçekli bitkiler polen denilen neredeyse yok edilemez tanecikler üretir ve bunlar her türlü şartta binlerce –hatta milyonlarca– yıl dayanabilir. Polenlerin turbiyerlerde ve göl çökeltilerinde korunması, polen bilimcilerin geçmiş bitki örtüsü ve iklim için detaylı silsileler oluşturmalarına izin verir. Bunlar polen bilimcilere geçmiş bitki örtüsü ve iklim şartlarının detaylı rekonstrüksiyonunu yapma imkânı tanır. Söz konusu kesitler geçmiş çevreleri anlama konusunda çok büyük katkı sağlar (6. Bölüm), fakat aynı zamanda göreli tarihleme için önem arz etmişlerdir (bir dereceye kadar hâlen önemlidirler).

En iyi bilinen polen silsileleri Kuzey Avrupa için oluşturulanlardır. Burada *polen kuşakları* olarak bilinen ayrıntılı silsileler son 10.000 yılı kapsamaktadır. Belirli bir arkeolojik alana ait polen örnekleri incelenerek söz konusu yer daha geniş bir polen silsilesine yerleştirilebilir ve böylece görece bir tarih elde edilir. Polenlerin korunduğu kontekstlerde ortaya çıkan turbiyer bedenleri gibi izole nesneler veya buluntular da aynı şekilde tarihlenebilir. Ancak şu unutulmamalıdır ki büyük alanlarda polen kuşakları birörnek değildir. Önce bölgesel polen kuşaklarına ait silsileler kurulmalı, ardından bölgedeki arkeolojik alanlar ve buluntular bunlarla ilişkilendirilmelidir.

Polen tanecikleri dayanıklı olduklarından, Doğu Afrika'daki arkeolojik alanlar için günümüzden 3 milyon yıl öncesine kadar giden çevresel kanıtlar sunabilirler. Kuzey Avrupa gibi farklı yerlerdeki buzularası dönemlerin karakteristik polen kesitlerine sahip olduğu gözlemlenmiştir. Bu, bölgedeki münferit bir yerleşimin belirli bir buzularası döneme yerleştirilebileceği anlamına gelir. Radyokarbonun böyle erken dönemlerde işe yaramadığı düşünülürse kullanışlı bir tarihleme yöntemidir.

KESİN TARİHLEME

Göreli tarihleme yöntemlerinin büyük faydalarına rağmen, arkeologlar sonuçta eski kesitlerin, arkeolojik alanların ve nesnelerin takvim yıllarına göre ne kadar eski olduklarını bilmek isteyeceklerdir. Bu amaca ulaşabilmek için ileriki kısımlarda değineceğimiz kesin tarihleme yöntemlerini kullanmak zorundadırlar. Bir arkeolog için en yaygın ve en önemli üç yöntem *takvimler ve tarihi kronolojiler*, *ağaç halkası tarihlemesi* ve *radyokarbon*

tarihlemesidir. Paleolitik Çağ için *potasyum-argon* ve *uranyum serisi tarihlemesi* çok önemlidir. *Gen tarihlemesi* de şimdi nüfus olaylarının tarihlenmesi amacıyla kullanılmaya başlanmıştır.

4.9–10 *(karşıda üstte) Farklı arkeolojik malzemelerin tarihlemesi için mevcut temel tekniklerin bir özeti. (karşıda altta) Farklı kesin tarihleme yöntemlerinin kapsadığı zaman aralıklarını özetleyen kronolojik tablo.*

Malzeme	Tarihleme yöntemi	Minimum örnek boyutu	Kesinlik	Kapsam
Ahşap (görülebilir ağaç halkalarıyla birlikte)	Ağaç halkası		1 yıl (mevsimsel tarihleme bazen mümkündür)	MÖ 5300'e kadar (İrlanda); MÖ 8500 (Almanya); MÖ 6700 (ABD)
Organik malzemeler (karbon içerenler)	Radyokarbon	5-10 mg (AMS); 10-20 g ahşap/odun kömürü ya da 100-200 g kemik (sıradan)	Birçok karmaşık etken vardır, ama genellikle yaklaşık 50-100 yıl	GÖ 50.000'e kadar (AMS)
Volkanik kayalar	Potasyum-argon/argon-argon		±10%	GÖ 80.000'den daha eski
Kalsiyum karbonat zengini kayalar; dişler	Uranyum serileri		±1-2%	GÖ 10.000-500.000
Pişmiş çanak çömlek, kil, taş ya da toprak	Termolüminesans	200 mg/30 mm çapında/ 5 mm kalınlığında	arkeolojik alanda ±%5-10; aksi hâlde %25	GÖ 100.000'e kadar

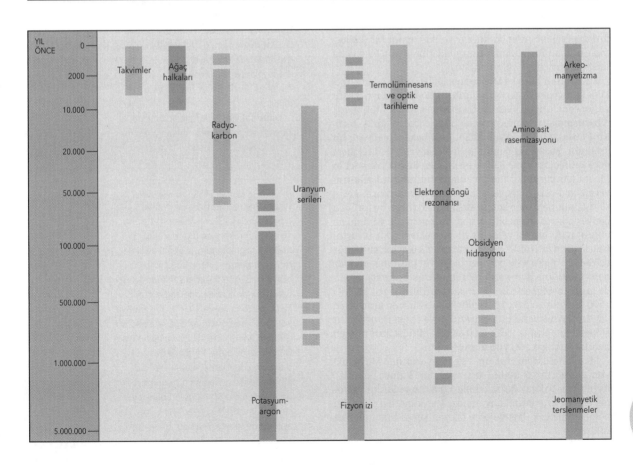

TAKVİMLER VE TARİHİ KRONOLOJİLER

Yirminci yüzyılın başlarında ilk bilimsel tarihleme teknik-
lerinin geliştirilmesine kadar arkeolojide tarihleme, eski
toplumların yarattığı kronolojiler ve takvimlerin arkeolojik
bağlantıları üzerine kuruluydu. Bu tip tarihleme yöntemleri
hâlen sıklıkla kullanılmaktadır. Antik dünyada okurya-
zar toplumlar tarihlerini yazılı belgelere kaydetmişlerdir.
Romalılar bazen şehirlerinin kuruluşuna kadar giden olay-
lara atıfta bulunmalarına karşın, bunları konsüllerinin ve
imparatorlarının iktidar yıllarına göre kayda geçirmişlerdir.
Mısır, Yakındoğu ve Eski Çin'de tarih, "hanedanlar" şeklin-
de düzenlenmiş gruplara ayrılan müteakip krallara göre
kaydedilmiştir. İleride göreceğimiz gibi Mezoamerika'da da
çok hassas takvim sistemleri mevcuttu.

Arkeologlar erken tarihi kronolojilerle çalışırken üç ana
noktayı göz önünde bulundurmalıdır. İlk olarak, kronolojik
sistem dikkatli bir rekonstrüksiyon gerektirir ve herhangi bir
kral ya da yönetici listesi makul ölçüde eksiksiz olmalıdır.
İkincisi, böyle bir listenin her bir saltanat için kaydettiği
yıllar güvenilir olsa bile kendi takvimimizle ilişkilendiril-
melidir. Üçüncüsü, belirli bir arkeolojik alanda bulunmuş
tarihlenecek nesneler, kalıntılar ya da yapılar bir şekilde,
mesela zamanın hükümdarına gönderme yapan bir yazıtla
tarihi kronolojiye bağlanmalıdır.

Bu hususlar Mısır ve Maya kronolojileri tarafından iyi şe-
kilde yansıtılmaktadır. Mısır tarihi 31 hanedana ayrılmıştır
ve hanedanların kendileri de Eski, Orta ve Yeni Krallık olarak
düzenlenmiştir (arka sayfaya bakınız). Modern görüş, Turin
Kral Listesi'nin de dâhil olduğu bazı belgelere dayalı bir
sentezdir. Bu sentez, Yunan tarihçilerin verdikleri bilgilere
göre kesin olarak MÖ 332'ye tarihlenen Büyük İskender'in
Mısır'ı fethine kadar her bir saltanatın tahmini yıllarını
vermektedir. Dolayısıyla söz konusu saltanatların kesin
süresi bilinmemesine karşın Mısır hanedanları bu tarihten
geriye doğru tarihlenebilir. Sistem astronominin yardımıyla
doğrulanabilmekte ve geliştirilebilmektedir. Mısır tarihi
belgelerinin tarif ettiği belirli astronomik olaylar, günümüz
astronomi bilgisi ve kaydedilen olayların Mısır'ın neresinde
gerçekleştiğine dair veriler kullanılarak bağımsız şekil-
de tarihlenebilmektedir. Mısır'a ait tarihler genellikle MÖ
1500'den sonra oldukça güvenilir kabul edilir; en fazla on ya
da yirmi yıllık yanılma payı vardır. Ne var ki Hanedanlar
Dönemi'nin başına –MÖ 3100 civarı– gittiğimizde biriken
hatalar yaklaşık 200 yıla ulaşır.

Mezoamerika'daki takvim sistemleri arasında Maya tak-
vimi en gelişmiş olanıdır (karşı sayfadaki kutuya bakınız).
Avrupa ve Yakındoğu takvimleri gibi hanedanlar ve yö-
neticilerin kayıtlarına dayanmaz. Mezoamerika'nın diğer
bölgeleri benzer ilkelere göre işleyen kendi takvimlerine
sahipti.

MAYA TAKVİMİ

Klasik Dönem'de (MS 250-900) Maya
şehirlerinde dikilmiş taş sütunlar ya da
stellerin üzerindeki yazıtlarda tarihleri
kaydetmek için kullanılmış Maya takvimi
büyük bir hassasiyete sahipti. Takvimin
aydınlatılması ve Maya hiyerogliflerinin
yakın tarihte çözülmesi, yarım yüzyıl
önce imkânsız görünen doğru tarihlere
sahip bir Maya tarihinin artık şekilleniyor
olması demektir.

Maya takvimini anlamak için Maya
sayı sistemini kavramak ve çeşitli günleri
(bizim Pazartesi, Salımız gibi isimleri
olan) ayırt eden muhtelif hiyeroglifleri
ya da işaretleri tanımak gereklidir.
Bunlara ilaveten, takvimin kendisinin
nasıl meydana getirildiği izlenmelidir.

Maya rakamları nispeten basittir.
Stilize edilmiş bir deniz kabuğu sıfır,
bir nokta "bir" ve yatay bir çubuk "beş"
anlamına geliyordu. 19'un üzerindeki
sayılar dikey olarak 20'nin katları
şeklinde yazılmaktaydı.

Mayalar iki takvim sistemi
kullanmışlardı: Daire Takvim ve Uzun
Takvim.

Daire Takvim gündelik amaçlara
hizmet ediyordu ve iki sayma yöntemi
içermekteydi: İlki, hâlen Maya ülkesinin
yüksek kesimlerinde kullanılmakta
olan 260 günlük Kutsal Daire'ydi.
Burada birbirine geçen iki dişli çark
tasavvur etmeliyiz (karşı sayfadaki
çizime bakınız). Bunlardan biri 1'den
13'e kadar rakamlar, diğeri ise 20
gün adı taşımaktadır. 1. gün (kendi
terminolojimizi kullanırsak) 1 Imix, 2.
gün 2 Ik, 3. gün 3 Akbal şeklinde 13
Ben ismindeki son güne kadar gider.
Fakat bundan sonra 14. gün 1 Ix olur ve
sistem böyle devam eder. Sıralama 260
günden sonra yine kesişir ve yeni Kutsal
Daire bir kez daha 1 Imix ile başlar.

Bununla bağlantılı olarak, her biri
20 günlük 18 aydan ve 5 günlük ara
dönemden meydana gelen güneş yılı
kaydedilmiştir. Maya yeni yılı 1 Pop (Pop
ayın adıdır) ile bağlıyordu; bir sonraki

gün 2 Pop'tu ve böyle devam ediyordu. Bu iki döngü aynı anda ilerliyordu; öyle ki belirli bir gün her ikisinde de (mesela 1 Kan 2 Pop) tanımlanmaktaydı. Bu türden bir kombinasyon her 52 yılda bir meydana gelir. Dolayısıyla bu takvim gündelik işler için yeterliydi ve 52 yıllık döngü Mayalar için sembolik bir önem arz ediyordu.

Uzun Takvim tarihsel tarihler için kullanılıyordu. Özgün her takvim sistemi gibi bunun da bir başlangıç ya da sıfır tarihi olması lazımdı ve Mayalar için bu tarih MÖ 13 Ağustos 3114 idi (bizim Gregoryen takvimimize göre). Bir Uzun Takvim tarihi beş rakam şeklinde olabilir (mesela bizim sayısal sigelememizde 8.16.5.12.7). İlk rakam en büyük birim olan *baktun*dan ne kadar zaman geçtiğini (144.000 gün ya da yaklaşık 400 yıl) kayda geçirir. İkincisi *katun* (7200 gün ya da 20 yıl), üçüncüsü 360 günlük *tun*, dördüncüsü 20 günlük *uinal* ve son olarak tek bir günü temsil eden *kin*dir. Üstte *baktun*lardan başlayan ve

aşağıya doğru daha düşük birimlerle devam eden bir konumsal yazım kullanılır. Genellikle her sayıya söz konusu birime ait hiyeroglif eşlik eder (mesela 8 *baktun*). Böylece stellerdeki tarihler hemen anlaşılabilir.

Maya bölgesindeki stellerde tespit edilmiş en erken tarih Tikal'daki Stel 29'da bulunur ve üzerinde 8.12.14.8.15 yazar. Yani başka bir deyişle:

8 *baktun*	1.152.000 gün
12 *katun*	86.400 gün
14 *tun*	5040 gün
9 *uinal*	160 gün
15 *kin*	15 gün

Bu 1.243.615 gün eder, çünkü başlangıç tarihi MÖ 3114'tür. Bu da MS 6 Temmuz 292'ye eşittir.

Mayalara göre dünyamızın sonu 23 Aralık 2012'de gelecekti (bu, sözde olaya dikkat çeken birçok kitabın ortaya çıkmasına yol açmıştır).

4.11 Uzun Takvim (üstte) tarihsel tarihleri kaydetmek için kullanılırdı. Burada Rio Azul şehrinden bir mezar yapısında verilen tarih -solda sağa ve yukarıdan aşağıya okunduğunda- 8.19.1.9.13 4 Ben 16 Mol (gün ve ay isimleri) ya da 8 baktun, 19 katun, 1 tun, 9 uinal ve 13 kindir. Modern terminolojiyle bu MS 27 Eylül 417'ye denk gelir. 4 Ben ve 16 Mol hiyerogliflerinin arasında ilave döngüleri temsil eden başka beş hiyeroglif daha bulunur - "gecenin dokuz efendisi" ve ay döngüleri.

4.12 Daire Takvim (solda) birbirine geçen bir dizi çark olarak düşünülebilir. 260 günlük döngü yukarıda gösterilen iki çarkın birbirine geçişiyle ortaya çıkar. Bunlara 360 günlük çark (bir kısmı aşağıda gösterilmiştir) geçer. Burada hizalanmış belirli gün isimleri (1 Kan 2 Pop) 52 yıl (18.980 gün) geçmeden aynı şekilde bir araya gelmezler.

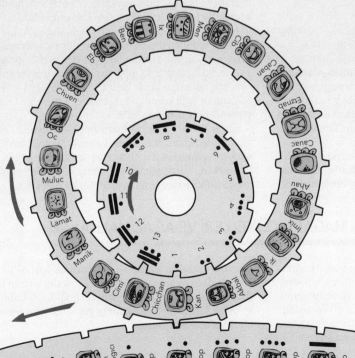

ESKİ MISIR KRONOLOJİSİ

ERKEN HANEDAN (Arkaik) (MÖ 3100-2650)
Hanedanlar 0-2

ESKİ KRALLIK (MÖ 2650-2175)
Hanedanlar 3-6

BİRİNCİ ARA DÖNEM (MÖ 2175-1975)
Hanedanlar 7-11

ORTA KRALLIK (MÖ 2080-1630)
Hanedanlar 11-13

İKİNCİ ARA DÖNEM (MÖ 1630-1539)
(1630-1539 bc)
Hanedanlar 14-17

YENİ KRALLIK (MÖ 1539-1069)
Hanedanlar 18-20

ÜÇÜNCÜ ARA DÖNEM (MÖ 1069-657)
Hanedanlar 21-25

GEÇ DÖNEM (MÖ 664-332)
Hanedanlar 26-31

4.13 *Eski Mısır için bir tarihsel kronoloji. Bu geniş terminoloji Mısırbilimciler tarafından genel kabul görmüştür, fakat farklı dönemlerin kesin tarihlemesi üzerine tartışmalar devam etmektedir. Hanedanlar/krallıklar arasındaki çakışan tarihler (mesela Birinci Ara Dönem ve Orta Krallık), farklı hükümdarların ülkenin farklı yerlerinde kabul gördüğüne işaret eder.*

Tarihi Bir Kronolojinin Kullanımı

Bir arkeolog için tarihi kronoloji kullanmak, yakın çevresinde onunla ilgili çok sayıda buluntu ele geçtiğinde nispeten daha kolaydır. Dolayısıyla Tikal veya Copan gibi büyük Maya yerleşmelerinde, ilişkilendirildikleri yapıları tarihlendirmede kullanılan takvim yazıtlı steller bulunmaktadır. Örneğin eğer bir çanak çömlek tipolojisi oluşturulmuşsa, böyle tarihsel verilerle tarihlendirilmiş kontekstlerde bulunan bilindik çanak çömlekler, tipolojinin kendisinin de tarihlendirilmesine yarar. Yazıtlara sahip olmayan diğer yerleşimlerdeki kontekstler ve yapılar, benzer çanak çömlek tipleri sayesinde yaklaşık tarihlenebilir.

Bazen buluntuların kendisi tarih taşıyabilir veya yöneticilerin isimleri tarihlenebilir. Birçoğu hiyeroglif yazıt içeren Klasik Dönem Maya çanak çömleklerinde durum böyledir. Avrupa'nın Roma ve Ortaçağ dönemleri için sikkeler benzer bir fırsat sunmaktadır, zira bunlar kendilerini darp eden yöneticinin ismini taşır. Başka yerlerde yazıtlar ya da kayıtlar da yöneticilerin tarihlenmesini sağlar. Bir sikkeyi ya da buluntuyu tarihlemek bunların bulunduğu konteksti tarihlemekle aynı şey değildir. Sikkenin tarihi hangi yıl yapıldığını gösterir. Bozulmamış bir arkeolojik tabaka içindeki varlığı ise sadece bir *terminus post quem* ("bu tarihten sonrası" anlamındaki Latince ifade) verir. Diğer bir deyişle tabaka sikkenin üzerindeki tarihten daha önce olamaz, fakat daha sonra (belki çok sonra) olabilir.

Bir devletin sağlam tarihi kronolojisi, kendi tarihi kayıtları olmayan, fakat okuryazar bir ülkenin tarihinde bahsedilen komşu ya da daha uzaktaki ülkelerin olaylarını tarihlemede kullanılabilir. Aynı şekilde, arkeologlar nesnelerin ithalat ve ihracatına bakarak *çapraz tarihleme* yoluyla kronolojik bağlantıları genişletebilirler. Örneğin güvenilir şekilde tarihlenmiş eski Mısır kontekstlerinde yabancı çanak çömleklerin varlığı, söz konusu çanak çömleklerin üretimi için bir *terminus ante quem* ("bu tarihten öncesi") verir; yani bunlar Mısır kontekstinden daha yeni olamazlar. Buna ilaveten bazıları üzerlerindeki yazıtları sayesinde Mısır takvimine göre doğru olarak tarihlenebilen Mısır kökenli nesneler, Mısır dışındaki çeşit arkeolojik alanlarda görülür ve böylece bulundukları kontekstlerin tarihlendirilmesine katkı yaparlar.

Tarihi yöntemlerle tarihleme kayda değer ölçüde okuryazarlık oranıyla desteklenen güvenilir bir takvime sahip ülkelerde çalışan arkeologlar için en önemli yöntemdir. Takvim ya da takvimin modern zaman ölçüm sistemleriyle olan bağlantısı hakkında belirsizliklerin olduğu yerlerde, bu bağlantılar çoğu kez aşağıda bahsedeceğimiz kesin tarihleme yöntemleriyle denetlenebilir.

Ne var ki tarihi dönemlere girmemiş ve okuryazar olmayan topraklarda çapraz tarihleme ve geniş tipolojik karşılaştırmaların yerini neredeyse bütünüyle aşağıda anlatılan çeşitli bilimsel tarihleme yöntemleri almıştır. Böylece şimdi tüm dünya kültürlerine kesin tarihler verilebilmektedir.

YILLIK DÖNGÜLER: VARVLAR, MAĞARA ÇÖKELLERİ VE AĞAÇ HALKALARI

Herhangi bir kesin tarihleme yöntemi, zamandan bağımsız istikrarlı bir sürece dayanır. Bunlardan en bilineni, kendi modern takvimimizi düzenlerken başvurduğumuz sistemdir: Dünya'nın Güneş etrafında bir yıl süren dönüşü. Bu yıllık döngü iklimde düzenli yıllık değişiklikler yarattığından, bunun çevresel unsurlar üzerindeki etkileri bazı durumlarda kronoloji oluşturmak için ölçülebilir. Kesin tarihleme amacına hizmet edecek silsile uzun olmalı (boşluksuz), bir şekilde günümüzle bağlantısı bulunmalı ve aslen tarihlemek istediğimiz yapılara veya nesnelerle bir ilişki barındırmalıdır.

Bu yıllık değişimlere dair kanıtlar yaygındır. Örnek vermek gerekirse, kutup bölgelerindeki sıcaklık değişiklikleri kutup buzullarının kalınlığındaki farklılaşmalar, bilim insanlarının buzullara açtıkları sondajlardan çıkan karotlar sayesinde incelenebilmektedir (yukarıda s. 137'e bakınız). Aynı şekilde, kutup bölgelerine komşu yerlerde sıcaklık arttığında buzul tabakalarının erimesi göl tabanlarında *varv* adı verilen yıllık ve sayılabilen tortular oluşturur. İskandinavya'da bulunan hatırı sayılır miktarda varv dolgusu burada günümüzden yaklaşık 13.000 yıl önce glasiyal buz mantolarının çekilmesine kadar uzanan binlerce yılı (birbirlerine eklendikleri) temsil ederler. Yöntem ilk kez olarak son buzul devrinin sonu için epey güvenilir bir tahmin yapmaya imkân tanımış ve bunun sonucunda sadece İskandinavya değil dünyanın diğer kesimleri için de arkeolojik kronolojiye katkıda bulunmuştur.

Kireçtaşı mağaralardaki sedimantasyonlar mağara çökelleri (en sık rastlananları dikitler ve sarkıtlardır) meydana getirir ve bunlar çoğu kez yıllık dalgalanmalara meyilli olduklarından ayırt edilebilir yıllık tabakalar ya da halkalar oluştururlar. Bunlar iklimsel faktörlere, aslen yağışa bağlı olarak farklı kalınlıklara sahiptir ve dolayısıyla potansiyel olarak kullanışlı bir iklim kaydı barındırırlar. Münferit halkalar uranyum-toryum yöntemi (s. 156-157'ye bakınız) sayesinde giderek artan bir kesinlikle hesaplanabilmektedir. Thera Adası'ndaki volkanik patlamanın, Türkiye'nin kuzeyindeki Sofular Mağarası'ndan bir dikitte bulunan yüksek brom, sülfür ve molibden yoğunluklarından tespit edilebildiği ileri sürülmüştür. Buradan elde edilen uranyum-toryum tarihleri tartışmalı "Minos" dönemi Thera patlamasını yaklaşık MÖ 1600 gibi geç bir tarihe yerleştirir.

Ağaç halkalarının meydana getirdiği bir diğer yıllık döngü Avrupa, Kuzey Amerika ve Japonya'nın birçok kısmında son birkaç bin yılın tarihlendirilmesi için radyokarbona rakip olmuştur.

4.14 *Pennsylvania'daki (ABD) Hanover'de bulunmuş bir kütük evin duvarına ait bir meşe kirişinin kesiti. Yıllık büyüme halkaları açıkça görülmektedir ve bu örnek bütün bir dış kabukaltı tabakasını barındırdığından (resmin üst kısmı) kesim tarihi kesin şekilde 1850-1851 olarak belirlenebilmektedir.*

Ağaç Halkalarıyla Tarihlendirme

Modern ağaç halkası tarihleme tekniği (*dendrokronoloji*) bu yüzyılın başlarında –aslında ilkelerin çoğu daha önce anlaşılmıştı– Amerikalı astronom A.E. Douglass tarafından geliştirilmiştir. Amerika'nın kurak güneybatı bölgesindeki iyi korunmuş kerestelik ağaçlar üzerinde çalışan Douglas, 1930'lara gelindiğinde buradaki Mesa Verde ve Pueblo Bonito gibi büyük arkeolojik alanlara kesin tarihler verebiliyordu. Fakat teknik 1930'ların sonuna kadar Avrupa'da kullanılmamıştır ve ancak 1960'larda, istatiksel yöntemlerin ve bilgisayarların kullanılmasıyla şimdi modern arkeoloji için çok temel olan uzun ağaç halkası kronolojileri meydana getirilmiştir. Günümüzde dendrokronolojinin iki belirgin kullanımı mevcuttur: (1) Radyokarbon tarihlerini başarılı bir şekilde kalibre etme ve düzeltme aracı olarak; (2) Başlı başına bağımsız bir kesin tarihleme yöntemi olarak.

Yöntemin Esasları. Çoğu ağaç her yıl yeni bir odun halkası üretir ve bu büyüme halkaları kesilmiş bir kütüğün çapraz kesitinde kolaylıkla görülebilir. Bunların hepsi aynı kalınlıkta değildir ve bir ağaçta iki sebepten dolayı çeşitlilik gösterirler. Birinci olarak ağacın giderek yaşlanmasıyla daralırlar. İkincisi olaraksa, bir ağacın yıllık büyümesi iklim değişikliklerinden etkilenir. Kurak bölgelerde bir yıl içinde düşen ortalamanın üzerindeki yağış özellikle kalın yıllık ağaç halkası oluşturur. Daha ılıman bölgelerde ise güneş ışığı ve ısının ağacın büyümesi üzerindeki etkisi yağış miktarından daha ciddi olabilir. Burada, bahardaki sert ve soğuk bir dönem dar bir halka meydana getirebilir.

Dendrokrolonologlar bu ağaç halkalarını sayar, işaretler ve bir ağaç üzerindeki birbirini takip eden halka kalınlıklarının diyagramını çıkarırlar. Aynı bölgede yetişen aynı türden ağaçlar genellikle benzer halka şemasına sahiptir. Bu sayede büyüme kesiti art arda gelen daha eski kütüklerle eşleştirilerek bir bölgenin kronolojisini oluşturmak müm-

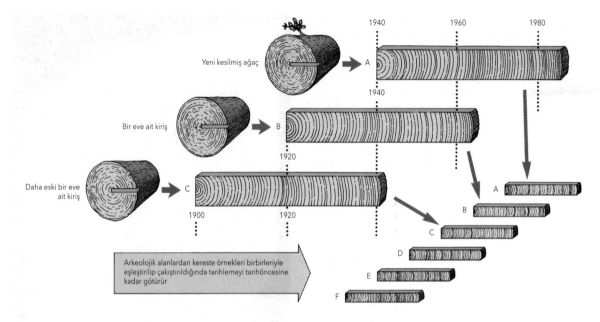

4.15 *Ağaç halkası tarihlemesi. Diyagram yıllık büyüme halkalarının ana silsile oluşturmak için nasıl sayılabileceğini, eşleştirilebileceğini ve çakıştırılabileceğini gösterir. Dünyanın farklı bölgelerinde böyle silsileler çeşitli ağaç türlerinden elde edilir (neyin korunduğuna bağlıdır): Avrupa'nın ılıman bölgelerinde en uzun silsileler meşe, Arizona'da bristlecone çamını temel alır.*

kündür. Bunun için ağaçları kesmek gerekmez; işe yarar bir parça ağaca zarar vermeden burgulamayla elde edilebilir. Eski kütükler dışında, yaşayan farklı yaştaki ağaçların halka kesitlerini eşleştirme yoluyla dendrokronologlar günümüzden yüzlerce hatta binlerce yıl geriye giden uzun ve kesintisiz bir silsile çıkarabilirler. Dolayısıyla aynı türe ait eski bir kütük bulunduğunda (Güneybatı Amerika'da California ladini, Avrupa'da meşe), onun halka kesitini ana kesit ya da kronolojinin, diyelim ki uygun düşen 100 yıllık dilimiyle eşleştirmek mümkündür. Bu şekilde söz konusu kütüğün kesilme zamanı bir yıl dâhilinde tarihlenebilmektedir.

Uygulamalar: (1) Uzun Ana Silsileler ve Radyokarbon. Dendrokronolojinin arkeolojik tarihlemeye belki de büyük katkısı, radyokarbon tarihlerini kontrol ve kalibre edebilmemizi sağlayan uzun ağaç halkası silsilesidir. Bu konuda öncü araştırma Arizona'da dikkate değer bir tür üzerinde, bazıları 4900 yıla kadar yaşayan California bristlecone çamlarında –dünyanın en yaşlı ağaçları– yapılmıştır. Hayattaki ladinlerden alınan örneklerle bölgenin kurak ortamında korunmuş ölü ladinlerin halkaları arasındaki eşleştirmeler sayesinde, E. Schulman ve ardından C. Wesley Ferguson'ın öncülük ettiği bilim insanları günümüzden MÖ 6700'e kadar inen kesintisiz bir silsile elde etmişlerdir. Bu silsilenin kalibrasyon çalışmasında nasıl kullanıldığı

aşağıda, radyokarbon hakkındaki bölümde tartışılacaktır. Amerika'nın güneybatısındaki araştırmalar şimdi Avrupa'da genellikle sulak dolgularda iyi korunmuş meşe halkalarıyla tamamlanmaktadır. Kuzey İrlanda ve Batı Almanya'daki iki ayrı meşe silsilesi şimdi kesintisiz olarak uzak geçmişe (İrlanda'da yaklaşık MÖ 5300, Almanya'da ise yaklaşık MÖ 8500) uzanmaktadır.

Uygulamalar: (2) Doğrudan Ağaç Halkası Tarihlemesi. Bugün dendrokronolojik silsilelerden birini oluşturan meşe gibi bir türe ait kütüklerin eski insanlar tarafından kullanıldığı yerlerde, korunmuş kütükler ana silsilenin bir kısmıyla eşleştirilerek arkeolojik anlamda işe yarar bir tarih elde edilebilir. Bu, artık tropikal bölgelerin dışında dünyanın diğer birçok bölgesi için uygulanabilmektedir.

Sonuçlar tekniğin daha uzun geçmişe sahip olduğu ve ağaçların iyi korunduğu Güneybatı Amerika'da özellikle etkileyicidir. Burada, Pueblo yerlileri evlerini mükemmel halka kesitleri veren California ladini ve bodur çamla inşa etmişlerdir. Pueblo köyleri için dendrokronoloji başlıca tarihleme yöntemi hâline gelmiştir. En eski tarihler MÖ 1. yüzyıla, ama asıl inşaat faaliyetleri bin yıl sonrasına aittir.

Güneybatı Amerika'dan küçük bir örnek yöntemin kesinliğini ve içeriğini aydınlatmaya yetecektir. A.E. Douglass öncü çalışmasında, Arizona'nın kuzeybatısındaki sarp bir kayalık olan Betatakin yerleşmesinin MS 1270'lere tarihlenebileceğini ileri sürmüştü. 1960'larda yerleşmeyi ziyaret eden Jeffrey Dean, 292 ağaç halkası örneği topladı. Bunlarla sadece yerleşmenin MS 1267'de kurulduğunu göstermekle kalmamış, ayrıca 1280'lerin ortasında, terk edilmeden hemen önce doruk noktasına ulaşana kadar genişlemesini oda oda, yıl yıl gözler önüne sermiştir. Oda başına düşen kişi sayısı hesaplanarak Betatakin nüfusundaki artış oranının en fazla 125 kişi olduğu tespit edilmiştir. Dolayısıyla dendrokronoloji bizi tarihleme sorunlarının dışında daha geniş çaplı hususlara yönlendirebilir.

Orta ve Batı Avrupa'da ana meşe silsileleri artık İsviçre'deki Neolitik ve Cortaillod-Est gibi Tunç Çağı göl kenarı yerleşme-lere kesin tarih verebilmektedir (karşı sayfada). Almanya'daki Rheinland'da bulunan Kückhoven köyü yakınlarında keşfedilmiş bir kuyunun ahşap destek iskeletine ait kütükler MÖ 5090, 5067 ve 5055 olmak üzere üç ağaç halkası tarihi vermiştir (s. 265'e bakınız). Kütükler *Linearbandkeramik* kültürüne ait çanak çömleklerle ilişkilendirilmiştir ve Avrupa'nın batısında erken tarım uygulamaları için kesin tarih verirler. İngiltere'de Neolitik için en erken ağaç halkası tarihi, Somerset Levels'daki Sweet Yolu'ndan (Sweet Track) gelmektedir. Burada MÖ 3807/3806 kışı sırasında ya da hemen sonrasında bir bataklık boyunca kalaslardan inşa edilmiş yürüme yolu vardır (s. 336-337'deki kutu).

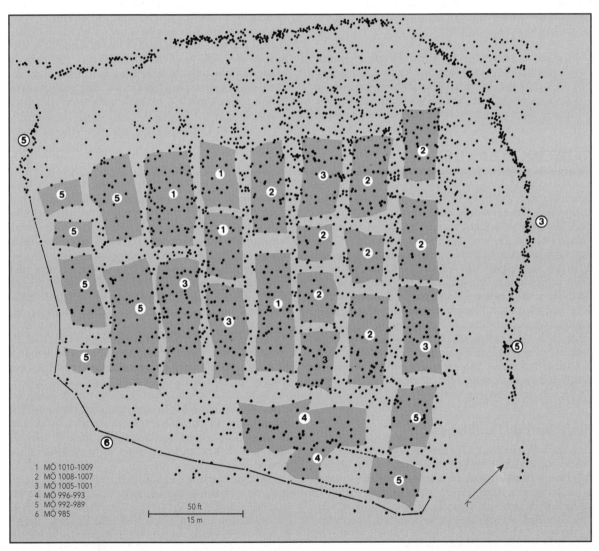

1 MÖ 1010-1009
2 MÖ 1008-1007
3 MÖ 1005-1001
4 MÖ 996-993
5 MÖ 992-989
6 MÖ 985

50 ft
15 m

4.16 *İsviçre'deki Son Tunç Çağı yerleşmesi Cortaillod-Est'in ağaç halkası tarihlemesi dikkat çekici ölçüde kesindir. Dört evden ibaret bir çekirdek yerleşim olarak MÖ 1010'da kurulan köy dört kat büyümüş ve MÖ 985'te bir çitle çevrilmiştir.*

Bazen yerel kronolojiler "yüzer" hâlde kalırlar; bunların kısa süreli kesitleri ana silsilelerle bağdaştırılmamıştır. Ancak dünyanın birçok kısmında ana silsileler genişletilmekte ve yüzen kronolojiler de bunlarla bütünleştirilmektedir. Örnek vermek gerekirse, Ege Denizi'nde şimdi Ortaçağ'ın başlarına (Bizans Dönemi) kadar giden bir ana silsile mevcuttur ve daha erkene ait yüzen kronolojiler bazı durumlarda MÖ 7200'e kadar gitmektedir. Gelecekte bunlar arasındaki bağlantılar şüphesiz bulunacaktır. Cornell Üniversitesi'nden Peter Kuniholm ve Sturt Manning Anadolu için uzun bir ağaç halkası kronolojisi kurma yolunda önemli ilerlemeler kaydetmiştir.

Kısıtlayıcı Etkenler. Radyokarbonun aksine dendrokronoloji iki temel kısıtlama yüzünden dünya çapında kullanılan bir tarihleme yöntemi değildir:

1 Yöntem sadece tropikal kuşakların dışında, mevsimler arasındaki belirgin farkların açık şekilde tanımlanabilecek yıllık halkalar ürettiği bölgelerde uygulanabilir.
2 Doğrudan ağaç halkası tarihi (a) günümüzden geriye giden ana silsileler üretebilecek, (b) geçmişte insanların

bilfiil kullandığı ve (c) alınan örneğin tekil bir eşleşme sunacak kadar uzun kesit kaydına sahip türlerin kütükleriyle sınırlıdır.

Üstelik yorumlamaya dair önemli sorunlar vardır. Bir ağaç halkası tarihi sadece ağacın kesildiği tarihe atıfta bulunur. Bu, ağaç halkası örneğinin bitimini bölgesel kesitin dış halkalarıyla (kabuk altı tabakası) eşleştirerek tespit edilir. Kabuk altı tabakasının büyük ölçüde ya da tamamen eksik olduğu yerlerde kesim tarihi anlaşılamamaktadır. Fakat kesin bir kesim tarihiyle bile arkeolog, kontekst ve oluşum süreçlerine göre kütüğün kesildikten ne kadar zaman sonra arkeolojik tabakaya girdiği konusunda bir karar vermek zorundadır. Kütükler başka bir yerde yeniden veya eski bir binanın tamirinde kullanılmalarına göre, içinde bulundukları yapılardan daha genç ya da yaşlı olabilirler. Her zaman olduğu gibi en iyi çözüm, birden fazla örnek almak ve kanıtların yerleşmede dikkatlice kontrol edilmesidir. Bu niteliklerine rağmen dendrokronoloji radyokarbonla birlikte ılıman ve kurak yerlerde başlıca tarihleme tekniğidir.

RADYOAKTİF SAATLER

İkinci Dünya Savaşı'ndan beri kesin tarihlemede görülen en önemli gelişmelerin çoğu, doğanın yaygın ve değişmez özelliklerinden radyoaktif bozunmaya (karşı sayfadaki kutuya bakınız) dayanan "radyoaktif saatler"in kullanımında yaşanmıştır. Bu yöntemlerin en bilineni bugün son 50.000 yılı tarihlemek için başvurulan radyokarbondur. Onun zaman aralığından daha ötesi için **potasyum argon**, **uranyum serisi tarihlemesi** ve **fizyon izi tarihlemesi** gibi yöntemler mevcuttur. **Termolüminesansın** (ısıl ışıma) (TL) kullanıldığı zaman dilimi radyokarbonunkiyle örtüşür, fakat daha eski dönemler için de potansiyeli vardır (hepsi de dolaylı olarak radyoaktif bozunmaya dayalı tuzaklanmış elektron tarihlemesine dayanan **optik tarihleme** ve **elektron döngü rezonansında** olduğu gibi). İleriki bölümlerde her bir yöntem sırayla ele alınacaktır.

Radyokarbon Tarihlemesi

Radyokarbon arkeolog için yegâne en kullanışlı tarihleme yöntemidir. Göreceğimiz gibi, hem kesinlik hem de işe yaradığı zaman dilimi açısından sınırları vardır. Arkeologların kendileri de yetersiz örnekleme yöntemleri ve dikkatsiz yorumlar yüzünden büyük hatalara sebep olmaktadırlar. Yine de radyokarbon geçmişi kavrayışımızı değiştirmiş ve ilk kez dünya kültürlerine ait güvenilir bir kronoloji kurma konusunda arkeologlara yardım etmiştir.

Yöntemin Geçmişi ve İlkeleri. Amerikalı kimyacı Willard Libby 1949'da ilk radyokarbon tarihlerini yayımladı. Libby İkinci Dünya Savaşı sırasında, Dünya'yı sürekli olarak bombardımana tutarak yüksek enerjili nötronlar üreten atom altı parçacıkların yarattığı kozmik radyasyon üzerinde çalışmış bilim insanları arasındaydı. Bu nötronlar atmosferdeki nitrojen atomlarıyla reaksiyona girerek karbon 14 (^{14}C) atomları ya da radyokarbon üretir. Bunlar çekirdeklerinde sıradan karbon atomlarındaki (^{12}C) olağan altı nötron yerine sekiz nötron barındırdığından kararsızlardır (karşı sayfadaki kutuya bakınız). Bu durum ^{14}C'ün sabit bir oranda radyoaktif bozunmasına yol açar. Libby herhangi bir örnekte ^{14}C'ün yarısının –**yarı ömrünün**– bozunması için 5568 yıl geçmesi gerektiğini hesaplamıştı. Ancak modern araştırmalar 5730 yılın daha kesin bir rakam olduğunu göstermiştir (tutarlılık sağlamak açısından laboratuvarlar hâlen yarı ömür için 5568'i kullanırlar, ama aradaki fark bir anlam ifade etmemektedir, zira elimizde doğru şekilde kalibre edilmiş bir zaman çizelgesi bulunmaktadır (aşağıya bakınız).

Libby, sabit bir oranda radyokarbon bozunmasının, radyokarbonun kozmik radyasyon yoluyla üretimi tarafından dengelenmesi gerektiğini ve dolayısıyla atmosferdeki ^{14}C miktarının zaman içinde sabit kaldığını fark etmişti. Dahası, atmosferdeki radyokarbon muhtevası karbondioksit vasıtasıyla yaşayan bütün canlılara eşit şekilde geçmekteydi. Bitkiler karbondioksiti fotosentez yoluyla almaktadır.

RADYOAKTİF BOZUNMANIN İLKELERİ

Doğada bulunan birçok element gibi karbon da birden fazla izotop formunda görülür: ^{12}C, ^{13}C ve ^{14}C. Rakamlar bu izotopların atom ağırlıklarını tanımlar. Herhangi bir karbon örneğinde atomların %98,9'u ^{12}C türündedir ve çekirdeğinde altı proton ve altı nötron vardır. %1,1'i oluşturan ^{13}C ise altı proton ve yedi nötrona sahiptir. Milyon kere milyon karbon atomu içinde sadece bir tanesi, çekirdeğinde sekiz nötron bulunan ^{14}C izotopu olacaktır. Bu karbon izotopu üst atmosferde kozmik ışınların bombaladığı nitrojen (^{14}N) tarafından üretilir ve kendisini kararsız kılan nötron fazlası içerir. Zayıf beta radyasyonu yayılımıyla kendinden önceki yedi nötron ve yedi protona sahip çekirdeği olan nitrojen izotopuna –^{14}N– bozunur. Bütün radyoaktif bozunma tipleri gibi süreç bütün çevresel koşullardan bağımsız şekilde sabit bir oranda gerçekleşir.

Bir radyoaktif izotoptaki atomların yarısının bozunması için geçen süre yarı ömür olarak adlandırılır. Diğer bir deyişle, bir yarı ömürden sonra geride atomların yarısı kalacaktır; iki yarı ömürden sonra ise asıl izotop miktarının çeyreği ve böyle devam eder. ^{14}C örneğinde yarı ömrün 5730

yıl olduğu konusunda artık fikir birliğine varılmıştır. ^{238}U için bu 4,5 milyon yıldır. Başka bazı izotoplar için yarı ömür bir saniyenin çok kısa bir süresine denk gelir, fakat her durumda bozunmanın bir düzeni vardır.

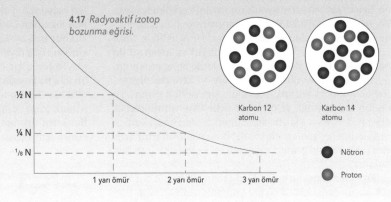

4.17 *Radyoaktif izotop bozunma eğrisi.*

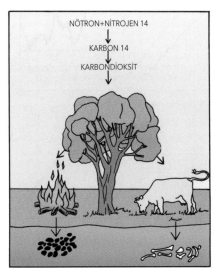

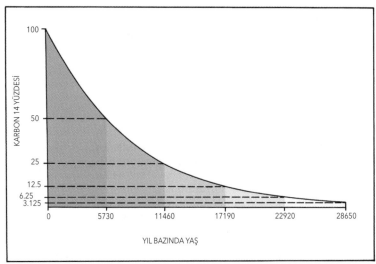

4.18 *(sol üstte) Radyokarbon (karbon 14) atmosferde üretilir ve karbondioksit yoluyla bitkiler ve onlarla diğer hayvanları yiyen hayvanlar tarafından alınır. ^{14}C alınımı bitki ya da hayvan öldüğünde durur.*

4.19 *(sağ üstte) Ölümden sonra ^{14}C miktarı bilinen bir oranda bozunur (5730 yıl sonra %50'si vb.). Bir örnekteki kalan miktarın ölçümü tarihi verir.*

Bunları tüketen otobur hayvanlar da daha sonra etoburlar tarafından yenir. Sadece bir bitki ya da hayvan öldüğü zaman ^{14}C alımı sona erer ve radyoaktif bozunmayla ^{14}C istikrarlı şekilde azalır. Dolayısıyla, ^{14}C'ün bozunma süresini ya da yarı ömrünü bilen Libby, ölü bir bitki ya da hayvan dokusunun yaşını örnekte kalmış radyokarbon miktarıyla hesaplayabileceğini fark etmiştir.

Libby'nin pratikteki büyük başarısı, kesin sonuç veren bir ölçüm aracı bulmuş olmasıdır (^{14}C kalıntıları başlangıç için çok az miktardadır ve 5370 yıl sonra yarıya iner. Bu yüzden, 23.000 yıl sonra, mevcut örnekte ölçmemiz için başlangıçtaki küçük yoğunluğun 1/16'sı kalır). Libby her ^{14}C atomunun bir beta parçacığı yayarak bozunduğunu ve bir Geiger sayacıyla emisyonların sayılabileceğini keşfetti. Bugün birçok radyokarbon laboratuvarının hâlen başvurduğu geleneksel yöntem budur. Örnekler genellikle odun kömürü, tohumlar, diğer bitki kalıntıları ve insan ya da hayvan kemikleri gibi arkeolojik alanlarda bulunmuş organik malzemelerden oluşur. Bir örneğin ^{14}C aktivitesi ölçümü sayma hataları, kozmik arka plan ışıması (fon ışıması ya da fon radyasyonu) ve ölçümde belirsizlik yaratabilecek diğer faktörlerden etkilenebilir. Bunun anlamı, radyokarbon tarihlerine her zaman muhtemel hata payının, yani artı/eksi (±) işaretinin (standart sapma) eşlik etmesidir (aşağıya bakınız).

Bazı laboratuvarların 1970'lerin sonu-1980'lerin başında çok küçük örneklerden ölçüm yapmalarını sağlayan özel gaz sayaçları kullanmasıyla birlikte geleneksel yöntemde ilerleme kaydedilmiştir. Normalde saflaştırma sonrasında 5 gr saf karbona ihtiyaç duyulmaktadır ki, bunun anlamı 10-20 gr ahşap ya da odun kömürü veya 100-200 gr kemiktir. Özel donanım ise sadece birkaç yüz miligram (mg) kömürleşmiş ahşaba gereksinim duymaktaydı.

Radyokarbon tarihlemesinde hızlandırılmış kütle spektrometrisi (accelerator mass spectrometry=AMS) giderek hâkim konuma gelmiştir. Bu teknik daha da küçük miktarlarla çalışabilmektedir. AMS radyoaktiviteyi göz ardı ederek ^{14}C atomlarını doğrudan sayar. Minimum örnek miktarı 5-10 mg kadar küçük oranlara kadar inmektedir. Böylece Turin Kefeni (s. 155'e bakınız) gibi değerli organik malzemelerden örnekler alınıp doğrudan tarihlenebildiği gibi, polenlerin doğrudan tarihlenmesi de elverişli hâle gelmektedir. Başlangıçta AMS ile yapılan radyokarbon ölçümlerinin 50.000-80.000 yıllık bir zaman dilimini kapsayacağı umulmuşsa da, örneklerin kirliliği yüzünden bu hedefin tutturulması zordur.

Radyokarbon Tarihlerinin Kalibrasyonu. Radyokarbon yöntemindeki temel varsayımlardan birinin pek doğru olmadığı anlaşılmıştır. Libby atmosferdeki ^{14}C miktarının zaman içinde hep sabit kalacağını düşünmüştü. Fakat artık biliyoruz ki bu yoğunluk büyük ölçüde Dünya'nın manyetik alanı yüzünden değişmiştir. Hatayı açığa çıkaran yöntem

–ağaç halkası tarihlemesi– aynı zamanda ^{14}C tarihlerini düzeltme ya da kalibre etme yolunu da sağlamıştır.

Ağaç halkalarından elde edilen radyokarbon tarihleri, yaklaşık MÖ 1000'den önce bu şekilde ifade edilen tarihlerin gerçek takvim yıllarına göre giderek daha erkene kaydıklarını göstermiştir. Diğer bir deyişle, MÖ 1000'den önce ağaçlar (ve bütün canlılar) bugün olduğundan daha fazla ^{14}C konsantrasyonuna maruz kalmışlardır. California bristlecone çamları ve meşelerin ağaç halkası ana silsilelerinden sistematik olarak alınan radyokarbon tarihleri (yukarıya bakınız) sayesinde bilim insanları radyokarbon yaşlarını ağaç halkası yaşlarıyla karşılaştırarak (takvim yılları olarak) MÖ 8500'e kadar giden kalibrasyon eğrileri meydana getirmişlerdir. Bu kalibrasyon çabası İkinci Radyokarbon Devrimi olarak isimlendirilmiştir.

Ağaç halkası tarihlemesi yapılmış ahşap atmosferdeki karbona dair doğrudan bir ölçüm sağlar ve dolayısıyla kalibrasyon eğrisi için en iyi muhtemel malzemeyi temsil eder. Şu an için bu kayıtlar günümüzden 12.600 yıl öncesine kadar gitmektedir. Ağaç halkaları Amerikan bristlecone çamı, Alman çamı ve meşesiyle İrlanda meşesinden gelmektedir. Bunların dışında bilim insanları radyokarbonu kalibre etmek için başka yardımcı kayıtlara başvurmalıdır. Söz

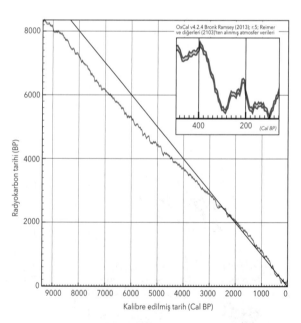

4.20 Son 9000 yıl süresince INTCAL13 kalibrasyon eğrisinin oynamaları. Düz çizgi ideal 1:1 zaman ölçeğini belirtir. (iç şema) Günümüzden yaklaşık 355-300 yıl arasında, "Maunder Minimumu" süresince çok az gözlemlenmiş güneş lekeleri, düşük güneş faaliyetine işaret eder. Bu da sırasıyla dünyanın manyetik alanını etkileyerek radyokarbon üretiminin artmasına ve bize bu dönemde kalibrasyon eğrisinde görülen dik kesiti vermesine yol açar.

konusu kayıtları ağırlıklı olarak varvlar sayılmış deniz tortul tabakalarından gelen foraminifera ile uranyum-toryum tarihlendirilmesi yapılmış eski mercanlar meydana getirir. En son INTCAL13 eğrisi şimdi Cal GÖ 50.000'ye kadar gitmektedir. Eğri aynı zamanda radyokarbon ve takvim yılları arasında, zaman çizelgesinin bazı kısımlarında 4000 ila 5000 yıllık önemli sapmalar olabileceğini göstermiştir. Bu geçici eğriyi takviye eden veriler Japonya'daki Suigetsu Gölü varvlı tabakalarından ve yaşları günümüzden 20.000 yıl öncesine kadar giden Avustralasya ağaçlarından gelmiştir.

Eğride kısa dönemli oynamalar vardır ve kesitler o kadar düzenli gitmektedir ki radyokarbon yıllarına göre aynı yaşta olan iki örnek geçekte takvim yıllarına göre 400 yıl ayrı olabilirler. Özellikle MÖ 800-400 arası Demir Çağı'nı tarihlerken bu sorun can sıkıcı olabilir. Bir radyokarbon tarihini kalibre ederken, ölçülen radyokarbon tarihiyle (mesela günümüzden 2200 yıl önce) birlikte hata tahminini de (mesela günümüzden 2200±100 yıl önce) kalibre etmek önemlidir. Bu takvim yıllarına göre bir tarih aralığı verir. Bazı aralıklar diğerlerinden daha dar ve kesin olacaktır. Artık kullanıcıların bilgisayar temelli kalibrasyonlar üretmesini sağlayan birtakım yazılımlar mevcuttur (arka sayfaya bakınız). Bayes yöntemleri, yeni olasılık dağılımları üretmek için istatiksel yöntemler kullanılarak analiz edilen kesin tarihleme dışı arkeolojik bilgileri de içerir (s. 152-153'teki kutuya bakınız).

Radyokarbon Tarihlerinin Yayımlanması. Radyokarbon laboratuvarları bir örnekteki radyokarbon aktivitesinin miktarının ölçümüne dayanarak tahmini bir tarih sunar. Aktivite düzeyi organizmanın ölümüyle günümüz arasında geçen yıllar şeklinde ifade edilen bir yaşa çevrilir. "Günümüzün" her yıl ilerlediği gerçeğiyle ortaya çıkan karışıklıktan kaçınmak için laboratuvarlar kendi "şimdiki zamanlarını" MS 1950'ye sabitlemişlerdir ve bütün radyokarbon tarihleri GÖ ya da "günümüzden … yıl önce" olarak belirtilir ki bu da 1950'den önce anlamına gelir. Dolayısıyla bilimsel bir yayında radyokarbon tarihleri aşağıdaki gibi verilir:

3700±100 BP (OxA1375)

İlk rakam radyokarbon GÖ yaşı, sonraki ilgili ölçüm hatasıdır (aşağıya bakınız). Son olarak, parantez içinde laboratuvar analiz numarası vardır. Her bir laboratuvarın kendisine ait bir harf kodu bulunur (mesela Oxford, İngiltere için OxA ve Groningen, Hollanda için GrA gibi).

Yukarıda tartışıldığı üzere, bir örnekteki radyokarbon aktivitesini kesin şekilde ölçmeyi engelleyen çeşitli etkenler vardır ve sonuç olarak bütün radyokarbon tarihleriyle bağlantılı bir istatiksel hata ya da standart sapma mevcuttur. Radyokarbon tarihleri bir standart sapma hatasıyla birlikte belirtilir. 3700±100 gibi bir tarih için bunun anlamı, radyokarbon yılları cinsinden yaş tahminini GÖ 3800 ila 3600 arasında bulunma ihtimalinin %68,2 –üçte iki şans– oluşudur. Doğru tarihin üçte bir ihtimalle bu aralı-

ğın içine *düşmeme* ihtimali bulunduğundan, arkeologlara tarih aralığını standart sapma değeriyle hesaba katmaları, yani standart sapma büyüklüğünü iki katına çıkarmaları tavsiye edilir; böylece yaş tahmininin parantezde belirtilmiş olma ihtimali %95,4'tür. Mesela GÖ 3700±100 gibi bir yaş tahmini için radyokarbon tarihi %95,4 ihtimalle GÖ 3900 (3700+200) ve 3500 (3700-200) arasında bulunacaktır.

Kalibre edilmiş tarihler "Cal MÖ/MS" ya da "Cal BP/GÖ" olarak belirtilmelidir ve ilgili radyokarbon veri setinin de açıklanması önemlidir, zira bunlar düzenli olarak gözden geçirilmekte ve genişletilmektedir. Dolayısıyla geleneksel radyokarbon tarihi, diğer bir deyişle radyokarbon yaşı BP kendisine eşlik eden kararlı karbon izotop ölçümüyle birlikte rapor edilmelidir. Geleneksel yaş bir kez ölçüldü mü asla değişmeyecektir, ama kalibre edilmiş tarihler değişir.

Arkeoloğun genel anlamda kesin kronolojiyi tartıştığı durumlarda –belki de radyokarbon yanında tarihi olanlar da dâhil diğer tarihleme yöntemlerini kullanarak– herhangi bir radyokarbon tarihini kalibre etme denemesi yapılmış olması ve bunun başta açıkça belirtilmesi kaydıyla basit MÖ/MS sistemini kullanmak mantıklı görünür.

Radyokarbon Örneklerinin Kirlenmesi ve Yorumlanması. Radyokarbon tarihlerinde belirli ve kaçınılmaz hata payları olmasına rağmen, yanlış tarihler genellikle yetersiz örnekleme ve noksan laboratuvar işlemleri yanında arkeoloğun yanlış yorumlarından çıkmaktadır. Arazide meydana gelen başlıca hataların kaynakları şunlardır:

1 *Örneklemeden önceki kirlenme.* Alınan örneğin toprakta maruz kaldığı kirlenmeyle ilgili ciddi sorunlar çıkabilir. Mesela sulak arkeolojik alanlardaki yeraltı suları organik malzemelerin çözünmesine ve ayrıca birikmesine neden olarak izotop bileşimlerini bozar. Organik nesnenin yüzeyini kaplayan mineral tabakası, radyokarbonda hiç bulunmayan kalsiyum karbonatı getirir ve mevcut ^{14}C'ü "seyreltip" örneğin görünen radyokarbon tarihini etkili şekilde yükselterek yanılgıya yol açar. Bu sorunların üstesinden laboratuvarda gelinebilir.

2 *Örnekleme sırasında ya da sonrasındaki kirlenme.* Bütün radyokarbon örnekleri alüminyum folyolara sarılmalı ve kazı esnasında plastik poşet gibi temiz bir taşıyıcıya koyulmalıdır. Taşıyıcı vakit kaybetmeden dışardan detaylı olarak etiketlenmelidir; kutu içine bırakılan karton etiketler ciddi kirlenmeye sebep olabilir. Taşıyıcı bir başkasının içine yerleştirilmelidir. Bir taşıyıcı içine koyulan iyi kapatılmış diğer kutu, birçok malzeme için emniyetli bir yöntemdir. Fakat bünyesinde ağaç halkası barındıran ahşap ya da karbon örnekleri eğilip bükülmeyen bir taşıyıcıya dikkatlice yerleştirilmelidir. Kâğıt gibi karbon içeren potansiyel olarak sorunlu malzemeler mümkün mertebe kullanıl-

RADYOKARBON TARİHLERİ NASIL KALİBRE EDİLİR?

Radyokarbon laboratuvarları ellerindeki örneklerin kalibre edilmiş tarihlerini sağlayacaktır, ama arkeologlar ham radyokarbon tarihlerini bizzat kalibre etme ihtiyacı duyabilirler.

Sayfa 138'deki diyagramda bir kısmı gösterilen kalibrasyon eğrisi radyokarbon yıllarıyla (BP/GÖ) gerçek takvim yılları (Cal BP/GÖ ya da MÖ/MS) arasındaki ilişkiyi gösterir. Kalibrasyon eğrisindeki iki çizgi bir standart sapmada tahmini hatanın genişliğini verir. Bir radyokarbon örneğinin yaş aralığını bulmak için sıklıkla bir bilgisayar programı kullanılır. Internet'te bu türden ücretsiz çeşitli programlar mevcuttur (OxCal, BCal, CALIB vb.) OxCal ile (http://c14. arch.ox.ac.uk) aşağıdaki diyagramdaki gibi tek bir kalibre edilmiş sonuçtan basit bir grafik elde edilir. Bu örnekte 470±35 BP radyokarbon tarihinin y ekseni üzerinde Gauss dağılımı ya

da normal dağılım şeklinde temsil edildiği görülebilir. Bu dağılım, kalibrasyon eğrisi ve hatası kullanılarak takvim yıllarını temsil eden x ekseni üzerindeki olasılık dağılımına çevrilir. Radyokarbon dağılımının yüksek olasılık seviyesine sahip bölümleri aynı zamanda takvim ölçeğinde de yüksek olasılık barındırır.

Kalibrasyon eğrisi dik ve bazen iniş çıkışlı kısımlarla doludur. Bunlara uzun zaman dilimleri boyunca atmosferdeki radyokarbon miktarının aynı kaldığı düz (durağan) bölümler de dâhildir. Burada kalibrasyonun hassasiyeti her zaman azdır. Tekil örnekleri çok yüksek doğruluk payıyla (bazı laboratuvarlar ±15-20 yıl hata payıyla tarihler verebilmektedir) tarihlemek ya da birden fazla örneği tarihlemek (sonra bunların ortalaması alınabilir) bile durumu yeteri kadar iyileştirmez. Ancak bazen tarihlenebilir bir dizi olay arasındaki geçmiş zaman bilindiğinde

"iniş çıkış eşleştirmesi" ile çok kesin bir tarih elde edilebilir. Bu en sık ağaç halkalarından gelen radyokarbon tarihlerine uygulanır (bir örnek için arka sayfadaki kutuya bakınız). Aralarındaki yıl sayısının bilindiği muhtelif radyokarbon örneklerinden gelen bir dizi ölçüm, zamanla ortaya çıkan radyokarbon muhteviyatındaki değişim şeklinin, kalibrasyon eğrisinin iniş çıkışlarıyla istatistiki olarak doğrudan eşleştirilmesine imkân tanır. Bu, bir ağacın kesilme zamanı için 10-20 yıl dâhilinde bir tarih verebilir. Bunun yerine stratigrafiyle ilişkilendirilmiş bir dizi radyokarbon değeri gibi başka bilgilerin bulunduğu yerlerde şimdi bütün bilinen verileri birleştirmek için Bayes istatistiği kullanmak mümkündür (s. 152'deki kutuya bakınız). Kalibrasyon programlarına ve eğrilerine www.radiocarbon.org adresindeki *Radiocarbon* Internet sayfasından hemen ulaşılabilir.

4.21 *Bu diyagram OxCal kullanılarak münferit bir radyokarbon tarihinin kalibrasyonunu göstermektedir. Y ekseni 470 ±35 BP radyokarbon yaşının ihtimal dağılımını belirtir. Ölçülen yaş INTCAL09 kalibrasyon eğrisi kullanılarak kalibre edilmiştir. Ortaya çıkan gri renkli yeni ihtimal dağılımı, kalibre edilmiş yaştır. Yaş % 68,2 ve 95,4 ihtimal aralığında yer alır.*

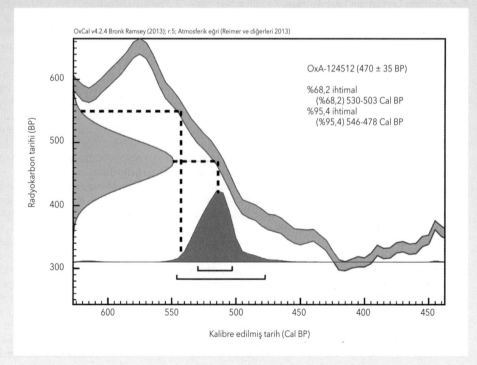

OxCal v4.2.4 Bronk Ramsey (2013); r:5; Atmosferik eğri (Reimer ve diğerleri 2013)

OxA-124512 (470 ± 35 BP)

%68,2 ihtimal
(%68,2) 530-503 Cal BP
%95,4 ihtimal
(%95,4) 546-478 Cal BP

Radyokarbon tarihi (BP)

Kalibre edilmiş tarih (Cal BP)

KERPİÇTEKİ TAHIL

FIRINLANMIŞ KİLDEKİ ODUN KÖMÜRÜ

BOZULMAMIŞ BİR ÇÖP ÇUKURUNDAKİ
ORGANİK MALZEME

TAŞ ALTINDAKİ KEMİK

GÖL TABANI

4.22 *Burada gösterilen türden kontekstlerde -tarihlenecek malzemenin hareketsiz bir matris içinde kapalı kaldığı durumlarda- mümkün olduğu zaman radyokarbon tarihlemesi için örnekler alınmalıdır. Örneğin stratigrafik konteksti, malzeme tarihleme için laboratuvara gönderilmeden önce hafir tarafından doğru şekilde tespit edilmiş olmalıdır.*

mamalıdır; yoksa talihsiz sonuçlarla karşılaşılabilir. Bununla birlikte, modern toprak ve ağaç köklerinden her zaman kaçınılamaz. Böyle durumlarda, hepsini birlikte kutulamak ve sorunu çözecek laboratuvar için bir not iliştirmek yerinde olur.

Sonradan uygulanacak herhangi bir organik malzeme –yapışkan veya Carbowax– aynı şekilde istenmeyen ciddi sonuçlar doğurur (belki laboratuvar buna da bir çare bulabilir). Örneğin devam eden fotosentez de aynı derecede sakıncalıdır. Bu sebeple kutular karanlık ortamlarda saklanmalıdır. Bazı projelerin örnek torbalarındaki yeşil küfler olağandışı bir manzara değildir ve örneğin kirlendiğini kendiliğinden anlatır.

3 ***Tabakanın konteksti.*** Radyokarbon tarihlemesindeki hataların çoğu hafirin söz konusu kontekstin oluşum sürecini tam anlamıyla kavrayamamasından ileri gelmektedir. Organik malzemenin bulunduğu yere nasıl geldiği, ne zaman ve nasıl toprak altına girdiği (arkeolojik alan bazında) anlaşılmadığı sürece doğru yorum imkânsızdır. Radyokarbon tarihlemesinin ilk kuralı, hafirin arkeolojik kontekstinden emin olmadığı örneği teslim etmemesidir.

4 ***Kontekstin tarihi.*** Çoğu kez, sözgelimi odun kömüründeki radyokarbon tespitinin, ahşabın gömülü olduğu kontekstin tarihini doğrudan vereceği düşünülür. Ne var ki eğer ahşap yangın sırasında birkaç yüz yıl yaşında olan çatı kalaslarından geliyorsa, o zaman tarihlenen tahribatın konteksti değil, konteksten daha erken bir yapıdır. Böyle zorlukların yaşandığı birçok örnek vardır. Bunlardan en belirgini, radyokarbon tarihleri konteksten yüzlerce yıl erken olan kalasların hatta fosil ahşabın (örneğin bataklık meşesi) yeniden kullanımıdır.

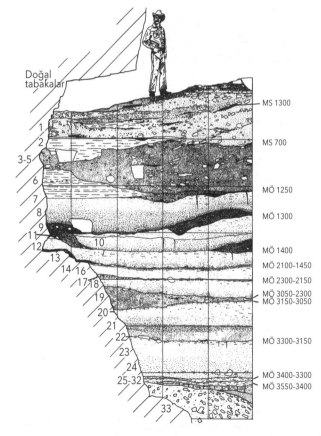

Doğal
tabakalar

MS 1300

MS 700

MÖ 1250

MÖ 1300

MÖ 1400

MÖ 2100-1450
MÖ 2300-2150
MÖ 3050-2300
MÖ 3150-3050

MÖ 3300-3150

MÖ 3400-3300
MÖ 3550-3400

4.23 *David Hurst Thomas'ın Nevada'daki Gatecliff Barınağı için yaptığı ana kesit, radyokarbon sonuçlarından gelen tarihlerin stratigrafik silsileyle nasıl uyum sağladığını göstermektedir.*

BAYES ANALİZİ: RADYOKARBON KRONOLOJİLERİNİN HASSASİYETİNİ GELİŞTİRMEK

Atmosferdeki radyokarbon içeriğinin geçmişteki değişimlerini düzeltmek için radyokarbon tarihlerinin kalibrasyonu gereklidir. Ancak kalibrasyonun yan etkilerinden biri, elde edilebilecek hassasiyetin bir sınırı oluşudur ve bu sınır çalışılan döneme bağlıdır. Tekil örneklerde en iyi ihtimalle bir ya da iki yüzyıl gibi bir aralık mümkündür ve bazı örneklerde bu aralık daha düşüktür.

Öte yandan, eğer biz radyokarbon ölçümlerinden gelen bilgileri sadece kalibrasyon eğrisinden değil, fakat aynı zamanda örneklerin genellikle kazı stratigrafisi kaynaklı göreli yaşları ve sınıflandırmalarına dair bilgilerle birleştirebilirsek bu kısıtlamanın üstesinden gelebiliriz. Bayes istatistikleri bunu yapmak için bize bir çerçeve sunar ve analizi yapabilen yazılımlar mevcuttur (mesela OxCal ve BCal).

Bayes analizi radyokarbon yönteminin hassasiyetini önemli ölçüde geliştirir ve bu türden çeşitli sorunlara uygulanmıştır: uzun ömürlü tekil ahşaplar, tekil arkeolojik alan kronolojileri, sediman silsileleri ve bölgesel kronolojiler. Her örnekte analiz, radyokarbon tarihlerini kalibrasyon eğrisinin üzerine oturturken örnekler hakkında elimizde bulunan diğer bilgileri de hesaba katar. Özel bilgilerin miktarını ve radyokarbon tarihlerinin

sayısını arttırmak daha iyi sonuç verir. Kalibrasyon eğrisinin kendisi on yıllık hassasiyete sahiptir ve Bayes analizi en iyi ihtimalle tarihleri bu düzeye çekebilir. Birçok durumda yöntem radyokarbonun bir yüzyıl içindeki kronolojileri ayırt etmesine izin verir.

İngiliz Uzun Tümülüslerinin Tarihlendirilmesi

Birçok arkeolojik alanda uzun ömürlü ahşap ya korunmamıştır ya da ahşabın ilgilenilen faaliyetlerle yakın bağı kurulmamıştır. Bununla birlikte İngiltere'nin Neolitik çağına ait arkeolojik alanlardaki gibi titiz kazılarda, yerleşimlerde bulunmuş örnekler arasındaki ilişkileri kullanarak tarihlemenin hassasiyeti geliştirilebilir. Bazı durumlarda malzeme dolgusunun anlaşılması ve stratigrafik bilgi, tarih sıralamasını çıkarmamıza imkân tanır. Neredeyse her durumda elimizde belirli bir dönemden gelen örnek grupları vardır. Bütün bu bilgiler arkeolojik alan modelleri kurmak ve farklı arkeolojik alanlar

arasında tarihleri karşılaştırmak için kullanılabilir. Bu, münferit insan kuşakları ayrımı üzerinden olayların kesitini çıkaracak şekilde kronolojik kesinliğin bulunduğu İngiliz uzun tümülüslerinin çalışılmasında çok etkili kullanılmıştır. Burada münferit radyokarbon tarihleri, söz konusu anıtların uzun geçmişe sahip oldukları gibi yanlış bir kanı uyandırır. Aksine Bayes analizi bu türden bir anıtın daha kısa ömürlü bir olgu olduğunu göstermiştir.

Thera Yanardağı'nın Patlamasıyla İlgili Ahşap Örnekleri

Ağaç halkaları yıllık meydana gelir ve dendrokronolojik açıdan tarihlenebilir, ama bazen bu mümkün olmaz ve yerine iniş-çıkış eşleştirmesi kullanılabilir. Bu, bir ağaç halkası silsilesinden tarihleme örneklerinin alınması ve ardından sonuçları en iyi eşleştirmeyi bulmak amacıyla Bayes yöntemlerine göre kalibrasyon eğrisine yerleştirilmesini içerir. Amaç, kalibrasyon eğrisinin şeklini taklit

4.24 *Güney Britanya'daki beş önemli Neolitik arkeolojik alanda tarihlenmiş olayların ihtimal dağılımlarına dair özet. Anıtların kullanımıyla ilgili başlangıç ve bitiş tarihleri arasındaki kısa zaman aralıklarına dikkat edin. Titiz radyokarbon tarihlemesi ve Bayes modellemesinden önce çoğu arkeolojik alanın yüzlerce yıl kullanıldığı düşünülüyordu. Şimdi arkeologlar bazı durumlarda inşaat ve terk arasında sadece bir ya da iki neslin geçtiğini anlamışlardır.*

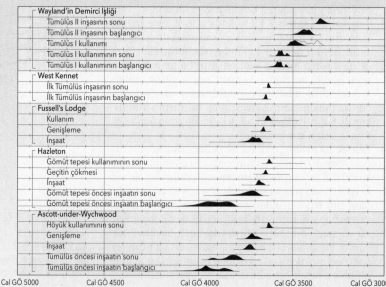

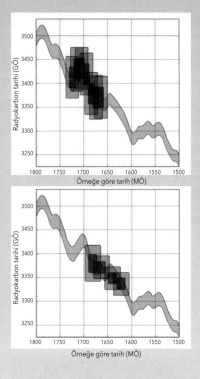

etmektir. Göreli stratigrafik silsile bilindiği ve son ağaç halkası ya da en son ağaç halkaları tanımlanabildiği için bazen çok kesin bir tarih tespit edilebilir. Bunun iyi bir örneği Thera Yanardağı'nın (Santorini; s. 164-165'e bakınız) patlamasıyla ilişkilidir. Miletos'ta ele geçmiş süslü bir sandalyeye ait ahşap, bu arkeolojik alandaki tefra tabakasının altında bulunmaktadır ve patlamanın öncesine ait olmalıdır. Burada yetmiş yılı kapsayan ağaç halkaları kalibrasyon eğrisinin şekline uyar ve en yakın tarihli ahşabı son olarak MÖ 17. yüzyılın ilk yarısına yerleştirir. Patlamanın zamanına kadar yaşadığı düşünülen bir zeytin ağacı dalı da kalibrasyon eğrisine uyan dört radyokarbon tarihi vermiştir ve MÖ 17. yüzyılın ikinci yarısına işaret eder. Her iki örnekte de radyokarbon örnekleri arasındaki bilinen yaş farkları kullanılarak sadece birkaç on yıllık bir tarihleme hassasiyeti mümkündür. Bu, kısa ömürlü malzeme üzerindeki tekil ölçümlerle yapılmazdı.

4.25 *Thera patlamasıyla ilgili ağaç halkası kesitlerinden eşleşen radyokarbon tarihi serileri. Yukarıdaki örnek Miletos'ta bulunmuş bir sandalyeye aittir ve altındaki de Thera'da patlama sırasında yetişen bir zeytin ağacından gelmektedir (kutular %68,2 ve 95,4 oranında ihtimal aralığını gösterir).*

O yüzden, ağaç dalları ya da fundalık gibi kısa kullanım ömrü olan örneklerle toprağa gömüldükleri zaman eski olmaları pek mümkün görünmeyen kömürleşmiş tahıl kalıntıları tercih edilir.

Örnekleme için izlenecek strateji, "tek tarih tarih değildir" bilge vecizesini akla getirecektir; yani birkaç tarihe daha ihtiyaç vardır. En iyi tarihleme işlemi, dâhili bir göreli kronoloji kurmak amacıyla hareket etmektir. David Hurst Thomas ve arkadaşları tarafından kazılan Nevada Monitor Vadisi'ndeki Gatecliff Barınağı gibi iyi tabakalanma veren bir arkeolojik alanın stratigrafik silsilesi buna bir örnektir. Eğer örnekler bu yolla, en alttaki tabaka en erken tarihli olacak şekilde düzenlenirse, laboratuvar tespitlerinin tutarlılığı ve arazi örneklemesinin kalitesi dâhili olarak kontrol edilebilir. Böyle bir kesitten elde edilen bazı tarihler beklendiğinden daha eski çıkabilir. Bu makuldür, zira yukarıda bahsedildiği gibi, bazı malzemeler toprak altına girdikleri sırada zaten "eski" olabilir. Ancak umulduğundan daha yeni (yani daha geç tarihli) çıkarlarsa yanlış bir şey var demektir: Ya kirlenme örnekleri etkilemiş ya laboratuvar ciddi bir hata yapmıştır –ki nadir bir durum değildir– ya da stratigrafik yorum yanlıştır.

Belirtmek gerekir ki deniz ürünleri diyetinin hâkim olduğu yerlerde deniz organizmaları, insan ve hayvan kalıntıları için radyokarbon tarihleri, çağdaş kara tarihlerinden birkaç yüzyıl daha erkendir. Böyle durumlarda deniz kalibrasyon eğrisi kullanılmalıdır. İskoçya'nın batı sahilindeki Mezolitik Oronsay için yapılan düzeltme yaklaşık 400 yıldır. Ne yazık ki bu etkinin yerel varyasyonları mevcuttur ve dolayısıyla evrensel bir deniz kalibrasyon eğrisi bulunmamaktadır. Ayrıca deniz kabuğu ve organizması kalıntılarından elde edilen tarihlerle kara organizmalarınınkinden alınanlar karşılaştırılırken dikkatli olunmalıdır.

Radyokarbon tarihleriyle ilgili birçok sorun örnekleri alan kişiye atfedilebilmesine karşın, bazı bulgular radyokarbon laboratuvarlarının kendi tarihlerinin kesinliğine gereğinden fazla güvendiklerini göstermektedir. Bir karşılaştırmalı incelemede 30 laboratuvar aynı örneği tarihlemiştir. Bazıları hatalarını makul bir doğrulukla tahmin ederken diğerleri bunu yapamamıştır ve bir laboratuvar 200 yıllık sistematik hatalar üretmiştir. Genelde radyokarbon laboratuvarları ±50 yıllık hassasiyete ulaşan ölçümler verebilmekteyse de, aslında gerçek hata payının ±80 yıl veya daha fazla olduğunu düşünmek daha sağlam bir yaklaşımdır.

Laboratuvar dâhilindeki çalışma dünyadaki bazı radyokarbon laboratuvarlarının anonim örneğinden meydana geldiğinden, arkeoloji camiasının önemsiz addedilen hataların ne kadar yaygın olduğunu veya bazı laboratuvarların nasıl sistematik olarak peşin hükümlü radyokarbon tarihleri verdiğini bilmelerinin bir yolu yoktur. Arkeologların radyokarbon laboratuvarlarını herhangi bir başka hizmet tedarikçisi gibi görmeleri ve iddia ettikleri hassasiyet için kanıt istemeleri tavsiye edilir. Birçok laboratuvar geçmişte yaptıkları sapmaların farkındadır ve artık eksik tahmin olarak görülemeyecek gerçekçi hassasiyet raporları vermektedir. Üstelik önceden verdikleri tarihler için yeni ve daha gerçekçi sapmalar önermeleri konusunda tekrar görüşleri alınabilir.

Uygulamalar: Radyokarbon Tarihlemesinin Etkileri. Eğer arkeolojide "ne zaman?" sorusunun cevabının arıyorsak, radyokarbon şüphesiz bu cevabı bulmanın en kullanışlı yolunu sunmuştur. En büyük avantaj, iklim ne olursa olsun organik kökenli (yani yaşayan) malzeme bulunduğu sürece yöntemin her yerde kullanılabilmesidir. Dolayısıyla Güney Amerika ya da Polinezya'da olduğu kadar Mısır veya Mezopotamya'da da işlemektedir. Dahası bizi 50.000 yıl geriye götürür (gerçi zaman cetvelinin öteki ucu, yakın geçmişin 400 yılı için fazlasıyla belirsizdir).

Yöntemin tek bir arkeolojik alandaki uygulanışı Nevada'daki Gatecliff Barınağı'na atfen açıklanmıştır. Yeni ve ilginç bir uygulama, yakın zamanda Güney Fransa'daki Chauvet Mağarası'nda bulunan Üst Paleolitik resimlerinin tarihlenmesidir. Odun kömürüyle yapılmış resimlerden alınan çok küçük örnekler GÖ 31.000 civarında –beklenenden çok daha erken– yoğunlaşan bir dizi sonuç vermiştir. Buzul Çağı mağara sanatıyla ilgili bütün radyokarbon tarihlemeleri bugüne kadar tek bir laboratuvar tarafından yapılmıştır ve bağımsız doğrulamaya muhtaçtırlar. Ayrıca GÖ 30.000 üzerindeki bütün sonuçlar çok daha ciddi hata ve belirsizliğe gebedir. Chauvet mağara sanatının, bu kadar eski bir tarihin üzerine şüphe düşüren birçok özelliği –içeriği, üslubu, inceliği ve tekniği– ve kavramsal yeteneklerin gelişimi hakkındaki müthiş imalar ışığında, mağara sanatı tarihlemesinin birden fazla laboratuvar tarafından doğrulanması, gerekirse örneklerin bölünmesi ve bezemesiz duvarların muhtemel kirlenme tespiti için incelenmesi lazımdır. Aslında yakın tarihli çalışmalar erken tarihlerin odun kömürü örneklerinin yetersiz arıtılmasından kaynaklandığını göstermiştir.

Daha geniş bir ölçekte radyokarbon, daha önce kendilerine ait bir zaman cetveli (takvim gibi) bulunmayan dünya kültürleri için ilk kez temel kronolojiler kurmada önemli

4.26 *İçindeki mağara sanatı örneklerinin 31.000 yıl önceye ait olduğu iddia edilen Chauvet Mağarası'ndan bir gergedan resmi. Söz konusu sonuçlar hâlen çok tartışmalıdır.*

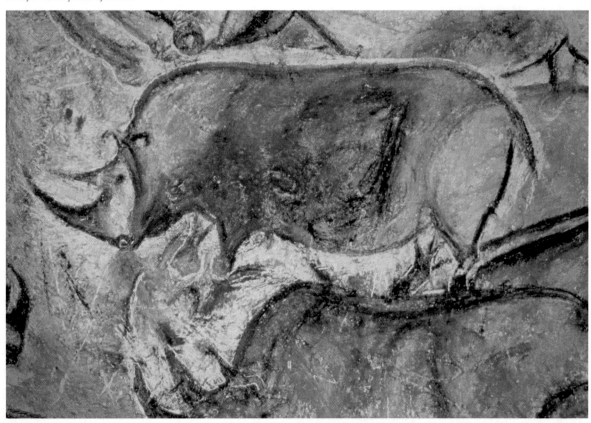

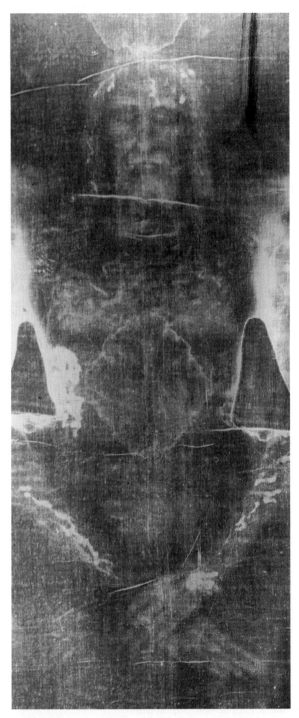

4.27 *Bir erkeğin siluetini taşıyan Turin Kefeni'nin bir parçası. Radyokarbon AMS tarihlemesi kalibre edilmiş MS 1260-1390 tarih aralığını vermiştir.*

rol oynamıştır. Radyokarbonun kalibrasyonu başarısını azaltmamış, aksine arttırmıştır. Avrupa prehistoryası için Mısır tarihi kronolojisinden ayrı, bağımsız bir kronolojinin geçerliliğini kanıtlamaya yardım etmiştir.

AMS tekniğiyle yapılan radyokarbon tarihlemesi yeni olanaklar sunmaktadır. Değerli nesneler ve sanat eserleri artık tarihlenebilmektedir, çünkü gereken sadece çok küçük örneklerdir. 1988'de AMS, birçok kişinin üzerinde Hz. İsa'nın bedeninin izini taşıdığına inandığı Turin Kefeni adlı bir bez parçasının yaşı üzerinde uzun süredir yapılan spekülasyonları sona erdirmiştir. Tucson, Oxford ve Zürih'teki laboratuvarlar bez parçasını İsa'nın zamanına değil, MS 14. yüzyıla tarihlemiştir, ama tartışma hâlen devam etmektedir. Aynı şekilde, tek bir buğday tanesi ya da meyve çekirdeğini tarihlemek artık mümkündür. Güney Britanya'daki Hambledon Hill'den gelen bir üzüm çekirdeğine uygulanan AMS tekniği, üzümlerin –ve muhtemelen bağların– dünyanın bu kısmına takvim yılıyla MÖ 3500'lerde, daha önce düşünüldüğünden 3000 yıl erken geldiğini göstermiştir.

AMS tarihöncesi resimlerde bulunan organik malzemelerde de denenmiştir. Örneğin, bazı sorunlara karşın, odun kömürünün resimlerde pigment olarak kullanıldığı Fransa ve İspanya'daki Paleolitik mağaralardan; ayrıca Queensland'ın kaya barınaklarındaki boyalardan alınan bitki lifleri ve Tasmanya Wargata Mina Mağarası'ndaki boyalardan elde edilen insan kanı proteininden görünüşte sağlıklı sonuçlar alınmıştır. Kaya sanatını tarihlemek üzere kullanılacak başka yöntemler araştırılmaktadır. Mesela mağaralardaki resimlerin üzerinde biriken kalsit tabakaları radyokarbon ve uranyum-toryumla tarihlenebilir. Oksalatlar da (organik karbon içeren oksalik asit tuzları) radyokarbon tarihlemesine elverişli katmanlar oluştururlar.

Radyokarbon organik malzemeler için 50.000 yıl öncesine kadar inen temel tarihleme aracı olarak konumunu korumaktadır. İnorganik malzemede ise termolüminesans (s. 160) ve diğer yeni teknikler çok yararlıdır.

Potasyum-Argon (ve Argon-Argon) Tarihlemesi

Potasyum-argon (K-Ar) yöntemi jeologlar tarafından yüzlerce hatta binlerce milyon yıllık kayaları tarihlemede kullanılır. Ayrıca 5 milyon yıla kadar gidebilen Afrika'daki erken insan (hominin) buluntu yerlerinin tarihlenmesi için en uygun tekniklerden biridir. Uygulama alanı 100.000 yıldan daha genç olmayan volkanik kayalarda sınırlıdır.

Yöntemin Temeli. Radyokarbon gibi potasyum-argon yöntemi de radyoaktif bozunma ilkesine dayanır. Bu sefer, radyoaktif potasyum 40 izotopunun (^{40}K) istikrarlı, fakat çok yavaş şekilde argon-40 (^{40}A) soy gazına bozunması söz konusudur. ^{40}K'ın bozunma hızı bilindiğinden (yarı ömrü 1,3 milyar yıldır), 10 gramlık kaya örneğinde bulunan ^{40}A miktarının ölçümü, kayanın oluşum tarihine dair bir ortalama verir.

Bu yöntemin lazer füzyon argon-argon tarihlemesi (^{40}Ar/^{39}Ar tarihlemesi) adı verilen daha hassas bir türü çok daha küçük örneklere, bazen ponzanın tek bir kristaline (tek kristal lazer füzyonu) ihtiyaç duyar. Potasyumun kararlı izotopu olan ^{39}K, tarihlenecek örnek nötron bombardımanına tutularak ^{39}Ar'a dönüştürülür. Ardından her iki argon izotopu da lazer füzyonu tarafından serbest bırakıldıktan sonra kütle spektrometrisi tarafından ölçülür. Bir kayadaki ^{40}K/^{39}K miktarı sabit olduğu için, kayacın yaşı ^{40}Ar/^{39}Ar oranından hesaplanır. Bütün radyoaktif yöntemlerde olduğu gibi, radyoaktif saati sıfıra getirenin ne olduğu konusunun açık şekilde bilinmesi gerekir. Bu durumda, önceden mevcut olan argonu yok eden volkanik faaliyetin meydana getirdiği taştır.

Laboratuvarda elde edilen tarihler kayaç örnekleri için aslında jeolojik tarihlerdir. Bereket versin ki, Alt Paleolitik çalışmalarındaki en önemli bölgelerden bazıları, özellikle Doğu Afrika'daki Rift Vadisi, volkanik faaliyet alanlarıdır. Bunun anlamı, arkeolojik kalıntıların çoğunlukla volkanik faaliyetlerin meydana getirdiği jeolojik katmanların içinde bulundukları, dolayısıyla K-Ar tarihlemesine uygun olduklarıdır. Dahası, bunlar genellikle benzer volkanik kayaçlar altında bulunurlar ve böylece iki jeolojik katmanın tarihleri, arkeolojik tabakaların bulunduğu üst ve alt dilimle arasında kalan bir kronolojik "sandviç" sunar. MS 79'daki Vezüv yanardağı patlamasından gelen ponzadan yapılmış argon-argon analiziyle (1925 ± 25 yıl) yöntemin çok yakın dönemdeki patlamalar için bile oldukça iyi kesinlik derecesi verdiği görülmüştür.

Uygulamalar: Doğu Afrika'daki İlk İnsan Buluntu Yerleri. Tanzanya'daki Olduvai Boğazı hominin evriminin incelenebildiği en önemli buluntu yerlerinden biridir, zira burada *Australopithecus* (*Paranthropus*) *boisei*, *Homo habilis* ve *Homo erectus*'un fosil kalıntıları (sayfa 167-168'ye bakınız) yanında taş alet ve kemikler bulunmuştur. Rift Vadisi'nde bulunan Olduvai volkanik bir alandır ve iki milyon yıllık kronolojisi, arasında arkeolojik kalıntılar bulunan sertleşmiş volkanik kül (tüf) ve diğer malzemelerin dolgularının K-Ar ve Ar-Ar tarihlemeleriyle iyice anlaşılmıştır. K-Ar yöntemi Etiyopya'daki Hadar gibi diğer ilk Doğu Afrika buluntu yerlerine ilaveten İspanya'da bulunan Atapuerca'nın tarihlenmesinde de son derece önemlidir (arka sayfadaki kutuya bakınız).

Kısıtlayıcı Etkenler. K-Ar tarihlemesinin sonuçları genellikle diğer radyoaktivite temelli yöntemlerde olduğu gibi bir hata tahminiyle birlikte gelir. Sözgelimi, Olduvai'daki Tüf IB'nin yaşı 1,79 ±0,03 milyon yıl olarak hesaplanmıştır. 30.000 yıllık bir hata payı başlangıçta çok büyük gibi gelse de,

aslında toplam yaşın sadece %2'sini teşkil eder (Burada da diğerlerindeki gibi hata tahmini laboratuvardaki sayım sürecine bağlıdır ve tabakalanmanın çeşitli kimyasal şartlardan ya da arkeolojik açıklamaların belirsizliklerinden ileri gelen hata kaynaklarını tahmin etmeye çalışmaz).

Tekniğin başlıca kısıtlamaları sadece volkanik kayaların altında kalmış arkeolojik alanlarda kullanılabilmesi ve % ± 10'dan daha iyi bir hassasiyetin sağlanamamasıdır. Buna rağmen potasyum-argon tarihlemesi uygun volkanik malzemenin mevcut olduğu yerlerde anahtar araçtır.

Uranyum Serisi Tarihlemesi

Bu tarihleme yöntemi uranyum izotoplarının radyoaktif bozunmasına dayanmaktadır. Özellikle radyokarbon tarihlemesinin zaman kapsamı dışında kalan 500.000-50.000 yıl öncesi için kullanışlı olduğu kanıtlanmıştır. Potasyum-argon tekniğiyle tarihlenebilecek volkanik kayaçların az olduğu Avrupa'da uranyum serisi (U-serisi) tarihlemesi, bir arkeolojik alana eski insanların ne zaman yerleştiğini açığa kavuşturmak için başvurulacak ilk yöntem olabilir.

Yöntemin Temeli. Uranyum elementinin iki izotopu (^{238}U ve ^{235}U) bir dizi safha dâhilinde yavru elementlere dönüşür. Bu yavru elementlerden ikisi, toryum (^{230}Th; aynı zamanda ^{235}U'un yavru elementi "iyonyum" olarak da adlandırılır) ve proaktinyum (^{231}Pa; ^{235}U'un yavru elementi), tarihleme için elverişli yarı ömürlerle bozunurlar. Esas nokta, ebeveyn uranyum izotopları suda çözünürken, yavru elementlerin çözünmemesidir. Bu, örneğin, kireçtaşı mağaralara sızan sularda sadece uranyum izotoplarının bulunduğu anlamına gelir. Ancak bu sularda uranyumla kirlenmiş kalsiyum karbonat çözündüğünde mağara duvarları ve tabanında traverten olarak birikir; böylece radyoaktif saat işlemeye başlar. Oluşum zamanında traverten sadece suda çözünen ^{238}U ve ^{235}U içermektedir; çözünmeyen ^{230}Th ve ^{231}Pa izotoplarına sahip değildir. Dolayısıyla zaman içinde yavru izotopların miktarı artarken ebeveyn uranyum bozunur ve ebeveyn/yavru oranı ölçülerek (bu genellikle ^{230}Th/^{238}U'dur) travertenin yaşı tespit edilebilir.

İzotoplar alfa emisyonları sayılarak ölçülür. Her izotop karakteristik bir frekansta alfa radyasyonu yayar. Elverişli koşullarda yöntem 150.000 yaşındaki bir örnekte ±12.000, 400.000 yaşındakinde ise ± 25.000 yıllık belirsizlikle (standart hata) tarihleme yapabilmeyi sağlamaktadır. Isıl iyonlaşma kütle spektrometrisiyle (thermal ionization mass spectrometry = TIMS) mevcut her bir izotopun kütlesi ölçülerek bu rakamlar büyük oranda düşürülebilir. Böyle yüksek hassasiyetli tarihler 100.000 yaşındaki bir örnekte 1000 yıldan az hata payı verebilir.

Uygulamalar ve Kısıtlayıcı Etkenler. Yöntem çoğunlukla kireç zengini kaynakların çevresindeki yüzey veya yeraltı

4.28 İspanya'daki El Castillo Mağarası'ndan bir negatif el baskısı. Bunun ve diğerlerinin üzerindeki kalsit tabakalarının uranyum-toryum tarihlemesi çok erken -en erkeni en az GÖ 37.300 yaşındadır- tarihler vermiştir. Dolayısıyla Neanderthal'ler tarafından yapılmış olabilirler.

sularının hareketi ya da kireçtaşı mağaralara yeraltı sularının sızmasıyla oluşan kalsiyum karbonatlı kayaları tarihlemede kullanılır. Mağara tabanlarındaki dikitler bu şekilde meydana gelir. İlk insanlar barınmak için mağaraları ve çıkıntı kayaları tercih ettikleri için, nesneler ve kemikler sıkça bir kalsiyum karbonat tabakası ya da iki kireç çökeltisi arasındaki bir başka tip tabaka içine gömülürler.

Bir mağaradaki tabakalanma sırasının doğru tespitinde yaşanan sıkıntı, U-serisi yönteminin muğlak sonuçlara meyletmesine sebeptir. Bu ve başka nedenlerden dolayı, bir mağaradaki birkaç dolgu tabakasından örnek alınması ve jeolojisinin dikkatlice incelenmesi gerekir. Yine de yöntem çok yararlı olduğunu göstermiştir. Kuzey Galler'deki Pontnewydd Mağarası'nda arkeolojik buluntuların büyük kısmını barındıran aşağı breşin 220.000 yaşında olduğu U serisi tarihlemesiyle ortaya çıkmıştır. İspanya'daki Atapuerca ilk insan buluntu yerinde (arka sayfadaki kutuya bakınız) U-serisi tarihlemesi potasyum-argon gibi diğer yöntemlerle bir arada başarılı olarak kullanılmıştır.

Uranyum-toryum tarihleme yöntemi mağaralardaki tarihöncesi betimlerin üzerini örten kalsit tabakalarına giderek daha fazla uygulanmaktadır. Radyokarbon analizi sadece odun kömürü gibi organik pigmentler için sonuçlar sağladığından, kalsit oluşumunun tarihlenmesi, onun altında bulunan herhangi bir betim için en geç tarihi verir. Yakın zamanda yöntem Kuzey İspanya'daki birkaç mağaradaki betimleri kaplayan kalsit tabakalarına uygulanmıştır ve şaşırtıcı derecede erken sonuçlar vermiştir: Altamira'nın bezeli tavanından kırmızı bir işaret en az 35.000 yıllık iken, El Castillo'da bir negatif el baskısı en az GÖ 37.300 ve kırmızı bir disk GÖ 40.800 yaşındadır. Dolayısıyla bu

sonuçlar bazı motiflerin –belki de negatif el baskıları dâhil– Neanderthal'lere atfedilme ihtimalini ortaya çıkarmıştır.

Dişler de bu yöntemle tarihlenebilir, zira suda çözünen uranyum diş toprağa gömüldüğünde ona nüfuz eder, ama zaman içinde alınan uranyum miktarının tahmini sorunludur. Yine de TIMS U-serisi tarihlemesi, İsrail'deki üç mağarada (Tabun, Qafzeh ya da Kafzeh ve Skhūl) hominin iskeletleriyle birlikte bulunmuş memeli dişleri üzerinde başarıyla uygulanmış ve 105.000-66.000 yılları arasında sonuçlar elde edilmiştir.

U serisi tarihleri, aynı malzemelerden yararlanan elektron döngü rezonansı tarihleriyle bağlantılı olarak gitgide daha sık kullanılmaktadır (arka sayfadaki kutuya bakınız). Hırvatistan'daki Krapina'dan gelen Neanderthal bireyler her iki yöntem tarafından diş minelerinden yararlanılarak 130.000 civarına tarihlenmiştir.

4.29 Aşındırma sonrası fizyon izi örnekleri.

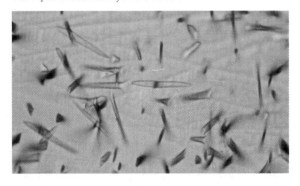

EN ESKİ BATI AVRUPALILARIN TARİHLENMESİ

Kuzey İspanya yakınındaki Burgos'ta bulunan Sierra de Atapuerca tam bir buluntu yeri -çoğunlukla içi dolmuş mağaralar- hazinesidir ve Batı Avrupa tarihini yeniden yazmaktadır. Buradaki buluntu yerleri 1860'lardan beri bilinmekteydi ve Pleistosen aletlerle fauna 1960'lardaki kazılarda meydana çıktı. Bununla birlikte fosil hominin kalıntılarının ilk keşfi 1970'lerde oldu. Önce Emiliano Aguirre, ardından sırasıyla Juan-Luis Arsuaga, José Maria Bermúdez de Castro ve Eudald Carbonell tarafından 1980'lerden beri yapılan kazıların sayısı ve yoğunluğu artmıştır. Şimdi bile Sierra'nın sadece çok küçük bir bölümü araştırılmıştır. Çalışmalar yüzyıllar olmasa da on yıllar boyunca devam edecektir ve Atapuerca dünyanın en önemli arkeolojik alanlarından biri sayılmaktadır.

Atapuerca'nın Tarihlenmesi

Giderek daha fazla eski tabaka ortaya çıkarıldığı için ve arkeoloji çevrelerinin yaygın itirazına rağmen -birçok tutucu bilim insanı Avrupa'da günümüzden 500.000 yıl öncesinden daha erken bir insan iskânının mevcudiyetine inanmakta isteksizdi- bu buluntu yerlerinde kronoloji her zaman ön plandaki çalışmaydı.

Mikrofauna analizinden radyokarbon, potasyum-argon ve uranyum serisi yöntemlerine kadar çeşitli teknikler uygulandı. Bunlar bir milyon yıl öncesinden daha erkene giden bir iskâna dair kanıtlar sunmak için bir araya getirildi. Gran Dolina buluntu yerindeki yaklaşık 800.000-1 milyon yıl öncesine tarihlenen TD4, TD5 ve TD6 tabakaları özellikle önem arz etmektedir. TD6'da bulunmuş ilk insan kalıntıları ve taş aletlerin Alt Pleistosen boyunca

Avrupa'da homininlere ait inkâr edilemez kanıtlar sağlaması 1994'te olmuştur. Söz konusu homininlere yeni bir tür ismi -Homo antecessor- verilmiştir.

Fosil dişlerin elektron döngü rezonansı ve uranyum serisi tarihlemesi TD6 tabakasının Alt Pleistosen yaşını (780.000 yıl öncesinden daha erken) doğrularken, aynı yöntemler TD8'in aşağı yarısını 600.000, TD10 ile TD 11'i 380.000-340.000 arasına yerleştirdi (çelişkili biçimde tabakalar aşağıdan yukarı doğru numaralandırılmıştır) [Tabakaların aşağıdan yukarı doğru numaralandırılmasının nedeni, obruk olan bu buluntu yerlerine ait tüm kesitlerin, demiryolu inşa etmek için açılmış yarma yüzünden tamamıyla tespit edilebilmiş olmasıdır. Dolayısıyla, tabaka numaraları tarihle uyumludur -ç.n.]. Bu rakamlar mikrofauna, özellikle de kemirgenlerle çok iyi uyum gösteriyordu.

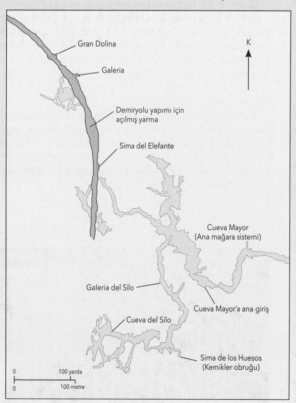

4.30–31 *Sierra de Atapuerca buluntu yerinin haritası (solda) en önemli fosil hominin kalıntılarının bulunduğu yerleri gösterir. (Altta) Gran Dolina'da bulunmuş Homo antecessor kafatası, insanların Avrupa'da Alt Pleistosen Dönemi'nde, günümüzden yaklaşık 1 milyon yıl önce yaşadığını gösteren sağlam bir kanıt sunmuştur. Dolayısıyla yakın akrabası olan Homo heidelbergensis'ten eskidir.*

Gran Dolina

Galeria

K

Demiryolu yapımı için açılmış yarma

Sima del Elefante

Cueva Mayor (Ana mağara sistemi)

Galeria del Silo

Cueva Mayor'a ana giriş

Cueva del Silo

Sima de los Huesos (Kemikler obruğu)

0   100 yarda
0   100 metre

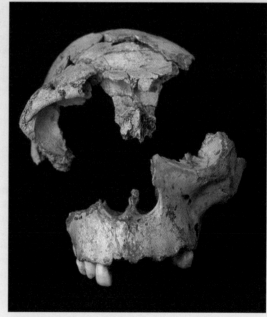

Galeria buluntu yerinde en alttaki tabakalar (GIa) paleomanyetizma vasıtasıyla GÖ 780.000'den daha erkene tarihlendirilmiştir (bu, Matuyama Dönemi olarak bilinen ters kutuplanma dönemini işaret eder). Öte yandan bunun üzerindeki GIIa tabakası elektron döngü rezonansı ve uranyum serileriyle günümüzden 350.000-300.000 ve GIV 200.000 yıl öncesine yerleştirilmiştir.

Sima del Elefante'nin derin bir stratigrafisi vardır. Buradaki fauna, mikrofauna ve pelomanyetizma analizleri, insan elinde çıkma taş yongalar barındıran en dipteki kesiti (I ve II. evreler) Alt Pleistosen'e (günümüzden 1 milyon yıl öncesi) ve IV. Evre'yi Orta Pleistosen'in sonuna tarihlendirmiştir. Bu muazzam zaman aralığının sebebi, muhtemelen mağaranın III. Evre'de geçici olarak kapanmasının ardından sediman birikmesinde meydana gelen büyük bir *hiatus*tur (arkeolojik boşluk).

1998'de TE9 tabakasında taş aletlerle birlikte bir insan çenesi bulunduğu bildirildi. Birkaç yöntem bir arada –kemirgenler ve böcekçiller, paleomanyetizma ve "gömüt

4.32–33 *Gran Dolina'daki kazılar (üstte). Şimdi bir Dünya Kültür Mirası olan Sierra de Atapuerca, dünyada en yoğun araştırılan buluntu yerlerinden biridir. (sağda) Sima de los Huesos'tan kemikler. Burada 5500 civarında insan kemiği bulunmuştur ve günümüzden 350.000 yıl öncesine tarihlenir. Çoğu ergen ve genç erişkin olan en az 30 birey temsil edilmektedir ve insan iskeletine ait her parçaya rastlanmıştır.*

tarihlemesi" (çökelti ve kayalardaki iki kozmojenik nüklid olan ^{10}Be ve ^{26}Al analizi)– bunları günümüzden 1,1-1,2 milyon yıl öncesine yerleştirmiş ve böylece Avrupa'daki en eski ve en sağlam şekilde tarihlendirilmiş insan iskânına ait kanıtlar yapmıştır.

Sima de los Huesos'ta (s. 396-397'deki kutuya bakınız) mikrofauna analizi, elektron döngü rezonansı ve uranyum serileri yöntemlerinin birleşimi, insan kemiklerini içeren dolguyu örten mağara dolgusunun en az 350.000 yıl öncesine tarihlemiştir. Diğer taraftan yüksek çözünürlüklü uranyum serilerine ait tarihler bedenlerin buraya yaklaşık 600.000 yıl önce koyulduğunu göstermiştir.

Fizyon İzi Tarihlemesi

Fizyon izi tarihlemesi, içinde bulundukları minerallerin yapısını bozan radyoaktif uranyum atomlarının (^{238}U) kendiliğinden fizyonuna (ya da bölünmesine) dayanır. Volkanik cam ve üretilmiş camlarla kaya oluşumlarındaki zirkon ve apatit türünden mineraller gibi ^{238}U'un bulunduğu maddelerde tahribat fizyon izleri denilen izyollarına kaydedilmiştir. İzler laboratuvarda optik mikroskop altında sayılabilir. ^{238}U'un fizyon sıklığını bildiğimizden kaya ya da camın oluşum tarihini tespit etmemiz mümkün olur.

Bu durumda mineral veya camın oluşumu ya doğada (obsidyende olduğu gibi) ya da üretim anında (üretilmiş cam) tarafından sıfırlanır. Yöntem bünyesinde arkeolojik bulgular barındıran ya da bunları ihtiva eden kayaçlara bitişik uygun kayalar için işe yarar tarihler verir. Tanzanya'daki Olduvai Boğazı gibi ilk Paleolitik buluntu yeryerinde başarıyla kullanılarak potasyum-argonla diğer sonuçların bağımsız doğrulamasını sağlamıştır.

DİĞER KESİN TARİHLEME YÖNTEMLERİ

Özel koşullarda kullanılabilecek başka birtakım tarihleme yöntemleri de vardır, ancak bunlar arkeologlar için pratikte yukarıda bahsedilenler kadar önemli değildir. Bazıları özel problemlerin çözümüyle alakalıdır. En önemlilerinden birkaçı aşağıda ele alınmıştır; böylece bu bölümde verilen genel bakış tamamlanmış olacaktır. Fakat buradaki tartışma kolaylıkla karmaşıklaşabilecek, ama yine de ana akım arkeolojiyle doğrudan ilişkili olmayan bir alana yönelik bir fikir vermek amacıyla bilerek kısa tutulmuştur. Oldukça özel bir konu olan DNA tarihlemesi ayrı önem taşır.

Termolüminesans Tarihlemesi

Termolüminesans (TL) tarihlemesi toprak altındaki fırınlanmış kristalli malzemeleri (mineraller) tarihlemek için kullanılabilir. Bunlar genellikle çanak çömlektir, fakat aynı zamanda pişmiş kil, yanmış taş ve bazı durumlarda yanmış topraktır. Ne yazık ki kesin sonuç almak zordur ve

4.34–36 *Termolüminesans tarihlemesi. (en üstte) Çanak çömlekteki termolüminesans saati fırınlamayla sıfıra kurulur. Çömlek tarihini belirlemek için günümüzde tekrar ısıtılana dek termolüminesans birikmeye devam eder. (ortada) Laboratuvarda gözlemlenen ışıma eğrisi. A eğrisi örnek ilk ısıtıldığında yayılan ışığı ve B eğrisi ikinci ısıtılmada gözlemlenen termolüminesans dışı yayılan ışığı (herhangi bir örnek ısıtıldığında görülen sıcak kırmızı ışıma) gösterir. İlk ısıtmada yayılan ilave ışık, tarihleme için ölçülen termolümnesanstır. (yukarıda) Termolüminesans için iyi ve kötü konumlar. Eğer örneğin yakınındaki alt toprak ya da kayanın radyoaktivite düzeyi, çukur veya hendek dolgusuna ait olandan ölçülebilecek oranda farklıysa sonuçlar hatalı çıkacaktır.*

Çömlek yapımı için kilin fırınlanması

Doğal kildeki yüksek termolüminesans düzeyi

Yaşı belirlemek için deneysel ısıtma

Termolüminesans çömlekte birikir

GEÇEN ZAMAN

SANİYE BAŞINA TERMOLÜMİNESANS SAYIMI

ISI (°C)

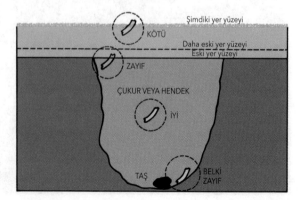

Şimdiki yer yüzeyi

KÖTÜ

Daha eski yer yüzeyi

Eski yer yüzeyi

ZAYIF

ÇUKUR VEYA HENDEK

İYİ

TAŞ

BELKİ ZAYIF

dolayısıyla genellikle radyokarbon gibi yöntemler mevcut olmadığında kullanılır.

Birçok başka yöntem gibi termolüminesans da radyoaktif bozunmaya dayanmaktadır, ancak burada örneğin yaydığı değil, başlangıç tarihinden itibaren aldığı radyoaktivite önemlidir. Bir mineralin yapısındaki atomlar yakın çevredeki radyoaktif elementlerin bozunmasıyla radyasyona maruz kaldığı zaman, bu enerjinin bir kısmı "hapsolur." Eğer zaman içinde radyasyon oranı sabit kalırsa söz konusu enerji düzenli bir oranda birikecek ve toplam enerji miktarı maruz kalma süresine bağlı olacaktır. Bir örnek 500 °C ya da daha yüksek derecelerde ısıtıldığında tutsak enerji termolüminesans olarak açığa çıkar ve "radyoaktif saat" sıfıra kurulur.

Bunun anlamı, çanak çömlek gibi arkeolojik buluntuların ilk fırınlandıklarında saatlerinin sıfırlanacağıdır. Bu nesnelerden alınan örnekleri yeniden ısıtarak serbest kalan

4.37 Nijerya'daki Jemaa'dan Nok kültürüne ait pişmiş toprak bir baş. Heykelin yaşı için yapılan termolüminesans okuması Nok bölgesinden bu ve diğer pişmiş toprak eserlere dair ilk güvenilir tarihi sağlamıştır. Yükseklik 23 cm.

4.38 Kuzey Avustralya'daki Nauwalabila I kazısının solda termolüminesans (TL ve optik tarihleme), sağda radyokarbon tarihleriyle birlikte bir kesiti. Buluntu içeren kumullar optik olarak tarihlenebildi ve GÖ 53.000 ile 60.000 arasında sonuçlar verdiler. Bunlar Avustralya kıtasındaki ilk insan iskânının tarihi hakkında önemli çıkarımlar sağladı.

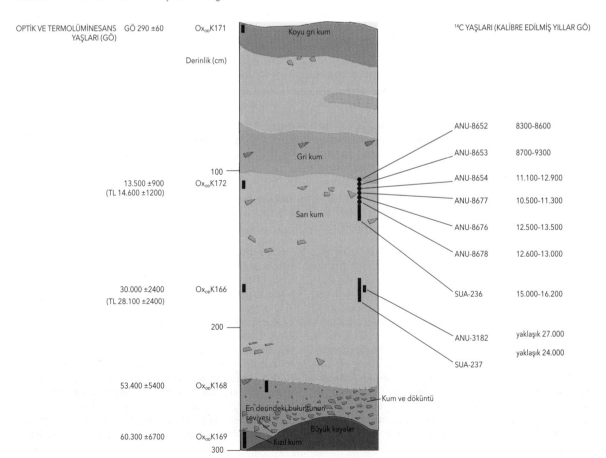

OPTİK VE TERMOLÜMİNESANS YAŞLARI (GÖ)			¹⁴C YAŞLARI (KALİBRE EDİLMİŞ YILLAR GÖ)
GÖ 290 ±60	Ox$_{op}$K171	Koyu gri kum	
	Derinlik (cm)		
			ANU-8652 8300-8600
		Gri kum	ANU-8653 8700-9300
	100		ANU-8654 11.100-12.900
13.500 ±900 (TL 14.600 ±1200)	Ox$_{op}$K172		ANU-8677 10.500-11.300
		Sarı kum	ANU-8676 12.500-13.500
			ANU-8678 12.600-13.000
30.000 ±2400 (TL 28.100 ±2400)	Ox$_{op}$K166		SUA-236 15.000-16.200
	200		ANU-3182 yaklaşık 27.000
			yaklaşık 24.000
			SUA-237
53.400 ±5400	Ox$_{op}$K168	En derindeki buluntunun seviyesi Kum ve döküntü	
60.300 ±6700	Ox$_{op}$K169	Büyük kayalar Kızıl kum	
	300		

termolüminesansı ölçebilir ve malzemeyi tarihleyebiliriz. Yöntemin başlıca güçlüğü, bir örneğin maruz kalabileceği arka plan radyasyonunun sabit olmamasıdır. Her bir örnek için radyasyona hassas bir malzemeyi küçük bir kapsüle koyup gömerek ya da örneğin tam olarak bulunduğu yerde bir radyasyon sayacı kullanarak ölçüm yapılır. Genelde bu ölçümlerin zorluğu, TL tarihlerinin nadiren örnek yaşının ± %10'undan iyi bir hassasiyette sonuç vermesini engeller.

TL'nin arkeolojik uygulamalarına iyi bir örnek, Nijerya'daki Jos Yaylası yakınında bir kalay madeninin alüvyonundan gelen pişmiş toprak Jemaa kafasıdır. Bu ve benzer örnekler Nok kültürüne aittir, ama böyle heykeller makul radyokarbon tarihleri elde edilemediğinden Nok arkeolojik alanı içinde güvenilir olarak tarihlenememektedir. Jemaa başında yapılan TL okuması MÖ 1520 ± 260 tarihini vermiştir ve böylece Nok bölgesinden gelen bu ve benzeri pişmiş toprak başlar ilk kez sağlıklı bir kronolojik konuma kavuşmuştur.

Optik Tarihleme

Bu yöntem prensipte termolüminesansa benzer, fakat ısı yerine ışığa maruz kalmış mineralleri tarihler. Çoğu mineral güneş ışığında birkaç dakika süre bekleyince serbest kalan hapsolmuş enerji barındırır. Böyle bir maruz kalma gerçekte başlangıç noktasıdır. Bir kez toprak altında kaldıklarında topraktaki radyasyon yüzünden yeniden elektron toplamaya başlarlar. Laboratuvarda optik uyarmalı luminesans (optically stimulated luminescence=OSL), görünür bir dalga boyundaki ışığın örneğe yönlendirilmesiyle elde edilir ve gömülme yerindeki arka plan radyasyonu bir kez daha ölçülür. Dolayısıyla optik tarihleme TL'de karşılaşılan çoğu problemden muzdariptir. Buna rağmen OSL, TL ve radyokarbonla bir arada kullanılarak Avustralya'daki çok erken Nauwalabila arkeolojik alanı tarihlenmiştir.

Elektron Döngü Rezonansı Tarihlemesi

Elektron döngü rezonansı (electron spin resonance=ESR) tarihlemesi TL'ye göre daha az hassastır, fakat ısıtıldığı zaman ayrışan malzemeler için uygundur. Şimdiye kadarki en başarılı uygulama diş minesinin tarihlenmesidir. Yeni oluşmuş diş minesi hiçbir hapsolmuş enerjiye sahip değildir, ama dişin toprağa gömüldüğü ve doğal radyasyona mazur kaldığı andan itibaren enerji toplar. Diş minesini tarihlemek için başvurulduğunda yöntemin hassasiyeti %10-20'dir, fakat erken insanların çalışılmasında (s. 158-159'daki kutuya bakınız) ve diğer tarihleme yöntemleriyle çapraz kontrolde hâlen yararlıdır.

GENETİK TARİHLEME

Genetik "tarihleme" zaman sürecini insan nesilleri (çoğu kez pratikte 29 yıl olarak alınır) olarak tahmin edebilir ve sadece bundan sonra takvim yılları bazında sonuç çıkarabilir. Yine de bu kısıtlamalara rağmen, bir göreli tarihleme tekniğinden (sadece daha eski daha yeni ilişkileri kurar) çok daha fazlasıdır ve faydası giderek artmaktadır. Genetik verilerden kesin tarihler elde etmek için incelenen mtDNA, Y kromozomu DNA'sı ya da otozomik soylar için mutasyon oranlarını tespit etmek gerekir.

Eski DNA (eDNA) örnekleri, bünyelerindeki "genetik ayrılma"yı incelemek için modern örneklerle karşılaştırılır ve iki örneğin ortak atasından beri gerçekleşmiş mutasyonlar tespit edilir. Eski DNA örneğinin "daha az" mutasyonu olacaktır ve eski örnekteki mutasyonların yenidekine oranı, söz konusu bireyin ölümünden itibaren geçen zamanı verecektir.

Sibirya'daki Ust'-Ishim'den 45.000 yıllık bir modern insanın (sadece tek bir femuru korunmuştur) örneğinde, eDNA dizisindeki Neanderthal karışımına dair işaretler Afrikalı olmayan modern insanlarınkinde bulunanlarla karşılaştırılmıştır. Neanderthal'lerin eDNA segmentlerine yaptığı genetik katkıların, günümüz insanlarındaki segmentlerden daha uzun olması bekleniyordu, zira Ust'-Ishim bireyi karışmanın

4.39 Ust'-Ishim'den anatomik olarak modern bir insana ait 45.000 yıllık femur.

("türler arası karışma") gerçekleştiği zamana daha yakın yaşamıştı; dolayısıyla segmentlerin çapraz gen oluşumuyla (dölün farklı gen ve özelliklerin kombinasyonuyla meydana gelmesi) parçalanması için daha az zaman vardı.

Qiaomei Fu ve meslektaşları Ust'-Ishim femurunda ve günümüz genomlarındaki varsayılan Neanderthal DNA segmentlerini tespit ettiler ve Ust'-Ishim bireyindeki Neanderthal kökenli olması gereken fragmanların günümüz insanlarınınkine göre çok uzun olduğunu belirlediler (1,8'e 4,2 oranında bir faktörle). Dolayısıyla Neanderthal gen akımı -genlerin bir nüfustan diğerine transferi- Ust'-Ishim bireyinin yaşadığı tarihten 232-430 nesil önce gerçekleşmişti. Bir nesil 29 yıl olarak alındığında ve gen akımının tek bir olay olarak vuku bulduğu düşünülerek, Ust'-Ishim bireyinin atalarıyla Neanderthal'ler arasındaki karışmanın GÖ 50.000-60.000 civarında, modern insanların Afrika ve Ortadoğu'dan çıkarak büyük çaplı yayılımından kısa denebilecek bir süre sonra meydana gelmiş olduğu ortaya koyuldu. Bu açıkça modern insanların kökenlerini ilgilendiren çok önemli bir çıkarımdır. Bunun için çıkarımın çerçevesinin Batı Sibirya'daki İrtiş Irmağı'nın kıyısından alınmış tek bir insan femurunun ("anatomik anlamda modern" olmakla birlikte) eski DNA'sına odaklanması dikkat çekicidir.

Modern popülasyonlara ait genetik verileri değerlendiren simülasyon tabanlı modeller şimdi popülasyon gruplarının ayrılma zamanlarını hesaplamak üzere erişilebilir durumdadır. Yakın zamanda bu türden bir hesaplama Afrika'daki Yoruba ve San halklarının ayrılma tarihi olarak GÖ 110.000 yıl öncesini vermiştir. Böyle modeller modern popülasyonlara ait genetik veriler kullanarak erken demografik olaylar ve süreçlere dair daha gelişmiş çıkarımların yapılabileceğini göstermektedir.

KALİBRE EDİLMİŞ GÖRELİ YÖNTEMLER

Radyoaktif bozunma tamamıyla zamana bağlı ve düzenli şekilde süren bildiğimiz tek süreçtir; sıcaklık ya da öteki çevresel koşullardan etkilenmez. Ancak tam anlamıyla değişmez olmamakla birlikte, arkeolog tarafından kullanılabilecek kadar istikrarlı başka doğal süreçler vardır. Doğal yıllık çevrimlerin nasıl varvlar ve ağaç halkaları oluşturduğunu gördük. Bunlar çok yardımcıdır, zira yıl bazında kalibre edilebilen tarihler sunarlar. Aşağıda anlatılacak üç tekniğin temelini meydana getiren diğer süreçler doğal hâlleriyle yıl olarak kalibre edilmezler, ama prensipte, sürecin tabiatında bulunan değişim oranı, yukarıda ele aldığımız kesin tarihleme yöntemlerinden biriyle bağımsız olarak kalibre edilirse kesin tarihler sunabilir. Göreceğimiz üzere, pratikte her bir teknik için kalibrasyon tek tek arkeolojik alanlara ya da bölgelere göre yapılmalıdır. Bu durum söz konusu teknikleri güvenilir kesin kronoloji yöntemleri olarak kullanmayı zorlaştırır. Ancak yine de basitçe örneklerin yenisini eskisinden ayırmak üzere göreli bir sıraya sokma konusunda çok yararlıdırlar.

Amino Asit Rasemizasyonu

İlk kez 1970'lerin başında denenen bu yöntem insan ve hayvan kemikleri ya da kabukları tarihlemek için kullanılır. Özel önemi, bir milyon yıldan daha yaşlı malzemelere uygulanabilmesinden iler gelir. Teknik, bütün canlılardaki proteinleri oluşturan amino asitlerin ayna görüntülü iki form hâlinde (enantiyomer) bulunabildikleri üzerine kuruludur. Bunlar polarize ışıkta farklı özellikler gösteren kimyasal yapılara sahiptir. Polarize ışıkta sola doğru dönenler, sola çeviren (levo) enantiyomer ya da L-amino asitler olarak adlandırılır. Sağa doğru dönenler ise sağa çeviren (dekstro) veya D-amino asitleridir.

Canlı organizmalardaki amino asitler sadece L enantiyomerleri içerir. Ölümden sonra bunlar sabit bir oranda değişerek (rasemizayona uğrarlar) D enantiyomerlerine dönüşürler. Rasemizasyon oranı sıcaklığa bağlıdır ve bu yüzden her arkeolojik alanda farklılık gösterir. Ancak belirli bir arkeolojik alanlardaki uygun kemik örneklerinin radyokarbonla tarihlenmesi ve bunlardaki L ve D oluşumlarının görece niceliklerinin (oranlarını) ölçümü sayesinde yerel rasemizasyon oranı belirlenebilir. Ardından, radyokarbon kapsamı dışındaki kemik örnekleri kalibrasyon kullanılarak tarihlenir. Kesin tarihleme aracı olarak yöntem elbette tamamen kalibrasyonunun kesinliğine bağlıdır.

Yöntem Avustralya'da 50.000 yıl önce birden ortadan kaybolmuş büyük uçamayan kuş türü mihirungun (*Genoyornis newtoni*) 100.000 yıllık yumurta kabukları üzerinde uygulanmıştır. Ilımlı bir ara iklim değişikliği sırasında, kuşun farklı bölgelerdeki bir dizi arkeolojik alanda aynı anda yok oluşu, bundan iklim değil insanların sorumlu olduğunu göstermektedir.

Kirsty Penkman ve meslektaşları Britanya Dördüncü Zaman'ındaki iklim çalışmalarında esasen aynı "aminostratigrafi" yaklaşımını kullanmışlardır. Tatlı su tek kabuklusu *Bithynia*'nın tüm Dördüncü Zaman'ı kapsayan 74 farklı arkeolojik alandan alınmış beş farklı amino asidi, Britanya Pleistosen'i için mümkün olan en kapsamlı veri setini oluşturmak için sıralanmışlardır.

Arkeomanyetik Tarihleme ve Jeomanyetik Terslenmeler

Arkeomanyetik (ya da paleomanyetik) tarihlemenin kullanımı şimdiye kadar arkeolojiyle sınırlı kalmıştır. Yöntem Dünya'nın manyetik alanının hem yön hem de yoğunluk olarak sürekli değişmesine dayanır. Bu manyetik alanın belirli bir zamandaki yönü, 650-700°C'de pişmiş kilden herhangi bir yapıya (fırın, ocak vb.) kaydolur. Bu sıcaklıkta kildeki demir zerreleri, fırınlanma anında Dünya'nın manyetik yönü ve yoğunluğunu alır. Bu ilke ısıl kalıcı mıknatıslama (thermoremanent magnetism=TRM) olarak adlandırılır. Zaman içindeki değişimlerin bir çizelgesi oluşturulabilir ve bunlar yaşı bilinmeyen pişmiş kilden yapıların tarihlendirilmesinde kullanılabilir. Bunların

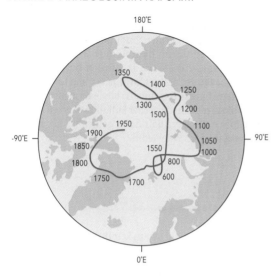

180°E

1350
1400 1250
1300 1200
1500
1950 1100
1900 1050
1850 1000
1550
1800 800
1750 700 600

-90°E 90°E

0°E

4.40 *Britanya'da MS 600'den 1950'ye kadar manyetik kuzeyin değişen yönü. Elverişli koşullarda in situ bulunan fırınlanmış kil kalıcı manyetik alanı doğrultusunda tarihlenebilir.*

TRM'leri ölçülür ve ardından ana kronoloji silsilesindeki belirli bir noktayla eşleştirilir.

Arkeomanyetizmanın Alt Paleolitik'in tarihlenmesiyle ilgili bir başka özelliği, Dünya'nın manyetik alanındaki toptan terslenme olaylarıdır (manyetik kuzey manyetik güney olur ve tersi). Yakın zamandaki en büyük ters dönme 780.000 yıl önce meydana gelmiştir ve potasyum-argonla diğer teknikler sayesinde birkaç milyon yıl geriye giden bir ters dönme silsilesi kurulmuştur. Afrika'nın erken hominin buluntu yerlerindeki kaya oluşumlarında bu dizginin bir kısmına rastlanmış olması, buralarda kullanılmış diğer tarihleme yöntemlerinin kontrol edilmesine katkıda bulunmuştur.

KRONOLOJİK BAĞINTILAR

Gelecekteki kronoloji çalışmaları için en çok umut vaat eden yollardan biri, farklı tarihleme yöntemlerinin eşleştirilmesidir. Bir kesin kronoloji yönteminin bir başkasını desteklemek için kullanılması çoğu kez sağlam sonuçlar sunar. Buna mükemmel bir örnek, ağaç halkası tarihlemesine radyokarbonu desteklemek ve aslında kalibre etmek için başvurulmasıdır. Sonuçta radyokarbon büyük ölçüde hassasiyet ve güvenilirlik kazanmıştır. Aynı gözlem göreli ve kesin tarihleme için de geçerlidir. Yıl bazında gerçek tarihler kesin tarihleme yöntemleriyle elde edilmesine rağmen, bunların güvenilirliği ve dâhili tutarlılığı (dolayısıyla kesin olmayan kesin tarih tespitlerini tanımlama ve

THERA YANARDAĞI PATLAMASININ TARİHLENMESİ

Günümüzden 3500 yıl önce Ege Denizi'ndeki volkanik Thera Adası (Santorini olarak da bilinir) patladı ve güney kıyısındaki tarihöncesi Akrotiri yerleşimini gömdü. (1901-1974) 1960'lardan itibaren Yunan arkeolog Spyridon Marinatos (1901-1974) ve yakın tarihlerde Christos Doumas tarafından kazılan metrelerce volkanik kül altındaki Akrotiri'nin, bazıları kayda değer duvar resimleriyle süslü iyi korunmuş evleri ve sokaklarıyla bir tarihöncesi Pompeii olduğu ortaya çıktı. Patlamanın kendisi tarihleme konusunda ilgi çekici sorunlar ve fırsatlar sunmaktadır.

Marinatos daha 1939'da Thera patlamasını çoğu Son Tunç Çağı'nda terk edilmiş Girit'teki Minos saraylarının (110 km güneyde) tahribinden sorumlu tutmuştu. Bu görüş hâlen devam eden bir tartışmanın fitilini ateşlemiştir.

Olayla bağlantılı Minos saraylarındaki en yakın tarihli çanak çömlek üslubu Geç Minos IB'dir. Buna, Minos çanak çömlek silsilesinin iyi tanımlanmış Mısır tarihi kronolojisiyle çapraz tarihlenmesi üzerinden yıl bazında kesin kronoloji tayin edilmişti. Böylece Geç Minos IB (dolayısıyla Minos saraylarının tahribi) MÖ 1450 civarına tarihlenmekteydi.

Ne var ki bu tarih Thera'daki Akrotiri'nin tahribiyle herhangi bir bağı sorunlu kılıyordu, zira Akrotiri'de Geç Minos IB çanak çömleği yoktu, fakat bol miktarda Geç Minos IA üslubunda keramiği mevcuttu. Dolayısıyla çoğu bilim insanı Thera patlamasının daha geç bir olay olması gereken Minos saraylarının tahribiyle herhangi bir ilişkisi bulunmadığı sonucuna vardı. O yüzden Thera patlamasını Geç Minos IA dönemi içine, belki de MÖ 1500 civarına (yine Girit'in Minos dönemi için Mısır temelli kronolojisine dayanarak) rahatlıkla tarihlemişlerdi.

Öte yandan diğer bilim insanları Thera patlamasının etkilerinin geniş çapta hissedilmiş olacağına

4.41 *Akrotiri'den "Balıkçı" olarak adlandırılan duvar resmi.*

4.42 *Thera Yanardağı hâlen belli aralıklarla faaliyete geçmektedir (en son 1950'de). Bu küçük adadaki patlamanın odağı, yarısı suya gömülmüş volkanın merkezidir.*

inanıyorlardı. Bu noktada şüphesiz **tefra araştırmaları** uygulamalarından yardım almışlardı. Akdeniz tabanından alınan derin deniz karotu, Thera volkan külü yağışı (ayrıca külün bu özel volkandan geldiği laboratuvar analiziyle gösterilmiştir) için kanıt sağladı. Yakın zamanda Thera patlaması Girit'teki Minos dönemi arkeolojik alanlarda (kırınım dizini çalışmalarıyla) ve ayrıca Ege adası Melos'un Phylakopi yerleşiminde tespit edilmiştir.

Thera volkanik patlaması dünya çapında etkileri olan (çünkü atmosfere salınan tozlar dünyaya ulaşan güneş ışınlarını azaltır) küresel bir olay gibi görülebilir. Bunlar ağaç halkaları dizilerinde bir ya da iki yıl için anormal derecede dar halkalar şeklinde boy gösterebilirler. Böyle etkiler yaklaşık MÖ 2. binyıl ortasına ait California bristlecone çamı ağaç halkası kayıtlarında aranmıştır. Aslına bakılırsa güvenilir şekilde MÖ 1628-1626'ya tarihlenen söz konusu özelliklere sahip bir tanesi önerilmiştir. Anadolu'dan oldukça anormal bir ağaç halkası bu görüşü desteklemek için kullanılmıştır, ancak halkayı Thera patlamasıyla ilişkilendiren kanıtlar inandırıcı değildir.

Benzer iddialar buzul karotları için de dile getirilmiştir. Bunlar, yakın tarihte gözlemlenmiş büyük çaplı patlamalar küresel etkiler yaratacak düzeyde olduklarında kısa bir asit

yoğunluğu sergilerler. Fakat küresel olayı tarihlemeye yönelik uzun vadeli yöntemler –dendrokronoloji ve buzul karotu tarihlemesi– şimdiye dek sonuçsuz kalmıştır.

Sorun, teorik olarak radyokarbon tarihlemesinin çözmesi gereken türdendir. Thera ve Ege'den bağlantılı radyokarbon verilerine istatistiki teknikleri uygulayan bir çalışma (INTCAL98 kalibrasyon veri setini kullanarak) patlamanın MÖ 1663 ve 1599 arasında meydana geldiği sonucuna varmıştır. Akabinde 2006'da, tefra yağışı nedeniyle Thera'da canlıyken gömülmüş bir zeytin ağacı, ağaç halkası dilimlerine ait radyokarbon kesitinde fark eğrilerini örtüştürme imkânı tanıyarak patlamayı %95,4 olasılıkla MÖ 1627 ve 1600 arasına koydu, ancak bu özel çalışmada da sorgulanmıştır. Buna bir destek destek,

Türkiye'nin batı kıyısındaki Miletos'ta Thera patlamasından gelen külün altına gömülmüş bir radyokarbon örneğinden gelmektedir (s. 152-153'teki kutuya bakınız).

Erken bir tarihi (MÖ 1620 civarı) destekleyen bir diğer çalışma, Türkiye'nin kuzeyindeki Sofular Mağarası'ndan bir dikitte patlamadan dolayı arttıkları iddia edilen iz elementlere dikkat çekmiştir. Ne var ki tarihleme, tek bir yüzyıl içindeki muhtemelen değişimler arasında ayrım yapacak kadar hassas olamayabilecek uranyum-toryum yöntemiyle (s. 156'ya bakınız) belirlenmiştir.

Bununla birlikte sorun, bu tarihlerin MÖ 1520'ye ait Mısır tarihi kronolojisine dayalı Thera için çapraz tarihlemelerle tamamen çelişmesidir. Tarihler analiz sonucu Thera patlamasından geldiği anlaşılan Mısır'daki Tell Daba'a kaynaklı güvenilir bir tabakaya ait ponzaya uygulanınca uyumsuzluk ortaya çıkmıştır. Belirli firavunlarla ilişkili sağlam tabakalara ait buluntuları kullanan büyük bir radyokarbon tayin programı yakın zamanda önceki tahminlerden daha erken tarihler sağlamıştır. Tell Daba'a sonuçlar üzerine yapılmış yorumları sorgulatmakta ve patlama için yaklaşık MÖ 1610 gibi erken bir tarihi –Mısır firavunu Ahmose'nin "Fırtına Steli"nin yeni yorumu gibi– daha mümkün kılmaktadır. Bu durum MÖ 2. binyıl ortası Ege kronolojisi için zincirleme bir etki yaratabilir ve açıkça ihtilaflıdır.

Tartışma devam etmektedir. Bu, tüm arkeolojik bilim alanındaki en ilginç ve kafa karıştırıcı meselelerden biridir.

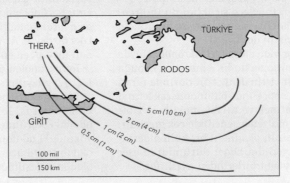

4.43 *Derin deniz karotlarından tespit edildiği üzere Thera patlaması kaynaklı tefra yağışına dair izopakları (eşit kalınlıktaki hatlar) gösterir harita.*

ayıklama imkânı da) büyük ölçüde göreli tarihleme yönteminin sağladığı çerçeveden ileri gelmektedir.

Birbirinden coğrafi olarak uzaktaki kronolojik silsileler –telebağlantılar– ciddi engeller çıkarabilir. Bunlardan en yaygın olanları silsilelerin, örneğin ağaç halkası genişliklerinin karşılaştırılmalarına dayananlardır. Bu durum bilhassa birbirine yakın ya da küçük bir alandaki ağaçlar için geçerlidir. Geniş bir alanda böyle "telebağlantılar" ihtiyatla karşılanmalıdır. Aynı şekilde, İskandinavya ve Kuzey Amerika'daki varv silsilelerinin ilişkilendirilmesi tartışmalıdır. Benzer yöntemlerde her zaman başlangıçta mantıklı görülen, ama aslında hatalı olan bir "bağıntıya" ulaşma riski vardır.

Küresel Olaylar

Silsileler arasında bir bağıntı yaratmanın en etkili yollarından biri, coğrafi olarak belki küresel ölçekte geniş çaplı sonuçlar doğurmuş aynı önemli olayın bunlarda ayırt edilmesidir. Böyle olaylar şüphesiz çok nadirdir ve doğaları itibarıyla genellikle felaketlere neden olmuşlardır. Örneğin dünyaya çarpan büyük göktaşları bu kategoriye girer.

Daha yaygın olanlar büyük çaplı volkanik patlamalardır. Volkan yakınında bu olayların çarpıcı ve açıkça görülebilecek etkileri vardır: Püsküren çamur, lav ve kalın kül tabakası insan yerleşimleri üzerinde yıkıcı olurlar. Birkaç yüz kilometreye kadar ortalama uzaklıklarda tsunami ("medcezir dalgaları"; aslında medcezir değil sismik olaylarda oluşurlar) ve tefra (volkanik kül) yağışı görülür. Bilim insanları ortalama uzaklıklardaki deprem tahribatını volkanik patlamalarla ilişkilendirmeye çalışmışlardır, ama iki olay genellikle birbiriyle alakalı değildir.

Büyük volkanik patlamalar aynı zamanda Dünya'nın üst atmosferine küresel etkiler yaratan çok miktarda tefra püskürtür. Bu toz ya da küller büyük mesafelere yayılır ve kutup bölgelerine düşen karın asit derecesini arttırarak buzul karotlarında izler bırakır. Ağaç halkaları üzerindeki etkileri daha önce belirtilmişti: Dünya yüzeyine düşen güneş ışını miktarını düşüren (böylece sıcaklığı da indiren) volkanik toz kısa, fakat önemli bir zaman dilimi için ağaçların büyüme hızını da azaltır.

Gelişme gösteren bir alan olarak *tefrakronoloji* fayda sağlayabileceğini kanıtlamaktadır. Amacı, yer kabuğu sedimanlarında ya da derin deniz karotlarında farklı volkanik patlamalar neticesinde bulunabilecek tefrayı kesin surette ayırt etmek ve tarihlemektir. Her bir patlamanın ürettiği malzeme genellikle çok farklıdır; öyle ki kırınım dizininin ölçülmesi bir külü diğerinden ayırmak için yeterlidir. Diğer durumlarda eser elementlerin analiziyle birbirlerinden ayrılırlar.

Bir bölgedeki bütün arkeolojik alanlar ve nesneler volkanik kül tabakası tarafından aynı anda örtüldüklerinde ("dondurulmuş görüntü" etkisi), tabakanın altındaki bütün arkeolojik malzemenin yaşları arasında ilişki kurmak için elimizde çok kesin bir tarihleme yöntemi vardır. Örnekler arasında Pompeii, Herculaneum ve diğer Roma yerleşimlerini örten MS 76'daki Vezüv yanardağı patlaması (s. 24-25'teki kutuya bakınız) ile El Salvador'da MS 175 civarında patlayan ve buradaki Erken Klasik Dönem yerleşimlerini 0,5-1 m kalınlığında volkanik kül altında bırakan Ilopango Yanardağı bulunur. Ilopango patlaması tarımı birkaç yıl boyunca sekteye uğratmış ve Chalchuapa'daki piramit inşaat alanında işin durmasına sebep olmuştur. Sonuncusuna dair izler hâlen açıkça görülebilmektedir.

Tefrakronolojiye ait diğer bir iyi örnek, Yeni Gine'de üzerlerini örtmüş bir düzine volkanik kül yağışı sayesinde kronolojik olarak ilişkilendirilen çeşitli arkeolojik alanlardır. Avustralyalı arkeologlar Edward Harris ve Philip Hughes, Papua Yeni Gine'nin Western Highlands Eyaleti'nde, Mugumamp Sırtı'nda bulunan bahçe kompleksini, birkaç kilometre güneydeki Kuk Bataklığı'ndaki bir başkasıyla, her ikisini örten volkanik küllerin özellikleri sayesinde ilişkilendirmeyi başarmıştır. Külün yaklaşık 40 km batıdaki Hagen Dağı'ndan geldiği sanılmaktadır. Tefrakronoloji ve radyokarbon birlikte, bahçeciliğin burada MÖ 8000 kadar erken bir tarihte başladığına işaret etmektedir (s. 268'deki kutuya bakınız).

Küresel bir olay yaratan böyle volkanik faaliyetlerin en büyüğü ve çok iyi belgelenmiş en eskisi, 74.000 yıl önce Toba'da meydana gelmiştir. Bu, son iki milyon yıl içinde Dünya'daki en büyük volkanik olaydır. Genç Toba Tüfü (Youngest Toba Tuff= YTT) püskürmesi Güney Çin Denizi'nden Arap Yarımadası'na kadar olan alanı kaplamıştır. Bu yüzden, söz konusu tabakadaki volkanik külün elektron sondalı hassas çözümlemeyle (s. 369'a bakınız) kimyasal izine bakılarak YTT patlamasından gelip gelmediği anlaşıldıktan sonra değerli bir kronolojik gösterge elde edilmiş olur. Güney Hindistan'daki Jwalapuram'da yapılan son çalışmalar, bu şekilde tarihlenmiş Orta Paleolitik taş buluntu gruplarını gün ışığına çıkarmıştır. Bunların Orta Taş Çağı buluntu gruplarına olan benzerlikleri, modern insanlar tarafından yapıldıklarını düşündürmüştür. Eğer böyleyse, Afrika dışında modern insanın varlığına dair mevcut en erken kanıt olacaklardır.

Tefrakronoloji alanında en sık sorgulanan sorun ise MÖ 17. yüzyılın sonunda ya da 16. yüzyılda Ege'deki volkanik ada Thera'da (Santorini) meydana gelmiş patlamadır (s. 164-165'teki kutuya bakınız). Patlama adadaki Son Tunç Çağı yerleşimi Akrotiri'yi örtmüş ve yakındaki adalarda belirgin etkiler yaratmıştır. Ama olayın tarihi üzerinde fikir birliğine varmanın çok zor olduğu anlaşılmaktadır.

DÜNYA KRONOLOJİSİ

Yukarıda tartışılan çeşitli tekniklerin uygulanması neticesinde, dünyanın arkeolojik kronolojisini aşağıdaki gibi özetlemek mümkündür.

Bugün anlaşıldığı kadarıyla insanın hikâyesi, yaklaşık 2 milyon yıl önce ortaya çıkan *Australopithecus* cinsinden *A. afarensis* ve muhtemelen ondan eski *Ardipithecus* gibi en eski homininlerle başlamıştır. 2 milyon yıl önce kendi cinsimizin ilk temsilcisi olan *Homo habilis*'e ait kesin fosil kanıtları Koobi Fora (Kenya) ve Olduvai Boğazı'ndan (Tanzanya) gelir. En eski taş aletler (Etiyopya'daki Hadar'dan) yaklaşık 2,5 milyon yıl öncesine aittir, ama bunların hangi hominin tarafından yapıldığı bilinmemektedir, zira bu çağa ait *Homo habilis* fosilleri henüz bulunmamıştır. *Australopithecus*'ların *Homo habilis*'ten önce ya da onun zamanında alet kültürüne sahip olmaları mümkündür. Adını en iyi şekilde temsil edildikleri Olduvai Boğazı'ndan alan Oldowan endüstrisi, yonga ve çaytaşı aletlerden meydana gelen bir alet çantasıdır.

Yaklaşık 1,9 milyon yıl öncesinde, insan evriminde sonraki adım, yani *Homo erectus* Doğu Afrika'da ortaya çıkmıştır. Bu homininlerin muhtemel ataları *Homo habilis*'e kıyasla daha büyük beyinleri vardı ve Acheul el baltaları olarak bilinen her iki yüzden yontulmuş gözyaşı şeklindeki tipik taş aletlerin yaratıcılarıydılar. Söz konusu nesneler Alt Paleolitik'in başlıca aletleridir. *Homo erectus* neslinin tükendiği sırada (100.000 yıl öncesi hatta muh-temelen 50.000 yıl kadar geç bir tarih), bu tür Afrika'nın geri kalanında, Asya'nın güneyi, doğusu ve batısında Orta ve Batı Avrupa'yı iskân etmişti. Uzak akrabaları (şimdi *Homo floresiensis* olarak adlandırılmıştır) Flores adasındaki son keşiflerden anlaşıldığı kadarıyla Endonezya'da 17.000 yıl öncesine kadar yaşamıştır.

Yaklaşık 200.000'den 40.000 yıl öncesine kadar süren Orta Paleolitik, *Homo sapiens*'in ortaya çıkışına şahit olmuştur. Daha önceleri *Homo sapiens*'in bir alt türü olarak sınıflandırılan Neanderthal'ler (*H. sapiens neanderthalensis*) 400.000'den 40.000 yıl öncesine kadar Avrupa, Orta ve Batı Asya'da yaşamıştır. Eski Neadertal DNA'larının analizi sonucunda, artık uzak kuzenler ve yeniden farklı bir tür, yani *Homo neanderthalensis* olarak kabul edilmektedir. DNA incelemesi (s. 162, 472–74'a bakınız) *Homo sapiens*'in Afrika'da evrim geçirdiğini açıkça ortaya koymuş ve hepimizin atası olan insanların günümüzden 60.000-50.000 yıl önce Afrika'dan büyük çaplı bir göç gerçekleştirdiklerini göstermiştir. Avustralya'ya insanlar yaklaşık 50.000 yıl önce, Avrupa ve Asya'ya ise en azından 45.000 yıl önce yerleşmişlerdir (tarihler hâlen tartışmalıdır). 100.000-90.000 yıl önce Doğu Akdeniz'e dağılmış arkaik modern insanlar olabilir, ama muhtemelen onların soyundan gelen hayatta kalabilmiş akrabaları yoktur.

İnsanların Bering Boğazı'nı aşarak Asya'dan Kuzey Amerika'ya ve Orta Amerika'dan Güney Amerika'ya ilk

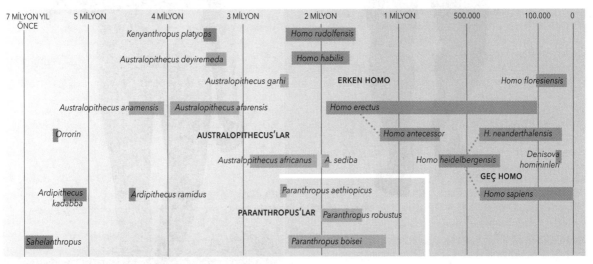

4.44 *Paleoantropologlar insan evrimine ilişkin fosil kalıntılarının nasıl yorumlanması gerektiği hakkında çok farklı görüşlere sahiptir. Bu diyagram kanıtları dört uyarlanabilir grup olarak sunar: Australopithecus'lar, paranthropus'lar, erken Homo ve geç Homo (modern insanlar da dâhil). Her ikisi de 2015'te keşfedilmiş Australopithecus deyiremeda ve Homo naledi soy ağacına yapılan son eklemelerdir. H. naledi'nin tarihlemesi şimdilik kesin değildir.*

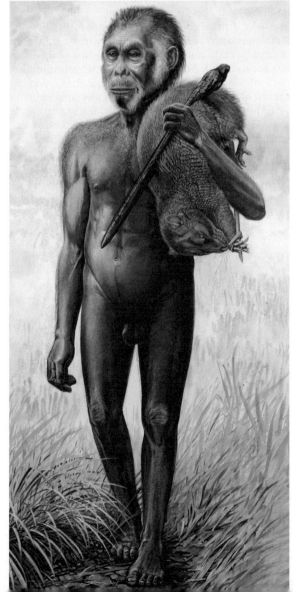

4.45 (üstte). Neanderthal adamı. Neanderthal DNA'sı üzerindeki son çalışmalar, bu homininlerin ve kendi türümüz Homo sapiens'in atalarının 700.000 yıl kadar yakın bir zamanda yaşamış ortak bir atadan geldiğini göstermiştir; yani yakın kuzenleriz. Üstelik genomik veriler 60.000 yıl önce türlerin karışmasıyla Neanderthal'lerden modern insanlara %1,2-2,4 oranında DNA geçtiğini göstermektedir.

kez ne zaman geçtikleri belli değildir. İlk Amerikalılar için en eski güvenilir tarihler 14.000 yıl öncesine işaret eder, ancak kıtanın bundan önce de iskân edildiğine dair tartışmalı kanıtlar mevcuttur. Pedra Furada'daki (Brezilya) kaya barınağı (s. 320'deki kutuya bakınız) 30.000 yıl önce insan varlığını gösteren ihtilaflı bulgular sunmuştur.

MÖ 10.000'e gelindiğinde, çöller ve Antarktika dışında dünyanın büyük kısmına yerleşilmişti. Bunun en belirgin istisnası Pasifik'tir. Burada, Batı Polinezya'nın MÖ 1. binyıl, Doğu Polinezya'nın ise kademeli olarak yaklaşık MS 300 sonrasına kadar iskân görmediği anlaşılmaktadır. MS 1000 civarında Okyanusya'nın iskânı tamamlanmıştı.

Buraya kadar adı geçen bütün toplumların hemen hepsi, küçük insan gruplarından meydana gelen avcı-toplayıcı topluluklar olarak adlandırılabilir (5. Bölüm'e bakınız).

Dünya tarihi ya da tarihöncesi küresel çapta gözden geçirildiği zaman, en önemli olaylardan biri, kültüre alınmış bitki ve (bazı bölgelerde daha düşük olmakla birlikte) evcilleştirilmiş hayvan türlerine dayalı gıda üretimidir. Avcı-toplayıcılıktan besin üretimine geçişin birkaç bölgede birbirinden bağımsız olarak meydana gelmesi, dünya prehistoryasının en çarpıcı gerçekleri arasındadır. Bu durum istisnasız Buzul Çağı sonunda, yani 10.000 yıl öncesinden itibaren görülmektedir.

Yakındoğu'da bu dönüşümün kökenlerini söz konusu tarihten önce bile izleyebiliyoruz, zira insan topluluklarının sosyal organizasyonundaki bir yeniden yapılanmanın sonucunda (aynı zamanda nedenidir) süreç kademeli gerçekleşmiş olabilir. Her hâlükârda, buğday ve arpa kadar evcilleştirilmiş koyun ve keçiye de (daha sonra sığır) dayalı yerleşik tarım burada MÖ 8000 civarında hazırlık aşamasındaydı. Tarım Avrupa'ya yaklaşık MÖ 6500'te yayılmıştır ve aynı tarihte Güney Asya'da, Belucistan'daki (Pakistan) Mehrgarh'ta belgelenmiştir.

Darının ilk kez kültüre alınmasıyla başlayan diğerlerinden bağımsız bir tarımsal gelişme, görüldüğü kadarıyla Çin'deki Huang Ho Vadisi'nde MÖ 5000 civarında meydana gelmiştir. Pirinç tarımı aynı tarihlerde Çin'in Yangtze Vadisi'nde başlamış ve Güneydoğu Asya'ya yayılmıştır. Afrika'da, Sahara'nın güneyinde kalan kesimdeki durum buradaki çevresel koşulların çeşitliliği yüzünden daha karmaşıktır, ama darı ve süpürge darısı unu MÖ 3. binyıldan itibaren üretilmiştir. Batı Pasifik'te (Melanezya)

bu tarihlerde karmaşık kök ve ağaç mahsulleri şüphesiz geliştirilmişti ve aslında kök mahsulleri için çok daha erkene ait tarla drenajlarına dair izler vardır.

Amerika kıtasında farklı bir ürün yelpazesi mevcuttur. Fasulye, asmakabağı, biber ve bazı otların tarımı Peru'da MÖ 7000, hatta MÖ 8000'de başlamış olabilir. MÖ 7. binyıla gelindiğinde burada ve Mezoamerika'da kesinlikle yapılıyordu. Manyok ve patates gibi diğer Güney Amerika türleri çok geçmeden bunlara katılmıştır. Ancak Amerika'daki tarıma en büyük etkiyi yapan ürün, 5600 yıl önce Meksika'da kültüre alındığı düşünülen (muhtemelen Kuzeybatı Arjantin'de daha erkendir) mısırdır.

Bu tarımsal yenilikler bazı bölgelerde (örneğin Avrupa) hızla benimsenmiştir, ama Kuzey Amerika gibi başka yerlerde etki o kadar çabuk gerçekleşmemiştir. Şüphesiz milattan sonraki yıllarda avcı-toplayıcı ekonomileri büyük oranda azınlıktaydı.

Dünyanın farklı kısımlarındaki çeşitli ilk çiftçi toplulukları hakkında genellemeler yapmak kolay değildir. Fakat kabaca, en azından ilk zamanlarda, *segmenter toplumlar* olarak (5. Bölüm'e bakınız) adlandırılabilirler. Bunlar herhangi bir güçlü merkezi organizasyonu bulunmayan küçük, bağımsız ve yerleşik toplumlardır. Görüldüğü kadarıyla nispeten eşitlikçi toplumlardı. Bazı durumlarda komşularına kabile bağlarıyla bağlıyken, diğerlerinde böyle bir ilişki bulunmuyordu.

Tarımın gelişmesini takiben her bölgede çeşitlilik artmıştır. Birçok durumda tarım ekonomisi bir yoğunlaşma sürecinden geçmiş ve daha verimli tarım yöntemlerine nüfus artışı eşlik etmiştir. Böyle zamanlarda genellikle farklı bölgeler arasında giderek gelişen değiş tokuş faaliyetinin eşlik ettiği ilişkiler mevcuttur. Ayrıca çoğu kez toplumsal birimler daha az eşitlikçi olmaya başlar ve bazen antropologların *sınıflı toplumlar* ile özetlediği, kişisel mevki ve nüfuzdaki farklılıkları sergiler. Bazen *şeflik* tanımını kullanmak daha uygundur.

Ne var ki bu terimler çoğu kez şehirleşmemiş toplumlarla sınırlıdır. Geniş ölçekte tanımlayabildiğimiz bir sonraki büyük dönüşüm olan kent devrimi sadece yerleşim tipindeki değişimden ibaret değildir; derin toplumsal değişiklikleri yansıtır. Bunlar arasında en önemlisi şefliklere kıyasla daha kesin bir şekilde birbirinden ayrılmış idari kurumlara sahip *devlet toplumlarının* gelişimidir. Birçok devlet toplumu yazıyı kullanmıştır. İlk devlet toplumları MÖ 3500 civarında Yakındoğu'da görülür ve Mısır'da hemen ardından, İndus Vadisi'nde ise yaklaşık MÖ 2500'de karşımıza çıkar. Yakındoğu'da erken Mezopotamya şehir devletleri dönemine Ur, Uruk ve daha sonra Babil gibi ünlü yerleşmelerin ortaya çıkışı damga vurmuştur. Bunları MÖ 1. binyılda büyük imparatorluklar, özellikle de Asur ve Akhaimenid dönemi Pers İmparatorluğu çağı takip etmiştir. Mısır'da kültürel ve siyasi geleneklerin 2000 yıl boyunca, Eski Krallık'ın Piramitler Çağı'ndan

4.46–48 *(karşıda, sağ üstte) Bu 2 milyon yıllık kafatası 2008'de Güney Afrika'da bulunmuştur ve yeni bir tür olan ve muhtemelen Australopithecus'larla homininler arasında bir geçiş evresini temsil eden Australopithecus sediba'ya kuşku payıyla atfedilmiştir. (karşıda, orta üstte) Endonezya'da Flores adasındaki bir mağarada 2004'te bulunmuş Homo floresiensis kafatası. Bu tür muhtemelen Homo erectus'tan türemiştir. Yetişkinleri (orta sağdaki rekonstrüksiyonunda gösterildiği gibi) sadece 1 m boyundadır.*

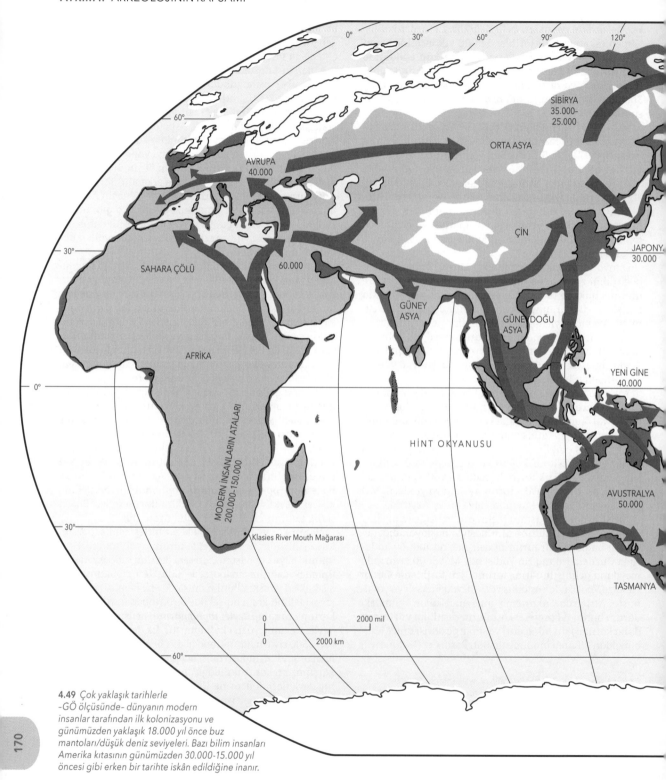

4.49 *Çok yaklaşık tarihlerle -GÖ ölçüsünde- dünyanın modern insanlar tarafından ilk kolonizasyonu ve günümüzden yaklaşık 18.000 yıl önce buz mantoları/düşük deniz seviyeleri. Bazı bilim insanları Amerika kıtasının günümüzden 30.000-15.000 yıl öncesi gibi erken bir tarihte iskân edildiğine inanır.*

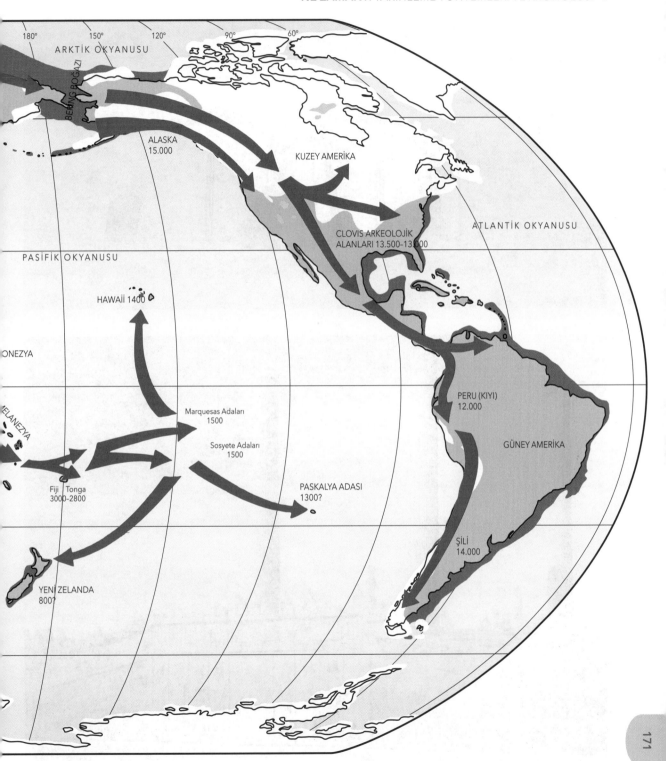

ARKTİK OKYANUSU

BERING BOĞAZI

ALASKA
15.000

KUZEY AMERİKA

ATLANTİK OKYANUSU

CLOVIS ARKEOLOJİK
ALANLARI 13.500-13.000

PASİFİK OKYANUSU

HAWAİİ 1400

ONEZYA

MELANEZYA

Marquesas Adaları
1500

Sosyete Adaları
1500

PERU (KIYI)
12.000

GÜNEY AMERİKA

Fiji | Tonga
3000-2800

PASKALYA ADASI
1300?

YENİ ZELANDA
800?

ŞİLİ
14.000

Yeni Krallık'a kadar sürekli bir gelişim içinde oldukları gözlemlenmektedir.

Yakındoğu'nun batı ucunda başka uygarlıklar gelişmiştir: MÖ 2. binyılda Yunanistan ve Ege'de Minos ve Miken uygarlıkları, MÖ 1. binyılda Etrüskler ve Romalılar. Asya'nın diğer ucunda ise Çin'de MÖ 1500'den önce şehirleşmiş merkezleri olan devlet toplumları Şang uygarlığının başlangıcına işaret etmektedir. Aynı dönemde Mezoamerika'da, Maya, Zapotek, Toltek ve Aztek'in dâhil olduğu Orta Amerika'nın uzun uygarlıklar silsilesinin ilk halkası Olmeklerin doğuşu görülür. Güney Amerika'nın Pasifik sahilinde Chavín (MÖ 900'den itibaren), Moche ve Chimú uygarlıkları MS 15. yüzyılda serpilen geniş ve güçlü İnka İmparatorluğu'nun temellerini atmışlardır.

Sonraki örnekler, Yunanistan'ın ve Roma'nın Klasik uygarlığı, Çin, ardından İslam dünyası, Avrupa'nın Rönesans'ı ve sömürgeci güçler, yazılı tarihle daha fazla ilişkidedir. On sekizinci yüzyıldan zamanımıza kadar olan sürede eski koloniler önce Amerika, sonra Asya ve Afrika'da bağımsızlıklarını kazanmıştır. Şimdi sadece devlet toplumlarından değil, ulus devletlerden ve sömürge dönemlerinde ise imparatorluklardan söz ediyoruz.

4.50–54 *Dünya genelinde devlet toplumları tarafından inşa edilmiş anıtlar ve arkeolojik alanlar: (sağda) Machu Picchu İnka arkeolojik alanı, MS 15. yüzyıl; (sağ altta) devasa bir Olmek başı, muhtemelen bir hükümdar portresi, yaklaşık MÖ 1200-600; (altta) Mısır'daki Abu Simbel'de bulunan II. Ramses Tapınağı ve firavunun heykelleri (yaklaşık MÖ 1279-1213); (karşıda altta) İran'daki Persepolis'ten zarif kabartmalar, yaklaşık MÖ 500; (karşıda üstte) Modern Irak'taki Ur zigguratı, yaklaşık MÖ 2000.*

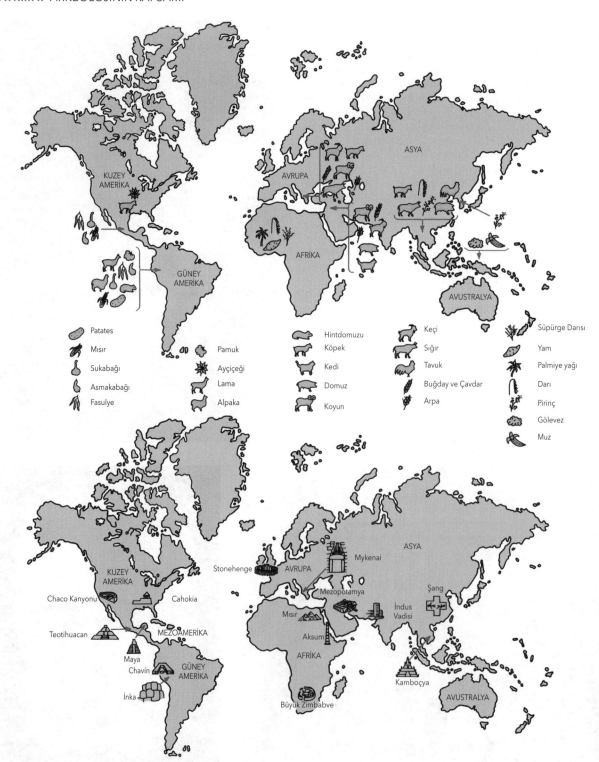

Patates
Mısır
Sukabağı
Asmakabağı
Fasulye

Pamuk
Ayçiçeği
Lama
Alpaka

Hintdomuzu
Köpek
Kedi
Domuz
Koyun

Keçi
Sığır
Tavuk
Buğday ve Çavdar
Arpa

Süpürge Darısı
Yam
Palmiye yağı
Darı
Pirinç
Gölevez
Muz

YILLAR MÖ/MS	YAKINDOĞU	MISIR ve AFRİKA	AKDENİZ	KUZEY AVRUPA	GÜNEY ASYA	DOĞU ASYA ve PASİFİK	MEZO AMERİKA	GÜNEY AMERİKA	KUZEY AMERİKA
1500		Büyük Zimbabve			MUGHAL		AZTEK	İNKA	Cahokia
1000			BİZANS İMPARATORLUĞU	Ortaçağ devletleri	Ortaçağ devletleri	Yeni Zelanda iskân edildi	TOLTEK	CHIMU	Chaco PUEBLO'LAR
500	İSLAMİYET	Şehirler (Afrika)			GUPTA	Devletler (Japonya)	MAYA TEOTIHUACAN	MOCHE	
MÖ / MS		AKSUM	ROMA İMPARATORLUĞU	ROMA İMPARATORLUĞU		Çin Seddi (Çin)			
					Yazı				HOPEWELL
500	PERS ÜLKESİ	GEÇ DÖNEM	KLASİK YUNAN		MAURYA				
	BABİL				Şehirler	Demir dökümü (Çin)			
1000	ASUR	YENİ KRALLIK		DEMİR ÇAĞI	Demir	Lapita kültürü (Polinezya)		CHAVIN	Mısır (Güneybatı)
1500	HİTİTLER	ORTA KRALLIK	Demir		Megalitler		OLMEK		
	Demir		MİKEN	TUNÇ Stonehenge ÇAĞI		ŞANG (Çin)			
2000		ESKİ KRALLIK (piramitler)	MİNOS		Yazı	Erişte (Çin)	Çanak çömlek Ayçiçeği (Meksika)	Patates (Peru)	
2500					İNDUS				Ayçiçeği itüzümü Çanak çömlek Kabak
	SÜMER	Muz (Uganda)			Şehirler	Tahkimli köyler (Çin)		Tapınak tepeleri	
3000	Yazı	ERKEN HANEDAN			Muz				
3500	Şehirler							Lama, pamuk	
	Tekerlekli taşıtlar	Şehirler (Mısır)							
4000							Biber (Panama)	Biber (Ekvador)	
4500				Megalitler					
			Bakır (Balkanlar)		Bakır				
5000				Tarım çanak çömlek			Manyok (Panama)	Manyok	
5500	Sulama					Gölevez, muz (Yeni Gine)	Mısır (Panama)	Quinoa bitkisi (Peru) mısır	
6000	Sığır (Türkiye)				Çanak çömlek	Darı			
						Domuz (Çin)			
6500	Bakır		Tarım, çanak çömlek				Fasulye		
7000	Çanak çömlek	Sığır (Kuzey Afrika)			Sığır Tarım	Bahçeler (Yeni Gine)	Mısır (Meksika)	Yerfıstığı, fasulye, pamuk (Peru) Çanak çömlek (Brezilya)	
7500									
8000	Buğday Keçiler (Zağros Dağları)						Asmakabağı	Kabak (Ekvador)	
8500	Domuzlar? (Türkiye)							Mısır? (Arjantin)	
9000	Koyun?					Pirinç (Kore MÖ 13.000)			
9500	İncir (İsrail)	Çanak çömlek (Mali)				Çanak çömlek (Doğu Sibirya MÖ 11.000; Japonya MÖ 14.000; Çin MÖ 16.000)			
10.000									
11.000	Çavdar (Suriye)					Köpek? (MÖ 13.000)			

4.55–56 *Tarımın ve uygarlığın gelişimi. (karşıda üstte) Ana besin türlerinin ilk kez kültüre alındığı yerler. (karşıda altta) Dünyanın çeşitli bölgelerinde en eski mimari örneklerinin bazıları. (yukarıda) Dünya genelindeki kültürel gelişimi belirli bitkilerin kültüre alınması ve hayvanların evcilleştirmesiyle birlikte gösteren kronolojik tablo.*

ÖZET

Arkeolojik araştırmadaki ilk ve en önemli basamak, nesneleri sıraya koymak ya da birbirlerine göre tarihlemektir. Göreli tarihleme yöntemleri sayesinde arkeologlar olayların hangi sırayla meydana geldiğini tespit edebilirler; ne zaman vuku bulduklarını anlayamazlar. Stratigrafi göreli tarihlemede anahtar rol oynar, çünkü bozulmamış tabakalardan oluşan bir silsile göreli kronolojinin oluşmasıyla sonuçlanır. Göreli tarihleme aynı zamanda tipoloji yoluyla da kurulabilir. Tipolojik sıralama, belirli bir zaman ve mekâna ait nesnelerin tanınabilir bir üsluba sahip olduklarını ve bu üslubun zaman içinde kademeli ve evrimsel gelişim gösterdiğini varsayar.

Silsilelerin, arkeolojik alanların ve nesnelerin takvim yıllarıyla ne kadar eski olduklarını bilmek için kesin tarihleme yöntemleri kullanılmalıdır. Kesin tarihleme değişmez ve zamana bağlı süreçlere dayanır. Bunlardan en bariz olanı Dünya'nın Güneş etrafındaki dönüşüdür ve birçok takvim sisteminin temelini meydana getirmiştir; hâlen de kullanılmaktadır. Okuryazar kültürlerde tarihi kronolojilere sıkça arkeolojik alanları ve nesneleri tarihlendirmek amacıyla başvurulur.

Radyoaktif tarihleme yöntemlerinin gelişinden önce, varvlar (yıllık tortul tabakaları) ve dendrokronoloji (ağaç halkası analizi) en hassas tarihleme yoluydu. Fakat bugün, radyokarbon yegâne kullanışlı tarihleme yöntemidir. Atmosferdeki radyokarbon bütün canlılara belirli bir oranda geçer, fakat radyokarbon alımı ölümde kesildiği için izotop bundan sonra sabit bir oranda bozunmaya başlar. Dolayısıyla bir örnekte geriye kalmış radyokarbon miktarı örneğin yaşını gösterir. Atmosferdeki radyokarbon oranı her zaman sabit olmadığından gerçek bir takvim yılı elde etmek için radyokarbon tarihi kalibre edilmek zorundadır.

Radyokarbon tarihlemesinin kapsamı dışında Paleolitik Çağ için potasyum-argon (ya da argon-argon) ve uranyum serisi tarihlemesi en kullanışlı tekniklerdir. Termolüminesans ve elektron döngü rezonansı gibi başka teknikler de mevcuttur, fakat bunların kesinlikleri düşüktür ya da sadece özel şartlara uygundur.

Kronoloji alanındaki çalışmalarda gelecek vaat eden yollardan biri farklı tarihleme yöntemlerinin ilişkilendirilmesidir. Silsileler arasında ilişki kurmanın en etkili şekli, bölgesel hatta küresel ölçekteki jeolojik olaylar aracılığıyla olur. Kül ve başka malzemeleri çok uzak mesafelere taşıyabilen volkanik patlamalar böyle olaylara dair iyi bir örnektir.

İLERİ OKUMA

Aşağıdakiler arkeologlar tarafından kullanılan başlıca tarihleme teknikleri için iyi giriş eserleridir:

Aitken, M.J., Stringer, C.B. & Mellars, P.A. (ed.). 1993. *The Origin of Modern Humans and Impact of Chronometric Dating*. Princeton University Press: Princeton.

Biers, W.R. 1993. *Art, Artefacts and Chronology in Classical Archaeology*. Routledge: Londra.

Brothwell, D.R. & Pollard, A.M. (ed.). 2009. *Handbook of Archaeological Science*. John Wiley: Chichester.

Manning, S.W. & Bruce M.J. (ed.) 2009. *Tree-Rings, Kings and Old World Chronology and Environment*. Oxbow: Oxford ve Oakville.

Pollard, A.M., Batt, C.M., Stern, B. & Young, S.M.M. 2007. *Analytical Chemistry in Archaeology*. Cambridge University Press: Cambridge.

Speer, J.H. 2010. *Fundamentals of Tree-Ring Research*. Univesity of Arizona Press: Tucson.

Taylor, R.E. & Aitken, M.J. (ed). 1997. *Chronometric Dating in Archaeology*. Plenum: New York.

Dünya Kronolojisi

Haywood, J. 2011. *New Atlas of World History*. Thames & Hudson: Londra; Princeton University Press: Tucson.

Fagan, B. 2009. *People of Earth. An Introduction to World Prehistory*. (13. basım) Pearson Education: New York.

Renfrew, C. & Bahn, P. (ed.). 2014. *The Cambridge World Prehistory*. Cambridge University Press: Cambridge & New York.

Scarre, C. (ed.). 2013. *The Human Past*. (3. basım) Thames & Hudson: Londra & New York.

Stringer, C. & Andrews, P. 2011. *The Complete World of Human Evolution*. (2. basım) Thames & Hudson: Londra & New York.

Taylor, R.E. & Bar-Yosef, O. 2013. *Radiocarbon Dating: An Archaeological Perspective*. Left Coast Press: Walnut Creek, CA.

AYRIM II

İNSAN YAŞANTISININ ÇEŞİTLİLİĞİNİ
KEŞFETMEK

Ayrım I'de temel sorunlar ele alınmıştır. Geçmişin zaman-mekân çatısını kuracak yöntemler gösterilmiştir. Olayların *nerede* ve *ne zaman* meydana geldiğini bilmemiz gerekir. Bunlar her zaman arkeolojinin temel hedeflerinden biri olmuştur ve olmaya devam etmektedir.

Üçüncü Bölüm'de gördüğümüz üzere, geleneksel arkeoloji için yukarıdakiler gerçekten de asıl işti: Çeşitli buluntuları farklı buluntu gruplarına ayırmak ve bunları da arkeolojik kültürleri oluşturacak şekilde bir araya getirmek. Gordon Childe ve onu takip edenlerin çoğu için bu kültürlerin belirli halklara, yani bugünkü deyimle etnik gruplara (ırksal değil, ama kendilerine özgü yaşam tarzı ve kimlikleri anlamında) ait maddi kalıntılar olmaları doğal görünüyordu. 1929'da yazan Childe'ın deyimiyle:

> Belirli tipte kalıntıları –çömlekler, aletler, süslemeler, gömüt alanları, ev tipleri– sürekli bir arada buluyoruz. Böyle birbiriyle muntazaman ilişkili özelliklerden meydana gelen bir gruba "kültürel grup" ya da sadece "kültür" adı vereceğiz. Bu tip bir grubun bugün "halk" olarak adlandırabileceğimiz bir topluluğun maddi yansıması olduğunu varsayıyoruz.

Ancak 1960'lardan itibaren, geçmişi bu yolla geleneksel şekilde ele almanın sınırlayıcı olduğu anlaşılmıştır. Arkeolojik kültür kavramının arkeolojik kayıtlardaki herhangi bir gerçeklikle ilişkili olması gerekmez. Aynı şekilde böyle kavramsal "kültürleri", "halklarla" eşitlemek çok tehlikelidir. Bu sorunlara 12. Bölüm'de tekrar dönülecektir.

Arkeologların zamanla anladıkları şey, ilerlemenin farklı bir dizi soru sormakla kaydedilebileceğidir. Bu sorular Ayrım II'deki düzenlemenin temelini meydana getirmektedir. Bir toplumun ya da kültürün doğası ve zaman içinde nasıl değiştiği ile ilgilidirler.

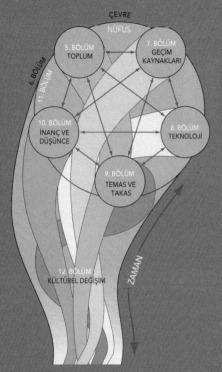

ÇEVRE
NÜFUS
6. BÖLÜM
11. BÖLÜM
5. BÖLÜM
TOPLUM
7. BÖLÜM
GEÇİM
KAYNAKLARI
10. BÖLÜM
İNANÇ VE
DÜŞÜNCE
8. BÖLÜM
TEKNOLOJİ
9. BÖLÜM
TEMAS VE
TAKAS
12. BÖLÜM
KÜLTÜREL DEĞİŞİM
ZAMAN

Ayrım II'deki düzenlemenin temelini teşkil eden bir sosyal sistemin birbiriyle ilişkili kısımlarına dair model.

En basit şekliyle bir toplum yandaki diyagramda görüldüğü gibi birbiriyle bağlantılı çeşitli kısımlardan meydana gelir. İngiliz arkeolog Christopher Hawkes, 1954'te arkeolojide yeme alışkanlıkları ve teknolojiyi anlamanın en kolay, toplumsal örgütlenme ya da insanların neye inandıklarını, ne düşündüklerini ortaya çıkarmanın ise en zor uğraş olduğunu söylemişti. Bu yüzden bazı arkeologlar toplumun yeme alışkanlıkları ve teknoloji gibi özelliklerini inceleyerek işe başlamak gerektiğini düşünmüşlerdir. Bu bizim kabul edebileceğimiz bir düşünce değildir. Beşinci Bölüm'de göreceğimiz üzere, önce üzerinde çalışılan toplumun toplumsal organizasyonu hakkında bir fikir edindikten sonra, o toplumun diğer özelliklerine dair doğru sorular sormaya devam edebiliriz. Örneğin, avcılıkla ve yiyecek toplayıcılığıyla yaşayan sürekli hareket hâlindeki gezgin avcı-toplayıcı gruplar bir yerde asla kasaba ya da şehirler kuracak kadar çok kalmazlar. Böyle toplumları ayakta tutmak için ne nüfus yeterlidir ne de sosyal ve ekonomik örgütlenme gerektiği kadar karmaşıktır. Dolayısıyla bu toplumlarda kasaba ya da şehir aramak anlamsızdır. Fakat gezgin avcı-toplayıcı toplumların yapı anlamında ne inşa ettiklerinin eşit ölçüde çalışılması ve arkeolojik olarak ne gibi izler bıraktıklarının öğrenilmesi gerekir. Günümüzün uzmanları basit toplumların kapasitelerini hafife almakta ve örneğin, bir zamanlar çoğu arkeoloğun yaptığı gibi, İngiltere'nin güneyindeki ünlü Stonehenge anıtlarını sadece Yunanistan'daki Mykenai'dan gelen daha gelişmiş ziyaretçilerin inşa edebileceğine inanmaktadırlar (Stonehenge'i dikenin nasıl bir toplum olduğu 5. Bölüm'de ele alınacaktır).

Dolayısıyla 5. Bölüm'e "Toplumlar nasıl örgütlendiler?" sorusuyla başlıyoruz; sonraki kısımlarda alet ve teknoloji, toplumlar arası ilişki ve değiş tokuş, insanların düşünme şekilleri, insanların evrimleşmeleri ve dünyayı nasıl iskân ettiklerine –biyolojik antropoloji ve nüfus– eğilmeden önce çevre ve yeme alışkanlıklarını ele alacağız. On İkinci Bölüm'de "Şeyler neden oldukları gibidir?" ile "Neden değişirler?" sorularını soracağız ki, bunlar bazı açılardan en ilginç sorulardır. *History of American Archaeology* adlı eserlerinde Gordon Willey ve Jeremy Sabloff arkeolojinin sınıflandırma, tanımlama ve nesnelerin işlevine odaklanarak geçen bir dönemin ardından 1960'larda Açıklayıcı Dönem'e girdiğini savunmuşlardır. Kuşkusuz, birçokları tarafından açıklama, arkeolojik araştırmanın ana hedefi olarak görülmeye başlanmıştır.

TOPLUMLAR NASIL ÖRGÜTLENMİŞTİ?

Sosyal Arkeoloji

Eski toplumlara dair sorabileceğimiz en ilginç sorulardan bazıları sosyal içerikli olanlardır. Bunlar insanlar ve insanlar arasındaki ilişkiler; iktidarın kullanımı ve örgütlenmenin niteliği ve ölçeği hakkındadır.

Arkeolojide genellikle olageldiği üzere, bulgular kendiliklerinden bir şeyler anlatmazlar; doğru soruları sormamız ve bunları cevaplamanın yollarını bulmamız gerekir. Burada kültürel ya da sosyal antropolojiyle mukayese mümkündür. Söz konusu alanda, gözlemci akrabalık sisteminin detayları veya törensel davranış gibi diğer meselelere eğilmeden önce, yaşayan toplumu ziyaret ederek sosyal yapı ve iktidar kuruluşu hakkında hızlıca sonuçlara varabilir. Sosyal arkeolog en temel detayları elde etmek için bile sistematik olarak çalışmalıdır, ama sonunda alacağı ödül büyüktür: sadece bugünkü ya da çok yakın geçmiştekileri değil (sosyal antropoloji gibi), aynı zamanda tarihin birçok farklı noktasındaki toplumları, değişimi incelemek için sunulan en geniş kapsamla anlamak. Sadece arkeolog bu bakış açısını elde edebilir ve böylece uzun dönemli değişim süreçlerini kavramayı deneyebilir.

Farklı toplumlar farklı sorulara ihtiyaç duyar ve araştırma teknikleri de kanıtların niteliklerine göre büyük değişiklikler göstermek zorundadır. Bir Paleolitik avcı konak yerini erken bir devletin başkentiyle aynı şekilde ele alamayız. Dolayısıyla sorduğumuz sorular ve bunları cevaplama yöntemlerimiz, ele aldığımız topluluğun türüne uygun olmalıdır. Bu yüzden başlangıçta söz konusu topluluğun genel niteliği hakkında net olmalıyız. O nedenle ilk sorular temel sosyal nitelikleri ele almalıdır.

Sorulacak ilk soru, toplumun büyüklüğü ya da **ölçeği** hakkındadır. Arkeologlar genellikle tek bir arkeolojik alanı kazacaklardır. Fakat burası Maya ya da Yunan kent devleti gibi bağımsız bir siyasi birim midir, yoksa bir avcı-toplayıcı grubunun ana konak yeri gibi basit birim midir? Ya da çok büyük bir çarkın küçük bir dişlisi, Peru'daki İnka İmparatorluğu'na benzer çok geniş bir imparatorluğun içinde bir yerleşme midir? Ele aldığımız herhangi bir arkeolojik alanın kendi artbölgesi, nüfusunu besleyecek bir hizmet alanı olacaktır. İlgi alanlarımızdan biri yerel bölgenin ötesine geçmek ve incelediğimiz arkeolojik alanın diğerleriyle nasıl eklemlendiğini anlamaktır. Tek bir arkeolojik alanın bakış açısından –çoğu kez benimsenmesi gereken uygun

perspektiftir– bu durum **egemenlik** meselesini ortaya koyar. Arkeolojik alan siyasi olarak bağımsız ve özerk miydi, yoksa daha büyük bir toplumsal sistemin parçası mıydı? Hâkim bir konumda mıydı (bir krallığın başkenti gibi) ya da bağımlı mıydı?

Eğer toplumun ölçeği doğal bir ilk soruysa, ondan sonraki şüphesiz dâhili örgütlenmesi olacaktır. Ne çeşit bir toplumdu? Az çok eşit şartlarda insanlar tarafından mı oluşturuluyordu? Yoksa toplum içinde mevkii, makam ve prestij farkları, belki de farklı sosyal sınıflar mı mevcuttu? Meslekler neydi? Uzmanlaşmış zanaatkârlar var mıydı? Eğer vardıysa, Yakındoğu ve Mısır'ın saray ekonomilerinde olduğu gibi merkezi bir sistem içinde mi kontrol ediliyorlardı? Yoksa tüccarların kendi çıkarları doğrultusunda istedikleri gibi hareket etmelerine imkân tanıyan canlı bir değiş tokuş ya da ticaret ortamına sahip daha serbest bir ekonomi mi söz konusuydu?

Ne var ki, yukardakiler topluma üstten bakan ve örgütlenmesini araştıran "yukarıdan aşağı" yönelmiş sorulardır. Ama alternatif bir bakış açısı giderek daha çok benimsenmektedir: önce bireye ve söz konusu toplumda bireyin kimliğinin nasıl belirlediğine bakmak. Bu "aşağıdan yukarı" bakış açısından doğan sorular toplumsal cinsiyet, mevki hatta yaş gibi önemli sosyal kurguların nasıl yaratıldığı hakkındadır, zira arkeologlar bunların "bahşedilmediği", yani kültürler arası sorunsuz gerçekleri temsil etmediği, ama her topluma özgü kurgular olduğu gerçeğini gittikçe daha iyi anlamaktadırlar. Bu içgörüler yeni alanların yolunu açmaktadır: bireyin arkeolojisi ve kimlik arkeolojisi. Kimliğin birtakım boyutları vardır: Bazıları bireyseldir (yaş gibi), bazıları kolektiftir (etnik kimlik gibi) ve bazıları da bireysel, fakat sosyal olarak meydana getirilmiştir. Bunlar iş, mevki ve toplumsal cinsiyeti içine alır ve her biri arkeolojik kayıtta farklı şekillerde kendisini gösterebilir.

Bu bölüm ilk önce küçük ve basit toplumlardan başlayarak daha büyük ve karmaşık olanlara doğru ilerleyecektir. Yerleşim arkeolojisi ya da gömütlerin çalışılması gibi sorular bu yüzden toplum türünün dâhilinde ele alınacaktır. Bunun ardından birey ve daha genel geçerliliği olan kimlik ve toplumsal cinsiyet arkeolojisine dair sorular için "yukarıdan aşağı" meselesine döneceğiz.

TOPLUMUN NİTELİĞİ VE ÖLÇEĞİNİ BELİRLEMEK

Sosyal arkeolojideki ilk basamak o kadar barizdir ki çoğu kez gözden kaçırılır: En geniş anlamıyla en büyük toplumsal birimin ölçeği nedir ve toplum ne çeşit bir toplumdur?

Bariz olan her zaman kolay olan değildir ve *yönetim birimi* adını verdiğimiz "en büyük toplumsal birim"den bahsederken ne demek istediğimiz konusunda sorularımızı dikkatli yöneltmeliyiz. Bu terim tek başına belirli bir ölçeği ya da toplumsal örgütlenmeyi ima etmez. Bir şehir devletine, bir avcı-toplayıcı grubuna, tarımsal köye ya da büyük bir imparatorluğa uygulanabilir. Yönetim birimi siyasi anlamda bağımsız ya da özerk bir toplumdur. Devlet toplumları gibi karmaşık toplumlarda birçok küçük bileşenden meydana gelebilir. Dolayısıyla, modern dünyada bağımsız ulusal devlet her biri birçok kasaba veya köy içeren bölgelere ya da eyaletlere ayrılabilir. Bu yüzden bütün olarak devlet bir yönetim birimidir. Öte yandan küçük bir avcı-toplayıcı grubu kendi kararlarını verebilir ve daha üstün bir otoriteyi kabul etmeyebilir. O grup da bir yönetim birimidir.

Bazen topluluklar bir çeşit birlik oluşturmak amacıyla bir araya gelebilir. O zaman toplulukların hâlen özerk yönetim birimleri olup olmadıklarını ya da şimdi birliğin mi etkili bir karar alma örgütü hâline geldiğini sorgulamalıyız. Bunlar arkeolojik hususlar değildir, ama yine de geçmiş hakkında bilmek istediğimiz şeyler hakkında açık olmanın ne kadar büyük önem teşkil ettiğini gösterir.

Arazideki araştırmalar bağlamında bu soru en iyi şekilde yerleşmenin çalışılmasıyla yanıtlanabilir: Hem *münferit arkeolojik alanların* nitelikleri ve ölçekleri hem de *yerleşim dokusunun* analizi sayesinde bunların arasındaki ilişkiler incelenerek. Fakat toplumun okuryazar olduğu ve yazıyı kullandığı yerlerde *yazılı belgeler* dışında *sözlü gelenek* ve *etnoarkeoloji* (günümüz toplumlarının arkeolojik bakış açısıyla incelenmesi), araştırılan toplumun niteliği ve ölçeğini belirlemede aynı derecede değerli olabilir.

Bununla birlikte, ilk önce bir referans çerçevesi, karşısında fikirlerimizi test edebileceğimiz kuramsal bir toplum sınıflamasına ihtiyacımız vardır.

Toplumların Sınıflandırılması

Amerikalı antropolog Elman Service birçok arkeoloğun kullanışlı bulduğu dört katlı bir toplum sınıflaması geliştirmiştir, ama kullandığı terminoloji o zamandan beri değişikliğe uğramıştır. Bu toplumlar belirli tipte yerleşim ve yerleşim dokularıyla ilişkilendirilir. Bazı arkeologlar "şeflik" gibi geniş sınıflandırmaları sorgulamaktadırlar. Bu sınıflandırma aslında zaman içindeki insan toplumlarının hepsini kapsayacak kadar basittir. Ancak "devlet" kavramı hâlen yaygın olarak kullanılmaktadır ve eğer bu genel bakış daha yakın bir analizin ilk basamağı olarak kabul edilirse başlangıç anlamında kullanışlıdır.

Gezgin Avcı-Toplayıcı Gruplar (bazen "takım"). Bunlar avcı ve toplayıcılardan meydana gelen, nüfusu genellikle 100'den az küçük ölçekli toplumlardır; mevsimsel hareket ederler ve yabani (kültüre alınmamış/evcilleştirilmemiş) besin kaynaklarını tüketirler. Bugün hâlen varlığını sürdüren avcı-toplayıcı grupların büyük kısmı böyledir. Tanzanya'daki Hadza ya da Afrika'nın güneyindeki San örnek olarak gösterilebilir. Topluluk üyeleri genellikle birbirlerine soy ya da evlilikle bağlı akrabalardır. Resmi bir liderleri olmadığından üyeler arasında belirgin ekonomik farklılıklar ya da mevkilerde eşitsizlik görülmez.

Topluluklar gezgin avcı-toplayıcılardan oluştukları için, buluntu alanları da mevsimlik iskân gören konak yerlerinden ve diğer daha küçük ve belli bir amaca hizmet eden yerleşmelerden ibarettir. Sonuncusu av ve kesim yerleri (büyük memelilerin öldürüldüğü ve bazen kesildiği yerler) ile aletlerin üretildiği ya da başka özel faaliyetlerin

5.1 *Tarımdan önce bütün insan toplumları avcı-toplayıcı gruplarıydı; günümüzde bunlar çok nadirdir. Görsel 11.66'daki nüfus grafiğine bakınız.*

MÖ 12.000

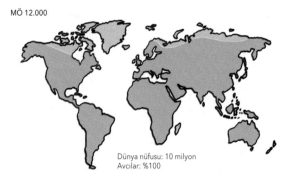

Dünya nüfusu: 10 milyon
Avcılar: %100

MS 1960

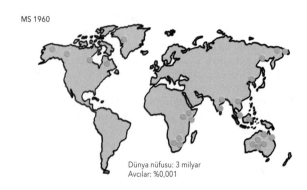

Dünya nüfusu: 3 milyar
Avcılar: %0,001

gerçekleştirildiği iş alanlarını içerir. Böyle bir grubun ana konak yeri zayıf meskenler veya geçici barınaklarla birlikte yaşam amaçlı iskân kalıntılarına dair kanıtlar sunabilir.

Paleolitik Çağ boyunca (12.000 yıldan önce) birçok arkeolojik alan bu kategorilerden birine (konak yeri, avlanma ve çalışma arkeolojik alanları) uyuyordu ve arkeologlar genellikle çoğu Paleolitik toplumun topluluklara ayrıldığı varsayımına göre hareket ediyorlardı. Etnoarkeoloji (aşağıya bakınız) günümüz avcı-toplayıcı gruplarının çalışılmasına özel ilgi göstermiş ve uzak geçmiş ile bağlantılı birçok görüş elde etmiştir.

Segmenter Topluluklar (bazen "kabileler"). Bunlar genellikle avcı-toplayıcı gruplardan büyüktür, ama nüfusları nadiren birkaç bini geçer ve yeme alışkanlıkları ya da geçim kaynakları çoğunlukla kültüre alınmış bitkiler ve evcilleştirilmiş hayvanlardan meydana gelir. Sıklıkla yerleşik çiftçilerdir, ancak çiftlik hayvanlarının yoğun işlenmesine dayalı çok farklı, seyyar bir ekonomiye sahip pastoralizmle geçinen göçebe çobanlar olabilirler. Bunlar genellikle birden fazla topluluktan oluşmuştur; münferit topluluklar daha büyük topluma akrabalık bağlarıyla bağlıdırlar. Bazı segmenter toplumların memurları, hatta "başkentleri" ya da yönetim merkezleri olmasına rağmen, bu memurlar iktidarın etkili kullanımı için gerekli ekonomik temelden yoksundurlar.

Segmenter toplumların tipik yerleşim dokusu yerleşik çiftlik evleri veya köylerdir. Karakteristik olarak, hiçbir yerleşim bölgedeki diğer yerleşimleri kontrol etmez. Bunun yerine, arkeologlar kalıcı iskân görmüş izole evler (*dağınık* yerleşim dokusu) ya da kalıcı köylere (*çekirdek* doku) ait kanıtlar bulurlar. Böyle köyler, yaklaşık MÖ 4500'de Avrupa'da Tuna Vadisi'nde bulunan ilk çiftçilerinki gibi münferit evlerden meydana gelirler ya da bir araya gelmiş yapı kümelerinden oluşurlar. *Yığın* yapılar olarak adlandırılan sonunculara örnek Güneybatı Amerika'daki yerliler ve Türkiye'de MÖ 7000 civarına tarihlenen Çatalhöyük tarım köyü ya da küçük kasabasıdır (s. 46-47'deki kutuya bakınız).

Şeflikler. Bunlar kıdem ilkesine –insanlar arasındaki sosyal mevki farkları– göre işlerler. Farklı soylar (soy ortak bir atadan geldiğini iddia eden bir gruptur) prestij oranına göre derecelendirilir ve en kıdemli soy, dolayısıyla bütün toplum bir şef tarafından idare edilir. Prestij ve kıdem birisinin şefe ne kadar yakın olduğuyla belirlenir ve gerçek bir sınıf ayrımı yoktur. Şefin oynadığı rol önemlidir.

Çoğu kez zanaat mallarında yerel uzmanlaşma görülür. Mallar ve gıda maddelerinin üretim fazlaları şefe yükümlülük olarak düzenli aralıklarla verilir. Şef bunları hizmetlilerine bakmak için ve gerekirse tebaasına dağıtır. Şefliğin genellikle bir merkezi vardır. Burada tapınaklar, şef ve hizmetlilerinin mekânları, uzman zanaatkârlar bulunur. Şefliklerin büyüklükleri değişiklik gösterir, fakat kapsamı genellikle 5000 ila 20.000 kişi arasındadır.

Şefliğin tipik özelliklerinden biri, yönetim biriminin tamamı için odak noktası olan kalıcı bir törensel ve resmi merkezdir. Bu, devlet toplumlarında gördüğümüz kurulu bürokrasisi olan kalıcı bir şehir merkezi değildir. Fakat bu bölümün devamında görüleceği gibi, şeflikte bazı yerleşimlerin diğerlerinden önemli olduğuna dair işaretler barındırmaktadır (yerleşim hiyerarşisi). Örnekler arasında Alabama'da (ABD) yaklaşık MS 1000-1500 arasında gelişen Moundville ve ünlü törensel merkez Stonehenge'i de içine alan Güney Britanya'daki Wessex'in Son Neolitik taş anıtları yer alır (aşağıdaki kutulara bakınız).

Şeflik toplumlarının bireysel mevki sıralaması yerleşim dokusu dışında başka şekillerde de kendini gösterir: mesela ölmüş şeflerin gömütlerine genellikle eşlik eden zengin mezar hediyeleri gibi.

Erken Devletler. Bunlar şefliklerin birçok özelliğini taşır, fakat yöneticinin (belki bir kral ya da bazen kraliçe) yasalar yapmak ve bunları kalıcı bir ordunun aracılığıyla uygulamak için geniş yetkisi vardır. Toplum artık bütünüyle akrabalık ilişkilerine dayanmaz; şimdi farklı sınıflara ayrılmıştır. Çiftçiler ya da serfler ve fakir şehir sakinleri en alt sınıfları oluştururlar. Onların üzerinde sırasıyla uzman zanaatkârlar, rahipler ve yöneticinin akrabaları vardır. Yöneticinin işlevleri genellikle rahibinkilerden, saray da tapınaktan ayrılmıştır. Toplum yönetici soyunun malı olan bir alan gibi görülür ve vergi ödemekle yükümlü kiracı çiftçiler tarafından doldurulur. Ana merkez memurların bürokratik yönetimini barındırır. Başlıca amaçlarından biri tahsilat yapmak (çoğunlukla vergi ve geçiş vergisi şeklinde) ve gelirleri hükümet, ordu, uzman zanaatkârlara dağıtmaktır. Birçok erken devlet bu temel hizmetleri desteklemek için karmaşık yeniden dağıtım sistemleri geliştirmiştir.

Erken devlet toplumları genel olarak *şehirlerin* önemli rol oynadığı karakteristik bir kentsel yerleşim dokusu gösterirler. Şehir tipik olarak büyük bir nüfus merkezidir (çoğunlukla 5000'den fazla yerleşimci barındırır) ve tapınaklarla idari bürokrasiye ait çalışma yerlerinin de dâhil olduğu büyük kamu binalarına ev sahipliği yapar. Sıklıkla başkentin ana merkez olduğu ve ona bağlı bağımlı ya da bölgesel merkezler kadar yerel köylerin de bulunduğu belirgin bir yerleşim hiyerarşisi vardır.

Bu oldukça basit sosyal tipoloji düşüncesizce kullanılmamalıdır. Örneğin bir hayli muğlak bir fikir olan "kabile" ile daha modern bir kavram olan "segmenter toplum" arasında bazı farklar vardır. Küçük birimlerin daha büyük bir grup yaratacak şekilde birleşmesini ifade eden "kabile" terimi, beraberinde bu toplulukların ortak bir etnik

5.2 *Elman Service'ınkini temel alan dört katmanlı toplum sınıflandırması.*

	HAREKETLİ AVCI-TOPLAYICI GRUPLARI	SEGMENTER TOPLUM	KABİLE	DEVLET
	San Avcıları, Güney Afrika	Çift süren adam, Valcamonica, İtalya	Atlı, Gundestrup kazanı	Pişmiş toprak ordu, Çin'in ilk imparatoruna ait mezar yapısı
TOPLAM RAKAM	100'den az	Birkaç bine kadar	5000-20.000 üzeri	Genellikle 20.000 üzeri
SOSYAL ORGANİZASYON	Eşitlikçi Gayriresmi liderlik	Segmenter toplum Kabileler arası ortaklıklar Küçük grup yağmaları	Akrabalığa dayalı mirasla geçen liderlik Seçkin savaşçılar	Kral ya da imparator altında sınıf temelli hiyerarşi Ordular
EKONOMİK ORGANİZASYON	Gezgin avcı-toplayıcılar	Yerleşik çiftçiler Göçebe çobanlar (pastoralizm)	Merkezi birikim ve yeniden dağıtım Bazı zanaat uzmanlıkları	Merkezi bürokrasi Haraç temelli vergilendirme Kanunlar
YERLEŞİM MODELİ	Geçici konak yerleri	Kalıcı köyler	Tahkimli merkezler Tören merkezleri	Kentsel: şehirler, kasabalar Sınır savunma yapıları Yollar
DİNİ ORGANİZASYON	Şamanlar	Din büyükleri Takvime bağlı törenler	Dini görevleri olan kalıtsal şef	Ruhban sınıfı Çok ya da tek tanrılı din
MİMARİ	Geçici sığınaklar	Kalıcı kulübeler Tümülüsler Kült mekânları	Büyük boyutlu anıtlar	Saraylar, tapınaklar ve diğer kamu yapıları
	Paleolitik deri çadırlar, Sibirya	Neolitik tapınak, Çatalhöyük, Türkiye	Stonehenge, İngiltere son hâli	Gize piramitleri Castillo, Chichen Itza, Meksika
ARKEOLOJİK ÖRNEKLER	Paleo-Kızılderililer de dâhil bütün Paleolitik toplumlar	Bütün erken çiftçiler (Neolitik/Arkaik)	Birçok erken metal işleyen ve gelişen toplumlar	Bütün antik uygarlıklar; mesela Mezoamerika, Peru, Yakındoğu, Hindistan ve Çin, Yunanistan ve Roma
MODERN ÖRNEKLER	İnuit San, Güney Afrika Avustralya Aborjinleri	Pueblo'lar, Güneybatı ABD Yeni Gine dağ sakinleri Nuer ve Dinka, Doğu Afrika	Kuzeybatı Kıyısı Kızılderilileri, ABD Tonga, Tahiti ve Hawaii'deki 18. yüzyıl Polinezya kabileleri	Bütün modern devletler

kimlik ve bilinci paylaştıkları varsayımını getirmektedir ki, artık durumun genelde böyle olmadığı bilinmektedir. "Segmenter toplum" terimi ise genellikle kendi işlerini düzenleyen çiftçilerin oluşturduğu nispeten küçük ve özerk bir grubu temsil eder. Bazı durumlarda başka benzer segmenter toplumlarla bir araya gelerek daha büyük bir etnik birim ya da "kabile" meydana getirirler; bazen de bu gerçekleşmez. Bu bölümün geri kalanında "kabile" yerine *segmenter toplumlar* terimini kullanacağız. Service'ın tipolojisinde "takım" olarak görülenler şimdi daha genel olarak "gezgin avcı-toplayıcı gruplar" şeklinde adlandırılmaktadır.

Kuşkusuz yukarıda verilen dört toplum tipinin önemi üzerinde çok durmak veya belirli bir grubun hangi kategoriye gireceğine karar vermek için sıkıntı çekmek yanlış olacaktır. Aynı şekilde, toplumların bir şekilde topluluklardan segmenter toplumlara ya da şefliklerden devletlere evrimleştiklerini düşünmek de doğru değildir. Arkeolojinin meselelerinden biri, neden bazı toplumların daha karmaşık hâle gelirken diğerlerinin gelmediğini açıklamaya çalışmaktır. Açıklama sorununa 12. Bölüm'de tekrar döneceğiz.

Yine de, Service'ın kategorileri fikirlerimizi bir düzene koymak için iyi bir çerçeve sunmaktadır. Ancak gerçekten aradığımız şeyden bizi saptırmamalıdır: bir toplumun –ister sosyal alanda, ister besin arama organizasyonunda, teknolojide, iletişim ve değiş tokuşta/alışverişte ya da manevi dünyada olsun– farklı kurumlarında zaman içinde meydana gelen değişimler. Çünkü arkeoloji değişim süreçlerini binlerce yıllık bir zaman dilimi içinde inceleme imkânına sahiptir ve bizim tecrit etmeye çalıştığımız süreçler de işte bunlardır. Bereket versin ki, basit ve daha karmaşık toplumlar arasında bunu başarmamıza yetecek kadar belirgin farklar bulunmaktadır.

Yukarıda Service'ın dört toplum tipinin tanımında gördüğümüz gibi, özellikle karmaşık toplumların kültürlerindeki farklı unsurlar arasında artan uzmanlaşma ya da ayrılma izlenir. Karmaşık toplumlarda insanlar artık, diyelim ki, besin elde etmeyi, alet yapmayı ya da dini ayinleri hepsinde birden uzman değildir, fakat bu işlerden birinde uzmanlardır; ya tam zamanlı çiftçilerdir, zanaatkârlardır ya da rahiplerdir. Teknoloji ilerledikçe bir grup birey çanak çömlek yapımında ya da metal işçiliğinde uzmanlaşabilir ve tam zamanlı *uzman zanaatkârlar* olarak bir kasaba ya da şehrin belli bir alanında ikamet ederler; arkalarında da arkeologların keşfedebilmesi için belirgin izler bırakırlar. Aynı şekilde, tarım geliştikçe ve nüfus arttıkça, saban ya da sulama sayesinde eldeki topraktan daha fazla besin elde edilecektir (besin üretimi *artacaktır*). Bu uzmanlaşma ve artış meydana gelirken, bazı insanlarda daha zengin olma ve diğerlerinden daha fazla otorite kullanma eğilimi baş gösterecektir; sosyal mevki ve *sınıflaşma* gelişecektir.

Arkeolojik bulgularda daha karmaşık toplumların (burada kolaylık amacıyla şeflik ya da devlet olarak adlandırılmıştır) varlığını tespit etmemize işte bu artan uzmanlaşma, artış ve sosyal sınıf bilincini incelemeye yarayan yöntemler yardım eder. Basit avcı-toplayıcı ve segmenter toplumları arkeolojik olarak tespit etmek istiyorsak bu bölümün devamında göreceğimiz gibi başka yöntemlere ihtiyaç vardır.

Toplumun Ölçeği

Bu genel bilgilerle ilk ve temel soruyu yanıtlamak için bir strateji geliştirilebilir: Toplumun ölçeği nedir? Cevaplardan biri yerleşim dokusunun anlaşılmasıyla elde edilebilir ve bu da sadece araştırmadan izlenebilir (aşağıya bakınız).

Bununla birlikte ilk yaklaşım için ayrıntılı bir arazi projesi gerekli olmayabilir. Örneğin, eğer yaklaşık 12.000 yıldan daha öncesine ait arkeolojik kalıntılarla ilgileniyorsak, o zaman Paleolitik Çağ'dan bir toplumu inceliyoruz demektir. Mevcut kanıtlara göre, bu muazzam uzunluktaki dönemden –yüz binlerce yılı kapsar– bilinen hemen hemen bütün toplumlar mevsimlik veya geçici konak yerlerinde yaşayan gezgin avcı-toplayıcılardır. Öte yandan, kalıcı yerleşime dair izler bulduğumuz yerlerde, bu, tarım köyleri ya da daha karmaşık yerleşmelerden oluşan bir segmenter toplum anlamına gelir.

Diğer taraftan, eğer şehirleşmiş büyük merkezler söz konusuysa, toplum muhtemelen bir devlet olarak tanımlanmalıdır. Daha alçakgönüllü merkezler ya da kentsel yerleşimden yoksun dini merkezler bir şefliğe işaret edebilir. Bu sınıflandırmaları kullanmak sosyal analiz için değerli bir ilk adımdır, ama bunların sadece söz konusu toplumları çalışırken bize yardım etmek amacıyla tasarlanmış çok geniş kategoriler olduklarını yine akıldan çıkarmamamız gerekir.

Eğer gezici bir ekonomiye sahip toplumlarla (mesela avcı-toplayıcılar veya muhtemelen göçebeler) uğraştığımız kesinse, çok yoğun araştırma yöntemleri uygulanmalıdır, çünkü gezici toplumların bıraktığı izler genellikle çok azdır. Ancak diğer yandan bunlar yerleşik toplumlarsa, basit bir saha araştırması gerekir. İlk hedefi de *yerleşim hiyerarşisinin* kurulmasıdır.

Yüzey Araştırması

Yüzey araştırması teknikleri 3. Bölüm'de tartışılmıştı. Yüzey araştırmalarının farklı amaçları olabilir. Bizim durumumuzda hedefimiz yerleşmenin hiyerarşisini keşfetmektir. Özellikle büyük merkezlerin yerini (örgütlenmeye olan ilgimizden dolayı) ve daha alçakgönüllü yerleşimlerin doğasını tespit etmeye önem veririz. Bu, ikili bir örnekleme stratejisi anlamına gelir. Yüzey araştırmasının yoğun safhasında, dikkatlice seçilmiş enlemesine kesitler yapılacak sistematik yüzey araştırması yeterli olmalıdır, ama bütün alanda yürütülecek araştırma idealdir. Bölgedeki farklı çevresel alanları dikkate alacak rastgele tabakalı örnekleme stratejisi (3. Bölüm'de ana hatlarıyla değinilmişti) küçük arkeolojik alanlar için yeterli veri sunmalıdır. Ancak bu tip rastlantısal örnekleme bir başına yanıltıcı olabilir ve Kent Flannery'nin "Teotihuacan etkisi" adını verdiği olguya tâbidir. Teotihuacan MS 1. binyılda Meksika Vadisi'nde gelişme göstermiş muazzam bir şehirleşmiş arkeolojik alandır (s. 98-99'a bakınız). Tek başına rastgele tabakalı örnekleme böyle bir merkezi kolaylıkla ıskalayabilir ve böylece herhangi bir etkili sosyal analizi değersiz kılar.

O yüzden stratejinin bir diğer hedefi merkezi bulmaktır. Bölgedeki en büyük merkezi ortaya çıkarmaya yönelik yöntemler kullanılmalı ve olabildiğince fazla ikinci derece merkezin yeri tespit edilmelidir. Bereket versin ki, eğer bu şehirleşmiş bir arkeolojik alansa ya da anıtsal kamu binalarına sahipse, bütün alanın görünürlüğü yüksekse yoğun olmayan yüzey araştırması bile böyle bir merkez açıkça görülebilir. Birçok durumda bu kadar belirgin bir arkeolojik alan zaten yerel halk tarafından bilinir ya da aslında mevcut arkeolojik ve antik literatürde kaydedilmiştir. Bu tip bütün kaynaklar, bölgeye gelen ilk seyyahların yazdıkları da dâhil, ana merkezleri bulma şansını arttırmak için dikkatle gözden geçirilmelidir.

Ana merkezler genellikle en etkileyici anıtlara ve en güzel buluntulara sahiptir. Dolayısıyla dönemin en önemli anıtları ziyaret edilmeli ve bölgedeki özellikle zengin buluntuların görüldüğü yerler araştırılmalıdır. Uygun olduğu yerlerde, 3. Bölüm'de bahsettiğimiz türden uzaktan algılama yöntemleri için oldukça fazla imkân vardır.

Yerleşim Dokusu

Herhangi bir araştırma, yoğun olarak araştırılmış alanların haritası ve bütün yerleşim alanlarını, büyüklükleri, kronolojik kapsamları (çanak çömlek gibi yüzey buluntularından anlaşılacağı üzere), mimari özellikleriyle birlikte içeren bir katalogla sonuçlanacaktır. Sonraki hedef, bu verilerin ışığında arkeolojik alanların sınıflandırmasını yapmaktır. Muhtemel arkeolojik alan kategorileri bölgesel merkez, yerel merkez, çekirdek köy, dağınık köy ve mezradır.

Yerleşim dokusuna dair bilgilerle yapacağımız ilk iş, merkezlerin çevresindeki sosyal ve siyasi alanları tespit ederek arazinin siyasi örgütlenmesini belirlemektir. Bu noktada birçok arkeolojik yaklaşım, kanımızca bazı kısıtlamalar barındıran Merkezi Yer Teorisi'ne (aşağıya bakınız) ağırlık vermektedir. Teori belirli bir bölgedeki arkeolojik alanların büyüklüklerine göre bir dizi düzenli kategoriye ayrılabileceğini varsayar. Bütün ana merkezler bir büyüklük kategorisine, bütün ikincil merkezler ise bir sonrakine yerleştirilir. Teknik, bir bölgedeki ikincil merkezlerin bir

başka bölgenin ana merkezlerinden bazen daha büyük olabildiği gerçeğine çözüm getirememektedir. Daha yakın tarihli çalışmalar bu zorluğun üzerinden gelecek bir yol bulmuştur (XTENT tekniği), ama şimdi eski yöntemleri ele alacağız.

Bazen arkeolojik alanların konumlarından faydalanan ve başka veri türlerini de kullanabilen ağ analizi (karşı sayfadaki kutuya bakınız) daha başka yaklaşımlar sunmaktadır.

Merkezi Yer Teorisi. Bu teori 1930'larda Alman coğrafyacı Walter Christaller tarafından günümüz Güney Almanya'sındaki şehir ve kasabaların konumlarıyla işlevlerini açıklamak amacıyla geliştirilmiştir. Christaller yeknesak bir arazide (dağların, ırmakların ya da toprağın ve kaynakların dağılımında çeşitlilik bulunmadığı) yerleşmelerin uzamsal dokusunun kusursuz şekilde düzgün olacağını öne sürmüştü. Aynı büyüklükte ve nitelikteki merkezi yerler ya da yerleşmeler (kasaba ya da şehirler), birbirlerinden eşit mesafede konumlanacak ve kendilerine ait daha küçük uydu yerleşimleri bulunan ikincil merkezler topluluğu tarafından çevrelenecektir. Bu mükemmel şartlar altında, her bir merkez tarafından "kontrol edilen" alanlar altıgen biçimli olacaktır ve merkezin farklı düzlemleri birlikte girift bir yerleşim örgüsü yaratacaktır.

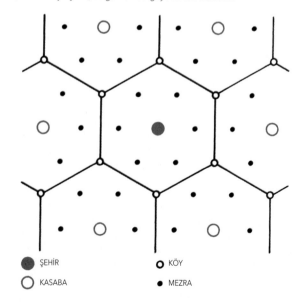

5.3 Merkezi Yer Teorisi: Irmakların ve kaynaklarda çeşitliliğin olmadığı düz bir coğrafyada, etrafı düzenli aralıklarla yerleştirilmiş ikincil merkezlerle (köyler veya mezralar) çevrili merkezi bir yer (kasaba veya şehir) altıgen bir bölgeye hâkim olacaktır.

● ŞEHİR   ○ KÖY
○ KASABA   ● MEZRA

AĞ ANALİZİ

Matematik alanındaki grafik teorisine ait bir konu olan ağ analizi, yakınlık analizinin ilk günlerinden beri kullanılmaktadır. John Cherry'nin Pylos sarayında ele geçmiş Linear B tabletlerindeki yer isimlerinin tekrar sıklığını kullanarak Miken dönemi Messenia eyaletinin coğrafyasını yeniden kurgulaması öncü bir girişim olmuştur. Yaklaşım geçen on yıl içinde yeniden canlanan ilginin odağındadır.

Grafik teorisinde noktalar köşe noktaları ya da düğümler olarak adlandırılır ve bunlar arasındaki çizgiler kenarlar ya da bağlar adını alırlar. Sosyolojik çalışmalarda düğümler sıklıkla insanları ve çizgiler de onların arasındaki etkileşimleri göstermek amacıyla kullanılır. Bazı arkeolojik problemlerde düğümler arkeolojik alanlar ya da yerleşimleri temsil eder ve çizgiler bunların arasındaki çeşitli etkileşimleri belirtir.

Yakın zamana ait bir örnek, Knappett, Evans ve Rivers'ın Orta Tunç Çağı Ege'sindeki denizaşırı etkileşimlerine ait modelleridir. Burada bilinen Orta Tunç Çağı arkeolojik alanları coğrafi konumlarına göre belirtilmiştir (büyüklükleri dairelerin çapıyla orantılıdır) ve modellemenin önerdiği şekliyle aralarındaki bağların önemi farklı kalınlık ve tonlardaki çizgilerle temsil edilmektedir. Girit ve Kiklatlar arasındaki bağ, ticaretin yararlarına ait parametreler arttığı zaman güçlü olarak ortaya çıkar. Akrotiri kazılarında bulunmuş birçok Orta Minos ithal çanak çömleği, bu ticari yarara göre çizgilerin vurgulanmasının uygun olduğunu göstermektedir. Geç Tunç Çağı'nda Akrotiri'nin volkan patlaması neticesinde yok oluşu (s. 164-165'teki kutuya bakınız) deniz

etkileşim ağını köklü biçimde değiştirmiştir. Modellenen etkileşimlerin işaret ettiği sosyal sonuçlar ekonomik olduğu kadar siyasi anlamda da daha fazla değerlendirmeye ihtiyaç duymaktadır.

Bununla birlikte, model söz konusu düğümlerin arkeolojik alanlar olmasını gerektirse de, ağın şeklinin, düğümlerin uzamsal koordinatları tarafından yönlendirilmesi zorunlu değildir. Sosyal Ağ Analizi'nde düğümler çoğunlukla bireylerdir ve etkileşimleri birkaç düzeyde olabilir. Aktör Ağ Teorisi hem insanların hem de şeylerin sosyal ilişkilerde aktif ve nesnelerin de ağda düğüm olabileceklerini savunur. Böyle durumlarda konum koordinatlarının konuyla ilişkili olmasına gerek yoktur ve ağ "uzamı" coğrafi değil, ilişkiseldir.

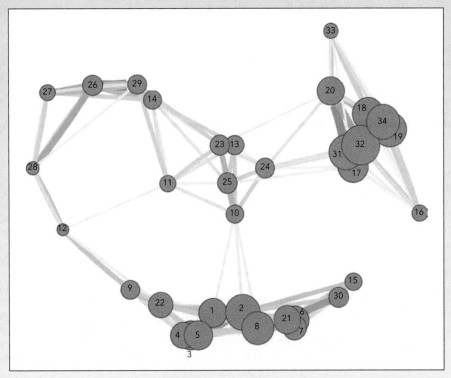

5.4 Orta Tunç Çağı Ege'sinin ağ modelinde her bir daire bir arkeolojik alanın coğrafi konumuna yerleştirilmiştir ve çapları da alanların büyüklükleriyle orantılıdır. Bağların koyulukları ve kalınlıkları etkileşimlerin gücünü gösterir (arkeolojik alanlar 1-9, 21 ve 22 Girit'tedir ve Knossos "1" ile belirtilmiştir; arkeolojik alanlar 27-29 Yunan anakarasındadır; arkeolojik alanlar 10-14 ve 23-25 Kiklatlar'dadır). Kiklatlar (Akrotiri "10"dur) ve Kuzey Girit arasındaki bağ, ağı bir arada tutması açısından önemlidir, ancak girdi parametrelerinin ağırlıkları değiştirilerek ticaret "yasaklandığında" ilk kaybolandır.

Elbette böyle mükemmel şartlar doğada bulunmaz, ama yine de modern veya antik şehirlerin dağılımında Merkezi Yer Teorisi'nin işleyişini tespit etmek mümkündür. Temel özellik, her bir ana merkezin komşularından belli bir mesafede bulunduğu ve hiyerarşik olarak iç içe geçmiş doku dâhilindeki daha küçük yerleşimlerden oluşan bir çemberle çevrildiğidir. Siyasi ve ekonomik anlamda, ana merkez çevre bölgesine belirli mallar ve hizmetler sağlayacaktır; karşılığında yine belirli mallar ve hizmetler alacaktır.

Arkeolojik Alan Hiyerarşisi. Merkezi Yer Teorisi hakkında yukarıda değindiğimiz çekincelere rağmen, arkeolojik alan büyüklüklerinin incelenmesi kullanışlı temel bir yaklaşımdır. Arkeolojik çalışmalarda arkeolojik alanlar genellikle büyüklüklerine göre (yani arkeolojik alan hiyerarşisine göre) sıralanmakta ve bir histogramla gösterilmektedir. Normalde bir yerleşim sisteminde büyük kasaba ve şehirlere kıyasla küçük köyler ve mezralar çok daha fazladır. Histogramlar farklı bölgelerin, dönemlerin ve toplum tiplerinin arkeolojik alan hiyerarşileri arasında karşılaştırma yapmaya izin verir. Sözgelimi gezgin avcı-toplayıcı toplumların arkeolojik alan boyutlarında çok az farklılık olacaktır ve arkeolojik alanların kendileri de nispeten küçüktür. Diğer taraftan devlet toplumları hem mezra ve çiftlik evleri hem de büyük kasabalar ve şehirler barındırır. Bir yerleşim sistemi içinde münferit bir arkeolojik alanın ne derece baskın olduğu bu tip bir analizden anlaşılacaktır ve yerleşim sisteminin organizasyonu, genellikle onu yaratan toplumun örgütlenmesinin doğrudan yansıması olacaktır. Genel anlamda, yerleşim dokusu ne kadar hiyerarşikse toplum da o derece hiyerarşiktir.

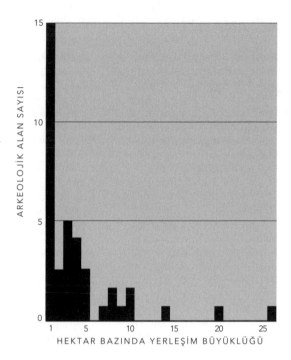

5.5 *Mezopotamya'nın bir bölgesinde Erken Hanedanlar Dönemi (MÖ 2800 civarı) için arkeolojik alan hiyerarşisi. Bu bölgedeki arkeolojik alanların büyüklüğü 25 hektardan (60 dönüm) 0,1 hektara (0,25 dönüm) kadar uzanır ve beş grupta -çubuk grafikte rahatça izlenebilir- toplanabilir: Bu özel çalışmada gruplar büyük kasabaları, kasabaları, büyük köyleri, köyleri ve mezraları tanımlar.*

TOPLUMSAL ÖRGÜTLENME İÇİN DİĞER BİLGİ KAYNAKLARI

Eğer arkeologların toplumsal örgütlenmeyi çalışmak için ilk yaklaşımları yerleşimin ve yerleşim dokusunun araştırılmasıysa, bu yazılı belgelerin, sözlü geleneğin ve etnoarkeolojinin kullanımını da içeren diğer muhtemel yolları dışlamamalıdır.

Burada Lewis Binford'un görüşünden bahsetmek uygundur. Eğer arkeolojik kalıntılar ile onların temsil ettiği toplumlar arasındaki boşluğu kapatmak istiyorsak, Binford'un **Orta Boy Kuramı** adını verdiği sistematik bir teşekkül geliştirmemiz gerekir. Ancak şimdilik, arkeolojik teorinin yüksek, orta ve düşük şeklinde ayrılmasını mazur göstermenin zor olduğuna inanıyoruz. Orta Boy Kuramı terimini kullanmamayı seçiyoruz.

Bazı bilim insanları *analoji* kavramını da vurgulamaktadır. Analoji temelli görüşler, belirli süreçler ya da malzemelerin birbirlerine bazı açılardan benzediği yerlerde başka alanlarda da benzerlik gösterebilecekleri inancına dayanır. Dolayısıyla, bir veri topluluğunun detayları, aynı detayların eksik olduğu bir başka veri topluluğundaki boşlukları doldurmak için kullanılabilir. Bazıları analojiyi arkeolojik muhakemenin temel bir özelliği olarak görmüştür. Bizim görüşümüze göre, buna yapılan vurgu hatalıdır. Arkeologların bir toplumun incelenmesinden elde edilen bilgileri (ölü ya da yaşayan) ilgilendikleri başka toplumları anlamak için kullandıkları doğrudur, ama bunlar genellikle özel detaylı analojilerden ziyade genel gözlemler ve karşılaştırmalar niteliğindedir.

Ne var ki analoji genellemelerin formülleştirilmesi için güçlü bir araçtır. Örneğin son yıllarda bireylik inceleme konusu olmuş ve Hindistan ile Melanezya'daki yakın tarihli toplumlar arasındaki karşılaştırmalar, Avrupa ve başka yerlerdeki tarihöncesi toplumlara uygulanabilecek içgörülere rehberlik etmiştir.

Yazılı Kaynaklar

Okuryazar toplumlar (örneğin Mezoamerika, Çin, Mısır ve Yakındoğu'daki bütün büyük uygarlıklar gibi yazıyı kullananlar) için tarihi kayıtlar bu bölümün başında değinilen sosyal içerikli soruların birçoğunu cevaplayabilir. O yüzden, böyle toplumlarla ilgilenen arkeologların başlıca hedefi uygun metinleri bulmaktır. Yakındoğu'nun büyük arkeolojik alanlarında yapılan ilk kazıların çoğunun ilk amacı kil tabletler bulmaktı. Bu tip önemli keşifler bugün de yapılmaktadır. Örneğin 1970'lerde Suriye'deki eski Ebla (Tell Mardikh) şehrinde, muhtemelen Akadçanın (Babilce) taşra lehçesiyle yazılmış 5000 kil tabletlik bir arşiv gün ışığına çıkarılmıştır.

Her okuryazar toplumda yazının kendine özgü işlev ve amacı vardır. Örneğin, Miken Yunanistan'ındaki yaklaşık MÖ 1200'lere tarihlenen kil tabletler neredeyse istisnasız olarak ticari faaliyetlerin kayıtlarıdır. Bunlar Miken ekonomisinin birçok unsuru hakkında fikir verir ve devlet memuriyetlerinin isimleri kadar zanaat organizasyonuna (çeşitli zanaatkârların adları aracılığıyla) bir bakış sağlar. Fakat başka yerlerde olduğu gibi burada da rastlantısal

5.6 Ebla'daki (bugünkü Suriye'de Tell Mardikh) kraliyet sarayından MÖ 3. binyılın sonlarına tarihlenen 5000 kil tabletin bir kısmı. Tabletler Ebla'nın 140 yılı aşkın tarihini kaydeden devlet arşivlerinin bir parçasını meydana getiriyordu. Aslen saray tahrip olunca çöken ahşap bir rafın üzerinde duruyorlardı.

korunma koşulları önem arz edebilir. Mikenlerin kili sadece ticari kayıtları için kullanmış ve şimdi kayıp edebi ve tarihi metinlerini diğer organik malzemelere yazmış olmaları mümkündür. Klasik Yunan ve Roma uygarlıklarından günümüze gelenler ağırlıklı olarak mermere işlenmiş resmi metinlerdir. Üzerinde edebi metinler olan narin papirüs ruloları –modern kağıdın öncüsü– genellikle sadece Mısır'ın kuru havasında ya da Pompeii'nin ve Herculaneum volkanik külü altında (s. 24-25'teki kutuya bakınız) bozulmadan kalmıştır.

Gözden kaçırılmaması gereken önemli bir yazılı kaynak sikkelerdir. Sikkelerin buluntu yerleri ticarete dair ilginç kanıtlar sunar (9. Bölüm), fakat üzerlerindeki yazıların kendisi onları darp eden otorite hakkında –bir şehir devleti (antik Yunanistan'daki gibi) veya hükümdar (Roma İmparatorluğu ya da Ortaçağ Avrupa'sının kralları)– bilgilendiricidir.

Eski bir dilin çözülmesi onu kullanan toplum hakkındaki bilgilerimizi değiştirir. On dokuzuncu yüzyılda Champollion'un Mısır hiyerogliflerini çözen parlak çalışmasından 1. Bölüm'de bahsetmiştik. Yakın zamanda Mezoamerika arkeolojisindeki en önemli gelişmelerden birisi, birçok sembolün (hiyeroglifler veya sadece "glifler") okunmasıdır. Meksika ve Orta Amerika'daki Maya bölgelerinden taş anıtların üzerine kazınmış ve pişmiş toprak kaplar gibi taşınabilir nesnelerin üzerine boyayla eklenmiş birçok sembol Maya yazıtlarının genellikle yalnızca takvimle ilgili olduğu ya da tamamen dini konulardan, özellikle de tanrıların işlerinden meydana geldiği düşünülüyordu. Ancak şimdi yazıtlar birçok durumda gerçek tarihi olaylar, bilhassa da Maya krallarının faaliyetleri bağlamında açıklanabilmektedir (s. 140-141 ve s. 414-415'deki kutulara bakınız). Ayrıca artık münferit Maya merkezlerine ait olan bölgeleri ortaya çıkarabiliyoruz (s. 210-211'deki kutuya bakınız). Dolayısıyla Maya tarihi yeni bir boyut kazanmıştır. Ancak sayısız girişime rağmen Güney Asya'nın İndus ya da Harappa yazısı, Mezoamerika'nın Zapotek ve Kıstak dili [Meksika'daki Tehuantepec Kıstağı civarında bulunduğu için bu ismi almıştır –ç.n.] ve Girit'in Linear A Yazısı çözülemeyen son büyük alfabeler arasındadır.

Sosyal arkeolojiyi yeniden kurgulamak için yazılı kaynakların ne kadar önemli olduğunu gösteren daha detaylı bir örnek Mezopotamya'dır. Burada, çoğunlukla kil tabletler şeklinde korunmuş muazzam bir Sümer ve Babil arşivi (yaklaşık MÖ 3000-1600) korunmuştur. Mezopotamya'da yazının kullanım alanları şöyle özetlenebilir:

İleride kullanmak üzere bilgi kaydı	- İdari amaçlı
	- Yasaların bir araya getirilmesi
	- Kutsal geleneklerin belirlenmesi
	- Yıllıklar
	- Bilimsel amaçlar

Tarihi kanıtların çeşitliliği

5.7–9 Eski uygarlıklarda kâtipler yüksek statüye sahipti: Mayalarda bir tavşan tanrı (yukarıda), MS 8. yüzyıla ait bir resimli vazoda kâtip olarak betimlenmiştir. Mısır askeri kâtipleri (sol üstte) Yeni Krallık'ın düşmanlarına boyun eğdirişini papirüs tomarlarına kaydediyor – Sakkara'dan bir duvar kabartması. Roma Dönemi'nden düşünceli bir yazar (orta solda) Pompeii'den bir duvar resminde tasvir edilmiş.

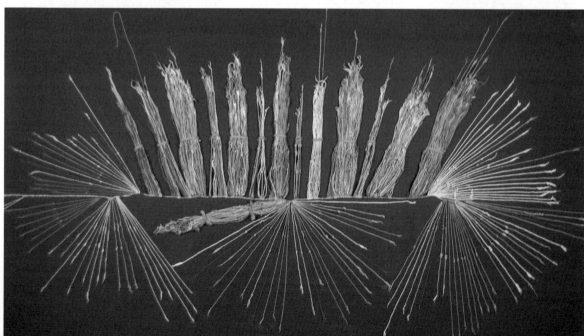

5.12 Mühürler ve mühür baskıları.
(sağda) MÖ 2400 civarına ait bir
Akad silindir mühür ve baskısı
muhtemelen avcı olan silahlı
erkekleri gösteriyor. Hammurabi
Kanunları (sağ altta) gibi çivi
yazısıyla yazılmış yazıt, mühür
sahibinin, kralın (adı verilmemiştir,
ama muhtemelen Akkad kralı
Sargon'dur) kardeşi Ubiliştar'ın
hizmetkârlarından Kalki olduğunu
gösterir. Bu türden mühürler
aidiyet veya güvenilirlik işareti
olarak kullanılmıştır. Mezopotamya
arkeolojik alanlarında binlercesi
ortaya çıkarılmıştır.

5.13 Erken Ortaçağ belgeleri. (sağda) 11. yüzyıla ait
Bayeux Gobleni'ndeki bu ünlü sahne, İngiltere kralı Harold
Godwinson'ın 1066 tarihli Hastings Savaşı'nda ölümünü
betimler. Tarihi belgeler en az arkeolojik kanıtlar kadar titiz
yorumlara ihtiyaç duyar.

5.10–11 Amerika kıtası. (karşı sayfa, orta sağda) Yaklaşık
MÖ 900'e ait Cascajal Bloğu Amerika kıtasında yazıya dair
en eski kanıttır. Olmek dilindeki yazıt çözülememiştir, fakat
çoğu Olmek ikonografisinden bilinen ögelere benzer bazı
sembollerin yinelenmesi ve bir kısmının ise belirli bir sırayla
tekerrür edişi (1-2 ve 23-24 gibi) bunun gerçek bir yazı
formu olduğunu düşündürür. (karşı sayfa, altta) İnkalarda
buna benzer bir yazı sistemi yoktu, ama hesapların ve diğer
işlemlerin kayıtlarını quipu denen düğümlü ipler kullanarak
tutuyorlardı.

5.14 Sikkeler (solda). İsveç'in Gotland
Adası'ndaki Spillings'te 1999'da
bulunan büyük bir Viking gümüş
definesi 500 kol halkası ve çoğu
Arap kökenli 14.300 civarında sikke
içeriyordu. En erken tarihli sikke MS
870/871'e aitti. Sikke üzerindeki yazılar
tarihleme (4. Bölüm), ticaret (9. Bölüm)
ve aynı zamanda sikkeyi basan otorite
hakkında bilgi verebilir.

5.15 Yazıtlar. (sağda) Babil kralı
Hammurabi'nin ünlü medeni kanunları,
MÖ 1750 civarı. Kanunlar 2,25 m
yüksekliğindeki siyah bazalttan bir
stel üzerine 49 dikey sütun olarak
oyulmuştur. Bu detay resminde kral,
oturur hâldeki adalet tanrısı Şamaş'ın
huzurundadır. Ayrıca s. 190'da ana
metne bakınız.

Mevcut Bilginin İletilmesi	- Mektuplar - Krali hükümler - Kamusal duyurular - Kâtiplerin eğitimi için metinler
Tanrılarla iletişim	- Kutsal metinler, muskalar vb.

Sümer kral listesi ileride kullanılmak üzere bilgi kaydeden yıllıklara dair mükemmel bir örnektir. Modern bilim insanı için tarihleme amacıyla kullanılabilecek çok yararlı bir kaynaktır, fakat aynı zamanda Sümerlerin iktidar kullanımını nasıl algıladıkları konusuna –örneğin bulundukları mevkilerin terminolojisi– dair sosyal içgörüler sunar. Aynı şekilde, kral heykelleri (Lagaş kralı Gudea'nınki gibiler) Sümerlerin hükümdarlarıyla ölümsüzler arasındaki ilişkiyi nasıl gördüklerini anlamamıza yardımcı olur. Toplumların kendileri ve dünya hakkında ne düşündüklerini aktaran bu tip önemli bilgiler –*bilişsel* bilgi– 10. Bölüm'de daha detaylı işlenecektir.

Sümer toplumunun yapısını anlamak için daha da önemli olan, çalışma ya da organizasyon merkezleridir ki, bunlar Sümer'de genellikle tapınaklardır. Sözgelimi, Tello'daki Bau Tapınağı'ndan 1600 tablet, tarlaları ve bunlardan elde edilen ürünleri, zanaatkârları ve tahıl ya da evcil hayvan olarak alınıp satılan malları listeleyerek kült mekânı faaliyetlerinin iç yüzünü kavramamızı sağlar.

Bunlar arasında belki de en çok çağrışım yapanı kanunlardır ve Babilli Hammurabi'nin yaklaşık MÖ 1750'de Akadça (ve çivi yazısıyla) yazılmış kanunları da en etkileyici olanıdır. Burada hükümdar bir taşın üst kısmında (görsel 5.15'e bakınız) adalet tanrısı Şamaş'ın karşısında durmaktadır. Kanunlar kamuya duyurulmaktadır ve Hammurabi'nin deyimiyle "böylece güçlü güçsüzü ezmeyecek, öksüz ve dulların hakları korunacaktır." Bu kanunlar hayatın birçok alanını kapsar (tarım, ticari faaliyetler, medeni kanun, miras ve çeşitli zanaatkârların çalışma koşulları, zina ve cinayet için cezalar).

Hammurabi'nin kanunları etkileyici ve bilgilendirici olmakla birlikte kolayca açıklanabilecek kadar basit metinler değildir. Arkeoloğun bir metin hazırlanmasına yol açan sosyal bağlamı yeniden kurgulama ihtiyacını vurgular. İngiliz bilim adamı Nicholas Postgate'in belirttiği gibi, kanunlar hiçbir şekilde tam değildir ve görünüşe bakılırsa sadece sorunlu alanları içermektedir. Dahası, Hammurabi yakın tarihte rakip şehir devletlerini ele geçirmişti ve kanunlar muhtemelen yeni toprakların imparatorluğuna entegrasyonuna yardım için kaleme alınmıştı.

Şüphe yok ki yazılı kaynaklar incelenen toplum hakkında bildiklerimize çok büyük katkı sağlar, fakat bunlar eleştirel gözle incelenmeden, göründükleri gibi kabul edilmemeli, tesadüfi korunma şartları ve bir toplumda okuryazarlığın belirli kullanım alanları tarafından karşımıza

çıkarılan önyargılar unutulmamalıdır. Tarihi kayıtların taşıdığı en büyük risk, kendi bakış açılarını yansıtmalarıdır. Öyle ki, sadece bizim sorularımıza yanıt vermekle kalmaz, aynı zamanda inceden inceye bu soruların doğasını, hatta kavramlarımızı ve terminolojimizi belirlerler. İyi bir örnek, Anglo-Sakson İngiltere'sindeki krallık sorunudur: Çoğu antropolog ve tarihçi bir "kralı" bir devlet toplumunun lideri olarak görür. Dolayısıyla, MS 890 civarında son şeklini almış Anglo-Sakson İngiltere'sinin en erken kayıtları olan *Anglo-Sakson Yıllıkları* MS 500 civarındaki krallardan bahsettiğinde, tarihçinin o dönemdeki kralları ve devletleri düşünmesi kolaydır. Ancak arkeoloji, devlet toplumlarının tam anlamıyla yaklaşık MS 780'den sonra, Mercia kralı Offa döneminde veya MS 871'de, Wessex kralı Alfred zamanında ortaya çıktığını kuvvetle ileri sürmektedir. Şurası oldukça açıktır ki, eski "krallar" antropologların "şefler" adını verdikleri yakın zamanın bazı Afrika ya da Polinezya hükümdarları kadar önemli şahsiyetler değildi.

O yüzden, eğer arkeolog tarihi kayıtları maddi kalıntılarla bağlantılı şekilde kullanacaksa, daha başından soruların dikkatlice belirlenmiş ve kelime dağarcığının da iyi tanımlanmış olması önemlidir.

Sözlü Gelenek ya da "Etnotarihler"

Okuryazar olmayan toplumlarda geçmişe, hatta uzak geçmişe dair değerli bilgiler çoğu kez sözlü gelenekte (şiirler veya kuşaklar boyunca kulaktan kulağa aktarılan deyişler) kendilerine kutsal bir yer edinirler. Bunlar olağanüstü eskilikte olabilir. En iyi örneklerden biri eski Hint dini metinleri olan *Rigveda* ilahileridir. Metinler MS 1. binyılın ortalarında okuryazar rahipler tarafından yazıya geçirilmeden önce yüzyıllar boyunca sözlü olarak korunmuştur. Aynı şekilde, Homeros'un MÖ 8. yüzyıl civarında kaleme aldığı Troia Savaşı hakkındaki destanları bu tarihten önceki birkaç yüzyıl boyunca sözlü şekilde varlığını sürdürmüş olabilir ve birçok bilim insanı destanların MÖ 13 ya da 12. yüzyıl Miken dünyasını yansıttığını düşünmektedir.

Şüphesiz Homeros'un *İlias* ve *Odysseia*'sı gibi destanlar sosyal örgütlenmeye dair çarpıcı içgörüler sağlar. Fakat çoğu sözlü gelenekte olduğu gibi, sorun aslında hangi döneme atıfta bulunduklarını gösterebilmek, ne kadarının eski ne kadarının daha yakın tarihli bir dünyayı resmettiğine karar verebilmektir. Yine de yakın zamanda okuryazar olmuş Polinezya, Afrika ve diğer yerlerde önceki yüzyılların sosyal örgütlenmesini incelerken atılacak ilk adım sözlü geleneği araştırmaktır. Bu, sıklıkla gelen kolonicilerin okuryazar bilim insanlarına ya da mesela 16. yüzyılda Orta ve Güney Amerika'ya ayak basmış İspanyol fatihlerden sonraki yerli yazarlara ait "etnotarihler"de saklıdır.

5.16 *Sözlü gelenek. Şimdi British Library'de bulunan bir 17. yüzyıl elyazmasında resmedilmiş Hint destanı Ramayana'dan bir sahne. Öykü büyük bir hükümdarın (Rama) bir şeytan kralı tarafından Sri Lanka'ya kaçırılmış eşini kurtarırken başardığı işleri anlatır. Destanın kökleri Hindistan halklarının MÖ 800'den sonraki güneye doğru hareketlerine uzanabilir, fakat zorluk -sözlü gelenekte her zaman olduğu gibi- tarihsel gerçeği efsaneden ayırabilmekte yatar.*

Etnoarkeoloji

Sosyal arkeoloğun temel yaklaşım yöntemlerinden biri etnoarkeolojidir. Etnoarkeoloji söz konusu yaşayan toplumlara ait nesnelerin, binaların ve yapıların günümüzdeki kullanımlarını ve önemleriyle, bunların atıldıkları ya da (bina ve yapıların durumunda) yıkıldığı veya terk edildiği zaman başlarına geleni çalışır. Dolayısıyla herhangi bir geçmiş toplumu anlamaya yönelik **dolaylı** bir yaklaşımdır.

Geçmişi açıklamak için yaşayan toplumlara bakmak yeni bir şey değildir. On dokuz ve erken yirminci yüzyıllarda Avrupalı arkeologlar ilham için sıkça etnografların Afrika veya Avustralya'daki toplumlar arasında yaptıkları araştırmalara yönelmişlerdir. Fakat sonuçta ortaya çıkan, arkeologların geçmiş toplumları günümüz toplumlarına basitçe ve kabaca benzettikleri sözde "etnografik paralellikler"dir. Bunlar da yeni görüşleri teşvik edeceği yerde kısıtlamıştır. Amerika Birleşik Devletleri'nde arkeologlar başından beri yaşayan karmaşık Amerika yerli toplumlarıyla yüz yüzeydiler. Bu toplumlar onlara etnografinin arkeolojik açıklamalara nasıl yardım edebileceğini öğretmiştir. Yine de, tam anlamıyla olgunlaşmış etnoarkeoloji gerçekte son 25 yılın gelişmesidir. Temel farklılık, yaşayan toplumlar arasında araştırma yapanların şimdi etnograflar veya antropologlardan ziyade arkeologlar olmasıdır.

Lewis Binford'un Alaska'daki bir avcı-toplayıcı grup olan Nunamiut Eskimoları üzerindeki çalışmaları iyi bir örnek teşkil eder. Binford 1960'larda Fransa'nın Orta Paleolitik'e ait buluntu alanlarını (Moustier Dönemi, 180.000-40.000 yıl önce) açıklamaya çalışıyordu ve şunun farkına vardı: Sadece *modern* avcı-toplayıcıların kemik-

lerle aletleri nasıl kullandıklarını ve elden çıkardıklarını ya da bir yerleşimden diğerine taşıdıklarını çalışarak Moustier arkeolojik kaydını –ki kendisi gezgin avcı-toplayıcı bir ekonominin ürünüdür– oluşma mekanizmalarını anlamaya başlayabilirdi. Binford 1969-1973 arasında aralıklarla Nunamiut'lar arasında yaşadı ve onların davranışlarını gözlemledi. Örneğin, mevsimlik bir av konak yerinde (Mask buluntu alanı, Anaktuvuk Geçidi, Alaska) erkeklerin kemik artıklarını nasıl ürettiklerini ve ıskartaya çıkardıklarını inceledi. Bir ocak başında kemik iliği işlenirken küçük kemik parçalarının kırıldıkları zaman düştüğü bir "düşme alanı" bulunuyordu. Erkekler tarafından atılan daha büyük parçalar ise ön ve arkalarında bir "fırlatma alanı" oluşturuyordu.

Önemsizmiş gibi görünen böyle gözlemler tam anlamıyla etnoarkeolojinin esasıdır. Nunamiut Moustier toplumları için kesin bir "etnografik paralellik" sağlayamayabilirdi, ama Binford bütün avcı-toplayıcılarda muhtemelen ortak olan belirli etkinlikler ya da **işlevlerin** farkına varmıştı, çünkü –kemiğin işlenmesinde olduğu gibi– bu etkinlikler bir kamp ateşi etrafında oturmaya en uygun düşen süreç tarafından şekillendirilmekteydi. Atılan kemik parçaları arkeoloğun bulması ve açıklaması için ocak etrafında karakteristik bir doku meydana getirecektir. Böyle bir analizden grupta kabaca kaç kişi bulunduğunu ve konak yerinin ne kadar süreyle kullanıldığını çıkarmak mümkündür. Bunlar avcı-toplayıcı grupların toplumsal örgütlenmelerini (büyüklükleri de dâhil) anlamamızla oldukça bağlantılı sorulardır.

Mask buluntu alanındaki gözlemlerinin yardımıyla Binford son Buzul Çağı'nda, yaklaşık 15.000 yıl önce iskân

5.17–18 *Etnoarkeoloji: Lewis Binford'un çalışması. (sağda) Alaska'daki Nunamiut Eskimoları arasında yaşayarak yaptığı gözlemlere dayanan Binford, bir açık hava ateşi çevresindeki bu kemik işleme sürecini ortaya koydu. Küçük kemik parçaları erkeklerin etrafındaki "düşme alanı"na düşerken, daha büyük parçalar hem arka hem de önlerindeki "fırlatma alanları"na atılıyordu. (aşağıda ortada) Fransa'daki Pincevent'te bulunan 15.000 yıl öncesine ait Paleolitik buluntu alanında, hafir Leroi-Gourhan üç ocağı karmaşık bir deri çadır (rekonstrüksiyonu ortada sağda) için kanıt olarak yorumladı. (altta) Binford "açık ocak modeli"ni üç Pincevent ocağına uyguladı ve kemiklerin dağılımında kendi modelinin kanıtlara Leroi-Gourhan'ınkinden daha iyi uyduğu, yani ocakların çadır içinde değil dışında olduğu sonucuna vardı. (sağ altta) Botsvana'daki Ghanzi'de, 1980'lerin Gwi Buşmenlerinde görüldüğü üzere bir açık ocak etrafında tipik yarım daire düzen.*

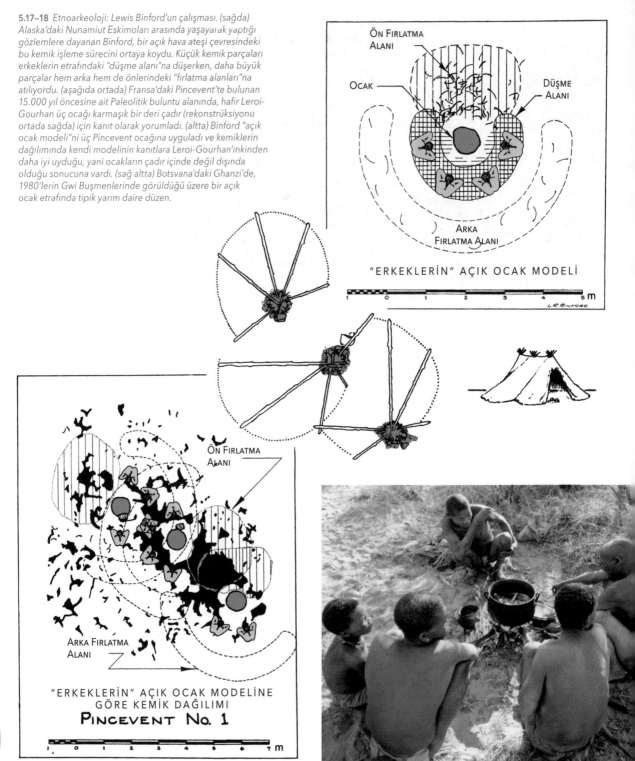

ÖN FIRLATMA ALANI

OCAK

DÜŞME ALANI

ARKA FIRLATMA ALANI

"ERKEKLERİN" AÇIK OCAK MODELİ

m

ÖN FIRLATMA ALANI

ARKA FIRLATMA ALANI

"ERKEKLERİN" AÇIK OCAK MODELİNE GÖRE KEMİK DAĞILIMI

PINCEVENT No. 1

m

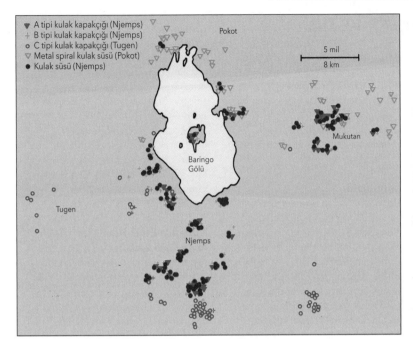

5.19–20 *Etnoarkeoloji: Ian Hodder'ın çalışması. Doğu Afrika'da, Kenya'nın Baringo Gölü bölgesinde Hodder Tugen, Njemps ve Pokot (aşağıda) kabilelerinde takılan kadın kulak süslerini çalıştı. Bir harita üzerinde bu süslerin kabileler arasındaki farkları belirtmek için nasıl kullanıldığını gösterdi. Maddi kültürün diğer unsurları (mesela çanak çömlekler veya aletler) başka bir uzamsal örüntü ortaya çıkaracaktı.*

görmüş Fransız Paleolitik buluntu alanı Pincevent'deki bir meskenin planını yeniden açıklamayı başarabilmiştir. Hafir André Leroi-Gourhan kalıntıları üç ocağı örten karmaşık bir deri çadır olarak yorumlamıştı. Mask alanında Binford, rüzgârın yön değiştirdiğinde dışardaki ocağın etrafında oturan insanların dönüverip içeride dumandan korunmak için rüzgârın estiği yöne doğru bir başka ocak yaptıklarını fark etmişti. Pincevent ocaklarının etrafındaki kalıntıların dağılımı, bunlardan ikisinin böyle bir olayın sonucu olduğunu, rüzgâr yön değiştirdikçe yapıldıklarını ve etrafında çalışanın konumunu değiştirdiğini düşündürdü. Daha da ileri giderek bu tipte bir davranışın sadece dışardaki ocaklarda görüldüğünü ve bu yüzden hafirin yaptığı rekonstrüksiyonda üstlerini örten bir tentenin mümkün olmadığını ileri sürdü. Ne var ki son analizler ocakların biraz farklı işlevleri olduğunu göstermiştir. Pincevent ve Paris Havzası'ndaki diğer benzer buluntu alanlarında yapılan çalışmalar, hem Gourhan'ın odaklanmış açıklamalarında hem de Binford'un etnoarkeolojiden çıkardığı genel gözlemlerinde yararlı görüşler kadar hatalar da keşfetmiştir.

Etnoarkeoloji sadece yerel ölçekli gözlemlerle kısıtlı değildir. Kenya'nın Baringo Gölü bölgesindeki farklı kabilelerin kullandığı kadın kulak süsleriyle ilgili çalışmasında İngiliz arkeolog Ian Hodder, maddi kültürün (bu durumda kişisel süsler) kabileler arasındaki farkları ne dereceye kadar ifade ettiğini incelemek amacıyla bölgesel bir çalışma yürütmüştür. Kısmen böyle bir çalışmanın sonucunda, arkeologlar artık arkeolojik buluntu grupla-rını bölgesel "kültürler" altında toplamanın, ardından bu şekilde meydana getirilen her "kültür"ün bir sosyal birimi yansıttığını varsaymanın kolay bir iş olmadığını anlamıştır. Aslında böyle bir yöntem Hodder'ın çalıştığı kulak süsleri için oldukça iyi işleyebilir, çünkü söz konusu insanlar bu unsuru kabile farklılıklarını belli etmesi için seçmiştir. Fakat Hodder'ın gösterdiği üzere, eğer çömlekler ya da aletler gibi maddi kültürün başka ögelerini ele alsaydık, aynı modelin mutlak suretle izlenmesine gerek olmayabilirdi. Hodder'ın örneği, maddi kültürün arkeolog tarafından basitçe ya da düşüncesizce farazi etnik grupların yeniden kurgulanması için kullanılamayacağını belgeler.

Bütün bir etnik kimlik meselesi arka sayfadaki kutuda tartışıldığı gibi dilin rolüyle ilgilidir. Artık bu noktada, biraz önce özetlenen bilgi teknikleri ve kaynaklarını kullanılarak arkeolojik kalıntılarda sosyal örgütlenmeye dair kanıtların sistematik şekilde nasıl aranılacağına dönmek uygun olacaktır. Burada, önce gezgin avcı-toplayıcı, ardından segmenter toplumlara ve son olarak şefliklere ve devletlere değinmenin yararlı olacağı kanaatindeyiz.

GEÇMİŞ ETNİK KİMLİKLER VE DİL

Etnik kimliği (yani kabileler de dâhil etnik grupların varlığı) arkeolojik kayıttan tespit etmek zordur. Mesela, François Bordes'un Moustier tipi aletleri içeren buluntu topluluklarının farklı sosyal grupları temsil ettiğine dair görüşü eleştirilmiş (10. Bölüm'deki tartışmaya bakınız) ve çanak çömlek süslemeleri gibi unsurların kendiliğinden etnik aidiyet işareti olduğu düşüncesi sorgulanmıştır. Bu, ancak şimdi etnoarkeolojinin bazı ilerlemeler kaydetmeye başladığı bir alandır.

Öte yandan, bir zamanlar arkeologlar tarafından gereğinden fazla kullanılmış bir veri alanı yakın zamanda göz ardı edilmiştir: dillerin incelenmesi. Etnik grupların sıklıkla dil bölgeleriyle ilişkili oldukları, etnik ve dilsel sınırların çoğu kez örtüştüğü şüphesizdir, ancak insan toplumlarının kabile ya da etnik temelli bağlantıları olmadan pekâlâ var olabilecekleri hatırlanmalıdır. Sosyal dünyayı adlandırılmış ve birbirinden farklı insan gruplarına ayırmak için gerçek bir ihtiyaç yoktur.

Etnik kimlik, sosyal değil de fiziksel özelliklerle ilgili (11. Bölüm'e bakınız) demode bir terim olan ırk ile karıştırılmamalıdır. *Ethnos*, yani etnik grup, belirli bir bölgede tarihi olarak kendisini yerleşik kılmış, görece kalıcı ortak dil ve kültür özelliklerini barındıran, diğer benzer oluşumlardan ayrı olarak ortaklıklarının ve farklılıklarının bilincinde olan (öz farkındalık) ve bunu kendilerine verdikleri isimle (*etnonim*) ifade eden bir "sabit insan topluluğu" şeklinde tanımlanabilir (Dragadze 1980, 162).

Bu tanım hepsi etnik kimlikle alakalı şu faktörlerin farkına varmamızı sağlar:

1 paylaşılan bölge ya da ülke
2 ortak ata ya da "kan"
3 ortak bir dil
4 gelenek ya da kültür benzerliği
5 inanç ya da din yakınlığı
6 öz farkındalık, öz kimlik
7 grubun kimliğini ifade eden bir isim (*etnonim*)
8 grubun menşeini ve tarihini anlatan ortak bir köken öyküsü (ya da efsane)

Dilin Rolü

Bazı durumlarda bir dilin konuşulduğu alanın büyüklüğü daha sonra oluşacak etnik grubun büyüklüğünü belirlemede etkili olmuştur. Örneğin Yunanistan'da MÖ 7 ve 6. yüzyıllarda siyasi vaziyet küçük ve bağımsız şehir devletleri (ve kısmen kabilelere ait bölgeler) şeklindeydi. Fakat Eski Yunancanın konuşulduğu daha geniş topraklarda bütün sakinler birlikte Hellen (yani Yunan) olduklarının zaten farkındaydılar. Olympia'da Zeus onuruna her dört yılda bir düzenlenen büyük Panhellen oyunlarına sadece Yunanlar katılabiliyordu. Beşinci yüzyılda Atina'nın genişlemesi ve sonraki yüzyılda Makedonia II. Philippos ve oğlu Büyük İskender'in fetihleriyle birlikte Yunanların oturduğu toprakların tek bir ulus hâline gelmesi daha sonra olmuştur. Dil etnik kimliğin önemli bir bileşenidir.

Mezoamerika'da Joyce Marcus Zapotek ve Mikstek kültürlerinin gelişimine dair analizinde dilsel kanıtlardan yararlanmıştır. Marcus, dillerinin Otomi-Mangue ailesine mensup olduğunu belirtir ve bu ilişkinin ortak bir kökene işaret ettiğini ileri sürer. Marcus ve Kent Flannery kayda değer kitapları *The Cloud People*'da (1983), zaman içinde Zapotek ve Mikstek'in "birbirinden ayrı evrimlerini ortak bir ata kültüründen ve genel evrimlerini de birbirini takip eden sosyopolitik evrimler boyunca" izlemiştir (Flannery ve Marcus 1983, 9). İki bilim insanı söz konusu kültürlerin belirli ortak ögeleri arasında dilbilimsel savların ortaya koyduğu ortak atayı görmektedir.

Marcus dil tarihlendirmesini kullanarak (4. Bölüm) Zapotek ve Mikstek'in ayrılma başlangıcı için MÖ 3700 civarını önerdi ve ardından bunu arkeolojik buluntularla ilişkilendirmenin yollarını aradı.

Kurmaca Etnik Kimlikler

Arkeolojik kayıtta etnik kimlik sorununu bütün olarak yeniden incelenmek için vakit gelmiştir. Antik Yunanistan örneği için bu zaten gayet iyi şekilde gözden geçirilmiştir ve yakın tarihli çalışmalar "Keltler" meselesinin doğruluğunu sorgulamıştır. Klasik yazarlar bu terminolojiyi Kuzeybatı Avrupa'nın barbar kavimlerini ifade etmek için kullanıyorlardı, fakat bunlardan herhangi birinin kendisini "Keltler" diye adlandırdığına dair hiçbir kanıt yoktur ve dolayısıyla terim gerçek bir etnik isim değildir. "Keltler" tanımı 18. yüzyıldan beri sistematik ve bilimsel bir usulle açıkça bir dil ailesi (ya da Hint-Avrupa ailesi içinde alt aile) oluşturan Kelt dillerine (Galce, İrlanda dili, Bretonca, Man dili, Kernowek vs.) uygulanmıştır. Fakat "Keltlerin gelişi" türünden bir kavram ("Yunanların gelişi"ne benzer şekilde) giderek daha sık sorgulanmaktadır. Büyük Britanya ve İrlanda'nın Kelt dilleri üzerine yapılan son nicel çalışmalar, bunların kıtasal Kelt dil(ler)inden MÖ 3000 kadar erken bir tarihte ayrılmış olabileceğini akla getirmektedir. Ancak o zamanki dilsel kimliğin (eğer erken tarih kabul edilecekse) etnik kimlikle eşleştirilmesi çok daha karmaşık bir sorundur.

GEZGİN AVCI-TOPLAYICI TOPLUMLARI İNCELEME TEKNİKLERİ

Gezgin avcı-toplayıcı toplumlarda ekonomik ve büyük ölçekli siyasi örgütlenme sadece yerel düzeydedir. Hiçbir kalıcı idari sistem yoktur. Bu tip toplumların nitelikleri birkaç yolla incelenebilir.

Bir Arkeolojik Alandaki Faaliyetlerin Araştırılması

Üçüncü Bölüm'de bahsedilen yöntemlerle çeşitli arkeolojik alanları tespit ettikten sonra, ilk yaklaşım bir arkeolojik alanın *bünyesindeki* değişkenliği inceleyerek ona yoğunlaşmaktır (sit dışı arkeolojisi sonraki bölümde ele alınacaktır). Amaç, orada yer almış faaliyetlerin niteliğini ve bu faaliyetleri yürüten sosyal grubu anlamaktır.

En iyi yaklaşım arkeolojik alanın doğasına bağlıdır. Üçüncü Bölüm'de arkeolojik alan, genellikle el yapımı nesneler ve atılmış malzemenin yoğunluğuyla kendisini belli eden insan faaliyetlerinin görüldüğü yer olarak tanımlanmıştı. Burada, şunu göz önünde bulundurmalıyız: Yerleşik toplulukların (genellikle kalıcı yapılarda yaşayan ve yiyecek üreten toplumlar) arkeolojik alanlardaki kalıntıların karakteri, ister avcı-toplayıcılar isterse göçebe çobanlar olsun, gezgin toplumlarınkinden farklıdır. Yerleşik topluluklar bir sonraki bölümde incelenecektir. Bu bölümde bizim hedefimiz gezgin topluluklar, özellikle de Paleolitik Çağ'ın avcı-toplayıcılarıdır. Burada zaman aralığı o kadar büyüktür ki, jeolojik süreçlerin arkeolojik alanlar üzerindeki etkisi hesaba katılmak zorundadır.

Gezgin topluluklar arasında *mağara buluntu yerleri* ve *açık hava buluntu yerleri* olarak bir ayrıma gidilebilir. Mağara buluntu yerlerinde insan yerleşiminin boyutu büyük oranda mağaranın içine ve dışına dağılmış kalıntılarla sınırlıdır. Derin olmaya eğilimli yerleşim tabakaları, binlerce ya da on binlerce yıl aralıklarla süren insan faaliyetinin göstergesidir. Bu nedenle buluntu yerinin stratigrafisini –üst üste gelen katmanları– kesin şekilde açığa kavuşturmak çok önemlidir. Her bir nesnenin –alet ya da kemik– üç boyutlu konumunu içeren kaydı ve bütün toprağın küçük parçaları yakalamak için elekten geçirilmesi ve süzülmesini de içeren zahmetli uygulamalar gereklidir. Benzer gözlemler açık hava buluntu yerleri için de geçerlidir, ama tek bir istisnayla: Yerleşim tabakaları mağaranın sağladığı koruma olmaksızın daha büyük aşınıma uğrayabilirler.

Bir arkeolojik alanda münferit ve kısa süreli insan yerleşimini ayırt etmek mümkün olursa, o zaman herhangi bir tutarlı şablonun çıkıp çıkmadığını görmek için yapıların (kulübe temelleri, ocak kalıntıları) etrafındaki nesnelerin ve kemiklerin dağılımına bakılabilir. Zira böyle kalıntıların elden çıkarılma biçimi, o sırada buluntu yerinde yerleşmiş küçük insan grubunun davranışlarına ışık tutabilir. Etnoarkeolojinin büyük önem taşıdığı yer burasıdır. Örneğin yukarıda bahsettiğimiz Lewis Binford'un Nunamiut Eskimoları arasındaki incelemeleri, avcı-toplayıcıların kemikleri ocak etrafına belli bir düzende attıklarını göstermiştir. Dolayısıyla yaşayan Nunamiut topluluğu arasında belgelenen insan davranışı, Paleolitik buluntu yerlerindeki ocakların çevresinde oluşmuş kemik dağılımına yol açan benzer bir davranışı anlamamızı sağlar.

Çoğu kez münferit kısa yerleşim safhalarını ayırt etmek mümkün olmaz ve arkeolog bunun yerine aynı arkeolojik alanda uzun zaman süresince tekrarlanmış faaliyetlerin yarattığı kanıtları bulur. Ayrıca başlangıçta, gözlenen buluntu dağılımının hemen oracıkta yapılan (*in situ*) bir faaliyetin sonucu mu olduğu, yoksa malzemelerin akan suyla taşınıp yeniden mi tabakalandığı üzerine şüpheler bulunabilir. Bazı durumlarda gözlenen buluntu dağılımı, özellikle de kemik kalıntılarına ait olanlar, insanların değil de yırtıcı hayvanların eseridir. Bunlar 2. Bölüm'de tartışıldığı üzere oluşum süreçleriyle ilgilidir.

Bu tip soruların araştırılması, gelişmiş örnekleme stratejilerine ve çok ayrıntılı analize ihtiyaç duyar. Kenya'daki Turkana Gölü'nün doğu kıyısında yer alan Koobi Fora Alt Paleolitik buluntu yerlerinde Glynn Isaac ve ekibinin yaptığı çalışma kullanılan kurtarma ve analiz teknikleri hakkında bir fikir verir: İlk gereklilik, ayrıntılı örnekleme için seçilen alanlardaki her bir kemik parçası ya da taşın dikkatlice kaydedilmiş koordinatlarının eşlik ettiği çok kontrollü bir kazıydı. Buluntu yoğunluğunun plana geçirilmesi analizdeki ilk basamaktı. Önemli sorunlardan biri, buluntu grubunun birincil mi, yani *in situ* mu yoksa ırmak ya da göl suyu hareketi neticesinde meydana gelmiş bir ikincil birikme mi olduğuna karar vermekti. Uzun uzuv kemiklerinin yönleri üzerindeki çalışmaların Koobi Fora'da büyük yardımı dokundu: Eğer kemikler akan su tarafından biriktirilmiş ya da alt üst edilmiş olsaydı, aynı yönü göstermeleri mümkündü. Bu görülmediği için kalıntıların gerçekte *in situ* oldukları, tabakalanma sonrası bozulmanın çok az oranda gerçekleştiği anlaşılmıştır.

Issac'in ekibi ayrıca bazı kemik parçalarını tekrar birleştirmeyi başardı. Parçaların yayılım düzeni homininlerin ilik elde etmek için kemikleri kırdıkları yerleri –*faaliyet alanları* varsayılan– işaretlemekteydi (Açık kemiklerin vahşi hayvanlar değil de insanlar tarafından kırıldığını belirlemek için farklı tekniklerin uygulanması gerekmiştir. Uzmanlaşmış ve önemli bir çalışma alanı olan tafonomi 6. Bölüm'de etraflıca açıklanacaktır). Taş aletlerin birleştirilmesi üzerinde benzer bir inceleme de faydalı olmuştur.

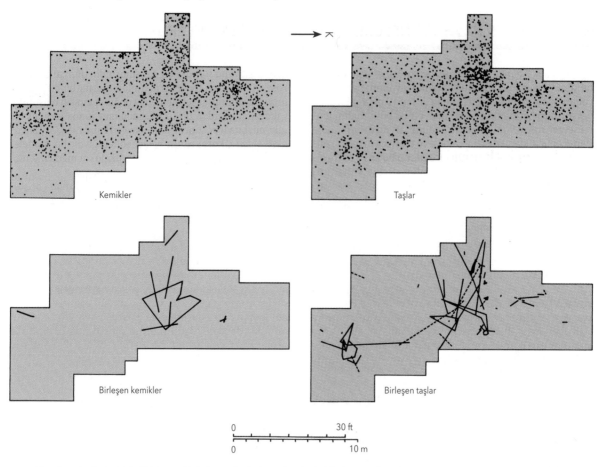

5.21 *Glynn Isaac'in Doğu Afrika'daki Kenya'da bulunan Koobi Fora Alt Paleolitik buluntu yerlerinde yaptığı araştırma. (üst sıra) FxJj 50 buluntu yerlerinde haritalandırılmış kemikler ve taş buluntuların yerleri. (alt sıra) Yeniden birleştirilebilecek kemikleri ve taşları bağlayan çizgiler. Bunlar belki de ilk çıkarmak için kemiklerin kırıldığı ve taş aletlerin yongalandığı faaliyet alanlarını gösterir.*

Birbiriyle birleşen çizgilerin ağı taşların yongalandığı faaliyet alanlarının göstergesi olarak açıklanmıştır. Bu yollar sayesinde buluntu yerlerinden belirli insan faaliyetleri hakkında bilgi elde edilebilmiştir.

Modern avcı-toplayıcı topluluklarının münferit konak yerlerinden daha geniş ölçekli yoruma muhtaç sorunlar çıkmaktadır. Bunlardan biri, konak yerindeki topluluk nüfusunun tahmin edilmesidir. Çeşitli modeller ortaya atılmış ve bunlar Kalahari Çölü'ndeki !Kung San avcı-toplayıcı toplulukları arasından etnografik örneklerle karşılaştırılmıştır. Bir başka sorun, avcı-toplayıcı konak yerlerinde insanlar (akrabalık açısından) ve mekân arasındaki ilişkidir. Son dönemdeki çalışmalar akrabalık mesafesiyle kulübeler arasındaki mesafeler arasında güçlü bir ilintinin bulunduğunu ortaya çıkarmıştır.

Bunlar şimdilik spekülatif alanlardır, ama günümüzde sistematik şekilde araştırılmaktadır. Böyle çıkarımlar Paleolitik arkeoloğunun elindeki sermaye olmaya mecburdur.

Gezgin Toplumlarda Bölgeleri İncelenmek

Bir gezgin takım için münferit bir buluntu yerinin detaylı incelemesi sosyal davranışın bir yönünden daha fazlasını açığa çıkaramaz. Daha geniş bir perspektif için grup ya da takımın faaliyet gösterdiği bütün bir bölgeyi ve buluntu yerleri arasındaki ilişkiyi hesaba katmak gerekir.

Bir kez daha etnoarkeoloji analiz için bir çerçeve çizmeye katkıda bulunmuştur ve böylece yıllık yaşam alanı (yani bir yıl boyunca grup tarafından kullanılan tüm bölge) ve bunun içindeki merkez konak yeri (belirli bir mevsimde), geçici konak yerleri, av pusuları, kesim ve öldürme yerleri, saklama yerleri gibi özel tipte yerler bakımından düşünmek mümkün olmuştur. Böyle konulara yönelik ilgiler avcı-toplayıcı arkeolojisinin temelini meydana getirir ve grubun yıllık yaşam döngüsüyle davranışlarına dair bir içgörü elde edilmek isteniyorsa bölgesel perspektif esastır. Bunun anlamı, geleneksel buluntu yerlerine (el yapımı nesnelerin yoğunlaştığı yerler) ilaveten, belki de her 10 metrelik yüzey araştırması karesinde ortaya çıkan bir-iki buluntudan ibaret seyrek insan yapımı nesne dağılımları da aranmalıdır (buna genellikle sit dışı arkeolojisi ya da sitsiz arkeoloji adı verilir; 3. Bölüm'e bakınız). Ayrıca bütün bölgesel çevre (6. Bölüm) ve bunun avcı-toplayıcılar tarafından kullanımı çalışılmalıdır.

Sit dışı arkeolojisinin iyi örneklerinden biri, Güney Kenya'nın Amboseli bölgesinde İngiliz antropolog Robert Foley'nin yaptığı çalışmadır. Foley 600 km²'lik araştırma alanı içinde 257 örnekleme yerinden 8531 taş alet topladı.

Bu kanıtlardan yola çıkarak farklı çevresel alanlar ve bitki örtüsü alanları dâhilinde taş aletlerin elden çıkarılma oranını hesaplayabildi. Böylece dağılım modellerini avcı-toplayıcı grupların stratejileri ve hareketleri temelinde açıkladı. Daha sonraki bir çalışmasında, dünyanın farklı köşelerindeki avcı-toplayıcı takımları üzerine bir dizi incelemeye dayanarak genel bir taş alet dağılım modeli oluşturdu. Çıkan sonuçlardan biri, 25 kişiden meydana gelen tek bir takımın bir yıl boyunca yıllık bölgeleri içinde 163.000 kadar aleti elden çıkarmasının beklenebileceğiydi. Bu nesneler bölge boyunca dağılmış hâlde olacak, fakat merkez konak yeri ve geçici konak yerlerinde daha çok yoğunlaşacaktır. Ancak bu modele göre tek bir arkeolojik alanda çalışan arkeologların bulacağı, toplam yıllık buluntu grubunun sadece küçük bir kısmı olacaktır ve münferit arkeolojik alan buluntu gruplarının daha geniş çaplı bir şablonun parçaları şeklinde açıklanması önem taşır.

5.22 *Robert Foley'nin bir avcı-toplayıcı takımının yıllık yaşam alanı içindeki faaliyetlerine dair modeli (solda) ve bu faaliyetlerin sonucunda ortaya çıkan dağınık buluntu yerleri (sağda). Buluntuların ana üs/geçici konak yerleri arasında olduğu kadar kendi içlerinde nasıl göründüklerine dikkat ediniz. Ev menzili tropikal ortamlarda 30 km kuzey-güney konumunda olabilir, ama yüksek enlemlerde çok daha fazladır.*

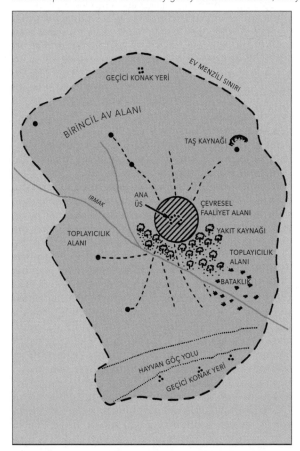

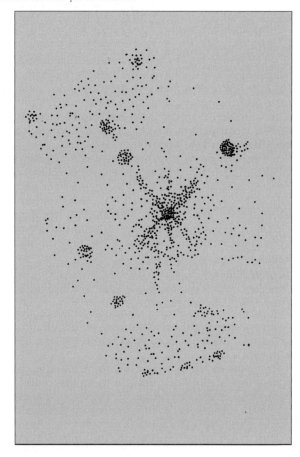

SEGMENTER TOPLUMLARI İNCELEME TEKNİKLERİ

Segmenter toplumlar takımlara göre daha büyük ölçekte işlerler. Daha ziyade köylerdeki çiftçilerden –kalıcı yerleşik topluluklar– meydana gelirler. Dolayısıyla bu tip toplumları araştırmak için yerleşimin kendisi en uygun unsurdur. Ancak göreceğimiz üzere, söz konusu toplumlarda belirgin olan mezarlıklar, kamusal anıtlar ve zanaatlarda uzmanlaşma da yararlı çalışma alanlarıdır.

Yerleşik Toplumlarda Yerleşimlerin İncelenmesi

İnceleme için tek bir döneme ait tamamen kazılmış bir yerleşim ideal olmakla birlikte, çoğu kez elde edilebilir değildir. Ama yoğun bir yüzey araştırması ve deneme kazısından birçok bilgi kazanılabilir. İlk amaç yerleşim yapısını ve tanımlanan farklı alanların işlevlerini araştırmaktır. Kalıcı bir yerleşim, geçici bir avcı-toplayıcı konak yerinden daha geniş bir işlev yelpazesini bünyesinde barındırır. Ancak yerleşim tek başına değerlendirilmemelidir. Avcı-toplayıcı örneklerinde olduğu gibi, bölgenin bir bütün olarak kullanımını göz önünde bulundurmak gereklidir. Bunu elde etmenin yollarından biri 6. Bölüm'de ele alınan yerleşim havzası (*site catchment*) denilen analizi yapmaktır. Bu yöntem yerleşimin etrafındaki üretim kapasitesinin hesaplanmasını içerir. Yerleşik toplumlar için yerleşim havzasının yaklaşık 5 km içinde bulunduğu varsayılır.

Yerleşimde yoğun bir yüzey araştırması toprak altındaki tabakaların çeşitliliği hakkında iyi bir fikir verebilir. Bu, 1963'te Lewis Binford'un bir Geç Woodland yerleşimi olan Illinois Hatchery West'te (yaklaşık MS 250-800) başvurduğu tekniktir. Yerel bir çiftçi yerleşimin üst toprağını sürdükten ve yaz yağmurları toprağı taşıdıktan sonra açığa çıkan buluntular her 6 m² içinde toplanmıştır. Bunun sonucunda oluşturulan dağılım haritaları, yerleşimin toprak altında kalan yapısı hakkında kullanışlı bulgular sunmuştur. Yüksek yoğunlukta çanak çömlek parçası bulunan yerlerde elden çıkarılmış nesne artıkları (çöp yığını) vardı ve bunların arasında, çanak çömlek yoğunluğunun düşük seyrettiği evler yer almaktaydı. Dağılım haritalarının işaret ettiği model, kazılarla test edilmiştir.

Bu, toprak derinliğinin az olduğu ve yüzey dağılımlarının toprak altındaki yapılarla yakın ilişki içinde bulunduğu elverişli bir durumdu. Uzaktan algılama teknikleri, özellikle de hava fotoğrafları bir yerleşimin yapısını açığa kavuşturmak için yardımcı olabilir (3. Bölüm); ayrıca kazı öncesi çalışmalar için yararlıdır. Eski

Yugoslavya'daki Divostin Son Neolitik yerleşiminde Alan McPherron proton manyetometresi (3. Bölüm) kullanarak köydeki evlerin yanmış kil zeminlerini tespit etmeyi başarmış ve böylece kazı başlamadan önce yaklaşık bir plan çizebilmiştir. Ancak çoğu kez şartlar bu tip yöntemler için elverişli değildir. Üstelik söz konusu yerleşim Hatchery West'ten (2 hektardan daha küçüktür) çok daha büyük olabilir ve yüzey malzemesi, bilhassa çanak çömlek bol miktarda bulunabilir. Böyle yerleşimler için rastlantısal tabakalı örnekleme (3. Bölüm) gibi araştırma örnekleme yöntemlerine ihtiyaç duyulması mümkündür. Büyük bir yerleşimde kazı esnasında da örnekleme gerekecektir. Küçük örnekleme birimlerini kullanmanın dezavantajları vardır: Yerleşimdeki çeşitli ve farklı alanların kazılmasına izin verir, ama sözü geçen yapıları (evler vs.) ortaya çıkarmayı başaramaz. Diğer bir deyişle, hiçbir şey iyi ve geniş kazı alanlarının yerini alamaz.

Topluluğun bir bütün olarak etkili incelemesi için bazı yapıların tamamen kazılması ve geri kalanların, farklı yapıların çeşitliliği hakkında (sürekli kendini tekrar eden hane birimleri midir yoksa daha özel yapılar mıdır?) bir fikir verecek kadar yoğun örneklenmesi gerekir.

Genel olarak yerleşim ya kümelenmiş ya da dağınık olacaktır. Kümelenmiş bir yerleşim çok odalı bir ya da birkaç büyük birimden (kümeler) meydana gelir. Dağınık yerleşim planında genellikle birbirinden ayrı, bağımsız ve küçük boyutlu haneler söz konusudur. Kümelenmiş yapıların durumunda kendini tekrar eden sosyal birimlerin (örneğin aileler veya haneler) ve odaların işlevlerini belirlemek gibi öncelikli bir sorun vardır.

Amerika Birleşik Devletleri'nin güneyinde, Arizona'nın Broken K Pueblo adlı kümelenmiş yerleşimi hakkında şimdi meşhur olan 1970 tarihli olan incelemesinde James Hill, MS 13. yüzyıla ait bu yerleşimin işlevleri üzerine detaylı bir çalışma yürütmüştür. İlk önce farklı tipte nesnelerin farklı odalarla ilişkisini plan üzerinde göstermiştir. Ardından yaşayan Pueblo Kızılderilileriyle ilgili etnografik bir çalışmada günümüz için üç değişik tipte oda belirlemiş –evsel (pişirme, yeme, uyuma vb.), depolama ve törensel– ve erkeklerle kadınların kullandığı odalardaki ayrımları tespit etmiştir. Üç oda tipinin ve kadın/erkek ayrımının Broken K Pueblo'da var olup olmadığını öğrenmek için bu etnografik kanıtlardan elde ettiği 16 çıkarımı kendi arkeolojik bulgularıyla karşılaştırmıştır. Yaptığı sondajlarda nesne dağılım düzenleri gerçekten de Broken K'de benzer ayrımların varlığını göstermiştir.

Geçtiğimiz yıllarda Hill'in vardığı sonuçlara eleştiriler yöneltilmiştir. Yapılan yeni çalışmalar, aslen Pueblo mimarisinin –içinde bulunan nesnelerin değil– tari-

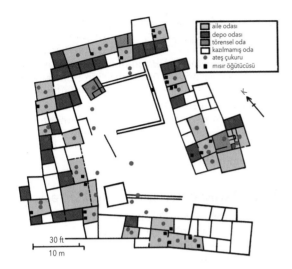

aile odası
depo odası
törensel oda
kazılmamış oda
ateş çukuru
mısır öğütücüsü

30 ft
10 m

5.23 *Broken K, Pueblo, Arizona: Araştırmalar ateş çukurları ve mısır öğütücülerini içeren odaları evsel etkinlikler; küçük odaları depolama; yer seviyesi altındaki iki odayı da tören faaliyetleriyle ilişkilendirmiştir.*

höncesi dönemlerde odaların işlevleri için daha iyi bir yol gösterici olabileceğine işaret etmektedir. Modern ve tarihöncesi erkek/kadın ayrımları arasındaki karşılaştırmalar burada ikna edici şekilde açıklanamamıştır. Mezarlık incelemesi (aşağıya bakınız) cinsiyetle belirli buluntu tipleri arasında daha iyi bir ilişki yakalayabilir. Ancak Hill'in yaklaşımı sosyal arkeolojide öncü ve ilgi çekici bir çalışmaydı; yöntemleri de takdir edilecek derecede kesindi. Dolayısıyla diğer bilim insanlarının eleştirilerine açıktı (12. Bölüm bu konuyu daha detaylı ele alır).

Yerleşim incelemesinin bir başka bilgilendirici örneği, Güney Girit'teki Erken Minos (yaklaşık MÖ 2300) yerleşmesi Myrtos'u yeniden yorumlayan Todd Whitelaw'un çalışmasıdır. Hafir Peter Warren, Myrtos'un zanaat uzmanlaşmasına sahip merkezileşmiş bir topluluk olduğunu ileri sürmüştü (aşağıya bakınız). Yayımladığı kazı raporu Whitelaw'un farklı bir varsayımda bulunmasına izin verecek kadar detaylıydı. Ona göre zanaat uzmanlaşmasından ziyade evsel (haneye dayalı) üretim organizasyonu mevcuttu. Odaların işlevini ve uzamsal düzenlemelerini dikkatlice inceleyerek (içlerindeki buluntular ve mimari özelliklerden) yerleşmenin her biri 4-6 birey barındıran 5 ya da 6 ev kümesinden oluştuğunu gösterebildi. Her kümenin yemek pişirme, depolama, çalışma ve genel evsel alanları vardı; uzmanlaşmış üretime dair hiçbir kanıt bulunmamaktaydı.

Başlangıçta ayrı haneler tanımlanabilirse yerleşik toplulukların incelenmesi çok daha kolaylaşır. Gordon

Childe 1920'lerde, İskoçya'nın kuzeyinde, Orkney Adaları'ndaki sıradışı şekilde iyi korunmuş Neolitik Skara Brae köyünü kazmıştı. Burada, şimdi MÖ 3000'e tarihlenen ve içlerinde taştan mobilyaları (yani yataklar, dolaplar) olan bir yerleşim buldu. Böyle durumlarda topluluğun incelenmesi ve nüfus tahmini daha kolaydır.

Bireysel ve Ortak Gömütlerden Hiyerarşinin İncelenmesi

Arkeolojide birey nadiren görülür. Birey ve onun sosyal mevkine dair en bilgilendirici bakış açıları, mezarda nesnelerin eşlik ettiği fiziksel insan kalıntılarının –iskelet veya küller– keşfiyle elde edilir. Bir fiziki antropologun incelediği iskelet kalıntıları (11. Bölüm) çoğu zaman her bireyin cinsiyetini, ölüm yaşını ve muhtemelen herhangi bir beslenme bozukluğunu ya da patolojik sağlık sorununu açığa çıkarır. Ortak ya da toplu gömütleri (birden fazla bireyi içeren gömütler) yorumlamak daha zor olabilir, çünkü hangi mezar eşyalarının hangi bireye ait olduğu her zaman açık değildir. O yüzden, en çok bilgiyi tekli gömütlerden almayı bekleyebiliriz. Dolayısıyla tekli gömütleri yorumlamak daha kolaydır.

Segmenter toplumlarda ve mevki anlamında görece sınırlı farklılıklar barındıran diğerlerinde mezar eşyalarını yakından incelemek sosyal konumlardaki ayrımlar hakkında birçok şeyi açığa çıkarabilir. Ölen kişiyle birlikte gömülenlerin, hayatta sahiplenilmiş ya da kullanılmış mevkiye bağlı veya maddesel eşyaların birebir aynısı olmadığı hesaba katılmalıdır. Gömütler yaşayan bireyler tarafından yapılır ve onlar tarafından hâlen hayatta olan diğerleriyle ilişkilerini ifade etmek ve etkilemek dışında, ölüyü sembolize etmek ve ona hizmet vermek için de kullanılır. Bununla birlikte, ölünün hayattaki rolü ve mevkiye kalıntıların elden çıkarılış şekli ve onlara eşlik eden malzemeler arasında çoğunlukla bir ilişki mevcuttur.

İnceleme, gömüt bağlamında hangi farklılıkların erkek ve kadınla bağdaştığını tespit edecek, bu farklılıkların zenginlik ve mevki ayrımlarını barındırıp barındırmadığını değerlendirecektir. Sınıf ya da mevkiyle ilgili bir diğer ortak öge yaştır ve yaş farklılıklarının ölülere yapılan muamelelere sistemli şekilde yansıtılması ihtimali gözle görülebilir. Nispeten eşitlikçi toplumlarda kazanılmış mevki, yani bireyin hayatı boyunca kendi başarılarıyla (mesela avcılık) elde ettiği yüksek mevki sık rastlanan bir olgudur ve ölü gömme geleneklerine yansır. Ancak arkeolog mevcut kanıtlara bakarak söz konusu durumun kazanılmış ya da doğuştan gelen mevkiye mi karşılık geldiğini sormalıdır. İkisini ayırt etmek kolay değildir. Yararlı kıstaslardan biri, bazı örneklerde çocuk gömütlerine zengin ölü hediyelerinin bırakılıp bırakıl-

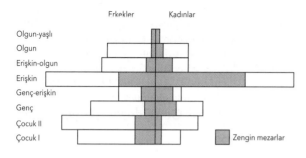

5.24 *Branč, Slovakya: Gömütlerin yaş ve cinsiyet dağılımı.*

madığının ve başka ayrıcalıklı muamele işaretlerinin araştırılmasıdır. Eğer bunlar mevcutsa, soydan geçen mevki söz konusu olabilir, zira çok küçük yaştaki bir çocuğun kişisel imtiyazla böyle bir mevki elde etmesi mümkün değildir.

Mezarlıktaki mezarlar tarihlendikten sonra birçok durumda atılacak ilk adım, sadece her bir mezardaki farklı buluntu tiplerinin sayılarına ait sıklık dağılımının (çubuk grafik) yapılmasıdır. Ancak detaylı bir inceleme için zenginlik ve mevkiye dair daha iyi işaretler aramak daha ilginç olacaktır. Böylece değerli nesnelere daha fazla, yaygın olanlara daha az ağırlık verilecektir. Bu, derhal değerin tanımlanması sorununu gündeme getirir (çünkü söz konusu dönemde nesnelere ne gibi değerlerin atfedildiğini bilmemekteyiz). Bu önemli problem 9 ve 10. bölümlerde ayrıntılı olarak ele alınmıştır.

Sosyal sorunlar açısından, İngiliz arkeolog Susan Shennan'ın çalışması faydalıdır. Branč'taki (Slovakya) Bakır Çağı mezarlığında bulunan mezarlara dair yenilikçi incelemesinde, bir "zenginlik birimleri" ölçeğine puanlar vererek değerli nesneleri yapımları uzun süren, malzemeleri uzak yerlerden gelen veya elde etmesi zor olanlardan meydana geldiğini saptamıştır. Bu tespiti, mezarlıktaki refah dağılımının yaş ve cinsiyete göre diyagramını çıkarmasına imkân tanımıştır. Bazı bireyler, özellikle erkekler, diğerlerininkinden daha zarif mezar hediyelerine sahipti. Shennan ileri gelen bir aile ya da ailelerin bulunduğunu, mevkinin erkek soyundan geçtiğini ve kadınların değerli eşyalarını sadece evlilik yoluyla elde ettiğini saptadı.

Gelişmiş nicel teknikler bir mezarlıktaki buluntu düzenini faktör ve küme analiziyle birlikte incelemek için kullanılabilir. Faktör analizi buluntu grupları arasındaki değişkenlerin birbiriyle bağıntılarını değerlendirmekten ibarettir. Küme analizi ise buluntu gruplarını aralarındaki benzerliklere göre sınıflandırır.

Sınıfsal konum sadece mezar buluntularıyla belli edilmez; gömütün bütün olarak biçimi bunu yansıtır. Joseph A. Tainter'ın da aralarında bulunduğu bazıları,

çok geniş kapsamlı değişkenleri kullanmak suretiyle daha gelişmiş bir yaklaşım oluşturmuştur. Örneğin, aşağı Illinois Irmağı Vadisi'ndeki iki tepe grubunda bulunan 512 Orta Woodland gömütü (yaklaşık MÖ 512-MS 400) üzerine yaptığı araştırmada Tainter, her bir gömütü gösterme ya da göstermeme ihtimali bulunan 18 değişken seçmişti. Gömütler arasındaki ilişkileri incelemek için küme analizini tercih etti ve bundan farklı sosyal grupların bulunduğu sonucuna vardı. Kullanılan değişkenlerden bahsetmeye değer, zira birçok farklı duruma uygulanabilir.

Gömüt Değişkenleri için Kontrol Listesi

1 Kremasyon yapılmış/yapılmamış
2 Eklem yerleri ayrılmış/ayrılmamış
3 Uzatılmış/uzatılmamış
4 Toprak çeperli/kütük çeperli
5 Rampalı/rampasız
6 Yüzey üstü/altı
7 Kütükle örtülü/örtülmemiş
8 Taş levhayla örtülmüş/örtülmemiş
9 Mezar içinde taş levhalar var/yok
10 Merkezi bir yere gömülmüş/gömülmemiş
11 Sırt üstü yatmış/yatmamış
12 Tekli/çoklu
13 Aşıboyalı/aşıboyasız
14 Çeşitli hayvan kemikleri var/yok
15 Hematit var/yok
16 İthal sosyoetnik nesneler (mevki göstergeleri, mesela krali taç)
17 Yerel üretim sosyoetnik nesneler
18 Teknomik nesneler (kullanışlı nesneler, mesela aletler)

Bu değişkenler listesi başka bir noktayı daha açıklar: İncelenmesi gereken sadece kişisel mevki değil, bir bütün olarak sosyal yapıdır. Yaşamda ve bazı durumlarda ölümde, birey tespit etmeye ve anlamaya çalıştığımız bir dizi role sahiptir. Bireyleri tek bir değişken ya da bir değişken kombinasyonu bağlamında, tek boyutlu basit bir düzende sınıflandırmak ciddi ölçüde fazla basitleştirme anlamına gelebilir ve "yatay" farklılaşma hiyerarşik sıralama ("dikey") kadar veride de ayırt edilebilir.

Ortak Faaliyetler ve Toplumsal Eylemler

Segmenter toplumlar bireylerini her zaman mezarlıklara gömmemiştir. Dolayısıyla arkeologlar bu mevcut bilgi kaynağına güvenemezler. Benzer şekilde, yerleşim alanlarını tespit etmek zor ve kalıntılar az olabilir. Orijinal yüzey toprağı sürülmekten ya da erozyondan tahrip edildiği için ev zeminleri veya yapılar korunmayabilir. Örneğin Kuzey Avrupa'daki erken tarım döneminden ev ve evsel kanıt anlamında geriye kalanlar çoğu kez sadece birkaç kazık deliği (evin iskeletleri için kullanılan ahşap dikmelerin zemindeki yerleri) ve çöp çukurlarıdır. Bütün bu durumlarda sosyal kanıt peşindeki arkeologlar başka bir kaynağa, kamusal anıtlara dönmek zorundadır.

Merkezi örgütlü toplumların inşa ettiği Maya tapınakları veya Mısır piramitleri, böyle büyük kamusal anıtlara dair kafamızda canlanan imgelerdir. Ancak şeflik ya da segmenter gruplar düzeyindeki daha basit birçok toplum da azımsanmayacak derecede dikkat çekici yapılar inşa etmişlerdir. Batı Avrupa'nın büyük taş anıtları ("megalit" adı verilenler; s. 500'deki kutuya bakınız) veya Pasifik Okyanusu'ndaki Paskalya Adası'nda bulunan devasa taş heykeller hemen akla gelenlerdir. Aslında Paskalya Adası figürleri gibi anıtlar geçmişte "uygarlığın" kesin işareti olarak yanlış açıklanmıştır. Yerel toplum başka bir "uygarlık" belirtisi göstermediği zaman, uzun mesafeli göçler, kaybolan kıtalar, hatta uzaylı ziyaretçiler gibi gerçekten uzak açıklamalar öne sürülmüştür. Böyle asılsız fikirler 12 ve 14. bölümlerde yeniden ele alınmıştır. Şimdilik bunun yerine, arkeologların özellikle segmenter toplumlardaki bu tip anıtlarda sosyal bilgiler ararken uyguladıkları tekniklere göz atabiliriz. Bunlar, anıtların büyüklüğü ve ölçekleri, arazideki uzamsal dağılımları ve belirli anıtlarda gömülü bireylerin mevkileri hakkında ipuçları gibi konulardır.

Anıtlar İçin Tahsis Edilmiş İşgücü Ne Kadardı? Başlangıç olarak, inşaat için harcanan saat açısından anıtın ölçeği araştırılmalıdır. Bu amaçla sadece yapının kendisinden değil, aynı zamanda 2 ve 8. bölümlerde söz edilen cinsten deneysel arkeoloji kaynaklı kanıtlar kullanılmalıdır. Karşı sayfadaki kutuda açıklandığı üzere, Güney İngiltere'nin Wessex bölgesinde en büyük İlk Neolitik Çağ anıtlarının (yükseltilmiş yollu çevrili alanlar denilen) inşası için yaklaşık 100.000 saat –belki 6 hafta boyunca 250 kişiyle– harcandığı anlaşılmaktadır. Bu, çok karmaşık bir örgütlenme seviyesi gerektirmez ve bir kabileye ya da segmenter toplumuna işaret edebilir. Bu yükseltilmiş yollu çevrili alanların inşasına dair kronoloji, Bayes istatistik analiziyle yorumlanmış, çeşitli radyokarbon sonuçları kullanılarak çalışılmış ve daha detaylı bir açıklama getirilmiştir. Fakat Son Neolitik'e gelindiğinde, en büyük anıtlardan biri olan Silbury Hill tümülüsü 18 milyon saate ihtiyaç duymuştur ve arkeolojik alandaki kazılar iki yılın harcandığını göstermiştir. İki yıl boyunca 3000 kişilik bir işgücü harekete geçirilmiş olmalıdır ki, bu da daha merkezileşmiş bir şeflik toplumuna işaret eden bir kaynak seferberliğini düşündürür.

Anıtlar Arazide Nasıl Dağılım Göstermektedir? Söz konusu anıtların diğer anıtlar, yerleşim ve gömüt kalıntılarıyla ilişkilerine göre konumsal dağılımlarını incelemek de

faydalıdır. Mesela, Güney Britanya'daki MÖ 4000-3000'e tarihlenen mezar tümülüslerinin (uzun tümülüsler) her biri için 5000-10.000 saat işgücü tahsis edilmiştir. Anıtların iyi tanımlanmış bölgelerdeki dağılımları, etraflarına Thiessen çokgenleri çizerek ve erken tarım faaliyetleri için uygun kireçli hafif toprakların uzun tümülüslerle ilişkisinde olduğu gibi arazi kullanımına önem verilerek incelenebilir. Her bir tümülüsün, orada kalıcı şekilde yerleşmiş bir grup insanın bölgesindeki bir odak noktası –topluluğun sembolik merkezi– olduğu ileri sürülmüştür.

Ölülerin devamlı bırakıldığı sabit bir yer yaratma eylemi tek başına süreklilik unsurudur. Amerikalı arkeolog Arthur Saxe, arazi kullanım hakkının ölü ataların soyundan gelme iddiasıyla beyan edildiği gruplarda, ölülerin tasfiyesi için özel resmi alanların ayrılacağını ileri sürmüştür. Bu açıdan anıtsal mezar yapılarındaki ortak gömütler sadece dini inançların bir yansıması değildir; gerçek bir sosyal öneme sahiptir. Dolayısıyla Batı Avrupa'daki birçok megalitik mezar yapısına segmenter toplumların bölgesel işaretleri gözüyle bakmak mümkündür, çünkü uzamsal dağılım yüksek düzeyde örgütlenme izlenimi uyandırmaz. Bu ve megalitler hakkındaki diğer fikirler 12. Bölüm'de daha detaylı tartışılacaktır.

Anıtların dağılımına, özellikle de anıtların genelde ve kendi aralarındaki görünürlüğüne yönelik farklı bir analiz, CBS (3. Bölüm'e bakınız) aracılığıyla yapılmıştır. Böyle bir çalışma, Güney Britanya'daki tarihöncesi Wessex'in Neolitik uzun tümülüslerini kazan İngiliz arkeolog David Wheatley tarafından yürütülmüştür. Wheatley CBS kullanarak Stonehenge ve Avebury gruplarındaki her uzun tümülüsün bir *görünür alan* haritasını oluşturmuştur. Bu haritalar coğrafyanın sayısal yükselti modelinden elde edilmiş, doğrudan göz erimi içinde her anıttan görülen yerleri (ve bu anıtları görenleri) içermekteydi. Ardından her uzun tümülüsün bulunduğu yerden teorik olarak görülebilecek toprak parçası hesap edilmiştir. Wheatley, genelde Stonehenge grubundan görülen alanların tesadüfi denemeyecek kadar geniş olduğunu istatistiksel anlamda sergilemeyi başardı. Aynı şey Averbury uzun tümülüsleri için söylenemiyordu. Bir basamak daha ileri giderek, her anıtın görünür alan haritalarını bir araya getirdi ve sonuçta belirli bir gruptaki anıtların birbirlerine görülebilirliğini sergileyen bir *toplu görünür alan* haritası ortaya çıktı. Denemenin meydana çıkardığı bir başka önemli istatistik, Stonehenge uzun tümülüslerinin konumlarından gruptaki diğer tümülüslerin büyük kısmının görülebilmesiydi. Bu tespit de Avebury için yapılamadı.

Böyle sonuçlar anlamlı olsa da, Salisbury Düzlüğü'ndeki uzun tümülüslerin genel ve birbirleri arasındaki görünürlüklerini arttırmak için kasıtlı olarak böyle yerleştirdiklerini kesin şekilde göstermez, zira bu durum aslında belli bir nedenin değil, bulundukların yerin sonucu olabilir.

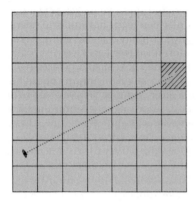

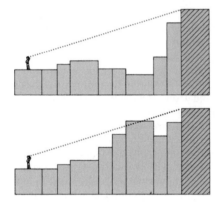

5.25 *Görüş hattı: Bir görüş hattının olup olmadığını anlamak için bir sayısal yükselti modelinin iki birimi arasında bir çizgi çekilir.*

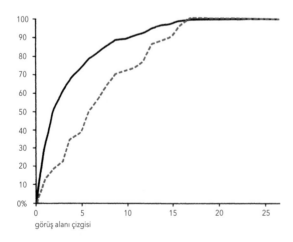

5.26 *Stonehenge grubuna ait tümülüslerin kendi aralarındaki görünürlükleri için toplu görünür alan analizi. Tahmini karşılıklı görünürlüklerin yüzdeleriyle (devamlı çizgi) gerçek görünürlüklerin (kesik çizgi) karşılaştırılması. Sonuçlar bu grupta tesadüfi olmayacak kadar fazla karşılıklı görünürlük bulunduğunu düşündürmektedir.*

Bu tip çalışmalar aynı zamanda eski ormanlık alanların görünebilirlik üzerindeki etkisini hesaba katamaz, ancak bir uzun tümülüs için seçilen yer kısmen mevcut anıtlara ait görsel referansları da kapsama alma isteği tarafından yönlendirilmiş olabilir. Dolayısıyla, yeni tümülüsteki gömüt törenleri sırasında egemen sosyal düzenin kalıcılığı her yerde görülebilecekti. O yüzden, Stonehenge uzun tümülüslerinin görünür alan analizi üzerinden anıtlar, belirli münferit aile gruplarının bölgesel işaretlerinden (bu durumda görünür alanlarının sıklıkla çakışacağı beklenebilir) ziyade toplulukların bütünü için sosyal odaklar şeklinde daha iyi açıklanabilir. Benzer açıklamalar, bazı oda mezarlarında bulunan kemiklerle West Kennet tümülüsündeki odalar ve ön avlunun mimari düzenlemesi için geliştirilmiştir.

Hangi Bireyler Anıtlarla İlişkilidir? Son olarak, bireylerle anıtlar arasındaki ilişkinin incelenmesi gereklidir. Bir anıt önde gelen bir bireyle ilişkilendirildiğinde bu, söz konusu kişinin yüksek bir mevkide olduğuna ve dolayısıyla merkezi bir toplumun varlığına işaret eder. Görünürde aynı statüye sahip bireylerin bulunduğu çoklu gömütlerle ilgili bir anıt için aynı şey geçerli olmayacaktır. Örneğin, İskoçya açıklarında, Orkney Adaları'ndaki Quanterness'te bulunan yaklaşık MÖ 3300'e ait mezar odasında belki de 390 kadar bireye ait kalıntılar bulundu. Erkeklerle kadınlar eşit temsil edilmekteydi ve yaş dağılımı nüfustaki ölüm biçimini genel olarak yansıtabilirdi. Bunun anlamı, mezar yapısındaki insanların ölüm yaşlarının (%46'sı 20 yaşın altında; %47'si 20-30 yaşında ve sadece %7'si 30'un üzerinde) bütün nüfusun ölüm yaşıyla orantısal anlamda aynı olabileceğiydi. Dolayısıyla tarihi ve etnografik durumlarda belgelenmiş küçük ölçekli toplumlarda olduğu gibi, insanlar yaklaşık 20 yaşında, üreme olgunluğuna erişemeden ölüyorlardı. Hafirler toplumun her kesimine açık olan bir mezar yapısının söz konusu olduğu ve ilk başta mimarisinin de akla getirebileceği üzere, hiyerarşikten ziyade segmenter bir toplumu yansıttığı sonucuna vardılar.

Benzer gözlemler mezar yapıları dışındaki törensel anıtlara uygulanabilir ve sosyal örgütlenmeye dair içgörü sağlayabilir. Bu, aynı şekilde ister tarım isterse savunma işlevi olsun, diğer büyük kolektif işler için de geçerlidir.

Segmenter Toplumlar Arasında İlişkiler

Segmenter tarım toplumların komşularıyla çok sayıda ilişkisi –evlilik bağları, değiş tokuş ortaklıkları vb.– vardır. Bunları arkeolojik olarak incelerken atılacak ilk adım, muhtelif grupların düzenli buluşmalarına ev sahipliği yapmış törensel merkezleri aramaktır. Ardından, bu merkezlerin her birine ait ilişki ağının coğrafi kapsamını gösterecek bazı nesnelerin kaynakları üzerine bir çalışma (teknikleri 9. Bölüm'de ele alınacaktır) yapılabilir.

Bir önceki bölümde bahsedilen Güney Britanya'nın bazı büyük kamusal anıtları görünüşe göre böyle törensel merkezlerdir. Özellikle İlk Neolitik'in yükseltilmiş yollu çevrili alanları, merkezi buluşma yerleri şeklinde açıklanmıştır. Bunlar, içinde bulundukları kabileye ait topraklardaki sosyal ve törensel merkezler dışında daha geniş bir alandan gelen katılımcıların düzenli buluşmalarını yaptıkları yerler olarak tarif edilmişlerdir. Söz konusu yerleşim alanlarındaki taş baltaların uzak kaynaklardan gelmiş olması, bu kadar erken bir dönemde toplumlar arası bağlantıların ne denli geniş bir temele oturduğunun göstergesidir.

Umumi yeme-içme, çarpıcı anıtlarla ilgili olsun ya da olmasın, her zaman düzenli toplantıların, bilhassa törensel karakterdekilerin özel ögelerinden biridir. Şölen meselesinin bütünü yakın zamanda yeniden arkeolojik tartışmalarda öne çıkmıştır. Elverişli koşullarda, malzeme artıkları sayesinde fazlasıyla incelemeye açıktır.

Belirli nesnelerin üslup ve görünümlerindeki benzerlikler ve farklılıklar –örneğin bezemeli çanak çömlek– toplumlar arasındaki etkileşim hakkında önemli ipuçları verir. Ancak önceki bölümde gördüğümüz gibi (s. 193'e bakınız), Ian Hodder maddi kültüre ait çeşitli özelliklerin kabile ayrımlarında devamlılığı sağlarken, diğerlerinin bu şekilde örneklenmediğini göstermiştir. Şimdilik arkeologlar arkeolojik kayıtlarda etnik farklılığı gösteren etnik sembolleri ayırt etmenin –örneğin bunları mevki, başka uzmanlık sembolleri ya da basit bezemelerden seçmenin– ve onları doğru "okumanın" yolunu bulamamışlardır. İletişim âdetlerine 10. Bölüm'de daha fazla değinilecektir.

Tarım Yöntemleri ve Zanaat Uzmanları

Segmenter toplumlarda yerleşik köylerin, mezarlıkların, kamu anıtlarının ve törensel merkezlerin varlığı, takım topluluklarından çok daha büyük bir sosyal karmaşıklığa işaret eder. Toplumların nasıl karmaşıklaşmaya başladığını tespit edebilmenin bir yolu, tarım yöntemlerine ve zanaat uzmanlarına bakmaktır. Burada sosyal çıkarımlarla ilgileneceğiz. Arkeologların tarımın beslenmeyle ilgili özelliklerine nasıl baktıkları ve zanaat üretiminin teknolojik yanı 7 ve 8. bölümlerde ele alınacaktır. Toplulukların zanaat üretimiyle birlikte değiş tokuşa artarak duydukları ihtiyaç ise 9. Bölüm'ün konusudur.

Tarıma dayalı hayat 10.000 yıl öncesinden itibaren dünyanın çeşitli yerlerinde ortaya çıkınca pek çok bölgede, yeni tarım yöntemlerinin gelişiyle kendisini gösteren kademeli bir *besin üretimi yoğunlaşmasına* dair kanıtlar ortaya çıkar. Bunlar, toprağı sürme, teraslama, sulama, verimli topraklar azaldıkça daha kötü toprakların kullanılması ve ilk kez süt ya da yün gibi "ikincil ürünler"den (evcil hayvanların etleri "birincil ürün"dür) faydalanmayla temsil edilir. Arkeologların bu tip kanıtları nasıl tespit ettikleri 6 ve 7. bölümlerde görülecektir. Burada not etmemiz gereken şey, bütün bu gelişmelerin daha büyük bir insan çabası–hepsi *emek yoğun* teknikerdir– yanında yeni ve çeşitli uzmanlıklar gerektirdiğidir. Sözgelimi, tarla sürme önceleri verimsiz olan düşük kalite toprağın işlenmesine izin verir, ama kaliteli toprağı sabansız işlemekten daha fazla zaman ve çabaya ihtiyaç vardır. Üstelik teraslama gibi faaliyetler bütün topluluk nezdinde işbirliği içerir. Bu faaliyetlerin tamamı ihtiyaç duyulan muhtemel çalışma saatlerinin ve işgücü büyüklüğünün ölçülmesi için gözden geçirilebilir. Kamusal anıtlar örneğinde olduğu gibi, harcanan emekte gerçekten önemli bir artış (örneğin sulamanın başlaması), işgücünde belki de hiyerarşik olmayan segmenter toplumdan şeflik gibi daha merkezi bir topluma geçişi işaret eden merkezileştirilmiş bir işgücünü akla getirecektir.

Eğer *zanaat uzmanlaşmasına* sosyal konularda bilgi kaynağı olarak geri dönersek, burada segmenter toplumlarla merkezi olanlar arasında faydalı bir ayrım yapılacaktır. Segmenter toplumlarda zanaat üretimi esasen hane düzeyindedir. Amerikalı antropolog Marshall Sahlins *Stone Age Economics* (1972) adlı kitabında buna "Hanesel Üretim Biçimi" adını vermiştir. Diğer taraftan şeflikler ya da devletler gibi daha merkezi toplumlarda birim olarak hane önemli bir rol oynayabilmesine karşın, üretimin büyük bölümü sıklıkla daha yüksek ve merkezi bir düzeyde örgütlenecektir, ancak birçok zanaat uzmanı mevsim esasına göre tarlalarında çalışan yarı zamanlı uzmanlar olarak kalacaktır.

Araştırma ve kazı seviyesinde bu ayrım yararlıdır. Segmenter toplumlardaki küçük köyler bile kil fırını ya da belki de metalin işlenmesinden arta kalmış cüruflar şeklinde kendini gösteren hane temelli zanaat üretimine dair işaretler barındıracaktır. Ama sadece merkezi toplumlarda neredeyse tamamen uzmanlaşmış zanaat üretimine ait bölgeleri olan kasaba ve şehirlere rastlanır. Örneğin Mexico City yakınındaki MS 1. binyılın büyük şehri Teotihuacan'da, volkanik camdan (obsidyen) aletlerin uzmanlaşmış üretimi şehrin önceden belirlenmiş alanlarında gerçekleştiriliyordu.

Zanaat üretimi için gerekli hammaddelerin elde edildiği ocaklar ve madenler zanaatlarla birlikte gelişmiştir ve ekonomik artışla merkezileşmiş toplumsal örgütlenmeye geçişe dair bir diğer göstergedir. Mesela Britanya'nın ilk çiftçileri tarafından işletilmiş MÖ 4000'lere ait çakmaktaşı ocağı, Doğu Britanya'daki Grimes Graves'te bulunan 9 m derinliğindeki 350 kuyuya sahip daha geç tarihli çakmaktaşı ocağına (MÖ 2500 civarı) göre daha küçük çaplı bir uzmanlaşmış örgütlenmeye gerek duyacaktır.

ESKİ WESSEX'TE YÖNETİM BİRİMLERİ VE HÂKİMİYET ALANLARI

Tarihöncesi Wessex (Güney İngiltere'deki Wiltshire, Dorset, Hampshire ve Berkshire bölgeleri) erken tarım döneminden kalma zengin bir büyük anıt koleksiyonuna, sadece birkaç yerleşme kalıntısına sahiptir. Yine de anıtların boyutları ve dağılımlarına ait analizler, toplumsal organizasyonda önemli yönlerin yeniden kurgulanmasına izin verir ve eski sosyal ilişkilerin çalışılması için bir yaklaşımı örnekler. İlk postsüreçsel arkeologların en çok tercih ettikleri çalışma alanlarından biri buydu.

Anıt inşasının **erken evresinde** (İlk Neolitik, MÖ 4000-3000 civarı) en sık görülen anıtlar "uzun tümülüsler" denilen ve uzunlukları 70 metreye varan uzun mezar tepeleridir. Bunlar genellikle erken tarım için elverişli hafif topraklara sahip Wessex'in kireçtaşı arazilerinde bulunurlar.

Kazılar anıtların genellikle bazıları taştan da olabilen ahşap gömüt odası içerdiklerini göstermektedir. Her bir tümülüs kümesi, yükseltilmiş yollu çevrili alan olarak adlandırılan eş merkezli hendeğe sahip bir ya da daha fazla büyük dairesel anıtlarla ilişkilidir.

Uzun tümülüslerin uzamsal dağılımı ve büyüklüklerine dair analizler muhtemel bir açıklama önermektedir. Bunlar arasına çizilen çizgiler araziyi kabaca birbirine eşit büyüklükte birtakım muhtemel

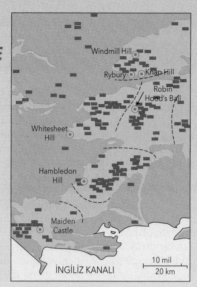

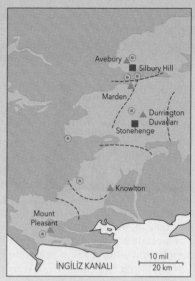

5.27 *Erken evrede mezar tümülüsleri yükseltilmiş yollu çevrili alanlarıyla bir sosyal arazi meydana getirir. Analizler her tümülüsün küçük bir grup çiftçi için bölgesel merkez olduğunu göstermiştir. Bu, hiçbir grubun baskın olmadığı segmenter bir toplumdu.*

5.28 *Geç evrede yükseltilmiş yollu çevrili alanlar büyük taş anıtlarla yer değiştirmiştir (karşı alttaki anahtara bakınız). Bunların büyüklükleri merkezi bir organizasyona ve dolayısıyla belki de bir şeflik toplumuna işaret eder. Bu tarihte iki büyük anıt, Stonehenge ve Silbury Hill inşa edilmiştir.*

alanlara bölmektedir. Görünüşe göre her bir anıt, yerel bölgede oturan tarım topluluğunun sosyal faaliyetleri ve gömüt yeri için bir odak noktasıydı. Bir uzun tümülüsün inşası

için 20 kişilik bir grubun yaklaşık 50 iş günü boyunca çalışması gerekecekti.

Bu uzun tümülüslerin dağılımı da CBS ile analiz edilerek anıtların

5.29 *West Kennet uzun tümülüsü kendi türündeki en büyük anıtlardan biridir.*

5.30 Devasa tek parça kumtaşlarıyla daha küçük göztaşlarından yapılmış ve Wessex anıtlarının en büyüğü olan Stonehenge, şimdiki biçimine MÖ 2500 civarında ulaşmıştır.

karşılıklı görünürlükleri için görünür alan haritaları üretilmiştir (s. 201-202'ye bakınız). İlk anıt mimarları bir sosyal arazi inşa ediyorlardı ve bu yüzden onların dünyası yerlerini alacakları Mezolitik sömürücülerinkinden farklıydı.

İnşaatın erken safhasında, MÖ 3400'den önce, yerleşimlerin ya da bireylerin hiyerarşisi belli belirsizdir; bu eşitlikçi bir toplumdu. Yükseltilmiş yollu çevrili alanlar belki de törensel merkez ve bütün bir uzun tümülüs kümesi tarafından temsil edilen daha büyük bir insan grubunun düzenli buluşma yeri olarak hizmet görmüştü (bir tümülüsün inşası için gerekli 100.000 saat 250 kişi tarafından 40 gün içinde elde edilebilir). Bu segmenter bir toplum ya da kabile toplumuydu.

Uzun tümülüsler ve yükseltilmiş yollu konak yerleri MÖ 3600-3400'ten sonra kaybolmuş ve yerlerine yol anıtları [17. yüzyıldaki yanlış bir adlandırmadan ötürü "cursus monuments" - ç.n.] gelmiştir. **Geç evrede** (Geç Neolitik, MÖ 3000-2000 civarı) büyük törensel çevrili alanlar görülür. Bunlar, bir hendek ve hendeğin dışında bir set ile sınırlandırılmış büyük dairesel anıtlardır ve taş anıtlar olarak adlandırılırlar. Her birinin inşası için yaklaşık 1 milyon çalışma saati gerekmiştir. İşgücünün büyüklüğü bütün bir bölgedeki kaynakların seferber edildiğini gösterir. En az bir yıl süreyle yaklaşık 300 insanın tam gün çalışması gerekmiştir. Süreç uzun bir zamana yayılmadığı sürece bu kişilerin yiyeceklerinin sağlanması lazımdı.

Bu dönemde (MÖ 2800 civarı) Silbury Hill'deki büyük toprak tümülüs inşa edildi. Hafire göre 18 milyon iş saatine ihtiyaç duyulmuş ve iki yıl içinde tamamlanmıştı. Birkaç yüzyıl sonra (MÖ 2500 civarı) Stonehenge'deki çember şeklinde dizilmiş taşlardan meydana gelen devasa anıt çemberi ve 30 km uzaktan getirilmiş büyük kumtaşlarından üç taşlı anıtlarıyla son hâlini almıştır. Tahminlere göre bu muazzam işbirliği 30 milyon saatlik faaliyet gerektirmişti.

5.31 Wessex anıtlarının büyüklüklerinin yapımları için gereken iş saati açısından analizi, geç safhada hiyerarşinin ortaya çıkışıyla sosyal ilişkilerdeki bir gelişmeyi yansıtan bir ilerlemeyi ve sınıflı bir toplumun ortaya çıkışını düşündürmektedir. İlk Neolitik'te anıtların büyüklüğü eşitlikçi segmenter bir toplumla orantılıdır.

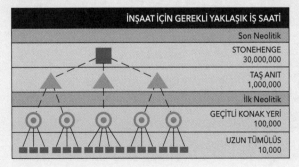

İNŞAAT İÇİN GEREKLİ YAKLAŞIK İŞ SAATİ

Son Neolitik
STONEHENGE 30,000,000
TAŞ ANIT 1,000,000
İlk Neolitik
GEÇİTLİ KONAK YERİ 100,000
UZUN TÜMÜLÜS 10,000

ANAHTAR
Stonehenge
Taş anıt
Yükseltilmiş yollu konak yeri
Uzun tümülüs

STONEHENGE'İ YORUMLAMAK

Stonehenge ve buradaki göztaşları üzerine yapılan yakın tarihli iki proje, anıta dair çok farklı iki yoruma sebep olmuştur: atalar için bir yer ya da yaşayanlar için bir şifa merkezi. Stonehenge'in batısında 2013'te açılan ziyaretçi merkezi her iki açıklamayı da öne çıkarmıştır.

Bir Atalar Mekânı Olarak Stonehenge

Mike Parker Pearson ve Ramilisonina Stonehenge'le ilgili olarak etnografik analoji de kullanmıştır. 1998'de Stonehenge'in atalar için inşa edildiğini, "caddesi" ve Avon Irmağı aracılığıyla Woodhenge

5.32 *SRP tarafından 2008'de Stonehenge'de kazılmış bir Aubrey çukuru. Bu taş çukurlar anıt çevresinde bir çember meydana getiriyorlar ve bir zamanlar göztaşlarını tutuyorlardı. Stonehenge yaklaşık MÖ 2500'de yeniden düzenlendiğinde Aubrey Çukurları ve Bluestonehenge'den alınan taşların bir araya getirildiği ve yeniden kullanıldığı düşünülmektedir.*

ve Durrington Walls'taki ahşap çemberde yoğunlaşmış "yaşayanların alanı"na bağlandığını ileriye sürdüler. Fikri Madagaskar'daki yakın tarihli megalitik mezar anıtlarından almışlardı. Parker Pearson tarafından 2003 ve 2009 arasında yönetilen Stonehenge Riverside Projesi (SRP), bu savı araştırmak üzere Stonehenge'in içinde ve etrafında 45 kazı yapmıştır. Kazılar burasının ilk kez MÖ 2990-2755'te etrafı çevrili bir mezarlık olarak inşa edildiğini ortaya çıkardı. Mezarlık, tesadüfen gündönümü eksenine oturmuş üç paralel sırt tarafından meydana getirilen doğal arazi şeklinin güney ucunda yer alıyordu. Burası daha sonra Stonehenge'in büyük tek parça taşlardan oluşan düzenlemesiyle işaretlenmiştir. Bu coğrafi özellik tarihöncesi insanlarca fark edilmişti. Sırtlardan ikisi daha sonra Stonehenge "caddesi"nin setleri hâline geldi. Bu, bir *axis mundi*

("dünyanın ekseni") gibi görülmüş olabilir. SRP, MÖ 2990-2755'te Stonehenge'de Gal doleritlerinin dikilerek Aubrey Çukurları'nda bir çember oluşturulduğuna dair kanıtlar buldu. Projenin gözlemlerine göre Stonehenge 500 yıl boyunca bir kremasyon gömüt alanı olarak kalmıştı. MÖ 2580-2475'te büyük taş çemberiyle üç taşlı anıtlar dikildi ve göztaşları bu yeni anıtın içinde yeniden konumlandırıldı. Bu dönemde Durrington Duvarları'ndaki büyük bir yerleşme içine Stonehenge'in ahşap benzerleri -Woodhenge ve Güney Çemberi- inşa edildi. Burada Avon Irmağı'na giden bir "cadde", Stonehenge'in gündönümü eksenine karşıt eksende hizalanmıştı. Fauna kalıntıları kışın ziyafetler düzenlendiğine işaret eder.

Stonehenge "caddesi"nin ucunda, MÖ 3000 civarına ait "Bluestonehenge" olarak adlandırılan

5.33 *Mike Parker Pearson'ın çalışmasına dayanarak Stonehenge çevresindeki araziye farklı bir şekilde bakmanın yolu. Pearson burayı yaşayanlar ve ölülerle ilişkili olacak şekilde farklı alanlara böler. Bu ayrım farklı yapı malzemelerinin kullanımı (ahşap ve taş) ve değişik çanak çömlek tiplerine göre yapılmıştır.*

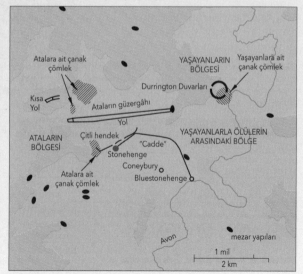

yeni bir taş çemberinin ve Durrington'un ırmak kenarında üç ahşap anıtın keşfi, proje üyelerine göre taştan ölüler ülkesiyle ahşap yaşayanlar bölgesi arasında ırmağın oynadığı bağlantı rolünü sergiler.

5.34 *Bluestonehenge: SRP üyeleri 2009 kazısının sonunda taş çukurlarının bulunduğu yerlerde ayakta duruyorlar.*

5.35 *Preseli Hills'deki Craig Rhosyfelin'de, Stonehenge göztaşlarının kaynaklarından biri olan kayaçlar. Kazılar terk edilmiş bir monolit ve başka bir monolitin çıkarılmasından kalmış bir girinti olmak üzere tarihöncesi taş çıkarma faaliyetlerine dair izler keşfetmişlerdir.*

Galler'den Göztaşları

Stonehenge'deki taşlardan 43 tanesi Galler'in 220 km batısında, Kuzey Pembrokeshire'daki Preseli Hills'den getirilmiş "göztaşları"dır. Doleritler, riyolitler, süngertaşları ve kumtaşlarından meydana gelen bu göztaşları anıtın yapısal tarihi boyunca kullanılmışlardır. İlk safhada (MÖ 2990-2755) taşlar 56 adet Aubrey çukuru içinde bir çember oluşturuyorlardı ve çoğunlukla her bir taşın etrafındaki tebeşir molozları içine yerleştirilmiş kremasyon gömüleri de mevcuttu. Stonehenge'in ikinci safhasında (MÖ 2580-2475) göztaşları sarsen üç taşlı anıtlarla sarsen çember arasında çift yay olarak yeniden düzenlenmişlerdir. Üçüncü safhada (MÖ 2475-2280) "Bluestonehenge"den yaklaşık 24 göztaşı Stonehenge'in ortasında yeni bir çember meydana getirmiş olabilirler. Ardında 80 göztaşı bir iç oval çember ve dış çember olmak üzere yeniden düzenlenmiş (MÖ 2280-2020), nihayet bazı göztaşları oval çemberden alınarak anıta at nalı şekli verilmiştir.

Richard Bevins ve Rob Ixer'ın jeokimyasal ve petrografik araştırmaları göztaşları için üç kaynak saptamıştır. Bunlardan biri Craig Rhosyfelin'de, Preseli Hills'in kuzeyindeki bir vadide bulunan bir riyolit kayaç çıkıntısıydı. Parker Pearson'ın ekibi burada kazılar yürüttü ve taş ocağında terk edilmiş yaklaşık 4 m boyunda bir monolite ilaveten MÖ 3000 civarında ya da hemen öncesinde Stonehenge'deki göztaşlarından birinin çıkarıldığı bir girinti buldular. Diğer göztaşı kaynakları, Preseli Hills'in kuzey kenarında, Craig Rhosyfelin'deki vadinin 3 km yukarısında bulunan Carn Goedog ve Cerrigmarchogion'daki benekli dolerit kayaçlarıydı.

Bir Şifa Merkezi Olarak Stonehenge

Diğer taraftan Timothy Darvill ve Geoff Wainwright, Stonehenge hakkında "Şifa Savı" olarak adlandırdıkları farklı bir görüşe sahiptirler. İkilinin son arazi çalışmaları, onlarda Stonehenge'in yaşayanlara yönelik şifa törenleri ve ergenlik ayinleriyle ilgili bir anıt olduğu izlenimini uyandırmıştır. Stonehenge'in eski bir kutsal arazide inşa edildiğini göz önüne alan bilim insanları, bu arkeolojik alanı Güney Britanya'daki 3. binyılın diğer büyük törensel anıtlardan ayıran şeyin, Batı Galler'deki Pembrokeshire'dan getirilerek kullanılmış (bununla birlikte s. 322'ye bakınız) göztaşları olduğunu iddia etmektedirler.

Stonehenge'in merkezinde bulunan büyük taşlardan beş adet üçlü taş anıtını, içteki kutsal mekâna nezaret eden ata tanrıları olarak kabul ederler. Bu mekân birbirlerine lentolarla bağlı dik duran 30 büyük taştan bir çemberin çevrelediği alandır. Taş Çember içinde, yaklaşık 220 km batıdaki Pembrokeshire'ın Preseli Hills'den getirilmiş göztaşları mevcuttur. Dolerit, riyolit, süngertaşı, şist ve kumtaşlarından bir karışım içeren bu "göztaşları" anıtın inşa

5.36 *Timothy Darvill ve Geoff Wainwright tarafından yönetilen Stonehenge kazısı, 2008.*

geçmişi boyunca kullanılarak ortada jeolojik açıdan karışık taşların çevrelediği oval dolerit sütunlara neden olmuştur. Bu düzenleme taşların getirildiği gerçek arazinin mikrokozmosudur.

Buna ilaveten, Preseli Hills'den çıkan kaynaklar Tunç Çağı'nda şifalıydı ve sularının iyileştirici özelliği olduklarına inanılıyordu. Stonehenge taşlarıyla ilgili benzer inanışlar MS 12. yüzyıldan beri kaydedilmiştir. Erken anlatımların köklü sözlü gelenekleri yaşattığı kabul edilirse Stonehenge'in asıl işlevlerinden biri yerel halk ve ziyaretçiler için şifa merkeziydi. Darvill ve Wainwright'ın 2008'deki kazıları göz taşlarının sadece anıtın anlamı için anahtar teşkil ettiğini göstermekle

kalmamış, bunlara ait parçaların tılsım ve şifa muskaları olarak alındığını ortaya koymuştur. Stonehenge'in modern zamanların başlarına kadar bir tören ve ayin merkezi olarak işlevini sürdürdüğü yine bu çalışma tarafından gösterilmiştir.

Son arazi çalışmalarının gösterdiği üzere Stonehenge atalar için bir mekân ya da şifa yeridir. Her ikisi de yakın tarihli arazi çalışmalarına dayanmaktadır. İki ekibin bütün görüşlerinin çatışması gerekmez. Nihayetinde iyi dengelenmiş bir görüş ekiplerin farklı gözlemlerini uzlaştırmak ve tarihöncesi yaşam ile ata mezarları hakkında bir hüküm vermek ihtiyacını hissedecektir.

ŞEFLİKLER VE DEVLETLERİ İNCELEME TEKNİKLERİ

Segmenter toplumların analizi için uygun olan tekniklerin çoğu, basit toplumların toplumsal biçimlerini ve modellerini bünyesinde barındıran merkezi şeflikler ve devletler için de geçerlidir. Hanenin ve kırsal köy yerleşim alanındaki farklılaşma derecesinin araştırılması; aynı zamanda tarımda yoğunlaşmanın tespiti eşit derecede ilintilidir. İhtiyaç duyulan ilave teknikler toplumun merkezileşmesi, yerleşim alanlarının hiyerarşisi ve şeflikle devlet toplumlarını tanımlayan örgütsel ve iletişimsel aygıtlar yüzünden ortaya çıkmaktadır. Bir kez daha sadece toplumun bir modele ya da diğerine sokulması değil, ama bu aygıtların nitelikleri bizi ilgilendirir.

Ana Merkezlerin Tespiti

Yerleşim modelinin çalışılmasına dair teknikler bu bölümün başında tartışılmıştı. Orada bahsedildiği üzere, saha araştırmasının sonuçları dikkate alındığında ilk adım, yerleşim alanının büyüklüğünü ya kesin ifadelerle ya da hangisinin nüfuzlu hangisinin bağımlı olduğunu belirlemek amacıyla büyük merkezler arasındaki mesafeler cinsinden değerlendirmektir. Bu, ana bağımsız merkezleri ve onları çevreleyen alanların yaklaşık genişliğini tanımlayan bir harita çıkarılmasını sağlayacaktır.

Ne var ki tek başına büyüklüğe güvenmek yanıltıcı olabilir ve ana merkezlerle ilgili başka göstergelere bakmak gerekir. En iyi yol, söz konusu toplumun kendisini ve bölgesini nasıl tanımladığını anlamaktır. Birçok devlet toplumunda yazılı kayıtların bulunduğu hatırlanırsa bu imkânsız bir iş değildir. Bunların arkeolaglara sağladığı muazzam fayda zaten ana hatlarıyla belirtilmişti. Burada, yazılı kayıtların insanların ne düşündüklerini ve neye inandıklarını anlamamız konusundaki faydaları yerine –bu 10. Bölüm'ün konusudur– büyük merkezlerin hangileri olduğuna dair verdikleri ipuçlarını vurgulamamız lazımdır. Kayıtlar bize hiyerarşide yeri olan yerleşim alanlarını gösterebilir. Arkeolojinin bundan sonraki görevi, söz konusu yerleşim alanlarını genellikle isimlerinin bulunduğu yazıtlar sayesinde keşfetmektir. Böyle yazıtlar, örneğin, Roma İmparatorluğu'ndaki herhangi bir önemli şehirde bulunabilir. Geçen yıllarda Maya hiyerogliflerinin çözülmesi bu tip kanıtlar için yepyeni bir kaynak yaratmıştır (arka sayfadaki kutuya ve s. 140-141'e bakınız).

Ancak bazı durumlarda metinler yerleşim alanı hiyerarşisini açık şekilde göstermezler. Bununla birlikte, arşivdeki yer adları bazen çok boyutlu ölçeklendirme (multi-dimensional scaling=MDSCAL) –sayısal veriden uzamsal yapıyı oluşturan bir bilgisayar tekniği– yoluyla farazi bir harita çıkarmak için kullanılabilir. Yazılı kayıtta birlikte en sık görülen isimlerin birbirine en yakın yerleşim alanları olduğu varsayımında bulunulur. İngiliz arkeolog John Cherry Yunanistan'daki erken Miken krallığı Pylos'un (MÖ 1200 civarı) toprakları için böyle bir harita geliştirmiştir.

Mitoloji ve efsane bile tutarlı bir coğrafi manzara sunacak şekilde sistematik bir yolla kullanılabilir. Örneğin Homeros'un *Ilias*'ında Yunanistan'daki her şehrin Troia Savaşı'na ne kadar gemi gönderdiğini listeleyen sözde "Gemiler Katalogu", Denys Page tarafından dönemin yaklaşık siyasi haritasını çıkarmak için kullanılmıştır. Bunu Miken Yunanistan'ındaki tahkimatlı yerleşim alanları ve saraylardan gelen sağlam arkeolojik kanıtlarla meydana getirilmiş bir haritayla karşılaştırmak ilginç sonuçlar vermiştir: Arkeolojik ve tarihi manzara birbiriyle gayet iyi uyuşmaktadır.

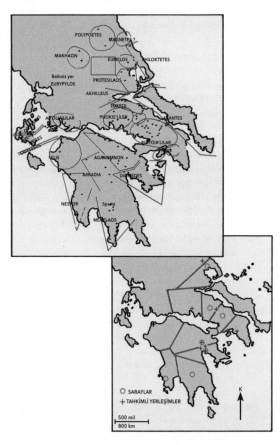

5.37 *Son Tunç Çağı Yunanistan'ı: Homeros'un Ilias'ından alınmış bölgelerin haritası (üstte), sadece arkeolojik kanıtlara dayalı bir bölgesel haritayla (altta) gayet iyi uyuşmaktadır.*

MAYA BÖLGELERİNİN ARAŞTIRILMASI

| Copan | Tikal | Calakmul | Palenque | Caracol | Naranjo | Piedras Negras |

Yaklaşık MS 250-900 arasında Klasik Dönem Güney Maya Düzlükleri, aralarına kırsal mezralar, tarım arazileri ve çeşitli ekosistemler serpiştirilmiş birçok büyük nüfuslu merkezi olan yoğun iskâna sahip bir bölgeydi. Mayaların siyasi organizasyonlarına ait ilk ipuçları, başlangıçta münferit şehirleri tanımladığına inanılmış bileşik hiyeroglifler olan "amblem glifleri"nin keşfiyle ortaya çıktı. Şimdi ise oyma armaların Maya krallarının hanedan unvanları olduğunu ve her bir kralı belirli bir idari yapının "kutsal efendisi" sıfatıyla tanımladığı bilinmektedir. Bunlar, hanedan unvanları olarak, yüzyıllarca istikrarlı kalabilmiş yerlerle ilişkilendirilebilirler. Bununla birlikte saray aileleri parçalanabilirler ve meydana gelen daha küçük soylar tarafından kurulmuş yeni yönetim birimlerinin hükümdarları, ana hanedanınkiyle aynı oyma armaları taşıyabilirler. En çarpıcı örnek olan Tikal Krallığı'dır. Buradan gelen bir prens Dos Pilas'ta yeni bir hanedan (aynı amblem glifini kullanarak) kurmuştur. Aynı prens daha sonra anayurduna karşı bir savaş başlatarak Tikal'e bir yüzyıllık siyasi gerileme getiren bir kargaşada önemli bir rol oynayacaktı. Görünüşe göre saray aileleri ayrıca bir hanedan merkezinden bir diğerine topluca gidebiliyorlardı. Güçlü "Kaan" ya da "yılan" hanedanının Dizbanche yerleşim alanından Calakmul'un merkezine taşınması böyle bir örnek olabilir.

"Hegemonyacı" Bir Sistem

Hükümdarları amblem glifleriyle belirtilmiş yerleşim alanlarının dağılımı, Klasik Dönem'de düzlüklerin bir şekilde birçok küçük devletten meydana gelen yoğun bir "mozaiğe" bölündüğünü

5.38 *Klasik Maya siyasi bölgelerinin yaklaşık MS 790'daki düzenini gösterir haritada (sağda) bulunan en önemli yedi Maya devletinin amblem glifleri (yukarıda). Thiessen çokgenleri amblem gliflerin dağılımına dayanmaktadır ve Tikal ile Calakmul'un sahip olduğu daha büyük gücü yansıtmaz.*

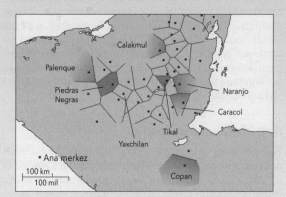

gösterir. Bununla birlikte bütün krallıklar aynı büyüklükte olmadığı gibi, bütün "kutsal efendiler" de eşit otoriteye sahip değildi. Siyasi gücün gerçek dağılımı, hükümdarları askeri başarıları çeşitli siyasi manevralarla beceriyle birleştirebilen büyük merkezlere doğru yöneltmekteydi. Hâlihazırda çözülme aşamasındaki Maya yazısı büyük ve daha küçük yönetim birimleri arasındaki karmaşık hami-bağımlı ilişkiler ağını ortaya çıkararak bu döneme ait şaşırtıcı derecede detaylı bir tarihi çerçeve sunmuştur. İlk kez Simon Martin ve Nikolai Grube tarafından ortaya koyulan modelde, güçlü Maya devletleri, kendilerine tabi krallıklar üzerinde onları daha büyük üniter yönetim birimlerine tamamen dâhil etmeksizin kontrol kuran gevşek yapılı "hegemonyacı" sistemlerin çekirdeğiydi. Maya siyaset sahnesinde ana oyuncular Copan, Tikal, Clakmul, Palenque, Caracol gibi büyük ve gösterişli merkezlerdi.

Mayalarda Bölgesel Farklılıklarının Çalışılması

Bu Klasik Dönem krallıklarında yaşayan insanlar bugün arkeologlar tarafından "Mayalar" olarak adlandırılmakla birlikte,

farklı kültürel yapılara sahip çeşitli toplumları temsil ediyordu. Yönetici seçkinler ortak krali mimari, yazıtlar ve krallık kavramlarına sahiplerdi, ama Maya Düzlükleri tek kültürlü bir bütün değildi.

Charles Golden, Andrew Scherer ve Guatemalalı meslektaşları tarafından Yaxchilan ve Piedras Negras krallıklarında yapılan kazılar, buralardaki halkların kendilerini diğerlerinden ayırmak için bilerek ya da bilmeyerek benimsedikleri âdetleri ortaya koyar. Yaxchilan ve Piedras Negras hanedanları Klasik Dönem'in büyük bir kısmı boyunca bugün Guatemala – Meksika sınırının her iki yanında uzanan toprakların kontrolü için rekabet hâlindeydiler. MS 7. yüzyıla gelindiğinde iki krallık arasında sabit bir sınır oluşmuştu. Özellikle Yaxchilan Krallığı'nın kuzey sınırları bir dizi tahkimli ileri karakol ve savaş lideri görevini üstlenmiş soylular tarafından nezaret edilen saraylarla savunuluyordu. Bu soylular elde ettikleri esirleri hükümdarlarına haraç olarak veriyorlardı.

İncelemeler eski sınırın her iki tarafındaki halkların, kendilerini komşu krallık halkından maddi kültür, törenler ve çarpıcı şekilde kamusal ve son derece

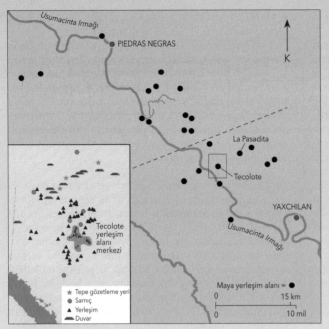

kişisel günlük alışkanlıklar aracılığıyla farklı kıldığını göstermiştir. Birbirinden önemli ölçüde ayrılan çanak çömlek üslupları ve teknolojiler sadece tüketicilerin bireysel tercihlerini değil, aynı zamanda çanak çömlek üretiminin derin biçimde kökleşmiş alışkanlıklarını da ortaya koymaktadır.

İki krallıktaki yerleşimlerin ve anıtsal mimarinin ana eksenleri birbirlerine diktir (Piedras Negras örneğinde 30 derece ve Yaxchilan'da 120 derece). Gömütler bu belirgin eksenler boyunca sıralanmıştır ve mezarlardaki ölülere iki krallıktan birine özgü mezar eşyası örnekleri eşlik eder.

Böyle farklılıklar belki de şaşırtıcı olmamalıdır. Aslında bugün Guatemala, Meksika, Belize ve Honduras'ta hâlen Maya dil ailesine ait 30 farklı dil konuşan milyonlarca insan vardır ve bunlar çok farklı kimlikler, tarihler ve geleneklere sahip topluluklarda yaşamaktadır.

5.39–41 Yukarıdaki haritada kesik çizgiler Yaxchilan ile Piedras Negras arasındaki MS 8. yüzyıla ait kabul edilmiş sınırı tanımlamaktadır. Yaxchilan yönetim birimindeki ikincil bir merkez olan Tecolote'de (ek harita) Piedras Negras'tan gelecek saldırılara karşı duracak bir tahkimat sistemi yerleşim alanının kuzeyinde uzanmaktadır. (sağ üstte) Yaxchilan'ın Batı Akropolis'i. (sağda) La Pasadita'dan bu lentoda, Piedras Negras'lı bir tutsak dizlerinin üzerinde Yaxchilan'a MS 8. yüzyılın ortasında hükmetmiş IV. Kuş Jaguar'a sunuluyor.

5.42–43 Tecolote'nin kuzeyindeki tahkimatların bir kısmı (aşağıda). İki tepe arasındaki küçük vadiyi aşan taş duvar, kazıklı çit için temel görevi görüyordu.

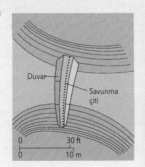

Bununla birlikte genellikle yerleşim alanı hiyerarşisi yazılı kayıtlara fazla bel bağlamadan, doğrudan arkeolojik yollarla tespit edilmelidir. Bağımsız bir devletin başkenti gibi "en üst düzey" bir merkezin varlığı en iyi şekilde, başka hiçbir yerde rastlanmayan ölçekte ve benzer devletlerin diğer en üst düzey merkezleriyle karşılaştırılabilir bir merkezi örgütlenmeye dair doğrudan işaretlerden çıkarılabilir.

Göstergelerden biri, bir arşivin (ne söylediği anlaşılmasa bile) ya da merkezi örgütlenmeye işaret eden başka sembolik kanıtların varlığıdır. Mesela denetimli ekonomi aidiyete, kaynağa veya varış yerine işaret eden kil üzerine mühür baskıları kullanmıştır. Bu tip malzemelerin belli bir miktarda bulunması örgütlü faaliyetin göstergesidir. Aslına bakılırsa, okuryazarlık ve sembolik ifadenin tümü örgütlenme için o kadar önemlidir ki, böyle işaretler büyük anlam taşır. Sözgelimi Minos dönemi Girit'inde, merkezi avlu etrafında gelişen "saray" planı bu şekilde ayırt edilmiştir. O yüzden, nispeten küçük bir saray (örneğin Zakros), böyle yapılardan mahrum olan daha büyük bir yerleşime (örneğin Palaikastro) uygun görülmeyen bir mevkiye sahiptir.

Aynı gözlem dinsel tören işlevi olan binalar için de geçerlidir, çünkü birçok eski toplumda idarenin ve dini uygulamanın kontrolü yakından bağlantılıdır. Dolayısıyla Sümer döneminde Mezopotamya'daki büyük bir ziggurat ya da Maya düzlüklerindeki piramit tapınaklı büyük bir meydan yüksek statüde bir yerleşimin belirtisidir.

Yukarıdaki belirgin göstergelerin tespitinde başarısız olan arkeolog, bir ana merkezin işlevine dair fikir veren küçük buluntulara dönmelidir. Yapı planlarının net olmadığı yerlerdeki yüzey araştırmaları için bu özellikle gereklidir. Dolayısıyla, Irak'taki yerleşim alanı araştırmalarında Robert Adams ve Gregory Johnson gibi Erken Hanedanlar Dönemi'ni inceleyenler, buldukları küçük yerleşim alanlarındaki duvar saksılarını tahmin edilenden yüksek bir statünün göstergesi kabul etmiştir. Bölgede daha büyük yerleşim alanlarındaki tapınakların ve diğer kamu yapılarının dekorasyonunda kullanılan saksılar, böyle küçük yerleşim alanlarının idari merkezler olabileceğini düşündürür.

Statü için sıklıkla kullanılan diğer arkeolojik kıstaslar tahkimatlar ve sikkenin dolaşımda olduğu yerlerde bir darphanenin varlığıdır.

Yerleşim hiyerarşisi söz konusu olduğunda arkeolojik alanların tek başına değil, ama sadece birbirleriyle ilişkilerine göre ele alınacağı açıkça ortadadır. Bu erken dönem siyasi coğrafya dâhilinde bir çalışmadır.

Merkezin İşlevleri

Hiyerarşik olarak örgütlenmiş bir toplumda, krallık, bürokratik organizasyon, malların yeniden dağıtımı ve depolanması, dini tören organizasyonu, zanaat uzmanlaşması ve dış ticaret gibi muhtemel etmenler gibi merkezin işlevlerini ayrıntılı bir şekilde incelemek önemlidir. Bunların hepsi toplumun nasıl işlediğine dair görüşler sağlar.

Burada daha önce olduğu gibi uygun yaklaşım, merkez ve yakın çevresinin kapsadığı alanda yoğun yüzey araştırması ve onunla birlikte mümkün olduğunca büyük ölçekte kazıdır. Yine burada bir örnekleme sorunu vardır; kapsamlı olma hedefi kısıtlı zaman ve mali kaynak karşısında dengelenmelidir. Sadece birkaç hektar genişliğindeki küçük merkezler söz konusu olduğunda yoğun bir yüzey araştırması gayet yerindedir. Fakat daha büyük yerleşim alanları için farklı bir yaklaşıma ihtiyaç duyulur.

Terk Edilmiş Yerleşimler. En iddialı şehir kazısı projeleri terk edilmiş yerleşim alanlarında ya da mevcut yerleşimin kentsel karakterde olmadığı ve araştırmayı engellemediği yerlerde yapılmaktadır (kesintisiz şehirleşme sürecindeki yerler, yani günümüzde hâlen büyük merkez olanlar aşağıda ele alınacaktır). Yerleşim alanının ormanlık olması durumunda kısmen zorluk çıkaracak ilk gereksinim 1:1000 ölçeğinde iyi bir topografik haritadır, ama böyle bir harita birkaç kilometre genişliğindeki bir yerleşim alanı için uygun olmayabilir. Harita yüzeyde görülen büyük yapıların lokalizasyonunu gösterecek ve aralarından seçilen bazıları daha detaylı haritalandırılacaktır. Kapsamlı kazıların zaten yapıldığı yerleşim alanlarında, onlardan elde edilen sonuçlar da dâhil edilebilir.

Bu tip topografik haritalar modern arkeolojinin en uygun maliyetli girişimlerinden biridir. En dikkat çekici örneklerden biri, Mısır firavunu Akhenaton'un başkenti Tell el-Amarna'da, İngiliz araştırma ve kazı projesinin bir parçası olarak Salvatore Garfie'nin yürüttüğü araştırmadır. Burası MÖ 14. yüzyılda sadece 13 yıl iskân görmüş ve ardından terk edilmiştir. Yapılar kerpiçtendir ve yüzey kalıntısı olarak iyi korunmadıklarından, harita yüzyıl boyunca yapılmış kazılardan büyük oranda yararlanır. Yeni Dünya'da benzer ölçekte birkaç proje yürütülmüştür. Bunlar arasında en çapıcılarından biri, Pennsylvania Üniversitesi'nin Maya şehri Tikal'ın haritalandırılması amacıyla yönettiği büyük projedir ve benzer çalışmalar şimdi diğer Maya yerleşimlerinde devam etmektedir. Ancak belki de en iddialı proje, Meksika'nın en büyük ana şehri olan Teotihuacan'daki araştırma olmuştur (s. 98-99'a bakınız).

Topografik haritanın hazırlanması sadece ilk basamaktır. Herhangi bir yapının sunduğu kanıtı sosyal açıdan açıklamak bir sonraki adımdır. Bu, başlıca törensel ve kamu yapılarıyla (tapınaklar dini olduğu kadar sosyal işlevlere de sahiptir) uzmanlaşmış zanaat üretimine ait bölgeler ve yaşama alanları gibi diğer şehir bileşenlerinin incelenmesini içerir. Konut standartlarındaki farklılıklar zenginle yoksul arasındaki eşitsizlikleri, dolayısıyla sosyal hiyerarşinin bir yüzünü ortaya çıkaracaktır.

Ancak çoğu zaman, büyük ve muhtemel kamu binalarının işlevlerini saptamak zordur. Üstelik bunların amaçlarına

5.44 *MÖ 1600 civarında Thera Adası'ndaki volkanik patlamanın ardından volkanik külün altına gömülmüş Akrotiri yerleşiminden bir sokak (şimdi modern bir çelik yapı tarafından korunmaktadır) şehir hayatına dair canlı bir manzara sunar.*

dair tahmine dayalı yakıştırmalar yapmak cezbedici olabilmektedir. Örneğin Girit'teki Knossos'u kazan Sir Arthur Evans, elinde hiçbir kanıt bulunmamasına rağmen buradaki bazı odalara "Kraliçe'nin *Megaron*u" gibi isimler vermiştir. Benzer şekilde, Sir Mortimer Wheeler büyük Harappa şehirlerinden Mohenjodaro'nun "sitadeli" içindeki binalar için "okul" ve "toplantı salonu" terimlerini, gerçekten böyle hizmetleri yerine getirdiklerine dair destekleyici bir kanıt olmaksızın kullanmıştır.

Şehri detaylı incelemenin yollarından biri yüzeydeki malzemenin yoğun şekilde örneklenmesidir. Teotihuacan'da topografik harita (1:2000 ölçeğinde) yürüyerek yapılan yüzey örneklemesine temel olacak şekilde kullanılmıştı. Eğitimli arazi çalışanları birkaç metre aralıklara yürüyerek bütün yerleşim alanına yayılmışlar ve görebildikleri bütün çanak ağızlarını, diplerini, tutamaklarını ve diğer özel çanak çömlekler ile nesneleri toplamışlardı. Teotihuacan'dan elde edilen veriler George Cowgill tarafından iddialı bir bilgisayar projesinde işlenmiştir. Bu sayede özel buluntu tiplerinin uzamsal dağılımı haritalandırılabilmekte ve değişik dönemlerdeki yerleşim modelleri hakkında çıkarımlar yapılabilmektedir.

Yoğun yüzey örneklemesinin daha ötesindeki aşama, Nicholas Postgate tarafından Tell Abu Salabikh'te yürütülen yüzey incelemesiyle seçici kazının bir bileşimidir. Burada Güney Irak'ın bilinen en büyük MÖ 3. binyıl konut alanı bulunmaktadır. İndus Vadisi'ndeki Mohenjodaro'dan modern Irak'taki İncil şehri Ur'a kadar yüzyılın en ünlü ve başarılı kazıları böyle projelerdir.

Şanslıysak, yerleşimin son evresindeki korunma şartları iyi olacaktır. Eğer yerleşim bir volkanın yakınındaysa, bu son evre volkanik kül ve lav sayesinde olağanüstü şekilde günümüze gelebilir. Güney İtalya'daki Pompeii ve volkanik Yunan adası Thera'ya (Santorini), toprak altında gömülerek gelecek kuşaklar için korunmuş örnekler olarak önceki kısımlarda yer verilmişti. Ancak başkaları da vardır: Örneğin yaklaşık

2000 yıl önce volkanik patlamalar yüzünden zarar görmeden evvel Cuicuilco Meksika Vadisi'ndeki Teotihuacan'ın en büyük rakibiydi. Ne var ki böyle sıra dışı şartlarda yukarıda bahsedilen türden hazırlık niteliğinde topografik haritalandırma mümkün olmayabilir, zira yapılar yüzeyden görülemeyecek kadar derine gömülmüş olabilir.

İskân Edilmiş Yerleşimler. Sorunlar benzerdir, ama kesintisiz iskân edilmiş şehirler uygulamada daha fazla zorluk çıkarır. Bunlar günümüze kadar şehir merkezleri olarak gelmişlerdir. O yüzden sadece karmaşık stratigrafik silsileye değil, aynı zamanda yerleşim alanı içinde ve etrafında modern binalara sahip eski yerleşim merkezleridir. Bu gibi yerleşimlerde, bir alanın yeni inşaatlar için açılmasıyla doğan her fırsatı değerlendirmeye ve sonunda tutarlı bir doku ortaya çıkaracak buluntu şablonu geliştirmeye dayalı uzun vadeli bir yaklaşım benimsenmelidir. Roma ve Ortaçağ şehirlerinin büyük ölçüde modern olanların altında kaldığı Britanya ve Avrupa'da şehir arkeolojisinin hikâyesi böyledir. Bir anlamda bu bir çeşit örneklemedir, ama örneklerin alındığı yer araştırmacı değil mevcut imkânlar tarafından belirlenir.

İngiltere'nin güneyinde Winchester Araştırma Birimi'nin 1961-1971 arasında yürüttüğü çalışma iyi bir örnek teşkil eder. Katedralin hemen yanında kazı yaparak daha eski yapıların tarihini izlemek mümkün olmuştur. Önceki arkeolojik çalışmalarla yakın zamandaki kazılar birlikte, modern Winchester'ın altında uzanan Roma, Sakson ve Ortaçağ şehirleri hakkında iyi bir fikir vermektedir. Bir başka güzel örnek, 13. Bölüm'de etraflıca tartışılan York şehridir. Kentler ve yıkım tehdidi altındaki başka yerlerin kurtarma kazıları ile ilgili meseleler 14. Bölüm'de ele alınmıştır.

Ana Merkezin Ötesinde Yönetim

Örgütlenme mekânizmaları üzerine yapılan incelemeler sadece ana merkezler ya da başkentlerle sınırlı kalmak zorunda

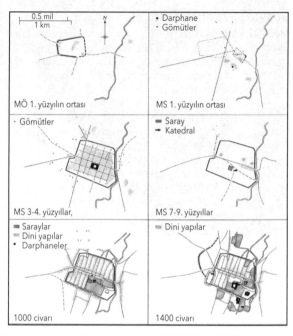

0.5 mil
1 km

• Darphane
• Gömütler

MÖ 1. yüzyılın ortası

MS 1. yüzyılın ortası

• Gömütler

■ Saray
➝ Katedral

MS 3-4. yüzyıllar,

MS 7-9. yüzyıllar

■ Saraylar
⬚ Dini yapılar
• Darphaneler

⬚ Dini yapılar

1000 civarı

1400 civarı

5.45–46 *İskân edilmiş yerleşim alanı: Winchester, Güney İngiltere. (solda) Katedralin yanında devam eden kazılar. (sağda) Şehrin MS 1400'e kadar uzanan karmaşık gelişimine ait bilinenler on yıllık kazı ve yıllarca süren kazı sonrası analize dayanır. Yerleşilmiş alanlar renkli gösterilmiştir.*

değildir. Ana merkezin dışında merkezi örgütlenmeye işaret eden birçok ipucu bulunabilir. Mesela, **yönetim nesnelerini** araştırmak faydalıdır. Bunlar arasında kendisini en çok belli eden, belki de yeniden dağıtım sisteminin yönetildiği ikincil merkezlerde gördüğümüz kil damgalardır. Merkezi otoriteye ait başka baskı ve amblemler de en az onlar kadar yararlıdır. Herhangi bir imparatorluğa ait mühür, bir Mısır firavununun kartuşu (puro biçimli özgün bir çerçeve içindeki bir krali ad) gibi krallık amblemleri ya da hanedan armaları böyle örneklerdir. Bir merkezi hükümetin varlığı sadece gerçek iktidar sembolleri tarafından belli edilmek zorunda değildir. Örneğin bir yol üzerindeki Roma mil taşı, kendisinin merkezden yönetilen imparatorluk ana yolları sisteminin bir parçası olduğu mesajını taşır.

İkinci yaklaşım, **ağırlık ve ölçü birimlerinin standart-laştırılmasını** göz önüne almaktır (daha fazla bilgi için s. 405-409'a bakınız). Böyle bir standartlaşma merkezden idare edilen ekonomik sistemlerin çoğunda bulunur. Birçok durumda standart birimler söz konusu devletin sınırları dışında da kullanılır.

Bir **yol sisteminin** varlığı her kara devletinin idaresi için önemlidir, ama bir ordunun birkaç gün içinde yaya olarak geçebileceği kadar küçük devletler için önemi daha azdır. Roma İmparatorluğu'nun yol sistemi merkezi idarenin en açık kanıtlarından biridir ve yazılı kanıtlara ulaşamasaydık bile böyle olacaktı. İnka yol ağı yazılı belgelerin yokluğunda merkezi örgütlenmeye işaret eder.

Askeri güç kullanımına dair açık göstergeler yönetimin gerçeklerine olabilecek en doğrudan bakışı sağlar. Bir bölgenin kontrolü çoğu kez büyük oranda askeri kuvvete dayanır. Büyük ölçekli savunma yapıları benzer bakışlar sunabilir ve kati sınırları gösterebilir. MÖ 3. yüzyılın sonlarında inşasına başlanmış Çin Seddi belki en iyi bilinen örnektir.

5.47 *Appius Yolu. İnşaatına MÖ 312'de başlanan yolun çeşitli kısımları Roma'nın etrafında korunmuştur. Roma döşeme taşları üzerinde yürüyebilir, iki yanda sıralı mezar yapılarına ve anıtlara hayranlık duyabilirsiniz.*

Sosyal Hiyerarşinin İncelenmesi

Merkezi toplumun ve merkezi idarenin özünde zengin ve fakir arasındaki mülkiyet, kaynaklara erişim, hizmetler ve mevki eşitsizliği vardır. Bu yüzden karmaşık toplumlarda sosyal örgütlenmeyi incelemek büyük ölçüde sosyal hiyerarşinin incelenmesi anlamına gelir.

Seçkinlerin Konutları. Konut yapıları statüdeki belirgin farklılıkları gösterebilir. Büyük ve görkemli yapılar ya da "saraylar" birçok karmaşık toplumun özelliğidir ve bunlar toplumdaki seçkinlere ev sahipliği yapmış olabilir. Zorluk, gerçekten buna hizmet ettiklerini kanıtlamaktır. Mesela son araştırmalar Mayalar arasında "saray" sözcüğünün farklı işleve sahip birçok yapıyı tanımlayan oldukça genel bir terime karşılık geldiğini göstermiştir. Belki de en iyi çözüm, detaylı yapı araştırmalarını (mimari, farklı buluntuların konumları) etnoarkeolojik veya etnotarihsel araştırmalarla birleştirmektir. David Freidel ve Jeremy Sabloff bunu Meksika'nın Yucatán yarımadası açıklarında bulunan Cozumel adasındaki incelemelerinde başarıyla yapmışlardır. Seçkinlere ait konutların 16. yüzyıldaki İspanyol tariflerine dayanarak, Kolomb öncesi arkeolojik kayıtlarında birkaç yüzyıl öncesine tarihlenen mimari açıdan benzer yapıları tespit edebilmişlerdi. Deneme kazıları binaların işlevlerini doğrulamaya yardım etmiştir.

Büyük Servet. Eğer belirli bireylerle ilgili olduğu sonucu çıkarılabilirse, büyük servetin varlığı yüksek mevkinin açık göstergesidir. Sözgelimi 1873'te Heinrich Schliemann tarafından Troia'nın ikinci şehrinde ele geçmiş (ya da öyle iddia ettiği) hazineler, servetin hayli eşitsiz dağıldığını göstermektedir. Hazinede altın ve gümüş takılar dışında içki kapları da vardır ve bunlar belki halka açık toplantılar için ayrılmış kişisel kullanım kaplarıdır.

Seçkinlerin Tasvirleri. Servetten daha da çarpıcı olan şey, yüksek mevkiden kişilerin heykel, kabartma, duvar resimleri ve her çeşit ortamdaki tasvirleridir. Gücün ikonografisi 10. Bölüm'de daha detaylı ele alınmıştır, ama birçok açıdan bu bizim toplumla ilgili sorularımıza en dolaysız yaklaşımımızdır. Bu çeşit tasvirler sıklıkla bulunmamasına karşın, Mısır kartuşları gibi sembolik otorite amblemlerine rastlamak olağandışı bir şey değildir. Bunlara kraliyet asaları ve kılıçlarını da eklemek mümkündür.

Gömütler. Kuşkusuz merkezileşmiş toplumlarda sosyal hiyerarşiye dair en çok görülen kanıt, merkezileşmemiş toplumlarda olduğu gibi gömütler ve bunlara eşlik eden mezar buluntularıdır. Segmenter toplumlarla ilgili bölümde tartışıldığı üzere, mezar anıtlarının inşasında kullanılan işgücünü ve bunların sosyal yansımalarını göz önünde bulundurmak avantajlı bir yaklaşımdır. Bu tip anıtların dünyadaki en büyüğü ve en ünlüsü 80'den fazlası hâlen ayakta olan Mısır piramitleridir. En basit incelemede, Mısır toplumunun en yüksek mevkideki üyelerine, yani firavunlara ait bariz zenginlik ve güç gösterisini temsil ederler. Ancak birçok araştırma içinde İngiliz arkeolog Barry Kemp ile Amerikalı arkeolog Mark Lehner'in yürüttüğü proje, bu muazzam girişimin (Gize'deki Büyük Piramit örneğinde, yaklaşık MÖ 2550'de ölen Keops'un 23 yıllık saltanatı süresince her biri 1,5-15 ton ağırlığında 2,3 milyon kireçtaşı blokun taşınması) siyasi ve sosyal etkilerine daha fazla ışık tutmaktadır. Aşağıdaki diyagramın gösterdiği üzere, Mısır'da kısa ama yoğun piramit inşasının yaşandığı zaman dilimi, kendisinden önceki ve sonraki dönemleri gölgede bırakacak niteliktedir. Bu faaliyetin zirvesi son derece merkezileşmiş bir devletin kullandığı olağanüstü kaynaklara işaret eder. Fakat daha sonra ne olmuştur? Kemp, piramit inşasındaki düşüşün ilginç şekilde sosyal ve ekonomik kaynakların ana piramit alanlarından eyaletlere aktarılmasıyla kesiştiğini ileri sürmektedir.

Eski Mısır ve Ortadoğu'daki sosyal organizasyon ve sınıflar hakkındaki bilgilerimizin tek kaynağı piramitlerle diğer mezar anıtları değildir. Katna'daki (Suriye) krali mezar yapısında ortaya çıkan yeni buluntular ve Tutankhamon'un hazineleri (s. 64-65'deki kutuya bakınız) gibi muhteşem mezar hediyeleri gibi görkemli buluntular sıklıkla bulunur. Örneğin Yeni Dünya'da, içinde MS 683'te ölmesinin ardından yeşim taşından görkemli mozaik maskesiyle gömülen Maya şehrinin yöneticisi Lord Pakal'in (daha doğru ismiyle I. K'inich Janaab Pakal) mezar yapısı ve bunu derinlerde barındıran Palenque'deki Yazıtlar Tapınağı akla gelmektedir (görsel 9.7). Honduras'taki Copan'da yürütülen kazılar aynı şekilde ünlü Hiyeroglifli Merdiven Kapısı'nın altında bir Maya soylusuna ait mezar yapısını ortaya çıkarmıştır. Hanedanın kurucusuna ait bir diğeri ise Tapınak 16'nın altındaki temel yapısında kazılmıştır.

Birçok eski uygarlıkta ölen yöneticinin nihai gücü ve mevkisi, onun ardından törenle kurban edilerek yanına gömülen

5.48 *(altta) Piramitlerin yapımı için gerekli muazzam inşaat girişimi Djoser, Sneferu, Keops ve Kefren (Khafre) gibi firavunların elinde iktidarın merkezileşmesini yansıtır.*

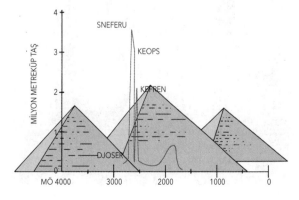

hizmetlilerle vurgulanır. Bu tip cenaze törenleri modern Irak'taki Sümer şehri Ur'un krali ve Çin'de, Anyang'daki Şang hanedanı mezar yapılarında gün ışığına çıkarılmıştır. İlk Çin imparatoru Qui Şi Huangdi'nin mezarı yanına gömülmüş pişmiş topraktan büyük ordu, bu uygulamanın gelişmiş hâlini temsil eder. Doğal boyutlardaki kilden figürler gerçek imparatorluk ordusunun yerini almıştır.

Hindistan ve Pakistan'daki İndus uygarlığında krali gömütlerin dikkat çekici yokluğu arkeologları uzun süre meşgul etmiş ve bazı bilim insanları, bu uygarlıkta ideolojinin bir parçası olarak zenginlik ve mevkinin halk mezarlıklarında kasten gösterilmediği sonucuna varmıştır.

Daha küçük ölçekli devlet toplumları ve şefliklerde de seçkinlere ait birçok gömüt vardır. Yakın zamanda Almanya'nın batısında yapılmış en yetkin kazılardan biri, Hochdorf'ta bir Kelt şefinin MÖ 6. yüzyıla tarihlenen mezarıdır. Burada Jorg Biel dikkatle kaldırdığı dört tekerlekli bir araba, içki kapları ve başka birçok mezar buluntusu kazmıştır. Bunların arasında baştan aşağı altın takılarla kaplı şefin üzerinde oturduğu tekerlekli tunç bir koltuk da vardır. Yunanistan'da

Seçkinlerin Gücüne Dair Mezar Kanıtları

5.49 *(solda) Bu bazalt heykeller, MÖ 1900-1350 arasına tarihlenen eski bir Suriye krallığının merkezi Katna'daki Kraliyet Sarayı'nın altında yüksek statüde birisine ait mezar yapısının içine sunu olarak koyulmuştu.*

5.50 *(sol altta) Pişmiş toprak ordu: Doğal boyuttaki yaklaşık 8000 figür, Çin'in ilk imparatoru Quin Shi Hunagdi'ye ait muazzam mezar kompleksinin bir parçasını meydana getirir.*

5.51 *(altta) Meksika'daki Palenque'de bulunan Yazıtlar Tapınağı'nın kesit görünümü, söz konusu Maya şehrinin MS 683'te ölmüş hükümdarı Pakal'ın zemindeki gizli mezar odasını göstermektedir. Üst odadaki bir taş levhanın 1952'de kaldırılıp altındaki geçidin temizlenmesine dek mezar yapısı hakkında hiçbir şey bilinmiyordu.*

Mykenai'daki kuyu mezarlar ve İngiltere'de Sutton Hoo'daki Anglo-Sakson gemi mezarı önceki nesilden arkeologların yaptığı benzer keşiflerdir.

Diğer taraftan, bütün bu dikkat çekici gömütler kendi toplumlarında benzersiz derecede güçlü bireylere aittir. Hiyerarşik bir toplum hakkında daha kapsamlı bir resim elde etmek için, mevcut ölü gömme geleneklerini bir bütün olarak ele almak gerekir. Birçok durumda, yöneticinin altındaki sınıfta yer alan seçkinler hakkında fikir edinmek mümkün olmuştur. Doğu Oklahoma'daki Spiro'da yıllarca yürütülmüş çalışmalar mükemmel bir örnek teşkil eder (arkada sayfadaki kutuya bakınız).

Sınıflı toplumlarda mezarlıklar yoluyla faydalı incelemeler kuşkusuz daha kapsamlı olacaktır. Şimdiye kadar en doyurucu mezarlık çalışmaları bir önceki bölümde belirtildiği üzere daha az merkezileşmiş toplumlara yöneliktir. Eski Dünya'nın erken tarihi dönemlerine ait mezarlıklardan gelen bulgular, âdet olduğu üzere mevcut tarihi metinleri aydınlatmak ya da kronolojiyle sanat tarihine katkı sağlamak için tipolojik şemaları daha kusursuz hâle getirme amacını taşımıştır. Ancak şimdi ilgi sosyal mevkideki eşitsizliklere kaymaktadır.

Ekonomik Uzmanlaşmayı İncelemek

Merkezileşmiş toplumlar merkezileşmemiş olanlardan birkaç önemli noktada ayrılır. Genelde daha merkezi bir yapı daha geniş bir ekonomik uzmanlaşmaya izin verir ve bunun karşılığında üretimde verimlilik artar. Merkezileşme sıklıkla tarımda yoğunlaşma ile ilişkilendirilir, çünkü merkezileşmiş toplumların sadece nüfus yoğunluğu daha fazla değildir, ama diğer taraftan tam zamanlı zanaat uzmanlarının (yarı zamanlıların aksine) geçindirilmesi için üretim fazlasına ihtiyaç vardır. Sırasıyla, daha yüksek derecede bir zanaat uzmanlaşması, sadece tarımsal üretimde artışı yönetebilecek ve arttırabilecek daha merkezi bir toplumun örgütleme yetenekleriyle mümkün olabilir.

Yoğun Tarım. Daha yoğun besin üretimi için geliştirilen yeni tarım yöntemlerinin başlangıcına segmenter toplumların incelenmesiyle ilgili bölümde değinilmişti. Merkezileşmiş toplumlarda toprağın sürülmesi gibi yoğun emek isteyen işlere yine büyük önem verilirken süreç bir adım öteye taşınmıştır. Ayrıca, merkezi otoritenin zorlayıcı ve örgütleyici kudretiyle mümkün kılınan sulama kanalları gibi büyük ölçekli kamu işlerine ilk kez girişilir. Artan yoğunlaşmanın bir başka göstergesi, kırsal arazinin nüfus arttıkça yeniden düzenlenmesi ve bunun sonucunda her çiftlik evinin kullanabileceği arazinin böylelikle küçülmesi olabilir.

Vergilendirme, Saklama ve Yeniden Dağıtım. Toplumun merkezi olarak idaresine dair bir başka işaret, merkezi otoritenin savaşçılarıyla yerel nüfusunu beslemek, ödüllendirmek, dolayısıyla onları dolaylı biçimde kontrol etmek için belirli aralıklarla besinler ve mallar temin edebileceği kalıcı saklama tesislerinin varlığıdır. Bu durum, devletin depo yapılarını dolduracak tarımsal üretim ve başka mallar biçimindeki vergilerin merkezileşmiş toplumlarda bulunacağı sonucuna götürür. Bunlarsız yönetici otoritenin yeniden dağıtacağı varlığı olmaz. Şeflik toplumlarında "vergilendirme" şefe sunulan adaklar biçimini alabilir, ama daha karmaşık toplumlarda yükümlülük resmileştirilmiştir. Devlet bürokrasinin önemli kısmı vergilendirmenin idaresine tahsis edilecektir. Genelde kayıt ve muhasebe sistemleri gibi doğrudan bürokratik göstergeler de bunu kaydeder.

Vergilendirme, depolama ve yeniden dağıtım arasındaki etkileşimi netleştirmeye katkıda bulunan iyi bir araştırma projesi örneği, Amerikalı arkeolog Craig Morris (1939-2006) tarafından And Dağları'nın yüksek kesimlerindeki bir İnka eyalet başkenti olan Huánuco Pampa'da yürütülmüştür. Şehir bir zamanlar 10.000-15.000 kişiye ev sahipliği yapıyordu ve İnkalar tarafından imparatorluk başkenti Cuzco'ya giden yol üzerinde bir idari merkez olarak sıfırdan kurulmuştu. Erken İspanyol yıllık yazarlarından İnka yöneticilerinin hem devlet arazilerinden hem de Huánuco Pampa'nın da içinde bulunduğu devlet inşaat projelerinden işgücü şeklinde vergi aldıklarını öğreniyoruz.

Dolayısıyla üretilen birçok mal devlet depolarında saklanıyordu, ama ne amaçla? Morris'in Huánaco'daki 500 depo ve diğer yapıların %20'sinden aldığı örnekler, saklanan patates ve mısırın, besin üretiminin zor olduğu bu yükseklikteki şehrin ikmali için kullanıldığını gösterdi. Ancak şehrin kendisi, çok geniş merkez meydanında ziyafetlerin düzenlenip ve törensel mısır birasının içildiği törenlere ev sahipliği yapmak için tasarlanmıştı. Dolayısıyla biriktirilen servetin çoğu yerel nüfusa dağıtılıyordu.

Morris'in de ifade ettiği gibi, idarenin bu törensel yönü, görünüşe göre erken devlet toplumlarında çok önemliydi. Yiyecek ve içeceklerin paylaşılması, imparatorlukta paylaşmanın devlet tarlalarında çalışmaktan ya da uzak yerlerde savaşmaktan daha önemli olduğu fikrini pekiştiriyordu.

Zanaat Uzmanları. Zanaat uzmanlarının giderek artan önemi merkezileşmiş toplumun arkeolojik olarak tespit edilebilen bir başka göstergesidir. Tam zamanlı zanaat uzmanları arkalarında iyi tanımlanabilen izler bırakır, çünkü her bir zanaatın kendine özgü teknolojisi vardır ve bunlar genellikle şehrin farklı bir bölgesinde uygulanır.

Huánuco Pampa yine faydalı bir örnek sunmaktadır. Buradaki zanaat üretimi dünyanın diğer yerlerindeki erken şehirlere göre daha az gelişmiş olmasına rağmen, Morris bira ve elbise yapımına tahsis edilmiş 50 binalık bir bileşkeyi başarıyla tanımlamıştır. Binlerce özel pişmiş toprak testi ve düzinelerce ağırşak ve dokuma aleti arkeolojik ipuçları sağlamış, etnotarihi kayıtlar bunları bira ve kumaş üretimi, özellikle de nüfusun geri kalanından tecrit edilmiş *aklla* adı verilen İnka kadınlarının oluşturduğu özel bir sosyal sınıfla ilişkilendirmiştir.

MISSISSIPPI DÖNEMİ SPIRO'SUNDA AÇIK HİYERARŞİ

Kuzey Amerika'daki sadece birkaç arkeolojik alan Doğu Oklahoma'daki Spiro'da bulunmuş kaliteli işçilik gösteren mezar eşyalarının bolluğuyla boy ölçüşebilir ve hiçbiri ölüm düşüncesi ve bunun sosyal organizasyon ve inanç sistemleriyle ilişkisi üzerine bu kadar fazla çığır açan çalışmaya ilham vermemiştir. Mississippi Dönemi'ne ait Spiro arkeolojik alanı ilk kez 1935'te, definecilerin Craig Mound'un derinliklerinde, insan kemikleriyle çok sayıda boncuk üzerine yığılmış insan yapımı zarif nesneler içeren bir boşluk keşfetmeleriyle dikkati çekmiştir. Bu sıra dışı buluntular arasında yontulmuş büyük kabuk kadehler, birkaç figürlü pipo, ahşap maskeler ve insan figürleri, bakır baltalar, bakır levhalar içeren kapalı sepetler ve kumaşlar bulunuyordu. İçerilere doğru galeri açan defineciler böyle birçok nesneyi ve birbirleri arasındaki kontekst ilişkilerini tahrip ettiler.

Büyük Cenaze Evi

Daha sonraki kontrollü kazılar Craig Mound keşiflerine belirli bir düzen getirmiştir. Bunların şimdi kemikler ve insan yapımı eşyalardan meydana gelen bir ortak biriktirme yeri olduğu anlaşılmıştır. Büyük Cenaze Evi (Great Mortuary) olarak adlandırılan bu alanın tepesine daha sonra tek bir kişi için bir bir mezar yapısı inşa edilmiştir. Başlangıçtan beri büyük ilgi gören bu boşluk, yakın zamanda bilinçli olarak hazırlanmış tabanda 4,5 m çapında ve aynı yükseklikte kovan şeklinde bir oyuk olarak açıklanmıştır. İçinde tek bir kişiye eşlik eden sembolik açıdan önemli ve titizlikle düzenlenmiş mezar eşyaları ortaya çıkarılmıştır.

Defineciler tarafından yağmalanan buluntular halka açık ve özel koleksiyonlara dağılmıştır. Arazi notları ve daha sonraki kazılara ait buluntular ise özellikle James A. Brown'unki olmak üzere bir dizi arkeolojik çalışmaya konu olmuştur. Brown'un kırk yılı aşan çalışması, son gömünün yapıldığı MS

15. yüzyılın başına kadar geçen yüzyıl içinde Büyük Cenaze Evi'nde nelerin olup bittiğini açıklığa kavuşturmuştur. Bu ilgi çekici arkeolojik alanla ilgili yorumlar yeni kanıtların gün ışığına çıkmasıyla değişmiş ve mezar eşyalarının daha önce inanıldığından çok daha karmaşık hikâyeler anlattığı anlaşılmıştır.

Sosyal Organizasyon

Craig Mound mezar buluntularının ilk sistematik incelemesi, 1970'te

gömüt alanlarının sosyal organizasyon hakkında başka tür arkeolojik kanıtlardan elde edilemeyecek bakış açıları sağladıklarının anlaşılmasıyla kesişmektedir. Büyük Cenaze Evi'nde çok farklı buluntulara ilaveten iskelet artikülasyonu ve bütünlüğünde çeşitlilik mevcuttu. Yere saçılmış kemikler kamış sepetler ve sedir teskerelerle ilişkilendirilmiştir. İskelet kalıntılarına yapılan muamelelerin farklılığı sınıfsal ayrımla açıklanmıştır. Böyle bir

5.52–53 *(yukarıda) Craig Mound, Spiro. (sağda) Kazılmış Büyük Cenaze Evi'nin planı ve merkezde daha geç tarihli dairesel oyuk oda.*

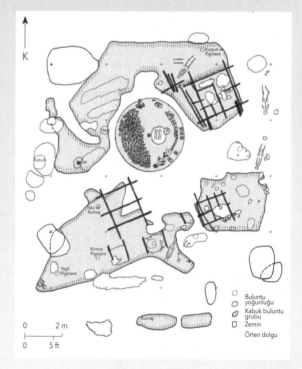

hiyerarşinin varlığını göstermek, geçmiş toplumların -bu örnekte bir şefliğin- sosyal yapısını yeniden kurgulamak için gömüt kontekstlerini kullanmak gibi o zaman için yeni sayılabilecek bir ilgiyle örtüşüyordu. Buluntular, özellikle de deniz kabuklarından kadehlerin üzerindeki zarif işlemeler, savaşın baskın olduğu çeşitli konuları ele alıyordu. Bu imgeler başarılı bir savaşçı olmanın en üst sınıftakiler için ne kadar önemli olduğunu göstermekteydi.

Daha sonra iskeletlerin korunma durumu, kırılmış eşyaların varlığı ve kemiklerle eşyalar üzerinde kalmış toprak, Büyük Cenaze Evi'ndeki buluntu topluluğunun büyük ölçüde başka yerlerden getirilmiş olduğunu ortaya çıkardı. Sanki önemli insanların kalıntılar bir araya getirilerek mecazi ve gerçek anlamda bir şecere tarihi yaratılmak istenmişti. Üst sınıfların ve bu sınıfa mensup en önemli kişilerin konumlarını meşrulaştırmak için ata bağlarını değiştirmek, insan toplumlarında yaygındır. Buluntu grubu bir seferlik bir eylemin sonucu değildir; mekân defalarca temizlenip yeniden düzenlenmiştir.

5.58 *Spiro'dan eğirilmiş ve boyanmış tavşan kürkü atkılar ve sert bitki lifi sarımlarla üretilmiş kumaş parçası.*

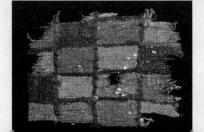

Sosyal Değişime Dair Kanıtlar

Arazi kayıtları, devasa pipolar ve ahşap heykellerin de dâhil olduğu etkileyici ve sembolik açıdan önemli nesnelerin odanın içinde törensel anlamda önemli yerlere yerleştirildiklerine işaret etmektedir. Bu buluntu grubu bir bütün olarak yorumlanmalıdır: Nesnelerin genel düzenlemesi şimdilik tam anlaşılamamış kozmolojik ilkelerin bir göstergesidir.

Şimdi bu oyuk odaya yoğunlaşan ilgi Büyük Cenaze Evi'yle olan ilişkisini netleştirmiştir. Görünüşe göre sedir kazıklarla döşenmiş sert bir kil kubbe altındaki oyuk, Büyük Cenaze Evi kapatıldıktan sonra üzerine inşa edilmiş bir mezar yapısıydı. İçinde sağlam kalabilmiş kutsal nesnelerle zengince donatılmış bir birey bulunmaktaydı. Bu, müşterek gömütle temsil edilen ortak siyasi liderlikten, Spiro topluluğunun geç tarihindeki daha sınırlı bir otorite yapısına geçişle temsil edilen büyük bir sosyal değişime işaret eder.

Dolayısıyla, tümülüse defnedilmiş insanların sosyal kimliklerinden, gömüt alanının düzenlemesinden sorumlu grubun maddi ve manevi dünyadaki yerleri hakkında daha geniş bir kitleye ne aktarıyordu sorusuna doğru bir yönelim olmuştur. Büyük Cenaze Evi ve geç tarihli mezar yapısının birbiriyle olan ilişkisinin yakın tarihte netleşmesi, Mississippi toplumlarında ve genel olarak şefliklerde liderlik yapısını ve bu yapının münferit topluluklar içinde bile nasıl zaman içinde değişebileceğini vurgular.

5.54–57 (*sol üstte) Dik duran sedir kazıklar ve tüneller/oyukları 1930'lardaki kazılarda görülebilmektedir. (yukarıda) Geyik boynuzlu zarif sedir maske. (sağda) Bir savaşçıyı kurbanını infaz ederken gösteren sabuntaşından heykel. (altta) Savaşçı oymalı kabuk kadeh.*

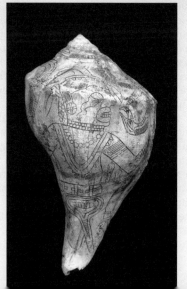

Morris çalışmasıyla bileşkenin özgün mimarisi (erişimi engelleyen bir çevre duvarı ve tek giriş) ve iş artığı yoğunluğunun, kalıcı olarak tecrit edilmiş *aklla* zanaat uzmanlarının varlığına işaret ettiğini göstermiştir.

Bu çeşit detaylı arkeolojik araştırmalar dünyanın birçok yerinde, özellikle çanak çömlek, metal, cam ve obsidyen gibi taş malzemenin (bunların hepsi 8. Bölüm'de daha geniş olarak anlatılmıştır) uzman üretimi alanında yürütülmektedir. Modern İran'daki Şehr-i Suhta'da İtalyan arkeolog Maurizio Tosi'nin yaptığı çalışma tipik bir örnektir. Zanaat uzmanlaşmasının büyüklüğü ve bunun MÖ 3. binyılda İran platosundaki merkezi idareyle ilişkisine dair bir izlenim sunar. Tosi, yerleşim alanının farklı kısımlarındaki üretime ilişkin kanıtları çalışarak bazı faaliyetlerin (bilhassa dokuma ve deri işçiliği) konut alanlarıyla sınırlanmışken, diğerlerinin (taş alet, lapis lazuli ve kalsedon taşı işçiliği gibi) uzman işlik alanlarında güçlü şekilde temsil edildiklerini göstermiştir.

Merkezileşmiş Toplumlar Arasında İlişkiler

Merkezileşmiş toplumlarda dış ilişkiler sadece mal alışverişiyle anlaşılamaz; bunlar aynı zamanda sosyal ilişkilerdir. Geleneksel olarak, ana merkezin kendi dışında yer alan ikincil alanlar üzerindeki "nüfuzu"nun hesaba katıldığı hâkimiyet modelleri çerçevesinde, genellikle kültür "yayılımı" dâhilinde incelenirler (12. Bölüm'e bakınız). Ancak toplumlar arasındaki etkileşimlerin çoğu, kabaca eşit büyüklük ve güçteki komşular arasında gerçekleşir. Bu etkileşimler eşdüzey siyaset olarak adlandırılmıştır. Arkeolojide şimdiye kadar yapıldığından daha dikkatli bir şekilde hesaba katılmaları gerekir. Bir ya da iki kapsamlı başlık üzerinde tartışılabilir.

Erken toplumlarda **savaş sanatı** karşı sayfadaki kutuda tartışıldığı üzere daha fazla incelemeyi hak eden bir konudur. Birçok toplum için savaş tören, toprak fethi, kan davası ve şiddetli siyasi söylemin karmaşık birlikteliğidir. *Rekabet* toplumlar arasında, bazen törensel çerçeve dâhilinde sık görülen bir girişimdir. Oyunların oynandığı yerlerin ya da belirli törensel alanların incelenmesi, birçok toplumda etkileşimin rekabetçi bir biçim aldığını gösterebilir. Mezoamerika'daki top oyunu alanları için böyle bir durum söz konusu olabilir ve aralarında en tanınmışı Olimpiyat Oyunları olan antik Yunanistan'ın büyük Panhellen oyunları için bu kesindir.

Rekabetle birlikte en sık görülen özelliklerden biri, bir topluma özgü âdetlerin, yapıların ve nesnelerin komşu toplumlar tarafından kullanılması anlamına gelen *öykünmedir*. Bu hemen her alanda görülebilir, ama üslup ve sembolik formla ilgili sorunlar arkeologlar tarafından nadiren ele alınmıştır. Sembollerin kullanımı mümkün olduğu kadar buna dâhil edilmiştir ve insanların ne yaptıkları kadar ne düşündüklerine dair tartışmalar 10. Bölüm'de daha kapsamlı ele alınacaktır.

SAVAŞ ARKEOLOJİSİ

Tarihöncesi dönemlerde savaş sanatının kökenleri ve uygulanmasına dair konular yakın dönem araştırmaların da sıklıkla odak noktası olmuştur. Savaşın, ilk devlet toplumlarının genellikle sürekli tekrarlanan bir özelliği olduğu uzun zamandan beri kabul görmektedir. Bu durum Yunan ve Roma yazınında, erken Çin için *Savaş Sanatı*'nın da dâhil olduğu -uygun şekilde adlandırılmış- "Muharip Devletler Dönemi"ne ait "Yedi Askeri Klasik" denen MÖ 4. yüzyıla ait metinlerde fazlasıyla belgelenmiştir.

Asur krallarının MÖ 700 civarına ait saraylarını süsleyen kabartmaları canlı savaş sahneleri tasvir ederken yazıtlar hükümdarın zaferlerini ve kahramanlıklarını kaydetmektedir. Benzer sahneler bin yıl önce Mısır kabartmalarında görülür. MÖ 3. binyılın Sümer uygarlığına ait Akbabalar Steli katledilmiş kölelerin muzaffer bir ordunun altında ezilmelerini gösterir ve benzer sahneler Meksika'da (Oaxaca'da, s. 510'a bakınız), Zapotek uygarlığının Klasik Öncesi Dönem'e ait en eski anıtlarında mevcuttur.

Aslında, Oaxaca'dan elde edilen radyokarbon tarihleri ışığında Kent Flannery ve Joyce Marcus köyler arası akınların neredeyse bölgede segmenter toplumlar gelişmeye başlar başlamaz ortaya çıktığını ve dolayısıyla birkaç yüzyıl sonra köy yaşantısının kurulduğunu düşünmüşlerdir. Ayrıca, birçok Klasik

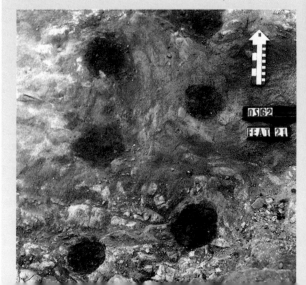

5.59 *Oaxaca'daki (Meksika) San José Mogote'de bulunan erken tarihli bir çite ait yanmış ahşap dikme delikleri, savaşın Erken Klasik Öncesi Dönem'de halihazırda mevcut olduğunu düşündürmektedir.*

5.60 *Irak'taki Lagaş'tan (Telloh) Akbabalar Steli üzerinde bulunan kabartma, MÖ 3. binyılda Sümer savaş sanatına dair sahneler gösterir.*

Maya steli üzerindeki yazıtların (s. 210-211'e bakınız) bölgesel büyümeyle ilgili olduğu ve devletlerarası rekabetin genellikle savaşla ifade edildiği de açıktır.

"Soylu Vahşi"

Bununla birlikte erken dönemler için, "uygarlığın kaygılarından önceki temiz ve pastoral varlığı" 18. yüzyıl Fransız filozofu Jean-Jacques Rousseau tarafından övülen barışsever "soylu vahşi" üzerinden düşünmek daha yaygındır. Ancak örneğin 17. yüzyıl İngiliz filozofu Thomas Hobbes'un ifade ettiği biçimiyle bir karşı görüş her zaman var olmuştur: Kabile yerlileri savaşçıydı; hayatları da "izole, sefil, çirkin, yabani ve kısaydı."

Mesela Avrupa Tunç Çağı mezarlarında sıkça görülen silahların varlığına karşın, arkeologlar nispeten yakın zamana kadar Rousseau'nun tarafına meylediyordu. Söz konusu buluntular çoğu kez genellikle sembolik değere sahip prestij nesneleri olarak kabul ediliyordu. Birtakım yakın tarihli çalışmalar bu durumun köklü biçimde yeniden değerlendirilmesine yol açtı.

Bu yeni değerlendirmelerden ilki Lawrence Keeley tarafından yapıldı. Kuzeydoğu Belçika'da sürdürdüğü Neolitik Çağ arazi çalışması, bu dönemde MÖ 5000'den 2000'e kadar varlığını sürdürmüş hendekle çevrili yerlerin sadece yaşam alanlarını yabandan ayırıcı sembolik bir öneme sahip olmadığını, fakat gerçekte tahkimat işlevi gördüğünü ispatladı. Keeley çalışmasında Almanya'daki Talheim'dan yaklaşık MÖ 5000'e ait toplu katliamlara gönderme yapar:

"On sekiz yetişkin ve on altı çocuğa ait bedenler büyük bir çukura atılmıştır. Zarar görmemiş kafatasları kurbanların en az altı farklı baltadan gelen darbelerle öldürüldüğünü göstermektedir" (Keeley 1997, 38). Keeley, Kuzey Avrupa'da önceki Mezolitik Çağ'ın son avcı-toplayıcı kalıntıları arasında şiddetli ölüme dair bol kanıt bulunduğunu belirtir.

Keeley'nin özenli ve dünya çapındaki araştırması, erken tarihöncesi dönemlerde savaşın istisnadan ziyade kural olduğunu düşündürmektedir. Yeni Oaxaca kanıtları savaşın, daha doğrusu köy akınlarının erken köy topluluklarında sık rastlanan bir özellik olduğu görüşünü destekler.

Steven LeBlanc'ın kısmen Keeley'nin görüşlerinden etkilenerek Güneybatı Amerika'da yaptığı araştırmalar aynı yöne işaret etmiştir. Savaş, geleneksel yayın ortaya çıkışıyla kesişen Geç Dönem'de (yaklaşık MS 1250-1540) en yoğun hâliyle yaşanmıştı. Buna ilaveten LeBlanc Erken Dönem'de (MS 1-900) savaşı belgelemeyi başarmış olmakla birlikte, görünüşe göre Orta Dönem'de barış tesis edilmişti. C. ve J. Turner rahatsız edici şekilde *Man Corn* adını verdikleri çalışmalarında, Güneybatı Amerika'da muhtemel yamyamlığa dair kanıtları etraflıca ele almıştır. Bu şekilde, geçmişte çoğu antropolog tarafından eleştirilmiş bir görüşü tekrar ileri sürmektedirler. Tartışma hâlen canlıdır (s. 452'ye ve s. 450-451'deki kutuya bakınız).

Savaş için gerekçeler çeşitli olabilir. Yeni Gine'de yakın tarihte savaş kabileler arasındaki rekabetin bir parçasıydı ve genellikle bölgesel büyüme amacıyla çıkmıyordu. Meksika'nın Azteklerinde savaş nedenlerinden biri, özenli tapınak törenlerinde kurban edilecek tutsakların mevcudiyetini sağlama almaktı. Şüphesiz savaşa eşlik eden genel bir özellik olmamakla birlikte, belki de yamyamlık bir zamanlar düşünülenin aksine o kadar nadir değildi. Son araştırmalar devlet öncesi toplumlar arasında ne sonsuz barış ne de amansız savaş modelinin bulunduğunu göstermektedir; Rousseau veya Hobbes'unkinden daha incelikli bir manzara öngörülmektedir.

5.61 *Almanya'daki Talheim'da yer alan bir çukur içinde yaklaşık MÖ 5000'e ait iskeletler toplu katliama işaret eder ve barışsever erken tarım toplumu kavramıyla çelişir (soldan sağa erkekler, kadınlar ve çocuklar).*

BİREYİN VE KİMLİĞİN ARKEOLOJİSİ

Bu bölümdeki tartışma şimdiye kadar toplum kavramı ve onun örgütlenmesini başlangıç noktası olarak almıştı. İnsan tecrübesinin çeşitliliği hakkında sorulacak sorulardan önce toplumun ölçeği ve karmaşıklığı üzerine belli bir fikir edinmek; böylece bütünsel bir bakış açısı elde etmek, elinizdeki kitabın çatısına dair bilinçli bir özelliktir. Fakat aynı zamanda bu özellik, işe örgütlenme, hiyerarşi, iktidar, merkezileşmeye dair hususlarla başlandığına, ancak ondan sonra toplum içindeki bireye, o bireyin rolüne, toplumsal cinsiyetine ve mevkiinin ele alındığına yönelik eleştirilerin hedefi olur. Bunlar incelendikten sonra o yerde, o tarihte ve o sosyal bağlamda yaşamanın *neye* benzediği meselesine gelindiği; diğer bir deyişle "yukarıdan aşağı" yaklaşımının benimsendiği öne sürülür.

Bireyle ve akrabalık bağlarını da içeren sosyal ilişkilerle işe başlamak ve buradan dışa doğru ilerlemek, "aşağıdan yukarı" adı verilebilecek aynı derecede geçerli bir yoldur. Burada sosyal ilişkiler ağı hesaba katılabilir ve aslında bu yöntem Clive Gamble tarafından Paleolitik Çağ'la ilgili çalışmasında geliştirilmiştir. Gamble iki farklı antropolojik kültür görüşünü, yani sosyal yapıların zihinsel temsilini içeren bilişselci yaklaşımı ve insanların çevreleriyle faal bağlatılarını vurgulayan fenomenolojik yaklaşımı kıyaslamaktadır. Özellikle sonuncusu birey düzeyinde faaliyet gösterir. "Sosyal hayatın icrasında beden ritmi ve jestleri, yani yaşayanların alışkanlığa bağlı hareketleri, toplumsal belleğin yazın ve dil dışı yollarla aktarıldığı anlamına gelir." (1998, 429). Bu deneyimler, sosyal ilişki ağlarının gelişiminden etkilenen kişisel ve bireyler arası bağlantılarla şekillenir. "Genişletilmiş ağın sembolik kaynaklarla detaylandırılması bölgesel sosyal arazi sonucunu doğurmuştur." (1998, 443).

Bu, birçok sosyal antropolog, sosyolog ve aslına bakılırsa mikroekonomik düzeyde kişisel alışverişlerle ilgilenen ekonomistin eğilimini yansıtır. "Ne Düşündüler?" başlıklı 10. Bölüm'de, "metodolojik bireycilik" olarak adlandırılan felsefi bir bakış açısını kullanarak bireyin kavramsal haritasının ele alınışı başlangıçtan itibaren benimsenen görüştür.

Bazı açılardan bu yaklaşım, felsefi temeli farklı olmakla birlikte, postsüreçsel okula mensup yorumsal arkeologlarının kabul ettiğiyle başlarda benzerlik gösterir. Bu arkeologlar Fransız sosyolog Pierre Bourdieu'nün çalışmalarının kısmen izinden giderek, örneğin yaş, toplumsal cinsiyet ya da sınıftan söz ettiğimizde alışkanlıkla kullandığımız kategoriler, toplumumuzun ve nihayetinde bizim kurgularımız olduğunu belirtir. Bu nokta aşağıda toplumsal cinsiyetle bağlantılı olarak örneklendirilmiş (s. 225) ve tarafsız bir kategori olarak biyolojik cinsiyetin erkeklere, kadınlara,

savaşçılara, ebelere yüklediğimiz sosyal rollerden ayrılması gerektiğine dair görünürde açık bir nesnel tespit yapılmıştır. Bunlar aslında cinsiyetle alakalıdır, ama gerçekte, belirli bir toplumu diğeriyle karşılaştırdığımızda farklı algılanan kurgulardır.

John Barrett ve Roberta Gilchrist gibi arkeologlar Bourdieu'nün nispeten soyut, ama yine de faydalı **habitus** kavramını (her bireyde işleyen sosyal olarak tesis edilmiş yapılanma prensipleri veya eğilimler) Neolitik'in ve ardından da Ortaçağ arkeolojisine ve maddi kültürüne uygulamıştır. Uzun zaman eğrilerine sahip olan arkeolojik kaydın önemli özelliklerinden biri, dünyada değer ve servet (10. Bölüm'de, s. 412'de Varna'daki tarihöncesi gömütüyle ilgili olarak tartışıldığı üzere), mülkiyet, krallık ve aslında düşüncelerimizi örgütleyen birçok şeyin bütünüyle yeni kavramların ortaya çıkışı ve gelişimini izlememize izin vermesidir. Bourdieu (1997, 15) şuna işaret eder:

> Dünyayı erkekle kadın, doğuyla batı, gelecekle geçmiş gibi karşıtlıklara vb. uygun olarak... ayrıca daha derin bir düzeyde bedensel tavır ve duruşlar formunda... aracının bedeni içine zihinsel mizaçlar şeklinde yerleşmiş kalıcı bir mizaç, algı ve düşünce şemaları...

Bize ilk bakışta doğal olarak "bahşedilmiş" gibi görülen bu şeyler aslında kültürel anlamda özeldir: Bir toplum içindeki insanlar tarafından geliştirilirler ve benimsenirler. Dolayısıyla, *habitus* maddi kültürün içinde faal bir rol üstlendiği, sosyalleşme ve kültürlenme süreci aracılığıyla tekrarlanan bilgilendirici ideoloji olarak görülebilir.

İngiliz postsüreçsel okulundan Julian Thomas, John Barrett ve diğer arkeologlar, MÖ 3. binyılda Wessex'in Neolitik anıtlarında icra edilen türden gelenek ve törenlerin, ilk çiftçilerin dünya görüşlerini, mizaçlarını, aslında *habitus*larını şekillendirmeye yardım ettiğini vurgulamıştır; tıpkı Gilchrist'ın Ortaçağ rahibe manastırlarındaki maddi ve ruhani çevrenin, rahibe topluluğunun *habitus*unu biçimlendireceğini belirttiği gibi. İçinde yaşanılan yapılar ve bunların alışılagelmiş kullanımları bireyin günlük yaşam düzenini, aynı zamanda normal ve sıradan olana dair tecrübesi ve beklentisini etkileyecektir. Başka bir düzlemde, törensel uygulamanın normal ve doğal bir hâl alana dek sıkça tecrübe edilmesi, günlük yaşamdaki beklentiler ve tavırlar üzerinde hüküm sürer. Bu fikirler sosyal kategorilerin ve rollerin, aslında onları kullanan toplumların ne kadar derin kurguları olduğunu görmemizi sağlar.

Bu kavramlar doğalmış gibi kabul edilmemelidir. Aslında arkeoloji teknikleri böyle kurguların ne zaman somut bir şekle büründüğünü izlememize izin verir (Avrupa Tunç

Çağı'nda kadın ve erkek kıyafetlerindeki süslemelerin farklılaşması ya da şef olarak tanımlayabileceğimiz bir bireyin sergilediği en erken prestij amblemleri gibi).

Kimliğin birçok boyutu ya da taşıyıcısı mevcuttur. Aşağıda bahsedileceği gibi, toplumsal cinsiyet geçmiş yıllarda yaygın şekilde tartışılanlardan biridir. Ancak yaş ve yaş sınıfları sorunsuz başlıklar değildir ve çok yakın zamanda ilgi odağı olmuşlardır. Prestij ve yüksek mevkinin tanımlanmasıyla ilgili sorunlar hiyerarşi kavramıyla (bu, "yukarıdan aşağı" kadar "aşağıdan yukarı" bakış tartışmalarına da aittir) birlikte yukarıda ele alınmıştı. Son yıllarda, özellikle siyasi grupların çağdaş siyasi maksatlarla arkeolojiyi amacı dışında kullanması yüzünden (14. Bölüm'e bakınız) etnik kimlik yeniden ön plana çıkmıştır (s. 194'teki kutuya bakınız).

Bireyin Arkeolojisi

Son yıllarda tecrit olmuş özerk insan olarak "birey" kavramı fazla basit görülmeye başlanmıştır. Şair John Donne'un da belirttiği gibi "Hiçbir insan sadece kendinden müteşekkil bir ada değildir" ve insanlar sosyal hayvanlardır. Rol, statü, etnik kimlik ve aslında toplumsal cinsiyet farklı toplumlarda farklı şekillerde algılanır. Bunlar toplumsal kurgulardır.

Chris Fowler'ın *Archaeology of the Personhood* adlı çalışmasında yazdığı gibi, farklı toplumlar insanı farklı şekillerde inşa ederler. "Savaşçının güzelliği" tipik bir örnektir: Bir erkek ideali kavramı olarak (s. 229'a bakınız) Geç Tunç Çağı Avrupa'sında ve Meksika'daki Azteklerde çok farklı şekillerde sergilenir. Bu konular bilişsel haritalar ve iktidar sembollerinin ele alındığı 10. Bölüm'e ilaveten birey ve eylemliliğin değerlendirildiği 12. Bölüm'de yeniden karşımıza çıkacaktır.

Toplumun organizasyonu çoğunlukla insanların hem hiyerarşik hem de yatay olarak sınıflara ayrılmasına dayalıdır. Bu kategoriler sıklıkla maddi sembollerle temsil edilir ve iktidar ikonografisi 10. Bölüm'de daha ayrıntılı incelenecektir. Toplumun bütün bu yönlerinin nasıl etkileşime girdiğini analiz etmek ve anlamaya çalışmak, arkeolojinin cazip yanlarından biridir.

Sosyal eşitsizlik arkeolojisi konusu belki henüz kapsamlı bir şekilde irdelenmemiştir, fakat tarihi arkeoloji alanında temel sosyal haklardan yoksun bazı grupların maddi kültürü üzerine sistematik çalışmalar yürütülmektedir. Bunlar arasında, belgelerde yoksul olarak tanımlanmış şehir alanlarında yapılan ilginç incelemeler bulunmaktadır.

New York'ta, Manhattan'ın aşağısında yer alan ve Charles Dickens'ın da aralarında olduğu erken 19. yüzyıl yazarlarının tasvir ettiği kötü şöhretli Five Points adlı kenar mahalle bölgesi, Foley Meydanı'ndaki yeni federal mahkemenin bulunduğu arkeolojik alanda yapılan kurtarma kazılarıyla incelenmiştir. Örneğin, kazılan alanda tarihi kayıtların (mal sahibinin 1843 tarihli iddianamesi) "fuhuş yapılan bir ev; bir sürü kişinin gecenin geç ve uygunsuz saatlerine kadar eğlendikleri, hayat kadınlarıyla diğer kötü şöhretlilerin ve adı çıkmışların yuvası" olarak bahsettiği Baxter Sokağı no. 12'de bir bodrum genelevi kazılmıştır. Kazılar maddi kültüre dayalı daha başka bakış açıları da ortaya çıkarmıştır:

> Baxter Sokağı no. 12'nin arkasındaki gizli mekânda bulunan ev eşyalarının niteliği bloktaki başka yerlerde bulunanlara göre çok yüksektir. Hayat kadınları en azından işteyken iyi yaşıyorlardı. Çekici olan şeylerden biri terzi kadınların, çamaşırcı kadınların ve hizmetçilerin elde edemeyeceği bir hayat tarzını yaşama fırsatıydı. Genelevde ikindi çayı Çin porseleninden birbiriyle uyumlu çay ve kahve fincanları, fincan tabakları, tabaklar, çay suyu kâsesi ve çay kutularıyla servis ediliyordu. Yemekler biftek, dana eti, jambon, istiridyeler ve çeşitli balıklardan meydana geliyordu. Genelevdeki buluntuların çeşitliliği mahkeme bloğunda kazılmış diğer alanlardakilerden çok daha fazlaydı… Diğer kişisel eşyalar hayat kadınlığının mesleki riskleri hakkında bir fikir vermektedir. Özellikle kadınlar için tasarlanmış iki cam idrar kabı, muhtemelen zührevi hastalık yüzünden yatağa hapsolan hayat kadınları tarafından kullanılıyordu (Yamin 1997, 51).

Foley Meydanı'na yakın başka bir kazı yeri, daha önceden Negros Burial Ground olarak bilinen Afrika Mezarlığı, 1755 tarihli bir plan üzerine işlenmişti. Alanda yapılan çalışmalar çok bilgilendirici olmuş ve geniş yankı uyandırmıştır.

5.62 *Bir Yoruba rahibesi ile bir Hamit rahibi New York'un Aşağı Manhattan bölgesinde bulunan Afrika Mezarlığı'na gömülmüş bir kişinin mezarı üzerinde ataları için sıvı sunu töreni yapıyorlar.*

5.63-64 (yukarıda) New York'un Aşağı Manhattan bölgesinde, Five Points adlı 19. yüzyıl gecekondu mahallesinde yapılan kurtarma kazılarından bir manzara. Bir genelevin mahzeni kazılmış ve sakinlerin günlük yaşamları hakkında çok fazla bilgi elde edilmiştir. Düşük bir sosyal mevkiden olmalarına karşın hayat kadınları en azından Çin porseleninin keyfini çıkarmıştı (küçük resim).

Buradaki iskeletler için 1991'de yapılan kurtarma kazıları kendilerine uygun bir şekilde danışılmadığını düşünen Afro-Amerikalıların öfkesini çekmiş ve sonunda New York'ta bir Afrika ve Afro-Amerikalı Tarihi Müzesi kurulmuştur. Kazı alanında sadece ahşaptan mezar işaretleyicileri, tabut çivileri ve kefen iğneleri bulunmuştur. İskeletler üzerindeki incelemeler bu insanların nereden geldiğini anlamaya yönelik kafatası ölçümleriyle birlikte DNA analizi, morfoloji ve tarihi verileri birleştirmiştir. Alınan örneklerin büyüklüğü besin alışkanlıkları ve patolojinin incelenmesine izin verecektir. Kazılar sırasında mezardan çıkarılan 419 bireyin kalıntısı, Broadway'daki bir cenaze alayından sonra Ekim 2003'te törenlerle yeniden defnedilmiştir.

Tartışmalar ve kazı şüphesiz plantasyonların incelenmesinden dolayı zaten iyi tanımlanmış Afro-Amerikan arkeolojisinin gelişim sürecinde bir hareketlilik olmuştur.

KİMLİK VE TOPLUMUN ORTAYA ÇIKIŞI

Şimdilik kişisel kimliğin arkeolojik kayıttaki ilk belirtileri Paleolitik Çağ'a ait boncuklar ve özel süs eşyalarıdır. Üst Paleolitik'te bunların sayısı Homo sapiens'in ortaya çıkışıyla birlikte artar ve özellikle gömütlerde kendilerini gösterirler. İyi tanımlanmış kişisel kimliğin türümüzün genel özelliklerinden biri olduğuna kuşku yoktur, ama bunu günümüze gelmiş maddi kalıntılardan anlamak her zaman mümkün değildir.

Bununla beraber, yerleşik hayatın öne çıkmasıyla kişisel süs eşyaları daha belirgin bir hâl alır. Yakın tarihli çalışmalar Batı Asya'da Neolitik'in başlangıcı, hatta daha belirgin Natuf Dönemi'nden itibaren beden süslerinin dramatik şekilde arttığını belgelemiştir.

İlginçtir ki, tamamen kişisel belirteçlerin artışı diğer iki çok önemli toplumsal göstergeyle birlikte görülür: törensel faaliyetlerin gelişmesi ve anıtsal yapıların inşası. Çanak

Çömleksiz Neolitik Eriha'daki çevirme duvarının grup içi ilişkileri düzenlemek için yapıldığı açıktır. Ancak grup içi düzeyde inşa faaliyetlerinin yeni tipte sosyoekonomik ilişkiler yarattığı ve düzenlediği etkili bir şekilde öne sürülmüştür. Maddi dünyayla yeni bağlantı şekilleri toplumsal ilişkilerin oluşmasında etkiliydi. Dolayısıyla kişisel süs eşyalarındaki yeni öz kimlik kategorilerine dair belirtiler, yeni grup içi ilişkilerinin kurulmasıyla aynı zamana denk gelir.

Yine Batı Asya'da bu sırada uygulanan yeni gelenekler, yeni ideolojilere şekil veriyordu. Marc Verhoeven, insanların ve/veya faaliyetlerin ve/veya nesnelerin törensel, hane dışı amaçlar için ne yollarla diğerlerinden ayrı tutulup belirginleştirildiği şeklinde tanımlanabilen *çerçeveleme* kavramını geliştirmiştir. Çerçeveleme temel olarak özel bir yer ve zaman yaratma yanında nadir nesnelerin kullanımıyla elde edilir. Gömütler çerçevelenmiş törensel kontekstlerin en bariz olanlarıdır.

Sosyal kimlikler ve sosyal gruplar, bireylerin toplumsal (kamusal yapılarının inşası gibi), törensel ya da her ikisinin meydana getirdiği paylaşımlı faaliyetlerdeki etkileşimler aracılığıyla ortaya çıkarlar. Faaliyetler çoğu kez işlevsel yanında düşünsel olarak da adlandırılabilecek rollere sahiptir ve bilişsel özellik genellikle pratiğin karşılığıdır. Yeni bilişsel kategorilerin gelişimi (10. Bölüm) yeni sosyal ilişkilerle olur.

Kimliklerin ve sosyal ilişkilerin oluşumunda görülen benzer süreçler daha geç dönemlerde de iş başındadır. Çanak Çömleksiz Neolitik Eriha'da geçerli olan, Yunanistan'da Tunç Çağı'ndan Demir Çağı'na geçişle aynı derecede ilintilidir. James Whitley Euboia'daki (Yunanistan) Lefkandi tören ya da kült yapısından zengin bir gömütün "havalı buluntuları" hakkında yaptığı değerlendirmede, gerçekte, çok özel bir kontekstte özel ölü hediyelerinin bırakılması üzerinden bir "çerçeveleme" örneğini tarif etmektedir. Burada kişisel eşyalar, törenler ve göze çarpan kamusal bir

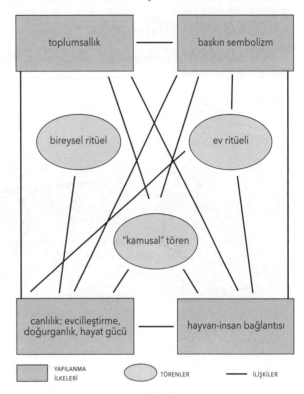

5.65 *Marc Verhoeven'in Çanak Çömleksiz Neolitik B ritüeline dair modeli birey, hane ve topluluğu birbirlerine bağlar. Günlük ve diğer periyodik ritüellerin yanı sıra ölüm ve ölü gömmeyle ilgili olanlara da uygulanabilir.*

yapı, Arkaik Yunanistan toplumlarının temelini oluşturan yeni birey ve grup kimliklerinin oluşturulması sürecinde yeniden bir araya gelmişlerdir.

TOPLUMSAL CİNSİYET VE ÇOCUKLUĞUN İNCELENMESİ

Sosyal arkeoloji çalışmalarının kimlik arkeolojisi kapsamına giren bir önemli tarafı toplumsal cinsiyetin incelenmesidir. Başlangıçta bunun, arkeolojinin erkek merkezliliğini ifşa etmeye ve düzeltmeye yönelik (s. 45'e bakınız) açık bir amacı olan feminist arkeolojiyle örtüştüğü düşünülmüştür. Günümüz dünyasında arkeologların da içinde bulunduğu meslek gruplarındaki kadın profesyonellerin rolleri çoğu zaman zordur. Mesela Britanya'nın ilk kadın arkeoloji profesörü olan Dorothy Garrod (s. 34'e bakınız) 1937'de bir kürsüye atandığında, üniversitesindeki (Cambridge) kadın öğrenciler eğitimlerinin bitiminde erkek öğrenciler gibi lisansüstü eğitim alamıyorlar, sadece bir diplomaya sahip oluyorlardı. Akademik alanda düzeltilmesi gereken bir dengesizlik vardı

ve hâlen vardır. Bu, feminist arkeolojinin başlangıçtaki hedeflerinden biriydi. İkincisi ise tarih içindeki rolleri dikkate alınmayan kadınların durumunu aydınlatmak ve arkeoloji literatüründeki erkek ağırlıklı eğilimi dengelemekti.

Bunlar anlamlı hedeflerdi, fakat sorunları gerektiği gibi tanımlamıyordu. Sonraki toplumsal cinsiyet arkeologları ilk yaklaşımları, "kadınları ekle ve karıştır" fikrinden sadece biraz fazlası olduğu gerekçesiyle eleştirildiler. Ancak toplumsal cinsiyetin incelenmesi sadece kadınların çalışılmasından daha fazlasını ifade eder. Kısa süre sonra önemli bir temel görüş biyolojik ve toplumsal cinsiyet arasındaki ayrım hâline geldi. Cinsiyetin –dişi ya da erkek– biyolojik olarak tayin edildiği ve iskelet kalıntılarından arkeolojik olarak tespit

ERKEN ARA DÖNEMDE PERU:
TOPLUMSAL CİNSİYET İLİŞKİLERİ

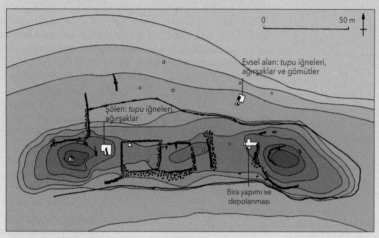

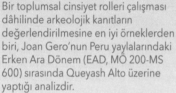

5.66 *Queyash Alto: İşlevsel açıdan farklı alanlar için kazıyla ortaya çıkarılmış kanıtları gösteren yerleşim planı.*

5.67 *Queyash Alto'da bulunmuş beş tupu iğnesinden ikisi. Giysileri tutturmak için kullanılan bu iğneler yakın zamana kadar tercih ediliyordu.*

Bir toplumsal cinsiyet rolleri çalışması dâhilinde arkeolojik kanıtların değerlendirilmesine en iyi örneklerden biri, Joan Gero'nun Peru yaylalarındaki Erken Ara Dönem (EAD, MÖ 200-MS 600) sırasında Queyash Alto üzerine yaptığı analizdir.

Queyash Alto yerleşiminde dar bir teraslı sırt üzerine kurulmuştur ve oda dizileriyle açık avlulardan meydana gelir. Gero'nun kazılarında biri evsel, ikisi evsel olmayan işlev açısından farklı üç alan tespit edilmiştir. Bir üst terasta bulunan yapılar ve birbiri üzerine gelmiş ev zeminleri, buradan çıkan bezeli çanak çömlekler, ithal *spondylus* (dikenli istiridye), figürinler ve bakır *tupu* iğnelerden anlaşıldığı kadarıyla yüksek statülü bireylerin iskân ettiği yerlerdi. Bu iğneler İnkalar döneminde olduğu kadar yakın tarihte de Peru'da özellikle kadınlar tarafından giysileri tutturmak için kullanılıyordu. Eşya yapımı için bakır ilk kez EAD'de kullanılmış olduğundan dolayı böyle prestij nesneleri onlara sahip olanların yüksek mevkiine işaret olarak kabul edildi.

Bu alanda kadınların varlığına dair başka bir kanıt ağırşakların yoğunluğuydu. Eğirme mutlak şekilde kadın işi olmamakla birlikte, bu bölgede kadınların başlıca eğiriciler olduklarını gösteren uzun bir geçmiş vardır. En aşağıdaki ev zeminlerinin altına muhtemelen bir anne soyunun ataları ya da kurucuları olarak sadece kadınlar gömülmüştü.

Şölen

Yerleşim amaçlı terasın aksine sırtın tepesinden gelen malzeme hane dışı faaliyetlere işaret etmekteydi. Bunlar arasında bira üretimi ve depolaması için bir alan ile görünüşe göre törensel şölenler için bir yer bulunuyordu. Burada servis ve içki kaplarının yanı sıra kepçeler ve kaşıklar bulundu. Et hazırlanışına ilişkin taş aletler ve bol miktarda kamış flüt toplu tüketim resmini tamamlamaktadır. Burada bakır *tupu* iğneleri ve ağırşakların da bulunmuş olması şölende yüksek mevkili kadınların yer aldığını gösterir.

Yerleşimin erişim ve hareketi kısıtlayıcı unsurlar içeren mimari planı, şölenlerin sadece iyi hasadı kutlamak veya iyi hasat dilemek için yapılan topluluk buluşmaları olmadığını gösteriyordu. Gero aksine bunların, daha sınıflı bir toplumun ortaya çıkışına ve iktidarın birkaç bireyin –belki de soy önderlerinin– elinde toplanmasına

şahit olmuş EAD'nin rekabetçi siyasi bağlamında meydana geldiğini düşündü.

Queyash Alto'da şölen düzenleme ihtiyacının temelinde işte bu yeni hiyerarşik iktidarın ortaya çıkışı vardı. Dolayısıyla bir akrabalık grubu, başka hanedanları bir araya getirebilecek, onları etkileyebilecek, belki de emeklerinin karşılığını ödeyebilecek ve onlar için daha fazla yükümlülük yaratabilecek yeterli ekonomik kaynaklara ve statüye sahip olduğunu gösterebiliyordu. Yüksek mevkili kadınlar bu siyasi şölenlere –muhtemelen hem misafir hem de şölenleri üstlenen grupların üyesi olarak– katılıyorlardı.

Şölenlere kadın katılımının niteliğini aydınlatmak için Gero ayrıca aynı vadiyle ilişkili EAD Recuay üslubu çanak çömleklerinin ikonografisini inceledi. İnsan suretli kaplar arasında hem kadın, hem de erkek olanları vardı. Bunların giysileri ve takıları toplumsal cinsiyetlerine göre farklı olmasına rağmen eşit derecede zarafet ve prestij sergiliyordu. Ayrıca törensel cinsel birleşme sahneleri dışında erkekler ve kadınlar çift yerine tek olarak gösterilmişti ki, bu da EAD'de kadınların kendi haklarını ve otoritelerini koruduklarını, ne bir "koca" sayesinde statü sağladıklarını ne de onlarla iktidarı paylaştıklarını ima eder.

Bu kapların ikonografisi, Recuay erkekleri ve kadınları için birbirinden ayrı faaliyet, belki de kontrol ve iktidar alanlarının tespitine izin verir. Erkekler lamalarla ve diğer hayvanlarla, silahlarla, müzik aletleriyle; kadınlar öne uzanmış ellerinde çocukları ya da deniz kabukları, kadehler, aynalar gibi törensel nesneler tutarken ya da çatılarda muhafız gibi ayakta dururken tasvir edilmiştir. Bunlardan hareketle Gero, erkeklerin mi yoksa kadınların mı statüsünün daha "yüksek" olduğunu belirlemeye çalışmanın konu dışında kaldığını söyler, çünkü besbelli hem kadınlar hem de erkekler bir iktidar "mozaiğine" ortaktı.

Hem Queyash Alto'daki şölen uygulamaları hem de zarif Recuay çanak çömlek geleneği, EAD sırasında Peru'nun orta-kuzey yaylalarında hiyerarşik iktidarın yoğunlaşmasıyla kesişmektedir. İki kanıt dizisinin karmaşık bir toplumsal cinsiyet sistemiyle ayrılmaz derecede bağlı iktidar ve tören temalarını pekiştirdiği söylenebilir. Buna ilaveten, hiyerarşideki güçlenmenin toplumsal cinsiyet ideolojisinde ve kadınların yararlandığı yüksek statüde değişiklik talep edeceği konusunda çok az şüphe vardır.

5.68 *Görünüşe göre tupu iğneleri takmış saygın bir kadını tasvir eden insan suretinde bir Recuay kabı.*

edilebileceği öne sürülmüştür (11. Bölüm). Fakat toplumsal cinsiyet –en yalın hâliyle kadın ya da erkek– toplumdaki bireylerin biyolojik cinsiyetle ilgili rollerini içeren sosyal bir kurgudur. Farklı toplumlardaki toplumsal cinsiyet rolleri bir yerden diğerine ve zaman içinde çeşitlilik gösterir. Akrabalık, evlilik (çok eşlilik, çok kocalılık dâhil), veraset sistemlerinin ve her türlü iş bölümünün tamamı biyolojik cinsiyetle alakalıdır, ama onun tarafından belirlenmez (karşı sayfadaki kutuya bakınız). Bu bakış açıları, arkeolojide ikinci safha toplumsal cinsiyet araştırmalarıyla ilgili epey faydalı çalışmaların yolunu açmıştır, ama şimdi onlar da sırasıyla "özcü" olan "üçüncü dalga" feminizm tarafından eleştirilmekte, kadınlarla erkekler arasındaki sözde doğuştan gelen farklılıklara ve kadınların üreme yoluyla doğayla bağlarına vurgu yapılmaktadır.

Marija Gimbutas'ın tarihöncesi Güneydoğu Avrupa üzerine yaptığı çalışma, bugün toplumsal cinsiyet arkeolojisi alanındaki araştırmacılar tarafından "özcü" eğilimlere sahip olmakla eleştirilmektedir. Gimbutas öncü çalışmasında, Neolitik ve Bakır Çağı Güneydoğu Avrupa'sıyla Anadolu'sundaki çoğunluğu kadın olan figürinlerin, kadınların o dönemde ellerinde tuttuğu önemli mevkiye işaret ettiğini öne sürmüştü. Kendisinin kadınlara özgü değerlerden etkilenmiş bir Eski Avrupa vizyonu vardı ve görünüşe bakılırsa bu vizyon, Tunç Çağı'nda doğudan gelen Hint-Avrupalı göçebelerce tanıştırılmış savaşçı hiyerarşinin egemenliğiyle ortadan kaybolmuştu. Benzer fikirler hâlen Hint-Avrupa araştırmalarına egemendir. Proto Hint-Avrupa dilinin Avrupa'ya Neolitik Çağ'da girdiği önerisi (s. 488-489'daki kutuya bakınız), Hint-Avrupa toplumunun erkek egemen ve savaşçı karakterde olduğu gerekçesiyle reddedilirken, Neolitik Çağ'a ait ikonografik temsillerin büyük ölçüde kadın olduğu iddia edilebilmektedir.

Marija Gimbutas başlı başına bir kült figür hâline gelmiştir ve bereket ilkesini temsil eden Ana Tanrıça kavramı modern "ekofeministlerle" New Age [20. yüzyılın ikinci yarısında ortaya çıkmış maneviyat ve metafizik temelli bir akım –ç.n.] fanatikleri tarafından benimsenmiştir. Fırınlanmış kilden kadın figürinlerinin bulunduğu (s. 46-47'deki kutuya bakınız) İlk Neolitik Dönem'e tarihlenen Çatalhöyük (Türkiye) yerleşimindeki kazılar tanrıçanın müritleri tarafından düzenli olarak ziyaret edilmektedir. Hafirler onların görüşlerini paylaşmasa da kendilerini ağırlamaktadır. Fakat bazı şüpheci sesler yükselmektedir. Ian Hodder "İlk Neolitik'teki ayrıntılı dişi sembolizmi kadınların nesnelleştirilmesini ve itaatini anlatıyordu... Belki de erkeklerden ziyade kadınlar nesne olarak gösterilmişti, çünkü erkekler yerine onlar aidiyetin ve erkek arzularının nesnesi olmuştu" demektedir. Peter Ucko'nun Ege'den benzer malzemeler üzerine yaptığı dikkatli çalışma, çoğu figürinin tanımlanabilen biyolojik veya toplumsal cinsiyet özelliklerinden yoksun olduklarını ortaya koymuştur. Bu görüş yakın tarihli Malta bulgularıyla desteklenmektedir. Meksika, Oaxaca'da Klasik Öncesi Dönem'e (yaklaşık MÖ 1800-500) ait fırınlanmış kilden

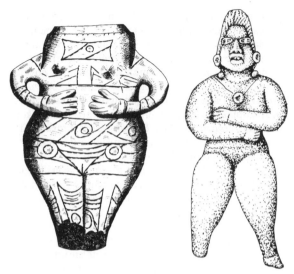

5.69–71 *Kadının gücünü sembolize eden farklı tasvirler mi? Soldan sağa: Romanya'daki Vidra'dan Neolitik antropomorfik kadın vazosu; Oaxaca'daki San José Mogote'den Zapotek figürini; Malta'daki Hagar Qim'den Neolitik oturan taş figür (çıkarılabilir başı iplerle oynatılabiliyordu, yükseklik: 23,5 cm).*

benzer figürinlerle ilgili çalışmalar çok farklı sonuçlar sunmuş ve bunların atalarla ilgili törenlerde kullanılmak üzere kadınlar tarafından yapılmış olabileceği ortaya çıkmıştır. Buna göre böyle figürinlerin çoğu kez tanrılar yerine ataları temsil etmeleri muhtemeldir; Ana Tanrıça'nın yerine geçtikleri fikri, bunu destekleyen kanıtlardan yoksundur. Lynn Meskell açıkça feminist eleştirisinde Ana Tanrıça üst anlatısına ilişkin olarak "sahte feminizm"e değinmiş ve Marija Gimbutas'ın çalışmasından şöyle bahsetmiştir:

Artık geçersiz olan zıt kutuplar, katı toplumsal cinsiyet rolleri, barbar istilaları ve kültür basamaklarını barındıran "egemen" epistemolojik çerçevenin fazlasıyla içindedir. Toplumsal cinsiyetle ilgilenen birçok arkeoloğun tarihi kurgulara ve hissi anlatılara kapılması şanssızlıktır… Bu noktada sağlam feminist bilim çevreleri metodolojik noksanlıklardan, tersine cinsiyetçilikten, bir araya getirilmiş farklı verilerden ve fantezilerden kendisini kurtarmalıdır (Meskell 1995, 83).

1990'ların "üçüncü dalga" feministlerine uygun olarak toplumsal cinsiyet arkeolojisindeki üçüncü safha toplumsal cinsiyet hakkında iki anlamda farklı görüşü benimsemiştir. İlk olarak, "farklı ırktan kadınlar, lezbiyen feministler, eşcinsellik teorisyenleri ve sömürgecilik sonrası feministlerin" öncülüğünü yaptığı dar anlam dâhilinde (Meskell, 1999), toplumsal cinsiyet alanının ve cinsiyet farklılığının, erkek ve kadın arasındaki basit kutuplaşmadan daha karmaşık olduğu ve başka farklılık eksenlerinin de kabul edilmesi gerektiğini benimser. Aslında, kendi toplumlumuzda bile kadınla erkek arasındaki en basit yapısal karşıtlığın kendisi, bu meselelerin kavramlaştırılma şeklinin gereğinden basit temsilidir. Birçok toplumda çocuklar ergenlik çağına erişinceye değin sosyal anlamda kadın ya da erkek olarak

tanımlanmazlar. Mesela modern Yunancada kadınlar ve erkekler dilbilgisine uygun şekilde eril ve dişildir; çocuklar genelde üçüncü, yani cinsiyetsizdir.

Bu bizi ikinci noktaya, yani toplumsal cinsiyetin daha geniş bir sosyal çatının, sosyal sürecin –Margaret Conkey'nin deyişiyle "sosyal kategorilerin, rollerin, ideolojilerin ve geleneklerin tanımlandığı ve oynandığı bir durumun"– parçası olduğu fikrine yönlendirir. Toplumsal cinsiyet herhangi bir toplumda bir sınıflandırma sistemi olmasına rağmen, yaş, zenginlik, din, etnik kimlik vb. bir dizi sosyal farklılık taşıyıcısıyla eşzamanlı işleyen daha büyük bir sistemin parçasıdır. Dahası, bunlar durağan kurgular değildir; akışkan ve esnektir; uygulamada, yani aslında günlük hayat pratiğinde tekrar tekrar kurgulanabilir. Bu tecrübeler bireyin *habitus*unu onun kendi biyolojik ve toplumsal cinsiyet rolüne, aynı zamanda başkalarının toplumsal cinsiyet rollerini algılayışına göre biçimlendirir.

Gömütlerle ilgili verilerin toplumsal cinsiyete göre analizinde karşılaşılan güçlüklere Bettina Arnold'un Orta Fransa'nın doğusundaki sözde "Vix Prensesi" gömütü üzerine yaptığı çalışmada işaret edilmiştir. Söz konusu mezarda, analizlere bakılırsa bir kadına ait iskelet kalıntıları bulunmuştu, fakat mezar buluntuları normalde erkeklere işaret eden çeşitli prestij nesnelerinden oluşuyordu. Bu olağanüstü zenginlikteki MÖ 5. yüzyıl gömütü başlangıçta bir travesti rahibin mezarı olarak açıklandı, çünkü bir kadının bu şekilde onurlandırılması tasavvur edilemiyordu. Arnold'un mezar buluntuları üzerindeki dikkatli incelemesi, gömütün seçkin bir kadına ait olduğu görüşünü destekledi. Bu, kadınların Demir Çağı Avrupa'sında oynadığı güçlü ve ara sıra fevkalade önemli rollerin yeniden değerlendirilmesine yol açabilir. Fakat çok yüksek mevkideki bireyler için geleneksel iki kutuplu toplumsal cinsiyet kavramının uygun olup olmadığını yeniden değerlendirebileceğimiz bir bağlam içinde, Demir Çağı'ndaki toplumsal cinsiyet ayrımlarının rolünü daha geniş anlamda düşünmemize rehberlik edebilir.

"Toplumsal cinsiyetin görünüşle kurgulanması" süreci, Marie Louise Stig Sørensen'in Danimarka Tunç Çağı gömütleriyle alakalı olarak dikkate aldığı şeydir. Sørensen inandırıcı bir şekilde ileri sürdüğü gibi, mezar buluntularının zaman içinde farklılaşan doğalarında sadece toplumda değişen toplumsal cinsiyet rollerinin yansımasını izlemekle kalmayız; aynı zamanda bu rollerin, bireylerin değişen görünüşleri (kıyafetlerin şekli; kıyafetler için kullanılan malzeme; kişisel süsler ve bunların belirli bir genel etki yaratmak üzere birlikte kullanılması anlamında) tarafından nasıl kurulduğu ve kurgulandığına, onların rollerini nasıl tanımladığına dair bazı bakış açıları elde ederiz. Sørensen'in çalışması kadınlar kadar erkeklerin de toplumsal cinsiyet rollerini içermektedir ve toplumsal cinsiyet arkeolojisinde eril yaklaşımla birlikte feminist yaklaşımın bir arada var olabileceğini hatırlatır. Doğrusu, Paul Treherne'ün "The Warrior's Beauty: The Masculine Body and Self-Identity in Bronze Age Europe" başlıklı çalışması sadece kadına ait olanı dışlama amacı taşıdığı için değil, fakat aynı zamanda savaşçı ve erkek idealinin hem Avrupa Tunç Çağı'ndaki hem de bu çağın geç dönem görsel sanatlarındaki rolünün izini sürmeye koyulduğu için "eril" şeklinde değerlendirilebilir. Arkeolojide toplumsal cinsiyet tahlilini toplumsal hayattaki yaş ve mevkinin de dâhil olduğu farklı boyutların daha geniş bağlamına yerleştirme hedefi, cinsiyet arkeolojisi hakkında bir dizi ciltte övülmesine rağmen, birçok araştırmada henüz örneklendirilememiştir. Fakat böyle bir araştırma MÖ 1500 civarında Deir el-Medine'de, Krallar Vadisi'ndeki firavunlara ait mezar yapılarının inşasını kolaylaştırmak amacıyla inşa edilmiş ve dört yüzyıl boyunca kullanılmış Mısır işçi köyünün sosyal ilişkilerini (toplumsal cinsiyet ilişkileri dâhil) inceleyen Lynn Meskell tarafından yapılmıştır. Korunma koşulları mükemmeldir ve okuryazar bir toplum söz konusu olduğundan metne dayalı bakış açıları da vardır. Köy, tek tip evleriyle bir "tasarla-inşa et" girişimine oldukça benzer. Bu düzenin yanı sıra diğer birçok buluntu ve mimari öge mekânların işlevleri hakkında bir fikir vermiştir. Sokaktan girişte ilk oda, "teorik olarak kadına yönelik; hanenin evli, cinsel açıdan güçlü ve doğurgan seçkin kadınları odak alan" bir mekân olarak tanımlanmıştır. Öte yandan ikinci oda ya da meclis odası, hanenin "yüksek mevkideki seçkin erkeklerine hitap eden, daha törensel yönelimli" bir görünüme sahiptir. Meskell bu meskenlerde yiyecek üretimi ve diğer faaliyetlere göre mekân kullanımına ve firavun ile memur-

5.72-73 *(solda) "Vix Prensesi" gömütünün rekonstrüksiyonu. Takılarla süslenmiş bir kadın bedeni bir araba üzerinde uzanmaktadır. Arabanın tekerlekleri ise ahşap odanın duvarına yaslanmıştır. (sağda) 1,64 m yüksekliğindeki bu tunç krater mezar eşyaları arasındaydı.*

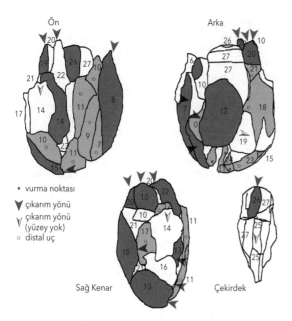

Ön   Arka

Sağ Kenar   Çekirdek

- vurma noktası
- ▼ çıkarım yönü
- ⋁ çıkarım yönü (yüzey yok)
- ○ distal uç

5.74 *Fransa'daki Üst Paleolitik Solvieux buluntu yerinde parçaları bir araya getirilmiş çekirdeğe ait bir ayırıcı diyagram (Grimm'den). Aşırı güçle uygulanan sert vurgeç tekniği de (çok belirgin vurma yumrularıyla temsil edilir) dâhil işleme hataları ve kopmuş yongalarda menteşe kırılmalarının varlığı, yongalayan kişinin bir acemi, muhtemelen bir çocuk olduğunu akla getirir.*

larının gözünde nispeten düşük sınıftan olan bir köyde bile farklı mevkileri göz önüne almaya özendiren metin gönder-melerine dair detaylı değerlendirmeler yapabilmiştir. Bazıları yazıtlar sayesinde adlandırılabilen kişilere ait iyi korunmuş mezarlar, incelemeye yeni bir boyut katarak zanaatkârlar ve ortaklarının yaşamlarıyla işleri hakkında kapsamlı fikirler üretmeye izin vermiştir.

Geçen on yılda toplumsal cinsiyet arkeolojisi birçok araş-tırmanın yapıldığı bir alan hâline gelirken, çocukluk döne-minin çalışma konusu olması çok yenidir. Bununla ilişkisi bulunan öğrenme, kültürel iletim ve uzun vadeli istikrar ya da değişim söz konusu olduğunda önemli bir konudur. Arkeolojik kayıttaki bazı işaretler araştırma için malzeme sağlayabilir, ama standart bir işin mükemmel olmayan icrası doğrudan çıraklık, dolayısıyla acemilik ve çocukluk anlamına gelmeyebilir. Örneğin Solvieux Üst Paleolitik bu-luntu yerinde (Fransa), tek bir çekirdekten çıkan belirli bir malzeme grubundaki yongalar üzerinde tek tek yapılan bir yeniden birleştirme çalışması yürütülmüştür. Proje çırakların yongalamalarında rastlanabilecek türden, çekirdeğin içine derinlemesine işlemiş kalın ve geniş parçaları da içeren birçok tipik hata ortaya çıkarmıştır. Öğrenme sürecinin kendisine yönelik böyle sistematik çalışmalar arkeolojide emekleme aşamasındadır.

SOSYAL GRUPLARIN VE SOYLARIN MOLEKÜLER GENETİĞİ

On Birinci Bölüm'de belirtildiği üzere (s. 469-475) ve 12. Bölüm'deki nüfus dinamikleri ve değişimleriyle ilintili olarak (s. 482-483'deki kutuya bakınız) moleküler genetik arkeolojinin çeşitli kollarını güçlü şekilde etkilemiştir. Sosyal arkeoloji için de bazı imkânlar sunmasına rağmen, bu sayede kurulan ilişkiler esasında biyolojiktir. Bir önceki bölümdeki terminolojiyi kullanırsak, tartışma biyolojik cinsiyet kadar toplumsal cinsiyetle de ilgilidir.

Şimdilik iki yaklaşım bulunmaktadır: İlki genetik ilişki-leri birey düzeyinde çalışır, ikincisi ise daha geniş bir sosyal grubun –ya da uygulanabilir örneklerde "kabilenin"– uzun vadeli genetik tarihini inceler.

Eski DNA ile çalışmak için kullanılan teknikler daha da geliştiğinde, aile temelinde uygulanabilecek gömüt odaklı sosyal arkeolojide bazı dikkat çekici ilerlemeler bekleyebiliriz. Bir kemikten alınan eski DNA örneği kişi-nin cinsiyetini belirlemek için kolayca kullanılabilir, ama aile ilişkilerine dair potansiyel çalışmalar daha fazlasını gerektirir. Krali mezarlarda, örneğin Mısır firavunlarının mumyalarıyla yapılan araştırmalar dâhilinde, A mumya-sının B mumyasının annesi olup olmadığı bilgisini sadece anneden alınan mitokondriyal DNA (mtDNA) ile tespit edilebilmelidir (s. 470'e bakınız). Yine de güvenilir bir kronolojik çerçeveye ihtiyaç duyulacaktır, çünkü sonuçlar pozitif çıksa bile tersi bir durum, yani B'nin A'nın annesi olması imkân dâhilindedir. Babalık ve genel olarak erkek soyağacından doğan ilişkilerle ilgili benzer yaklaşımlar Y kromozomu incelemeleriyle mümkündür, ama çekirdek DNA'sının uygun şekilde korunması mtDNA'ya göre daha sorunlu olabilir.

Henüz eski DNA'ları bütün aile yapısını (yani genetik anlamda) kurmak için kullanan gelişmiş mezarlık ana-lizleri yapılmamış olmakla beraber aynı mantık, yaşayan Yahudilerden alınan Y kromozomu DNA örnekleriyle çok eskilere uzanan ilişkileri yeniden kurgulamak amacıyla benimsenmiştir. Mark Thomas, David Goldstein ve mes-lektaşları tarafından yapılan böyle bir çalışma, DNA'nın yardımıyla Yahudi inancında rahiplerin (kohenler) kesin-likle baba soyundan (erkek tarafında izlenen soyağacı) gelmesi şartına riayetin derecesini incelemek amacını taşıyordu. İsrail, Kanada ve Birleşik Krallık'ta yaşayan 306 Yahudi'den örnekler alındı. Örnekleri veren kohenler, erkek tarafında ortak soya işaret eden özel bir Y kromoz-mu haplotipi paylaşıyordu ve kromozomların ortak bir ata kromozomundan çıktığı zaman yaklaşık 2650 yıl öncesine kadar indirilebilmekteydi. Yazarlar bu tarihin, Kudüs'teki ilk Yahudi tapınağının MÖ 586'da tahribi ve rahipliğin yayılmasıyla ilişkilendirilebileceğini önerdiler.

5.75 *Yaşayan bir nüfus üzerinde DNA çalışması: Mark Thomas ve David Goldstein resimde Kudüs'ün Batı Duvarı'nda dua eden, Yahudi rahiplerin (kohenler) DNA'larını incelemiştir. Yahudilikte rahipliğin baba soyunu takip etmesi, incelenen bütün kohen DNA örneklerinin Y kromozomu haplotipi içereceği anlamına geliyordu. Böylece araştırmacılar, Kudüs'teki Birinci Tapınak ile ilişkili olarak yaklaşık MÖ 2650'e kadar geri giden soya bağlı bir mutasyonu izleyebildiler.*

Tarihin böyle özel bir bağlantı kurulabilecek kadar kesin olması zordur, ama bu örnek yaklaşımın potansiyeline bir bakış sağlar.

Bir başka ilginç Y kromozomu soyu, Tatiana Zerjal ve meslektaşları tarafından Orta Asya'da geniş bir alana yayılmış yaşayan 16 halk arasında tanımlanmıştır. Bunlarda Y kromozomu erkek nüfusun %8'i tarafından taşınmaktaydı. Ekip birbiriyle yakından bağlantılı yüksek frekanslı bir küme fark etmiş ve bunu "yıldız kümesi" olarak adlandırmıştır. Buradan soyun yaklaşık 1000 yıl önce ortaya çıktığı sonucuna varmışlardır. Bu kadar hızlı bir yayılımın şans eserini olamayacağını ileri sürmüş ve bir seçimin sonucu olduğunu düşünmüşlerdir. İstilacı Moğolları ve liderleri Cengiz Han'ı anahtar etken olarak belirlemişlerdir: "Soy muhtemelen Cengiz Han'ın erkek torunları tarafından taşınmıştır. Bu yüzden Moğolların davranışlarından kaynaklanan 'yeni bir sosyal seçim' aracılığıyla yayıldığını tahmin ediyoruz". Yazarlar bunu söylerken çok nazik davranmasına rağmen, kullandıkları "yeni bir sosyal seçim" ifadesi, Cengiz Han ve akrabalarının neslinin nüfusta bu kadar geniş temsil edilmesini sağlayan tecavüz ve talana denk gelir.

DNA'nın bir sosyal gruba, örneğin konuştukları dile göre tanımlanan yerli bir kabileye ya da yerel topluluğa ait üyelerden alınarak analiz edildiği "nüfusa özgü çokbiçimliliğin" çalışılması, daha geniş bir uygulama alanına sahiptir. Antonio Torroni ile meslektaşlarının Orta Amerika'da bu şekilde tarif edilmiş grup üyelerinden elde edilen örnekler üzerindeki incelemesi çok yüksek bir grup içi tutarlılık tespit etmiştir. Söz konusu örnekler mtDNA'dan olduğu için grup içinde ya yüksek bir endogami (iç evli-

lik) ya da katı bir anaayersel evlilik modeli (karı-kocanın kadının ailesiyle birlikte yaşaması) söz konusudur.

Avrupa'da, belirli bir çokbiçimliliğe sahip bir nüfusun içindeki dağılım incelendiğinde, mtDNA'sı (yani dişinin soyu) analiz edilen haplogrubun nüfustaki konumunun, Y kromozomundaki (yani erkek soyundaki) benzer çokbiçimliliklerden uzamsal anlamda daha yerel veya sınırlı olduğu gözlemlenir. Bunun neden böyle olması gerektiği üzerine düşünmek ilginçtir. Önerilerden biri, uzun vadeli babaayersel ikamet modelinin zaman içinde yerel genetik özelliklere, bundan ötürü de uzamsal çeşitliliğe meyledeceğidir (diğer taraftan, anaayersellikle mtDNA haplotiplerinde uzamsal çeşitlilik arasında bağ kurulabilir). Alternatif bir açıklama şudur: Nüfusta kadın ve erkek başına düşen ortalama doğum sayısının açıkça yaklaşık aynı olması gerekirken, sapma erkeklerde, özellikle de yüksek mevkideki erkeklerin kadınlara öncelikli erişiminin bulunduğu sınıflı toplumlarda artmaya meyillidir.

Bir tarihöncesi mezarlığından alınan eski DNA örnekleriyle yapılmış en kapsamlı analiz, Illinois'daki Norris Farms mezarlığıdan gelmektedir. Oneota kültür geleneğine dâhil olan ve MS 1300 civarına tarihlenen mezarlıkta 264 iskelet kazılmıştır. Yerel şartlar DNA'nın korunmasını sağlamıştır ve Anne Stone ile Mark Stoneking örneklerin %70'inden mtDNA, %15'inden de çekirdek DNA (Y kromozomları) elde etmeyi başarmıştır. Çekirdek DNA'dan cinsiyet belirleme dışında, verileri Amerika kıtasında nüfusun nasıl arttığına dair farklı görüşleri (s. 469-470'e bakınız) yeniden değerlendirmek için kullanmışlar ve 37.000 ila 23.000 yıl öncesinde bir genişlemeye işaret eden "tek dalga" tezini tercih etmişlerdir. mtDNA'nın sıralaması anneye ait soylar anlamında dikkate değer bir çeşitlilik göstermiştir. Daha fazla çalışma gerekmektedir, ancak belki de topluluk – yetişkinlerinin üçte birini kaybettiği saldırılara maruz kalmıştı– mümkün olan her yolu denemişti.

5.76 *Eski bir toplumun DNA'sını incelemek: Norris Farms'taki (Illinois) Oneota mezarlığında bulunan iskeletlerin analizi çok miktarda veri sağlamıştır.*

ÖZET

Toplumlar kabaca dört gruba ayrılabilirler. Gezici avcı-toplayıcı gruplar 100'den az birey içerir ve resmi bir liderleri yoktur. Segmenter toplumlar nadiren birkaç binden daha fazla bireyden oluşur ve bunlar genellikle yerleşik çiftçilerdir. Şeflikler hiyerarşi ilkesine göre işler ve dolayısıyla insanların farklı sosyal mevkileri vardır. Devletler şefliklerin birçok özelliğini bünyesinde barındırır, ama yöneticilerin kanun koyma ve uygulama gücü vardır.

Bir toplumun büyüklüğü sadece araştırmanın ortaya çıkarabileceği yerleşme dokusunun anlaşılmasıyla belli olur.

Bir merkezdeki yapılar ve yönetime dair diğer kanıtlar toplumun sosyal, siyasi ve ekonomik örgütlenmesi kadar yönetici seçkinlerin hayatı hakkında da değerli bilgiler verir. Yol sistemleri ve düşük dereceli idari merkezler de sosyal ve siyasi yapı hakkında bilinenlere katkıda bulunur. Bireylerin ölümlerinde, onlara yapılan muamelelerin hem ölü hediyelerinin boyutları hem de sayıları açısından farklılığı bir toplumdaki statü yelpazesini açığa çıkarabilir.

Sosyal örgütlenme hakkında başka kaynaklar da veri sağlayabilir. Okuryazar toplumlar arkalarında arkeologların sosyal yapıyla ilgili birçok sorusunu cevaplayabilecek bollukta yazılı belge bırakır. Sözlü gelenek çok uzak geçmiş hakkında bile bilgi verebilir. Etnoarkeoloji sosyal arkeologlar için önemli bir yaklaşım yöntemidir, zira bazı günümüz toplumları geçmiştekilerle aynı şekilde işlev görür.

Kişisel kimlik türümüzün genel özelliklerinden biridir, ancak bu kimliği arkeolojik kalıntılardan yeniden kurgulamak her zaman kolay değildir. Bir toplumda tamamen kişisel nesnelerin kullanımı törensel faaliyetler ve anıtsal yapıların inşasına tekabül eder. Cinsiyet kimliğin arkeolojik olarak incelenmesinde önemli unsurlardan biri olduğu gibi, bireylerin toplumdaki biyolojik cinsiyetle ilişkili rollerini içeren sosyal bir kurgudur.

Moleküler genetik çalışmaları da bireylerin ve sosyal grupların incelenmesinde potansiyel olarak öneme haiz yeni bir alandır.

İLERİ OKUMA

Aşağıdaki çalışmalar arkeologların sosyal örgütlenmeyi yeniden kurgulamak için kullandıkları yollardan bazılarını açıklar.

Binford, L.R. 2002. *In Pursuit of the Past.* University of California Press: Berkeley & Londra.

Diaz-Andreu, M., Lucy, S., Babicč, S. & Edwards, D.N. 2005. *The Archaeology of Identity.* Routledge: Londra.

Fowler, C. 2004. *The Archaeology of Personhood: An Anthropological Approach.* Routledge: Londra.

Hodder, I. 2009. *Symbols in Action.* (yeni basım) Cambridge University Press: Cambridge & New York.

Janusek, J.W. 2004. *Identity and Power in the Ancient Andes.* Routledge: Londra & New York.

Jones, S. 1997. *The Archaeology of Ethnicity: Constructing Identities in the Past and Present.* Routledge: Londra.

Journal of Social Archaeology (2001'den itibaren).

Meskell, L. 2006. *A Companion of Social Archaeology.* Wiley-Blackwell: Oxford.

Pyburn, K.A. (ed.). 2004. *Ungendering Civilization.* Routledge: Londra & New York.

Renfrew, C. & Cherry J.F. (ed.). 1986. *Peer Polity Interaction and Sociopolitical Change.* Cambridge University Press: Cambridge & New York.

ÇEVRE NASILDI?

Çevresel Arkeoloji

Çevresel arkeoloji günümüzde başlı başına iyi gelişmiş bir disiplin hâline gelmiştir. İnsanı doğanın bir parçası olarak sistem ya da **ekosistem** içinde diğer türlerle etkileşime giren bir canlı gibi görür. Çevre insan hayatına hâkimdir: Enlem ve boylam, arazi şekilleri ve iklim bitki örtüsünü belirler; bitki örtüsü de hayvan hayatını. Bütün bunlar bir arada insanların nasıl ve nerede yaşadıklarını belirler ya da yakın zamana kadar belirlemekteydi.

Arkeologlar birkaç istisna dışında insan elinden çıkmamış kanıtlara (doğal malzemeler) birkaç onyıl öncesine kadar çok az önem veriyordu. Arkeolojik alanları onları çevreleyen arazi bağlamında değil de, az çok müstakil kanıt toplulukları şeklinde çalışılıyordu. Artık arkeolojik alanları bulundukları yer dâhilinde görmenin yanında içte ve dışta meydana gelen jeomorfolojik ve biyolojik süreçleri değerlendirmenin önemi anlaşılmıştır. Çevre şimdi zaman ve mekân içinde sabit ya da homojen bir unsur değil, bir değişken olarak görülmektedir.

Çevrenin rekonstrüksiyonu öncelikle kronoloji ve iklime dair çok genel sorulara cevap bulmayı gerektirir. Üzerinde çalışılan insan faaliyetlerinin dünya çapındaki iklim silsilesi içinde nerede meydana geldiğini bilmeliyiz. Bu da kısmen kronolojinin sorunudur. Örneğin güvenilir bir tarih, kontekstin buzul ya da buzularası bir döneme ait olup olmadığını ve dünyanın o kısmında muhtemel sıcaklığı anlamamızı sağlar. Deniz seviyesi ve diğer konular da buna bağlıdır.

Daha incelikli sorular yukarıdakileri takip edecektir ve bunlar özellikle yaklaşık 10.000 yıl öncesiyle, yani buzul sonrası dönemle ilgilidir. Arkeologlar bundan sonra zamanın bitki örtüsüne dair kanıtlara eğilir. İster polen, isterse başka bitki kalıntılarından olsun, bitki örtüsü hakkında bilgi edinilmektedir. Bunlar ayrıca iklim hakkında yararlı veriler sağlar.

Bir sonraki makul basamak faunanın (hayvan kalıntıları), öncelikle de hepsi iklim değişikliklerine hassas böcekleri, salyangozları ve kemirgenleri kapsayan mikrofaunanın incelenmesidir. Bazı bitki kalıntıları gibi bunlar da mikroçevrenin –arkeolojik alanın kendine özgü şartlarının– göstergesidir. Elbette bu şartlardan bazıları, insanların inşa ettikleri yapılardan, yaşamlarını sürdürmek ve konfor için başka yollarla çevreleri üzerinde yarattıkları etkilerden doğmuştur.

Birçok farklı tipteki kanıtın kötü korunma koşulları ve ele geçen bozulmuş örnekler yüzünden geçmiş çevrelerin "gerçek" niteliklerine ulaşamayız. Sadece mümkün olan en iyi tahmin hedeflenmelidir. Hiçbir yöntem tek başına uygun bir resim vermeyecektir; hepsi de öyle ya da böyle çarpıtılmış olacaktır. Yöntem kadar çok veri ve mali kaynak da toplu bir manzara oluşturmaya yardım eder.

Bu zorluklara rağmen, çevresel rekonstrüksiyon temel işlerden biridir, çünkü eğer bireylerin ve onların parçası olduğu topluluğun nasıl işlev gördüğünü anlayacaksak, ilk önce dünyalarının nasıl olduğunu bilmemiz gerekir.

Elbette, küresel ısınma endişesinin bize hatırlattığı üzere, insanlar her zaman çevrelerinin insafına kalmamıştır; kendileri bitki örtüsünü değiştirerek, kaynakları kullanarak ya da sömürerek, su yollarını yönlendirerek ve çeşitli kirlenmelere sebebiyet vererek çevre üzerinde köklü etkiler bırakabilmektedir.

ÇEVREYİ KÜRESEL ÖLÇEKTE İNCELEMEK

Geçmişteki çevresel koşulları değerlendirmede atılacak ilk adım bunlara küresel ölçekte bakmaktır. Daha geniş bir iklimsel arka plan bağlamında bakılmadığı sürece yerel değişimler çok az şey ifade eder. Dünya'nın neredeyse dörtte üçü suyla kaplı olduğuna göre, geçmiş iklim şartları için buradan elde edilebilecek kanıtlarla başlayabiliriz. Sadece batıkları ve denize gömülmüş şehirleri kazmak değil, aynı zamanda deniz yatağından veri toplamak da geçmiş çevre şartlarını, özellikle de erken dönemdekileri yeniden kurgulama açısından büyük bir öneme sahiptir.

Su ve Buzdan Gelen Kanıtlar

Okyanus tabanındaki çökeltiler çok yavaş birikir (her bin yılda birkaç santimetre) ve bazı alanlarda çoğunlukla planktonik foraminifera (okyanusların yüzey sularında yaşayan ve öldüklerinde tabana çöken tek hücreli küçük deniz canlıları) gibi mikrofosillerin oluşturduğu balçıktan meydana gelir. Bir arkeolojik stratigrafide olduğu gibi, deniz tabanından alınan karotlar ve bunlarda temsil edilen türlerdeki değişimler yanında tek bir türün kesit boyunca izlenen morfolojisi de (fiziksel biçimi) incelenerek zaman içinde çevresel şartlarda görülen farklılaşmalar izlenebilir (karşı sayfadaki kutuya bakınız).

Günümüzde binlerce derin deniz karotu çıkarılmış, çalışılmış ve karalardan elde edilen verileri (aşağıya bakınız) tamamlayıcı karakterde çok değerli bilgiler içeren tutarlı sonuçlar alınmıştır. Örneğin, Pasifik Okyanusu'ndan çıkarılan 21 metrelik karot 2 milyon yıllık bir iklim kaydı sunmuştur. Doğu Akdeniz'de Robert Thunell'ın çökelti örneklerindeki foraminifera analizi, farklı dönemlerdeki deniz yüzey sıcaklıkları ve tuzluluk oranını (tuz seviyeleri) tahmin etme imkânı sağlamıştır. Thurnell 18.000 yıl önce Buzul Çağı'nın doruğunda, kış sıcaklığının şimdikinden 6°C, yaz sıcaklığının da 4°C daha düşük olduğunu tespit etti. Ege Denizi de şu anda olduğundan %5 daha az tuzluydu, çünkü muhtemelen soğuk ve düşük tuzluluk oranına sahip su, o zamanlar Doğu Avrupa'nın çeşitli kısımlarında ve Sibirya'nın batısındaki tatlı su gölleri tarafından Ege'ye yönlendiriliyordu.

Deniz karotları aynı zamanda çökeltideki organik moleküllerin analizi sayesinde iklim bilgisi sunabilir. Bu moleküllerden bazıları, özellikle de yağca zengin lipit adı verilenler, nispeten bozulmadan korunurlar ve hücreler lipitlerindeki yağca zengin bileşenleri sıcaklığa göre ayarladıkları için iklimsel ipuçları verirler. Soğuk şartlarda deniz canlılarındaki doymamış lipitlerin oranı düşer, sıcakta ise doymuş lipitlerin oranı artar. Derin deniz çökeltilerinden alınan karotlar, zaman içinde doymuş lipitlerin doymamışlara olan oranında değişimlerin meydana geldiğini göstermiştir ki, İngiliz kimyager Simon Brassell ve Alman meslektaşlarına göre bu durum oksijen izotopu tekniği (karşı sayfadaki kutuda açıklanmıştır) sayesinde bilinen son yarım milyon yıl içindeki okyanus sıcaklık farklılaşmalarıyla gayet iyi uyuşmaktadır.

Benzer bir teknik kullanılarak katmanlı buz örtülerinden karotlar elde edilebilir ve buradan oksijen izotopu bileşimi iklimsel salınımlara dair ipuçları sağlayabilir. Grönland ile Antarktika, Andlar ile Tibet buzullarından alınan karotlar, derin deniz karotlarıyla hem uyumludur hem de onları detaylandırır. Antarktika'daki Vostok buzul karotu 3623 metrelik bir derinliğe ulaşmıştır ve günümüzden 420.000 yıl öncesine ulaşır. EPICA (European Project for Ice Coring in Antarctica= Avrupa Antarktika Buzul Karotu Projesi) buzul karotu 3200 metre uzunluğundadır ve 740.000 yıldan daha eskiye gider. GRIP (Greenland Ice Core Project =Grönland Buzul Karotu Projesi) ve GISP2'den (Greenland Ice Sheet Project 2=Grönland Buz Örtüsü Projesi 2) –birbirinden 28 km uzakta ve 3 km uzunluğunda en az 200.000 yıllık büyüme tabakası içeren iki karot– oksijen izotopu verileri, en son buzullaşmanın 500 ila 200 yıl arasında görülen ve hepsi belki de birkaç onyıl

içinde aniden ortaya çıkarak derece derece azalan birkaç soğuk safhaya sahip olduğunu göstermiştir. Başlangıçta bu safhaların günümüzden 12-13°C daha soğuk olduğu düşünülmüştü, ama buz içinde sıkışıp kalmış eski metan gazı kabarcıklarına (sıcaklık ve nem değişimlerine duyarlı bitki bozunmalarından kaynaklanır) yapılan son analizler sıcaklığın iki katı kötü olduğunu ortaya çıkarmıştır. Glasiyal soğuğa günümüzden 12.900-11.600 yıl önceki (kalibre edilmemiş) son geçiş, hızlı ve çok ani bir ısınma tarafından takip edilmişti. Grönland'da sıcaklık 50 yıl içinde 7°C artmıştı. Karotlardaki bazı değişimler daha da şiddetlidir; sadece bir-iki yıl içinde sıcaklık 12°C yükselmiştir! Son 10.000 yıl Ortaçağ başlarında görülen Ortaçağ Ilıman Dönemi ve birkaç yüzyıl sonraki Küçük Buzul Çağı dışında sabit kalmıştır. En kuzey ve en güneyden gelen sonuçlar Andlar'ın yüksek kesimleri yanında diğer bölgelerdeki çökelti ve karot analizleri tarafından doğrulanmaktadır. Bunlar tropikal kuşağın (dünya karaları ve nüfusunun yarısıyla birlikte) dünya çapındaki iklimsel değişikliklere nasıl tepki verdiğini gözler önüne serer.

Eski Rüzgârlar. İzotoplar sadece sıcaklıkların değerlendirilmesinde değil, aynı zamanda yağış hakkında bilgi edinmede kullanılabilir. Havanın fırtınalı olup olmayacağına ekvatoral ve kutupsal bölgeler arasındaki sıcaklık farkları karar verdiği için, izotop araştırmaları farklı dönemlerdeki rüzgârlar hakkında bile bir şeyler söyleyebilir. Hava düşük enlemlerden daha soğuk bölgelere hareket ettikçe, yağmur ya da kar şeklinde kaybettiği suyun radyoaktivitesi kararlı oksijen 18 izotopuyla artarken, geriye kalan su buharı da buna istinaden oksijenin diğer kararlı izotopu olan oksijen 16'yla zenginleşir. Böylece, belli bir yerdeki yağış sırasında iki izotop arasındaki orandan o yerle ekvatoral bölge arasındaki sıcaklık farkı ölçülebilir.

Bu teknik kullanılarak Grönland ve Antarktika buzul karotlarında son 100.000 yılda değişen oranlar çalışılmıştır. Sonuçlar buzul çağlarında kutupsal ve ekvatoral bölgelerdeki sıcaklık farkının %20-25 oranında arttığını göstermiştir. Dolayısıyla rüzgâr dolaşımı daha şiddetli olmalıydı. Son 700.000 yılın rüzgâr kuvvetini ortaya koyan Batı Afrika sahili açıklarındaki bir derin deniz karotu bunu doğrulamıştır. Anlaşıldığı kadarıyla, her bir buzul döneminde rüzgâr "enerjisi" şimdiye göre bir-iki faktör daha büyüktü ve rüzgâr hızı da buzularası dönemlere göre %50 daha fazlaydı. Gelecekte bu karotlardaki çok küçük bitki kalıntılarının analizi rüzgâr düzenlerinin geçmişine yeni bilgiler ekleyebilir.

Kasırgalardaki yağmur damlalarının normal yağmurdan daha fazla oksijen 16 içerdiği anlaşılmıştır. Bunlar ağaç halkaları yanında dikit kesitlerinde –örneğin Belize'deki mağaralarda– izler bırakır. Söz konusu yöntem son 200 yıldaki kasırgaları saptamıştır; buradan hareketle daha eski dikitleri kullanarak on binlerce geriye giden kasırga kaydı çıkarmak, böylece düzenlerini, yerleri ve yoğunluklarındaki herhangi bir değişikliği tespit etmek mümkün olacaktır. Dolayısıyla,

DENİZ VE BUZUL KAROTLARI, KÜRESEL ISINMA

Okyanus tabanındaki çökeltinin stratigrafisi deniz yatağından alınan karotlardan elde edilir. Gemiler genellikle 10-30 m uzunluğunda ince bir çökelti sütunu almak için "pistonlu karotiyer" kullanır. Ardından karot laboratuvarda incelenebilir.

Karottaki farklı katmanların tarihleri radyokarbon, paleomanyetizma ya da uranyum serisi yöntemiyle (4. Bölüm) tespit edilir. Bundan sonra, geçmişin değişen çevresel şartları, çökeltilerde bulunan foraminifera adlı tek hücreli organizmaların farklı türleri

6.1 Globorotalia truncatulinoidas *adlı foraminifera türünün mikroskobik fosilleri soğuk dönemlerde sola, sıcak dönemlerde sağa doğru kıvrılır.*

Buzullar daha ılıman iklimler süresince eridiği zaman oksijen oranı da artmıştır.

Benzer bir teknik, bugünkü Grönland ve Antarktika buz örtülerinden karotlar çıkarmak için kullanılmaktadır. Burada da karotların farklı derinliklerdeki oksijen ve hidrojen izotop bileşenlerinde görülen değişimler buzulun meydana geldiği tarihte sıcaklığı ortaya çıkarır ve böylece geçmişteki iklim değişiklikleri hakkında bazı bilgiler verir. Bu sonuçlar derin deniz karotlarından elde edilenlerle iyi şekilde örtüşmektedir. Üstelik yüksek karbon ve metan seviyeleri (diğer adıyla "sera gazları") küresel ısınma dönemlerine işaret eder.

Buzul karotları gelecek buzul çağının 15.000 yıl sonra olması gerektiğini ortaya koymaktadır. Bununla birlikte iklimin istikrarı insan faaliyetlerinin etkisiyle altüst olmuştur ve buzullar günümüzde atmosferdeki sera gazı yoğunluklarının en az son 440.000 yılın en yüksek seviyesine geldiğini

göstermektedir. Karotlarda gaz seviyesindeki en küçük artış bile küresel sıcaklıklarda önemli yükselmeler tarafından izlenmektedir, ama sera gazlarının şu anki artış oranı, şimdiye kadar tespit edilmiş yarım milyon yıl öncesine tarihlenen herhangi bir buzul karotundan 100 kere daha hızlıdır. Söz konusu dönem boyunca karbondioksit seviyeleri buzul çağlarında milyonda 280, buzul arası dönemlerde 200 parça arasında değişiyordu. Fakat sanayi devriminden beri seviyeler bilim insanlarını endişelendiren milyonda 375 parçaya yükselmiştir.

6.2 *Üç iklim kaydının karşılaştırılması. Soldan sağa: bir derin deniz karotundaki farklı kabuklu türlerinin oranları; bir derin deniz karotuna ait kabuklularda oksijen 16'nın oksijen 18'e oranı; bir buzul karotundan oksijen oranları. Üç kaydın birbirlerine benzerlikleri, uzun vadeli iklimsel varyasyonların dünya genelinde meydana geldiğini gösteren iyi bir kanıttır.*

üzerindeki iki tür testten anlaşılır: İlk önce bilim insanları sadece farklı foraminifera türlerinin varlıklarını, yokluklarını ve değişimlerini incelerler. İkinci olarak kütle spektrometrisiyle foraminifera kabuklarının kalsiyum karbonat içeriğindeki kararlı oksijen izotopları 18 ve 16'nın dalgalanma oranlarını analiz ederler. Bu iki testte tespit edilen sapmalar sadece sıcaklık değişimini değil, kıtasal buzulların salınımları da gösterir. Mesela buzullar büyüdükçe su onlara doğru çekilerek okyanusların yoğunluğunu ve tuzluluğunu yükseltmiştir. Böylece belirli foraminifera türlerinin yaşadığı derinliklerde değişime neden olmuşlardır. Aynı zamanda deniz suyundaki oksijen 18 oranı yükselmiştir.

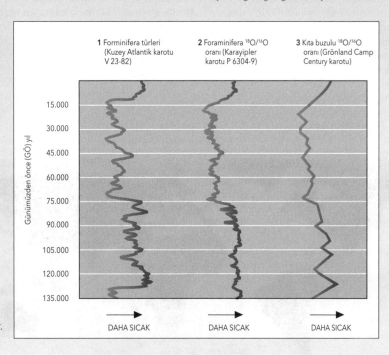

1 Forminifera türleri (Kuzey Atlantik karotu V 23-82)

2 Foraminifera $^{18}O/^{16}O$ oranı (Karayipler karotu P 6304-9)

3 Kıta buzulu $^{18}O/^{16}O$ oranı (Grönland Camp Century karotu)

Günümüzden önce (GÖ) yıl

15.000
30.000
45.000
60.000
75.000
90.000
105.000
120.000
135.000

DAHA SICAK   DAHA SICAK   DAHA SICAK

EL NiÑO VE KÜRESEL ISINMA

Dünya ikliminin döngüler şeklinde, yıllık mevsimlerden büyük buz örtülerinin uzun vadeli büyümesi ve küçülmesine doğru ilerlediği uzun zamandır bilinmektedir. Bazı iklim döngüleri birkaç bin yıl sürer ve dolayısıyla insan ömrü boyunca fark edilmez, ama yine de insan ilişkilerini etkiler. Grönland buzul karotu GISP2 ve deniz çökeltilerinden gelen veriler bu türden döngülerin tam bir silsilesini ortaya çıkarmıştır: Dünya ekseninin eğilmesi ve oynamasından kaynaklanan 40.000 ve 23.000 yıllık döngülerden 11.000, 6100 ve 1450 yıllık döngülere kadar uzanmaktadır. 1450 yıllık döngü üç ağaç halkası kaydıyla uyuşur ve görünüşe göre iklimdeki ani değişimlerle kesişmektedir. Bu durum, güneşin gücündeki değişimlerle ilgili olabilir, ama kesin değildir.

İklimdeki en bilinen ve hızlı değişimler, Noel zamanı meydana geldiği için "İsa'nın oğlu" diye adlandırılmış tropikal Pasifik ısınmaları, yani El Niño vakalarıdır. Bunlar normalde sıcak yüzey sularını Güney Afrika'nın Pasifik kıyısından süren ve yerine okyanus derinliklerinden bir soğuk su akıntısı çeken alize rüzgârlarının zayıflamasıyla kendini belli eder. Sıcak tropik suların baskını soğuk su balıklarının güneye çekilmelerine ya da ilerlemelerine neden olur ve böylece balık kaynaklarının bolluğu ve dağılımı etkilenir. Tropikal balık türleri, kabuklular ve bazı yumuşakçalar bu olay süresince Peru kıyılarını istila eder;

Batı Pasifik ve Andlar'da kuraklık baş gösterirken Ekvator ve Peru kıyılarında sel baskınları olur. Hindistan'a muson yağmurları düşer; Avustralya ile Afrika'da kuraklık yaşanır ve California ile Meksika sahillerini fırtınalar vurur.

El Niño vakaları (ENSO ya da El Niño/Southern Oscillation, yani El Niño/Güney Salınımı olarak bilinir) tropikal kuşaklarda deniz yüzeyi sıcaklığının görece hafif yeniden dağılımının bile iklimi küresel anlamda etkileyebileceğini gösterir. Tropikal Güney Amerika kıyılarındaki arkeolojik alanlarda jeoarkeoloji ve fauna buluntu gruplarından gelen son veriler, modern ENSO serilerinin yaklaşık 5000 yıl önce büyük bir iklim değişikliğiyle başladığını gösterir (çünkü günümüzden 8000 yıl öncesine tarihlenen arkeolojik alanlarda istikrarlı sıcak tropikal sulara özgü sıcak su türleri baskınken, günümüzden 5000 yıl öncesine ait arkeolojik alanlarda ılıman türler mevcuttur).

Dolayısıyla bu ENSO başlangıcının nüfus artışını, tapınak inşasını ve daha karmaşık toplumları tetikleyen ekin besleyici yağmurlarla birlikte Pasifik çevresindeki, özellikle de Güney Amerika kıyısındaki uygarlıkların şekillenmesine yardımcı olduğu düşünülmüştür.

Yakın tarihte Ekvator Andları'nda 4000 m yükseklikte bulunan Pallcacocha Gölü tabanındaki çökeltilerden iklim kayıtları elde edilmiştir. Açık renkli ve organik açıdan fakir tabakalar, El Niño'yla bağlantılı şiddetli yağmurların

6.3 Peru'da, Moche'deki Huaca de la Luna'da MS 6. yüzyılın sonu ve 8. yüzyılın başı arasında meydana gelmiş bir El Niño olayı sırasında kurban edilen insanların iskeletleri. Bunlar daha sonra, Meydan 3-A'nın söz konusu doğa olayıyla ilgili sağanak yağışlar neticesinde yok olmuş kerpiç duvarların balçığına gömülmüştü.

sebep olduğu organik açıdan zengin koyu renkli tabakalar tarafından izlenmektedir. Çökeltiler, günümüzden 12.000 ve 5000 yıl önce ENSO'nun bulunmadığını veya çok zayıf olduğunu gösterdi: Son 5000 yıl boyunca göl ENSO'nun şu anki düzenine uygun olarak her 2 ila 8 yılda bir aşırı yağışlar kaydetmiştir. Öte yandan önceki 7000 yıl sadece birkaç on yıl içinde, hatta 75 yıla çıkan aralarla böyle yağışlar görmüştür. Bununla birlikte Büyük Göller'deki Güney Pasifik mercanlarından ve çökeltilerden elde edilmiş daha da eski kayıtlar ENSO'nun hemen hemen bugünkü gibi hareket ettiğini ortaya koymuştur. Dolayısıyla bu doğa olayı açıkça bin yıl boyunca güçlenip zayıflamaktadır.

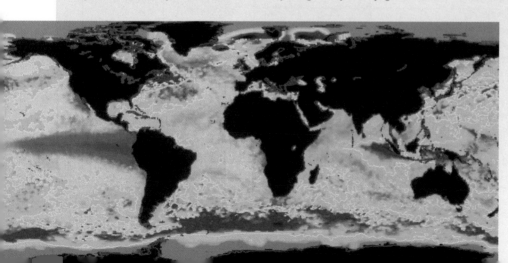

6.4 Okyanus sıcaklıklarını gösteren bu sahte renkli uydu fotoğrafında, El Niño doğa olayından kaynaklanan sıcak sular Pasifik Okyanusu'nda, Güney Amerika'nın batısına doğru açıkça görülmektedir.

geçmişin verileri böyle aşırı havaların günümüzdeki küresel ısınmayla olan bağlantısını açığa kavuşturabilir.

Ama neden arkeologlar geçmiş rüzgârlarla ilgilenmelidir? Bunun cevabı rüzgârların insan faaliyetleri üzerinde büyük etkiler yaratabilmesidir. Mesela, fırtınalı havalardaki artış, Vikinglerin soğuk bir dönemin başında Kuzey Atlantik deniz yolunu terk etmelerine sebebiyet vermiş olabilir. Aynı şekilde, Güneybatı Pasifik'te, MS 12 ve 13. yüzyıllar süresince meydana gelmiş bazı büyük Polinezya göçleri görünüşe göre şiddetli fırtınaların nadiren görüldüğü kısa süreli sıcak havaların başlamasıyla kesişmektedir. Söz konusu göçler, birkaç yüzyıl sonra muhtemelen fırtınaların sıklaşmasına neden olmuş Küçük Buzul Çağı tarafından sona erdirilmiştir. Polinezyalılar hareketlerine devam etmiş olsalardı, Yeni Zelanda'dan Tasmanya ve Avustralya'ya ulaşmaları ihtimal dâhilindeydi.

Eski Kıyı Şeritleri

Denizlerdeki eski yaşam şartları şüphesiz arkeolojik açıdan ilgi çekicidir, fakat geçmiş iklimler hakkındaki bilgiler arkeolojiyle de yakından ilgilidir, çünkü iklimler karalar ve insanların yaşamak için ihtiyaç duydukları kaynaklara belirli şekilde etki ederler. İklim en kritik etkiyi, eski kıyı şeritlerinin incelenmesiyle hesaplanabilen mevcut toprak miktarı üzerinde yapmıştır. Kıyı şeritleri zaman içinde, hatta nispeten yakın dönemlerde bile sürekli olarak değişmiştir. Bu durum, şimdi bir ada üzerinde denize yarı batmış hâlde bulunan Brittany'deki Neolitik Er Lannic taş çemberinde (bir zamanlar Neolitik Çağ'da içeride kalan bir tepeydi) ya da Kuzey Denizi'nin batıya doğu ilerleyip tepeleri aşındırmasıyla son birkaç yüzyılda denize gömülen Yorkshire'daki (İngiltere) Ortaçağ köylerinde izlenebilir. Yukarıdakilerin tersine, ırmakların biriktirdiği alüvyonlar bazen su çizgisini geriletebilir. Örneğin Roma Dönemi'nde bir liman olan Türkiye'nin batısındaki Ephesos, bugün 5 km içeride kalmaktadır.

İtalya kıyılarında Romalıların inşa ettiği balık ağılları üzerine yakın tarihte yapılan bir çalışma, deniz seviyesinin 2000 yıl önce günümüzden 1,35 m daha düşük olduğunu ortaya çıkarmıştır. Jeolojik süreçler o tarihten beri karayı yukarı doğru 1,22 m ittiği için geriye kalan 13 cm 20. yüzyılda meydana gelmiştir ve bu da 1900'lerden itibaren bir artışı göstermektedir (gelgit ölçeği kayıtlarına göre). Sonuçlar içinde bulunduğumuz endüstri çağında küresel ısınmanın yol açtığı buzul erimesi sonucunda okyanusların hacmindeki artışla uyuşmaktadır.

Paleolitik Çağ'ın uzun zaman aralıklarıyla ilgilenen arkeologlar daha büyük ölçekte değişimler geçirmiş kıyı şeritlerini göz önünde bulundurmalıdır. Yukarıda bahsedilen kıtasal buzulların genişlemesi ve küçülmesi, deniz seviyesinde dünya çapında büyük ve düzensiz iniş çıkışlara neden olmuştur. Buz örtüleri büyüdüğünde, su buzullara hapsolduğu sürece deniz seviyesi inecektir; buzul eridiğinde ise su seviyesi tekrar yükselecektir. Deniz seviyesindeki düşüşler çoğu kez Alaska'yı Kuzeydoğu Asya'ya, Britanya'yı Kuzeybatı Avrupa'ya bağlayan bir dizi önemli *kara köprüsü* ortaya çıkarır (s. 246-247'deki kutuya bakınız). Bu olay sadece insanların dünyayı iskân etme sürecinde değil, aynı zamanda bir bütün olarak çevre üzerinde çok çeşitli etkilere neden olmuştur. İzole bölgelerin ya da adaların flora ve faunaları köklü ve çoğunlukla geri döndürülemeyecek şekilde değişmiştir. Bugün Alaska ve Asya arasında Bering Boğazı bulunur. Boğaz o kadar

6.5–6 *Deniz seviyeleri ve kara köprüleri. (solda) Yeni Gine'deki Huon Yarımadası'nın yükselmiş mercan kayalıklarından gelen verilere göre son 140.000 yıla ait deniz seviyesi dalgalanmaları. Bunlar derin deniz çökeltilerindeki oksijen izotopu kayıtlarıyla ilişkilendirilmiştir (s. 136-138'e bakınız). (sağda) Deniz seviyesindeki düşüşler Sibirya ve Alaska arasında Beringia olarak bilinen bir kara köprüsü meydana getirmişti. Son buzul çağının en soğuk döneminde ("son buzul maksimum"), yaklaşık 20.000 yıl önce düşüş 120 m kadar yüksekti.*

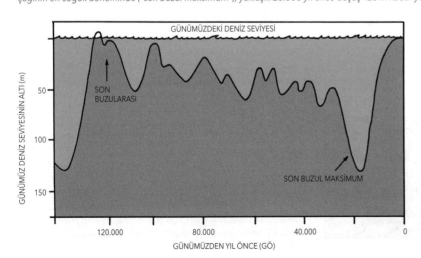

sığdır ki, deniz seviyesindeki sadece 46 metrelik düşüş onu bir kara köprüsü hâline sokacaktır. Yaklaşık 18.000 yıl önce buz örtüleri en geniş hâlindeyken ("son buzul maksimum"), boğazdaki deniz seviyesinde 120 metrelik bir düşüş olduğu düşünülmektedir. Dolayısıyla burada sadece bir köprü değil, Beringia adı verilen kuzeyden güneye 1000 km genişliğinde geniş bir düzlük meydana gelmiştir. Beringia'nın varlığı (ve insan yaşamına sağladığı katkının derecesi) Yeni Dünya'daki insan iskânının yönü ve tarihi hakkında hâlen süren tartışmaların önemli kanıtlarından birini teşkil etmektedir (11. Bölüm'e bakınız).

Deniz seviyesindeki geçmiş iniş ve çıkışların değerlendirilmesi, kıyı açıklarında sulara gömülmüş karaların ve karalardaki yükselmiş kıyıların incelenmesini gerektirir. Yükselmiş kıyılar bugünkü kıyı şeridine göre daha yüksekteki eski kıyı şeritlerinden geriye kalanlardır ve örneğin San Francisco'nun kuzeyinde California kıyısı boyunca görülebilir (aşağıdaki çizime bakınız). Ancak, mevcut kıyı şeridi üzerindeki yükselmiş kıyıların yüksekliği genellikle doğrudan eski deniz seviyesinin yüksekliğini vermez. Birçok örnekte, kumsallar daha yüksek bir konumdadır, çünkü kara *izostatik yükselme* ya da *tektonik hareketler* sayesinde kelimenin tam anlamıyla yükselir. Karanın izostatik yükselmesi, bir buzul çağının sonunda sıcaklığın artmasıyla buzulun ağırlığını kaybetmesinden ileri gelir. Örneğin bu durum buzul sonrası dönemde İskandinavya, İskoçya, Alaska ve Newfoundland kıyılarını etkilemiştir. Tektonik hareketler yerkabuğunu meydana getiren plakaların yer değiştirmesini kapsar. Orta ve Son Pleistosen'de yükselen Akdeniz kıyıları böyle hareketlere örnektir. Dolayısıyla, yükselmiş kıyıların geçmiş deniz seviyeleriyle bağlantılı şekilde açıklanması uzmanlık ister. Arkeologlar için bunlar, eski kıyı yerleşmelerine kolayca ulaşılabilecek yerler olarak en azından aynı derecede önemlidir. Daha istikrarlı ve alçak alanlardaki kıyı arkeolojik alanlar deniz seviyesindeki yükselme yüzünden suya gömülmüş olacaktır.

İzostatik yükselme ve tektonik hareketlere ilaveten, volkanik patlamalar kıyı şeritlerini ara sıra etkileyebilir. Mesela, MÖ 79'daki patlama sayesinde bir zamanlar kıyıda yer alan Pompeii ve Herculaneum, şimdi 1,5 km içeridedir; eski kıyı

6.7 *San Francisco'nun kuzeyindeki California kıyısında yükselmiş kumsallar. Bu türden kumsallar karanın izostatik yükselmesi yüzünden daha yüksek bir seviyede bulunur (sağ üstteki çizime bakınız).*

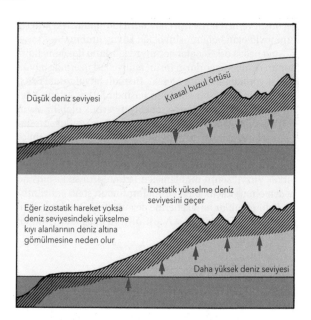

Düşük deniz seviyesi

Kıtasal buzul örtüsü

İzostatik yükselme deniz seviyesini geçer

Eğer izostatik hareket yoksa deniz seviyesindeki yükselme kıyı alanlarının deniz altına gömülmesine neden olur

Daha yüksek deniz seviyesi

6.8 *İzostatik yükselmenin ilkeleri. Deniz seviyeleri düşük ve su kıtasal buzul örtüsünde hapsolduğu zaman, buzul örtüsü altındaki toprak buzulun ağırlığıyla baskılanır. Buzullar eridiği zaman deniz seviyesi ve aynı şekilde bir zamanlar alçak olan karalar da yükselir.*

şeritleri volkanik lav ve çamura gömülmüştür. Kuzeydoğu İskoçya kıyısı boyunca, deniz seviyesinden 8 ya da 9 m yüksekte, GÖ 8. binyıl başı Mezolitik yerleşmelerini örten iri taneli beyaz deniz kumu, görünüşe göre alana sekiz bin yıl önce bir tsunaminin ya da gelgit dalgasının vurduğuna işaret etmektedir.

Batık Karaların İzini Sürmek. Batık kıyı düzlüklerinin topografyası, kıyıdan açıkta yankı sondajı ya da onunla yakından ilgili sismik yansıma ayrımlaması adı verilen teknikle izlenebilir. Bunlar 100 metrenin üzerindeki derinliklerde deniz tabanına 10 metreden fazla nüfuz edebilmektedir. Böyle akustik aygıtlar arkeolojik alanların tespitinde kullanılanlara benzer (3. Bölüm). Bu teknikleri Yunanistan'daki Frankhthi Mağarası'nın önünde bulunan koyda deneyen jeomorfologlar Tjeerd van Andel ve Nikolaos Lianos, orta sahanlığın düz olduğunu, farklı derinliklerde bir dizi küçük yarın bulunduğunu (kıyı şeridi konumlarının ötesinde) ve bunlardan 118-120 m derinliğe inen bir tanesinin son buzul dönemi kıyı şeridine işaret ettiğini ortaya çıkarmışlardır. Bu araştırma sayesinde, mağaranın tarihöncesi yerleşimi (23.000-5000 yıl önce) tarafından temsil edilen bütün kesitini yeniden kurgulamak mümkün olmuştur. İleride görüleceği üzere (s. 262-263'e bakınız), bu tip bir rekonstrüksiyon aynı zamanda deniz kaynaklarının kullanımındaki değişiklikleri anlama-

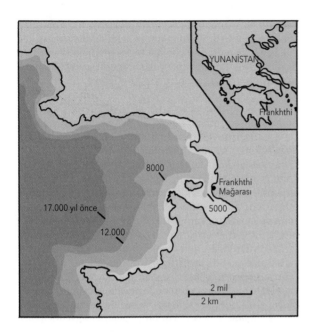

6.9 *Frankhthi Mağarası, Yunanistan. Van Andel ve meslektaşları Frankhthi yakınlarındaki deniz tabanı derinliklerini haritalandırarak ve bunları bilinen deniz seviyesi dalgalanmalarıyla ilişkilendirerek (görsel 6.5-6'ya bakınız) kıyı şeridindeki yerel değişimlere ait bu haritayı oluşturmuşlardır.*

ya, ayrıca bugün Frankhthi Mağarası çevresindeki mevcut duruma bakarak farklı dönemlerde besin ve süs eşyasına elverişli deniz yumuşakçalarını değerlendirmeye yardım eder. Yaklaşık 11.000 yıl öncesine ait mağara dolgusunda deniz kabuklularının bulunmaması, söz konusu tarihte kıyıya olan uzaklığı yansıtır. Akabinde kıyı giderek mağaraya yaklaşmış ve kabuklar da buna bağlı olarak yerleşim dolgularında yaygınlaşmaya başlamıştır. Buzul Çağı'nın sonunda deniz seviyesi artarken, her bin yılda yaklaşık yarım kilometrelik kara parçası denize gömülmüş olacaktı. Günümüzden 8000 yıl öncesinden itibaren bu sürecin hızı 100 metrenin altına düşecekti. Şu anda Frankhthi denizden sadece birkaç metre uzaktadır.

Yükselmiş Kıyılar ve Çöp Yığınları. Yükselmiş kıyılar sıklıkla kum, çaytaşı ya da kumullardan, bazen de insanların kullandığı deniz canlısı kabukları ve kemiklerinden ibaret çöp yığınlarından meydana gelir. Aslında, çöp yığınlarının konumu erken dönem kıyı şeritlerine dair kesin işaretler olabilir. Örneğin Tokyo Körfezi'nde Jomon Dönemi'ne ait (radyokarbonla tarihlendirilmiş) deniz kabuğu tepecikleri, denizin en yüksek noktasına ulaştığı (6500-5500 yıl önce) ve tektonik hareketler neticesinde günümüz Japonya karasına göre 3-5 m daha yüksekte kaldığı bir zamanda kıyı şeridinin yerini göstermektedir. Hiroko Koike'nin kabuklar üzerinde

yaptığı analizler, deniz topografyasındaki değişimleri doğrulamaktadır, çünkü sadece bu "maksimum safha" sırasında subtropikal deniz yumuşakçası türlerinin mevcudiyeti daha yüksek bir deniz sıcaklığı anlamına gelir.

Bazen kumsallar dikey değil de yatay stratigrafide kendini gösterir. Alaska'daki Krusenstern Burnu'nda 13 km uzunluğa erişen 114 küçük kumsal kalıntısından ibaret bir silsile, Çukçi Denizi'ne kadar uzanan bir yarımada oluşturmuştur. Amerikalı arkeolog J. Louis Giddings 1958'de burada çalışmaya başladı ve şimdi sırtları kaplayan donmuş çayır alanın altında yaptığı kazılar, tarihöncesinden tarihi dönemlere kadar uzanan yerleşmeler ve gömütleri gün ışığına çıkardı. Giddings, değişen okyanus şartları eskisinin önünde yeni bir kumsal yarattıkça insanların art arda gelen kumsalları terk ettiğini keşfetti. Modern kıyı şeridi Kumsal 1'dir, en eski kumul sırtı (no. 114) şimdi 4,8 km içeridedir. Bu yolla, MS 19. yüzyıl yerleşiminin Kumsal 1'de; Batı Thule malzemesinin (yaklaşık MS 1000) beş kumsal içeride; Ipiutak malzemesinin (günümüzden 2000-1500 yıl öncesi) Kumsal 35 civarında; Old Whaling Kültürü (günümüzden yaklaşık 3500 önce) Kumsal 53'te vb. şeklinde devam eden 6 bin yıllık yerel yerleşim stratigrafisi yatay olarak meydana gelmiştir.

Mercan Kayalıkları. Tropik yerlerde fosil mercan kayalıkları yükselmiş kıyılarınkine benzer kanıtlar sunar. Mercan suyun üst kısmında büyüdüğü ve az çok deniz seviyesine kadar yayıldığı için önceki kıyı şeritlerinin konumunu belirtir ve bünyesindeki organizmalar yerel deniz çevresi hakkında bilgi verir. Mesela Papua Yeni Gine'nin kuzeydoğu kıyısındaki Huon Yarımadası'da bulunan olağanüstü kıyı şeridi kesiti, soğuk buzul dönemlerinde düşen deniz seviyesi tarafından yaratılmış basamaklı yükselmiş mercan teraslarından yukarı meyilli bir kıyı oluşturmuştur. J.M.A. Chappell, Arthur Bloom ile diğer bilim insanları Huon Yarımadası'nda 250.000 yıl öncesine kadar giden 20'den fazla mercan oluşumunu çalışmış ve farklı dönemlerdeki deniz seviyesini hesaplamışlardır. Örneğin 125.000 yıl önce deniz seviyesi şimdikinden 6 m daha yüksekken, 82.000 yıl önce 13, 28.000 yıl önce de 41 m düşüktü. Oksijen izotopu ölçümleri buzul ilerlemesi ve gerilemesi hakkında tamamlayıcı bilgiler sağlamaktadır. Yeni Gine'den elde edilen sonuçlar Haiti ve Barbados'taki benzer oluşumların sunduklarıyla önemli ölçüde uyum içindedir.

Kaya Sanatı ve Kıyı Şeritleri. Kıyı şeridinin kesin hâlinden ziyade kıyısal çevredeki açık değişim işaretleri için yararlı ve ilginç bir teknik, George Chaloupka'nın Kuzey Avustralya'daki kaya resimleri üzerine yürüttüğü çalışmadır. Deniz yükseldikçe yerel bitkiler ve hayvanlara etki etmiş ve bu da teknolojide değişimlere yol açmıştır. Görünüşe göre sayılanların hepsi bölgenin sanatına yansımıştır. Deniz seviyesinde tespit edilen farklar kendi başlarına sanat eserlerinin tarihlenmesi için önemlidir.

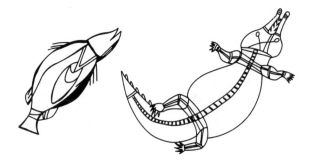

6.10 *Kuzey Avustralya kaya sanatında resmedilmiş barramundi (büyük levrek) ve tuzlu su timsahı.*

Son buzul dönemiyle genelde örtüşen Chaloupka'nın Irmak Ağzı Öncesi Dönemi'nde, aralarında şimdi soyu tükenmiş hayvanlar olarak kabul edilenlerin de bulunduğu kara türleri tasvir edilmiştir. Irmak Ağzı Dönemi'nde (6000-7000 yıl önce, buzul sonrası deniz seviyesi artışının zaten sona erdiği bir tarihte başlamıştır) ise Asya deniz levreği (bir çeşit büyük tatlısu levreği, barramundi) ve tuzlu su timsahı gibi yeni türlerin tasvirleriyle karşılaşılmaktadır. Bunların varlığı, sığ vadileri ve küçük körfezleri kısmen doldurarak tuzlu çayırlı bataklıklar ortamı yaratan deniz suyuyla açıklanabilir. Eş zamanlı olarak, bir zamanlar ırmak ağzının varlığından önce düzlüklerde yaşayan küçük keseli hayvanlar gibi diğer türler şimdi daha içerilere taşınmış ve onlarla beraber yakalanmaları için kullanılan bumerang da kıyı sanatından kaybolmuştur. Nihayet, Tatlı Su Dönemi (yaklaşık 1000 yıl önce) su kuşu türleri ve zambakla yaban pirinci gibi besin bitkilerinin yaşamını destekleyen tatlı su bataklıklarının oluştuğu yeni bir çevresel değişim getirmiştir. Bütün bu hayvan ve bitkiler kaya resimlerinde tasvir edilmiştir.

Bahsedilen kanıt kaynaklarının hepsi –suya gömülmüş karalar, yükselmiş kıyılar, mercan kayalıkları, kaya resimleri– bize eski kıyı şeritleri hakkında etkileyici miktarda bilgi sunar. Fakat şunu belirtmek gerekir ki, bu bilginin çoğu sadece belirli yerlere uygulanabilir. Daha geniş bölgelere ait veriler arasında ilişki kurmak zordur, çünkü tarihler istikrarlı değildir ve dünya çapındaki deniz seviyesi verilerinde ciddi tutarsızlıklar vardır.

Bu, tarihöncesi iklim çalışmalarında yaygın bir sorundur. Olaylar her yerde aynı zamanda meydana gelmez. Yine de dünya genelinde paleoiklimsel veriler oluşturma girişimleri vardır. Önemli örneklerden biri, burada bahsedilen tekniklerin çoğuna dayanarak çeşitli dönemlerde dünyanın farklı kısımlarındaki deniz yüzeyi sıcaklıklarını gösteren haritalar yayımlamış CLIMAP projesidir.

ARAZİYİ İNCELEMEK: JEOARKEOLOJİ

Farklı dönemlerde insan yerleşimi için ne kadar kara parçasının mevcut olduğunu kabaca belirledikten sonra, değişen iklimin arazinin kendisi üzerindeki etkisini tespit etmekte kullanılan yöntemlere dönmeliyiz. "Jeoarkeoloji" yerbilim yöntemleri ve kavramlarını alarak, bunlardan yer kabuğunun oluşum süreçleri, toprak ve çökelti şekillerini incelemek amacıyla yararlanır.

Bugün herhangi bir arkeolojik alanı, çökeltileri ve kendisini çevreleyen arazinin ayrıntılı incelemesi olmadan çalışmak düşünülemez. Amaç yerel bölgenin mümkün olduğunca kapsamlı rekonstrüksiyonunu (arazi, suya sürekli ya da dönemsel erişim, yeraltı sularının durumu, su taşkınına karşı zafiyet vb.) elde etmek ve bunu bölge bağlamına yerleştirmek, böylece yerleşim sakinlerinin farklı dönemlerde karşılaştığı çevreleri değerlendirebilmek, aynı zamanda da erozyonla kaybolan muhtemel arkeolojik alanları, dolgular altında kalmış gömütler ve sel hakkında bir fikir sahibi olmaktır.

Dahası bir çevrenin neden değiştiğine ve insanların yeni şartlara nasıl uyum sağladığına dair nedenler üzerine tahmin yürütmeden evvel, o çevreye ne olduğunu bilmek önemlidir. En iyisi, bu çalışmayı büyük ölçüde bir yerbilimciye bırakmaktır, ama son birkaç yıl içinde bazı bilim insanları, arkeologları söz konusu tekniklerden bazılarını kendilerinin yürütmesi konusunda teşvik etmektedir. Çevre üzerindeki belli başlı büyük değişimler işin erbabı olmayanlar için bile aşikârdır. Şimdi çölleşmiş alanlarda görülen eski sulama kanalları; çevrelerindeki dolguların büyük bir erozyona uğramasıyla yüzeyde ortaya çıkan su kuyuları ya da araziyi kül ve lavla örten volkanik patlamalar bunlara örnek gösterilebilir.

Buzullaşmış Araziler

Küresel iklim değişikliğinin arazi üzerindeki en büyük ve kapsamlı etkilerinden bazıları buzulların oluşumundan kaynaklanır. Eski buzulların hareketleri ve kapladıkları alan üzerine yapılan çalışmalar, bunların Kuzey Amerika'daki Büyük Göller (Great Lakes) bölgesi ve Avrupa'da Alpler ile Pireneler gibi bölgelerde bıraktıkları izlere dayanır. Buralarda tipik "U" şeklinde vadiler, aşınarak parlamış ve buzul çizikli kayalar; buzul ilerlemesinin sınırlarında ise bölgeye yabancı olan, fakat buzulla birlikte taşınmış kayaları içeren moren dolguları görülebilir (buzul düzensizlikleri olarak da bilinirler). Bazı yerlerde son buzullaşma öncekilerin izlerini silmiştir.

Buzul Çağı'ndaki buzul oluşumlarına dair örnekler Alaska ve İsviçre gibi yerlerde rahatlıkla görülebilirken, günümüzün buzul çevrelerindeki zenginlik (buralarda arazinin bir kısmı

6.11 *Buzullaşmış arazi: Colorado'daki San Juan Dağları'nda binlerce yıl boyunca yavaşça ilerleyen buzul tarafından oyulmuş bu U biçimli vadi tipik bir buzul özelliğidir.*

6.12 *Bugünkü buzullar: Büyük bir buz ırmağına benzeyen İsveç Alpleri'ndeki Aletsch buzulu yaklaşık 23 km uzunluğundadır ve kayalarla başka birikintilerden meydana gelen moren dolgularını taşır.*

sürekli donmuş tabaka içindedir) eski buzulların kenarındaki bölgelerde bulunan potansiyel kaynaklar hakkında fikir verir. Fosil buzul yarıkları gibi buzul çevresi oluşumları geçmişteki şartlara rehberlik edebilir, çünkü -6°C ila -9°C arasındaki ortalama yıllık sıcaklık buzul yarıklarının oluşması için gereklidir. Bunlar, yer donup büzüldüğünde donmuş topraktaki çatlaklara dolan buzul kamalarıdır. Fosil kamalar geçmişteki daha soğuk bir iklime ve donmuş toprağın derinliğine ilişkin kanıtlardır.

Varvlar

Tarihöncesi iklim bilgisi için en değerli buzul çevresi oluşumu 4. Bölüm'de tarihleme yöntemi olarak değinilen varvlardır. İskandinavya buzullarının kıyılarındaki derin göller baharda buzların erimesinden sonra varvlar biriktirmişlerdir. Kalın tabakalar buzul erimesinin arttığı sıcak yılları, ince tabakalar ise soğuk koşulları temsil eder. Tarihlemeye ilişkin kanıtlar sunmalarının yanında varvlar, aynı zamanda çoğu kez çökeltinin oluşumu sırasındaki iklimsel verileri tamamlayan polenler içerir. Ne yazık ki varvların İskandinavya dışında faydaları sınırlıdır, çünkü birçok göl sığdır ve bunların çökeltileri şiddetli fırtınalar gibi başka etmenler tarafından üretilmiş yeni çökeltiler tarafından bozulabilir. İklimsel veriler varv dolgularının kararlı oksijen izotop bileşenlerinden de elde edilebilir. Örneğin Minnesota'daki Deep Lake'te varvlar 8900'den 8300 yıl öncesine kadar iklimde belirgin bir soğumaya işaret eder.

Irmaklar

Donmuş ve durgun sular için söyleyeceklerimiz bu kadar, fakat arazide *akan* suların etkileri nelerdir? Büyük ırmakların etrafındaki eski arazilerin rekonstrüksiyonu (bu yerler erozyon ya da ırmak yatakları ve ağızlarında biriken çökeltiler yüzünden hızlı değişmeye eğilimlidir) arkeoloji için değerlidir, çünkü bu tip araziler sıkça insanların iskânına sahne olmuştur. Nil, Dicle, Fırat ve İndus gibi bazı belirli örneklerde taşkın yataklarının, sulu tarım ve şehirli uygarlıkların doğuşunda önemi ortaya çıkmıştır.

Birçok ırmağın yatağı erozyon, siltlenme ve değişken eğimler gibi karmaşık süreçler sonucunda fiilen değişmiştir. İndus'un Pakistan'daki yatağı çoğu ırmak gibi düzlüğü oymamıştır ve bu yüzden yatağını zaman zaman değiştirmeye eğilimdir. Aşağı İndus sığ ve hafif eğimlidir. Dolayısıyla yatağında çok büyük miktarda alüvyon malzemesi biriktirmiştir ve yatağı ova seviyesinin üzerine çıkmıştır. Bu yüzden geniş alanları erken

6.13 *Utah'taki Colorado Irmağı'nın Horseshoe Bend olarak bilinen derin menderesi. Bazı bölgelerde yerel kronoloji kurmak için menderes kanalları kullanılmıştır.*

tarım ve örneğin eski Mohenjodaro şehri için önemli zengin alüvyonla dolduran taşkın ve seller sıkça meydana gelir.

Aynı şekilde, Aşağı Mississippi Vadisi uzun zamana yayılmış menderes değişimlerine ait izlerle kaplıdır. Bu terk edilmiş kanallar, topografik araştırmalar ve hava fotoğrafları (3. Bölüm'e bakınız) ile MS 1765-1940 yılları arasında tespit edilmiş ve haritalandırılmıştır. Bu bilgiler kullanılarak, menderes değişim şablonları son 2000 yıl için 100 yıllık aralarla tahmini olarak işaretlenmiştir. Alaska'daki fosil kıyı şeritlerinde yapılan çalışmalar gibi (yukarı bakınız), bu silsile de belirli terk edilmiş kanallar boyunca yer alan arkeolojik alanlar için kabataslak bir kronolojinin temelini oluşturmuştur.

Mağaralar

Farklı bir su yolu tipi kireçtaşı mağaralar tarafından temsil edilir. Bunlar sadece insan faaliyetleri değil, yerel iklim ve çevreyle ilgili farklı kanıtları koruduklarından dolayı arkeoloji için çok büyük önem taşır.

Arkeolojik açıdan değerli olmalarına rağmen, mağaralar ve kaya barınakları yine de özel durumlardır. Yerleşim yeri olarak önemleri tarihöncesi çalışmalarında her zaman daha az korunabilmiş açık hava buluntu yerlerine göre abartılmıştır. İnsanların zamanlarının büyük bölümünü harcadığı geniş dış mekânlardan neler öğrenebiliriz?

Sedimanlar ve Topraklar

Dolguların (yer kabuğunun yüzeyinde biriken malzemenin genel adı) ve toprağın (dolguların hayatı destekleyen, havanın etkisiyle biyolojik ve fiziksel olarak değişmiş üst katmanları) araştırılması bunların meydana geldiği dönemdeki hâkim şartlar hakkında birçok şey söyleyebilir. İçerdikleri muhtemel organik kalıntılara, bitki ve hayvanlarla ilgili ileride ki bölümlerde değinilecektir, ama toprak matrisinin kendisi hava yollu değişim ve dolayısıyla geçmiş toprak tipleri ve arazi kullanımı hakkında birçok bilgi verir.

Jeomorfoloji (arazinin şekli ve gelişiminin incelenmesi), sedimanter petrografi ve granülometri (tane boyutu dağılımı) gibi alanları içeren sedimantoloji gibi uzmanlık alanlarını birleştirir. Bunlar, serbestçe akan iri kum ve kumdan su tutucu kile kadar uzanan dolguların bileşimi ve dokusunun; çaytaşından kum ya da alüvyona uzanan dolgu parçacıklarının büyüklüğünün; gevşekten sıkışığa giden sertliğin detaylı analizi için bir arada kullanılır. Bazı durumlarda, çaytaşlarının dizilişi akıntının, eğimin veya buzul dolgusunun yönüne işaret eder. Sekizinci ve dokuzuncu bölümlerde göreceğimiz gibi, x-ışını kırınımı tekniği belirli kil minerallerini, dolayısıyla bir dolgunun kaynağını tespit etmek amacıyla kullanılabilir.

Toprak mikromorfolojisi (toprak bileşenlerinin doğası ve düzenini araştırmak üzere mikroskobik tekniklerin kullanımı) kazı ve arkeolojik alan incelemesinin giderek daha önemli

MAĞARA DOLGULARI

Mağara tabanlarını oluşturan dolgular rüzgâr, hayvanlar ve insanlar tarafından getirilmiş malzemelerin sonucudur. Bir mağara ya da kaya barınağı boyunca bir kesit, zaman içindeki sıcaklık değişimlerini gösterebilen katman içeriklerini ortaya çıkarır. Mesela su sızması duvar ve tavandan yuvarlak kitleleri gevşeterek kırılmalarına neden olur. Böyle bir aşınma ılıman ve nemli bir iklimle ilişkilendirilir. Soğuk şartlarda kaya çatlaklarındaki su buza döner ve bu hacim artışı kayanın yüzey tabakasına baskı uygulayarak yüzeyin yaklaşık 4-10 cm uzunluğunda köşeli, keskin kenarlı parçalar şeklinde kırılmasına yol açar. Dolayısıyla tekrarlayan çözünme ve donma safhaları sonunda, mağara girişlerinde ve kaya barınaklarında birbirini takip eden yuvarlak ve köşeli parça ("kaya döküntüsü") katmanları oluşacaktır.

Her ne kadar moloz tabakalarının deprem ya da mikrop saldırısı gibi başka potansiyel sebepleri olsa da, moloz boyutlarındaki değişim üzerine yapılacak bir çalışmanın çevresel dalgalanmalar hakkında bilgi verebileceği genellikle kabul edilir. Örneğin Tasmanya'daki Cave Bay Mağarası'nda Avustralyalı arkeolog Sandra Bowdler, 18.000 ve 15.000 yıl önce birikmiş büyük çaplı köşeli tavan kaya döküntüsünü, son buzul çağının doruk noktasındaki donmanın etkisine bağlamıştır. Öte yandan tropik Queensland'in sığ Colless Creek barınağındaki çökeltilerde 20 bin yıllık iskân boyunca görülebilir belirgin farklılıkların nedeni, görünüşe göre yağış miktarındaki dalgalanmalardı: Alt tabakalar (günümüzden 18.000 yıl önce) sıkışmış ve suyun hareketiyle değişmişti; bunlar daha yağışlı bir iklime işaret ediyordu.

Uygulamalı Analiz

Genelde analiz ilk olarak görsel incelemeyle yapılır. Mağaranın çeşitli yerlerinden örnekler aşınırken var olabilecek hatırı sayılır varyasyonlar (mesela büyük bir ocak bazı dönemlerde mağara duvarının sıcaklığını etkilemiş olabilir) hesaba katılmalıdır. Akabinde yapılacak elemeyle laboratuvardaki tane boyutu, çökelti rengi ve yapısı analizi ilk değerlendirmeyi değiştirir ya da detaylandırır. Genellikle bütün büyük kütleler kaydedilir ve kaldırılır; ardından geri kalanlar bir dizi elekten geçirilir. Bir tabakada ne kadar çok kütle ve tanecik varsa kış o kadar sert geçmiştir.

Fransız arkeolog Yves Guillien gibi bilim insanları, dolguyu yorumlamadan önce mağaradaki kireçtaşlarını incelemek gerektiğini belirtmektedir. Doğal donma/çözülme silsilelerinin laboratuvar simülasyonu, gerçek kırılmanın yaşandığı iklim şartları altında kaya parçalanması hakkında bir fikir verir.

Dikitler ve Sarkıtlar

Çoğunlukla mağaralarda dikit ve akmataşı (traverten) tabakaları bulunur. Bunlar, kireçtaşından geçen suyun topladığı kalsiyum karbonat tarafından meydana getirilir. Böyle tabakalar genellikle oldukça ılıman iklim safhalarının ve bazen nemli şartların göstergesidir. Dikitler ve sarkıtlar (birlikte mağara çökelleri olarak adlandırılır) oksijen izotopu tekniğiyle geçmiş iklimin doğru bir değerlendirmesini yapmak için bile kullanılabilir. Kesitten bakıldığında, mağara çökelleri radyokarbonla tarihlenebilen eş merkezli büyüme halkalarına sahiptir. Her bir halka kendisini oluşturmuş suyun oksijen izotopu bileşimini, dolayısıyla birikim olduğu sıradaki ortalama atmosferik yağış ve sıcaklığı verir. Yağmur suyunun nihai kaynağı okyanus yüzeyi olduğu için bu yöntem deniz karotları için potansiyel bir tamamlayıcıdır.

Çin'deki Wanxiang Mağarası'ndan 1,2 m uzunluğundaki bir dikitin incelenmesi, geçen 1810 yıl boyunca yağış değişimlerini yansıtan oksijen izotopu kaydındaki ince farklar için kesin kronoloji sunmuştur. Çalışma üç Çin hanedanının (Tang, Yuan ve Ming) birkaç on yıl süren ani zayıf ve daha kuru musonlardan sonra sona erdiğini göstermiştir. Bu durum muhtemelen pirinç hasadında düşüşe ve sosyal kargaşaya neden olmuştu.

Mağara çökellerinde santimetrekare başına düşen kalsiyum karbonat birikmesi okyanus tabanındaki çökeltilere nazaran daha çabuk olabildiğinden, bu yöntemle okyanus karotlarınkinden göre daha detaylı sıcaklık profilleri elde edilebilir. Aslına bakılırsa sadece 0,2 °C'lik ısı değişimlerinin bile tespit edilebildiği düşünülmektedir.

Mağara Buzulları

Kutup buzulu karotlarından gelen veriler (s. 234'e bakınız) ılıman bölgelerin iklim geçmişleri hakkında çok az bilgi sağlar, ama söz konusu bölgelerdeki bazı mağaralarda bunu gerçekleştirebilecek buz tabakaları mevcuttur. Tabaka birikmesinin mevsimlik veya yıllık olması yanı sıra yaşının belirsizliği incelenmelerini çetrefilli kılar, fakat bunlar bazen radyokarbon tarihlemesi yapılabilecek yapraklar ya da böcekler gibi organik kalıntılar içerir. Bu kayıtlar gelecekteki iklim araştırmaları için zengin bir alan sunmaktadır.

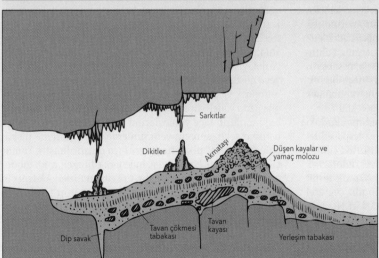

Mağara bacası
Buluntular içeren obruk
Dış mağara
İç mağara
Alüvyon dolgusu
Taşkın yatağı

Sarkıtlar
Dikitler
Akmataşı
Düşen kayalar ve yamaç molozu
Dip savak
Tavan çökmesi tabakası
Tavan kayası
Yerleşim tabakası

6.14 *Farazi bir mağara buluntu yerinin genel ve detaylı kesitleri*

bir parçası hâline gelmektedir. Bilinen bir konteksten alınan bozulmamış bir blok ilk önce yapıştırıcıyla sağlamlaştırılır ve bundan bir ince kesit alınır; polarizasyon mikroskobunda incelenir. İncelenen toprak kesiti, bir arkeolojik alan ya da çevrenin başka türlü görülmeyen birçok özelliğini ortaya çıkarabilir. Söz konusu özellikler üç ana kategoriye ayrılır: çökeltinin kaynağıyla ilgili olanlar; toprak oluşumu hakkında bir şeyler anlatanlar; kasten ya da kazara olsun insan eliyle meydana getirilenler. Çevresel arkeolog Karl Butzer insanların arkeolojik alanlardaki toprak ve çökeltileri mikroskobik düzeyde etkilediğini fark etmiştir.

Butzer kültür dolgusunu üçe ayırmıştır. **Birincil kültürel dolgular** insan faaliyetinden ötürü yüzeyde birikir. Birçok kül tabakası ve üzerinde yaşanılan zeminler bunlara örnektir. **İkincil kültürel dolgular** ya fiziksel yer değişiminden ya da faaliyet alanının kullanımındaki bir değişiklik yüzünden farklılaşmış birincil kültür dolgularıdır. **Üçüncül kültürel dolgular** özgün kontekstlerin tamamen yerinden kaldırılmış ve belki de yeniden kullanılmış (örneğin teras inşasında) olanlarıdır.

Toprak mikromorfolojisinde iki önemli alanda sonuç alınabilir. İlk olarak, hem bölgesel hem de arkeolojik alan bazında insanların kullandığı arazilerin rekonstrüksiyonuna yardım edebilir. Ormansızlaşma ve tarım uygulamaları gibi insan kaynaklı etkiler çalışma alanlarından biridir. İkincisi, bağlamsal arkeolojide kullanılabilir. Buluntu incelemesi gibi daha geleneksel bir yöntemle birlikte kullanıldığında, arkeolojik alan ve buradaki geçmiş faaliyetler hakkında çok daha kapsamlı bir resim elde edilir.

Mikromorfolojik çalışmaların, in situ kesitlerle artık özgün durumunda bulunmayanları ve aynı zamanda toprak ve sedimanlar üzerindeki insan etkileriyle doğal etkileri –toprak erozyonunun çok farklı muhtemel nedenleri vardır ve insanlar sadece bunlardan biridir– birbirinden ayırmada oldukça kullanışlı olduğu görülmüştür. Örneğin ince kesitlerdeki incelemeler, mağara dolgularında başka bakımlardan birbirlerine çok benzeyen insan elinden çıkmış birikimleri doğal nedenlerle oluşanlardan ayırt edebilmiştir. İnsan müdahalesinin bulunmayışı da çok bilgilendirici olabilmektedir. Mesela, nesnelerin birincil kontekstlerinin olmadığını gösterir. Bu süreçte gerçek, deneysel ve arkeolojik şartlar arasında kıyaslama yapabilmek için kapsamlı bir referans örnek koleksiyonu gereklidir.

Çok sayıda insan faaliyeti artık toprak ve sedimanlardaki mikromorfolojik işaretleri sayesinde çoğu kez tespit edilebilmektedir. Örneğin iç mekânlarda ya da dışarıda çıkmış yangınları, yemek ve pişirme yerlerini, faaliyet alanlarını, depoları ve geçiş alanlarını ince kesitlere bakarak tespit ve ayırt etmek teorik olarak mümkündür. İngiliz çevresel arkeolog Wendy Matthews, Yakındoğu'daki dört Neolitik yerleşimde bulunan yapıların zemin dolgularında detaylı mikromorfolojik çalışmalar yürütmektedir. Bu çalışmalar, belirli yapıların terk edilmelerinden önce ve sonraki kullanımlarını tespit etmiştir. Bütün bir arkeolojik alanı bu yolla incelemenin

imkânsızlığı açıktır. Hafir hangi topraktan örnek alacağı ve hangi kontekstlerin analizin amacını daha iyi temsil edeceği konusunda seçim yapmalıdır. Toprak mikromorfolojisi artık kazı sürecinin ayrılmaz bir parçasıdır.

Toprak morfolojisi laboratuvar ortamına ve özel ekipmanlara ihtiyaç duyar, ama sayıları giderek artan birçok arkeolog arazide kesitlerin temel değerlendirmesini yapacak kadar (kuru bir sediman parçasını parmakları arasında ovalayıp ardından ıslatıp avuçlarında yuvarlayarak esnekliğini ölçmek yoluyla) tecrübe kazanmıştır. Ancak daha kesin bir değerlendirme için uzmanın fikri zaruridir. Kesin ve standart toprak rengi tanımları da yine büyük önem taşır ve bunlar genel kabul görmüş Munsell Toprak Rengi Tabloları (arkeolojik tabakalar için de kullanılır) ile yapılmaktadır.

Toprak dokusunun doğru analizi, kum parçacıklarını ayırmak için ağ gözleri 2 ila 0,06 mm arasında değişen elekler gerektirir. Buna ilaveten toprağı/çökeltiyi meydana getiren silt ve kil parçacıklarının oranını ölçmek amacıyla hidrometre ve sedigraf tekniklerine (sıvı yoğunluğunu ölçmek için) ihtiyaç duyulur. Benzer bilgiler mikromorfoloji ve ince kesit teknikleriyle de elde edilebilir. Toprak dokusu analizi toprak tipi, arazi kullanım potansiyeli ve özellikle mikromorfolojik ile hidrolojik veriler birlikte kullanıldığında erozyona yatkınlık hakkında bilgi sağlar. Bütün bu çalışmalar çevre geçmişinin incelenmesine katkıda bulunur.

İkinci Dünya Savaşı'ndan önce geliştirilmiş ve çökeltilerin daha yakından incelenmesine imkân tanıyan bir teknik, stratigrafi üzerine kauçuk bir film ya da "lak" uygulamayı içerir, ama modern malzemeler bu yöntemi çok geliştirmiştir. Paris yakınlarındaki Pincevent Üst Paleolitik açık hava konak yerinde Michel Orliac düz ve dikkatlice temizlenmiş bir kesit üzerine sentetik latexsten ince bir film (metrekare başına 1,5 kg) sürmüştür. Kuruduğu zaman lateks, stratigrafinin orijinaline göre incelemesi çok daha kolay olan bir görüntüsünü korur. Doğrusu, latekse yapışmış çok ince bir kesit tabakasından oluşan baskı, orijinal kesitte ayırt edebileceğimizden çok daha fazla şey açığa çıkarır. Baskı yerinden kaldırıldıktan sonra düz olarak ya da rulo hâlinde tutulabilir ve dolayısıyla arkeolog güvenilir bir toprak profilini saklama veya gösterme fırsatı verir.

Toprak ve sedimanların analizi tortulaşma ve erozyon gibi uzun vadeli süreçler hakkında veri sağlayabilir. Örneğin sedimanların tepe yamaçlarından vadi tabanlarına doğru aşınma şekli, sürecin yerleşimlerdeki değişimlerle ilişkili olduğu Akdeniz ülkelerinde etraflıca araştırılmıştır. Yamaç çiftlikleri toprak kaybı karşısında terk edilirken, vadi tabanlarındaki yerleşimler artmıştır. Çökelti analizleri Akdeniz'in bazı yerlerinde arazinin yanlış kullanımının beş bin yıl öncesine, en azından İlk Tunç Çağı'na kadar uzandığını göstermektedir. Mesela Kıbrıs'ta ormansızlaşma, yoğun tarım ve pastoralizm İlk Tunç Çağı'nda tepe yamaçlarındaki ince toprak örtüsünü bozarak kıyı vadileri boyunca hızlıca oluşmuş sediman dolgularına yol açmıştır. Yunanistan'daki

Güney Argolis'te Tjeerd van Andel, Curtis Runnels ve meslektaşlarının yürüttüğü büyük bir proje MÖ 2000 ile Ortaçağ arasında en az dört yerleşim, erozyon ve terk safhası ortaya çıkarmıştır. Anlaşılan, burada zaman zaman uygun koruma önlemleri alınmadan yapılmış arazi açma çalışmaları durumdan sorumludur. Diğerlerinde ise toprak erozyonunun sebebi, teraslamanın, dolayısıyla toprak muhafazasının kısmen ya da tamamen göz ardı edilmesidir.

Yakın bir tarihte Danimarkalı bir ekip eski sedimanlarla ilgili olarak, makrofosil kanıtların yokluğunda bile paleoekosistemlerin detaylı rekonstrüksiyonlarını üretmek için bu sedimanlardan bitki ve hayvan DNA'sı çıkarmayı da içeren yeni bir yaklaşımdan bahsetmiştir. Bu "toprak" DNA'sı tekniği hâlihazırda Sibirya, Kuzey Amerika, Grönland ve Yeni Zelanda'da uygulanmıştır.

Lös Sedimanları. Bir toprakbilimci (pedolog) bir sediman profilini inceleyebilir ve onun bileşimine, değişken dokusuna ve renklerine bakarak su, rüzgâr ya da insan faaliyeti sonucunda bulunduğu yere gelip gelmediğini anlayabilir; maruz kaldığı aşınma ve buradan da geçmişi boyunca var olmuş yerel iklim koşulları hakkında bir fikir edinebilir. Dünyanın belirli kesimlerinde karşılaşılan rüzgârla taşınmış önemli sedimanlardan biri löstür. Bu, rüzgârla taşınmış ve buzulu

6.15 *Dolguların incelenmesi: Fransa'daki Pincevent'da bir stratigrafik kesitin üzerine lateks film sürülmüş ve kuruduktan sonra kaldırıldığında kendisine yapışan toprağın profil görüntüsü elde edilmiştir.*

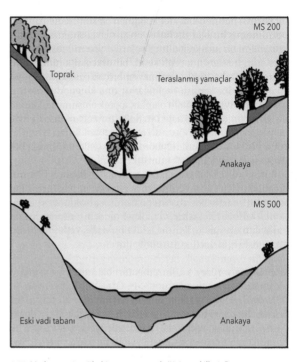

6.16 *Yerleşmenin çökelti, erozyon ve değişim şekilleri. Roma Dönemi'nde ormansızlaşma, yoğun tarım ve aşırı otlatmanın toplu etkileriyle yamaç toprağı erozyonundan muzdarip tipik bir İtalya vadisi. İnsan yerleşimi zorunlu olarak yamaçtan vadi tabanına inmiştir.*

yeni çözülmüş ya da korunaklı alanlarda tekrar yerleşmiş silt boyutunda sarımsı tozlardır. Lös dünyadaki karaların %10'unda bulunur: Alaska'da, Mississippi ve Ohio vadilerinde, Kuzeybatı ve Orta Avrupa'da, özellikle de ekilebilir arazinin %40'ına denk gelen 440.000 m²'ye yayıldığı Çin'de. Paleolitik uzmanı için eski iklimin bir işareti olarak önemlidir aynı Neolitik tarımla ilgilenen araştırmacıların bunu ilk tarımsal yerleşimlerle ilişkilendirdiği gibi.

Lös bir iklim göstergesi olarak işlev görür, çünkü sadece nispeten soğuk, kuru iklim dönemlerinde, küçük silt parçacıkları sedimanı güçlendirecek çok az bitki örtüsü ya da nemin bulunduğu step benzeri buzul çevresi arazisine doğru rüzgârla taşındıkları zaman birikir. Lös "yağmuru" daha ılık ve yağışlı şartlarda kesilir. Bu yüzden Orta Avrupa gibi yerlerden alınan çökelti kesitleri lös tabakalarını, kendileri de iklimsel gelişim ve bitki örtüsünün geçici dönüşünü gösteren sözde "orman kesitleri" ile dönüşümlü gösterir.

Tipik silsileler Avusturya'daki Paudorf ve Göttweig'den bilinmektedir. İlki, Çek Cumhuriyeti'ndeki ünlü Dolní Věstonice ve Pavlov Üst Paleolitik açık hava buluntu yerleriyle ilişkilendirilen Paudorf Lös Formasyonu'na (27.000-23.000 yıl önce) ismini vermiştir. Aynı şekilde, Paris Havzası'nda François Bordes (1911-1981), lös ve farklı Paleolitik endüstrileriyle ilişkilendirilen daha sıcak ve nemli tabakaların dönüşümlü meydana getirdiği bir Pleistosen silsilesi tesis etti. Bunlar bilinen buzul silsilesiyle bağdaştırılabilmekteydi. Çin'den elde edilen kapsamlı silsiledeki iklimsel dalgalanmalara dair çalışmalar, derin deniz çökellerinde bulunan soğuk su foraminifera değişimleri ve oksijen izotopu kayıtlarıyla oldukça iyi uyuşmaktadır.

Eski iklim şartlarının iyi bir göstergesi olmasının dışında (verileri doğrulayan kara salyangozlarını sıklıkla bünyelerinde barındırırlar) lös, Neolitik tarımda önemli bir rol oynamıştır. Lös içinde oluşan mineral zengini, tekbiçimli yapıya sahip iyi akaçlanmış topraklar, ilk tarım topluluklarının basit teknolojisi için verimli ve kolay işlenen ideal araziler sağlamıştır. Orta ve Batı Avrupa'nın *Linearbandekramik* (LBK, yani İlk Neolitik) yerleşimleri löste oluşan topraklarla çok yakından alakalıdır: Belirli bir alandaki LBK yerleşimlerinin en az %70'i lös üzerine kurulmuştur.

Gömülü Kara Yüzeyleri. Bazen bütün bir kara yüzeyi belirli sedimanların altında korunabilir. Örneğin, İngiltere'de, su altındaki alçak arazilere sahip Fenlands'te eski topraklar ve araziler turba altında kalmıştır. İrlanda'daki Behy'de bir Neolitik tarım doğal çevresi taştan setleriyle birlikte bataklık kömüründen ortaya çıkmıştır. Gömülü kara yüzeylerine aşağıda yeniden döneceğiz (s. 269'daki "Tarla Sürmeye Dair Kanıtlar" başlıklı alt bölümde).

Bu tipte açık ara en göz alıcı vakalar volkanik patlamalar tarafından yaratılmıştır. Güney İtalya'daki toprak altına gömülmüş Pompeii ve Herculaneum ile Yunan Thera adasındaki Akrotiri'ye önceki bölümlerde değinilmişti. Ancak çevresel veri açısından bakıldığında, volkanik faaliyetler tarafından korunmuş doğal araziler daha da bilgilendiricidir. 1984'te Batı Almanya'daki Miesenheim'da bir tarihöncesi ormana ait kalıntılar bulundu. Yaklaşık 11.000 yıl önceki bir volkan patlamasının yakınlardaki Son Üst Paleolitik açık hava buluntu yerleri Gönnersdorf ve Andernach'ı birkaç metre kalınlığındaki kül altında bıraktığı biliniyordu, fakat çağdaş bir ormanın keşfi arkeologlar için bir sürpriz olmuştu. Ağaçlar (söğüt dâhil), kara yosunları ve mantarlar kül katmanı tarafından 30 cm kalınlığında suya doygun bir katman içinde korunmuştu. Yumuşakça kabukları, küçük memeliler, hatta bir kuşa ait yumurtalar mevcuttu. Orman nispeten sıktı ve kalın bir ağaç altı bitki örtüsüne sahipti. Bu tespit polen analizi ile doğrulanmıştır (arka sayfadaki kutuya bakınız). Ağaç halkaları üzerindeki incelemeler de bu dönemin iklimsel dalgalanmaları hakkında bilgi verecektir.

Gömülmüş diğer ağaçlar da iklim bilgisi sağlamaktadır: California ve Patagonya'da Scott Stine göl, bataklık ve ırmak kenarlarındaki suya gömülmüş ağaç kütüklerini incelemiştir. Bunlar geçmişte su seviyesinin daha düşük olduğunu, ama arkasından taşmanın geldiğini göstermiştir. Dış ağaç halkalarının radyokarbon tarihlemeleri Stine'a taşmaların ne zaman olduğunu söylemiştir. Bunların öncesindeki kurak

DOGGERLAND

Bugün Kuzey Denizi'nde sular, gerçekte günümüz Birleşik Krallığı'ndan daha geniş bir alanı kaplayan ve MÖ 18.000-5000 arasında küresel ısınma deniz seviyesini yükselttikçe kademeli olarak sulara gömülmüş bir tarihöncesi araziyi örtmektedir. Bu geniş düzlük İngiliz Kanalı'ndan neredeyse Norveç kıyısına kadar uzanıyordu ve hayvan hayatı açısından zengindi. Hollanda tekneleri burada her yıl mamut fildişleri ve diğer Buzul Çağı türlerini bulmak için başarılı "avlar" yapar. Dolayısıyla bölge Üst Paleolitik ve Mezolitik'te insanlar tarafından yoğun yerleşim görmüş olmalıydı.

Yakın zamana kadar bu alanın arkeolojisi hakkında çok az şey biliniyordu. Bir trol teknesi 1931'de turba içine hapsolmuş bir Mezolitik kemik zıpkın buldu ve turbanın analizi söz konusu dönemde bölgenin kuru toprak olduğunu gösterdi. İngiliz arkeolog Bryony Coles 1998'de Kuzey Denizi'nden elde edilmiş bütün arkeolojik kanıtları düzenledi ve Kuzey Denizi'nin güneyindeki Dogger kıyılarına atfen "Doggerland" adını verdiği alanın bir dizi kuramsal haritasını yayımladı. Fakat arkeolojik açıdan bu yeni alan haritada boş görünüyordu.

6.17 *MÖ 15.000 civarında, buz örtülerinin erimeye başlamasından 3000 yıl sonra Doggerland. Bu dönemde Thames ve Ren, Kanal Irmağı'nın kollarıydı. Elbe ve Britanya'nın kuzeyindeki ırmaklar Doggerland boyunca akıp Norveç Çukuru'na dökülüyordu.*

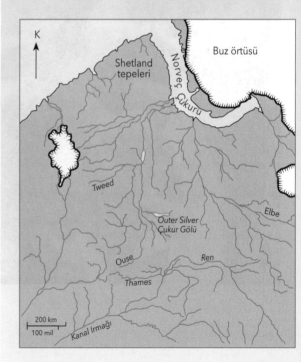

Bununla beraber son yıllarda Vince Gaffney'in liderliğindeki Birmingham Üniversitesi araştırmacıları, Kuzey Denizi'ndeki kapsamlı petrol araştırmalarıyla bağlantılı olarak toplanan sismik verilerin denize gömülmüş coğrafi özellikleri tespit etmek için kullanılabileceğini fark etti. Yaklaşık 43.000 kilometrekarelik bir alana ait verileri inceleyen ekip, uzak geçmişe ait bir Avrupa toprağının tepelerini, ırmaklarını, derelerini, göllerini inceleyerek Hollanda büyüklüğünde bir alanı haritalandırmayı başardılar. Bu ilk sonuçlara dayanarak Mezolitik insanlarının büyük ihtimalle nerede yaşamış olabileceklerini tahmin etmek ve bazı yerlerde detaylı araştırma için plan yapmak mümkündür. Ne yazık ki dalgıçlarla ve uzaktan kumandalı araçlarla çalışmak karmaşık ve pahalıdır. Ayrıca haritalar bu iş için yeterli ölçüde detaylı değildir, zira tespit edilebilen en küçük harita ayrıntısı yaklaşık 10 m yüksekliğinde ve 25 m genişliğindedir.

Araştırmacılar bu kara parçasının kademeli olarak denize gömülmesinin tarihöncesi sakinlerinde yarattığı önemli etkileri vurgulamaktadır. Şimdi arazinin nasıl kıvrılıp büküldüğüne dair bir fikirleri olduğuna göre, ekip deniz seviyesinin nasıl ve ne kadar hızlı yükseldiğini çözebilir. Su seviyesi her yüzyılda muhtemelen 1-2 m civarında yükselmişti ve dolayısıyla söz konusu doğa olayı bir nesil içinde açıkça fark edilmişti. Bu değişimler, bazı uzmanlar tarafından sonraki 100 yıl için tahmin edilen orana eşit bir iklim değişikliğinin sonucu olarak meydana gelmişlerdi. Diğer bir deyişle bu arazinin ve üzerindeki sakinlerin kaderi sadece tarihöncesi bir vaka değil, aynı zamanda yakın bir gelecekte bizi nelerin beklediğine dair bir uyarı olarak da dikkate değer.

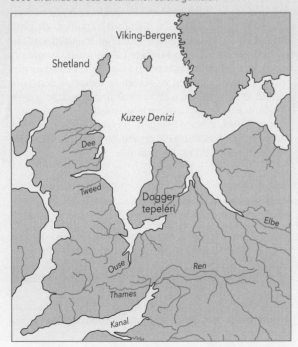

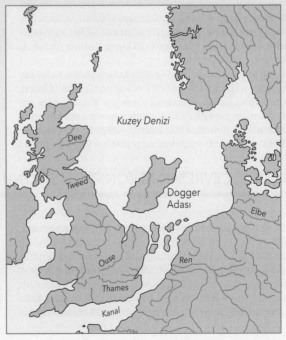

6.18–19 *MÖ 8000 civarına gelindiğinde (aşağıda solda) yükselen deniz seviyeleri Britanya'nın ana hatlarını belirlemeye başlar. MÖ 6000 civarında ise (aşağıda sağda) İngiliz Kanalı ve Kuzey Denizi Britanya'yı kıta Avrupa'sından ayırır; alçak tepeler Dogger Adası'nı meydana getirir. MÖ 5000 civarında bu ada da tamamen sulara gömülür.*

6.20 *(yukarıda) 1931'de bulunmuş Mezolitik zıpkın ucu.*

6.21 *Kuzey Denizi çalışma alanına ait bu sismik veri (üstte) eski bir ırmak yatağını çok net gösterir. Vadinin ortasındaki koyu çizgi ırmağın kendisidir.*

zaman aralıkları daha eski halkalar ölçülerek hesaplanabilmiştir. Stine'ın elde ettiği sonuçlar, örneğin MS 892-1112 ve 1209-1350 arasında uzatmalı kuraklıkların yaşandığını göstermiştir. İkincisi, 1300 civarında Eski Pueblo kayalık sakinlerinin gerilemesine bağlanabilir.

Sulara gömülmüş arazileri incelemek de mümkündür. Baltık Denizi'nde Alman arkeologlar 8000 yıl önce deniz seviyesi yükseldiği zaman su altında kalmış bir dizi Taş Devri av konak yerini araştırmaktadır. Oksijen açısından fakir olan deniz tabanı, ağaç gövdeleri ve köklerinden oluşan ormanlarla zıpkın gibi ahşap nesneleri korumuştur. Tarihi topografya –vadiler, tepeler, ırmak kanalları ve körfezler– sonar taramalarında kolayca görülebilmektedir. Aynı şekilde, İngiltere'nin Wight Adası açıklarında 11 m derinlikteki tarihöncesi köyler yakın tarihte tespit edilmiştir. Kuzey Denizi'ndeki 23.000 km²'lik batık kara jeofizik sayesinde detaylı şekilde haritalandırılmıştır (önceki kutuya bakınız).

6.22 *Batı Almanya'daki Miesenheim'da tarihöncesi ağaçlar ve diğer bitki kalıntıları 11.000 yıl önceki bir volkanik kül yağışı nedeniyle sulu bir katmanda korunmuştur. Bunun gibi nadir buluntular eski arazilerin karakteri hakkında önemli içgörüler sağlar.*

Ağaç Halkaları ve İklim

Ağaç halkaları varvlar gibi (yukarıya bakınız) iklime göre değişen büyüme oranlarına sahiptir; baharda güçlenir, kışın neredeyse sıfıra inerler. Nem ne kadar fazlaysa yıllık halka o kadar geniş olur. Dördüncü Bölüm'de gördüğümüz üzere, halka genişliğindeki değişimler ana tarihleme tekniklerinden birinin temelini oluşturmaktadır. Ancak, belirli bir grup halkanın çalışılması aynı zamanda önemli iklimsel veriyi, mesela büyümenin yavaş (yerel sık orman örtüsü) ya da hızlı (seyrek orman) olup olmadığını açığa kavuşturabilir. Ağaçların büyümesi karmaşıktır ve birçok dâhili ve harici etmenin etkisi altında kalabilir, fakat bunlar arasında sıcaklık ve toprağın nemi daha baskın olmaya eğilimlidir. Örneğin, Şili'nin güneyinde ağaç halkalarından elde edilen 3620 yıllık sıcaklık kaydı, ortalama bölge sıcaklığının üstü ve altındaki aralıkları ortaya çıkarmıştır.

Yıllık ve on yıllık değişimler ağaç halkalarında karotlara göre daha iyi görülür. Ağaç halkaları ayrıca iklimdeki ani ve büyük ölçeklik şokları kaydeder. Örneğin, Virginia'dan elde edilen veriler, Amerika'daki ilk daimi beyaz yerleşimi olan Virginia'daki Jamestown kolonisinin neredeyse tamamen terkine ve buradaki yüksek oranlı ölümlere 770 yıl içindeki sıra dışı şekilde en kurak 7 yıllık dönemin (MS 1606-1612) sebep olduğunu göstermektedir.

Ağaç halkası ve iklim (dendroklimatoloji) araştırmaları, çevresel verimliliğin göstergesi olan hücre düzeyinde x-ışını ölçümleri ve yoğunluğu sayesinde ilerleme kaydetmiştir. Daha yakın zamanlarda, eski sıcaklık değerleri ağaç halkalarının selülozlarında korunmuş kararlı karbon izotopu ($^{13}C/^{12}C$) oranlarından sağlanmıştır. Yeni Zelanda'da 1000 yaşındaki bir kauri ağacı bu şekilde analiz edilmiş ve sonuçlar –Yeni Zelanda mağara çökellerinden gelen verilerle doğrulanmıştır– yıllık ortalama sıcaklıklarda bir dizi dalgalanmaya işaret etmiştir. On dördüncü yüzyıldaki en sıcak safhayı bir düşüş takip etmiş, ardından bugünkü şartlara gelinmiştir. Romalıların MS 73'te Yahudi kalesi Masada'yı kuşatırken kullandığı rampadaki ılgın ağacı kütüklerinin selülozlarındaki karbon ve oksijen izotopları, o dönemde iklimin daha nemli ve tarıma bugünkünden daha uygun olduğunu İsrailli arkeologlara göstermiştir.

Ağaç halkalarının oynadığı rol, çevresel rekonstrüksiyon için en zengin kanıtların her şeyden önce organik kalıntılar olduğunu açıkça ortaya koymaktadır.

BİTKİSEL ÇEVRENİN REKONSTRÜKSİYONU

Bitki çalışmalarında çevreye dair başlıca ilgi alanımız, geçmişte belirli bir zaman ve yerde insanların karşılaştığı bitki örtüsünü yeniden kurgulamaktır. Ancak bitkilerin besin zincirinin dibinde yer aldığını unutmamamız gerekir. Dolayısıyla, bilinen bir alan ve döneme ait bitki toplulukları yerel hayvan ve insan yaşamı hakkında ipuçları sağladığı gibi toprak koşullarını ve iklimi de yansıtır. Bazı bitki örtüsü tipleri iklim değişikliklerine nispeten çabuk tepki gösterir (ancak örneğin böceklere göre daha yavaştırlar) ve bunların hem boylam hem de enlem üzerindeki kaymaları, iklim değişikleriyle karasal insan çevresi arasındaki en dolaysız bağlantıdır; tıpkı Buzul Çağı'nda olduğu gibi.

Arkeolojide bitki araştırmaları her zaman fauna araştırmalarının gölgesinde kalmıştır, çünkü kazılarda kemikler bitki kalıntılarına göre basitçe daha belirgindir. Kemikler bazen daha iyi korunurlar, ama bitki kalıntıları kemiklerden daha çok sayıda bulunur. Bazı temel bitkisel yapıtaşlarının, genel kanının aksine çürümeye daha dayanıklı oldukları ve uzun zamandır ölü bitki örtüsü hakkında bilgi verebilecek çok fazla veri bulundurdukları keşfedilince, son birkaç on yılda bitkiler nihayet ön plana çıkmıştır. Arkeolojinin başvurabileceği birçok uzmanlık alanı gibi bu analizler de ciddi zamana ve mali desteğe ihtiyaç duyar.

Belirli bir dönemdeki bitki topluluklarının genel değerlendirmesi için en bilgilendirici tekniklerden bazıları en büyük değil, özellikle polenler gibi en küçük kalıntıların analizini içermektedir.

Mikrobotanik Kalıntılar

Polen Analizi. Polen bilimi (palinoloji) ya da polen taneciklerinin incelenmesi (arka sayfadaki kutuya bakınız) 20. yüzyılın başında Norveçli jeolog Lennart van Post tarafından geliştirilmiştir. Yöntem arkeoloji için çok değerli olduğunu ispatlamıştır, çünkü çok çeşitli arkeolojik alanlara uygulanabilir ve çevre kadar kronoloji hakkında da bilgi verir. Aslında izotop kronoloji yöntemlerinin ortaya çıkışına kadar polen analizi öncelikle tarihleme amaçlı kullanılıyordu (4. Bölüm).

Polen bilimi geçmiş çevrelerin kesin bir resmini sunamasa da zaman içinde yaşanan bitki örtüsü değişimleri hakkında bir fikir verir. Değişimlerin sebepleri her ne olursa olsun, bunlar başka yöntemlerden elde edilen sonuçlarla karşılaştırılabilir. Polen analizinin en iyi bilinen uygulaması, buzul sonrası ya da Holosen Dönemi (12.000 yıl öncesinden sonrası) için yapılmıştır. Polenbilimciler zaman içinde, her biri farklı bitki toplulukları (özellikle ağaçlar) tarafından tanımlanan bir dizi *polen kuşakları* saptamış olmakla birlikte, kullanılacak numaralandırma sistemi veya alanların toplam sayısı hakkında tam bir fikir birliğine varılamamıştır. Ancak polen çalışmaları aynı zamanda Hadar çökeltileri ve 3 milyon yıl öncesine ait Etiyopya'daki Omo Vadisi kadar eski doğal çevreler hakkında çok gerekli bilgiler sağlayabilir. Genellikle bu bölgelerin geçmişte şimdiki gibi kurak olduğu düşünülür,

BİTKİ KALINTILARININ TOPLANMASI

Kalıntı türü	Sediman tipi	İncelemeden elde edilen bilgiler	Çıkarma ve inceleme yöntemi	Toplanacak miktar
Toprak	Hepsi	Dolgunun nasıl ve hangi şartlar altında oluştuğuna dair detaylı bilgi	(En iyi şekilde *in situ* olarak çevrebilimciler tarafından incelenir)	(Kesitten dikey örnek)
Polen	Gömülmüş topraklar, su basmış dolgular	Bitki örtüsü, arazi kullanımı	Laboratuvarda çıkarma ve güçlü mikroskoplar (x400)	0,05 litre ya da kesitten dikey örnek
Fitolitler	Bütün çökeltiler	Yukarıdaki gibi	Yukarıdaki gibi	Yukarıdaki gibi
Diyatomlar	Su altındaki dolgular	Tuzluluk oranı ve su kirliliği seviyeleri	Laboratuvarda çıkarma ve güçlü mikroskoplar (x400)	0,10 litre
Kömürleşmemiş bitki kalıntıları (tohumlar, yosunlar, yapraklar)	Nemliden su basmış olanlara kadar	Bitki örtüsü, beslenme, inşaat, zanaat için kullanılan bitki kalıntıları, teknoloji, yakıt	Laboratuvarda 300 mikrona kadar eleme	10-20 litre
Kömürleşmiş bitki kalıntıları (tahıl, kepek, kömürleşmiş bitkiler)	Bütün sedimanlar	Bitki örtüsü, beslenme, inşaat, zanaat için kullanılan bitki kalıntıları, ekinlerin işlenmesi ve davranış	300 mikrona kadar yüzdürme	40-80 litre
Ahşap (odun kömürü)	Nemliden su basmış olanlara kadar, kömürleşmiş	Dendrokronoloji, iklim, inşaat malzemeleri ve teknolojisi	Düşük güçlü mikroskop (x10)	Elle ya da laboratuvarda toplama

6.23 *Mikrobotanik ve makrobotanik bitki kalıntılarını toplama yöntemlerini özetleyen tabloyla her bir kategori için elde edilebilecek verilerin kapsamı.*

POLEN ANALİZİ

Alnus (kızılağaç)

Betula (huş ağacı)

Corylus (fındık ağacı)

Hedera helix (sarmaşık)

Quercus (meşe)

Salix (söğüt)

Tilia (ıhlamur ağacı)

Ulmus (karaağaç)

6.24 Mikroskop altında görüldükleri hâlleriyle seçme polen taneciklerinin morfolojileri.

Bahar nezlesinden muzdarip herkes onları bahar ve yazda etkileyebilen polen "yağmuru"nu bilir. Polen tanecikleri (çiçekli bitkilerin küçük erkek üreme organları), belirli sedimanlarda on binlerce yıl hayatta kalabilecek yok edilmesi neredeyse imkânsız dış kabuklara (eksin) sahiptir. Polen analizinde eksinler topraktan çıkarılır, mikroskopta incelenir ve farklı bitki familyaları ve cinslerine ait belirgin eksin şekli ve yüzey desenlerine göre tanımlanır. Bir kez ölçüldükten sonra bu tanımlı eksinler bir polen diyagramında eğriler olarak gösterilir. Her bir bitki kategorisinin eğrisindeki iniş çıkışlar iklim dalgalanmaları ya da insan kaynaklı orman açma ve ekin dikmeye dair işaretler için çalışılabilir.

Korunma
Polenlerin korunmasına en elverişli çökeltiler, çürümenin geciktiği ve parçaların hızla toprak altına gömüldüğü yetersiz hava almış asitli turba bataklıkları ile göl yataklarıdır. Nemli oluşları ve sabit ısıları yüzünden mağara dolguları da uygundur. Kumlu topraklar veya aşınmaya maruz kalmış arkeolojik alanlar gibi diğer kontekstler poleni kötü korurlar.

Su altındaki arkeolojik ya da kazılmamış alanlarda örnekler uzun karotlar hâlinde alınır, ama kuru arkeolojik alanlarda kesitlerden farklı örnek silsileleri çıkarılabilir. Bir arkeolojik kazıda küçük örnekler, tabakalanmış düzenli aralıklarda alınır. Kullanılan aletler veya atmosferden gelebilecek kirlenmeye karşı büyük özen gösterilmelidir. Polenlere aynı zamanda kerpiçte, kaplarda, mezar yapılarında, mumya sargılarında, korunmuş bedenlerin bağırsaklarında, fosil dışkı örneklerinde (7. Bölüm) ve birçok başka kontekstte rastlanabilir.

İnceleme ve Sayma
Örnekleri muhafaza eden kapalı tüpler laboratuvarda, her bir örnekten küçük parçalar, bunlardaki birkaç yüz taneciği tanımlamak üzere mikroskop altında incelenir. Bitki familyalarının hepsi ve cinslerin neredeyse tamamı, şekil ve yüzey deseni itibarıyla karakteristik polen tanecikleri üretir, fakat daha ileri giderek türleri tespit etmek zordur. Bu durum çevre rekonstrüksiyonuna belirli sınırlamalar getirir, çünkü aynı cins içindeki farklı türlerin toprak, iklim vb. anlamında önemli ölçüde farklı gereksinimleri vardır.

Tanımlamadan sonra her bir bitki türünün miktarı her bir katman için hesaplanır –genellikle o katmandaki toplam tanecik sayısının yüzdesi olarak– ve ardından bir eğri olarak gösterilir. Bu bitkilerin günümüzdeki toleransları bir rehber gibi kullanılarak oluşturulan eğriler stratigrafik silsile boyunca iklim dalgalanmalarını yansıtır.

Bununla birlikte düzeltmelerin yapılması gerekir. Farklı türler değişen miktarda polen üretir (mesela çamlar meşelere göre çok daha üretkendir) ve dolayısıyla örnekte gereğinden fazla ya da az temsil edilebilir. Döllenme biçimi de hesaba katılmalıdır. Böcekler tarafından taşınan ıhlamur ağacı poleni muhtemelen civarda yetişen ağaçlara aitken, rüzgârla taşınan çam polenleri yüzlerce kilometre uzaktan gelebilir. Arkeolojik alanların yönü (özellikle mağara ağızlarının) gibi arkeolojik alanın konumu ve yerleşimin süresi/tipi bu yerlerin polen içerikleri üzerinde büyük etki yapacaktır.

Tabakaların karışmadığına (bozulma artık bilinen yaygın bir sorundur) ve insan etkisini hesaplandığına –arkeolojik alanın hem içinden hem de dışından örnek alınmalıdır– emin olmak gerekir. Mesela şehir içindeki arkeolojik kültür dolgusunda, kuyu dolguları ya da

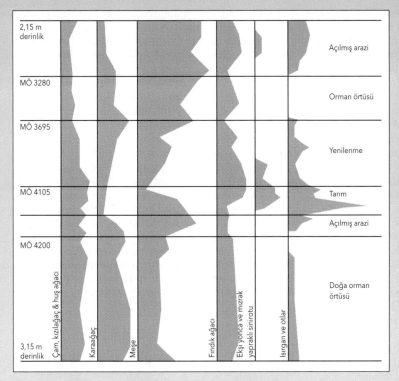

2,15 m derinlik

MÖ 3280

MÖ 3695

MÖ 4105

MÖ 4200

3,15 m derinlik

Açılmış arazi

Orman örtüsü

Yenilenme

Tarım

Açılmış arazi

Doğa orman örtüsü

Çam, kızılağaç & huş ağacı

Karaağaç

Meşe

Fındık ağacı

Ekşi yonca ve mızrak yapraklı sinirotu

Isırgan ve otlar

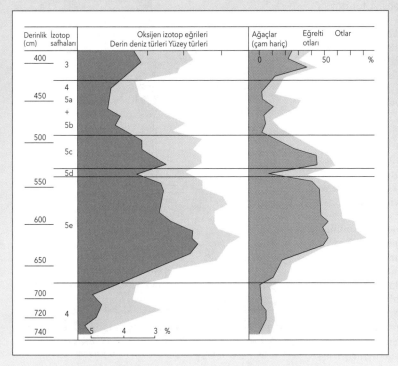

Derinlik (cm)	İzotop safhaları	Oksijen izotop eğrileri Derin deniz türleri Yüzey türleri	Ağaçlar (çam hariç)	Eğrelti otları	Otlar

400 — 3

450 — 4 / 5a + 5b

500 — 5c

550 — 5d

600 — 5e

650

700

720 — 4

740

0   50   %

5   4   3   %

gömülmüş topraklardan gelen polenler büyük oranda doğal taşınma ve birikme olarak mevcuttur; dolayısıyla yerleşmeyi çevreleyen kırsal kesimi yansıtır. Öte yandan şehir yaşam alanlarına ait polenler, esasen yemek hazırlama faaliyetlerinden ve insanların diğer birçok bitki kullanım alışkanlığından kaynaklanır.

Britanya'daki bir dizi Roma ve Ortaçağ kasabasından polen buluntu gruplarını inceleyen James Greig, Roma yerleşimlerinin otlar açısından zengin, ama tahıllar yönünden fakir olduğunu gördü. Öte yandan Ortaçağ kültür toprakları tam tersi bir sonuç verdi. Bunun nedeni ekonomik değil hijyenikti: Romalıların kasabalarında temiz tutulan bir atık su sistemi vardı ve görünüşe göre polen buluntularında baskın olan kısa otlarla çevriliydi. Ancak Ortaçağ'da çöplerin kasabalarda birikmesine izin veriliyordu; böylece yiyecek artıkları arkeologların bulacağı şekilde ortada kalıyorlardı ve polen örneklerinde bunlar ağır basıyordu.

Çoğunlukla insan yerleşmesinden uzaktaki topraklarda bulunan polenler yerel bitki örtüsünü yansıtmaya meyilliyken, turba bataklıkları çok geniş bir alana ait polenleri korur. Derin turbalık silsilelerindeki polenlerin sonuçları, daha önce ana metinde bahsettiğimiz derin deniz ve buzul karotlarından elde edilmiş uzun süreli iklim değişimlerini faydalı olacak şekilde doğrular.

6.25 *Kuzey İrlanda'daki Fallahogy'den bir buzul sonrası polen karotu (sol üstte), bölgedeki ilk çiftçilerin etkisini ortaya koyar. Ormanların tahribi yaklaşık MÖ 4150'de ağaç polenlerinde düşüş ve ot, kuzukulağı, sinirotu gibi açık kırsal alan ve tarla türlerinde belirgin bir artışla birlikte görülür. Akabinde orman örtüsünün yenilenmesi ve bunu takip eden ikinci bir yer açma dönemi, bölgede tarımın yoğun olarak yapılmadığını gösterir.*

6.26 *Buzul Çağı için uzun süreli silsileler (solda), İber Yarımadası'ndan bir kara polen karotu (sağda) ile Biscay Körfezi'nden çıkarılmış derin deniz SU 8132 karotunda bulunan oksijen izotop eğrileri (solda) ile uyumludur.*

ama Fransız bilim adamı Raymonde Bonnefille'in polen analizleri GÖ 3,5-2,5 milyon yıl arasında buraların daha nemli ve yeşil bir görünüm sergilediğini, hatta bazı tropikal bitkilerin bulunduğunu göstermiştir. Bugün dağınık ağaçlar ve çalılıklara ev sahipliği yapan yarı çöl durumundaki Hadar göl çevrelerinde ve ırmak boylarında sık ormanlara sahip açık bir otlaktı. Yaklaşık 2,5 milyon yıl önce meydana gelen kurak şartlara geçiş, ağaç poleni miktarının çayır polenleri lehine azalmasında izlenebilmektedir.

Genellikle buzul sonrası, özellikle de tarihi dönemler için kaydedilmiş dalgalanmalar daha öncekilerle karşılaştırıldığında küçüktür ve ormanlık alanlarda gerilemenin görüldüğü yerlerde, iklimin tek sebep olmadığı gibi (aşağıda insan etkisiyle ilgili kısma bakınız) her zaman mevcut bir ihtimal vardır (s. 264-271'e bakınız).

Fosilleşmiş Kütiküller. Polen analizi özellikle ormanlık bölgeler için yararlıdır, ama tropik Afrika gibi otluk çevrelerdeki geçmiş bitki örtüsünün rekonstrüksiyonu, otlara ait polen taneciklerinin taramalı elektron mikroskobuyla (Scanning Electron Microscope=SEM) bile birbirinden neredeyse hiç ayırt edilememesi yüzünden zorlaşmaktadır. Bereket versin ki, fosilleşmiş kütiküller imdadımıza yetişir. Kütiküller, yaprakların ya da otların koruyucu üst tabakası veya üst dokularıdır. Bunlar, alttaki karakteristik şekilli hücreleri koruyan kütin adlı çok dayanıklı bir maddeden oluşur. Dolayısıyla kütiküller farklı şekil ve yapılardaki silika hücreler yanında tüyler ve diğer başka tanılayıcı özelliklere sahiptir.

Bilim kadını Patricia Palmer Doğu Afrika'daki göl çökel dolgularında kömürleşmiş kütikül parçaları bulmuştur. Bunlar kurak mevsimde tekrarlanan çayır yangınları sonucunda birikmişti ve Palmer'ın örnekleri en az 28.000 yıl öncesine gitmekteydi. Birçok parça iyi korunmuş tanımlayıcı özellikler gösterecek kadar büyüktü. Öyle ki, Palmer'ın bunları ışık mikroskobu ya da SEM altında alttakımına, hatta türüne kadar tanımlamasına ve bu uzun dönem içinde bitki örtüsündeki değişimleri yeniden kurgulamasına imkân tanımışlardı. Kütikül analizi bütün ya da parça hâlinde otlar tespit edildiği zaman polen araştırmalarının tamamlayıcısı olarak yarar sağlar ve kütiküllerin mide ya da dışkıdanda elde edilebildiğini belirtmek gerekir.

Fitolitler. Mikrobotanik çalışmalarının daha iyi bilinen ve hızla gelişen alanlarından biri, 1908 gibi çok erken bir tarihte arkeolojik kontekstlerde tespit edilmiş, ama sadece geçen birkaç onyıl içinde sistematik şekilde incelenmeye başlanmış fitolitlerle ilgilenir. Bunlar bitki hücrelerinden gelen çok küçük silika (bitki opali) parçalarıdır ve organizma çürüdükten ya da yandıktan sonra bile hayatta kalırlar. Ocaklar ve kül tabakalarında müşterektir, ama çanak çömlek, sıva hatta taş aletler ve otçul hayvanların dişlerinde de bulunurlar. Ot fitolitleri gevişgetirenlerin diş-

lerine yapışmış hâlde Avrupa'daki Tunç ve Demir çağlarıyla Ortaçağ yerleşimlerinde ortaya çıkarılmıştır.

Bu kristaller faydalıdır, çünkü polen taneleri gibi büyük miktarlarda oluşurlar ve eski sedimanlarda iyi korunurlar. Türlere göre değişen çok çeşitli şekil ve büyüklükte olabilirler. Fitolitler bizi öncelikle insanların kullandığı belirli bitkiler hakkında bilgilendirir, ama sadece varlıklarıyla başka kaynaklardan rekonstrüksiyonu yapılan çevrenin sunduğu manzaraya katkı sağlarlar.

Özellikle fitolit ve polen analizlerinin birleşimi çevresel rekonstrüksiyon için etkili bir araç olabilir, çünkü her iki yöntem de birbirini tamamlayan zayıf ve güçlü yanlara sahiptir. Amerikalı bilim kadını Dolores Piperno, Panama'daki Gatun Havzası karotlarını incelemiştir. Burada 11.300 yıl öncesinden günümüze gelen bitki örtüsünün değişim kesiti –gelişkin tropik ormandan mangrova, tatlı su bataklığına ve nihayetinde anız yakma suretiyle yapılan tarıma kadar– daha önce ortaya çıkarılmıştı. Piperno dolgulardaki fitolitlerin polen sıralamasıyla uyumlu olduğunu tespit etmiştir. Bunun tek istisnası, tarım ve arazi açmak için ormanlık alanların yok edilmesiyle ilgili kanıtların (yani mısırın

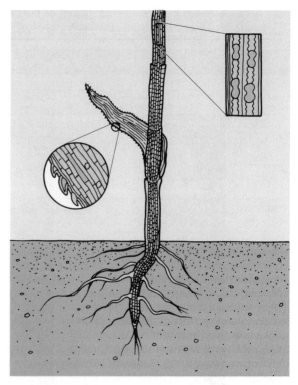

6.27 *Fitolitler bitki hücrelerindeki çok küçük silika tanecikleridir ve bitkinin geri kalanı çürüdüğünde hayatta kalırlar. Bazıları bitkinin belirli bölümlerine özgüdür (mesela sap ya da yaprak).*

ortaya çıkışı ve ağaçlar pahasına otluk alanların genişlemesi) fitolitlerde 4850 yıl öncesinde görülürken, polenlerde bundan yaklaşık 1000 yıl önce kendini göstermesidir. Bu erken tarihli kanıtlar muhtemelen polen diyagramlarında görülmeyen küçük arazi açma faaliyetleri ile ilgilidir çünkü örnekler çevredeki ormanlardan gelen polen tanelerini de içermektedir.

Dahası fitolitler çoğu zaman polen fosillerinin oluşmasına imkân vermeyen sedimanlarda (oksidasyon ve mikrobik faaliyetler yüzünden) korunur ve bu yüzden tarihöncesi çevre ve bitki örtüsü için eldeki yegâne kanıtlar olabilirler. Bir başka avantaj, bütün ot polenlerinin birbirine benzemesine rağmen, ot fitolitlerinin ekolojik açıdan farklı gruplara sokulabilmeleridir. Yakın zamanda fitolitlerdeki alüminyum iyonlarının ormanlık ya da otsul bitki örtüsünü ayırt etmekte kullanılabileceği; oksijen ve hidrojen izotop izlerinin ise önemli çevresel veriler sunabileceği keşfedilmiştir.

Diyatom Analizi. Bitki mikrofosillerini kullanarak yapılan bir diğer çevresel rekonstrüksiyon yöntemi diyatom analizidir. Diyatomlar, hücre zarları selüloz yerine silikadan meydana gelen tek hücreli yosun türlerdir ve silika hücre zarları yosunlar öldükten sonra da hayatta kalır, yosunların yaşadığı herhangi bir su kütlesinin tabanında büyük miktarlarda birikirler. Çok azı turbada bulunur, fakat çoğu göl ve deniz kıyı çökellerinden gelir.

Diyatomlar 200 yıldan beri kaydedilmekte, tanımlanmakta ve sınıflandırılmaktadır. Bunların tarif ve sayılma süreci, polen bilimindeki gibi arazide örnek toplamaya çok benzemektedir. İyi tanımlanmış şekil ve desenler yüksek bir tanı oranına izin vermektedir. Oluşturdukları topluluklar ise sudaki mevcut yosun tiplerini ve bunların diaytom üretkenliğini yansıtırken, dolaylı olarak da suyun tuzluluk oranını, alkalitesini ve besin değerini gösterir. Farklı türlerin çevresel ihtiyaçlarından (doğal ortam, tuzluluk oranı ve besinler) mevcut çevrenin farklı dönemlerde nasıl olduğu tespit edilebilir.

Botanist J.P. Bradbury, Minnesota ve Dakota'daki dokuz gölün diyatomlarına bakmış ve bu göllerdeki su kalitesinin geçen yüzyıl içinde kıyılardaki Avrupalı insan yerleşmelerinin kurulmasından beri ormansızlaştırma, tomrukçuluk, erozyon, kesintisiz tarım ve insan ile hayvan atıklarının artışı yüzünden daha "ötrofik" (besin zengini) hâle geldiğini belirlemiştir.

Diyatom toplulukları suyun taze, acı ya da tuzlu olup olmadığına işaret ettiği için, tektonik yükselmenin bulunduğu yerlerde göllerin denizlerden ayrıldığı dönemlerin tespiti, eski kıyı şeritlerinin lokalizasyonu, su ilerlemelerinin belirlenmesi ve su kirliliğinin ölçülmesi amacıyla kullanılmışlardır. Örneğin, Medemblick'te (Hollanda) eski Wevershoof Gölü'nün bulunduğu alandaki çökeltilerden gelen diyatom kesitleri, burada MS 800 civarında meydana gelen su ilerlemesinin tatlı su gölünü yutarak çevre bölgede

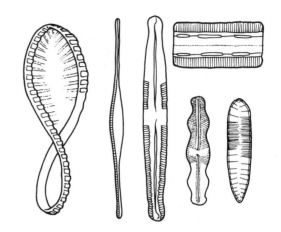

6.28 Silika hücreleri ölümlerinden sonra birçok çökeltide korunan mikroskobik tek hücreli algler olan çeşitli diyatomlar. Bir dolgudaki değişen türlerin incelenmesi, bilim insanlarının geçmiş çevrelerdeki dalgalanmaları yeniden kurgulamasına izin verir.

insan yerleşimlerinin kesintiye uğrattığını düşündürmektedir.

Kaya Cilaları. En küçük bitki parçacıkları bile çevre hakkında bilgi verebilir. Kuzey Amerika, Ortadoğu ve Avustralya gibi birçok yerde bulunan Pleistosen çöl arazi şekilleri üzerinde oluşmuş kaya cilaları, kil mineralleri ve organik maddelerle birlikte manganez ve demir oksidin birikimidir. Organik madde havayla taşınan mikrometre boyutlarındaki bitki kalıntılarının kaya üzerinde toplanmasıyla meydana gelir ve dolayısıyla bakteri faaliyeti aracılığıyla metabolize olarak kaya cilasına yapışır. Fakat cilanın %1'den azı organik maddedir; bu yüzden düzgün bir analiz yapılabilmesi için binlerce santimetrekarelik yüzeye ihtiyaç vardır.

Analizin amacı, modern örneklerdeki kararlı karbon izotoplarının ($^{12}C/^{13}C$) oranıyla farklı yerel çevreler arasında (çöl, yarı kurak, nemli dağ havası vb.) güçlü bir bağıntı olmasıdır. O nedenle farklı kaya cilası katmanlarındaki organik maddenin kararlı karbon izotopu oranları değişen şartlar ve özellikle çevredeki bitki örtüsünde bulunan değişik tipte bitkilerin miktarı hakkında bilgi sağlar. Amerikalı bilim adamları Ronald Dorn ve Michael DeNiro California'nın doğusundaki Üst Pleistosen kesitlerindeki cila yüzeyleri ve katmanlardan örnekler almış ve alt katmaların yüzeydekilere göre daha nemli ortamlarda oluştuğunu keşfetmişlerdir. Bu durum, Amerika Birleşik Devletleri'nin güneybatısında son Buzul Çağı'nın ardından gelen Holosen'e nazaran daha az kurak geçtiğine dair görüşleri desteklemekteydi. Aynı şekilde, Negev Çölü'nde (İsrail) bulunan Timna Vadisi örnekleri sırasıyla kurak, nemli ve yine kurak dönemlerden meydana gelen bir kesiti ortaya çıkarmıştır. Ne var ki teknikle ilgili sorunlar vardır. Bunların başında tabakalanmanın tabakaların kendilerini ayırt edemeyeceğimiz kadar ince olması gelir. Gelecekteki çalışmalar bu sorunları çözebilir.

Bitki DNA'sı. Bitkilerin en küçük parçası DNA'larıdır ve bunlar artık bazı kontekstlerde tespit edilebilmekte ve tanımlanabilmektedir. Örneğin, Nevada'daki Gypsum Mağarası'nda 20.000 yıl önce soyu tükenmiş bir yer tembel hayvanına ait fosil dışkıda yapılan kimyasal analizler çok çeşitli bitki DNA'larının varlığını göstermiştir. Bu, sadece yer tembelhayvanın beslenme alışkanlıkları (otlar, avize ağacı, üzüm, nane vs.) değil, aynı zamanda o dönemde ve yerde mevcut bitki örtüsü hakkında da ipuçları vermiştir.

Adı geçen bütün mikrobotanik teknikler –polen, kütikül, fitolit, diyatom, kaya cilası ve DNA çalışmaları– sadece uzmanı tarafından uygulanabilir. Bununla birlikte, arkeologlar için çevresel kanıtlarla daha doğrudan temas, kazılar sırasında karşılaştıkları büyük boyutlu bitki kalıntıları aracılığıyla olur.

Makrobotanik Kalıntılar

Çok çeşitli büyük bitki kalıntılarını kurtarmak imkân dâhilindedir ve bunlar, arkeolojik alanların yakınlarında insanlar tarafından yetiştirilen, tüketilen vb. bitkiler hakkında bilgi sağlar. Bir sonraki bölümde insanların kullanımını tartışacağız; burada ise makrobotanik kalıntıların yerel çevresel rekonstrüksiyona olan katkılarına odaklanacağız.

Arazide Kurtarma. Sedimanlardan bitkilerin elde edilmesi, mineral parçacıklarını organik malzemeden farklı boyutlarıyla (eleme) hacim ağırlığına (yüzdürme) göre ayırabilen eleme ve yüzdürme tekniklerinin gelişmesiyle kolaylaşmıştır. Arkeologlar, kazının yeri, bütçesi ve amaçları doğrultusunda geniş bir alet yelpazesinden seçim yapabilirler.

Bitki kalıntıları için sedimanlar tek kaynak değildir; donmuş mamutların karınlarında ve turbiyer bedenlerinde; insan, sırtlan, dev tembel hayvan vs. dışkılarında; mamut dişlerinin üzerinde vb. dışkıları; taş aletlerde ve kapların içindeki artıklarda da bulunurlar. Kalıntıların kendisi ise çeşitlilik gösterir:

Tohumlar ve Meyveler. Eski tohum ve meyveler genellikle kömürleşme ya da su girişimi yüzünden şekillerinde meydana gelen değişimlere karşın türlerine kadar tanımlanabilmektedir. Bazı durumlarda kalıntılar çözüşmüş, ama geride izlerini bırakmışlardır. Tanecik izleri çanak çömlek üzerinde oldukça yaygındır, ama yaprak izleri de bilinir. Sıva

ve süngertaşından deri ve aşınmış bronza kadar uzanan çeşitli malzemelerde bunlara ait baskı izlerine rastlanmıştır. Tanımlama elbette izlerin tipi ve kalitesine bağlıdır. Böyle buluntular bir bitkinin ille de yerel olarak yetiştiği anlamına gelmez: Mesela üzüm çekirdekleri ithal meyvelerden gelebilir ve çanak çömlek üretildiği yerden çok uzaklara gidebildiğinden bunların üzerindeki izler yanıltıcı olabilir.

Bitki Kalıntıları. Kapların içindeki bitki artıklarının kimyasal analizi 7. Bölüm'de insan beslenme alışkanlıkları bağlamında ele alınacaktır, fakat sonuçlar hangi türlerin mevcut olduğu hakkında bir fikir verebilir. Çanak çömleklerin kendisi katkı maddesi olarak bitki dokuları (ayrıca deniz kabukları, tüyler veya kan) içerebilmektedir ve mikroskop analizleri bazen bu kalıntıları tespit eder. Örneğin Amerika Birleşik Devletleri'nin Güney Carolina ve Georgia eyaletlerinden gelen eski çanak çömlekler üzerinde yapılan çalışmalarda, ananas ailesine mensup İspanyol yosununun doğranmış parçalarına rastlanmıştır.

Ahşap Kalıntıları. Kömürleşmiş parçaların (bir şekilde yanmış ahşap) incelenmesi, çevrenin ve ahşap kullanımının arkeolojik rekonstrüksiyonlarına giderek artan bir katkıda bulunmaktadır. Çok dayanıklı bir malzeme olan kömürleşmiş parçalar çoğunlukla arkeolog tarafından bulunur ve çıkartılır. Parçalar elendikten, sıralandıktan ve kurutulduktan sonra bir uzman tarafından mikroskop altında incelenir ve normalde (ahşabın anatomisi sayesinde) familya bazen de tür düzeyinde tanımlanır. Kimyasal maddelerin kullanılmasına gerek olmadığından, kömürleşmiş parçalar ve tohumlar radyokarbon tarihlemesi (4. Bölüm) için örnek alınabilecek en güvenilir malzemelerdir.

Kömürleşmiş parça örneklerinin çoğu yakacak odunlardan gelir, ama diğerleri ahşap yapılar, mobilya ve yerleşimin tarihinde bir noktada yanmış aletlere aittir. Dolayısıyla örnekler yerleşim çevresinde yetişen tüm türlerin bir yelpazesi yerine, insanların seçimlerini yansıtmaya eğilimlidir. Yine de, her bir türün toplam miktarı belirli bir dönemdeki bitki örtüsünün bir bölümü için fikir verir.

Zaman zaman kömürleşmiş parçaların analizi başka kanıtlarla bir araya getirilerek sadece yerel çevre değil, aynı zamanda insanların buna adaptasyonuna dair kanıtlar sağlayabilir. Cape Province'deki (Güney Afrika) Boomplaas Mağarası'nda Hillary Deacon ve ekibinin derin çökelti kazıları 70.000 yıl öncesine kadar giden insan yerleşim izleri açığa çıkardı. Arkeolojik alandaki Buzul Çağı ve Buzul Çağı sonrası kömürleşmiş parça örnekleri arasında açık bir fark bulunuyordu. 22.000 ve 14.000 yıl öncesinde olduğu gibi havanın çok soğuk ve kuru olduğu dönemlerde, hem kömürleşmiş parçalardaki hem de polenlerdeki tür çeşitliliği düşükken, yüksek yağış ve/veya sıcaklık zamanlarında tür çeşitliliği artıyordu. Küçük memelilerde de benzer bir düzen gözlemlenmekteydi.

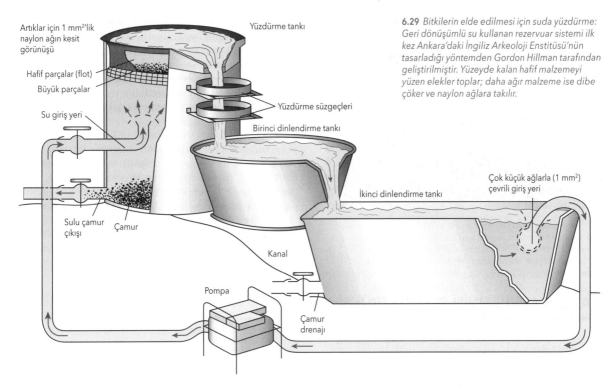

Artıklar için 1 mm²'lik naylon ağın kesit görünüşü

Hafif parçalar (flot)

Büyük parçalar

Su giriş yeri

Sulu çamur çıkışı Çamur

Yüzdürme tankı

Yüzdürme süzgeçleri

Birinci dinlendirme tankı

İkinci dinlendirme tankı

Çok küçük ağlarla (1 mm²) çevrili giriş yeri

Kanal

Pompa

Çamur drenajı

6.29 *Bitkilerin elde edilmesi için suda yüzdürme: Geri dönüşümlü su kullanan rezervuar sistemi ilk kez Ankara'daki İngiliz Arkeoloji Enstitüsü'nün tasarladığı yöntemden Gordon Hillman tarafından geliştirilmiştir. Yüzeyde kalan hafif malzemeyi yüzen elekler toplar; daha ağır malzeme ise dibe çöker ve naylon ağlara takılır.*

En soğuk ve en kurak zamanlarda Boomplaas Mağarası'nın çevresindeki bitki örtüsü çoğunlukla bodur ağaçlar, otlar ve insanların yararlanabileceği birkaç meyve ve bitki soğanından oluşuyordu. Kömürleşmiş örneklerde, bugün nispeten kuru bölgelerde yetişen gergedan otu dediğimiz bir tür ağaçsı baskındır. Buzul Çağı'ndaki büyük memeli faunasında "dev" bufalo türleri, at ve inek antilobunu kapsayan otlayıcılar baskındı. Bunların yaklaşık 10.000 yıl önce soyu tükenmiştir (büyük av hayvanlarının soylarının dünya çağındaki tükenişi ilerideki bir altbölümde ele alınacaktır).

Boomplaas kömürleşmiş parçaları, büyük otlayıcıların yok olmasına ve buna bağlı olarak mağara sakinlerinin yiyecek alışkanlıklarında farklılaşmaya yol açan kademeli değişimi doğrudan yansıtır. Odun kömürü analizi ayrıca en yüksek yağışın olduğu mevsimin kayması gibi daha zor algılanabilecek değişimleri aydınlatmaktadır. Bugün Cango Vadisi'ndeki ormanlık bitki örtüsü, nispeten kurak ve yağışların genellikle yazın olduğu Afrika'nın güneyindeki büyük alanların özelliği olan akasyadır (*Acacia karroo*). Kömürleşmiş akasya (arka sayfadaki görsele bakınız) Boomplaas Buzul Çağı örneklerinde yoktur, ama 5000 yıl öncesinden itibaren görülür ve 2000 yıl öncesine gelindiğinde baskın tür hâline gelmiştir. Bu durum sıcak ve nispeten nemli yazlara geçişi gösterir. Yaz yağışlarına özgü türlerin yaygınlaşmasıyla birlikte mağara sakinleri

yeni meyve yelpazesinden daha fazla yararlanabilmiştir. Bu meyvelerin bazılarına ait tohumlar arkeolojik alanda bulunmuştur.

Bu tip analize tabi tutulan bütün ahşaplar sadece kömürleşmiş olanlar değildir. Dünyanın birçok yerinde su

6.30 *Güney Afrika'daki Cape Province'de bulunan Boomplaas Mağarası'nda 1975 yılı kazıları. Mağara tavanından sarkıtılan ızgara çizgileri kullanılarak çok titiz kayıt kontrolü uygulanmıştır.*

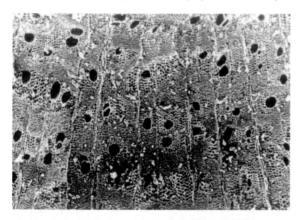

6.31 *Boomplaas Mağarası'ndan bu kömürleşmiş parça örneğinin taramalı elektron mikroskop fotoğrafı (x50) Acacia karroo (akasya, mimoza) ağacına aittir. Boomplaas'ta bu türün 5000 yıl önce görünmeye başlanması nispeten nemli sıcak yazlara geçişin bir göstergesidir.*

altındaki arkeolojik alanlardan giderek artan sayıda **suya doymuş ahşap** çıkarılmaktadır (aşağıya ve 2 ile 8. bölümlere bakınız). Çok soğuk ve kuru ortamlarda, **kurumuş ahşap** yangın ya da su basması olmadan korunabilir.

Diğer Kanıt Kaynakları. Arkeologların çalıştığı daha yakın zamanlardaki bitki örtüsü hakkında sanat, metinler (mesela Yaşlı Plinius'un yazdıkları, Roma'dan çiftçilikle ilgili eserler, Kaptan Cook gibi ilk kâşiflerin yazıları ve çizimleri) hatta resimlerden bilgi edinilebilir.

Tek başına hiçbir kanıt kategorisi yerel ya da bölgesel bitki örtüsü, küçük çaplı eğilimler veya uzun vadeli değişimlerin tam bir resmini vermez. Her bir kategori geçmiş gerçekliklerin kısmi versiyonlarını üretir. Mevcut her kaynaktan veri girişi gereklidir ve aşağıda görüleceği üzere, geçmiş çevreye dair en iyi tahminini yeniden kurgulamak için bunlar, bu bölümde ele alınmış diğer veri tiplerinden gelen sonuçlarla birleştirilmelidir.

HAYVAN ÇEVRESİNİN REKONSTRÜKSİYONU

Hayvan kalıntıları, 19. yüzyıl arkeologlarının kazılarda karşılaştıkları tarihöncesi dönemlerin iklimini tanımlamak için kullandıkları ilk kanıtlardı. Bu yüzden Mamut Çağı, Yaban Öküzü Çağı ve Rengeyiği Çağı gibi kavramlar daha sonra onların yerine geçecek olan taş aletlerin sınıflandırılmasına kadar yaygındı.

Bu terimlerin altında yatan şey, farklı türlerin belirli tabakalarda, dolayısıyla belirli dönemlerde mevcut, namevcut ya da özellikle fazla olması ve bu durumun değişen iklim koşullarını yansıttığı düşüncesiydi.

Bugün hayvan kalıntılarını çevrenin rehberi olarak kullanmak için kalıntılara 19. yüzyıl öncülerinden daha titiz bakmamız gerekir. Örneğin, modern hayvanların çevreleriyle arasında bulunan karmaşık ilişkiyi anlamalıyız. Ayrıca incelediğimiz hayvan kalıntılarının arkeolojik alana nasıl geldiğini (doğal yollar, etobur ya da insan faaliyetleri; s. 292-293'teki kutuya bakınız) ve bu sayede ait oldukları dönemdeki çeşitliliği ne kadar temsil ettiğini incelemeliyiz.

Mikrofauna

Küçük bitki kalıntılarının büyüklere göre çevre çalışmalarına daha fazla katkı yapması gibi, küçük hayvanlar da (mikrofauna) büyük türlere göre iklimsel ve çevresel değişimlerin daha iyi göstergeleridir, çünkü bunların dalgalanmalara duyarlı ve çabuk adapte olduğu yerlerde büyük türlerin nispeten daha geniş bir tolerans eşiği vardır.

Üstelik mikrofauna bir arkeolojik alanda doğal olarak biriktiğinden, kalıntıları çoğunlukla insanların ve hayvanların beslenme alışkanlıklarıyla bir araya gelen büyük hayvanlara

göre mevcut çevreyi daha doğru yansıtır. Küçük hayvanlar, özellikle de böcekler aynı polenler gibi büyük hayvanlardan daha bol bulundukları için üzerinde yapılan analizlerin istatistiksel önemi artmaktadır.

Kuru ve/veya ıslak elek yoluyla analiz için iyi örnek almak önemlidir. Aksi takdirde kazı sırasında büyük miktarda örnek gözden kaçabilir.

Arkeolojik alanlarda çok kapsamlı bir mikrofauna yelpazesi vardır:

Böcekçiller, Kemirgenler ve Yarasalar. Bunlar en sık karşılaşılan türlerdir. Bir uzman önemsizmiş gibi görünen bu hayvanların nelerle ilişkili olduklarından ve sayılarındaki dalgalanmalardan çevreye ait birçok bilgi elde edebilir, çünkü söz konusu hayvanların çoğu, arkeolojik alanlarda insan faaliyetinden dolayı değil, doğal olarak bulunurlar.

Kemiklerin tabakayla çağdaş olduğundan ve çukur/tünel açma faaliyetinin gerçekleşmediğinden mümkün mertebe emin olunmalıdır. Ayrıca kalıntılar tabakalara sonradan gelmemiş olsa bile her zaman için o dönemdeki çevreyi yansıtmayacaklardır: Örneğin eğer baykuş kusuğu söz konusuysa bunlar arkeolojik alana birkaç kilometre uzaktan taşınmış olabilir (yine de kuş kusuklarının içeriği yerel çevrenin belirlenmesinde büyük önem taşıyabilir).

Büyük memelilerde olduğu gibi belirli küçük türler de oldukça özel çevresel şartlara işaret edebilmektedir. Stanford Üniversitesi'nde Richard Klein yağış miktarıyla Güney Afrika köstebek faresinin büyüklüğü arasında güçlü bir ilişki bulunduğunu tespit etmiştir. Görünüşe bakılırsa, yüksek yağış miktarının arttırdığı bitki örtüsü yoğunluğuna tepki olarak farelerin boyutları büyümektedir. Güney Afrika'daki Elands Bay Mağarası'nda yaptığı fauna incelemesi (s. 262-263'teki kutuya bakınız), günümüzden 11.000 ilâ 9000 yıl öncesine tarihlenen tabakalarda bulunan Cape kumkazanının önceki yedi bin yıla göre dikkat çekici ölçüde büyüdüğünü açığa çıkarmış ve bu durum Pleistosen'in sonunda yağış miktarının arttığına dair bir kanıt kabul edilmiştir.

Kuşlar ve Balıklar. Kuşların ve balıkların kemikleri bilhassa kırılgandır, fakat üzerlerinde çalışmaya değer. Meselâ bunlar belirli arkeolojik alanların hangi mevsimlerde iskân edildiğini tespit etmek için kullanılabilir (7. Bölüm). Kuşlar iklim değişikliklerine duyarlıdır ve son buzul çağında "soğuk" ve "sıcak" türlerin birbirlerini izlemesi, çevrenin değerlendirilmesinde büyük yardım sağlamıştır, ama bir kuşun doğal olarak mı bulunduğuna yoksa insan ya da yırtıcı hayvan aracılığıyla mı mevcut yerine getirildiğine karar vermek bazen zordur.

Kara Yumuşakçaları. Kara yumuşakçalarının kalsiyum karbonat kabukları çok çeşitli sedimanlarda, ama özellikle polen analizinin sınırlı olduğu alkali kontekstlerde bulunur. Yerel şartları yansıtırlar ve mikroklimada oluşan değişimlere tepki verirler. Ancak birçok türün geniş tolerans gösterdiği ve değişime tepkilerinin nispeten yavaş olduğu hesaba katıl-

malıdır; öyle ki kötü hava koşullarının hâkim olduğu yerlerde "beklerler" ve daha uygun yeni yerlere yavaşça yayılırlar.

Her zaman olduğu gibi, kabukların *in situ* mu olduğu yoksa başka bir yerden akıntı ya da rüzgâr yoluyla mı geldiğini tespit etmek gerekir. Kabuk örnekleri tarafsız olmalıdır. Elemenin sadece hafirin gözüne takılan büyük ya da renkli örnekleri değil, fakat bütün buluntu grubunu muhafaza etmesi sağlanmalıdır. Korunmanın niteliği önemlidir, çünkü kabuk şekli ve deseni tür tespitinde anahtar rol oynar. Bir kez buluntu grubu tespit edildikten sonra, zaman içindeki değişimleri, dolayısıyla yumuşakça nüfusunun çevresel dalgalanmalar karşısında nasıl başkalaşmalar geçirdiğini izlemek mümkündür. Sıcaklık ve yağış miktarı baskın etkenleridir; bir tür, normal yaşam alanının uçlarında bulunduğu yerlerde çok hassas değişim göstergesi olabilir.

Bu konuda İngiliz uzman John Evans (1925-2011) ve diğerleri Britanya'daki bir dizi tarihöncesi arkeolojik alanda birçok çalışma yapmıştır. Yakında bulunan Avebury'de arkeolojik alanının yamacındaki birbirini takip eden toprak katmanlarında ortaya çıkarılmış türlerin bağıl yüzdesi 10.000 yıl öncesinde tundra çevresi, 8000-6000 öncesinde açık ormanlık alan ve 6000-3000 yıl öncesinde de kapalı ormanlık alanın varlığına işaret etmektedir. Sonuncusunun ardından arazi açma, tarla sürme ve nihayetinde çayır gelmiştir (üstte, görsel 6.33'e bakınız).

HAYVAN KALINTILARININ TOPLANMASI

Kalıntı türü	Sediman tipi	İncelemeden elde edilen bilgiler	Çıkarma ve inceleme yöntemi	Toplanacak miktar
Küçük memeli kemiği	Çok asitli hariç hepsinde	Doğal fauna, ekoloji	1 mm'ye kadar eleme	75 litre
Kuş kemiği	Yukarıdaki gibi	Bkz. büyük ve küçük memeli kemikleri	Yukarıdaki gibi	Yukarıdaki gibi
Balık kemiği, pulu, kulak taşı	Yukarıdaki gibi	Beslenme alışkanlıkları, balık avlama teknolojisi ve mevsimsel faaliyetler	Yukarıdaki gibi	Yukarıdaki gibi
Kara yumuşakçaları	Alkali	Geçmiş bitki örtüsü, toprak tipi, kültür toprağı geçmişi	500 mikrona kadar laboratuvar elemesi	10 litre
Deniz yumuşakçaları (kabuklular)	Alkali ve normal	Beslenme alışkanlıkları, ticaret, toplama mevsimleri, kabuklu toplaması	Elle ayıklama, malayla arama ve eleme	75 litre
Böcek kalıntıları (kömürleşmiş)	Bütün sedimanlar	İklim, bitki örtüsü, yaşam şartları, ticaret, insan beslenme alışkanlıkları	300 mikrona kadar laboratuvarda eleme ve parafin yüzdürmesi	10-20 litre
Böcek kalıntıları (kömürleşmemiş)	Islaktan su basmışa kadar	Yukarıdaki gibi	Yukarıdaki gibi	Yukarıdaki gibi
Büyük memeli kemiği	Çok asitli hariç hepsi	Doğal fauna, beslenme alışkanlıkları, hayvancılık, kasaplık, hastalık, sosyal mevki, zanaat teknikleri	Elle ayıklama, malayla arama ve eleme	Örneklerin topluca alındığı yerler hariç tüm kontekst malayla aranır

6.32 *Mikro ve makrofauna toplama yöntemlerini özetleyen ve her bir kategoriden elde edilebilecek bilgileri gösteren tablo.*

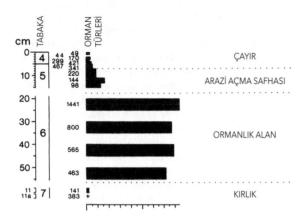

6.33 *Güney İngiltere'deki Avebury'de yapılan kazılara göre kara yumuşakçası çubuk grafiği. Orman salyangozu türlerindeki dalgalanma yüzdeleri, günümüzden yaklaşık 10.000 yıl önce kırlıktan (tundra) ormanlık alana ve sonunda çayıra doğru geçişi ortaya koymaktadır.*

Deniz Yumuşakçaları. Bu bölümün başında gördüğümüz gibi, deniz yumuşakçası yığınları bazen eski kıyı şeritlerini belirlemeye yardım edebilir ve zaman içinde değişen tür yüzdeleri kıyısal mikroçevrenin niteliği hakkında bazı şeyler söyleyebilir: mesela temsil edilen türlerin günümüzdeki tercihlerine bakılarak çevrenin eskiden kumsal mı yoksa kayalık mı olduğunu anlamak gibi. Farkı türlerin varlığı ya da bolluğunda yaşanan bu değişimlerin gösterdiği iklimsel değişiklikler kabukların oksijen izotop analizinden çıkan sonuçlarla karşılaştırılabilir. İki yöntem arasındaki güçlü bağıntı, Tokyo Körfezi'nde yer alan Jomon çöp yığınlarındaki çalışmaları sırasında Hiroko Koike tarafından bulunmuştur. Örneğin burada, tropikal türlerin kayboluşu 5000-6000 yıl önceye ait bir soğuk evreye işaret etmekteydi. Bu tespit, yaklaşık 5000 yıl önce oksijen 18 artışı (su ısısının düşüşü dolayısıyla) ile doğrulanmıştır. Yedinci Bölüm'de yumuşakça kabuğundaki büyümenin mevsimselliği nasıl kanıtladığını göreceğiz.

Böcekler. Böcekler yetişkinler, larvalar ve pupalar (sineklerin durumunda) şeklinde geniş bir yelpaze olarak karşımıza çıkabilir. Böceklerin incelenmesi (paleoentomoloji) özellikle Britanya'da birçok öncü çalışmanın yapıldığı yaklaşık 50 yıl öncesine kadar arkeolojide ihmal edilmişti.

Modern altsoyların dağılımları ve çevresel gerekliliklerini bildiğimiz için böcek kalıntılarını belirli dönemlerde ve yerlerdeki egemen iklim şartlarının (ve bir dereceye kadar bitki örtüsünün) doğru göstergeleri olarak kullanmak mümkündür. Bazı türler üremek için ve larvalarının gereksinim duyduğu besinler anlamında çok hassas çevresel şartlar arar. Ancak bir mikroçevrenin rekonstrüksiyonu için tek bir "gösterge tür" kullanmak yerine, birden fazla türü dikkate almak daha gü-

venlidir (bunlara ait tolerans aralıklarının örtüştüğü alanlarda eski iklim bulunur).

İklim değişikliklerine verdikleri hızlı tepkiler ışığında böcekler, bu iklim olayları yanında mevsimlik ve ortalama yıllık sıcaklıkların zamanlaması ve ölçeğine dair kullanışlı göstergelerdir. Hatta Buzul Çağı'na ait birkaç böcek tasviri günümüze kalmıştır ve bunlar buzul çevresi alanlarında hayatta kalabilmiş türleri gösterirler.

Kınkanatlılar (bokböcekleri ve buğday bitleri) mikroçevresel çalışmalar için özellikle yararlı böceklerdir. Başlar ve göğüs kısımları genelde iyi korunmuş hâlde bulunurlar. Pleistosen'den bilinen hemen bütün örnekler hâlen yaşamaktadır ve geçmiş iklimlerin hassas göstergeleridir. Çevresel değişimlere (özellikle sıcaklığa) hızlı tepki verirler ve iyi tanımlanmış tolerans aralıklarında çeşitlilik gösteren bir grup meydana getirirler. Bazı türler bitkisel çevre konusunda çok seçicidir ve sadece meşe ya da bazı mantarlar gibi belirli bitkiler üzerinde yaşar.

Bir çalışmada, Pleistosen fosili olan 350 kınkanatlı türünün iklimsel tolerans aralıklarına ait bir harita çıkarılmış, ardından ortak iklimsel aralık yöntemi Britanya'daki 26 arkeolojik alandan 57 kınkanatlı faunasına uygulanmıştır. 13.000 ve 10.000 yıl önce çok hızlı büyük ısınmalar olduğu ve GÖ 12.500'ten itibaren GÖ 10.500'e kadar kadar ufak dalgalanmalarla birlikte uzun bir soğuma eğiliminin (şartlar şimdikiyle aynı olup ortalama Temmuz sıcaklıkları 17°C civarındadır) varlığı saptanmıştır.

Arkeolojik tabakalarda böceklerin keşfi zaman zaman önemli sonuçlar doğurabilir. Başlıca örneklerden biri, Hampstead'in (Londra) Neolitik tabakalarında bulunmuş *Scolytus scolytus* kalıntılarıdır. Bunlar Kuzeybatı Avrupa'nın göl çökeltilerindeki sondaj örnekleri ve turbalarından gelen 5000 yıl evveline ait karaağaç polenlerindeki sert düşüşten önceki bir tabakada ortaya çıkar. Arkeolojik açıdan iyi bilinen bu ani düşüş, aslen iklim değişikliği ve toprağın kalitesizleşmesine, ardından da ilk çiftçilerin yem için arazi açmasına bağlanmıştır (12. Bölüm'e bakınız). Ancak *Scolytus scolytus* karaağaç

6.34 *Fransa'da Ariège'deki Enlène Geç Buzul Çağı (Magdalen dönemi) arkeolojik alanında, üzerine bir çekirge tasviri işlenmiş kemik parçası. Böcekler iklim değişimlerine çabuk tepki verir ve çevresel farklılıkların çağı ve zamanlamasına dair hassas göstergelerdir.*

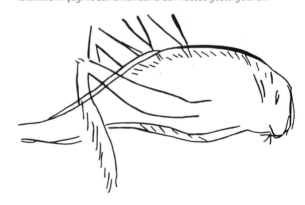

hastalığının sorumlusu mikrobik mantarı yayan böcektir ve böylece 5000 yıl önce azalan karaağaç nüfusuna dair alternatif, doğal bir açıklama getirir. Yakın zamanda Avrupa'da baş gösteren karaağaç hastalığı, bilim insanlarının hastalığın modern polen kayıtları üzerindeki etkilerini gözlemlemelerine izin vermiştir. Gerçekten de, karaağaç polenlerindeki düşüşün Neolitik'tekiyle aynı oranlarda olduğunu bulmakla kalmamışlar, ormanlık arazilerin açılmasıyla yabani ot polenlerinde görülen artışın her iki örnekte aynı olduğunu ortaya çıkarmışlardır. Bu olgu, böceğin Neolitik'te bilinen varlığıyla birlikte söz konusu dönemde karaağaç hastalığının mevcudiyetine dair güçlü bir kanıt sunar. Böcekler Vikingler'e ait bazı kalasların tahta kurtları tarafından delik deşik edilmiş hâlde bulunduğu York'taki kazılarda ön plana çıkmıştır. Şehirdeki MS 3. yüzyıla ait bir Roma kanalizasyonda, tuvaletler yönündeki iki yan kanalda yoğunlaşmış lağım sinekleri içeren atık tortusu bulunmuştu. Kanalizasyon konumu itibarıyla askeri bir hamamı drene ediyordu, fakat tahıl biti ve altın örümcek böceklerine ait kalıntılar aynı zamanda bir tahıl ambarını da akapladığını göstermiştir.

Şüphesiz böcekler sadece iklim ve bitki örtüsü değil, arkeolojik arkeolojik alanların içinde ve çevresindeki yaşam şartları konusunda arkeologlara sunabildiği verilerin niteliği ve niceliği sebebiyle de önemlidir.

Makrofauna

Arkeolojik alanlarda bulunmuş büyük hayvanlara ait kalıntılar, insanların geçmişteki beslenme alışkanlıklarına dair bir resim oluşturmaya yardım eder (7. Bölüm). Çevresel göstergeler olarak, daha önce düşünüldüğü kadar güvenilir olmadıkları anlaşılmıştır. Bunun başlıca nedeni, küçük hayvanlara göre iklim değişikliklerine daha az hassasiyet göstermelerinin yanında, bir arkeolojik konteksteki kalıntılarının insan ya da hayvan faaliyetleri sonucunda oraya gelme ihtimalinin yüksek oluşudur. İnsanlar ya da etoburlar tarafından öldürülmüş hayvanların kemikleri seçildiğinde, çevrede mevcut faunanın tam bir yelpazesi doğru şekilde yansıtılmış olmaz. Bu yüzden ideal olan, doğal rastlantılar, felaketler (ani sel, volkanik patlama veya Los Angeles'taki Rancho La Brea'nın ünlü katran çukurlarında bulunmuş geniş Pleistosen faunası örneğinde olduğu gibi çamura vb. gömülme) ya da donmuş kara parçaları sayesinde bir araya gelmiş hayvan kalıntıları bulmaktır. Fakat bunlar her hâlükârda sıra dışı buluntulardır ve arkeologların karşılaştığı sıradan hayvan kemikleri topluluklarından çok farklıdır.

Kemik Toplama ve Arazide Tanımlama. Kemikler genellikle sadece çabuk gömüldükleri, dolayısıyla atmosfer aşındırması ve leş yiyici hayvanların faaliyetlerinden sakındıkları durumlarda günümüze gelirler. Ayrıca daha yumuşak bir hâlde asit içermeyen su basmış buluntu yerlerinde de iyi korunurlar. Bazı durumlarda, zarar vermeden kaldırmadan önce kemiklerin arazide işlem görmesine ihtiyaç duyulabilir. Kemikler çökeltilerde yavaş yavaş minerallere doyar; ağırlıkları ve sertlikleri artar, böylece daha dayanıklı olurlar.

Kemiklerin toplanmasından sonraki ilk adım, hem vücut parçası hem de tür bağlamında olabildiğince çok parça tanımlamaktır. Bu bir zoologun ya da sayıları giderek artan zooar-

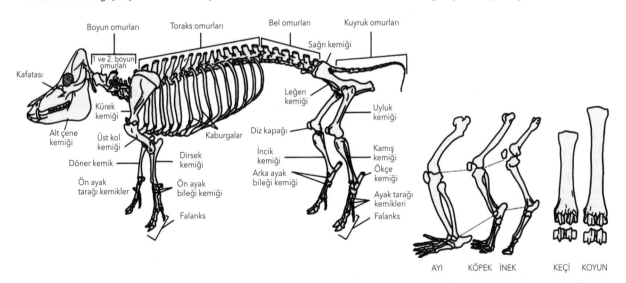

6.35 *Hayvan kemiklerinin tanımlanması. (solda) Tipik bir evcil bir hayvan olan domuzun iskeletindeki kemikler. (ortada) Memeli uzuv kemiklerinin yapısal karşılaştırması. Ayılarda (ve insanlarda) ayağın tamamı yere basarken, köpek gibi etçillerde sadece parmaklar yere değmektedir. Sığır gibi otçullar "parmak ucunda" yürümektedir; sadece son falankslar yere basar. (sağda) Koyun ve keçi kemiklerini birbirinden ayırmak çok zordur, ancak bu ön ayak tarağı kemiklerindeki gibi ince farklar mevcuttur.*

keologların işidir. Bununla birlikte, her arkeolog temel kemik çeşitlerini ve türlerini tanımalıdır. Tanımlama bir referans koleksiyonu aracılığıyla yapılır. Sonuç listeleri ve tür ilişkileri bazen Paleolitik buluntu yerlerinin tarihlendirilmesine yardım eder. Yeni kemik protein kolajeni analizleri sayesinde, şimdi en küçük fosil kemiğin hangi türe ait olduğunu tanımlamak mümkündür. Bu yapıldığı ölçüde koyun ve keçi kemikleri de ayırtedilebilir.

Bir kez kemik topluluğunun ölçümü tamamlandıktan sonra (s. 294-295'teki kutuya bakınız) sonuçlar bize çağdaş çevre hakkında neler söyleyebilir?

Varsayımlar ve Kısıtlamalar. Büyük hayvanların anatomisi, özellikle de dişleri, besin alışkanlıkları ve dolayısıyla –otoburların durumunda– tercih ettikleri bitki örtüsü hakkında bazı şeyler söyler. Ancak bitki örtüsünün kapsamı ve doğal ortamına dair bilgilerin büyük bölümü modern türler üzerine yapılan çalışmalardan gelmektedir. Bu düşünce, söz konusu dönemden beri hayvanların davranışlarında önemli bir değişim olmadığı varsayımına dayanır. Çalışmalar, önceden düşünüldüğünün aksine büyük hayvanların daha geniş bir sıcaklık yelpazesine ve çeşitli çevrelere tahammül edebileceğini –yani dayanma ya da yararlanma kabiliyetleri olduğunu– göstermiştir. Dolayısıyla, bugün arktik ve ılıman iklime özgü türler aslında doğal çevreleri açısından dikkat çekici şekilde örtüşürler ve en düşük sıcaklık toleransları benzerdir. Bunun anlamı, bir zamanlar arkeologların yaptığı gibi, kürklü gergedan ya da mağara ayıları Pleistosen türlerinin mutlaka soğuk iklime işaret edeceğini artık varsayamayacağımızdır. Bu türlerin varlıkları, sadece onların düşük sıcaklıklara tahammül edebildikleri şeklinde anlaşılmalıdır.

Bu yüzden, eğer bir arkeolojik alana ait mikrofauna topluluğundaki dalgalanmaları *sıcaklık* değişimleriyle ilişkilendirmek zorsa, en azından *yağış* farklarının hayvan kalıntılarındaki çeşitlenmelere olabildiğince doğrudan yansıyacağını söyleyebiliriz. Örneğin, türler tahammül edebilecekleri derinlikteki kar kadar çeşitlenecektir ve bu, dünyanın kalın kar örtüsü altında kaldığı kısımlarında kış fauna topluluğunu etkiler.

Büyük memeliler genellikle **bitki örtüsü** için iyi göstergeler değildir, çünkü otoburlar çok geniş bir çevre aralığında büyüyebilirler ve çeşitli türde bitkiler yerler. Dolayısıyla münferit türler çoğunlukla belirli bir doğal ortamların karakteristiği olarak kabul edilemez, ama istisnalar vardır. Bugün dağların yüksek kesimleriyle sınırlı yaban keçisi, buzullaşma yüzünden daha alçaklarda yaşamaya zorlanmıştır ve diğer hayvanlarla kuşlarda da benzer enlemsel değişimler vardır. Mesela sadece kemiklerinin keşfi değil, mağara sanatının da gösterdiği üzere, Ren geyiği İspanya'nın kuzeyine son Buzul Çağı'nda ulaşmıştır. Böyle büyük kaymalar açıkça çevresel değişime işaret eder. Sahara'daki kaya sanatında da, bugün bölgede olsa yaşayamayacak olan zürafa ve fil gibi türlerin varlığına ve dolayısıyla da büyük ölçekli çevresel değişikliklere dair açık kanıt mevcuttur.

Yedinci Bölüm'de görüleceği üzere, fauna aynı zamanda arkeolojik alanın yılın hangi zamanında kullanıldığını tespit etmek için de kullanılabilir. Söz konusu bölümde anlatılan teknikler yerel çevrenin mevsimden mevsime nasıl değiştiği hakkında bir yol gösterebilir. İspanya'nın Cantabria bölgesinde veya Akdeniz kıyılarında (yukarıda Frankhthi Mağarası'na bakınız) veya Güney Afrika'nın Cape sahilindeki birçok mağaranın da dâhil olduğu kıyı yerleşimlerinde arkeolojik alanların kıyıya yakınlıkları ve hayvanların otlatma imkânları değiştirmekte, böylece deniz canlılarıyla otobur kalıntılarının arkeolojik tabakalardaki varlığı deniz seviyesi ve kıyı ovalarının genişliğini göstermektedir.

Fauna dalgalanmalarının iklim ya da insanlardan farklı sebepleri olabileceği akılda tutulmalıdır. Diğer sebepler arasında rekabet, salgın hastalıklar ya da yırtıcıların sayısındaki iniş çıkışlar sayılabilir. Üstelik iklim ve hava durumundaki küçük ölçekli yerel değişimler, yabani hayvanların sayıları ve dağılımları üzerinde muazzam etkiler yaratabilir. Öyle ki, dayanma gücü yüksek olmasına rağmen bir tür birkaç yıl içinde bolluktan görece soy tükenmesine gerileyebilir.

Büyük Av Hayvanlarının Yok Oluşu. Aşağıda görüleceği gibi, birçok Polinezya adasında, Karayipler'de ve başka yerlerde ilk insan yerleşimcilerinin yerel bitki örtüsü ve faunayı tahrip ettiğini gösteren açık kanıtlar vardır. Ancak dünyanın diğer kısımlarında soyları tükenen hayvanlar ve insanların bunda rolü olup olmadığı ya da nasıl buna nasıl dâhil olduğu konusu hâlen arkeolojideki başlıca tartışma konularından biridir. Bu durum, özellikle Yeni Dünya ve Avustralya'da Buzul Çağı'nın sonunda görülen büyük av hayvanlarının soylarının tükenişi için doğrudur. Buralarda kayıplar Asya ya da Afrika'dakilerden çok daha fazladır; sadece mamut ve mastodon değil, Amerika kıtası atlarını da içine alır.

Büyük av hayvanlarının yok oluşu tartışmasında iki taraf mevcuttur. Amerikalı bilim adamı Paul Martin önderliğinde bir grup, Yeni Dünya ve Avustralya'ya yeni insanların gelmesinin ardından yırtıcı hayvanların aşırı sömürülmesiyle soylarının tükendiğine inanmaktadır. Avustralya'dan yeni bulgular bu görüşe destek sağlamıştır, çünkü uçamayan büyük bir kuş türü olan *Genyornis*'e ait üç farklı iklim bölgesinden yumurta kabuklarına uygulanan amino asit rasemizasyonu, bu türün yaklaşık 50.000 yıl önce, insanların kıtaya muhtemel varış tarihinde birden bire kaybolduğunu gösterebilir. *Genyornis*'in aynı anda bütün arkeolojik alanlarda ılıman iklim değişiklikleri olduğu bir dönemde yok olması, türün soyunun tükenmesinde insan etkisine işaret eder. Ancak bu görüş, aynı dönemde insanlara av olmamış ya da ava karşı kendini savunabilmiş belli memeli ve kuş türlerinin soylarını tükenmesini açıklamaz. Her hâlükârda, birçok türün kesin soy tükenme tarihi hâlen bilinmezken, insanların iki kıtaya varış tarihi de kesin değildir (11. Bölüm).

Antropolog Donald Grayson ve diğerleri tarafından öne sürülen görüşte iklim değişikliği asıl nedendir. Fakat bu, önceki dönemlerdeki benzer değişimlerin neden fauna üzerinde daha az etki ettiğini ve her hâlükârda ortadan kaybolan bazı türlerin

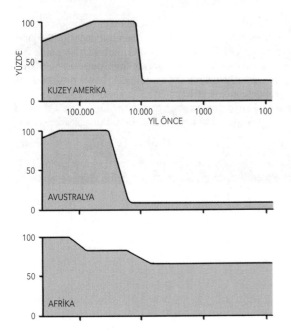

(chart labels) YÜZDE · KUZEY AMERİKA · 100.000 · 10.000 · 1000 · 100 · YIL ÖNCE · AVUSTRALYA · AFRİKA

6.36 *Paul Martin'in diyagramları Kuzey Amerika ve Avustralya'da insan kolonizasyonu sırasında büyük hayvan türlerindeki ani düşüşü, büyük av hayvanlarının insan yırtıcılığına artık adapte olmadığı Afrika'yla karşılaştırmaktadır.*

neden daha geniş bir coğrafi dağılımı ve toleransı olduğunu açıklamaz. Üstelik bitki örtüsü üzerindeki dolaylı etkiler hayvanlara muhtemelen en az iklim değişiklikleri kadar tesir etmiştir.

İklim değişikliği yüzünden meydana gelen soy tükenmeleri daha önce de yaşanmıştı, ama bunlar her zaman her büyüklükteki memeli sınıfını eşit şekilde etkilemişti ve yok olanlar göç ya da yeni türlerin gelişmesiyle yenileniyordu. Bu, Pleistosen'deki soy tükenmelerinde gerçekleşmedi. Bir tonun üzerindeki bütün yetişkin büyük av hayvanları (megaotçullar), 100-1000 kg arasındaki otoburların yaklaşık %75'i Yeni Dünya, Avrupa ve Avustralya'dan kayboldu, ama 5-100 kg gelen türlerin sadece %41'i ve daha küçük hayvanların %2'den azı ortadan kalktı.

Bu etkenleri hesaba katan ve iki ana savı birbirine bağlayan uzlaştırıcı bir teori Güney Afrikalı bilim adamı Norman Owen-Smith tarafından ileri sürülmüştür. Owen-Smith megaotçulların soylarının tükenmesinde ilk başta insanların aşırı sömürüsünün rol oynadığına, bunun sonucunda bitki örtüsündeki bir değişikliğin orta büyüklükteki bazı otoburların kaybolmasına neden olduğuna inanmaktadır.

Afrika'nın doğusu ve güneyindeki fillerin bitki örtüsü üzerindeki çok büyük etkisi –ağaçları sökmeleri ya da hasara uğratmaları, küçük hayvanlar için arazi açmaları, ağaçlı bozkırı otlağa dönüştürmeleri– ışığında, megaotçulların yok oluşunun Pleistosen çevresini kökten değiştirmiş olduğu kesindir. Yaklaşık 13.000 yıl önce Dünya'ya çarpan bir kuyrukluyıldızın Üst Pleistosen megafaunasındaki soy tükenmelerine sebep olduğu iddiası çok tartışmalıdır ve birçok uzman destekleyici kanıtların yokluğuna işaret etmiştir. Aynı durum, tek bir mikrobun birbiriyle alakasız düzinelerce türü öldürdüğünü iddia eden olanakdışı "hiperhastalık" teorisi için de geçerlidir.

En son çalışmalar zaman ve mekân boyunca farklılık gösteren, bazı hayvanların Pleistosen'de kaybolduğu, fakat diğerlerinin (Eski Dünya'daki dev geyik gibi) Holosen'de yaşamayı sürdürdüğü karmaşık bir dizi neden önerir. Örneğin Avustralya'da insanlar tarafından yürütülmüş av faaliyetlerinin bazı soy tükenişlerinde gerçekten parmağı olabilir, ama iklim şartları ve –belki de hepsinin üzerinde– çalılık yakmak gibi insanın çevre üzerindeki diğer etkileri de öyledir. Bazı çalışmalar Kuzey Avrasya'da iklimin daha ciddi bir neden olduğunu öne sürmüştür, ancak Amerika kıtasında insanlar daha önemli bir faktördür. Afrika ve Güney Asya'da tür yok oluşlarının bulunmaması, ilk kez Paul Martin tarafından oradaki insanlarla daha uzun süre birlikte yaşamaya bağlanmıştır. Bu cazip bir savdır, ama kanıtlaması zordur.

Gelecek Vaat Eden Yeni Teknikler. Er ya da geç yeni teknikler kullanarak daha kesin çevresel veri elde edebileceğiz; mesela 4. Bölüm'de anlatıldığı üzere diş minesi ve kemiklerin izotop analizinden ısı ve nem geçmişi bilgisi ya da kemik kolajenindeki amino asitlerin analizi gibi. İran'dan koyun ve keçi kemiklerindeki iz elementleri üzerinde çalışan M.A. Zeder kalsiyum,

6.37 *Eski büyük hayvan faunası (soldan sağa) mastodon, dev kunduz, deve, at (hepsi Kuzey Amerika kökenli) ve Avustralya dev kangurusu sthenurusu içeriyordu. Bazı bilim insanları bunların yok olmasında çevresel etkenlerin önemini vurgular.*

ELANDS BAY MAĞARASI

Güney Afrika'da Cape Eyaleti'nin güneybatı sahilindeki Verlorenvlei Irmağı ağzı yakınında bulunan Elands Bay Mağarası binlerce yıl iskân görmüştür ve Buzul Çağı'nın sonlarında kıyı şeridi ile geçim kaynaklarındaki değişimin belgelenmesi için özellikle önemlidir. John Parkington ve ekibinin mağaradaki çalışmaları, deniz seviyesindeki yükselmenin 6000 ya da 7000 yıl içinde arkeolojik alan topraklarını nasıl iç nehircilden ırmak ağzına ve kıyıya dönüştürdüğünü açıkça göstermiştir.

Yaklaşık 13.600-12.000 yıl önce, sahil şeridi günümüz açık deniz tabanı hattına göre arkeolojik alandan 12

6.38 Verlorenvlei Irmağı ağzının bugünkü durumu (yukarıda). Yaklaşık 15.000 yıl kadar önce kıyı şeridi şimdikinden 20 km kadar daha ilerideydi.

km uzakta olmasına rağmen geçim kaynakları görece istikrarlıydı. Mağara sakinlerinin geride bıraktığı fauna kalıntılarında gergedan, tek tırnaklılar, bufalo ve boğa antilobu gibi otlayıcıların hâkimiyeti, yerel çevrenin açık çayır olduğuna işaret etmektedir. Kalıntılardaki çok düşük deniz canlısı oranı kıyıya olan hatırı sayılır uzaklığı

-çoğu avcı-toplayıcı için normal ve kabuklu deniz hayvanlarını ekonomik hâle getirmek için fazla uzun iki küsur saatlik mesafe- yansıtmaktadır. Burada bulunan kuşlar ırmak türlerine, özellikle ördeklere aittir.

Yaklaşık 11.000 yıl önce kıyı, arkeolojik alana avcı-toplayıcılar için çok yakın sayılacak şekilde batıdan 5-6 km kadar yaklaşmış bulunuyordu. Deniz kabuklularına ait ilk ince tabakalar şimdi mağaranın stratigrafik silsilesinde görünmeye başlar. Sonraki üç bin yılda deniz arkeolojik alandan 2 km kadar içeriye sokulmuş ve Verlorenvlei Vadisi'nin aşağı kısımlarını su altında bırakarak buraları ırmak ağzına, ardından kıyı şeridine çevirmiştir.

Büyük otçullara uygun yaşam alanlarını ortadan kaybolması fauna çevresi üzerinde köklü etkiler yapmıştır. En azından iki hayvanın (dev at ve dev bufalo) soyu tükenmiş ve gergedanla Cape bufalosu gibi diğer büyük hayvanlar mağaranın 9000 yıl önceki çökeltilerinde ya yoktur ya da çok nadirdir. Bunların yerini arkeolojik alanda ve bölgenin diğer kısımlarında grisbok gibi daha küçük otçullar -otlayıcılardan ziyade dal ve yaprak yiyicilerin varlığı muhtemelen yağışlardaki değişimlerle ilgili farklı bir bitkisel çevreye işaret eder- almıştır.

Aynı zamanda, günümüzden 11.000 ve 9000 yıl öncesi arasında deniz hayvanlarının açık hâkimiyeti söz

6.39 Buzul Çağı'nın sonunda yükselen deniz seviyesi (aşağıda) bir zamanlar Elands Bay Mağarası'nın batısına doğru uzanan kıyı ovasını sular altında bırakmıştır.

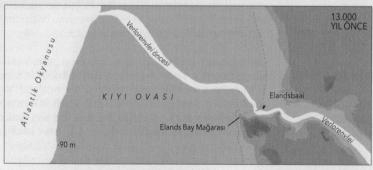

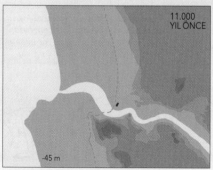

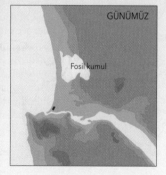

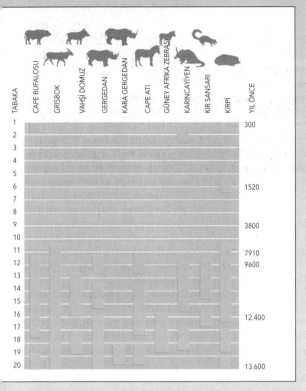

6.40 *Çayır hayvanlarındaki azalış (yukarıda) Elands Bay Mağarası'ndaki fauna kalıntıları tarafından yansıtılmaktadır. Deniz 9000 yıl önce arkeolojik alanın 3 km yakınına sokulduğunda bu hayvanların mağarada tüketilmesi fiilen kesilmiştir.*

konusudur ve mağaranın stratigrafisi ince kabuk tabakaları içeren kahverengi balçıklı topraktan gerçek kabuk yığınlarından bir silsileye döner. Buna ilaveten 9500 yıl öncesinden itibaren karabataklar, deniz balıkları, dikenli ıstakozlar ve fokların sayısında (kara türlerine nazaran) bir artış vardır. Bu dönemde kıyı 3 km'den biraz daha yakındı. Günümüzden 11.000 yıl önce vadinin sulara gömülüşü, su aygırları ile flamingo ve pelikanlar gibi sığ su kuşlarının bolluğundan anlaşılmaktadır. Bu tarihte ırmak ağzı şüphesiz kendisinden yararlanılabilecek uzaklıktaydı. Yaklaşık 9000-8500 yıl kadar önce mağara kıyı ve ırmak ağzına eşit mesafedeydi, fakat 8000'den sonra kıyı daha yakındı ve 6000 yıl önce şimdiki konumuna ulaşmıştı.

magnezyum ve çinkonun farklı çevrelerden gelen hayvanlarda değişik yoğunlukta olduğunu tespit etmiştir. Dolayısıyla eski kemiklere yapılacak benzer analizlerle geçmiş çevreler hakkında bilgi elde etmek mümkün olabilir.

Aynı şekilde, Tim Heaton ve meslektaşları Güney Afrika'da, kemikteki nitrojen izotopları oranının iklimdeki geçmiş değişimleri çalışmak için kullanışlı bir araç olduğunu keşfetmiştir. Güney Afrika ve Namibya'da farklı yerleşim alanları ve iklim bölgelerinden gelen Prehistorik ve erken tarihi insan ve yabani otobur kemiklerinden alınan örnekler $^{15}N/^{14}N$ değerleri için test edildi. İç kısımlardan alınan örnekler kıyıdan alınanlarınkine benzer sonuçlar sundu. Kısacası, $^{15}N/^{14}N$ oranının görünüşe göre iklim değişiklikleriyle bağlantılı olduğu anlaşılmıştır ve artan kuraklık ^{15}N oranındaki yükselişe yansımıştır.

Hayvan Kanıtlarının Diğer Kaynakları. Kemikler makrofauna için tek kaynak değildir. Sanatın yanı sıra donmuş hayvan leşlerine daha önce değinilmişti. Bazı arkeolojik alanlarda *izler* bulunmuştur. Örnekler Tanzanya'daki Laetoli'de bulunan erken hominin ve hayvan –kuşlar ve böcekler de dâhil 10.000'den fazla– izini (11. Bölüm); Tunç Çağı toprağındaki izleri (7. Bölüm); Roma kiremitleri üzerindeki pençe izlerini (7. Bölüm) içerir. Mağaralar bu gibi izler açısından özellikle zengindir ve sırtlanla ayı izleri Avrupa'da iyi bilinmektedir. Mağara ayısının pençe izleri ve yuva yerleri de belirlenebilir. Kunduzun diş izleri İngiltere'deki Somerset Levels'dan gelen Neolitik ahşaplar üzerinde keşfedilmiştir.

Fosil hayvan dışkısı (eski dışkı) birçok kuru mağarada günümüze gelebilmiştir ve florayla fauna hakkında birçok bilgi içerir (yukarıya bakınız). Örneğin Güneydoğu Utah'taki Bechan Mağarası'nda 300 m^3 kurumuş mamut dışkısı mevcuttur. Birçok başka tür dışkılarını Amerika'daki mağaralara bırakmıştır.

Farklı dönemlerde hangi hayvanların mevcut olduğunu göstermesinin dışında, dışkı aynı zamanda onların ne yediklerini sergiler. Hatta Pleistosen'deki soy tükenişlerine dair tartışmalara katkıda bulunur (yukarıya bakınız). Fosil dışkı analizinde öncü olan Paul Martin, soyu tükenmiş Shasta yer tembelhayvanına ait dışkıdaki bileşenlerin hayvan ortadan kaybolana kadar değişmediğini ortaya çıkarmıştır. Jim Mead aynı sonuca mamutlar ve soyu tükenmiş dağ keçisi dışkılarıyla varmıştır. Dolayısıyla söz konusu buluntular en azından Yeni Dünya'daki bu soy tükenmelerinin bitki örtüsü ya da beslenme alışkanlıklarından kaynaklanmadığını düşündürüyor.

Diğer kanıtlar arasında kaynakları sedimanlardaki kalıntılarda kimyasal olarak tespit edilen at ve Ren geyiği etlerinin yağlarıyla çeşitli hayvanların taş aletler üzerindeki kan lekeleri sayılabilir (7. Bölüm). Eski kâşiflerin yazıları ve resimlerinden ya da Romalı yazarların coğrafya eserlerinden de bilgi elde edilebilir. Hatta kemik aletler bile bazen açık iklim göstergesidir: Örneğin çok sayıda yıpranmış ve parlatılmış kemik paten, York'ta (İngiltere) Anglo-İskandinav dönemine ait dolgularda bulunmuştur. Bunlar, söz konusu dönemde kışların Ouse Irmağı'nın donduracak kadar sert olduğunu akla getirmektedir.

İNSAN ÇEVRESİNİN REKONSTRÜKSİYONU

Bütün insan toplulukları hem yerel hem de daha geniş ölçekte çevrelerine etki eder. İnsan müdahalesinin etkileri arasında en önemlilerinden biri olan bitki ve hayvanların evcilleştirilmesi 7. Bölüm'de incelenecektir. Burada insanların arazi ve doğal kaynakları nasıl kullandığına ve idare ettiğine odaklanacağız.

İnsan çevresinin temel özelliği yerleşim alanı ve bir yerin seçiminde rol oynayan faktörlerdir. Bu faktörlerin birçoğu ya görsel olarak (suya yakınlık, stratejik konum, yön) ya da herhangi bir ölçüm yöntemiyle hemen fark edilebilir. Örneğin kaya barınakları ve mağara iklimleri, farklı mevsimlerdeki ısı, gölge, gün ışığına ve rüzgâra maruz kalma gibi unsurların çalışılmasıyla değerlendirilebilir, çükü bunlar yaşanabilirliği belirleyen etkenlerdir.

Yakın Çevre: Yaşam Alanının İnsanlar Tarafından Değiştirilmesi

İnsanların yaşadıkları yerleri değiştirirken izledikleri başlıca yöntemlerden biri, ateşin kontrollü kullanımıdır. Arkeologlar onyıllar boyunca ateşin ne kadar eski bir tarihte ortaya çıktığını tartışmıştır. Yakın zamana kadar en erken tarihli aday yaklaşık yarım milyon yıl öncesine yerleştirilen Çin'deki Zhoukoudian Mağarası'ydı. C.K. Brain ve Andrew Sillen 1988'de, Güney Afrika'daki Swartkrans Mağarası'nın 1,5 milyon yıl öncesine tarihlenen tabakalarında belirgin biçimde yanmış hayvan kemiği parçaları keşfetti. Basit görsel analiz, yanığı kemiklerdeki mineral kirlenmesinden ayırt edemeyeceği için, Brain ve Sillen taze kemiklerle deneyler yaparak bunların farklı derecelerde ısıtılıp ardından yavaşça soğumaya bırakıldıklarında oluşan hücre yapısı ve kimyasal değişimleri incelediler. Mikroskobik analiz, değişimlerin fosilleşmiş kemiktekilerine çok benzediğini ortaya koydu ve bunların muhtemelen 300°C'den az, en fazla 500°C'deki odun ateşinde ısıtıldığını gösterdi. Akabinde bu sonuç, karbonlaşma derecesinin ESR ölçümüyle doğrulandı. Mağara tabakalarında bulunan erken hominin kalıntıları, ateşle kimin ilgilendiği konusunda güçlü kanıtlar sunar. Yakın zamanda, İsrail'deki Gesher Benot Ya'aqov açık hava buluntu yerinde ele geçen yanmış tohum, odun ve çakmaktaşı 790.000 yıl önce kontrollü ateş kullanımına işaret eder. Yakın tarihte Güney Afrika'daki Wonderwerk Mağarası'nın çökeltileri üzerinde gerçekleştirilen mikroskobik analizler, girişten 30 m uzakta, 1 milyon yıllık tabakaların içinde kül ve yanmış kemik izleri keşfetmiştir.

Erken tarihöncesi konak yerlerindeki gerçek ocaklara dair kanıtları bulmak ve tanımlamak her zaman zordur, ama son zamanlarda çökeltilerdeki külü tespit edecek bir teknik geliştirilmiştir, çünkü farklı mineraller kızılötesi radyasyonla ışıtıldığında kendilerine özgü bir tayf yayar. Bundan dolayı eski ocaklar neredeyse tamamen parçalanmış olsalar bile artık tespit edilebilmektedir. Birçok kül minerali zamanla değişmesine karşın, %2 kadarı nispeten sabit kalır. Bu yolla, yakındaki Kebara Mağarası'ndaki kesinkes tanımlanmış ocaklarla (günümüzden 70.00 yıl önce) yapılan karşılaştırmalar sonucunda İsrail'deki Hayonim Mağarası'nda (günümüzden 250.000 yıl önce) ateşlikler tespit edilmiştir. Teknik uzun süreden beri kontrollü ateşin en erken kanıtına (günümüzden 500.000 yıl önce) sahip olduğu düşünülen Çin'in Zhoukoudian Mağarası'na uygulandığında, külün kimyasal "imzası" mağaranın analiz edilmiş kısmında bulunmamıştır. Mağaradaki kemiklerinden bazıları kesinlikle yanmıştır, ama bunun doğal ya da kontrollü ateş sonucu mu olduğu açık değildir. Yakın tarihte, Orta Pleistosen'e (yaklaşık 300.000 yıl önce) ait sürekli kullanılmış büyük bir ocak İsrail'deki Qesem Mağarası'da bulunmuştur.

Arkeologlar Üst Paleolitik'te insanların mağara yaşamına başka şekillerde de adapte olduklarını gösterebilir. Görsel inceleme, Fransa'daki Lascaux Mağarası gibi resimli mağaralarda iskele kurulduğuna dair kanıt ortaya koymuştur. Diğer yerlerdeki kazılar taş levhadan döşeme ve barınaklara ait izleri gün ışığına çıkarmıştır. Mağara dolgularının uzmanlarca analizi yatak ve yer örtüsü olarak kullanılmış hayvan derilerine ait kanıtlar bile çıkarabilir. Almanya'nın batısındaki Geissenklösterle Üst Paleolitik mağarasında dolguları çalışan Rolf Rottländer, o kadar fazla miktarda hayvan yağı tespit etmiştir ki, yerin olasılıkla büyük memelilerin postlarıyla kaplı olduğu anlaşılmıştır. Kısa zaman önce dünyanın bilinen en eski yatağı (23.000 yıllık) İsrail'deki Paleolitik kulübe Ohalo II'de keşfedilmiştir. Otlardan yapılmış yatak, ortadaki bir ocağın etrafında düzenlenmiş kısmen yanık dallar ve yapraklardan meydana geliyordu. Orta Paleolitik'e ait daha da eski bir yatak, İspanya'daki Esquilleu Mağarası'nda fitolit kanıtları sayesinde bulunmuştur ve otların sürekli olarak bir ocağın yanına yığıldığı anlaşılmaktadır. Öte yandan Güney Afrika'daki Orta Taş Çağı'na ait Sibudu kaya barınağında, 77.000 yıl öncesine tarihlenen tabakalarda ot, saz, hasırotu ve böcek öldüren yapraklardan müteşekkil yatak malzemesi keşfedilmiştir.

Arkeologlar ayrıca açık hava buluntu yerlerindeki çadırlar, rüzgâr siperleri ve diğer mimari kalıntıları Paleolitik'te insanların yakın çevrelerini ne şekilde değiştirdiklerine dair kanıtlar olarak inceleyebilir. Elbette daha geç dönemler için bu tür kanıtlar son derece fazladır ve kitabın başka kısımlarında değinilen tam ölçekli yapı ve şehir planlamacılığının sahasına gireriz (5 ve 10. bölümler).

Yakın çevrenin değiştirilmesi şüphesiz insan kültürünün temelidir. Fakat insanların ötelerindeki dünyayı değiştirmekte kullandığı çeşitli yollar hakkında nasıl bir şeyler öğrenebiliriz?

İnsanların Daha Geniş Bir Çevreden Yararlanması

Arazi Kullanımını İnceleme Yöntemleri. İnsan yerleşmelerinin çevresindeki toprakların incelenmesi, kesitlerin ortaya çıktığı ya da asıl arazi yüzeyinin bir anıt altında açığa çıktığı yerlerde yürütülebilir. Uzmanlar önceki bölümlerde özetlenen bütün yöntemlerin birleşimini kullanarak arazinin insanlar tarafından nasıl kullanılmış olduğunu yeniden kurgulayabilir. Ancak arkeolojik alanın etrafındaki sahanın yüzeyden değerlendirilmek zorunda olduğu durumlarda farklı bir yönteme ihtiyaç vardır.

Bu tür sit dışı analizi ilk kez Claudio Vita-Finzi ve Eric Higgs (1908-1976) tarafından İsrail'deki çalışmaları sırasında sistematik olarak geliştirilmiştir. Günümüzde Coğrafi Bilgi Sistemleri (CBS), örneğin George Milner'ın Amerika Birleşik Devletleri'ndeki Cahokia'da yürüttüğü projede olduğu gibi, eski çevreleri inceleme ve haritalandırmada yardımcı olmaktadır (arka sayfadaki kutuya bakınız).

Bahçeler. İster dekoratif isterse yiyecek yetiştirmeye yönelik olsun, bahçe arkeolojisi ancak son zamanlarda öne çıkmış, kesin incelemeye ve bazı durumlarda eski bahçelerin rekonstrüksiyonuna odaklı bir alt disiplindir. Örnekler arasında höyük kompleksleri, teraslar ve Yeni Zelanda'nın Maori bahçelerini meydana getiren duvarlar; Japonya'daki Nara'da bulunan MS 8. yüzyıl imparatorluk villasının resmi bahçesi ve özellikle de İngiltere'nin güneyindeki Fishbourne'ün Roma villalarına ait bahçeler vardır. En iyi bilinenler muhtemelen volkanik döküntüler altında korunmuş Pompeii ve onun yakınındaki bahçelerdir. Nara'daki gibi birçok durumda kazı ve bitki kalıntılarının analizi kesin bir rekonstrüksiyona götürür, ama Pompeii'de türlerin tanımlanması sadece polenler, tohumlar ve odun kömüründen değil, aynı zamanda ağaç köklerinin geride bıraktığı oyuklardan yapılır. Cesetlere yapıldığı gibi bunların da kalıpları alınabilir (11. Bölüm'e bakınız). Böyle kalıplar bahçecilik tekniklerinin detayları hakkında bilgi bile sağlayabilir. Mesela Pompeii'ye yakın Oplontis'te yer alan Poppaea'nın villasına ait bahçeden bir limon ağacı kökü, bölgede hâlen yeni limon ağaçlarına uygulanan yöntemle aşılanmıştı. Aynı şekilde, yaklaşık MS 565'te volkanik külle kaplanmış "Mezoamerika'nın Pompeii'si" Cerén (El Salvador) arkeolojik alanında (s. 59'a bakınız) oyuklara dökülen sıvı plaster, tarlalara ekilmiş mısır sapları, bir rafta saklanan mısır koçanları, kırmızı biber fidanları ve 70 agav içeren bütün bir ev bahçesinin olağanüstü kalıplarını çıkarmıştır.

Arazi Sistemleriyle Toprak Yönetimi. Toprak yönetimi birkaç yolla tespit edilebilir. En açık kanıtlar toprak yüzeyindeki izlerdir: mesela Belize'deki Pulltrouser Bataklığı'nda bulunan ve kanallarla birbirilerine bağlanmış Maya sırt tarlaları; İnkaların görkemli dağ terasları; Azteklerin *chinampa*ları (kanallardan taranarak geri kazanılan verimli topraklar); Yeni Gine'deki

Kuk Bataklığı'nın daha eski drenaj kanalları ve verimli bahçe arazileri (s. 268'e bakınız). Aynı şekilde Britanya'da, arkeologlar Dartmoor'da *reaves* ["çizgi" ya da "sıra" anlamındaki eski bir Sakson kelimesinden türemiş ve kesintisiz setleri tanımlayan terim –ç.n.] olarak bilinen Tunç Çağı taş sınır duvarları, arazi sistemleri ve tarımsal teraslar (yamaçlardaki tarla sınırlarında yükselen küçük setler) keşfetmişlerdir. Japonya'da özellikle Yayoi Dönemi'ne (MÖ 400-MS 300) tarihlenen 500 kadar çeltik tarlası bunlara ait sulama sistemleriyle –ahşap barajlar, drenaj kanalları ve kütük engeller– birlikte ortaya çıkarılmıştır. Yaklaşık 6500 yıl öncesi kadar eski bir tarihe ait çok daha eski pirinç tarlaları Çin'in Huan Eyaleti'ndeki Chengtoushan'da kazılmıştır.

Buluntular ve sanat eski toprak yönetimi için değerli kaynaklar olabilir. Mesela Çin'deki Han Hanedanı yerleşimlerinde çeltik tarlalarının çömlek modelleri bulunmuştur. Bunların bazılarında, bir barajın ortasında tarlaya giren suyu düzenleyen oynar kapılı sulama göletleri mevcuttur.

Hava ve Su Kirliliği. İnsanların su kaynakları üzerindeki etkileri henüz arkeologların yeterli ilgisine mazhar olmamıştır, ama eldeki son kanıtlar ırmak kirliliğinin katiyen şu anda yaşadığımız dönemle sınırlı olmadığını gösterir. Kuzeydoğu İngiltere'nin York şehrinde yapılan kazılar, geçen 1900 yıl içinde tatlı su balıklarındaki nitelik değişimlerini açığa çıkarmıştır. Tirsi balığı ve gölgebalığı gibi temiz su türlerinden kirli suya daha toleranslı türlere (levrek ve kızılkanat gibi) doğru belirgin bir değişim söz konusudur. Bu değişim görünüşe göre Viking şehri hızlı bir gelişim gösterip süreç içinde de Ouse Irmağı'nı kirlettiği MS 10. yüzyıl civarında meydana gelir (13. Bölüm).

Hava kirliliği de günümüze özgü bir olay değildir: İsveç göllerinden alınan karotlar ve İsviçre'deki Jura Dağları'ndan

6.41 *Çevre yönetiminin önemli taraflarından biri ister sarnıçlar ve su kemerleri isterse basit kuyularla olsun, suyun yapay tedarikidir. Almanya'daki Kückhoven'in ahşap bacalı su kuyusu bir Linearbandkeramik (Neolitik) arkeolojik alanında kazılmıştır. Yosunla kalafatlanmış meşe kalaslardan meydana gelen çerçeve dendrokronoloji tarafından MÖ 5090 (dış iskelet) ve MÖ 5050'ye (iç iskelet) tarihlendirilmektedir.*

GEÇMİŞ ÇEVRENİN HARİTALANDIRILMASI: CAHOKIA VE COĞRAFİ BİLGİ SİSTEMLERİ

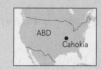

Tarihöncesi insan çevrelerinin rekonstrüksiyonu doğal ortam, özellikle de besin kaynaklarının dağılımı, verimliliği ve güvenilirliği hakkında ayrıntılı bilgi gerektirir. Yerleşimlerin birbirlerine ve ırmaklar, topografya, toprak, bitki örtüsü gibi çevresel özelliklere göre nasıl dağılım gösterdiklerine bakarken arkeologlar, böylesine karmaşık verilerin üstesinden gelebilmek için bilgisayar destekli haritalandırma sistemlerine –Coğrafi Bilgi Sistemleri (CBS)– giderek daha fazla başvurmaktadır.

CBS'nin gelişimi, karmaşık uzamsal verilerin her bir bilgi türü için –

arkeolojik alanlar, topraklar, yükseklik vb.-bir dizi ayrı katman şekilde düzenlenmesidir (3. Bölüm'e bakınız). Bundan sonra çeşitli katmanların verileri arasındaki ilişkiler analiz edilerek arkeologların çok sayıdaki arkeolojik alanda insanların arazi kullanımı ve birçok çevresel detay üzerine sorular sormasına imkân tanınır.

Cahokia'nin Haritalandırılması

Amerika Birleşik Devletleri'nin Orta Mississippi Vadisi'nde bu türden bir çalışma yapılmaktadır. Bu alan tarihöncesi arkeolojik alanlar açısından alışılmadık ölçüde zengindir ve

aralarında en etkileyicisi de Cahokia'dır. Neredeyse bin yıl kadar önce Cahokia, tarihöncesi Kuzey Amerika'da var olmuş en karmaşık toplumlardan birinin başlıca yerleşimiydi. Burası bir zamanlar yüzden fazla toprak höyüğü içine alıyordu ve bunlardan en büyüğü olan 30 metrelik devasa Monk's Mound, etrafındaki topluluğa tepeden bakıyordu. Höyüklerden çoğu ve geniş yaşam alanlarının kalıntıları modern zamanlara kadar korunmuştur. Cahokia yakınında birçok arkeolojik çalışma yapılmış olmasına rağmen hâlen fazlasıyla soru bulunmaktadır: Alanda kaç kişi yaşamıştı? Bu toplum nasıl organize edilmişti? İnsanlar neden bazı yerleri tercih etmiş, fakat diğerlerinden uzak durmuştu? İnsanların arazi kullanımı zaman içinde nasıl değişmişti?

Pennsylvania Devlet Üniversitesi'nden George Milner'ın araştırma projesinin üç ana hedefi vardı: **1** vadi tabanında arkeolojik alanların tahribine ya da toprak altına gömülmesine yol açacak değişimlerin belirlenmesi **2** farklı alanlarda farklı kaynakların elde edilebilirliğini değerlendirmek **3** arkeolojik alanlar için neden bulundukları yerlerin seçildiğini tespit etmek.

Çalışma, bilinen arkeolojik alanların bulundukları noktaların saptanması için mevcut arkeolojik alan kayıtlarının sistematik incelemesiyle başladı. Bu yerlerin ne zaman iskân edildiğini anlamak amacıyla müze koleksiyonlarındaki etüt buluntuları incelendi. Yaklaşık 200 yıllık haritalar ve arazi etütleri, ırmağın hareketleri ve bir zamanlar vadi tabanının büyük bölümü kaplayan sulak arazilerin yerlerini belgelemek için kullanıldı.

Irmağın ve onu çevreleyen arazinin en erken detaylı haritaları Devlet Arazileri Dairesi topografları tarafından 19.

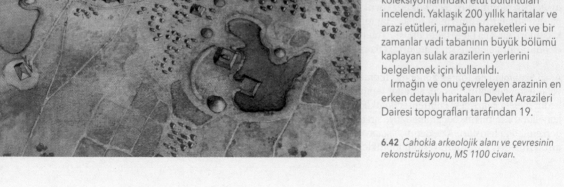

6.42 *Cahokia arkeolojik alanı ve çevresinin rekonstrüksiyonu, MS 1100 civarı.*

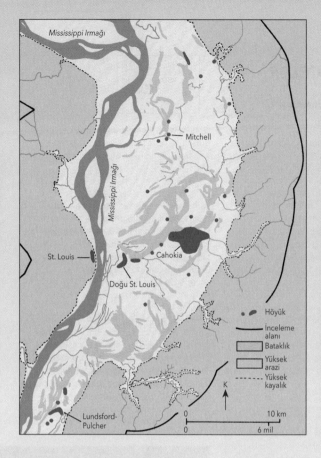

yüzyılın başlarında üretilmişti. Dairenin notları ve haritalarındaki ırmakların, derelerin ve bataklıkların yerleri haritalandırıldı, vadinin arazi şekilleri hakkındaki diğer bilgilerle karşılaştırıldı ve bir elektronik CBS formatına çevrildi. Daha geç tarihli ırmak yataklarının geçtiği yerler Mühendisler Odası'nın seyir haritalarından alındı.

Cahokia'nın altın çağını yaşadığı sırada doğal arazi, önce taşkın ovasının en önemli özelliklerinden birine göre -sulak arazilerin sınırı, hâl ve doğası- modellenmektedir. Çeşitli bilgi kaynaklarını -Devlet Arazileri Dairesi kayıtları, vadinin erken tarihli haritaları ve tasvirleri ile modern haritalar ve hava fotoğrafları- kullanarak kaynakların dağılımını ve buradan da farklı yerlerin cazibesini tahmin etmek mümkündür.

Büyük ve küçük yerleşimlerin uzamsal düzenlemeleri, arkeolojik alan konumunun doğal ve sosyal etkenlerini tanımlamak için analiz edilmektedir. Yerleşimlerin ekolojik durumu, insanlar yaşadığı yerlerin birkaç kilometre dâhilindeki farklı türde arazilerin -kuru, ara sıra yağış alan yerler ve daimi sulak araziler- göreli niceliklerine bakılarak çalışılabilir. Örneğin en büyük arkeolojik alanlar, çoğunlukla daimi sulak araziler boyunca uzanan dik ırmak yataklarına bitişik iyi akaçlanmış arazilerde bulunur. Dolayısıyla insanlar tarım için kuru topraklardan, balıkçılık için göllerden faydalanabilmiştir. Yerleşim verileri geçim kaynakları hakkındaki bilgileri tamamlamaktadır: Ekinler, özellikle de mısır ve balık beslenme alışkanlıklarının ana dayanağıydı.

Eski ırmak yataklarının izlerine göre tarihöncesi arkeolojik alanların konumları, birçok yerde ırmağın son bin yıl içinde nispeten dar bir koridor içinde kaldığına işaret etmektedir. Ancak diğer yerlerde ırmak taşkın ovasından büyük parçalar kopararak tarihöncesine dair herhangi bir muhtemel kanıtı yok etmiştir. Bu yüzden yerleşim dağılımındaki bazı boşluklar, ırmak hareketinin tahrip ettiği arkeolojik alanları barındıran yerlerden başka bir şey olmayabilir.

Dolayısıyla CBS projesi bin yıl öncesinin doğal görünümünü yeniden yaratmaya yardım etmiş ve Cahokia'nın altın çağında yerleşme dokusunun güçlü şekilde sulak arazilere doğru yöneldiğini -balıkların beslenmedeki önemiyle açıklanır- göstermiştir. Ön çalışmalar yeni arkeolojik ve jeomorfolojik arazi çalışmaları da dâhil daha fazla sistematik incelemeyi haklı çıkaracak kadar cesaretlendiricidir. Böylece bin yıl boyunca arazide ve insanların bu alanı kullanımında nasıl değişimler meydana geldiği hakkında daha iyi bir bakış açısı kazanılabilir.

KUK BATAKLIĞINDAKİ ESKİ BAHÇELER

Kuk Bataklığı Yeni Gine'nin dağlık bölgelerindeki Hagen Dağı yakınında, Wahgi Vadisi'nde bulunan 1560 metre yükseklikte 283 hektarlık bir arazidir. Burası dünyanın en eski bahçecilik uygulamasına dair kanıtlar olarak yorumlanan özellikler barındırmaktadır. Bir çay araştırma istasyonu için drenaj yapılana dek sular altında kalan alan, 1972'de Jack Golson ve meslektaşlarının başkanlık ettiği bir çalışmanın başlamasına fırsat verdi. Hava fotoğrafları eski akaçlama sistemlerinin bataklığın tümünü kapladığını gösterdi. O tarihte ve daha sonra yeni ekim alanları için açılan geniş hendekler, araştırmacılara stratigrafik inceleme için kilometrelerce uzunlukta kesitler sundu. Yeni Gine'nin kuzey sahili boyunca volkanik patlamalara ait profillerde aralıklı olarak görülen kül tabakaları kronolojiye temel sağlamak üzere tarihlendirilebildi. Kırık ev (bazıları kazılmıştır) ve dolmuş eski kanalların ana hatları gibi yüzey mimarisini ortaya çıkarmak için bataklık otları temizlendi.

Araştırmalar bataklığın yaklaşık 7000-6400 yıl önce beş ayrı tarımsal kullanımına dair açık kanıtlar sağlamıştır. Bu kanıtlar büyük (2x2 m genişliğinde) ve uzun (750 m üzeri) drenaj kanalları ve her bir akaçlanmış yüzeyde belirgin bahçecilik sistemleri şeklindedir.

Bu beş akaçlama faaliyeti, yaklaşık 10.000 ve 7000-6400 yıl önce birikmiş gri kil üzerinde bulunmaktadır. Bu kil tabakasının altında çukurlar, tekneler ve kazık deliklerinden müteşekkil bir dizi mimari öge vardı. Bunlar asıl hafirler tarafından yapay diye yorumlanmıştı ve analoji yoluyla bataklık bahçeciliğinin daha geç olan altıncı safhasını temsil ettiği düşünülüyordu. Üstelik bataklığın daha önceki tarihiyle kıyaslandığında gri kil, erozyona uğramış malzemenin birikmesinde öylesine büyük bir artışı ifade eder ki, bu durum kuru toprağa bağlı geçim kaynaklarına, yani tarıma geçişe işaret ettiği şeklinde yorumlanmıştır. Söz konusu yenilikler Buzul Çağı'nın sonundaki iklimsel düzelmenin hemen başlangıcında ortaya çıkmıştır ve başka bazı kanıtların Yeni Gine bölgesindeki varlığını gösteren bir dizi tropik kültür bitkisine -taro, bazı yam (bir tür yerelması) türleri ve bazı muzlara- dayanmaktadır.

Kanıtların Yorumlanması

Kuk'taki son çalışmalar bataklığın geçmiş ekolojisini ortaya çıkarmaya yönelik araştırmaları içermiştir. Bunlar sadece arkeolojik veriler ve radyokarbon tarihlemeleri değil, fakat aynı zamanda stratigrafik analiz ve diyatomlar, böcekler, fitolitler, polenler, nişasta parçacıklarından müteşekkil paleobotanik kanıtlar içeren çok disiplinli bilgiler üretmiştir. Ekim, hasat ve drenajla uygun çukurlar, kazık delikleri ve kanallar gibi mimari özellikler yaklaşık 10.000 yıl öncesine rahatlıkla tarihlendirilmektedir. Bunlar sulak arazinin sınırında tarıma geçiş dönemiyle bağlantılı olarak yorumlanmıştır. Drenajı kötü olan yerlerde toprağı havalandırmak üzere düzenli şekilde dağıtılmış toprak yığınlarını içeren daha organize tarım yaklaşık 7000-6400 yıl öncesine tarihlenmektedir. Çoklu hendek ağları ise aralıklarla yaklaşık 4400-4000 yıl öncesinden günümüze kadar inşa edilmiştir.

Bu buluntular Yeni Gine'de tarımın Çin gibi dünyanın diğer bölgeleriyle aynı zamanda ortaya çıktığını doğrulamaktadır. Güneydoğu Asya'da kültüre alınmış bitki ve evcil hayvanların pasif alıcısı konumundaki gelişmemiş bir yer olmaktan ziyade burası, erken bitki ıslahında ilk birkaç merkezden biriydi. Aslına bakılırsa dünyanın en değerli iki mahsulü olan şekerkamışı ve burada 7000 yıl önce yetiştirilmeye başlanmış olan muzun Yeni Gine'de ortaya çıktığına dair kanıtlar çoğalmaktadır.

Arkeolojik ve paleoçevresel çalışmalar uzun zamandan beri buradaki bitki ıslahının eskiliğine dair ipuçları vermesine karşın doğrudan kanıtlar çok nadirdir, çünkü diğer nemli tropikal bölgelerde olduğu gibi böyle bataklık topraklarında tohum ve meyve gibi büyük boyutlu bitki kalıntıları genellikle iyi korunmazlar. Sediman ve polen verileri son 7000 yıldan beri süregelen ormansızlaştırma ve erozyona işaret etmektedir, fakat bunun arazi açmaktan mı yoksa yabani bitki ve hayvanlara erişim için avcı ve toplayıcıların ormanı yakmasından mı ileri geldiği belirsizdir.

Yeni Gine'nin yüksek kesimlerinde taro yetişip yetişmediği belirsizdir ve buraya belki de düzlüklerden taşınmıştır.

6.45 Kuk'taki tümsekli eski yüzey 7000-6400 yıl öncesine tarihlenir.

Dolayısıyla yiyecek aramadan tarıma geçiş görünüşe göre birkaç bin yıl sürmüştür ve kanıtlar muz ve taronun ekimine -ama ıslahına değil- işaret etmektedir.

Çevresel dönüşüm 7000-6400 yıl önce polen kayıtlarında kendisini gösteren kademeli ormansızlaşmanın eseri olarak, bozuk toprağa tahammül edemeyen taro ve yam gibi temel besin maddeleri yanında orman nadasına bağlı değişken tarım sistemini riske atmıştır. Bu durum, tarım teknolojisinde çayır türünde çevrelerde kuru tarımın verimliliğini sürdürmek üzere düzenlenmiş bir dizi yeniliğe yol açmıştır.

Projeyi başlatan yakın tarihli çay ekim alanı hendekleriydi, ancak bu türden ticari projeler için yapılan bataklık drenajı şimdi dünyanın bazı en eski tarımsal kalıntılarını -hem Kuk'ta hem de bölgedeki benzer arkeolojik alanlarda- tehdit etmektedir. Kuk büyük ulusal öneminin göstergesi olarak 2008'de Yeni Gine'nin Dünya Kültür Mirası listesine giren ilk arkeolojik alanı seçilmiştir.

bir turba bataklığı, havadaki kurşun düzeyinin ilk kez 5500 yıl önce, tarımın rüzgârla taşınan toprağı arttırdığı zaman yükseldiğini göstermiştir. Ardından, 3000 yıl önce, Fenikelilerin İspanya'da çıkarılan kurşunu satması ve demir izabesinin başlamasıyla çok daha keskin artış olmuştu. Yunanların madenlerdeki gümüşü çıkarırken atmosfere kurşun bırakması kurşun kirliliğini arttırdı. Avrupa madenlerinden her yıl 80.000 ton kurşun çıkarıldığı Roma Dönemi'nde daha da yükseldi. Grönland buzul karotları sadece kurşun hakkındaki bu verileri doğrulamakla kalmaz, Roma Dönemi'nde ve Ortaçağ'da, özellikle Avrupa ve Çin'de antik bakır izabesinden kaynaklanan belirgin kirliliği belgeler.

Tarla Sürmeye Dair Kanıtlar. Yumuşakça ve polen içerikleri de dâhil olmak üzere dolguların, özellikle de orijinal toprakların ve altındaki arazi yüzeylerinin araştırılması, bunlar yükselmeden önce tarım yapılıp yapılmadığını gösterebilir. Hatta zaman zaman arkeologlar saban ya da hafif saban (hafif saban arkasında saban izi bırakır, ama toprağı tersyüz etmez) tarafından yapılan izleri korumuş arazi yüzeyleri ortaya çıkaracak kadar şanslı olabilirler. İngiltere'deki South Street'te bulunan Neolitik tümülüsün altında keşfedilmiş izler iyi bir örnektir. Prehistorik Danimarka höyüklerinden gelen kanıtlar bu izlerin aslında işlevsel olmadığını (yani toprak işlenirken meydana gelmediğini) ama tümülüs inşa töreniyle ilgisi bulunduğunu düşündürmekle beraber, yine de çeşitli dönemlerde farklı topraklar üzerinde kullanılmış toprak yönetimi tekniklerine dair bulgular sunar.

Ağaçlık Alanların ve Bitki Örtüsünün Yönetimi. Yukarıda ana hatlarıyla verilen bitki kalıntılarını analiz etmeye yönelik tek-

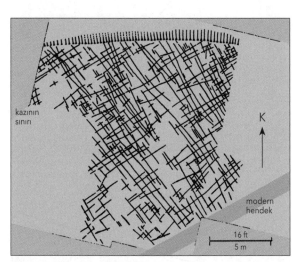

6.46 *İngiltere'nin güneyinde, South Street'teki Neolitik mezar tümülüsünün altında ortaya çıkmış gömülü toprak yüzeyi. Topraktaki çapraz çizgili oyuklar, toprağı tersyüz etmeyen erken bir saban tipi olan hafif saban tarafından yapılmıştır.*

niklerin çoğu, ağaçlık arazilerin ve bitki örtüsünün insanlarca kullanımını göstermek için de genellikle yararlıdır.

İngiltere'deki Somerset Levels'da John ve Bryony Coles tarafından arkeolojik kontekstlerde bolca bulunmuş *suya doymuş ahşap*, yine onlar tarafından MÖ 4000 civarına tarihlenen en eski sistematik ormancılık ve budama kanıtlarına ait örnekleri göstermek için kullanılmıştır (s. 336-337'deki kutuya bakınız).

Neolitik yapı ustalarının Dalladies'deki (İskoçya) tümülüslerin inşasında kullandıkları turbalarda **odun kömürü** parçaları bulunmuştur. Odun kömürün varlığı, turbaların orman yakıldıktan hemen sonra meydana gelmiş meradan kesildiğini gösterir. Buna ilaveten çiftçilerin 7300 m²'lik bu zengin turbalığı anıtlarını inşa etmek için feda etmeleri üzerine düşünmek ilginç olacaktır.

Polen analizi ağaçlık alanların bilinçli açıldığını kanıtlayan çok önemli bir diğer yöntemdir. Amerikalı bilim adamı David Rue, Maya şehri Copan'daki (Honduras) dolgulardan aldığı polenleri analiz etmiş ve bölgedeki ilk arazi açma ve toprak işleme faaliyetinin izini sürmeyi başarmıştır. Orta Amerika'nın geç buzul sonrası döneminde hiçbir önemli iklim değişikliğine dair kanıt olmadığından, polen kaydındaki değişmeleri güvenle insan faaliyetine bağlayabildi. Söz konusu buluntular bunun gibi şehirlerin çöküşlerinde ekolojik stres ve toprak bozunumunun muhtemelen önemli olduğunu gösterir (12. Bölüm'de şehirler ve uygarlıkların muhtemel çöküş nedenlerini daha genel ele alacağız).

Ada Çevrelerinde İnsan Etkisi

Çevre üzerindeki en yıkıcı insan etkisi, yerleşimcilerin yeni hayvanlar ve bitkiler getirdiği adalardır. Bu "taşınmış arazileri"in bazıları kolonicilerin tam da istedikleri hâle gelirken, diğerleri feci şekilde aksi gitmiştir.

En dikkate değer örnekler Polinezya'dadır. Bu adalara gelen ilk Avrupalı kâşifler, Polinezyalıların erken kolonileştirme faaliyetlerine rağmen buralarda gördükleri çevrenin hiç değişmediğini düşünmüşlerdi. Palinoloji, bitki ve hayvan makro/mikrokalıntılarının analizi ve yukarıda değinilen diğer birçok teknolojinin bileşimi değişimin dramatik bir resmini çıkarmıştır. İlk gelenler yerleşme safhaları sırasında yerel kaynakları aşırı derecede değerlendirmişti: Fauna kaydı genelde kullanılabilir yumuşakça ve kaplumbağa gibi etlerin miktarında ciddi bir düşüş olduğunu gösterir. Bu kaynakların büyük bölümü asla telafi edilmedi ve birçoğu tamamen yok oldu.

Tükenmenin başlıca sebebi yerleşimciler tarafından adaya getirilen yeni türlerin çeşitliliğiydi. Bazılarını getirmeleri gerekiyordu, zira adalarda genellikle yenebilir yerel bitki ve hayvan çok azdır. Fakat evcil domuzlar, köpekler, kümes hayvanları ve kültür bitkilerine ilaveten, farkında olmayarak Polinezya sıçanı, gekolar ve her türlü yabani otla omurgasız hayvan (sıçan bilerek getirilmiş bile olabilir) gibi kaçak yolcuları da taşımışlardı. Hawaii'de düzinelerce yerel kuş türü çok hızlı bir şekilde ortadan kalkarken, Yeni Zelanda'da yabani uçmayan

kazının sınırı

K

modern hendek

16 ft
5 m

dev deve kuşu (moa), 16 başka kuş türüyle birlikte tamamen yok olmuştur.

Bununla birlikte, yırtıcılık resmin sadece bir bölümüdür; yaşam alanının tahribi muhtemelen asıl öldürücü darbeydi. Hawaii, Yeni Zelanda ve diğer yerlerde polen, fitolit, odun kömürü ve kara salyangozları bir arada, alçak arazilerdeki hızlı ve büyük çaplı ormansızlaştırmanın birkaç yüzyıl içinde açık çayırlar meydana getirdiğini açığa çıkarmıştır. Bu durum sadece bitki örtüsü ve kuşlar üzerinde ciddi etkilere sebep olmakla kalmadı, aynı zamanda yüzlerce yumuşakça türünü de yok etti. Üstelik tepe yamaçlarındaki bitki örtüsünün temizlenmesi bahçelerin daha fazla erozyona maruz kalmasına yol açtı. Birkaç erken dönem arkeolojik alan metrelerce alüvyon ve yamaç yıkaması altında kalmıştır.

Diğer bir deyişle, insanlar bu adalara kendi "arazilerini" getirerek onları hızlı, köklü ve geri döndürülemeyecek şekilde, bilinçli ya da kazara değişime uğrattılar. Dünyanın bu kısmındaki çevre tarihine dair analizler kasırgalar, depremler ve gelgit dalgaları gibi doğal afetlerin (volkanik patlamalar dışında) bitki örtüsünü herhangi bir boyutta etkilemediğini açıkça ortaya koymuştur. Çevre ve kaynaklar üzerindeki değişimler ancak insanların gelmesinden sonra (Yeni Zelanda'da 1000 yıldan az bir zaman önce; Hawaii'de 2000 yıl, Batı Polinezya'da 3000 yıl önce) vuku bulmuştur.

Paskalya Adası. Bu tahribat sürecinin doruk noktası, dünya üzerindeki en izole meskûn kara parçası olan Paskalya Adası'nda meydana gelmiştir. Burada, yerleşimciler hem kapsamı hem de kültürel ve sosyal sonuçları açısından belki de emsalsiz bir çevresel hasarı yaratmıştır. İngiliz palinoloji uzmanı John Flenley ve meslektaşlarının adanın volkanik kraterlerinden aldıkları karot örneklerindeki polenlerin analizi bitki örtüsü geçmişini, özellikle de insanların adaya MS 700'de (ya da olasılıkla sonra) gelmelerinden evvel ormanlarla kaplı olduğu gerçeğini büyük ölçüde aydınlatmıştır.

On dokuzuncu yüzyıla gelindiğinde, Paskalya Adası'ndaki her bir ağaç kesilmiş ve otlaklar yaygınlaşmıştı. Polen kayıtları bin yıllık bir süreç içinde ormanların azalışını gösterir. MS 700'den önce polen kayıtlarında benzer bir olgu bulunmadığına göre, yerel kuraklık ve Küçük Buzul Çağı'nın etkisi olsa bile insanların sorumluluğu açıktır. Çoğu ağacın adadaki devasa heykellerin naklinde kullanılmış olması mümkündür.

6.47 *Ada çevreleri üzerindeki insan etkileri özellikle insan kolonizasyonun görece geç başladığı Pasifik bölgesinde açıktır (s. 170-171'deki haritaya bakınız), fakat bu durumun yerel bitki ve hayvanlar üzerinde yıkıcı tesirleri olmuştur. Botanik kanıtlar ve fauna kanıtları insan yırtıcılığı, ormansızlaştırma ve yeni getirilen rekabetçi türlerin geniş çaplı tahribata yol açtığını gösterir.*

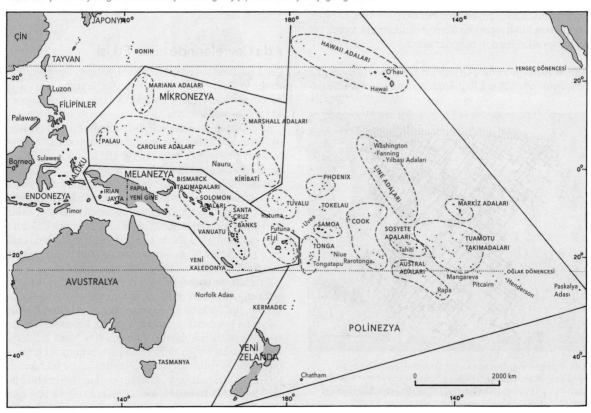

Buna ilaveten, insanlar muhtemelen palmiye meyvelerini tüketiyordu. Bulunan meyvelerden bazıları kemirgenler tarafından yenmiş olduğu için, adaya ve başka yerlere yerleşimciler tarafından getirilmiş Polinezya sıçanlarının da böyle beslendiği şüphesizdir. Kerestenin bütünüyle kaybı muhtemelen 17. yüzyıl ortalarında heykelciliğin nispeten ani sona erişinde rol oynayan önemli sebeplerden biriydi, çünkü heykeller artık nakledilemiyorlardı. Ayrıca iyi kanolar yapmak da artık mümkün değildi. Bu yüzden tavuklar dışında temel protein kaynağı balıkların tüketilmesinde büyük ölçekli bir düşüş yaşanmış olmalıydı. Ormanların tahribi diğer yandan toprak erozyonuna (göl karot örneklerinin kimyasal analizinde fark edilir) ve verimli orman toprağının yitirilmesiyle düşük hasada yol açtı. Arkeolojik kayıtlardaki en belirgin orman tahribi vakası kıtlığa ve kültürel çöküşe neden oldu; MS 1500'den sonra kölelik ve sürekli savaşla sonuçlandı.

6.50 *Yeni Zelanda'da uçamayan büyük kuş moanın 11 türünün soyu tükenmiştir (sağda iki tanesi hâlen yaşayan çok daha küçük kivi kuşuyla birlikte görülmektedir).*

6.48–49 *Paskalya Adası'nda insan etkisi. Bu uzak Pasifik adası uzun zamandan beri devasa heykelleriyle ünlüydü (aşağıda), fakat polen bilimciler bu (yakın zamana kadar) ağaçsız çevrenin insanların gelişinden önce büyük palmiye ormanlarıyla kaplı olduğunu keşfetmişlerdir (sağ üstte: palmiye poleni; ortada ve altta: palmiye endokarpları).*

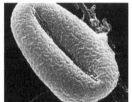

ÖZET

▌ Geçmişte insanların nasıl iş gördüğünü anlamak için dünyalarının neye benzediğini bilmek gerekir. Çevresel arkeoloji insanların doğal dünyayla olan etkileşimini inceler. Çevreyi küresel ölçekte incelemek için arkeologlar, sedimanlardaki organik moleküllerinin analizi yoluyla iklim bilgisi veren derin deniz karotları gibi tekniklerle toplanan verileri kullanırlar.

▌ Jeoarkeoloji değişen iklimin etkilerini arazinin kendisinde tespit etmeye yarayan yöntemler kullanır. Arkeologlar bunlardan farklı zaman dilimlerinde yerleşimcilerin karşılaştığı çevreyi değerlendirebilir. Jeoarkeoloji geleneksel arkeolojiyle birlikte bir arkeolojik alanın daha kapsamlı bir resmini sunabilir.

▌ Geçmiş çevreyle ilgili birçok bilgi sadece mikroskopla görülebilen mikrobotanik kalıntılar ve bitki kalıntılarından elde edilebilir. Eski polen taneciklerini inceleyen palinoloji zaman içinde bitki örtüsündeki değişimler hakkında bir fikir verebilir. Bitki çürüdükten sonra hücrelerinde varlıklarını koruyan silika parçacıkları, yani fitolitler benzer veriler elde etmek için kullanılabilmektedir. Fitolitler polenin korunmadığı sedimanlarda çoğu kez hayatta kalır. Tohumlar, meyveler ve ağaçlar gibi insan gözünün seçebildiği makrobotanik kalıntılar, arkeolojik alanlarda hangi bitkilerin yetiştiğine ve hangilerinin insanlar tarafından tüketildiğine dair bilgiler verir.

▌ Hayvan kalıntıları geçmiş iklim şartları hakkında ilginç ipuçları sağlar. Arkeolojik alanlarda bulunan büyük hayvan kalıntıları, yani makrofauna temelde insanların geçmiş beslenme alışkanlıklarının bir resmini sunar. Kemirgenler, yumuşakçalar ve böcek gibilerinden oluşan mikrofauna, büyük türlere göre iklim değişikliklerini daha iyi yansıtır, çünkü iklim değişikliklerine daha duyarlıdırlar ve daha hızlı adapte olurlar.

▌ Tüm insan gruplarının çevre üzerinde etkisi olmuştur: Hayvanların evcilleştirilmesi, bitkilerin kültüre alınması, ateşin kontrollü kullanımı, hava ve su kirliliği, tarla düzenleri insanların etraflarındaki dünyayı değiştirme yollarına dair sadece birkaç örnektir. Yakın çevrenin düzenlenmesinin insan kültürünün temelinde olduğu açıktır.

İLERİ OKUMA

Çevresel arkeolojiye genel giriş kitapları:

Dincauze, D.F. 2000. *Environmental Archaeology*. Cambridge University Press: Cambridge.
O'Connor T. & Evans, J. 2005. *Environmental Archaeology. Principles and Methods*. (2. basım) Tempus: Stroud.
Reitz, E. & Shackley, M. 2012. *Environmental Archaeology*. Springer: New York.

Geniş çevresel ortam hakkındaki kitaplar:

Anderson, D.E., A.S. Gundie & A.G. Parker. 2007. *Global Environments through the Quaternary: Exploring Environmental Change*. Oxford University Press: Oxford.
Bell, M. & Walker, M.J.C. 1992. *Late Quarternary Environmental Change. Physical and Human Perspectives*. Longman: Harlow.
Brown, A.G. 1997. *Alluvial Geoarchaeology*. Cambridge University Press: Cambridge.
Fagan, B.M. (ed.). 2009. *The Complete Ice Age*. Thames & Hudson: Londra & New York.

Rapp, C. & Hill, C.L. 1998. *Geoarchaeology: The Earth-Science Approach to Archaeological Interpretation*. Yale University Press: New Haven & Londra.
Roberts, N. 1998. *The Holocene: An Environmental History* (2. basım). Blackwell. Oxford.

Bitki çevresi hakkındaki kitaplar:

Dimbleby, G. 1978. *Plants and Archaeology*. Paladin: New York.
Schweingruber, F.H. 1996. *Tree Rings and Environment: Dendroecology*. Paul Haupt Publishers: Berne.

Hayvan çevresi için iyi başlangıç eserleri:

Davis, S.J.M. 1987. *The Archaeology of Animals*. Batsford: Londra; Yale University Press: New Haven.
Klein, R.G. & Cruz-Uribe, K. 1984. *The Analysis of Animal Bones from Archaeological Sites*. University of Chicago Press: Chicago.
O'Connor, T. 2000. *The Archaeology of Animal Bones*. Sutton: Stroud.

NE YİYORLARDI?
Yiyecek ve Beslenme

Çevrenin rekonstrüksiyonu için yöntemlere değindikten sonra, şimdi insanların çevreden neyi seçip çıkardıklarını nasıl bulacağımıza, diğer bir deyişle neyle varlıklarını sürdürdüklerine –genellikle yiyecek arama olarak anlaşılır– bakalım. Yiyeceklerin araştırılması arkeolojinin teknik olarak en gelişmiş alanlarından biridir. Yiyecek bütün gereksinimlerin en temelidir.

Eski beslenme alışkanlıklarını tartışırken, insanların belli bir zamanda tükettikleri çeşitli yiyeceklere dair doğrudan kanıtlar, yani **öğün** ve uzun bir zaman dilimi içindeki tüketim biçimleri anlamındaki **beslenme alışkanlığı** arasında ayrım yapmak yararlıdır.

Öğünler söz konusu olduğunda, bilgi kaynakları çeşitlidir. Günümüze kaldıkları zaman yazılı kaynaklar insanların yedikleri bazı şeyleri gösterir; sanatsal betimler de öyle. Modern etnoarkeoloji bile insanların seçim yelpazesini genişleterek ne

yemiş *olabileceklerini* anlamamıza yardımcı olur. Tüketilmiş yiyeceklerin kalıntıları da çok bilgilendiricidir. Fakat tüketilen türlerin kapsamını belirlemek kolayken, beslenme alışkanlıklarına göreli katkıları daha muğlak olabilir.

Daha zorlu bir konu olan beslenme alışkanlığı için çeşitli yardımcı inceleme teknikleri mevcuttur. Bazı yöntemler insan kemiklerine odaklanır. Bu bölümde anlatıldığı üzere, bir insan topluluğunun iskelet kalıntıları üzerindeki izotop analizleri, beslenme düzeninde denizsel ve karasal yemeklerin dengesini, hatta aynı toplum içindeki daha avantajlı üyelerle diğerleri arasındaki beslenme farklılıklarını gösterebilir.

Bununla birlikte eski beslenme alışkanlıklarına dair bilgilerimizin çoğu doğrudan yenen şeylerin artıklarından gelir. *Zooarkeoloji* (ya da arkeozooloji), yani geçmişte insanların hayvanlardan faydalanma yollarının araştırılması, şimdi arkeolojideki büyük iştir. Bulunan hayvan kemiklerini inceleyecek bir uzmanı bulunmayan sadece birkaç kazı olabilir. Örneğin Meadowcroft'taki (Pennsylvania) Paleo-Kızılderili kaya barınağında yaklaşık bir milyon hayvan kemiği ele geçmiştir (ve yaklaşık 1,5 milyon bitki örneği). Ortaçağ yerleşimlerinde ve daha geç tarihli yerlerde ortaya çıkarılan malzeme sayısı daha müthiş olabilir. İnsanların geçmişteki bitki kullanımını inceleyen *paleoetnobotanik* (ya da arkeobotanik), bulunan bitki örneklerini tanımlamaya yarayan bir dizi teknikle giderek ilerleyen bir disiplindir. Her iki alanda

7.1–2 *Bilinen bu en eski darı erişteleri (yaklaşık 4000 yıl öncesine aittir) Çin'in kuzeybatısındaki Lajia yerleşim alanında ters çevrilmiş bir kâsenin içinde, 2005'te bulunmuştur. Kalıntılar, erişte elde etmek için hamurun elde sürekli uzatılmasını ve kaynar suda pişirilmesini de içeren rutin arpa öğütmesinin Çin'de Son Neolitik'te uygulandığını göstermektedir.*

da, bir arkeolojik alandaki korunma koşullarının ayrıntılı olarak kavranmasında en etkili çıkarma tekniğinin benimsendiğinden emin olmak bir önkoşuldur. Mesela hafir kemiğin çıkarılmadan önce sağlamlaştırılması gerekip gerekmediğine ya da bitki kalıntısının en iyi şekilde yüzdürmeyle ele geçip geçemeyeceğine karar vermelidir (6. Bölüm). Yine her iki alanda da ilgi sadece yenilen türlere değil, aynı zamanda bunların nasıl tertip edildiğine kaymıştır. Hem bitkilerin kültüre alınması hem de hayvanların evcilleştirilmesi birkaç onyıldır başlıca araştırma konularından biridir.

Yiyecek artıklarının açıklanması oldukça ileri tekniklere ihtiyaç duyar. Başlangıç olarak, yakın çevreden elde edilebilecek "menü"nün rekonstrüksiyonunu yapabiliriz (6. Bölüm), ama belirli bir bitki ya da hayvan türünün gerçekten tüketildiğine dair en su götürmez kanıt, aşağıda insan kalıntıları hakkındaki bölümde görüleceği gibi, bunlara ait izlerin mide muhtevasında ya da eski kurumuş dışkı kaynaklı maddelerdeki varlıklarıdır. Diğer bütün hâllerde kontekst veya buluntu durumundan sonuç çıkarılmalıdır: bir fırındaki kömürleşmiş tahıl, kesilmiş ya da yakılmış kemikler veya bir kaptaki artıklar. Bitkisel kalıntılar, tabakaya girdikleri sırada erişmiş oldukları belirli işlenme safhalarına göre yorumlanmalıdır. Kemik kalıntıları kesim uygulamaları bağlamında değerlendirilmelidir. Beslenme alışkanlıklarındaki başlıca ürünler, sebze kalıntılarının genellikle kötü korunması yüzünden gerektiği kadar temsil edilmeyebilirler. Aynı şekilde balık kemikleri de iyi korunmamış olabilir.

Bu sorunlara ilaveten arkeolog, arkeolojik alandaki yiyecek kalıntılarının beslenme alışkanlıklarının tamamını ne derece temsil ettiğini düşünmelidir. Burada arkeolojik alanın işlevinin tespit edilmesi gerekir. Bir kez mi yoksa sıkça mı; kısa ya da uzun dönemde mi; düzensiz mi yoksa mevsimlik mi (iskân mevsimi bitki ve hayvan kanıtlarından çıkarılabilir) yerleşildiği bilinmelidir. Uzun süreli bir yerleşim, özelleşmiş konak yeri ya da av alanına kıyasla daha tipik yiyecek kalıntıları sunmaya yatkındır. Ancak ideal olan, arkeoloğun beslenme alışkanlıkları hakkında karar vermeden önce çeşitli kontekstlerden ve arkeolojik alanlardan örnek toplamasıdır.

BİTKİ KALINTILARI BİZE BESLENME ALIŞKANLIKLARI HAKKINDA NE SÖYLER?

Makrobotanik Kalıntılar

Arkeoloğa ulaşan bitki kanıtlarının büyük kısmı makrobotanik kalıntılar şeklindedir. Bunlar kurumuş (sadece çöller ya da yüksek dağlar gibi yerlerde), suya doymuş (sadece tabakalanma tarihinden itibaren sürekli ıslak kalmış yerlerde) veya kömürleşerek korunmuş olabilir. Sıra dışı durumlarda, volkanik patlama bitkisel kalıntıları koruyabilir. Cerén'deki (El Salvador) birçok kapta karbonlaşmış hâlde ya da negatif izler şeklinde korunmuş bitki çeşitlerine rastlanmıştır (s. 59 ve 265'e bakınız). Bitki kalıntıları, tabakalara sızan mineraller tamamen ya da kısmen onların yerini aldığında korunabilir. Bu süreç yüksek yoğunlukta tuzlar içeren tuvalet çukurlarında meydana gelmeye eğilimlidir. Kömürleşmiş kalıntılar yüzdürme (6. Bölüm), suya doymuş kalıntılar ıslak eleme, mineralleşmiş olanlar kontekste göre kuru ya da ıslak elemeyle toplanır. Çürütücü mikropların faaliyetini engelleyerek iyi korunmaya yol açan, nem ve taze havanın yokluğudur. Bazen tek bir arkeolojik alanda birkaç farklı şekilde korunmuş bitki kalıntıları bulunabilir, ama dünyanın çoğu yerinde yerleşme alanlarındaki korunmanın tek ya da başlıca sebebi kömürleşmedir.

Zaman zaman bir arkeolojik alandaki tek bir örnek çok büyük miktarda malzeme sunabilir. Örneğin İngiltere'nin güneyindeki Black Patch'te bulunan bir Tunç Çağı çiftliğinde bir saklama çukurunda 27 kg'nin üzerinde kömürleşmiş arpa, buğday ve başka bitkiler bulunmuştur. Bazen bu, farklı hububat, baklagiller ve ot florasının görece önemine dair ipuçları verir, ancak örnek sadece zaman içindeki bir anı yansıtır. Arkeoloğun ihtiyaç duyduğu şey, arkeolojik alandaki tek bir dönemden ve eğer mümkünse değişik tabakalardan gelen çok sayıda örnektir (her biri tercihen 100 taneden fazla). Böylece hangi türlerin tüketildiği, bunların önemi ve söz konusu dönemdeki kullanımları hakkında güvenilir veriler elde edilebilir. Bu örnekleri toplamayı mümkün kılan öncelikle yüzdürme makinesidir (s. 255'e bakınız).

Yeteri kadar örnek toplandıktan sonra bitki kalıntılarının miktarı belirlenmelidir. Bu ağırlık, kalıntıların sayısı veya kemikler için kullanılan Asgari Birey Sayısı tekniğinin dengeyle yapılır (aşağıya bakınız). Bazı bilim insanları bir arkeolojik alandaki bitki kalıntılarının yüzdelerinden vazgeçilerek sadece bunları görünür çokluk sırasına göre yerleştirmeyi önermiştir. Fakat sayısal sıklık Jane Renfrew'un Sitagroi'daki (Yunanistan) Neolitik yerleşmeden gelen malzemeyle ilgili çalışmasında gösterdiği gibi yanıltıcı olabilir. Renfrew örneklerde en sık görülen bitkinin tesadüf eseri korunmuş olabileceğine (mesela pişirme sırasındaki bir kaza) ve dolayısıyla gereğinden fazla temsil edilebileceğine işaret eder. Aynı şekilde çok sayıda tohum ya da tane üreten türler arkeolojik kayıtlarda abartılı öneme sahipmiş gibi görünebilir. Sitagroi'da *Polygonum aviculare*, yani çobandeğneğine ait 19.000 tohum bir yüksüğü anca doldurur ve bir meşe palamudunu tahıl tanesi ya da bakla tohumuyla kıyaslamak bir anlam ifade etmez. Değişik boyutları dışında beslenme alışkanlıklarına yaptıkları katkı da farklıdır.

Kontekstin ve Kalıntıların Yorumlanması. Arkeolog ya da uzman için bir bitki örneğinin arkeolojik kontekstini anlamak önemlidir. Geçmişte ilgi bitkilerin botanik tarihi, morfolojileri, menşei yeri ve evrimine yönelmişti. Ancak şimdi, arkeologlar avcılık-toplayıcılık ve tarım (hangi bitkiler beslenme alışkanlıkları için önemliydi, nasıl toplanırdı veya yetişirdi, işlenirdi, saklanırdı ve pişirilirdi) ekonomilerinde insanların bitki kullanımı hakkında daha fazla şey bilmek istemektedir. Bu, geleneksel bitki işlemenin farklı safhalarını anlamak; farklı safhaların bitki kalıntıları üzerindeki etkilerini ve bunların değişik arkeolojik kontekstlerde tespit edilmesi demektir. Birçok durumda bulundukları yerin işlevini, dolayısıyla doğasını açığa çıkaran tam tersine bitki kalıntılarıdır.

Bir tarım ekonomisinde bitki işlemenin birçok farklı safhası vardır. Örneğin hububatlar söz konusu olduğunda, taneyi kepek, saman çöpü ve otlardan ayırmak için harman dövme, harman savurmak ve tüketimden önce temizlemek gerekir. Fakat tohumlar ayrıca gelecek yılın ekimi için saklanmalıdır ve tahıllar da hasat edilmiş mahsulü yağmurdan korumak için gerektiğinde harman yapılmak üzere saklanabilir. Bu faaliyetlerin çoğu makineleşmeden önceki yakın tarım geçmişimizde iyi belgelenmiştir ve farklı ehliyet ve teknolojik

kapasitedeki kültürlerde etnoarkeolojik olarak hâlen izlenebilir. Üstelik mahsulün işlenmesiyle ilgili deneyler de yapılmaktadır. Bu gözlemlerden belirli faaliyetlerin ister fırınlardan, ister yaşam alanı tabanlarından, isterse tuvaletlerden ya da saklama çukurlarından gelsin, karakteristik artıklar bıraktığı bilinir.

Hasat kalıntılarına dair iki temel yaklaşım vardır. Birçok arkeobotanikçi artık "dış kanıt" kullanmaktadır ve bitki işleme faaliyetlerinin etnografik gözlemlerinden ya da deneylerinden arkeolojik kalıntıların ve kontekstlerin incelenmesine doğru yol almaktadır. Ancak bazı durumlarda arkeolog "iç analiz" kullanarak neredeyse tamamen arkeolojik veriye odaklanır. Mesela Bulgaristan'daki Chevdar Neolitik arkeolojik alanına (MÖ 6. binyıl) ait bitkisel malzemeyi çalışmış İngiliz arkeolog Robin Dennell, fırınlardan gelen örneklerin beklenildiği gibi işlenmiş olduğunu ve kazayla kömürleştikleri sırada ya saklanmak için kurutulduklarını ya da pişirildiklerini belirtir. Öte yandan tabanlardan gelen örneklerin yüksek oranda yabani ot tohumu içermesi, ama hiç başakçığa (bir tahıl başağının diken biçimli, küçük alt

7.3 *Tahıl ürünlerinin işlenmesi: Bu safhaların çoğunda oluşan artık malzeme kömürleşmiş ya da su emmiş kalıntılar şeklinde günümüze kalabilirler.*

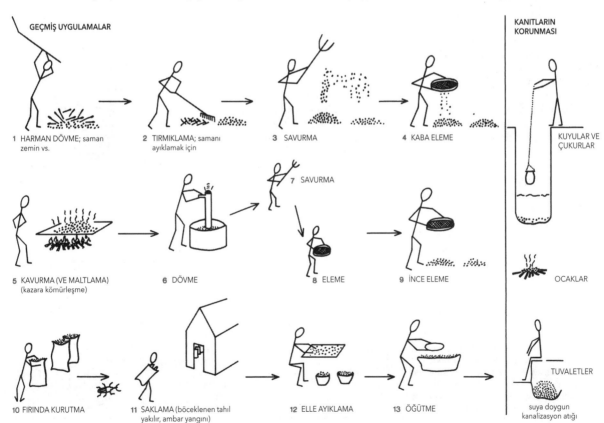

GEÇMİŞ UYGULAMALAR

KANITLARIN KORUNMASI

1 HARMAN DÖVME; saman zemin vs.

2 TIRMIKLAMA; samanı ayıklamak için

3 SAVURMA

4 KABA ELEME

KUYULAR VE ÇUKURLAR

5 KAVURMA (VE MALTLAMA) (kazara kömürleşme)

6 DÖVME

7 SAVURMA

8 ELEME

9 İNCE ELEME

OCAKLAR

10 FIRINDA KURUTMA

11 SAKLAMA (böceklenen tahıl yakılır, ambar yangını)

12 ELLE AYIKLAMA

13 ÖĞÜTME

TUVALETLER

suya doygun kanalizasyon atığı

PALEOETNOBOTANİK: ÖRNEK BİR ÇALIŞMA

Paleoetnobotanik ya da arkeobotaniğin yöntemlerini anlamak için en iyi yollardan biri başarılı bir örnek çalışmaya yakından bakmaktır.

Wadi Kubbaniya

Fred Wendorf ve arkadaşları Yukarı Mısır'da, Asvan'ın kuzeybatısındaki bir mevkide GÖ 19.000 ve 17.000 yıl arasına tarihlenen dört arkeolojik alanı kazdı. Bunlar Eski Dünya'daki herhangi bir Paleolitik kazıda bulunmuş en çeşitli bitkisel besin kalıntılarını içeriyordu. Korunma koşullarını kumun üzerlerini hızla örtmesine ve bölgenin çok kuru iklimine borçlu olan malzeme, odun kömüründen ateş çukurlarının etrafında yoğunlaşmıştı ve yumuşak sebze yiyeceklerinin kömürleşmiş parçaları öne çıkıyordu. Yüzdürme (6. Bölüm) bu malzemede işe yaramadı, zira kırılgan ve kuru kalıntılar suda çözülüyordu. Bunun yerine kuru elemenin kullanılması gerekiyordu. Çocuk dışkısı olduğu anlaşılan kalıntılarda da küçük kavrulmuş tohumlar bulundu.

Gordon Hillman ve meslektaşlarının Londra Arkeoloji Enstitüsü'nde kömürleşmiş kalıntılar üzerindeki analizleri, bu arkeolojik alanlara getirilmiş 20'den fazla bitkisel besinin tanımlanmasıyla sonuçlandı. Buna göre yerleşim sakinlerinin menüleri oldukça çeşitliydi. En çok rastlanan bitkisel besin açık ara farkla topalağın (Cyperus rotundus) yumru kökleriydi. Diğer türler hasırotu yumru kökleri, dum ağacı meyveleri ve çeşitli tohumlardan meydana gelmekteydi. Topalak yumru köklerinin Paleolitik beslenme alışkanlıklarına muhtemel katkısını

öğrenmek için bir çalışma yürütüldü.

Bitkinin bugün yetiştiği yerler, randımanı ve besin değerine dair yapılan araştırmalar kazma çubuklarıyla her yıl kolayca binlerce ton yumru kökün elde edilebileceğini ortaya koydu. Yıllık hasat genç yumru köklerin hızla ve bolca yetişmesini sağlar. Tarihöncesi insanlar bu doğa olayını şüphesiz fark etmiş olacaklarından, bilinçli şekilde bunu yürütmek için bir tür işletme sistemi veya ön bahçecilik geliştirmeleri kesinlikle imkânsız değildir.

Arazi dışında etnografik kanıtlar da mevcuttur. Batı Afrika, Malezya ve Hindistan'daki tarım toplumlarında ayak otu yumru kökleri mahsulün azaldığı zamanlarda kıtlık yiyeceği olmuştur. Avustralya'nın bazı çöl bölgelerinde Aborjin avcı-toplayıcıları köklerden ana kaynak olarak faydalanırlar. Hazmedilebilir ve zehirden arınmış hâle getirmek için pişirildikleri sürece uygun aylarda ana kalori kaynağı olabilirler. Etnografik kanıtlar aynı zamanda, işlemede daha az çalışma gerektirdiği için tohumlara tercih edildiklerini düşündürmektedir.

Wadi Kubbaniya'da bir sonraki adım arkeolojik alandaki yerleşimin mevsimlik mi yoksa yıllık mı olduğunu öğrenmek için bitkisel kanıtları çalışmaktı. Ayak otu yumru kökleri muhtemelen yılın yarısı boyunca elde edilebiliyordu,

7.5–6 Topalak (Cyperus rotundus). Canlı bitkinin yenebilir birkaç yumru köküyle birlikte çizimi (aşağıda). Arkeolojik alan E-78-3'te bulunan kömürleşmiş köklerden biri (sağda).

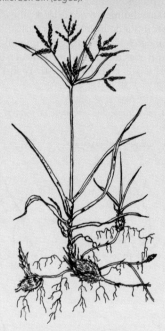

7.4 Üst Paleolitik Wadi Kubbaniya'da ana bitkisel yiyeceklerin muhtemel tüketilme -besin stokunun yokluğu kabul edildiğinde- mevsimleri. Kuşakların değişen genişlikleri, bugünkü büyüme şablonları ve modern avcı-toplayıcıların bilinen tercihlerine göre her bitkinin elverişliliğindeki mevsimlik farkları gösterir. İki ay boyunca taşkın suları muhtemelen birçok bitkiyi örterek bu zaman içinde onları erişilemez kılıyordu.

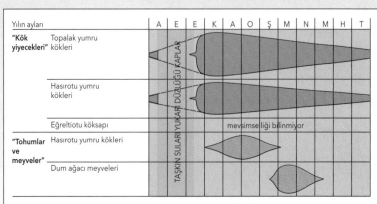

Yılın ayları		A	E	E	K	A	O	Ş	M	N	M	H	T
"Kök yiyecekleri"	Topalak yumru kökleri												
	Hasırotu yumru kökleri												
	Eğreltiotu köksapı					mevsimselliği bilinmiyor							
"Tohumlar ve meyveler"	Hasırotu yumru kökleri												
	Dum ağacı meyveleri												

7.7 *Dört Wadi Kubbaniya arkeolojik alanından biri (E-78-3) kazılırken.*

fakat etkin büyüme dönemleri olan Ekim'den Ocak'a kadar en yenebilir durumdaydılar. Wadi Kubbaniya'da köklerin ömrünü uzatacak depolamaya dair kanıtlar bulunmamaktadır, ancak köklerin büyüme dönemleri arkeolojik alanda tespit edilmiş diğerlerininkilerle birlikte ele alındığında, bütün bir yıla yetecek yiyecek stoku güvence altına alınmış olacaktı. Bu, yerleşimin mevsimlik olmadığını kanıtlamaz, ama sadece bitki kaynakları bağlamında yıllık iskânın gerçekleştirilebileceğini gösterir.

Son olarak arkeolojik alanda hayvansal ürünlere ait kanıtların da (mesela balık kılçıkları, deniz kabukluları) bulunduğunu ve bugün bölgede baskın olan, fakat kalıntılarda temsil edilmeyen birçok bitkinin (mesela başka palmiye meyveleri, kök sapları, yapraklar ve kökler) önemli arz edebileceğini belirtmek gerekir. Her hâlükârda asıl ayak otu yumru köklerinin baskın kaynak –dört arkeolojik alanın bütün tabakalarında mevcut tek bitki- ve bu yüzden ana kaynak değilse de beslenmedeki ana besinlerden biri olduğudur.

bölümleri; görsel 7.11'e bakınız) rastlanmaması, bunların hâlen hazırlık aşamasında olduklarını, ama önceden dövüldüklerini ve ayıklandıklarını düşündürmektedir. Mevcut yabani ot türlerinin sayısı ve çeşidi işlemenin verimi hakkında ipucu verebilir. Çoğu örnek farklı tahılların belli oranda karıştırıldığını gösterir ve arkeologlar verileri değerlendirirken bunu akılda tutmalıdır. Aslında mahsul, en azından içlerinden bir tanesinin olgunlaşacağı umuduyla her şeyi bir arada yetiştirmekten ibaret tedbir stratejisi bağlamında, ekim aşaması sırasında karıştırılmış olabilir.

Kısacası, daha önce bahsedildiği üzere örnekleri arkeolojik alanda olabildiğince değişik yerlerden ve çeşitli kontekstlerden toplamak makbuldür. Bir dizi örnekte ve kontekste hâkim konumda bulunan bir tür, ekonomi için önemli addedilebilir. Zaman içindeki değişim sadece benzer kontekstler ve işleme safhalarına ait örnekler kıyaslanarak kesin bir şekilde tespit edilebilir, çünkü bir arkeolojik alanda ele geçen bitki kalıntıları bileşim açısından rastlantısal değildir ve mahsul ekonomisini bütünüyle yansıtması gerekmez. Bu durum özellikle kömürleşmiş örnekler için geçerlidir, zira birçok önemli bitkisel besin hiçbir zaman kömürleşmemiş olabilir. Haşlanan, çiğ yenen, suları için ya da içecek yapmak amacıyla kullanılanlar da kömürleşmeye maruz kalmayabilir ve bu yüzden bir buluntu grubunda ya gereğinden az temsil edilirler ya da hiç bulunmazlar. Eğer kömürleşme bir çeşit kazadan ötürü meydana gelmişse, örnek arkeolojik alanın ekonomisi o mevsimin mahsulünü bile temsil edemeyebilir. Gerçekten de Suriye'deki Abu Hureyra gibi arkeolojik alanlarda kömürleşmiş örneklerin büyük kısmı pekâlâ yakıt olarak kullanılmış hayvan dışkısından gelebilir. Bu da yine çeşitli örnekler elde etmenin önemini vurgular.

Örnekleri üreten hasat düzeninin rekonstrüksiyonu özellikle zorlu bir uğraştır, çünkü aynı kaynakları kullanan tamamen farklı hasat düzenleri arkeolojik kayıtlarda birbirine çok benzer manzaralar sunabilir. Üstelik yakıt olarak kullanılan ya da hayvanlara verilen çok miktarda bitki artığı tarlada bırakılabilir. Dolayısıyla yazılı kanıtlar olmadan belirli bir arkeolojik alanda nasıl bir nadas ya da ekim nöbeti uygulandığını tam anlamıyla asla bilemeyeceğiz. Ancak bu tür konulara dair bilgiler, farklı tarımsal tekniklerin denendiği –gübreli ya da gübresiz ziraat, değişik hasat ve nadas dönüşümleri– Güney İngiltere'deki Butser Çiftliği'nde (arka sayfaya bakınız; ayrıca Danimarka, Hollanda, Almanya ve Fransa'daki benzer yerlerde) yapılan deneysel çalışmalardan elde edilmiştir. Bu uzun soluklu çalışmanın tam sonuçlar vermesi yıllar alacaktır, fakat kısa vadeli çalışmalar şimdiden ürün randımanları, farklı saklama çukurları, orak kullanımı vs. hakkında değerli bilgiler sağlamıştır.

Mikrobotanik Kalıntılar

Bunlar aynı zamanda beslenme alışkanlıklarının rekonstrüksiyonuna yardım edebilirler. *Fitolit* denilen çok küçük

BUTSER DENEYSEL DEMİR ÇAĞI ÇİFTLİĞİ

Peter Reynolds (1939-2001) 1972'de İngiltere'nin güneyinde, Hampshire'daki Butser Hill'de uzun vadeli bir araştırma başlattı. Reynolds'ın amacı yaklaşık MÖ 300'lere tarihlenen bir Demir Çağı çiftliğinin işleyen bir örneğini yaratmaktı: altı hektarlık bir alana yayılmış yaşayan, açık bir araştırma laboratuvarı. Sonuçlar arkeolojik alanlardan elde edilen kanıtlarla karşılaştırılacaktı. O zamandan beri çiftlik yakındaki bir yere taşınmıştır, ama proje devam etmektedir.

Bir Demir Çağı çiftliğinin bütün yönleri araştırılmaktadır: yapılar, zanaat faaliyetleri, ürünler ve evcil hayvanlar. Sadece bu tarihöncesi dönemde olan aletler kullanılmaktadır. Aynı şekilde tahılların tarihöncesi türleri ya da en yakın denkleri ekilmiş ve uygun çiftlik hayvanları getirilmiştir.

Farklı tipte çeşitli evler inşa edilmiştir. Bunların planları, Demir Çağı evlerinin

7.8 Butser'da Soay koyunları.

7.9 Butser'daki Demir Çağı yuvarlak evlerinin replikaları.

görünüşüne dair tek ipuçlarımız olan ahşap dikme deliklerinin şekillerinden çıkarılmalıydı. Gerekli kereste miktarı (büyük bir evin durumunda 200'den fazla ağaç) yanında, fırtınaya ve sağanak yağmurlara karşı dayanıklı saz çatıları ve ince dallardan duvarları dik kazıklar arasına örülmüş bu yapıların etkileyici sağlamlıkları hakkında çok şey öğrenildi.

Çiftlik uzun vadeli bir proje olarak tasarlanmıştır ve şimdiye kadarki sonuçlar başlangıç niteliğindedir. Fakat buğday mahsulünün kurak yıllarda bile

Demir Çağı için düşünülen miktardan çok daha fazla olduğu görülmüştür ve bu durum nüfus tahminlerinin köklü bir yeniden değerlendirmeye neden olabilir. Ayrıca küçük kızıl buğday (Tricitum monococcum), gemik buğdayı (Tr. dicoccum ya da emmer) ve kavuzlu buğday (Tr. spelta) gibi ilkel buğdayların, günümüz buğdaylarının iki katı protein ürettiği ve modern gübreler olmaksızın zararlı otlarla kaplı arazilerde yetiştikleri anlaşılmıştır.

Çiftliğin muhtelif arazileri, toprağı karıştıran ama tersyüz etmeyen hafif saban (Danimarka'daki bir turba bataklığında bulunmuş bir örnekten) gibi farklı yollarla sürülmüştür. Çeşitli ürün rotasyon ve nadas sistemleri hem gübreli hem de gübresiz, aynı zamanda hem bahar hem de kış ekimleriyle test edilmiştir. Ayrıca bir yük hayvanı tarafından çekilen ve bir kişinin sürdüğü iki tekerlekli bir tür ekin biçme makinesi olan bir "vallus" replikası başarıyla denenmiştir.

Peter Reynolds'ın ekibi farklı çukurlarda saklanan tahıllar üzerinde meydana gelen etkileri değerlendirmek üzere deneyler yürütmüşlerdir. Afrika ve diğer yerlerde saklama çukurlarının etnografik gözlemleriyle desteklenen bir sonuç, eğer kapak sızdırmaz ise kavrulmamış tahılın çürümeden ve filizlenme yeteneğini yitirmeden uzun süre saklanabildiğiydi.

Hayvanlara gelince, Soay koyunu –2000 yıl boyunca neredeyse hiç değişmemiş bir tür– bazı İskoç adalarından getirilmişti. Çitlerden atlama yetenekleri yüzünden bu hayvanları beslemenin zor olduğu anlaşıldı. Soyu tükenmiş Kelt Shorthorn'la aynı boyutta ve güçteki uzun bacaklı Dexter sığırı da geçmişte Butser'da beslenmişti. Bunlardan ikisi çekiş (hafif sabanı) için kullanılmıştır. Kamuya açık olan Butser Projesi bize hayat bulmuş Demir Çağı'na dair etkileyici bir bakış sunar.

silika parçacıkların bazıları (6. Bölüm) bitkilerin belirli kısımlarına (kök, sap ya da çiçek) özgüdür ve dolayısıyla bunların varlıkları türler üzerinde uygulanan özel hasat ve harman tekniklerine dair ipuçları verebilir. Aşağıda görüleceği üzere, fitolitler yabani türleri kültüre alınmışlardan ayırt etmeye katkı sağlar. İsrail'deki Amud Mağarası'nın dolgularından gelen fitolitler arkeolojik alanda bitki kullanımına dair günümüze gelebilmiş yegâne doğrudan kanıtlardır ve Neanderthal'lerin muhtemelen yiyecek amaçlı ot tohumları topladıklarına işaret eder. Bunlar aynı zamanda arkeolojik kayıtlarda pek iyi temsil edilmeyen muz gibi türlerin tüketimini kanıtlamada son derece önemlidir.

Japon bilim adamı Hiroshi Fujiwara, Japonya'nın en geç tarihli (yaklaşık MÖ 500) Jomon çanak çömleğinin cidarlarına girmiş pirinç (*Oryza sativa*) fitolitleri buldu. Bunlar o tarihte pirinç ekiminin zaten yapıldığını gösteriyordu. Fujiwara toprak örneklerinden pirinç fitolitlerini çıkararak eski çeltik tarlalarının yerini saptadı ve fitolitlerin nicel analizini kullanarak tarlaların derinlik ve genişliklerini, hatta toplam pirinç rekoltesini tahmin etti.

Bunlara ilaveten, taş aletlerin kenarlarına yapışıp kalmış fitolitler, söz konusu aletlerin hangi bitkilerin üzerinde kullanıldığı hakkında bilgi verebilir, ama hem hayvan hem de insan dişinden elde edilen fitolitlerin aksine böyle bitkiler beslenme alışkanlığında kendini göstermeyebilir.

Polen tanecikleri çoğunlukla fosil dışkıların içinde korunur, ancak büyük bölümü tüketilmekten ziyade teneffüs yoluyla vücuda girmiştir ve dolayısıyla 6. Bölüm'de gösterdiğimiz üzere dönemin çevre tablosuna sadece eklemede bulunur.

Bitki Kalıntılarındaki Kimyasal Artıklar

Bitki kalıntılarının kendisinde günümüze gelebilmiş çeşitli kimyasallar, bu bitkilerin tanımlanması için alternatif sunarlar. Bu bileşimler proteinleri, yağ lipitleri, hatta DNA içerir. Kızılötesi spektroskopi, gaz likit kromatografisi ve gaz kromatografisi kütle spektrometrisiyle analiz edilen lipitler, farklı tahıl ve baklagil türlerinin ayırt edilmesinde şimdiye kadarki en kullanışlı kimyasallar olmuştur, ama her zaman morfolojik ölçütlerle bir arada kullanılmalıdır. DNA tanımlamayı daha da detaylı biçimde çözüme kavuşturmaya ve belki de bitkilerin soyağacıyla bitkisel ürünlerin ticaret şablonlarını izlemeye dönük umutlar sunar.

Negatif Bitki İzleri

Fırınlanmış kil üzerinde bitki kalıntıları oldukça yaygındır (6. Bölüm) ve en azından söz konusu bitkilerin kilin çalışıldığı yerde mevcut olduğunu gösterir. Japonya'da, tarihöncesi çanak çömlekteki çekirdekleri elde etmek üzere dental silikon kullanan bir replika yöntemine başvurulmuştur. Bu yöntem sadece pirinç taneleri ve mısır kabuklarını değil, fakat aynı zamanda fasulye ve akdarı, hatta –yaklaşık

10.500 yıl önceye ait Jomon çanak çömleğinde– dünyanın en eski mısır ekin bitini ortaya çıkarmıştır. Ancak böyle izler ekonomi ya da beslenme alışkanlığının temsilcisi olarak alınmamalıdır, çünkü çok asimetrik bir örnek grubu meydana getirirler ve sadece orta büyüklükteki taneler ya da tohumlar iz bırakmaya meyillidir. Çanak çömlek kırıklarındaki izler konusunda bilhassa dikkatli olunmalıdır, zira bunlar üretim yerinden çok uzaklarda elden çıkarılabilir ve her hâlükârda birçok kap bilinçli olarak bitki baskılarıyla süslenmiştir. Dolayısıyla bir türün önemini belki de gereğinden fazla öne çıkarır. İran Körfezi'ndeki Abu Dabi'de 3. binyıla ait kil tuğlalar üzerinde bulunan iki sıralı arpa izleri gibi, başka malzemeler üzerindeki baskılar daha yararlı olabilir. Kerpiçteki çok miktarda saman, yerel tahıl üretimi için iyi bir kanıt sağlayabilir. Afrika'da kaplar üzerindeki aşınmanın hububatların hazırlanmasıyla ilgili dolaylı delil olabileceği ortaya çıkmıştır.

Bu tür "edilgen" kanıtları bir kenara bırakırsak, bitkisel malzemeler üzerinde kullanılan nesnelerden neler öğrenilebilir?

Bitki İşlemede Kullanılan Aletler ve Diğer Gereçler

Aletler bir arkeolojik alanda bitkilerin işlendiğini kanıtlar ya da en azından akla getirir; nadir hâllerdeyse ilgilenilen tür ve ondan nasıl yararlanıldığına işaret eder. Dünyanın bazı kısımlarında arkeolojik kayıtlarda sırf çanak çömleğin, orakların veya taş öğütücülerin varlığı, tahıl tarımına ve tarım temelli yerleşik hayata dair kanıtlar olarak alınır. Fakat bunlar kendi aralarında böyle nitelikler için uygun değildir ve kültüre alınmış bitkiler gibi destekleyici kanıtlara ihtiyaç duyarlar. Örneğin oraklar sazları ya da yabani otları kesmek için (orakların üzerindeki cila ya da "orak pırıltısı" bazen bu tip bir kullanımın kanıtı olarak kabul edilir) kullanılmış olabilir. Öğütücülere ise yabani bitkileri, eti, kıkırdakları, tuzu veya boya maddelerini işlemek için başvurulabilir. Yakın tarihli kültürlere ait nesnelerin işlevleri daha açıktır: mesela Pompeii'deki Modestus'un fırınında bulunan ekmek fırınları (içinde yuvarlak somunlar vardı), aynı şehirdeki un değirmenleriyle üzüm presleri ya da Girit'teki Praisos'ta bir Hellenistik evin büyük zeytin kırıcıları gibi.

İnsan Yapımı Nesnelerdeki Bitki Artıklarının Analizi

Birçok alet kendi içinde açıkça sessiz kanıtlar olduklarından, üzerlerindeki herhangi bir kalıntı onların işlevleri, en azından arkeolojik kayda girmeden önceki son işlevleri hakkında daha fazla şey öğrenebileceğimiz sonucuna götürür. Seksen küsur yıl önce Alman bilim adamı Johannes Grüss mikroskop altında böyle kalıntıları inceliyordu ve bir turba bataklığındaki iki Kuzey Alman içki boynuzunda buğday birası ve bal şarabına ait kalıntılar buldu. Bugün bu türden analizler giderek artan bir önem arz etmektedir.

Sekizinci Bölüm'de göreceğimiz gibi, bir alet kenarının kullanım izi analizi aletin et, ağaç ya da başka bir malzeme kesmek için mi kullanıldığını ayrıntılı olarak söyleyebilir. Yukarıda değinildiği üzere fitolitlerin bulunması bir alet tarafından ne tür otların kesildiğini gösterebilir. Mikroskobik inceleme ayrıca bitki liflerini ortaya çıkarır ve bunların tanımlanmasına imkân verir. Yakın zamanda bu inceleme, Solomon Adaları'ndaki (Melanezya) Kilu Mağarası'ndan gelen bazıları günümüzden 28.700 yıl öncesine ait taş aletler üzerinde tanımlanabilir nişasta artıkları ortaya çıkarmış ve dünyada kök sebze (taro) tüketimine dair en eski kanıt olarak tespit etmiştir. Bir diğer yöntem, alet kenarlarındaki bitki kalıntılarının kimyasal analizidir. Belirli kimyasal reaktifler aletlerde ya da kaplarda bitki kalıntılarının bulunup bulunmadığını kanıtlamaya aracı olabilir. Buradan hareketle, eğer nişasta tanecikleri mevcutsa potasyum iyodür maviye, diğer bitkilerde sarı-kahverengiye döner. Nişasta tanecikleri mikroskopla da tespit edilebilir ve örneğin Panama'nın nemli tropikal kuşağındaki Aguadulce Kaya Sığınağı'ndan gelen tarihöncesi öğütme taşlarının çatlaklarından bir iğne yardımıyla çıkarılmıştır. Tanecikler tür düzeyine kadar tanımlanabilir ve manyokla ararot gibi köklerin, ki genelde geride fosil kalıntılar bırakmazlar, burada yaklaşık MÖ 5000'de yetiştirildiğini göstermişlerdir. Bu, Amerika kıtalarında manyokun kayda geçmiş en eski varlığıdır.

Söz konusu arkeolojik alanda aynı zamanda mısır nişastası da gün ışığına çıkmıştır ve dolayısıyla bu teknik, kömürleşmiş kalıntıların bulunmadığı yapılarda ya da arkeolojik alanlarda mısırın varlığını kanıtlaması açısından önemlidir. Mesela Real Alto Erken Klasik Öncesi köyünde (Ekvator) mısır koçanlarından çıkarılmış mısır nişastası taneleri ve fitolitler MÖ 2800-2400'e tarihlenen taş aletlerden elde edilmiştir. Çin'de, erken Neolitik Peiligang kültürüne (MÖ 7000-5000) ait ezgitaşları üzerindeki nişasta artıkları, bunların öncelikle meşe palamutlarını işlemek için kullanıldıklarını göstermiştir. Yakın tarihte, Ohalo II'deki (İsrail) bir kulübede günümüzden yaklaşık 23.000 yıl öncesine tarihlenen büyük bir yassı bazaltın üzerinde nişasta taneleri bulunmuştur. Bu açıkça bir değirmen taşıydı ve arpa, buğday ve yulaf taneleri, bu kadar erken bir tarihte yabani tahılların hâlihazırda işlendiğini göstermektedir. Daha yakın bir tarihte Mozambik'te Orta Taş Çağı aletlerinin yüzeylerinden elde edilen nişasta tanecikleri erken *Homo sapiens*'in en az 105.000 yıl önce ot tohumları tükettiğini göstermiştir.

Nişasta tanecikleri insan dişlerindeki diş taşlarından bile çıkarılabilir. Örneğin günümüzden 8210-6970 yıl öncesine ait eski Peru dişlerinde kapsamlı bir beslenme alışkanlığına işaret eden fıstık, asmakabağı, fasulye ve fındık taneleri bulunmuştur. Güney Afrika'dan 2 milyon yıl öncesine ta-

rihlenen *Australopithecus sediba* dişi üzerindeki plakta kabuk, yapraklar, otlar ve sazlara ait fitolitler tespit edilmiştir.

Kaplarda korunmuş yağların kimyasal analizleri de ilerleme kaydetmektedir, çünkü yağ asitleri ve amino asitler (proteinin bileşenleri) ve benzer maddelerin çok istikrarlı oldukları ve iyi korundukları anlaşılmıştır. Örnekler kalıntılardan toplanır, saflaştırılır, santrifüjde yoğunlaştırılır, kurutulur. Ardından spektrometri ve yağların ana bileşenlerini ayrıştıran kromatografi tekniğiyle incelenir. Sonuçların yorumu, farklı maddelerden "kromatogram"ların bir referans koleksiyonuyla (okumalar) karşılaştırılarak yapılır. Bu yolla sadece geçmişin "menüsü" değil, bireysel "tarifleri" bile bazen tanımlanabilir.

Mesela Alman kimyacı Rolf Rottländer Neolitik göl yerleşmelerinden örneklerin de dâhil olduğu kap kırıklarında hardal, zeytinyağı, tohum yağı, tereyağı ve diğer başka maddeler tespit etmiştir. Heuneburg'un Alman Demir Çağı yüksek kalesinde bulunmuş çanak çömlekler üzerine yaptığı çalışmalarda Rottländer, bazı amforaların –genellikle sıvılarla ilişkilendirilen bir saklama kabı formu– gerçekten de zeytinyağı ve şarap içerdiğini, bir Roma amforasındaki kömür benzeri siyah artığın ise sıvı değil buğday unu olduğunu kanıtlayabilmiştir. Bu önemli teknik beslenme alışkanlıklarına dair kanıtlar sunması dışında yağlarla ilişkilendirilen kapların işlevlerini de tanımlar. Küçük bitki kalıntılarına yapılan protein, lipit ve DNA biyokimyasal analizlerinden yemek türlerinin tespitine yönelik ileri teknikler sürekli olarak geliştirilmektedir. Yunanistan'ın Sakız Adası açıklarındaki bir batığa ait 2400 yıllık amforalardan alınmış DNA, bunların bitki aromalı zeytinyağı taşıdığını ortaya koymuştur. Japonya Geç Pleistosen'ine (yaklaşık 15.000-12.000 önce) ait çömleklerin içindeki kömürleşmiş tortulardan alınan yağların analizi ise, bu kapların balık pişirmek için kullanıldığını göstermiştir.

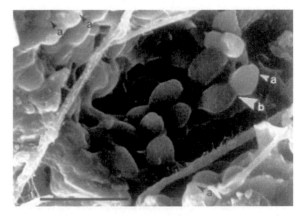

7.10 *Teb'deki Deir el-Medine'den bir kap içinde, eski Mısır mayalama işleminden kalmış maya hücreleri. Filiz izleri (a) bazı hücrelerde görülmektedir ve diğerleri ise filiz veriyordu (b).*

Eski İçkilere Dair Kanıtlar. Mısır kaplarındaki artıklarda bulunan nişasta taneleri sayesinde İngiliz bilim adamı Delwen Samuel, çimlendirme sürecini ve dolayısıyla MÖ 1500 civarında Mısırlıların nasıl bira yaptığını kesin şekilde yeniden kurgulamayı başarmıştır. Aslına bakılırsa, araştırma sponsoru bir İngiliz bira şirketi elde edilen sonucu "lezzetli, ağızda uzun süre kalan karmaşık bir tada sahip" bir bira üretmek için kullanmıştır. Samuel ayrıca kurumuş ekmek somunlarındaki nişasta tanelerini ışık ve taramalı elektron mikroskobuyla analiz ederek eski Mısırlıların ekmeği tam olarak nasıl fırınladıklarını keşfetmesinin ardından buna göre bir ekmek yaptı.

Hacı Firuz Tepe (İran) Neolitik yerleşmesinden MÖ 5400-5000'e ait bir pişmiş toprak kavanozun içindeki sarımsı artık kimyasal ve kızılötesi spektroskopiyle incelendiğinde, bunun doğada neredeyse sadece üzümlerde bulunan tartar asidi olduğu anlaşılmış, ayrıca reçine de saptanmıştır. Bunlar daha önce düşünüldüğünün aksine 2000 yıl daha erkene giden dünyanın en eski reçineli şarabına ait kanıtlar olarak kabul edilmiştir. Aynı şekilde, Abidos'ta Mısır'ın ilk krallarından birine ait yaklaşık MÖ 3150'ye tarihlenen mezar yapısındaki üç odada 700 çömlek bulunmuş ve içlerindeki sarı tortunun analizi bunlarda şarap –toplam 5455 litre– saklandığı gösterilmiştir. Çin'in Henan eyaletindeki İlk Neolitik Jiahu köyünde ele geçen çanak çömlekler tarafından emilmiş eski organik kalıntılar 9000 yıl önce pirinç, bal ve meyveyle (muhtemelen üzüm) mayalı bir içki üretildiğini ortaya çıkardı. Dolayısıyla Çin'in "pirinç şarabı" şimdilik bilinen en eski içkidir.

Artıkların İzotopik Analizi. Daha kapsamlı kimyasal teknikler arasında özellikle nitrojen ve karbon izotopu oranlarıyla ilgili olan organik kalıntıların izotop analizi yer alır. Fasulye ve diğer baklagillerin nitrojen ihtiyaçlarını atmosferdeki nitrojenin bakteriyel sabitlenmesiyle karşıladıkları, diğer bitkilerin ise bunu topraktan aldıkları bilinmektedir. Bütün baklagiller karasal olduğuna ve su bitkileri atmosferdeki nitrojeni bu şekilde sabitlemediğine (fakat belirgin bir karbon izotopu oranına sahiplerdir) göre, buradan çıkan sonuç izotop analizinin bitkileri baklagiller, baklagiller dışındaki karasal bitkiler ve su bitkileri olmak üzere üç gruba ayırabildiğidir.

Bu yöntem sayesinde daha önce tanımlanamamış bitki artıkları şimdi nitelenebilmektedir. Teknik Christine Hastorf ve Michael DeNiro tarafından Orta Peru Andları'ndaki Yukarı Mantaro Vadisi'de ele geçmiş tarihöncesi malzemeye (MÖ 200-MS 1000) uygulanmıştır. Bunlar yüzdürmeyle elde edilmiş, fakat morfoloji temelli bir tanımlama için çok fazla yandıkları anlaşılmıştı. Bunun yerine, bazı çanak çömlek parçalarından kabuklaşmış organik maddeler kazındı. Taramalı elektron mikroskobunda yapılan analizlerin kemik parçalarının yokluğuna işaret etmesi, bunların bitkisel maddeler olduğunu düşündürüyordu. İzotop analizi (karbon ve nitrojen) bölgedeki bitkilerin bilinen değerleriyle karşılaştırıldı ve artıkların, kömürleşmeden önce haşlanıp ezilmiş patates dâhil kök bitkilerini içerdiği görüldü. Bu durum kaplardaki kabukların eşit dağılımını açıklarken, en sade tipteki kaplarla sınırlı kalmaları, böyle yiyeceklerin günlük ev kullanımına ayrıldığını akla getiriyordu. Burada yakın zamana kadar arkeoloğun işine yaramayan bir malzemenin yeni teknik sayesinde şimdi beslenme ve yiyecek işleme süreciyle ilgili bilgi vermesine dair iyi bir örnek söz konusudur. Analiz sonuçları aynı bölgedeki modern uygulamalarla uyum içindeydi.

Pirinç ve şarapta gördüğümüz gibi, gerçek artıkların kabın içinde çıplak gözle görülmesi gerekmez, çünkü yağ ve reçineler kilin dokusuna nüfuz ederek orada sonsuza dek kalabilir. Çanak çömlek parçası ezilip toz hâline getirildikten sonra içinde hapsolmuş herhangi bir organik artığı izole etmek için çözücüler kullanılır. Ardından kabın muhteviyatını ortaya çıkaran spektrometriler ve kromatografiyle analiz edilebilir. İngiliz kimyacı Richard Evershed ve meslektaşları bu teknikleri kullanarak Northamptonshire'daki West Cotton'da bir Geç Sakson/Ortaçağ yerleşiminde ele geçmiş MS 9-13. yüzyıla ait kapların içinde yapraklı bitkilerin (muhtemelen lahana) varlığını keşfetmiştir. Yine İngiliz kimyacı John Evans Kıbrıs'tan 3500 yıllık bir kap içinde afyon izleri bulmuş olabilir. Anlaşılan Neolitik atalarımız bizim gibi uyuşturucularla ilgileniyordu ve belki bu dönemde Doğu Akdeniz'de bir uyuşturucu ticareti söz konusuydu.

Bitki Kullanım Stratejileri: Mevsimsellik ve Kültüre Alma

Birçok bitkiye sadece yılın belli zamanlarında erişilebilir. Dolayısıyla bunlar bir arkeolojik alana ne zaman yerleşildiğine dair ipuçları sağlayabilir. Mesela, Danimarka'daki Muldbjerg'in İlk Neolitik dalyanları, Haziran başında kesilmiş yaşı ikiden az ince söğüt ve fındık dallarından yapılmıştı. Bitki kalıntıları ayrıca belirli mevsimlerde nelerin yendiğini anlamamıza yardım eder. Olgunlaşmış tohumlar hasat zamanının belirtisidir ve birçok meyve belirli mevsimlere sınırlıdır. Elbette, *mevsimsellikle* ilgili böyle kanıtlara, söz konusu bitkilerin modern temsilcilerine bakarak bir anlam yüklenebilir ve yiyecek depolamaya dair kanıtlar, bir arkeolojik alanda yerleşimin özel kaynaklara erişim olduğu belirli mevsimler haricinde de sürdüğüne işaret edebilir.

Modern arkeolojideki ana tartışma konularından biri insanların bitki kullanım stratejileriyle ilgilidir. Bu konuda başlıca etken, söz konusu bitkilerin durumu, yani yabani ya da *kültüre alınmış* olup olmadıklarıdır. Bu, insanlık tarihinin en önemli özelliklerinden birine ışık tutar: geziciden (avcı-toplayıcı) yerleşik (tarımsal) hayat tarzına geçiş. Yabani ve kültüre alınmış türler arasında bir ayrım yapmak zor, imkânsız ya da konu dışı olabilir, çünkü birçok ziraat türü, bitkinin morfolojisini değiştirmez ve böyle bir değişimin meydana geldiği durumlarda bile bunların ne kadar sürdüğünü bilemeyiz. Ancak ilkel tarımda yabani buğday ve arpadaki kültüre alınma oranlarının ölçümü, yabaniden kültüre alınmış hâle geçişin –çiftçilerin bilinçli seçimleri haricinde– sadece 20 ila 200 yıl içinde tamamlanmış olabileceğine işaret eder. Yabani ve kültüre alınmış bitkiler arasına çizilecek bir sınırın toplayıcılık ve tarım arasında bir ayrımla örtüşmesi gerekmez.

Yine de yabani ve tamamen kültüre alınmış türler arasında kesin bir ayrımın yapılabileceği durumlar vardır. Makrobotanik kalıntılar burada çok işe yarar. Örneğin, Amerikalı arkeolog Bruce Smith, Alabama'daki Russell Mağarası'ndan yaklaşık 2000 yaşındaki 50.000 kömürleşmiş *Chenopodium* (kazayağı) tohumunun kültüre alınmaya işaret eden bir dizi birbiriyle alakalı morfolojik özellik taşıdığını buldu. Böylece bu karbonhidratlı tohum türünü, yaklaşık MS 200'de mısırın kullanımından önce Eastern Woodlands bahçe arazilerinde mevcut kısa bitki listesine –sukabağı, asmakabağı, bataklık mürveri, ayçiçeği ve tütün– ekleyebildi.

Geçmiş yıllarda yabani ve kültüre alınmış baklagillerin morfolojik ölçütlere göre ayırt edilip edilemeyeceğine dair tartışmalar yapılmıştır. Fakat İngiliz bilim kadını Ann Butler'ın arkeobotanik araştırması, taramalı mikroskopla bile bunun hatasız bir yolu olmadığını düşündürür. Öte yandan, iyi korundukları durumlarda tahıllar daha açık kanıtlar sunar ve kültüre alma süreci, doğal aracılar yoluyla tohumların yayılmasını kolaylaştıran narin başak ekseni gibi anatomik özelliklerin kaybolması gibi ipuçlarıyla belirlenebilmektedir. Diğer bir deyişle, insanlar bir kez tahıl tarımına başladıklarında, hasat edilene kadar tohumlarını koruyabilen türleri yavaş yavaş geliştirmişlerdir.

7.11 *Yabani ve kültüre alınmış tahıllar. Soldan sağa: Yabani ve evcil küçük kızıl buğday, evcil mısır, soyu tükenmiş yabani mısır. Yabani kızıl buğday her başakçığın dibindeki hassas başak ekseni sayesinde kolayca kırılan başakçıklarını döker. Daha sert bir başak ekseniyle evcil tür sadece harman dövüldüğünde parçalanır.*

Fitolitler burada katkı sağlayabilir, zira bunlar kültüre alınmış bazı modern bitkilerde yabani atalarına göre daha büyük olmaya eğilimlidir. Deborah Pearsall MÖ 2450'de Real Alto'ya (Ekvator) kültüre alınmış mısırın getirilişi için ortaya çıkan çok büyük fitolit yoğunluğunu kıstas olarak kullanmıştır. Bu kıstas başka bölgelerden gelen makrobotanik kalıntılarla da desteklenmektedir, ancak iklim değişikliği gibi başka etkenlerin fitolit büyüklüklerini etkilemesi mümkündür. Pearsall, Dolores Piperno'yla beraber MÖ 5700 gibi erken bir tarihte tarıma işaret eden Panama mısır fitolitlerinin boyutlarını da ölçmüştür. Öte yandan Güney Ekvator kıyısındaki Vegas 80 Arkeolojik Alanı'ndan asmakabağı fitolitleri, asmakabağının burada 10.000 yıl önce kültüre alındığını gösteren çarpıcı bir boyut artışı sergiler. Bu daha önce düşünülenden 5000 yıl eski bir tarih demektir ve Meksika'daki Guilá Naquitz'den gelen eski asmakabağı tarihleriyle rekabet hâlindedir (s. 511'e bakınız).

Kültüre alma üzerine yapılan çalışmalara polen tanelerinin katkısı çok azdır, çünkü bazı tahıl türleri dışında yabani ve kültüre alınmış grupları ayırt etmek için kullanılamazlar. Bununla birlikte, zaman içinde kültüre almada görülen artışa dair belirtiler sunabilir. Japonya'daki Ubuka turbiyerinden fosilleşmiş kara buğday polenleri ve yaklaşık 6600 yıl önce odun kömürü parçalarında görülen ani artış, dünyanın bu kesiminde tarımın düşünülenden 1600 yıl önce başladığını ortaya koyar.

Moleküler genetik şimdi hem yabani ve kültüre alınmış türler arasındaki ayrıma hem de kültüre almanın kökenlerine dair sorunlara katkıda bulunabilecek konuma gelmiştir. Manfred Heun ve meslektaşları yabani ve kültüre alınmış türlerden oluşan 1362 yaşayan buğday örneğini kullanarak Batı Asya'daki yabani ve kültüre alınmış küçük kızıl buğday (einkorn) üzerine mükemmel bir çalışma yürütmüştür. Araştırmalarında elde edilen DNA dizileri, yabani ve kültüre alınmış küçük kızıl buğday arasında ayrım yapmayı mümkün kılmıştır. Üstelik analizler arasındaki bağlantılar, ortaya çıkarılan soy çeşitliliğinin, şimdi Türkiye'nin güneydoğusundaki Karacadağ'da yetişen bir türle kıyaslanabileceğine dair kesin bir bulgu sağlar.

Geçen yıllarda erken tarım arkeolojik alanlarından gelen DNA örneklerini söz konusu buluntuları desteklemek amacıyla kullanmak mümkün olmuştur. Modern örneklerden tarımın kökenlerini 13.000 yıl öncesine götüren çıkarımlar yapılabilmesi ilginçtir. Dahası, birçok bilim insanı en erken tahıl tarımını Doğu Akdeniz'e (Ürdün, İsrail, Lübnan) yerleştirirken, buradan çıkan sonuç, küçük kızıl buğdayda Güney Anadolu'nun da konuyla alakalı olduğudur.

Öğünler ve Pişirme Usulü

Artık bir bitkinin kaç derecede pişirildiğini tahmin etmek bile mümkündür. Cheshire'da (İngiltere), 1984'te bulunmuş bir turbiyer bedeni olan Lindow Adamı'nın midesinde ele geçmiş malzemeden alınan örnekler İngiliz arkeobotanist Gordon Hillman tarafından mikroskop altındaki özel hücre biçimleri sayesinde kömürleşmiş kepek ve saman olarak tanımlanmıştır. Bunlar daha sonra, malzemenin geçmişte maruz kaldığı en yüksek sıcaklığı ölçen bir teknikle, yani elektron döngü rezonansıyla (4. Bölüm) incelenmiştir. Birkaç yıl önce, organik malzemenin yandığı zaman uzun süre varlığını koruyan ve sadece geçmişteki fırınlamaya dair en yüksek dereceyi değil (100°C'deki kaynamayı 250 °C'deki fırınlamadan ayırt edebilir), aynı zamanda bu ısıtmanın süresini ve ne kadar eski olduğunu da ortaya çıkaran bir radikal karbon saldığı keşfedilmiştir. Bizim örneğimizde söz konusu teknik, Lindow Adamı her ne yemişse bunun yaklaşık yarım saat boyunca düz ve sıcak bir yüzeyde sadece 200°C ısıtıldığını gösterdi. Bu bulgu arpa kepeğinin bolluğuyla birlikte ele alındığında kalıntıların yulaf lapasına değil, kepekli unla yapılmış mayasız ekmek ya da tava kekine ait olduğu anlaşıldı.

Okuryazar Toplumlarda Bitkisel Kanıtlar

Bitkilerin ne zaman kültüre alındığı ya da avcı-toplayıcılar arasında bitki kullanımı üzerine çalışan arkeologlar, yukarıda bahsedilen türden bilimsel kanıtlarla birlikte etnoarkeolojik araştırmalar ve modern deneylere güvenmelidir. Ancak okuryazar toplumlarda, özellikle de büyük uygarlıklarda beslenme alışkanlıklarını araştıranlar için bitkilerin kültüre alınması kadar ziraat teknikleri, pişirme ve beslenme biçimiyle ilgili birçok başka olgu yazılı kaynaklarda ve sanatta mevcuttur. Klasik Dönem'i örnek alacak olursak, Strabon bir bilgi hazinesidir. Öte yandan Yahudi tarihçi Iosephos Roma ordusunda tüketilenler (ekmek başlıca gıdaydı) hakkında bilgi verir. Vergilius'un *Georgica*'sı ve Varro'nun tarım hakkında bilimsel incelemesi Roma ziraat yöntemlerini anlamamıza imkân verir. Apicius'un yemek kitabına da sahibiz. Ayrıca Yunan ve Roma tahıl üretimi, tüketimi, fiyatlandırması vb. hakkında çok miktarda yazınsal kanıt bulunmaktadır. Hatta Hadrianus Suru yakınlarında yer alan Vindolanda kalesindeki kazılarda, orada görev yapan askerlerin ailelerine yazmış olduğu mektuplar ahşap yazı tabletlerinde bulunmuştur; bunlar Kelt birası, balık sosu ve domuz yağı gibi çok çeşitli yiyeceklerden bahseder.

Yunan yazar Herodotos MÖ 5. yüzyılda özellikle yiyecek ve beslenme alışkanlıkları hakkında geniş bir kanıt yelpazesi sunan Mısır'ın yeme içme geleneklerine dair birçok bilgi verir. Firavunlar dönemine ait kanıtların büyük bölümü mezar yapılarındaki resimlerden ve yiyeceklerden gelir. Dolayısıyla üst sınıfın lehine bir eğilim söz konusudur, ama Tell el-Amarna'daki işçi köylerinde ele geçmiş bitki kalıntıları ve hiyeroglif metinlerde basit insanların beslenme alışkanlıklarına dair bilgiler bulunabilir. Daha sonraki Ptolemaios'lar döneminde Fayum'daki bir tarım çiftliğinin

7.12 *Bir tahıl ürününün hasadı ve işlenmesi: Mısır'daki Teb'de bir Yeni Krallık mezar yapısının duvarlarındaki sahneler.*

işçilerine pay edilen tahılla ilgili MÖ 3. yüzyıl hesapları gibi mısır istihkaklarına dair kayıtlar mevcuttur. Küçük modeller de yiyeceklerin hazırlanışı konusunda bilgilendiricidir. On ikinci Hanedan zamanında (MÖ 2000-1790) yaşamış soylu Meketre'nin mezarında unu somun hâline getiren kadınları ve bira yapan diğerlerini betimleyen bir dizi ahşap model bulunmuştur. Irak'tan 3750 yaşında yeni çözülmüş üç yeni Babil kil tableti üzerindeki çivi yazılı metin, 35 adet zengin malzemeli yahni tarifi içerir ve dünyanın en eski yemek kitabıdır.

Eski Dünya'nın diğer köşesinde, Çin'de, Tang hanedanının doğudaki başkenti Luoyang'da (MS 7-10. yüzyıl) yapılan kazılarda, bazıları çözünmüş darı tohumlarına sahip 200'ün üzerinde yeraltı ambarı ortaya çıkarıldı. Duvarlarda ambarların yerini, muhafaza edilen tahılın nereden geldiği, çeşidi ve miktarı, depolama tarihini kaydeden ve dolayısıyla dönemin ekonomik durumu hakkında bizi bilgilendiren yazıtlar vardı. İleriki bir bölümde görüleceği gibi, bazı Çin soylularının mezar yapılarında farklı kaplara koyulmuş çeşitli hazır yiyecekler bulunuyordu.

Yeni Dünya'da Aztek besin ürünleri, balıkçılık teknikleri ve doğa tarihi hakkındaki bilgilerimizin çoğunu, 16. yüzyılda yaşamış Fransisken bilim adamı Bernardino de Sahagún'un kendi gözlemlerine ve yerli kaynaklarına dayalı değerli yazılarına borçluyuz.

Bununla birlikte yazılı kanıtlar ve sanat yiyecekler hakkında kısa vadeli bir fikir verir. Sadece arkeoloji insan beslenme alışkanlıklarına dair uzun vadeli bir perspektif sunabilir.

BATI ASYA'DA TARIMIN DOĞUŞUNU İNCELEMEK

Gordon Childe on yıllar önce, 1930'ların ortalarında tarımın doğuşunu (çiftlik hayvanlarının yetiştirilmesi ve tarım) belirleyici adım olarak görmüş ve bunun için Neolitik Devrim terimini kullanmıştı. Bizim de ilgi alanımız Childe'ınki gibi fakat dünyanın diğer kısımlarında benzer gelişmelerin meydana geldiğini unutmamalıyız.

Savaş sonrası yıllarda çok disiplinli kazılar ardı ardına Childe tarafından ana hatlarıyla çizilen görüşlere ait kanıt bulmanın ve bunları genişletmenin yollarını aramıştır. Irak ve İran'da Robert J. Braidwood, Filistin'de Kathleen Kenyon, Türkiye'de James Mellaart ilk araştırma dalgası olarak adlandırabileceğimiz girişimlerde bulundular. Hepsinin arazi projeleri, Braidwood'un "Bereketli Hilal'in dağlık kenarları" dediği yerleri kapsıyordu: doğuda Zagros Dağları'nın etekleri, batıda Doğu Akdeniz düzlükleri, kuzeyde Toroslar'ın etekleri ve ötesi. Yakın zamanda bitki ve hayvan kalıntıları elde etme yöntemlerinde yaşanan

muazzam ilerlemeler tarım devrimine dair anlayışımızı değiştirmiştir ve yaklaşık MÖ 10.000'deki Buzul Çağı sonundan itibaren 4000 yıl kadar süren bölgelere özel bir dizi karmaşık süreç olarak görülmektedir.

Jarmo'dan Eriha'ya

Chicago Oriental Institute'tan Braidwood 1948'de Irak'a yapılacak keşif gezilerinin ilkine başkanlık ederek sorun odaklı arazi araştırmasına yeni standartlar getirdi. Braidwood tarımın kökenleri konusunda asıl meselenin kültüre alma olduğunu anladı. Temel evcil türler (buğday ve arpa ile koyun ve keçi) nerede ve ne zaman yabani ilk örneklerinden gelişmişti? Braidwood doğru şekilde bunların, yabani türlerin mevcut olduğu yerlerde ya da yakınlarında meydana gelebileceği sonucunu çıkardı. O tarihte böyle türlerin modern dağılımları için en iyi rehber yağış ve bitki örtüsü haritalarıydı. Fakat Braidwood tarihöncesi yabani ya da evcil çeşitlerin ortaya çıkışlarını

tespit etmek için uygun bir arkeolojik alanda stratigrafik dolguları kazması gerekeceğini biliyordu.

Yüzey araştırması ve test kazılarından sonra Kuzey Irak'taki Jarmo ve Batı İran'daki Asiab ve Sarab arkeolojik alanlarını seçti. 1960'ta yayımlanan ilk projesinde muhtelif uzmanların katılımını sağladı. Bunlardan biri **teknik çanak çömlek çalışmalarını** (çanak çömlek ince kesitleri; 8 ve 9. bölümlere bakınız) yürüten Fred Matson aynı zamanda yeni bir teknik olan **radyokarbon tarihlemesi** için örneklerin toplanmasından sorumluydu.

Jeomorfolog Herbert E. Wright, Jr. ise o zamanlarda büyük ölçüde toprak örneklerine dayalı bir **paleoiklimsel** çalışma yaptı. Daha sonra polen bilimcisi W. van Zeist, iklim değişimine dair daha detaylı ve kapsamlı bir resim sunan Zeribar Gölü **polen dizilerini** elde etti. Bu çalışma çevrenin niteliğini tespit etmeye izin verdi.

Jarmo projesine önemli bir katkı **paleoetnobotanik** uzmanı

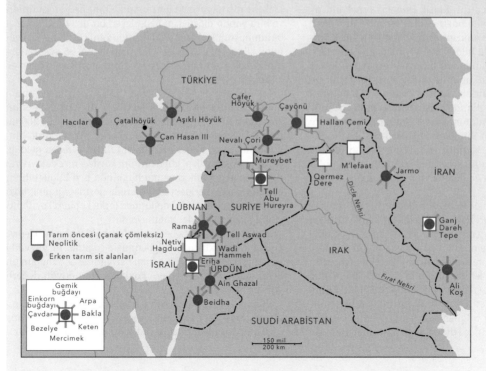

7.13 Batı Asya'da kazılan başlıca erken tarım köylerinin yerlerini ve buralarda bulunmuş kültüre alınmış mahsulleri gösteren harita.

Hans Helbaek'ten geldi. Helbaek kömürleşmiş kalıntılardan sadece erken evcil tahıl türlerini tespit etmekle kalmadı; aynı zamanda bunların geçiş türlerini de gösterdi. Charles A. Reed kısmen Jarmo'nun fauna kanıtlarını kullanarak erken Yakındoğu'da hayvan evcilleştirilmesine dair kanıtları aradı. Dolayısıyla **zooarkeoloji** ortaya çıkan resmi şekillendirmek için ilave edildi.

Sonuçların önemi Doğu Akdeniz'deki -Ürdün, İsrail, Suriye ve Lübnan- çalışmalarla büyük ölçüde arttı. Tarım öncesi dönemin ("Natuf" olarak adlandırılan kültür) hemen öncesine ait birkaç arkeolojik alan kazıldı. Bölgede evcilleştirme evvelinde bir yerleşik köy hayatının bulunduğu açıklık kazandı. Eriha'da Kathleen Kenyon hâlihazırda erken tarım safhasında ve çanak çömlek öncesi dönemde bulunan duvarla çevrili büyük bir yerleşim keşfetti. Büyüklüğü önemli sosyal ipuçları sağlıyordu ve yüzleri alçıyla biçimlendirilmiş gömülü kafatasları, Jarmo'da bulunmuş pişmiş toprak figürinlerin düşündürdüğünden öte dini inançlara işaret etmektedir.

Çatahöyük'ten Ali Koş'a
Daha karmaşık bir hikâyeye dair bu izlenim Mellaart'ın 1960'larda Türkiye'nin Konya Ovası'ndaki Çatalhöyük'te yaptığı kazılarla güçlendi. Burası 13 dönümlük arazisiyle belki de kasaba olarak tanımlanabilir (s. 46-47'deki kutuya bakınız).

Yine 1960'larda, İran'ın Deh Luran Ovası'nı çalışmış ve buradaki Ali Koş arkeolojik alanını kazmış Frank Hole ve Kent Flannery'nin çalışmaları aracılığıyla tarımın kökenine dair problemler tutarlı bir **ekolojik perspektif** içine yerleştirildi. Hole ve Flannery koyunun evrimini vurguladı. Arkeozoolog Sandor Bökönyi erken tabakalarda bulunmuş boynuzsuz türün evcilleştirilmiş bir tür olarak kabul edilebileceği sonucuna vardı. Hans Helbaek de örnek toplama yöntemlerinde önemli bir ilerleme kaydederek toprak içindeki özellikle kömürleşmiş bitki kalıntıları gibi daha hafif muhteviyat için **yüzdürme teknikleri** geliştirdi.

Sınırları Zorlamak
Cambridge Üniversitesi'nden arkeolog Eric Higgs 1960'ların sonunda yabani ile evcilleştirilmiş arasındaki ayrım üzerinde gereğinden fazla durulduğunu ileri sürerek insanlar ve hayvanlar ile insanların bitkileri kullanımındaki **sömürü/ faydalanma ilişkilerinde** uzun vadeli değişimlerin çalışılması gerektiğini savundu. Higgs davranışlardaki bazı önemli değişimlerin Neolitik Çağ'dan daha eskiye uzandığını ileri sürdü. Mesela gazaldan, koyun ve keçiden çok önce geniş ölçüde yararlanılmış olabilirdi.

Belirli anahtar arkeolojik alanların araştırılmasıyla son yirmi yılda önemli ilerlemeler kaydedilmiştir. İsrail'deki Celile Denizi'nde bulunan su altında kalmış Ohalo II arkeolojik alanında dünyanın bilinen en eski tahılları bulunmuştur. 19.000 yıl öncesine tarihlenen kömürleşmiş yabani buğday ve arpayla birlikte birçok başka bitki ve meyve kalıntısı ele geçmiştir. Bunlar ve zengin faunal buluntu grubu balıkçılık, avcılık ve toplayıcılıktan ibaret geniş yelpazeli bir ekonomiye işaret etmektedir.

Erken tahıl kültüre alınmasına dair moleküler genetik kanıtlar da yardımcı olmuştur. Küçük kızıl buğdayın, Türkiye'nin güneydoğusundaki Karacadağlar'da kültüre alındığını gösterecek kadar güçlü genetik kanıt bulunmaktadır.

Bu yüzden İsrailli arkeolog Ofer Bar-Yosef, tahıl hasadının köklerinin Natuf zamanında kadar gittiğini (12.000-10.000 yıl öncesi) ve bilinçli tarımının yapılacağı noktaya kadar yoğunlaşarak sürdüğünü iddia etmektedir (daha 1932'de Natuf kültürünü keşfeden Dorothy Garrod, bu kültürün tarımın kökenleri için önemini ortaya koymuştu). Eriha ve Jerf el Ahmar (s. 300-301'deki kutuya bakınız) gibi diğer arkeolojik alanlardan (Çanak Çömleksiz Neolitik A, MÖ 10. binyıl civarı) gelen kanıtlar, Doğu Akdeniz'in çeşitli bölgelerinde küçük çaplı yabani tahıl tarımına işaret etmektedir, fakat böyle tahılların morfolojik kültüre alınışı daha sonra meydana gelir. Eriha'yla birlikte başka yerlerdeki tabakalar söz konusu dönemin sonlarında tahıl ve baklagiller tarımına ait kanıtlar (taş aletlerdeki kullanım izleriyle desteklenmektedir) içermekte ve küçük çaplı yabani tahıl tarımının Ürdün Vadisi'nde yapıldığını düşündürmektedir. Keçilerin evcilleştirilmesi üzerine DNA çalışmaları ve İran'ın Zagros Dağları'ndaki Şeyh Abad'da yapılan kazıların da dâhil olduğu güncel araştırmalar, hayvancılık ve kültüre alma faaliyetlerinde erken evrelerin doğuda, Bereketli Hilal'de tahılların kayda değer kullanımından önce gerçekleştiğini göstermektedir. Dolayısıyla evcilleştirilmiş hayvanlar ve tahıllardan ibaret gerçek bir tarım paketi, aslen Toroslar-Zagros bölgesi ile Doğu Akdeniz'deki birbirinden ayrı gelişmelerin birleşimiydi. Bundan sonra MÖ 9000'den itibaren birkaç bin yıl boyunca Güneydoğu Avrupa'ya yayıldı.

Demografik ve Sembolik Etkenler
Lewis Binford 1968 tarihli bir makalesinde aynı şekilde uzun vadeli eğilimlere baktı. **Demografik etkenlere** vurgu yaptı ve tarım öncesi evrede yerleşik köy hayatındaki gelişmenin nüfus baskısı yarattığını ve bunun da bitki ve hayvanların yoğun kullanımına ve akabinde evcilleştirilmelerine yol açtığını belirtti (s. 484'deki kutuya bakınız).

Barbara Bender 1978'de bunu harekete geçiren etkinin sosyal olduğunu ileri sürdü: Komşuları üzerinde nüfuz elde etmek isteyen yerel gruplar aralarında şölen ve kaynakların tüketimi yoluyla rekabete giriyorlardı. Jacques Cauvin daha da ileri giderek Neolitik Devrim'in esasen bir **bilişsel gelişim** olduğunu iddia edip dini inançlar da dâhil yeni kavramsal yapıların ve yiyecek üretimine geçiş öncesine ait yeni yerleşik toplumların gelişiminde önemli rol oynadığını savundu. Hebron ile Nahal Hemar'dan taş maskeler ve Ürdün'deki 'Ain Ghazal'dan pişmiş toprak heykeller (s. 416) yanında Güneydoğu Türkiye'deki Göbekli Tepe'de bulunan dikkat çekici erken kutsal alan (s. 418-419'daki kutuya bakınız) gibi çanak çömlek öncesi Neolitik'e ait bir dizi sembolik buluntu, Cauvin'in Neolitik Devrim'i bir "zihinsel değişim" olarak gören iddiasına vurgu yapmaktadır.

HAYVAN KAYNAKLARINDAN ELDE EDİLEN BİLGİLER

Bitkisel yiyecekler her zaman beslenme alışkanlıklarında en büyük yeri işgal etmiş olabilir (özel durumlar ve Kuzey Kutbu gibi yüksek enlemler hariç), ama etin ya yiyecek ya avcının cesaretinin yansıması ya da çobanın mevkiinin göstergesi şeklinde pekâlâ daha fazla önem arz etmesi mümkündür. Hayvan kalıntıları genellikle arkeolojik alanlarda iyi korunmuştur. Öyle ki, bunlar bitki kalıntılarının aksine arkeolojinin başlangıcından itibaren çalışılmışlardır.

Bununla birlikte, İkinci Dünya Savaşı'ndan itibaren hayvan kalıntıları bir dizi bilim insanının (mesela Theodore White'ın Kuzey Amerika'daki et kesme usulleri üzerine analizi ve Grahame Clark ile Eric Higgs'in İngiltere'deki çalışmaları) etkisi sayesinde öyle büyük bir öneme sahip olmuştur ki, **zooarkeoloji** ya da arkeozooloji kendi adına bir alt disiplin hâline gelmiştir. Şimdi, sadece bir alandaki hayvan kalıntılarının tanımına ve miktar ölçümüne değil, bu kalıntıların bulundukları yere nasıl geldiği, yiyecek, evcilleştirme, kesim ve mevsimsellik gibi bir dizi konuya vurgu yapılmaktadır.

Hayvan kalıntılarını yorumlarken arkeoloğun karşılaştığı ilk sorun, bunların doğal nedenler veya başka yırtıcıların (etobur artıkları, baykuş kusukları, tünel kazan hayvanlar) faaliyetlerinden ziyade insan aracılığıyla mı bulundukları yere geldikleridir. Hayvanlar bir alanda beslenme dışı amaçlarla da yetiştirilmiş olabilirler (giysi için deri, aletler için boynuz ve kemikler).

Dolayısıyla bitki kalıntılarında olduğu gibi fauna örneklerinin kontekst ve içeriklerini de incelemeye dikkat edilmelidir. Yakın tarihli arkeolojik alanlarda bu genellikle kolaydır, ama Paleolitik'te, bilhassa Alt Paleolitik'te çok önemlidir ve son birkaç onyılda **tafonomi** (kemiklerin arkeolojik bir tabakaya girmesinden kazıyla gün ışığına çıkana dek geçirdiği değişimlerin incelenmesi) bazı sağlam ana esaslar sağlamaya başlamıştır (s. 292-293'teki kutuya bakınız).

Paleolitik'te Hayvanlardan Yararlanıldığını Kanıtlamak İçin Yöntemler

Geçmişte hayvan kemiklerinin taş aletlerle ilişkilendirilmesi, fauna kalıntılarından insanların sorumlu olduğunu ya da en azından hayvanlardan yararlandıklarını gösteren kanıtlar olarak kabul edilmişti. Ancak şimdi biliyoruz ki, bu her zaman tam anlamıyla doğru değildir (s. 292-293'teki kutuya bakınız) ve herhangi bir örnekte kullanılmış kemiklerin çoğu aletlerle ilişkilendirilmediği için, arkeologlar kemiklerin üzerindeki alet izlerinden daha kesin kanıtlar elde etmenin yollarını aramışlardır. Hâlihazırda pek çok çalışmada böyle izlerin varlığını kanıtlamanın, bunları

hayvan dişleri tarafından yapılmış çizikler ve küçük delikler, bitkilerin yaptığı oymalar, çökeltideki parçacıkların aşındırması ya da kontekst sonrası bozunma ve aslında kazı aletlerinin verdiği zararlardan ayırmanın yollarını aranmaktadır. Bu aynı zamanda, erken insanların gerçek avcılar mı oldukları yoksa Lewis Binford ve diğerlerinin savunduğu gibi sadece başka yırtıcıların öldürdüğü hayvanların artıklarıyla mı beslendikleri konusunda hâlihazırda devam eden tartışmada güvenilir kanıt arayışının bir parçasıdır.

Doğu Afrika'daki ünlü Alt Paleolitik buluntu yerleri Olduvai Boğazı ve Koobi Fora'dan gelen yaklaşık 1,5 milyon yıl yaşındaki kemiklere çok büyük önem atfedilmiştir. Pat Shipman ve Richard Potts, bu arkeolojik alanlarda alet izlerini belirlemek için ışık mikroskobu hatta taramalı elektron mikroskobu kullanılmasını gerekli görmüştür, çünkü çıplak göz başka izlerle çok fazla benzerlik görür. Hatta her iki bilim insanı ayrıca dilimleme, sıyırma ve doğrama gibi farklı alet kullanım tiplerini ayırt edebildiklerini öne sürmüştür. Yöntemleri çok detaylı plastik kemik yüzeyi baskısı gerektirir. Bu daha sonra mikroskop altında incelenebilen epoksi reçine replikası çıkarmak için kullanılır. Böylece kırılgan kemik parçalarını sürekli elde tutma zorunluluğu ortadan kalkar. Üstelik reçine baskılarının taşınması, saklanması ve mikroskop altında incelenmesi daha kolaydır.

Shipmann ve Potts elde ettikleri sonuçları modern kemikler üzerinde bilinen süreçler sonucunda meydana gelmiş izlerle karşılaştırdılar. Olduvai'dan gelen kemiklerin üzerinde leş için mücadele edildiğini gösteren hem alet izleri hem de etoburların yaptığı çizikler vardı. Bazı durumlarda etobur izleri açıkça alet izlerinin üzerine binmiştir, ama görünüşe göre çoğu kez etoburlar leşin olduğu yere herkesten önce gelmişti! Etobur izleri genellikle et taşıyan kemiklerde ortaya çıkarken, alet izleri hem bunlarda hem de tendonlar ve derinin muhtemel kullanımına işaret eden zebra uzuvlarının alt kısımları gibi etsiz kemiklerde bulunur.

Shipmann ve Potts için doğrama faaliyeti tarafından yapılmış bir kesik izinin tanımlayıcı belirtisi, altta bir dizi boylamasına paralel çizginin eşlik ettiği "v" şeklindeki bir oyuktur. Ancak daha yakın zamanda yapılan çalışmalar çok benzer işaretlerin başka nedenlerle meydana gelebildiğini düşündürmektedir. James Oliver'in Montana'daki Shield Trap Mağarası'nda yürüttüğü çalışma, "kesik izlerinin" mağarada ayakların çiğnemesiyle oluşan parçacıkların aşındırmasından oluşabileceğine işaret eder. Kay Behrensmeyer ve meslektaşları kendi analizlerinden benzer sonuçlara ulaşmıştır. Dolayısıyla tek başına mikroskobik özellikler insan müdahalesini kanıtlamak için yetersizdir. Buluntunun konteksti ve işaretlerin konumlarının da incelenmesi gerekir.

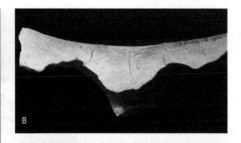

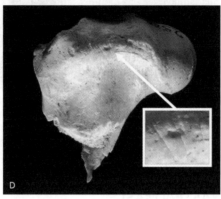

7.14 *Kenya'daki Victoria Gölü kıyısı yakınındaki Kanjera South'tan 2 milyon yıl öncesine tarihlenen hayvan kemikleri, en erken homininin etoburluğuna ait kanıtlar barındırır. Burada gösterilen örneklerde büyükbaş hayvan kemikleri (A) ve (D) kesik izleri taşımaktadır. Büyükbaş hayvan ön bacak kemiği (B) ve memeli uzuv kemik parçası (C) üzerinde ise çentik, çukur ve çizik şeklinde vurgu taşı darbelerinden kaynaklı hasarlar vardır. (B) ve (C) kemikleri de burada gösterilmemiş kesik izlerine sahiptir.*

7.15 *Tartışmalı kemikler: Bazı uzmanlar Etiyopya'daki Dikika'dan iki hayvan kemiği üzerinde bulunan izlerin taş aletli Australopithecus'lar tarafından 3,4 milyon yıl önce yapıldığını düşünmektedirler. Bu, Kenya'daki Lomekwi 3'te ele geçmiş tanımlanabilen en eski taş aletlerden neredeyse bir milyon yıl eski bir tarihtir ve aynı zamanda et kesimiyle et tüketiminin tarihini geriye çeker. İzler mikroskoba ilaveten kimyasal analizle incelenmiştir ve kemiklerin fosilleşmesinden önce yapıldıkları açıktır. Morfolojileri dişlerden ziyade aletlere çok daha iyi uymaktadır.*

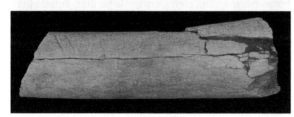

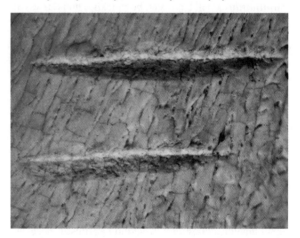

Bu türden çalışmalar yeni değildir. Hatta öncü jeolog Charles Lyell 1863'te aletlerin kemikler üzerinde yaptığı izleri oklu kirpininkilerden ayırt etmenin zorluğundan bahsetmişti. Fakat şimdi güçlü mikroskopların yanında tafonomi süreçlerinin ve etobur davranışlarının daha iyi anlaşılması, son yıllarda büyük ilerlemeler kaydetmemize imkân tanımıştır. Yine de, eski insan faaliyetini bu yolla kanıtlamadan ve ilk atalarımızın leşçilden ziyade avcı olarak davrandıkları zamanları tanımlamadan önce daha fazla çalışmaya ihtiyaç vardır. Kenya'daki Kanjera South'tan yaklaşık 2 milyon yıl öncesine ait üç büyükbaş hayvan kemiği topluluğunda tespit edilmiş kesik izleri, erken homininlerde et sıyırma ve kalıcı etoburluğu kanıtlar.

Bununla birlikte, kemiklerin insanlar tarafından işlendiğini ispatlayabilecek başka tür kanıtlar mevcuttur. Bunlardan biri, kemiklerin belirli yerlerde yapay olarak yoğunlaşmasıdır. Mesela Jersey'deki La Cotte de St. Brelade Orta Paleolitik koyağında mamut kürek kemiklerinin istiflenmesi ya da orta ve doğu Avrupa Paleolitiği'nde mamut kemiklerinin kulübe inşasında kullanılması gibi. Kemiklerin yakılması insan kaynaklı işlemeye dair bir diğer kanıttır. Kuş kemiklerinin insanlar tarafından kullanıldığına dair tek bulgu olabilir, çünkü yanmamış kemik arkeolojik alana insan dışındaki avcı hayvanlar tarafından getirilebilir ya da alanda veya çevresinde yaşayan kuşlara ait olabilir (türlerin tanımlanması bu noktayı genellikle aydınlatır).

Buraya kadar hayvan kalıntılarının gerçekten insan faaliyetleri tarafından üretilme ihtimalini gösteren arkeolog, artık insanların ne yediği, belirli yemekleri hangi mevsimlerde tükettikleri, nasıl avlandıkları, hayvanları nasıl kestikleri ve bunların evcil olup olmadıkları gibi ilginç sorulara yönelebilir.

7.16 *Paleolitik'te insanların kemikten faydalanması: Ukrayna'daki Mezhirich'te 18.000 yıl öncesine ait mamut kemiklerinden bir evin kazılmış kalıntılarına göre rekonstrüksiyonu. Yapıda 95'in üzerinde mamut alt çenesi kullanılmıştır.*

HAYVAN KALINTILARINDAN BESLENME ALIŞKANLIĞI; MEVSİMSELLİK VE EVCİLLEŞTİRMENİN ARAŞTIRILMASI

En bol bulunan ve bilgilendirici hayvan kalıntıları **makrokalıntılardır**: kemikler, dişler, boynuzlar, kabuklar vs. Bu tür bulgulardan bilgi elde etmeye yarayacak çeşitli teknikler artık mevcuttur.

Bitki kalıntılarında olduğu gibi, arkeolog karşılaştığı kemiklerin gerçekten mevcut olanın sadece bir kısmını temsil etme ihtimalini aklında tutmalıdır. Kemikler aşınma ve ezilmeyle hasar görmüş, arkeolojik alandan temizlenmiş, saklamak için kaynatılmış, alet yapımında kullanılmış, köpekler ve domuzlar tarafından yenmiş ya da törenle ortadan kaldırılmış olabilir (bazı California yerlileri alabalığın kılçıklarını asla atmayarak ona saygısızlık etmekten kaçınır; bunlar kurutulur, ezilir, havanda öğütülür ve tüketilir). Böcek larvası gibi diğer yiyecekler ya da kan içme hiçbir doğrudan iz bırakmayacaktır. Buna ilaveten, açıklamalarımız kendi kültürümüzün damak tadı tarafından gölgelenir. Balıklar ve kuşlarla desteklenen otoburlar insanlar için temel hayvansal besinleri meydana getirmiştir. Böcekler, kemirgenler ve etoburlar gibi diğer hayvanların hepsi bazı kültürlerde beslenme alışkanlıklarına katkıda bulunmuş olabilir. Arkeolojik kayıtta yamyamlığa dair izlerin varlığı çeşitli şekillerde iddia edilmiştir, ama tartışmasız bulgular yoktur ve her hâlükârda yamyamlığın beslenme biçimine yaptığı katkı küçük ve seyrek, diğer hayvanlar, özellikle de büyük otoburların yanında önemsiz kalıyor olmalıydı (s. 450-451'e bakınız)

Makrofauna Kemik Buluntularının Analizi

Bir kemik buluntu grubunu incelerken önce kemiklerin tanımlanması (6. Bölüm) sonra da hem hayvan sayısı hem de et ağırlığı bakımından nicel değerlendirme yapılması gerekir (s. 294-295'teki kutuya bakınız). Bir kemiğin temsil ettiği et miktarı hayvanın cinsi ve yaşına, ölüm mevsimine, vücut boyutları ve beslenmedeki coğrafi varyasyonlara bağlı olacaktır.

Bu olgunun bir örneği New Mexico'daki 15. yüzyıla ait bir bizon avlama alanı olan Garnsey'de görülür. Burada John Speth dişiden fazla erkek kafatası, ama erkek uzuv kemiğinden fazla dişi uzuv kemiği bulmuştu. Avlanma yavrulayan ve süt veren mandaların beslenme stresi altında olduğu baharda yapıldığından, kalıntılardaki cins dengesizliği yılın o zamanında en çok et ve yağ barındıran kemiklerin (erkek uzuvları) alandan götürüldüğünü, geri kalanının bırakıldığını akla getirir. Mevsimsel ve cinsi varyasyonlar avlama alanında beslenmeye dair alınan kararlar arasındaydı. Bundan çıkan sonuç, bir kemik buluntu grubunda gerçek cins oranının hesaplanması gerektiği yerlerde et taşıyan kemiklerin yanıltıcı bir manzara sunmaya eğilimli olmasıdır; sadece beslenme değeri olmayan kemikler kesin sonuç verecektir.

Fakat eğer yaş, cins ve ölüm mevsimi gibi etkenler hesaba katılacaksa, bunlar nasıl saptanır?

Kullanma Stratejileri: Büyük Faunadan Yaş, Cinsiyet ve Mevsimselliği Anlamak

Cinsiyet belirleme sadece erkeğin boynuz taşıdığı (birçok geyik türü), büyük köpek dişlerinin (domuz) veya penis kemiğinin (mesela köpek) bulunduğu ya da dişinin farklı bir leğen kemiği yapısına sahip olduğu durumlarda kolaydır. Sığır cinsinden hayvanların metapodialleri (ayaklar) bazen erkek (büyük) ve dişi (küçük) olmak üzere iki sonuç kümesi sunar. Bununla birlikte birçok örnekte genç ya da hadım erkekler ara bir kategori oluşturarak manzarayı bulanıklaştırabilir.

Farklı memeli türleri bu tip cinsi çiftyapılılığı farklı derecelerde gösterir. Keçide bu çok belirgindir ve kemik ölçümleri kemiklerin tamamen yetişkin olmadığı zaman bile erkeği dişiden ayırt etmek için kullanılabilir. Brian Hesse, İran'daki Ganj Dareh Tepe'de öldürülmek için ayrılmış keçiler içinde çoğu erkeğin hâlen yavruyken öldürüldüğünü, dişilerin iyice yetişkin olana dek yaşadığını bu yöntemle göstermiştir. Yaşam sürelerindeki cins ve yaşa ilişkin farklılık, erken evcilleştirmede gözetimli sürüye dair inandırıcı bir örnektir. Sığırlarda erkeklerin dişilerden kemik ölçümüyle ayırt etmek bazen, özellikle de kaynaşmış kemiklere ait ölçümlerin kullanıldığı yerlerde iyi olabilir. Ancak bazen öküzler manzarayı belirsizleştirebilir. Koyun, alageyik, karaca gibi diğer memeliler daha sorunludur, çünkü iki cinsiyet arasındaki kemik ölçümleri önemli ölçüde örtüşür. Bu problemlerin birçoğu artık faal olarak araştırılmaktadır ve zorlukların yakın zamanda giderilmesi muhtemeldir.

Bir hayvanın *yaşı* kafatasındaki ek yerlerinin kapalılığından ve bir dereceye kadar uzuv kemiği gövdelerinin kemik ucuyla kaynaşmasından anlaşılabilir. Sonuncu etken x-ışınlarıyla daha yakından incelenebilmektedir. Ardından bu özelliklerin modern nüfustaki bilgileriyle bir karşılaştırma yapılarak yaş hesaplanır. Ancak arazi ve beslenmedeki farklılıkların hesaba katılması zordur. Öte yandan, memelilerin öldürüldükleri yaşın hesaplanması genellikle diş çıkmasına ve dişteki aşınma şekillerine dayandırılır. Bu, diştacı yüksekliğinin ölçülmesiyle elde edilebilir (s. 298'teki kutuya bakınız), ama at ve antilop gibi yüksek diştacı (hipsodont) olan türlerde en iyi sonucu verir. Daha alçak diştacına sahip diğer memelilerin yaş tahminleri, bilhassa yaşları bilinen iyi modern örneklerin mevcut olduğu yerlerde genellikle diş çıkma safhası ve ısırma yüzeyindeki aşınma şekillerine dayandırılır. Alt çene kemikleri yaş sınıflarından birine atfedilir ve her birindeki örnek sayısı, öldürülecek hayvan nüfusu içindeki yaş dağılımını gösteren bir "kesim örüntüsü" ya da "yaşayanlar eğrisi" yaratmak için kullanılır. Bu, av stratejileri hakkında açıklayıcı bulgular sağlar ve aynı zamanda evcil hayvanların yetiştirilme yolları hakkında çok şey söyler.

Yaşlanma, beslenme tercihleri ve kullanım tekniklerine dair bazı içgörüler sunmaktadır, ama *ölüm mevsimi* de önemli bir etkendir. Hayvan kalıntılarından mevsimselliği incelemenin birçok yolu vardır: yılın sadece belirli zamanlarında görülen veya boynuzlarını belirli zamanlarda düşüren türler gibi. Bir türe ait genç üyelerin yılın hangi zamanında doğduğu bilinirse, cenin ya da yeni doğanların kemik kalıntıları iskân mevsimini belirleyebilir (s. 296-297'deki kutuya bakınız). Ancak bazı mevsimlerde insan varlığı bu şekilde bazen tespit edilebilmesine karşın, yılın başka zamanları için insan mevcudiyetinin kesin olarak çürütülmesi nadirdir.

Memeli kemiklerinden ölüm mevsimini tespit etmek için kullanılan yöntemler yaş profilleri çıkartmak için başvurulanlara çok benzer, ama genellikle toy memelilerde diş sürmesi, kemik gövdesi gelişimi ya da yıllık boynuz büyümesi ve düşmesindeki gözlemlerle sınırlıdır. Memeliler olgunlaştıkça kemikleri ve dişlerinde belirgin değişimler meydana gelir. Arkeolojik bir kemik örneğinde tespit edilecek bu değişimler önemli bilgiler verebilir.

Genç memelilerde kemik gelişiminin büyük kısmı kemik gövdesiyle (diyafiz) yumru şeklindeki uçları (epifiz) arasındaki kıkırdaksı katmanda meydana gelir Olgunluk yaşına erişildiğinde, kemik uçları gövdeye "kaynar." Bu, bilinen bir sıra içinde ve memeli türlerinde geniş kabul gören yaşlarda gerçekleşir. Olgunlaşmamış hayvanlardaki kemik gövdelerinin boyları ölçülerek bir arkeolojik alanda iskân mevsimine dair değerli bulgulara ulaşılabilir. Ilıman enlemlerde büyük kara memelilerinin önemli kısmı tek bir kısa mevsimde doğum yapar. Yeni doğanlarda uzuv kemikleri küçüktür ve çoğu eklem uçları gövdeye kaynaşmamıştır. Gençler kabaca aynı oranlarda büyürler; hemen hemen aynı yaşlarda olgunluk boyutlarına ulaşırlar. Geyik ve benzeri türlerin şimdi olduğu gibi geçmişte de yeni doğanların yaşama şansını arttırma amacıyla mevsimsel doğumlar yaptığını düşünmek için iyi iklimsel nedenler vardır. Bundan çıkan sonuç şudur: Devamlı iskân görmüş bir alandan gelen uzuv kemiklerinin uzunluk ölçümleri yeni doğandan olgunlara kadar bütün boyutları sergilerken, sadece tek bir mevsim iskân edilmiş bir alan ancak belirli büyüklük kategorilerine ait uzuv kemiği uzunluklarına sahip olacak ve ara boyutlar görülmeyecektir.

Titiz ölçüm ve yeni analitik teknikler yaş, cinsiyet, ölüm mevsimi gibi insanların kaynaklarını nasıl ve ne zaman kullandıklarına dair değerlendirmelere büyük katkıda bulunurlar (örneğin Star Carr üzerine analizler hakkında arka sayfadaki kutuya bakınız).

Hayvan Evcilleştirme Sorunu

Biraz önce anlatılan yöntemler insanlar ve onların büyük hayvan kaynaklarıyla ilişkilerine, sürülerin bileşimine ve bunlardan faydalanma yöntemlerine ışık tutar. Fakat hayvanların durumunu, yani yabani ya da evcil olup olmadıklarını anlamak için tamamen farklı bir dizi yönteme ihtiyaç duyulur. İnsanların adalara yabancı hayvanlar getirdikleri durumlarda (mesela Kıbrıs'ta sığır, koyun, keçi, köpek ve kedinin ortaya çıkışı) her şey açıktır. Evcilleştirmenin ölçütlerinden biri, belirli türlerin fiziksel özelliklerinde vahşi

STAR CARR'DA MEVSİMSELLİK

Britanya'nın en iyi bilinen Mezolitik (Orta Taş Çağı) arkeolojik alanı Star Carr (ismi Danimarka dilinde "hasırotu çayırı" anlamına gelir) Kuzeydoğu İngiltere'deki Vale of Pickering'de bulunan büyük paleogölün kıyısındaki bir açık hava konak yeridir. İlk kez 1948'de keşfedilen Star Carr, 1949-1951 arasında saygın prehistoryacı Grahame Clark'ın kazılarıyla dünyaca tanınan bir arkeolojik alan olmuştur. Yaklaşık 11.000 yıl öncesine tarihlenen Star Carr, ününü mükemmel şekilde korunmuş organik buluntularına borçludur, zira buradaki eski arazi kalın turba tabakaları altına gömülmüştü. Clark yan yatmış huş ağaçları ve bir "çalılık platform" ortaya çıkardı. Ağaçların yol açmak ve kulübelerin inşası için kuru bir temel elde etmek amacıyla kesildiğini düşündü. Kazıları ayrıca çok sayıda insan yapımı taş ve kemik nesneyi gün ışığına çıkardı.

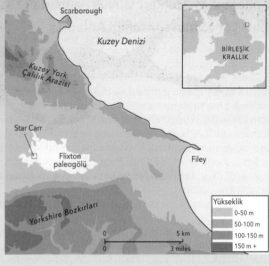

7.17 Kuzeydoğu İngiltere'de Flixton paleogölünün kıyısındaki Starr Carr'ın konumu. Yaklaşık 7000 yıl önce göl neredeyse hiç su barındırmayan bir turbalık hâline gelmiştir.

Bunların içinde alageyik boynuzundan yapılmış kancalı uçlar, kehribar ve şist boncuklar vardı. Hepsinden daha ilgi çekici olan, av maskesi ya da ritüel nesneleri olarak açıklanmış 21 adet alageyik kafatası/boynuzundan "alınlık"tı. Aslında tüm bunlar bir İngiliz Erken Mezolitik arkeolojik alanında ele geçmiş en büyük buluntu topluluğudur ve bilinen tüm kancalı uçların %80'i de buluntu grubuna dâhildir.

Clark'ın öncü çalışması aynı zamanda Vale ve etrafındaki arazinin ilk çevresel tarihini oluşturmak üzere civar alandaki polen analizlerini ve yüzey araştırmalarını da kapsamaktaydı. Star

7.18–19 Star Carr'daki yakın tarihli kazılar (altta). Sağdaki plan arkeolojik alandaki Mezolitik kültür topraklarını ve şimdiye kadar kazılmış alanları göstermektedir.

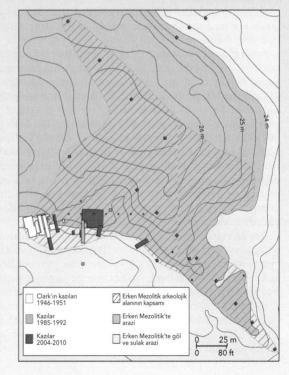

□ Clark'ın kazıları 1946-1951	▨ Erken Mezolitik arkeolojik alanının kapsamı	
▨ Kazılar 1985-1992	▨ Erken Mezolitik'te arazi	
■ Kazılar 2004-2010	□ Erken Mezolitik'te göl ve sulak arazi	

7.20–21 (solda) Star Carr'dan dikkat çekici bir alageyik boynuz başlığı. (üstte) Kemik zıpkın parçası.

Carr hakkındaki 1954 tarihli klasik monografisinde, dört ya da beş ailenin altı yıl boyunca kış aylarında burada ikamet ettiğini ileri sürdü. Daha sonra, 1972'de kanıtlara tekrar döndü ve açıklamasını genişletti: Burası insanların alageyik avlamak için toplandıkları bir konak yeriydi. Clark Star Carr'ı, geyikleri takip eden insanların yazın çevredeki tepelere taşındığı bir yıllık göç modelinin parçası yaptı.

Alandaki çalışmalar 1976'da eski gölün kıyısı takip edilerek yeniden başladı ve yakındaki Seamer Carr adlı bir arkeolojik alanda kazılar yapıldı. Star Carr'da ise 1985'te ilave çalışmalar gerçekleştirildi ve burasının Clake'ın düşündüğünden çok daha büyük bir yer olduğu anlaşıldı. Hafirler ikiye bölünerek işlenmiş kerestelerden büyük bir platform ya da yürüme yolunun bir bölümünü ortaya çıkardılar. Kerestelerin üzerinde balta izleri vardı ve ince bir ahşap işçiliği -Avrupa'da marangozluğa

dair en erken kanıt- fark edilmekteydi. Polenler ve odun kömürü üzerindeki çalışmalar, göl kenarındaki sazlıkların uzun zaman aralıklı olarak kasten yakıldıklarını -belki teknelerin geçişini kolaylaştırmak ya da yeni bitkilerin büyümesini desteklemek için- gösterdi. Bu yanmış malzemenin radyokarbon tarihlemesi arkeolojik alanın MÖ 9300 ve 8400 arasında 300 yıl boyunca iskân edildiğini ortaya koydu.

Daha sonra 1980'lerde yapılan çalışmalar, turbanın kurumaya başladığını ve içerdiği arkeolojik malzemeyi tehdit ettiğini göstermişti; dolayısıyla 2004'te yeni bir çalışma başlatıldı. Alanda yapılan arazi yürüyüşleri çakmaktaşı malzemenin 20.000 m²'lik bir alana yayıldığını açığa çıkardı. Gölün hemen üzerinde kuru arazide hafirler, MÖ 9000 civarına ait bir "ev"e -Britanya'nın en eski evi- ait bir çukur ve direk delikleri keşfettiler.

Clark'ın kış varsayımı alageyiğin yıllık

büyüme döngüsüne -kışın boynuzlarını döküyorlardı; böylece kazıda ele geçen dökülmemiş olanlar o sezona işaret ediyordu- dayalıydı. Diğer bilim insanları ise boynuzların arkeolojik alana başka yerlerden getirildiğini, mevsimle ilgili olmadıklarını öne sürdüler. Arkeolojik alandaki dökülmemiş karaca boynuzları eşya yapımında kullanılmamıştı ve yazın başına işaret ediyordu. Fauna kalıntılarının -özellikle genç hayvanların dişleri- yeniden analizi sonucunda Tony Legge ve Peter Rowley-Conwy, aslında çoğunun bahar sonu ve yaz başında, Mayıs ile Nisan arasında avlandığını ortaya koydu. Ele geçen bazı kuş kemikleri, sadece yazın burada bulunan türlere aitti ve bazı yanmış bitki kalıntıları da yaza (Nisan sonundan Ağustos'a kadar) işaret ediyordu. Eksik veriler yüzünden (Clark birçok hayvan kemiğini saklamamıştır ve bu büyük arkeolojik alanın başka yerde et kesim yerleri olabilir) Star Carr farklı mevsimlerde sürekli ziyaret edilen bir konak yeri olarak yorumlamak mümkündür.

7.22 Direk delikleriyle çevrili bu çukur Britanya'nın en eski evi olabilir.

7.23 Star Carr'ın Mezolitik Çağ'daki muhtemel görünümü.

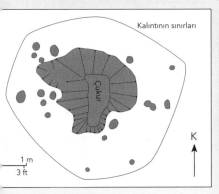

Kalıntının sınırları

Çukur

K

1 m
3 ft

TAFONOMİ

Tafonomi bir kemiğin toprak altına girmesiyle keşfi arasında nelere maruz kaldığını değerlendirir. Birçok toprakta kemiklerin korunma şansı bitkisel malzemeye göre daha fazla olmakla birlikte, yine de sadece özel şartlar altında günümüze ulaşırlar: mesela eğer toprak altına çabuk girerlerse ya da mağaralarda. Etoburların, hava etkisiyle bozulmanın, asitli toprakların vb. tahribinden kaçan ve uzun süre korunabilen kemikler yeraltı suyunun yavaş sızması sonucunda mineralleşir. Birçoğu ırmaklar aracılığıyla taşınır ve ikincil kontekstlere yerleşir. Su akıntısının hızı, hacmi ve büyüklüğü ve kemiklerin şekilleri önemli etkenlerdir. Yapılacak herhangi bir analiz ayrıca geçmişteki tafonomik olayların şimdikilerle aynı olduğunu varsaymak zorundadır.

Kemiklerin etoburlar tarafından toplanması ve parçalanması üzerine çok çalışma yapılmıştır. Böylece insanların elinden çıkma kemik buluntu gruplarını insanlar haricinde meydana getirilmiş olanlardan ayırt etmek için bir kıstas bulunabilmesi umulmaktadır. Bu, farklı insan gruplarının ve etoburların

7.24–26 *İlk homininler av mı avcı mı? Güney Afrika'daki Swartkrans'ta bulunan yeraltı mağarasında kazılar (yukarıda), 130'un üzerinde Australopithecus bireyiyle birlikte etobur ve otobur kalıntılarını gün ışığına çıkarmıştır. Başlangıçta homininlerin diğer hayvanları avladığı düşünülmüştü. Fakat C.K. Brain mağarada bulunmuş bir leoparın alt köpek dişlerini kısmen korunmuş bir Australopithecus bebeğinin kafatasındaki deliklerle eşleştirdi (altta). Bu hominin her hâlükârda avcıdan ziyade avdı. Brain modern leoparların kurbanlarını sırtlanların erişemeyeceği ağaçlara sürüklediğini keşfetti. Belki de bu talihsiz homininin kalıntıları eti tüketildikten sonra ağaçtan mağaranın içine düşmüştü.*

etneoarkeolojik gözlemleri, hayvan inlerinin kazılması (sırtlan gibi hayvanların biriktirdiği kemiklerin incelenmesi) ve kemiklerin taş aletlerle ya da onlarsız deneysel olarak kırılmasını içermektedir. Bu türden çalışmaların öncüsü C.K. Brain'in Güney Afrika'daki çalışmaları leopar, sırtlan ve oklu kirpi gibi etoburların hayvan leşlerine etkilerini göstermiştir. Aynı zamanda daha önce erken "katil insan-maymunlara" atfedilmiş kemik kırıklarının aslında Transvaal'in kireçtaşı mağaralarında kaya ve toprağın bunların üzerindeki baskısından dolayı meydana geldiğini ortaya çıkarmıştır. Aslına bakılırsa Brain erken homininlerin (*Australopithecus*'lar) avcılıkla ilgisinin bulunmadığını ve Swartkrans gibi mağaralarda etoburların kurbanı olduklarını kanıtlamıştır. Taung'da bulunmuş çocuğunki gibi bazı hominin kafataslarının muhtemelen büyük yırtıcı kuşlar tarafından öldürüldüklerine işaret eden pençe izleri ve kesikleri taşımaktadır.

Bu türden çalışmalar sadece Afrika'yla sınırlı değildir. Mesela Lewis Binford Alaska ve Amerika'nın güneybatısında kurtların ve köpeklerin kemik üzerindeki etkilerini gözlemlemiştir. Binford insan ve etobur müdahalesini kemik kıymıkları ve sağlam eklem uçları sayılarındaki ilişkiye göre ayırt etmenin yollarını aramıştı. Kemiren hayvanlar önce eklem uçlarına saldırır ve geride sadece kemik silindirleri ve bir kısım kemik kıymığı bırakırlar. Dolayısıyla çok sayıda kemik parçası ve eklem uçları sağlam az sayıda kemik muhtemelen etoburların ya da leşçilerin eseridir. John Speth bu kıstasları New Mexico'daki MS 15. yüzyıla ait Garnsey arkeolojik alanında bulunan bizon öldürme kompleksine uygulamıştır. Kemik silindirlerinin çok nadir oluşu, leşçi kaynaklı tahribatın en alt düzeyde kaldığına ve kemik topluluğunun tamamen insan faaliyetlerin sonucu olarak görülebileceğine işaret etmektedir.

Yaşayan etoburların davranışlarıyla belki şimdi soyu tükenmiş farklı bir etoburun ürettiği tarihöncesi buluntu grupları karşılaştırılırken dikkatli olunmalıdır. Yaşayan türler arasında geniş çeşitlenmeler bulunduğu için soyları tükenmiş türlerin davranış biçimlerinin belirlenmesi hiç kolay değildir. Üstelik sırtlan gibi hayvanlar insanların bıraktığına benzer hayvan kalıntıları meydana getirebilirler. Bunlar kırılma izlerinde tutarlı biçimler ve benzer şekilde parçalar sergiler. Bu şaşırtıcı değildir, çünkü bir kemiğin kırılma yolları sınırlıdır.

Söz konusu etkenler cesaret kırıcı görünebilir, ama kemik buluntu gruplarının doğru yorumu için daha somut bir temel kurmaya yardım ederler.

yaşamlarından farklı değişimlere yol açan doğal üreme alışkanlıklarına yapılmış insan müdahalesidir. Fakat farklı tanımlar da vardır ve uzmanlar hayvanlardaki hangi fiziksel değişimlerin evcilleştirme belirtisi olduğu konusunda aynı fikirleri paylaşmazlar. Yabani/evcil ikiliği üzerinde gereğinden fazla durmak, seleksiyona dayalı ıslah olmadan yapılan sürü gütme gibi bütün bir insan-hayvan ilişkileri yelpazesini perdeleyebilir. Yine de, her türlü tanıma göre evcilleştirme dünyanın birçok yerinde açıkça birbirinden bağımsız olarak meydana gelmiştir. Bu yüzden arkeologlar tamamen yabani hayvanları tümüyle evcil olanlardan ayırmak ve evcilleştirme sürecini incelemek zorundadır. Bu nasıl yapılır?

Kemikler ve dişler arkeolojik alanlarda en çok bulunan hayvan kalıntılarıdır. Uzmanlar evcilleştirmeyi geleneksel olarak çene boyutundaki küçülme ve giderek artan maloklüzyon gibi biçimsel değişimler yoluyla tespit etmeyi denemiştir. Ne var ki, bunlar tam anlamıyla güvenilir veriler sağlamamıştır, çünkü böyle değişimlerin insanlar evcilleştirme sürecine başladıktan ne kadar sonra etkisini gösterdiği hakkında fikrimiz yoktur ve ara safhalar henüz tanımlanmamıştır. Bazı türlerin boyutları şüphesiz evcilleştirme yoluyla küçülmüştür (arkeozoolog Richard Meadow'un Pakistan'daki Mehrgarh Neolitik arkeolojik alanındaki sığırlar için ileri sürdüğü gibi), ama burada çevresel etkenler rol oynamış olabilir, zira birçok yabani tür de son Buzul Çağı'ndan beri boyut küçülmesi

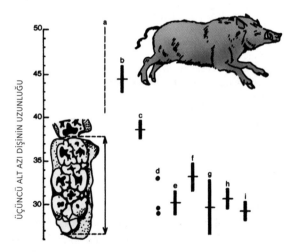

7.27 *Domuz evcilleştirmesinin işareti olarak küçülen diş boyutu: İngiliz zooarkeolog Simon Davis'in çalışmasına dayanan bir diyagram. (a) ve (b) için ölçüler (ölçek milimetredir) Doğu Akdeniz'deki Üst Pleistosen yaban domuzlarından gelir; (c) modern İsrail yaban domuzunu temsil eder. (a/b) ve (c) arasındaki büyüklük farkı, Buzul Çağı'nın sonunda çevre kaynaklı bir küçülmeyi akla getirir. Evcilleştirmeye bağlanan ilave küçülme hakkında, yaban domuzu azı dişleriyle karşılaştırıldığında, Doğu Akdeniz evcil domuz azı dişlerinin (d-i) daha da küçük boyutları fikir vermektedir. (münferit ölçümler yuvarlaklar, örnekler ise ±%95 güven sınırıyla birlikte ortalama olarak verilmiştir.*

HAYVAN KEMİKLERİNİN ÖLÇÜLMESİ

Hayvan kemikleri arkeolojik alanların oluşumu sırasında, hem insanlar hem de etoburlar aracılığıyla karmaşık parçalanma ve yayılma süreçlerinden sonra birikirler (s. 292-293'teki kutuya bakınız). Dikkatli kazı ve örnek toplama şarttır. Böylece bu faaliyetler hesaba katılabilir ve kemikler doğru şekilde ölçülebilir. Örneğin elemeyle ele geçmiş bir kemik örneği grubunun, elenmemiş olana göre muhtemelen daha fazla küçük kemiği olacaktır. Kemiklerin korunmasına dair şartlar da bir arkeolojik alandan diğerine, hatta bir arkeolojik alanın sınırları dâhilinde değişir. Bu yüzden çalışanlar, fazladan farklılıkların her türlü sebebini anlamak için her bir kemiğin yüzey aşınma derecesini kaydetmek zorundadır.

Bir örnek grubu çalışılırken kemikler ya eksik tanımlanmış kırıklar ya da birkaç türe ait olabilecek tanımlanmamış parçalar olarak kaydedilir. Ardından farklı kemiklerin görece çokluğunu, dolayısıyla temsil edilen türleri hesaplamak için çeşitli yöntemler kullanılır.

Görece tür çokluğunun en basit hesaplaması **Tanımlanmış Örnek Sayısı** (Number of Identified Specimens=NISP) olarak adlandırılır. Burada her bir türün tanımlanmış kemikleri, toplamda tanımlanmış kemik örneğinin yüzdeleri olarak ifade edilir. Yaygın şekilde kullanılmasına karşın elde edilen sonuçlar yanıltıcı olabilir.

İkinci hesaplama kademesi olan **Asgari Birey Sayısı** (Minimum Number of Individuals=MNI/MIND), kemik örneğine tekabül edecek gerekli asgari hayvan sayısıdır. En basit hâliyle bu hesaplama, her bir tür için vücudun sağ veya sol kısmından gelen en çok tanımlanmış kemiğe dayanır.

Grimes Graves, İngiltere

NISP hesaplamasına dair çeşitli problemlerden biri, İngiltere'deki Norfolk'ta bulunan Grimes Graves'ten kemik örnekleriyle açıklanabilir. Burada geniş Tunç Çağı çöp yığınları Neolitik çakmaktaşı madenlerinin galerilerine boşaltılmıştı ve iki kazı farklı kemik örnekleri arasında karşılaştırma yapmaya izin verdi. Her ikisinde de kemik örnekleri özenle alındı ve korunma durumları mükemmeldi.

Grimes Graves'teki iki yaygın türün (sığır ve koyun) NISP hesaplaması, bunların toplam kemik sayısında eşit temsil edildiğini gösterdi, ama daha büyük boyutlarından dolayı sığır açıkça daha fazla kırmızı et verecekti. MNI hesaplaması en çok tanımlanmış kemiğe -bu durumda alt çene, zira çok serttir ve etoburların çiğnemesine karşı dayanıklıdır- dayandırıldı. Alt çenelerin sayımına göre, %58 ile sayıca en çok hayvan sığırdı; koyun ise örneğin %42'sini oluşturuyordu. Dolayısıyla arkeolojik alanda sığır, NISP oranlarının gösterdiğinden çok daha önemliydi.

Moncin, İspanya

NISP ve MNI sonuçları arasındaki uyuşmazlığın daha çarpıcı bir örneği İspanya'daki Moncin'dir. Bu Tunç Çağı köyünün sakinleri bildik evcil memelileri besliyorlardı, fakat aynı zamanda geniş ölçüde avlanıyorlardı. Özellikle de alacalı postlarından dolayı genç alageyikleri avlamaktaydılar. Köpeklerin dikkatinden kaçmış birkaç toy hayvanın kemiği günümüze gelebilmişti ve sonuç olarak NISP ve MNI tarafından yansıtılan memeli oranları aşağıdaki diyagramda da görüldüğü gibi açıkça çok farklıydı. Bu, büyük ölçüde keçi cinsine ait alt çene kemiklerinin bebek alageyik altçenelerine göre çok daha iyi korunmuş olmasına bağlıydı.

Yaş, Kemik ve Et Ağırlığı

Hem NISP hem de MNI'nın belirli sınırları vardır. MNI sonuçları küçük örnekler söz konusu olduğunda çok az anlam ifade ederler ve NISP hesaplamalarındaki potansiyel hatalar, farklı yaş profilleri, korunma koşulları ya da kurtarma standartlarına sahip arkeolojik alanları karşılaştırırken daha ciddi olabilir.

Bu zorluklardan bazılarının üstesinden farklı türlerin hangi **yaşta** öldürüldüklerinin incelenmesiyle gelinebilir, çünkü bunun, kemiklerin günümüze gelmesinde önemli bir rolü vardır. Böyle yaş profillerinin en iyi rekonstrüksiyonu, genç hayvanın diş çıkarma evrelerinden ve yetişkindeki ilerleyen diş aşınmasından elde edilebilir.

Türlerin miktarlarını karşılaştıran bir diğer yöntem **görece kemik ağırlığını** kullanır. Bu yolla her bir

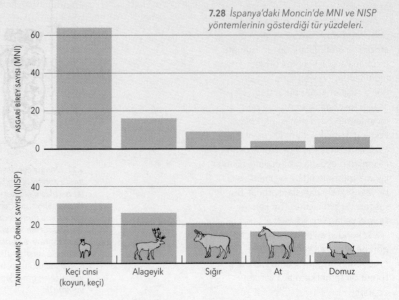

7.28 *İspanya'daki Moncin'de MNI ve NISP yöntemlerinin gösterdiği tür yüzdeleri.*

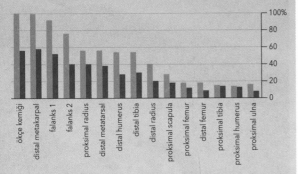

türdeki tanımlanmış kemiklerin toplam ağırlıkları karşılaştırılır, ama farklı kemik korunma oranıyla ilgili sorunlar olduğu gibi kalmaktadır. Kemik miktarı ölçümünün sadece kazılmış kemik örneği hakkında bir şeyler söylediğini ve bunun bir arkeolojik alandaki asıl faunayla bilinmeyen bir ilişki içinde olduğunu anlamak önemlidir. Miktarın belirlenmesi, arkeolojik alanların uzun kronolojik silsileleri olduğu ya da arkeolojik alan gruplarının karşılaştırılabileceği yerlerde çok değerlidir. Belirsizliklere rağmen böyle karşılaştırmalar önemli faunal eğilimleri ve bölgesel farklılaşmaları ortaya çıkarabilir.

Beslenme alışkanlığının her türlü rekonstrüksiyonunda son adım örnekteki kemiklerin temsil ettiği gerçek **et ağırlığını** hesaplamaya çalışmaktır. Her bir tür için ortalama modern et ağırlığı iyi bir başlangıç noktasıdır. Mantıken bu et ağırlığı rakamının ilk analizlerde yapıldığı gibi sadece ilgili MNI ile çarpılması beklenebilir. Fakat bugün hayvanın her kısmının kullanılmış olamayacağı gerçeğinin hesaba katılması gerekir. Her bir leşin aynı şekilde işlendiği farz edilemez, zira hayvanların topluca uçuma sürülerek öldürüldüğü durumlarda bazıları kısmen bazıları da bütünüyle kullanılmış olacak ve bir kısmı göz ardı edilecektir (arka sayfaya bakınız). Et kesim teknikleri türlere, boyuta, amaca ve evden uzaklığa göre değişecekti. Dolayısıyla kemikler hayvanları eksiksiz temsil etmez, ama kesilen parçaları ya da iskelet kısımlarını yansıtır.

Hatanın potansiyel sebepleri hesaba katıldığında MNI hesaplamasından, özellikle de büyük ve iyi kazılmış örneklerle birlikte oldukça gerçekçi bir resim elde edilmesi mümkündür.

7.29 İspanya'daki Moncin'de sığır kemiklerinin korunma oranları. Yeşil sütunlar sadece yetişkin kemiklerini, kırmızlar genç ve yetişkin kemiklerini gösterir. Korunma oranları arasındaki farklar çarpıcıdır.

yaşamıştır. Dahası, yabani hayvan nüfusundaki çeşitlilik yelpazesini bilmiyoruz ve erken evcil ve yabani gruplar arasında gen aktarımıyla sonuçlanmış birçok ilişki vuku bulmuş olmalıydı.

Evcilleştirmenin beraberinde getirdiği bazı değişimler, arkeolojik olarak çok nadir ele geçen **deri ya da post** gibi unsurlarda ortaya çıkar. Örneğin, yabani ve evcil koyunlarda yün ve tüylerin düzeni birbirinden oldukça farklıdır. İngiliz bilim adamı Michael Ryder Viking kumaşları ve Ortaçağ kıyafetlerindeki derilerde mevcut tüylerin çeşitliliği ve dağılımından koyun cinslerini ayırt edebilmiştir.

Güney Amerika'da avcılıktan sürü gütmeye geçişi izlemek zordur, çünkü çok az vücut iskelet özelliği evcil devegilleri (lama, alpaka vb.) yabanilerden ayırt etmeye yardımcı olur. Birçok arkeolojik alan, özellikle yükseklerde ya da çöllerde bulunanlar, çok kurak olduğu için **halat takımı, tekstil ve postlar** gibi organik malzemeler çoğunlukla korunur. Kuzey Şili ve Kuzeybatı Arjantin'deki arkeolojik alanlardan gelen yün ipliği kalıntıları, yün eğirmenin evcilleştirmeden daha erken bir tarihte yapıldığına işaret eder. Şili'nin kuzeyindeki Atacama Çölü'nde bulunan Tulan 54 (Tulan Quebrada) arkeolojik alanında (3100-2800 yıl öncesine tarihlenir) ele geçmiş yün iplikleri üzerindeki bir çalışma, evcilleştirmenin beraberinde renk değişimini getirdiğini, özellikle yabani devegillerde bulunmayan koyu kahverengi bir posta neden olduğunu düşündürür. Gelecek çalışmalar elyaf analizini kemik bulguları ve DNA analiziyle bir araya getirerek bunu açıklığa kavuşturacaktır. Kıl analizi böylece kemik kalıntılarının bulunmadığı ya da çok eksik olduğu arkeolojik alanlarda kullanışlı bir yardımcıdır.

Bir diğer yaklaşım bireyler yerine hayvan nüfusundaki değişimleri incelemek olmuştur. Yabani atalarının yerli olmadığı bölgelere getirilen evcil hayvanlar çoğunlukla insan müdahalesi için bir ölçüt olarak kullanılır, ama yabani türlerin asıl yayılımları hakkındaki bilgilerimiz yetersizdir ve feral (yani daha önce evcil olup vahşileşen) nüfusun sık görülen gelişimi işleri karmaşıklaştırmaktadır. Kısa bir zaman dilimi içinde bir kesim örüntüsünden bir diğerine köklü geçişler daha aydınlatıcı olacaktır. Bu gözlem yeni başlamış

7.30 Şili'nin kuzeyinde, Atacama Çölü'nde bulunan denizden 2900 m yüksekliteki açık hava arkeolojik alanı TU 54'ten (Tulan Quebrada) küçük bir yün çilesi. Bir milimetre çapındaki sıkı katlı yün ipliğinin radyokarbon tarihlemesi günümüzden 3000 ±65 yıl (OxA 1841) öncesini vermiştir.

BİZON SÜRME ALANLARI

Bizonların derin uçurumlara ya da sarp kayalık kenarına doğru sürülmesi Kuzey Amerika'da binlerce yıl boyunca önemli bir dönemsel avlanma yöntemiydi. Yirminci yüzyılın ilk onyıllarında Amerika yerlisi bilgi kaynaklarının anlattıklarından çok şey bilinmektedir, fakat resmin gerçek sürme alanlarındaki arkeolojik araştırmalarla tamamlanması gerekir.

7.31 *Boarding School uçurumunun havadan görünümü ve fotoğrafın ortasında devam eden kazılar.*

Boarding School Arkeolojik Alanı

Bu türden ilk kazılardan biri Thomas Kehoe tarafından Montana'daki Boarding School arkeolojik alanında 1950'lerde yapılmıştır. Çalışma yerel Blackfoot kabilesinin yardımıyla sürdürüldü. Boarding School bir uçurum değildi, fakat daha yaygın tipte doğal bir kapalı alana açılan alçak, ama ani inişlerden biriydi. Derin stratigrafide, üç temel kemik tabakasıyla birlikte sürünün büyüklüğü ve niteliği, dolayısıyla sürme mevsimleri hakkında fikir veren iyi korunmuş bizon kalıntıları bulundu. Bizon sayıları asgari birey sayısı tekniği kullanılarak (s. 294-295'teki kutu) hesaplandı. Hayvanların yaşları dişlerin çıkış sırası, bunların üzerindeki aşınma derecesi ve kemik kaynaşması sayesinde tespit edildi (s. 298'deki kutu). Öte yandan cinsiyet büyüklük ve leğen kemiğinin şekline göre belirlendi.

Arkeolojik alanın geçici konak yeri olarak aralıklarla uzun süre kullanıldığı ortaya çıktı. Ardından yaklaşık MÖ 1600'de (kömürleşmiş kemiklerin radyokarbon tarihlemesine göre) 100 bizonluk bir sürü uçurumdan aşağıya sürüldü. Hayvanların kalıntıları bir cenin kemiği içeren, ama yetişkin erkeklere rastlanmayan "3. kemik tabakası"nı meydana getirmekteydi. Bu durum inekler, buzağılar ve genç boğalardan oluşan bir sürünün sonbaharda ya da kışın uçurma sürüldüğünü ima etmekteydi. Bir ya da iki sezon sonra uçuruma sürülmüş 150 hayvanlık başka bir sürü "2. kemik tabakası"nı meydana getirmiştir. Bu tabakada yetişkin erkeklerin varlığı ve cenin ya da yeni doğmuş buzağı kalıntılarının olmaması, Haziran ile Eylül arasında, kurutulmuş

ve dövülmüş etin kış için hazırlanması gereken kızışma mevsiminde "inek ve boğaların" sürüldüğünü göstermektedir.

Çok daha geç tarihli bir sürülme işi (muhtemelen Avrupalı kâşiflerle tarihi temastan hemen önce) "1. kemik tabakası"nı oluşturmuştu. Burada 30 bizonun kalıntıları muhtemelen uzak bir konak yerine götürülmek üzere hafif kesime tabi tutulmuştur. Geride bırakılanın çoğu eklem kısımlarının içindeydi. Daha erken iki tabakada kesim teknikleri benzerlik

gösteriyordu, ama hayvanlardan daha fazla yararlanılmış ve yerinde işlenmişti. Ana merkeze olan uzaklık bu ikisinde sonuncusuna göre açıkça daha azdı. Arkeolojik alanda çanak çömleğin bulunmaması, burasının kesinlikle bir öldürme ve et işleme yeri olarak rolünü vurgulamaktadır. Ağıl kazıklarına ait izler bulunmuştur ve toplam 440 ok ucu her bir hayvan için ortalama 4 ya da 5 ok kullanıldığını göstermektedir.

7.32 *(altta) Boarding School arkeolojik alanından bir ağıl direği.*

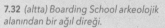

7.34 *Gull Lake bizon sürme alanı.*

Gull Lake Arkeolojik Alanı

Kehoe 1960'ların başında Kanada'daki Saskatchewan'ın güney sınırında benzer bir kazı yürüttü. Burada da bizonlar bir uçurumdan aşağı, ağıl gibi işlev gören bir çukura sürülmüştü. Beş kemik tabakasına rastlandı. Bunlardan biri (MS 1300 civarı) belki de 900 kadar bizonun kalıntısını temsil etmekteydi.

Sürme faaliyeti MS 2. yüzyılın sonlarında başlamıştır ve çok az kemiğin işlendiği görülmektedir. Birçok uzuv kemiği ve hatta belkemiği sağlam kalmıştır. Fakat daha geç tarihli sürülmelerde işleme çok daha dikkatlidir: Birkaç eklem kemiği, geniş çaplı dağılma ve parçaların yakılması, yağ ve kurutulmuş dövülmüş et için işlem yapıldığına işaret etmektedir.

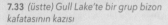

7.33 *(üstte) Gull Lake'te bir grup bizon kafatasının kazısı*

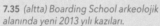

7.35 *(altta) Boarding School arkeolojik alanında yeni 2013 yılı kazıları.*

HAYVAN DİŞLERİNİN İNCELENMESİ

Dişler kemiklerden daha iyi korunur ve bunlardan bir hayvanın yaşını oldukça kesin şekilde tespit etmek mümkündür. Bir dişin çevresindeki büyüme halkaları sayılabilir (aşağıya bakınız) ama bu, örneğin tahribi anlamına gelir ve mineralleşme halkaları bulanıklaştırabilir. Dolayısıyla değerlendirme diş çıkmasına ve aşınmasına dayanmaktadır.

Bir çene kemiğinde süt dişinin varlığı ya da yokluğunun araştırılması, modern bir nüfusta diş çıkma sırasına dayalı yaklaşık bir yaş vermeyi mümkün kılar. Bununla birlikte kalıcı dişlenmenin söz konusu olduğu durumlarda, sadece yaşları bilinen hayvanlara ait bir dizi çene kemiğiyle karşılaştırılacak aşınma derecesi kanıt sağlayabilir.

Bu yöntemin dezavantajlarından biri, aşınma derecesinin değerlendirilmesinde öznellik eğilimidir. Tüm ya da tüme yakın çenelere de ihtiyaç vardır ve bunlar bazı arkeolojik alanlarda bulunmayabilir. Üstelik diş aşınması beslenme alışkanlıklarına bağlıdır ve sabit bir oranda gerçekleşmez. Genç ve sert dişler daha yaşlı ve kör dişlere göre daha çabuk aşınır; öyle ki yaş ve aşınma derecesi arasında doğrudan bir bağlantıdan söz edilemez.

Amerikalı paleontolog Richard Klein, toplam aşınmaya dayalı daha nesnel ve yaygın olarak uygulanabilir bir yöntem geliştirmiştir, zira tek bir diş üzerinde kullanılabilmektedir. Dişin öklüzal (ısırma) yüzeyi ile mineyi kökün diş kemiğinden ayıran "servikal çizgi" arasındaki mesafe (dişin "kron yüksekliği") ölçülür. Her bir türde kronun aşınmadığı ve iyice aşındığı yaşa dair veriler kullanılarak diş sahibinin ölüm anındaki yaşı tahmin edilebilir. Klein ve Kathryn Cruz-Uribe, bu ölçümleri bir arkeolojik alandaki ölüm profilini oluşturmak için kullanan bir bilgisayar programı geliştirmiştir.

Teoride iki temel örnek vardır: Birincisi "doğal" yaş dağılımına (yaş grubu ne kadar yaşlıysa o kadar az sayıda birey vardır) karşılık gelen **katastrofik yaş profilidir.** Böyle bir model tüm bir nüfusun yok olduğu doğal bağlamlarda –mesela su baskınları, salgın hastalıklar ya da volkanik patlamalar– bulunur. Arkeolojik bir kontekstte bulunduğu zaman ise toplu uçuruma sürme faaliyetlerini akla getirir.

İkinci örnek olan **aşınmaya bağlı yaş profilinde** canlı sürülerdeki sayılarına istinaden genç ve yaşlı hayvanların gereğinden fazla temsili söz konusudur. Doğal bağlamlarda bu açıklık, hastalık ya da avlanma kaynaklı ölümü akla getirir. Arkeolojik kontekstte ise yiyecek arama veya en zayıf bireylerin insanlar tarafından avlanmasına işaret eder.

Klein Güney Afrika Cumhuriyeti'nin Cape Eyaleti'nde bulunan Klasies River Mouth Mağarası'nın Orta Taş Çağı'nda her iki profille de karşılaşmıştır. Burada grisbok –kolayca sürülebilir– bir katastrofik yaş profili sergilerken daha tehlikeli Cape bufalosunun aşınmaya bağlı yaş profili vardı.

Ölüm Mevsimi

Dişler aynı zamanda büyüme halkalarının analizi sayesinde ölüm mevsimine dair ipuçları verirler. Mesela zooarkeolog Daniel Fisher MÖ 11. binyılda Güney Michigan'da Paleo-Kızılderililer tarafından öldürülmüş ya da en azından parçalanmış mastodon (file benzeyen ilkel hayvanlar) azı dişleri ve fildişlerini incelemişti. Mine oluşum katmanları sayesinde Fisher, hayvanların bir-iki ay içinde, sonbahar ortasından sonuna kadar geçen zaman süresinde öldürüldüğünü saptadı. Bazı memelilerde mineralleşmiş bir katman olan sementum, diş eti çizgisinin altında bulunan diş kökleri etrafında yıllık meydana gelir. İnce bir kesit alınıp mikroskop altında incelendiğinde katmanlar, birikme oranlarını üzerinde etkili kıtlık ve bolluk mevsimlerini sırasıyla gösteren yarısaydam ve mat şeritler olarak görünür. Amerikalı bilim adamı Arthur Spiess bu teknolojiyi Fransa'nın Üst Paleolitik buluntu yeri Abri Pataud'da Ren geyiği dişlerine uygulamış ve hayvanların Ekim ve Mart arasında öldürüldüğünü kanıtlamıştır. Bilgisayarlı görüntü güçlendirme katmanların daha kesin şekilde tespitine ve sayılmasına imkân tanımaktadır.

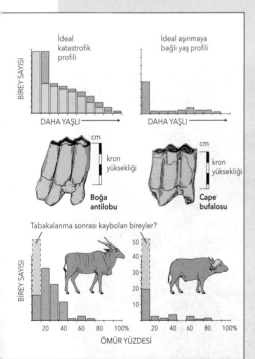

7.36 *Richard Klein'ın azı dişlerinin alttan üçte birinde kron yüksekliklerine göre hesapladığı ölüm yaşları. (üst sıra) İdeal katastrofik yaş profili ve aşınmaya bağlı yaş profili. (alt sıra) Güney Afrika'daki Klasies River Mouth Mağarası arkeolojik alanından gelen kanıtlar boğa antilobu için katastrofik yaş profili, Cape bufalosu için aşınmaya bağlı yaş profili gösterir (tabakalanma sonrası yıkama en genç yaş bandının dişlerini tahrip etmiş olabilir ve bu da o grupta hesaplanan bireyler sayısının beklenenden az oluşunu açıklar).*

morfolojik değişimlere ait kanıtlarla bileştirilebildiğinde evcilleştirme için güçlü bir vakaya sahip olabiliriz. Ancak burada da teorinin pratikte gösterilmesi kolay değildir. Geçmişte bir kemik buluntu grubunda toy ya da genç sürü hayvanlarının yüksek sayıda bulunması insan müdahalesinin yansıması olarak kabul ediliyor ve bunların varsayılan "normal" yabani nüfusundan tamamen farklılaştığına inanılıyordu. Fakat şimdi gençlerin yüzdesi ya da cinsiyet oranlarının yabani bir sürüde büyük farklar gösterebildiği bilinmektedir. Üstelik bütün yırtıcılar (sadece insanlar değil) seçici avlanırlar ve korumasız bireylere yönelirler. Bundan da anlaşılacağı gibi olgunlaşmamış hayvanların yüksek oranda bulunması tek başına evcilleştirme için yetersiz bir kanıttır.

Yine de, bir sürünün yaşı ve cinsiyet yapısı hayvanların öncelikli olarak et ya da süt için mi beslendiği hakkında rehberlik edebilir. Bir et sürüsünde ergen ve genç yetişkin hayvanların sayısı yüksek olacaktır. Süt sürüsü ise büyük ölçüde yetişkin dişilerden meydana gelecektir (bkz. Ganj Dareh Tepe, s. 289).

Evcilleştirmeye Dair Diğer Kanıtlar. Belirli bazı *aletler* –örneğin sabanlar, çiftler ve at koşumları– evcil hayvanlarının varlığına işaret edebilir. Mesela İsrail'deki Ein Mallaha'da bulunmuş 12.000 yıllık bir insan mezarında ortaya çıkarılan köpek yavrusu kalıntıları, insanlarla köpekler arasında erken tarihli yakın ilişkilere işaret eder.

Sanatsal kanıtlar hayvanları kontrol etmek için daha erken muhtemel girişimler konusunda fikir verir. Paul Bahn'ın gösterdiği üzere, son Buzul Çağı'nın sonlarına ait bazı betimler münferit hayvanların kontrolüne dair güçlü ipuçları sunar. En çarpıcı olanı, bir tür dizginin at başıyla birlikte resmedildiği La Marche Mağarası'ndaki (Fransa) Üst Paleolitik'e ait tasvirdir. Kemiklerden de benzer kanıtlar gelmektedir: Söz gelimi Fransız Alpleri'ndeki La Grande-Rivoire kaya barınağının Mezolitik tabakalarında boz ayı kalıntısına rastlanmıştır.

Çenenin her iki kenarındaki dişlerin arasında yer alan oluklu boşluk, hayvanın 7000 yıl önce daha küçükken yakalandığını ve azı dişlerinin büyümesini önlemek için ağızlık takıldığını düşündürmektedir. Diğer bir deyişle, bu ehlileştirilmiş bir ayıydı, hatta belki de ev hayvanıydı.

Daha sonraki dönemlerde sanat evcilleştirme hakkında özellikle bilgilendiricidir. Mezopotamya, Yunan ve Roma'daki evcil hayvan betimlerinden sadece tarım değil aynı zamanda daha egzotik türlerin evcilleştirilmesini de içeren Mısır duvar resimlerine kadar uzanan bir yelpaze söz konusudur.

Deformasyonlar ve hastalık evcilleştirmeye yönelik tatmin edici kanıtlar sağlayabilir. Atlar, sığırlar ve develerden çekme amaçlı yararlanıldığında, bazen bunların alt uzuvlarında eklem kireçlenmesi (osteoartrit) ve zorlama deformasyonları –kemiğin taraklanması ya da aşırı büyümesi– meydana gelir. İngiltere'deki Ortaçağ'a ait Norton Priory yerleşiminde bulunmuş sığır kemikleri gibi birçok arkeolojik örnek bilinmektedir. Atlardaki diz şişmesi aynı nedene bağlıdır ve ayak bileğiyle ayak tarağında yeni kemiğin ortaya çıkmasına ve kaynaşmasına yol açar. Bazı hastalıklar sürülerin kötü idaresine işaret edebilmektedir: Örneğin raşitizm yetersiz beslenme ya da otlatmanın göstergesiyken, kapalı gütme ve fazla stoklama parazitik mide iltihabına sebebiyet verir.

Belirli hastalıklar evcilleştirmenin doğrudan kanıtları sayılabilir. Peru Andları'ndaki tarihöncesi bir arkeolojik alan olan Telarmachay'da yaptığı çalışmada Jane Wheeler, stratigrafinin belirli bir noktasında, yaklaşık MÖ 3000'de, lama ve alpaka gibi devegillerin ceninleri ve yeni doğanlarına ait kalıntılarda önemli bir artış fark etti. Normal karşılanabilecek %35'lik bir orandan %73'e doğru bir sıçrama söz konusuydu. Bunların insanlar tarafından avlanmış ve arkeolojik alana getirilmiş genç vahşi hayvanlar olması mümkün değildir. Hiçbir avcı her hâlükârda ilerde daha verimli avlar hâline gelecek bu kadar küçük hayvanların peşine düşmeye zahmet etmeyecekti. Söz konusu hayvanların evcilleştirilmiş olması

7.37 *Deir el-Medine'deki Sennedjem'e ait mezar yapısından bir eski Mısır duvar resmi. Betim iki inek tarafından çekilen Sennedjem'i bir hafif sabanı kullanırken ve karısını onun arkasında tohum ekerken gösterir.*

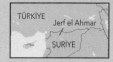
TARIMIN KÖKENLERİ: ÖRNEK BİR VAKA

Yakın zamana kadar Yakındoğu'daki Bereketli Hilal içinde, bitkilerin hızla kültüre alındığı tek ve sınırlı bir çekirdek alanın varlığına yaygın olarak inanılıyordu. Ne var ki Erken Holosen'de, tüm bölge boyunca paralel ilerleyen kültüre alma süreçlerinin bulunduğuna dair veriler (genetik kanıtlar da dâhil) istikrarlı şekilde ortaya çıkmıştır (s. 284-285'teki kutuya bakınız). Bunun gibi, zooarkeolojik kanıtlar evcil hayvanların yaygın göründüğüne işaret etmektedir.

Tahıldan faydalanma ve yiyecek aramadan tarıma geçiş için anahtar arkeolojik alanlardan biri, Doğu Akdeniz'deki en iyi Çanak Çömleksiz Neolitik A silsilelerinden birine (MÖ 9450-8700) sahip olan Kuzey Suriye'deki Jerf el Ahmar'dır. Bu küçük yerleşim (1 hektardan daha küçük) bir baraj gölünün altında kalmadan önce Danielle Stordeur tarafından 1995-1999 arasında kazıldı ve 1000 m²'nin üzerinde bir alan açılarak 11 farklı tabakayla kapsamlı mimari kalıntılar ortaya çıkarıldı. Yerleşime dair kanıtlar geniş botanik örneklemeyle desteklendi. Aslında yüzdürmeyle sistematik şekilde geri kazanılan bitki kalıntıları (34.000'in üzerinde tanımlı kömürleşmiş tohum ve meyve), burasını benzerleri arasında en bilgilendirici arkeolojik alan yapmıştır.

Yerleşimin stratigrafisi birbirini izleyen Çanak Çömleksiz Neolitik A iskânlarından meydana gelmektedir. Bunların steril kolüviyum tabakalarıyla ayrılmış olması, insanların kasıtlı olarak yerleşim yüzeylerini tamamen gömdüklerini düşündürmektedir. Arkeolojik alan iki tepeyi kaplar: Doğudaki on, batıdaki ise beş yerleşim tabakasına sahiptir. Buna göre genel manzara burada süreksiz bir yerleşimin bulunduğu yönündedir. İlginçtir ki, bulunan ocaklar neredeyse tamamen açık alanlardadır. Aynı durum çoğu kez yoğun hayvan kemiği yığınlarıyla ilişkilendirilen ateş çukurları –et kızartma alanları olarak tanımlanmışlardır- için de geçerlidir. Yapıların içinde depolama yapıldığına dair çok az kanıt vardır. İki metre derine gömülmüş büyük eğriler hâlinde duvarlara sahip görünürde kamusal erken tarihli yapılar mevcuttur. İçlerine ahşap kazıklar yerleştirilmiş bu taş destek duvarları yerden 50-60 cm yükselirler. Yapıların muhtemelen merkezi bir dik ahşap kazık tarafından desteklenen düz toprak çatıları vardı ve yine bu çatılardan içeri giriliyordu. İçerde ise boş bir merkezi alan etrafında düzenlenmiş ara duvarlarla bölünmüş sekiler ve hücreler vardı. Bütün bu mimari kalıntılar -duvarlar, zeminler, sekiler ve hücreler- kerpiçle sıvanmıştı. Kamu yapılarının faydaları sona erdiğinde kasten yakılarak gömüldüğü öne sürülmüştür. EA30 yapısında bir genç kadın iskeleti

(kafatası ve ilk dört omurgası eksik olarak) sırtüstü uzanmış hâlde yanmış enkazın içinde bulunmuştur. Bu erken yeraltı yapılarının işlevleri gizemini korumaktadır, zira içlerinde çok az malzeme (yaban öküzü kemikleri, çakmaktaşı, öğütme taşı, obsidyen, toprak boyalı küçük bir taş değirmen) ele geçmiştir. Hücre şeklindeki bölmeler bazı bilim insanları tarafından tahıl depoları olarak yorumlanmıştır, fakat sadece birkaç arpa taneciği bulunmuştur. Bununla birlikte EA30'daki ev faresi ve çöl faresi kemikleriyle ve fare dışkıları tahıl deposu savını destekleyebilir. Daha erken yuvarlak bir yapı olan EA47 de aynı şekilde kasten yakılmıştı ve içinde kömürleşmiş çavdar/küçük kızıl buğday tohumları bulunmuştur. Bunlar üç yaban öküzü kafatası ve muhtemelen yapının duvarlarına ya da tavanına asılmış bir *bukranion* ile ilişkilendirilmiştir. Bundan dolayı tahılların organik malzemeden bir kap içinde, belki de hasat ya da ekim törenlerinin bir parçası olarak saklandığı düşünülmüştür. EA30 gibi büyük yapılar hane dışı işlevlerinin yanında ortak tahıl depoları olarak hizmet etmiş olabilirlerdi.

Botanik kanıtlar çavdar/küçük kızıl buğday ve arpanın hiçbir zaman karıştırılmadığını göstererek bunların arazideki farklı yerlerde gerçeklemiş ayrı hasatların ürünü olduğuna işaret etmektedir. Birçok yapı malzemesi tahıl

7.38–39 *Saklama hücrelerini gösteren EA30 yapısının planı ve (sağda) bir saklama alanından geçen giriş yolu.*

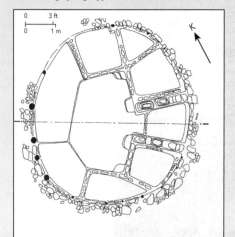

0   3 ft
0   1 m

K

işlemenin yan ürünlerine dair baskı izleri taşır: Arpa, küçük kızıl buğday ve çavdar kepekleri sıkıştırılmış toprakta ve saman da yanmış çatı parçalarında katkı maddesi olarak kullanılmıştır.

Yemek hazırlanmasına ve işlenmesine (pişirme haricinde) dair tüm kanıtlar kamu yapılarının yanında bulunan dörtgen yapılarda ele geçmiştir: EA23 bir ara duvarın yanında üç taş değirmen ve birkaç havan eline sahipti. EA30'un yakınındaki EA10 yangın tarafından tahrip edilmişti. İşleme tesisleri farklı tahıl türleriyle ilgili olarak açıkça ayrı şekilde düzenlenmiş üç alan barındırıyordu: Öğütme alanında üç taş değirmen, bir taş kap ve iki adet çok cilalı yuvarlak öğütme levhası vardı. Buradaki botanik kalıntılar çavdar/küçük kızıl buğday tanecikleri ve yabani hardal tohumlu çöreklerden meydana gelmekteydi. Sığ bir çukur olan ikinci alanda yanmış mercimekler ve külle karışmış tohumlu çörekler vardı; dolayısıyla bu yağlı çörekler için soğutma alanı olabilirdi. Üçüncü alanda kabuklarından ayıklanmış arpa tohumları içeren taş tekne parçaları vardı, ama tahıl depolamasına ait bir kanıt bulunmuyordu. Kısacası, kanıtların bir yorumuna göre arkeolojik alanın kamu yapıları kısmen sembolik ve törensel faaliyetlerle ilişkili olarak

tahıl depolamasıyla ilgiliydi. Yemek işleme kamu yapılarına yakın çok odalı yapıların içindeki belirli alanlarda gerçekleşmekteydi. Et ise açık ortak alanlardaki ateş çukurlarında pişirilmekteydi. Arkeolojik alanın sakinleri yaban öküzü, gazal ve tek tırnaklıları avlıyordu. Dolayısıyla Jerf el Ahmar basit bir "köy topluluğu"ndan ziyade, burada ikamet eden hanelere ilaveten daha büyük grupların belli aralıklarla bir araya geldiği ve ortak yiyecek tüketim etkinliğine katıldığı bir yerdi.

Arkeolojik alanın 600-700 yıllık tarihi boyunca ev planlarında daireden dörtgene ve daha fazla uzmanlaşmış ortak yapılara doğru bir değişim yaşanmıştır. Toplanan tahıl dışı otlarla karşılaştırıldığında tahıllar ve kuru bakliyatta artış vardır. Üst tabakalardan orak ağızları çok daha yoğun kullanılmışlar ve daha verimli şekilde üretilmişlerdir; bu arada arkeolojik alan gözle görülür derecede büyümüştür. Bütün bu eğilimler büyük ölçekli tahıl tüketimine daha fazla dayanıldığına işaret etmektedir. Bu da artan sosyal organizasyon demektir, zira arazinin hazırlanması, ekim, yabani otların ayıklanması, tahılların korunması, saklama, hasat ve işleme için işgücünün ortaklaşa olması gerekir; yani sosyal hiyerarşi mevcuttur.

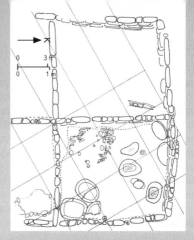

7.40–41 *EA23 yapısının planı, fotoğrafı ve yiyecek işlemenin kanıtı olan taş değirmenlerle havan elleri.*

7.42 *Jerf El Ahmar'daki yabani tahıllar arasında bulunmuş tipik ekilebilir yabani ot tohumları (her biri 1 mm çapındadır). Kömürleşmiş arkeolojik örnekler modern tohumların yanında gösterilmiştir. Kömürleşmiş ot tohumlarının sıklığı düzenli yabani tahıl ve baklagiller tarımının bir sonucudur.*

Keklik otu	Şahtere otu	Sarı boynuzlu gelincik	Yoğurt otu	Çekem	Mavi kantaron

7.43 *Jerf el Ahmar'dan yenebilen bitkilerin sıklığını gösteren bu çubuk grafik tarıma doğru kayışı gösterir. Daha sonra kültüre alınacak yabani küçük kızıl buğday, arpa ve burçak, nihayetinde terk edilecek olan çavdar ve çoban değneği/labada da dâhil küçük tohumlu otların aleyhinde artmaktadır. Bu otlar alt tabakalara hâkimdir (yeşil). Buna karşılık otlar üst tabakalarda (mor) azalmakta, arpa, küçük kızıl buğday ve burçak öne çıkmaktadır. (%bd=bulunma değeri yüzdesi ya da diğer bir deyişle türlerin mevcut olduğu örneklerin yüzdesi)*

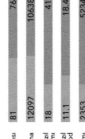

	Üst tabakalar (mor)	Alt tabakalar (yeşil)
Örnek sayısı	76	81
Toplam tanımlama	10638	12097
Yabani küçük kızıl buğday toplamı	41	18
Yabani küçük kızıl buğday kabuğu %bd	18.4	11.1
Yabani arpa toplamı	5234	2353
Yabani arpa %bd	90.1	52
Yabani arpa kepeği toplamı	1622	1546
Yabani arpa kabuğu %bd	84.2	64.1
Yabani burçak toplamı	31	10
Yabani buğday kepeği %bd	27.6	19.7
Yabani çavdar toplamı	396	1382
Yabani çavdar %bd	81.5	92.5
Yabani çavdar kepeği toplamı	18	121
Yabani çavdar kabuğu %bd	10.5	23.4
Çobandeğneği/labada toplamı	73	359
Çobandeğneği/labada %bd	34.2	56.7
Panicoideae otlarının toplamı	19	
Duvar arpası/boncuk arpası toplamı	116	614
Duvar arpası/boncuk arpası %bd	44.7	66

çok daha inandırıcıdır, çünkü evcil lamalarda ve alpakalarda ölüm oranı çok yüksektir. Ana ölüm nedeni muhtemelen pis ve çamurlu ağıllarda yayılan patojenlerin beraberinde getirdiği bir tür ishaldir ve yabani türlerde rapor edilmemiştir. Eğer Telarmachay'daki ciddi ölüm oranı bu şekilde meydana gelmişse, bu tip bir kanıt evcilleştirme için kullanışlı olabilir.

Mevcut ve Gelecekteki İlerlemeler. Dolayısıyla evcilleştirme çalışmalarında büyük ilerlemeler kaydedilmektedir. Evcilleştirmeyi kanıtlamak üzere kullanılan bazı geleneksel kıstasların –mesela boyutlardaki küçülme– bir zamanlar düşünüldüğünden daha az kesin sonuçlar verdiği anlaşılmıştır. Fakat bu geleneksel yaklaşımlar şimdi daha sağlam temeller üzerine oturtulmaktadır ve elyafların mikroskobik analizi gibi yeni bilimsel teknikler yanında deformasyon ve hastalık çalışmaları da hayvanların evcilleştirilmesi konusuna yeni bakış açıları için umut vadeden yollar açmaktadır.

Evcilleştirme tarihini DNA aracılığıyla izleme çalışmaları ilerlemektedir. Örneğin üç kıtadan toplanan sığır DNA'ları, bunların evcilleştirilmesinin Yakındoğu'daki tek bir merkezden yayıldığına dair köklü fikri daha şimdiden sarsmıştır. Bunun yerine, Türkiye'nin güneydoğusu ve İran çölünün doğusu olmak üzere iki ayrı yerde yabani öküzün evcilleştirildiğine dair kanıtlar bulunmuştur; Afrika'nın kuzeydoğusu muhtemel bir üçüncü merkezdir ve muhtemel bir dördüncüsü Kuzeydoğu Çin'dedir. Genetik analizler de evcilleştirilmiş modern atın birçok farklı yerde çok çeşitli vahşi at soylarının melezlenmesiyle meydana geldiğini, domuzların Avrasya'da birden fazla evcilleştirme merkezine sahip olduğunu göstermiştir. Diğer taraftan görünüşe göre evcil köpekler yaklaşık 32.000 yıl önce Avrupa'da tek bir yerden çıkmıştı. DNA ayrıca, arkeolojik buluntu gruplarında sadece morfolojiyle birbirinden ayırt edilmesi zor olabilen koyun ve keçi kemikleri için kullanılmaya başlanmıştır.

Küçük Hayvan Toplulukları: Kuşlar, Balıklar ve Yumuşakçalar

Modern kazı teknikleri ve eleme ya da taramayla küçük türlerin hassas kalıntılarının bulunmasını büyük ölçüde iyileştirmiştir. Tanımlama bir uzmanın bilgisini gerektirir, zira farklı türlerin kalıntıları birbirine çok benzeyebilir; koyun ve keçi, devegiller ya da bizon, bufalo ve sığırda (yukarıya bakınız) durum aslında böyledir.

Kuşlar. Kuşların kalıntıları sadece kemikler değil, aynı zamanda kuş pislikleri, tüyler, Mısır'dan mumyalanmış kuşlar, ayak izleri ve hatta Pincevent (Fransa) gibi Avrupa'daki çeşitli Üst Paleolitik buluntu yerlerinde korunmuş yumurta kabuklarını içerir. Ayrıca daha yakın tarihli arkeolojik alanlarda da hayli yaygın olabilirler. Bazı durumlarda kabukları taramalı elektron mikroskobunda incelemek ve doku deliklerinin da-

ğılımından türü tespit etmek bile mümkündür. Protein kütle spektrometrisi olarak adlandırılan yeni bir teknik şimdi çok parçalanmış kabukların topluca tanımını –mesela Viking dönemi York'unda– yapabilmektedir.

Kuşların genellikle etlerinden ziyade tüylerinden faydalanılmıştır ve bu şekilde kullanılmış belirli kuşlar durumu açıklar. Yeni Zelanda'daki uçamayan dev devekuşunun (moa) etinden yararlanıldığı, kesim ve pişirilmeye dair kanıtların fırın ve kemik yığınlarıyla birlikte bulunduğu arkeolojik alanlardan anlaşılmaktadır. Mesela MÖ 1250 civarına tarihlenen Hawksburn arkeolojik alanında Atholl Anderson 400'ün üzerinde moa kalıntısı buldu. Çoğu sadece bacak eklemlerinden ibaretti; vücutlarının daha az etli kısımları öldürüldükleri yerde bırakılmıştı. Bu tip kitlesel faydalanma ve artıklar Pasifik'teki moa ve diğer türlerin soylarının çok hızlı tükenişini açıklamaya yardım eder (bkz. 6. Bölüm).

Ne var ki, küçük kuşların söz konusu olduğu yerlerde kemiklerin insan dışında bir yırtıcı tarafından arkeolojik alana getirilmesi ya da kuşların arkeolojik alanda veya çevresinde yaşadıklarını düşünmek daha mantıklıdır. Burada söz konusu türlerin tanımlanması yine sorunu çözmede katkı sağlayabilir, fakat kuşların insanlar tarafından avlanıp avlanmadığına karar verebilmek için belirli kıstasları uygulamak gereklidir. Doğal biçimde meydana gelmiş kemik topluluğuna benzemeyen belirli kemiklerin lehinde olan bir koleksiyon, insan müdahalesini akla getirebilir. Uzun kemiklerin uçlarındaki yanıklar da bir ipucudur, ama bunlar özel pişirme yöntemlerine bağlıdır. Büyütüldüklerine görülen kesik izleri kesime dair kanıtlar sunar. Bir arkeolojik alandaki kuş kemiklerinin miktarı mikrofaunadaki dalgalanmalardan bağımsız olarak azalıp çoğalıyorsa, bunların yırtıcı kuşlar tarafından getirilmediğini düşünebiliriz.

Balıklar. Memelilerin kemiklerinde olduğu gibi, balıkların ağırlıklarını kemiklerine bakarak hesaplamak ve bunun sonucu olarak beslenme alışkanlıklarına katkısını değerlendirmek için yöntemler geliştirilmiştir. Farklı tipte balıklar balıkçılık yöntemleri hakkında bulgular sağlayabilir. Örneğin derin deniz türlerinin kemikleri açık deniz balıkçılığına işaret eder. Tuzlanmış balık çoğu kez Mısır'daki arkeolojik alanlarda iyi korunmuştur ve aslında diğer birçok hayvan gibi belirli balıklar da Mısır medeniyetinde mumyalanmaktaydı. Romalıların da balık göletleri ve işlenmiş istiridyeleri vardı.

Mikrofauna ve Böcekler. Kemirgenler ya da kara kurbağaları gibi **mikrofauna** kalıntıları besin alışkanlıkları için yetersiz göstergelerdir, çünkü çoğu kendi çukur açma faaliyetleri ya da diğer yırtıcılar yoluyla arkeolojik alana girmişlerdir. Swartkrans'taki (Güney Afrika) Alt Paleolitik dolgularında baykuş kusuklarına bile rastlanmıştır.

Böcekler ara sıra tüketilmiştir. Mesela 6200 yıl öncesine tarihlenen Cezayir'deki Ti-n-Hanakaten kaya barınağında bulunan özel bir fırında kısa boynuzlu çekirgeler bulun-

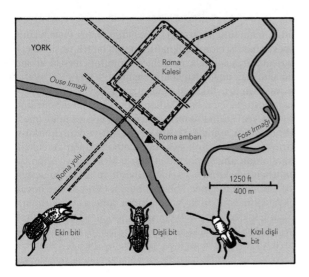

7.44 *Böcekler ve Roma dönemi York'u: Tahıl böcekleri ve diğer zararlı haşerat, böcek istilasına uğramış olduğu anlaşılan bir Roma tahıl ambarının kalıntılarında çok büyük miktarda bulunmuştur.*

muştur. Böcek kalıntılarının günümüze gelebildiği yerlerde bunlar beslenme alışkanlıkları ve mevsimsellik hakkında önemli bulgular sunabilirler. Örneğin larvaları toplamak için açılmış eşekarısı yuvaları Wyoming'teki Allen arkeolojik alanının çöp tabakalarında çokça ele geçmiştir. Bunlar larva tüketimine ilaveten yaz mevsiminde iskâna işaret eder. Chaco Kanyonu'ndaki ünlü Pueblo yerleşimi Pueblo Bonito'da (New Mexico) bazı mezarlarda bulunan çömlekler sinek larvaları ve larvaları depolanmış tahıllara saldıran bir böceğe ait kalıntılar içermekteydi. Dolayısıyla böcekler kapların yok olmuş muhtevasını açığa çıkarmıştır. Aynı şekilde, Şili'deki Playa de los Gringos'tan bir mezar, içinde etle beslenen bir sineğe ait larva kılıflarının bulunduğu ahşap kaplara sahipti. Altıncı Bölüm'de bahsedildiği gibi buğday biti ve altın örümcek böceklerinin York'ta bir Roma atık su kanalındaki varlıkları, söz konusu kanalın bir tahıl ambarını akaçladığına dair yeterli kanıttır. Aslında York'ta ırmağın kenarındaki bir depoya ait kalıntılar, yüzey toprağındaki çok sayıda buğday biti dolayısıyla tahıl ambarı olarak tanımlanmıştır. Çok az tahıl kalıntısına rastlanması bu böceklerin verdiği zararı gösterir. Böcek istilası o kadar büyüktü ki Romalıların ambarı boşaltmalarına, geride bıraktıklarını ve böcekleri kalın bir kil tabakasıyla örtmelerine neden olmuştu. Ardından eskisinin yerine bir ambar inşa edildi. Yeni ambarda tahıl tanecikleri ve çok az da böcek bulunmuştur. Görünüşe bakılırsa haşereyle mücadele başarılı olmuştu.

Yumuşakçalar. Çöp yığını arkeolojik alanlar beslenme alışkanlıkları hakkında daha doğrudan bilgi verir, zira buralarda birikmiş malzemeden insanlar sorumludur. Deniz kabukluları ve derisidikenlilerin (denizkestanesi dikenleri,

denizyıldızı vb.) zaman zaman korunmuş kalıntıları dışında, kıyılardaki çöp yığınlarındaki deniz kökenli malzemeler genellikle yumuşakça kabukları yanında tüketilen hayvan kemikleri, kuşlar ve balık kemiklerinden meydana gelir. Aynı şekilde karadaki çöp yığınlarında salyangoz ve tatlı su yumuşakçalarının kabukları çoğunlukla kemiklerden çok daha fazladır. Bunların üstünlüğü, kabukların kemiklerden çok daha iyi korunduğu gerçeğiyle daha da belirginleşir. Bu sebeple, geçmişte bu oranlar böyle arkeolojik alanların sakinleri için yumuşakçaların başlıca yiyecek olduğu şeklinde algılanmıştı. Ancak son yıllarda farklı türlerin kalori cinsinden verdiği enerji üzerinde yapılan çalışmalar, sayıca düşük omurgalı hayvan kaynaklarının aslında beslenme biçiminin ana dayanağı olduğunu ve yumuşakçaların çoğu kez gerektiğinde kolayca toplanabilecek bir kriz kaynağı ya da tamamlayıcı kaynak görevi gördüğünü ortaya çıkarmıştır. Yapılan bir hesap bir alageyiğin 52.267 istiridye veya 156.800 kum midyesinin kalorisine eşdeğer olduğunu göstermiştir!

Çoğu çöp yığınındaki çok büyük miktardaki kabuk göz önünde tutulduğunda –bir metreküp içinde bir ton malzeme ve 100.000 kabuk bulunabilir– sadece örnekler analiz edilmektedir. Bunlar elekten geçirilmekte, ayıklanmakta, tanımlanmakta ve bunların temsil ettiği et miktarı kabuğun et ağırlığına olan oranından (türlere göre değişir) hesaplanmaktadır. Farklı türlerin et ağırlığı oranı onların görece önemlerini belirtmeye yardımcı olur, fakat beslenme alışkanlığına yaptıkları katkılara dair asıl kanıtı sağlayan kalori değerlerinin hesaplanmasıdır (arka sayfaya bakınız). Bir insanın tek başına "deniz yumuşakçalarıyla hayatını idame ettirmesi" için her gün 700 istiridye veya 1400 kum midyesi tüketmesi gerektiği anlaşılmıştır. Bu rakamlar arkeolojik alanın iskân edildiği zaman aralığıyla birlikte ele alındığında, yıllık tüketim miktarlarının büyük bir insan topluluğuna yetmeyeceği açıktır. Bu türden hesaplamalar beslenme alışkanlıklarında diğer kaynakların oynadığı baskın rolün altını çizer.

Yine de, bir çöp yığınındaki yumuşakçalar mevcut yelpazeden insanların neleri tercih ettiklerini gösterir. Zaman içinde kabuk boyutunda meydana gelen değişiklikler çevresel dalgalanmalara işaret edebilir, ama birçok durumda insanların aşırı tüketimini yansıtır. Bir Polinezya adası olan Tikopia'nın ilk insan yerleşimcileri büyük yumuşakçalar dışında kaplumbağalar ve yabani uçamayan kuşlarla beslenmişlerdi. Birkaç yüzyıl içinde kuşların soyu tükendi; kaplumbağalarla yumuşakçalar küçülmeye ve azalmaya başladı. Beslenme alışkanlıklarını başka kaynaklarla desteklemek zorunda kaldılar.

Çöp yığınlarının dışındaki arkeolojik alanlarda kabuklar sayıca az olabilir ve birçok durumda yiyecek olarak tüketilmemişlerdir. Örneğin salyangozlar arkeolojik alanın içinde ya da çevresinde yaşamış olabilirler ve insanlar çoğu kez deniz kabuklarını para, biblo veya takı amaçlı toplarlar. Avrupa'daki Üst Paleolitik buluntu yerlerinde bulunmuş kabukların birçoğu küçük ve yenemez türlere aittir.

KABUK YIĞINI ANALİZİ

Japonya'nın Tokyo Körfezi civarında Neolitik Jomon Dönemi'ne ait 600'ün üzerinde kabuk tepeciği bilinmektedir ve bunlar çok çeşitli yiyecek kalıntıları içerir. Körfezin doğu kıyısında yer alan ve MÖ 2. binyılın başına tarihlenen Kidosaku tepeciği Hiroko Koike tarafından detaylı olarak incelenmiştir. Koike'nin sonuçları, beslenme alışkanlıkları, yerleşmenin süresi ve mevsimi, nüfus gibi küçük bir kabuk tepeceğinden elde edilebilecek detayların fazlalığına işaret eder.

Nüfus büyüklüğü arkeolojik alan terasındaki 10 adet yuvarlak çukur sığınağın incelenmesiyle tespit edilmiştir. Bunların birbirinin üzerine gelmesinden bir seferde ortalama üç tanesinin kullanıldığı anlaşılmıştır. Barınakların büyüklükleri (11-28 m²) her birinde üç ila dokuz insanın yaşadığını göstermekteydi (11. Bölüm'e bakınız). Buna göre arkeolojik alanın toplamda 23, daha muhtemelen 12 ila 18 sakini bulunmaktaydı.

7.45 *Kidosaku kabuk tepesinin terası kazılırken.*

Görünüşe göre evler dört kez yeniden inşa edilmişti ve buna dayanarak (kısa bir yerleşime işaret eden çanak çömlek kanıtlarıyla birlikte) arkeolojik alanın 20-30 yıllık bir ömre sahip olduğu tahmin edildi.

Terasın kenarında ve dik bir yamacın aşağısında her biri 1 m kalınlığında olan ve toplamda 450 m³ hacminde malzeme içeren yedi adet kabuk yığını vardı. Örneklere göre hepsinde de kumlu bir tabanın gelgitsel buluntu grupları için tipik 22 yumuşakça türü bulunuyordu.

En çok görülen kabuk tipi küçük bir tek kabukluya ait olmasına rağmen, muhtemelen en önemli yumuşakça baskın bir çift kabukluydu

(*Meretrix lusoria* akivadesi). Arkeolojik alanda yaklaşık 3 milyon akivades bulunmaktaydı. Bunların kabuk boylarına bakarak Koike canlı akivadeslerin yaş ağırlıklarını hesaplayabildi ve alanda 30 ile 45 tonluk bir midye miktarına erişti.

Kabuklularda, özellikle de çift kabuklularda büyüme yapılarının analizi **işleme mevsimi** hakkında önemli bilgiler verebilmektedir. Mikroskop altında kabuk kesitinin ince çizgilere sahip olduğu görülür. Bunlar günlük büyüme çizgileridir. Büyümede mevsimsel çeşitlenmeler bulunur; en kalın çizgiler yaz, en inceler ise kışın meydana gelir. Anlaşılan burada deniz sıcaklığı önemli bir rol oynamaktadır. Kidosaku akivadesleri yakındaki Midori ırmak bölgesinden toplanan modern akivadesinkine çok benzer bir yaş bileşimiyle mevsimselliğe sahipti ve ortalama büyüklükleri bugünkü kadar yüksek bir toplama baskısına işaret ediyordu. Koike, Kidosaku akivadeslerinin bugün modern ticari toplayıcılar kadar yoğun bir şekilde yıl boyunca toplandığı sonucuna vardı.

7.46 *Kidosaku arkeolojik alanı (A) kabuk dolgularının ve 10 çukur sığınağın planı; (B) bir kabuk dolgusunun kesiti; (C) 1'den 4'e kadar birbirlerinin üzerine gelen barınak çukurlarının planı.*

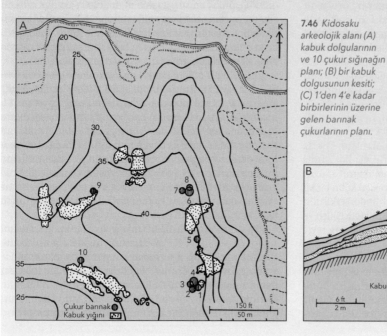

Çukur barınak
Kabuk yığını

150 ft
50 m

Kabuk tabakası

6 ft
2 m

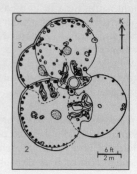

6 ft
2 m

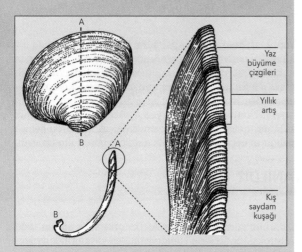

Yaz büyüme çizgileri

Yıllık artış

Kış saydam kuşağı

Akivadesler arkeolojik alandaki kaynaklardan sadece birini temsil etmektedir. Diğer yumuşakça türleri dışında balık kalıntıları (ıslak elemeyle elde edilmişti), yabani tavşan ve rakun köpeğiyle birlikte yaban domuzunun (en az 36 birey) ve Japon geyiğinin (MNI 29) baskın olduğu memeli kemikleri de vardı. Geyiklerin yaş bileşimi bunların yüksek bir avlanma baskısına maruz kaldıklarını akla getiriyordu ve Koike kilometrekare başına 10 bireylik muhtemel bir yoğunlukla geyiğin, bir yerleşimcinin kalori ihtiyacını %60 oranında karşılayacağını hesapladı.

Dolayısıyla akivadesler önemli bir kaynaktı, ama hiçbir suretle Kidosaku sakinlerinin yegâne temel besini değildi.

7.47 Bir akivadesin büyüme çizgileri toplandığı yılın zamanını bildirir. Kışın akivades çok az büyürken bahar ve yazda daha kalın büyüme çizgileri günlük büyüme döngüsüne işaret eder. Kabuğun kesitini alarak (A-B) ve son yıllık artış aralığındaki çizgileri sayan bilim insanları ölüm mevsimine karar verebilirler.

7.48 Kidosaku'daki akivades toplama faaliyetine ait mevsimsel düzenin -yazda zirve yapar- günümüzde Midori Irmağı bölgesindekilerle (ikinci sıra) nasıl benzeştiğini gösteren çubuklu grafik. Kidosaku akivadeslerinin toplanma mevsimleri büyüme çizgileri çalışılarak hesaplanmıştır.

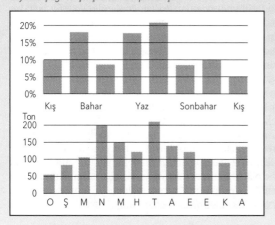

Kullanım Stratejisi: Küçük Hayvan Topluluklarından Mevsimselliği Anlamak

Bazı göçmen kuş türleri, kemirgenler, balıklar ve böceklerden sadece yılın belli zamanlarında yararlanılabilir. Dolayısıyla bunların bir arkeolojik alandaki varlıkları insanların burayı yılın hangi mevsiminde iskân ettikleri hakkında tek başına yararlı bilgiler sağlayabilir.

Birçok balık zor zamanlarda kullanılmak üzere işlenip depolanabildiği için mevsimsellik konusunda yetersiz göstergeler olmasına karşın, kalıntılarından bu türden bulgular elde etmeye yönelik teknikler ortaya çıkmaktadır. Mesela turnabalığı gibi bazı türlerin omurgalarında yıl halkaları bulunur. Bunlar sayesinde balıkların ölüm tarihleri hesaplanabilir.

Bir yöntem de, balığın kulağındaki işitmeyi sağlayan kemiklerin (otolitler) mevsimsellik kanıtı olarak kullanılmasıdır. İskoçya'nın kuzeybatısındaki Oronsay Adası'nda bulunan Geç Mezolitik (MÖ 4. binyıl) kabuk yığınlarındaki balık kemiklerinin %95'i kömür balığına aittir. Paul Mellars ve

7.49 Balık otolitlerinden mevsimselliğin çıkarılması. İskoçya'daki Oronsay Adası'nda Mellars ve Wilkinson Mezolitik buluntu yerlerinde farklı boyutlardaki kömür balığı otolitlerini söz konusu yerlerin iskân mevsimlerini tespit etmek için kullandı (aşağıda, üstte).

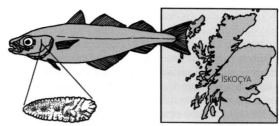

İSKOÇYA

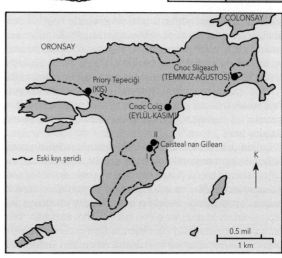

COLONSAY

ORONSAY

Cnoc Sligeach (TEMMUZ-AĞUSTOS)

Priory Tepeciği (KIŞ)

Cnoc Coig (EYLÜL-KASIM)

Caisteal nan Gillean

Eski kıyı şeridi

K

0.5 mil

1 km

Michael Wilkinson'ın sagital otolitlerin (iç kulaktaki üç çiftin en büyük ve belirgin olan kemiği) boyutları üzerine yaptığı istatistiki analiz, büyüklük dağılımının balıkların ölüm yaşlarını doğru şekilde gösterdiğini, dolayısıyla avlandıkları mevsimi –standart bir yavrulama tarihi varsayılarak– ortaya çıkarmıştır. Bu türden çalışmalarda alışılagelediği üzere, Mellars ve Wilkinson günümüz büyüme oranlarını geçmiştekileri tahmin etmek üzere kullanabileceğimizi düşündü.

Yaptıkları analiz kömür balığının bir ya da iki yaşında avlandığını gösterdi. Ada çevresindeki dört arkeolojik alanda balık boyutlarının çeşitlilik göstermesi, bunların yılın farklı mevsimlerinde avladığı anlamına geliyordu. Kış iskânına işaret eden arkeolojik alanda balıkların daha derin sular için kıyıyı terk ettikleri dönemde yumuşakçaların yiyecek olarak katkı oranı, daha sıcak mevsimlerde çok miktarda kömür balığının avlandığı arkeolojik alanlara göre daha fazlaydı.

HAYVAN KAYNAKLARINDAN NASIL FAYDALANILDI?

Aletler, Kaplar ve Artıklar

İnsanların hayvan kaynaklarından faydalandığını gösteren doğrudan kanıtlar çeşitli yollarla aletler, kaplar ve artıklardan elde edilebilir.

Balıkçılık ve Avlanma Tekniklerine Dair Kanıtlar. Taş Devri dalyanları Danimarka'dan bilinmektedir. Bilinen en eski Avrupa teknelerinden biri (MÖ 4000'ne ait Tybrind Vig, Danimarka'dan) özel olarak yılanbalığı avına adapte edilmiştir: Kıçta bulunan kum ve küçük taşlardan bir ateşlik, hayvanları gece çekmek için yakılıyordu.

Taş aletlerden bir şeyler çıkarmak daha zordur, ama alet kullanımı ve kullanım izi üzerine yapılan deneyler nihayet bize bir yığın detaylı bulgu sunmaya başlamıştır (ayrıca 8. Bölüm'e bakınız). Ara sıra rastlanan silah uçlarıyla kaynaşmış hayvan kemikleri, kemiklerdeki iyileşmiş ya da açık yaralar ve farklı malzemeler üzerinde ok uçları ve diğer mermiyatın etkileriyle ilgili deneyler, av silahlarıyla yöntemleri hakkında birçok bulgu sağlamaktadır. Örneğin Danimarkalı zooarkeolog Nanna Noe-Nygaard bir dizi Mezolitik buluntu yerinden gelen geyik ve yaban domuzu kemiklerine ilaveten münferit turba buluntularını analiz etmiştir. Noe-Nygaard modern örneklerdeki izlerle karşılaştırma yaparak, insanların sebep olduğu yaralanmaları hayvanların dalaşma sırasında doğal olarak aldıkları zararlardan ayırt edebileceğini keşfetti. Kemiklerdeki çatlakların boyutları ve ana hatları üzerine yaptığı analiz, yay ve ok dışında mızrağın da avcılıkta kullanıldığını gösterdi. Kürek kemiklerinde iyileşmemiş (dolayısıyla ölümcül) kırıkların kemiklerin aynı kısımlarda –hayati iç organları koruyan ince bölge– toplandığını fark etti. Öte yandan başarısız geçen avların sonrasında iyileşen çatlaklar kemiklerin her yerine dağılmıştı.

Kullanım izi perdahlarının analizi farklı taş aletlerin nasıl kullanıldıkları hakkında bir şeyler anlatır. Bu alandaki öncülerden biri olan Lawrence Keeley Kenya'daki Koobi Fora'da 1,5 milyon yıl öncesine ait aletlerin et ve yumuşak hayvan dokuları kesildiğinde meydana gelen kaygan aşınmaya sahip olduğunu keşfetti. Bu aletlerden ikisi, boynuzlugillerden bir hayvanın üzerinde kesim izleri taşıyan üst kol kemiğiyle birlikte bulunmuştu. Aynı şekilde, kemik aletler üzerindeki kullanım izleri bazı Güney Afrika arkeolojik alanlarında Australopithecus'ların bunları termitleri yuvalarından çıkartarak tüketmek için kullandıklarını ortaya koymuştur.

Kan İzleri. Yakın zamana kadar, aletler üzerinde tüy ya da kıl parçalarının kaldığı nadir durumlar dışında, hangi türler üzerinde aletlerin gerçekten kullanıldığını anlamak zordu. Fakat şimdi biraz tartışmalı bir teknik taş bıçaklar üzerinde kalmış kan izlerinden söz konusu türü tespit edebilmektedir. Örneğin Güney Afrika'daki Sidibu kaya barınağından yaklaşık 62.000 yıl öncesine tarihlenen taş uçlar, mikroskobik kan izlerinin korunduğunu göstermiştir ve genetik analizdeki ilerlemelerin söz konusu türleri saptayabileceği umulmaktadır. Örneğin Güney Afrika'daki Sibudu kaya barınağından yaklaşık 62.000 yıl öncesine ait taş uçlara yapılan testler, mikroskobik kan kalıntılarının korunduğunu göstermiştir ve genetik analizdeki ilerlemeler sayesinde gelecekte ilgili türleri tespit etmek mümkün olabilir.

Eğer daha fazla testle kanıtlanırsa, kan izi tekniği kemiklerin korunmadığı arkeolojik alanlar için çok değerli olacaktır ve tüyle kıl kalıntılarına göre çok daha kesin veriler sunabilir. Bununla birlikte, bu malzemelerin tanımlamayı kolaylaştıracak keratin protein analizlerine de başlanmıştır.

Yağ ve Fosfat Kalıntıları. Diğer kalıntılar bitki kaynaklarıyla ilgili bölümde bahsedilen yöntemler yoluyla belli bir dereceye kadar tanımlanabilir. Mesela yağların kimyasal analizi hayvansal ürünlerin varlığını açığa çıkarabilir. Almanya'nın batısındaki Geissenklösterle'den bir örneğe 6. Bölüm'de değinilmişti. At yağı Fransa'nın güneyindeki Tautavel Mağarası'nın Paleolitik tabakalarında ve Ren geyiği kemiği yağı Almanya'nın güneyindeki Üst Paleolitik açık hava buluntu yeri Lommersum'da saptanmıştır. Bazı buluntu yerlerinde balık yağı da korunmuştur.

Topraktaki fosfat analizi bitkiden ziyade hayvan bakımına işaret eder, çünkü fosfor insan ve hayvan yağlarıyla (fosfolipitler) iskeletlerinde (fosfatlar) bol miktarda bulunur. Bazı arkeolojik alanlarda fosfat yoğunlaşması iskân alanlarını ya da çiftlik hayvanlarının nerede toplandığını (fosfat çözünmüş hayvan dışkısı tarafından da üretilir) gösterir.

Fosfat analizi özellikle kemiklerin korunmadığı asitli topraklar için değerlidir (mesela çukurlarda daha önce kemiklerin bulunduğunu açığa çıkarabilir) ve kazının ilgili alanlarından uygun toprak örnekleri almak önem arz eder. Fontbrégoua gibi Neolitik'ten itibaren iskân görmüş belirli bazı Fransız mağaralarında, genellikle zemin çökeltilerindeki fosfat yoğunlaşmalarıyla sıkça ilişkilendirilen çok miktarda kalsit sferoidinin mağara hayvancılığına dair tanısal kanıt olduğu anlaşılmıştır, çünkü bunlar koyun ve keçi dışkılarının mineral kalıntılarını temsil eder. Arkeolojik dışkı dolguları farklı türlere ait dışkıların özelliği olan yırtıcı kurtların kalıntıları sayesinde de tespit edilebilmektedir. Mesela Hollanda'daki 12 Ortaçağ yerleşiminden örneklerin at dışkısı içerdiği anlaşılmıştır. Diğer taraftan Peru'nun Cuzco bölgesi çökeltilerinde bulunan kurtlar çok miktarda deveggiler dışkısına, dolayısıyla İnkaların MS 1400-1532 arasındaki kısa, fakat hızlı genişlemesi sırasında yoğun pastoralizm ve lama karavanlarının varlığına işaret etmektedir.

Tarlalarda *gübre* kullanımı bu şekilde saptanabilir. Butser Çiftliği'inde yapılmış bir deneyde (s. 278'deki kutuya bakınız) inek dışkısı 13 yıl boyunca tarlanın bir kısmına bırakılmış ve ardından toprak son gübrelemeden iki yıl sonra kimyasal analize tabi tutulmuştur. Gübrelenen alanda yüksek miktarda stanol (sadece hayvan bağırsaklarında oluşan uzun ömürlü yağ molekülleri) bulunmuştur ve bunlar bazen sığır ya da domuz gibi belirli türlere atfedilebilmektedir. Deney geçmişten gelen kalıntıları ele almayı mümkün kılmıştır. Mesela Girit açıklarındaki küçük Pseira Adası'nda MÖ 2000'e ait Minos dönemi terasları ev atıklarıyla hazırlanmış gibi görünüyordu. Burada tespit edilen stanoller eski katmanların muhtemelen domuz ve insan dışkılarından meydana gelen gübreyle zenginleşmiş olduğunu gösterdi. Özellikle şehir kaynaklı atıklarla yapılan tarla gübreleme, buluntuların "sit dışı dağılımı"nın, yani arkeolojik alanlar arasındaki arazilerde düşük yoğunluklu buluntu yayılımının ana sebeplerinden biridir.

Kaplardaki Kalıntılar. Kaplar söz konusu olduğunda kalıntılar bitkilerdeki gibi birkaç şekilde incelenebilir. Mikroskop altında incelemeyi kimyasal analizle birlikte kullanan Johannes Grüss, MÖ 800'e ait Avusturya çanak çömlek parçalarındaki siyah kalıntının fazla pişmiş süte ait olduğunu saptayabilmiştir. Kütle spektrometrisiyle yapılan ölçümler bir kalıntıdaki molekül kalıntılarının kaydını sağlar ve bu kalıntılar kromatogram referans koleksiyonları kullanılarak tanımlanmıştır. Bu tekniğe başvuran Rolf Rottländer Almanya'daki Neolitik Michelsberg çanak çömlek parçalarında süt yağı ve sığır içyağı; Konstanz Gölü çevresindeki arkeolojik alanlarda balık yağı; Roma kaplarında tereyağı ve domuz yağı tespit etmiştir. Yakın zamanda İskoçya'nın batı sahili açıklarındaki Dış Hebridler'den gelen MÖ 1. binyılın ortalarına ait Demir Çağı çanak çömlek parçalarında süt proteini bulmuştur.

Birinci ve ikinci Mısır hanedanlarına (MÖ 3. binyıl) tarihlenen kapların peynir, bira, şarap ve maya gibi çok çeşitli maddeler içerdiği kimyasal analizler sonucunda görülmüştür. Japonya'da ise Masuo Nakano ve meslektaşları Mawaki arkeolojik alanından Erken Jomon (MÖ 4000) çanak çömlek parçalarında yunus yağı saptamış, Pirika arkeolojik alanında (MÖ 9000) ele geçmiş Üst Paleolitik taş kazıyıcıların kenarlarında geyikten geldiği anlaşılan yağ artıklarına rastlanmıştır. "Ultrasonik temizleme"yle yağ kalıntılarını çıkaran bu tekniğin aynı zamanda başka türlü kesinlikle tanımlanamayacak küçük kemik parçalarının hangi türlere ait olduğunu anlamak için kullanıldığını belirtmek gerekir. Orta Anadolu'da Kral Midas'ın MÖ 700'e tarihlenen mezar yapısında ele geçen çok sayıda kabın içindeki artıkların kimyasal analizi, yetişkin koyun ya da keçiyle birlikte kuru bakliyat ve üzüm şarabı, arpa birası ve bal likööründen oluşan bir cenaze yemeğini ortaya koymuştur.

Bu tekniğin bir uzantısı olan gaz kromatografisi, karmaşık uçucu bileşenleri ölçmek için çok hassas bir yöntem geliştirmiştir. Güneybatı Cape Province'teki (Güney Afrika) Kasteelberg'in kıyısındaki 2000 yıldan daha yeni olan tarihöncesi çöp yığınına uygulanmıştır. Yığından ele geçen kap parçalarının iç kısmında yanmış yiyeceğe benzeyen kahverengi ve yapraksı bir madde vardı. Alınan örneklerden birinin nitrojen içeriği o kadar yüksekti ki, söz konusu maddenin bir hayvana ait olduğunu akla getiriyordu. Yağ asidi bağlamında bileşenlerini anlamak amacıyla kromatografi tekniğine başvuruldu. Ardından elde edilen değerler modern bitki ve hayvanlarınkiyle karşılaştırıldı. Sonuçlar kesin olarak bir deniz hayvanına işaret ediyordu, ama belirli bir türe değil. Arkeolojik alanda fok kemiklerinin bulunması, maddenin yemek ya da yağ çıkarmak için kaynatılan fok etinin kalıntıları olduğu ihtimalini gündeme getirir.

Negatif Hayvan İzleri ve Patikaları. Hayvanların geride bıraktığı bir diğer kalıntı 6. Bölüm'de gördüğümüz üzere ayak izleridir. Birçok Buzul Çağı hayvan izi insanlarla ilişkilendirilemeyebilir. Ganj Dareh Tepe'deki MÖ 6. binyıla ait kerpiçler, tuğlalar üzerindeki koyun ve keçi ayak izleri gibi örneklere sahip Yakındoğu ve İran daha bilgilendiricidir. Devon'da (İngiltere) Son Tunç Çağı Shaugh Moor arkeolojik alanındaki turba hendeğinin tabanında korunmuş sığır, koyun ya da keçi ve porsuk izleri ortaya çıkarılmıştır. İngiltere'nin kuzeybatısındaki Mersey Irmağı ağzında yaklaşık 3650 yıl öncesine ait yaban öküzü, alageyik ve karaca, nalsız at ve turna izleri çamur tabakası içinde bulunmuştur. İsveç'te, Stockholm'un kuzeybatısındaki Ullunda'nın yükselmiş fiyort sedimanlarında Son Tunç Çağı'na ait nalsız at izleri rapor edilmiştir. Öte yandan Japonya'nın tarihöncesi çeltik tarlaları çoğu kez geyik gibi yabani hayvanların izlerini korumuştur.

Almanya'nın batısındaki Duisburg'da, Ortaçağ şehrinin pazar yeri, aralarına kalın çamur ve çöp tabakaları serilmiş birbirini izleyen taş döşeli zeminlerden meydana gelmişti. Bunların içinde çift toynaklı sığır, araba tekerlekleri ve insan ayak izlerine rastlanmıştır. Bunlar bir sonraki taş döşemeyi destekleyen çakıllarla doldukları için korunabilmişlerdir.

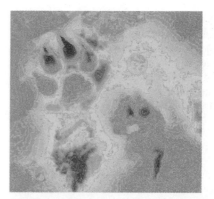

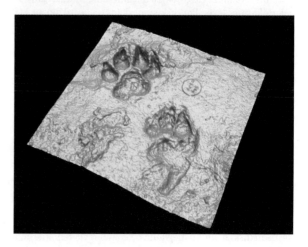

7.50 *Namibya'daki Walvis Körfezi'nin yakınında bulunan Namibya Kum Denizi'nin kuzeyinden bir sırtlan ayak izi. Yaklaşık 2000 yıllık bu iz insan, zürafa, fil, muhtelif boynuzlugil ve kuş ayak izlerinin dâhil olduğu büyük bir buluntu grubunun parçasıdır. İzlerin çeşitliliği burasını ayak izi oluşumunu çalışmak için mükemmel bir yer yapar ve Laetoli (s. 446'ya bakınız) gibi çok daha eski buluntu yerlerini yorumlamamıza yardım eder. İzler kazılmış ve ardından kusursuz bir üç boyutlu model elde etmek için optik lazerle taranmıştır.*

Bununla birlikte en iyi korunmuş ve en bol izler Roma çatı kiremitleri ve tuğlalarında bulunur; kedi ve köpek yanında kuş izleri özellikle fazladır. Roma-İngiliz yerleşmesi Silchester'daki bütün tuğlaların %2'si bu türden izlere sahiptir.

Aletler ve Sanat: İkincil Ürün Devrimine Dair Kanıtlar

Yukarıda tartışılan hayvan evcilleştirme konusu arkeolojideki en önemli meselelerden biridir. İngiliz arkeolog Andrew Sherratt (1946-2006) evcilleştirmenin başlangıç safhasından öteye bakarak, ikinci ve daha geç bir safha –kendi deyimiyle İkincil Ürün Devrimi– olup olmadığını sormuştur. Sherratt MÖ 4. binyılın ortasında ve sonuna doğru Eski Dünya'nın bazı kesimlerinde evcil hayvanlardan faydalanmada belirgin bir değişim gözlendiğini ileri sürdü. Artık hayvanların sadece et ve deri gibi birincil ürünlerinden değil, aynı zamanda süt, peynir, yün ve kas güçlerinden de yararlanılmaya başlanmıştı. Sherratt'ın kanıtları alet yelpazesi, keçi cinsi hayvanların kesim örüntüleri, ama temelde sanatsal betimlerden meydana gelir: Uruk'tan Sümer piktogramları, Mezopotamya silindir mühürleri, duvar resimleri ve modeller toprak sürme, süt sağma ve yük arabaları (muhtemelen öküz gibi hayvanların çektiği) gibi tasvirleri içerir. Sherratt değişimin, tarımın başlamasıyla birlikte artan nüfus ve toprakların genişlemesine cevap olduğunu öne sürer. İnsanlar daha sıra dışı çevrelere nüfuz etmeyi ve çiftlik hayvanlarından daha yoğun bir şekilde faydalanmayı gerekli görmüşlerdi.

Ne var ki, Amerikalı arkeolog Peter Bogucki ılıman Avrupa'nın İlk Neolitik *Linearbandkeramik* kültüründe sığırların yaş ve cinsiyet yapısıyla birlikte, içinde süt yağı bulunmuş pişmiş toprak kevgirlerin (peynir süzgeçleri olarak tanımlanmıştır) MÖ 5400 gibi erken bir tarihte sütçülüğün varlığına işaret ettiğini göstermiştir ve bu tespit MÖ 6. binyıla ait Doğu Avrupa kaplarının, MÖ 7. binyıl Anadolu çanak çömleklerinin ve MÖ 5200-3800'e ait Libya çömleklerinin içindeki süt kalıntılarıyla doğrulanmıştır. Bu, Neolitik'in sonunda meydana gelen "devrimi" bir başlangıç olarak değil, sadece önceden mevcut bir uygulamanın daha da yoğunlaşması şeklinde algılamak gerektiği anlamına gelir. Bu görüş yakın zamanda, Britanya'daki 14 tarihöncesi arkeolojik alandan

7.51 *Libya Sahara'sındaki Tiksatin'in tarihöncesi kaya sanatında bir sağma sahnesi.*

gelen çanak çömlek parçalarındaki organik kalıntılarda süt yağının tespitiyle desteklenmiştir. Sonuçlar çalışmaya dâhil edilmiş bütün Neolitik, Tunç Çağı ve Demir Çağı arkeolojik alanlarında evcil hayvanların sütlerinden faydalandığını göstermiştir. Tarım Britanya'ya MÖ 5. binyılda geldiğinde, Neolitik'te yaygın olarak yapılan sütçülük zaten oturmuş bir uğraştı.

Tüm bu kanıtlar sadece süt ürünlerinin işlenmesinde kapların önemini vurgulamakla kalmaz, fakat aynı zamanda laktoza duyarlı tarihöncesi topluluklarda erken tarihli laktozu az süt ürünü tarımına işaret eder. Günümüze kalmış en eski (yaklaşık 3800 yaşında) peynir parçaları, Çin'deki Xinjiang Tunç Çağı mezarlarında ele geçmiştir.

Sanat ve Edebiyat

İkincil ürünlerin kullanımına ilişkin kanıt sağlamasının yanında, sanat başka tür bulgular için de zengin bir kaynak olabilir. Tek bir örnek vermek gerekirse, Amerikalı arkeologlar Stephen Jett ve Peter Moyle, New Mexico'dan tarihöncesi Mimbres çanak çömleğinin iç yüzeyinde doğru biçimde res-

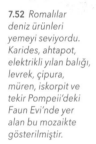

7.52 *Romalılar deniz ürünleri yemeyi seviyordu. Karides, ahtapot, elektrikli yılan balığı, levrek, çipura, müren, iskorpit ve tekir Pompeii'deki Faun Evi'nde yer alan bu mozaikte gösterilmiştir.*

7.53 *Mezar sunusu olarak yemek: Teb'deki Mısır Yeni Krallık mezar yapılarında bulunmuş 3000 küsur yıllık gösterişli yemek kalıntıları (önde solda) örgü palmiye yaprağından bir tabakta mayasız ekmek, (önde ortada) bir kâse incir, (önde sağda) bir kâse güneşte kurutulmuş balık. Sazlardan yapılmış tezgâhta pişmiş ördek ve ekmek somunları vardır.*

medilmiş 20 tür ya da familyayı tanımlamayı başarmıştır (s. 561'deki kutuya bakınız). Balıkların çoğu deniz türleri olduğu ve kaplar da en yakın denizden 500 km uzakta kazıldığı için, sanatçıların sahilde bulundukları ve bu kaynakları yakından tanıdıkları açıktır.

Bitkilerle ilgili bölümde bahsedilen türden metinlerin dışında, MÖ 1800'den itibaren Mısır ve aynı tarihli Hitit ve Mezopotamya merkezlerinden veterinerlik metinleri kadar Yunan ve Roma dönemi eserlerinden de birçok bilgi edinilebilir. Her zaman olduğu gibi tarih, etnografya, bitki ve hayvan yetiştiriciliğine yönelik deneysel uygulamalar arkeolojik kanıtları detaylandırmaya yardım eder (s. 278'deki kutuya bakınız).

Münferit Öğün Kalıntıları

İnsanların geçmişte belirli bir zamanda ne yediklerine dair en doğrudan kanıtlar öğünlere ait tesadüfi buluntulardır. Örneğin Pompeii'de balıklar, yumurtalar, ekmekler ve fındıklar masaların üzerinde olduğu kadar dükkânlarda da ele geçmiştir. Yemeklere sıkça gömüt kontekstlerinde de rastlanır: Peru mezarlarındaki kurutulmuş mısır koçanları ve diğer kalıntılar ya da Sakkara'da (Mısır) soylu bir kadının İkinci Hanedan Dönemi mezar yapısında ele geçmiş ve mezar resimlerine bakılırsa, sıra dışı olmayan zengin bir sofraya ait çok çeşitli yiyecekler (tahıllar, balıklar, kümes hayvanları, sığır eti, meyveler, kekler, bal, peynir ve şarap) gibi. Çin'in Han Dönemi'ne (MÖ 206-MS 220) tarihlenen mezar yapıları yiyeceklerle doluydu: Dai markisinin eşinde bitkisel ilaçlardan oluşan sıra dışı bir koleksiyon vardı ve yemeklerini lake, pişmiş toprak ve bambudan etiketli yemek kaplarında hazırlıyordu. Bunların üzerinde yemeklerin bileşenlerini gösteren fişler bile mevcuttu! Ancak böyle buluntuların zengin görünümü bizi yanıltmamalıdır, zira mezar kontekstlerinde ele geçen öğünler günlük beslenme alışkanlıklarını yansıtmayacağı gibi nesnel bir değerlendirmeyi perdeler. Pompeii şehrinde harika şekilde korunmuş öğünler bile tek bir günün küçük bir numunesidir. İnsanların yeme alışkanlıklarını gerçekten araştırmanın tek yolu bilfiil insan kalıntılarını incelemektir.

İNSAN KALINTILARINDAN BESLENME ALIŞKANLIKLARINI DEĞERLENDİRMEK

Bir şeyin gerçekten insanlar tarafından tüketildiğini gösteren değiştirilemez tek kanıt, bunların mide veya dışkılardaki varlığıdır. Her iki tür kanıt da bize bireylerin öğünleri ve kısa süreli beslenme alışkanlıkları hakkında değerli bilgiler verir.

İnsan dişlerinin incelenmesi de beslenme alışkanlıklarının rekonstrüksiyonunda bize katkı sağlar, fakat uzun vadeli beslenme alışkanlığına yönelik son yıllardaki asıl atılım, kemik kolajeni analizidir. İnsan kemiklerinin genel sağlıkla ilgili anlattıkları 11. Bölüm'de incelenecektir.

Bireysel Öğünler

Mide İçerikleri. Arkeolojik kontekstlerde mideler turba içindeki bedenler dışında çok nadiren korunur. Bazen bozunmuş vücutların sindirim sisteminden yiyecek kalıntıları elde etmek mümkündür. Mesela antropolog Don Brothwell bazı İngiliz Karanlık Çağ iskeletlerinin alt karın bölgesindeki mezar toprağını kaldırmış ve organik malzemeleri yüzdürme yoluyla toplamıştır. 13. yüzyıla ait bir Eski Pueblo gömütünde de bağırsak muhtevası elde edilmiştir. Bazı mumyalar da beslenme alışkanlığına dair kanıt sağlar: Yukarıda bahsettiğimiz MÖ 2. yüzyılda Çin'de yaşamış Dai markisinin kilolu eşi, zengin bir kapuz ziyafetinden (bağırsaklarında 138 karpuz çekirdeği bulunmuştu) yaklaşık bir saat sonra safra taşlarından ileri gelen akut bir ağrı sonucunda kalp krizi geçirerek ölmüş gibi görünmektedir.

Danimarka Demir Çağı turbiyer bedenlerinin mideleri üzerine yapılan çalışmalar, Grauballe Adamı'nın (s. 456-457'deki kutuya bakınız) altmışın üzerinde yabani tohumla birlikte bir ya da iki tahıl ve az miktar et (bazı kemik kıymıklarının gösterdiği üzere) tükettiğini, öte yandan Tollund Adamı'nın (görsel 11.11) sadece bitki yemiş olduğunu ortaya çıkarmıştır. Ancak, çok ilginç olmakla birlikte bu sonuçların yıllık beslenme alışkanlıklarını yansıtmayabileceği akılda tutulmalıdır, çünkü bu insanlar muhtemelen infaz ya da kurban edilmişti; dolayısıyla son yemekleri –görünüşe göre kepek, büyük bitki parçaları ve mahsul işlemenin son safhalarındaki elemeden geriye kalmış yabani ot tohumları– belki de sıradan öğünün dışında kalıyordu. Bu tip ayıklanmış artık mahsuller sıklıkla hayvan yemi, kıtlık yiyeceği olarak kullanılıyor ya da mahkûmlara veriliyordu.

Bununla birlikte bitki kalıntılarıyla ilgili bölümde belirtildiği gibi, İngiliz Lindow Adamı ölümünden önce tava ekmeği yemişti ve ekin işlemesinin birincil ürünü olan bu kaba ekmek dönemin olağan yiyeceğiydi; şüphesiz belirgin bir "tören" yemeği değildi.

Dışkı Malzemesi. Eski beslenme alışkanlıklarının incelenmesiyle ilgili farklı yiyecek maddelerinin korunma özelliklerini değerlendirmek için deneyler yapılmaktadır ve birçok organik malzemenin insan sindirim sistemindeki yolculuğundan sonra şaşırtıcı derecede iyi korunmuş hâlde kaldığı görülmüştür. Bunlar kurumuş fosil dışkı maddelerini (fosilleşmiş/taşlaşmış dışkı anlamına gelen koprolitle karıştırılır) analiz eden cesur araştırmacıyı bekler. Dışkının kendisi Amerika Birleşik Devletleri'nin batısı ve Meksika'daki mağaralar gibi ya çok kuru buluntu yerleri ya da ıslak yerler dışında nadiren korunur. Fakat korundukları zaman bireylerin geçmişte ne yediklerine dair çok önemli bir kaynak olduklarını göstermişlerdir.

Herhangi bir araştırmanın ilk adımı dışkının gerçekten insana ait olup olmadığını kontrol etmektir. Bu bazen koprosterol gibi yağ moleküllerinin analiziyle yapılır. Bunlar yapıldıktan sonra dışkı bileşenleri bize yiyecek girişi hak-

kında ne söyleyebilir? İnsan dışkısında makrokalıntılar çok çeşitli olabilir ve aslında bu çeşitlilik dışkının bir insandan çıktığını gösterir. Kemik parçaları, bitki dokuları, odun kömürü parçacıkları, tohumlar; balık, kuş ve hatta böcek kalıntıları bilinmektedir. Kabuk parçaları da –yumuşakçalardan, yumurtalardan ve yemişlerden– tespit edilebilmektedir. Mikroskop altında görülebilen ölü deri yapıları, belirli hayvan sınıflarını bu yapılara göre tanımlamaya yardım eder ve böylece hangi hayvanların tüketildiğini bilebiliriz. Eric Callen Meksika'daki Tehuacan'dan (vadi 1960'larda Richard MacNeish tarafından yoğun şekilde araştırılmış ve kazılmıştı) tarihöncesi dışkı örneklerini incelemiş ve tarla sincabı, beyaz kuyruklu geyik, pamuk kuyruklu tavşan, halka kuyruklu kediye ait kıllar tespit etmiştir. MacNeish buna ilaveten dışkılardaki bazı darı tanelerinin dövülmüş olduğunu, diğerlerinin ise değirmen taşında öğütüldüğünü saptamıştır.

Polen gibi mikrokalıntılar daha az faydalıdır, çünkü evvelce belirttiğimiz üzere elimizdeki polenlerin büyük kısmı tüketilmekten ziyade solumayla içe çekilmiştir. Bununla birlikte polen çevredeki bitki örtüsü ve dışkının üretildiği mevsim hakkında fikir verir. Qilakitsoq'taki (Grönland) İnuit mumyalarına ait dışkı malzemesi (s. 460-461'deki kutuya bakınız) sadece temmuz ve ağustosta görülen dağ ekşi yoncası içermekteydi. Mantar sporları, iplik kurtları, bitki parazitleri, yosun kalıntıları ve diğer parazitler de dışkılar içinde tespit edilmektedir.

Nevada'daki Lovelock Mağarası'nın sıra dışı şartları, 2500'den 150 yıl öncesine kadar tarihlenen 5000 dışkı örneğini korumuştur ve bunların muhteviyatını inceleyen Robert Heizer'ın çalışması tohumlar, balık ve kuşlardan meydana gelen bir beslenme biçimi hakkında dikkat çekici kanıtlar sağlar. Balıkçıl ve dalgıçkuşuna ait tüy kalıntıları tanımlanmış, sindirim kanalında değişikliğe uğramadan geçmiş balık ve sürüngen pulları da bazı türlerin tespitine yardım etmiştir. Bazı dışkı örneklerinde balık kalıntıları fazlaydı. Örneğin 1000 yıl öncesine ait bir tanesi, 101 küçük tatlı su kefalinden gelen ve toplamda 208 g canlı balığa eşit 5,8 g balık kılçığına sahipti. Bu tek kişinin bir öğünündeki balık miktarıydı.

Dışkılar korunmamış olsa bile artık bazen kanalizasyonları, lağım çukurlarını ve tuvaletleri inceleyerek sindirilmiş besinlerin kalıntılarını belirleyip analiz edebiliyoruz. Bearsden'deki (İskoçya) Roma kalesinin tuvaletleri yakınında bulunan hendek birikintilerinde yapılmış biyokimyasal analizler sonucunda insan atıkları için tipik bol miktarda koprosterole ve safra asidine rastlanmıştır. Düşük miktarda kolesterol yemeklerde çok az etin bulunduğunu gösterir. Dolguda ele geçmiş çok sayıda buğday kepeği muhtemelen dışkının bir parçasıydı ve şüphesiz dışkı yoluyla atılmış ekmek ya da bir başka unlu yiyecekten geliyordu.

Dışkı ve dışkı kalıntıları tek bir öğünü temsil eder ve bu yüzden Lovelock Mağarası'ndaki gibi çok miktarda bulunmadığı sürece beslenme alışkanlıklarına dair kısa vadeli veri sağlar. Orada bile elimizdekiler bir yıldaki birkaç öğünü yansıtır. Bir insan ömrü boyunca süregelen beslenme alışkanlığı için insan iskeletinin kendisine dönmemiz gerekir.

Beslenme Alışkanlığının Kanıtı Olarak İnsan Dişi

Vücuttaki en sert iki dokudan birinden meydana geldiği için dişler çok iyi korunur. Pierre-François Puech insanların ne tür yiyeceklerden hoşlandıkları konusunda kanıt bulmak amacıyla birçok döneme ait diş üzerine çalışmış bilim insanlarından biridir. Yiyecekteki aşındırıcı parçacıkların diş minesi üzerinde bıraktığı striyasyonların yön ve uzunlukları incelenir, çünkü bunlar beslenme düzeni ya da bitki ve pişirme süreciyle yakından ilgilidir. Et yiyen modern Grönland İnuitlerinin yanal diş yüzeylerinde neredeyse her zaman dikey striyasyonların oluştuğu tespit edilmiştir. Öte yandan çoğunlukla vejetaryen olan Melanezyalıların hem dikey hem de yatay striyasyonları vardı ve bunların ortalama uzunlukları kısaydı.

Bu sonuçlar fosil diş baskılarıyla karşılaştırıldığında, Alt Paleolitik'in sonlarından itibaren yatay striyasyonlarda artma, dikeylerde azalma ve ortalama striyasyon uzunluğunda yine artma olduğu ortaya çıktı. Diğer bir deyişle, besin çiğnemek için giderek daha az emeğe ihtiyaç duyulmuştu ve beslenme düzeni çeşitlendikçe etin önemi azalmış olabilirdi. İlk insanlar yiyeceklerini dişleriyle parçalayıp eziyordu, fakat pişirme teknikleri geliştikçe ve iyileştikçe çiğnemeye daha az ihtiyaç duyuldu. İnce ve çiğnenebilir bitkisel yemekler tüketen büyük ölçüde vejetaryen *Homo erectus* gibi istisnalar vardır, ama her şey hesaba katıldığında genelleme yapmak mantıklı görünmektedir.

İnsan dişinin ısırma (oklüzal) yüzeyleri Puech'in tekniğine çok az katkıda bulunur, çünkü buradaki aşınmanın büyük kısmı yiyeceğin hazırlanmasıyla ilgilidir. Örneğin et rüzgârla taşınan toza maruz kalmış ya da yiyecek kül üzerinde pişirilmiş olabilir. Bunun sonucunda yemekte dışardan gelen aşındırıcı parçacıklar ortaya çıkar. Üstelik atalarımız dişlerini sadece çiğnemek için değil kesme, yırtma gibi faaliyetler için üçüncü el gibi de kullanmıştı. Bütün bu etkenler ısırma yüzeylerine striyasyonlar ekler. Batı Almanya'da Heidelberg yakınındaki Mauer'den bir *Homo erectus*'un (ya da "arkaik" *Homo sapiens*) yaklaşık yarım milyon yıl öncesine ait alt çene kemiği, etin ağzın önünde tutulduğunu ve izini altı ön dişte bırakmış bir çakmaktaşı aletle kesildiğini düşündüren izlere sahiptir. Aynı yerde bulunan Neanderthal dişleri üzerindeki kalıntılar, bunların da sıkça aynı şekilde kullanıldığını göstermiştir.

Diş aşınması kadar **çürüme** de bazen bize beslenme alışkanlıkları hakkında bilgi verir. California Kızılderililerinin kalıntıları, başlıca yiyecekleri olan meşe palamudundan

tanen filtreleme alışkanlıkları yüzünden çok belirgin diş çürümesi sergiler. Filtrelemenin bir kum yatağında yapılması aynı zamanda aşırı aşınmaya sebebiyet vermişti. Çürüme ve diş kaybı nişastalı ve şekerli yiyecekler sayesinde meydana gelebilmektedir. Diş çürükleri MS 12. yüzyılda Georgia (ABD) sahilinde, özellikle de kadın nüfusu arasında artmıştı. Avcılık, balıkçılık ve toplayıcılıktan mısır tarımına geçiş tam olarak bu dönemde gerçekleşmişti. Antropolog Clark Larsen yüzlerce iskeletin incelenmesiyle ortaya çıkan söz konusu dönemdeki çürük artışının mısırdaki karbonhidratların sonucu olduğuna inanır. Söz konusu kadınlar çürüklere erkeklere göre daha eğimli olduğundan, onlar mısırı yetiştirip, hasat edip, hazırlayıp pişirirken erkekler protein ve daha az karbonhidrat tüketiyordu. Fakat bütün bilim insanları bu sonuçları kabul etmeyerek kadınların yüksek nüfus artışı sırasında çürükten daha çok muzdarip olabileceklerini, çünkü hamileliğin çoğalmasıyla daha fazla kalsiyum kaybı yaşanacağına dikkat çeker.

Son olarak, yukarıda belirtildiği üzere (s. 279) beslenme alışkanlıkları için doğrudan kanıtlar insan dişi yüzeyinden elde edilen fitolitler aracılığıyla da sağlanabilir.

İzotop Yöntemleri: Hayat Boyu Beslenme Alışkanlıkları

Beslenme alışkanlığı çalışmalarında insan diş minesi ve kemik kolajeninin izotop analizi aracılığıyla uzun süreli yiyecek tüketimi hakkında çok şey anlatabileceğinin farkına varılmasıyla bir devrim geçekleşmiştir. Yöntem çeşitli yiyeceklerin vücutta bıraktığı kimyasal izlerin okunmasına dayanır. Ne de olsa biz ne yiyorsak oyuz.

Bitkiler sahip oldukları ^{12}C ve ^{13}C karbon izotoplarının farklı oranlarına göre üç gruba ayrılabilir: iki kara bitkileri ve bir deniz bitkileri grubu. Karbon atmosferde genellikle 1:100 gibi sabit bir $^{13}C{:}^{12}C$ oranıyla birlikte karbondioksit olarak bulunur. Okyanus sularında ^{13}C oranı biraz daha yüksektir. Atmosferdeki karbondioksit fotosentez yoluyla bitkilerin dokularına geçtiğinde, bitkiler ^{13}C'ye göre nispeten daha fazla ^{12}C kullanırlar ve oran değişir. Karbondioksiti ilk olarak üç moleküle sabitleyen bitkiler (C3 bitkileri), dört karbon molekülü kullananlara (C4) göre dokularında biraz daha az ^{13}C içerir. Genellikle ağaçlar, fundalıklar/çalılıklar ve ılıman iklim otları C3; mısır da dâhil olmak üzere tropik bitkiler ve savan bitkileri de C4 bitkileridir. Deniz bitkileri karbonu fotosentez açısından birçok kara bitkisine göre farklı sabitler ve daha yüksek bir $^{13}C/^{12}C$ oranına sahiptirler.

Hayvanlar bitkileri yedikçe üç farklı oran besin zinciri boyunca ilerler ve sonunda insan ve hayvan kemik dokusunda sabitlenir. Dolayısıyla kütle spektrometrisi yoluyla kemik kolajeninde bulunan oran temel besini oluşturan bitkilerin oranıyla doğrudan bağlantılıdır. Oranlar beslenme biçiminin kara ya da deniz bitkilerine ve C3 ya da C4 bitkilerine dayalı olup olmadığını gösterir. Ancak sadece arkeolojik kanıtlar tam olarak hangi tür bitki ve hayvanların beslenme biçimine katkı sağladığı hakkında daha fazla detay verir.

Henrik Tauber bu tekniği Danimarka'dan tarihöncesi kemik kolajenlerine uygulamış, Mezolitik Çağ insanlarının Neolitik ve Tunç Çağı insanlarıyla aralarında belirgin bir fark olduğunu tespit etmiştir. Mezolitik'te deniz kaynakları hâkimken –bununla birlikte kazılarda balık kemikleri çok azdı– geç dönemlerde kıyı arkeolojik alanlarında bile kara kökenli yiyecekler esastı. Bu durum, vahşi denizden kara (muhtemelen kültüre alınmış tahıl) diyetine geçişin tüm Kuzeybatı Avrupa'da çok hızlı meydana geldiğini gösteren yakın tarihli çeşitli projelerle doğrulanmıştır.

Dünyanın diğer kısımlarındaki kıyı arkeolojik alanlarında teknik deniz kaynaklarına büyük bir bağımlılığın söz konusu olduğunu doğrulamıştır. İngiliz Kolombiya'sının kıyısındaki tarihöncesi arkeolojik alanlarda Brian Chisholm ve meslektaşları proteinin %90'ının deniz yiyeceklerinden geldiğini gördü. Beş bin yıl boyunca ufak bir değişim mevcuttu ve görünüşe göre yetişkinler çocuklara göre daha fazla deniz kaynaklı yiyecek tüketmişti.

Yakın geçmişte Güney Afrika'daki Makapansgat'tan dört *Australopithecus africanus* bireyinin diş minesi üzerinde yapılan izotop analizi, bunların sadece evvelden düşünüldüğü gibi sadece bitki ve yaprak değil, aynı zamanda çok miktarda ot ve saz gibi karbon-13 zengini bitkiyi ya da onları yiyen hayvanları, hatta belki de her ikisini tükettiklerini ortaya koymuştur. Diğer bir deyişle, bu insanlar düzenli şekilde açık alanlardaki (ormanlık ya da çayırlık) yiyeceklerden faydalanmışlardı ve diş aşınmaları ot yiyenlerin tipik çiziklerini içermediği için küçük hayvanları avlayarak, daha büyüklerinin de leşlerini değerlendirerek et tüketmiş olmaları muhtemeldir.

Devrim niteliğinde ve etkili bir teknik artık homininlerin yaşamları süresince beslenme çeşitliliğini incelemeye imkân tanır. Diş minesine uygulanan lazer ablasyonu (fosillere çok az zarar verir) milimetrenin altındaki düzeylerde izotop analizine izin verir ve bu yolla beslenme alışkanlıklarının mevsimden mevsime, yıldan yıla nasıl değiştiğini gösterir. Swartkrans'tan (Güney Afrika) yaklaşık 1,8 milyon yaşındaki dört *Paranthropus robustus* ferdine ait dişlerde yapılan incelemeler, muhtemelen göçebe yaşam tarzıyla birlikte beslenme alışkanlıklarındaki belirgin çeşitlenmeyi ortaya koymuştur. Karşılaştırmalı çalışmalar besin yelpazesinin *P. robustus*'ta (çokça odunsu bitki) ve ilk *Homo*'da (daha fazla et ürünü) *Australopithecus africanus*'tan (her ikisi) daha dar olduğunu ortaya koymuştur.

Kemik Kolajeni Çalışmaları ve Tarımın Doğuşu. Karbon izotopu kemik kolajeni yöntemi beslenme alışkanlıklarındaki değişimin tespiti için özellikle kullanışlıdır ve Yeni Dünya'da besin üretiminin doğuşuyla ilgili çalışmalarda devrim yaratmıştır. Anna Roosevelt tekniği Venezuela'daki Orinoko

taşkın yatağının tarihöncesi sakinlerinin beslenme alışkanlıklarını değerlendirmek üzere kullandı. Meslektaşlarından Nikolaas van der Merwe ve John Vogel'in bir dizi iskelete ait örneklerde yaptığı analizler, MÖ 800'deki manyok gibi C3 zengini bitkilerden oluşan bir beslenme biçiminden, MS 400'e gelindiğinde mısır gibi C4 bitkilerine dayalı bir başkasına hızlı bir geçişin yaşandığını gösterdi. Teknik tüketilen besinlerin tam olarak ne olduğu konusunda açık olamamakla birlikte, bölgenin MS 400 civarına tarihlenen arkeolojik alanlarda bulunmuş bol miktarda mısır tanesi ve öğütme teçhizatı izotop analizinin sağladığı bilgileri doğrular.

Teknik, Mezoamerika'nın yerli C4 bitkisi mısırın C3 bitkilerinin hâkim olduğu bir ortama tanıştırılmasıyla tarımın doğuşuna tanıklık eden Kuzey Amerika'da daha da önemlidir. Teknik, kültüre alınmış ilk bitkilerin C3 bitki örtüsünün bir parçası olduğu Yakındoğu'da tarımın doğuşuna yönelik araştırmalarda daha az işe yarar. Bazı durumlarda mısırın bir beslenme biçimine katkısı nicel olarak tespit edilebilir. Henry Schwarcz ve meslektaşları Güney Ontario'dan gelen iskeletlerde C4 bitkilerinin beslenme alışkanlığındaki oranının MS 400 ve 1650 arasında yükseldiğini, 1400'e gelindiğinde %50'ye ulaştığını keşfetmiştir.

Britanya'dan 164 İlk Neolitik (günümüzden 5200-4500 yıl önce) ve 19 Mezolitik (günümüzden 9000-5200 yıl önce) iskeletine ait kemik kolajenlerinin analizi, Mezolitik'te kıyıda ya da kıyı civarında yaşayan insanların büyük miktarda deniz besini tükettiğini, fakat bunları bırakıp karasal kaynaklara yöneldikleri Neolitik'in (ve evcilleştirmenin) başlangıcında hızlı ve belirgin bir değişimin olduğunu ortaya çıkarmıştır.

Diğer Kemik Kolajeni Teknikleri. Bazı bilim insanları kolajenin korunmadığı durumlarda (genellikle 10.000 yıldan sonra ayrışır) uygulayabilme umuduyla, karbon izotopu tekniğini kemiğin inorganik ve başlıca bileşeni olan apatitte yaygınlaştırmayı denemiştir. Ancak diğerleri, bu yöntemi güvenilmez bulduğu için kolajen yöntemi şimdilik geçerliliği doğrulanan tek yöntemdir.

Yine de karbon dışındaki elementleri içeren kolajen teknikleri mevcuttur. Örneğin kolajen içindeki **nitrojen izotopu** oranı karbonun gösterdiğine benzer şekilde beslenme tercihlerini yansıtabilir. ^{15}N izotopu besin zincirinde bitkilerden hayvanlara geçtikçe artar. ^{15}N'nin ^{14}N'ye olan düşük oranı tarımsal yiyeceklere işaret ederken, yüksek bir oran deniz kaynaklı beslenme alışkanlığını yansıtır. Buradaki bir anomali, resiflerdeki bitkilerin nitrojeni sabitleme yöntemi yüzünden kabuklu yumuşakçalar gibi mercan resifi kaynaklarının düşük değerler vermesidir. Dolayısıyla deniz kaynaklı beslenme biçiminin muhtemel olduğu örneklerde doğrulama için karbon izotopu yöntemine başvurulmalıdır.

Söz konusu iki yöntem Stanley Ambrose ve Michael DeNiro tarafından Doğu ve Güney Afrika'daki tarihsel ve tarihöncesi malzemeye uygulanmıştır. İki bilim adamı deniz sömürücülerini karasal kaynakları kullananlardan, pastoralizmle geçinenleri çiftçilerden, deve güdenleri keçi/sığır güdenlerden, hatta tahıl çiftçilerini tahıl dışı çiftçilerden ayırt etmenin mümkün olduğunu keşfetti. Evcil hayvanların eti, kanı ve sütüne bağlı gruplar en yüksek, temelde bitkisel besinlere bağlı olanlarsa en düşük ^{15}N değerlerine sahipti. Sonuçlar etnografik ve arkeolojik kanıtlarla çok iyi uyuşuyordu. Norman Hammond'un kazdığı eski köy yerleşim alanı Cuello'daki (Belize) Klasik öncesi Maya gömütlerinde ve hayvan kemiklerinde bulunan ^{15}N ve ^{13}C düzeylerinin Hammond'la beraber Nikolaas van der Merwe ve Robert H. Tykot tarafından yapılan karşılaştırmaları da ilginç sonuçlar vermiştir (karşı sayfadaki diyagrama bakınız).

Charente'daki Maurillac mağarasından gelen fosilleşmiş Neanderthal kemiklerine ait ^{13}C ve ^{15}N miktarlarının ölçümü Fransız araştırmacıları beslenme alışkanlıklarının özellikle etçil olduğunu düşünmeye itti. Sonraki analizlere göre Avrupa'da Neanderthal'lerin otoburlara olan bağlılıklarını, su ürünlerinin daha fazla katkı sağladığı daha geniş kapsamlı bir modern insan diyeti takip etmişti. Aynı karbon ve nitrojen izotopları Nübye Çölü'nde bulunmuş MÖ 350'den MS 250'ye kadar tarihlenen mumyaların deri ve saçları gibi başka türden dokularda da analiz edilmiştir.

Nübye örnekleri nüfusun keçi, koyun, tahıl ve meyve yediğini gösterir. İzotoplar tüketildikten sadece iki hafta sonra saçta ortaya çıktıkları için (kemik ise bir ömür boyunca yenenleri yansıtır) aynı saçın farklı kesitleri beslenme alışkanlıklarındaki değişiklikleri gösterebilir. Hatta kafa derisine en yakın kesitler ölüm mevsimini belli edebilir. 2000 yaşındaki Peru ve Şili mumyalarının saç tutamlarında, koka yaprakları çiğnemekten ileri gelen kokain tüketimine dair izler bile bulunmuştur.

Bilim insanları ayrıca kemiğin kararlı bileşen minerallerinden biri olan **stronsiyumdaki** yoğunlaşmanın beslenme biçimi hakkında bilgi sağlayabileceğini bulmuştur. Çoğu bitki stronsiyum ve kalsiyum arasında ayrım gözetmez, fakat hayvanlar bitkileri yediği zaman stronsiyum kalsiyum lehine ayrıma uğrar ve çoğu dışkı yoluyla atılır. Ama küçük bir yüzde kan dolaşımına girer ve kemik mineraliyle birleşir. Böylece İnsan kemiğindeki stronsiyum ve kalsiyum oranına (Sr/Ca) bakarak bitkilerin beslenme biçimine katkısı tespit edilebilir. Katkı ne kadar büyükse Sr:Ca oranı o kadar yüksektir. Et tüketen birinin beslenme alışkanlığı ise düşük oran verecektir. Güney Afrikalı antropolog Andrew Sillen bu teknikle daha önce güçlü öğütücü çeneleri yüzünden vejetaryen olduğu düşünülen *Paranthropus robustus*'un as-

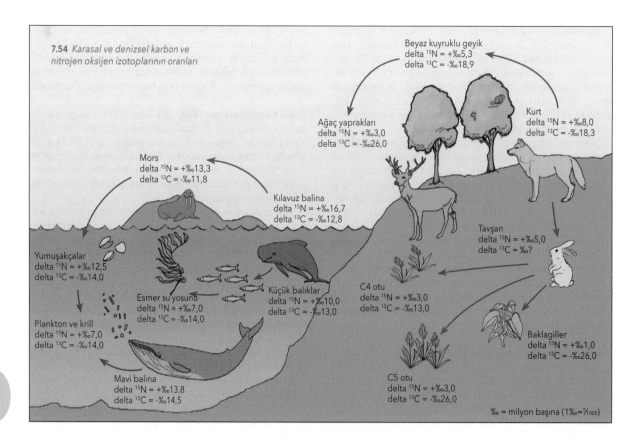

7.54 *Karasal ve denizsel karbon ve nitrojen oksijen izotoplarının oranları*

Beyaz kuyruklu geyik
delta ^{15}N = +‰5,3
delta ^{13}C = -‰18,9

Kurt
delta ^{15}N = +‰8,0
delta ^{13}C = -‰18,3

Ağaç yaprakları
delta ^{15}N = +‰3,0
delta ^{13}C = -‰26,0

Mors
delta ^{15}N = +‰13,3
delta ^{13}C = -‰11,8

Kılavuz balina
delta ^{15}N = +‰16,7
delta ^{13}C = -‰12,8

Tavşan
delta ^{15}N = +‰5,0
delta ^{13}C = ‰?

Yumuşakçalar
delta ^{15}N = +‰12,5
delta ^{13}C = -‰14,0

Küçük balıklar
delta ^{15}N = +‰10,0
delta ^{13}C = -‰13,0

C4 otu
delta ^{15}N = +‰3,0
delta ^{13}C = -‰13,0

Esmer su yosunu
delta ^{15}N = +‰7,0
delta ^{13}C = -‰14,0

Plankton ve krill
delta ^{15}N = +‰7,0
delta ^{13}C = -‰14,0

Baklagiller
delta ^{15}N = +‰1,0
delta ^{13}C = -‰26,0

Mavi balina
delta ^{15}N = +‰13,8
delta ^{13}C = -‰14,5

C5 otu
delta ^{15}N = +‰3,0
delta ^{13}C = -‰26,0

‰ = milyon başına (1‰=¹⁄₁₀₀₀)

lında et yediğini ve bu yüzden muhtemelen hepçil olduğunu keşfetti.

Doğu Akdeniz kaynaklı kemiklerin stronsiyum düzeylerini analiz eden Margaret Schoeninger, beslenme alışkanlıklarında bitkisel ve hayvansal yiyeceklerin oranlarının Orta Paleolitik'ten Mezolitik'e kadar değişmediğini, bu dönemden sonra bitki kullanımının arttığını göstermiştir. Elde ettiği sonuçlar bu bölgedeki insanların tahıllar kültüre alınmadan önce uzun süre bitki zengini bir beslenme biçimine sahip olduklarını ortaya koymuştur.

Schoeninger MÖ 700-500 arasında en parlak devrini yaşamış Meksika'daki bir Olmek yerleşimi olan Chalcatzingo'nun iskelet malzemesini çalışmak için kullandı. Burada stronsiyum sonuçları ve gömüt buluntularının bir arada değerlendirilmesi, et kullanımında fark gözetimine dayalı kademeli bir topluma işaret eder. Schoeninger yeşim taşıyla gömülmüş en yüksek mevkideki bireylerin en düşük stronsiyum yoğunlaşmasına sahip olduğunu keşfetti. Sığ bir yemek kabıyla defnedilmiş insanlar ise daha yüksek stronsiyum düzeyi barındırıyordu. Öte yandan hiçbir gömüt armağanıyla gömülmemiş üçüncü bir grup ise en yüksek stronsiyum

düzeyini (muhtemelen en düşük et tüketimi) sergiliyordu.

Yumuşakçalar beslenme alışkanlıklarına katkıda bulunduğu zaman farklı bir manzara ortaya çıkar, çünkü yumuşakçalardaki stronsiyum düzeyi bitkilerden çok daha yüksektir. Alabama'nın kuzeyindeki MÖ 2500'lere tarihlenen bir Arkaik avcı-toplayıcı topluluğunun iskeletlerinde yüksek bir stronsiyum düzeyi bulunduğu görülmüştür. Bunun sebebi, aynı arkeolojik alanda yaklaşık MS 1400 civarında gömülmüş tarımcı Mississippi topluluğundakine göre daha fazla yumuşakça tüketmiş olmalarıdır.

Diğer taraftan son çalışmalar, kemiklerin gömüldüğü yerdeki çökeltiler ve yeraltı sularından kaynaklanan kirlenme dolayısıyla stronsiyum değerlerinin yanıltıcı olabileceğini ve muhtemel tuzakların daha iyi anlaşılana kadar acele edilmemesini gerektiğini düşündürmektedir. Her hâlükârda, teknik sadece karbon izotopu analizinin tamamlayıcısıdır, alternatifi değildir. Sr:Ca oranı beslenme alışkanlıklarındaki et ve bitki miktarlarının oranını verir, fakat ne tür bitkilerin tüketildiğini öğrenmek için izotop analizine ihtiyaç vardır. Arkeoloji söz konusu bitki ve hayvan türlerinin daha kesin bir şekilde tanımlanmasına izin veren kanıtları sağlar.

7.55 *Belize'deki Cuello yerleşimden Klasik öncesi Maya gömütlerinin ve hayvan kemiklerinin kemik kolajen analizi, mısırın insan diyetinde ve yiyecek için beslenen köpeklerde %35-40'lık bir paya sahip olduğunu göstermiştir. Köpeklerde hem ^{13}C hem de ^{15}N'in geniş aralıklı varlığı karışık bir diyeti akla getirmektedir. Geyik gibi orman türleri ve deniz kaplumbağaları sadece C3 bitkileri yer ve ^{15}N rakamlarının belirttiği gibi düşük protein alımları vardır. Armadillolar mısır bitkilerinin köklerini yiyen tırtıllarla beslendiği için yüksek rakamlara sahiptir.*

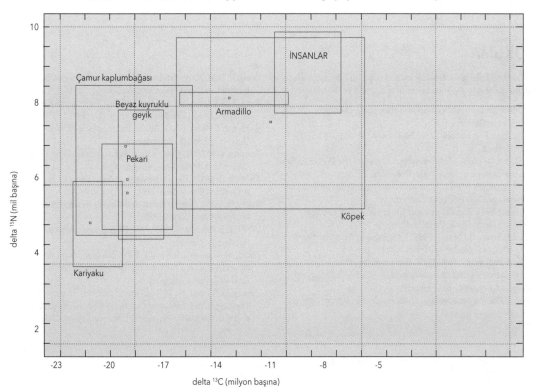

ÖZET

Eski yiyecek kaynakları hakkındaki bilgilerin çoğu doğrudan tüketilmiş bitki ve hayvanlardan gelir. Bir şeyin gerçekten insanlar tarafından tüketildiğini gösteren bozulmamış tek kanıt, onun midede ya da dışkıdaki varlığıdır.

Bitki kalıntıları çeşitli yollarla saklanmış olmasına rağmen, birçok arkeolojik alanda kömürleşme en yaygın korunma biçimidir. Birçok durumda bir yerin işlevini, örneğin yiyecek işleme ve hazırlama alanları olup olmadığını açıklığa kavuşturan bitki kalıntılarıdır. Aletler bitkilerin bir arkeolojik alanda işlendiğini gösterir. Mesela orakların varlığı tahılların kültüre alındığına işaret edebilir ve bir aletin yüzeyinden elde edilen fitolitler, söz konusu aletin hangi bitkiyi kesmek için kullanıldığını belirtir. Yazılı kanıtlar yiyecekler hakkında arkeoloğa detaylı ama kısa vadeli bir bakış açısı sunar.

Hayvan kalıntıları arkeolojik analizde önemli bir yer tutar. En yaygın ve bilgilendirici hayvan kalıntıları makrokalıntılardır: kemikler, dişler, kabuklar vb. İnsanların öldürdüğü hayvanları diğer yırtıcıların öldürdüklerinden ayırt etmek amacıyla hayvan kemiklerinde kesim izlerinin teşhisine büyük ağırlık verilmektedir.

Arkeolojinin ana dallarından biri, bitkilerin kültüre alınması ve hayvanların evcilleştirilmesiyle ilgilenir. Birçok bitki türünde insanların seleksiyonu ve faydalanma yöntemleri, örneğin tahıl taneciklerinin boyutundaki artış gibi arkeologların fark edebildiği değişimleri beraberinde getirir. Hayvanlarda evcilleştirme, süt veren sürülerde tek bir cinsiyetin tercihi gibi fiziksel kanıtlar yanında ağılda tutma ve hayvanların çalıştırılmasına bağlı olarak ortaya çıkan kemik hastalıkları sayesinde tespit edilir. Hatta hayvan DNA'sı yoluyla evcilleştirmenin tarihini izlemek konusunda ilerleme sağlanmıştır. Evcilleşmiş ve evcilleşmemiş arasındaki sınır hâlen hararetli şekilde tartışılmaktadır.

Beslenme alışkanlıkları da insan kalıntılarından belirlenebilir. Sadece mide muhtevası ve dışkıdan değil, ama aynı zamanda diş aşınma izleri ve çürümesine ilaveten insan kemikleri ve dişlerinin izotopik analizinden de münferit öğünler ortaya çıkarılabilir. Bunlar uzun vadeli yiyecek tüketimi hakkında birçok bilgi sunabilir.

İLERİ OKUMA

Altıncı Bölüm'ün sonunda verilen kaynakların çoğu bu bölüm için de uygundur. Buna ilâveten diğer yararlı eserler aşağıda verilmiştir:

Barker, G. 2006. *Agricultural Revolution in Prehistory.* Oxford University Press: Oxford.

Bellwood, P. 2004. *First Farmers: The Origins of Agricultural Societies.* Blackwell: Oxford.

Brothwell, D. & P. 1997. *Food in Antiquity: A Survey of the Diet of Early Peoples.* Johns Hopkins Univ. Press: Baltimore.

Campana, D. ve diğerleri (ed.). 2010. *Anthropological Approaches to Zooarchaeology.* Oxbow Books: Oxford.

Harris, D.R. (ed.). 1996. *The Origins and Spread of Agriculture and Pastoralism in Eurasia.* UCL Press: Londra.

Harris, D.R. & Hillman, G.C. (ed.). 1989. *Foraging and Farming: The Evolution of Plant Exploitation.* Unwin Hyman: Londra.

Hastorf, C.A. & Popper V.S. (ed.) 1988. *Current Paleoethnobotany: Analytical Methods and Cultural Interpretations of Archaeological Plant Remains.* University of Chicago Press: Chicago.

O'Connor, T. 2000. *The Archaeology of Animal Bones.* Sutton: Stroud.

Pearsall, D.M. 2009. *Paleoethnobotany: A Handbook of Procedures.* (2. basım) Left Coast Press: Walnut Creek.

Price, T.D. & Gebauer, A.B. (ed.). 1995. *Last Hunters, First Farmers.* School of American Research Press: Santa Fe.

Reitz, E.J. & Wing, E.S. 2008. *Zooarchaeology.* (2. basım) Cambridge University Press: Cambridge.

Roberts, C.A. 2009. *Human Remains in Archaeology: A Handbook.* Council for British Archaeology: York.

Smith, B.D. 1998. *The Emergence of Agriculture.* (2. basım) Scientific American Library: New York.

Sykes, N. 2014. *Beastly Questions. Animal Answers to Archaeological Issues.* Bloomsbury: Londra.

White, P. & Denham T. 2006. *The Emergence of Agriculture.* Routledge: Londra.

Zeder, M.A. ve diğerleri (ed.). 2006. *Documenting Domestication: New Genetic and Archaeological Paradigms.* University of California Press: Berkeley.

Zohary, D. & Hopf, M. 1999. *Domestication of Plants in the Old World: The Origin and Spread of Cultivated Plants in West Asia, Europe and the Nile Valley.* (3. basım) Clarendon Press: Oxford.

ALETLERİ NASIL YAPTILAR VE KULLANDILAR?

Teknoloji

İnsan türü çoğu kez özel bir yeteneğimiz olan alet yapma becerisiyle tanımlanır ve arkeoloji geleneksel olarak "insanların maddi uğraşlarına ait kalıntıların çalışılması" şeklinde tarif edilmiştir. Birçok arkeolog da insanlığın ilerlemesini büyük ölçüde teknolojik anlamda algılar. Danimarkalı 19. yüzyıl bilim adamı C.J. Thomsen, insan geçmişini taş, tunç ve demir olmak üzere "çağlara" bölmüştü. Takipçileri Taş Çağı'nı Paleolitik Çağ (yontma ya da yonga taş aletler dolayısıyla) ve Neolitik (sürtme taş aletler dolayısıyla) olarak daha da bölümlendirdiler. Sonradan dâhil edilmiş Mezolitik (Orta Taş Çağı), çok küçük çakmaktaşı aletlerin (mikrolitler) insanlığın ömründeki bu özel dönemin bir şekilde karakteristiği olduğunu ima eder.

Bugün belirli şekildeki insan yapımı nesnelerin üzerinde güvenilir kronolojik gösterge olarak fazla durmasak da şurası bir gerçektir ki, bunlar insanların dış dünyaya etki etmelerini sağlayan temel araçlardı ve hâlâ öyleler. Günümüzün lazerleri ve bilgisayarları, silahları ve elektrikli aletleri köken olarak en erken atalarımızın yarattığı basit aletlere kadar gider. Arkeolojik kaydın büyük kısmını meydana getiren, çağlar boyunca insanların yaptığı nesnelerdir. Diğer bölümlerde arkeologların tipoloji oluşturmak (4. Bölüm), beslenme alışkanlıklarını öğrenmek (7. Bölüm), geçmişteki ticaret ve değiş tokuş modellerini ortaya çıkarmak (9. Bölüm) ve hatta inanç sistemlerini canlandırmak (10. Bölüm) için aletleri nasıl kullandıklarını gördük. Ancak birinci derecede önemli iki soruyu cevaplamamız gerekir: İnsan eseri nasıl yapılıyordu ve ne için kullanılıyorlardı?

Göreceğimiz gibi, bu iki soruya farklı yaklaşımlar mevcuttur: tamamen arkeolojik, nesnelerin bilimsel analizi, etnografik ve deneysel. Arkeologlar ayrıca benzer teknolojilerde modern uzmanların görüşlerine başvurmalıdır. Çağdaş zanaatkârlar genellikle atalarınınkiyle aynı malzemelerden faydalanırlar ve çok az değişmiş aletleri kullanırlar. Eski bir taş duvar en iyi şekilde bir taş ustası, tuğladan bina bir duvarcı, ahşap bina da bir marangoz tarafından anlaşılır. Bununla birlikte modern bir marangozun bir Ortaçağ ahşap binasını anlayabilmesi için dönemin malzemeleri, aletleri ve yöntemleri hakkında bir şeyler bilmesi gerekecektir. Mesela son 200 ya da 300 yıl gibi daha yakın zamanda gelişmiş teknolojiler için, giderek büyüyen **endüstriyel arkeoloji** dalı hayattaki zanaatkârların

görgü tanıklıkları ya da bir nesilden diğerine geçen sözlü ifadeler kadar tarihi ve görsel kayıtları da kullanır.

Daha erken dönemleri araştıranların seçim yelpazesi daralır. Korunma koşulları ve aslına bakılırsa eski bir "alet"in insan yapımı olup olmadığına karar verme sorunu ortaya çıkar.

Kanıtların Korunma Koşulları

Eski teknolojileri değerlendirirken arkeolog korunmuş örneklerin taraflı olacağını akılda tutmalıdır. Uzun Paleolitik Çağ boyunca kuşkusuz ahşap ve kemikten yapılmış aletler önem bakımından taş aletlere –günümüz avcı-toplayıcı toplumlarındaki gibi– rakiptirler, fakat taş aletler arkeolojik kayıda hâkimdir. İkinci Bölüm'de gördüğümüz gibi, kırılgan nesneler bazen su altındaki, donmuş ya da kurak arkeolojik alanlarda korunabilir, ancak bunlar istisnalardır. Birçok insan yapımı nesnenin kötü korunma koşullarına bakarak, tamamen bozulmuş olanların bile yüzeylerindeki oyuklar, topraktaki değişimler ya da bıraktıkları izlerle zaman zaman tespit edilebileceği hatırlanmalıdır. İngiltere'nin doğusundaki Sutton Hoo teknesinin kumda bıraktığı iz, bir mumyanın üzerindeki kumaş izi veya aşağıda görüleceği üzere korozyona uğramış metalin hacminde oluşmuş boşluk gibi örnekler mevcuttur. İngiltere'nin kuzeyinde, Yorkshire'daki Wetwang'da bir mezarlıkta ele geçmiş bir Demir Çağı arabasının kayıp tekerleği, geride bıraktığı çukura polistiren köpük dökülerek başarıyla incelenmiş ve sonuçta tekerin 12 parmağı olduğu anlaşılmıştır. Ur'daki krali mezarlarda Leonard Woolley (s. 32) bir lirin çürümüş parçalarına ait oyuklara alçı dökmüştü. Cerén'de (El Salvador) bulunmuş bitkilerin alçı kalıplarından biri, bir agavın etrafına sarılı örgülü iplik halatlarını da barındırmaktaydı (s. 265'e bakınız). İspanya'nın kuzeyindeki Orta Paleolitik kaya barınağı Abric Romani'de 50.000 yıl öncesine tarihlenen 1 m uzunluğundaki çürümüş bir ahşap sopanın "yalancı şekli" (yani zeminde bıraktığı çukur, *pseudo* formu) bir çökeltide bulunmuştu. Bundan elde edilen kalıp o kadar detaylıydı ki, sopanın ucunda taramalı elektron mikroskobunun ortaya çıkardığı striyasyonlar deneysel ahşap işlemede oluşan alet izlerine açıkça benziyordu.

8.1–2 *(solda) Tamamen çürümüş sivri uçlu bir sopanın toprakta bıraktığı oyuk ve İspanya'da Abric Romani Orta Paleolitik kaya barınağından gelen bu "yalancı şeklin" bir ucuna ait kalıp.*

8.3 *Alet ve silah betimlerine Avustralya'daki kaya barınağı duvarlarında sıkça rastlanır. Bu fotoğraf Orta Queensland Sandstone Belt'ten "V" biçimli "ölümcül" bir bumerang baskısını göstermektedir. Grahame Walsh ve meslektaşları sadece bu bölgede 10.000 kaya sanatı buluntu yerinin varlığını tahmin etmektedir.*

Bumerang ve balta gibi aletler Avustralya'nın bazı bölgelerinde Aborjinler tarafından kaya barınağı duvarlarına yapılmış sanatsal çizimlerden bilinmektedir. Aletlerin daha eskiye giden varlıklarıda etkilerinden –mesela kafatasındaki bir kılıç kesiği ya da bir taş ocağı duvarındaki kazma izinden– tespit edilebilir.

Bunlar Her Yönüyle İnsan Yapısı Nesneler mi?

Arkeolog bir nesneyi çalışırken önce bunun gerçekten geçmişte insanlar tarafından yapıldığı ya da kullanıldığı konusunda doğru karar vermelidir. Birçok dönem için cevap bellidir (bununla birlikte sahtelerden ve taklitlerden sakınılması gerekir), ama Paleolitik, özellikle de Alt Paleolitik söz konusu olduğunda kararlar o kadar basit alınamaz. Uzun yıllar boyunca "eolitler" meselesiyle ilgili hararetli tartışmalar yapıldı. Bunlar İngiltere'nin doğusundaki Alt Pleistosen kontekstlerinde ve başka yerlerde geçen yüzyılın sonunda bulunmuş taş parçalarıydı. Bazı bilim insanları eolitlerin erken insanlar tarafından şekillendirildiğini, diğerleriyse doğanın eseri olduklarını iddia ediyordu.

Bu ihtilaf insan eylemliliğinin teşhisi için kıstaslar belirlemek amacıyla ilk girişimlerin yapılmasına yol açtı. Mesela vurarak koparma suretiyle bilinçli olarak meydana getirilmiş çakmaktaşları üzerinde görülen tipik çıkıntılar ya da "vurma yumruları" bu tip bir kıstastır (aşağıdaki diyagrama bakınız). Isı, buzlanma ya da düşme gibi etkenlerin meydana getirdiği doğal kırık ve çatlaklar daha ziyade düzensiz izler bırakır; yumrular oluşturmaz. Bu bağlamda eolitlerin doğal oldukları resmen kabul edilmiştir.

Ne var ki insan faaliyetlerine dair izlerin en az olması beklenen en erken aletler söz konusu olduğunda sorunun çözümü daha zordur, çünkü en kaba insan işi doğa tarafından meydana getirilen (örneğin Afrika'da, su kıyılarındaki taşlar su aygırlarının ayakları altında kırılabilmekte ya da timsahlar tarafından yutulabilmektedir ve sonuçta ortaya çıkan aşınma izleri yanıltıcı olabilir) hasardan ayırt edilemeyebilmektedir. Burada, belirli bir buluntunun kon-

8.4 *Örnek olarak yapılmış bir taş yonganın özellikleri. Bir çekirdeğin kenarından vurulup çıkarılmış bir yonga karakteristik vurma düzlemini gösterir ve hemen altında, vurmanın ardından şok dalgalarıyla meydana gelmiş vurma yumrusu ve vurma halkaları bulunur.*

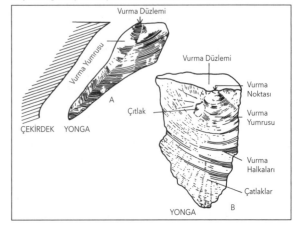

tekstini incelemek yardımcı olabilir. Taş nesnelerle ilişkili bulunmuş fosil insan kalıntıları ve hayvan kemiklerini, 7. Bölüm'de bahsedildiği gibi insan elinden çıkma taş aletlere yapılmış kesim izleri için çalışmak mümkündür.

Geleneksel olarak alet yapımının insanları büyük maymunlardan ayırdığı düşünülüyordu, ama geçen 30 yılda yürütülen arazi çalışmaları vahşi şempanzelerin ahşap ve taş aletler yaptığını ortaya çıkarmıştır. Aslına bakılırsa, Amerikalı primatolog William McGrew "bazı insan yapımı nesnelerin müze etiketleri bir kez çıkarıldığında, insan ya da şempanze türlerine atfedilemeyeceğine" inanır. Özellikle şempanzeler binlerce yıldan beri yemişlerin kabuklarını kırmak için vurgaç ve örsler kullanmakta, kapuçin maymunları da aynısını yapmaktadır. Bu durum insanların yaptığı kaba aletlerin tanımlanmasına fazladan bir belirsizlik getirir, fakat aynı zamanda arkeologlara erken homininlerin muhtemel alet yapımı, kullanımı ve terkine dair davranışlarını "gözlemleme" şansı verir.

Kanıtların Yorumlanması: Etnografik Analojinin Kullanımı

Eğer dikkatli kullanılırsa etnografya ve etnoarkeoloji teknolojiyle ilgili genel ve özel sorunlara ışık tutabilir. Genel anlamda etnografya ve ortak akıl birlikte, insanların günlük ve sıradan işler için kolay ve bol bulunan malzemeleri tercih ettiğini, ancak sürekli (belki de nadiren) kullanacakları ve yanlarında taşıyacakları aletler için zaman ve çaba harcadıklarını varsayar. Dolayısıyla arkeolojik kayıtta bir aletin bol bulunması, onun kültür içindeki asıl değerini gösteren bir rehber olduğu anlamına gelmeyebilir. En sık rastlanan alet pekâlâ çok çabuk yapılmış ve kullanımından hemen sonra atılmış olabilirken, diğer tarafta daha nadir görülen bir başkası nihayetinde atılmadan önce muhtelif

bir zaman saklanabilir ve tekrardan kullanılabilir ("onarılır/bakımı yapılır").

Özel anlamda belirli bir insan yapımı nesnenin asıl işlevini tespit etmek için etnografya çoğunlukla yararlıdır. Mesela Kolombiya'nın kuzeyindeki Tairona halkına ait arkeolojik alanda MS 16. yüzyıla ait perdahlı taştan kanatlı büyük pandantifler bulunmuştu. Arkeologlar sadece bunların tamamen süs amacı olduğunu ve göğse asıldığını düşünebilirdi. Ancak akabinde, doğrudan Tairona'nın soyundan gelen bölgenin sakini modern Kogi kavminin, bu nesneleri çiftler hâlinde dirseklerine takıp çıngırak ya da zil olarak danslarında kullandıkları öğrenildi!

Bu türden sayısız örnek vardır. Önemli olan nokta, aletlerin etnografik analoji yoluyla tanımlanmasının, arkeolojik kültürlerle modern toplum arasında gösterilebilir bir devamlılığın bulunduğu durumlarla ya da en azından benzer asgari yaşam standardı ve az çok aynı ekolojik arka planı paylaşan kültürlerle sınırlandırılmasıdır.

Son yıllarda teknolojiyle ilgili çalışmaların arkeolojik ve etnografik özellikleri, arkeolojiyi deney yoluyla hayata geçirmek gibi giderek artan bir ilgiyle tamamlanmaktadır. Göreceğimiz gibi, deneyler insan elinden çıkmış nesnelerin nasıl yapıldığı ve ne için kullanıldığını anlamamıza büyük katkıda bulunmuştur.

Bu bölümün geri kalanının amacına uygun olarak nesnelerin yaratılmasında kullanılan iki tür hammadde arasında bir ayrım yapmak uygun olacaktır: çakmaktaşı gibi büyük ölçüde değişmeden kalanlar ve çanak çömlek ya da metal gibi insan faaliyetlerinin ürünü yapay olanlar. Elbette, değişmediği sanılan malzemeler sıklıkla üretim sürecini kolaylaştırması amacıyla sıklıkla ısıl ya da kimyasal işlev görmüştür. İnsanın ateşi kullanması –piroteknoloji– burada çok önemli bir faktördür. Erken tarihlerde insanların ateş kontrolünde ne kadar hassas olduğunun giderek daha fazla farkına varıyoruz.

DEĞİŞMEYEN MALZEMELER: TAŞ

2,6 milyon yıl önceye ait ilk tanımlanabilir aletlerden MÖ 18.000'de Çin'de çanak çömlek yapımının benimsenmesine kadar arkeolojik kayıtlarda taşın üstünlüğü vardır. En küçük mikrolitten en büyük megalite kadar insan yapımı nesneler nasıl elde edildi, nakledildi, üretildi ve kullanıldı?

Taş Çıkarma: Madenler ve Taş Ocakları

En eski aletler için gerekli taşların çoğu ırmak yataklarından ya da arazinin diğer kesimlerinden alınmıştır, fakat arkeolojik olarak en belirgin kaynaklar madenler ve taş ocaklarıdır.

En iyi bilinen *ocaklar/madenler* Spiennes (Belçika), Grimes Graves (İngiltere) ve Krzemionki (Polonya) gibi

Avrupa'nın kuzeyindeki çeşitli yerlerde bulunan Neolitik ve daha sonrasına ait çakmaktaşı ocaklarıdır. Hallstatt'taki (Avusturya) Demir Çağı madeninden tuz; Sırbistan'daki Rudna Glava ve Bulgaristan'daki Ai Bunar'la Galler'deki Great Orme madenlerinden bakır ve daha geç döneme ait madenlerden gümüş ve altın çıkarılmasında ana teknoloji temelde aynı kalmıştır.

Kazılar araziye ve istenilen damarların konumuna göre açık ocak ve kuyu madenciliğinin bir karışımını ortaya çıkarmıştır (vasat damarların bırakılıp en iyi malzemeye odaklanılması, yüksek seviyede uzmanlığı açıkça gösterir). Örneğin Hollanda'daki Rijckholt'ta arkeologlar, MÖ 4. binyılda Neolitik insanların çakmaktaşı yumruları açısından

PEDRA FURADA'DA İNSAN YAPISI NESNELER YA DA "DOĞAL OLUŞUMLAR"?

GÜNEY AMERİKA

Pedra Furada

Fransız-Brezilyalı arkeolog Niède Guidon'un 1978-1984, İtalyan arkeolog Fabio Parenti'nin 1984-1988 arasında kazdığı Kuzeydoğu Brezilya'nın muazzam Pedra Furada kumtaşı kaya barınağının tarihlemesi üzerine hararetli tartışmalar yapılmaktaydı. Çalışmanın asıl amacı güvenli şekilde Holosen Çağı'na (10.000 yıldan daha yeni) ait olduğu varsayılan sığınak duvarlarındaki kaya resimlerini tarihleyebilmekti. Yaklaşık 30.000 yıl öncesine kadar uzanan Pleistosen Çağı radyokarbon tarihleri stratigrafiden ortaya çıkmaya başlayınca buluntu yeri ve hafirleri, Amerika kıtasında insanın kökenlerine dair bir tartışmanın ortasında kaldılar (s. 473'teki kutuya bakınız). Bir taraf (çoğunlukla Kuzey Amerikalı) Yeni Dünya'da 12.000 ya da en iyi ihtimalle 15.000 yıl öncesine kadar insan iskânı olmadığında ısrar ederken diğer taraf ise Güney Amerika ve başka yerlerdeki bir dizi buluntu yerine ait çok daha erken

tarihleri kabul etmekteydi. Henüz hiçbir buluntu yeri şüphecileri insanların Yeni Dünya'da 30.000 yıl önce yaşadığına ikna edecek gerekli bütün kriterleri yerine getirmemişti; dolayısıyla Parenti meseleyi ele almaya karar verdi.

Brezilya'nın bu bölgesinde kumtaşı barınak dolguları Holosen öncesi tabakalardaki bütün organik malzemeyi (odun kömürü parçaları hariç) yok ettiği için Parenti'nin işi bilhassa zordu. Buna ilaveten Pedra Fuada'nın Pleistosen tabakaları, sadece kumtaşı yarın altındaki bir konglomera katmanına ait kuvars ve kuvarsit çaytaşlarından yapılmış aletler içeriyordu ve çaytaşı aletleri doğal şekilde kırılmış taşlardan ayırt etmek çok zordu.

Dolayısıyla Parenti'nin asıl hedefi, buluntu yeriyle çevresinin erozyon, jeomorfolojik ve dolgu çalışmalarını yaptıktan sonra, genel olarak muhteviyatı bakımından insanlar ve doğal aktörler, özellikle de ikisinin meydana getirdiği taş nesneler

arasında ayrım yapmaktı. Stratigrafi büyük oranda kum ve duvarlardan düşmüş kumtaşı levhalar yanında bazen döküntü tabakalarından meydana gelmekteydi. Dolguları bünyesinde barındıran ise barınağın önündeki doğal döküntü "duvarıydı." Buluntu yeri 5000'den 50.000 yıl öncesine kadar uzanan bir radyokarbon serisine sahipti.

Çaytaşlarının söz konusu olduğu yerlerde Parenti uçurum tepesinden düşmüş 3500 taş üzerinde bir araştırma yürüttü ve kırıldıkları zaman –ki nadiren meydana gelmişti- doğal yongalamanın bir yüzden fazlasına etki etmediğini, üç yongadan fazlasını koparmadığını ve asla "düzelti" ya da "mikrodüzelti" oluşturmadığını gördü. Bu gözlemler buluntu yerindeki insan yapımı nesneleri tanımlamak için bir referans oldu. 6000 kadar parça kesin şekilde alet olarak nitelendirildi; bunlardan 900'ü Pleistosen tabakalarından geliyordu (kuvars ve kuvarsit Holosen'deki gibi işlenmeye ve kullanılmaya devam etmişti, ama kolayca tanımlanabilen kalsedon, o dönemdeki kesin aletlerin yüksek sayısını açıklar). Daha binlerce çaytaşının niteliği belirsizdir veya doğal ya da insan elinden çıkma olabilirler.

Vale da Pedra Fuada ve Toca da Tira Peia kaya barınağı gibi yakın arkeolojik alanlardaki yeni çalışmalar, yaklaşık 22.000 yıl öncesine tarihlenen taş aletler ortaya çıkarmıştır.

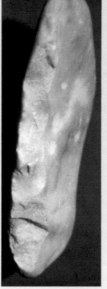

8.5 *Pedra Furada'dan çaytaşı alet (solda). Bu kuvarsit nesnelerin doğal mı yoksa insan elinden çıkma mı olduğu yıllarca tartışılmıştır.*

8.6 *Pedra Furada'daki kaya barınağındaki (en solda) kazılarında aletler ortaya çıkarılmış ve 30.000 yıl öncesinde yerleşime işaret eden tartışmalı kanıtlar bulunmuştur.*

zengin buldukları kireçtaşı tabakasını izleyerek 150 m uzunluğunda bir keşif tüneli açtılar. Bunun sonucunda, 10-16 m derinliğinde 66 maden kuyusu ve bunlardan çıkan ve artık tebeşirle her birine geri dolgusu yapılmış galeriler keşfedildi. Eğer arkeologların tüneli mevcut kuyuların sadece temsili bir kısmına denk gelmişse, o zaman bölgede şaşırtıcı şekilde 153 milyon balta başına yetecek çakmaktaşı üretebilen 5000 kadar kuyu olmalıdır.

Rijckholt'ta madencilik teknikleriyle ilgili çeşitli ipuçları vardır. Kazılmış bir kuyunun duvarlarındaki izler, çökmeyi önlemek için örme dallardan bir istinat duvarının yapıldığına işaret etmekteydi. Kuyuların sona erdiği ve galerinin başladığı yerlerde kireçtaşı üzerindeki derin oyuklar yumruların yüzeye çıkarılması için halatların kullanıldığını gösterir. Kullanılan aletlere gelirsek, bulunan 15.000'in üzerindeki kör ya da kırık balta başı, tüm maden için 2,5 milyonluk bir rakam vermektedir. Diğer bir deyişle, üretimin %2'den azı yine maden işi için kullanılmıştı. Her kuyuda yaklaşık 350 balta başı bulunuyordu (bazıları yok olmuş saplarının geride bıraktığı çukurların yanı başındaydı). Bir metreküplük kireçtaşı çıkarmak için bunlardan beş tanesinin eskitileceği tahmin edilmiştir. Yanlarında bulunmuş sert vurgaçlar ve çakmaktaşı yongalarından anlaşılacağı gibi bunlar hemen oracıkta bileniyordu (her bir 10 ya da 20 balta başı için bir tane).

Rijckholt'taki kireçtaşı sert olduğundan sadece birkaç boynuz kazma bulunmuştur, fakat böyle baltalar başka madenlerden bilinmektedir. Deneyler boynuzların sert kayalara karşı ne kadar etkili olabileceğini göstermiştir. Diğer madenlerdeki yanık izleri, kaya yüzeylerinin bazen küçük bir ateşle çatlatılıp kırılabildiğine işaret eder. Nihayet, Avusturya Alpleri'nin Mitterberg bölgesindeki bakır madenlerinde ahşap aletler günümüze gelebilmiştir: bir çekiç ve kamalar, kürek ve meşale, yükleri taşımak için ahşap bir kızak, hatta ağaç gövdesinden çentikli bir merdiven. Bu türden buluntular birçok arkeolojik alanda eksik olan ve Rijckholt'taki gibi ipuçlarının analiziyle yeniden keşfetmemiz gereken teknolojik kanıtlar yelpazesine delalet eder.

Taş ocaklarının bulunduğu yerlerde arkeologlara çoğu kez yarım kalmış nesnelerden ya da terk edilmiş taşlardan teknolojik rekonstrüksiyonlar yardım eder. En etkileyici örnekler, Paskalya Adası'ndaki Rano Raraku volkanının yamaçlarında bulunan taş ocağı ve Mısır'daki Asvan'da yer alan dikilitaş ocağıdır. Paskalya Adası taş ocağı, kaya yüzeyine resmedilmiş bir yüzden, ana kayaya sadece kaidesinden bağlı bitmiş figürlere kadar farklı üretim aşamalarında yarım bırakılmış taş parçalarına da sahiptir. Atılmış binlerce vurgaç bölgeye yayılmıştır. Deneyler bu türden sivri uçlu kazmalara sahip altı kişinin yaklaşık bir yılda 5 metrelik bir heykeli işleyebileceğini göstermiştir.

Asvan'daki granit dikilitaş bitirilmiş olsaydı 42 m yüksekliğe ve 1168 ton gibi muazzam bir ağırlığa erişecekti.

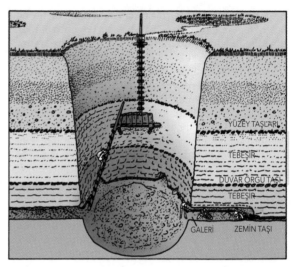

8.7 İngiltere'nin doğusundaki Grimes Graves'te bulunan Neolitik çakmaktaşı madeni. En iyi kalite çakmaktaşına ulaşabilmek için zemin taşı tabakasına kadar yaklaşık 15 metre derinliğinde galeriler açılmıştır. Kaba tahminler burasının 28 milyon çakmaktaşı balta üretmiş olabileceğini düşündürmektedir.

8.8 Paskalya Adası'ndaki taş ocağı. Büyük bir heykel sırt üstü hâlde uzanmaktadır. Henüz bitirilmemiştir ve hâlen kaya yüzeyine bağlıdır, fakat ileri işleme safhasında nasıl yapıldığına dair ipuçları sunar

Başlangıçtaki şekillendirmeler için kullanılan aletler ağır dolerit toplardı. Deneylere göre, bir saat boyunca bunlarla dövüldüğü zaman dikilitaştaki her bir insana ayrılmış çalışma alanının yüzeyinde 5 mm azalma olacaktı. Bu hızla anıt 400 işçi tarafından 15 ay içinde işlenip ana kayadan ayrılabilirdi ve bu da bize böyle bir Mısır anıtının boyutları hakkında bilgi verir. Asvan taş ocaklarında hâlâ görülebilen darbe izleri Peru'daki Rumiqolqa gibi arkeolojik alanlarda bulunanlara çok benzer. Bilinen en iyi durumdaki İnka ocağı olan bu örnekte, 100 m uzunluğunda bir çukurun içinde terk edilmiş hâlde yatan 250 işlenmiş blok vardır. Bunlar sert taştan vurgaçlarla vurularak şekillendirilmiştir ve üzerlerinde hâlen işlemin izleri vardır.

Böylece, arkeoloji deneylerle birleştirildiğinde taş çıkarma konusunda birçok şey keşfetmek mümkündür. Bir sonraki safha malzemenin kullanıldığı, dikildiği ya da birleştirildiği yere nasıl getirildiğini anlamaktır.

Taşlar Nasıl Nakledildi?

Belli durumlarda basit arkeolojik gözlem araştırmaya yardım edebilir. Yarım kalmış bir yerleşim olan Ollantaytambo'nun yakınındaki Kachiqhata adlı İnka taş ocağında İsviçreli mimarlık tarihçisi Jean-Pirerre Protzen'in incelemeleri, işçilerin kırmızı granit blokları dağdan aşağı 1000 m indirmeleri için kızaklar ve rampaların inşa edildiğini ortaya çıkardı. Fakat güzergâhı keşfetmek bir şeydir, doğru tekniği tespit etmek başka bir şey. Ollantaytambo'da Protzen bazı blokların üzerindeki çekme izlerini (parlak yüzeyler ve boylamasına striyasyonlar) fark etti ve izler sadece en geniş yüzeyde bulunduğundan, blokların bu yüzleri aşağıya gelecek şekilde çekildikleri açıktı.

Çekmenin nasıl gerçekleştirildiği belli değildir ve 16. yüzyıl İspanyol fatihlerinin yorumları bu noktada çok yardımcı olur. Belki de en zorlu sorun halatların ve adamların nasıl düzenlendiğidir. Örneğin Ollantaytambo'da 140 tonluk bir bloğu hareket ettirmek için 2400 adam gerekecekti, ama üzerinde yukarı doğru ilerletilecek rampa ancak 8 m genişliğindeydi. Sadece deney kullanılmış en makul yöntemi gösterecektir.

Mısırlılar devasa blokların naklinde benzer ve çoğunlukla daha büyük sorunlarla karşılaşmıştı. Burada prens Djehutihetep'in 7 m yüksekliğindeki su mermerinden heykelini gösteren antik bir tasvirden bazı bilgiler elde ediyoruz. Heykel 60 ton ağırlığında olmalıydı; bir kızağa bağlanmıştır ve 90 adam halatları çekmektedir. Bu sayı muhtemelen yetersizdi ve sanatsal beceriyle ilgili bir sorundu; fakat en azından bu türden betimler, devasa heykeller ve blokların sadece dünya dışı astronotların yardımıyla hareket ettirilebildiği varsayımlarına karşı örnek oluşturur. Mühendislerin hesapları ve bilfiil yapılan deneyler, büyük taş blokların –Brittany'deki 300 tonluk Grand Menhir Brisé büyük menhiri ya da İngiltere'deki Stonehenge üç taşlı anıtı gibi– nasıl taşındığı ve dikildiğine dair gizemi çözmeye yardım eder. 1955'te yapılmış bir deney Meksika'da, La Venta'daki MÖ 1. binyıla ait büyük Olmek bazalt sütunları veya stelleriyle ilgili sorunları ele aldı. Gerçek hayattaki denemeler 2 tonluk bir sütunun kaldırma bağları ve omuzlarındaki sırıklarla 35 adam tarafından kaldırılabilecek maksimum ağırlık olduğunu göstermiştir. En büyük La Venta steli 50 ton geldiğinden, bu 500 adam ve adam başı 100 kg demekti. Fakat 500 kişi steli kaldıracak kadar yakına gelemezdi, dolayısıyla bunun yerine taşın çekilmesine karar verildi.

Taşlar Nasıl İşlendi ve Yerleştirildi?

Bu noktada yine arkeoloji ve deney inşa teknikleri hakkında değerli içgörüler sağlamak üzere bir araya gelir. Örneğin, İnka taş işçiliği her zaman olağanüstü olarak nitelendirilmişti ve düzensiz kenarlı blokların birleşme yerlerindeki hassasiyet bir zamanlar gerçek dışı görünmekteydi. Jean-Pierre Protzen'in çalışması çok sıradan görünmekle birlikte hiçbir suretle İnkaların başarısına

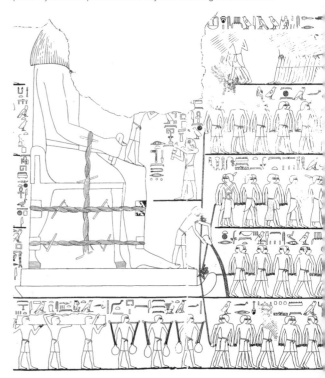

8.9 Mısır'daki el-Berşeh'te bulunan bir mezar yapısından bir sahne, prens Djehutihetep'e ait devasa heykelin naklini göstermektedir.

8.10 *Taşları nakletmek: Batı İskoçya'dan Stonehenge'e varsayılan bir yolculuğun başarısız bir canlandırma denemesi. Yaklaşık 386 kilometrelik yolun 27. kilometresinde, işin deniz safhası başlarken taş Galler kıyısında batmış ve deneme yarıda kesilmiştir.*

gölge düşürmeyecek birçok tekniğin detaylarını açığa çıkardı. Protzen'in deneyleri blokları işlemek için en iyi yöntemin çekiç taşlarını bunların üzerinde "zıplatmak" olduğunu gösterdi (görsel 8.14'e bakınız) ve bir yüzün 20 dakikada kolayca şekillendirilebileceği anlaşıldı. Her bir taş sırasına ait yatak derzi, daha önce yerine oturtulmuş sıranın üst yüzeyine işlenmişti. Ardından ana hatları belirlenmiş alttaki istenilen kenarın üzerine yerleştiriliyor ve arzu edilen şekil bir çekiç taşıyla vurarak ortaya çıkarılıyordu.

Protzen bir taşı oturtmanın, özellikle de yüzeyleri eşleştirmeye yatkın iyi bir gözle 90 dakikada gerçekleştirilebileceğini keşfetti. Deneyleri, taşların doğru şekilde hizaya getirilebilmesi için birçok oturtma denemesinin yapıldığını söyleyen 16. yüzyıl anlatımları tarafından desteklendi. İnka taş blokları aynı zamanda yapılan işlemlerin izlerini de taşır. Yüzeylerinde çekiç taşlarına ait çizikler vardı; kenarlarda ise daha küçük çekiç taşlarının bıraktığı ince çizikler mevcuttu. Bunlara ilaveten, birçok blokta nakil için küçük çıkıntılar bulunuyordu. Benzer çıkıntılar Sicilya'daki Segesta'da bulunan yarım kalmış tapınak gibi belirli Yunan tapınaklarında da görülür.

Yakın zamana kadar Yunan mimarların bina tasarım ve inşasında böyle bir hassasiyeti nasıl elde ettikleri konusunda çok az şey biliyorduk, zira planlara dair hiçbir yazılı kayıt günümüze gelmemişti. Ancak Alman arkeolog Lothar Haselberger Türkiye'deki MÖ 4. yüzyıla ait Didyma Apollon Tapınağı'nın duvarlarında detaylı çizimler şeklinde "mavi kopyalar" keşfetmiştir. Mermer üzerine ince metal oyma kalemiyle daireler, çokgenler, açılar oluşturan 20 m uzunluğunda çizgiler kazınmıştı. Bazı çizimler tam ölçekliydi, diğerleriyse ölçekle küçültülmüştü. Yapının farklı kısımları ayırt edilebiliyordu ve çizimleri içeren duvarların mantıken çizimlerde görülenlerden daha önce inşa edilmiş olmaları gerektiğinden, bu şekilde inşaatın safhaları tespit edilebildi.

Bu keşiften beri diğer Yunan tapınaklarının da benzer "mavi kopyalar"a sahip olduğu anlaşılmıştır, ama Didyma çizimleri en detaylı olanlardır ve duvarlara bu kazıma şekilleri yok edecek geleneksel son perdah hiçbir zaman atılmadığı için günümüze gelebilmişlerdir. Daha yakın bir tarihte, MS 120'de inşa edilmiş Roma'daki Pantheon'un doğal boyutlarda ön cephe planları, Augustus'un anıt mezarı önündeki döşemeye kazınmış hâlde bulunmuştur. Onuncu Bölüm'de insanların düşünsel yeteneklerinin gelişimi bakımından planların önemine değineceğiz.

Şimdiye kadar taş yelpazesinin büyük boyutlarla alakalı kısmını inceledik. Fakat daha küçük taş nesneler nasıl yapılıyordu ve amaçları neydi?

BÜYÜK TAŞLAR NASIL DİKİLDİ?

Yüzyıllar boyunca bilim insanları Taş Devri insanlarının olağanüstü ağır taşları nasıl diktikleri üzerine kafa yordular. Bunlar arasında, yatay söve taşlarının dik duran iki çift taş üzerine hatasız bir şekilde oturtularak bir "trilit" meydana getirildiği Stonehenge, fakat aynı zamanda *pukao* ya da sorguçlara (figürlerin başlarının üzerine yerleştirilmiş 8 ton ya da daha fazla gelen kırmızı volkanik taştan silindirler) sahip Paskalya Adası heykelleri öne çıkıyordu. Geleneksel olarak topraktan devasa rampalara veya heybetli ahşap yapı iskelelere ihtiyaç duyulduğu düşünülmekteydi ve Kaptan

Cook 18. yüzyılın sonlarında Paskalya Adası sorguçları için bu yöntemlere zaten değinmişti. Diğerleri ise -hem Stonehenge hem de Paskalya Adası için- sövelerin/sorguçların dik taşlara ya da heykellere bağlanarak birlikte kaldırıldığını iler sürdüler. Ne var ki bu sadece çok zor bir işlem olmakla kalmayıp aynı zamanda arkeolojik anlamda mümkün değildi: Paskalya Adası sorguçları açıkça heykellere sonradan eklenmişti. Modern zamanlarda restore edilmiş heykellere yeniden yerleştirilenler için ise vinç kullanılmıştı.

Çek mühendis Pavel Pavel işin aslında epey basit olduğunu, sadece

birkaç insan, halat ve belirli uzunlukla kalas gerektirdiğini keşfetti. Önce Stonehenge'in bir kil modeliyle çalışmaya başladı ve yöntemin işe yaradığını görünce iki dik taş ve bir sövenin betondan bire bir kopyasını yaptı. İki meşe hatıl dik taşların tepesine yaslandı ve iki tanesi de diğer tarafa kaldıraç olarak yerleştirildi. Kaldıraçlara halatlarla bağlı söve hayvan yağıyla kayganlaştırılmış eğimli hatılların üzerinde kademeli olarak yukarı kaldırıldı. Tüm işlem sadece üç günde on kişi tarafından yürütülmüştü.

Pavel akabinde benzer bir deneyi bir Paskalya Adası heykeli ve *pukao* replikasıyla yaptı ve yine yöntemin kusursuz şekilde ve çok az güç harcanarak işlediğini gördü. Bu türden bütün deneylerde olduğu gibi, Taş Devri insanlarının bu tekniği kullandığı kanıtlanamaz, ama benzer bir yola başvurulma ihtimali yüksektir. Gerçekleştirilen iş, makine kullanmaya çok alışmış modern insanların, taş anıt inşasında karşılaşılan güçlükleri abartmaya ve biraz pratik zekâ, birkaç insan ve basit teknolojiyle neler başarılabileceğini hafife almaya meyilli olduklarını göstermektedir.

8.11–12 *Stonehenge'deki trilitlerin taşlarını dikmek için kullanılabilecek muhtemel bir yöntemin rekonstrüksiyonu (üstte ve altta)*

8.13 *Paskalya Adası heykellerinin sorguçlarını kaldırmak için başvurulabilecek olası yöntemlerden birinin iki safhası. Modern deneyler bu yöntemin kusursuz işlediğini göstermiştir.*

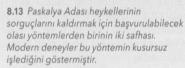
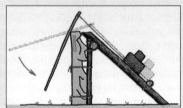
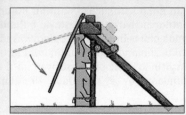

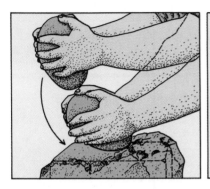 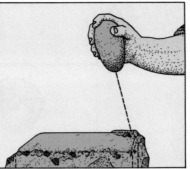 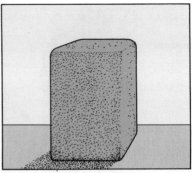

8.14–15 *İnka taş işçiliği. (sağda) Peru'daki Cuzco'da ünlü 12 köşeli taş, birbirine tam uyan bloklardan İnkaların inşa ettiği bir duvarın parçasıdır. (yukarıda) Jean-Pierre Protzen'in İnka taş ustalarının blokların nasıl işlemiş olabileceğini keşfetmeye yönelik deneylerini gösteren çizimler. Başlangıçta (solda) Protzen, açılı çarpma sağlamak için son anda eğerek kullandığı 4 kg'lık bir vurgaçla taşın bir yüzüne vurdu. Ardından (ortada) bir sonraki yüzün kenarlarını hazırlamak için 560 gramlık daha küçük bir çekiç kullandı. Her bir yüz için aynı işlemi tekrar ettikten sonra, gerçek İnka taş işçiliğindekilere benzer hafifçe dışbükey köşelere sahip bitmiş bir blok (sağda) elde etti.*

Taş Alet Üretimi

Çoğunlukla taş aletler bir çaytaşı veya "çekirdek"ten istenilen şekil elde edilene kadar malzeme çıkararak yapılır. Vurularak çıkarılan ilk yongalar (birincil yongalar) dış yüzeyin (kabuk) izlerini taşır. Ardından son şeklin elde edilmesi amacıyla hazırlama yongaları vurularak çıkarılır ve belirli kenarlar küçük ikincil yongaların da ayrılmasıyla "düzeltilebilir." Çekirdek bu şekilde üretilen asıl parça olmakla birlikte, yongaların kendisi kesici, kazıyıcı vb. olarak kullanılabilir. Alet yapımcısının iş kalitesi mevcut hammaddenin türü ve miktarına göre değişebilir.

Taş alet teknolojisinin tarihi düzensiz şekilde artan bir gelişme düzeyi gösterir. Ayırt edilebilen ilk aletler, keskin kenarlar oluşturmak üzere çaytaşlarına vurularak elde edilmiş basit satırlar ve yongalardan ibarettir. En iyi bilinen örnekler Tanzanya'daki Olduvai Boğazı'nda bulunmuş Oldowan aletleridir. Yüz binlerce yılın ardından insanlar aletlerin her iki yüzeyini de yongalama yönünde ilerleme göstermiş ve nihayetinde ince işlenmiş keskin kenarlara sahip simetrik Acheul tipi el baltasını üretmişlerdir. Yaklaşık 100.000 yıl öncesine tarihlenen bir sonraki gelişme, çekirdeğe önceden belirlenmiş boyut ve şekildeki büyük yongaların çıkarılabileceği şekilde vurulmasını içeren "Levallois tekniğinin" –adını ilk kez tanımladığı Paris banliyösündeki bir buluntu yerinden alır– ortaya çıkmasıyla olacaktır [Levallois tekniğinin kullanımı yaklaşık 300 bin yıl öncesine dayanmaktadır –ç.n.].

Günümüzden yaklaşık 35.000 yıl önce, Üst Paleolitik Dönem'le beraber dilgi teknolojisi dünyanın bazı kısımlarında baskın hâle geldi. Uzun paralel kenarlı dilgiler silin-

dirik bir çekirdekten bir dolaylı vurma parçası ve vurgaç çıkarılmaya başlandı. Bu, sadece çok çeşitli uzman aletleri (kazıyıcılar, kalemler, deliciler) üretmek için kırılacak ve düzeltilecek birçok işlenmemiş parça yaratmasından dolayı değil, aynı zamanda hammadde israfını azaltarak eldeki taşın işlenen kenarlarının toplam uzunluğunu eskisine göre çok artırması nedeniyle de büyük bir ilerlemeydi. Taşın kendisi normal olarak aynı cinsten kolayca işlenebilen çakmaktaşı ya da obsidyendi. Loren Eiseley giderek artan bu verimliliğe dair yararlı bir çalışma yapmış ve 500 gramlık yüksek kaliteli çakmaktaşının kullanımını hesaplamıştır:

Teknoloji	Üretilen Kesici Kenarın Uzunluğu
OLDOWAN	5 cm
ACHEUL	20 cm
MOUSTIER (Orta Paleolitik)	100 cm
GRAVETTE (Üst Plaeolitik)	300-1200 cm

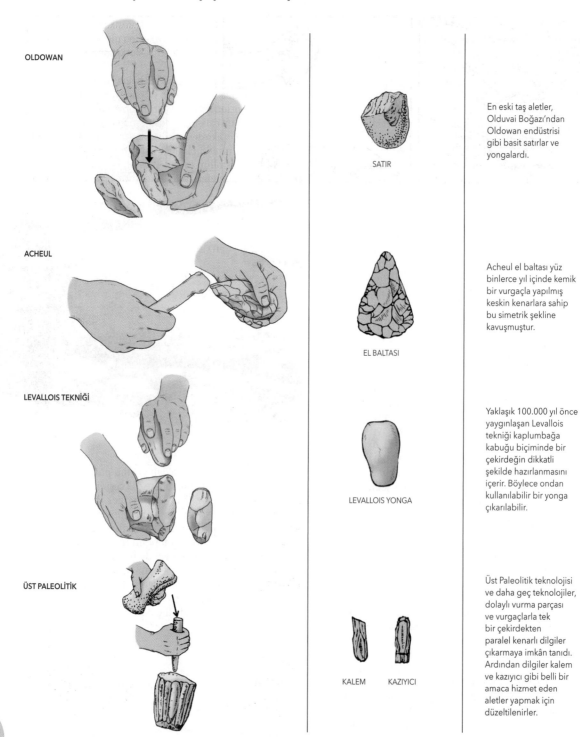

OLDOWAN

SATIR

En eski taş aletler, Olduvai Boğazı'ndan Oldowan endüstrisi gibi basit satırlar ve yongalardı.

ACHEUL

EL BALTASI

Acheul el baltası yüz binlerce yıl içinde kemik bir vurgaçla yapılmış keskin kenarlara sahip bu simetrik şekline kavuşmuştur.

LEVALLOIS TEKNİĞİ

LEVALLOIS YONGA

Yaklaşık 100.000 yıl önce yaygınlaşan Levallois tekniği kaplumbağa kabuğu biçiminde bir çekirdeğin dikkatli şekilde hazırlanmasını içerir. Böylece ondan kullanılabilir bir yonga çıkarılabilir.

ÜST PALEOLİTİK

KALEM   KAZIYICI

Üst Paleolitik teknolojisi ve daha geç teknolojiler, dolaylı vurma parçası ve vurgaçlarla tek bir çekirdekten paralel kenarlı dilgiler çıkarmaya imkân tanıdı. Ardından dilgiler kalem ve kazıyıcı gibi belli bir amaca hizmet eden aletler yapmak için düzeltilenirler.

8.16 *En erken Oldowan teknolojisinden Üst Paleolitik'in daha ileri yöntemlerine dek taş aletlerin evrimi.*

Daha büyük bir tasarrufa giden bu eğilim yaklaşık 10.000 yıl önce, çoğu muhtemelen kompozit aletlerde kullanılmış küçük aletler olan mikrolitlerin Mezolitik Çağ'a hâkim olmasıyla birlikte zirve yapmıştır.

Arkeolog üretim zincirini (*chaîne opératoire*) yeniden kurgulamalıdır (s. 394'e bakınız). Eğer vurma tek bir yerde yapılmış ve bütün artık malzeme (yongalama kalıntıları) hâlen mevcutsa, bu daha kolay bir iştir. Üretim alanları ağının tespiti de analize katkıda bulunur. Japonya'da Saga vilayetinde bulunan 15.000 - 10.000 yıl öncesine ait 40'tan fazla buluntu yerinin meydana getirdiği grup, bir taş kaynağının yakınında bulunuyordu ve bunlarda 100.000'in üzerinde alet ele geçti; her buluntu yeri hammadde tedarikinden bitmiş ürün yapımına kadar farklı bir üretim safhası üzerinde uzmanlaşmıştı. Ancak daha yaygın olarak arkeolog her türden artık malzeme ve kırık aletlerle dolu bir endüstriyel buluntu yeri keşfedecek, ama genellikle taşındıkları için bitmiş aletlere rastlamayacaktır. Bitmiş aletler sıklıkla taş kaynağından uzak olan buluntu yerlerinde ortaya çıkar. Bir buluntu yerinde rastlanan alet tipleri söz konusu yerin işlevi hakkında ipuçları verir: Mermiyat içeren bir avcılık alet çantası geçici bir konak yerinde beklenebilecek türdendir. Öte yandan bir ana konak yeri ya da kalıcı yerleşmede daha geniş bir çeşitlilikte aletler bulunacaktır.

Aletler üzerindeki izlerden üretimle ilgili bazı teknikler çıkarılabilir. Mesela Suriye'deki Umm el-Tlel'de bazı taş aletlerin üzerinde bulunan ısıtılmış katrandan macun, sap takmanın en azından Orta Paleolitik'e kadar gittiğini düşündürmektedir. Bu tespit, Almanya'da 80.000 yıl öncesine tarihlenen bir huş ziftinin, ahşap gövdeleri taş dilgilere tutturma görevini üstlendiği düşünülmektedir. Taş alet yapmaya devam eden Avustralya yerlileri ve yaylalardaki Mayalar gibi birkaç modern halkta birçok teknik hâlen gözlemlenebilmektedir. Özellikle Richard Gould ve Brian Hayden tarafından Avustralya ve Mezoamerika'da birçok etnoarkeolojik çalışma yapılmıştır. Diğerleriyse Yeni Gineli dağ halklarının taş baltaları nasıl ürettiklerini araştırmıştır. Ustabaşıların gözetiminde seri çakmaktaşı bıçak üretimini betimleyen 12. Hanedan firavunu Amenemhat'ın Beni Hasan'daki mezar yapısı gibi sanatsal tasvirler de yardımcı olabilir.

Diğer birçok durumda alet yapımcısının verdiği kararları tespit etmek için iki ana yaklaşım vardır: deneysel üretim ve yeniden birleştirme.

Taş Alet Deneysel Üretimi. Gerekli süreçleri, harcanan vakti ve çabayı belirlemek amacıyla farklı tip taş aletlerin, sadece asıllarını üretenlerin elindeki teknolojiyi kullanarak tıpa tıp kopyalarının yapılmasını içeren deneysel arkeoloji türüdür. Geçmişte sadece bir avuç dolusu deneyci, özellikle Eski Dünya'da François Bordes (1919-1981) ve Yeni Dünya'da da Donald Crabtree (1912-1980) en yüksek uzmanlığa ulaşmış-

tır, çünkü yıllarca süren sabırlı bir pratik gereklidir. Ancak bugün, oldukça fazla sayıda arkeolog alet üretiminde eski taş yontma hakkındaki bilgimize katkı sağlayacak şekilde beceri kazanmıştır.

Mesela Amerikalı arkeolog Nicholas Toth Koobi Fora'da (Kenya) bulunmuş 1,5-2 milyon yıl öncesine ait bütün eski taş aletleri –vurgaçlar, satırlar, kazıyıcılar ve yongalar– yaptı ve kullandı. Toth'un çalışması, basit yongaların birincil aletler, daha etkileyici çekirdeklerin ise sadece yonga üretiminin tesadüfi yan ürünleri olduğunu düşündüren kanıtlar sağladı. Daha önce bilim insanları yongaları artık malzeme, çekirdekleri de hedeflenen bitmiş ürün olarak görmeye eğilimliydi.

Donald Crabtree'nin deneme yanılmayla çözmeyi başardığı özel bir sorun, Kuzey Amerika'da Eski Yerliler'in 11.000-10.000 yıl öncesine ait Folsom uçları denen yivli taş aletleri nasıl yaptıkları, özellikle de "yivli" ya da kanallı

8.17 *Ünlü deneysel taş alet ustalarından Fransız Paleolitik uzmanı François Bordes burada, 1975'te ilgili süreci ve harcanan zamanı değerlendirmek için bir taş parçasını yongalarken görülüyor.*

dilgileri nasıl çıkardıklarıydı. Bu bir gizem olarak kalmış ve Aztek yerlilerinin obsidyenden uzun bıçak dilgileri yaptıklarını gören bir İspanyol rahibin 17. yüzyıla ait metnindeki nihai ipucunun bulunmasına kadar çeşitli teknik deneyler hayal kırıklığı yaratmıştı. Deneylerin kanıtladığı gibi yöntem, göğse yerleştirilmiş T biçimli bir çatal desteğin yukardan aşağı doğru bastırılarak dilginin çıkarılmasından ibaretti. Desteğin ucu sağlam şekilde sabitlenmiş çekirdekteki belirli bir noktaya doğru bastırılır (aşağıdaki çizime bakınız).

Bir başka Eski Yerli uzmanı olan Amerikalı arkeolog George Frison biraz daha eskiye tarihlenen Clovis uçlarının nasıl kullanıldığını öğrenmek istedi: 5-10 cm uzunluğundaki replikaları denedi ve 2 metrelik ahşap saplara zift ve kas kirişi aracılığıyla taktı. Bununla, 20 metreden atıldıklarında Afrika'daki fillerin (zaten ölümcül yaralar almış olanların) sırtına ve göğüs kafesine derinlemesine saplandıklarını gösterdi. Frison uçların bir kaburgaya isabet etmedikleri sürece çok az hasarla ya da hasarsız şekilde birden fazla kez kullanıldığını keşfetti.

Arkeologlar ayrıca replikasyon ve deneyi belirli çakmaktaşı aletlerin üretim sırasında bilinçli olarak ısıtılıp

8.18 *Paleo-Kızılderililer Folsom uçlarını nasıl yapmıştı? Donald Crabtree'nin deneyleri yongaların T şeklindeki bir levyeyle çekirdekten bastırılarak çıkarıldığını gösterdi (solda). Deneysel taş alet yapımcıları uçların neredeyse mükemmel replikalarını üretmişlerdir (sağda).*

ısıtılmadığını, eğer ısıtıldıysa bunun nedenini anlamak için kullanabilirler. Örneğin Florida'da birçok mermiyat ucunun ve çoğu yongalama artığının pembemsi rengi ve parlak yüzeyi ısı değişimini akla getirmektedir. Barbara Purdy ve H.K. Brooks'un çalışmaları Florida çakmaktaşlarının yavaşça ısıtıldığı zaman 240°C'de renk değişiminin meydana geldiğini, 350-400°C'de ısıtıldıktan sonraysa yongalamanın parlak bir görünüm bıraktığını gösterdi. Purdy ve Brooks ısıtılmamış ve ısıtılmış çakmaktaşı arasındaki farkları da araştırdı. Petrografik ince kesitler yapısal açıdan bir fark bulamadı, ama taramalı elektron mikroskobunda ısıtılmış çakmaktaşının çok daha pürüzsüz bir görünümü olduğu anlaşıldı. Üstelik taş mekaniği üzerindeki yapılan bir çalışma, çakmaktaşının ısıtıldıktan sonra basınç mukavemetinin %25-40 arttığını, ama kırmak için gerekli kuvvette %45 düşüş olduğunu gösterdi. Deneysel replikasyon ve mikroskobik araştırmalar, Güney Afrika'daki Pinnacle Point (günümüzden 164.000 yıl önce) ve Blombos Mağarası'ndan (günümüzden 75.000 yıl önce) silkret (silika çözülüp sonrasında yeniden sertleştiğinde oluşan kayaç) aletlerin ısıl işleme tabi tutulduğuna dair izler ortaya çıkarmıştır.

Doğrulama –ve çakmaktaşının görünümüne göre daha nesnel bulgular– kristallerin yapısındaki (bu örnekte silika) kusurları ya da değiştirimleri tespit edebilen elektron döngü rezonans spektroskopisi (electron spin resonance=ESR) gibi tamamen farklı bir yöntemle elde edilir. Isıtılmış malzemenin, ısıtılmamış çakmaktaşında bulunmayan ve süresiz olarak sabit kalan karakteristik bir ESR sinyali vardır.

Crabtree'nin çakmaktaşı üzerindeki deneyleri, ısıtmadan sonra baskı tekniğiyle daha büyük yongaların elde edilebildiğine işaret eder. Termolüminesans da (4. Bölüm) ısı değişimini –hatta bazı durumlarda dereceyi– tespit etmek için kullanılabilir, çünkü bir örnekteki TL miktarı ısıtılmadan itibaren geçen süreyle ilgilidir. Isıya maruz kalmamış bir alet normalde yüksek bir TL değerine sahipken, ısıtılmış bir örnek tuzaktaki elektronlarını önceden salmış olacağından çok daha düşük bir değer okunacaktır.

Aletlerin deneysel yeniden üretimi genellikle geçmişte hangi tekniklerin kullanıldığını kesin olarak kanıtlayamaz, fakat ihtimalleri azaltır ve çoğunlukla yukarıdaki Folsom örneğinde olduğu gibi en muhtemel yöntemi gösterir. Öte yandan **yeniden birleştirme** orijinal aletlerle çalışmayı içerir ve taşı işleyen kişinin kesin faaliyet sürecini açıkça gösterir.

Taş Aletlerin Yeniden Birleştirilmesi. 1880'de İngiltere'deki Crayford Üst Paleolitik buluntu yerinde F.J.C. Spurrell'in girişimlerine kadar izlenebilen bu çalışma, Paris yakınlarındaki Magdalen (Üst Paleolitik) Pincevent konak yerinde André Leroi-Gourhan ve benzer buluntu yerlerinde öğrencilerinin çabaları sayesinde yakın tarihte hak ettiği yere gelmiştir. Yeniden birleştirme ya da bazen kullanılan adıyla bir araya getirmede, aletleri ya da yongaları üç boyutlu bir yapboz misali yeniden bir araya getirmek gerekir. Çalışma sıkıcıdır ve zaman alır, ama olağanüstü sonuçlar verebilir. Magdalen Etiolles buluntu yerinden N103 kodlu bir araya getirilmiş taş, bazıları 30 cm'den uzun dilgilerden müteşekkil 124 parça içerir.

Neden arkeologlar yeniden birleştirme için sıkı çalışmayla geçen saatler harcarlar? Kabaca söylemek gerekirse, çünkü onarım bir taş alet yapımcısının zanaatının safhalarını –bir çekirdeğe ait parçaların farklı alanlarda bulunduğu yerlerde– hatta onun buluntu yeri çevresindeki hareketlerini takip etmemize izin verir. Elbette yongaların yer değiştirmesiyle zanaatkârın yerinin değişmesi arasında hiçbir ilgi olmayabilir. Örneğin bir kalem kıymığı darbe yediği zaman 7 m ileri fırlayabilir ve her bir çekirdeğin tek bir mesaide işlendiğini gözü kapalı kabul etmemiz gerekir. Bir çekirdeğin uzun ya da kısa süreli yokluğundan sonra yeniden kullanılabileceğini etnografyadan biliyoruz.

Birleştirilen parçalardan öğrendiğimiz diğer bir şey, bir buluntu yerinin tabakalarında tahribat izleri bulunmamasına rağmen önemli dikey hareketlerin yaşanabileceğidir. Ancak eğer bu etkenler hesaba katılırsa birleştirme, aletlerin uzamsal dağılımı hakkında dinamik bir bakış açısı sunarken eski bir buluntu yerindeki hareketlilik ve faaliyetin canlı bir manzarasını sergiler. Bu gözlemlerin, aletlerin işlevlerine dair bilgilerle desteklendiği buluntu yerleri gerçek anlamda canlanır (arka sayfadaki kutuya bakınız).

Bir taş aletin işlevini nasıl anlarız? Gördüğümüz gibi etnografik gözlem, kalıntılar gibi, bize değerli ipuçları verir (s. 307'ye bakınız) ve deney hangi kullanım şekillerinin mantıklı ya da en muhtemel olduğunu belirleyebilir.

8.19 *Fransa'daki Marsangy Üst Paleolitik buluntu yerinden taş yongalar, çıkarıldıkları orijinal çekirdeği göstermek üzere yeniden bir araya getirilmiştir. Bu türden çalışmalar sayesinde arkeologlar taş alet yapımcısının zanaatındaki farklı aşamalara dair bir resim oluşturabilmektedir.*

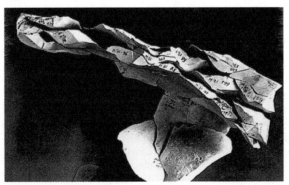

Ancak tek bir alet birçok şey için kullanılabilir. Bir Acheul el baltası bir ağaçtan ahşap elde etmek, et kesmek, ezmek, kazımak ve kesmek gibi farklı işlevler üstlenebilir. Öte yandan, aynı iş de birçok farklı alet tarafından yerine getirilebilir. İşleve dair tek doğrudan *kanıt* küçük izleri ya da orijinal aletlerin üzerindeki kullanım izi şekilleri çalışarak elde edilir.

Taş Aletlerin İşlevini Tespit Etmek: Kullanım İzi Çalışmaları

Yeniden birleştirme gibi, kullanım izi çalışmalarının başlangıcı da 19. yüzyıla kadar gider, fakat asıl ilerleme, eski aletlerdeki kullanım izleri üzerine on yıllarca deney yapan Sovyet bilim adamı Sergey Semenov'un ilk kez 1957'de yayımlanan öncü eseriyle kaydedilmiştir. Binoküler mikroskop kullanan Semenov, en sert taştan aletlerin bile kullanımlarına dair izleri barındırdığını gördü. Bunlar öncelikle çeşitli parlaklıkla ve çiziklerdi. Ruth Tringham ve diğerlerinin akabinde yaptığı çalışmalar Semenov'un çiziklerin onun öne sürdüğü kadar evrensel olmadığını gösterdi ve ilgi mikroyongalamaya (kullanımdan dolayı meydana gelen küçük kenar yongalamaları) yöneldi. Ardından çalışmalar, şimdi Chicago Üniversitesi'nde görev yapan Lawrence Keeney ve diğerlerinin kullanım izi türleri ve bunları fotomikrograflar üzerine kaydetme konusunda daha hassas olmalarını sağlayan taramalı elektron mikroskobunun ortaya çıkmasıyla yeni bir safhaya girdi.

Aşınmanın tarifi gayet iyi şekilde yapılabilmekteydi, ama özel faaliyetlerle birlikte farklı tiplerin tanımlanması gerekiyordu. Deneysel arkeoloji bunun cevabını sağladı. Farklı tiple taş aletler kopyalandı ve her biri özel bir iş için kullanıldı. Her işin farklı tipler üzerinde bıraktığı izler, Keeley'nin eski aletler üzerindeki aşınmalarla karşılaştırılabilecek bir referans koleksiyonu meydana getirmesini sağladı. Farklı türde parlaklıkların hemen fark edildiğini ve çok dayanıklı olduklarını keşfetti, çünkü aletin mikrotopografi kalıcı değişimler yaratıyorlardı. Kabaca altı alet kullanım kategorisi oluşturulmuştur: ahşap, kemik, deri, et, boynuz ve odunsu olmayan bitkiler üzerindeki kullanımlar. Diğer izler aletin hareketini gösterir: mesela delme, kesme ya da kazıma.

Bu yöntemin geçerliliği bir gözü kapalı sınamayla doğrulandı. Bunda Keeley'ye, kendisine söylenmeyen işlerde kullanılmış 15 replika verildi. Kendisi aletlerin iş gören kısımlarını doğru olarak bildi, nasıl kullanıldığını yeniden kurguladı, hatta hemen her örnekte işlenen malzemeyi tanımlamayı başardı. İngiltere'nin güneyinden gelen Alt Paleolitik aletler üzerine eğilen Keeley, Clacton'da bulunmuş aletlerin (yaklaşık 250.000 yaşında) et, ahşap, deri ve kemik, Hoxne'den bazılarının da odunsu olmayan bitkiler üzerinde kullanıldığını gördü. Görünüşe göre kenar

REKEM'DE YENİDEN BİRLEŞTİRME VE KULLANIM İZİ ÇALIŞMALARI

Belçika'daki Rekem buluntu yeri Geç Üst Paleolitik'e, yaklaşık 13.500 yıl öncesine tarihlenir ve 1984-1986 yılları arasında Belçikalı arkeolog Robert Lauwers tarafından kazılmıştır. Meuse Irmağı boyunca uzanan bir kumul üzerindeki 1,7 hektarlık alanda arkeologlar 16 adet belirgin alet yoğunluğu belgeledi. Bir mermiyat ucuna yapıştırılmış reçine zamkı, odun kömürü artıkları ve kırmızı toprak aşıboyası parçaları dışında buluntu yerinde ele geçen malzeme –toplamda 25.000 parça– sadece taş aleti (çoğunlukla çakmaktaşı).

Buluntuların hem yatay hem de dikey dağılımı detaylı şekilde kaydedildi. Dikey olarak, nesneler 40-70 cm gibi hatırı sayılır bir derinlikte yayılmışlardı. Bu değişken derinliklerden gelen buluntular birleşebileceğinden, bu dikey yayılım buluntu yerinin kesin şekilde birkaç farklı durumda iskân gördüğü anlamına gelmiyordu. Tek bir iskâna ait terk edilmiş aletler tünel kazan hayvanlar ve bitki kökleri gibi doğal süreçlerle dikey olarak yer değiştirmişlerdi. Bu yüzden arkeologlar gömülme sonrası doğal etkenler tarafından bozulmuş böyle bir Paleolitik buluntu yerinin, yatay düzlemde detaylı uzamsal analize izin verecek kadar yeterli bilgiyi ne dereceye kadar hâlen barındırdığını bilmek istediler. Bu soruları cevaplamak için çeşitli yöntemler ve yaklaşımlar bir araya getirildi. Aralarında Marc De Bie'nin kapsamlı yeniden birleştirme projesi ile Jean-Paul Caspar'ın ayrıntılı kullanım izi araştırması da bulunmaktaydı.

Alet Tipleri

Kazıların merkez alanındaki 12 buluntu yoğunluk grubu, belirli bir planlamaya işaret etmekteydi. Bu bölgedeki daha büyük birkaç buluntu yeri batı kısımda dizilmişken, bir dizi daha küçük başka buluntu yeri ise doğuda bulunuyordu. Çakmaktaşı olmayan taşlar temelde büyük yoğunlaşmalarla sınırlıydı. Bu taşlar çoğunlukla yanmıştı ve büyük kısmı kasten inceltilmiş kenarlara sahipti. Bunların tam olarak ne işe yaradıkları hâlen belli değildir, fakat muhtemelen doğrama, kesme, sürterek kesme, kazma gibi boyut ve kütlenin önemli olduğu işler için uygunlardı. Bu "ağır iş aletlerine" ilaveten diğer taşlar, vurgaçlar, oluklu perdah taşları, hematit öğütmek ya da kesmek için yassı taşlar olarak hizmet etmişlerdi. Kuvars muhtemelen pişirme taşı olarak kullanılmıştı. Alet olarak işlevleri yanında, daha büyük taşlardan aynı zamanda ocaklarda veya evlerde yapı elemanı olarak yararlanılmıştı. Yeniden birleştirmelerin sonuçları bunların fazlasıyla taşınabilir nesne grupları olduklarını, hem alan hem de farklı alanlar arasında hareket ettiklerini göstermiştir.

Çakmaktaşı malzemeyle bağlantılı olarak müşterek araştırma hammaddelerin temini, yongalama yöntemleri, alet yapımı, kullanımı ve bakımıyla alakalı değişik yönleri açığa çıkarmıştır.

Teknoloji

Çalışmalarda taşımalıkların üretimine dair detaylı bir resim ortaya çıkmıştır. Rekem'deki taş endüstrisi kısa, standartlaşmamış dilgiler ve doğrudan sert vurgaçla yapılmış ince yongalar üreten özensiz dilgi teknolojisiyle karakterize edilmektedir. Çakmaktaşı yongalayanlar kalite, boyut, morfoloji açısından çok çeşitli taşlardan yararlanmışlardı ve açıkça farklı derecelerde yetenekleri vardı. Uzmanlaşma ve çıraklık gibi muhtemel sosyal boyutlar çakmaktaşı yongalanmasını yönlendirmiş olabilir, ama çakmaktaşı yongalaması hâlen prestij niteliği taşımayan, daha ziyade temel bir evsel uğraştı.

Rekem'deki muhtelif alet kategorilerine dair çalışmalar üretim, onarım ve elden çıkarma süreçlerinin yeni yönlerini ortaya koydu. Uçların önemli işlevsel niteliklerine dair makroskobik ve mikroskobik analizlerle replikaları kullanan deneysel bir program, bunların muhtemelen kamış gövdelerine yerleştirilmiş mermiyat teçhizatları olduğunu gösterdi.

Alet artıklarının yeniden birleştirilmesi ve yaşanan ufak kazaları küçük aletler serisi olarak yontma, üretim süreci hakkında fikir vermiştir. İlginçtir ki mermiyat uçlarının üretimi izole ve küçük yongalama yerlerinde yapılmıştı. Bu türden üretim noktalarındaki çakmaktaşı işleme sürecinin dağılımı, yongalama deneyleri ve etnoarkeolojik kontekstlerden paralel bulgularla uyuşuyordu. Kullanılmış mermiyat uçlarının atılması daha büyük "yerleşme alanları"nda meydana gelmekteydi ve bunların tam yeri kırılma durumlarına bağlıydı. Bazı kısa temel parçalar gövdesinden çıkarılıp sadece ocak alanının çevresine atılırken daha uzun örnekler daha uzaklara fırlatılmaktaydı.

Bu büyük ve kalabalık yoğunlaşmalarda ocak alanı görünüşe göre av hayvanlarının temini (avlanma gereçlerinin bakımı), kesme, yiyecek işleme faaliyetleri, deri kesimi, kıl yolma, kuru post işleme, çeşitli kemik ve boynuz işleriyle ilgili bir dizi faaliyeti kendisine çekmişti. Tek yerdeki bu atık üreten böylesine bir faaliyet bileşimiyle bile her bir iş özgün bir uzamsal biçim düzenini korumuş gibi görünmekteydi.

Örneğin kazıyıcılara gelirsek, faaliyetin yeri ve üretim ile yeniden bileme organizasyonu, çalışma zamanında postların fiziksel durumuna göre değişiyordu. Yeni postların sıyrılması ve kuru post işlemleri ocağın her bir tarafındaki ayrı alanlarda vuku bulmaktaydı. Kuru post işinde kazıyıcıların üretimi ve yeniden bilenmesi sıyırma etkinliğinden ayrı tutulmaktaydı. Bunun sebebi muhtemelen post üzerinde düzelti artıklarının birikmesini engellemekti.

Tabakalanma Sonrası Bozulma

Rekem'deki tabakalanma sonrası bozulma sürecinin genelde geçmiş insan faaliyetleriyle bağlantılı ince taneli mekânsal örüntüleri bulanıklaştırmadığı açıkça saptanabilmişti. Müşterek araştırma sonuçlarından çıkan resim şöyledir: Rekem Üst Paleolitik yerleşmesi bir yandan işleme ve bakım faaliyetlerinin vuku bulduğu yaşam alanlarını temsil eden mesafeli yerleşim birimleri, diğer yandan ya ok üretimi için ayrılmış ya da alet üretiminden tamamen yoksun bazı yongalama noktaları barındıran nispeten büyük bir konak alanıydı.

Kısacası, buluntu yeri aşağı yukarı belirgin faaliyet ve atık alanlarına bölünmüştü; öyle ki her birinin muhteviyatı çok farklıydı. Bu buluntu yeri içi çeşitliliği sadece alet tipleriyle sınırlı değildi. Uzamsal düzenlemedeki farklılıklar aynı zamanda teknolojik seviyede de (farklı yongalama tarzları) gözlemlenir. Rekem'de bu çeşitlilik genel "kültürel" farklardan ziyade öncelikle bireylerin tercihlerine ve davranışlarına atfedilir.

8.22 Rekem buluntu yerindeki kazılar 16 buluntu yoğunlaşması saptadı ve bunlardan 12'si merkez alanda toplanmıştı (sağda). Bunlar boyut, yapı ve içerik bakımından dikkat çekici bir çeşitlilik göstermekle birlikte organizeydiler. Büyük çakmaktaşı ve diğer taş aletler temiz yapılarla birlikte (ocaklar vb.) batı kesiminde bulunmuştur. Doğu kesiminde sadece çakmaktaşı içeren ve hiçbir yapı barındırmayan yoğun dağınık buluntu yerleri vardır. Diğer araştırma yöntemleriyle birleştirilen mikroaşınma analizi, buluntu yerindeki faaliyetlerin dağıtıldığını ve ayrıldığını göstermiştir. Yeniden birleştirme çalışmaları, 12 merkezi buluntu yoğunlaşması arasındaki ilişkileri ve çakmaktaşı nesnelerin (mavi çizgiler) diğer taşlarla (kırmızı çizgiler) bağlantılarını açığa çıkarmıştır.

8.20 Bir avcı (sağda) yerleşim alanından uzak bir noktada sessizce ok uçlarını hazırlıyor. Buluntu dağılımlarının detaylı analiziyle birlikte yeniden birleştirme ve kullanım izi analizi bu kurgulamanın yapılmasına imkân vermiştir.

8.21 Yeniden birleştirme ve kullanım izi analizleriyle birlikte gerçekleştirilen uzamsal analiz (aşağıda), buluntu yerinin farklı mıntıkalarındaki post işleme faaliyetinin çeşitli basamaklarına ait bir rekonstrüksiyonun yapılabileceği anlamına gelmektedir.

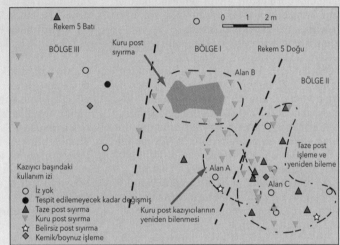

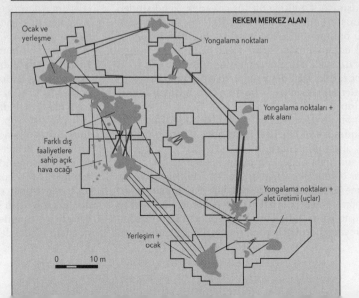

kazıyıcılardan başlıca deri işlemede yararlanılmıştı.

Benzer bir çalışmada Johan Binneman ve Janette Deacon, Güney Afrika'daki Boomplaas Mağarası'nda bulunmuş taş keserlerin özellikle ahşap oymacılığında kullanıldığı savını sınadı (bu mağradaki odun kömürünün önemi hakkında bkz. 6. Bölüm). Daha geç tarihli Taş Çağı aletlerinin replikaları yapıldı ve bunlar ahşabı oymak ve düzeltmek için kullanıldı. Bunun sonucunda ortaya çıkan kullanım aşınması buluntu yerinden 14.200 yıl öncesine ait 51 aletle karşılaştırıldığında, bütün tarihöncesi örneklerin burada erken zamanlardan beri ahşap işlemenin önemini doğrulayan aynı parlaklığa sahip olduğu keşfedildi.

Japon bilim adamı Satomi Okazaki çiziklere odaklanmıştır, çünkü bunların yoğunluğu ve yönleri üzerindeki çalışmaların parlaklık derecesinin belirlenmesinden daha nesnel olduğunu düşünmektedir. Okazaki deneylerde obsidyen kullanmanın çizik ürettiğini, ama parlaklık meydana getirmediğini görmüştür: Aletin kenarına paralel çizikler kesme hareketinin sonucuyken, dikey olanlar kazıma hareketinden kaynaklanmaktadır.

Bir alet setinin işlevini tespit etmek, bir buluntu yerindeki faaliyet manzarasını değiştirecek beklenmedik sonuçlar doğurabilir. Örneğin Paris yakınındaki Magdalen buluntu yeri Verberie'de (MÖ 12. binyıl) sadece bir kemik alet ele geçmiştir, ama yine de buluntu yerindeki çakmaktaşı aletler üzerinde bulunan kullanım izi izlerinin incelenmesi, kemik işlemenin önemini göstermektedir. Görünüşe göre buluntu yerinin tamamı kemik ve boynuzun işlenmesine ayrılmıştı. Taş aletlere yapışmış kan ya da fitolit gibi kalıntılar da işlev konusunda ipucu verir (7. Bölüm).

Yukarıda değinildiği kullanım izi çalışmaları yeniden birleştirmeyle bir araya getirildiğinde tarihöncesi yaşama dair canlı bir manzara oluşturmamıza yardım eder. Bir başka Fransız Magdalen buluntu yeri olan Pincevent'te aletler ve üretim artıkları genellikle ocakların çevresinde yoğunlaşmıştı. Özellikle bir taş çekirdek, kendisinden çıkarılmış bir düzine dilgiyle birlikte bir ocağın yanı başında bulundu. Bunlardan sekizi düzeltilmişti. Aynı çekirdek daha sonra başka bir ocağa taşınmış ve burada yeniden üzerinde çalışılmaya başlanmıştı. Burada çıkarılmış bazı dilgilerin dönüştüğü kalem (oyma araçları) gibi aletler tamamen geyik boynuzlarının işlenmesinde kullanılmıştı.

Farklı bir üretim artığı kategorisi özellikle Kanada'da Knut Fladmark ve diğerleri tarafından araştırılmıştır: eski taş alet yapımcılarının "talaşı", yani taş aletlerin yapımı sırasında oluşan bir milimetreden az çok küçük yongalar olan mikroyongalar. Bunlar ıslak eleme ya da yüzdürme (6. Bölüm) yoluyla elde edilir ve ardından onları doğal toprak parçacıklarından ayırt etmek için mikroskop altında incelenir. Daha büyük üretim artıklarının aksine mikroyongalar hiçbir zaman temizlenmiyordu ve bu

yüzden bunlar bir buluntu yerinde taş işlemenin nerede yapıldığını anlamamızda bize hizmet eder.

İşlevi Tanımlamak: Taş Aletlerle Başka Deneyler

Deneyler, taş aletin işlevini tespit etmek için birçok farklı yolla kullanılabilir. Hayal edilebilecek hemen her eski insan yapımı taş alet –baltalar ve oraklardan öğütücülere ve ok uçlarına kadar– üretilmiş ve test edilmiştir. Mesela, Alt Paleolitik'in el baltaları uzun zamandan beri bir gizem olarak kalmıştı. Çok maksatlı aletler olarak kabul edilmişlerdi, ama durumu açıklığa kavuşturmak için birçok spekülasyon ve çok az kontrollü deney yapılmıştı. Yakın tarihte İngiltere'de, önemli Alt Paleolitik buluntu yeri Boxgrove'un çevresindeki ocaklardan gelen çakmaktaşıyla yapılmış dokuz replika el baltasının, profesyonel bir kasap tarafından karaca eti üzerinde kullanıldığı dikkat çekici bir deneye başlandı. Deney, uygun becerilere ve bilgiye sahip birisi tarafından kullanıldığı zaman el baltasının üstün ve çok yönlü bir kasap aleti olduğunu açıkça gösterdi.

Üst Paleolitik taş kandilleri olduğu ileri sürülen Fransa'dan çeşitli nesneler üzerine bir çalışmada Sophie de Beaune deney, İnuit kandillerinin etnografik gözlemi ve bazı sözde kandillerin içindeki artıkların kimyasal analizini kullandı. De Beaune sadece 302 nesnenin kandil olabileceğini, 85'inde bu işlevin kesinlikle bulunduğunu, 31 tanesinin ise sadece muhtemel kandiller kabul edilebileceğini gördü. Spektrometri ve kromatografiyle analiz edilen yağ kalıntıları hayvan yağ asitlerinin varlığını ortaya çıkardı. Öte yandan reçineli ahşap kalıntısı açıkça fitillere aitti.

Sophie de Beaune sığır yağı ve at içyağı gibi farklı yakıtlarla fitillere sahip çeşitli türde replika kandilleri denedi. Denemeler eski kandillerde gözlemlenenlere uyan kullanım izleri meydana getirdi ve sonuçlar Eskimo aydınlatma sistemleri hakkındaki çalışmalarla doğrulandı. Eski kandillerin yaydığı ışığın miktarı hakkında da deneyler yapıldı ve modern bir muma göre çok az ışık verdikleri görüldü. Fakat tek bir kandille bir kişinin mağarada dolaşabildiği, okuyabildiği, hatta eğer ışığı çok yakınsa dikiş yapabildiği görülmüştür. Göz kandil alevinin mumunkinden daha zayıf olduğunu fark edemez.

Taş aletlerle yapılan diğer deneyler farklı işler için gerekli zamanı hesaplamaya yöneliktir. Emil Haury Arizona'daki tarihöncesi Pueblo'lara ait küçük boncukları çalışmıştır. 10 m uzunluğundaki bir kolye sadece ortalama 2 mm çapında 15.000 boncuktan meydana gelmekteydi. Kaktüs dikeniyle delinen replikalar, boncuk başına 15 dakika ya da tüm kolye için 480 çalışma gününe işaret etti. Bu tür deneyler, bir nesnenin yapılmasında harcanan emeği, o nesnenin doğal değerini tespit etmeye yarar.

Taş Devri Sanatı Teknolojisinin Değerlendirilmesi

Tarihöncesi sanatı alanında, kullanılan pigmentleri ve yapıştırıcı maddeleri, eski kaya resimleri ve oymalarını yapma yöntemlerini belirlemek için bir dizi analiz yürütülebilir. Örneğin Fransa'nın güneyi ve İspanya'nın kuzeyindeki Üst Paleolitik mağara sanatında en sık kullanılan minerallerin manganez dioksit (siyah renk) ve demir oksit (kırmızı renk) olduğu saptanmıştır. Bununla birlikte yakın tarihli analizler bir kısım resimli mağarada, doğrudan tarihlemeye izin veren odun kömürünün pigment olarak kullanıldığını göstermiştir (s. 154-155'e bakınız). Pireneler'de, özellikle Niaux Mağarası'nda taramalı elektron mikroskobu, x-ışını kırınımı ve proton kaynaklı x-ışını salınımıyla (9. Bölüm) yapılan boya analizleri, boyanın daha derine işleyerek duvara tutunmasını kolaylaştıran ve çatlamasını önleyen talk gibi mineral "katkı maddeleri"nin özel pigment "formülleri"yle birlikte kullanıldığını akla getirmektedir. Analizler ayrıca hayvan ve bitki yağlarından yapılmış bağlayıcıların varlığını tespit etti. Texas'ta 3000-4000 yıllık kaya resimlerinden alınan DNA'lar görünüşe göre muhtemelen yağı organik bir memeliye, bir toynaklıya aitti.

Birkaç mağarada sanat eserlerinin yüksek ve erişilmesi zor konumları, bir merdiven ya da iskelenin kullanılmış olması gerektiğini gösterir ve Lascaux Mağarası'nın (Fransa) bir galerisinde kalasların veya platformların yerleştirildiği oyuklar günümüze gelebilmiştir.

Tarihöncesi dönemlerde boyanın nasıl uygulandığı –fırça, tampon, parmak ya da üflemeyle mi– her zaman açık değildir, fakat etnografik gözlemle beraber deneyler, olasılıkların azaltılmasına büyük katkı sağlar. Üstelik şimdi, kızılötesi filmi sayesinde aşıboyası pigmentleri arasında ayrım yapmak mümkündür. Kızılötesi filmi kırmızı aşıboyasını bir cammış gibi görür ve dolayısıyla altındaki diğer pigmentler belli olur. Buna ilaveten, aşıboyasındaki yabancı maddeler geçirgen olmadıklarından tespit edilebilir; öyle ki farklı boya karışımları belirlenebilir. Alexander Marshack (1918-2004) bu tekniği Fransa'daki Pech Merle Mağarası'nda bulunan ünlü "benekli at" frizi üzerine çalışmak ve paneldeki hangi unsurların hangi sırada yapıldığını yeniden kurgulamak için kullanmıştır. Örneğin kırmızı benekler gruplarının olasılıkla farklı tipte aşıboyaları tarafından, dolayısıyla farklı zamanlarda yapıldığını bulmuştur.

Aynı mağaradaki siyah resimli bir frizi, Michel Lorblanchet'nin böyle bir eserin ne kadar sürede yaratıla-

8.23 *Taş Devri sanatının deneyle analizi: Michel Lorblanchet bir parça derideki delikten pigment tükürerek Pech Merle benekli at frizinin bir kopyası üzerine benekler yapıyor.*

8.24 *Kayalar ve taş yapılar üzerindeki resimlerde kullanılan DStretch gibi bilgisayar destekli programların kullanımı, çıplak gözle görülmeyen detayları, hatta bütün olarak figürleri ortaya çıkarmaktadır. Bu da, şimdi kaya sanatı barındıran arkeolojik alanların geçmişte gözden kaçırılmış olabilecek şeyler için yeniden incelenmesi anlamına gelmektedir.*

bileceğini öğrenmek amacıyla yaptığı deneye yol gösterdi. Kompozisyonu çalışıp her bir çizgisini ezberledikten sonra, başka bir mağarada aynı boyutlarda boş bir duvar aradı ve üzerine frizin tam bir kopyasını çizdi. Deney bütün kompozisyonun bir saat içinde yapılmış olabileceğini gösterdi. Bu gerçek çoğu kaya sanatı örneğinin yetenekli sanatçılar tarafından muhtemelen ani ve yoğun patlamalarla yapıldığı görüşünün bir kez daha altını çizmiştir. Daha yakın bir tarihte Lorblanchet, ağzından aşıboyası ve odun kömürü püskürterek benekli at frizinin replikasını yaptı. Bu deney, en az dört safhada meydana getirildiği açık olmakla birlikte tüm frizin 32 saat içinde tamamlanabileceğini gösterdi.

Binoküler mikroskop taş üzerindeki oymalar için büyük başarıyla kullanılır, zira kullanılan aleti ve fırçayı, çizgilerin genişliği ve enine kesitlerindeki farklılıkları, bazen de bunların çizim sırasını tespit edebilir. Fransa'daki La Marche Mağarası'ndan gelen Üst Paleolitik'e ait işlenmiş levhaları çalışan Léon Pales, işlenmiş yüzeyin plastisin ya da silikon kabartma baskısı alındığında fark etti ki bu, hangi çizgilerin diğerlerinden sonra geldiğini gösteriyordu. Mesela teknik, koşum takımının bitmiş at başına sonradan eklenmiş bir öge olduğunu ortaya çıkardı.

Taş üzerindeki işlenmiş yüzeylerin lak replikaları da (aşağıya bakınız) yapılabilir, elektron mikroskobunda incelenebilir ve deneysel oymalarda meydana gelen yüzey özellikleriyle karşılaştırılabilir. Bu yöntemle kazıma çizgilerin mikromorfolojisi incelenebilir ve nasıl, hangi sırayla ya da tek bir aletle mi yoksa birden fazlasıyla mı meydana getirildikleri görülebilir. Daha yakın bir tarihte görüntü analizi ve üç boyutlu optik yüzey ayrımlaması gibi yeni bilgisayar teknolojileri bu malzemelere uygulanmıştır, çünkü lazer taraması çoğunlukla hassas olan nesnelerle temas etme veya replikalarını alma ihtiyacını ortadan kaldırır.

Taş aletlerde kullanılan birçok başka analiz yöntemi kemik gibi diğer değişmeyen malzemeler üzerinde de uygulanmıştır.

DİĞER DEĞİŞMEZ MALZEMELER

Kemik, Boynuz, Kabuk ve Deri

Bu hammaddelerin nasıl elde edildiğini tespit etmek zor olmadığından (mesela deniz kabukluları veya deniz memelisi kemikleri çok içerilerde bulunmadığı sürece), arkeoloğun dikkati üretim yöntemi ve işleve yönelir. Ancak öncelikle, bunların insanlar tarafından yapılmış aletler olduğu konusunda şüphe duyulmaması gerekir.

Taş aletlerde olduğu gibi, insanların organik malzemeden yaptığı nesneleri doğanın tesadüfen yarattıklarından ayırt etmek her zaman kolay değildir. Üst Paleolitik'ten önce şekil verilmiş kemik aletlerin varlığı hâlen tartışılmakta-

dır. Ortak akıl işlenmemiş kemiklerin taşlar kadar uzun süredir alet olarak kullanıldıklarını düşündürmektedir. Ne de olsa, Kuzey Amerika'daki av alanlarında olduğu gibi (s. 296-297'ye bakınız), işlenmemiş kemiklerin hepsi görünüşe göre hayvan karkaslarının parçalara ayrılması için amaca uygun basit aletler olarak kullanılmıştır. Swartkrans ve diğer Afrika buluntu yerlerindeki erken homininlerin bile üzerinde değişiklik yaptıkları kemiklerle termit aradıkları, bunların üzerindeki aşınma izlerinden anlaşılır.

Kabuklar gibi kırılgan nesneler ille de yapay olması gerekmeyen deliklere sahiptir. Amerikalı bilim adamı Peter

Francis insan işçiliğine dair ölçütler belirlemek için kabuklarla deney yapmıştır. Hindistan'ın doğusunda sahile vurmuş kabukları taş aletlerle kazıyarak, keserek, öğüterek, oyarak ve çekiçleyerek çeşitli yollarla deldi. Ortaya çıkan delikler mikroskop altında incelendi ve ilk üç tekniğin tanınabilir izleri bıraktığı, oyma ve çekiçlemenin yapay olarak teşhis edilmesi zor düzensiz delikler yarattığı görüldü. Bu örneklerde, insanların deliklerden sorumlu olup olmadığına karar verebilmek için buluntunun kontekstine ve deliklerin konumuna (kabuğun şekline bağlıdır) güvenilmelidir. İtalyan bilim adamı Francesco d'Errico kabuk üzerinde doğal etkenler ya da insanlar tarafından yapılmış delikleri ayırt etmek; aynı zamanda uzun süreli kullanım, nakil ve asılı kalma yüzünden kemik, boynuz ve fildişinde meydana gelen izleri tanımak amacıyla deneyler yaparak mikroskobik ölçütler oluşturmuştur.

Üretim Tekniklerini Anlamak. Nadir durumlarda üretim yöntemi arkeolojik olarak açıkça fark edilir. Mesela, yaklaşık MS 950'ye tarihlenen Güney Afrika'daki Kasteelberg buluntu yerinde kemik alet yapımı sürecinde her bir safhanın izlenebildiği bir üretim alanı keşfedilmiştir. Burası üretimin karmaşıklığını, sırasını ve kullanılan aletleri gözler önüne serer. Bu buluntu yerinin sürü besleyen sakinleri korunaklı bir yerde başlıca boğa ve inek antiloplarının ayak kemiklerini kullanarak çalışıyorlardı. Kemiklerin uçları bir vurgaç ve keskiyle ortadan kaldırılıyordu. Ardından, kemiğin gövdesi boyunca bir oyuk açılıyor ve gövde zarar görene kadar aşındırılıyor ve sürtülüyordu. Meydana gelen küçük parçalar taşlarla şekillendiriliyor (bir kenara atılmış birçok kırık örnek bulunmuştur) ve sonunda Kalahari Çölü'nde yaşayan San (Buşmen) kabilesinden bildiğimiz etnografik örneklere çok benzeyen uçlar biçiminde dövülüyor ve sürtülüyordu.

Taramalı elektron mikroskobundan yararlanan kullanım izi çalışmaları deneysel arkeolojiyle birleştiğinde kemik alet üretim yöntemlerini tespit eden bir diğer başarılı yol ortaya çıkar. Pierre-François Puech ve meslektaşları, orijinal aletleri taramalı elektron mikroskobunun altına yerleştirme sorununun üstesinden bunlara ait işlenmiş yüzeylerin lak kopyalarını yaparak gelmiştir. Kemiğin üzerine bir nitroselülöz bileşeni dökülür ve daha sonra soyularak mikroskop lâm şekline sokulur. Puech ve diğerleri, çeşitli taş aletlerle kemik üzerinde deneysel olarak yapılan çiziklerin, tarihöncesi kemik aletlerin üzerindekilere uyduğunu keşfettiler. Her tip malın farklı çizik şablonu vardı. Farklı kemik sürtme yöntemleri de teşhis edilebilir izler bırakıyordu. Böylece eski kemik aletlerin üretim geçmişini yeniden kurgulamak mümkün olmuştur.

İşlevi Anlamak. Deneysel arkeoloji ve aşınma şekillerinin çalışılması, tek başlarına ya da birbirleriyle bağlantılı olarak insan yapımı organik nesnelerin üretim teknikleri kadar işlevlerini anlamamıza da büyük katkıda bulunur.

Üzerinde çok durulan tartışmalı bir konu, Avrupa Üst Paleolitik'indeki oluklu boynuz değneklerin asıl işlevleridir. Etnografik analojiye dayanan geleneksel görüşe göre bunlar ok gövdesi düzelticileriydi, fakat çadır kazıklarından koşum parçalarına kadar en az kırk iddia daha mevcuttur. Fransız arkeolog André Glory nesnel kanıt elde etmek adına değnek oluklarının içindeki ve çevresindeki aşınma izlerini inceledi. Vardığı sonuç, aşınmaların açıkça bir ip ya da bir çeşit halatın yüzeye sürtülmesiyle meydana getirildiğiydi. Onun gözlemi muhtemel işlevlerin sayısını şüphesiz azaltır. Glory bunu, değneklerin sapan sapları olduğuna dair şahsi varsayımını desteklemek için kullandı.

Öte yandan, Mugharet El Wad'dan (İsrail) MÖ 9. binyıla ait bir geyik kürek kemiğindeki perforasyonlarda bulunan kullanım aşınmaları Amerikalı arkeolog Douglas Campana tarafından analiz edilmiş ve burada her nasılsa benzer, fakat daha geç tarihli delikli bir nesnenin ahşap gövdeleri düzleştirmek için kullanıldığı öne sürülmüştür. Deneysel çalışmalar bunu destekler.

Benzer şekilde deneyler işlev ve verim hakkındaki her türlü sorunu çözmek için kullanılabilir. Örneğin, Üst Paleolitik kancalı kemik ya da boynuz uçların kopyaları yapılmış ve bunlar hayvan cesetlerine ve diğer nesnelere fırlatılmıştır. M.W. Thompson bu yolla Avrupa'nın güneyinde Buzul Çağı'nın sonlarına ait Azil kültürüne özgü ortası delikli küçük kancalı uçların muhtemelen avlarına dönerek girip sağlam şekilde saplanan kancalı mızraklar olduğunu gösterdi. Aynı şekilde, İspanya'nın kuzeyinde Alt Magdalen dönemine tarihlenen boynuz uçların replikaları yapılmış ve ölü bir keçinin üzerindeki deneysel kullanım sayesinde, taş uçlara göre çok daha delici ve dayanıklı olduğu anlaşılmıştır.

8.25 *Fransa'daki La Madeleine Üst Paleolitik buluntu yerinden bir boynuz değnek. Etnografya bu nesnelerin ok gövdesini düzleştirmek için kullanıldığını öne sürer, ama birçok başka varsayım da vardır.*

SOMERSET LEVELS'DA AHŞAP İŞLEME

Güneybatı İngiltere'de Somerset Levels olarak bilinen sulak araziler eski ahşap yürüyüş yolları da dâhil olmak üzere çok çeşitli organik kalıntılar barındırır. John ve Bryony Coles uzun vadeli Somerset Levels projesinde yol inşasında kullanılmış ahşap işleme teknikleri üzerine dikkat çekici ölçüde detaylı bir analiz yapmıştır.

Yollardaki kısa kazık ve sırıkların doğranmış uçları, çoğu kez bunları şekillendirmek üzere kullanılmış baltaların bıraktığı tıraşlama ve kesim izlerini sergiler. Deneyler taş baltaların ağacı zedelediğini ve içbükey kesikler bıraktığını, diğer yandan tunç baltaların zedelenmeye yol açmadığını, ama kesim yerlerinde tipik basamaklı kesikler meydana getirdiğini göstermiştir. Baltalardaki kusurlar da -mesela kenarlarındaki çentikler- tespit edilebilmektedir. Bu türden kusurlar baltanın her vuruşunda kendi imzalarını bırakır ve böylece arkeologlar belirli ağaç bölümlerinde belirli baltaların kullanımını tanımlayabilmişlerdir.

Bu yöntem sayesinde John ve Bryony Coles Somerset Levels'daki bir Tunç Çağı yolunun inşasında en az 10 adet farklı baltadan yararlanıldığını ispatlayabilmiştir. Aslına bakılırsa bu ipuçlarından ağaçların tam olarak ne şekilde işlendiğini çıkarmışlardır. Buradaki bir ağaç parçasında üç kesik vardır; üsttekinin çıkıntıları diğer ikisinin arka yüzeyidir. Dolayısıyla ağacın ilk önce dikey tutulduğu ve baltanın "elin tersiyle" indirildiği açıktır. Bundan sonra parça zemine daha yatık gelecek şekilde tutulmuş ve balta bu sefer "el içi" vuruşla kullanılmıştır.

8.26 *3500 yıldan daha eski olan bu Tunç Çağı yürüyüş yolu, Güneş Tutulması Yolu olarak adlandırılır. Kazılan uzunluğu 1000'in üzerinde "engel"den, yani aralarına kısa çubuklar yerleştirilmiş kısa yol kesitlerinden meydana gelir. Çubuklar sadece ağaç kütüklerinin genç ve düz sürgünler verecek şekilde bilinçli olarak kesildiği bir ormanlık alandan getirilmiş olabilirdi.*

8.27 *Baltayla kesilmiş ağaç parçaları bir Neolitik baltadan çıkmış içbükey yüzeyleri göstermektedir (solda) köşeli ve kademeli olanlar ise bir tunç baltaya aittir (sağda).*

8.28 *Bir dişbudak ağacının John Coles (sağda) ve bir meslektaşı tarafından Neolitik ve Tunç Çağı baltalarıyla deneysel kesimi.*

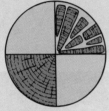

8.29 *Yaklaşık 6000 yıllık Sweet Yolu olarak adlandırılan yolun analizi, Neolitik ağaç işçilerinin büyük meşeleri radyal olarak (sağ), fakat daha genç ağaçları -bu şekilde kesilemeyecek kadar küçük olanlar- ekseni boyunca kestiklerini (solda) göstermiştir.*

Somerset Levels ve Doğu İngiltere'deki Flag Fen gibi sulak arazilerde korunmuş büyük kereste buluntu grupları, arkeologların tarihöncesi ahşap kırma, kesme, birleştirme ve parçalama tekniklerini kavrayabilmelerine ilk kez imkân sağlamıştır. Metal aletlerden sonra bile ahşap işçiliğinin tarih boyunca çok az değiştiği netleşmiştir. Mesela, ahşap her zaman Ortaçağ'da olduğu gibi kama ve tokmak yöntemiyle ikiye ayrılıyordu.

Somerset Levels projesi aynı zamanda ağaçlık alanların en azından 5000 yıl önce özenle yönetildiğini göstermektedir. Çayırlı bataklığın üzerine serilmiş örülü yol panelleri sadece sistemli budamayla ya da düzgün yaş ince dallar elde etmek için ağaç kütüklerinin kesilmesiyle yapılmış olabilir.

İngiliz arkeoloji çevrelerinde meşhur olan bir replika deneyinde John Coles, İrlanda Tunç Çağı'na tarihlenen bir deri kalkanın ne kadar etkili olduğunu araştırdı. Kendi türünde günümüze gelen tek örnekti; dönemin diğer bütün kalkanları tunçtandı. Kalkanın sertliğinin sıcak su ve balmumuyla arttırılabildiği, ama esnekliğini belli bir dereceye kadar koruduğu görüldü. Deri replikayı kuşanmış Coles bir metal kalkan replikalı meslektaşıyla Tunç Çağı tipinde boyuna kesen kılıçlar ve mızraklar kullanarak birbirlerine saldırdılar. Çarpışmanın sonucunda metal kalkan hezimete uğradı. Bu durum, metal örneklerin işlevsel olmadığını, tören ve prestij için tutulduklarına işaret ediyordu. Öte yandan mızrak deri kalkana çok az nüfuz edebilmişti ve kılıç dış yüzeyde sadece hafif çizikler bırakmıştı. Deri kalkanın esnekliği vuruşları absorbe etmiş ve saptırmıştı. Deney elimize çok nadiren bozulmadan geçen organik malzemelerin eski insanlar için önemini bir kez daha gözler önüne serer.

Ahşap

Ahşap en önemli organik malzemelerden biridir ve taşla kemik kadar uzun bir süre alet yapımı için kullanılmış olmalıdır. Aslına bakılırsa, gördüğümüz gibi birçok tarihöncesi alet kereste elde etmek ve işlemek amacıyla kullanılmıştır. Eğer ahşap iyi korunmuşsa nasıl işlendiğini gösteren alet izlerini taşıyabilir. Diğer malzemelerde olduğu gibi, gerçek alet izlerini başka yollarla meydana gelenlerden ayırmak gerekir. John ve Byrony Coles alet izlerini kunduz dişlerinin bıraktığı paralel kesiklerden ayırt etmenin ne kadar önemli olduğunu göstermiştir. Deney ve kunduz davranışlarının doğrudan gözlemi Coles'ların farkı tespit etmelerine yardım etmiştir. Sonuçta, İngiltere'nin kuzeyinde Star Carr adlı Mezolitik arkeolojik alanından gelen bir parça ahşabın daha önce taş aletlerle işlendiği düşünülürken, şimdi bir kunduzun dişleri tarafından kesildiği anlaşılmıştır.

İkinci Bölüm'de gördüğümüz üzere özel şartlar altında çok çeşitli ahşap aletler günümüze gelebilir. Sözgelimi Mısır'ın kuru ortamında çeşitli tarım aletleri (tırmıklar, çapalar, tahıl kürekleri, oraklar), mobilyalar, silahlar, oyuncaklar ve tokmakla ıskarpela gibi marangoz aletleri günümüze gelmiştir. Teb'deki soylu Rekhmire'nin mezar yapısında gördüğümüz cinsten Mısır resimleri bazen delgi ve testere kullanan marangozları betimler. Fakat ahşap işleme becerisi hakkında en zengin bulguları veren su altında kalan ahşaplardır (karşıdaki kutuya bakınız).

Avrupa'nın kuzeyinde bulunmuş Tunç Çağı'na ait ağaç gövdesinden tabutlar, ölü evleri, köprüler, iskele keresteleri, gerçek meskenlerin kalıntıları ve özellikle çok çeşitli tekerlekli araçlar (el arabaları, dört tekerlekli yük arabaları, at arabaları, savaş arabaları) gibi büyük ahşap nesneler olağandışı buluntular değildir. Endüstri Devrimi ve demiryollarıyla motorlu araçların ortaya çıkışına kadar tüm

8.30–31 *Tekerleğe dair kanıtlar. (yukarıda) Eski Dünya'da parmaklı savaş arabası tekerleği (Asur kabarması, MÖ 9. yüzyıl) aslen yekpare yük arabası tekerleğinden gelişmiştir. (sağda) Kolomb öncesi Yeni Dünya'da ise tekerlek fikri biliniyordu (Veracruz'dan tekerlekli bir model), fakat doğal boyuttaki tekerlekli araçlar ve onları çekecek hayvanlar sadece İspanyollarla birlikte gelmiştir.*

tekerlekli taşıma araçları ahşaptan yapılmıştı ve sadece geç dönemlerde metal bağlantı elemanlarıyla donatılmıştı. Şaşırtıcı sayıda araç (mesela Kafkaslar'dan bütün ele geçmiş kağnılar) veya bunlara ait tanımlanabilir kısımlar (özellikle tekerlekler) dışında modeller, sanat ve edebiyatta da mevcut kanıtlar korunmuştur. Kolomb öncesi Yeni Dünya'da tekerlekli modeller tek kanıttır: Gerçek tekerlekli araçlar bunları çeken yük hayvanlarıyla birlikte ancak İspanyol istilasında ortaya çıkar. Eski Dünya'da kazılan araçların çoğu mezarlara gömülenlerdir. Tekerlekli araçlar ilk kez MÖ 4. binyılda Ren ve Dicle arasındaki bölgede görülür. En erken tekerlekler ya tek parçadan (ağaç gövdelerinde enine dilimler değil geniş kalaslardan kesilmiş) ya da kompozit yekpare disklerdi. Parmaklı tekerlekler MÖ 2. binyılda Tutankhamon'un mezar yapısında bulunan türde savaş arabaları gibi daha hafif ve hızlı araçlar için geliştirilmiştir (s. 64-65'teki kutuya bakınız). Tekerlekli taşımanın sosyal ve ekonomik ilerlemeye büyük katkıları olduğu açıktır, fakat yine de su araçlarında sergilenen yaygın ahşap teknolojisiyle karşılaştırıldığında çok sınırlı coğrafi yayılımı vardır.

Su Araçlarının Araştırılması. On dokuzuncu yüzyıla kadar bütün tekneler ve gemiler büyük ölçüde ahşaptan yapılıyordu ve dünyadaki zanaatkârlar belki de endüstri öncesi

8.32–35 *(karşıda üstte) 1987'de rekonstrüksiyonu yapılmış Yunan trieresi Olympias: 187 kürekçi uyum içinde kürek çekmektedir. (karşıda ortada ve sol altta) Sedir ağacından bir teknenin sökülmüş parçaları 1954'te Mısır'da, Gize'deki Keops piramidinin güney tarafında bir çukurun içinde bulundu. Rekonstrüksiyon için önemli ipuçlarından biri, kalasların çoğuna işlenmiş dört işaretti. Bunlar kalasların geminin her bir çeyreğinden hangisine ait olduklarını göstermekteydi. On dört yıllık çalışmadan sonra teknenin 1244 parçası sonunda yeniden birleştirildi. (karşıda sağ altta) Dünyanın inşa edilmiş en eski teknesi (kütükten oyma kayık yerine) 1997'de Mısır'daki Abidos'ta keşfedilmiştir. 5000 yıllık 14 teknenin her biri yuvarlak kerpiç yapıların içine bütün olarak gömülmüştü.*

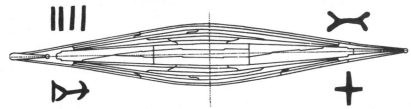

teknolojinin başka hiçbir alanında küçük ırmak teknelerinden büyük okyanus yelkenli gemilerine kadar her türlü ahşap su aracı inşasında böyle bir ustalığa erişmemiştir. Bu teknolojinin tarihini çalışmak, elinizdeki kitabın kapsamı dâhilinde herhangi bir şekilde özetlenemeyecek bir uzmanlık işidir. Fakat arkeoloğun zaten bilinen tarihi kayıtlara çok az katkı yapacağını düşünmek yanlış olacaktır. Tarihöncesi dönem için böyle kayıtlar elbette yoktur ve tarihi dönemlerde bile şimdi arkeolojinin doldurmaya yardım ettiği büyük boşluklar mevcuttur.

En zengin arkeolojik kanıt sualtı arkeolojisinin gün ışığına çıkardığı gemi kalıntılarıdır (s. 113'deki kutuya bakınız). Kyrenia (Kıbrıs) açıklarında 1960'ların sonunda kazılan MÖ 4. yüzyıl Yunan gemisi, söz konusu döneme ait su araçlarının zıvanalı geçmelerle bir araya getirilmiş kalaslarla inşa edildiğini gösterdi. Türkiye'nin güney kıyısındaki Kaş açıklarında keşfedilmiş Uluburun'da George Bass ve meslektaşlarının kazdığı batık, aynı tekniği kullanan 1000 yıl daha eski bir gemiyi ortaya çıkardı (s. 380-381'deki kutuya bakınız).

Bu bölümün başında, arkeologların ilgilendikleri teknolojide çalışan zanaatkârlardan tavsiyeler almalarının ne kadar önemli olduğunu vurgulamıştık. Bu, özellikle gemi inşasının doğru şekilde anlaşılması için gereklidir. Texas'taki Sualtı Arkeolojisi Enstitüsü'nden J. Richard Steffy, gemilerin nasıl monte edildiği (ya da edilmiş olduğu) üzerine rakipsiz bir bilgi dağarcığına sahiptir ve birikimini Eski ve Yeni Dünya'nın su araçlarına uygulanmıştır. Onun görüşüne göre bir geminin nasıl inşa edildiği ve kullanıldığını öğrenmenin en iyi yolu, kazılmış kalasları aracın en makul orijinal yerine yeniden yerleştirmektir. Bu da kazının analizi, zahmetli deneme yanılma yöntemleri ve eldeki kalasların 1:10 ölçeğindeki tam kopyalarıyla mümkün olur (s. 114-115'teki kutuya bakınız). Bir başka zanaatkâr, Mısırlı Hag Ahmed Yusuf, 14 yıl boyunca Gize'de bulunan firavun Keops'un sökülmüş hâldeki 4500 yıllık teknesini yeniden inşa ederken Steffy'nin sürecini benimsemişti (s. 339'daki görsel 8.33-34'e bakınız).

Bir geminin inşası ve taşıma kapasitesinin belirlenmesindeki ikinci basamak, ya tam boyutunda ya da ölçekli ve tercihen suda test edilebilir bir replika yapmaktır. 1984-1986 yılları arasında dünyayı turlayan Viking yük gemisi (knarr) gibi kazılmış kalıntılara dayalı replikalar, bilimsel açıdan Columbus'un gemilerine ait replikalar gibi sanatsal tasvirlerden yola çıkılarak yapılanlara göre daha doğru sonuçlar verir. Fakat tasvirlere göre inşa edilen replikalar yine de değerli olabilir. J.F. Coates ve J.S. Morrison'ın öncülük ettiği bazı meraklı İngiliz bilim insanları bir antik Yunan savaş gemisini (trieres) 1987'de inşa edip deneyene dek bu önemli Klasik Çağ deniz aracının pratikteki özellikleri hakkında neredeyse hiçbir şey bilinmiyordu.

Arkeolojinin denizcilik çalışmalarına sağlayabileceği bir diğer katkı, gemi kalıntıları veya sanatsal tasvirlerin bulunmadığı yerlerde bile teknelerin varlığını göstermesidir. İnsanların denizi aşıp Avustralya'ya en az 50.000 yıl önce –kıtanın anakaradan bugünkü kadar uzak olmasa da ayrı olduğu bir zaman– ayak bastığı gibi basit bir gerçek 80 km ya da daha fazla mesafe kat edebilen su araçlarına sahip olduklarını akla getirir. Benzer şekilde, Ege adalarından gelen obsidyenin 10.000 yıl önce Yunanistan'da bulunması, o dönemde insanların adalara ve adalardan yelken açma konusunda zorluk çekmediklerini ortaya koyar.

Bitki ve Hayvan Elyafları

Deriden, ağaç kabuğundan ve dokuma iplerden kap, kumaş ve kordon yapımı muhtemelen en erken arkeolojik dönemlere kadar gider, fakat bu hassas malzemeler nadiren günümüze kalır. Bununla birlikte, 2. Bölüm'de gördüğümüz gibi çok kuru ya da ıslak ortamlarda korunurlar. Mısır ya da Yeni Dünya'nın kuru iklime sahip bazı yerlerinde bu türden dayanıksız malzemeler belli miktarlarda ele geçmektedir ve buralardaki *sepet ve halat işi*, söz konusu organik malzemeler üzerindeki ustalığı gözler önüne seren gelişmiş tasarım ve tekniklere sahiptir.

Suya doygun ortamlar da çok miktarda hassas kanıt sağlayabilir. Viking York'undaki gibi iyi korunmuş işlikler, MS 10. yüzyılda İngiltere'de mevcut çeşitli zanaatlar hakkında bize çok şey öğretmiştir. Boya kökü, çivitotu ve boyacı katırtırnağını içeren boya maddelerinin hepsi makrofosillerce temsil edilmekteydi. Bu yorum, kazılarda elde edilmiş Viking kumaşlarından alınan örneklerin kimyasal analizleriyle doğrulanmıştır. Kromatografi (6 ve 7. bölümler) kumaşlarda yine boya kökü ve çivitotunun da dâhil olduğu bir dizi boya saptamıştır. Orijinal boya renkleri "emilim spektrumları"ndan, yani emdikleri ışık dalga boylarından tanımlanabilir. Bu sayede Britanya'daki Romalıların sıklıkla erguvan rengi giydiklerini, öte yandan York'taki Vikinglerin kırmızıyı sevdiği anlaşılmıştır. Yine makrofosillerde temsil edilen kurtpençesi, York'ta muhtemelen kırmızı kökboyalarıyla yeşil yabani otların sarılarını kumaş ipliklerine sabitleyen mordan olarak kullanılmıştı. Bütün hayvan lifleri yün veya ipekken, tespit edilebilen bitki kökenliler ketendi. Koyun postlarının temizlendiğine dair kanıt, kanatsız bir parazit olan yapağı sineğinin yetişkinleri ve pupaları yanında koyun bitinin keşfiyle birlikte ortaya çıkar.

Kumaşların Analizi. Kumaşların söz konusu olduğu yerlerde en önemli soru, bunların nasıl ve hangi malzemeden yapıldıklarıdır. Yeni Dünya'da Kolomb öncesi dokuma yöntemleri hakkında belirli bulgular etnografik gözlemler kadar Koloni Dönemi anlatıları ve tasvirlerinden, Moche çanak çömleği üzerindeki betimlerden ve Peru bozkırında korunmuş eski tezgâh kalıntıları ve diğer buluntulardan (iğler, ahşap, kemik ya da bambudan mekikler) elde edilmektedir. Üç tip tezgâh bulunduğu anlaşılmaktadır: Bunlardan ikisi sabitti

8.36–37 *Yeni Dünya kumaşları. En iyi dokuma tasarımlarının bazıları Peru'dan gelmektedir. Bir Moche vazosunun ağız kenarındaki bu sahne (üstte) bir Peru kumaş işliğini betimlemektedir. Sekiz dokumacı taşınabilir kayışlı tezgâhların başında oturmakta ve sağ üstteki nezaretçileri tarafından idare edilmektedirler. Sağ alttaki panelin anlamı bilinmemektedir. (üstte) Paracas kültürüne ait MÖ 1. yüzyıla tarihlenen bir mantodan (pelerin) bir parça. Tasarım uzun bıyıklı ve sivri kulaklı çift başlı bir pampa kedisini ganimet olarak küçük insan başları tutarken gösterir.*

(biri yatay diğeri dikey) ve büyük dokumalar için kullanılıyorlardı. Taşınabilir ve küçük olan diğeriyse, kıyafet ve çanta gibi nesnelerin üretimine özgüydü.

Bununla birlikte, Yeni Dünya'daki en zengin bulgular büyük ölçüde kuru bir iklime sahip Peru'da mükemmel korunmuş kumaşlardan gelir. And kültürleri bizim bildiğimiz neredeyse bütün dokuma yöntemlerinde ustaydı ve malları bugünkülere göre genellikle kaliteliydi; aslına bakılırsa bazıları şimdiye kadar yapılmış en iyi örneklerdi. Daha az esnek ve dayanıklı liflerle (kamışlar ve sazlar gibi) uygulanan teknikler MÖ 3000 civarında yerlerini hızla pamuklu kumaşlara bırakmıştır. Perulular aynı zamanda evcilleştirilmiş devegillerden, özellikle de vikunya ve alpakadan elde ettikleri kılları kullanmaya başlamışlardı. Kumaş boyaları çok geniş bir yelpazeye sahipti. Nazca kültürünün MÖ 1. binyıla tarihlenen devasa kumaşlarında 190 kadar farklı ton yer alır.

Kesin dokuma tekniği çoğu kez uzmanların dikkatli gözlemleri sonucunda tespit edilebilir. Sylvia Broadbent Kolombiya'nın fetih öncesi Chibcha kültürüne ait bazı renkli pamuklu kumaşlar üzerinde çalışmış ve hepsinin "düz örgüde tek atkı üzerine çift çözgü ipliği şeklinde tek katlı S bükümlü pamuk ipliğinden" dokunduğunu saptayabilmiştir. İpliklerin sayımı, santimetre başına 6-12 atkı (bir kenardan diğerine) ve 11-14 çözgü (yukarı/aşağı) bulunduğunu ortaya çıkarmıştır. Atkı kenarında, atkı ipliklerinin içe doğru tek

tek değil topluca kıvrılmış olması, dokuma tekniğinin birden fazla dokuma tezgâhını içerdiğine işaret eder. Dokumanın bitimi bir zincir dikişi sırasıyla sağlamlaştırılmıştır.

Yine kuru ortam sayesinde Mısır'dan günümüze gelmiş çok sayıda dokumaya sahibiz. Burada Peru'da olduğu gibi, iyi korunmuş araç gereçlerden ve Teb'de Meketre'ye ait mezar yapısında (yaklaşık MÖ 2000) ele geçmiş yatay ya da yer tezgâhı, iğler ve diğer aletlerle birlikte bir dokuma işliğini gösteren modellerden birçok şey öğrenebiliriz. Flinders Petrie'nin bir piramit inşasında çalışan işçiler için inşa edilmiş Kahun adlı yerleşimdeki (yaklaşık MÖ 1890) kazıları, bazı evlerin zemininde dokumacılara ait atıklar – kırmızı ve mavi renkli eğrilmiş ya da eğrilmemiş iplikler– ortaya çıkardı. Taramalı elektron mikroskobuyla yapılan analizler bunların koyun yapağından elde edildiğini kanıtlamış; boya testleriyse kırmızı için kökboyası kullanıldığını, mavinin de muhtemelen *Indigofera articulata* adlı bitkiden elde edildiğini göstermiştir.

Kumaşlarla ilgili bulgular sadece Peru ve Mısır'dan gelmez. Bunlar Viking dönemi York'unda olduğu gibi su basmış ortamlarda da korunabilirler ve korunma şartlarının daha kötü olduğu yerlerde dikkatli incelemeler kumaş kalıntılarını açığa çıkarabilir. Mesela Almanya'nın batısında, Hochdorf'taki bir Kelt kabile şefinin MÖ 550'ye tarihlenen mezar yapısına ait kalıntılar elektron mikroskobu altında incelenince, şefin ölüm yatağının eğrilmiş ve bükülmüş kenevir ve keten lifi dokumalarla örüldüğü keşfedilmiştir. Bunlara ilaveten koyun yünü, at kılı, porsuk yününden örtülerle porsuk ve samur kürkleri mevcuttu. Burada olduğu gibi, eğer tanımlayıcı kütiküller korunmuşsa, taramalı elektron mikroskobunda farklı türlerin kılları tespit edilebilir.

Bilinen en eski kumaş kalıntısı yakın zamanda Çayönü'nde (Türkiye) bulunmuş boynuzdan bir aletin sapına sarılı beyaz bez parçasıdır. MÖ 7000 civarına tarihlenen buluntu muhtemelen keten elyafından imal edilmişti. Ancak çok daha eskiye giden bir kanıt, Çekoslovakya Cumhuriyeti'ne bağlı Pavlov'da ele geçmiştir. Günümüzden 25.000-27.000 yıl öncesine tarihlenen kumaş veya esnek sepet işi baskıları pişmiş kil üzerinde keşfedilmiştir. Öte yandan Kafkaslar'daki (Gürcistan) Dzudzuana Mağarası'ndan boyalı keten iplikleri, 30.000 yıl öncesinden daha geriye giden bir tarihte renkli ipliklerin varlığını göstermektedir.

İpliklerin Kullanım İzi Analizleri. Kullanım izi analizi yukarıda görüldüğü gibi en çok taş ve kemik aletlerle ilişkilidir. Fakat kumaşlara ve ipliklere de büyük başarıyla uygulanmıştır. Manchester Üniversitesi Dokumacılık Bölümü'nde taramalı elektron mikroskobuyla yapılan araştırmalar farklı tipte iplikçikler üzerindeki çeşitli kırıkların, tahribatın ve aşınmaların tanısal izler bıraktığını göstermiştir. Yırtma ya da açılma, iplikçiklerin sürekli esnemesiyle ilişkili aşınma ve kırılmaya göre çok farklı şekiller yaratır. Açılma uzunlamasına hasar vererek iplikçiklerde "fırça uçlar" oluşmasına sebep verir. İplikçiklerin kesiklerini taramalı elektron mikroskobunda tespit etmek kolaydır ve jilet izleri kırkma ya da kesme izlerinden hemen ayırt edilir.

Tekniğin ilginç bir uygulamasını yapan Manchester Üniversitesi araştırmacıları İngiltere'nin kuzeyindeki Roma kalesi Vindolanda'dan iki yün nesneyi incelediler. Bir askerin bacak bandajı olan ilk örnekte, bunun eskidiği için mi atıldığına yoksa uzun süre toprak altında kalmasından ötürü hasar mı gördüğüne karar vermek zorundaydılar. Analiz bandajın çok uzun süre kullanıldığını gösteren "fırça uçlar"ın bolluğunu gösterdi, fakat aynı zamanda gömülme sonrası tahribata (enine çatlaklar) ait kanıtlar da ortaya çıkardı. Bir çocuk ayakkabısının astarına ait olan ikincisi, zaten oldukça eskimiş kalın bir dokumadan (belki bir manto) yapılmıştı.

Bu tekniğin günümüze gelen kumaşların gelecekteki analizlerinde bize çok şey vaat ettiği açıktır. Kumaşların korunmadığı yerlerde bile, mesela mumyalar üzerinde iz bırakır ve buradan dokumanın türü öğrenilebilir. Aynı şekilde, bir arkeoloğun karşılaştığı en bol yapay malzeme olan pişmiş kil üzerindeki dokuma, kordon ve sepetlerin baskı izleri yararlı bilgiler sağlar.

YAPAY MALZEMELER

Fırınlama ve Ateş Teknolojisi

Ateşin kontrolü bağlamında, yapay malzemelerle ilgili olduğu sürece teknolojinin tüm gelişimini değerlendirmek mümkündür. Çok yakın bir tarihe kadar neredeyse her yapay malzeme ısının kontrolüne bağlıydı ve yeni teknolojilerin gelişmesi, çoğu kez kontrollü şartlar altında giderek daha fazla sıcaklığın elde edilmesine dayalı olmuştur.

Bu yoldaki ilk basamak şüphesiz ateşe hâkim olmaktı. Bununla ilgili muhtemel kanıtlar Güney Afrika'daki Swartkrans Mağarası'nda 1,5 milyon yıl öncesine aittir (6. Bölüm). Bunun ardından, pişirilmiş yiyecek ve korunmuş ete ilaveten çakmaktaşı işlenmesinde ve Lehringen Orta Paleolitik buluntu yerinde (Almanya) bulunmuş porsuk ağacından mızrak gibi ahşap aletlerin sertleştirilmesinde ısının kullanımı (yukarı bakınız) bir ihtimaldir.

Pişmiş toprak figürinler Üst Paleolitik'te Pireneler ve Kuzey Afrika'dan Sibirya'ya kadar buluntu yerlerinde düzensiz şekilde üretilmişlerdir, fakat bunlara en fazla Çek Cumhuriyeti'nde 26,000 yıl öncesine tarihlenen Dolní Věstonice, Pavlov ve Předmostí açık hava buluntu yerlerinde rastlanır. Bunlar iyi şekillendirilmiş küçük insan ve hayvan figürinleridir. Yakın tarihli analizler ıslatılmış yerel lösten

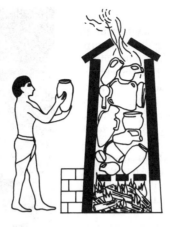

8.38 *Ateş teknolojisi: ateşin kontrolü. Başlangıçta kaplar açık ateşte yapılıyordu. Çömlekçi fırınının ortaya çıkışı daha yüksek ısıların elde edilebileceği anlamına geliyordu ve aynı zamanda metalürjinin gelişmesini teşvik etti. (solda) MÖ 4. binyılın başlarına ait kubbe şeklinde Mezopotamya fırını. Büyük oranda kilden yapılmıştır; dışta taş ya da kerpiçten bir duvarı vardır. (ortada) Mezar resimlerine göre rekonstrüksiyonu yapılmış MÖ 3000 civarına ait bir Mısır fırını. Çömlekçi fırını doldurmak için küçük bir platform üzerine çıkmış olabilir. (sağda) Korinthos levhalarına göre rekonstrüksiyonu yapılmış MÖ 500 civarına tarihlenen bir Yunan fırını. Geniş ateş açıklığı muhtemelen yanmayı arttırıyordu.*

yapıldıklarını ve 500°C ila 800°C arasında pişirildiklerini göstermektedir. Figürinler yaşam alanlarının uzağındaki özel fırınların etrafında yoğunlaşmaktadır. Hemen hepsi parçalar hâlindedir ve kırıklarının biçimi ısıl şok yüzünden kırıldıklarına işaret eder. Daha ıslakken ateşin en sıcak olduğu alana bırakılmışlar, dolayısıyla bilerek patlamaları sağlanmıştır. Özenle yapılmış sanat nesnelerinden ziyade bir tür özel törende kullanılmış olabilirler.

Yakındoğu'da MÖ 8000 civarında, İlk Neolitik Dönem'de meydana gelen önemli bir gelişme, hem tahılların kavrulması (harmanlama sürecini kolaylaştırmak için) hem de ekmeğin pişirilmesi için özel fırınların yapılmasıydı. Bu fırınlar yakacağın yandığı tek bir odadan meydana geliyordu. Fırın sıcak hâle geldiğinde yakacak dışarı küreniyor ve tahıl ya da pişmemiş ekmek içeri koyuluyordu. Bu, sıcaklığın yükseltileceği şartları kontrol etmeye yönelik ilk bilinçli tertibat inşasını temsil eder. Ateş teknolojisindeki bu erken deneyler sayesinde kilin fırınlanmasıyla çanak çömlek yapımının keşfedildiğini varsayabiliriz. Başlangıçta çanak çömlekler açık havada ateş yakılarak üretiliyordu. "İndirgeme" şartları (oksijenin yok edilmesi) hava akışının sınırlandırılması ve yanmamış odun eklenmesiyle elde edilebilirdi.

Bu basit işlemler, uygun şartlarda bakırın ergime noktası olan 1083°C'ye eş sıcaklıklara erişmeye pekâlâ yetmiş olabilirdi. Bakırın zaten soğuk çekiçleme, ardından da tavlamayla işlendiğini ve azurit gibi bazı bakır cevherlerinin pigment olarak kullanıldığını düşünürsek, bakırı ergiterek filizinden ayırmanın ve bakır izabesinin keşfedileceğini umabiliriz. Hava akışının kontrol edildiği çömlekçi fırınları 1000-1200°C arasında ısı üretebilir. Böyle fırınlar İran'daki

Tepe Gawra ve Susa gibi erken Yakındoğu yerleşmelerinde tespit edilmiştir ve çanak çömlek üretimiyle bakır metalürjisinin doğumu arasındaki bağlantı uzun zamandan beri vurgulanmaktadır. Bunun akabinde kalayın bakırla karıştırılması sonucunda tunç metalürjisi gelişmiştir.

Demir filizlerden 800°C gibi düşük bir sıcaklıkta ergitilerek ayrıştırabilir, ama sıcakken işlenebilmesi için 1000-1100°C arasında bir ısıya gereksinim vardır. Avrupa ve Asya'da demir teknolojisi, ısı kontrolündeki sorunlar ve indirgeme şartlarının daha sıkı denetim gerektirmesinden dolayı bakır ve tunç teknolojisine göre geç gelişmiştir. Ancak Orta ve Güney Afrika'da tunç teknolojisi demir teknolojisinden önce görülmemektedir. Yeni Dünya'da demir Kolomb öncesi dönemlerde işlenmemişti. Sıcakken işlemenin aksine demirin dökülmesi için ergime noktasına (1540°C) erişilmesi gerekir ve bu Çin'de yaklaşık MÖ 500'e kadar gerçekleşmemiştir.

Dolayısıyla, yeni materyallerin gelişiminde genellikle ulaşılabilen sıcaklığın yönlendirdiği mantıklı bir silsile mevcuttur. Ekseriyetle cam ve fayanslar –camın bir çeşit "önceli"; aşağıya bakınız– bir bölgede çanak çömlekten sonra görülür, çünkü bunlar daha yüksek sıcaklık ve daha iyi kontrole ihtiyaç duyar. Bunlar tuncun üretimiyle birlikte ortaya çıkar.

Bunlar gibi yapay malzemelerin üretilmesi için kullanılan teknolojinin çalışılması doğal olarak yararlanılan malzeme ve tekniklerin anlaşılmasını gerektirir. Bugün birçok Yakındoğu pazarında görülen türden geleneksel zanaatlar, insan elinden çıkma nesnelerin nasıl yapılmış olabileceğine ve geçirdikleri teknik işlemlere dair değerli ipuçları verir.

Çanak Çömlek

Yukarıda tarihöncesinin erken dönemleri boyunca muhtemelen hafif organik malzemelerden yapılmış kapların kullanıldığını gördük. Ancak çoğu kez düşünüldüğünün aksine bu, Paleolitik Çağ insanlarının çanak çömlek yapmayı bilmedikleri anlamına gelmez. Mağara zemininde yakılmış her ateş etrafındaki toprağı sertleştirecekti ve pişmiş toprak figürinlerin bazı zamanlarda üretildiğinden yukarıda bahsetmiştik. Neolitik Çağ'dan önce çanak çömleğin bulunmayışı, büyük oranda Paleolitik avcı-toplayıcıların gezici hayat tarzları için fırınlanmış kilden ağır kapların çok kullanışlı olmamasından kaynaklanır. Görünüşe göre çanak çömleğin ortaya çıkışı, genellikle dayanıklı ve sağlam kapların gerekli olduğu daha yerleşik bir hayata geçişle örtüşmektedir.

Çanak çömlek parçalarının yok olması neredeyse imkânsızdır. Erken dönemlerdeki buluntu yerlerinde binlerce taş alet olduğu gibi daha geç dönemlerdeki buluntu yerlerinde de tonlarca çanak çömlek parçası görülür. Uzun süre, özellikle de kesin tarihleme yöntemlerinin kullanılmasından önce, arkeologlar çanak çömleği her şeyden önce kronolojik gösterge olarak (4. Bölüm) ve kap formuyla kap bezemelerindeki değişimlere dayalı tipolojiler kurmak için kullandılar. Örneğin yüzey araştırmalarında buluntu yeri değerlendirmesi yaparken bu özellikler hâlen büyük önem taşır (3. Bölüm). Ancak yakın tarihlerde taş aletlerdeki gibi ilgi, hammaddelerin kaynaklarını tespit etmeye (9. Bölüm), kaplardaki artıkların beslenme alışkanlıklarına dair bilgi kaynağı olarak kullanılmasına (7. Bölüm) ve hepsinden öte üretim yöntemleriyle kaplardan nasıl yararlanıldığına yönelmiştir.

Üretimle ilgilenilen yerlerde sorulması gereken başlıca sorular şöyle özetlenebilir: Kil çömlek hamurunun matrisinin bileşenleri nelerdir? Kap nasıl yapılmıştır? Hangi sıcaklıkta fırınlanmıştır?

8.39 *Çark kullanarak çömlek yapımına dair kanıt. Mısırlı bir çömlekçi MÖ 2400 civarına ait bu kireçtaşı portrede çömlekçi çarkı üzerinde bir kabı şekillendirmektedir.*

Katkı Maddeleri. Bazen basit gözlem, katkı maddeleri olarak bilinen kil bileşenlerini tanımlayacaktır. Bunlar kile fazladan sağlamlık ve işlenebilirlik katmak; ayrıca fırınlama sırasında herhangi bir çatlama ya da fireyi önlemek için eklenir. Katkı maddesi olarak çok kullanılan malzemeler ufalanmış kabuk, taş ve çanak çömlek parçaları; kum, ot, saman çöpleri ya da sünger parçalarıdır. Amerikalı bilim adamları Gordon Bronitsky ve Robert Hamer farklı katkı maddelerinin niteliklerini kanıtlamıştır. Ufalanmış yanık kabukların kaba kum ve yanmamış kabuklara nazaran kili ısı şokuna ve darbelere daha dayanıklı yaptığını keşfetmiştir. İnce kum en iyi ikinci katkı maddesidir. Katkı maddesi ne kadar ince taneliyse kap o kadar dayanıklı olur. Yeni Dünya'nın çeşitli bölgelerindeki arkeolojik kayıtlar açıkça daha kaliteli katkı maddelerine doğru istikrarlı bir eğilimi yansıtır.

Çömlekler Nasıl Yapılıyordu? Çömleklerin çark ya da döner tabla üzerinde yapımı ya da "atılması" en erken MÖ 3400'ten sonra gerçekleşmiştir (Mezopotamya'da). Dünyanın bazı kısımlarında hâlen görülen önceki yöntem, kabı bir dizi kil şerit ya da dilim kullanarak aşağıdan yukarı doğru elle tamamlamaktı. Bir kabın iç ve dış yüzeyindeki basit bir gözlem genellikle üretim yöntemini tespit etmemize izin verir. Çark yapımı kaplar çoğunlukla el yapımlarında bulunmayan spiral sırtlar ve striyasyonlara sahiptir. Çömlekçi bu işaretleri kabı çark üzerinde döndürürken parmaklarıyla bırakmıştır. Dış yüzeyde, hamuru döverek düzgün ve sağlam bir perdah yaratmak için kullanılan yassı spatulaya ait baskı izleri de bulunabilir. Bazıları kumaşa sarılı olduğundan, dokumanın izi de yüzeyde kalmaktadır.

Çömlekler Nasıl Fırınlanıyordu? Fırınlama tekniği bitmiş ürünün çeşitli özelliklerinden belirlenebilir. Örneğin, eğer yüzeyler perdahlı ya da sırlıysa (yani camsı bir görünümü varsa) çömlek muhtemelen kapalı bir fırının içinde 900°C'nin üzerinde pişirilmiştir. Bir çömlekteki yükseltgenmenin (kildeki organik maddelerin yanarak yok olduğu süreç) derecesi de fırınlama yöntemlerine dair bir göstergedir. Tam bir yükseltgenme hamurun her yerinde aynı rengi oluşturur. Eğer bir çömlek parçasının çekirdeği koyu renkliyse (gri ya da siyah) fırınlama sıcaklığı ya kili bütünüyle yükseltgenmek için çok düşüktü ya da fırınlama süresi yetersizdi. Bu etkenler çoğunlukla açık ateşte pişirilmeye işaret eder. Açık ateşte pişirme aynı zamanda yüzeyde "ateş lekeleri" olarak adlandırılan renk bozulmaları yaratır. Farklı hamurların değişik sıcaklıklarda çeşitli türde fırınlar içinde deneysel pişirilmesi, beklenebilecek renk ve etkiler konusunda rehberlik yapar.

Amerikalı bilim adamları W.D. Kingery ve Jay Frierman Bulgaristan'daki Bakır Çağı yerleşimi Karanovo'ya ait bir grafit mal parçası üzerinde pişirilme sıcaklığına dair titiz bir yaklaşım geliştirmiştir. Yöntemleri, mikroyapısında geri döndürülemez değişimler meydana gelene kadar örneği yeniden ısıtmayı gerektirir. Böylece orijinal parçanın maruz kaldığı pişirilme sıcaklığının üst sınırı belirlenir. Taramalı elektron mikroskobuyla yapılan incelemelerde, karbondioksitli havada 700°C'den sonra yapılan pişirmeden sonra küçük değişimler meydana geldiği görülmüştür. 800°C'de bir saat pişirmeden sonra belirgin farklar oluşmuş, 900°C'de kil camsılaşmıştır. Böylece Kingery ve Frierman grafit kabın gerçekte 800°C'nin altında, büyük ihtimalle 700°C civarında pişirildiği sonucuna vardı. Bu türden neticeler, farklı kültürlerin teknolojik kapasitelerini özellikle metalürjideki ustalıkları bağlamında değerlendirmemize büyük katkıda bulunur (aşağıya bakınız).

Fırın barındıran buluntu yerlerinin arkeolojisi, pişirme teknolojilerine dair bilgilerimize çok şey katmıştır. Mesela Tayland'da yüksek ısıda pişirilmiş "taş mallar" denilen çanak çömlekler MS 11-16. yüzyıllar arasında seri üretimdeydi ve Güneydoğu Asya civarında, Japonya'da ve Asya'nın doğusunda ticareti yapılıyordu. Ancak yine de aynı döneme ait metinler bu endüstri hakkında hiçbir şey söylememektedir. Bu projeyi yürüten Avustralyalı ve Taylandlı arkeologlarla bilim insanları Sisatchanalai ve Sukhothai adlı iki şehrin en önemli üretim merkezleri olduklarını buldular. İlk yerleşimin civar köylerindeki kazılar, genellikle çöken eski fırınların üzerine yapılmış bazıları 7 metre derinliğe ulaşan yüzlerce fırın ortaya çıkardı. Bu fırın tipleri stratigrafisi, söz konusu fırınların tasarımları ve inşalarındaki gelişimi göstermiştir; erken ve kaba kil fırınlardan kaliteli ihraç malları için gerekli yüksek pişirme derecelerine erişebilen tuğla fırınlara doğru bir ilerleme söz konusudur. Geç tarihli fırınlar onları ıslak topraktan uzak tutan tepeciklerin üzerine kurularak yıl boyunca üretimi garanti altına alınıyordu. Bunlar aynı zamanda endüstrideki giderek artan talebi yansıtmaktadır.

Etnografik Kanıtlar. Taş alet yapımının aksine, geleneksel yöntemlerle çanak çömlek üretimi hâlen dünyada yaygındır. Dolayısıyla sadece teknolojik özellikler değil, aynı zamanda sosyal ve ticari açılardan da etnoarkeolojik çalışmalar yürütmek verimli olacaktır. Birçok başarılı proje arasında, Amerikalı arkeolog Donald Lathrap'in Yukarı Amazon'daki (Peru'nun doğusu) Shipibo-Conibo yerlileri arasında yaptığı uzun süreli çalışmaya değinilebilir. Burada modern çanak çömlek üslupları MS 1. binyılın arkeolojik öncellerine kadar izlenebilmektedir. Kadınların çoğu çömlekçidir ve her biri hem pişirme hem de saklama gibi diğer amaçlar için öncelikle kendi hanesine yönelik çömlek üretimi yapar. Yerel kilden yapılan çömlekler eski çömlek parçalarının da dâhil olduğu çok çeşitli katkı maddeleri içerir, fakat astar ve öteki bezeme işleri için gerekli diğer mineraller ve pigmentler komşu bölgelerden ithal edilir. Çömlekler kil şeritlerle aşağıdan yukarı doğru yapılır. Bir yıllık faaliyet boyunca çömlekçilik Mayıs'tan Ekim'e kadar süren kurak mevsimde icra edilir. Bu türden çalışmalar çok çeşitli soruların cevaplanması için yararlıdır: Sadece çömleklerin nasıl, ne zaman, neden ve kimler tarafından yapıldıkları değil, farklı tipte kaplar için ne kadar zaman ve emek harcandığı; ne sıklıkla ve hangi şartlar altında kırıldıkları ve kırıklara ne olduğu gibi. Diğer bir deyişle kullanım, elden çıkarma ve alanı temizleme alışkanlıkları hakkında yanıtlar alınabilir.

Böylece arkeologlar etnoarkeolojik çalışmalardan birçok değerli içgörü edinebilir. Birtakım kültürlere ait tarihi kaynaklar ve sanatsal tasvirler tamamlayıcı bulgular sağlar.

Fayans ve Cam

Teknoloji tarihinde camsı malzemeler sahneye geç çıkmıştır. En erkeni *fayanstır* (bir İtalya kasabası olan Faenza'dan türetilmiş Fransızca kelime) ve bu "cam öncesi" bir malzeme olarak kabul edilebilir. Toz hâlindeki kuvars çekirdeği camsı alkali sırla kaplanarak yapılıyordu. Hanedanlar öncesi Mısır'da (MÖ 3000'den önce) ortaya çıkan fayans, Hanedanlar Dönemi'nde basit boncuklar ve pandantifler için çokça kullanılmıştır. Fayansın arkeoloji açısından başlıca önemi, bileşenleri aracılığıyla belirli boncukların menşei ya da kaynağı için sunabildiği kanıtlardır. Böylece tarihöncesi Avrupa'daki teknolojinin Mısır ve Doğu Akdeniz'e bağlılık derecesini değerlendirmeye yardımcı olur.

Elementleri milyonda birkaç parça yoğunluğuna kadar izleyebilen nötron aktivasyon analizi (s. 368-369'daki kutuya bakınız) Tunç Çağı fayans boncuklarına uygulanmış ve İngiltere örneklerinin onları Çek Cumhuriyeti (buradakiler yüksek kobalt ve antimuan değerleri içerir), hatta İskoçya'dakilerden açıkça farklı bir yere koyan görece yüksek kalay muhteviyatına sahip olduğunu kanıtlamıştır. Bütün bu buluntu grupları Mısır boncuklarından farklıydı ve dolayısıyla bu nesne kategorisinin yerel üretimle varlığını sürdürdüğünü vurguluyordu.

8.40 *Pompeii'den Roma cam kapları. Romalılar MÖ 50 civarında cam üfleme tekniğini geliştirdiler ve şimdiye kadar yapılmış en kaliteli parçaları ürettiler. Bu konudaki uzmanlıklarıyla ancak Rönesans'ın Venedik ürünleri boy ölçüşebilmiştir.*

MÖ 2500 civarına gelindiğinde Mezopotamya gerçek *camdan* boncuklar yapmaktaydı ve görünüşe göre bunlar oldukça değerliydi. Bir kez keşfedildikten sonra camı üretmek kolay ve ucuzdu: Sadece kumu eritmek ve tekrar soğutmaktan ibaretti. Sıvı kristalize olmadan soğur ve bu yüzden şeffaf kalır. Üstesinden gelinmesi gereken sorun ise silikanın (kumun) ergime noktasıdır (1723°C), fakat eğer soda ya da potas gibi bir "eritken" eklenirse sıcaklık düşer. Soda ısıyı 850°C'ye kadar düşürür, ama netice oldukça düşük kaliteli camdır. Deneme yanılma yoluyla kireç katmanın daha iyi sonuçlar verdiği keşfedilmiş olmalıydı. En uygun karışım %75 silika, %15 soda ve %10 kireçtir. Gördüğümüz gibi, cam ancak çok yüksek sıcaklıklara erişildikten sonra üretilebilir. Bu, Tunç Çağı'nda metal eritmek için odun kömürü ocaklarının geliştirilmesiyle elde edilmiştir (aşağıya bakınız).

Gerçek camdan ilk kaplar Mısır'da 18. Hanedan dönemi (yaklaşık MÖ 1500) yerleşimlerinde bulunmuştur. En eski cam ocağı ise yine Mısır'da Tell el-Amarna'dan MÖ 1350'ye ait bir örnektir. Kaplar kayıp balmumu yöntemine benzer bir teknikle yapılmıştı: Erimiş cam bir kil çekirdek etrafında şekillendiriliyor ve soğuduktan sonra kil kazınarak çıkarılıyordu. Bu işlem kaba ve çukurlu karakteristik bir iç yüzey meydana getirir. Heykelcikler ve oyuk kaplar taş ya da kil kalıplardan da yapılmaktaydı.

MÖ 700'e gelindiğinde cam yapımına dair başlıca teknikler bir tanesi hariç gelişmişti (kaplar, figürinler, camlar ve boncuklar). Bu istisna, erimiş cam küreciğini metal bir tüple şişirme ya da bir kalıba üflemeyi içeren cam üflemeydi. Bu hızlı ve ucuz yöntem, cam işindeki ustalıkları Venedik'in MS 15 ve 16. yüzyıllardaki altın çağına kadar aşılamayan Romalılar tarafından nihayet MÖ 50'de geliştirildi. Üstelik Romalıların cam üretimi miktarına Endüstri Devrimi'ne kadar erişilememiştir. O hâlde antik cam buluntular neden nadirdir? Cevap beklenebileceği gibi camın kırılgan değil (genellikle en az çanak çömlek kadar sağlam kalabilir), fakat metaller gibi ve çanak çömleğin aksine yeniden değerlendirilebilen bir malzeme olmasıdır. Kırıklar eritilip yeniden cama dönüştürülebilir.

Bu malzemeler çalışılırken bir kez daha **bileşim** ve **üretim**, arkeolojik yaklaşımın ilkeleridir. Son birkaç onyıla kadar kullanılan hammaddeleri kesin olarak saptamak zordu, çünkü kristalografik gözlem herhangi bir ipucu sağlamıyordu. Ancak geçen 30 yılda yeni teknikler uzmanların çeşitli antik camlara ait bileşenleri analiz etmesine imkân vermiştir.

Mesela E.V. Sayre ve R.W. Smith bir araştırma yürütmüş ve antik camlardaki sistematik bileşimsel farklılıkları bulmak amacıyla onları üç tekniği bir arada kullanarak 26 element için analiz etmiştir: alev fotometrisi, renkölçüm ve hepsinden önce optik emisyon spektrometrisi (9. Bölüm). Bunun sonucunda, her biri farklı kimyasal bileşime sahip birkaç antik cam kategorisi oluşturulmuştur. Sözgelimi MÖ 2. binyıla ait örnekler (başta Mısır'dan, ama aynı zamanda bütün Akdeniz'de) yüksek magnezyum muhtevasına sahip tipik soda-kireç camıydı. Milattan önceki son yüzyıllara tarihlenen örnekler (Yunanistan, Anadolu ve Pers ülkesi) antimuan bakımından zengindir ve daha düşük miktarda magnezyum ve potasyum içerir. Roma camında diğerlerine göre daha az antimon, ama daha fazla manganez vardır. Antik camlara uygulanan diğer yöntemler arasında, zararsız x-ışını flüoresans tekniğinden (9. Bölüm) geliştirilmiş ve çok küçük örnekler üzerinde bile etkili olan elektron mikroışın sondası bulunur. Nötron aktivasyon analizi de camların tahlilinde kullanılabilmektedir.

Camda görülen kabarcık gibi hatalar bazen boyutları, biçimleri, yönleri ve dağılımları itibarıyla ustanın potadan son şekil verme aşamasına kadar söz konusu örneği nasıl işlendiği hakkında bilgi verir. Yan ürünler de bilgilendirici olabilmektedir. İngiltere'nin güneyindeki Meare adlı Demir Çağı göl köyünden bir "kırık boncuk", aslında cam boncuk yapımında kullanılmış bir kalıp işlevi görebilirdi.

ARKEOMETALÜRJİ

Demir Dışı Metaller

Eski dönemlerde kullanılmış en önemli demir dışı –yani içinde demir bulunmayan– metal bakırdı. Zamanla bakırı kalayla karıştırarak daha sert ve dirençli bir ürünün, yani tuncun üretilebileceği öğrenildi. Diğer elementler, özellikle arsenik ve antimuan bazen alaşımlama sürecinde kullanılmaktaydı. Avrupa'da Tunç Çağı'nın daha ilerideki safhalarında küçük bir miktar kurşunun dökme kalitesini arttıracağı öğrenildi. Altınla gümüş ayrıca önemliydi ve kurşunu da göz ardı etmememiz gerekir. Kalay ve antimon gibi öteki metaller metal formunda çok nadiren kullanılıyorlardı.

Bakır ve tuncun üretildiği çoğu yerde, genelde yapay malzemelerinkini andıran esasen ısıya bağlı doğal bir gelişme söz konusuydu (yukarıya bakınız). Bu süreçlerin temel düzeyde anlaşılması, eski teknolojiyle ilgili herhangi bir çalışma için elzemdir:

1 *Doğal (nabit) bakırın işlenmesi*: Doğal bakır (doğada doğal külçe hâline metalik olarak bulunan bakır) çekiçlenebilir, kesilebilir, parlatılabilir vs. Bunlar Amerika Birleşik Devletleri'nin kuzeyinde ve Kanada'da Arkaik Dönem'in "Eski Bakır" kültürü (MÖ 4-2. binyıl) tarafından çokça kullanılmıştı. Doğal bakır Eski Dünya'da Çatalhöyük, Çayönü (Türkiye) ve İran'daki Ali Koş gibi erken tarım yerleşmelerinde MÖ 7000'lerde ortaya çıkar.

2 *Doğal bakırı tavlamak*: Tavlama sadece metali ısıtma ve çekiçlemeyi içerir. Tek başına çekiçleme metalin kırılganlaşmasına sebep olur. Bu işlem doğal bakırın işlenmeye başlanmasından hemen sonra keşfedildi.

3 *Bakırın oksit ve karbonat filizlerinin izabesi*: Bunlar çoğunlukla parlak renklidir.

4 *Bakırın eritilmesi ve dökümü* önce açık tek bir kalıpta, daha sonra iki parçalı kalıplarda yapılır.

5 *Kalayla (ve muhtemelen arsenikle) alaşım yapma* tunç üretimini sağlar.

6 *Sülfür filizlerinin izabesi* karbonat filizlerininkine göre daha karmaşık bir süreçtir.

7 *Kayıp balmumu ("cire perdue") yöntemi* (aşağıya bakınız) ve döküm işlemi, en karmaşık formların çeşitli safhalarda dökümle verildiği yerlerde görülür.

Kurşunun ergime noktası 327°C'dir ve en kolay işlenen metaldir. 800°C civarında filizlerinden izabe edilebilir. Gümüş 960°C, altın 1063°C ve bakır 1083°C'de erir. Dolayısıyla genel olarak zanaatkârlar bakır ve tunç teknolojisinde ustalaştıkları zaman altın, gümüş ve tabii kurşun işlemede yeteneklerini geliştirmişlerdi.

Bu metallerden yapılmış nesnelerin üretim teknikleri birkaç şekilde araştırılabilir. Belirlenmesi gereken ilk husus nesnenin **bileşimidir**. Geleneksel laboratuvar yöntemleri ana bileşenlerin zorlanmadan tespitine izin verir. Mesela tunçtaki alaşımlar bu şekilde tanımlanabilir. Ancak pratikte karakterizasyon tekniklerinde de kullanılan iz element analizine başvurmak daha yaygındır (9. Bölüm). Uzun yıllar boyunca optik emisyon spektrometrisi yaygın olarak kullanılmıştır, ama şimdi atomik soğurma spektrometrisi giderek öne çıkmaktadır. Çömlek hamuru ya da camda olduğu gibi x-ışını flüoresansından da yararlanılır. Bütün bu yöntemlerden 9. Bölüm'de bahsedilmişti.

Diğer temel yaklaşım, malzeme yapısının mikroskop altında çalışılmasıyla yürütülen **metalografik incelemedir** (arka sayfadaki kutuya bakınız). Bu, bir nesnenin soğuk çekiçlemeyle mi, tavlamamayla mı, dökümle mi yoksa hepsinin bir kombinasyonuyla mı üretildiğini ortaya çıkaracaktır.

Yukarıda özetlenen aşama sırasına dönersek, bakır içindeki diğer maddelerden oldukça arınmış hâlde olduğu zaman doğal bakırın kullanıldığında süphelenilebilir. Bakırın eritilmediği ya da dökülmediği zaman bu kanıtlanabilir, çünkü metalografik inceleme o zaman nesnenin sadece soğuk çekiçleme veya tavlamayla işlendiğini gösterecektir. Mesela Amerikalı metalürji uzmanı Cyril Smith Ali Koş'tan (İran) MÖ 7. binyıla ait bir bakır boncuğu mikroskobik ve metalografik incelemeye tabi tuttuğunda, doğada bulunan bakır yumrusunun soğuk çekiçlemeyle yaprak hâline getirildiğini, ardından bir keskiyle kesildiğini ve yuvarlanarak boncuk şekline sokulduğunu keşfetti. Ancak eğer doğal bakır eritildikten sonra dökülmüşse, bunu filizinden izabe edilmiş bakırdan kesin olarak ayırt etmenin yolu yoktur.

Alaşımlama

Bakırın arsenik veya kalayla alaşımlanması metalürji uygulamasında ileriye doğru büyük bir adımı temsil eder. Öncelikle hem arsenikli tunç hem de kalaylı tunç bakırdan daha sert ve daha az kırılgandır. Silahların –hançerler ve mızraklar– kesici metal kısımları bu nedenle genelde tunçtandır ve bakır olanlar pratikte çok az kullanım alanına sahiptir. Yakındoğu ve Avrupa'nın erken tarihli kılıçları şüphesiz tunçtandır. Bakır kılıçlar işlevsel olmak için fazla kırılgandı.

Arsenik ya da kalayın eklenmesi aynı zamanda üretimi çeşitli şekillerde kolaylaştırır. Bakırda kabarcıklar ve hava deliklerini önlemek için kalıba döküm süreci sırasında bunlardan istifade edilir. Ayrıca, nesnenin kırılmasına izin vermeden sürekli çekiçlenmesine (ısıtılarak ya da değil) imkân tanıyarak daha iyi işlenmesini sağlar. Kalaylı tunçta kalayın bakıra ideal oranı 10'da 1'dir.

METALOGRAFİK İNCELEME

Erken dönem metalürjisinin çalışılması için en yararlı tekniklerden biri metalografik incelemedir.

Teknik, ışık mikroskobu altında nesneden alınan parlatılmış bir kesitin incelenmesini içerir. Metal yapısını gösterebilsin diye kimyasal olarak asitle aşındırılır. Saydam kesitler çıkarılamadığı için nesnenin yüzeyine ışık yansıtmak gerekmektedir (mesela ince bir kesitin içinden geçen ışıkla incelendiği çanak çömlek incelemesindeki petrografik çalışmaların aksine).

Metal yapısının mikroskobik analizi sadece nesnenin üretim geçmişindeki ana safhaları (tek kalıpla döküm gibi) ayırt etmek dışında hemen göze çarpmayan süreçlerin tespitinde çok bilgilendirici olabilmektedir.

Örneğin bakırın durumunda nesnenin ne zaman doğal bakırdan işlendiğini anlamak mümkündür. Yapı aynı zamanda bakırın soğuk işlenip işlenmediğini ve tavlanıp tavlanmadığını (metali sertleştirmek ve kırılganlığını azaltmak için ısıtılıp soğutulmasını gerektiren süreç) açıkça gösterecektir. Aslında tavlama ile soğuk işlemenin birbirini izleyen safhaları sergilenerek malzemenin gördüğü bütün işlemlerin geçmişi ortaya çıkartılabilir.

Metalografik inceleme demir ve çelikte de bakır kadar açıklayıcıdır. İşlenmiş demir kolayca tanınır: Demir kristalleri ve cüruf damarları rahatça fark edilir. Karbonlamanın sonuçları –örneğin sert bir kesici kenar elde etmek için demir bir nesnenin kısmen odun kömüründe ısıtılmasından sonra- yine çok açıktır. Dağlanmış koyu ve sert kenar daha yumuşak beyaz iç kısımdan oldukça farklıdır.

Metalografik inceleme bu şekilde üretim süreci hakkında birçok bilgi sağlayabilir ve çoğu demircinin işinde gösterdiği kayda değer ustalığı gözler önüne serebilir.

8.41 *Bakır – dövülmüş ve tam tavlanmış Büyütme x100*

8.42 *Bakırın soğuk işlendiğini gösteren sekme kuşakları (düz çizgiler; x100)*

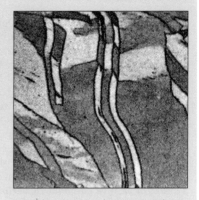

8.43 *İşlenmiş, tam tavlanmış ve yeniden soğuk işlenmiş bakır (x150)*

8.44 *Bakıra aşırı doyurulmuş gümüş (x100).*

8.45 *İşlenmiş demir (x200). Açık renkli zerrecikler demir, daha koyu madde ise cüruftur.*

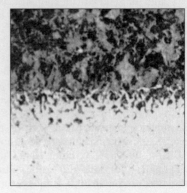

8.46 *Kısmen sertleştirilmiş demir. Koyu yapı açık olandan daha serttir.*

Kalayın veya arseniğin varlığı alaşımlamanın gerçekleştiğine işaret eder. Fakat arsenik örneğinde, ilk önce arsenik zengini bakır filizin kullanılması ve arseniğin bilinçli bir seçim olmaması mümkündür. Bu şekilde, elde edilen olumlu sonuçlar verilmiş kararlardan ziyade şansa bağlı ortaya çıkmıştır. Tek başına soyutlanmış bir nesne hakkında kesin konuşmanın yolu yoktur. Fakat bir dizi nesnenin analizi dikkatli bir kontrol süreci, dolayısıyla muhtemelen bilinçli alaşımlamaya işaret eden tutarlı bir şablon ortaya çıkarabilir. Sözgelimi, E.R. Eaton ve Hugh McKerrell Yakındoğu'dan Tunç Çağı malzemesine x-ışını flüoresansı uyguladığında, muhtemelen bakır üzerinde gümüş renkli bir kaplama elde edebilmek için alaşımlarda arsenik minerallerinin kullanılmış olduğu anlaşıldı. Aslında iki bilim adamı, MÖ 3000-1600 arasındaki zaman diliminde Mezopotamya'dan gelen bütün metalin 1/4 ila 1/3'ünü arsenikli bakırın meydana getirdiğini gördüler. Bu, söz konusu dönemde arsenikli bakırı kalaylı tunçtan iki ya da üç kat daha önemli yapıyordu.

Altın ve gümüş alaşımların bileşenleri bunların kendilerine özel ağırlıklarını tespitiyle belirlenebilir. Bu yolla Bizans sikkelerinin MS 1118 ve 1203 arasında daha düşük bir gümüş değerine indirildiği ortaya çıkmıştır. Sikkelerin kesitlerini inceleyen M.F. Hendy ve J.A. Charles, aynı zamanda üretim yöntemini de anladı, çünkü mikroyapıları yazıtsız sikkelerin dökme damlacıklarından kalıba alınmadığını, daha ziyade (soğuk ya da sıcak işlenerek) levhalardan kesildiklerini gösteriyordu.

Kalıba Döküm

Nesneyi basitçe inceleyerek kullanılan kalıp hakkında bilgi edinilebilir. Eğer hem üst hem de alt yüzeyde kalıba dair kanıt varsa, o zaman muhtemelen iki parçalı bir kalıp kullanılmıştır. Daha karmaşık ve ayrıntılı formların, Yeni Dünya'da büyük bir ustalıkla uygulanmış kayıp balmumu (*cire perdue*) yöntemine ihtiyaç duyması mümkündür (ayrıca bkz. 10. Bölüm). Bu yaratıcı ve yaygın teknikte, istenilen form balmumuyla yapılır ve ardından dışarıya küçük bir kanal bırakılarak kille kaplanır. Kil ısıtıldığı zaman erimiş balmumu kanaldan dökülür; böylece kil içi boş bir kalıp hâlini alır ve içine erimiş metal dökülebilir. Kil kalıp kı-

8.47–48 *Kalıba dökme. (sol altta) Kayıp balmumu yöntemi. Bu Mısır örneğinde (MÖ 1500 civarı) kilden bir nüve yapılır ve ardından üzerinde balmumundan bir model şekillendirilir. Model kil ile kaplanır ve pişirilir; böylece eriyen balmumu akıtılır. Artık içi boş olan kalıba erimiş metal dökülür ve son olarak kil kırılarak metal döküm ortaya çıkarılır. (sağ altta) MÖ 1500 civarına ait bir Mısır mezar resmi, dökümhane işçilerini tunç kaplar dökerken göstermektedir. Bu sahnede metali ısıtmak için ayak körükleri kullanırken betimlenmişlerdir. Daha sonraki bir sahnede ise metal kalıba dökülmektedir.*

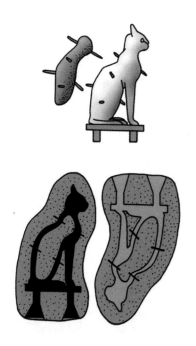

rıldığında geriye kalan orijinal modelin metal kopyasıdır. Bu elbette "tek seferlik" bir yöntemdir.

Yeni Dünya'da altının böyle döküldüğünü (ama bakırın değil) bildiren İspanyol fatihlerin eksik anlatımları ve çizimleri dışında, tekniği arkeolojik kayıtta tespit etmenin birkaç yolu vardır. Günümüze gelmiş kalıplardan (aşağıya bakınız) başka, birkaç metal figürün üzerinde kalmış siyah renkli kil kalıp parçaları da kanıt olarak korunmuştur. Bazen kırılmamış orijinal kalıplarla yapılan deneyler kayıp balmumu tekniğinin ne kadar etkili olduğunu gösterir.

Kesitlerin metal mikroskobuyla incelenmesi (s. 348'deki kutuya bakınız) ve elektron sondalı hassas çözümleme de üretim hakkında daha detaylı bilgi verebilir. İngiliz metalürji uzmanı J.A. Charles Avrupa'nın güneyinden bazı erken bakır baltaları incelemiş ve üstteki düz yüzeyde oksijen muhtevasının büyük ölçüde arttığını bulmuştur. Alttaki düz yüzeyde bakır oksit muhtevası %0,15 düzeyindeydi, fakat üst yüzeyde bu %0,4 oranındaydı. Bu, söz konusu Bakır Çağı baltalarının açık kalıpta döküldüklerini gösteren bir kanıttı.

Ancak çekiçleme ve tavlamanın da dökümdekine benzer sonuçlar çıkarabileceğini belirtmek gerekir. Nervürlü bir hançerin iki tarafında nervür var diye sadece iki parçalı bir kalıpta dökülmüş olması gerekmez, çünkü aynı etki sıcak işlemeyle de elde edilebilir. Üretim yöntemi konusunda emin olmak için metalografik analize ihtiyaç vardır.

Üretim yöntemi hakkında detaylı bulgular, süreçte ortaya çıkan yan ürünler incelendiğinde sağlanabilir ve bazı nesnelerin yüzey izlerinden çıkarımlar yapılabilir. Figürinlerin uçlarındaki fazla metale ait yumrular genellikle zanaatkâr tarafından yok edilir, fakat arada bir öyle kalırlar ve böylece figürinin hangi yöne bakar hâlde (normalde aşağı) döküldüğünü gösterir. Aynı şekilde, üzerindeki döküm derzleri ya da "çapakları" –bir kalıbın iki yarısının birleşme yerine az miktarda metalin dolduğu yer– giderilmemiş örnekler bitmemiş nesnelerdir. Orta Kolombiya'daki Quimbaya bölgesinden insan yüzü şeklinde işlenmiş zengin altın alaşımlı bir buhurdanın alın ve çene bölgesinde dikey derzler fark edilir. Kaidenin içi boş ayağının iç kısmında kabarık bir derz vardır.

Kalıplar birçok işe yarar bilgi verebilir ve genellikle taştan yapıldıkları için sıklıkla korunmuş olurlar. Kayıp balmumu tekniğine ait kırık kil kaplamalar bile ele geçmektedir. Kolombiya'nın Quimbaya bölgesindeki Pueblo Tapado'da tarihi belirsiz bir mezar yapısında iki kırılmamış örnek bulunmuştur. Kırılmadıklarına bakılırsa hiçbir zaman kullanılmadıkları açıktır, ama küçük süslerin dökümü için tasarlanmışlardır. Karen Bruhns'un çalışmasına göre kalıpların kendisi basık bir matara şeklinde işlenmişti. Altlarında, metal döküldüğünde havanın çıkmasını sağlayarak kabarcıkların oluşmasını önleyecek küçük bir delik vardı.

Cürufların incelenmesi de bilgilendirici olabilir. Bakır izabesinde ortaya çıkan cürufları demir üretiminin sonucu

ESKİ PERU'DA BAKIR ÜRETİMİ

GÜNEY AMERİKA
• Batán Grande

Kuzeybatı Peru kıyılarında, Orta Andlar'ın yamaçlarındaki Batán Grande'de Izumi Shimada başkanlığındaki arkeologlar ve uzmanlar eski dönemlerde bakır alaşımı üretiminin çeşitli yönlerini araştırmıştır. Ekip 1980'den 1983'e kadar zengin tarihöncesi bakır madenleri yakınında bulunan üç alandaki fırınları kazmıştır. Bu alanlarda daha yüzlerce fırın olduğunu hesaplamışlardır. Bu, MS 900'den 1532'de İspanyolların İnka İmparatorluğu'nu fethetmeye başlamasına kadar geçen zaman diliminde endüstriyel ölçüde sürmüş bir bakır alaşımı (bakır ve arsenik) izabesi anlamına geliyordu. Bu alanlar, Orta Andlar metal işçiliğinin antik dünyadaki büyük bağımsız metalürji geleneklerinden biri olduğunu gösterecek kadar çok miktarda bulgu sağladı.

Bir yamaçta fırınları, öğütülmüş cüruf ve odun kömüründen kalın tabakaları, çapı bir metreye ulaşan büyük ezgi taşları (*batanes*) ve pişmiş toprak üfleç ya da tüyer (*tuyères*) yanında yiyecek artıkları ve arsenikli maden filizleriyle bütün bir izabe işliği ortaya çıkarılmıştır. Genelde bir metre aralıklı fırınlar iki ya da üç sıra şeklinde yerleştirilmişti.

Altı yüz yıllık bir fırın ve tüyerlerle yapılan izabe deneyleri 1100°C'lik sıcaklıklara (bakırın ergime noktası

8.49 *Kazılan ocaklar (yukarıda) doğu-batı ve kuzey-güney yönünde sıralanmakta, yaklaşık MS 1000'e tarihlenmektedir.*

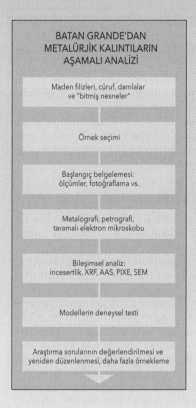

BATAN GRANDE'DAN METALÜRJİK KALINTILARIN AŞAMALI ANALİZİ

Maden filizleri, cüruf, damlalar ve "bitmiş nesneler"

Örnek seçimi

Başlangıç belgelemesi: ölçümler, fotoğraflama vs.

Metalografi, petrografi, taramalı elektron mikroskobu

Bileşimsel analiz: incesertlik, XRF, AAS, PIXE, SEM

Modellerin deneysel testi

Araştırma sorularının değerlendirilmesi ve yeniden düzenlenmesi, daha fazla örnekleme

8.50 *Farklı alanlardaki uzmanların çeşitli teknikler kullanarak birlikte izabe sürecini nasıl aydınlattıklarını gösteren akış şeması (SEM, XRF, AAS ve PIXE s. 368-369'daki kutuda açıklanmıştır).*

8.51 *Batán Grande'de izabenin nasıl yapılmış olabileceğini gösteren çizim (aşağıda ve sağda).*

1083°C'dir) erişilebildiğini gösterdi. Her bir fırın sıcağa çok dayanıklı, yapışmayan, düzgün yüzeyli, birden fazla pişirmeye elverişli, özel hazırlanmış bir "çamurla" kaplanmıştı. Bazı fırınların üç kez kaplandığı tespit edilmişti.

Görünüşe göre bakır ve arsenik taşıyan filiz cüruf ve metalik bakır alaşımı hâline sokulacak şekilde eritiliyordu. Deneyler bu sürecin yüksek sıcaklık sağlayan sürekli üflemeyle yaklaşık üç saat alacağını göstermektedir. Fırınlar 3 ila 5 kg bakır alaşımı ve kısmen erimiş cüruf alabilirdi. Fırın soğuduğunda cüruf kırılıyor ve bakır damlalarının (1 cm'lik damlacıklar) istenmeyen cüruf kalıntılarından kurtarılması için bunlar küçük bir sallanan taşla *batanes* üzerinde dik tutuluyordu. Ardından damlalar toplanıyor ve potalarda külçe olacak şekilde eritiliyorlardı. Alanın başka bir noktasında çıkan bakır, metal levha ve alet üretmek üzere küt uçlu taş çekiçlerle tavlanıp dövülmekteydi. Damlalar ve aletlerin hepsi arsenikli bakırdandı.

Damlacık çıkarma Yakındoğu'da MÖ 3. binyıldan beri mevcuttu. Batán Grande'den gelen kanıtlar tekniğin daha sonraki tarihlerde bağımsız olarak Yeni Dünya'da icat edildiğini göstermektedir. Ancak Yeni Dünya'nın metal ustaları anlaşılan körüklerin sağladığı avantaja sahip değildi ve insan akciğerlerinin gücü ocağın boyutu ile bir defada dökülen maden filizinin miktarını sınırlamaktaydı.

Bölgede bu "Orta Sicán" veya "Lambayeque" kültürüne ait en az on izabe işliği bilinmektedir, fakat 1999 ve 2001'de Shimada ve ekibi Kuzey Peru sahilindeki Huaca Sialupe'de 1000 yıllık farklı bir metal işleme alanı keşfetmiştir. Ekip burada ters çevrili büyük pişmiş toprak *urne*lerden yapılmış iki adet alttan emişli ocak grubu buldu. Damlalar ya da kısmi külçeler, eritilmiş bakır arsenik alaşımlarının buraya işlenmek üzere getirildiğini göstermekte, bir ocaktaki odun kömürü kalıntılarına yapılan nötron aktivasyon analizi ise altın alaşımının dökümüne işaret etmekteydi. Bir ocakla yinelenen deney sadece rüzgârla körüklenen kömür yakıtının 1000°C'den daha yüksek ısı üretilebileceğini ortaya çıkardı. Bu sıcaklık hem bakır hem de altının tavlanması ve alaşımlanması için gerekli olandan daha fazlaydı.

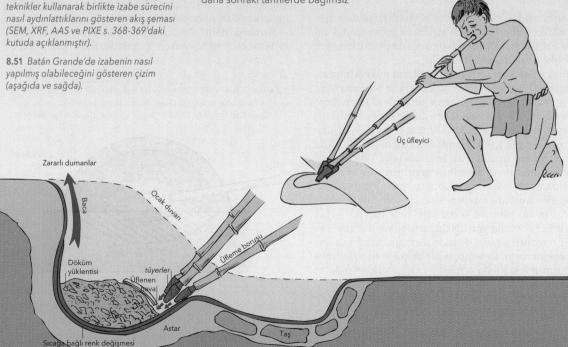

Üç üfleyici

Zararlı dumanlar

Baca

Ocak duvarı

Döküm yüklentisi

tüyerler

Üflenen lava

Üfleme borusu

Astar

Taş

Sıcağa bağlı renk değişmesi

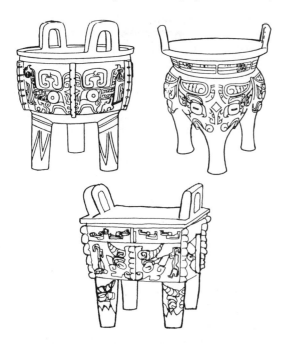

8.52 *Çin'de metal nesnelerin parçalı pişmiş toprak kalıplara dökümü yaklaşık MÖ 1500 civarında Şang Hanedanı döneminde mükemmel hâle getirilmiştir. Eski Dünya'nın batısında kullanılan tekniğin aksine, modelden ziyade kalıbın şekillendirilmesine daha fazla özen gösterilmiştir. Ocakları tedarik etmek üzere çok sayıda kalıp üretilmiştir. Sonuç, bu bronz törensel kaplar gibi şaheserlerdir.*

olanlardan ayırt etmek gerekir. Sülfür filizlerinin göstergesi olan sülfürün varlığı için test yapılması bununla alakalıdır. Pota cürufları (döküm sürecinden) izabe cüruflarından yüksek bakır muhtevasıyla ayrılır.

Çanak çömleklerin içindeki **artıkların** mikrokimyasal analizi de (7. Bölüm) metal işlemeye dair bulgular sunmuştur. Yukarı Tuna'da bulunan tahkimli ve Heuneburg Demir Çağı (Hallstatt) yüksek kalesinden küçük çömlekleri inceleyen Rolf Rottländer, bunlardan birinin bakır alaşımlarını eritmek için kullanıldığını; bir diğerinde altın, iki tanesinde de gümüş izleri bulunduğunu keşfetti.

Teknolojinin daha iyi anlaşılması için **üretim yerinde** bulunan tertibatın ayrıntılı incelemesi yapılmalıdır. Külçelerle cüruflara ilaveten kalıplar, genellikle içinde cürufların kaldığı pota kalıntıları, kırık tüyerler (sıcak hava üfleme borularının ağızlıkları), hatalı dökümler ve hurda metallerin hepsi genelde metalürji yöntemlerine dair ipuçları verir. Örneğin, bakır külçeleri sıklıkla izabe ocaklarının tabanında sertleşirler ve bu yüzden onların şekilleri aynı zamanda yapının şeklini de açığa çıkarır. Çin'in Shaanxi eyaletindeki MÖ 500 civarına tarihlenen Hou-Ma bakır işleme alanında 30.000'i aşkın nesne ele

geçmiştir. Bunların arasında parça kalıplar, kil modeller ve çekirdekler vardır. Çinliler parça kalıp sistemini oldukça erken bir tarihte, daha Şang Hanedanı (MÖ 1500 civarı) zamanında kusursuz hâle getirmişlerdi. En kaliteli erken tunç işçiliği örneklerinde olduğu gibi kayıp balmumu dökümü Çinlilerin temel ilkesiydi. Bu şekilde sıra dışı zanaat eserleri ortaya çıkarmışlardır.

Peru'nun Batán Grande arkeolojik alanında bulunan türden ocak kalıntıları, üretim sürecinde kullanılmış teknolojiye dair çok kapsamlı bilgiler sunar (önceki sayfalardaki kutuya bakınız).

Gümüş, Kurşun ve Platin

Kurşunun düşük ergime noktası (327°C) bu metalin kolayca işlenmesine izin verir, fakat aynı zamanda çok yumuşaktır ve kullanıldığı alanlar bu yüzden geniş değildir. Ancak, kurşunla yapılmış figürinler ele geçmektedir ve bazı yerlerde kurşun kenetlerden kapların onarımında yararlanılmıştır.

Bununla birlikte, kurşun daha büyük çapta bir öneme sahiptir, zira doğada bulunan kurşun filizleri genellikle ***gümüş*** açısından zengindir. Kurşundan gümüş elde etme küpelasyon tekniğiyle mümkündür. Bunda, kurşun oksit (mürdesenk) hâline dönene dek oksitlemeye tabi tutulur ve diğer adi metaller de aynı şekilde oksitlenebilir. Soy metaller olan altın ve gümüş, mürdesenk ocak tarafından emilirken ya da yüzeyden toplanırken değişmeden kalır. Körüklerin üflediği oksitleyici hava akımına daha geniş bir yüzeyin maruz kalması için sığ bir ocağa ihtiyaç duyulur. 1000-1100°C arasında bir sıcaklığı muhafaza etmek için odun kömürü ya da odun kullanılır.

Roma dönemi Britanya'sında küpelasyon fırınları Wroxeter ve Silchester kasabalarında kazılmıştır.

8.53 *Roma-İngiliz şehri Silchester'da bulunmuş bir küpelasyon ocağının rekonstrüksiyonu. Ocak muhtemelen değeri düşürülmüş gümüş ve bakır içerikli sikkelerden gümüş çıkarmak için kullanılmıştır.*

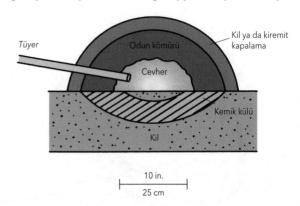

Tüyer — Odun kömürü — Kil ya da kiremit kaplama — Cevher — Kemik külü — Kil

10 in.
25 cm

Silchester'daki ocağın içi geçirgen ve emici olan kemik külüyle kaplanmıştı. Analizler ocağın bakır küpelasyonunda kullanıldığını ortaya çıkarmıştır, çünkü %78 bakır içeren küreciklere sahipti. Ocağın, içindeki bakır miktarı fazla olan değeri düşürülmüş sikkelerden gümüş elde etmek için değerlendirilmesi muhtemeldir.

İspanya'daki MÖ 8/7. yüzyıla tarihlenen Rio Tinto'da bulunmuş çok miktarda cürufun esasen gümüş metalürjisinden kaynaklandığı kanıtlanmıştır. Görünüşe göre filiz çok zengindi (bir tonda 600 gr), ama çok az metal nesne bulunmuştur. Kurşunun büyük yığınlar yerine cüruf ve kürecik şeklinde birçok evdeki dağılımı, hafirler Antonio Blanco ve J.M. Luzón'a metal işçiliğinin fabrika yerine hane faaliyeti olduğunu düşündürmüştü.

Platin (ergime noktası 1800°C) Ekvator'da MS 2. yüzyılda işleniyordu, ama Avrupa 16. yüzyıla kadar bundan habersizdi ve Avrupalılar ancak 1870'lerde platini eritmeyi başarabildi. Ekvator'da metal sertliği ve korozyona karşı dayanıklı oluşundan dolayı tercih edilmişti ve genellikle altınla beraber kullanılmıştı.

İnce Metal İşçiliği

Şüphesiz ilk zanaatkârlar çok geçmeden ateş tekniği üzerindeki kontrolleri sayesinde çeşitli yeni teknikler keşfettiler. Mesela Ege'de Son Tunç Çağı'na gelindiğinde, MÖ 1500 civarında demir dışı metallerle çalışmak için Klasik ve erken Ortaçağ dönemlerinde kullanılanlar gibi bir dizi teknik mevcuttu. Örneğin levha hâlinde metal işleme dışında, kalıpta dövme, oyma ve kakma (metal levhasının arka tarafında elle kontrol edilen darbelerle yapılan kabartma işi) iyi anlaşılmıştı. Telkâri işlemeler (teller ve lehimle yapılan kafes işi) Yakındoğu'da MÖ 3. binyılda geliştirilmişti ve granülasyon (metal taneciklerini genellikle aynı metalden bir arka plana lehimleme) özellikle Etrüskler tarafından dikkat çekici etkiler yaratmak amacıyla kullanılmıştı.

Son yıllarda Peru'nun Sipán ve Sicán alanlarında çok büyük ustalık sergileyen hayret verici zarif madeni eşyalar ele geçmiştir. Sipán'da bulunmuş üç krali mezar yapısı Moche Dönemi'ne ve muhtemelen MS 1-3. yüzyıllara aittir. Moche metal işçileri çeşitli tekniklerde becerikliydiler (sağdaki görsele bakınız).

Genelde böyle örneklerde üretim yöntemi daha gelişmiş analize gerek kalmadan dikkatli incelemeyle tespit edilebilir. Bu geleneksel üretim tekniklerinin çoğu hâlen Kuzey Afrika'nın kasabalarında ve Yakındoğu'nun çarşılarında görülebilir. Nesillerin tecrübeleriyle sabit avantajlardan yoksun bir araştırıcının deneysel arkeolojideki eksik ustalık girişimi yerine, geleneksel teknolojiyle çalışan usta bir zanaatkârın işini dikkatli incelemek genellikle daha çok şey öğretir.

8.54 *Altından örümcek şekilli boncuk. Muhtemelen Sipán'ın "Yaşlı Efendisi"ne ait MS 1. yüzyıla tarihlenen bir kolyenin 10 boncuğundan biriydi. Boncuk farklı teknikler kullanılarak çeşitli parçalardan meydana getirilmişti. Boncuğun dibindeki üç altın küre takan kişi hareket ettikçe ses çıkarıyordu.*

Kaplama

Kaplama metalleri –mesela gümüşle bakırı ya da altınla bakırı– birleştirme yöntemidir. Bir zamanlar değerli metallere elektrokimyasal kaplama yapma yönteminin, demir ve çelik zırhın altınla kaplandığı Geç Ortaçağ veya Rönesans Avrupa'sında keşfedildiği zannedilirken, eski Peruluların da bundan haberdar oldukları kanıtlanmıştır.

Heather Lechtman ve meslektaşları Peru'daki Loma Negra'da soyulmuş bir mezarlıktan gelen bazı altın kaplama çekiçlenmiş bakır levhalar üzerinde analizler yapmıştır. Bunlar milattan sonraki ilk birkaç yüzyıla, Moche Dönemi'ne tarihlenmekteydi ve insan figürleri, maskeler ve kulak süslerini içeriyordu. Bazılarının bakıra mekanik olarak eklenmemiş çok ince altın yüzeyleri vardı. Aslında metal o kadar inceydi ki (0,5 ila 2 mikrometre), 500 kere büyütebilen bir mikroskop altında bile kesitte görülemiyordu. Ancak kalınlığı her yerde eşitti ve metal levhaların kenarlarını da kaplıyordu. Bu açıkça basit bir altın varak ya da folyo uygulaması değildi.

Altın ve bakır ve arasındaki birleşme alanı bunları bir araya getirmek için ısı kullanıldığına işaret etmekteydi. Elektrik akımından yaralanan elektroliz kaplama olamazdı, fakat çıkan sonuç aynıydı. Bu yüzden araştırmacılar elektroliz kaplamanın kimyasal alternatifi ihtimaline yöneldiler. Deneylerinde sadece eski Peruluların elinde mevcut olan kimyasallarla ve herhangi bir elektrik akımına ihtiyaç duymayan işlemlerle iş yaptılar. Altını çözen ve çökeltmek için aşındırıcı tuzlar ve mineraller gibi sulu çözümleri (Peru sahillerindeki çöllerde yaygın olan ve dolayısıyla Moche'nin bildiği) kullandılar. Solüsyona batırılan temiz bakır levha daldırma sırasında beş dakika boyunca kaynatılırsa altının üzerinde yayıldığını gördüler. Sağlam bir birleştirme oluşturmak için kaplanmış levhanın birkaç saniye boyunca 650-800°C'de ısıtılması gerekliydi. Sonuçlar Loma Negra buluntularına o kadar yakındı ki, bu yöntem –ya da çok benzeri– Moche halkı tarafından muhtemelen kullanılmıştır.

Demir ve Çelik

Demir Yeni Dünya'da Kolomb öncesi dönemde kullanılmamıştı ve Eski Dünya'da ise Yakındoğu'da MÖ 1000 civarında, Demir Çağı'nın başlamasıyla belli miktarlarda görülmeye başlar. Ancak bunun öncesinde, özellikle Hitit Anadolu'sunda işlendiğine dair kanıt bulunmaktadır. Meteor demiri (meteorlardan gelen ve doğada metal hâlinde bulunan demir) Yakındoğu'da yaygın biçimde biliniyordu ve silindir mühürlerle başka süsler demirden yapılmaktaydı. Fakat kapsamlı olarak kullanıldığına dair kanıt yoktur.

Demir izabesi tekniği bir kez iyi anlaşıldığı zaman özellikle Afrika'da büyük önem kazandı. Çünkü burada demir bakıra nazaran doğada daha fazla bulunuyordu. Fakat eritmesi, yani doğada demir oksit hâlinde beraber bulunduğu oksijenden ayrılması daha zordu; daha etkili eritme koşullarına ihtiyaç duyuyordu.

Demir saf demir oksitten ergime noktası olan 1540°C'nin altında, 800°C'de eritilebilir. Fakat pratikte demir filizleri aynı zamanda oksitlere ilaveten topraksı yığıntı denilen istenmeyen mineraller de içerir. Bunlar izabe sürecinde cüruflandırmayla ortadan kaldırılabilir: Yeterli sıcaklığa erişildiğinde cüruf sıvılaşır ve akıtılarak, demiri sünger ya da "ham demir" olarak katı hâlde bırakır.

Demir izabesi için en basit ve kolay fırınlar, çanak fırınlardır. Bunlar içleri pişmiş kil ya da tuğlalarla kaplı yere açılmış çukurlardı. Cevher ve odun kömürü çanak fırına yerleştiriliyor ve sıcaklık körüklerin yardımıyla 1100°C civarına getiriliyordu. Sonraki safha demirin toprak üstünde, demirci işliğinde ya da demirhanede dövmeyle sıcak işlemeye tabi tutulmasıydı. İzabe ve dövme alanlarını birbirinden ayırt etmek her zaman kolay olmamakla birlikte, eğer cevher etrafta cürufla beraber bulunursa bu genelde izabenin göstergesidir.

Dökme demir üretimi için fırınların inşasında ve işletilmesinde belirli bir ilerlemenin olması gerekir. Bu da Avrupa'da ***işlenmiş demirin*** üretiminden bin yıl sonra, miladi tarihlerde ortaya çıkışına kadar görülmez (bununla beraber Yunanistan'da MÖ 6. yüzyıl gibi erken bir tarihte dökme demirden heykelcikler yapılmıştı). Ancak Çin'de dökme ve işlenmiş demir MÖ 6. yüzyılda neredeyse birlikte görülür ve dökme demir Batı'dan çok daha önce Çin'de sistemli olarak alet yapımında kullanılmıştır. Dökme demir içinde %1,5 ila 5 oranında karbon bulunan kırılgan bir demir alaşımıdır. Görece düşük –çelik ya da dövme demirinkinden daha düşük– ergime noktası (1150°C) erimiş hâlde dökülmesine imkân tanır. Dolayısıyla erken Çin'de ağırlık dövme demirden ziyade işlenmiş demire verilmişti. Bu bağlamda Uzakdoğu'da ve Avrupa'da metalürji çok farklı yollar izlemiştir.

Çelik basitçe %0,3 ila 1,2 karbon barındıran demirdir ve hem dövülgendir hem de soğutmayla sertleştirmeye müsaittir. Gerçek çelik Roma Dönemi'ne kadar üretilmemiştir, ama benzer olmakla beraber daha az homojen bir ürün, karbonize etme süreciyle erken bir tarihte ortaya çıkarılmıştır (karşı sayfaya bakınız). Bu, karbonla temas hâlindeki demirin yüksek sıcaklıkta ısıtılmasıyla elde edilir. Başlangıçta işlem, dövme sırasında kor karbonla temastaki demir ısıtıldığı zaman tamamen kazayla meydana gelmiş olabilir. Demirin karbonize edilme derecesi ve kullanılan işlem en iyi şekilde söz konusu nesnenin metalografik incelemesiyle belirlenebilir.

Hiçbir özelliği yokmuş gibi görünen metal yumruları, aslında göründüklerinden daha fazlası olabilirler. Bir demir nesneden "üreyen" korozyon bileşkeleri, onunla alakalı herhangi bir ahşabı mineralleştirir, hatta kaplar. Meydana gelen metal öbeği, çürümüş bir nesnenin tam şeklinde bir boşluk içerir. X-ışınları içerideki gizli şekli ortaya çıkarabilir ve Pompeii'deki bedenler ya da kafatası boşluğu kalıplarında olduğu gibi (11. Bölüm) bir kalıp yapılabilir ve çıkarılabilir.

ERKEN ÇELİK YAPIMI: ETNOARKEOLOJİK BİR DENEY

AFRİKA

Haya

Üretim süreçleriyle ilgili detaylı gözlemleri içeren etnoarkeolojik projeler genellikle taş aletler ve çanak çömlekler ya da dokumayla ilgilidir. Yine de birkaç araştırmacı sayesinde metal işçiliği hakkında çok şey öğrenilmiştir.

Etnoarkeolojiyi arkeoloji ve deneyle birleştiren böyle bir proje Kuzeybatı Tanzanya'da Peter Schmidt ve Donald Avery tarafından yürütülmüştür. İkili, Victoria Gölü'nün batı kıyısındaki yoğun nüfuslu köylerin sakinleri Bantuca konuşan Haya halkı arasında çalıştı. Haya halkı Avrupa ve başka yerlerden ithal edilmiş metal aletleri kullanıyorlardı, ama 80 veya 90 yıl öncesi gibi yakın bir zamana kadar kullandıkları kendi eski çelik yapım süreçlerine dair sözlü geleneğe sahiptiler.

Aynı zamanda hurda demirin kullanıldığı faal bir nalbantlık geleneğini koruyorlardı. Aralarında demirci olan bazı yaşlılar demirin geleneksel yollarla nasıl döküldüğünü hatırlıyordu ve bu deneyimin yeniden yaratılması için çok istekliydiler.

Böylece Haya halkı 1,4 m yüksekliğinde konik biçimli geleneksel bir fırın yapmaya kolayca ikna edildi. Cüruftan ve çamurdan yapılan ocak, çamurla sıvanmış ve kısmen yanık bataklık otlarıyla doldurulmuş 50 cm derinliğinde bir çukurun üzerine inşa edildi. Bu kömürleşmiş sazlar çeliği meydana getirmek için izabe sırasında erimiş demirlerle birleşecek karbonu sağlıyordu. Sekiz adet pişmiş toprak üfleç ya da tüyer (tuyères), tabana yakın bir yerden ocağın içine giriyordu ve her biri dışarda keçi derisinden körüklere bağlıydı. Bu boruların önceden ısıtılmış havayı (600°C'ye kadar) kömürle yanan ocağa yolladığı düşünülüyordu. Arkeometalürji uzmanları önceden ısıtmanın varlığı konusunda şüpheci olsalar da Haya ocaklarının 1300 ila 1400°C'lik ısılara erişebildikleri, düşük ve orta karbonlu çelik yanında işlenmiş ve kısmen dökme demir üretimi için gerekli diğer şartlara sahip oldukları aşikardır.

Haya halkının iddiaları göl kenarındaki kazılarla arkeolojik olarak doğrulanmıştır. Burada modern Haya insanlarının inşa ettiklerine neredeyse bire bir uyan 13 adet ocak ortaya çıkarılmıştır. Odun kömürden elde edilen radyokarbon tarihleri bunların 1500-2000 yaşında olduğunu göstermiştir. Ayrıca akış sıcaklığı 1350-1400°C arasında olan demir cürufu bulunmuştur. Benzer tarihler veren fırınlara Doğu Afrika'da daha sonra da rastlanmıştır.

Kısacası, Haya demir izabe teknolojisi olasılıkla ön ısıtmalı kuvvetlendirilmiş baca çekmesine sahip ocaklarda orta karbonlu çelik yapacak kapasiteye erişmişti.

8.55 *Bir Haya demir izabe ocağının karışık demir cevheri ve odun kömürü yüklentisi ikmalinden önceki ideal profili. Çubukla aşağı ve yukarı pompalanan körükler havayı tüyerlerin içinden ocağın merkezine doğru yolluyordu.*

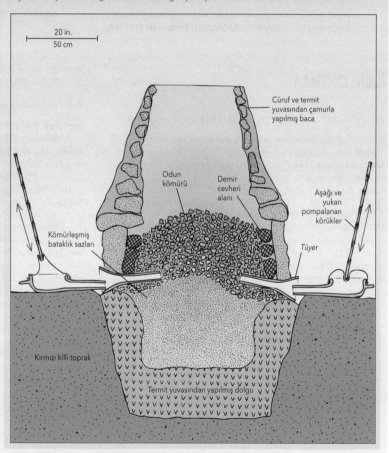

20 in.
50 cm

Cüruf ve termit yuvasından çamurla yapılmış baca

Odun kömürü

Demir cevheri alanı

Aşağı ve yukarı pompalanan körükler

Tüyer

Kömürleşmiş bataklık sazları

Kırmızı killi toprak

Termit yuvasından yapılmış dolgu

ÖZET

▌ İnsan elinden çıkma nesnelerin maddi kalıntıları arkeolojik kaydın büyük kısmını oluşturur. Arkeologların bulduğu nesneler gerçekten kullanılmış olanları tüm çeşitleriyle yansıtmaz, çünkü belirli malzemeler diğerlerine göre daha iyi korunur. Bu yüzden, taş aletler ve pişmiş toprak arkeolojik kayıtta ağır basar. Kumaş, kordon, deri ve diğer organik malzemelerden yapılmış nesneler kuşkusuz en erken arkeolojik dönemlere kadar gider, ama nadiren günümüze ulaşırlar. Bir kültürde çanak çömleğin ortaya çıkması görünüşe göre yerleşik hayat tarzının benimsenmesiyle kesişmektedir.

▌ Etnografya ve etnoarkeoloji teknolojiyle ilgili sorunlara ışık tutabilir, zira birçok modern kültürel topluluk geçmişte kullanılanlara benzer aletler ve çanak çömlek yapar. Deneysel arkeoloji de nesnelerin nasıl yapıldığı ve hangi amaçla kullanıldıklarını anlamaları için araştırmacılara yardım eder. Birçok arkeolog sırf bu sebeple alet üretimi gibi faaliyetlerde beceri kazanmıştır. Etnografya ve deneysel arkeolojinin sunduğu verilere karşın bir taş aletin nasıl ve hangi malzeme üzerinde kullanıldığını sadece kullanım izi çalışmaları kanıtlar.

▌ Taş aletler sıklıkla çekirdek olarak bilinen bir malzemeden istenilen şekil elde edilinceye kadar çıkarımlar yapılarak oluşturulur. Çekirdekten çıkan yongalar da kendi başlarına alet olarak kullanılabilir. Ancak paralel kenarlı uzun dilgiler dünyanın bazı yerlerine egemendir. Dilgiler çekirdekten sistematik olarak çıkarıldığı için çok az hammadde israf edilirken çok sayıda da alet üretilir.

▌ Erken dönemlerde kullanılmış en önemli metal bakırdı. Tunç üretmek üzere bakırın alaşımlanması metalürji uygulamalarında ileriye doğru önemli bir adımı temsil eder. Sonuçta ortaya çıkan alaşım tek başına bakırdan daha güçlü ve daha az kırılgandır. Metal ve metalden nesneler yapmak ve üflemek için pekçok farklı yöntem vardır. Kayıp balmumu yöntemiyle kalıba döküm önemli bir gelişmeydi.

İLERİ OKUMA

Bu bölümde ele alınmış bütün yöntemleri kapsayan güncel bir eser yoktur. Eski teknoloji üzerine geniş çaplı araştırmalar şunları içerir:

Cuomo, S. 2007. *Technology and Culture in Greek and Roman Antiquity*. Cambridge University Press: Cambridge
Fagan, B.M. (ed.). 2004. *The Seventy Great Inventions of the Ancient World*. Thames & Hudson: Londra & New York.
Forbes, R.J. (seri). *Studies in Ancient Technology*. E.J. Brill: Leiden.
James, P. & Thorpe, N. 1995. *Ancient Inventions*. Ballantine Books: New York; Michael O'Mara: Londra.
Mei, J. & Rehren, T. (ed). 2009. *Metallurgy and Civilisation: Europe and Beyond*. Archetype: Londra.
Miller, H. 2007. *Archaeological Approaches to Technology*. Elsevier/Academic Press: Londra/Amsterdam.
Nicholson, P. & Shaw, I. (ed.). 2009. *Ancient Egyptian Materials and Technology*. Cambridge University Press: Cambridge.
Pollard, M., Batt, C., Stern, B. & Young, S.M.M. 2007. *Analytical Chemistry in Archaeology*. Cambridge University Press: Cambridge.
White, K.D. 1984. *Greek and Roman Technology*. Thames & Hudson: Londra; Cornell University Press: Ithaca, NY.

Diğer önemli kaynaklar şöyledir:

Brothwell, D.R. & Pollard, A.M. (ed.). 2005. *Handbook of Archaeological Science*. John Wiley: Chichester.
Coles, J.M. 1979. *Experimental Archaeology*. Academic Press: Londra & New York.
Craddock, P.T. 1995. *Early Metal Mining and Production*. Edinburgh Univ. Press: Edinburgh.
Foulds, F.W.F. (ed.). 2013. *Experimental Archaeology and Theory: Recent Approaches to Archaeological Hypothesis*. Oxbow: Oxford.
Henderson, J. 2000. *The Science and Archaeology of Materials: An Investigation of Inorganic Materials*. Routledge: Londra.
Henderson, J. 2013. *Ancient Glass. An Interdisciplinary Exploration*. Cambridge University Press: Cambridge.
Hurcombe, L.M. 2014. *Perishable Material Culture in Prehistory: Investigating the Missing Majority*. Routledge: Londra.
Odell, G.H. 2003. *Lithic Analysis*. Kluwer: New York & Londra.
Orton, C. & Hughes, M. 2013. *Pottery in Archaeology* (2. basım). Cambridge University Press: Cambridge & New York.
Roberts, B. & Thornton, C.P. 2014. *Archaeometallurgy in Global Perspective: Methods and Syntheses*. Springer: New York.
Tait, H. (ed.). 1991. *Five Thousand Years of Glass*. British Museum Press: Londra.

NASIL BAĞLANTILARI VARDI?
Ticaret ve Değiş Tokuş

Erken toplumlarda ticaret ve takasın çalışılması geçen yıllarda arkeolojinin geliştiği alanlardan biri olmuştur. Nesnelerin yapıldığı malzemelerin, bu nesnelerin menşei yeri için üsluplarına göre çok daha iyi bir rehber oldukları anlaşılmıştır. Bütün bir değiş tokuş sistemi yeniden kurgulanabilmekte ya da eğer söz konusu malzemeler kaynakları tespit edilebilecek kadar özgünse en azından hareketleri belirlenebilmektedir. Bu malzemelerin kesin tarifi –yani ürünlerinin tanınmasına izin veren özel kaynakların özelliklerinin tespiti– için artık çeşitli kimyasal ve diğer yöntemler mevcuttur.

Bu teknikler ticareti yapılan malların üretimi ve dağılımı meselesini bütün yönleriyle ele alma imkânı verir. Ticaret sistemini bir bütün olarak yeniden kurgulamaya çalışmak çok daha iddialı bir iştir. Bu, eğer bize arkeolojik kayıtta bulduklarımız karşılığında hangi malların ticaretinin yapıldığını söyleyecek yazılı kaynaklarımız yoksa özellikle zordur.

Hammaddeler ticareti yapılan ya da hediye olarak sunulan tek kalem değildi; üretilmiş mallar da aynı derecede önemliydi. Neolitik Avrupa'nın jadeit baltaları gibi belirli prestij mallarının, bugün bizim için her zaman net olmayan özel anlamlara sahip sembolik değerleri vardı.

Ticareti yapılmış gerçek mallara ait buluntular, farklı bölgeler ve toplumlar arasındaki teması belirlemek için arkeoloğun elde etmeyi umabileceği en somut kanıtlardır. Fakat bilgi ve fikir iletişimi birçok yönden daha anlamlı olabilir. Erken nesil bilim insanları farklı kültürler arasındaki benzerlikleri; temasın, fikir akışının ya da ikisi arasındaki "yayılma"nın kanıtı olarak görmeye çok istekliydiler. Kısmen bu eğilime tepki olarak nesnelerin farklı menşeileri vurgulanmış ve komşular arasındaki etkileşimlerin önemi bir dereceye kadar küçümsenmiştir. Şimdi böyle temasların yeniden değerlendirilmesi için zaman uygundur.

Burada etkileşime dair sağlam bulgular veren fiziksel nesnelerin ticaret ve değiş tokuşuna ağırlık verilecektir. Ancak temasın başka göstergeleri olduğunu belirtmek gerekir. Gen akımı bunlardan ilkidir. Mesela Amerika kıtalarının öncül insan yerleşimi, Sibirya ve Alaska arasında Bering Boğazı üzerinden gerçekleşmiş temas için ilk bakışta görülen çok etkili bir kanıt teşkil eder (s. 473'teki kutuya bakınız). Diğer temas kanıtlarına sonraki bölümde değinilmektedir.

Bütün bunlar 5. Bölüm'de tartışılan sosyal konularla yakından ilgilidir ve kesin bir ayrım mümkün değildir. Sosyal yapının kendisi insanlar arasındaki tekrar eden temaslar olarak tanımlanabilir ve sosyal organizasyonla değiş tokuş sadece aynı süreçlerin farklı yüzleridir. Böyle temaslar elbette seyahat araçlarıyla ilgilidir. Karada yük hayvanlarının evcilleştirilmesi büyük bir rol oynamıştır ve ırmak boyunca yapılan nakil de aynı derecede önemliydi. Fakat daha önce olmayan temasları mümkün hâle getiren deniz yolculuğudur. Teknelerin veya gemilerin keşfi kendi başlarına önemlidir ve bu keşifler genellikle batıklar şeklinde olur (s. 380-381'deki kutuya bakınız). Ne var ki bu türden buluntular nadirdir ve temas en yaygın olarak ticaret ve takasla belgelenir.

ETKİLEŞİMİN İNCELENMESİ

Değiş tokuş arkeolojide temel kavramlardan biridir. Fiziksel mallardan, metalardan bahsettiğimizde bu ticaretle aynı anlama gelir. Fakat değiş tokuşun daha geniş bir anlamı vardır; sosyologlar tarafından her tür kişiler arası ilişkiyi tarif etmek için kullanılır. Böylece bütün sosyal davranış fiziksel kadar fiziksel olmayan malların da alışverişi olarak da görülebilir. Daha geniş anlamda değiş tokuş, bilgi alışverişini içerir. O yüzden değiş tokuş işlemini daha detaylı şekilde ele almak gereklidir. Birçok takasta neyin değiş tokuş edildiğinden ziyade ilişki önemlidir. Mesela Hıristiyan geleneğinde Noel'de hediyeler aile içinde değiş tokuş edilir. Akrabaların birbirine hediyeler vermesi mevcut nesnelerden daha önemlidir: "Asıl olan düşünmektir." Ayrıca farklı değiş tokuş ilişkileri de vardır: Cömertliğin günün gereği olduğu (Noel ailesindeki gibi); kişisel ilişkinin belirgin olmayıp kârın amaç edinildiği ("Bu adamdan kullanılmış araba alır mıydın?") ilişkiler gibi... Üstelik farklı mallar mevcuttur: alınıp satılan günlük nesneler ve hediye olmaya uygun özel ve değerli mallar. Bütün bunlarda, sadece sikkenin değil herhangi bir değiş tokuş aracının bulunmadığı parasal olmayan ekonomilerde değiş tokuşun nasıl işlediğini göz önünde bulundurmamız gerekir.

Sonraki bölümde arkeologların bulduğu nesnelerin (ticareti yapılanlar) hangi yollarla erken ticaret ve değiş tokuş hakkında bilgi sağlayabileceğini inceleyeceğiz. Fakat önce, değiş tokuş ve temasın doğası üzerinde daha fazla durmalıyız.

Değiş Tokuş ve Bilgi Akışı

Birbirinden onlarca kilometre uzaktaki adalarda yaşayan iki toplum hayal edelim. Eğer aralarında hiçbir temas yoksa tamamen izole bir hâlde kendi adalarının kaynaklarından yararlanacaklardır. Fakat teknelere sahip olabilirler ve böylece birbirleriyle temasa geçebilirler. Bu durumda, gelecekte bu adalardaki yerleşimleri ve buluntuları inceleyen bir arkeolog A adasında sadece B adasındaki malzemelerden yapılmış nesneleri tanıyacak ve böyle bir ilişkinin varlığını belgeleyebilecektir; iki ada arasında seyahat edilmiş olmalıdır. Ancak ada sakinleri için çok daha önem taşıyan şey sosyal ilişki imkânları, fikir alışverişi ve evlilik bağları kurma ihtimali olabilir. Arkeolog değiş tokuş yapılan fiziksel mallarla birlikte bunları da hesaba katmalıdır.

A ve B adası arasında değiş tokuşun olduğu yerde bilgi akışı da vardır. Fikirler değiş tokuş edilir, icatlar iletilir; istekler ve niyetler de öyle... Eğer A adasının insanları yeni türde bir tapınak inşa etmeye karar verirse, B adasındakiler de bunu taklit etmek isteyebilir. Eğer B adasındakiler metalürji teknikleri geliştirmişse A adasındakiler de onların çok gerisinde kalmayacaktır. Dolayısıyla bir iletişim sistemi olarak görülen etkileşimle fiziksel malların takası olarak görülen etkileşim arasında gerçek bir eşitlik vardır.

Bu bölümün büyük kısmında değiş tokuşun ekonomik ve maddi yanıyla ilgileneceğiz. Fakat sonuçta bu etkileşim konusuna bilgi alışverişi olarak döneceğiz: Uzun vadede bu çok daha önemlidir.

Boyut ve "Dünya Sistemi"

Bazı nedenlerden dolayı ilgilendiğimiz belirli bir toplum içindeki **dâhili değiş tokuş** ile malların bir sosyal birimden diğerine uzun mesafeler üzerinden ticaretinin yapıldığı **dış ticaret** ya da **değiş tokuş** arasında ayrım yapmak uygundur. "Ticaret" terimini kullanırken genellikle dış ticareti –dış dünyayla meydana gelen bir şeyi– kastederiz. Fakat bir toplum içinde bilgi veya malların dâhil olduğu etkileşimleri göz önünde bulundurduğumuzda, ticarete değil sosyal organizasyona ait terminoloji kullanmaya meylederiz. Bu bölümde ağırlık dış ticaret üzerindedir; sosyal birim dâhilindeki ilişkiler, toplumun boyutu ve organizasyonuyla ilgili meseleleri ele aldığımız 5. Bölüm'de tartışılmıştı. Ancak iki değiş tokuş seviyesi arasındaki ayrım her zaman açık değildir.

Ticaret sistemlerinin neredeyse kendilerine ait bir hayatı vardır. Doğaları gereği geniş alanlara, birçok siyaseten bağımsız toplumun sınırlarının ötesine uzanırlar. Fakat bazen bu türde yaygın bir ticaret sisteminin farklı kısımları birbirlerine ticari olarak o kadar bağımlı hâle gelir ki, artık bağımsız teşekküller gibi düşünülemezler. Bu nokta Amerikalı tarihçi Immanuel Wallerstein tarafından vurgulanmıştır. Wallerstein, münferit siyasi birimlerin (mesela ulus devletlerin) sınırlarının çok ötesindeki ticaret ağları tarafından ifade edilen ve bunların daha büyük faal bir birim içinde birbirine bağlayan bir ekonomik birimi tanımlamak için "dünya sistemi" ya da "dünya ekonomisi" terimini kullanmıştır.

Wallerstein'ın ilk örneği, Batı Hint Adaları ve Avrupa arasında 16. yüzyılda gelişmiş ilişkiler oldu. Bu dönemde Batı Hint Adalarının ekonomisi, ayrılmaz biçimde kendilerini koloni olarak kurmuş Avrupalı ülkelere bağlıydı (Wallerstein'ın oldukça sıra dışı "dünya ekonomisi" terimiyle bütün dünyayı kastetmediği açıkça anlaşılmalıdır. Kendisi her biri farklı bir teşekkül olarak algılanabilecek bir dizi dünya sistemi yığınını düşünür. Bir dünya sistemi Avrupa ve Batı Hint Adalarını, bir diğeriyse Çin ve onun Pasifik'teki komşularını içerebilir).

Wallerstein kapitalizm temelli günümüz dünya sisteminin doğuşunu MS 16. yüzyıldaki Büyük Dönüşüm'de görür. Fakat arkeologlar ve eskiçağ tarihçileri terminolojiyi

9.1 *İki ada arasındaki temas, bir tanesindeki yeniliklerin (mesela tapınak inşası, metalürji) diğerinde benzer gelişmelere yol açacağı bir etki yaratır.*

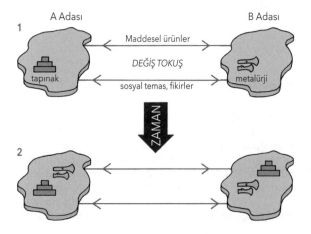

A Adası — B Adası

Maddesel ürünler

DEĞİŞ TOKUŞ

sosyal temas, fikirler

tapınak — metalürji

ZAMAN

daha erken dönemlere uygulamıştır. Öyle ki, Wallerstein'ın modern dünya sistemlerinin "merkez" ve "çevresi"nden söz etmesi gibi söz konusu tarihçiler de bu terminolojiyi erken çağlar için kullanmayı tercih ederler.

Bu bölümün son kısmında söz konusu terminolojiyi düşünmeden benimsemenin çok tehlikeli arkeolojik çıkarımlara yol açabileceğini göreceğiz. Şimdilik, Wallerstein'ın yaklaşımının çok önemli bir soru yöneltmemize yardım ettiğini belirtmek yeterlidir: Geçmişte etkin şekilde işleyen ekonomik sistemin boyutu neydi? Beşinci Bölüm'de etkin sosyal birimin büyüklüğünü tanımlamak için arkeoloğun benimseyebileceği farklı yaklaşımları tartışmıştık. Burada, eğer siyaseten bağımsız muhtelif birimleri kucaklayan bir ekonomik sistem sosyal sistemden büyükse bunu nasıl tarif edebileceğimizi ele alacağız.

Temasa Dair Erken Göstergeler

Arkeolog için temasa dair en tatmin edici gösterge, yerde genellikle menşei karakterizasyonla (aşağıya bakınız) belirlenebilen nesneler şeklinde ortaya çıkar. Fakat böyle fiziksel kanıt bulunmasa bile başka yaklaşımlar vardır. Bunlardan biri modern adli çalışmalarda giderek daha fazla kullanılan DNA analizi ve normalde belirli bir alanda yerleşmiş insan nüfusuna özgü olduğu düşünülen özel haplotiplerin (genellikle mitokondriyal DNA ya da Y kromozomunda) tespitidir. Dolayısıyla, meçhul birine ait bir ceset bulunduğunda, bazen DNA analizi kesin ve açık denizaşırı kökeni göstermek üzere kullanılabilir.

Son yıllarda, yakın tarihli ataları köle ticaretiyle Afrika'dan Amerika Birleşik Devletleri'ne ya da Birleşik Krallığa gelmiş bireylerin üstsoylarını izlemek için benzer bir yaklaşım kullanılmıştır. Bazen anne ya da baba üstsoylarından gelmiş olması muhtemel belirli bir köy ya da kabile grubu hakkında fikir verebilmektedir. DNA analizini Amerika kıtasındaki ilk halkların soylarını en erken kökenlerine kadar takip etmek amacıyla kullanan girişimlerin temelinde benzer bir mantık yatar (s. 473'teki kutuya bakınız).

Bireylerin ömür boyu seyahatleri de diş minelerinin stronsiyum ve oksijen izotop analizleriyle belgelenebilir. Stronsiyum izotop oranı bireyin yetiştiği yerdeki yeraltı suları tarafından belirlenirken, oksijen izotopu aynı bölgenin ısısını gösterir. Bunlar gömüt yerinin karakteristik değerlerinden farklı olduğu zaman, Stonehenge yakınındaki bir gömütte keşfedilmiş Demir Çağı'na ait "Amesbury Okçusu"nda olduğu gibi, uzun mesafeli seyahatten bahsedilebilir (s. 120-122'deki kutuya bakınız).

Avustralya'da insan faaliyetine dair 40.000 yıl öncesi gibi çok erken tarihler tek başlarına denizciliğin, dolayısıyla erken temasın göstergeleridir. Ancak erken kanıtların çoğu, Endonezya'nın Flores Adası'ndaki 750.000 ila 850.000 yaşında olduğu düşünülen tabakalara ait taş aletlerin

keşfinden gelir. Görünüşe göre, en düşük deniz seviyesinin yaşandığı dönemlerde bile Flores'e ulaşmak için en az iki kez denizin geçilmesi gerekiyordu ve ilkinde mesafe 25 km idi. Michael Morwood ve meslektaşlarının ifade ettiği gibi, "Flores'te Alt Pleistosen'de homininlerin varlığı, böylece dünyanın herhangi bir yerinde insan denizcilik teknolojisine dair belirlenmiş en eski tarihi vermektedir... Bu buluntular *H. erectus*'un zekâsı ve teknolojik kapasitesinin ciddi şekilde hafife alınmış olabileceğine işaret etmektedir... İnsanların büyük su engellerini aşıp biyolojik ve sosyolojik açıdan kendi ayakları üzerinde durabilen bir grubu nakletmeye muktedir tekneleri inşa etmeleri için gerekli karmaşık lojistik organizasyon, aynı zamanda bu insanların dilleri olduğunu gösterir" (Morwood ve diğerleri 1999).

Kara için yapılacak benzer çıkarımlar için daha gelişmiş tekniklere gerek vardır. Pleistosen değiş tokuş ağları şimdi sistematik çalışmalara konu olmuştur ve hammaddelerin nakledildiği uzun mesafeler, hominin grupların bilgiyi nasıl derlediği ve topladığını yansıtmak üzere kullanılmaktadır. Erken homininler hammaddeleri sadece kısa mesafeler

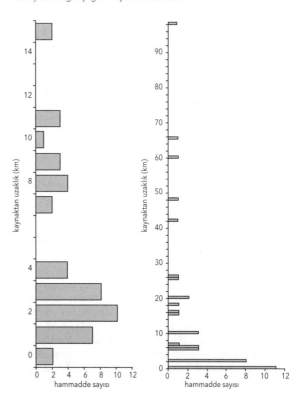

9.2 *Afrika buluntu yerlerindeki hammaddelerin nakil mesafeleri (Marwick'ten): solda 1,6'dan 1,2 milyon yıl öncesine; sağda 1,2'den 0,2 milyon yıl öncesine. Artan mesafe çarpıcıdır ve yeni dilbilimsel kabiliyetlerin geliştiğini düşündürmektedir.*

boyunca taşımışlardı ve bu durum, benzer bir çevrede yaşayan vahşi şempanzeler gibi primatlarınkinden farksız bir yaşam alanı büyüklüğü, sosyal karmaşıklık ve iletişim sistemlerini akla getirmektedir. Yaklaşık bir milyon yıl önce hammadde nakil mesafelerinde görülen büyük artış bir proto-dil kullanımı neticesinde bilgi toplama sürecinin ortaya çıktığını düşündürmektedir (önceki sayfada görsel 9.2'ye bakınız). Bir diğer hammadde nakil artışı yaklaşık 130.000 yıl önce Afrika'da Orta Taş Çağı'nda meydana gelmiştir. Bu, ticaret ağlarının işletilmesini ve bunun sonucu olarak sentaks ve sosyal bağlamda sembol kullanımını –insan dilini tanımlayan özellikler– düşündürmektedir.

Hediye Değiş Tokuşu ve Mütekabiliyet

Antropolojik teorideki en temel gelişmelerden biri, Fransız sosyolog Marcel Mauss'un hediye değiş tokuşunun doğasını açığa çıkarmasıdır. Mauss birtakım toplumlarda, özellikle de para ekonomisinden yoksun olanlarda sosyal ilişkilerin dokusunun bir dizi hediye değiş tokuşuna bağlı olduğunu gördü. Birey X, kendisinden birey Y'ye geçecek değerli bir hediye yoluyla bir ilişki kurmak ya da ilişkisini güçlendirmek ister. Hediye bir ödeme değildir; saf parasal kaygıların ötesine geçer. Her iki tarafa, elbette özellikle hediyeyi alana yükümlülükler empoze eden bir jest ve bağdır. Zira hediye kabulü aynı derecede cömert bir geri ödeme zorunluluğunu ima eder.

Argonauts of the Western Pacific (1922) adlı ünlü ve etkili çalışmasında antropolog Bronislaw Malinowski Melanezya'daki bazı ada sakinlerinin *kula* denilen değiş tokuş ağını anlatmıştır. Bu adalarda insanlar arasındaki bir dizi değiş tokuş ilişkisi, genellikle deniz kabuklularından meydana gelen değerli hediye nesnelerinin değiş tokuşuyla pekiştiriliyordu. Adalıların tüm denizaşırı temasları, *kula* dâhilindeki değiş tokuş ortaklarıyla törensel değiş tokuşa odaklıdır. Bu çerçeve içinde yiyecek gibi günlük malların değiş tokuşu da gerçekleşir.

Belirli nesnelerin hediye olarak değişiminin başka yükümlülüklere (arkadaşlık dâhil) ve faaliyetlere (şölen dâhil) sahip bir ilişkinin sadece bir parçasını oluşturduğu böyle değiş tokuşlar, bir karşılıklı davranış çatısı içinde vuku bulur. Hediyeyi veren kişi, hediyenin büyüklüğünde gösterdiği cömertlik aracılığıyla mevki elde eder. Hediyeler çoğunlukla olabildiğince aleni ve gösterişle verilir. Aslında bazı Yeni Gine toplumlarında "Büyük Adam" mevkii, alışveriş ortaklarına verilen cömert hediyeler (genellikle domuzlar) ve böylece kazanılan nüfuzun (yani değiş tokuş ortaklarının geri ödeme yükümlülüğü) yanı sıra, verici olmaktan dolayı alacaklı konumunda bulunmanın getirdiği büyük prestij birikimi sayesinde elde edilir.

Malinowski'nin Melanezya'daki *kula* değiş tokuş çemberi çalışmasının da dâhil olduğu antropolojik araştırmalardan kaynaklanan karşılıklı değerli nesne değiş tokuş kavramı,

arkeologların ticaret hakkındaki düşüncelerinin şekillenmesinde etkili olmuştur. Mesela, Britanya'da Neolitik Çağ boyunca kapsamlı bir taş balta ticaret ağının bulunduğu açıktır. İnce kesitlerin petrografik incelemesi de dâhil, bu değiş tokuşun belgelenmesini sağlayan yöntemler aşağıda tartışılmıştır. Böyle karakterizasyon çalışmalarının ortaya koyduğu uzun mesafeli değiş tokuş ağları, İngiliz arkeolog Grahame Clark'ı İngiliz Neolitik'inde bir hediye değiş tokuş sisteminin işlediğini düşünmeye sevk etmiştir. Clark sistemi, geçen yüzyılda Avusturalya'da hâlen etkin olan taş balta değiş tokuş sistemine benzetmiştir (s. 383'teki kutuya bakınız).

Belki de Melanezya *kula* sistemiyle daha fazla paralellik gösteren bir diğer örnek, Akdeniz'e özgü *Spondylus gaederopus* adlı deniz kabuklusundan yapılmış bilezik ve diğer takıların değiş tokuşudur. Bu türden takılar MÖ 4000 civarında Balkanlar'dan Orta Avrupa'ya yayılmıştı ve bir uzun mesafeli ticaret ağının etkinliği açıktır. Tıpkı *kula* örneğinde olduğu gibi, güzel deniz kabukları değiş tokuşun en bariz özelliklerinden biriydi. Fakat burada değiş tokuş kara temellidir. Arkeolog bugün o dönemin kabuk takılarının kıymetli eşyaların yerini aldığı yorumunu yapar. Bir kez daha, değiş tokuş ortakları arasında karşılıklı münasebet açısından böyle tarifler yapmadan önce, ticaretin kapsamı dikkatli karakterizasyon çalışmalarıyla (menşei saptamak için) belirlenmelidir.

Değiş tokuş yakın kişisel ilişkilerin dışında gerçekleştiğinde farklı bir karakter kazanır: kâr motivasyonunun pozitif mütekabiliyeti (karşı sayfadaki kutuya bakınız).

9.3 *Melanezya'nın kula ağı. Burada ada sakinleri arasındaki ilişkileri pekiştirecek bir döngü içinde kolyeler kol süsü kabuklarla, kol süsü kabuklar da kolyelerle değiştiriliyordu.*

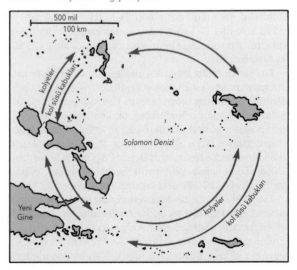

DEĞİŞ TOKUŞ MODELLERİ

Değiş tokuş ya da ticaret el değiştiren malları ifade eder ve bu iki taraflı bir işlemdir. Amerikalı antropolog Karl Polanyi üç farklı değiş tokuş biçimini ortaya koymuştur: mütekabiliyet, yeniden dağıtım ve pazar değiş tokuşu.

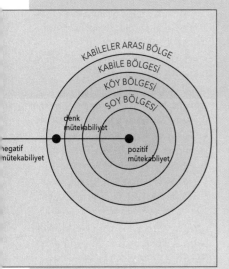

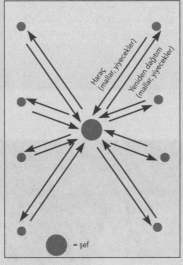

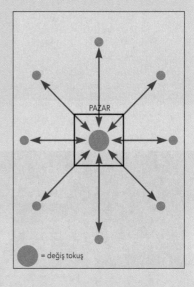

9.4 Mütekabiliyet simetrik konumdaki bireyler arasındaki değiş tokuşu tanımlar. Yani bireyler aşağı yukarı eşitler olarak değiş tokuşta bulunurlar; hiçbiri baskın konumda değildir. Aslına bakılırsa hediye değişimiyle aynıdır. Bir hediyenin aynı anda bir diğeri tarafından takip edilmesi gerekmez, fakat buna karşılık olarak başka bir hediyenin daha sonra verileceğine dair bir kişisel mecburiyet yaratılır. Amerikalı antropolog Marshall Sahlins böyle bir değiş tokuşla ilişkilendirilen cömertlik ya da fedakârlığın pozitif mütekabiliyet (yani cömertlik) olarak açıklanabileceğini ve yakın akrabalar arasında geçeklestiğini düşünür. Denk mütekabiliyet belirli bir sosyal bağlamda birbirlerini iyi tanıyanlar arasında meydana gelir. Negatif mütekabiliyet (yani değiş tokuş ortağından daha iyisini yapmaya çalışma) yabancılar veya birbirinden sosyal olarak uzakta bulunanlar arasındadır.

9.5 Yeniden dağıtım bir merkezi organizasyonun etkinliğine işaret eder. Mallar bu düzenleyici merkeze veya en azından onun uygun gördüğü yere gönderilir, ardından yeniden dağıtılır. Sahlins Polinezya'daki birçok kabilenin bu şekilde faaliyet gösterdiğini belirtmiştir: Şef üretilenleri yeniden dağıtır ve böylece coğrafi çeşitliliğin üstesinden gelinebilir: Balıkçı meyve alır, bir çiftlikteki işçi de balık. Bu türden değiş tokuş bireyler arasındaki bir dizi nispeten plansız mütekabiliyetten çok daha düzenlidir ve kabile ya da devlet gibi daha merkezi toplumların (5. Bölüm'e bakınız) özelliğidir. İçinde işlediği uyumlu bir siyasi organizasyonun varlığına işaret ettiği için yeniden dağıtım bir tür dâhili takastır.

9.6 Pazar değiş tokuşu hem değiş tokuş işlemlerinin yapıldığı özel bir merkezi yeri (pazar yeri) hem de pazarlığın gerçeklestiği sosyal ilişki çeşidini ima etmektedir. Müzakereyle fiyat belirleme sistemini içerir. Polanyi böyle bir pazarlığın, sikkeye dayalı iyi belirlenmiş bir para sisteminin de ilk kez ortaya çıktığı antik Yunanistan'daki ilk gerçek pazar sistemine temel teşkil ettiğini söyler. Fakat diğerleri eski Yakındoğu yanında Mezoamerika ve Çin'de de pazarların bulunduğunu ileri sürmüşlerdir.

Pazarlar sosyopolitik birimin doğasındandır: Mesela Çin'in kırsal pazarları veya antik Yunan'ın pazar yerleri (*agora*) gibi. Ancak böyle olmaları gerekmez. Ticaret limanı farklı milletlerden tüccarların (yani farklı siyasi birimlere ait olanların) serbestçe buluşabildikleri, bağımsız pazarlıkların, dolayısıyla fiyat belirlemelerinin yapıldığı yerlerdir.

PRESTİJ DEĞERİ OLAN MALZEMELER

Hemen her kültürün değerli nesneleri vardır. Bunlardan bazıları faydalı olmakla birlikte (mesela Melanezya'da yenilebilen domuzlar), çoğunun sergileme dışında bir işlevi yoktur. Bunlar sadece prestij nesneleridir.

Değerli şeyler belirli bir toplumun büyük önem atfettiği sınırlı çeşitteki nesnelerdir. Mesela bizim toplumumuzda altına diğer değerlerin ölçüldüğü bir standart olarak büyük kıymet verilmektedir.

Bu değer biçmenin tamamen tartışmalı olduğunu unutmaya meyilliyizdir ve sanki altının özünde mevcutmuş gibi, onun *gerçek* değerinden bahsederiz. Fakat altın ne kullanışlı bir malzemedir (parlak olmasına ve kararmamasına rağmen) ne de zanaatkârdaki herhangi bir özel yeteneğin ürünüdür. Gerçek değer yanlış bir adlandırmadır: Altın peşindeki İspanyol fatihlerin aksine Aztekler tüylere daha büyük değer veriyorlardı;

her iki grup da öznel değerler sistemine bağlıydı. Farklı toplumların gerçek değer atfettiği malzemelerin kapsamına baktığımızda, bunların çoğunda nadirlik, dayanıklılık ve görsel anlamda çarpıcı olmak gibi özellikler bulunduğunu görürüz:

• Azteklerin ve Yeni Gine kabilelerinin beğendiği parlak **tüyler** bu özelliklerden ikisine sahiptir.

• **Fildişi** Fil ve denizaygırı dişlerine Üst Paleolitik'ten beri değer verilmektedir.

• Özellikle deniz yumuşakçalarına ait **kabuklara** bin yıl boyunca birçok kültür tarafından büyük değer verilmiştir.

• Çok özel bir organik malzeme olan **kehribar** Üst Paleolitik'te Kuzey Avrupa'da kıymetliydi.

• **Yeşim** Çin'den Mezoamerika'ya kadar birçok kültürde ve Neolitik Avrupa'da MÖ 4000 kadar erken bir dönemde değer verilen bir malzemeydi.

• Doğal olarak sert ve **renkli taşlar** (mesela dağ kristali, lapis lazuli, obsidyen, kuvars, akik) her zaman değerli olmuştur.

• Onları çok yüzeyli ve ışığı yansıtacak şekilde kesen teknikler geliştirilince mücevher **taşları** yakın yüzyıllarda özel bir değer edinmiştir.

• **Altın** "kendinden" değerli metalar arasında (şüphesiz Avrupalıların gözünde) belki de en yüksek mevkidedir; onu **gümüş** takip eder.

• **Bakır** ve diğer metaller benzer bir rol üstlenmişti: Kuzey Amerika'da bakır nesnelerin özel bir değeri vardı.

• Ateş teknolojisinin ilerlemesiyle (8. Bölüm) fayans (s. 345'e bakınız) ve **cam** gibi yapay maddeler öne çıkmıştır.

• En kaliteli **dokumalar** ve diğer kumaşlar (mesela Polinezya'nın *tapa*, yani ağaç kabuğundan kıyafetleri) her zaman çok değerli kabul edilmiştir, çünkü prestij çoğu kez kişisel sergileme anlamına gelmektedir.

9.7 *Meksika'daki Palenque'de, Lord Pakal'ın mezar yapısından bir maske (s. 216'ya bakınız).*

362

9.8 *Aztek imparatoru II. Moctezuma'ya ait tüylü başlık (yukarıda).*

9.9 *Portland vazosu (solda) MS 1. yüzyılın Roma cam işçiliğine dair olağanüstü bir örnektir.*

9.12 *Çin imparatoru Hung-li'nin (1735-1796) dokuma ipek kaftanı. Üzerinde imparatorluk ejderhası bulunmaktadır (yukarıda).*

9.13 *Güney Almanya'daki Hohlenstein-Stadel'den 30.000 yıllık bir fildişi insan-aslan figürü (aşağıda).*

9.10–11 *Kuzey Amerika'nın Mississippi kültürüne (yaklaşık MS 900-1450) ait prestij nesneleri. (aşağıda) Tipik çatallı göz motifine sahip kabartmalı bakır yüz tasviri. (sağda) Texas'ta bulunmuş deniz kabuklarından pandantif (yaklaşık 14 cm) bir panter ve bir yırtıcı kuşu tasvir etmektedir.*

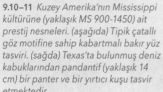

9.14 *Mykenai'da bir kuyu mezardan çıkmış MÖ 16. yüzyıl sonuna ait altın maske (aşağıda). Schliemann kral Agamemnon'u temsil ettiğini düşünmüştür.*

Hediye değiş tokuşunun ya da doğrudan takasın simetrik bire bir ilişkisi pazarın tüccar/müşteri ilişkisine ya da vergi tahsildarının isteklerine yol verdiğinde, farklı bir ekonomik ilişkiyi beraberinde getirir (s. 361'deki kutuya bakınız).

Bu fikirler erken ticareti araştıranların zihinsel alet çantası bir parçası hâline gelmiştir. Bazı durumlarda Anadolu'daki MÖ 18. yüzyıl Asur ticaret kolonisi Kültepe'nin kil tabletleri gibi belgelere dayanarak genişletilebilirler. Burada ticaretin büyük bölümü Asur İmparatorluğu'nun başkenti Asur'daki aile tüccarları tarafından kontrol edilirken, Kültepe'deki tüccarlar aracı sıfatıyla çalışıyordu. Bu bir yeniden dağıtım olarak görülebilir. Fakat bazı örneklerde kendi adlarına kişisel kazanç sağlamak için ticaret yapar gibi görünmektedirler.

Etnografik çalışmalar ticaret sistemlerine dair geniş bir yelpaze sunar: Batı Afrika ve endüstri öncesi Çin pazarları antropologlarla coğrafyacılar tarafından araştırılmış ve arkeologa değiş tokuşun gerçekleşebileceği yollar hakkında değerli içgörüler sağlamıştır.

Değerli Nesneler ve Mallar

Antropologların gözlemlediği üzere, hediye değiş tokuşlarında, herhangi bir törensel değiş tokuşun ilgi odağı olan yüksek prestijli hediyeler özel türdendir. Bunlar değerli nesnelerdir ve daha sıradan takas sistemleriyle değiştirilebilen alelade mallardan –yiyecekler ve çömlekler gibi– ayrılırlar.

Burada iki önemli kavram vardır. Birincisi, Amerikalı antropolog George Dalton'ın tanımladığı *ilkel değerli nesnelerdir*: Devlet olmamış toplumlardaki törensel değiş tokuşlarda kullanılan genellikle özel değere sahip malzemelerden yapılmış zenginlik ve prestij sembolleridir (s. 362-363'teki kutuya bakınız). Örnekler arasında *kula* sistemindeki deniz kabuklarından kolye ve bilezikle domuzlar ve istiridye kabukları yanında, Avrupalılar öncesi Amerika'nın kuzeybatı sahilinde köleler ve kürk giysiler vardır.

Egzotik hayvanlar sıklıkla krali hediyeler olarak uygun bulunmuştur. Bu yüzden Yakındoğulu hükümdar Harun el Reşid MS 8-9. yüzyılda Orta Kuzey Avrupa'nın büyük bölümünde hüküm süren Şarlman'a bir fil hediye etmiştir. Bir 13. yüzyıl İzlanda hikâyesi, İzlanda prensi Authin'in Danimarka kralına Grönland'dan bir kutup ayısı sunduğunu aktarır. Bu türden hediyelerin kalıntıları bazen elde edilebilmektedir. Mesela Grönland'dan gelmiş doğanların kalıntıları Avrupa'nın batısındaki bazı Ortaçağ yerleşmelerinde ve arkeolojik alanlarında ele geçmiştir.

Dalton'ın da dikkati çektiği üzere (1977), "siyasi ya da sosyal etkileşimlerde değerli nesneler almanın ve dağıtmanın genellikle liderlerin ayrıcalıklı imtiyazları olduğunu belirtmek gerekir ya da liderler değerli nesneleri sıradan kişilerinkine göre daha büyük miktarlarda ya da üstün kalitede elde eder."

İkinci önemli kavram *değiş tokuş alanıdır*: Değerli nesneler ve sıradan mallar oldukça farklı şekilde değiş tokuş edilir. Karşılıklı prestij hareketlerinde değerli nesneler yine değerli nesnelerle değiş tokuş edilir. Karşılıklı kâr getiren takas işlemlerinde malların mallarla değişimi daha az gösterişle yapılır.

Üstelik Dalton devlet olmayan toplumlarda törensel değiş tokuşların iki farklı türde olduğuna işaret etmiştir. Bunlardan ilki, *kula* sistemi gibi ittifaklar kurmak ve bunları pekiştirmek için yapılan törensel değiş tokuşlardır. İkincisi ise, rekabeti sona erdirmek üzere kullanılan rekabetçi değiş tokuşlardır. Bunlarda başarıya giden yol, bir kimsenin verdiği hediyelerin zenginliği ve halk tüketiminin açık doğasıyla diğerlerini gölgede bırakmaktır. Kuzeybatı Amerika yerlilerinin töreni potlaç bu türe bir örnektir. Potlaçta değiş tokuşlar sadece değerli nesnelerin herkese açık şekilde hediye edilmesini değil, fakat bazen bariz bir zenginlik teşhirinde bunların herkesin önünde tahrip edilmesini içerir.

Sadece maddi malların sahip olabileceği sosyal rollerin ve maddi değiş tokuşun gizleyebileceği ya da temsil edebileceği çok çeşitli sosyal ilişkilerin bilincine vararak mal takaslarının önemini anlayabiliriz. Dolayısıyla erken dönem değiş tokuş faaliyetlerinin çalışılması ticaretin yanında erken toplumların yapısına dair birçok içgörü sunar.

9.15 *Alaska'daki Sitka'da, 9 Aralık 1904'te gerçekleşmiş bir potlaç töreni. Tlingit şefleri tören kıyafetlerini giymiştir. Bu tür özel günler zenginliğin gösterişli teşhiri ve değerli nesnelerin, bunlara sahip olanların yüksek mevkini göstermek için toplum önünde yok edilmesini içermekteydi.*

TİCARİ MALLARIN KAYNAĞINI TESPİT ETMEK: KARAKTERİZASYON

İnsan yapımı nesneler taklit edilebilir veya tesadüfen birbirlerine benzeyebilir. Bu yüzden sırf başka yerde yapıldığını bildiğimiz nesnelere benzediği için bir arkeolojik kontekstte bir ithal malı tanımlamak her zaman güvenilir değildir. Eğer nesnenin yapıldığı hammaddenin başka yerden kaynaklandığı hatasız olarak gösterilebilirse, o zaman ticaret için çok daha güvenilir kanıtlar sağlanabilir. Karakterizasyon veya kaynak bulma, yapım maddesinin karakteristik özelliklerinin tanımlanabileceği ve böylece malzemenin kaynağının tespitine izin veren inceleme tekniklerine karşılık gelir. Malzeme kaynağının bulunması için bazı temel yöntemlerden (mesela ince petrografik kesit) aşağıda bahsedilmektedir.

Karakterizasyonun işe yaraması için, malzemenin kaynağında, ondan üretilmiş nesneleri başka kaynaklara ait olanlardan ayırt eden açık bir şey bulunması gerekir. Elbette bazen bir malzeme tek başına o kadar sıra dışı ve özgündür ki, belirli bir kaynaktan geldiği hemen anlaşılır. Eski Dünya'daki tek kaynağının Afganistan olduğu düşünülen lapis lazuli adında göz alıcı mavi taşta durum buydu. Ancak şimdi Hint Yarımadası'nda başka lapis lazuli kaynakları keşfedilmiştir; dolayısıyla böyle iddialar dikkatli ele alınmalıdır.

Pratikte kaynağı çıplak gözle anlaşılabilen çok az malzeme vardır. Genellikle malzemenin çok daha doğru tanımlanmasına imkân tanıyan petrografik, fiziksel ya da kimyasal analiz tekniklerini kullanmak gereklidir. Geçen 40 yılda çok küçük örnekleri dahi titizlikle analiz edebilme konusunda çarpıcı gelişmeler yaşanmıştır. Ancak başarılı bir karakterizasyon sadece analitik kesinliğe bağlı değildir. Söz konusu malzemeye ait çeşitli kaynakların doğası da dikkatle hesaba katılmalıdır. Eğer kaynaklar analiz edilen özellikler bazında birbirinden çok farklıysa bu iyidir. Fakat eğer çok benzerlerse ve birbirlerinden ayırt edilemiyorlarsa, o zaman gerçek bir sorun var demektir. Bazı malzemelerin (mesela obsidyen) kaynakları oldukça kolay şekilde ayırt edilebilir. Diğerlerindeyse (mesela çakmaktaşı veya bazı metaller) kaynaklar arasında tutarlı farklar tespit etme konusunda ciddi zorluklar yaşanır.

Bazı malzemeler karakterizasyona uygun değildir, çünkü farklı bölgelerden alınmış örneklerin ayırt edilmesi zordur. Örneğin, ister bitkisel isterse hayvansal olsun organik kalıntılar sorun teşkil edebilir. Elbette, eğer bir tür doğal yaşam alanından çok uzakta bulunursa –mesela tarihöncesi Avrupa'da görülen Kızıldeniz kabukları– o zaman ticarete dair kanıta sahibiz demektir. Ama türün çok geniş bir yayılma alanı varsa hakiki sorunlar olabilir. Ancak aşağıda göreceğimiz gibi, bu durumda bile oksijen veya stronsiyum izotop analizi gibi sorunu çözebilecek teknikler mevcuttur.

Dikkat edilmesi gereken önemli bir nokta, karakterizasyon çalışmalarıyla malzemelerin kaynağını bulmanın, kritik bir biçimde hammaddelerin doğadaki dağılımına dair bilgilerimize dayandığıdır. Bu, jeologlar gibi uzmanların çalışmalarından türemiştir. Mesela elimizde tüm bir taş balta serisinden iyi ince kesitler olabilir ve bunların çoğu bir petrograf tarafından ayırt edilebilir. Fakat bu belirli taşlar, onların doğadaki özel bulunma şartlarıyla (mesela taş ocakları) eşleştirilmediği sürece arkeoloğa bir yararı dokunmayacaktır. Dolayısıyla sağlam bir kaynak bulma çalışması için iyi bir jeolojik haritalandırma gereklidir.

İki önemli nokta daha vardır. Bir tanesi, nesnenin yapıldığı hammaddenin toprak altında ne derece değişime uğradığıdır. Mesela bir kil çömlekteki çözünebilir, dolayısıyla hareketli elementler etraftaki toprağa sızabilir ya da daha doğrusu topraktan çömleğe nüfuz edebilir. Bereket versin ki bu sorun çok ciddi değildir, çünkü çoğunlukla kötü pişmiş kaba malları etkiler.

Daha önemli bir faktör, hammaddenin nesnenin üretimi sırasında ne kadar değiştiğidir. Taştan nesneler söz konusu olduğunda bu problem teşkil etmez. Ama çömleklerde, kilin arıtımı ve çeşitli muhtemel katkı maddelerinin etkisi hesaba katılmalıdır. Öte yandan metallerde ise sorun ciddidir, çünkü madenden bitmiş nesneye kadar bileşenlerde birçok önemli değişim meydana gelir. İzabe sırasında (8. Bölüm) uçucu yabancı maddeler (örneğin arsenik ya da bizmut) kaybolacaktır. Buna ilaveten, Eski Dünya'da Tunç Çağı'nın geç dönemlerinden itibaren birden fazla kaynaktan gelmiş olabilecek hurda bakır veya tuncun tekrar kullanılması meselesi vardır.

Analitik Yöntemler

Görsel İnceleme. İster çanak çömlek ister taş nesne olsun, sadece malzemeye bakmak genellikle başlamanın en iyi yoludur. Fakat görünüm mükemmel bir başlama noktası olmakla birlikte –görünüme göre ön ayrım her zaman karşılığını verir– hiçbir zaman güvenilir ya da yetkin bir rehber değildir.

İnce Kesitin Mikroskobik İncelemesi. On dokuzuncu yüzyılın ortalarından beri taş bir nesne veya çömlek parçasından alınmış bir örnekten *ince kesit* alıp malzemenin kaynağını belirlemek için teknikler mevcuttu. Bu örnek ışık geçirecek kadar inceltilir ve ardından taş ışık mikroskobuyla yapılan bilimsel incelemeler (kaya ya da mineral yapısının çalışılması) sayesinde belirli bir kaynağın özelliği olan özel mineralleri tespit etmek genellikle mümkündür. İşin bu kısmı petrografi eğitimi almış birisi tarafından yapılmalıdır.

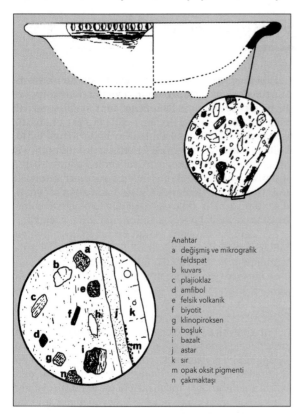

Anahtar
a değişmiş ve mikrografik
   feldspat
b kuvars
c plajioklaz
d amfibol
e felsik volkanik
f biyotit
g klinopiroksen
h boşluk
i bazalt
j astar
k sır
m opak oksit pigmenti
n çakmaktaşı

9.16 *Çanak çömlek ince kesitinin mikroskop altında incelenmesi: Hamurdaki katkılar bu örnekte olduğu gibi Yemen'deki Ortaçağ çanak çömleklerinin karakterizasyonu için kullanılmıştır.*

Bu yöntem dünyanın farklı yerlerindeki **taş** nesnelere –inşaat taşlarına (mesela Yunanlar ve Romalıların kullandığı özel renkli taşlara), anıtlara (mesela Olmek başları, Stonehenge) ve taş baltalar gibi taşınabilir nesnelere (mesela Avustralya, Yeni Gine ve Britanya'da) – uygulanmıştır. Aslına bakılırsa, Neolitik Britanya'da MÖ 3000'den önce başlamış taş balta ticaretinin açıklanması, karakterizasyon çalışmalarındaki başarı öykülerinden biridir. Aşağıda, yayılımın araştırılması hakkındaki kısımda daha detaylı tartışılmıştır.

Taşlar yeterli derecede ayırıcı özelliklere sahip olmadıklarında zorluklar baş gösterir. Örneğin farklı türde çakmaktaşlarını ince kesitle tanımlamak genellikle güçtür ve inşaatlar ya da heykeller için kullanılan beyaz mermer o kadar saf ve homojendir ki, bu yöntemde iyi sonuçlar vermez (ayrıca s. 371'e bakınız).

Çanak çömlekte kilin kendisi özgün olabilir, fakat çoğunlukla katkılar karakteristiktir –mineral veya taş parçası tanecikleri. Bazen ilaveler kilin içinde doğal olarak bulunur. Diğer durumlarda, bunlar kurutma ve fırınlama

kalitesini geliştirmek üzere kasten katkı maddesi olarak eklenmiştir. Bu, karakterizasyon çalışmalarını daha karmaşık hâle getirebilir, zira o zaman kilin yapısı iki ya da daha fazla kaynaktan meydana gelmiş olur. Diyatomlar (6. Bölüm) gibi fosil bileşenleri de hammaddenin kaynağını belirlemeye yardım edebilir.

Kilin kendisindeki **granül boyutlarına** dair çalışmaların yararlı olduğu görülmüştür. Birçok kapta sadece kuvars kumu, çakmaktaşı, kalsit/kireçtaşı/deniz kabuğu türünden yaygın mineraller bulunur ve bunlar kaynağın tespitine çok az katkı sağlar. Böyle durumlarda kuvars ve benzerlerinin granül boyutunu (fakat kili değil) çalışmak işe yarar.

Ağır mineral analizi petrografik tekniğe çok yakındır. Bunun için çömlek parçası örneği kimyasal ayıraçla parçalanır ve ağır mineral bileşeni (zirkon veya turmalin gibi) daha hafif olan kilden bir santrifüjde ayrılır. Bu yapıtaşı mineraller mikroskop altında tanımlanabilir. Belirli bir kaynak alanına özgü olanlar kilin menşeini bulmaya yardım eder.

Böyle analizlerin Britanya'daki tarihöncesi ticarete dair belgelediği manzara oldukça şaşırtıcıdır. David Peacock ve çalışma arkadaşlarının ince kesit çalışmalarına dek Neolitik Çağ'da, (MÖ 3000'den önce) kâselerin ve diğer kapların uzun mesafeli ticaretinin yapılmış olabileceği basitçe fark edilmemişti. Şimdi çanak çömlek ve yukarıda bahsedilen taş balta alışverişinin kapsamını bildiğimiz için, birçok birey ve yerleşimin uzaklara yayılmış takas sistemleriyle birbirlerine bağlandığı açıktır.

Bu karakterizasyon çalışmaları malzemelerin jeolojik kaynaklarından daha geniş bir alana yayıldıklarına dair bariz bulgular sunar, fakat bunların beşeri anlamda açıklanması için özel uzamsal analiz tekniklerine ve etnografik (veya etnoarkeolojik) araştırmaya dayalı modellerin kullanımına ihtiyaç duyulur.

İz Elementleri Analizi. Birçok malzemenin temel bileşenleri çok istikrarlıdır. Çakmaktaşı gibi yontmataş aletlerin üretiminde kullanılan volkanik cam obsidyen buna iyi bir örnektir. Obsidyeni oluşturan temel elementlerin (silikon, oksijen, kalsiyum vb.) konsantrasyonu, malzemenin kaynağı ne olursa olsun genel anlamda benzerdir, fakat **iz elementler** (çok küçük miktarlarda bulunan ve milyonda bir birim gibi değerlerde ölçülen elementler) kaynağa göre değişim gösterir ve bunların miktarını ölçmek için birkaç faydalı yöntem vardır.

Optik emisyon spektrometrisi (optical emission spectrometry=OES) (arka sayfadaki kutuya bakınız) böyle yöntemlerin arkeolojik malzemeye uygulanmış ilk örneğidir. 1950 ve 60'larda erken Avrupa metalürjisi üzerine yapılan çalışmalara, yine erken Avrupa'nın fayans boncukları çalışmalarına uygulanmış ve obsidyenin karakterizasyonu için kullanılmıştır. Şimdi yerini büyük ölçüde indüktif eşleşmiş plazma emisyon spektrometrisi yöntemi (inductively coupled plasma emission spectromery=ICPS) ve atomik soğurma spektrometrisi (aşağıya bakınız) almıştır.

Nötron aktivasyon analizi (neutron activation analysis=NAA) daha sonra geliştirilmiş ve 1970'lerde yaygın olarak kullanılmıştır (arka sayfadaki kutuya bakınız). Obsidyen, çanak çömlek, metaller ve diğer malzemeler üzerinde geniş çapta uygulanmıştır. Uzun yıllar boyunca NAA çanak çömlek, obsidyen ve diğer taşlarla yeri değerli taşların iz element analizinde kullanılmıştır. Ancak bu yönteme günümüzde pek başvurulmamaktadır ve indüktif eşleşmiş plazma kütle spektrometrisi (inductively coupled plasma mass spectrometry=ICP-MS) onun yerini başarıyla

almıştır (arka sayfadaki kutuya bakınız). Eğer aynı element aralığı analiz ediliyorsa arkeolojik malzemeler için NAA veritabanlarının ICP-MS'nin elde ettiği bulgularla tam anlamıyla uyuşması gerekir.

İz element analiziyle ilgili diğer yöntemler arasında *atomik soğurma spektrometrisi* (atomic absorption spectrometry=AAS), *x-ışını flüoresans spektrometrisi* (x-ray fluorescence spectrometry=XRF) ile *PIXE* ve *PIGME* (arka sayfadaki kutuya bakınız) yer alır. PIXE ve PIGME yöntemleri yakın zamanda otomasyona geçmiştir ve Pasifik'teki Yeni Britanya ile Amiral Adaları'ndan obsidyene uygulanmıştır. Yeni Britanya (Talasea) örneğinde, yaklaşık 3000 yıl önce Bismarck Takımadaları'ndan doğudaki

ARKEOLOJİK MALZEME	TANIM ARAÇLARI	ANALİTİK TEKNİKLER
Çanak çömlek	Temel ve iz element bileşimi, mineral katkıların dağılım şekilleri	SEM, NAA, AAS, XRF, ICPS/MS, ince kesit petrografisi, PIXE&PIGME&RBS
Homojen/camsı taşlar (obsidyen ve çaytaşı dâhil)	Temel ve iz stronsiyum bileşimi, izotop bileşimi	SEM, NAA, AAS, XRF, ICPS/MS, PIXE&PIGME&RBS, TIMS ya da MC-ICP-MS
Değerli taşlar	Temel ve iz element bileşimi, elementlerin dağılım şekli	SEM, NAA, AAS, XRF, ICPS/MS, PIXE&PIGME&RBS
Mineral ve biyolojik katkılı taşlar	Katkıların tanımlanması ve tarifi, temel ve iz element bileşimi	Optik mikroskopi, ince kesit petrografisi, SEM, NAA, AAS, XRF, ICPS/MS, PIXE&PIGME&RBS
Mermer	Temel ve iz element bileşimi, oksijen, karbon ve stronsiyum izotopu bileşimi	ICPS/MS, NAA, PIXE&PIGME&RBS, Gaz MS, TIMS ya da MC-ICP-MS
Deniz kabuğu	Oksijen, karbon ve stronsiyum izotopu, iz element bileşeni	Gaz MS, PIXE, NAA, ICP MS, TIMS ya da MC-ICP-MS
Kehribar	Organik bileşenlerin tanımlanması ve ölçümü	Kızıötesi emilim spektrografisi, FTIR, gaz kromatografisi (GC/MS), piroliz-gaz kromatografisi (py-GC/MS)
Bütün metaller ve alaşımlar	Temel ve iz element bileşimi, kurşun izotopu bileşeni	SEM, NAA, AAS, XRF, ICPS/MS, PIXE&RBS, TIMS ya da MC-ICP-MS
Metal cürufları	Katkıların tanımlanması, temel ve iz element bileşimi, kurşun izotop bileşeni	SEM, NAA, AAS, XRF, ICPS/MS, PIXE&RBS, TIMS ya da MC-ICP-MS
Cevher mineralleri, pigmentler	Minerallerin tanımlanması, temel ve iz element bileşimi, kurşun izotop bileşeni	X-ışını kırınımı, SEM, NAA, AAS, XRF, ICPS/MS, PIXE&RBS, TIMS ya da MC-ICP-MS
Camlar ve sırlar	Temel ve iz element bileşimi, (varsa) kurşun izotop bileşeni	SEM, NAA, AAS, XRF, ICPS/MS, PIXE&RBS, TIMS ya da MC-ICP-MS
Çanak çömlek bezemesi	Mineral ve teknolojinin tanımlanması	X-ışını kırınımı, Mössbauer spektroskopisi, XRF, PIXE&PIGME&RBS

9.17 *Çeşitli arkeolojik malzemeler için en uygun tanımlama yöntemlerini özetleyen tablo (arkada sayfadaki kutuya bakınız).*

NESNE BİLEŞENLERİNİN ANALİZİ

Nesne tanımlama çalışmalarında bir dizi bilimsel teknik kullanılabilir, ama bunlar yapabilecekleri, maliyetleri ve örnek talepleri konusunda farklılıklar gösterir. Aşağıda listelenmiş yöntemlerin hiçbiri genel geçer değildir. Arkeologlar maliyet ve farklı tekniklerin potansiyellerini karşılaştırarak amaçları ve ihtiyaçları dikkatlice dengelemelidir. Bütün kesin nicel analitik yöntemler standartların, yani bilinen kimyasal bileşenlere sahip örneklerin kullanılmasını şart koşar. Burada bahsedilen yöntemlerin bazıları örnekteki mevcut elementlerin çoğunu aynı anda tespit edebilir ve dolayısıyla standartlaşma gereği olmaksızın örneğin niteliksel ya da yarı-nicel bileşimini verir (mesela XRF ve NAA; yine de nicel sonuçlar için standartlar gereklidir). Diğerleri ise (AAS gibi) istenen her bir element için ayrı testlere gerek duyar.

Modern analitik teknikler tanımlama ve ölçme için atomların fiziksel özelliklerini kullanır. Bahsedilen yöntemler aynı fiziksel prensiplere dayanan gruplar hâline listelenmiştir, fakat atom uyarımı yöntemlerinde veya uyarım sonucu ortaya çıkan bilginin tespitinde çeşitlenirler.

Optik emisyon spektrometrisi (optical emission spectrometry=OES) her kimyasal elementin atomlarındaki dış elektronlar uyarıldığında (mesela yüksek bir derecede ısıtıldığında) belirli bir dalga boyunda ışık (dolayısıyla renk) yaydığı prensibine dayanır. Örnek bir karbon arkında yakılır. Dışarıya verilen ışık farklı dalga boylarından meydana gelir. Bunlar bir prizma ya da kırınım ızgarasından geçirilerek ayrılabilir. Çeşitli elementlerin varlığı veya yokluğu, bunların karakteristik dalga boylarına ait uygun tayfsal çizgilere bakılarak tespit edilebilir. Temel elementler için yüzdeler, iz elementler için milyonda parça (ppm) olarak ifade edilen sonuçlar cetvel şeklinde okunur ve belirtilir. Yöntem genellikle

sadece %25 civarında bir kesinlik sunar. OES **indüktif olarak eşleşmiş plazma atomik emisyon spektrometrisi** (inductively coupled plasma atomic emission spectrometry=ICP-AES) ile iyi kötü yer değiştirmiştir. Bu yöntem aynı temel prensipleri takip eder, fakat çözeltideki örnek, karbon arkından ziyade bir argon plazması akımı içinde atomlarına ayrılır ve uyarılır. Elementler arasındaki karışma sorunlarını azaltan çok yüksek sıcaklıklara erişilebilir. Birçok inorganik malzemedeki temel ve iz elementlerin analizi için uygun bir yöntemdir. Element analizi için gerekli örneğin miktarı 10 mg'dır ve hassasiyet %±5'tir. ICP-AES aşırı pahalı değildir ve çok yüksek bir örnekleme oranı elde edilebilir.

Bu yöntemin daha pahalı, ama aynı zamanda daha hassas (milyarda parça aralığındaki yoğunluklarda birçok element tespit edilebilmektedir) bir çeşidi daha vardır: **çok kölektörlü indüktif eşleşmiş plazma kütle spektrometrisi** (multi-collector inductively coupled plasma mass spectrometry=MC-ICP-MS). Bunda çözeltideki örnek yine argon plazması akımı içinde atomlarına ayrılır ve iyonlaştırılır, fakat ardından iyonlar bir kütle spektrometrisine enjekte edilir. Burada izotoplarına ayrılırlar ve böylece mevcut elementlerin yoğunluklarını verecek şekilde ayrı ayrı tespit edilebilir ve sayılabilir.

Atomik soğurma spektrometrisi

(atomic absorption spectrometry=AAS) OES'e benzer bir prensip üzerine kuruludur: enerjinin görülebilir ışık şeklinde ölçümü. Analiz edilecek örnek (10 mg ile 1 g arasında olmalıdır) asitte çözülür, seyreltilir ve ardından aleve püskürtülerek ısıtılır. Söz konusu elementin –ve sadece onun– emdiği bir dalga boyunun ışığı çözelti içinde yönlendirilir. Çözeltiden geçtikten sonra ortaya çıkan ışık demetinin yoğunluğu bir fotoçoğaltıcıyla ölçülür. Belirli bir elementin yoğunluğu ışık demetinin

yoğunluğuna bağlıdır.

AAS arkeolojik olarak demir esaslı olmayan metallerin (mesela bakır ve tunç), çakmaktaşı nesneler ve diğer malzemelerin analizinde kullanılmaktadır.

X-ışını flüoresans analizi (x-ray fluorescence analysis=XRF) atomun iç elektronlarının uyarılmasına dayanır. Örnek, bütün yüzey katmanında bulunan bütün atomlarının iç kabukları (K, L ve M) içindeki elektronları uyaran bir x-ışını demetiyle radyasyona maruz bırakılır. Örneğin x-ışını bombardımanına tutulması elektronların bir üst kabuğa çıkmalarına neden olur. Ancak çok hızlı bir şekilde başlangıç konumlarına dönerler ve süreç esnasında yaydıkları belirli miktarlardaki enerji, örnekteki her atomun uygun iç elektron kabukları arasındaki enerjinin farkına eşittir. (bunlar karakteristik x-ışınları olarak adlandırılır). Bu floresan x-ışını enerjileri ölçülebilir ve değerleri her bir element için bilinen rakamlarla karşılaştırılabilir. Böylece örnekteki mevcut elementler tespit edilebilmektedir. Elektomanyetik radyasyonun enerjisi onun dalgaboyuyla doğrudan ilişkilidir. Karakteristik x-ışınlarının enerjisini ölçmek için iki yol vardır: dalgaboyu dağınımlı XRF (wavelength dispersive XRF=WD XRF) yöntemi ve enerji dağınımlı XRF (energy dispersive XRF=ED XRF) yöntemi (bazen "yayılmamış" olarak adlandırılır). İlk teknik (WD XRF) x-ışınlarının dalgaboylarını, onları bilinen parametrelere sahip bir kristalde dağıtıp yayarak ölçer. İkincisi (ED XRF) ise x-ışını enerjisini yarı iletken bir kondüktör kullanarak doğrudan ölçmeye dayanmaktadır. Her iki yöntemde de radyasyonun yoğunluğu da ölçülür ve örnekteki bir elementin miktarı, bilinmeyen örneği standartlarla karşılaştırarak tespit edilebilir.

WD XRF araçlarının ölçüm geometrileri, çoğu kez örneğin preslenmiş toz ya da cam topak şekline sokulmasını gerektirir. Dolayısıyla birçok arkeolojik buluntu için bu yöntem uygun değildir. Buna karşın ED XRF araçları, her türlü boyut ve şekildeki nesnenin küçük bir yüzey parçasını (çapı 1 mm kadar küçük) analiz edecek şekilde yapılabilir. Ayrıca nesnenin yüzeyinden veya içinden alınan küçük örneklerin nitel ve nicel analizleri de yürütülebilmektedir. XRF analizinin etkili olduğu derinlik cam ve çanak çömlek gibi hafif maddelerde 1 mm civarındandır, ama metallerde bu rakam önemli ölçüde artar. Metal buluntuların analizi için ya yüzeyin temizlenmesi ya da delinerek iç kısımdan bozulmamış metalin alınması tavsiye edilir. Yüzde 0,1'in altındaki yoğunlukta bulunan elementlerin tespiti ve ölçümü sorunlu olabilmektedir. Bu tekniğin hassasiyeti birçok etmene bağlıdır: Yüzde 2 gibi iyi bir oran verebilir, fakat %5-10'a daha sık rastlanır. ED XRF çanak çömleğin, fayansın, camın ve sırların yapısındaki alaşım ve temel bileşen tipleri kadar bunları renklendirmede kullanılan pigmentleri tanımlamak için de idealdir. Teknik Japonya'daki Roma cam eşyaları tanımlamak için başarıyla kullanılmıştır (s. 372'deki kutuya bakınız).

Elektron sondalı hassas çözümleme (ya da **taramalı elektron mikroskobu analizi**; scanning electron microprobe analysis=SEM) XRF ile aynı fiziksel prensibe göre çalışır, fakat atomlardaki elektronların uyarılması "elektron tabancası"ndan çıkan kuvvetli bir elektron demetini, boşluktaki örneğin yüzeyine odaklamak suretiyle yapılır. Nicel SEM için örnekler ya parlatılmış ince kesitler ya da tamamen düz, karbon ya da altın kaplı monte edilmiş örnekler şeklinde hazırlanmalıdır. Demet bir milimetrenin binde biri kadar küçük bir noktaya odaklanabilir ve bir örneğin farklı katmanlarını (mesela sır, sırın altı, bir çömleğin dokusu) ayrı ayrı analiz edilebilir ya da malzemedeki katkıların kimyasal bileşenleri tek tek tanımlanabilir. Taramalı elektron mikroskopları birçok arkeoloji laboratuvarında mevcuttur ve son on yılda metal ve çanak çömlek teknolojisinin çalışılmasında temel bir alet hâline gelmişlerdir.

Proton uyarımlı x-ışını emisyonu (proton induced x-ray emission= PIXE) karakteristik x-ışınlarının emisyonuna dayalı bir başka yöntemdir. PIXE parçacık hızlandırıcısı tarafından üretilen bir proton demeti kullanarak uyarma üzerinden çalışır. Analitik imkânların kapsamı SEM'inkiler kadar geniştir, fakat PIXE pigment katmanları gibi hafif malzemelerin çok küçük noktalarını ya da kâğıt ve mücevhercilikte alaşım lehimlerinin analizi için çok daha iyidir. Bu yöntem örneklerdeki element yoğunlaşmalarının "haritalarını" mikron altı düzeyde üretme konusunda çok iyidir. PIXE **iyon demeti analizi** (ion beam analysis=IBA) olarak bilinen bir grup yönteme dâhildir. Aynı teçhizat (proton demeti üreten bir hızlandırıcıya dayanır) **parçacık uyarımlı gamma ışını emisyonu** (particle induced gamma-ray emission=PIGME ya da PIGE) ve **Rutherford geri saçılımı** (Rutherford backscattering=RBS) odaklı analizlerde de kullanılabilir. PIGE atom kabuklarındaki elektronlar yerine, çekirdeğin uyarılmasına ve çekirdeklerin temel durumlarına (uyarılmamış) dönerken yaydıkları gamma ışınlarının ölçülmesine dayanır. PIGE çoğunlukla hafif elementler (sodyumun altındakiler) için kullanılır ve PIXE ile birlikte bütün bir periyodik tablonun analizine imkân tanır. Avustralya'daki Lucas Heights'ta bulunan tesis bu yaklaşımı temel alarak obsidyen nesnelerin analizini yapmıştır. RBS, örneğe ait atomların çekirdeklerinden gelen demetteki geritepki parçacıklarını baz alır. Malzeme bileşimindeki temel element karakterizasyonuna (karbon, oksijen ve nitrojen dâhil) ilaveten katmanların kalınlıklarının ve difüzyon profillerinin ölçümü kesit profilleri hazırlama gereği olmaksızın yapılabilir.

Avrupa ve Kuzey Amerika'da PIXE'nin sanat ve arkeolojide düzenli olarak kullanıldığı bazı laboratuvarlar vardır. Bunlardan en dikkat çekeni Paris, Louvre'daki AGLAE tesisidir. Oxford'taki IBA tesisinden ise değerli taşlar (Ashmolean'daki "İskender taşı"), yaldızlı metal nesneler ve sırlı çanak çömlekler gibi malzemelerin hasarsız analizi için eşzamanlı PIXE/PIGME/RBS'den yararlanılmaktadır.

Nötron aktivasyon analizi (neutron activation analiysis= NAA), bir örnekteki çeşitli atomlarda çekirdeklerin yavaş (termal) nötron bombardımanıyla hâl değiştirmelerine dayanır. Bu süreç, örnekte mevcut birçok elemente ait radyoaktif izotoplarının meydana gelmesine yol açar. Karakteristik yarı ömürleri olan radyoaktif izotoplar radyasyon -genellikle de gamma radyasyonu- yayarak kararlı izotoplara bozunurlar. Bu gamma ışınlarının enerjisi radyoaktif izotoplar için tipiktir ve mevcut elementleri ölçmek için kullanılabilir. Belirli bir enerjinin radyasyonundaki yoğunluk, örnekle birlikte radyasyona maruz bırakılmış bir standardın yaydığı radyasyonla karşılaştırılabilir. Buradan da örnekteki elementin miktarı hesaplanır. En etkili termal nötron kaynağı nükleer reaktörlerdir, fakat NAA için başka kaynaklar da bir dereceye kadar kullanılabilir. 10-50 mg'lık örnekleri toz ya da sondaj şeklinde analiz etmek olağandır, ama geçmişte buluntuların tamamı (çoğunlukla sikkeler) genel bileşimleri hakkında bilgi edinmek amacıyla radyasyona tabi tutuluyordu.

Ne yazık ki bütün örnekler ve buluntular yıllar boyunca radyoaktif kalır. Kurşun ve bizmut gibi bazı elementler NAA tarafından analiz edilemez, zira termal nötronlarla girdikleri etkileşimin ürettiği izotoplar çok kısa veya uzun yaşar ya da algılanabilir gamma ışınları yaymazlar.

Yakın zamana kadar NAA çanak çömlek ve metaldeki iz elementlerin tespitinde sıkça kullanılan bir analiz yöntemiydi. NAA %±5 civarında kesindir; milyonda 0,1 parçacıktan %100'e kadar yoğunlukları ölçebilir ve otomasyona geçirilebilir. Nükleer reaktörlerin kullanılması gerektiğinden, yöntem sadece belirli laboratuvarlarda uygulanır ve bunların sayıları da reaktörlerin kapatılmasıyla birlikte azalmaktadır.

Fiji ve batıdu Sabah'a (Borneo'nun kuzeyi) uzanan 6500 km'lik mesafe içinde bir obsidyen ticaretine işaret etmiştir. Bu şüphesiz dünya Neolitik kayıtlarında herhangi bir malın en geniş yayılımıdır. Aynı şekilde, nötron aktivasyon yöntemi, Endonezya adalarından Bali'ye ait Ruletli Mal (ilk kez Sir Mortimer Wheeler tarafından Hindistan'daki Arikamedu'da tanımlanmıştır) buluntularının Sri Lanka ve Güney Hindistan örnekleriyle aynı jeolojik kaynağı paylaştığını göstermiştir. Bu da MS 1. yüzyılda iki bölgeyi birbirine bağlayan önemli ticaret ağlarının varlığını akla getirmektedir.

Bu çeşitli yöntemler sadece, sırasıyla birer elementin ele alınarak her bir nesne ya da örnek için "milyonda bir parça" (parts per million=ppm) şeklinde ifade edilen analizlerin sunulduğu bir tablo meydana getirir. Kurşun ve kalay gibi iyi bilinen elementler dışında, vanadyum ya da skandiyum gibi az yaygın olanlar da vardır. Bu durumda sonuçların nasıl izah edileceği sorunu ortaya çıkar. Amaç açıkça incelenen nesnelerin bileşenlerini özel kaynaklarınkilerle karşılaştırmaktır. Ancak bu, sorunlar çıkarabilir. Çanak çömlek söz konusu olduğunda, çömlekçi killeri yaygındır, dolayısıyla belirli kapları belirli kil yataklarıyla eşleştirme şansı çok azdır. Farklı kaynakların benzer bileşenleri olabildiği için yanıltıcı sonuçlar ortaya çıkabilir. Bu yüzden, çanak çömlek ve aslında metalde iz element analizi karakterizasyon için en iyi işlem değildir. Çanak çömlekte petrografik yöntemler (yukarı bakınız) daha tatmin edici sonuçlar verir. Ancak mümkün olduğu kadar çok iz elementin dikkate alınması kaydıyla, iz element analizi yakınlardaki, dolayısıyla petrografi açıdan birbirine benzer kil kaynaklarını ayırt etmede petrografi daha etkilidir (elbette eğer kaynaklar taşbilimsel olarak farklıysa, iz element analizi açısından benzerlik göstermeleri sıra dışı olacaktır).

Genel olarak, her bir örneği bütün yapıtaşı elementleriyle birlikte sırayla değerlendirmek yerine, onları içlerindeki sadece iki ya da üç elementin konsantrasyonuna göre gruplamak daha makbuldür. Kaynaklardan örnek almak mümkün ve kaynakların sayısı da sınırlı olduğunda (obsidyendeki gibi) sağlıklı sonuçlar ortaya çıkar.

Anadolu'daki Neolitik Çağ kaynaklarından gelen obsidyenin bir İngiliz ekibi tarafından yapılmış iz element analizi iyi bir örnektir. Analiz aşağıda, Dağılımın Çalışılması kısmında daha ayrıntılı ele alınmıştır. NAA, XRF, OES ve fizyon izi analizinin dâhil olduğu birtakım yöntemler uygulanmıştır. Sorunlar çeşitli kaynaklardan gelen örneklerin ve farklı kazılardan nesnelerin gruplandırılmasına izin vermiştir.

Herhangi bir kimyasal analiz için bir yorumsal stratejiye sahip olmak ve kanıtların altında yatan mantığı anlamak gerekir. En başarısız karakterizasyon projelerinden biri İlk Tunç Çağı Avrupa'sından binlerce bakır ve tunç nesnenin analizini (OES ile) kullanmıştı. Nesneler, çok farklı kaynak alanlarının benzer iz element kompozisyonuna sahip bakır üretebileceğinin, dahası iz elementlerinin miktarındaki değişimlerin izabe sırasında meydana gelmiş olduğunun farkına varılmadan gruplandırıldı. Kaynak bulma açısından gruplar oldukça anlamsızdı. Aşağıda bahsedilen izotopla ilgili yöntemlerin metal karakterizasyonundan çok daha etkili olduğu ortaya çıkmıştır.

İzotop Analizi. Bütün kimyasal elementler belirli bir element için özel olan atomlar içerir. Bir atomun kütlesi çekirdekteki proton ve nötronların sayısıyla tanımlanır. Bir elementin kimyasal kimliği çekirdekteki protonların sayısına bağlıdır, ama nötronların sayısı değişebilir. Aynı elementin farklı kütlelerdeki (çekirdekteki nötronların değişik sayıları) atomlarına izotop adı verilir. Doğada bulunan elementlerin çoğu birkaç izotoptan meydana gelir. Elementlerin büyük kısmı için izotoplarının görece oranı (izotopik bileşim) sabittir. Ancak kimyasal veya biyokimyasal süreçler yüzünden kararsız doğal izotop bileşimine sahip bir grup element vardır (nitrojen, sülfür, oksijen ve karbon). Bir diğer grup, kısmen başka bir elementin (kurşun, neodimiyum ve stronsiyum) radyoaktif bozunumu aracılığıyla oluşan kararlı (yani radyoaktif olmayan), fakat radyojenik izotoplar içerir. Bütün izotop bileşimleri kütle spektrometrisiyle ölçülür (karbon ve diğer bazı elementlerin izotopları için karşı sayfadaki tabloya ve 4. Bölüm'e bakınız). Karşı sayfadaki tablonun ilk dört sırasında listelenen hafif elementlerin izotopik bileşimi gaz kaynağı kütle spektrometrisiyle ölçülür (radyokarbon hızlandırıcısı da bir tür kütle spektrometrisidir).

Daha ağır elementlerin izotop bileşimleri (temel olarak atom numarası Z=20 olan kalsiyumun üstündekiler) ısıl iyonlaşma kütle spektrometrisi (thermal ionization mass spactrometry=TIMS) ya da çok kollektörlü indüktif eşleşmiş plazma kütle spektrometrisiyle çok büyük doğrulukla ölçülür. İzotop bileşimleri izotopik oranlar cinsinden ölçülür ve bu oranlar örneklerin izotopik karakterizasyonları için tekil parametreler olarak kullanılır. Duyarlı farklılaşma için yüksek doğruluklu ölçümler gereklidir. Çok kollektörlü TIMS aygıtlarının 1980'lerin sonlarında ortaya çıkışıyla kurşun izotoplarının çok kesin TIMS ölçümleri mümkün olmuştur (bütünde hata payı %0.1'den daha azdır). Bütün TIMS ölçümleri Pb izotopu standardına göre ayarlanır ve laboratuvarlar arası karşılaştırmalarda bir sorun yoktur. Ancak sadece çok az element etkili bir şekilde ısı vasıtasıyla iyonlaştırılabilir. Mesela kurşun, stronsiyum ve neodimiyum TIMS için çok uygunken, kalay ve bakır izotopları bu teknikte engel çıkarır. Yirminci yüzyılın son on yılında MC-ICP-MS ağır elementlerin izotopik ölçümlerinde tercih edilen aygıt olmuştur. Bu aygıtların hızlı ve kesin izotop analizlerini minimum örnek hazırlama süreçleriyle (genellikle sadece nitrik asitte ayrıştırma) birleştirme kapasitesine sahiptir. Fakat arkeolojik kurşun izotop analizi için kullanılacak aygıtı daha önce TIMS tarafından analiz edilmiş bir örneğe göre ayarlamak önemlidir. Amaç, yeni bulgunun madenlerin kurşun izotopu oranlarına ve arkeolojik buluntulara ait TIMS veritabanıyla karşılaştırılabileceğini teyit etmektir. Daha ucuz ve yaygın indüktif eşlemiş plazma kütle spektrometrisiyle (inductively coupled plasma mass spectrometer=ICP-MS) bir arada kullanılan dört kutuplu mıknatıslar kaynak çalışmaları için yeterli izotop oranı ölçüm kesinliği sağlamaz.

Metal kaynaklarını araştırmak için izotop jeokimyası şimdi daha sık kullanılmaktadır. Metal nesnelerdeki

Element	İzotoplar	Arkeolojik Malzemeler	Bilgi
O - oksijen	^{16}O, ^{17}O, ^{18}O	Kemik, mermer, Deniz kabukları	Beslenme alışkanlığı, Kaynak
N - nitrojen	^{14}N, ^{15}N	Kemik Fildişi	Beslenme alışkanlığı Kaynak
C - karbon	^{12}C, ^{13}C	Kemik, mermer, Deniz kabukları	Beslenme alışkanlığı Kaynak
	^{14}C - radyoaktif	Ahşap, bitkiler, tohumlar, odun kömürü, yumuşakça kabukları (çanak çömlek, keten kumaş)	Tarihleme
Sr - stronsiyum	^{88}Sr, ^{86}Sr, ^{84}Sr ^{87}Sr - radyojenik	Taş (alçıtaşı, mermer, obsidyen), Kemik (fildişi)	Kaynak
Pb - kurşun	^{208}Pb, ^{207}Pb, ^{206}Pb - üçü de radyojenik ^{204}Pb	Cevher mineralleri, camdaki pigmentler, sır ve kurşun bazlı boya, metaller (gümüş, bakır, kurşun ve demir)	Kaynak
Nd - neodimyum	^{142}Nd, ^{143}Nd, ^{144}Nd, ^{145}Nd, ^{146}Nd, ^{148}Nd, ^{150}Nd ^{143}Nd - radyojenik	Kayalar, mineraller, çanak çömlek?, fildişi?, mermer?	Kaynak
U - uranyum	^{238}U, ^{235}U, ^{234}U	Kalsit malzemeler (sarkıt ve dikitler), kemik, mercanlar, foraminifera	Tarihleme
Th - toryum	^{232}Th, ^{230}Th	Kalsit malzemeler, kemik, mercanlar, foraminifera	Tarihleme

9.18 *Arkeolojik araştırmada yararlı çeşitli elementlerin izotoplarına ait tablo.*

kurşun izotoplarının analizi ve bunların geçmişte yararlanılan cevher kütleleriyle bağı önemli bir karakterizasyon tekniği olmuştur. Dört kurşun izotopu (üç farklı izotop oranı verirler) kesin analiz yöntemleri ve makul bir varyasyon aralığıyla birlikte farklı metal kaynakları arasında oldukça iyi ayrım yapabilmektedir. Yöntem çok büyük ölçüde farklı cevher yataklarına ait kurşun izotopu özellikleri ve bunlardan elde edilen ürünler arasındaki karşılaştırmalara dayanır. Bu yüzden, sistematik örnekleme sonrasında ilgili cevher kaynaklarının "izotop haritası"nın meydana getirilmesi çok önemlidir. Kurşun izotopu oranları bazen birden fazla muhtemel kaynağı tanımladığı için ara sıra yorumlarda belirsizlikler ortaya çıkar, fakat bunlar genellikle ilgili iz element verilerinin hesaba katılmasıyla çözülebilir.

Kurşun izotop analizi sadece kurşun değil, aynı zamanda kurşunun genellikle yabancı madde olarak bulunduğu gümüş nesneler için de doğrudan kullanılır. Bakır kaynakları da en azından kurşunun izini barındırır ve deneyler bu kurşunun büyük oranda izabe sırasında bakır metaline geçtiğini göstermiştir. Şu hâlde burada kurşun, gümüş ve bakır nesnelere uygulanabilir bir karakterizasyon yöntemi mevcuttur. Klasik Dönem ve Ortaçağ gümüş sikkelerinin; Tunç Çağı bakır ve tunç aletlerinin, kurşun ağırlıklarının, cam, sır ve kurşun bazlı beyaz boya pigmentlerde bulunan kurşunun mineral kaynaklarını tespit etmek için başarıyla kullanılmıştır. Kurşunun termik iyonlaştırma kütle spektrometrisi (TIMS) için gerekli nesne örneği malzemedeki kurşun konsantrasyonuna göre 1 mg'nin altıyla 50 mg arasında değişir. MC-ICP-MS içinse malzeme miktarı 1 mg'dan daha da az olabilir. Ancak bu kadar küçük bir örneğin analiz edilecek ana çoğunluğu temsil ettiğinden ve kurşunun başka bir kaynaktan gelen kurşunla (kaplama, koruma malzemesi, renklendirme vb.) kirlenmediğinden emin olunmalıdır.

Stronsiyum izotop oranları obsidyen nesne ve alçıtaşı karakterizasyonunda kullanılmıştır. Ayrıca deniz kaynaklı fildişiyle (mesela morslardan) kara kaynaklıları (mesela fil) birbirinden ayırt etmek için basit bir yöntem sağlayabilirler. Karbon ve oksijen izotopları mermer kaynaklarını bulmada yaygın olarak kullanılmaktadır. Mermerin kaynağını saptamakta uzun süre zorluklar yaşanmıştır. Klasik Dönem'de Akdeniz'de iyi kalite beyaz mermerlerin heykeltıraşı ve inşa amacıyla ihracı yaygındı. En önemli mermer ocaklarının çoğu (mesela Atina yakınlarındaki Pendeli ve Hymettos dağlarıyla Ege adaları Paros ve Naksos'takiler) tespit edilmişti. Fakat bir ocak kaynağını görünüşe ya da petrografik yöntemlere göre (örneğin ağır mineral ve iz element analizi) belirli bir yapı veya heykelle eşleştirmek hayal kırıklığıyla sonuçlanmıştı.

İki oksijen ($^{18}O/^{16}O$) ve iki karbon ($^{13}C/^{12}C$) izotopunu kullanan analizler birkaç ocağı birbirinden ayırt etmekle birlikte, belli bir noktaya kadar örtüşme de söz konusu-

JAPONYA'DA ROMA AKDENİZ'İNDEN CAM EŞYALAR

Japonya'daki Nara'da bulunan MS 5. yüzyıla ait Nizawa Senzuka mezarlığındaki zengin bir tümülüste ele geçmiş 14 cm çapındaki mavi camdan dikkat çekici kâsenin menşei XRF analiziyle doğrulanmıştır. Analiz, Hyoko vilayetindeki Sayo'da bulunan Spring 6 senkrotron radyasyon tesisindeki yüksek enerjili radyasyon ışını kullanılarak yapılmıştır. Test Roma cam eşyalarında MS 2. yüzyıla kadar kullanılmış antimuan elementini belirledi. Aynı mezarda, 8 cm çapında çarpıcı bir Sasani cam kâsesi de ele geçmiştir. Yine XRF analiziyle ortaya koyulan bileşenleri, bunun İran'daki imparatorluk sarayı Ktesiphon'dan Sasani İmparatorluğu dönemine (MS 3-7. yüzyıllar) ait cam eşyalara olan benzerliğini gösterdi.

   Bunlar güzel ve değer verilen ithal mallardı; Roma kâsesi gömünün yapıldığı sırada hâlihazırda iki ya da üç yüz yıl yaşındaydı. Japon arkeologlar bunların Orta Asya üzerinden "İpek Yolu" ile taşındığını düşünmektedirler. Günümüze kadar neredeyse bütün olarak kalmaları şaşırtıcıdır.

9.19–20 *Nizawa Senzuka'da cam eşyalar: (üstte) MS 2. yüzyıl ya da daha erkene ait Roma kâsesi; (altta) MS 5. yüzyıl ya da daha erkene ait Sasani tipi cam kâse.*

dur. Mermer kaynaklarının tam bir karakterizasyonu için üç analitik tekniği bir arada kullanma ihtiyacı giderek daha fazla önem kazanmaktadır: istikrarlı izotop analizleri, iz elementi analizi ve katot lüminesansı (aşağıya bakınız).

   Oksijen izotopu oranlarının, deniz kabuklularının karakterizasyonunda da faydalı olduğu anlaşılmıştır. Yukarıda belirtildiği gibi, *Spondylus gaederopus* kabuğunun Avrupa'nın güneydoğusunda Neolitik Çağ boyunca yaygın olarak ticareti yapılmıştı. Ortadaki sorun bunların Ege'den mi yoksa muhtemelen Karadeniz'den mi geldiğiydi. Dördüncü Bölüm'de derin deniz çökeltileri

hakkındaki kısımda tartışıldığı üzere, deniz kabuğunun oksijen izotopu bileşimi organizmanın yaşadığı denizin sıcaklığına bağlıdır. Karadeniz, Akdeniz'den çok daha soğuktur ve analizler söz konusu kabukların Ege'den geldiğini doğrulamıştır.

Diğer Analitik Yöntemler. Karakterizasyon amaçlı birçok başka analitik yönteme başvurulmaktadır:

   X-ışını kırınımı analizi minerallerin kristal yapısını x-ışınlarının yansıdığı açıya göre tespit eder. Yöntem, İngiltere'deki bazı buluntu yerlerinde ele geçmiş Neolitik yeşim ve jadeit baltaların bileşiminin belirlenmesine katkı

DOĞU AKDENİZ'DE BALTIK KEHRİBARI

Uzak hammadde kaynaklarının kullanımı artık gelişmiş tekniklerle belgelenebilmektedir. Suriye'deki eski Katna'dan bir krali mezar yapısı MÖ 1340 civarına tarihlenen etkileyici bir aslan başıyla birlikte çeşitli kehribar parçaları içeriyordu. Küçük boyutları standart Fourier dönüşümlü kızılötesi spektroskopisini (Fourier transform infrared spectroscopy=FTIR) saf dışı bırakmaktaydı, fakat sorun pirolitik gaz kromatografisi/kütle spektrometrisiyle (pyrolysis-gas chromatography/mass spectrometry=py-GC/MS) desteklenen bir mikroskobik teknik sayesinde çözüldü. Katna buluntularının FTIR tayfları, referans için bulundurulan Baltık ve Prusya kehribarınınkilerle uyuşuyordu; öyle ki kaynağın Baltık olduğu görüşü kabul edilebilirdi. Baltık kehribarı Yunanistan'da Miken Dönemi boyunca oldukça sık görüldüğünden, kehribarın ya ticaret ya da yönetici üst sınıfların hediye değiş tokuşuyla Ege'den işlenmemiş büyük parçalar hâlinde ithal edildiği sonucuna varıldı.

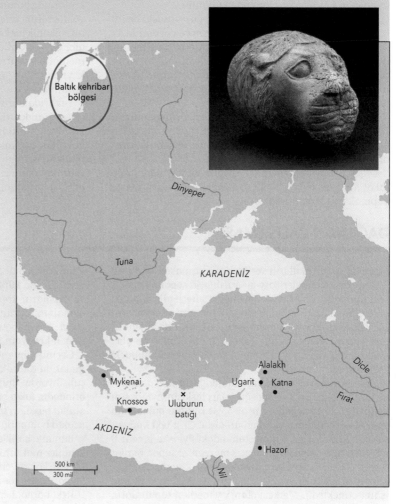

9.21–22 *Suriye'deki Katna'dan kehribar aslan başı (sağ üstte). FTIR spektroskopisinde görülen kehribar Baltık bölgesinde gelmiş ve Suriye'ye muhtemelen Miken dünyası aracılığıyla girmiş, fakat yerel olarak işlenmiştir.*

sağlamıştır. Görünüşe bakılırsa, taşlar Alpler kadar uzak bölgelerden gelmiş olabilirdi. Çanak çömlek karakterizasyonunda da bu yönteme başvurulur.

Kızılötesi soğurum spektroskopisi farklı kaynaklardan gelen kehribarların ayırt edilmesi için en uygun yöntem olarak ortaya çıkmıştır. Kehribardaki organik bileşenler, içlerinden geçen kızılötesi radyasyonun farklı dalga boylarını emer. Fourier dönüşümlü kızılötesi spektreskopisi (Fourier transform infrared spectroscopy=FTIR) mikroskopik teknikle küçük örnekler üzerinde kullanılabilir.

Katot lüminesans yöntemi beyaz mermerleri elektron bombardımanından sonra salınan renkli ışımaya göre birbirinden ayırır. Kalsitli mermerler iki gruba ayrılır: turuncu ve mavi ışımalı olanlar. Dolomitli mermerler ise kırmızı ışıma gösterir. Farklı renkler, kristaller içindeki yabancı maddeler veya kristal kafesindeki kusurların sonucudur.

Mössbauer spektroskopisi özellikle çanak çömlekteki demir bileşenlerinin çalışılmasında kullanılır. Demir çekirdeklerinin soğurduğu gamma radyasyonunun ölçümü, kap örneğindeki belirli demir bileşenleri ve kabın yapıldığı zamanki fırınlama şartları hakkında bilgi verir. Bu, farklı türde demir cevherlerinden (manyetit, ilmenit ve hematit) imal edilmiş ve Mezoamerika'daki Oaxaca'da

Klasik Öncesi Dönem'de yaygın biçimde ticareti yapılmış aynaların karakterizasyonunda kullanılır.

Raman spketroskopisi bir nesnenin yüzeyindeki belirli bileşenlerin tespitinde kullanılır. Nesneye çarpan lazer ışınının dalga boylarındaki değişikliklerin ölçülmesine dayalı zararsız bir yöntemdir. Özellikle değerli taşlar ve pigmentlerin bileşimlerini tanımlamada yararlıdır ve arkeolojide yeşim ve porselenin karakterizasyonu da dâhil geniş çaplı kullanım alanı vardır.

Fizyon izi analizi temelde bir tarihleme yöntemidir (4. Bölüm), fakat aynı zamanda farklı kaynaklardan gelen obsidyenleri uranyum muhtevalarına ve tabakaların oluşum tarihlerine göre ayırt edebilir.

Diğer tarihleme yöntemleri de benzer bileşenlere sahip fakat farklı yaştaki jeolojik malzemeler arasında ayrım yapmak için kullanılmaktadır.

Lazer füzyon argon-argon tarihlemesi, Stonehenge yakınlarında bulunmuş balta yapmak için kullanılan bir riyolitik tüfün, aslen İskoçya'daki Alt Karbonifer Dönemi'ne ait volkanik bir kaynaktan çıktığını; önceleri düşünüldüğü gibi Güney Galler'in daha eski formasyonlarından gelmediğini başarıyla göstermiştir. Japonya'da ESR farklı kaynaklardan jasper aletlerin tespitinde başarıyla uygulanmıştır.

Yukarıda bahsedilen bu çeşitli analitik yöntemler birçok durumda arkeologların belirli nesnelerin üretiminde kullanılan hammaddelerin kaynaklarını yaklaşık bir kesinlikle tanımlamalarına izin verir. Üretim sonrasında bu nesnelerin alışveriş açısından nasıl hareket ettiği, bir sonraki bölümde ele alacağımız aynı derecede ilginç ve bir dizi başka sorun karşımıza çıkarır.

DAĞILIMIN ÇALIŞILMASI

Ticareti yapılan malların kendilerini çalışmak ve bunların kaynaklarını karakterizasyon aracılığıyla saptamak değiş tokuşun araştırılmasındaki en önemli süreçlerdir. Aşağıda göreceğimiz üzere, kaynak alanında üretim yöntemlerini incelemek, hikâyeyi tamamlayan tüketimi değerlendirmek kadar bilgilendiricidir. Fakat bizi meselenin can alıcı noktasına götüren şey, dağılımın ya da hareket hâlindeki malların çalışılmasıdır.

Yazılı kaynakların yokluğunda dağıtım mekanizmalarının ne olduğunu veya değiş tokuş ilişkisinin doğasını belirlemek kolay değildir. Ancak böyle kayıtlar bulunduğu zaman en aydınlatıcı olanlar bunlardır. Girit'teki Knossos sarayında ve Miken Yunanistan'ındaki Pylos'ta Linear B tabletleri saray ekonomisinin açık bir resmini sunar. Bunlar saraya gelen malzemelerin envanterlerini gösterir, çıkanları kaydeder. Metinler yeniden dağıtım sisteminin varlığına işaret etmektedir. Merkezi olarak yönetilen toplumlara, mesela Yakındoğu'dakilere ait benzer hesap kayıtları yakın içgörüler sunmuştur. Elbette bu türden kesin bilgiler nadirdir. Tabletlerin kaydettikleri çoğunlukla iç ticaretle –malların toplum içinde üretimi ve dağıtımı– alakalıdır. Fakat bazı Mısır ve Yakındoğu kayıtları, özellikle de Tell el-Amarna'da (Mısır) bulunmuş MÖ 14. yüzyıla tarihlenenler, firavunlar diğer Yakındoğu hükümdarları arasındaki hediye değiş tokuşundan bahseder. Bu, erken devlet toplumlarının hükümdarları arasındaki hediye değişimiydi. Böylece soylu hediyelere ait örnekler günümüze gelmiştir. Viyana'daki hazinelerden biri, İspanya'nın MS 16. yüzyılda Meksika'yı fethi sırasında Aztek hükümdarı II. Motecuhzoma'nın (Moctezuma) İspanya kralına sunulmak üzere Cortés'e verdiği tüylü başlıktır (s. 362-363'teki kutuya bakınız).

Yazının icadından önceki toplumlara –yani yazılı kayıtları olmayanlara– ait daha erken kanıtlar mülkiyet ve idare edilen mal dağıtımı konusunda bazı belirgin fikirler verir. Mesela küpleri kapatmak, kutuları emniyete almak ve depoların kapılarını mühürlemek için kullanılan ve oymalı mühürün baskısıyla ayırt edilen kil mühür damgaları Yakındoğu'nun yazı öncesi dönemleriyle Ege Tunç Çağı'nda yaygın şekilde bulunur.

Geçmişte bu mühür taşları ve baskıları takas mekanizmalarına tutacakları ışıktan ziyade sanatsal içerikleri için çalışılıyordu. Bununla birlikte arandığı takdirde kanıtlar ortadadır, fakat bir kez daha bunlar dâhili takasla ilgilidir. Mühür baskıları sadece ara sıra menşei yerlerinden çok daha uzakta bulunurlar.

Bununla birlikte bazı örneklerde ticareti yapılan malların kendiler mal sahibi ya da üreticisi tarafından işaretlenir. Mesela, Roma Dönemi'nde sıvıların depolandığı kapları (amforalar) üreten çömlekçiler adlarını ağız kenarına damgalardı. Üstteki harita, henüz yerleri belirlenmemiş olmakla birlikte fırınları muhtemelen İtalya'nın Cosa bölgesinde bulunan çömlekçi Sestius'un ürettiği damgalı amforaların dağılımını gösterir. Zeytinyağı, şarap ya da amforaların taşıdığı her neyse onun (amforalardaki kalıntıların analizleriyle anlaşılabilecek bir konu; 7. Bölüm'e bakınız) genel ihraç modeli bir dağılım haritası hazırlanarak açıklığa kavuşturulabilir. Fakat eğer bunun arkasındaki süreçleri anlamak istiyorsak, dağılım haritası yorumlanmalıdır. Bu noktada yine mütekabiliyet, yeniden dağıtım ve pazar değiş tokuşu arasında ayrım yapmak; buluntuların uzamsal dağılımının takas mekanizmasına nasıl dayandığını hesaba katmak önemlidir.

"Doğrudan erişim", tüketicinin herhangi bir değiş tokuş mekanizması olmadan doğrudan malzemenin kaynağına gittiği durumu tanımlar. "Yönelimli" değiş tokuş karşılıklı tekrar edilen alışverişler için kullanılır ve aşağıda daha ayrıntılı tartışılmıştır. "Serbest" (aracı) ticaret bağımsız olarak ve

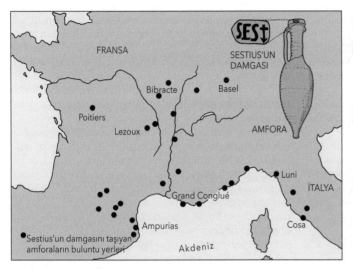

9.23–24 *Bir dağılım çalışması. Çömlekçi Sestius'un damgasını taşıyan Roma saklama kapları (amforalar) Kuzey İtalya ile Orta ve Güney Fransa'da yaygın olarak bulunmuştur (yukarıda). Bunlar ve muhteviyatı (olasılıkla şarap) muhtemelen Cosa yakınlarındaki bir yerde yapılıyordu. Dolayısıyla dağılım haritası bu malın Cosa bölgesinden yapılan ihracatına dair genel şablonunu verir.*

kâr için iş gören tüccarlara karşılık gelir. Tüccarlar genellikle pazarlıkla (pazar değiş tokuşunda olduğu gibi) çalışır, fakat sabit bir pazar mekânları yoktur; bunun yerine malları tüketicilere götüren pazarlamacılardır. "Elçi" ticareti, "tüccarın" vatanındaki bir merkezi organizasyonun temsilcisi olduğu durumu anlatır (karşı sayfadaki tabloya bakınız).

Bütün bu mal değişimi türlerinin arkeolojik kayıtlarda açık ve net işaretler bırakmasını bekleyemeyiz. Ancak aşağıda göreceğimiz gibi, yönelimli ticaret görünüşte böyle izler bırakır. Eğer malzemeleri çok sayıda kaynaktan geliyorsa ve alanının bir yönetim merkezi olarak öne çıkmadığı, ama ticaret faaliyetlerinde uzmanlaştığı açıksa, eski bir ticaret limanının tanınabilir olması gerekir.

Dağılımın Uzamsal Analizi

Dağılımın çalışılması için birtakım uygun teknikler mevcuttur. İlk ve en bariz teknik doğal olarak dağılım haritasında, yukarıda bahsedilen damgalı Roma amforaları örneğinde olduğu gibi buluntuları belirtmektir. Dağılımlara dair nicel çalışmalar da faydalıdır. Haritaya koyulan noktanın büyüklüğü veya bir başka öge buluntu sayısını gösteren basit bir araç olarak kullanılabilir. Bu türden bir harita önemli tüketim ve yeniden dağıtım merkezleri hakkında iyi bir göstergedir. Harita üzerindeki buluntuların dağılımı, bulguların yapısı hakkında değerli içgörüler elde etmek üzere trend yüzey analiziyle ayrıca incelenebilir.

Nicel işaretleme katkıda bulunduğu zaman bile dağılım haritalarının doğrudan kullanımı verilerin çalışılması için en iyi yol olmayabilir ve daha detaylı analiz fayda sağlayabilir. Yakın zamanda, düşüş analizine karşı kayda değer bir ilgi başlamıştır (arka sayfadaki kutuya ve s. 379'daki görsele bakınız). Farklı dağılım süreçleri bazen benzer sonuçlar üretmesine rağmen, geometrik dizili düşüş şab-

lonu sadece yönelimli ticaret sistemi tarafından meydana getirilir. Örneğin, eğer bir köy hammadde stokunu çizgisel bir ticaret ağı üzerinde, çizginin başındaki komşusundan sağlıyor; malzemenin belli bir oranını (mesela 1/3'ünü) kendi kullanımı için saklıyor; geri kalanını da çizginin sonundaki komşusuyla ticarette kullanıyorsa ve her bir köy de aynı şeyi yapıyorsa, o zaman geometrik dizili bir düşüş eğrisi meydana gelecektir. Miktar logaritmik bir ölçekte haritaya geçirildiğinde işaret düz bir çizgi oluşturacaktır. Fakat büyük ve küçük merkezlerden geçen farklı bir dağılım sistemi farklı bir düşüş modeli üretecektir. Bir karakterizasyon tekniğinin, buluntu dağılımının uzamsal analiziyle birlikte kullanılarak ticaret modellerinin incelendiği örnekler mevcuttur. Ancak böyle tekniklerin nadiren tüm ticaret sistemini ortaya çıkardığını, sadece bunun bir bileşenini gösterdiğini akılda tutmak gerekir.

Obsidyen Dağılım Çalışmaları. Yakındoğu'daki İlk Neolitik buluntu yerlerinde ele geçmiş obsidyenler iyi bir örnek teşkil eder (karşı sayfadaki haritaya bakınız). Colin Renfrew ve meslektaşlarının karakterizasyon çalışmaları Orta Anadolu'da bir ve Doğu Anadolu'da iki kaynak saptamıştı. Yakındoğu'daki MÖ 7 ve 6. binyıllara ait buluntu yerlerinin çoğundan örnekler toplandı. Sonuçta Orta Anadolu obsidyenlerinin Doğu Akdeniz'de (Filistin'e kadar) ve Doğu Anadolu obsidyenlerinin ise Zagros Dağları boyunca Ali Koş gibi İran arkeolojik alanlarında ticaretinin yapıldığını gösteren açık bir manzara ortaya çıktı.

Bir nicel dağılım çalışması, yukarıda gördüğümüz üzere yönelimli ticaretin göstergesi olan geometrik dizili düşüş şablonu oluşturdu (s. 377'ye bakınız). Dolayısıyla, obsidyenin bir köy yerleşmesinden diğerine geçirildiği sonucuna varıldı. Sadece kaynaklara yakın (kaynakların 320 km çevresinde) alanda –**tedarik alanı**– insanların kendi obsidyenlerini

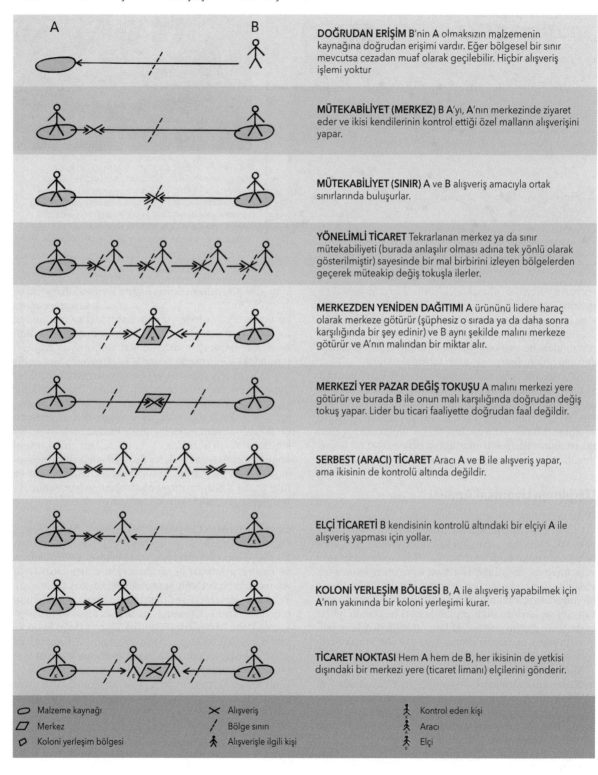

A　　　**B**

DOĞRUDAN ERİŞİM B'nin A olmaksızın malzemenin kaynağına doğrudan erişimi vardır. Eğer bölgesel bir sınır mevcutsa cezadan muaf olarak geçilebilir. Hiçbir alışveriş işlemi yoktur

MÜTEKABİLİYET (MERKEZ) B A'yı, A'nın merkezinde ziyaret eder ve ikisi kendilerinin kontrol ettiği özel malların alışverişini yapar.

MÜTEKABİLİYET (SINIR) A ve B alışveriş amacıyla ortak sınırlarında buluşurlar.

YÖNELİMLİ TİCARET Tekrarlanan merkez ya da sınır mütekabiliyeti (burada anlaşılır olması adına tek yönlü olarak gösterilmiştir) sayesinde bir mal birbirini izleyen bölgelerden geçerek müteakip değiş tokuşla ilerler.

MERKEZDEN YENİDEN DAĞITIMI A ürününü lidere haraç olarak merkeze götürür (şüphesiz o sırada ya da daha sonra karşılığında bir şey edinir) ve B aynı şekilde malını merkeze götürür ve A'nın malından bir miktar alır.

MERKEZİ YER PAZAR DEĞİŞ TOKUŞU A malını merkezi yere götürür ve burada B ile onun malı karşılığında doğrudan değiş tokuş yapar. Lider bu ticari faaliyette doğrudan faal değildir.

SERBEST (ARACI) TİCARET Aracı A ve B ile alışveriş yapar, ama ikisinin de kontrolü altında değildir.

ELÇİ TİCARETİ B kendisinin kontrolü altındaki bir elçiyi A ile alışveriş yapması için yollar.

KOLONİ YERLEŞİM BÖLGESİ B, A ile alışveriş yapabilmek için A'nın yakınında bir koloni yerleşimi kurar.

TİCARET NOKTASI Hem A hem de B, her ikisinin de yetkisi dışındaki bir merkezi yere (ticaret limanı) elçilerini gönderir.

⬭ Malzeme kaynağı	✕ Alışveriş	🚶 Kontrol eden kişi
▱ Merkez	╱ Bölge sınırı	🚶 Aracı
◇ Koloni yerleşim bölgesi	🚶 Alışverişle ilgili kişi	🚶 Elçi

DÜŞÜŞ ANALİZİ

Ticareti yapılan malzemenin miktarı kaynağa uzaklık arttıkça genellikle azalır. Bu şaşırtıcı değildir, çünkü uzaklıkla birlikte miktarın düşeceği zaten beklenir. Fakat bazı durumlarda bu azalma belli bir düzende gerçekleşir ve bu şablon malzemeyi hedefine ulaştıran *mekanizma* hakkında bizi bilgilendirebilir.

Bunu araştırmanın şimdi artık standartlaşmış yolu, bir düşüş eğrisi yapmaktır. Eğride malzeme miktarı (y ekseni üzerinde) kaynaktan uzaklığa (x ekseni üzerinde) göre oluşturulur. İlk soru, tam olarak neyin ölçüleceğidir. Bir arkeolojik alandaki buluntuların sadece sayısını göstermek farklı korunma ve kazı şartlarını hesaba katmaz. Bir buluntu sınıfını diğerine göre ölçen bir tür *orantısal* yöntem bu zorluğun üstesinden gelebilir. Mesela bir yongalanmış taş alet endüstrisinin tamamında obsidyenin oranı ölçülebilecek uygun bir parametredir (bununla birlikte diğer taş malzemelerin elde edilebilirliğinden etkilenir).

Ana metinde bahsedilen Anadolu obsidyeni incelemesinde, toplam miktarın logaritmik ölçekteki bir kısmının (yani yüzdesi) uzaklıkla karşılaştırılması, oldukça düz bir çizgi izleyen bir düşüş eğrisi ortaya çıkarmıştır. Bu, uzaklıkla birlikte üstsel olarak azalan bir düşüşe denk gelmektedir ve matematiksel anlamda, ana metinde değinilen "yönelimli" ticaret mekanizmasına karşılık gösterilebilir. Farklı bir alışveriş mekanizması -mesela merkezden yeniden dağıtımı- farklı bir düşüş eğrisi üretecektir.

Düşüş eğrisi analizinden çeşitli ilginç sonuçlar alınmaktadır. Örneğin Britanya'nın Oxford bölgesindeki fırınlarda üretilmiş Roma çanak çömleğinin uzaklıkla birlikte miktarının azalmasına dair bir harita yapıldığında ve su taşımacılığıyla ulaşılabilen yerleşimler diğerlerinden ayrıldığında, açık bir ayrım göze çarpmıştır. Bu ürün için su taşımacılığının kara taşımacılığından çok daha etkili bir

dağıtım yöntemi olduğu açıktır.

Farklı dağılım mekanizması modellerinin farklı düşüş eğrileri vermesi, prensipte hangi dağılım mekanizmasının işlediğini gösterecek verilerin doğru şekilde haritalandırılmasına imkân tanımalıdır. Fakat iki zorluk mevcuttur: Birincisi, verinin niteliği hangi düşüş eğrisinin uygun olduğuna dair güvenilir bir karar vermeyi her zaman sağlamaz. İkinci ve daha ciddi engel ise bazı durumlarda dağılım için farklı modeller aynı eğriyi üretebilir.

Düşüş analizi çok bilgilendirici olabilmektedir, ancak bu iki kısıtlama faydalarını sınırlandırmaktadır.

9.27 *Roma Dönemi'nde Oxford fırınlarından uzaklaştıkça Oxford çanak çömleğinin oranındaki düşüş. Fırınlara su yoluyla kolay erişimi olan buluntu yerleri (kırmızı noktalar), bu kolay erişime sahip olmayan buluntu yerlerine (yeşil noktalar) göre çok daha az dik bir düşüş eğrisine sahiptir, böylelikle bu dönemde bir dağıtım yöntemi olarak su yollarının önemini gösterir.*

9.26 *Oxford çömlek fırınlarından çıkma Roma çanak çömleklerinin bulunduğu arkeolojik alanların yerlerini gösteren dağılım haritası.*

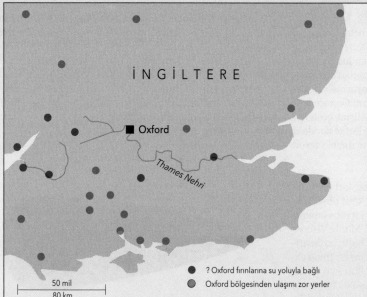

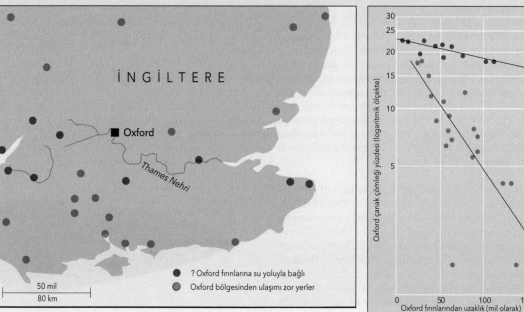

● ? Oxford fırınlarına su yoluyla bağlı
● Oxford bölgesinden ulaşımı zor yerler

İ N G İ L T E R E

■ Oxford

Thames Nehri

50 mil
80 km

Oxford çanak çömleği yüzdesi (logaritmik ölçekte)

Oxford fırınlarından uzaklık (mil olarak)

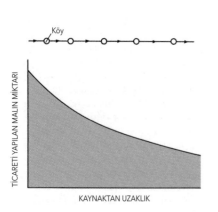

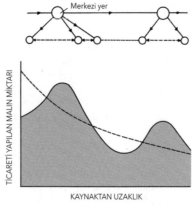

9.28 *Yerleşim organizasyonu, alışveriş tipi ve kara ticareti yapılan bir malın tedariki arasındaki ilişki. (solda) Tek yönlü ticaretin (mütekabiliyet temelinde) yapıldığı köy yerleşimi, arkeolojik kayıtta refahta üstel düşüş eğrisine yol açar. (sağda) Merkezler arasında yönlü alışverişin (yerel bölgesel düzeyde yeniden dağıtım ya da merkez pazar değiş tokuşuyla birlikte) olduğu merkezi yer yerleşimi çok doruklu düşüş eğrisi meydana getirir. Düşük sınıf yerleşimlerin üst sınıftaki merkezle alışveriş yapma eğilimine dikkat ediniz. Böyle bir yerleşme kaynağa merkezden daha yakın olsa bile bu geçerlidir.*

toplamak üzere doğrudan kaynağa gittiklerine dair kanıt vardı. Bu alanın dışında –*temas alanı* olarak tanımlanan sınırlar içinde– düşüş değiş tokuş sistemine işaret etmekteydi. Bu dönemde uzman aracılara ait bir işaret olmadığı gibi, obsidyen teminine hâkim merkezi yerler de yoktu.

Erken dönemdeki durum karşı sayfadaki haritada görüldüğü gibiydi. MÖ 5000'den 3000'e kadar süren geç dönemde ise durum bir şekilde değişmiş, Doğu Anadolu'daki yeni obsidyen kaynağı kullanılmaya başlanmıştır. Çok geçmeden obsidyenin uzun mesafelerde ticareti de gerçekleşmiştir. Bu, obsidyen ticaretinin zaman içindeki gelişimini çalışmanın mümkün olduğu bir örnektir. Ege'de obsidyen günümüzden 10.000 yıl öncesi gibi erken bir tarihte, Frankhthi Mağarası buluntularının gösterdiği üzere Kiklat Adaları'ndan Melos'ta toplanıyordu. Bu, Akdeniz'de deniz yolculuğuna dair en erken güvenilir kanıttır.

Pasifik'te, örneğin erken Lapita kültürü (12. Bölüm) içinde, erken obsidyen ticareti benzer yollarla belgelenmiştir. Obsidyen karakterizasyon çalışmaları şimdi Kuzey Pasifik'te daha ileridedir ve Japonya'daki Üst Paleolitik endüstrileri özel çalışmaların ilgi odağıdır. Orta ve Kuzey Amerika'da obsidyen değiş tokuş sistemleriyle ilgili birtakım araştırmalar –mesela Erken Klasik Öncesi Dönem'de Meksika'nın Oaxaca bölgesinde– yürütülmüştür (s. 385'e bakınız). Gelişme gösteren önemli bir alan da, hem Doğu Afrika hem de Kafkaslar'daki Alt ve Orta Paleolitik'te karakterizasyon aracılığıyla tespit edilmiş obsidyen nakli ve trafiğidir.

Yeşim. Yeşimden (jadeit, omfasit vb.) balta başları Brittany ve Britanya'da bulunmuş, petrografik ince kesit alma tekniği, x-ışını kırınımı ve spektroradyometriyi içeren önemli bir çalışma, bunların Kuzeybatı İtalya'daki Monte Viso ve Monte Beigua'dan geldiklerini göstermiştir. Balta başlarından bazıları bu kaynakların yaklaşık 2000 km uzağında ele geçmiştir. Bu dönemde, MÖ 4000 civarında, Batı Avrupa'da yeşim önemli bir değerli taşı ve Doğu Avrupa'da bakır (ve altın) hâlihazırda kullanılmaya başlanmıştı. Yeşim Çin

ve Mezoamerika'da da değerli bir malzeme olarak kabul görmüştür.

Gümüş ve Bakır Ticareti. Ege'de yine kurşun izotopu analizi tekniği MÖ 3. binyılda kullanılmış gümüş ve bakır nesnelerin kaynaklarının tespitine imkân tanımıştır. Analizler Yunanistan'daki Laurion gümüş madenlerinin çok erken bir tarihte işletilmeye başlandığını ve beklenmedik şekilde, Kythnos Adası'ndaki bir bakır kaynağının MÖ 3. binyılda arz ettiği büyük önemi göstermiştir. Kurşun izotopu analizleri ayrıca MÖ 1200'den önce Kıbrıs (Doğu Akdeniz'de) bakırının Sardunya adasına (Batı Akdeniz'de) ulaştığına dair şaşırtıcı bir izlenim vermektedir. Sardunya'nın kendine ait bakır kaynakları vardı; dolayısıyla Kıbrıs ithal mallarına duyulan ihtiyaç bir muammadır.

Batıklar ve Defineler: Deniz ve Kara Ticareti. Dağılım konusuna farklı bir yaklaşım, taşımacılığın çalışılmasıdır. Deniz yolculuğu çoğu kez kara seyahatine göre daha güvenli, hızlı ve ucuzdu. Hem taşımacılığa, hem de hangi malın neyle ve ne ölçekte alışverişinin yapıldığına dair önemli soruların cevapları için muhtemelen en iyi kaynak tarihöncesi ve daha geç zamanlardan kalma batıklardır. Bu batıklardan herhâlde en iyi bilineni, Karayipler'deki MS 16. yüzyıl hazine

9.29 *İngiltere'deki Canterbury'den Neolitik yeşim balta başı.*

9.30–31 *Yakındoğu'da obsidyen ticareti. Karakterizasyon çalışmalarına göre Kıbrıs, Anadolu ve Doğu Akdeniz'deki İlk Neolitik köyler obsidyeni Orta Anadolu'daki iki kaynaktan elde ediyorlardı. Jarmo ve Ali Koş gibi köyler ise Ermenistan'taki (Doğu Anadolu) iki kaynaktan yararlanmıştır. Kaynaklara nispeten yakın yerleşmelerde (mesela Çatalhöyük, Tell Şemşarah) obsidyen, yongalanmış taş aletlerin %80'ini oluşturmaktadır. Bu durum söz konusu "tedarik bölgesi" (dağılım haritasındaki iç çizgiler) içindeki insanların obsidyeni doğrudan kaynaktan aldığını düşündürmektedir.*

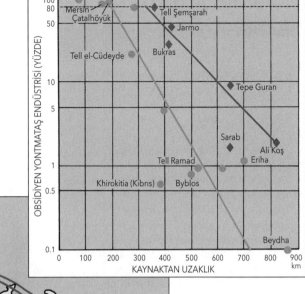

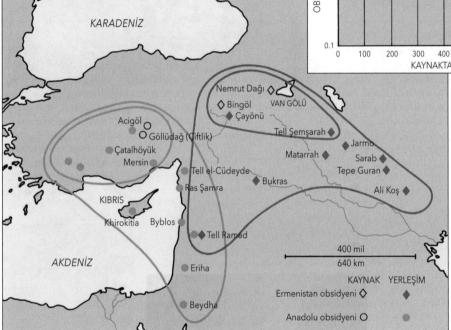

gemilerine ait olanlardır. Bunların barındırdığı nesneler ticaretin organizasyonu hakkında değerli içgörüler sunmaktadır. Daha erken tarihler için yukarıda bahsedilen Roma amforalarından ibaret bütün kargolar ele geçmiştir. Bundan birkaç binyıl öncesine dair deniz ticareti bilgimiz, George Bass'ın Türkiye'nin güney kıyıları açıklarında, Gelidonya Burnu ve Uluburun'da iki önemli Tunç Çağı batığında yaptığı incelemelerle büyük ölçüde artmıştır (arka sayfadaki kutuya bakınız).

Batıkların karadaki denkleri tüccarların saklama yerleri ya da defineleridir. Arkeolojik tabakalarda önemli mallara ait buluntu grupları ortaya çıkarıldığı zaman, bunları orada bırakanların amaçları konusunda net konuşmak kolay

değildir. Bazı definelerin adak özelliği taşıdığı açıktır; belki de tanrılara sunu olarak bırakılmışlardır. Ancak hurda metal gibi tekrar kullanım özelliği bulunanlar pekâlâ bunları döndüklerinde yeniden kullanma amacındaki seyyar demirciler tarafından gömülmüş olabilir.

Böyle durumlarda, özellikle de iyi korunmuş bir batıkta, dağılımın doğasını anlamaya olabildiğince yaklaşırız. Sadece arada sırada, tüccarları egzotik mallarıyla birlikte gösteren betimleri bulacak kadar şanslı oluruz. Muhtelif Mısır mezar resimleri denizaşırı tüccarların gelişini tasvir eder. Bazen, mesela Teb'deki Senenmut'a ait mezar yapısında (yaklaşık MÖ 1492), bunlar tipik Girit malları taşıyan Minoslular olarak tanımlanabilir.

DAĞILIM: ULUBURUN BATIĞI

Arkeologlar için hangi malların karşılıklı alınıp satıldığını öğrenmek ve ticaretin işleyişini anlamak zordur. Dolayısıyla eksiksiz kargosuyla bir ticaret gemisi batığının keşfi çok değerlidir.

Yaklaşık MÖ 1300'e tarihlenen böyle bir batık 1982'de Türkiye'nin güney kıyısında, Kaş yakınındaki Uluburun açıklarında 43 ila 60 metre derinlikte bulundu. Texas'taki Sualtı Arkeolojisi Enstitüsü'nden George F. Bass ve Cemal Pulak tarafından 1984-1994 yılları arasında kazıldı.

Geminin kargosu Mısır duvar resimlerinden ve Kıbrıs'la Girit'teki buluntulardan bilinen 10 ton ağırlığında 305 adet dört kulaklı bakır külçe içermekteydi. Külçelerin bakırı Kıbrıs'tan çıkarılmıştı (kurşun izotopu ve iz element analizlerine göre). Bir diğer önemli buluntu, kargonun kalıntıları arasında deniz yatağına yayılmış yaklaşık bir tonluk kalay külçe ve aynı metalden diğer nesnelerdi. Battığı sırada geminin Doğu Akdeniz sahilinden batıya doğru ilerlediği ve doğu kaynaklı kalayla Kıbrıs bakırı taşıdığı açıktı.

Batıktaki çanak çömlek Filistin ya da Suriye'de (Kenan Ülkesi) üretildiklerinden ötürü Kenan amforası olarak bilinen kapları içermekteydi. Çoğunun içinde sakız ağacından çıkan terebentine benzer reçine bulunuyordu, fakat bazılarında zeytin ve birinde de cam boncuklar vardı.

Benzer kaplar Yunanistan, Mısır ve özellikle de Doğu Akdeniz kıyısı boyunca ortaya çıkarılmıştır. Batıktaki egzotik mallar arasında Afrika'da, Mısır'ın güneyinde yetişen abanoz benzeri bir ağacın çeşitli uzunluktaki kalasları vardı. Ayrıca aslen Kuzey Avrupa kökenli Baltık kehribarından boncuklar mevcuttu (s. 373'teki kutuya bakınız). Muhtemelen

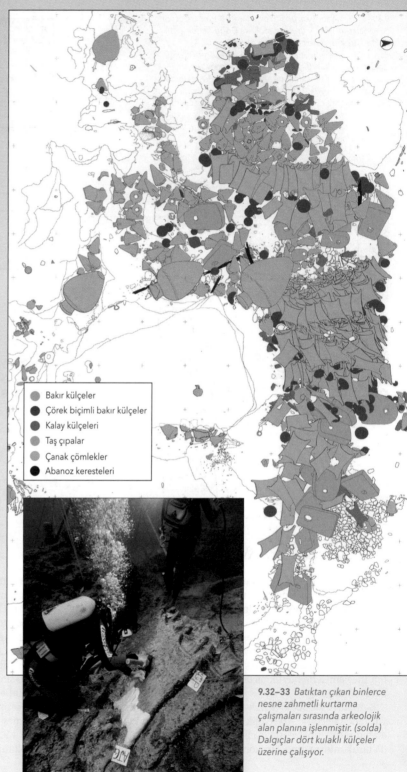

- 🟢 Bakır külçeler
- ⚫ Çörek biçimli bakır külçeler
- ⚫ Kalay külçeleri
- 🟢 Taş çıpalar
- 🟢 Çanak çömlekler
- ⚫ Abanoz keresteleri

9.32–33 *Batıktan çıkan binlerce nesne zahmetli kurtarma çalışmaları sırasında arkeolojik alan planına işlenmiştir. (solda) Dalgıçlar dört kulaklı külçeler üzerine çalışıyor.*

380

BATIK BULUNTULARI

Altın 37 parça: 9 pandantif (Kenan ve Suriye?) • güneş/ışın motifli 4 madalyon • Nefertiti'nin skarabesi • konik ve dik boyunlu kadeh • yüzük • Hurda **Gümüş** 2 bilezik (Kenan?) • 4 bilezik parçası (hurda) • 3 bilezik (1 Mısır kökenli) • kâse ve diğer hurda parçaları **Bakır** 350'den fazla dört kulaklı külçe (her biri 27 kg) • 120'nin üzerinde tam ya da kısmi bir yüzü düz diğer yüzü dış bükey ya da "çörek" biçimli külçe • başka külçeler **Tunç** tanrıça heykeli, kısmen altın varakla kaplı • alet ve silahlar (Kenan, Miken, Kıbrıs ve Mısır tasarımları): hançerler, kılıçlar, mızrak uçları, ok uçları, baltalar, keserler, çıpalar, orak bıçakları, keskiler, bıçaklar, jiletler, maşalar, delgi uçları, bizler, testere • 1 çift çalpara • hayvan şeklinde ağırlıklar: 2 kurbağa, 5 boğa, sfenks, ördek, su kuşu, erkek ve dişi aslan, köpek (?) başı • terazi keseleri ve ağırlıkları • kurşun dolgulu disk üzerinde bir erkek ve üç dana figürini • kâse ve kazan parçaları • yüzükler • iğneler • olta iğneleri, üç dişli mızrak, zıpkınlar **Kalay** 100'ün üzerinde kalay külçe ve külçe parçası (yuvarlak çörek, dört kulaklı, levha ve büyük disk şekilli olanlar ait kısımları) • kupa, matara biçimli kap, tabak **Kurşun** 1000'in üzerinde balık ağı ağırlığı • misina ağırlıkları • terazi kesesi ağırlıkları **Fayans** 4 rhyton (koç başı formunda) • kadın başı şeklinde kadeh • çift konik yivli boncuklar • diğer boncuk tipleri **Cam** 150'nin üzerinde kobalt mavisi ve açık mavi disk külçe (Kenan?) • boncuklar (çoğu Kenan amforaları içinde saklanmıştı) **Mühür taşları vb.** 2 adet kuvars silindir mühür (1 tanesinin mühürü altındır) • hematit mühür (Mezopotamya) • altın

çerçeveli sabuntaşı (?) skarabe • 8 adet başka mühür (Mısır ve Suriye? kökenli) • 2 adet mercimek biçimli Miken mühür taşı • 6 adet başka mühür • Baltık'tan kehribar boncuklar • ön yüzünde "Ptah, Hakikatin Efendisi" hiyeroglifi bulunan küçük taş levha **Taş** 24 çıpa • taş safralar • terazi kefesi ağırlıkları; gürz başları • yaklaşık 700 akik boncuk • dibek ve tabla • bileği taşları **Çanak çömlek** 10 büyük pithos (bir tanesinin içinde 18 Kıbrıs kabı parçası vardır) • 150 civarında amfora (Kenan tipi) • Miken kyliksi (Rodos?); üzengi kulplu kaplar, fincanlar, testiler, maşrapa, matara • matara şekilli kaplar • Suriye testileri • çok çeşitli Kıbrıs çanak çömleği **Fildişi** 13 su aygırı dişi • kesilmiş bütün fil dişi ve parçası • 2 adet ördek şeklinde kozmetik kutusu • su aygırı dişinden oyulmuş koç boynuzu şeklinde boru • asalar, tutamaklar, dekoratif kakma parçaları **Ahşap** geminin gövdesi (sedir gemi omurgasına sert ağaç çivisiyle tutturulmuş zıvanaların sabitlediği sedir keresteler) • Afrika karaağacı (Mısır abanozu) keresteleri • 2 ahşap diptik: • 3 parça fildişi menteşeyle birleştirilmiş 2 ahşap yaprak **Diğer organik malzemeler** dikenli çayır düğmesi (kargoyu sarmak için kullanılan çalı) • amforalarda taşınan zeytinler • bir pithosta saklanan narlar • üzümler, inciler, yemişler, baharatlar • 100'ün üzerinde amforada saklanmış sarı sakız ağacı reçinesi (parfüm ya da tütsü muhtevası?) • binlerce yumuşakça operkülü (tütsü muhtevası?) • kemik astragaller • devekuşu yumurtaları ve yumurta kabuğu boncukları • 28 deniz kabuğu halka • 6'nın üzerinde kaplumbağa kabuğu parçası (bir lavtanın ses kutusu?)

9.34–36 Batıktan üç dikkat çekici buluntu (sağ üstte, saat yönünde, soldan): kısmen altın bir varakla kaplı, belki de geminin koruyucusu olan tunç bir tanrıça heykelciği; fildişi menteşelere ve balmumu yazı yüzeyini tutan oyuklara sahip şimşir bir diptik (katlanan levhaları olan bir nesne); yukarı kaldırdığı her iki elinde bir gazal tutan bir tanrıçanın betimlendiği altın pandantif.

9.37 Aşağıdaki harita Uluburun'da bulunmuş talihsiz geminin muhtemel rotasını göstermektedir.

Doğu Akdeniz kaynaklı fil ve su aygırı dişleriyle olasılıkla Kuzey Afrika ya da Suriye'den gelmiş devekuşu yumurtalarına rastlandı. Batıkta ele geçen tunç aletler ve silahlar Mısır, Doğu Akdeniz ve Miken formlarının bir karışımıydı. Diğer önemli buluntular arasında Suriye ve Mezopotamya tipinde bazı silindir mühürler, cam külçeler (dönemin özel ve pahalı bir malzemesi) ve altın bir kadeh bulunuyordu.

Deniz yatağında keşfedilen bu şaşırtıcı hazine, Akdeniz'deki Tunç Çağı ticaretine anlık bir bakış sağlar. Bass ve Pulak geminin son yolculuğuna Doğu Akdeniz'de başladığını düşünmektedir. Olağan rotası Kıbrıs, ardından Türkiye kıyısı boyunca ilerleyerek Kaş ve buradan Girit'in batısı ya da büyük ihtimalle Yunanistan'daki büyük Miken merkezlerinden biri veya Karadeniz'in Tuna bölgesine özgü mızraklarla bir törensel asa/topuza bakılırsa daha kuzeyde bir yerdi. Bundan sonra mevsimsel rüzgârlardan faydalanıp açık denizde güneye inerek Kuzey Afrika'ya, Nil'in doğusunda Mısır'a, ardından Fenike'ye, yani evine dönecekti. Fakat bu sefer mürettebat gemiyi, kargoyu ve muhtemelen hayatlarını Uluburun'da kaybetmişti.

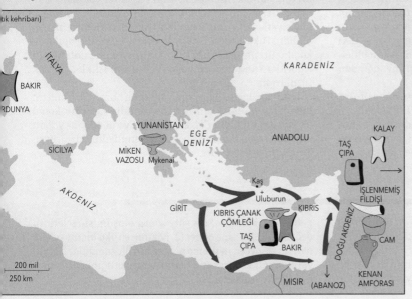

ÜRETİMİN ARAŞTIRILMASI

Üretim, dağıtım (genellikle değiş tokuşla birlikte) ve tüketimin dâhil olduğu bir sistemde neler olduğunu anlamanın en iyi yollarından biri, işe üretim yeriyle başlamaktır. İster hammaddenin kaynağından, ister malzemenin bitmiş ürünlere dönüştürüldüğü yerden ya da insan işi bir malzemenin üretim yerinden bahsedelim, böyle bir mekânın bize öğretebilecek çok şey vardır. Üretimin nasıl organize edildiğini bilmemiz gerekir. Uzman zanaatkârlar işlerinin başında mıydı yoksa insanlar istediklerini almak için serbestçe kaynaklara ulaşabiliyorlar mıydı? Eğer uzman zanaatkârlar varsa bunlar nasıl organize olmuşlardı ve üretimin boyutu neydi? Ürün tam olarak hangi biçimiyle naklediliyor ve değiş tokuş ediliyordu?

Ocakların ve madenlerin incelenmesi artık arkeolojinin iyi gelişmiş alanlarından biridir. Kaynak alanının hem jeolojik oluşum hem de artık malzemelerin dağılımı yönünden detaylı haritalandırılması ocaklar için atılacak ilk adımdır. Robin Torrence'ın Ege adalarından Melos'taki obsidyen ocakları üzerine yaptığı çalışma iyi bir örnektir. Torrence'ın yönelttiği temel soru, Melos'ta yaşayan uzman zanaatkârların bu kaynaktan faydalanıp faydalanmadığı ya da kaynağın tekneleriyle gelip istedikleri zaman malzemeyi toplayan gezginler tarafından mı değerlendirildiğiydi. Yaptığı çok yönlü analiz, ikinci olasılığa ve uzman zanaatkârların burada çalışmadığına işaret etti; ada doğrudan erişilebilen bir kaynaktı.

Üretimi çalışmak için en ilginç tekniklerden biri aletlere şekil verirken geride bırakılan artıkların rekonstrüksiyonudur. C.A. Singer bunu California'nın güneyindeki Colorado Çölü'nde bulunan ve Holosen'den itibaren uzun bir işletme geçmişine sahip felsit ocaklarında yapmıştır. Ocaklardan birindeki (Riverton 1819) yonga ve nesneleri 63 km uzaklıktaki bir arkeolojik alandakilerle tekrar birleştirmeyi başarmış ve böylece hammaddenin kaynağından öteye hareket ettiğini göstermiştir.

Bu, etnografya çalışmalarının, özellikle de Avustralya ve Papua Yeni Gine ocaklarındakilerin çok bilgilendirici olduğu bir alandır. Bunlar ve benzer üretim sistemlerinin çalışılmasında karşılaşılan sorunlar değil, aynı zamanda bunların üstesinden gelecek çözümler konusunda da içgörüler elde edilmektedir (karşı sayfadaki kutuya bakınız).

Madenlerde yapılan arkeolojik kazılar özel imkânlar sunar. Mesela İngiltere'nin doğusundaki Norfolk'ta, Grimes Graves'te bulunan Neolitik çakmaktaşı madenlerinde (s. 321'e bakınız) Roger Mercer her bir maden galerisinden elde edilen toplam çakmaktaşını hesaplayabilmiş ve galeriyi kazmak için gerekli iş miktarını tahmin edebilmiştir. Böylece fiili çıkarma süreci için bir tür süre ve hareket incelemesi oluşturmuştur.

Hammaddeleri işleyen ustalara dair incelemeler bazı malzemeler için yapılmıştır. Bunlardan biri, Philip Kohl'un Sümer Dönemi'nde (MÖ 2900-2350) yeşil kloritten zarif bezemeli taş kâselerin üretimi ve dağılımı üzerine yürüttüğü çalışmadır. Kohl İran'ın doğusundaki Tepe Yahya ile Şehr-i Suhta adlı iki arkeolojik alanı incelemiş ve kullanılan üretim yöntemlerini Meşhed'deki modern yumuşak taş işlikleriyle karşılaştırmıştır. Meşhed'de torna gibi modern aletlerden yararlanılarak gerçekleştirilen seri üretim Tepe Yahya'da uygulanan çok daha yavaş üretim yöntemleriyle belirgin derecede tezat oluşturuyordu. Ürünlerin dağılımı da birbirinden farklıydı. Antik klorit kaplar erken şehir merkezlerinin yönetici üst sınıflarıyla sınırlıyken, Meşhed kapları daha geniş bir kitleye hitap ediyordu. Modern örneklerle yapılan böyle karşılaştırmalar arkeolojik nesnelerin dağılımlarıyla ilgili önemli özellikleri aydınlatabilirler. Günümüz tarım toplumlarında, köylerdeki zanaat uzmanlaşması üzerine yapılacak çalışmalar, geçmişteki üretim tekniklerini öğrenmenin başka bir yoludur.

Şehirleşmiş arkeolojik alanlarda uzmanın konumu, böyle yerlerdeki araştırmalarda ana hedeflerden biri olmalıdır. Fakat sadece işliklerde ve özel tesislerde yapılacak kazılar üretimin boyutu ve organizasyonuna dair uygun içgörüler sunabilir. En yaygın bulunan işlikler çömlek fırınlarıdır.

Tertibatın büyüklüğü bazen üretimin bazen de ürünlerin büyüklüğünü ifade etmek için yeterlidir. Örneğin Roma Britanya'sının filosu *Classis Britannica*'ya gönderme yapan tuğlalar, resmî organizasyonun gözetimi altında yürüyen bir üretime işaret eder.

TÜKETİMİN ARAŞTIRILMASI

Tüketim, üretimle başlayan ve dağıtım ya da değiş tokuş tarafından aracılık edilen bir silsilenin üçüncü bileşenidir. Ticareti yapılan mallar üzerine sadece birkaç ciddi çalışma vardır, fakat eğer alışveriş sürecinin doğası ve büyüklüğünü iyi anlamak istiyorsak böyle çalışmalar gereklidir. Konular kısa süre sonra oluşum süreçlerinin değerlendirilmesine döner (2. Bölüm), çünkü bir arkeolojik alanda ele geçen malzeme miktarının bir zamanlar ticareti yapılan miktarları kesin olarak temsil ettiğini düşünmek için hiçbir sebep yoktur.

ÜRETİM: AVUSTRALYA'DAKİ DİYORİT BULUNTULAR

AVUSTRALYA

Üretim ve dağıtım koşulları üzerine en detaylı incelemelerden biri, Isabel McBryde tarafından Güneydoğu Avustralya'da, Melbourne'ün kuzeyindeki dağ sırasında bulunan William Dağı'nın eteklerinde yapılmıştır. McBryde büyük bir taş ocağıyla işe başladı. Etnografik kaynaklara göre burası, Avustralya Aborjinleri arasında temel ve yaygın bir alet olan savaş baltasının üretimi için önemli bir kaynaktı. Ardından

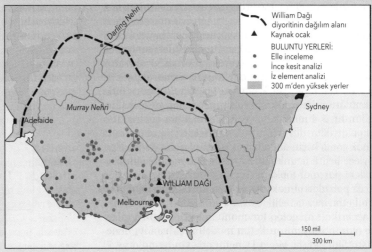

9.39–40 *Sırtları boyunca işletilmiş taş ocaklarıyla William Dağı (üstte) ve ocağın diyoritinden yapılmış nesnelerin dağılımını gösteren harita (altta).*

McBryde petrograf Alan Watchman'la iş birliği yaparak ocağın ürünlerini müze koleksiyonlarında belirledi. Diğer ocaklardan gelen benzer görünüşteki diyoritler, temel ve iz element analizleriyle desteklenen ince kesit analizi sayesinde ayırt edilebilirdi.

McBryde ocaktaki işlenmiş kaya yüzeylerini haritalandırdı ve örnekler aldı. Diyorit kaya yüzeyinin gömülü olduğu William Dağı'nın sırt zirvesindeki sıralı ocak kuyularında aşınmamış taşlar çıkarılıyordu. İşlenmiş kaya yüzeylerinin etrafında, ocak artıklarından meydana gelen yamaç döküntüleri vardı ve izole yongalama alanları çekirdeklerin ve ön çalışmaların şekillendirildiği alanlara işaret ediyordu.

Çalışma aynı zamanda ocağın bulunduğu arkeolojik alandan gelen buluntuların dağılımını kapsıyordu. Epigrafik kanıtlardan yararlanan McBryde, ocağa erişimin katı bir şekilde sınırlandırıldığını gösterdi; çıkarılan taşlar sadece arkeolojik alanın "sahiplerine" akrabalık ilişkisi ya da törensel üyelikle bağlı olanlara açıktı.

McBryde'ın sözleriyle, "Ocak Melbourne 1830'larda ilk kez iskân edildiğinde hâlâ kullanılıyor ve katı gelenekler çerçevesinde işletiliyordu. Yüzeye çıkmış kayalar Woiwurrung dili konuşan bir gruba aitti ve sadece belirli bir aileye mensup olanların onlarla çalışmasına izin vardı. Ocakta çalışmakla yükümlü son kişi olan Billi-billeri 1846'da ölmüştü."

Taşlara takas edilmek üzere Goulburn ve Murray ırmaklarından kamış mızraklar getiriliyordu. Üç parça William Dağı taşının opossum derisinden bir mantoyla takas edildiği kaydedilmişti: "tek bir kıyafet için birçok hayvana

ihtiyaç duyulabileceği bir zamanda kürkün kendisi avcılık, deri hazırlama, dikiş ve süsleme açısından kayda değer bir işçilik yatırımıydı." Dolayısıyla başlangıçtaki takaslar baltaları sadece ocak çevresindeki oldukça sınırlı bir alana kadar taşımaktaydı. Bunların daha geniş –500 km'ye kadar- dağılımı komşu grupların sonraki zincirleme takasları sonucunda gerçekleşmişti.

9.41 *Petrograf Alan Watchman William Dağı ocağındaki diyorit kayadan örnek alıyor. Kaya bileşiminin başka yerlerde bulunmuş diyorit baltalarla karşılaştırılması, buluntuların çıktıkları ocaklarla eşleştirilmesini mümkün kılmıştır.*

İlk önce kazılan malzemelerin artık mı yoksa kayıp mı oldukları sorulmalıdır. Kazılarda özenle bakılan değerli nesnelere, az itibar gören gündelik olanlara göre daha az rastlanır. İkinci olarak atılmış ve kayıp nesnelerin ya da artıkların arkeolojik kayda nasıl girdikleri hesaba katılmalıdır. Konut alanlarında temizlik ve çöplerin tasfiyesi önemlidir. Herhangi bir çalışma, bu iki oluşum sürecini ve bunların süresini değerlendirmeksizin düzgün bir şekilde ilerleyemez.

Malzeme miktarının çok dikkatli biçimde hesaplanması gerekir. Bu da arkeolojik alanda örnekleme için net usuller ve standartlaştırılmış açığa çıkarma işlemleri anlamına gelir. Çoğu kazıda kazılan topraktan örnekler alınarak bunlar ince elekte su yardımıyla (sulu eleme) süzgeç ya da kalburdan geçirmek normal bir uygulamadır. Bitki kalıntılarını elde etmek için yüzdürme tekniği de (6. Bölüm) kullanılır. 3-4 mm'lik ağ gözü boncukların, çakmaktaşı yonga artıklarının vb.nin bulunması için uygundur, ama çanak çömlek için daha büyük ağ gözü daha doğru olur. Böylece belirli uzunluğun (diyelim ki 1 ya da 2 cm) üzerindeki parçalar toplanır (sayımlarda 1 ya da 2 cm'den küçük parçaları atmak veya en azından bunları sayımlara dâhil etmemek genellikle akla uygundur).

Amerikalı arkeolog Raymond Sidrys özel bir malzeme olan obsidyenin tüketim modelini çalışmayı denemişti. Sidrys Eski Maya Dönemi'nde Guatemala ve El Salvador'daki kaynak alanlarına ait obsidyenlerin tüketiminin farklı arkeolojik alanlara göre değişiklik gösterip göstermediğini anlamak istedi. Yakındoğu'daki gibi (s. 379'daki görsel 9.30-31'e) Maya bölgesinde de obsidyen buluntu sıklığı, kaynaktan uzaklaşıldıkça katlanarak düşüyordu. Fakat bu düşüş modeli hesaba katılınca farklı arkeolojik alan tiplerinde kullanılan obsidyen miktarında değişiklik var mıydı? Sidrys bu soruyu iki obsidyen miktarı ölçümüyle cevaplamak için harekete geçti. İlk olarak her bir arkeolojik alan için obsidyen yoğunluğunu (OY) gösteren bir ölçüm kullandı:

$$OY= \frac{\text{Obsidyen kütlesi}}{\text{Kazılan toprağın hacmi}}$$

Bu kıstas kazılan toprak miktarını hesaplamak ve toprak elenirken ele geçen obsidyenin (bitmiş nesneler ve artık malzeme) toplam ağırlığını tartmayı içeriyordu.

9.42 Maya obsidyeninin tüketimi. Raymond Sidrys'in bu analizinde iki farklı düşüş eğrisi (logaritmik ölçekte kâğıda aktarıldığı zaman üstel düşüş düz bir çizgi olarak kendini gösterir) modeli ortaya çıkmıştır. Bunlardan biri küçük merkezler (boş çemberler), diğeri ana merkezler (dolu çemberler) içindir.

İkinci ölçü obsidyen azlığını (OA) vermekteydi:

$$OA= \frac{\text{Obsidyen nesne sayısı}}{\text{Çömlek parçası sayısı}}$$

Sidrys'in hesaplamaları obsidyenin küçük merkezlerde büyük törensel merkezlere göre daha az olduğunu açıkça gösterdi.

Merkezler arasındaki bu ayrılığın farklı tüketim modellerine mi yoksa büyük merkezlerin imtiyazlı alıcılar olarak davrandığı farklı bir dağılıma mı atfedilmesi gerektiği tartışma konusudur. Her hâlükârda proje tüketimle ilgili konuları değerlendirmeye yönelik öncü bir girişimdir.

TAKAS VE ETKİLEŞİM: SİSTEMİN BÜTÜNÜ

Arkeolojik kanıtlar nadiren bir değiş tokuş sisteminin tümünü yeniden kurgulamaya izin verecek niteliktedir. Örneğin, yazılı kayıtlar olmaksızın neyin ne karşılığında alındığını ve her bir mala hangi belirli değerlerin atfedildiğini saptamak çok zordur. Üstelik organik malzemelerle yapılan değiş tokuşlar arkeolojik kayıtlarda ya çok az iz bırakır ya da hiç bırakmaz. Çoğu durumda yapmayı umacağımız tek şey, kaynaklar ve dağılım hakkında arkeolojik olarak elde edilmiş kanıtları uyuşturmaktır. Böyle bir projeye iyi bir örnek, Jane Pires-Ferreira'nın Meksika'daki Oaxaca'da yaptığı çalışmadır.

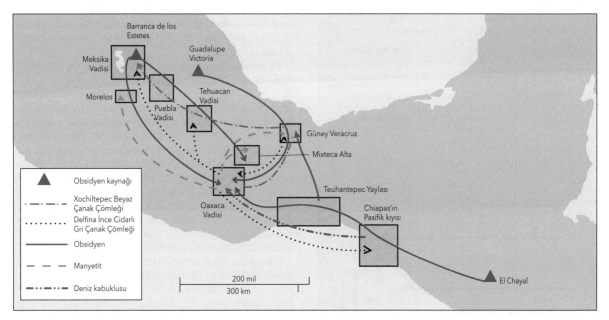

9.43 *Sistemin bütünü: Beş farklı malzemenin incelenmesiyle meydana çıkmış Jane Pires-Ferreira'nın haritası, Erken Klasik Öncesi Mezoamerika'nın bölgelerini birbirine bağlayan bazı malları göstermektedir.*

Eski Meksika'da bir Değiş Tokuş Sistemi. Jane Pires-Ferreira Oaxaca'da Erken ve Orta Klasik Öncesi dönemlerde (MÖ 1450-500) kullanılmış beş malzemeyi çalıştı. Bunlardan ilki dokuz kaynağı tespit edilmiş *obsidyendi*. Bunlar nötron aktivasyon analiziyle karakterize edildi ve ilgili değiş tokuş ağları saptandı. Ardından Pires-Ferreira bir başka malzemenin, *sedef kabuklarının* değiş tokuş ağını değerlendirdi ve burada biri Pasifik sahilinden, diğeri Atlantik'e dökülen tatlı su kaynaklarından olmak üzere denizden malzeme getiren iki farklı ağın işlediği sonucuna vardı.

Bir sonraki çalışması için Klasik Öncesi Dönem'de ayna yapmak için kullanılmış *demir cevherini* (manyetit, ilmenit ve hematit) ele aldı. Burada uygun karakterizasyon tekniği Mössbauer spektroskopisiydi. Sonunda, üretim alanları (sırasıyla Oaxaca ve Veracruz) üsluba göre belirlenebilen iki *çanak çömlek* kategorisi ortaya koydu.

Daha sonra bu sonuçlar tek bir haritaya yerleştirildi (yukarıda) ve Erken Klasik Öncesi Dönem'de Mezoamerika'nın bölgelerini birtakım değiş tokuş ağlarına bağlayan bazı mallar ortaya çıkarıldı. Proje açıkça eksiktir ve görece değerlere dair herhangi bir kavram sunmaz, fakat eldeki karakterizasyon bulgularını mükemmel bir şekilde kullanır ve arkeolojik kanıtlarla sağlam bir şekilde temellendirilmiş bir ön sentezi görev edinir.

Takas Sistemine Dair Başka İçgörüler. Bir para ekonomisinde bazen analizimizi daha ileriye götürmek mümkündür, çünkü tek, müşterek ve tanınabilir bir değer birimi oldu-ğunda ekonominin toplam iş hacmiyle ilgili bazı ölçümler yapılabilir. Sikkelerin bulunduğu bir ekonomi örneğinde ekonomik sistemdeki muhtelif basamaklar yeniden kurgulanabilir: Darpla ilgili şartlar incelenebilir ve başka kaynaklar sayesinde vergi sistemine dair bir şeyler öğrenilebilir.

Daha özel bir düzeyde, sikkeler sıklıkla uzam ve zaman içinde karşılıklı etkileşimlerin yoğunluğuyla ilgili doğru bulgular verirler, çünkü genellikle tarihlenebilirler ve üzerlerinde darp yeri çoğunlukla belirtilir. Bu durum, Amerikalı arkeolog J.R. Clark tarafından Suriye'nin doğusunda bulunan Dura-Europos yerleşimine ait Roma Dönemi sikkeleri üzerine yapılan çalışmada örneklenmiştir. Clark burada ele geçmiş 10.712 sikkeyi incelemiştir. Bunlar Yakındoğu'daki 16 farklı Yunan şehrinde darp edilmişti ve hepsini dört farklı zaman dilimine bölerek MÖ 27-MS 256 arasında Dura'nın diğer şehirlerle ticari ilişkilerinin nasıl değiştiğini; MS 180 kadar ticaretin genişlediğini ve MS 180-256 arasında kesin bir düşüş olduğunu gösterdi.

Ne var ki genelde, alışverişle ilgili veriler tek başlarına bütün sistemin işleyişini belgelemek için yetersizdir. O hâlde, sistemi açıklamak için 12. Bölüm'de değinilen alternatif modeller üzerinde düşünmek gerekir. Böyle varsayımsal yöntemlerin kullanımı, neyin belgelendiği ve neyin varsayımında bulunulduğu gözden kaybedilmezse gayet uygundur.

Danimarkalı arkeolog Lotte Hedeager'in Kuzey Avrupa'yla Roma İmparatorluğu sınırları arasındaki "tampon bölge" ve daha uzaktaki "Bağımsız Germania" toprakları üzerine yaptığı çalışma iyi bir örnek teşkil etmektedir.

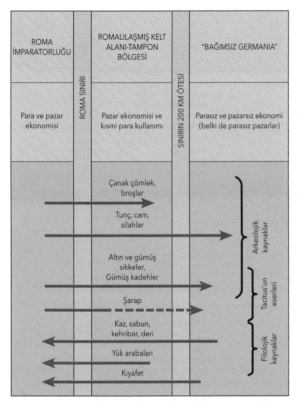

9.44 *Lotte Hedeager Roma İmparatorluğu ile "Bağımsız Germania" arasındaki alışveriş sistemini çalışmıştır. Arkeolojik, edebi ve filolojik kaynakları kullanarak Roma-German ticaretinin üç ekonomik sistemi bünyesinde barındırdığı sonucuna vardı: (1) Para ve pazar ekonomisiyle Roma İmparatorluğu; (2) Bağımsız bir para sisteminden yoksun, fakat belki pazarları da içine alan kısıtlı bir para ekonomisiyle sınırdan yaklaşık 200 km öteye uzanan bir "tampon bölge"; (3) Parasız ve pazarsız ya da belki parasız pazarlara sahip "Bağımsız Germania." Arkeolojik kanıtlar German kavimlerinin temel olarak Roma lüks mallarını (tunç ve cam, sikke şeklinde altın ve gümüş) prestij nesneleri (10. Bölüm'e bakınız) olarak ithal ettiklerini göstermektedir. Filolojik ve diğer kanıtlar bunların karşılığında Romalıların sabun, deri, yük arabaları ve kıyafet aldıklarını düşündürmektedir.*

Hedeager yazılı ve epigrafik kaynaklar dışında arkeolojik kaynakları da kullanarak bütün sistemin varsayımsal bir görünümünü oluşturmuştur (üstteki görsele bakınız).

Kültürel Değişimin Nedeni Olarak Ticaret

Ulus devletin veya imparatorluğun daha küçük ve başlangıçta bağımsız birimlerin ticari etkileşiminden doğuşunda ticaretin muhtemel rolü, karşı sayfadaki çizimde görülmektedir. Şehir devletleri ya da diğer bağımsız birimler (erken devlet emsalleri=EDE) hem yerel düzeyde hem de

başkentleri aracılığıyla ticaret yaparlar. Bu mal akışının daha büyük bir ekonomik birleşmeye temel oluşturabildiği durumlar vardır.

Bu kavram Immanuel Wallerstein'ın "dünya sistemi"yle ilişkilidir (s. 358-359'a bakınız). Bazı arkeologlar "dünya sistemi"ni kapitalizm öncesi dünyaya Wallerstein'ın önermediği bir usulle uygulamanın yollarını aramıştır. Fakat burada açıklama olarak yanlış anlaşılan tanım tehlikesi mevcuttur. Belirli alanların bir ekonomik "dünya sistemi" olarak birleştiğini iddia etmek tek başına bir şey kanıtlamaz ve analiz yapan kişinin, oldukça alçakgönüllü ticaret bağlarından kaynaklanan etkileri kolayca abartmasına yol açabilir. Çünkü tartışmayı nüfuz (varsayılan merkez alan için) ve bağlılık (varsayılan çevre için) kavramlarına göre şekillendirir. Aslında süreçsel arkeolojinin üstesinden gelmek için çok uğraştığı, "nüfuz" ile değişim gibi düşüncesizce açıklamalara rahatlıkla yönlendirebilir.

Eğer değiş tokuş sistemlerinin yorumda önemli bir rolü varsa, o zaman modelin açık bir çerçevesinin çizilmesi gerekir. Bu model alışverişin bütün sistem içindeki rolünü ve mal akışıyla sistem içinde iktidarın kullanımı arasındaki ilişkiyi göstermelidir.

Böyle bir modelin iyi bir örneği, İlk Demir Çağı Fransa ve Almanya'sında son derece kademeli bir topluma geçiş için Susan Frankenstein ve Michael Rowlands tarafından önerilmiştir. İkili, yerel şeflerin Akdeniz dünyasından gelen prestij mallarının temini üzerindeki kontrolleri sayesinde bu bireylerin mevkilerini yükselttiğini iddia etmişlerdir. Bu amaçla şefler değerli nesneleri hem kullanıyor hem sergiliyor (arkeologların keşfettiği krali mezarlardaki gömütler de kullanıma dâhildir) hem de bir kısmını takipçilerine dağıtıyorlardı. Daha belirgin bir hiyerarşiye doğru değişim, büyük ölçüde seçkinlerin değiş tokuş ağlarını kontrollerinde tutmasıyla meydana gelir. William L. Rathje Maya düzlüklerindeki önde gelen seçkinlerin yükselişi ve dolayısıyla Klasik Maya uygarlığının doğuşuyla ilgili benzer bir model sunmuştur.

Bunlar kültürel sistemdeki değişimi açıklamak üzere ortaya atılmış modellerdir ve ne anlama geldikleri arkeolojide yorumun niteliğini ele alan 12. Bölüm'de tartışılacaktır. Ancak burada onlara değinmek yerinde olur, zira dış ticaret ve değiş tokuş kültürel değişim için öne sürülen birçok açıklamanın ayrılmaz parçalarıdır.

Sembolik Değiş Tokuş ve Etkileşim

Bu bölümün başında etkileşimin sadece maddi ürünlerin değil, fikirler, semboller, icatlar, istekler ve değerler şeklindeki bilginin alışverişini de içerdiğini vurgulamıştık. Modern arkeoloji karakterizasyon çalışmaları ve uzamsal analizleri kullanarak maddi değiş tokuşların üstesinden gelebilmektedir, ancak etkileşimin sembolik cephesinde o kadar etkili değildir.

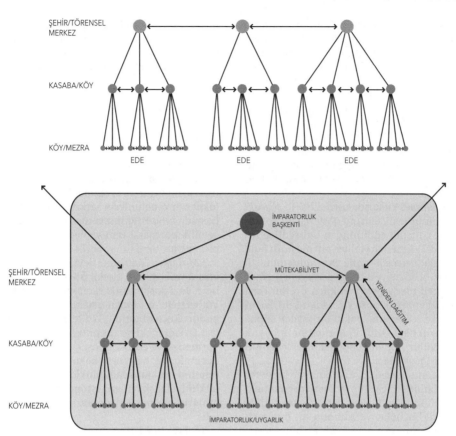

9.45 *Bir imparatorluğun ticareti ve gelişimi. (üstte) Münferit şehir devletleri veya diğer bağımsız birimler (erken devlet emsalleri, EDE) hem yerel düzeyde her bir EDE dâhilinde hem de başkentleri aracılığıyla daha üst bir düzeyde ticaret yaparlar. (altta) Belirli durumlarda bu üst düzey etkileşimler, erken devlet emsallerinin daha geniş ölçekli bir birime, imparatorluk veya uygar devlete entegre olmasına yol açar.*

Sınırlı bir alandaki bir dizi yerde ortaya çıkan çapıcı bir yeni teknoloji genellikle bilgi akışının, dolayısıyla temasın göstergesidir. Paralel teknolojik yeniliklerin uzak bir mesafede görülmesi pekâlâ bağımsız bir icadın işareti olabilir ve başka kanıtların (böyle yeniliklerin gerçekten iletişimi ima ettiği kesintisiz bir bölge) yokluğunda temasın göstergesi olarak kullanılmamalıdır.

Hindistan'a kadar uzamış olması muhtemel bir değiş tokuş ağına işaret eden milattan önce son birkaç yüzyıla ait Güneydoğu Asya boncuklarına dair bir çalışma iyi bir örnek teşkil eder. Güneydoğu Asya'da MÖ 1. binyılda ortalama veya vasat kalitede çok sayıda boncuk yapan üretim merkezleri gelişmeye başlamıştı. Hindistan ürünleri ve Güney Asya yapımı boncukların gidecekleri yerler arasındaki ayrımın mevki temelli olduğu ileri sürülmüştür.

Yukarıda da belirtildiği ve 12. Bölüm'de daha ayrıntılı incelendiği üzere, komşu alanlar arasındaki etkileşimleri basitçe bir alanın diğeri üzerinde hâkimiyet kurduğu

"difüzyon" olarak adlandırma eğilimi vardır. Bu türden hâkimiyet modellerine karşı verilecek bir yanıt, otonomi anlamında bir alanın diğerinden tamamen bağımsız olduğunu düşünmektir. Fakat önemli etkileşim ihtimallerini dışarıda bırakmak gerçekçi görünmez.

Alternatif çözüm, hâkimiyet ve bağlılık, merkez ve çevre hakkında varsayımlarda bulunmayan, fakat farklı alanları az çok eşit düzeyde hesaba katan etkileşimlerin sembolik ögeleriyle birlikte analizini tercih etmektir. *Eşit yönetimler* olarak bilinen eşit mevkideki yönetim birimleri (bağımsız toplumlar) arasındaki böyle etkileşimleri ele alırken *etkileşim alanlarından* bahsetmek daha kullanışlıdır. Terim ilk kez merhum Joseph Caldwell tarafından Amerika Birleşik Devletleri'nin doğusundaki Hopewell halkının etkileşim alanlarına uygulanmıştır.

Eşit yönetimler arası etkileşim bazıları ayırt edilebilen birçok şekilde olabilir:

1 Rekabet. Komşu alanlar birbirleriyle farklı yollardan rekabet eder ve kendi başarılarını komşularınınkine göre değerlendirirler. Bu, sıklıkla muhtelif alanların temsilcilerinin buluştuğu, bir töreni kutladıkları, bazen oyunlar ve başka girişimlerde yarıştıkları büyük bir törensel merkezde sembolik bir şekil alır.

Böyle bir davranış büyük birlikler hâlinde (Avustralya'da *corroboree* olarak adlandırılır) bir araya gelen avcı-toplayıcı gruplarda görülür. Aynı zamanda haclarda ve devlet toplumlarının törenlerinde de yer alır. İkincisi, bütün şehir devletlerinden temsilcilerinin buluştuğu antik Yunanistan'daki Olimpiyat ve diğer Panhellen oyunlarında barizdir.

2 Rekabetçi öykünme. Yukarıdakilerle ilişkili olarak, bir yönetim biriminin komşularına gösterişçi tüketimle üstün gelmeye çalışma eğiliminden bahsedilebilir. Kuzeybatı sahilindeki Amerika yerlilerinin masraflı halk şölenlerinden –potlaç geleneği– daha önce bahsedilmişti. Her biri komşudakini boyut ve ihtişam açısından geçmek üzere bölgesel tören merkezlerine dikilen anıtlar bazı açılardan büyük benzerlik gösterir. Maya şehirlerindeki törensel merkezlerde buna yakın bir şeyden şüphe edilmektedir ve aynı olgu Ortaçağ Avrupa'sının büyük katedrallerinde görülür. Bunlar Yunan şehir devletlerinin tapınakları için de geçerlidir.

Böyle bir etkileşimin hemen göze çarpmayan bir etkisi şudur: Bu anıtlar birbirlerine üstün gelmeye çabalamakla birlikte, bu çaba sonuçta hemen hemen aynı şekilde vuku bulur. Belirli bir bölge ve zamana ait bu farklı yönetim birimleri, kesin şekli nerede çıktığı bilinmeyen aynı ifade tarzlarını paylaşırlar. Dolayısıyla belirli bir anlamda bütün Maya tören merkezleri, tıpkı bütün MÖ 6. yüzyıl Yunan tapınakları gibi aynı görünürler. Daha detaylı bakıldığında elbette birbirlerinden çok farklıdırlar, fakat inkâr edilemeyecek şekilde ortak bir ifade üslubunu paylaşmaktadırlar. Bu genellikle eşit yönetimler arası etkileşimin bir sonucudur. Birçok örnekte, tek bir yenilikçi merkezin bulunduğunu ve diğer bölgelerin ona göre çevrede yer aldığını farz etmek gerekmez.

3 Savaş. Savaş elbette bir çeşit rekabettir, fakat rekabetin hedefi ille de toprak kazanmak değildir. Beşinci Bölüm'de savaşın kurban edilmek üzere esir almak için de yapıldığını görmüştük. Savaş iyi anlaşılan kurallara göre işler ve en az burada listelenen diğerleri kadar bir etkileşim türüdür.

4 Yenilik aktarımı. Doğal olarak bir bölgede ortaya çıkan teknik ilerleme çok geçmeden diğer bölgelere yayılacaktır. Etkileşim alanlarının büyük kısmı gelişen bir teknolojiye katkıda bulunur ve bütün yerel merkezler, yani eşit yönetimler buna kendince iştirak eder.

5 Sembolik Katılım. Bilinen bir etkileşim alanı içinde yakınlaşma için sembolik sistemleri kullanma eğilimi vardır. Mesela, en yaygın dinin ikonografisi merkezden

merkeze birçok ortak yön barındırır. Aslında dinin biçimi de öyledir: Her bir merkezin kendine ait bir koruyucu tanrısı olabilir, fakat farklı merkezlerin tanrısal varlıkları bir şekilde uyumlu bir dini sistem dâhilinde işlev görürler. Dolayısıyla erken Yakındoğu'da her bir şehir devletinin kendi koruyucu tanrısı vardı ve farklı tanrısal varlıkların bazen birlikte savaşa gittiklerine inanılırdı. Fakat nasıl ölümlüler gündelik dünyanın farklı alanlarını işgal etmişlerse, farklı tanrısal varlıkların da aynı tanrısal dünyada yaşadıkları düşünülürdü. Benzer yorumlar Mezoamerika ya da antik Yunanistan için de yapılabilir.

6 Değerli nesnelerin törensel değiş tokuşu. Burada maddi olmayan (yani sembolik) etkileşimleri vurguladık, fakat eşit yönetimlerin seçkinleri arasında bu bölümün başında bahsettiğimiz türden bir dizi maddi değiş tokuş –evlilik partnerlerinin ve değerli hediyelerin değişimi– mevcuttu.

7 Mal akışı. Katılımcı devletler arasında olağan mallara dayalı büyük ölçekli alışveriş elbette atlanmamalıdır. Bazı durumlarda ekonomiler birbirlerine bağlanır. Wallerstein'ın "dünya sistemi"yle kastettiği tam olarak budur. Ancak burada, Wallerstein'ın 16. yüzyıl kolonileri örneğindeki ya da antik imparatorluklardaki gibi bir merkez ve çevre olması gerekmez. Bunlar da geçerli durumlardır, ama hem koloni dünyasına hem de antik imparatorluklara çoğunlukla uygun olmasına rağmen, hâkimiyet ilişkileri erken toplumlardaki etkileşim çalışmalarının tümü için bir paradigma hâline getirilmemelidir.

8 Dil ve etnik köken. En etkili etkileşim biçimi ortak dildir. Bu çok bariz bir nokta olabilir, ama arkeologlar tarafından çoğunlukla açık biçimde belirtilmez. Başlangıçta büyük bir dilsel çeşitlilik olsa bile ortak bir dilin gelişimi eşit yönetimler arası etkileşimle ilişkilendirilebilecek özelliklerden biridir. Ortak etnik kökenin gelişimi ve bir halk olmanın açık farkındalığı çoğunlukla dilsel etkenlere bağlanır. Fakat arkeologlar etnisitenin geçmişte her zaman mevcut olmadığını ancak yavaş yavaş anlamaya başlamıştır. Daha ziyade, sırasıyla etnisite zaman içinde etkileşimlerin sonucu olarak doğmuş ve kendisi de sırasıyla bu etkileşimlere tesir etmiştir.

Malların fiziki alışverişi kadar sembolik yönlerine de vurgu yapıldığı böyle kavramlar birçok erken toplum ve kültürlerdeki etkileşimleri incelemek için verimli bir şekilde kullanılabilir. Ancak bu türden sistematik analizler şimdiye kadar arkeolojide nadir görülmüştür.

Arkeolojide yorum tartışması bağlamında benzer meselelerin ele alındığı 12. Bölüm'de, bilişsel-süreçsel arkeoloji olarak adlandırılabilecek yeni bir arkeolojik yöntem sentezinin ortaya çıktığı öne sürülmüştür (s. 501-503'e bakınız). Sembolik niteliktekiler de dâhil etkileşimlerin çalışılması, bu yeni sentezin yöntemleri arasında önemli bir role sahip olacaktır.

ETKİLEŞİM ALANLARI: HOPEWELL

Birçok toplumda değerli eşyaların değiş tokuşu sıradan mallarınkine göre çok daha fazla önem arz eder. Bölgeler arasında az mal hareket ediyordu, çünkü her bir bölge nispeten kendine yeterdi ve büyük malların taşınması zordu. Bir etkileşim alanı olan Hopewell, bugün Amerika Birleşik Devletleri'nin doğusu olarak bilinen yerde milattan sonraki iki yüzyıl boyunca çok büyük bir ölçekte faaliyet göstermiştir.

Değerli malların alışverişine katılan birkaç bölgeden ikisi –Orta Ohio Vadisi'ndeki Scotio bölgesi ve Illinois'un Havana bölgesi– bu açıdan daha merkezi bir konumdaydı. Deniz kabukları, köpekbalığı dişi, mika ve diğer kayalarla mineraller güneyden; yerel bakır, gümüş ve pipotaşı kuzeyden gelmekteydi. Farklı bölgelerden çakmaktaşları alışveriş için yaygın olarak kullanılmıştı ve obsidyen batıdaki Wyoming kadar uzaktan geliyordu. Bu malzemeler tören ve kıyafetlerde kullanılmak

üzere çok özel nesneler hâline getiriliyordu. Yerel bakır balta, keser başı, büyük göğüslükler, başlıklar, çift taraflı kulak makaraları ve pan flütleri için muhafazalar gibi çeşitli şekillerde dövülmüştür. Mika levhaları ise geometrik biçimlerde ya da doğal dış hatlarına göre kesilmiştir. Çakmaktaşları, obsidyen ve kuvars kristali büyük iki yüzeyliler şeklinde yongalanmıştır. Deniz kabukları büyük kadeh ve boncuk şekline sokulmuştur. Oyulabilir yumuşak taşlardan ise özgün şekilli pipolar üretilmiştir.

Prestij mallarının yaygın takasına her bir bağımsız bölgenin benimsediği bir sembolik sistem eşlik etmekteydi. Çanak çömleğin de dâhil olduğu yerel mallar, süslemeler ve törensel önem arz eden nesneler tüm bölgeleri kapsayan bir üslupla yapılmıştır. Değiş tokuş malları, ölü kültü ve yangın tahribatı gibi durumlarda ortaya çıkmaktadır. Dolayısıyla buluntu formu ve tüketim şekillerinin ortaklığı dâhilinde, tüm bir etkileşim alanında daha önce

9.47 Levha bakırdan kesilmiş inciden gözü olan bir kuzgun ya da karga. Yükseklik 38 cm.

şahit olunmamış bir kültürel uyum görüntüsü yaratılmıştır. Yine de malzeme seviyesinde önemli bölgesel çeşitlenmeler söz konusuydu. En etkileyici toprak işlerinin bulunduğu yerlerde en büyük ve zengin gömütlere rastlanmıştır.

Amerikalı arkeolog David Braun Hopewell çevresinde bir eşit yönetimler arası etkileşimden (aynı zamanda bunların devlet değil, ama nispeten basit toplumlar olduğunu vurgulayarak) bahsetmiş ve rekabetçi öykünme ve sembolik eğlencenin diğer benzer etkileşim alanlarında olduğu gibi Hopewell'de de gözlenebileceğine işaret etmiştir.

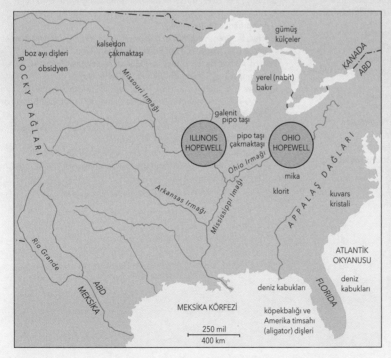

9.48 Yırtıcı kuş pençesi şeklinde mika süs.

ÖZET

Eğer söz konusu malzemeler kaynakları belirlenebilecek kadar özgünse ticaret ve takas sistemlerinin rekonstrüksiyonu yapılabilir. Bir yerde bulunan nesnenin menşeinin başka bir yerde olduğu tespit edildiğinde iki yer arasında temas meydana gelmiş demektir.

Karakterizasyon aracılığıyla nesneler yapıldıkları malzemelerin karakteristik özelliklerini bulmak üzere incelenir; böylece o malzemenin kaynağı tespit edilebilir. Bunun işe yaraması için malzemenin kaynağında onu diğerlerinden ayıran bir şey olması gerekir. Mesela taş nesnelerin ince kesitlerinde yapılan gözlemler, araştırmacının taş kaynağını mineral bileşenlerine göre tanımlamasına imkân tanır. Bir nesnede çok küçük miktarlarda bulunan iz elementler o nesneyi karakterize etmek için kullanılabilir. Örneğin nötron aktivasyon analizi bir parça obsidiyenin kaynağını belirli bir volkana, hatta bazen o volkanın belirli bir patlamasına kadar verebilir.

Yazılı kaynaklar mevcut olduğunda malların dağılımı hakkında çok fazla bilgi sunabilirler. Ticari mallar onların üreticisi tarafından bir şekilde (bir kil mühür ya da yazılı bir isim) pazarlanır ve bu bilgi sayesinde belirli bir üreticiye ait malların nerede bulunduğuna dayanarak bir dağılım haritası çıkarılabilir. Dağılım haritaları arkeolojik alanların ya da nesnelerin uzamsal analizinde yardımcı olur. Dağılımı görselleştirmenin başka bir yolu, ele geçen malzeme miktarının, buluntu yerlerinin kaynağa olan uzaklıklarına göre haritaya aktarıldıkları düşüş analizidir.

Ticaret ağlarının daha iyi anlaşılması madenler ve taş ocakları gibi üretim alanlarıyla malların tüketimine dair çalışmalardan ileri gelir.

Birbirleriyle maddi ticaret sayesinde temasa geçen toplumlar aynı zamanda fikirleri ve başka bilgileri de değiş tokuş etmişlerdir. Bu büyük olasılıkla teknoloji, dil ve kültürün yayılmasında doğrudan rol oynamıştır.

İLERİ OKUMA

Aşağıdaki çalışmalar arkeologların ticaret ve takas çalışmalarında kullandıkları yöntemlere ve yaklaşımlara iyi bir giriş niteliğindedir:

Brothwell, D.R. & Pollard, A.M. (ed.).2005. *Handbook of Archaeological Science*. John Wiley: Chichester.

Dillian, C.D. & White, C.L. (ed.). 2010. *Trade and Exchange: Archaeological Studies from History and Prehistory*. Springer: New York.

Earle, T.K. & Ericson J.E. (ed.). 1977. *Exchange Systems in Prehistory*. Academic Press: New York & Londra.

Ericson, J.E. & Earle T.K. (ed.). 1982. *Contexts for Prehistoric Exchange*. Acedemic Press: New York & Londra.

Gale, N.H. (ed.). 1991. *Bronze Age Trade in the Mediterranean*. (Studies in Mediterranean Archaeology 90). Åström: Göteborg

Lambert, J.B. 1997. *Traces of the Past: Unraveling the Secrets of Archaeology through Chemistry*. Helix Books/Addison – Wesley Longman: Reading, Mass.

Polanyi, K., Arensberg, M. & Pearson, H. (ed.). 1957. *Trade and Market in the Early Empires*. Free Press: Glencoe, Illinois.

Pollard, A.M. & Heron C. (ed.). 2008. *Archaeological Chemistry*. (2. basım). Royal Society of Chemistry: Cambridge.

Renfrew, C. & Cherry, J.F. (ed.). 1986. *Peer Polity Interaction and Socio-political Change*. Cambridge University Press: Cambridge & New York.

Scarre, C. & Healy, F. (ed.). 1993. *Trade and Exchange in Prehistoric Europe*. Oxbow Monograph 33: Oxford.

Torrence, R. 2009. *Production and Exchange of Stone Tools: Prehistoric Exchange in the Aegean*. Cambridge University Press: Cambridge & New York.

NE DÜŞÜNÜYORLARDI?

Bilişsel Arkeoloji, Sanat ve Din

Bilişsel arkeoloji –geçmiş düşünce biçimlerini maddi kalıntılardan çalışmak– birçok anlamda modern arkeolojin yeni dallarından biridir. Her ikisi de zengin bilişsel kaynaklar olan eski sanat ve yazı uzun zamandan beri arkeologlar tarafından çalışılmaktadır. Fakat sanat çoğu zaman sanat tarihçisinin, metinler de hikâyeci tarihçinin alanı olarak kabul görmüş ve arkeolojik perspektif eksik kalmıştır. Üstelik yazılı kaynakların hiç bulunmadığı tarihöncesi dönem söz konusu olduğunda, eski nesil arkeologlar umutsuzca sahte bir tarih yaratarak, eski insanların ne düşünmüş ya da neye inanmış olabileceğini "hayal etmişlerdi." Birinci Bölüm'de açıkladığımız daha bilimsel yöntemlerde ısrar eden Yeni Arkeoloji'nin ortaya çıkma nedeni işte bu disiplinden yoksun spekülatif yaklaşımdı. Fakat bu, aynı zamanda bilişsel geçmiş üzerine birçok fikrin görünürdeki istikrarsız doğasından dolayı cesaretleri kırılmış ilk dalga Yeni Arkeologlar arasında bilişsel çalışmaların genelde göz ardı edilmesine neden oldu.

Bu bölümde ilk Yeni Arkeologların şüpheciliğine ve bazen de ilk postsüreçsel arkeologların yapılandırılmamış empatilerine yanıt verilebileceğini ileri süreceğiz. Bu, erken toplumlara ait genel kavramların ve insanların düşünme şekillerini analiz için net yöntemlerin gelişmesiyle mümkün olmuştur. Mesela insanların dünyalarını tarif etme ve ölçme işini nasıl ele aldıklarını inceleyebiliriz. Göreceğimiz gibi, İndus Vadisi medeniyetinde ağırlık sistemi bugün çok iyi anlaşılabilmektedir. İnsanların anıtları ve şehirleri nasıl planladıklarını da inceleyebiliriz, çünkü sokak düzenlemeleri tek başına planlamanın yönlerini açığa çıkarır. Bazı durumlarda harita ve planlamaya dair diğer işaretler (mesela modeller) bulunmuştur. İnsanların en çok hangi malzemelere değer verdiğini, belki de hangilerini otorite ve iktidar sembolü olarak gördüğünü araştırabiliriz. Doğaüstü olguları nasıl algıladıklarını ve bu kavramlara kült uygulamalarında –örneğin Peru'nun kuzeyindeki büyük törensel merkez Chavín de Huantar'da– nasıl tepki verdiklerini tetkik edebiliriz (s. 420-421'deki kutuya bakınız).

Teori ve Yöntem

Bugün, insan türünü diğer hayat formlarından ayıran en belirgin şeyin bizim *semboller* kullanma yeteneğimiz olduğu genel olarak kabul edilir. Bütün anlaşılabilir düşünceler ve aslında mantıklı konuşma semboller üzerine kuruludur, zira kelimelerin kendisi semboldür; ses ya da yazılı harfler gerçek dünyadaki bir unsurun yerine geçer, dolayısıyla onu temsil eder (veya sembolize eder). Ancak çoğu zaman anlam belirli bir sembole keyfi şekilde atfedilir. Sıklıkla özel bir kelimenin ya da bir işaretin, dünyada belirli bir nesneden ziyade diğerini temsil etmesi gerektiğini gösterecek hiçbir şey yoktur. Mesela Amerika Birleşik Devletleri bayrağını ele alalım: Bunun hangi ülkeyi temsil ettiğini hemen anlarız. Eğer biliyorsanız, tasarımının anlamlı bir geçmişi vardır. Ama tasarımın kendisinde hangi ülkeyi hatta bir ulusu temsil ettiğine işaret eden hiçbir şey yoktur. Birçok sembol gibi tek taraflıdır.

Üstelik bir sembole atfedilen anlam belirli bir kültürel geleneğe özgüdür. Örneğin bir tekneyi betimliyor gibi görünen bir İskandinav kaya sanatına baktığımızda, daha fazla araştırma yapmaksızın buradakinin bir tekne *olduğundan* emin olamayız. Söz konusu nesne pekâlâ bu soğuk bölgede bir kızağı temsil ediyor olabilir. Aynı şekilde, farklı diller konuşan insanlar aynı şeyi tarif etmek için değişik kelimeler kullanırlar. Bir nesne ya da fikir sembolik olarak çok çeşitli yollarla ifade edilebilir. Eğer hepimiz doğumda belirli sembollere aynı anlamı yüklemeye ve aynı dili

10.1 *İki kişi bir tekneyi kullanıyor; yoksa bir kızağı mı? İskandinavya kökenli bu Tunç Çağı kaya resminin tam anlamı, ilave kanıt olmadıkça bizim için muğlaktır.*

konuşmaya programlanmış olsaydık, arkeoloğun işi çok kolaydı. Ama insan deneyimi tuhaf biçimde çeşitlilikten yoksun kalacaktı.

Belirli bir kültürde tek başına imgenin ya da nesnenin sembolik formundan bir sembolün anlamını çıkarmak genellikle imkânsızdır. En azından bu formun nasıl kullanıldığını ve diğer semboller bağlamındaki yerini görmemiz gerekir. Bu yüzden bilişsel arkeoloji keşfin özel bağlamı konusunda çok dikkatli olmalıdır. Asıl önemli olan buluntu topluluğu ya da bütünüdür; izole hâlde münferit nesne değil.

İkinci olarak tasvirler ve fiziksel objelerin (insan yapımı nesnelerin) anlamlarını bize doğrudan ifşa etmediğini kabul etmemiz gerekir; yazılı kaynakların yokluğunda bu kesindir. Açıklama getirecek kişinin gözlemci ya da araştırmacı olması bilimsel yöntemin temellerinden biridir. Bilim insanı birkaç alternatif açıklamanın olduğunu ve bunların net tespit yöntemleriyle ya da yeni verilere dayalı testlerle, gerekirse birbirleriyle karşılaştırılarak değerlendirilmesi gerektiğini bilir. Bu, 12. Bölüm'de değindiğimiz üzere süreçsel arkeolojinin ilkelerinden biridir. Bazı süreçsel arkeologlar, özellikle de Lewis Binford, insanların geçmişte ne düşündüğü üzerine tartışmanın yararsız olduğunu savunur. İnsan düşüncelerinin değil, faaliyetlerinin maddi kayıtlara geçtiğini ileri sürerler. Ancak burada bu görüş savunulmamaktadır. Bulduğumuz şeylerin aslında kısmen insan düşünceleri ve niyetlerinin ürünü olduğu (bizim yaklaşımımızı eleştirenler de bunu reddetmemektedir) varsayımından ve bunun söz konusu buluntuların çalışılmasında sunduğu potansiyel kadar zorluklarından da yola çıkalım. Bunlar kısaca filozof Karl Popper'ın "dünya 3" olarak isimlendirdiği kategoriye aittir. Popper'ın belirttiği üzere, "Eğer şeyler dünyasını –fiziksel nesne dünyası– dünya 1 ve öznel deneyimleri (düşünce süreçleri gibi) dünya 2 olarak adlandırırsak, ifade dünyasının kendisini dünya 3 diye kabul edebiliriz... Dünya 3'ü aslen insan aklının ürünleri olarak değerlendiriyorum. Bunlar aynı zamanda evler ya da aletler gibi insan faaliyetinin ürünlerine ve ayrıca sanat eserlerine uygulanabilir. Bizim için özellikle önemli olan, bunların 'dil' ve 'bilim'i kapsamasıdır." Ancak bu içgörü yararlı bir yönlendirme olmakla birlikte bize bir metodoloji sunmaz.

İlk sağlam adım olarak, her insanın aklında dünyaya dair bir perspektifin, açıklayıcı bir çerçevenin, bilişsel bir haritanın varlığını varsaymak faydalıdır. Sonuncusu, coğrafyacıların tartıştığı zihinsel haritaya yakın bir fikirdir, fakat sadece uzamsal ilişkilerle sınırlı kalma zorunluluğu yoktur, çünkü insanlar tek başlarına algısal izlenimleriyle değil, ama aynı zamanda dünyayla ilgili mevcut bilgilerine göre hareket ederler. Bunun aracılığıyla algılar yorumlanır ve anlamlandırılır. Buradaki diyagramda, bireyin hafızasında geçmiş hâllerin anımsanmasına ve aslında "aklın gözündeki" muhtemel gelecek hâllerin tasarımlanmasına izin vererek ona eşlik eden kişisel bilişsel haritasını (bireyin aklında) görüyoruz. Birlikte yaşayan, aynı kültürü paylaşan ve aynı dili konuşan insan toplulukları çoğunlukla benzer dünya görüşünü ya da "zihniyeti" paylaşırlar. Bu böyle olduğu sürece, bireyler ve onlar gibi özel çıkar grupları farklılaşsa bile (bireylik hakkında 5. Bölüm'deki tartışmaya bakınız) ortak bir bilişsel haritadan söz edebiliriz. Bu yaklaşım bazen bilim filozofları tarafından "metodolojik bireycilik" olarak adlandırılır.

Bu bilişsel harita fikri özellikle yararlıdır, çünkü pratikte Popper'ın dünya 3'ünden bazı ilgili nesneleri belirli bir grubun ortak bilişsel haritasına dair içgörüler elde etmek üzere kullanabiliriz. Grubun sembolleri hangi yollarla kullandıklarını ve bazen (mesela sahne tasvirlerinde) grubu meydana getiren bireyler arasındaki ilişkilerin iç yüzünü anlamayı umabiliriz. Bütün bunlar belki kulağa oldukça soyut gelmektedir. Ancak bu bölümün geri kalanında belirli bir yer, zaman ve sosyal grubun ortak bilişsel haritasını bir araya getirmeye başlayabileceğimiz özgün yolları tartışmaktayız.

10.2 *Bilişsel haritalar. (solda) Bireye eşlik eden ona ait bilişsel harita (bir kare tarafından temsil edilir). Birey hem anlık algılanan hissi izlenimlere hem de dünyanın geçmişteki bir hatırasını içeren bu içsel haritaya tepki verir (t-1) ve gelecekteki dünyayı kestirir (t+1). (sağda) Bir toplulukta birlikte yaşayan bireyler bazı bakımlardan aynı dünya görüşünü paylaşır. Bu yapıldığı ölçüde bütün bir grup için bilişsel bir haritadan bahsedilebilir.*

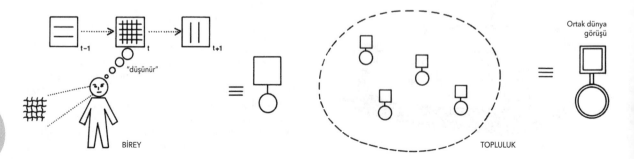

İNSAN SİMGELEŞTİRME YETENEĞİNİN İNCELENMESİ

İnsan türünden sanki insanlar davranış ve bilişsel yeteneklerinde temel olarak birbirlerine benziyorlarmış gibi bahsetmeye meyilliyizdir. Eğer her grupta belirli bir varyasyon bulunduğu gerçeği kabul edilirse, bu eğilim *Homo sapiens*'in yaşayan her grubu için geçerli gibi görünür. Diğer bir deyişle, yaşayan insan "ırkları" arasında sistematik ve önemli beceri farklarına dair ikna edici kanıtlar bulunmamaktadır, ama bunlar tanımlanır. O hâlde tamamen modern insanın yetenekleri ne zaman ortaya çıkmıştır? Bu, arkeolog kadar biyolojik antropoloğa da yöneltilmiş bir sorudur ve aynı zamanda nöroloji alanıyla da ilgilidir (s. 431'deki kutuya bakınız).

Dil ve Özbilinç

On Birinci Bölüm'de işaret edildiği üzere birçok fiziki antropolog modern insan becerilerinin 100.000-40.000 yıl öncesinden beri mevcut olduğunda anlaşır. Fakat daha erken zamanlar için bilim insanları fikir birliği içinde değildir. Nörofizyolog John Eccles'in ifade ettiği gibi, "Tarihöncesinde dünya 3'ün başlangıcını, kökenini, en ilkel hâlini ne kadar uzak bir geçmişte tespit edebiliriz? İnsanoğlunun tarihöncesine baktığımda bunun alet kültüründe olmadığını söyleyebilirim; çaytaşlarını bir amaç için şekillendiren ilk ilkel homininlerde bir tasarım, bir teknik fikri vardı". Karl Popper'ın buna verdiği yanıt şöyleydi: "Söylediklerinle aynı fikirde olmakla birlikte, yine de dünya 3'ün doğuşunu **aletlerden** ziyade **dilin** gelişimiyle başlatmayı tercih ederim." Bazı arkeologlar ve fiziki antropologlar, yaklaşık 2 milyon yıl önce *Homo habilis*'in kıyıcı aletlerle birlikte etkili bir dil geliştirmiş olabileceği kanaatindedir, ama diğerleri tam bir dil becerisinin çok daha yakın tarihte, *Homo sapiens*'in ortaya çıkışıyla gerçekleştiğini düşünmektedir. Bu, Alt ve Orta Paleolitik'te homininlerin elinden çıkma aletlerin gerçek dil kapasiteleri olmayan canlılar tarafından yapıldığını ima eder.

Hâlen dilin ne zaman ortaya çıktığını tespit edecek net bir metodoloji yoktur (fiziksel yanı için 11. Bölüm'e bakınız). Psikolog Merlin Donald bir dizi bilişsel evrim safhası önermiştir: *Homo erectus* için **mimetik safha** (davranışı taklit etmek için hominin becerilerine vurgu yapar); erken *Homo sapiens* için **mitsel safha** (konuşma ve anlatımın önemini vurgular) ve daha gelişmiş toplumlar için **kuramsal safha**. Sonuncusu teorik düşünmenin yanında yazının da dâhil olduğu birtakım belleksel mekanizmaları içeren –Donald'ın deyimiyle– "harici sembolik depo"nun altını çizer.

Bu önemli ve ilginç bir alandır, ama çok az gelişme göstermiştir.

Özbilincin kökenleri Roger Penrose ve Daniel Dennett gibi bilim insanları ve filozoflar tarafından tartışılmış, fakat somut bir sonuç elde edilememiştir. John Searle ani bir geçişin olmadığını ileri sürmüş ve köpeği Ludwig'in ciddi bir özbilinç düzeyi sergilediğini iddia etmiştir. *Prehistory of the Mind [Aklın Tarihöncesi]* adlı kitabında Steven Mithen sorunu evrimsel psikologların çalışmalarından yaralanarak tartışmıştır. Yakın zamanda Merlin Donald *A Mind So Rare*'de insan davranışında bilincin aktif rolünü yeniden ön plana çıkarmıştır. Donald, bireyselliği "temsili bir icat, kültürel bir eklenti" olarak basitleştirip bilinci yan tesire indirgeyen Daniel Dennett gibi kendi deyimiyle "Muhafazakârlar" olarak adlandırdıklarını eleştirir. Meseleyi açıklığa kavuşturmak amacıyla ileri sürülen arkeolojik ya da nörofiziksel kanıtlar hâlen azdır, ama yakın tarihli araştırmalar bazı yeni yollar açmaktadır (s. 431'deki kutuya bakınız).

Erken tarihli insan bilişsel becerilerinin diğer yönlerine dair birtakım yaklaşımlar mevcuttur.

Alet Üretiminde Tasarım

Basit çaytaşı aletlerin üretimi –mesela *Homo habilis*'inkiler– belki basit ve bir karınca yuvasını karıştırmak için dalı kıran bir şempanzeninki gibi alışılagelmiş bir davranış gibi kabul edilebilirken, *Homo erectus*'un Acheul tipi el baltası gibi çok güzel bir nesneye şekil vermesi daha gelişkin görünmektedir.

Ancak buraya kadar söz konusu olan sadece öznel bir izlenimdir. Bunun daha fazla nasıl araştırabiliriz? Yollardan biri, üretim sürecinde harcanmış zamanı deney yaparak ölçmektir. Glynn Isaac tarafından geliştirilmiş daha titiz bir nicel yaklaşım, bir buluntu grubundaki nesnelerde çeşitlilik aralığını çalışmaktır. Çünkü eğer alet yapımcısının bilişsel haritasında bitmiş ürünün nasıl olması gerektiğine dair kalıcı bir fikir varsa, hazır bir alet diğerine çok benzemelidir. Isaac zaman içinde iyi tanımlanmış alet çeşitleri ya da gruplarına doğru bir eğilim oluştuğunu fark etmiştir. Bu durum, alet yapan her kişinin şüphesiz farklı işlevler için hazırlanmış farklı alet formlarına dair bir fikri olduğunu gösterir. Dolayısıyla alet üretiminde planlama ve tasarım, erken homininlerin bilişsel becerileri hakkındaki değerlendirmelerimizle bağlantılı bir hâl almaktadır. Üstelik bu beceriler onları şempanze gibi daha zeki büyük maymunlardan ayırır.

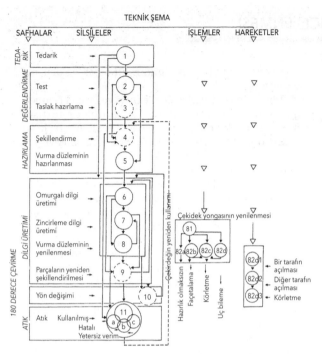

10.3 *Bir Magdalen çakmaktaşı dilginin üretimindeki üretim zinciri. Benzer derecede karmaşık silsileler birçok üretim süreci içerir.*

Bir taş alet, çömlek, tunç bir nesne ya da iyi tanımlanmış üretim sürecinden çıkan bir ürünün imali için gerekli karmaşık ve çoğunlukla son derece standartlaşmış etkinlik zincirine dair bilişsel çıkarımları netleştirmek için üretim zinciri (*chaîne opératoire*) inceleme yöntemi geliştirilmiştir. Paleolitik gibi erken dönemler söz konusu olduğunda bu yaklaşım, bilişsel yapıların insan davranışındaki karmaşık yönleri destekleme biçimine dair birkaç mevcut içgörüden birini sunar. Fransız tarih öncesi uzmanları Claudine Karlin ve Michèle Julien, Fransa'da Üst Paleolitik Magdalen dönemine ait dilgilerin üretimi için gerekli işlem silsilesini analiz etmiştir (üstteki diyagrama bakınız). Birçok başka üretim süreci aynı şekilde incelenebilir.

Malzemenin Temini ve Zamanı Planlamak

Erken homininlerin bilişsel davranışlarını incelemenin bir başka yolu, bir eylemin planlanmasıyla onun yerine getirilmesi arasındaki zaman olarak tanımlanan tasarlama süresi anlamındaki planlama zamanıdır. Mesela bir taş aletin üretimi için kullanılan hammadde özel bir taş kaynağından geliyorsa, fakat

aletin kendisi uzak bir yerde üretilmişse (üretiminde oluşan artık yongaların gösterdiği üzere), bu, görünüşte hammaddeyi nakleden kişinin kalıcı niyetine veya öngörüsüne işaret eder. Aynı şekilde, ister aletler ister deniz kabukları isterse cazip fosiller olsun doğal ya da işlenmiş nesnelerin ("başka yerden getirilmiş nesneler"/*manuport*) nakli, daha önce ifade edildiği üzere (9. Bölüm) en azından bunlara sürekli bir ilginin, onları kullanma niyetinin ya da bir "aidiyet" duygusunun bulunduğuna delalettir. Böyle başka yerden getirilmiş nesnelerin 9. Bölüm'de bahsedilen karakterizasyon teknikleri ve diğer yöntemlerle çalışılması artık sistematik bir şekilde sürdürülmektedir.

Örgütlü Davranış: Yaşam Düzlemi ve Yiyecek Paylaşma Kuramı

İkinci Bölüm'de görüldüğü gibi son yıllarda, belirli arkeolojik alanları meydana getiren oluşum süreçlerinin doğası üzerine çalışmalar özellikle ilgi odağı hâline gelmiştir. Paleolitik Çağ için bu, sadece tabakaların oluştuğu uzun zaman dilimi değil, aynı zamanda insan davranışı konusunda ihtiyaç duyulan dikkatli yorumlar bağlamında özellikle önemlidir. Afrika ve diğer yerlerdeki –mesela Tanzanya'daki Olduvai Boğazı ve Kenya'daki Olorgesailie ve Koobi Fora'dakilerde– önemli erken hominin buluntu yerlerinde bu özel bir tartışma alanı hâline gelmiştir. Bazı buluntu yerlerinde çoğu kırık durumdaki hayvan kemiği yığınları taş nesnelerle birlikte bulunmuştur. İki-bir buçuk milyon yıl öncesine tarihlenen bu yerler, aletleri yapan homininlerin (tahminen *Homo habilis*) onları buraya taşınan hayvan ölüleri (ya da bunların parçaları) üzerinde çalışmak ve kemiklerden ilik çıkarmak için kullandıkları faaliyet alanları olarak açıklanmıştır. Bunlar küçük akrabalık gruplarına ait yerleşimler veya geçici ana merkezler olarak kabul edilmektedir.

Glynn Isaac'in de dâhil olduğu çeşitli araştırmacılar akraba grupları arasında yiyecek paylaşımının gerçekleştiğini savunmuşlardır. Bu görüşler Lewis Binford tarafından eleştirilmiştir. Ona göre bunlar erken homininlere ait yerleşim alanları değil, av hayvanlarının avlarını öldürdükleri yerlerdir. İnsanlar aletlerini sadece hayvanlar avlarını öldürüp karınlarını doyurduktan sonra ilikleri çıkarmak için kullanmışlardır. Binford ilk insanların et ve ilikleri işlemek ve başka yerde depolamak için naklettikleri düşüncesine karşı çıkar.

Bu varsayımları sınamak için birçok çalışma yapılmaktadır. Kırık kemikler üzerindeki diş ve kesim izlerinin mikroskobik incelemesi (7. Bölüm'e bakınız) ve muhtemel "yaşam düzlemleri"ndeki artık yığınla-

10.4 *Ölülerin bilinçli gömülmesi: Moskova'nın kuzeydoğusundaki Sungir'de 27.000 yıl önce genç bir kız (solda, 9-10 yaşlarında) ve genç bir oğlan (sağda 12-13 yaşlarında) baş başa gömülmüşler. Çeşitli pandantifler, bilezikler ve başka süsler takmışlardır. Giysileri binlerce fildişi boncukla kaplıydı ve oğlan tilki dişlerinden yapılmış bir kemer takıyordu. Gömütün tamamı kırmızı aşı boyasıyla kaplıydı.*

rının detaylı incelemesi bunlara dâhildir. Binford'un savı hiçbir zeki davranışın ve etkileyici bir sosyal organizasyonun sürece dâhil olmadığını ima eder. Öte yandan ana merkez/yiyecek paylaşımı görüşü ise davranışlarda –sosyal davranışlar da dâhil– daha büyük bilişsel imalarla birlikte belli bir istikrara işaret etmektedir.

İşlevsel ya da Kültürel Tanımlı Taş Alet Buluntu Toplulukları

Komşu bölgelere yerleşen ve benzer kaynaklardan faydalanan insan grupları ilk kez ne zaman kültürel anlamda kendine özgü davranışlar ve aletler geliştirmişlerdi? Bu soru, Neanderthal'lerle (yaklaşık 180.000-30.000 yıl önce) ilişkilendirilen çeşitli Orta Paleolitik taş alet buluntu grupları dikkate alındığında büyük bir sorun ortaya çıkarır. Bu buluntu topluluklarına genel olarak Moustier adı verilmektedir. Fransız arkeolog François Bordes 1960'larda, Fransa'nın güneybatısında tespit ettiği farklı buluntu topluluklarının, o sırada bir arada yaşayan farklı insan topluluklarına ait aletler olduğunu öne sürmüştü. Bunlar, daha geç dönemler üzerine çalışan arkeologların geleneksel olarak arkeolojik "kültürler" olarak adlandırdıkları ve bazıları tarafından farklı etnik gruplarla bir tutulan olgunun erken bir eşiydi. Diğer taraftan Lewis ve Sally Binford, buluntu topluluklarının esasen aynı ya da benzer insan toplulukları tarafından farklı amaçlar için kullanılan farklı alet çantalarını temsil ettiğini iddia etmişlerdir. Görüşlerini belgelemek için taş alet buluntu topluluklarının faktör analizini kullanmışlardır. Paul Mellars üçüncü bir açıklama getirerek farklı buluntular arasında sabit kronolojik örüntülenme bulunduğunu, böylece bir evrenin (karakteristik alet çantasıyla birlikte) ardından diğerinin geldiğini savunmuştur.

Tartışma henüz sonlanmamıştır, ama birçokları etnik gruplara kabaca denk, sosyal anlamda farklı grupların ancak Üst Paleolitik Dönem'de modern insanlarla birlikte ortaya çıktığına ve Moustier buluntuların daha basit, belki de Binford ya da Mellars'ın düşündüğüne benzer bir olguyu temsil ettiğine inanır.

Bilinçli İnsan Gömütü

Üst Paleolitik'te bedenin veya bedenlerin kazılmış bir çukur içine bazen kişisel süs eşyalarıyla birlikte bilinçli olarak bırakıldıkları birçok iyi tanımlanmış örnek vardır. Ancak daha da erken dönemlere ait bulgular ortaya çıkmaktadır (s. 396-397'deki kutuya bakınız). Gömme işleminin kendisi ölen kişiye bir tür his ya da saygının beslendiğini veya bir çeşit ölüm sonrası yaşam kavramının varlığını (bunu belgelemek daha zordur) ima eder. Takılar, süs eşyalarının görünüş olarak bireyin değerini güzellik, prestij ya da başka anlamda arttıracağı fikrinin varlığına işaret eder gibidir. Üst Paleolitik'ten iyi bir örnek, Moskova'nın 200 km kuzeyindeki Sungir'de yapılan yaklaşık 27.000 yıl öncesine ait keşiftir. Burada bir adam ve iki çocuğun gömütüne mamut fildişinden mızraklar, taş aletler, fildişi hançerler, küçük hayvan oymaları, binlerce fildişi boncuk eşlik eder.

Bu türden buluntuları değerlendirirken oluşum sürecinin iyi anlaşıldığından –özellikle de gömüt gerçekleştirildikten sonra nelerin meydana geldiğinden– emin olmak gerekir. Mesela mezarlarda insan kalıntılarının yanında hayvan iskeletlerine rastlanmaktadır. Normalde bu, hayvanların bir tören faaliyetinin parçası olarak bilinçli şekilde gömüldüğüne dair bir kanıt kabul edilirdi. Ancak şimdi, belli durumlarda yiyecek arayan hayvanların bu gömütlere rastladıkları ve şans eseri burada öldükleri –böylece arkeologları yanıltacak yanlış ipuçları bıraktıkları– muhtemel görünmektedir.

ERKEN DÖNEMLERDE DÜŞÜNCEYE DAİR İPUÇLARI

Bir gömütün bilinçli yapılıp yapılmadığını –dolayısıyla bunun ölülere saygı fikriyle ilişkisini– tespit etme sorunu, Orta Paleolitik Neanderthal'lerini incelemek üzere zamanda geri gittiğimizde çok daha zor bir hâl alır. Eldeki verilere göre bilinçli ölü gömme uygulaması bu dönemde başlamıştır. Ölülerle birlikte dekoratif nesnelerin gömülmesiyle ilgili en iyi kanıt sadece Üst Paleolitik'ten gelmekle birlikte, Irak'taki Şanidar Mağarası'nda bulunmuş Neanderthal gömütüne polenlerin eşlik ettiği, dolayısıyla çiçekli bir sununun söz konusu olduğu iddia edilmiştir.

Atapuerca'daki Gömütler?

Buna rağmen daha erken basit uygulamalara dair muhtemel kanıtlar mevcuttur. İspanya'daki Burgos yakınlarında bulunan Atapuerca buluntu yeri (s. 158-159'daki kutuya bakınız) Orta Pleistosen'de *Homo antecessor* ve *Homo heidelbergensis* (arkaik *Homo sapiens*) hakkında bilgilerimizi kökten değiştirmiştir. Madrid ve Tarragona'dan bir uzman ekibin buradaki Sima de los Huesos (Kemikler Çukuru) olarak bilinen kireçtaşı mağarada yürüttüğü kazılar 1976'dan beri devam etmektedir.

Bu yeri 12 m derinlikteki bir mağara bacası tabanında bulunmaktadır. Muhtemelen kış uykusu sırasında ölmüş 250'den fazla mağara ayısının kemikleri üst dolgularda ortaya çıkarılmıştır. Günümüzden yaklaşık 430.000 yıl öncesine tarihlenen daha alttaki dolgular ise şimdiye kadar en az 28 (dişlere dayanarak), muhtemelen 32 *Homo heidelbergensis* bireyine (bu durumda Avrupa'nın bilinen bütün Neanderthal öncesi kemiklerin %90'ı) ait 3000'den fazla kemik barındırıyordu. Kemikleri karışık hâldeydi ve hiçbir anatomik bağlantıları yoktu, fakat bütün vücut kısımları mevcuttu. Bunların çoğu her iki cinsiyete mensup ergenler ve genç yetişkinlerdi. Aslında yaklaşık %40'ı 17-21 yaşları arasında ölmüştü.

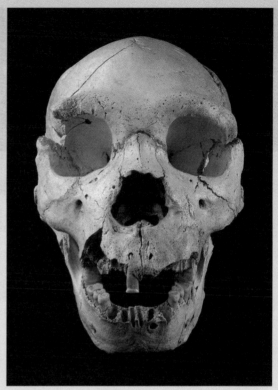

10.5 *İspanya'daki Atapuerca'da bulunan Sima de los Huesos'tan bir* Homo heidelbergensis *kafatası. Bu mağara bilinçli insan gömütüne dair en erken kanıtların bazılarını sunmaktadır.*

Ölenlerin sadece çeyreği 20'lerinden sonrasını gördükleri için nüfusun tümünü temsil edemezler ve daha yaşlı kişilerin başka bir yere gömülmüş olmaları muhtemeldir.

Kazının başkanlarından biri olan Juan-Luis Arsuaga, vücutların kuyuya bir tür embriyonik dini inanca işaret eden bir cenaze ritüelinin usulüne uygun olarak en az birkaç nesil boyunca bırakıldığına inanmaktadır. Otçul hayvan (yiyecek hayvanları) kemiklerinin yokluğu, bunların etobur hayvanlar tarafından getirilmediğini ve taş aletlerin yokluğu mağaranın bir yerleşim alanı olmadığını akla getirir. Yakın zamanda kemikler arasında belki de sembolik anlama sahip bilinçli bir hediye olan çok iyi yongalanmış kuvarsit bir el baltası bulunmuştur.

En Erken Sanat?

Aynı şekilde "sanat"ın (ya da en azından faydacı olmayan işaretlerin) geleneksel olarak düşünüldüğü gibi modern insanlarla başlamadığını, fakat *Homo erectus*'a kadar geri gittiğini düşündüren seyrek buluntular ortaya çıkarılmaktadır. Örneğin Java'daki Trinil'den MÖ 430.000 yıl öncesine ait bir tatlısu midyesinde zikzak kazıma keşfedilmiştir. İsrailli arkeologlar 1981'de Golan Tepeleri'ndeki Berekhat Ram'da dikkat çekici bir "figürin" bulmuşlardır. Günümüzden en az 230.000 yıl öncesine (Üst Acheul) ait olan buluntu, 2,5 cm'den biraz uzun volkanik tüften bir taştır ve doğal biçimi bir kadına benzemektedir. Nesne üzerinde mikroskobik analizler yapan Amerikalı araştırmacı Alexander Marshack, "boyun" çevresindeki yivin insan elinden çıktığını göstermiştir. Bunun için çakmaktaşı bir alet kullanıldığı şüphesizdir ve "elleri" belirten daha zayıf çizgilerin de yapay olması mümkündür. Diğer bir deyişle, buluntu yeri sakinleri sadece çaytaşının insan şekline olan doğal benzerliğinin farkına varmakla kalmamış, aynı zamanda bu benzerliği bir taş aletle belirginleştirmiştir. Dolayısıyla Berekhat Ram çaytaşı inkâr edilemeyecek şekilde bir "sanat nesnesi"dir.

10.6 *Fransa'daki La Roche-Cotard'dan Neanderthal'lerin şekillendirdiği bir taş ve kemik maske.*

10.7 *Java'daki Trinil'den en az 430.000 yıl öncesine tarihlenen kazıma bezekli midye kabuğu. Zikzak bilinen en erken soyut geometrik desendir.*

Erken dönem sanatıyla ilgili diğer dikkat çekici buluntular arasında Fransa'daki La Roche-Cotard'dan Neanderthal'lerin yaptığı taş ve kemik maske ile Güney Afrika'daki Blombos Mağarası'ndan yaklaşık 77.000 yıl öncesine ait demir sülyenleri üzerinde bulunan soyut kazıma çizgiler vardır.

10.8 *Güney Afrika'daki Blombos Mağarası'nda bulunmuş üzerinde soyut kazımalar bulunan bu demir cevheri günümüzden yaklaşık 77.000 yıl öncesine tarihlenir.*

PALEOLİTİK SANAT

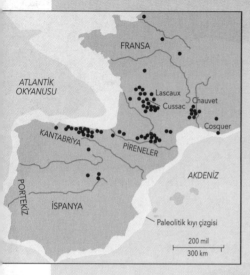

10.9 *Batı Avrupa'da mağara sanatının bulunduğu başlıca yerler.*

Mağara Sanatı

Batı Avrupa'nın hayvan tasvirleri ve soyut işaretlerle süslenmiş Buzul Çağı mağaraları hakkında çok şey yazılmıştır. Belirli bölgelerde -özellikle Güneybatı Fransa'daki Périgord ve Pireneler ile Kuzey İspanya'daki Kantabriya- yoğunlaşan bu mağaralar MÖ 30.000'den başlayarak bütün Üst Paleolitik'i kapsar. Ancak sanat eserlerinin büyük kısmı Buzul Çağı'nın daha geç tarihlerine, MÖ 10.000

civarında sona eren Solutré ve Magdalen dönemlerine aittir.

Mağara resmi sanatçıları basit parmak izleri ve kille modellemeden alçak kabartmalara, el baskılarından iki ya da üç renkli resimlere kadar çok çeşitli teknikler kullanmıştır. Yapılanların çoğu anlaşılamamaktadır -dolayısıyla bilim insanları tarafından "işaretler" ya da soyut izler olarak sınıflandırılmıştır- fakat tanımlanabilen figürlerden çoğu hayvandır. Mağara duvarlarına çok az insan çizilmiştir ve hiçbir nesne gösterilmemiştir. Figürler farklı boyutlardadır; uzunlukları çok küçüklerden 5 m üzerindeki örneklere kadar ulaşır. Bazıları kolaylıkla seçilebilirken diğerleri mağaraların boşluklarında özenle gizlenmişlerdir.

Mağara sanatının ("duvar sanatı") incelenmesine yönelik ilk sistematik yaklaşım, 1960'larda çalışmış Fransız arkeolog André Leroi-Gourhan (1911-1986) tarafından gerçekleştirilmiştir. Annette Laming-Emperaire'in izinden giden Leroi-Gourhan, resimlerin kompozisyonlar meydana getirdiğini ileri sürdü. Daha önceleri bunlar sadece "av büyüsü" ya da "doğurganlık büyüsü"nü temsil eden münferit betimlerin rastgele bir araya gelmesi olarak açıklanmaktaydı. Leroi-Gourhan her bir mağaradaki hayvan figürlerinin konumlarını ve bağlantılarını inceledi. At ve bizonun çok büyük bir farkla yaygın olarak resmedildiğini, toplamın yaklaşık %60'ını meydana getirdiğini ve mağaraların orta paneli denebilecek yerlerinde yoğunlaştıklarını tespit etti.

Diğer türler (örneğin dağ keçisi, mamut ve geyik) dışa doğru yerleştirilmişlerdi ve daha az betimlenmiş hayvanlar (gergedanlar, kedigiller ve ayılar) sıklıkla mağaraların derinliklerinde bulunuyordu. Bu yüzden Leroi-Gourhan her bir mağaranın bezenmesi için bir "şablon" bulunduğundan emin oldu.

Şimdi ise bu şemanın fazlasıyla genellemeci olduğunu biliyoruz. Her mağara farklıdır ve bazılarında sadece bir figür bulunurken diğerlerinde (mesela Güneybatı Fransa'daki Lascaux'da) yüzlercesi vardır. Buna rağmen Leroi-Gourhan'ın çalışması temel bir tematik birlik -sınırlı sayıda hayvanın profili- ve duvarlardaki figürlerde açıkça bilinçli şekilde bir düzenin bulunduğunu göstermiştir. Hâlihazırda araştırma her bir mağaradaki bezemelerin duvarların şekline, hatta insan sesinin en etkili şekilde yankılandığı alanlara nasıl adapte edildiği üzerine çalışmaktadır.

Yeni keşifler yapılmaya devam edilmektedir; yılda ortalama bir mağara bulunmaktadır. Bunların arasında Buzul Çağı girişi şimdi denizin altında kalmış Marsilya yakınındaki Cosquer Mağarası (1991) ve gergedan ile büyük kedilerin çok sayıdaki betimini içeren Ardèche'deki olağanüstü Chauvet Mağarası (1994) yer alır.

Bununla birlikte 1980'ler ve 90'larda bir dizi keşif "mağara sanatı"nın açık havada da gerçekleştirildiğini ortaya çıkarmıştır. Aslında bu, Buzul Çağı'ndaki en yaygın sanat üretim biçimidir, fakat bunun büyük çoğunluğu binlerce

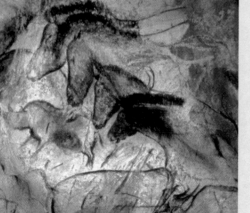

10.10 *Güney Fransa'daki Chauvet Mağarası'nın 1994'te keşfedilmiş olağanüstü resimleri 400'ün üzerinde hayvanı betimler (solda).*

10.11 *Fransa'daki Dordogne'deki Cussac Mağarası'nda kazıma bir mamut tasviri (sağda).*

yılın yıpranmışlığına yenik düşmüş ve bize mağaralarda daha rahat şekilde günümüze gelmiş figürlerin çok bozuk örnekleri kalmıştır. İspanya, Portekiz ve Fransa'dan yirminin üzerinde buluntu yeri bilinmektedir, ancak çoğu üslup ve içerik açısından açıkça Buzul Çağı'nda kayalara işlenmiş yüzlerce figüre sahiptir.

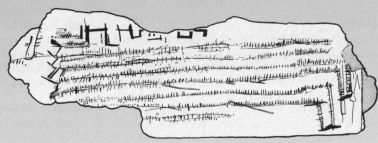

Taşınabilir Sanat

Buzul Çağı'nın seyyar ("taşınabilir") sanatı taş, kemik boynuz ve fildişinden küçük nesneler üzerine yapılmış binlerce kazıma ve oymadan meydana gelir. Tanımlanabilir figürlerin büyük kısmı hayvanlardır, fakat belki de en ünlüleri, Avusturya'nın Willendorf Venüs'üne benzeyen sözde "Venüs figürleri"dir. Çok farklı yaşta ve tipte kadınları betimlerler ve bunlar için karakteristik olduğu söylenen bir avuç şişman örnekle sınır değillerdir.

Figürleri araştırmak üzere Amerikalı bilim adamı Alexander Marshack (1918-2004) çeşitli yöntemler geliştirmiştir. Bazı nesneler üzerine kazınmış işaretleri mikroskopla inceleyerek bunların muhtelif aletlerle ve farklı ortamlarda değişik ellerden çıktığını, böylece "zaman etmenli" (tek bir işlemden ziyade zamana yayılarak yapılmış) diye adlandırdığı kompozisyonlar üretildiğini ileri sürdü. Ne var ki taş levhalar üzerine replika aletler kullanılarak yapılan deneyler tek bir aletin çok çeşitli izler bırakabildiğini göstermiştir.

Bilim insanları taramalı elektron mikroskobunun yardımıyla aynı aletin yaptığı izleri (bilinçli yapılmış çizgilerin yanında kendini belli eden çok ince çizgiler bırakır) ayırt edebilmek için bir kriter oluşturmaya ancak şimdi başlayabilmiştir.

Buzul Çağı buluntularının üzerindeki işaretler bazen grup olarak ya da çizgi şeklinde kazınmıştır. Marshack, Fransa'daki Abri Blanchard'dan bir erken Üst Paleolitik kemikte bulunan sarmal 69 dizileri gibi bazı işaretlerin, belki ayın evreleri ve başka astronomik olayların gözlemlenmesinde kullanılmış aritmetik simgeler olduğunu öne sürdü. Şüphesiz Paleolitik insanları için ayın evreleri zamanı ölçmenin başlıca yolu olacaktı.

Marshack ayrıca Doğu Fransa'daki Grotte du Taï'den bir Üst Paleolitik kemik üzerinde bulunan 1000'den fazla kısa kazıma çizgiden ibaret son derece karmaşık ve yığın hâlindeki dizilerin muhtemelen ay takvimiyle ilgili bir notasyon olarak açıkladı. Bu görüş basit bir süsleme açıklamasından çok daha mantıklı olmakla birlikte, bazıları Marshack'in Paleolitik'te notasyonun varlığına dair iddialarına şüpheyle yaklaşmıştır. Ancak İspanya'daki Tossal de la Roca'dan bir Geç Üst Paleolitik kemik üzerinde yer alan benzer çizgiler üzerinde analizler yapan İtalyan araştırmacı Francesco d'Errico'nun sonuçları Marshack'in görüşlerini desteklemektedir. D'Errico kemik üzerinde farklı teknik ve aletlerle kazıma çizgiler meydana getirerek bu

10.12–13 *Fransa'daki Taï'den bir levha (üstte) üzerinde yılana benzer işaretler topluluğu. İspanya'da bulunmuş Tossal de la Roca kemiği (yukarıda) muhtemelen bir notasyon sistemi barındırmaktadır.*

tür işaretlerin nasıl oluştuğunu ve bir ya da birden fazla aletle mi yapıldığını anlamak adına sağlam kriterler yaratmıştır. Ardından d'Errico ve meslektaşı Carmen Cacho bu kriterleri her dört yüzeyinde paralel çizgilere sahip Tossal kemiğine uygulamış ve her bir çizgi grubunun farklı aletlerle yapıldığı, gruplar arasında da teknik ve alet yönü açısından farklar bulunduğu sonucuna varmışlardır. Bulgular söz konusu işaretlerin zaman içinde biriktiklerini ve gerçekten bir notasyon sistemi olabileceklerini ima etmektedir.

10.14–17 *Taşınabilir sanat: Kuzey İspanya'daki La Garma Mağarası'ndan üç kemik oyma ve (en sağda) Moskova yakınlarındaki Zaraisk'teki açık hava buluntu yerinde yakın zamanda bulunmuş mamut fildişinden bir "Venüs figürini."*

Tasvirler

Herhangi bir nesne veya bir yüzey üzerinde tartışmasız tasvir olarak nitelendirilebilecek bir çizim ya da resim –yani gerçek dünyadaki bir nesnenin temsili (fosil gibi sadece mekanik bir kopyası değil)– bir semboldür. Bütün tarihsel dönemlerdeki temsil ve tasvirler hakkındaki genel meseleler ileriki bir bölümde tartışılacaktır. Paleolitik Çağ için başlıca iki önemli konu vardır: tarihi değerlendirmek (buna bağlı olarak bazı durumlarda gerçekliği) ve bir tasvir olarak rolünü doğrulamak. Uzun süre en erken tasvirlerin Üst Paleolitik'e ait olduğuna ve *Homo sapiens* tarafından üretildiğine inanılmasına rağmen, sayılara giderek artan daha erken tarihli örnekler bizi bu varsayımı yeniden değerlendirmeye zorlamaktadır (s. 396-397'deki kutuya bakınız). Kutuda verilen örnekler Paleolitik Çağ sanatı çalışmalarına uygulanmış yeni araştırma yöntemlerinden ortaya çıkan bazı önemli sonuçlara değinmektedir.

Detaylı analizler tasvir eyleminin bütün canlılığıyla Fransa'daki Chauvet ya da Lascaux'da veya İspanya'daki Altamira'da görülen muazzam bilişsel önemini gölgelememelidir. Bu sanatı takdir etmek önemlidir, ama bununla alakalı bilişsel süreçleri dikkatlice analiz etmemize izin verecek çıkarsama taslakları geliştirmek çok daha zordur. Bu analitik yöntem henüz emekleme aşamasındadır. Yine de arkeologlar Paleolitik atalarımızın davranışlarını çalışabilmemiz için teknikler ve yaklaşımlar geliştirmekte önemli ilerleme kaydetmişlerdir. Daha fazlası yapıldıkça ilk insanların bilişsel gelişimi iyice gün ışığına çıkmaktadır.

SEMBOLLERLE ÇALIŞMAK

Bu ve sonraki bölümlerde anatomik açıdan bütün yönleriyle modern insanlar için bilişsel arkeolojinin yöntemlerini değerlendireceğiz. Detaylara girmeden önce, bugün bize göründüğü hâliyle disiplinin en erken safhasında bilişsel arkeolojinin kapsamını ana hatlarıyla çizmeye değer.

Sembollerin nasıl kullanıldığını incelemekle ilgileniyoruz. Bunların anlamını kavradığımızı söylemek belki çok iddialı olur; özellikle de onları asıl kullananların gözündeki tam anlamlarını kapsıyorlarsa. Derin bir analize girmeden "anlam" kelimesini "semboller arasındaki ilişki" olarak tanımlayabiliriz. Bugünün araştırmacıları olarak, gözlemlenen semboller arasındaki gerçek ilişkilerin hiçbir şekilde hepsini değil, ama bir kısmını tespit etmeyi umabiliriz.

İleriki sayfalarda bilişsel arkeolojiyi sembollerin altı değişik kullanımına göre ele alacağız.

1 Temel basamaklardan biri, kişinin ve topluluğun, alanını genellikle sembolik işaretlerin yanında anıtları kullanarak işaretleme ve sınırlama yoluyla *yer tesisi* yapmak, böylece dünyevi olduğu kadar kutsal boyuta da sahip bir algılanan arazi, bir hatıralar diyarı inşa etmektir.

2 Önemli bir bilişsel adım, doğal dünyayla ilişkilerimizi düzenlememize yardım eden *ölçü* sembollerinin –zaman, uzunluk ve ağırlık birimleri şeklinde– gelişimiydi.

3 Semboller *planlama* araçları olarak geleceği şekillendirmemize izin verir. Gelecekte yapmayı tasarladığımız faaliyetler için modeller oluşturarak hedeflerimizi daha net tanımlamamıza yardım ederler; mesela kasaba ve şehirlerin planları gibi.

4 Semboller *insanlar arası ilişkilerin* düzenlenmesi ve örgütlenmesi için kullanılırlar. Para ve onunla birlikte bazı maddi nesnelerin diğerlerinden daha yüksek bir değer taşıdığı kavramı bütün olarak buna iyi bir örnektir. Bunun ötesinde bir toplumda iktidarın kullanımıyla ilgili ordu rütbelerini gösteren nişanlar gibi geniş bir sembol kategorisi mevcuttur.

5 Semboller *insanların ölümden sonraki dünyayla ilişkilerini* –doğaüstü ya da metafizik– yansıtır ve onları düzenlemeye çalışır ki, bu da din ve kült arkeolojisine yol verir.

6 Her şeyden önce semboller dünyayı *tasvir* –heykel ya da resim gibi temsil sanatı– aracılığıyla tarif etmek üzere kullanılabilir.

Şüphesiz sembollerin başka kullanımları da vardır, fakat bu oldukça basit liste onları nasıl analiz edeceğimize dair bir tartışma başlatmaya hizmet edecektir. Tasvir sembolleri, yazı öncesi dönemlerde bir bireyin veya toplumun bilişsel haritasına belki de en doğrudan içgörüyü sağlarlar. Ancak okuryazar toplumlarda yazılı kelimeler –dünyayı tarif etmek için kullanılan aldatıcı biçimde doğrudan semboller– kaçınılmaz olarak kanıtlara hâkimdir.

Şiirler ve oyunlardan siyasi beyanlara ve erken tarihi belgelere kadar bütün türleriyle eski literatür büyük uygarlıkların bilişsel dünyasına dair zengin bir içgörü sunar. Fakat bu türden kanıtları doğru ve etkili şekilde kullanabilmek için farklı toplumlarda sosyal bağlam içinde yazının kullanımına dair bir şeyler bilmemiz gerekir. Bu bir sonraki bölümün konusudur; ondan sonra yukarıda ana hatlarını belirttiğimiz sembol kategorilerine döneceğiz.

YAZILI KAYNAKTAN BİLİŞSEL HARİTAYA

Sırf yazının varlığı bilişsel haritada büyük bir genişlemeye işaret eder. Yazılı sembollerin şimdiye kadar insanlar tarafından sadece çevrelerindeki dünyayı tanımlamak için değil, fakat aynı zamanda diğer insanlarla iletişim kurmak ve onları kontrol etmek; toplumu bir bütün olarak düzenlemek ve bir toplumun bilgi birikimini gelecek kuşaklara aktarmak için icat edilmiş en etkili sistemdir. Bazen evrimleşmiş bu bilişsel haritanın doğuşunu henüz tam gelişmemiş işaret sistemleri şeklinde fark etmek mümkündür. Avrupa'nın güneydoğusunda MÖ 4000'den önce görülen Vinça kültürü çanak çömleği üzerindeki işaretler böyledir. Paskalya Adası'nın 25 parça ahşap üzerinde bir dizi işaretten ibaret rongo-rongo yazısı, çoğu metnin kozmogoni (yaratılış ilahileri) olduğunu gösteren yakın tarihte yapısal bir çözümün bulunmasına dek analize direnmiştir.

Sınırlı Okuryazar Toplumlar

Uygun bir yazı sisteminin geliştiği yerlerde bile okuryazarlık toplumun bütün üyeleri tarafından paylaşılmaz ve çok sınırlı amaçlar için kullanılabilir. Görünüşe göre Mezopotamya ve Mezoamerika'da okuryazarlık kâtipler ve seçkin sınıftan küçük bir zümreyle sınırlıydı. Mezopotamya'da yazı 5. Bölüm'de tartışılmıştır.

Mezoamerika'da yazıtlar öncelikle hepsi de kamusal anıtlar olarak tasarlanmış taş panellerde, lentolarda, merdivenlerde ve stellerde görülür (s. 414-415'teki kutuya bakınız). Buna ilaveten, elyazmalarında korunmuş Maya bilgi birikimi mevcuttur, ama bunlardan sadece dört tanesi günümüze gelebilmiştir. Çanak çömlek ve yeşim taşları üzerinde de yazıtlar bulunur, fakat bunların hepsi seçkinlerin kullanmış olduğu nesnelerdir ve Mayalar arasında okuryazarlığın genele yayıldığına dair kanıtlar değillerdir.

Savaşı Kavramsallaştırmak. Belize'deki Caracol'da bulunan Maya merkezi üzerine yaptıkları çalışmalarda Diane ve Arlen Chase, farklı savaş etkinliklerine atıfta bulunan savaşla ilgili dört temel hiyeroglife dikkati çekmişlerdir.

10.18 *Savaş sanatına atıfta bulunan dört Maya glifi (soldan sağa): chuc'ah, "esir"; ch'ak, "boyun vurma" ya da batcaba veya batelba, "balta kullanmak" ya da "savaş yapmak"; hubi, "tahribat" ve "yıldız savaşı."*

Bunlar: (1) belki de kurban etmek üzere insanların tutsak alınması şeklindeki "esir etkinlikleri"; (2) belirli hedeflerin yerine getirilmesini kapsayan "yıkım etkinlikleri"; (3) önemli savaşlar olarak açıklanan "balta etkinlikleri"; (4) bir yönetim biriminin halefiyeti sekteye uğratarak diğeri üzerinde hâkimiyet kurmasıyla ya da bir bağımsızlık savaşında özgürlüğünü kazanmasıyla sonuçlanan "kabuk-yıldız" [bu faaliyeti tanımlayan Maya hiyeroglifinin şeklinden –ç.n.] veya "yıldız savaşı" etkinlikleri. Bununla ilgili bir örnek, Caracol'da Geç Klasik Dönem'e ait epigrafik belgeler tarafından sağlanır. Caracol'daki kapsamlı savaşın ilk safhasını başlatan, muhtemelen Tikal'in Caracol'a MS 556'da karşı ön ayak olduğu bir "balta etkinliği" şeklinde bir çarpışmaydı. Ardından MS 562'de Tikal'e yönelik tam bir "yıldız savaşı" patlak verdi. Bunu Tikal'de 120 yıl boyunca hiyeroglif tarih metinlerinin belirgin yokluğu ve büyük ihtimalle Tikal'in zaptı izlemiştir. Maya siyasi tarihine dair ilginç içgörüler sağlamasının dışında bu çalışma, aynı zamanda Maya yazısıyla ilgili giderek artan bilgilerimizin Mayaların kendi tarihlerine dair fikirlerine ve farklı savaş kategorilerini belki de bizim bugün yaptığımızdan daha net biçimde nasıl ayırt ettiklerini anlamamıza izin verir.

Antik Yunanistan'da Yaygın Okuryazarlık

Sınırlı okuryazarlıkla ilgili bu örneklerin karşısına antik Yunanistan'daki gibi okuryazarlığın yaygın olduğu durumlar koyulabilir. İster edebi eserler isterse hesap kayıtları olsun, Yunanlar uzun metinleri papirüslere yazmışlardı. Bu türden metin örnekleri Pompeii'de ve Mısır'daki Fayum çukurunun kuru ortamında bulunmuştur. Kamusal yazıtlar için Yunanlar taş ve tuncu kullandılar. Bununla birlikte, kalıcı önem arz etmeyen duyurular ağartılmış tahtalara (Yunanların basit alfabe yazısı böyle nispeten gündelik kullanımlara elverişliydi) yazılıyordu.

Taş ya da tunca işlenmiş Yunan yazıtlarının işlevleri arasında şunlar bulunuyordu:

- Yönetici zümrenin kamusal kararları (kurul veya meclis)
- Yönetici zümrenin bir bireye ya da gruba verdiği onursal payeler
- Devletlerarası antlaşmalar
- Bir hükümdarın bir şehre yazdığı mektuplar
- Vergi veren devletlerin vergi listeleri
- Bir tanrısal varlığa ait mal ve adak dökümleri
- Kehanet kuralları (alametleri okuma)

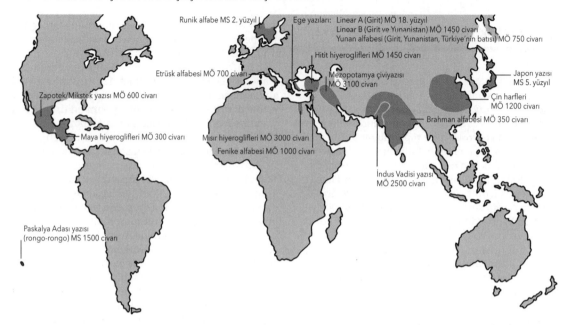

Runik alfabe MS 2. yüzyıl

Ege yazıları: Linear A (Girit) MÖ 18. yüzyıl
Linear B (Girit ve Yunanistan) MÖ 1450 civarı
Yunan alfabesi (Girit, Yunanistan, Türkiye'nin batısı) MÖ 750 civarı

Hitit hiyeroglifleri MÖ 1450 civarı

Etrüsk alfabesi MÖ 700 civarı

Mezopotamya çiviyazısı
MÖ 3100 civarı

Japon yazısı
MS 5. yüzyıl

Çin harfleri
MÖ 1200 civarı

Zapotek/Mikstek yazısı MÖ 600 civarı

Brahman alfabesi MÖ 350 civarı

Maya hiyeroglifleri MÖ 300 civarı

Mısır hiyeroglifleri MÖ 3000 civarı

Fenike alfabesi MÖ 1000 civarı

İndus Vadisi yazısı
MÖ 2500 civarı

Paskalya Adası yazısı
(rongo-rongo) MS 1500 civarı

Uruk IV MÖ 3100 civarı	Sümerce MÖ 2500 civarı	Eski Babilce MÖ 600 civarı	Yeni Babilce MÖ 600 civarı	Sümer Babilcesi
				APIN *epinnu* saban
				ŠE *še'u* tahıl
				ŠAR *kirû* bahçe
				KUR *šadû* dağ
				GUD *alpu* öküz
				KU(A) *nunu* balık
				DUG *karpatu* kap

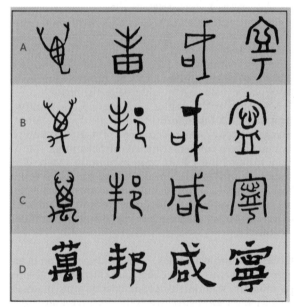

10.19–21 *Yazı ve okuryazarlık. (üstte) Dünyadaki en erken yazı sistemlerinin bulunduğu yerleri gösteren harita. (solda) Mezopotamya'da çivi yazısının gelişimi. (yukarıda) Dört karakterden ibaret Klasik Çince "wan pang hisen ming" ("kalabalık milletler silahlarını bıraktı") cümlesi ışığında Çin yazısının gelişimi. İlk satır bir kehanet kemiği üzerindeki yazı; ikincisi Şang Hanedanı'na ait büyük bir mühür; üçüncüsü Qin hanedanının küçük mühürü; dördüncüsü Han hanedanının bürokratik yazısıdır.*

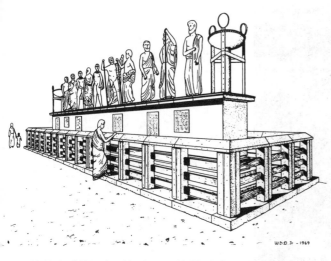

10.22 *Antik Yunanistan'da okuryazarlık: Klasik dönem Atina'sının agorasında (pazar yeri) duyurular 10 kahramana adanmış bu kamu anıtına asılıyordu.*

10.23 *Üzerlerine iki ünlü Yunan ismi kazınmış çanak çömlek parçaları (ostraka): Themistokles (solda) ve Hippokrates (sağda)*

- İnşaat hesapları, şartname maddeleri, sözleşmeler ve ödemelere dair kayıtlar
- Kamu duyuruları; mesela askerlik listeleri
- Sınır ve ipotek taşları
- Mezar kitabeleri
- Bir mezar yapısına zarar veren kimseye yönelik lanet metinleri

Bu listeden Yunan devletlerinin demokratik yönetimlerinde yazının ne kadar önemli bir rolü olduğu açıkça görülür.

Okuryazarlığın ve yazının Yunanların gündelik hayatındaki görevine dair daha iyi bir gösterge, yazıtlar taşıyan nesneler ve duvarlara karalanan kişisel düşüncelerdir (grafitiler). *Ostrakon* adlı bir nesne türü, üzerinde bir bireyin –lehine ya da aleyhine oylamanın yapıldığı kişi– adının kazındığı oy pusulası şeklindeki bir çömlek

parçasıydı. Bunlardan birçoğu, kamuya mal olmuş erkeklerin meclis oylaması sonucunda (*ostrakismos* sistemiyle) sürgüne gönderildiği Atina'da bulunmuştur.

Yunanların üzerine yazı yazdığı diğer nesneler şunlardı:

- Darbeden otoriteyi (şehri) gösteren sikkeler üzerinde
- Duvar resimlerinde ve resimli vazolardaki sahnelerde resmedilen bireyleri adlandırmak için
- Yarışmalarda verilen ödüllerin belirtilmesinde
- Bir tanrısal varlığa yapılan sunuları adlandırmak için
- Malların fiyatlarını göstermekte
- Sanatçı ya da zanaatkârın imzası olarak
- Bir jüri üyeliğini belirmek için (bir jüri bileti üzerinde)

Bu basit yazıtların çoğu hatırlatıcıdır. British Museum'da bulunan yaklaşık MÖ 530'a ait Tarentum'a (Toronto, İtalya'ya) ihraç edilmiş Atina malı bir siyah figürlü içki kabı üzerinde, "Ben Melousa'nın ödülüyüm; o kızların hallaçlama yarışmasını kazandı" ifadesi geçer.

Bu kısa özetten yazının antik Yunanların kamu kadar özel hayatına da her yönden temas ettiği görülebilir. Dolayısıyla antik Yunanistan'ın bilişsel arkeolojisi kaçınılmaz olarak bu türden edebi kanıtların sağladığı içgörülerden büyük ölçüde yararlanır. Sanattaki doğaüstü varlıkları ve sanatçıları tanımlama yöntemleri üzerine yapacağımız değerlendirmede bu net biçimde ortaya çıkacaktır. Ancak buradan hareketle bilişsel arkeolojinin teorilerini üretmek veya sınamak için *mutlaka* yazılı kaynaklara bağlı olduğunu düşünmemeliyiz.

Yazılı kanıtlar okuryazar toplumlardaki düşünme şekillerini anlamamıza yaptığı katkı açısından gerçekten büyük önem taşır, ama yukarıda Paleolitik Çağ'da gördüğümüz ve aşağıda birazdan göreceğimiz gibi, bilişsel varsayımlar meydana getirebilecek tamamen arkeolojik kaynaklarla bunların geçerliliğine dair hüküm verecek tamamen arkeolojik kıstaslar mevcuttur. Üstelik 5. Bölüm'de gördüğümüz üzere edebi kaynakların kendisi, böyle kaynakları arkeolojik kayıtlarla birleştiren herhangi bir girişimden önce tam anlamıyla değerlendirilmelerini gerektirecek şekillerde taraflı olabilirler.

YERİN TESİSİ: HAFIZANIN KONUMU

Bireyin bilişsel haritasındaki temel unsurlardan biri, çoğunlukla bir merkezin saptanması yoluyla yerin tesis edilmesidir. Burası kalıcı bir yerleşimde, muhtemelen birisinin evindeki ocak, Ian Hodder'in deyimiyle *domus* olacaktır. Bir topluluk için diğer önemli mevki büyük ihtimalle ataların gömüldüğü yerdir. Burası evin içinde veya bir ortak mezar yapısı ya da kült mekânında yer

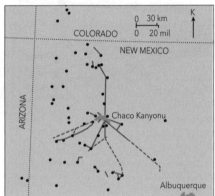

10.24–25 *(aşağıda) Ana sembolik merkezleri birleştiren törensel yol ağı Chaco yol sistemi. Pueblo Bonito (solda) Chaco'daki en etkileyici yapılarından biridir.*

alabilir. İster yerleşik ister göçebe olsun daha büyük bir toplulukta müşterek bir buluşma alanı, düzenli toplantıların yapılacağı kutsal bir merkez bulunabilir. Bunlar büyük önem arz eden meselelerdir. Mircea Éliade'ın söylediği gibi "Bir dünyada yaşamak için kişinin onu kurması gerekir… Kişinin kendisini bir alana yerleştirmesi bir dünyanın kurulmasıyla eş değerdir" (Éliade 1965, 22). Bu kutsal yer *axis mundi*, yani dünyanın ve muhtemelen kozmosun merkezi ekseni olacaktır.

Bazıları bilinçli sembolik kurgular, diğerleriyse anlamlı görülen daha işlevsel uğraşlar –ev, sürülmüş tarla, çayır– olan bu çeşitli özellikler birlikte, içinde bireyin yaşadığı yapay araziyi meydana getirirler. Postsüreçsel gelenekte çalışan yorumsal arkeologların da işaret ettiği üzere, bu arazi söz konusu bireyin deneyimini ve dünya görüşünü şekillendirir. Bu gözlemler devlet toplumları kadar küçük ölçekli toplumlara da aynı etkiyle uygulanabilir. Paul Wheatley'nin *The Pivot of Four Quarters*'da belirttiği gibi, Çin'den Kamboçya'ya, Sri Lanka'dan Maya düzlükleri ve Peru'ya kadar birçok büyük şehir, hükümdarın tebaasıyla egemen kutsal ve doğaüstü güçler arasında uyumu sağlamasına izin veren kozmolojik ilkelere göre düzenlenmiştir. Fakat kutsal merkez hiyerarşik olmayan daha küçük toplumlar için de önem arz edebilir ve merkezdeki güçlü bir liderden ziyade kurumsal yapısı olan birçoğu büyük kamu yapıları inşa edebilecek düzeydedir. Stonehenge (s. 206-207'deki kutuya bakınız) ve Chaco Kanyonu (üstteki görsele bakınız) kadar Malta'nın tapınaklarıyla Carnac ve Orkney megalitik merkezleri de buna iyi örneklerdir. Orkney'deki Brodgar Burnu'nda bulunan tarihöncesi

"katedral" yakın zamanda keşfedilmiş bir örnektir. Bu türden anıtlar aynı zamanda zamanı yapılandırmak için de kullanılabilir (s. 410'da Newgrange'e bakınız) ve kutsal başka bir dünyaya erişimi kolaylaştırmak için kullanılabilir (aşağıya bakınız).

Böyle yapılar sadece büyük merkezlerde değil, yerel düzeyde de etkilidir. Böylece kırsal tüm anlamları ve faydalarıyla yapay arazilerden bir kompleks hâline gelir. Bruce Chatwin'in *The Songlines* (1987) adlı eserindeki Avustralya Aborjinleri örneğinde ise şiirsel anlamda da olsa bir imgedir. Coğrafya hatıraları akla getiren yerlerden oluşur ve topluluğun geçmişi önemli yerlere yapılan atıflarla nakledilir.

Dolayısıyla arazi arkeolojisi bilişsel boyuta sahiptir ve bu kendisini, tam anlamıyla materyalist bir yaklaşımın özelliği olan verimli arazi kullanımına yönelik ilginin ötesine taşımaktadır. Arazi işe yarar olmasının dışında sosyal ve manevi anlam barındırır. Arazi arkeolojisinin eski geleneklerine dayanan bu fikirler, Britanya'da "Yeni Wessex Okulu"ndan postsüreçsel arkeologlar tarafından oldukça geliştirilmiştir (İngiltere'nin güneyindeki Wessex bölgesinde erken tarım dönemine ait birçok anıt vardır). Heidegger'in fenomenolojisi ve Giddens'in yapılaştırma teorisinin de dâhil olduğu çeşitli yaklaşımları kullanan bu okulun mensupları, arazi ve üzerindeki anıtların arkeolojisini Wessex'teki anıtları sıkça başlıca örnekleri yaparak yeniden ele almışlardır. Bunun hakkındaki literatür (bkz. Kaynakça) 1990'ların postsüreçsel ya da yorumsal arkeologları tarafından ortaya koyulmuş en kapsamlı çalışmalar bütününü meydana getirir (ayrıca 5. Bölüm, s. 222'deki Bireyin ve Kimliğin Arkeolojisi başlığına ve s. 204–205'teki kutuya bakınız).

Arazi ve üzerindeki anıtlar sadece toplumun sosyal yapılarını yansıtır gibi anlaşılmazlar. Yeni bir toplumsal düzenin doğuşunu kolaylaştırarak insanın dünyadaki yeri hakkında yeni algılar meydana getirirler. Benzer yaklaşımlar antik dünyaya da uygulanmıştır: Antik Yunanlar tapınaklarını Yunan şehir devletinin ortaya çıkışına izin verecek ve bunu şekillendirecek şekilde inşa etmişlerdir.

Güneybatı Amerika'daki Chaco Kanyonu çevresinde bulunan yolların gösterdiği gibi çöller bile yapay inşa edilmiş araziler hâline gelebilir. Aslında Chaco Kanyonu'nu öncelikle sembolik bir arazide törensel bir merkez olarak görmek çok uygundur. Mesela en parlak dönemini Chaco'nun MS 12. yüzyılda gerileyişinden sonra yaşamış Aztek Harabesi adlı önemli arkeolojik alanın 112 km kuzeyde yer aldığı ortaya koyulmuştur. Yine Chaco'nun gerileyişinden sonraya tarihlenen bir diğer önemli arkeolojik alan Casas Grandes ise güneyde bulunur. Büyük Kuzey Yolu muhtemelen Aztek Harabesi'ne kadar ulaşmamış olmakla birlikte, Chaco'dan kuzeye gider ve birçoğu hava fotoğrafıyla yeniden keşfedilmiş "yollar"ın pratik amaçlara hizmet etmeleri çok düşük bir ihtimaldir; bunlar alay ya da tören güzergâhlarıdır.

Çalışmalar aynı zamanda Chaco'daki bazı Büyük Evler'in güneş ve ayın "sabit" noktalarına göre sıralandıklarını göstermiştir. Bunların içindeki büyük yuvarlak odalar veya *kivalar* açıkça törensel amaçlar için tasarlanmıştır. Chetro Ketl'den etkileyici boyalı ahşap nesne yelpazesi, kullanılmış olması muhtemel dekoratif ve törensel araç gereçlere işaret ederken, Güneybatı Amerika Pueblo köylerindeki *kiva*ların günümüze kadar gelen işlevleriyle kıyaslamalar sunar.

10.26 *Çöl yüzeyinden çaytaşları ve döküntülerin basitçe temizlenmesiyle MS 1. binyılda meydana getirilmiş hayret verici Nazca çizgileri. Buradaki tasvir bir örümceği temsil etmektedir.*

Peru'nun güneyindeki Nazca Çölü'nde yer alan çizgiler ve figürler göçüp gitmiş halkların bilişsel haritalarına sıradışı bir bakış atmamızı sağlar. Bugün arkeolojik saha araştırmaları ve hava fotoğrafçılığı eski arazilerdeki deneyimlerin yeniden yorumlanması kadar pratik işlevinin yeniden kurgulanmasına da yöneltilmiştir.

DÜNYAYI ÖLÇMEK

Bilişsel haritanın zorlanmadan yeniden kurgulayabileceğimiz unsurlarından biri, onun ölçmeyi ya da nicel tanımlamayı ele alma yoludur. Ölçü birimlerinin gelişimi temel bir bilişsel basamaktı. Birçok durumda bu birimlere dair dolaylı ya da doğrudan kanıtlar özellikle zaman, uzunluk ve ağırlık birimleri söz konusu olduğunda arkeolojik olarak elde edilebilir.

Zaman Birimleri

Zaman hesabının Üst Paleolitik'te gelişmiş olma ihtimaline Paleolitik sanatı hakkındaki kutuda değinilmişti (s. 398-399). Herhangi bir dönemde zaman hesabının varlığına dair iddiaları değerlendirmek için, gök cisimlerinin hareketiyle yakından ilişkili bir modele sahip bir notasyon sisteminin varlığı ya da astronomik gözleme dair açık kanıt gösterilmelidir. İlki Mezoamerika uygarlıklarının takvimleriyle stelleri üzerindeki yazıtlar ve elyazmaları tarafından mükemmel bir şekilde belgelenmiştir (s. 140-141'deki Maya takvimiyle ilgili kutuya bakınız).

Birçok yerdeki yapıların ve anıtların yaz dönümü güneşinin doğuşu gibi önemli astronomik olaylara göre dizildiği üzerine yorumlar yapılmıştır. Bu iddia Alexander Thom tarafından İngiltere'deki megalitik çemberler için nicel bakımdan incelenmiştir. Thom'un münferit taş çemberler hakkındaki savlarının detaylarına itiraz edilmiş olmakla birlikte, resmin bütünü böyle takvimsel olaylar üzerine kafa yorulduğu lehindedir. Amerika kıtasında arkeoastronom Anthony Aveni'nin çalışması, Mezomaerika ve And uygarlıklarında birçok büyük yapının yönüne astronomik

BRODGAR BURNU: TÖRENSEL ORKNEY'NİN MERKEZİ

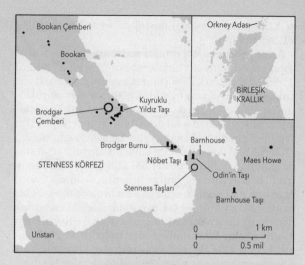

10.27 *Orkney'nin daha geniş Neolitik arazisi içinde Brodgar Burnu'nun konumu.*

Highlands and Islands Üniversitesi Arkeoloji Enstitüsü'nden Nick Card'ın Orkney'de, Harray ile Stenness körfezlerini ayıran kara parçası üzerinde ve Brodgar Çemberi ile Stenness Taşları arasında bulunan Brodgar Burnu'nda keşfettiği Geç Neolitik taş çevrili yer, bu merkez alanın önemini vurgulamaktadır. Etkileyici kuru duvarlara -kuzey duvar 6 m kalınlığındadır- sahip yaklaşık 125 x 75 m ölçülerindeki çevrili alan bugün bile kendi başına etkileyicidir ve 5000 yıl önce bir ziyaretçi ya da hacı üzerinde derin bir etki bırakmış olmalıydı.

Çevrili alanın içinde geçici olarak ortak toplantı evleri diye tanımlanmış bir dizi taş yapı vardır. Bunlardan en azından biri, görünüşe göre Orkney'de kolayca bulunan yerel yapraksı kum taşından çatıya sahipti. Bazı taşlar kazıma bezekler -birkaç yüz tane bulunmuştur- diğerleri de basit boyalı süslemeler taşır. Yapı 8'de büyük bir balina dişi, birkaç cilalı taş eşya ve balina kemiğinden gürz başı gibi bazı sıra dışı buluntular ele geçmiştir.

Daha geç bir evrede bu yapılar 4 m kalınlığında duvarlara sahip 20 x 19 m boyutlarında büyük bir taş bina olan Yapı 10 ile genişletilmiştir. Yapının ortasında dörtgen bir taş ocak bulunur. Orkney'deki diğer Geç Neolitik evlerine benzemekle birlikte daha büyük boyutludur. Bunun yaklaşık 2 km uzağındaki anıtsal

10.28 *(üstte) Brodgar Çemberi*

10.29 *Güneydoğuya, Stenness Taşları'na doğru Brodgar Burnu'ndaki kazılar.*

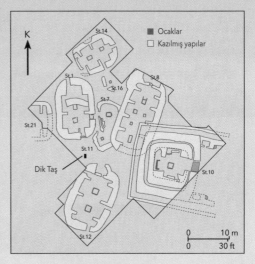

10.31 *(üstte) Brodgar Burnu'nda kazılmış Neolitik yapılar ve diğer mimari kalıntılar.*

10.30 *(solda) Yapı 10'un yukarıdan görünümü.*

Maeshowe oda mezarıyla hizalanmış olması, dik duran taşların yapıya dâhil etmesi ve sanatı (kazıma bezekli taşlar ve çukur izleri) yapıyı özel bir yer olarak diğerlerinden ayırmaktadır. Belki de çeşitli işlevler üstlenmiş tören kompleksinin ana toplantı evi, törensel arazinin kalbinde yaşayanlar için bir "katedral"di.

Yapı 10 dışarda, birkaç yüz sığırı temsilden muazzam bir kemik tabakası barındıran taş döşeme bir yol tarafından çevrilmiştir. Hayvanlar tek bir seferde kesilmiş olabilir. Antik Yunanların ölümsüz tanrılara yapılan 100 öküz kurbanına verdikleri isimle bu *hekatombe*, ana yapının MÖ 2300

civarına ait geç evresinin "hizmetten çıkarılması"na eşlik etmiş olabilir.

Arkeolojik alandan gelen çanak çömlek ekseriyetle bir dizi yerel üslup barındıran Yivli Mallar'dır ve arkeolojik alanın bölgesel bir önem arz ettiğini düşündürmektedir. Radyokarbon tarihleri şimdi Britanya'da yaygın olarak görülen Yivli Mallar'ın Orkney'de ortaya çıktığına işaret etmektedir. Dolayısıyla Brodgar Burnu'ndaki törensel merkez geniş bir şöhrete sahip olabilirdi.

10.32 *Arkeolojik alandan Yivli Mal.*

10.34 *(sağ altta) Brodgar Burnu'nun en parlak döneminde neye benziyor olabileceğini gösteren rekonstrüksiyon.*

10.33 *(sol altta) Kazı esnasında Yapı 10 dışındaki kemik tabakası.*

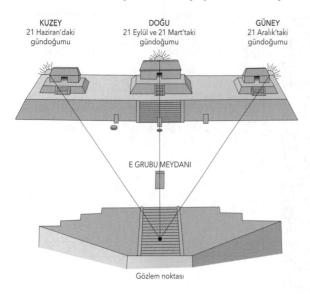

KUZEY
21 Haziran'daki gündoğumu

DOĞU
21 Eylül ve 21 Mart'taki gündoğumu

GÜNEY
21 Aralık'taki gündoğumu

E GRUBU MEYDANI

Gözlem noktası

10.35 *Zamanı ölçmek: Meksika'daki Maya arkeolojik alanı Uaxactun'da yapılar yaz dönümü, kış dönümü ve iki ekinoksun kaydedilebileceği şekilde konumlandırılmıştır.*

dizilimlere uygun olacak şekilde karar verildiğini göstermiştir. Örneğin Aveni, büyük Teotihuacan sokak planında (s. 98-99'a bakınız) doğu-batı doğrultusunun Mezoamerika kozmolojisinde önemli bir olay olan Ülker Takımyıldızı'nın güneşsel doğumuna (bu yıldızların güneşin doğuşundan önce ilk kez görüldükleri zamana) göre yönlendirildiğini ortaya koymuştur.

Maya yerleşimi Uaxactun bir başka örnektir. Burada, toplantı meydanının doğu kenarındaki üç yapı yaz dönümü (kuzey), kış dönümü (güney) ve iki ekinoks (merkez) sırasında (ekinokslar bahar ve sonbaharın orta noktaları) gün doğumunun konumunu (meydanın doğu tarafından gözlendiği hâliyle) belirtir.

Uzunluk Birimleri

Belirli yapı ya da anıt gruplarında standart bir uzunluk biriminin kullanıldığı savını değerlendirmek için istatistiki yöntemler bulunur. "Broadbent'in kıstası"na dayanılarak istatistiki test bize birimin aslen ne olduğunu bilmeden ya da peşinen tahmin etmeden bulgulara göre böyle bir standardın aranmasına imkân tanır. Ayrıca bu yöntemle keşfedilen bir uzunluk biriminin, gerçekte hayata geçmemiş tesadüfi bir netice olmadığı ihtimaline dair bir ölçüt verir.

"Broadbent'in kıstası" Alexander Thom'un İngiliz Adaları'ndaki Neolitik taş çemberlerde "megalitik yarda"

kullanıldığı iddiasını değerlendirmek üzere kullanılmıştır. Benzer iddialar Minos saraylarının inşasındaki ölçü birimleri, Mayalar ve aslında bakılırsa birçok erken uygarlık için ortaya atılmıştır. Mısır'da gerçek ölçü çubukları ele geçmiştir.

Ağırlık Birimleri

Ağırlık ölçülerinin varlığı, standart bir birim olduğunu varsayabileceğimiz tekrarlanan bir miktarın (ağırlık bazında) katları olan standart formda nesnelerin keşfiyle ispat edilebilir. Bu türden buluntular çoğu erken uygarlık tarafından üretilmiştir. Bazen gözlemler, nesnelerin üzerinde eldeki parçanın standardın kaç katı ağırlıkta olduğunu gösterir işaretlerin keşfiyle desteklenmektedir. Sikke sistemleri her zaman ağırlık ölçümü yanında malzeme (altın, gümüş vs.) aracılığıyla da derecelendirilmiştir. Bunların amacı, sonraki bir bölümde tartışılacağı üzere değer bazındaki farklılıkları ölçmekti. Burada bizimle daha doğrudan alakalı olan gerçek ağırlıkların keşifleridir.

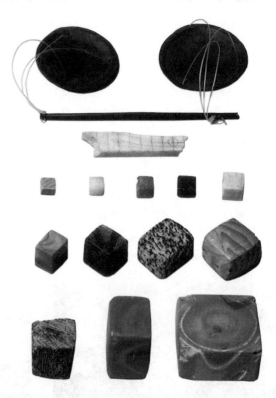

10.36 *Ağırlık birimleri: Pakistan'daki Mohenjodaro'dan gelen taş küpler 0,386 gramın katları şeklinde üretilmiştir. Terazi kefeleri küplerin pratik kullanımlarına işaret eder.*

Mükemmel örnekler yaklaşık MÖ 2500-2000'e tarihlenen İndus Irmağı uygarlığının büyük şehirlerinden Mohenjodaro tarafından sağlanır. Burada özenle işlenmiş ilgi çekici renkli taşlardan küpler ele geçmiştir. Bunların sabit bir kütle birimi şeklinde adlandırabileceğimiz bir değerin (0,836 g) 1, 4 ya da 8'den 64'e kadar, ardından 320 ve 1600 gibi tam sayılarla çoğalan katları oldukları anlaşılmıştır. Bu basit keşfin şunlara işaret ettiği savunulabilir:

1 Söz konusu toplum bizim ağırlık veya kütle kavramımıza denk bir kavram geliştirmiştir;
2 Bu kavramdan faydalanma, birimlerin etkin kullanımını, dolayısıyla birimsel ölçü fikrini içermektedir;
3 Hiyerarşik rakamsal kategorileri (mesela onluk sistem ve birimler) içeren bir sistem vardır ve bu durumda görünüşe göre sistem 16:1 sabit oranındadır;
4 Ağırlık sistemi pratik amaçlarla (ele geçen terazi kefelerinin işaret ettiği gibi) kullanılmış ve dünyayı nitel olduğu kadar nicel olarak da eşleyen bir ölçüm aracı meydana gelmiştir;
5 Muhtemelen farklı malzemeler arasındaki ağırlıklara dayalı bir eşitlik kavramı (bir malzemeden yapılmış nesnelerin ağırlığının yine aynı malzemeden yapılmış başka nesnelerle karşılaştırılarak ölçüldüğünü varsaymazsak) ve dolayısıyla bunların arasında bir oran bulunuyordu;
6 Buradan çıkan değer kavramı, malların arasında bir tür sabit değiş tokuş oranını zorunlu kılar (bu değer kavramı ileriki bir bölümde daha detaylı incelenecektir; aşağıda s. 412'ye bakınız).

Beşinci ve altıncı maddeler listedeki diğerlerinden daha varsayımsaldır. Fakat yüzeysel olarak basit keşiflerin, analize tabi tutulduklarında söz konusu toplumların kavramları ve yöntemleri hakkında önemli bilgiler sağladığına dair iyi bir örnektir.

PLANLAMA: GELECEK İÇİN HARİTALAR

Her birimizin zihininde taşıdığı bilişsel harita, bir şey yapmadan önce ne yapmaya çalıştığımızı düşünmemize ve bir plan oluşturmamıza imkân tanır. Arkeolog planlamanın nasıl gerçekleştirildiğine dair sadece nadiren doğrudan maddi kanıt bulur. Fakat bazen ortaya çıkan ürün o kadar karmaşık ya da gelişmiştir ki, önceden hazırlanmış bir plan veya belirlenmiş bir yöntem kabul edilebilir.

Eğer amaca yönelik planlamadan bir işin yapılışında bilinçli bir planın önceden formüle edilmesi kastediliyorsa, elbette bunu kanıtlamak zordur. Türkiye'deki Çatalhöyük (yaklaşık MÖ 6500) gibi bir köy veya Ur gibi bir erken Sümer şehri (yaklaşık MÖ 2300) ilk bakışta önceden planlamayı akla getirir. Ancak çeşitli doğal süreçlerin işlemesine bakarak, iyi tanımlanmış bir düzen içinde sadece tekrarlanma yoluyla çok üst derecede bir nizamın etkilerini görebiliriz. Bir mercan kayalığındaki poliplerin ya da bir kovandaki işçi arıların bilinçli bir plana göre hareket ettiklerini ileri sürmeye gerek yoktur. Onlar sadece kalıtsal kurallara göre işlerini sürdürmektedirler. Çatalhöyük ya da Ur'un planları bunlardan daha gelişkin örnekler olmayabilir. Önceden planlamayı kanıtlamak için, inşa tasarısının en baştan zihinde canlandırılmış olduğuna dair açık kanıt bulunması gerekir. Ne var ki böyle kanıtlara nadiren rastlanır. Tarihöncesi ya da erken tarihi devirlerden günümüze birkaç gerçek harita geçmiştir, fakat bunlar muhtemelen gelecekteki değil, mevcut mimari özelliklerin tasvirlerine ya da temsillerine aittirler. Ancak sadece arada bir, yapının kendisinden önce meydana getirilmiş olması muhtemel yapı modelleri buluruz. Akdeniz'deki Malta'da ele geçmiş bu şekilde planlamayı yansıtan beş ya da altı Neolitik tapınak modeli vardır. Bunlar mimari detaylara kesin surette büyük itina gösterirler.

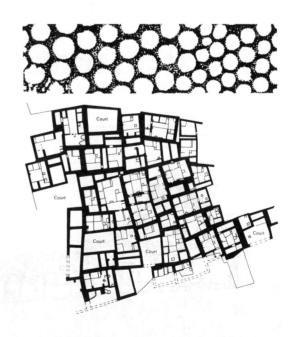

10.37 *Çatalhöyük köyünün yerleşim modeli (yukarıda), bir arı kovanının hücrelerinden daha bilinçli bir plana sahip değildir (üstte).*

Tasarımcının bilişsel haritasına ait sembolik şekildeki böyle doğrudan yansımaları nadirdir. Eski Mısır şehri Tell el-Amarna'da bulunan türden heykeltıraşların heykel taslak parçaları ve modelleri aynı şekilde sıradışı keşiflerdir.

Alternatif bir strateji, bitmiş bir yapıda fark edilen düzenliliğin tesadüfen oluşmadığını göstermenin yollarını aramaktır. Görünüşe göre İrlanda'daki Newgrange'de bulunan yaklaşık MÖ 3200'e ait geçitli mezarda böyle bir durum söz konusudur. Kış dönümü gününde, gün doğumunda güneş ışınları doğrudan geçit içinden geçerek mezar odasına ulaşır. Güneşin iki büyük dönüm noktasından birinde, azimuta göre doğuşu ve batışı yönünde tesadüfen sıralanma düşük bir olasılıktır. Fakat aynı zamanda böyle bir mezar yapısı geçidinin yükseklik bakımından ufuk hizasına getirilmesi hiç de imkânsız değildir. Aslında bakılırsa, girişin üzerinde kışdönümü güneşinin aradan parlaması için bir "tavan mahfazası" içinde bir yarık bulunur.

Çoğu kez belirli bir zanaat kolunda kullanılmış yöntemlerden dikkatli planlamanın varlığı çıkarılabilir. Kayıp balmumu yöntemiyle (8. Bölüm'e bakınız) yapılmış herhangi bir metal nesne kuşkusuz karmaşık, kontrollü ve önceden planlanmış bir silsilenin sonucudur: İstenilen şekil balmumuyla verildikten sonra kille kaplanıp kalıba alınır. Ardından söz konusu şekil bu sayede tunç ya da altına dökülür. Bir diğer örnek, birçok metal kullanan erken toplumda alaşımlı nesnelerdeki farklı metal oranlarının standartlaştırılmasıdır. Avrupa İlk Tunç Çağı tunç nesnelerindeki sabit %10 kalay oranı bir rastlantı değildir; nesiller boyu süren deneme ve tecrübenin sonucunda gelişmiş olması gereken itinalı ve kontrollü işlemlerin sonucudur. Bir uzunluk biriminin kullanılması da bir tür ölçü planlamasını kanıtlar.

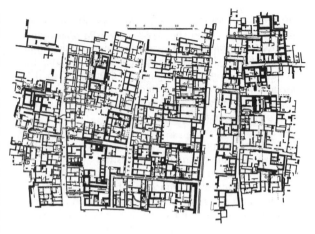

10.38 *İndus Vadisi'ndeki Mohenjodaro şehrinin düzenli planı -ana caddeler hemen hemen dik açılarla kesişirler- bilinçli bir şehir planlamacılığına dair ipucu sunar.*

Eşit genişlikte dik açılı sokaklardan meydana gelen bir ızgara planındaki tam düzenlilik de şehir planlamasına dair ikna edici bir göstergedir. Geleneksel olarak Yunan mimar Miletos'lu Hippodamos'un (MÖ 6. yüzyılda) ilk şehir planlamacısı olduğu öne sürülür. Fakat eski Mısır çok daha erken örnekler sunar. Firavun Akhenaton tarafından kurulmuş MÖ 14. yüzyıla ait Tell el-Amarna böyle bir örnektir. Ayrıca İndus Vadisi uygarlığı MÖ 2000'lerde çok düzenli bazı mimari özellikler gösterir. Bütünüyle doğrusal bir ızgara üzerine kurulmamıştır, ama ana caddeler birbirlerini kesinlikle tam dik açılarla keserler. Bunların ne kadarı bilinçli önceden planlamaydı, ne kadarı sadece planlanmamış kentsel büyümeydi gibi sorular henüz sistematik olarak araştırılmamıştır.

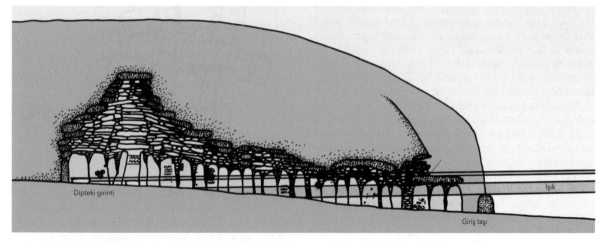

Dipteki girinti

Işık

Giriş taşı

10.39 *Bilinçli hizalandırma: Kışdönümünde güneş ışınları İrlanda'daki Newgrange'da bulunan geçidi ve odayı aydınlatır.*

Bilinçli şehir planlamacılığına dair güçlü bir kanıt, bir şehrin ana ekseninin astronomik anlamda önemli bir olaya göre hizalandığı zaman elde edilir. Önceki bölümde, Dünyayı Ölçmek başlığı altında büyük Mezoamerika ve And merkezlerinden bahsederken buna değinmiştik. *The Pivot of the Four Quarters* (1971) adlı önemli eserinde coğrafyacı Paul Wheatley, kentsel düzeni kozmik düzenle ahenkli hâle getirme arzusunun şehir planlamacılığını nasıl etkilediğini vurgulamıştır. Bu sadece Amerika değil, Hint, Çin ve Güneydoğu Asya uygarlıkları için de doğru gibi gözükmektedir. Modern Kamboçya'daki Khmer İmparatorluğu'nun başkenti Angkor gibi kentsel düzenin kozmik ikonografiyle tamamlandığı şehirlerde söz konusu sav kendisine destek bulur.

Şimdiye kadar hiçbir arkeolog, büyük inşaat faaliyetlerinde önceden planlanmış olması gereken minimum sayıda yöntemsel basamağı detaylıca hesaplamaya girişmemiştir. Elbette, birçok Ortaçağ katedralinin inşasından sorumlu usta zanaatkârlar gibi, yapı ustaları da detaylı ileriye dönük plan-

lardan ziyade, kararlar alındıkça uygulanan beceri ve hükümlere bel bağlamış olabilirler.

Bir anıtın inşası sırasında değiştirilen tasarımlara dair bazı örnekler mevcuttur. Büyük Mısır piramitlerinin ilki olan Firavun Djoser'in yaklaşık MÖ 2640'a ait Sakkara'daki basamaklı piramidi, efsanevi yaratıcısı İmhotep'in planda yaptığı çeşitli değişikliklerin ya da geliştirmelerin eseridir (İmhotep'in adı metinlerde geçer, ama piramidin inşa safhaları hakkındaki bilgilerimiz anıtta yapılan incelemelerden gelir).

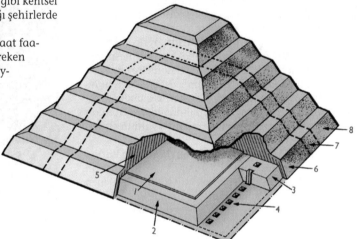

10.40 *Plan değişikliğine bir örnek: Sakkara'daki Basamaklı Piramit: (1-3) Piramit öncesi inşaat safhaları; (4) ikinci derece mezar yapılarına giden kuyular; (5) iç payanda duvarları; (6) dört basamaklı piramit; (7-8) altı basamağa çıkarılmış piramit.*

ORGANİZASYON VE İKTİDAR SEMBOLLERİ

Semboller maddi dünya kadar insanları denetim altına almak ve organize etmek için de kullanılır. Dilin yaptığı gibi bir insandan diğerine veya arşiv kayıtları gibi zamanda bir noktadan ötekine bilgi taşıyabilirler. Fakat bazen, bunlar sadakat, gelenek ve kurallara uygun davranışlar üzerinde hâkimiyet kurarlar; birçok uygarlıkta görülen devasa hükümdar heykelleri gibi.

Para: Değer Sembolleri ve Karmaşık Toplumlarda Organizasyon

Beşinci bölümde bir hesaplama sisteminin varlığının karmaşık toplum yapısına dair bir kanıt olarak alındığına kısaca değinilmiştir. Bir hesaplama sisteminde kullanılan semboller –standart hâle getirilmiş değerli malzeme ya da sikkeler gibi değer sembolleri– ekonominin kontrol altındaki unsurlarını toplumun ortak bilişsel haritası dâhilinde kavramsallaştırma yolunu yansıtan hem sosyal hem de bilişsel nesnelerdir.

Bu durum para örneğinden başka hiçbir yerde bu denli aşikâr değildir. Daha önceki bir bölümde paraya kısaca bir ölçme aracı olarak değinilmiştir, fakat para bundan çok daha fazlasıdır: Genellikle bir pazar yerinde nicelikleri ölçülebilen ve birbirleriyle takas edilebilen mallar dünyasında yaşadığımız gerçeğinin yansımasıdır. Aynı zamanda bunun en etkin şekilde, diğer malların değerlerinin ifade edilebileceği altın, gümüş ya da tunç (eğer para sikke formundaysa) cinsinden yapay bir değişim aracı kullanılarak yapıldığının farkında varıldığına işaret eder. Para –özellikle de para formunun onu darbeden otorite tarafından belirlendiği sikke– en güçlü iletişim şekli olarak sadece yazıdan sonra ikincidir. Daha yakın tarihlerde madeni para ve şimdi menkul kıymetler kapitalist ekonominin işleyişinden ayrı tutulamayacak benzer öneme haiz bir gelişmedir.

Tarihöncesinde Değer ve İktidar Sembollerinin Saptanması

Para kullanmayan ekonomilerde değer ölçeklerinin varlığını kanıtlamak daha zordur, ama bazı arkeolojik çalışmalar bu türden ölçekleri belirlemenin yollarını aramıştır. Robert Mainfort, MS 18. yüzyıl Kuzey Amerika kürk ticaretiyle ilgili etnografik bir pusulayı böyle bir araştırmayı desteklemek için kullanmıştır. Miami'deki (Ohio) ticarete dair 1761 tarihli bir liste olan bu pusula belirli malların kunduz derisi cinsinden dökümünü çıkarmıştır (mesela 1 misket tüfeği = 6 kunduz derisi). Mainfort buna dayanarak, Michigan'da kabaca çağdaş tarihi bir Kızılderili mezarlığını barındıran Fletcher arkeolojik alanındaki mezar buluntularına değerler biçmiştir (ayrıca bkz. 12. Bölüm). Ancak etnografik kayıt kaynaklı bu karşılaştırma, Fletcher'daki geçerli değerlerin birkaç kilometre güneyde, Ohio'daki Miami'de da kayıt edilmiş değerlerle aynı olduğunu varsayar. Bu mantıklı bir çıkarım olabilir, fakat etnografik ya da yazılı kayıtların bulunmadığı durumlarda daha genel bir metodoloji kurmamıza yardım etmez.

Varna altınları. Arkeolojik kanıtlar aslında kendi adlarına değer ölçeklerine dair kanıtlar sunabilir. Colin Renfrew'un Varna'daki (Bulgaristan) yaklaşık MÖ 4000'e tarihlenen Son Neolitik mezarlığı buluntuları üzerinde yaptığı analizler buna kanıttır. Mezarlıkta, dünyanın herhangi bir yerinde bulunmuş en erken büyük altın buluntu grubunu meydana getiren çok sayıda altın nesne ele geçmiştir. Fakat altının çok kıymetli olduğu kolayca varsayılamaz (mezarlıktaki görece bolluğu tersini ima ediyor olabilir).

Bununla birlikte buradaki altının gerçekten büyük değer taşıdığı sonucunu desteklemek için üç sav kullanılabilir:

1   Açıkça sembolik statüye sahip nesneler için kullanılmış olması; mesela zarif işçiliği ve kırılganlığı nedeniyle kullanmak için tasarlanmadığı belli delikli bir taş baltanın sapını süslemek için.
2   Vücudun özellikle önemli bölümlerindeki süslemeler için: mesela yüz süslemeleri, bir penis kılıfı.
3   Taklit yapımında kullanımı: Bir taş balta altın varaklarla kaplanarak som altından yapılmış görünümü verilmiştir. Böyle bir işlem normalde saklı malzemenin onu kaplayan malzemeden daha değersiz olduğuna işaret eder.

Eğer "asli" değer gibi (bu yanlış bir adlandırmadır, çünkü kıymetli malzemelerinin "değeri" kendi doğalarından gelmez; bu değer onlara atfedilir) kavramlar daha iyi anlaşılacaksa bu türden delillerin formüle edilmesi gerekir. Dokuzuncu Bölüm'de farklı toplumlarda prestij değeri taşıyan altın dışındaki malzemeleri görmüştük (s. 362-363'teki kutuya bakınız).

10.41 *Değer ölçeğinin tespiti: Bulgaristan'daki Varna'da altına verilen büyük değer, başka şeylerin yanında vücudun önemli kısımlarını süslemek için kullanılmasından anlaşılmaktadır.*

Eski Bulgaristan'da bu dönemde toplumda altın nesnelere çok değer verildiğini kanıtlamak, aynı zamanda altın nesnelerle ilişkilendirilen bireylerin yüksek sosyal mevkide bulunduklarını ima eder. Gömütlerin sosyal mevki ve hiyerarşi açısından delil kaynakları olarak önemleri 5. Bölüm'de tartışılmıştı. Burada altın kaplama Varna baltaları ve diğer keşiflerle *otorite ve iktidar sembolleri* olarak daha fazla ilgileniyoruz. Böyle bir otoritenin sergilenişi Varna'da ortaya çıkarılmış türden bir toplumda çok belirgin değildir, ama toplum daha hiyerarşik ve sınıflara bölünmüş bir hâl aldıkça kendisini açıkça gösterir.

Hiyerarşik Toplumlarda İktidar Sembolleri

Almanya'nın batısındaki Hochdorf'ta bulunan MÖ 6. yüzyıla ait bir şef mezarına –5. Bölüm'de bahsedilmişti– onun zenginliğini ve otoritesini sembolize eden değerli teçhizatlar eşlik ediyordu. Glauberg'in (Almanya, Frankfurt yakınları) aşağısındaki benzer bir prens mezarında, mezarda bulunanlara benzer kol bilezikleri ve boyun bağı

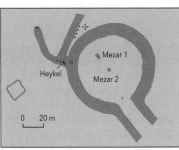

10.42–43 *Bu doğal boyuttaki şef heykeli, Almanya'daki Glauberg'de bulunan MÖ 6. yüzyıla ait bir prens mezarının yakınında ele geçmiştir. Heykelin üzerindeki bilezikler ve bir boyun bağının benzerleri mezarda kazılmıştır.*

takmış, kılıç ve kalkan kuşanmış doğal boyutlarda kireçtaşından bir şef heykeli bulunmuştur. Bugün için arkeologlar bir gömütteki buluntuların ölmüş bireyin kimliğinin temsilini ya da hakkındaki "yorumu" vermek üzere seçildiğini anlamıştır. Burada, çok benzer mevki göstergelerini kullanan, belki de ölünün üstün konumunu vurgulamaya yönelik bir heykel şeklinde daha ileri bir yorum görürüz. Bu gömütler bile devlet toplumlarının hükümdarlarıyla birlikte gömülmüş bazı hazineler yanında soluk kalırlar. Mesela krali zenginlik ve iktidar söz konusu olunca, Kuzey Yunanistan'daki Vergina'da bulunan krali mezar yapıları veya Mısır'ın Krallar Vadisi'ndeki

Tutankhamon mezarından daha güçlü örnekler bulmak zordur (s. 64-65'teki kutuya bakınız).

Aslında devlet toplumlarında ve imparatorluklar arasında iktidar sembolizmi tek başına gömütlerin çok ötesine geçerek tüm sanat ve mimariye –Mayaların heybetli stelleri (arka sayfdaki kutuya bakınız) ve Mısır firavunlarının devasa heykellerinden onların Sovyet Rusya'sı ve diğer yerlerdeki daha geç benzerlerine; Mısır piramitleri ve Mezoamerika tapınaklarından Washington'daki Capitol'e kadar– yayılır.

Modern Irak'taki Korsabad'da bulunan Asur sarayının sanatı ve mimarisi üzerine yapılmış bir çalışma, hem yerel tebayı hem de yabancı ziyaretçileri etkilemek için tasarlanmış semboller hakkında iyi bir örnek sunar. Burada Asur kralı II. Sargon (MÖ 721-705) kuzeybatı tarafında çok büyük bir tahkimli sitadeli bulunan masif surlarla çevrili bir şehir kurmuştu. Duvarları alçak kabartmalı frizlerle süslü Sargon'un kendi sarayı sitadele tepeden bakıyordu. Kabartmaların ana konuları her bir odanın işlevine göre özel olarak tasarlanmıştı. Böylece dıştaki iki kabul salonu –misafir heyetler için kullanılan– isyancılara yapılan işkence ve infaz sahneleri içerirken, iç odalarda bunları kullanan saray mensuplarının mevki ve prestijlerini sağlamlaştıran Asur askeri fetihleri sergileniyordu.

İleriki bir bölümde semboller ve sanata dair daha genel meseleler ele alınacaktır. Kaçınılmaz olarak bu bölümde ayrı ayrı ele alınan farklı sembol kategorileri büyük ölçüde birbiriyle örtüşmektedir. Akılda tutulması gereken önemli nokta bu kategorilerin biz araştırmacılara kolaylık sağlamaları için yaratıldıkları ve çalışılan topluma mensup üyelerin zihinlerinde böyle benzer sembolik ayrımların bulunmak zorunda olmadığıdır.

ÖTEKİ DÜNYA İÇİN SEMBOLLER: DİN ARKEOLOJİSİ

Önde gelen bir İngiliz sözlüğü dini "tanrısal bir egemen güce duyulan inanç ya da saygıyı ve onu memnun etme arzusunu belirten faaliyet veya davranış" olarak tanımlar. Dolayısıyla din bir inanç sistemi gerektirir ve bunlar günlük maddi dünyanın ötesine geçen, ondan büyük olan doğa ya da insanüstü varlıklar veya güçlerle ilgilidir. Diğer bir deyişle doğaüstü varlıklar insanlar tarafından kavramsallaştırılmıştır ve onların dünyayla ilgili ortak bilişsel haritalarında bir yerleri vardır.

Bununla birlikte din, aynı zamanda Fransız antropolog Emile Durkheim'ın 19. yüzyıl sonu ve 20. yüzyıl başında kaleme aldığı eserlerinde vurguladığı üzere bir kurumdur. Durkheim dinin "sosyal grubun birlikteliğini ve kişiliğini oluşturan ortak duygu ve düşünceleri düzenli aralıklarla idame ve yeniden teyit etmeye yönelik katkısını" belirtmiştir. Daha yakın tarihlerde Roy Rappaport gibi antropologlar aynı fikir, yani dinin toplumun sosyal ve ekonomik süreçlerini düzenlemeye yardım ettiği

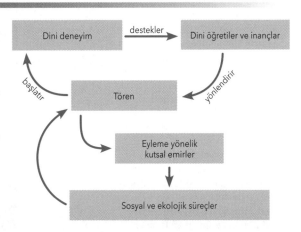

10.44 *Roy Rappaport'un tarifiyle din: İnançlar, dini deneyimi başlatan ritüelleri yönlendirir. Ritüeller yoluyla din toplumun sosyal ve ekonomik süreçlerinin düzenlenmesine yardım eder.*

MAYA İKTİDAR SEMBOLLERİ

Geçen 30 yılda eski Maya uygarlığı hakkındaki bilgilerimiz, "Son Büyük Deşifre" de denilen meçhul bir Maya yazısının çözülmesi sonucunda önemli ölçüde artmıştır. Bundan önce özellikle şehirler ve buralarda bulunmuş karmaşık yazıtlı taş anıtlardan Mayalar hakkında oldukça fazla şey biliyorduk.

Bununla birlikte yazıtlar (glifler) konusu çok iyi anlaşılmamıştı. Büyük Maya uzmanı Sir Eric Thompson 1954'te şöyle yazmıştı: "Şimdiye kadar bilinenlere göre Klasik Dönem'in metinleri tümüyle zamanın akışı ve astronomik konularla ilgilidir… Hiçbir şekilde bireylerle ilgileniyormuş gibi görünmemektedir. Anlaşıldığı kadarıyla söz konusu dönemden hiçbir birey adıyla belirtilmemiştir." Ancak 1960'ta Washington Carnegie Enstitüsü'nden Tatiana Proskouriakoff (s. 39'daki kutuya bakınız) belirli Maya hanedanlarının hükümdarlarını tespit ettiği bir makale yayımlanmış ve o zamandan beri insanları (genellikle hükümdarlar) ve yerleri tanımlayan glifler artarak bulunmuştur. Aslına bakılırsa Thompson'ın görüşünü ters çevirmek mümkündür. Birçok Maya anıtının artık hemen her zaman adıyla bilinen Maya hükümdarlarının saltanatlarındaki olayları andığı görülmektedir. Üstelik Sovyet bilim adamı Yuri Knorosov'un içgörüleri sayesinde oymaların fonetik değerleri olduğunu biliyoruz: Bunlar kavramları değil (gerçek ideogramların bazen yaptığı gibi) fonetik değerleri, dolayısıyla dili temsil ederler. Bu alanda etkileyici gelişmeler kaydedilmektedir.

Maya arkeolojisi Mısırbilim ya da diğer büyük uygarlıkların arkeolojisi gibi artık tam anlamıyla belge destekli bir disiplin olmuştur. Daha önceleri Diego de Landa gibi Meksika'nın erken İspanyol tarihçilerine ait yazılı kaynaklarına bel bağlamak zorundaydık. Klasik Maya Dönemi'nin sonundan altı yüzyıl sonra

yazmalarına rağmen, bu yazarlar Klasik Sonrası Dönem'de varlığını sürdürmüş bazı bilgilerden yararlanabilmişlerdi. Fakat şimdi anıtsal yazıtların çözülmesi bize iki dilde okuryazar olma avantajı sağlamıştır: İspanyol fatihlerin ve Klasik Dönem Mayalarının dili. Bugün tek bir anıtın yorumlanmasıyla Maya inançları hakkında olağanüstü bilgiler

elde edilebilmektedir. Klasik Maya Dönemi şehri Yaxchilan'daki Maya sanatının başyapıtlarından olan bir kapı lentosunu örnek verebiliriz. Eser Alfred Maudslay tarafından yerinden kaldırılıp British Museum'a bağışlanmıştır. Amerikalı sanat tarihçileri Linda Schele (1942-1998) ve Mary Ellen Miller'ın *Blood of the Kings*

5 Eb 15 Mac
9.12.17.1512
(MS 25 Ekim 709)

Bu onun kefaret eden suretidir

alevler içindeki bir mızrakla

Bu 4 Katun efendisinin kefaretidir

III. Kalkan Jaguar'ın esiri

esirin adı (okunamamıştır)

Tanrısal Pa'chan (yerel hanedanın adı) efendisi

Onun kefaret eden suretidir

Kraliçe? Xook

Kraliçe K'abal Xook

Ix Kaloomte (unvan)

(1986) adlı dikkat çekici kitaplarında da tartışılmıştır.

Lentodaki ayakta duran figür III. Kalkan Jaguar adlı Yaxchilan hükümdarıdır. Elindeki alevli mızrağı (k'ahk'al juhl) yukarı doğru kaldırmıştır. Eşlik eden glifler hükümdarın mızrağı kefaret (ch'ahb) olarak tanrılara sunduğunu belirtir. Diğer lentolarda törenin hükümdarın savaş hazırlıklarının bir parçası olduğu ortaya çıkmaktadır. Hükümdarın önünde eşi K'abal Xook diz çökmektedir. O da kefaret hareketi yapmaktadır, fakat sunduğu şey dilinden dikenli bir iple akıttığı kanıdır.

Yazıt çiftin isimlerini ve unvanlarını, olayların kısa bir özetini ve ne zaman meydana geldiklerini verir. Tarih MS 25 Ekim 705'e denk gelen 9.13.17.15.12 Eb 15 Mac olarak belirtilmiştir (s. 140-141'deki kutuya bakınız).

Bu anıt ve ona benzeyen diğerleri çok çeşitli alanlar hakkında bize içgörü sağlar: Mesela Maya yazısının kullanımına örnek sunarlar; dikkat çekici ölçüde hassas Maya takvimini kullanırlar; Mayaların kozmos anlayışı hakkında bazı bilgiler verirler ve Maya tarihinin çerçevesi olarak iyi tarihlenmiş bir dizi krali olay sağlarlar. Böylece Maya siyasi coğrafyasına büyük katkılar sunarlar (s. 210-211'deki kutuya bakınız).

Bu ve başka benzer tasvirler, Amerikalı bilim kadını Joyce Marcus'un uygun şekilde "iktidar ikonografisi" olarak adlandırdığı olgunun etkileyici bir örneğidir. Aynı zamanda özel durumlarda hükümdarların tanrılarına kutsal sunular yaptıkları Maya dini törenlerini sergilemektedir.

Artık bu anıtları açıklayabildiğimize göre tasvirlerin dünyanın büyük sanat üsluplarından biri olduğunu açıkça görebilmekteyiz.

10.45 *Yaxchilan'dan lento 24, III. Kalkan Jaguar ve eşi kraliçe K'abal Xook'u dini bir tören esnasında gösterir. Tasvirlerini çerçeveleyen glifler adlarının detaylarını ve unvanlarını, takvim tarihini ve törenin açıklamasını verir. Bunların arasında, vazo iğneleri ve dikenli ipler (kan akıtmak için) ve muhtemelen törenin doğru icrası için direktifler içeren jaguar kaplı kitaplar gibi eşyaların bulunduğu bir örgü sepet vardır.*

düşüncesi üzerinde durmuştur. Aslında bir yüzyıldan daha önce Karl Marx toplum liderlerinin böyle inanç sistemlerini kendi çıkarları için manipüle edebileceklerini öne sürmüştü.

Arkeologların karşılaştığı bir sorun, bu inanç sistemlerinin maddi kültürde her zaman ifade edilmemelerdir. Edildikleri zaman ise –dini inançlara karşılık yapılan planlı faaliyet sistemi olarak tanımlayabileceğimiz **kült arkeolojisi** dâhilinde– böyle faaliyetler diğer günlük faaliyetlerden her zaman açıkça ayrılamazlar. Kült günlük işlevsel faaliyetlerin içine iyice yerleşmiş olabilir ve bu yüzden arkeolojik anlamda zor ayırt edilebilir.

Arkeoloğun birinci görevi, kültle ilgili kanıtları oldukları gibi kabul etmek ve geçmişe ait anlamadığımız her eylemi dini faaliyet olarak sınıflandırma hatasına düşmemektir.

Kültün Tanımlanması

Eğer kültü bir devlet liderinin eşlik ettiği büyük ölçüde din dışı olan törenler (bunlarda ayrıntılı bir sembolizm bulunabilir) gibi faaliyetlerden ayıracaksak, kült faaliyetinin insan bilincinin ötesindeki veya doğaüstü amacını gözden kaçırmamak önemlidir. Dini ayin tanrısal varlık ya da yüce varlığa yönelik dışavurumcu ibadet eylemlerinin icrasını içerir. Bunun dâhilinde genelde en az dört bileşen yer alır (aşağıda bunların arkeolojide tanımlanabilir unsurlara ait bir liste oluşturmaya nasıl yardım ettiğini göreceğiz).

- Dikkatin odaklanması. İbadet eylemi katılımcı kişiden coşkulu bir farkındalık veya dini heyecan talep eder ve bunlara neden olur. Toplu ibadet eylemlerinde bu her zaman, gözlerin önemli ayin eylemlerine çevrilmesini sağlayacak kutsal mekân, mimari (mesela tapınaklar), ışık, sesler ve koku kullanımının dâhil olduğu bir dizi dikkat odaklama aracına ihtiyaç duyar.

- Bu dünya ve diğeri arasındaki sınır alanı. Ayin faaliyetinin merkezi bu dünyayla öteki dünya arasındaki sınır alanıdır. Burası gizli tehlikeler barındıran özel ve gizemli bir bölgedir. Kirlenme ve özel kurallara uygun olmama riski vardır. Bu yüzden törensel yıkanma ve temizlik vurgulanır.

- Tanrısal varlığın mevcudiyeti. Etkili bir ayinde tanrısal varlıklar ya da doğaüstü gücün bir şekilde hazır bulunması gerekir ya da hazır bulunması için teşvik edilmelidir. İnsanlarınki kadar tanrısal varlığın dikkati de çekilmelidir. Birçok toplumda tanrı fiziksel bir şekil ya da suret tarafından sembolize edilir. Bunun çok basit bir sembolden daha fazlası olması gerekmez; mesela bir işaretin dış hatları, muhtevası görünmeyen bir kap veya üç boyutlu bir kült imgesi...

10.46 *Ürdün'deki Ayn Gazal arkeolojik alanındaki çukurlara gömülmüş heykellerden birinin başı. Bu, kült nesnelerinin bilinçli gömülüşüne dair açık bir kanıttır.*

- **Katılım ve sunu**. İbadet katılan kişiden taleplerde bulunur. Bu talepler sadece dua ve saygıya ilişkin kelimelerle jestleri değil, fakat çoğu kez hareket, belki de yeme-içmeyi içeren aktif katılımı gerektirir. Aynı zamanda sıklıkla tanrısal varlığa hem kurban hem de hediye şeklinde maddi sunuları da bünyesinde barındırır.

Kült açısından önemli nesnelerin törenle gömülmesi, kült uygulamalarının tespit edilmiş en erken göstergelerinden biridir. Bunlar, Doğu Akdeniz'de Ayn Gazal gibi arkeolojik alanlarda MÖ 7. binyıl gibi erken bir tarihte ortaya çıkar. Burada bulunmuş sıra dışı heykeller, saz iskelet üzerinde şekillendirilmiş kireç harçlı sıvadan yapılmıştı ve çoğu boyayla süslenmişti. Bir evin tabanı altındaki çukura gömülmüş söz konusu heykeller efsanevi ataları temsil ediyor olabilir. Kutsal alan olarak açıklanan büyük yuvarlak yapılardan ibaret bir kompleks daha da erken bir arkeolojik alan olan Türkiye'deki Göbekli Tepe'de keşfedilmiştir (arka sayfadaki kutuya bakınız).

Bu analizden, bazıları genellikle dini törenler vuku bulduğunda rastlanan ve böylece bir ayinin gerçekleştiğini anlatan aşağıdaki daha somut arkeolojik ayin göstergelerini geliştirebiliriz. Bir arkeolojik alanda ya da bölgede ne kadar çok gösterge bulunursa dinin işin içinde olduğu (sadece ziyafet, dans ya da spordan ziyade) çıkarımı o kadar güçlüdür.

Ayin, Kült ve Dinin Arkeolojik Göstergeleri

Dikkatin odaklanması:

1 Ayin özel ve doğal çağrışımları (örneğin mağara, koru, kaynak veya dağ zirvesi) olan bir yerde gerçekleştirilebilir.

2 Bunun yerine kutsal işlevlerinden ötürü ayrı tutulan özel bir yapıda yer alabilir (örneğin tapınak veya kilise).

3 Ayin için kullanılan yapı ya da malzeme, mimarinin yansıttığı dikkati odaklayan araçlar, özel sabit mimari unsurlar (mesela sunaklar, sekiler, ocaklar) ve taşınabilir araç gereç (örneğin kandiller, gonglar ve ziller, tören kapları, buhurdanlar, sunak kıyafetleri ve ayinle ilgili her türlü eşya) gerektirebilir.

4 Kutsal alan muhtemelen tekrarlanan semboller açısından zengindir (bu "fazlalık" olarak bilinir)

Bu dünya ve diğeri arasındaki sınır alanı:

5 Ayin, arkeolojiye aksedecek hem umumi sergileme (ve harcama) hem de saklı özel gizemler içerebilir.

6 Temizlik ve kirlilik kavramları tesislere (havuzlar veya su tekneleri) ve kutsal alanının bakımına yansıyabilir.

Tanrısal varlığın mevcudiyeti:

7 Bir tanrısal varlık ya da varlıklarla ilişki bir kült suretinin kullanımına veya tanrısal varlığın soyut biçimde tasvirine yansıyabilir (mesela Hıristiyan Khi-Rho sembolü).

8 Ayinsel semboller çoğunlukla tapınılan tanrısal varlıklara ve onlarla ilgili efsanelere ikonografik olarak bağlıdır. Hayvan sembolizmi (gerçek ya da mitolojik hayvanların) belirli hayvanların özel tanrısal varlıklar veya güçlerle ilişkili olması şeklinde kullanılabilir.

9 Ayinsel semboller cenaze ve diğer geçiş törenlerinde görülenlerle alakalı olabilir.

Katılım ve sunu:

10 İbadet dua ve özel hareketleri içerecektir –tapınma eylemleri– ve bunlar bezemelere ya da imgelerin sanatı veya ikonografisine yansıyabilir.

11 Ayin dini tecrübeyi teşvik eden çeşitli araçlara (mesela dans, müzik, uyuşturucular ve acı çekme) başvurabilir.

12 Hayvan ya da insan kurbanı uygulanabilir.

13 Yiyecek ve içecek getirilebilir ve muhtemelen sunu olarak tüketilebilirler ya da yakılır veya dökülürler.

14 Diğer maddi nesneler getirilip adanabilir (adaklar). Adama eylemi kırma ve saklama yanında elden çıkarmayı içerebilir.

15 Hem kullanılan araç gereçte hem de yapılan sunularda büyük bir servet harcaması izlenebilir.

16 Yapının kendisinde ve ona ait tesislerde büyük servet ve kaynak aktarımı görülebilir.

Pratikte bu kıstaslardan sadece birkaç tanesiyle tek bir arkeolojik kontekstte karşılaşılır. İyi bir örnek Ege adalarından Melos'taki MÖ 1400-1120 arasında aktif olarak kullanılmış Phylakopi kutsal alanıdır. Burada sunak işlevi görmüş olması muhtemel platformlara sahip iki bitişik oda bulunmuştur. Odaların içinde bazı insan tasvirleri içeren zengin bir sembolik buluntu grubu vardı. Dolayısıyla yukarıdaki kıstasların bir kısmı yerine gelmişti (mesela 2, 3, 7 ve 14). Ne var ki buluntu grubu kült kullanımıyla eksiksiz uyum göstermesine karşın, görüşler şüpheleri tam anlamıyla ortadan kaldırmamıştı. Phylakopi'yi benzer özellikler taşıyan Girit'teki diğer arkeolojik alanlarla karşılaştırmak gerekliydi. Girit arkeolojik alanları kült mekânları olarak kesinlikle tanımlanabiliyordu, çünkü bunlardan *çok* vardı. Bunlardan bir tane bulunması özel etkenlere bağlanabilirdi, ama birbirine çok yakın özellikler barındıran birkaç tanesinin keşfi, dini ayini görünürde tek makul açıklama yapan mükerrer bir şablonu düşündürmekteydi.

Elbette dini ayinle ilgili bir örnek, kullanılan sembollerde açık bir ikonografi bulunduğunda daha kolay kanıtlanabilir. İnsan, hayvan ya da mitolojik veya hayali suretlerin tasvirleri inceleme ve analiz için çok daha geniş fırsatlar sağlar (arka sayfadaki kutulara ve s. 420-421'e bakınız). Sunuların tanımlanması da yardımcı olabilir. Teotihuacan'daki Ay Piramidi'nin altında bulunmuş dikkat çekici ritüel dolguları (s. 426-427'ye bakınız) buna bir örnektir. Genelde sunular, sahipleri tarafından tanrısal varlığın faydalanması veya kullanması için ayinle bağışlanmış ya da "terk edilmiş" çoğunlukla çok değerli maddi nesnelerdir. Doğal olarak terk olgusunu tespit etmek onun amacını tespit etmekten daha kolaydır. Yine de, çoğunlukla sembolik olarak zengin özel nesne toplulukları bazen yapılarda öyle bir şekilde bulunurlar ki, onların buralarda sadece muhafaza edilmeleri için bırakılmadıkları açıktır. Modern Mexico City'de, Büyük Aztek Tenochtitlan Tapınağı'nın en içteki yapısına ait tabakalarda genellikle temellere gömülmüş jaguar iskeletleri, yeşimden toplar, çanak çömlekler ve taş maskelerden oluşan sıra dışı saklı nesneler böyledir (s. 570-571'deki kutuya bakınız).

Çapıcı mal grupları mekân dışarında da bulunmuştur. İngiltere'deki Thames Nehri'ne fırlatılmış Demir Çağı silahları veya İskandinavya turbalarına MÖ 1000 civarında bilinçli olarak bırakılmış göz alıcı metal eşya defineleri böyle örneklerdir. Bu şekilde bulunmuş tek nesneler elbette kaybedilmiş ya da sadece daha sonra alınmak üzere güvenli bir yere saklanmış olabilirler. Fakat bazen o kadar çok değerli nesne birlikte bulunur ki (bazı durumlarda zengin sembolik değerlere sahiptirler ve diğerleri de bunların sonra kullanılma niyetlerini gösterecek şekilde hem bilinçli hem de gönüllü olarak tahrip edilmiştir) bunların törensel atıklar olarak elden çıkarıldığı çok açıktır. Ünlü bir örnek, Yucatán'ın kuzeyindeki Geç Maya arkeolojik alanı Chichen Itza'da bulunan *cenote* ya da kuyudur.

Buraya sembolik açıdan zengin muazzam miktarda eşya atılmıştır.

Doğaüstü Güçleri Tanımlamak

Eğer kült uygulamaları dâhilinde kendilerine ibadet veya hizmet edilen doğaüstü güçleri tanımlamak ve birbirlerinden ayırt etmek istiyorsak, o zaman arkeolojik kayıtta bunu teşhis edebileceğimiz ayrımların bulunması gerekir. Bunlardan en aşikâr olanı, içinde her biri özgün bir özelliğiyle (mesela mısırın mısır tanrısıyla, güneşin güneş tanrıçasıyla ilişkisi) münferit tanrıları fark edebileceğimiz gelişmiş bir ikonografidir (sıklıkla dini ya da törensel önemi olan tasvirler; Eski Yunanca *eikon* yani "imge"den).

Herhangi bir gelişkin sistem için ikonografinin çalışılması başlı başına uzmanlık isteyen bir uğraştır. Bunda bilişsel arkeolog, epigraflar ve tarihçilerle el ele vermek zorundadır (örneğin s. 414-415'teki Maya İktidar Sembolleri başlıklı kutuya bakınız). Böyle bir çalışma tanrısal güçleri sıkça betimlemiş dinlerin çoğu için sağlam temellere oturur. Mezoamerika ve Mezopotamya'nın ikonografisi Klasik Yunanistan gibi genel olarak bu kategoriye girer. Mesela resimli bir Maya ya da Yunan vazosunda bu toplumların kendi mitolojileriyle ilgili sahneler yaygındır. Özellikle Yunanistan örneğinde açıklamalarımız için okuryazarlığa bağlıyız. Her şeyden önce mitolojik bir figürün adının vazo üzerine yazıldığını görmek gayet işe yarar (gerçi eğer mitolojik repertuvar biliniyorsa her zaman gerekli değildir). Fakat ismin kendisi çoğu kez sadece karakteri Klasik Yunan edebiyatından bildiğimiz zengin mitler ve söylence külliyatı içine yerleştirmemizi sağlar. Bu olmadan birçok örnekte sahnelerin çok şey açıklayacağı şüphelidir.

Okuryazarlığın ve mevcut edebi kanıtların daha az yaygın olduğu yerlerde –mesela Mezoamerika'da– belirli bireylerle ilişkilendirilebilecek tekrarlanan nitelikleri fark edebilmek umuduyla, farklı tasvirlerin dikkatli şekilde çalışılmasına daha fazla önem verilmelidir. Michael Coe Klasik Dönem Maya çanak çömleği üzerindeki incelemeleriyle bunun üstesinden başarıyla gelmiştir. On dokuzuncu yüzyılda Guatemala yaylalarındaki günümüz Mayaları arasında keşfedilmiş Popol Vuh elyazması olarak bilinen eser, Maya yeraltı dünyasıyla ilgili 2000 yıllık muazzam bir destanın bir parçasını içerir. Coe'nun özenli araştırması Klasik Dönem Maya çanak çömleği üzerinde bu destana ait çok açık resimli tasvirler bulunduğunu kanıtladı. Örneğin, yeraltı dünyasının tanrısal hükümdarlarından biri olan Tanrı L, baykuş başlığı ve içtiği puro sayesinde tanımlanabilmektedir. Onun efsanevi rakipleri, çoğunlukla pişmiş toprak sahnelerde sıkça görülen Kahraman İkizler ise yüzlerine ve vücutlarına yaptıkları benekli jaguar kürkü boyalarıyla ayırt edilirler. Mayaların gözünde yeraltı dünyası günahların cezasının ödendiği, ölülerin tıpkı Kahraman İkizler gibi o dünyanın karanlık efendilerini

DÜNYANIN EN ESKİ KUTSAL ALANI

Türkiye'nin güneydoğusundaki Şanlıurfa'da bulunan Göbekli Tepe arkeolojik alanının dünyanın en eski kutsal alanı olduğu iddiasında bulunalabilir. MÖ 9600-8200 arasına tarihlenen 300 m çapındaki bu büyük höyükte bulunan belki 20 kadar çevrili alandan yedisi, Berlin Alman Arkeoloji Enstitüsü'nden Klaus Schmidt (1953-2014) tarafından kazılmıştır. Radyokarbon tarihleri Göbekli Tepe'yi Doğu Akdeniz'in en erken Neolitik dönemi olan Çanak Çömleksiz Neolitik A ile çağdaş göstermesine karşın burada kültüre alınmış bitki bulunmamıştır ve fauna sadece ceylan, yaban sığırı, alageyik ve yabandomuzu gibi vahşi hayvanlardan oluşmaktadır. Göbekli Tepe'yi kurmuş ve kullanmış toplum fiilen avcı-toplayıcıydı. Fakat burası yerleşim amaçlı bir arkeolojik alan değildi.

10.47 *Göbekli Tepe kazılarından bir manzara. Duvarlar ve sekilerle birbirlerine bağlanan T-şeklindeki büyük taş dikmelerle çevrili yapılar meydana getirir.*

Kabartmalı Dikmeler

Göbekli Tepe'nin en karakteristik özelliği oval yapılar meydana getirecek şekilde aralarına sekiler yerleştirilmiş ve sayıları 12'ye kadar çıkabilen dikmelerdir. Bunların her biri birkaç metre yüksekliğe erişen ve ağırlığı 12 tona kadar çıkabilen kireçtaşından T şeklinde monolitlerdir. D Alanı'nın merkez dikmeleri şimdi tamamen kazılmıştır. Bunlar ana kayadan oyulmuş kaidelerin üzerine yerleştirilmişlerdir ve 5,5 m yüksekliğindedirler.

Bu dikmelerin üzerine hayvan kabartmaları -aslanlar, tilkiler, ceylanlar, yaban domuzu, yaban eşekleri, yaban öküzü, yılanlar, kuşlar, böcekler ve örümcekler- işlenmiştir. Hafir dikmelerin stilize insanları; dikey ve yatay elemanların baş ve vücudu temsil ettiğini düşünmektedir, zira dikmeler bazen kollarla elleri alçak kabartma şeklinde göstermektedir. Özellikle D Alanı'nın merkez dikmeleri

bu yorumu desteklemektedir: Sadece kabartma kol ve elleri göstermekle kalmazlar, aynı zamanda kemerler ve bu kemerlerin tuttuğu peştemalları da üzerlerinde belirtilmiştir. Ayrıca olasılıkla duvarların üstüne yerleştirilmiş hayvanların -çoğunlukla yabandomuzu- üç boyutlu heykelleri mevcuttur ya da bu heykellerden bazıları arka ayaklar yerine çatala benzer konik çıkıntılara sahip olduğundan, belki de duvarlara oturtulmuşlardı.

Analiz

Bu çevrili alanlar bu bölümde değindiğimiz "dikkatin odaklanması" kıstasına uyan özel mimari formlarıyla şüphesiz bir tören uygulamasını akla getirir. Üstelik hayvan sembolizmi açısından zengindirler. Klaus Schmidt burada, her bir alanının inşası için gerekli kayda değer işgücünü de büyük toplantıların ve cenaze törenlerinin yapıldığını iddia etmiştir, fakat henüz

herhangi bir gömüte rastlanmamıştır. Schmidt bunların kazıldıkları zaman sekilerin altında ya da yapıların arkasında bulunacağını tahmin etmişti (insan kemiklerinin sözde kült yapılarına ait duvarlarının içinde ya da altında bulunduğu Nevali Çori ve Çayönü'yle

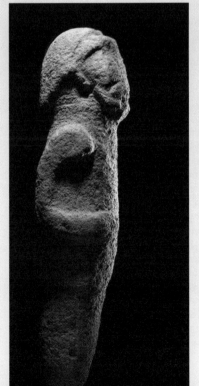

bir karşılaştırma yaparak). Göbekli Tepe'nin özel bir merkezi yer, bölge nüfusu için törensel bir odak noktası olduğunu düşünmek elbette mantıklıdır. Göbekli Tepe'nin yakınlarında onunla çağdaş köyler bilinmektedir: Schmidt'in hocası Harald Hauptmann tarafından kazılmış Nevali Çori bunlardan biridir. Burada da küçük bir kutsal alan olarak adlandırılabilecek şekilde, T biçimli tek parça dikmeler (Nevali Çori dikmeleri Göbekli Tepe'deki erken örneklerden küçüktür) ile kireçtaşından insan ve hayvan heykelleri küçük bir yapı içinde bulunmaktadır.

Göbekli Tepe ise bir köyün yaşam alanlarına sahip olmayan çok daha büyük ve özel bir yerdi. Kil figürinler, bizler ve kemik uçlar gibi evsel kontekstlerden bilinen buluntu gruplarının tamamı Göbekli Tepe'de yoktur. Bu özel arkeolojik alanda törensel uygulamaların gerçekleştirilmiş olması kuvvetle muhtemeldir. Gördüğümüz gibi cenaze törenleri imkân dâhilindedir, fakat henüz belgelenememiştir. "Tanrılara" da (bilinç sınırlarını aşan güçlere sahip varlıklar anlamında) rastlanmamıştır. Bununla birlikte, doğal boyutlarından büyük ve hayli soyut, ama yine de antropomorfik T biçimli dikmeler, Göbekli Tepe'deki

10.48–50 *Göbekli Tepe'deki dikmelerden birine işlenmiş bir yabandomuzu ve diğer hayvan kabartmaları. (sağ üstte) Arkeolojik alandan oyma insan başı. (sol altta) Göbekli Tepe'den insan formunda dikkat çekici bir heykel.*

doğal ve normal boyutlardaki insan heykellerinden (daha önce Urfa-Yeniyol'da bulunmuş "Urfa Adamı" gibi muhtemelen aslen doğal boyutta heykellerin bir parçası olan birkaç baş ele geçmiştir) farklı bir düzeyde yorumlanmalıdır. Elbette buradaki törenler atalara saygı ritüelini de barındırmış olabilir. Dolayısıyla sadece tanrılara ibadet anlamında kabul edilecekse bir "kült"ten bahsetmek için henüz erken olabilir.

Bununla birlikte ilginç olan şey, görünüşe göre Göbekli Tepe'nin kullanımının bu bölgede tarımın gelişmesinden önce –alan küçük kızıl buğdayın ilk kez kültüre alındığı bölgeye yakın olmasına rağmen– gerçekleşmiş olmasıdır (s. 281-283'e bakınız). Göbekli Tepe'ye mevsimlik ziyaretler yapılmış olabilir ve yerleşik bir nüfusu yansıtmayabilir. Fakat Göbekli Tepe bu bölgede tarımın kökenleriyle ilgilenen bir arkeolog için çarpıcı ve ilgi çekici bir arkeolojik alandır.

10.51 *Maya tanrılarını tanımlamak: Muhtemelen Guatemala'daki Naranjo'dan bir Geç Klasik Maya vazosu üzerinde bulunan bu sahne, Michael Coe tarafından purosu ve başlığıyla yeraltı dünyasının hükümdarı Tanrı L olarak tanımlanmıştır.*

yendiği ve kurnazlıkla alt ettiği bir yerdi. Ölüme karşı zafer kazanmayı en iyi şekilde becerenler gökyüzünde yeniden doğmakla ödüllendiriliyorlardı.

Ölümün ve gömütün arkeolojisi, şimdi ele alacağımız gibi dinin çalışılmasında en önemli unsurlardan biridir.

Ölümün Arkeolojisi

Arkeologlar sosyal içerikli açıklamalar için sıklıkla gömüt kanıtlarına başvururlar, çünkü bireylerle birlikte gömülen kişisel eşyalar topluluk içindeki zenginlik ve mevki farklılıkları hakkında bilgi sağlarlar. Bu konular 5. Bölüm'de tartışılmıştı, fakat yaşayanlar cenaze törenlerini kendileri ve ölen yakınlarıyla arkadaşları hakkında sembolik ifadelerde bulunmak, dolayısıyla toplumdaki diğer üyelerle ilişkilerinde etki yaratmak için kullanmalarına rağmen, bu sembolik faaliyetin sadece bir parçasıdır, zira ölüm ve onun ardından gelebileceklere dair inançları tarafından da yönlendirilirler.

Nesnelerin ölülerle birlikte gömülmesi bazen ölüm sonrası hayata duyulan inancın göstergesi olarak alınır, fakat böyle kabul edilmesi gerekmez. Bazı toplumlarda ölen kişinin eşyaları onunla öylesine sıkıca ilişkilendirilir ki, başkasının onlara sahip olmasının kötü şans getireceği düşünülür. O yüzden ölünün bu eşyaları ölümden sonraki hayatında kullanabilmesi düşüncesinden ziyade ölüyle

CHAVÍN'DE KÜLT FAALIYETİNİN BELİRLENMESİ

GÜNEY AMERIKA
• Chavín de Huantar

Kuzey Peru'nun ortasındaki Andlar'ın tepelerinde bulunan büyük Chavín de Huantar yerleşimi MÖ 850-200 arasında en parlak dönemlerini yaşamış ve eski Güney Amerika'nın temel sanat üsluplarından birine ismini vermiştir. Chavín sanat üslubuna her şeyden önce heykeltraşide kendisini gösteren hayvan motifleri hâkimdir, fakat Kuzey Peru'nun farklı kesimlerinde bu döneme ait çanak çömlek, kemik, boyalı kumaşlar ve işlenmiş altın varaklarda da görülürler.

İlk kez Peru arkeolojisinin babası Julio Tello (s. 35) tarafından 1919'da keşfedilen Chavín de Huantar uzun zamandan beri bir törensel merkez, bir dini kültün merkezi olarak bilinmekteydi, fakat hangi nedenlerden dolayı?

Yakın tarihte Luis Lumbreras, Richard Burger ve diğerlerinin yaptığı kazılar önemli bir yerleşik nüfusun bulunduğunu göstermiş ve kült faaliyetlerinin doğrulanmasına katkı sağlamıştır. Kitabın ana metninde arkeolojik olarak tespit edilebilen 16 farklı göstergeyi listelemiştik ve Chavín'de bunların yarısından fazlası en azından belli bir kesinlikle tespit edilmiştir.

Yerleşimin ilk bakışta en bariz özelliklerinden biri gösterişli mimarisidir: En erken evrede U şeklinde bir plan üzerine taş cepheli platformlar kompleksinden meydana gelir ve yerleşimdeki yaşam alanlarından kendisini ayırır –böylece ana metinde verilen arkeolojik göstergelerden **2** ve **16**'nın kriterlerini büyük ölçüde yerine getirir (s. 416-417'ye bakınız). Hem halka açık sergileme hem de gizem unsurları (**5**), 300 katılımcıyı barındırabilecek yuvarlak bir çukur meydan ve en önemlisi, 4,5 m yüksekliğindeki *Lanzón* adında bir granit sütunun (Büyük Suret) bulunduğu dar bir odaya açılan gizli

10.52 *Lanzón ya da Büyük Suret'in iki görünüşü (üstte, tam boyut; altta, açılmış çizimi).*

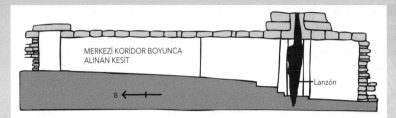

MERKEZİ KORİDOR BOYUNCA
ALINAN KESİT

B ←——

Lanzón

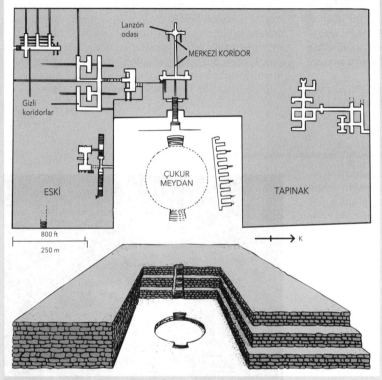

Lanzón
odası

MERKEZİ KORİDOR

Gizli
koridorlar

ÇUKUR
MEYDAN

ESKİ

TAPINAK

800 ft
250 m

K

geçitlerin varlığıyla belli edilir. Sütun üzerindeki uzun dişli antropomorfik yaratık, tapınağın ana ekseni üzerinde doğuya doğru bakan konumu ve işçiliğiyle bunun yerleşimdeki ana kült sureti olduğuna işaret eder (**7**). Üstelik tapınağın içinde ve çevresinde 200 kadar iyi işlenmiş taş heykel bulunmuştur. Bunların ikonografisine kaymanlar, jaguarlar, kartallar ve yılanlar egemendir (**4**, **8**). Bir yeraltı galerisinde bulunmuş yiyecek içeren 500'ün üzerinde kaliteli kırık

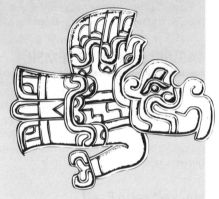

10.54 *Bir Chavín pişmiş toprak kâsesi üzerindeki sorguçlu kartal motifi.*

çanak çömlek parçası sunulara (hafir Lumbreras bunların saklama kabı olduğunu düşünmektedir) ait olabilir (**13**, **14**). Uyuşturucuya bağlı törenlere ait kanıtların varlığı (**11**) yanında, yerleşimin altındaki kanalların ritüel arınma ve ayinlerin etkisini arttıracak uğultular yaratmak için kullanılmış olması mümkündür (**6**).

Dolayısıyla Chavín'deki inceleme, farklı türden kanıtlara yönelik dikkatli arkeolojik ve sanat tarihi analizlerinin kült faaliyetlerine dair sağlam kanıtlar üretebileceğini göstermektedir. Herhangi bir yazılı kanıta sahip olmayan bir yerleşim ve toplum için bile bu geçerlidir.

10.53 *Yerleşimdeki erken U planlı platformların perspektif görünümü ve planı; içinde Lanzón ya da Büyük Suret'in yükseldiği dar odayı gösteren merkez koridor boyunca uzanan kesit.*

10.55–56 *Maskeli bir şamanın (en solda) bir jaguara dönüşümü (solda). Bu heykeller tapınağın dış duvarına kenetlerle tutturulmuşlardır ve ilaçlara bağlı ayinleri ima eder.*

birlikte yok etme gereği söz konusudur. Öte yandan, ölüye yiyecek sunuları eşlik ederse bu, öteki dünyada devam eden beslenme fikrini daha güçlü şekilde ima eder. Bazı gömütlerde –mesela Mısır firavunları ya da Çin'de Şang ve Zhou hanedanları prensleri (aslında yakın zamana kadar)– ölüye bütün bir kişisel eşya topluluğu eşlik eder. Beşinci Bölüm'de gördüğümüz üzere, Mezopotamya'daki Ur kral mezarlarında olduğu gibi Şang örneğinde de hizmetkârlar mezarda ölüye eşlik etsinler diye öldürülmüştür. Aynı zamanda Polinezya'da görülen bu uygulamalardan birinde MS 13. yüzyılda yaşamış hükümdar Roy Mata ile birlikte gömülmüş 40 kişi keşfedilmiştir ve buradan ölümden sonraki hayata dair bir tür inancın var olduğu sonucu çıkarılabilir.

Birçok kültürde ölüye eşlik etmesi için özel nesneler yapılır. Bazı erken dönem Çin prenslerinin içinde gömüldüğü yeşim kıyafetler, Miken kuyu mezarlarındaki altın maskeler ve Mezoamerika gömütlerinde bulunan maskeler, yeşim taşları ve diğer değerli taşlar bu türden nesnelerdir (örnekler için s. 362-363 ve 426-427'ye bakınız). Doğal olarak bunlar sosyal açıdan önemlidir, ama aynı zamanda onları yapan toplulukların kendi ölümlülüklerini nasıl algıladıklarına dair imalar taşırlar ki, bu da herhangi birinin bilişsel haritasının önemli bir parçasıdır.

Cenaze törenlerinin başka unsurlarından da çeşitli sonuçlar çıkarılabilir: Mesela, gömülme veya etin kemikten sıyrılması yerine yakılma; bireysel gömüt yerine toplu gömüt; gömüt için önemli yapıların kullanılması vb. Bunlar yine kısmen hâkim sosyal sistem ve yaşayanların ideolojilerini kullanma yollarıyla belirlenir, fakat zamanın dini inançlarından ve söz konusu kültürden de etkilenir.

TASVİR: SANAT VE TEMSİL

Bir bireyin ya da topluluğun bilişsel haritasına dair en iyi içgörüyü, o haritanın ya da en azından bir kısmının maddi biçimdeki temsiliyle elde ederiz. Modeller ve planlar özel örneklerdir, ama daha genel bir örnek tasvirdir. Tasvirde dünya ya da onun bir yönü, zihinde algılandığı kadarıyla gözlerin göreceği biçimde betimlenir.

Heykeltıraşın Eseri

Dünyaya ait bir unsuru sembolik formda ve üç boyutlu olarak yeniden yaratmak çarpıcı bir bilişsel sıçramadır. Bu ilk kez, s. 398-399'daki kutuda değinilen taşınabilir ya da "hareketli" sanatla birlikte erken Üst Paleolitik Dönem'de atılmış bir adımdır. Hayvanların alçak kabartma veya kil modelleri bu dönemde de görülmektedir. İkinci gruptakiler doğal boyuttan küçük, fakat minyatürlerden daha büyüktür. Ancak kadın figürleri daha yaygındır. Bunlar genellikle taş ya da fildişinden oyulmuşlardır, fakat kilden yapılıp ardından pişirilmiş (başlı başına karmaşık bir işlemdir) bir dizi kadın figürü Çek Cumhuriyeti'nde Dolní Věstonice ve Pavlov'da bulunmuştur.

Türümüz *Homo sapiens*'in bütün üyelerinde ilgili potansiyel beceriler bulunmuş olabilirse de, böyle Üst Paleolitik heykeltıraşlık eserlerinin esasen Avrasya'yla sınırlı kalması görünürdeki durumdur. Erken tarım döneminde dünyanın birçok yerinde, binlerce yıl önce Dolní Věstonice ve Pavlov'dakine çok benzer teknoloji kullanılarak yapılmış pişmiş toprak insan figürinleri ele geçmektedir. Bunlar Yakındoğu ve Güney Avrupa (ama Orta ya da Batı Avrupa'da değil) İlk Neolitik'inde ve Mezoamerika'da yaygındır. Bu küçük insan figürleri üzerinde yapılan analizler dönemin kıyafetlerine dair belirli ayrıntıları aydınlatmıştır. Bazı bilim insanları bunlarda neredeyse evrensel Toprak

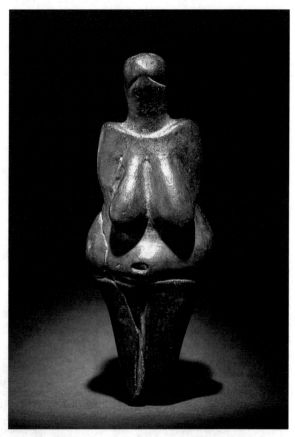

10.57 *Bazıları tarafından bir doğurganlık tanrıçası olarak açıklanan bu sözde "Venüs figürini" Dolní Věstonice'de bulunmuştur.*

Ana ya da bereket tanrıçasının temsillerini görmüşlerdir. Fakat şimdiye kadar figürinlere getirilen bu açıklamaların lehine öne sürülmüş kanıtlar Peter Ucko tarafından –mesela çoğunun açıkça kadın bile olmadığını göstererek– etkin bir şekilde reddedilmiştir.

Güneydoğu Avrupa'da bulunmuş figürinler bir önceki bölümde, bunlarda kendilerini tekrarlayan tanrıları gören Marija Gimbutas'ın uyguladığı türden ikonografik bir çalışmaya tabi tutulmuştur (ayrıca s. 227-228'e bakınız). Onun da belirttiği üzere, bunlardan bazıları gerçekten de maske takmış figürler gibi görünmektedir. Ancak daha detaylı tanımlar geniş kabul görmemiştir.

Doğal boyuttaki heykeller her ikisi de şehirleşmiş toplumlar olarak görülemeyecek Malta ve Kiklat Adaları kültürlerinde üretilmiştir (arka sayfadaki kutuya bakınız). Doğal boyutlarda ya da gerçekten anıtsal, normalden büyük heykellere erken hanedanlar Mısır'ında, Sümer'de ve birçok başka uygarlıkta rastlanır. Her birinin doğru şekilde anlaşılıp açıklanması için bir uzmana ihtiyaç duyan kendilerine özgü heykeltıraşlık gelenekleri vardır.

Resimsel Bağlantılar

Dünyayı betimlemek üzere düz bir yüzeye yapılmış resim, çizim veya oyma tek bir figürün üç boyutlu temsilinden çok daha büyük fırsatlar sunar, çünkü bilişsel haritadaki semboller, nesneler *arasında* bağlantılar kurma imkânı tanır. Öncelikle bu, sanatçının uzamı nasıl algıladığı kadar farklı zamanlardaki olayların hangi yollarla gösterilmiş olabileceğini araştırmak için de bize olanak sunar. Aynı zamanda, sanatçının hayvanları, insanları ve gerçek dünyanın diğer yönlerini betimlediği tarz ya da *üslubu* incelememize izin verir. "Üslup" sorunlu bir kelimedir. Bir eylemin uygulanma biçimi olarak tanımlanabilir. Üslup bir faaliyetin, çoğunlukla işlevsel bir faaliyetin unsuru olmanın dışında varlık gösteremez ve hiçbir bilinçli faaliyet ya da daha kesin konuşmak gerekirse tekrarlanan hiçbir faaliyet bir üslup meydana getirmeden yürütülemez. Dolayısıyla, İspanya'nın doğusundaki kaya barınaklarında bulunan 7000 yıllık resimler onları İspanyol Doğu Akdeniz üslubu olarak nitelememizi sağlayacak benzerlikler taşırlar. Bunlar, Güneybatı Fransa ve Kuzey İspanya'nın 10.000-20.000 yıl daha erkene ait temsili ya da natüralist Üst Paleolitik mağara resimlerine nazaran basit görünürler (s. 398-399'daki kutuya bakınız). Bilişsel bakış açısından tasvir eyleminin ne gerektirdiği henüz tatmin edici şekilde açıklanamamakla beraber, böyle sanat eserlerinin muhtemel amaçları üzerine verimli çalışmalar yapılmaktadır.

En başarılı şekilde analiz edilen tasvirler karmaşık olanlar, mesela duvar resimleridir. Böyle bir tanesi Thera Adası'ndaki Akrotiri'den gemi freskidir. Sahne için muzaffer bir filonun eve dönüşü veya denizle ilgili bir kutlama ya da ritüel gibi farklı yorumlar yapılmıştır. Bir başka mü-

10.58 *Thera Adası'ndaki (Santorini) Akrotiri'de bulunan gemi freskinin bir kısmı, MÖ 1600 civarında Akdeniz'de dolaşmış çok kürekçili gemilere dair açık bir izlenim bırakır.*

kemmel örnek bazı Mezoamerika freskleri ve heykeltıraşi kabartmalarıdır. Bunlar yakından incelendiğinde çeşitli resimsel geleneklerin aydınlatılması mümkün olmuştur. Mesela Frances R. ve Sylvanus G. Morley 1938'de "genellikle zincirlenmiş olmamalarına rağmen ikincil konumda ve aşağılanmış bir görünüm arz eden... ya da yalvaran" özel bir Maya insan tasviri sınıfını esir figürleri olarak tanımlamıştır. Michael Coe ve Joyce Marcus bu geleneği göz önünde bulundurarak Maya bölgesinin yaklaşık 400 km batısındaki Oaxaca Vadisi'nde, Monte Albán'daki en erken heykeltıraşi kabartmalar olan gizemli *danzante* figürlerinin önceden düşünüldüğü gibi yüzücü veya dansçı olmadıklarını inandırıcı biçimde göstermiştir. Çarpık uzuvlar, açık ağızlar ve kapalı gözler bunların muhtemelen Monte Albán hükümdarları tarafından öldürülmüş şefler ya da krallara ait cesetler olduğuna işaret eder (s. 517'ye bakınız).

Düz bir yüzeyde tasvir yapma kuralları ve gelenekleri kültürden kültüre farklılık gösterir ve her bir örnek için detaylı bir inceleme gerektirir. Fakat yukarıda anlatılanlara uygulanan yaklaşımlar bilişsel arkeolog tarafından herhangi bir geçmiş toplum için de –İsveç ve Kuzey İtalya'daki Val Camonica'nın Tunç Çağı kaya oymalarından (s. 504-505'deki kutuya bakınız) Avrupa veya Hindistan'daki Ortaçağ duvar resimlerine kadar– kullanılabilir.

Bezeme

Sanat elbette sahne ya da nesne tasvirlerinden ibaret değildir. Çanak çömlek ve diğer nesneler (dokumalar dâhil) üzerindeki soyut unsurları da içeren bezemeler göz ardı edilmemelidir. Geliştirilen çeşitli yaklaşımlar arasında en kullanışlı olanı **simetri analizidir**. Matematikçiler desenlerin belirgin gruplara ya da simetri sınıflarına ayrılabileceğini keşfetmişlerdir: motifleri dikey tekrar eden desenler için 17, yatay tekrar edenler için 46 sınıf. Bu türden bir simetri analizini kullanan Dorothy Washburn ve Donald Crowe *Symmetries of Culture* (1989) adlı kitaplarında bir kültür içindeki motif düzenlemeleriyle ilgili seçimlerin hiç de rastgele olmadığını ileri sürmüştür.

Etnografik bulgular belirli kültürel grupların belirli simetri sınıflarına ait desenleri tercih ettiği –sıklıkla bir ya da iki tane– izlenimini bırakmaktadır. Örneğin California'daki modern Yurok, Korok ve Hupa kabileleri farklı diller konuşur, ama sepetler ve şapkalarında iki simetri sınıfına ait desenleri paylaşırlar. Bu bağlantı aralarındaki evliliklerle doğrulanmıştır. Başka çalışmalarla bu, nesneler üzerindeki desenlerin analizi için verimli bir yöntem olabilir ve maddi kültürden yola çıkarak farklı toplumların geçmişte nasıl ilişkili olduklarına dair nesnel bir şekilde değerlendirecek bir görüş sunabilir. Fakat simetrinin açıklanması şüphesiz usule uygun bir analizden daha sorunludur ve bir tasarımın anlamını ya da amacını her zaman açıklamaz. Bununla birlikte altında yatan bilişsel yapı hakkında bir şeyleri aydınlatabilir.

Sanat ve Mitoloji

Antropologlar farklı zamanlarda batılı olmayan şehirleşmemiş toplulukların düşünüşlerinde –mantık– özel olan şeyi dünya ölçeğinde analiz etmeye çalışmıştır. Çoğu kez bu yaklaşımın ürettiği talihsiz sonuç, dünyayı algılamak için sanki batılı, şehirli, "uygar" düşünme şekilleri doğal ve doğruymuş yargısıdır. Diğerleri ise hep birlikte "ilkel" ya da "vahşi" olarak aynı kefeye konulur. Gerçekte dünyaya bakmanın aynı derecede eşit geçerli yolları vardır. Yine de böyle geniş kapsamlı araştırmalar birçok erken toplumda mitolojinin önemini kavramaya yardımcı olmuştur. Bu, Chicago'daki Oriental Institute'un bir kez müdürlüğünü yapmış Henri Frankfort'un *Before Philosophy* (1946) başlıklı eserinde ve meslektaşları tarafından çok iyi şekilde gösterilmiştir. Birçok eski toplumda kuramsal düşüncenin, yani felsefenin büyük bir kısmını mitolojiden alındığını ortaya koymuşlardır. Bir mit önemli geçmiş olayların günümüzle ilişkili olacak şekilde tekrar anlatılması ve bazen dramatik ya da şiirsel formda canlandırılmasını içeren bir anlatımdır.

Mitolojik düşüncenin kendine has bir mantığı vardır. Çoğu kültür birçok ögeyi tek ve basit bir anlatımla izah eden dünyanın (ve insan toplumunun) yaratılışına dair öykülere sahiptir. Eski Ahit'teki Yaratılış hikâyesi örneklerden biridir, Navajo Kızılderililerininki bir diğeri… Bu yüzden böyle toplumların efsanelerini, dolayısıyla sanatlarını anlamamıza yardım etmeleri için sözlü gelenekleri ve yazılı kayıtları –günümüze kaldıkları yerlerde– incelemeliyiz.

ANTİK YUNANİSTAN'DA FARKLI SANATÇILARIN TESPİTİ

Antik Yunan toplumunda sanatçılara becerilerinden dolayı çok değer verilirdi. Vazo ressamlığı örneğinde ressamın (ve bazen çömlekçinin de) fırınlanmadan önce vazoyu boyayla imzalaması oldukça yaygındı. Bunun anlamı, tek bir ressamın elinden çıkma muhtelif vazoların biliniyor olmasıdır. Attika siyah figür üslubu (Atina'da MÖ 6. yüzyılda yaygın olan ve insan figürlerinin kırmızı zemin üzerinde siyahla gösterildiği üslup) söz konusu olduğunda 12 ressam isminden tanınmaktadır. Eldeki siyah figürlü vazoların dörtte üçünün ya münferit ressamlara (birçok örnekte adı bize gelmemiş olmasına rağmen) ya da başka belirli gruplara atfedilmesi, İngiliz bilim adamı Sir John Beazley'nin 20. yüzyıl ortalarındaki muazzam çalışmasıyla olmuştur.

"Üslup"tan bahsederken bir kültür ve dönemin üslubunu, o dönem içindeki bir çalışanın (genellikle) çok daha ayrıntılı tanımlanmış üslubundan ayırmalıyız. Dolayısıyla büyük bir grup içinde (mesela Attika siyah figür üslubu) ayırt edilebilen çalışmaların yakın incelemede nasıl daha küçük ve iyi tanımlanmış gruplara ayrıldığını göstermemiz gerekir. Üstelik bu küçük alt grupların münferit sanatçılarla değil de üslubun gelişim sürecindeki farklı zaman dilimleriyle ya da farklı alt bölgelerle (mesele yerel alt üsluplar) ilişkili olabileceğini akılda tutmalıyız. Bunların dışında, münferit sanatçılardan ziyade işliklerle bağlantılı olabilirler. Atina örneğinde Beazley, ekseriyetle şehirde boyanmış çömleklerle ilgilendiğinden emindi ve kronolojik gelişimi ayrıca ele alabilmişti. Ayrıca kendi sınıflandırmasının gerçekten de münferit ressamları temsil ettiği savını doğrulayan az sayıda imzalı vazonun bulunması da ona yardım etti.

Beazley hem bir çömlek üzerindeki boyalı süslemelerin üslup ve kompozisyonunu diğer

10.59–60 *MÖ 6. yüzyılda yaşamış Yunan vazo ressamı Eksekias çalıştığı kapların çoğunu imzalamıştır: Burada (yukarıda) "Eksekias epoiese" ya da "Beni Eksekias yaptı" imzası görülmektedir. (aşağıda) Troia Savaşı'nın Yunan kahramanları Akhilleus ve Aias bir oyun oynuyor.*

çömleklerle bağlantılı olarak etraflıca değerlendirmiş hem de giysi kıvrımların işlenişi veya anatomik özellikler gibi küçük, ama karakteristik detayların karşılaştırmalı incelemesini yapmıştır. Ressam isminin bilinmediği durumlarda, genellikle söz konusu ressamın en ünlü çalışmasını barındıran koleksiyona atfen keyfi bir ad kullanırdı (mesela Berlin Ressamı, Edinburgh Ressamı). Bütün bunlar oldukça öznel görünür, fakat aynı zamanda çok sistematikti ve kanıtlar ayrıntılı şekilde yayımlanmaktaydı. Bilim insanları bazı parçaların atıfları

üzerinde tartışmaktaysa da, Beazley'nin sistemindeki ana hatların doğru olduğuna dair genel bir fikir birliği vardır.

Kiklat Figürinleri

Bu yöntem kullanılarak Yunanistan'ın daha erken dönemleri için herhangi bir sanatçı tanımlanabilir mi? Erken Kiklat Dönemi'ne (MÖ 2500 civarı) ait heykellerin büyük kısmı elleri karında kavuşmuş ayakta duran kadın şeklindedir. Bu iyi tanımlanmış buluntu grubu alt gruplara ayrılmıştır ve Amerikalı bilim kadını Patricia Getz-Preziosi bazılarının, bu yazı öncesi dönemde anonim kalmış münferit heykeltıraşlar ya da "ustalara" atfedilebileceğini öne sürmüştür. Getz-Preziosi'nin görüşü, daha geniş "kültürel" üslup içinde iyi tanımlanmış alt grupların bulunması gerektiği ölçütüyle uyuşmaktadır. Bu alt grupların kronolojik ya da bölgesel olarak ayırt edilebilir olduğunu düşünmek için sebep yoktur. Fakat figürinleri bir işlik yerine belirli bir "ustayla" ilişkilendirmek için Beazley'nin sahip olduğu önemli bir

10.61 *Erken Kiklat Dönemi'ne (MÖ 2500 civarı) ait kollarını kavuşturmuş iki kadın figürinin Goulandris Ustası denen kişi tarafından yapıldığı tespit edilmiştir. Büyük figürin 63,4 cm yüksekliğindedir.*

kanıt, yani birkaç imza veya en azından kişisel işaretler ya da bir işliğin keşfi şüphesiz yardım ederdi. Yine de Getz-Preziosi'nin münferit heykeltıraşlara yaptığı atıflar mantıklıdır.

MEZOAMERİKA'DA KURBAN VE SEMBOL

Sembolik önem taşıyan nesnelere anlam yüklemek arkeolojinin daimi sorunlarından biridir. Sembol ve imlem (kendisine atıfta bulunulan şey) arasındaki ilişki genellikle mantıktan ziyade gelenekten kaynaklanır ve oldukça tartışmalıdır. Filozof Linda Patrik'in vurguladığı gibi, "bütün maddi semboller bağlamsal açıklamaya ihtiyaç duyar, çünkü anlamları, bir kültürde uyandırdıkları özel çağrışımlara ilaveten diğer semboller ve davranışlarla birleşme yollarının yarattığı bir işlevdir." Görsel bağlantıların bu türden çağrışımlara ait ipucu sağladığı özel ikonografilerin durumunda açıklama sıklıkla çok daha niteliklidir.

San Bartolo

Örneğin Guatemala'daki San Bartolo'da yakın tarihte bulunmuş Maya resimleri, Maya mısır tanrısı ve diğer Maya tanrılarının efsanevi yaşamlarını görsel hikâyeler şeklinde sunar. Burada bulunan "Las Pinturas" piramidi, tabanındaki resim odası MS 100 civarına tarihlenen resimler dışında Maya bölgesinde bilinen en erken boyalı gliflere sahiptir. Bunlar bölgede yazının kökenlerini MÖ 350 civarına çeker. Elimizdeki MS 13. yüzyıl Maya metinlerinden bilinen kurbanların tasvirleri, Maya düşüncesinde dini sembolizmin uzun süreli devamlılığına işaret eder.

Sembolizmin resimler gibi görsel imgeler değil de gerçek maddi nesneler şeklinde sunulduğu durumlarda yorumlama işi çoğunlukla daha zordur. Birçok postsüreçsel arkeolog arkeolojik kaydın analojisini anlamlı işaretlerden meydana gelen bir metin gibi kullanmayı sever. Söz konusu nesneler, muntazam gömütlerdeki mezar buluntularında olduğu gibi dikkatli bir şekilde yerleştirilmişse analoji şüphesiz sağlam bir temele dayanır.

10.62 *San Bartolo duvar resimlerinde Maya mitolojisinden bir öykü soldan sağa doğru anlatılmaktadır. Burada genç bir efendi yaratılış ve kurban yolculuğu yaparken cinsel organlarından kan akıtıyor.*

10.63 *Teotihuacan'dan bir diyorit figürin. Bu nesne şehrin başlıca anıtlarından biri olan Ay Piramidi'ndeki gömütlerden birinde ele geçmiştir. Yanında bulunmuş boncuklar ve küpelerle ilişkilendirilmektedir. Dikkatlice seçilmiş ve o sırada hayatta olan refakatçi hayvanlarıyla birlikte söz konusu gömütler, büyük Ay Piramidi'nin kalbinde açıkça sembolik öneme haiz bir konumdaydı.*

Teotihuacan

Çarpıcı bir örnek, Mexico City yakınlarındaki Teotihuacan'da bulunan Ay Piramidi altında, gömütlerden birinde Saburo Sugiyama tarafından keşfedilmiştir. Bu muazzam yapının altında MS 200 civarında başlanmış çeşitli inşaat evreleri tespit edilmiştir. Piramidin içinde, dördüncü inşaat evresinin dolgusunda ve şimdiki yapıya ait platformların oldukça altında bir insan kurbana ait kalıntıları içeren bir sunu-gömüt kompleksi ortaya çıkarıldı. Gömüt, yerleşimin Ölülerin Sokağı (s. 98-99'a bakınız) denilen kuzey-güney ekseniyle tam olarak aynı hizaya yerleştirilmişti ve sembolik öneme sahip zengin sunular içeriyordu. Bunların arasında obsidyen nesneler (çok güzel işlenmiş mızrak uçları), diyorit taşı (iki antropomorfik figürin), pirit ve deniz kabuğu bulunuyordu. Belki de hepsinden daha fazla çağrışım yapan

şey, ölen kişinin etrafına yerleştirilmiş hayvanlardı. Buradaki ahşap kafesler görünüşe göre ölü gömülürken canlı olan iki puma ve bir kurt içindi. Ayrıca birkaç kartal, üç yılan, bir doğan ve bir baykuş da gömülmüştü. Kesinlikle sembolik bir değer taşıyan bu ilgi çekici gömütün ortaya çıkarılması ancak dikkatli bir kazıyla mümkün olmuştur.

Benzer bir sunu-gömüt kompleksi, bu sefer elleri arkada birleştirilmiş ve muhtemelen bağlı dört insan kurbanla birlikte beşinci yapı evresiyle ilişkili olarak kazılmıştır. Yine diyoritten figürinler, helezonik deniz kabukları, bir pirit disk ve obsidyen figürinler ele geçmiştir. Sunumdaki hayvanlar kedi ve köpekgillere ait başlar ve bir baykuş iskeletinden meydana gelmekteydi.

Sembolizm zengindir: puma, yılan, kartal ve doğan... Bu zengin sembolizmi somutlaştıran gösterişli ölüm mesajı ve böylesine muazzam bir

yapıya harcanmış işgücü, dramatik ve yaratıcı türden bir sembolik bağlantıyı temsil eder. Hâlen anlaşılamamış detaylar ve muğlak yorumlar vardır. Sugiyama'nın söylediği gibi, "temel sorunlardan biri, antropomorfik ve zoomorfik suretleri kendi kavramsal ifadelerimizle kategorize etmenin zorluğudur." Ancak ilerleme, bu türden zengin kontekstlerin dikkatli kazıları ve analizleriyle mümkün olacaktır.

Böyle törenlerde kurban edilmiş bazı insanların kemiklerinde yapılan izotop analizleri, çoğunun Mezoamerika'nın farklı bölgelerinden gelen yabancılar –belki de savaş esirleri– olduğunu göstermiştir. Sugiyama bu tip gömütlerde silahlar, savaşçı teçhizatı ve insan üst çene kemiklerinden yapılma kolyeler gibi fetih ganimetleri, kurban töreni bıçakları, bağlı ya da kafeslenmiş hayvanlar aracılığıyla savaşa verilen önemin belli edildiğini söylemektedir.

Mesela Aztek sanatını anlamak için insanların babası, onlara bütün sanat ve bilimin bilgisini veren; sabah ve akşam yıldızlarıyla temsil edilen kuş tüylü yılan tanrı Quetzalcoatl hakkında bir şeyler bilmemiz gerekir. Aynı şekilde, eski Mısır'ın mezar sanatını anlayabilmek için Mısırlıların yeraltı dünyasına dair görüşlerini ve yaratılış efsanelerini kavramamız lazımdır.

Efsaneleri ihtimal dışı öyküler olarak reddetmek kolaydır. Bunun yerine toplumların biriktirdiği bilgelikleri somutlaştırdığını düşünmeliyiz; tıpkı inançlarımız ne olursa olsun hepimizin, Eski Ahit'in yüzlerce yıllık İsrail bilgeliğini MÖ 1. binyılın sonlarına somutlaştırmasından ötürü ona saygı duyabildiğimiz gibi.

Estetikle İlgili Sorunlar

Erken dönem sanatının çalışılmasında ele alınması en zor konu bir anlamda en bariz olanıdır: Neden bazıları çok güzeldir? Ya da daha doğru bir deyişle, neden bunlardan bazıları bize güzel görünür?

Bozulmaz ve göz alıcı altın ya da yeşim gibi malzemelerden yapılmış diğer birçok sergileme amaçlı nesnenin bizim kadar yaratıcılarına da çekici geldiği konusunda makul bir şekilde emin olabiliriz. Fakat malzemenin kendisinden çok nasıl işlendiği söz konusu olduğunda bu daha zordur. Önemli kıstaslardan biri basitlik gibi görünür. Bugün takdir ettiğimiz çalışmaların çoğu etkisini araçlarını ekonomik kullanarak aktarır. Yunanistan'ın Kiklat Adaları'ndan MÖ 2500 civarında ait doğal boyuta yakın bir baş bu noktayı çok iyi örneklendirir.

Görünüşe göre bir başka kıstas, kullanılan üslup geleneğinin tutarlılığıdır. Amerika Kuzeybatı Sahili sanatı karmaşıktır, ama Franz Boas, Bill Holm, Claude Lévi-Strauss ve diğerlerini göstermiş olduğu gibi çok tutarlı analize uygundur.

Bu türden meseleler kapsamlı olarak tartışılmaktadır ve tartışılmaya devam edecektir. Erken dönem zanaatkârlarının ve sanatçılarının bilişsel süreçlerini anlamaya çalışırken, aynı zamanda kendimizinkini de anlama arayışından ibaret kaçınılmaz bir tasarıya giriştiğimizi bize faydalı bir şekilde hatırlatırlar.

MÜZİK VE İDRAK

Bugün bütün insan toplumlarında müzik, dansınkiyle kesişen bir önemli role sahiptir. Müzik çalgıları Güney Fransa, Kuzey İspanya ve Doğu Avrupa Üst Paleolitik'ine eşlik eden "yaratıcı patlama"yla ilgili olarak iyi şekilde belgelenmiştir (karşı sayafadaki kutuya bakınız). Müzik ve dansın köken olarak Neanderthal'lere (*Homo neanderthalensis*) gittiğine yönelik iddialar vardır, ancak erken tarihli müzikal eserlerin en iyi şekilde *Homo sapiens* ile ilişkilen-

ERKEN DÖNEMDE MÜZİK

Günümüzde bütün insanların paylaştığı eylemlerden biri, müzikal davranış biçimleridir. Dolayısıyla bu eylem insanın bilişsel evrimiyle ilgili konularda önemli bir yere sahiptir. Müzikal davranışlara dair en erken örnekler meselesi ve bunların dil, sembolizm ve tören gibi diğer insan becerileriyle ilişkisi, son yıllarda arkeoloji ve diğer alanlarda önemli bir araştırma konusu hâline gelmiştir.

10.64 Dordogne'daki (Fransa) Lalinde'de bulunan La Roche'da ele geçmiş geyik boynuzundan boğaböğürten (18 cm yüksekliğinde). Alet bir ipe bağlanıp buruldukdan sonra döndürülünce titreşimli derin bir ses çıkarır.

Müziği Tanımlamak

Müziği ele alırken sadece üretilen seslerin kalıpları değil, fakat aynı zamanda bunların üretilmesine yol açan eylemler ve durumlar hakkında da konuştuğumuzu unutmamalıyız. Müzik *şekillendirilmiş* ve *bağlama oturtulmuş* bir faaliyettir; fiziksel eylemin ve içinde oluştuğu bağlamın ürünüdür. Bunun sonucu olarak arkeoloji, bu özgün insan davranışının kökenlerine ilişkin önemli katkılarda bulunabilecek potansiyele sahiptir ve insanlarda erken müzikal davranışlara dair çalışmalar, uzamsal zihin ve cisimleşmiş idrakin gelişimine dair konularla doğrudan bağlantılıdır.

Eldeki Kanıtlar

Müzikal olarak nitelendirebileceğimiz davranışların arkeolojik kayıtlarda çalgıların ortaya çıkışından yıllarca öncesine gitmesi muhtemeldir. Günümüzde geleneksel toplumlarda çalgılar sıklıkla arkeolojik iz bırakmayan organik malzemelerden yapılmaktadır, dolayısıyla bize gelenler üretilmiş ve kullanılmış olanların sadece

10.65 *Almanya'daki Geissenklösterle'de bulunmuş flütlerden biri. Bu örnek bir kuğunun kanat kemiğinden yapılmıştır.*

küçük bir kısmını temsil etmektedir. Yine de arkeolojik kayıtlar atalarımızda müzikal davranışların varlığıyla ilgili ilk sağlam kanıtları sağlar.

En Erken Kanıt

Müzikal davranışla ilgili geniş kabul gören en erken doğrudan kanıt, Almanya'daki Ach Vadisi'de, buluntu yeri Üst Paleolitik tabakalarından gelen birkaç kemik ve fildişi düdüktür. Bunlardan en erkeni Aurignac teknolojileriyle ilişkilendirilen bir kontekstte bulunmuştur ve Avrupa'nın bu kesimindeki en erken *Homo sapiens* varlığıyla yakından örtüşmektedir. Başka kemik düdükler (bazen "flüt" olarak adlandırılır) Batı Avrupa'daki birtakım buluntu yerlerinde, Üst Paleolitik'in bütün büyük teknolojik kompleksleriyle ilişkilendirilen kontekstlerde ele geçmiştir. Ses üretme ihtimali olan diğer nesneler (eğeler, ses yapıcılar, vurma kemikleri ve düdükler) Avrasya'daki aynı ya da diğer buluntu yerlerinde ele geçmiştir. Mağaralardaki sarkıtların da tonal sesler ("litofonlar") çıkarmak için kullanıldığına ve belirli mağaralarda akustik özellikler taşıyan noktalara önem verildiğine dair güçlü kanıtlar vardır.

Elimizdeki çalgılar çoğu kez uzamsal ve stratigrafik ilişkilerin hassas tespitine izin veren tekniklerden önce bulunduğu için tabakalanma şartlarını tespit etmek artık imkânsızdır. Buna karşılık yakın

tarihli buluntulardan bazıları çok daha dikkatli incelemelere tabi tutulmuş ve detaylı kontekst kayıtları yapılmıştır. Yine de örneklerin birçoğundan çıkarım yapmak mümkündür.

Arkeolojik kayıtlarda kemik düdükler ağır basar. Bunun nedeni kısmen en kolay tanınan çalgılar olmalarıdır. Çoğunluğu akbaba, kartal, kaz ve kuğu gibi kuşların kemiklerinden yapılmıştır. Başka malzemelerden üretilmiş olan örnekler de vardır. Bunlar arasında en eskilerinden biri, Almanya'daki Geissenklösterle'den büyük itinayla işlenmiş mamut fildişidir. İlginçtir ki benzer bir alet kuş kemiği kullanarak çok daha kolayca yapılabilmektedir. Bu örnekte mamut fildişinden yararlanılması önemli bir tercihtir. Söz konusu buluntuların kontekstleri bütün bir Üst Paleolitik'i kapsadığından, belirli örnekler aynı zamanda yaş açısından çok yakın bir ilişki içindedir ve Üst Paleolitik topluluklarının uzak mesafe

temasları hakkında daha fazla bilgi sunarlar. Mesela Fransız Pireneler'indeki Isturitz (kemik flütler için yegâne en zengin kaynak) toplanma alanından gelen en erken düdükler Almanya'daki Ach Vadisi buluntu yerlerinde ele geçmiş yakın yaştaki diğerlerine benzemektedir. Isturitz'in Son Paleolitik örnekleri, Fransa'daki Mas d'Azil, Le Placard, Le Roc de Marcamps buluntu yerlerine ait buluntularla aynı şekilde üretilmiş ve süslenmiştir.

Sonuç

Müzikal faaliyetlerin Avrupa'da Üst Paleolitik'ten beri insanların davranışlarında sağlam yer edindiği ve önemli bir parçası olduğu aşikârdır. Bu buluntuların başka yerlerde ve dönemlerde modern insan davranışlarının ortaya çıkışıyla nasıl bir bağlantı içinde olduğu meselesi, gelecekteki arkeolojik araştırmalar sayesinde çözülecektir.

10.66 *Fransız Pireneler'indeki Isturitz'den bir Aurignac kemik flütün detayı. Aletin muhtemelen akbaba kanat kemiğinden yapıldığı düşünülmektedir.*

dirilen Avrupa Üst Paleolitik'inde flütlerin kullanımıyla kanıtlanmaktadır. Diğer yerlerde –mesela Çin'deki Jiahu ve Kuzey Peru kıyısındaki Caral'da– en erken flütler erken yiyecek üretimiyle birlikte görülür.

Fransa ve İspanya Üst Paleolitik'indeki resimli mağarlarda görülen ayak izlerinin dansa işaret ettiği öne sürülmüştür, fakat görünüşe göre dansa dair güvenilir şekilde tarihlenebilen en erken tasvirler tarımın ortaya çıkışına denk gelmektedir.

Telli çalgılar ilk kez Sümer ve Mısır Tunç Çağı uygarlıklarında, örneğin modern Irak'taki krali Ur mezarlarında ve bunlardan sonra daha fazla sayıda ve daha geniş bir alanda görülür.

ZİHİN VE NESNELERİN İÇSELLEŞTİRİLMESİ

Bilişsel bilim geliştikçe "zihin" kavramının, "beyin" kavramının barındırdıklarından çok daha ötesine geçtiği giderek açıklık kazanmaktadır. Beynin işleyişi olmasa da beynin kendisi ilk bakışta nispeten dolambaçsızdır. Beyin elbette kafatasının içindedir, ama bedenden ayrılmış bir varlık değildir. Beyin ve beden bir arada çalışır; böylece insan deneyimi maddi dünyayla bağlantı aracılığıyla meydana gelir. Giriştiğimiz birçok zeki faaliyet en azından kısmen dış dünyanın ögelerinden kaynaklanır. Aslında anlama ve bilgi sistemimiz olan "zihin", hem beyin hem de bedenin dış dünyayla ortak seyrinden ortaya çıkar. Marangoz oyduğu ahşabın ve kullandığı aletlerin özelliklerine göre üretim yapar. Etkili bir eylem çoğunlukla zihinsel olduğu kadar bedensel becerilere dayanır. Çömlek ustası kili beyni kadar ellerindeki beceriyle şekillendirir. Bilişsellik *somutlaşmıştır* (aşağıdaki diyagrama bakınız).

Dahası dünyayı ve onun yarattığı etkiyi sadece bedenlerimiz değil, aynı zamanda yaptığımız ve kullandığımız nesnelerle de idrak ederiz. Kör bir adam dünyayı asasını kullanarak tanır. Çömlekçi çömlek üretmek için kil koyacağı bir çarka ihtiyaç duyar. Dünyayı çok çeşitli araçlar, gözlemler ve araştırmalar aracılığıyla öğreniriz. Bilişsellik *genişler*.

"Zihin"den bahsederken, bazen tıpkı tek bir bireyin beyninden bahsedermiş gibi münferit bir zihni dikkate alma eğilimi vardır. Fakat zihnin fenomenleri büyük ölçüde kolektif ve sosyaldir. Dil kolektif bir fenomendir. Toplum içinde yaşamamızı sağlayan birçok ortak standart, yani filozof John Searle'ün tanımladığı "kurumsal olgular", ortak kavrayışlardır. Bu anlamda zihin ortak ya da *yayılan* bir fenomendir.

Bu fikirlerin değerlendirilmesi insanların maddi dünyayla bağlantısı hakkında yeni bir bakış açısına ve sembolik ilişkilerle kavramların gelişimine yol açan deneyimlerin yeni bir gözle anlaşılmasına öncülük eder. Ağırlık ve değer gibi sembolik kavramlar sadece dünyanın tecrübe edilmesinden, dünyayla maddi bağlantı kurulmasından ortaya çıkar. Lambros Malafouris bu türden maddi bağlantının bilişsel temelini analiz etmiştir. Buradan, belki yeni sembol ve sembolik ilişkilerin nasıl meydana geldiği, belki de değişik kültürel geleneklerde nasıl farklılaştıkları konusunda yeni fikirler elde edebiliriz.

10.67 *Lambros Malafouris'in diyagramı, bireyin beyninin idrakta anahtar role sahip olmasına karşın idrak sürecinin bunun ötesine geçtiğini göstermektedir.*

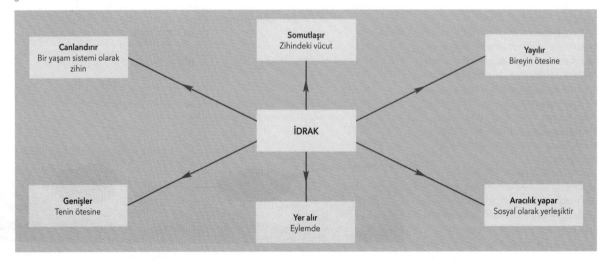

İDRAK VE NÖROLOJİ

İdrak beyni de içerir, fakat insanlar somut varlıklardır ve idrak da somut bir süreçtir. Aynı zamanda nesnelerin becerikli bir şekilde kullanımıyla vücudun ötesine uzanır. Elbette öğrenme ve dilin kullanımı sosyal faaliyetler olduğundan idrak da paylaşılır (karşı sayfadaki "Zihin ve Nesnelerin İçselleştirilmesi" başlığına bakınız). Beynin evrimi, insanın yaşadığımız dünyaya adaptasyonunu kolaylaştıran ve kotaran bu yeteneklerin evrimiyle el ele ilerlemiş olmalıydı.

İnsan evriminin **türleşme safhasında**, yaklaşık 200.000-150.000 yıl önce *Homo sapiens*'in ortaya çıkışına kadar insan beyni, insan genomuyla birlikte evrimleşiyordu. Türümüzün yaklaşık 60.000 yıl önce Afrika dışına dağılmaya başladığı tarihlerde, insan genomunun temeli olan DNA kodu büyük oranda yerleşmişti. Bundan sonra dünyanın farklı kesimlerindeki insan topluluklarında gözlemlenen davranış değişiklikleri, çoğu kez genomdaki farklılaşmalardan ziyade lik ve öğrenilmiş davranışa dayalı kültürel değişikliklerdir. Bu, toplumun uzun vadeli gelişim rotası üzerine maddi kültürün ve davranışın bina edildiği evrimin *tektonik safhası* olarak tanımlanabilir.

Gelecekte nörolojideki gelişmeler, hem türleşme safhasında beyindeki değişimleri açıklığa kavuşturarak hem de son 60.000 yılın tektonik safhası boyunca yeni becerilerin gelişmesini kolaylaştıran öğrenme mekanizmalarına dair daha berrak içgörüler sunarak her iki safhayı aydınlatabilir. Mesela dil edinim mekanizmaları ve bilinç olgusu gibi önceleri zor nüfuz edilen alanlara ilişkin yeni bilgiler bekleyebiliriz.

Öğrenme Sürecinin İncelenmesi

Türümüzün ortaya çıkışından itibaren insan gelişimini anlamak için anahtarlardan biri, açıkça öğrenme süreci nörolojisinde yatmaktadır. Beynin yapısı yazının ortaya çıkışı gibi yeniliklere nasıl olanak tanımıştı ve ne gibi sınırlamalar koymuştu? Şimdi biliyoruz ki çocukluğun ilk yıllarındaki faaliyetler, bunların gelişmekte olan sinir ağlarında depolanmasını sağlamakta bunun sonucunda (ve J.-P. Changeux'nun söylediği gibi) "kültürü biyolojize etmektedir." Bu süreç gelişmekte olan sinirsel dolaşımların kültürel ayrımını, böylece kültür ve sosyal çevrenin içselleştirilmesini kapsar. Beyin işlevine yönelik bu türden yaklaşımlar, nörolojik mekanizmalar konusuna odaklanması gereken bilişsel arkeolojinin gelişimi için bilgilendirici olabilir.

Beyindeki nörolojik faaliyetin dış uyarıcılara ve bireyin etkinliklerine istinaden incelenmesi, söz konusu beyinsel faaliyetler sırasında beynin aktif alanlarını tespit etmeye izin veren fonksiyonel manyetik rezonans görüntüleme (functional magnetic resonance imaging=fMRI) sayesinde yakın zamanda kolaylaşmıştır. Çakmaktaşı yongalama sırasında beyindeki faal nörolojik süreçlere dair bir çalışmanın, taş alet teknolojisinin uzun vadeli evrimini anlamamızda nasıl önemli bir yol gösterici olacağını görmek zor değildir. Pozitron emisyon tomografisi (positron emission tomography=PET) hâlihazırda bu şekilde kullanılmaktadır. Örneğin Dietrich Stout, Nicholas Toth ve Kathy Schick bir deneğin taş alet yapımıyla ilgilendiğinde beyinsel faaliyetini incelemek için bu teknikten yararlanmışlardır.

Gelecekte el becerileri (çakmaktaşı yongalama vb.) ve okuma ya da matematiksel hesaplamalar yapma gibi öğrenme süreçlerini içeren mekanizmaları incelemek amacıyla böyle tekniklerden giderek daha fazla yararlanılacaktır. Bireyin öğrenme mekanizmalarını kavramak, muhtemelen öğrenmeye ve kültürlerin izlediği uzun vadeli yollar boyunca gerçekleşmiş yeniliklere ait süreçlere, dolayısıyla bilişsel evrime dair bilgilerimizi arttıracaktır.

10.68 *PET ile elde edilmiş farklı beyin faaliyetlerinin görüntüleri: Denek (Nicolas Toth) yongalar çıkarmak için taş vurgacıyla bir çakmaktaşı çekirdeğine vururken (üstte) ve bir çekirdeği inceleyip ona vuran bir taş vurgacını hayal ederken (altta). Renkli alanlar beyinde en yüksek kan akışının yaşandığı yerleri gösterir (not: (a), (b) ve (c) eksenel, sagital ve koronal görüntülerdir).*

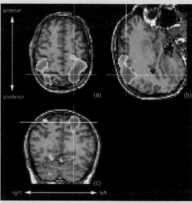

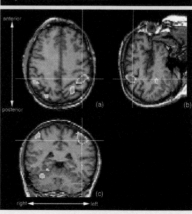

ÖZET

▌ Bilişsel arkeoloji maddi kalıntılar aracılığıyla geçmiş düşünce biçimlerinin çalışılmasıdır. İnsanlar diğer yaşam formlarından sembolleri kullanmalarıyla ayrılır. Bütün zeki konuşma ve düşünce bu sembollere dayalıdır. Bir sembole verilen anlam belirli bir kültürel geleneğe özgüdür ve maddi kalıntılar kadar tasvirler de anlamlarını arkeologlara doğrudan açığa vurmaz.

▌ Özbilincin kökenleri ve bilişsel haritanın gelişimi hararetle tartışılmaktadır, ama konuyu açıklığa kavuşturacak çok az arkeolojik bulgu vardır. Alet üretimi ve ölülerin gömülmesi, erken insanların bilişsel davranışlarını incelemede kullanılabileceğimiz birçok yoldan ikisidir. Arkeologlar bir gömütteki eşyaların, ölen kişinin kimliğinin bir temsili olmaları için seçildiklerini fark etmişlerdir.

▌ Yazının varlığı bilişsel haritada büyük bir genişlemeye işaret eder, çünkü yazılı semboller insanların etraflarındaki dünyayı tarif etmeleri ve diğerleriyle iletişim kurmaları için en etkili yoldur.

▌ Maddi semboller çeşitli şekillerde kullanılırlar. Alanı işaretleyerek bir yeri belirleyebilirler; doğal dünyayı zaman ve uzaklık birimlerine bölerek düzenlerler; planlama araçları olarak iş görürler; para gibi kullanışlı maddi kurgular aracılığıyla ilişkileri düzenler; insanları doğaüstü veya yüce güçlere yakınlaştırır; hatta sanatsal temsille dünyanın kendisini tarif eder. Bütün bu maddi semboller arkeolojik kayıtta çeşitli yollarla görülebilir.

▌ Erken müzikal davranış ve bilişsel bilim gibi alanlardaki gelişmeler bilişsel arkeoloji için yeni yollara işaret etmektedir.

İLERİ OKUMA

Aşağıdaki eserler geçmiş toplumların davranışları ve inançları üzerine çalışmalar hakkında giriş niteliğindedir:

Arsuaga, J.L. 2003. *The Neanderthal's Necklace: In Search of the First Thinkers*. Four Walls Eight Windows: New York.
Aveni, A.F. (ed.). 2008. *People and the Sky: Our Ancestors and the Cosmos*. Thames & Hudson: Londra & New York.
Flannery, K.V. & Marcus J. (ed.). 1983. *The Cloud People: Divergent Evolution of the Zapotec and Mixtec Civilizations*. Academic Press: New York & Londra.
Frankfort, H., Frankfort, H.A., Wilson, J.A. & Jacobson, T. 1946. *Before Philosophy*. Penguin: Harmondsworth.
Gamble, C. 2007. *Origins and Revolutions: Human Identity in the Earliest Prehistory*. Cambridge University Press: Cambridge.
Insoll, T. 2004. *Archaeology, Ritual, Religion*. Routledge: Londra.
Insoll, T. 2011. *The Oxford Handbook of Archaeology of Ritual and Religion*. Oxford University Press: Oxford.
Johnson, M. 2010. *Archaeological Theory* (2. basım). Blackwell: Oxford.
Malafouris, L. 2013. *How Things Shape a Mind: a Theory of Material Engagement*. MIT Press: Cambridge, MA.
Marshack, A. 1991. *The Roots of Civilization*. (2. basım). Moyer Bell: New York.
Morley, I. & Renfrew, C. (ed.). 2010. *The Archaeology of Measurement: Comprehending Heaven, Earth and Time in Ancient Societies*. Cambridge University Press: Cambridge.

Renfrew, C. 1982. *Towards an Archaeology of Mind*. Cambridge University Press: Cambridge & New York.
Renfrew, C. 1985. *The Archaeology of Cult. The Sanctuary at Phylakopi*. British School of Archaeology at Athens: Londra.
Renfrew, C. 2007. *Prehistory: Making of the Human Mind*. Weidenfeld & Nicolson: Londra; Modern Library: New York.
Renfrew, C., Frith, C., & Malafouris, L. (ed.). 2009. *The Sapient Mind: Archaeology Meets Neuroscience*. Oxford University Press: Oxford.
Renfrew, C. & Scarre C. (ed.). 1998. *Cognition and Material Culture: the Archaeology of Symbolic Storage*. McDonald Institute: Cambridge
Renfrew, C. & Zubrow E.B.W. (ed.). 1994. *The Ancient Mind: Elements of Cognitive Archaeology*. Cambridge University Press: Cambridge & New York.
Schele, L. & Miller, M.E. 1986. *The Blood of Kings*. Braziller: New York. (Thames & Hudson: Londra 1992).
Stone, A. & Zender, M. 2011. *Reading Maya Art: A Hieroglyphic Guide to Ancient Maya Painting and Sculpture*. Thames & Hudson: Londra & New York.
Wheatley, P. 1971. *The Pivot of the Four Quarters*. Edinburgh University Press: Edinburgh.
Wightman, G.J. 2014. *The Origins of Religion in the Palaeolithic*. Rowman & Littlefield: Latham.

KİMLERDİ? NEYE BENZİYORLARDI?

İnsanların Biyoarkeolojisi

İlginçtir ki, arkeolojiyle ilgili giriş kitapları genellikle bizzat insanların arkeolojisi hakkında –fiziksel özellikleri ve evrimleri– çok az şey söylerler. Yine de arkeolojinin başlıca amaçlarından biri, arkeolojik kaydı meydana getiren insanların hayatını yeniden yaratmaktır ve bunun için geçmişteki insanların fiziksel kalıntılarından daha doğrudan ne kanıt olabilir? Kuşkusuz bununla ilgili kanıtları analiz eden arkeologdan ziyade biyolojik antropologdur, fakat arkeoloji radyokarbon uzmanlarından botanikçilere kadar çok çeşitli bilim insanlarının yeteneklerinden yararlanır ve modern arkeoloğun rolü, bütün bu bilgileri arkeolojik bakış açısından en iyi şekilde nasıl kullanıp yorumlayabileceğini öğrenmektir. Biyolojik antropoloji arkeoloğun geçmişi kavrayışını zenginleştirmek için bolca kanıt sunar. İnsan kalıntılarıyla ilgilenmek aynı zamanda etik meseleleri de beraberinde getirir (bkz. 14. Bölüm).

Arkeoloji ve biyolojik antropolojinin İkinci Dünya Savaşı'ndan sonraki onyıllarda bütünleşmeden yoksun kalmasının sebebi "ırk" meselesiydi. On dokuzuncu yüzyılda ve 20. yüzyılın başlarında bazı bilim insanları (ve birçok siyasetçi) biyolojik antropolojiyi beyazların "ırksal" üstünlüğüne dair teorilerini kanıtlamak için kullandılar. Bu görüş, yerli halkların etkileyici anıtları, mesela Amerika Birleşik Devletleri'nin doğusundaki mezar tümülüslerini inşa edecek kapasiteye sahip olmadıkları inanışından kaynaklanıyordu. 1970'ler gibi yakın bir tarihte Rodezya'nın beyaz hükümeti bugün ulusa adını veren büyük anıtı –Zimbabve– yerel siyah nüfusun kendi başına yapamayacaklarını düşünüyordu (s. 480-481'deki kutuya bakınız).

Bugün biyolojik antropologlar, birkaç iskelet ölçümüne dayanarak sözde farklı insan toplumlarını tanımlama konusunda eskisinden daha az isteklidir. Bu, fiziksel ayrımların aranmayacağı ve çalışılamayacağı anlamına gelmez, fakat gözlemlenen herhangi bir varyasyonun sadece rastlantısal mahiyette olmadığını garantilemek için iyi düşünülmüş istatistiki yöntemlerin desteklediği daha sağlıklı bir metodolojiye ihtiyaç vardır.

İlk kez 1970'lerde hayvan kemikleri üzerindeki incelemeleri tarif etmek üzere Grahame Clark tarafından kullanılmış "biyoarkeoloji", şimdi arkeolojik alanlardan gelen insan kalıntılarının çalışılması olarak benimsenmiştir (bununla birlikte Eski Dünya'da diğer organik malzemeleri de kapsayabilir). Arkeologlar (ya da aslında halk veya polis) muhtemel insan kalıntılarıyla karşılaştıklarında ve kazı yaptıklarında bunları incelemek için "adli antropologlar" çağırılır. Kalıntıların gerçekten bir insana ait olduğunu tespit ettikten sonraki görevleri bir biyolojik profil çıkarmaktır.

Bu profil ölen kişinin yaşını, cinsiyetini, boyunu ve soyunu içerir. Adli antropologun araştırabileceği diğer faktörler arasında kişinin ölümünden beri geçen zaman, hayattayken sağlık durumu, ölüm nedeni (hastalık ve travmaya dair kanıt), hatta bazen ailevi benzerlikler vardır. Şimdi biyokimya ve genetikteki gelişmeler temel olarak osteoloji –kemik bilimi– yerine moleküler düzeyde daha fazla çalışma yapılmasına izin vermektedir. Bir kez daha "ırksal" ayrımla ilgili sorunların bütününü ve bunların etnik gruplarla –kendilerini ayrı ve özel gören sosyal gruplar– nasıl bağlantılı olduğunu ele almak için gerçek bir ümit vardır.

Bununla birlikte belki de en ilginç çalışma alanlarından biri insan türünün kökenine ait olandır. İnsana özgü beceriler ne zaman ve nasıl ortaya çıktı? İlk homininlerin ve ardından kendi türümüze kadar art arda gelen türlerin gelişimine yol açan süreçler nelerdi? O zamandan beri insan bireyinin fiziksel şeklinde ve kalıtsal becerilerinde ne gibi değişimler meydana geldi?

İnsan Kalıntılarının Çeşitliliği

İlk adım insan kalıntılarının varlığını ve miktarını ortaya koymaktır. Bozulmamış bedenler, tam iskeletler ya da kafatasları mevcut olduğunda bu nispeten kolaydır. Münferit kemikler ve büyük parçalar yetenekli arkeologlar tarafından tanınabilmelidir (başka hayvanlarınkine benzeyen, dolayısıyla bir uzman tarafından tanımlanması gereken kaburga kemikleri hariç). Küçük parçalar bile insanların tanımlanmasına yardım eden tanısal özellikler içerebilir. Yakın tarihli bazı dikkatli kazılarda mikroskop altında insana ait olduğu anlaşılmış saç telleri bulunmuştur. Parçalanmış çoklu gömüt ve kremasyon örneğinde, minimum birey sayısı (s. 294-295'teki kutuya bakınız) en sık rastlanan vücut kısmından anlaşılabilir.

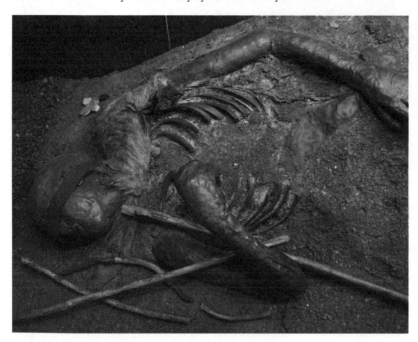

11.1–3 İnsan kalıntılarının çeşitliliği. (üstte solda) Kuzey Almanya'daki Windeby'de, bir turbiyer gölünde yaklaşık 2000 yıl önce boğulmuş gözü bağlı bir kızın iyi korunmuş vücudu. (üstte sağda) İngiltere'nin doğusundaki Sutton Hoo'da erken Ortaçağ gömütleri asitli ve kumlu topraktan ancak ana hatlarıyla ortaya çıkarılabilmektedir. (aşağıda) Türkiye'deki Çatalhöyük yerleşiminde bulunmuş bu İlk Neolitik küçük çocuk iskeleti yaklaşık 8500 yaşındadır; halhal ve bilezik takmıştır. Çatalhöyük'te bulunmuş çok sayıdaki boncuk sıklıkla çocuk gömütleriyle ilişkilidir.

İkinci Bölüm'de gördüğümüz gibi, bilinçli olarak yapılmış mumyalar kesinlikle günümüze bozulmadan gelebilmiş tek örnekler değildir. Diğerleri doğal olarak kurumuş, donmuş ya da turba içinde korunmuştur. Dış görünüşümüzün büyük bölümü yumuşak dokular sayesinde vücut bulduğundan, böyle cesetler salt kemiklerin aydınlatamadıklarını gösterir: uzunluk, tip, saç ve deri rengi, kırışıklık ya da yara gibi deri üzerindeki işaretler, dövmeler (bir İskit şefinin MÖ 5. yüzyıla ait donmuş cesedinde olduğu gibi bazıları çok belirgin) türünden özellikler. Penisin sünnet edilip edilmediği gibi detaylar da ortaya çıkarılabilir. Nadir şartlarda parmak izini meydana getiren parmak ucundaki çizgiler ve topuklardaki benzerleri korunabilmektedir. Bunun en ünlü örneği Danimarka'dan Demir Çağı'na tarihlendirilen Grauballe Adamı'dır. Bazen kimyasal etki gerçek saç rengini değiştirir, ama mumyalarda yapılan flüoresans analizi orijinal rengin ne olduğunu tespit etmeye katkıda bulunur.

Vücudun kaybolup gittiği yerlerde bile kanıtlar bazen korunabilir. En iyi bilinen örnekler, üzerlerini örten sert volkanik kül içinde bozunmuş Pompeii sakinlerine ait bedenlerin geride bıraktığı oyuklardır. Bu bedenlerden alınan modern alçı kalıpları sadece genel fiziksel görünümü, saç şekilleri, kıyafet ve postürü değil, aynı zamanda ölüm anındaki yüz ifadesi gibi ince ve dokunaklı detayları bile gösterir. Ayak ve el izleri arkeolojik kayıttaki farklı türde "oyuklar"dır ve daha sonra incelenecektir.

Yok olmuş bedenler başka yollarla da tespit edilebilir. İngiltere'deki Sutton Hoo'da asitli kumlu toprak birçok kalıntıyı tahrip etmiş, geride genellikle sadece gölgeli bir leke –bir çeşit kum silüeti– bırakmıştır. Eğer böyle izler mor ötesi ışığa tutulursa, içlerinde "kemik" floresan üretir ve bu fotoğrafla kaydedilebilir. Organik bozunmaya uğrayan topraktaki amino asitler ve diğer bileşkeler bu türden "görünmez" cesetlerin cinsiyetini ve kan grubunu tanımlamaya yardım edebilir. Almanya'da MS 16-19. yüzyıllar arasında evlerin mahzenlerine gömülmüş çok sayıda sağlam boş çanak çömlek arkeolog Dietmar Waidelich tarafından test edilmiştir.

İçlerinde bulunan çökelti örnekleri kromatografi aracılığıyla incelenmiş ve insan ya da hayvan dokularına işaret eden kolesterol dışında östronla östradiol gibi streoid hormonları bulunmuştur. Dolayısıyla çömleklerin esas itibarıyla insan plasentasını (doğum sonrasında) gömmek için kullanılmıştı. Yerel inanışa göre bu, çocukların sağlıklı büyümesini sağlıyordu.

Yine de insan kalıntılarının çok büyük bir kısmı, göreceğimiz üzere çok çeşitli bilgiler sunan iskeletler ve kemik parçaları şeklindedir. İnsanlar hakkındaki dolaylı fiziksel kanıtlar aynı zamanda geçmişin sanatından da gelir ve insanların neye benzediğini yeniden kurgulayacağımız zaman büyük önem arz ederler.

FİZİKSEL NİTELİKLERİN TESPİTİ

İnsan kalıntılarının varlığı ve miktarı bir kez tespit edildikten sonra \ özellikleri –cinsiyet, ölüm yaşı, vücut yapısı, görünüş, ilişkiler– yeniden kurgulamaya nasıl girişiriz?

Hangi Cinsiyet?

Bozulmamış vücutlar ve *sanatsal tasvirler* söz konusu olduğunda cinsiyet belirleme genellikle cinsel organlar sayesinde oldukça basittir. Eğer bunlar mevcut değilse göğüsler, sakallar ve bıyıklar epey güvenilir göstergelerdir. Bu özellikler olmaksızın iş zorludur. Saçın uzunluğu bir rehber olamaz, fakat bununla ilgili kıyafet veya nesneler bir karar vermede yardımcı olabilir. Tasvirlerle de daha fazlası yapılamaz. Mesela Son Buzul Çağı'nda Fransa'daki La Marche'dan insan figürlerinde sadece belirli kadınların dişilik organı veya göğüsleri, belirli erkeklerin de erkek üreme organı ya da bıyığı/sakalı bulunur; geri kalan figürler cinsiyetsiz resmedilmiştir. Avrupa Buzul Çağı mağara resimlerinde erkek ve kadın negatif el baskılarının ölçümler ve oranlar aracılığıyla ayırt edilebileceğine dair yakın tarihli iddialar, Avustralya örneklerinden gelen bulguların söylenenlere göre güvenilir olmadığı tespitiyle çelişmektedir.

Bununla birlikte, yumuşak dokunun söz konusu olmayıp *insan iskeletleri* ve *kemik kalıntılarının* bulunduğu yerlerde cinsiyete dayalı dimorfizm (iki biçimlilik) sayesinde çok daha öteye gidilebilir. Cinsiyetin en iyi göstergesi leğen kemiğidir, zira erkeklerle kadınların farklı biyolojik gereklilikleri vardır (arka sayfadaki diyagrama bakınız). Her toplumda cinsiyetler arasındaki fark aynı düzeyde değildir. Örneğin Bantuların leğen kemiklerinde fark San (Buşmen) ya da Avrupalılarınkilerine göre daha az belirgindir.

İskeletin diğer kısımları da cinsiyetin ayırt edilmesi için kullanılabilir. Erkek kemikleri genellikle daha büyük, uzun, dayanıklıdır. Kadın kemiklerindeki az belirgin ve zayıf kas yapışma izlerine kıyasla erkeklerinki daha gelişmiştir.

Erkek kolunun proksimal uçları ve kalça kemiklerinin daha büyük eklem yüzeyleri; kadınların daha kısa göğüs kemiği (sternum) vardır. Erkeklerin büyük kafataslarında kaş çıkıntısı ve mastoid çıkıntı (kulak arkasındaki yumru) daha belirgindir. Alın eğimli, çene ve dişler daha büyük ve bazı toplumlarda kafatası hacmi (Avrupalılarda 1450cc erkeği, 1300 cc altı kadını işaret etme eğilimdedir) daha geniştir. Modern yetişkin kemikleri üzerinde gözü kapalı sınama için kullanılan bu kıstaslar %85'e varan bir doğruluk elde edebilir, fakat bazı Polinezyalılar ve Avustralya Aborjinleri gibi dünyanın belirli kısımlarındaki kadınlar çok büyük kafataslarına sahiptir.

Herhangi bir kemiğin tek başına ölçümüne fazla güvenmememiz, fakat olabildiğince fazla kemikten sonuçları birleştirmemiz gerekir. Amaç hem boyutta hem de şekilde varyasyonu değerlendirmektir. Uyluk kemiğinin (femur) yuvarlak proksimal başının çapı gibi tek bir boyutun ölçümü sadece boyuta işaret eder; yani bir cinsiyet ortalama olarak diğerinden büyüktür. Birden fazla ölçüm özellikle bilgisayar destekli çok değişkenli analizlerle birleştirildiğinde, şeklin tanımlanmasına izin verir ve bu da iki cinsiyetin sadece boyuta bağlı olmayan daha iyi bir ayrım sağlar.

Çocuklarda korunmuş bedenler ve sanatsal tasvirler dışında, cinsiyet yetişkinlerdeki kadar doğrulukla belirlenemez, ama diş ölçümleri bazı başarılar elde etmiştir. Londra'daki Spitalfields'da, cinsiyetleri ve yaşları tabut etiketlerinden bilinen çocuk iskeletlerinin cinsiyetlerini ayırıcı işlev analizi kullanarak belirleme konusunda ilerleme kaydedilmiştir (s. 438'deki kutuya bakınız).

Yakın zamanda DNA analizinden parçalanmış ya da çocuklara ait iskelet kalıntılarının cinsiyetini belirleyecek yeni bir teknik geliştirilmiştir (aşağıda s. 443'e bakınız). Örneğin Aşkelon'da (İsrail) bir Roma hamamının (aynı zamanda muhtemelen genelev) altındaki kanalizasyonda bulunan 100 yeni doğmuş bebek iskeleti büyük ihtimalle öldürülmüş bireylere aitti. DNA testi yapılan 43 kalça kemiğinin 19'u sonuç verdi; 14 tanesi erkek ve 5'i de kızdı. Keza yeni bir DNA dizileme yöntemi de 70.000 yıl yaşındaki eski insanların cinsiyetlerini başarıyla belirlemiştir ve genç ya da çok zarar görmüş bireylerin cinsiyetlerinin tespitinde de

değerini ortaya koyacaktır. Dışkılama sırasında hücreler bağırsaklardan sıyrılıp çıktığı için, DNA fosil dışkılardan da elde edilebilmektedir. Böylece dışkı sahibinin cinsiyeti anlaşılabilir. Buradan alınacak bilgiler beslenme alışkanlıklarında toplumsal cinsiyet temelli farkları nihayetinde

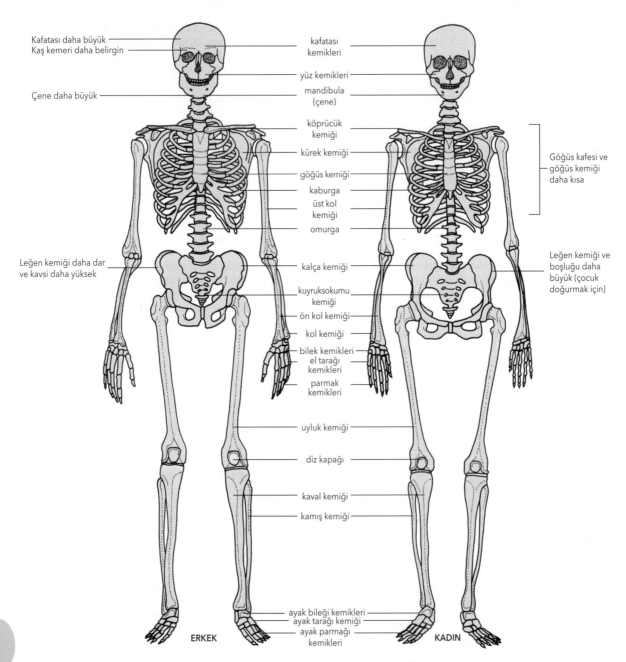

Kafatası daha büyük
Kaş kemeri daha belirgin

Çene daha büyük

Leğen kemiği daha dar ve kavsi daha yüksek

kafatası kemikleri

yüz kemikleri

mandibula (çene)

köprücük kemiği

kürek kemiği

göğüs kemiği

kaburga

üst kol kemiği

omurga

kalça kemiği

kuyruksokumu kemiği

ön kol kemiği

kol kemiği

bilek kemikleri
el tarağı kemikleri

parmak kemikleri

uyluk kemiği

diz kapağı

kaval kemiği

kamış kemiği

ayak bileği kemikleri
ayak tarağı kemiği
ayak parmağı kemikleri

Göğüs kafesi ve göğüs kemiği daha kısa

Leğen kemiği ve boşluğu daha büyük (çocuk doğurmak için)

ERKEK

KADIN

11.4 *İnsan iskeletinin kemikleri ve cinsiyetler arasındaki farklar.*

açıklığa kavuşturabilir. Mesela, California'daki La Quinta arkeolojik alanı ve Nevada'daki Lovelock Mağarası'dan gelen dört dışkı örneği analiz edilmiş ve bunlardan ikisinin sahibi kadın, biri erkek olarak tespit edilmiştir; bir tanesinin cinsiyeti belirsizdir. Dışkıdan cinsiyet belirleme deneyleri, Kentucky'de Salts ve Mammoth mağaralarından gelen dışkılardaki östradiol ve testosteron gibi hormonlarla steroidlerin analizi yoluyla da yapılmıştır. Bunların hepsinin erkekler tarafından bırakıldığı görülmüştür.

Ömürleri Ne Kadardı?

Bazı bilim insanları kendilerinden emin bir şekilde belirli insanların ölüm yaşlarını kesin bir şekilde verebilmelerine rağmen, belli bir kesinlikle saptayabildiğimiz tek şey yıllar ve aylar şeklindeki kesin kronometrik ölçüm yerine ölüm anındaki biyolojik –genç, yetişkin, yaşlı– yaştır. Faunada olduğu gibi, çocuklar için en iyi yaş göstergesi **dişlerdir**. Bu alanda süt dişlerinin kalsifikasyonu ve çıkışı; kalıcı dişlenme çıkışının sırası ve son olarak aşınmanın derecesi çalışılır ki, bu beslenme alışkanlıklarının etkileri ve yemek hazırlama yöntemi hakkında elde edilebilecek en sağlam bulguları sunar.

Bugünkü insanların diş bilgilerinden gelen bu türden verilerle meydana getirilecek ölüm yaşına dair bir zaman çizelgesi, çok fazla bireysel varyasyona karşın yakın dönemler için makul derecede iyi işlemektedir. Fakat uzak atalarımızın dişlenmesine uygulanabilir mi? Dişin mikroyapısı üzerindeki yeni çalışmalar eski varsayımların yeniden sınanması gerektiğini telkin etmektedir. Diş minesi düzenli, ölçülebilir bir hızla büyür ve mikroskobik büyüme çizgileri, dişin epoksi reçinesinden replikaları taramalı elektron mikroskobu altında incelendiğinde sayılabilen kretler meydana getirir. Modern toplumlarda hemen her hafta yeni bir kret oluşur ve Neanderthal'lerin azı dişi yapıları üzerinde yapılan analizler, bunların modern insanlarındakine çok benzer bir büyüme hızına sahip olduğunu göstermiştir. Yöntemin aynı zamanda Spitalfields'taki çocuklarda da doğru sonuçlar verdiği anlaşılmıştır (arka sayfadaki kutuya bakınız).

Tim Bromage ve Christopher Dean fosillerdeki diş büyüme kretlerini ölçerek, önceki araştırmacıların birçok erken homininin ölüm yaşını fazla tahmin ettiği sonucuna varmıştır. Örneğin Güney Afrika'da Taung'dan gelen 1-2 milyon yaşındaki ünlü Australopithecus kafatası evvelden düşünüldüğü gibi 5 ya da altı yaşında değil, 3 yaşında ölmüş bir çocuğa aitti. Bu sonuçlar, kök büyüme şablonlarının analizi, erken homininlerde diş gelişim şekillerini araştıran Holly Smith'in bağımsız çalışmaları ve Taung kafatasının bilgisayarlı eksenel tomografi kullanılarak yapılmış yakın tarihli diş gelişim incelemesi tarafından doğrulanmıştır (aşağıya bakınız). Bütün bunlar en erken atalarımızın bize göre daha hızlı büyüdüklerini ve yetişkinliğe geçişin modern büyük maymunlardakine daha çok benzediğini

düşündürmektedir. Daha küçük hayvanların yetişkinliğe büyüklere göre daha çabuk eriştiği biyolojik bir gerçektir ve bunu desteklemektedir (en erken atalarımız bize göre oldukça kısaydı - aşağıya bakınız).

Bromage ve Dean, Chris Stringer'la beraber Cebelitarık'taki Şeytan Tepesi Mağarası'ndan gelen belki de 50.000 yıl öncesine ait Neanderthal çocuğunu incelemişler ve yaşını 5'ten 3'e indirmişlerdir. Bu sonuç şakak kemiklerinin analiziyle doğrulanmıştır. Ancak diğer araştırmacılar bu yaşlandırma yöntemine kuşkuyla yaklaşmaktadır: Diş kretleri artık büyümenin göstergesi olarak alınmamakta ve Neanderthal topluluklarında bir bireyden yola çıkarak genelleme yapmayı imkânsız kılacak büyük bir çeşitlilik olduğu düşünülmektedir.

Dişin diğer özellikleri de yaşa dair ipuçları verir. Diş tacı bütünüyle çıktıktan sonra kökü hâlen immatürdür ve tam anlamıyla büyümesi için aylar gerekir. Gelişim basamağı radyografiyle değerlendirilebilir ve bu yöntem yoluyla yirmi yaşına kadar olan sonuçlarda belirli bir doğruluk elde edilir. Genç bir yetişkine ait dişlerin tam olarak büyümüş köklerinin ucu sivridir, fakat giderek yuvarlaklaşırlar. Yaşlı dişler diş özlerinde dentin oluştururlar ve kökler zamanla uçtan yukarı doğru yarısaydam hâle gelirler. Norveç'te,

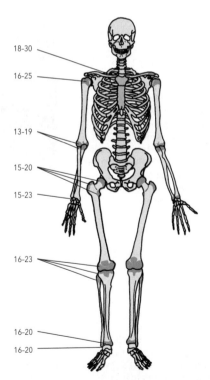

18-30
16-25
13-19
15-20
15-23
16-23
16-20
16-20

11.5 *Yaşın tespiti: kemik uçlarının kaynaştığı yaşlar (en koyu renkli yerler). Orta koyuluktaki alanlar sinostoz, yani bir grup kemiğin kaynaştığı yerlere işaret eder (mesela kuyruksokumu kemiği 16-23 yaşında).*

SPITALFIELDS: ÖLÜM ANINDAKİ BİYOLOJİK YAŞIN TESPİTİ

İskelet kalıntılarına göre yaş belirlemek için farklı yöntemlerin hassaslığını sınama fırsatı 1984-1986'da, Doğu Londra'daki Spitalfields'deki İsa Kilisesi'nin yeraltı mezarlarında bulunan yaklaşık 1000 gömütü arkeologlara açmasıyla ele geçti. En az 396 tabutun üzerindeki levhalarda hepsi 1646-1852 arasında doğmuş ve 1729-1852 arasında ölmüş olan kişilerin adları, yaşları ve ölüm tarihleri yazmaktaydı. Kadınlarla erkekler eşit oranda temsil edilmekteydi ve üçte biri de gençti. Yetişkinlerin ölüm anındaki yaş ortalaması her iki cins için 52'ydi ve en yaşlı birey 92 yaşındaydı.

Ölüm anındaki görünür yaşı değerlendirmek için iskelet üzerinde kafa kemiklerinin birleşme yerleri, kasık kemiklerinin kaynaşma dejenerasyonu, kemik dokusundan ince kesitlerin incelenmesi ve dişteki amino asit rasemizasyonu dâhil bir dizi teknik kullanıldı. Ardından sonuçlar tabut levhalarında belirtilen gerçek yaşlarla karşılaştırıldı. Ölüm anındaki yaşın tespiti için başvurulan geleneksel yöntemlerin hatalı olduğu anlaşıldı. Spitalfields iskeletlerine uygulanan bütün yöntemler yaşlıların yaşını düşük, gençlerinkini de yüksek gösteriyor ve bu sonuçlar doğal nedenlerle ölmüş bireylerin oluşturduğu mezarlıklarda mevcut bir eğilimi yansıtıyordu. Genç yaşta ölenler tahminen potansiyellerine erişememiş "yaşlı kemiklilerdi"; uzun bir ömür sürenler ise hayatta kalan ve ölüm anında "genç kemikleri" olanlardı.

Spitalfields nüfusunda çocuklar, günümüz çocuklarıyla karşılaştırıldığında yaşlarına kıyasla daha küçüklerdi, fakat malzeme, bilim insanlarına gençlik yaşının oldukça doğru bir tespitini yapabilmeleri için yöntemler geliştirmelerine ve sınamalarına imkân tanıdı. Spitalfields yetişkinleri bugünkü insanlara göre daha geç bir yaşta (50'lerinden sonra) ve daha yavaş bir hızda olgunlaşıyorlardı ki, bu da modern referans örneklerine ait verilerin geçmiş iskelet kalıntılarına uygulanmasında dikkatli davranmayı gerektirir. Spitalfields buluntularının sonucu olarak, mevcut yöntemlerle bir yetişkinde, biyolojik olarak genç ve orta yaşlı ya da yaşlı bir kişiye göre daha doğru yaş tespiti yapmaya çalışmak aceleciliktir.

Londra
(Spitalfields)

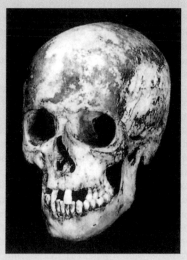

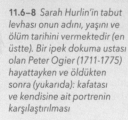

11.6–8 *Sarah Hurlin'in tabut levhası onun adını, yaşını ve ölüm tarihini vermektedir (en üstte). Bir ipek dokuma ustası olan Peter Ogier (1711-1775) hayattayken ve öldükten sonra (yukarıda): kafatası ve kendisine ait portrenin karşılaştırılması*

11.9 *Kemik analizlerine göre ölüm anındaki yaşların (koyu olanlar) gerçek yaşlarla karşılaştırılması, "yaşlı kemiklere" sahip olmalarından dolayı birçok olgun yetişkine daha genç yaşlar atfedildiğini ortaya çıkarmaktadır. Yetmiş beş yaş sınırındaki kesilme referans nüfus için kullanılan ölçek yüzündendir.*

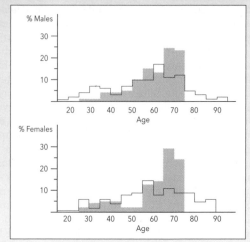

% Males

30
20
10

20 30 40 50 60 70 80 90
Age

% Females

30
20
10

20 30 40 50 60 70 80 90
Age

Bleivik'ten 8000 yıllık bir iskeletin saydam kök dentini üzerindeki ölçümler 60 civarında bir ölüm yaşı vermiştir. Kökler etrafında birikmiş diş kökü kabuğu tabakaları da dişin çıkışından itibaren yaşı öğrenmek üzere sayılabilir. Yakın zamanda 30 yaşı altındaki eski insanların kalıcı dişlerindeki diş kökü kabuklarının ölüm mevsimlerini gösterebildiği anlaşılmıştır.

Yaşın belirlenmesi için **kemikler** de kullanılabilmektedir. Kemik uçlarının (epifiz) mafsallara kaynaşmasında izlenen aşamalar genç insanların kalıntılarına uygulanabilecek bir zaman çizelgesi verir. Yirmi altı yaş civarında kaynaşan en son kemiklerden biri kalvikulanın (köprücük kemiği) iç ucudur. Bu yaştan sonra kemiklere yaş vermek için başka kriterler gereklidir. Sinostoz olarak bilinen iki ayrı kemiğin kaynaşması yaşı ayrıca belli edebilmektedir. Mesela sakrum (kuyruksokumu kemiği) 16 ile 23 yaşları arasında bütün hâline gelir.

Kafa kubbesinin (kafatasının tepesi) plakaları arasındaki ek yerlerinin kaynaşma derecesi önemli bir yaş göstergesi olabilir, ama açık ek yerlerinin varlığı illa ki genç yaş işareti değildir. Açık ek yerleri yaşlı bireylerde devam edebilir, çünkü belki de seleksiyon avantajına sahiplerdir. Öte yandan yetişkinliğe erişmemiş bireylerdeki kafatası kalınlığının yaşla bir bağlantısı gerçekten vardır; kafatası ne kadar kalınsa kişi o kadar yaşlıdır, fakat ileri yaşlarda bütün kemikler genellikle incelir ve hafifler. Bununla birlikte yaşlı insanların kafatası fiilen yaklaşık %10 oranında kalınlaşmaktadır. Kaburga kemikleri de yetişkinlerin ölüm yaşını belirleme de işe yarayabilir, zira kemik incelip kıkırdak üzerine doğru ilerleyince sternal uçlar artan yaşla birlikte düzensiz ve pürüzlü bir hâl alır. Bu yöntem Makedonia II. Philippos (Büyük İskender'in babası) ya da III. Philippos (İskender'in üvey kardeşi) olduğu düşünülen kişinin Kuzey Yunanistan'daki Vergina'da bir mezar yapısında bulunmuş kalıntılarına uygulanmıştır. Buna göre söz konusu kişi 35'ten ziyade 45 yaşına yakındı (tarihi kanıtlar II. Philippos'un öldürüldüğünde 46 yaşında olduğunu ima eder). Yaş tespitinde kullanılan diğer iskelet özellikleri kasık kemiği simfizi ve sakroiliak eklemidir.

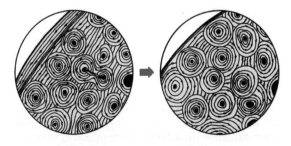

11.10 Yaşın tespiti: İnsanlar yaşlandıkça kemik yüzeyinde meydana gelen değişimler mikroskop altında fark edilir. Dairesel osteonların sayısı artar ve kemiğin kenarlarına doğru uzanır.

Peki ya kemik kalıntıları küçük parçalardan ibaretse? Yanıt mikroskop altında, **kemik mikroyapısındadır**. Yaşlandıkça kemiklerimizin yapısı belirgin ve ölçülebilir şekilde değişir. Yirmi yaşında genç bir kemiğin çevresinde halkalar ve osteon denilen dairesel oluşumlar vardır. Yaş ilerledikçe halkalar kaybolur, daha fazla ve daha küçük osteonlar ortaya çıkar (görsele bakınız). Bu yöntemle en küçük parça bile bir yaş verebilir. İnce bir femur (kalça kemiği) kesitini mikroskop altına koymak ve gelişim safhasını incelemek, modern örneklerle yapılan gözü kapalı sınamalarda 5 yıla kadar doğruluk elde etmiş bir yöntemdir. Ancak Spitalfield'a ait malzemede diğer yöntemlerden daha kesin olmadığı görülmüştür.

Akira Şimoyama ve Kaoru Harada Japonya'daki Narita'da bulunan MS 7. yüzyıla ait bir mezar tümülüsünden bir iskelet üzerinde kimyasal yöntem uygulamışlardır. İskeletin diş minesindeki iki farklı aspartik asit türünün oranını ölçmüşlerdir. Bu amino asitin birbirinin ayna görüntüsü olan iki tür formu ya da izomeri vardır. L izomeri dişin büyümesinde kullanılır, fakat yaşam süresince rasemizasyon yoluyla (4. Bölüm) yavaşça D izomerine dönüşür. D/L oranı 8'den 83 yaşına kadar istikrarlı şekilde yükselir ve bu yüzden kişinin yaşıyla doğrudan ilişkilidir. Bahsettiğimiz örnekte, iskeletin 50 yaşında olduğu gösterilmiştir. L izomeri ölümden sonra da ısıya bağlı olarak D izomerine dönüşmeye devam ettiğinden, hesaplama yapılırken gömüt koşulları göz önünde bulundurulmalıdır.

Ölüm Yaşını Yorumlamak. Günümüze kalan ve keşfedilen vücut ve iskeletlerin sadece ortalama ölüm yaşını hesaplayabildiğimiz belirtilmelidir. Birçok bilim insanı hatalı olarak, bir mezarlığı kazıp buradakilerin yaşları ve cinsiyetlerini tespit etmenin belirli bir kültürde beklenen yaşam süresi ve ölümlülüğe dair doğru bir rehber olduğuna inanmıştı. Bu inanç, mezarlığın kullanıldığı süre boyunca ölmüş bütün topluluk üyelerinin orada bulunduğu –yaş, cinsiyet veya mevkiye bakılmaksızın herkesin gömüldüğü; kimsenin başka bir yerde ölmediği ve mezarlığın başka bir zamanda yeniden kullanılmadığı– gibi ciddi bir tahmini zorunlu kılmaktadır. Bu tahmin de gerçekçi olarak yapılamaz. Bir mezarlık nüfusu örnekler, ama bu örneklemenin temsilde ne kadar doğruyu yansıttığını bilmiyoruz. Bu yüzden arkeologlar tarafından kabul edilip kullanılmadıkça literatürdeki yaşam beklentisi ve ortalama yaşa dair rakamlara şüpheyle yaklaşılmalıdır.

Bununla birlikte bir nüfusu yaş ve cinsiyete göre analiz etmek yeterli değildir. Aynı zamanda fiziki yapıları ve görünüşleri hakkında da bir şeyler bilmek isteriz.

Uzunlukları ve Ağırlıkları Neydi?

Eğer vücut bir bütün olarak korunmuşsa **uzunluk** kolay ölçülür, ama mumyalama ve kuruma kaynaklı çekmeyi hesaba katmak gerekir. Bununla birlikte bazı münferit uzun kemiklerin, özellikle bacak kemiklerinin uzunluğundan boy uzunluğunu öğrenmek mümkündür. Mesela Tutankhamon'un uzunluğu mumyası ve bozulmamış uzun kemiklerine göre 1,69 m olarak tahmin edilmektedir. Bu da mezar odasının iki yanında duran ahşap muhafız heykellerinin boyuyla aynıdır.

Bacak kemiklerinin uzunluğuna göre boy uzunluğunun kabaca tespitine bağlanım (regresyon) denklemi –kemik uzunluğunun tam vücut uzunluğuna olan oranı– adı verilir. Ancak farklı topluluklar farklı denklemler gerektirir, çünkü vücut oranları çeşitlilik gösterir. Avustralya Aborjinleri ve birçok Afrikalının uzun bacakları toplam uzunluklarının %54'ünü meydana getirir, fakat bazı Asya halklarının bacaklarında bu oran sadece %45'tir. Netice itibarıyla aynı uzunluktaki insanların çok farklı uzunlukta bacak kemikleri olabilir. İskeletlerin geldiği kaynak topluluğun bilinmediği durumlara cevaben, 5 cm içinde doğru sonuç veren femoral uzunluk (farklı denklemlerin ortalaması) tam uzunluğun makul bir tahminini sunar. Bu değerler de arkeolojik amaçlar için yeterlidir. Görünüşe bakılırsa, Roma dönemi Cirencester'ında insanlar bugünden biraz daha kısaydılar: Ortalama kadın uzunluğu 1,57 m idi ve en uzun kadının uzunluğu ortalama bir erkeğinkine eşitti (1,69 m).

Kol kemikleri de boyu tahmin etmek gerektiğinde kullanılabilir. Bacakları olmayan Lindow Adamı'nda olduğu gibi el baskıları ara sıra kullanılmaktadır. Ayrıca ayak izleri iyi bir fikir verir, zira yetişkin erkeklerdeki ayak uzunluğu, hesaplamalara göre toplam uzunluğun %15,5'ine denk gelmektedir. On iki yaşın altındaki çocuklar için bu oranın %16-17 olduğu düşünülmektedir. Dolayısıyla, 3,6-3,75 milyon yıl öncesine tarihlenen Tanzanya'daki Laetoli ayak izleri (s. 446'ya bakınız) 18,5 ile 21,5 cm uzunluğundadır ve aynı hesaplamanın modern öncesi insanlar için de geçerli olduğu varsayıldığında muhtemelen 1,2 ve 1,4 m uzunluğunda homininler tarafından bırakılmıştır.

Bozulmamış vücutlardan *ağırlık* ölçümü yapmak da kolaydır, çünkü kuru ağırlık canlı ağırlığın %25-30'u kadardır. Pennsylvania Üniversitesi Müzesi'ndeki MÖ 835'e ait bir Mısır mumyasının (PUM III olarak numaralandırılmıştır) hayattayken 38,7 ila 45,4 kg geldiği böyle hesaplanmıştır. Sadece uzunluğu bilmek de rehber olabilir, zira her iki cinsiyetten belirli uzunluktaki obez ya da çok zayıf olmayan insanların ağırlık skalasını modern bulgulardan biliyoruz. Bu yüzden, insan kalıntılarının cinsiyeti, uzunluğu ve ölüm yaşı bilgileriyle donanmış olarak ağırlığa dair mantıklı tahmin yürütülebilir. Dolayısıyla tek bir bacak kemiği sadece uzunluğuna değil, aynı zamanda sahibinin cinsiyetine, yaşına ve yapısına işaret eder. Yine de, "Lucy" adı verilmiş Australopithecus iskeletinin (s. 445-447'ye bakınız) %40'ı günümüze geldiğinden, bu homininin 1,06 m uzunluğunda ve 27 kg civarında olduğu hesaplanabilmiştir.

Şimdiye kadar yaşı ve boyutları bilinen bir vücudun cinsiyetini saptadık, fakat bireyleri gerçekten tanımlamaya ve ayırt etmeye yarayan insan yüzüdür. O hâlde yüzleri geçmişten nasıl çekip çıkarırız?

Neye Benziyorlardı?

Yüzlerin nasıl göründüğünü en açık şekilde yine iyi korunmuş vücutlardan öğreniriz. Danimarka'da bulunmuş dikkat çekici Demir Çağı turbiyer bedenlerinden biri olan Tollund Adamı en iyi bilinen tarih öncesi örnektir. Diğer birçok iyi korunmuş yüz, Çin'de Jinzhou yakınında, MÖ 2. yüzyılda Mezar Yapısı 168'e gömülmüş ve gizemli bir koyu kırmızı sıvı tarafından mükemmel şekilde korunmuş 50 yaşındaki adamdır. Mısır'daki Teb'de 1881 ve 1898 yıllarında iki gizli kral mezarının keşfi mumyalanmış firavunlara ait gerçek bir galeri sunmuştur. Kısmen kuruma ve bozulma olsa da yüzleri hâlen canlıdır.

Sanatçılar sayesinde Üst Paleolitik'ten itibaren çok geniş bir portre koleksiyonuna sahibiz. Mumya tabutların üzerindeki resimler türünden bazıları ölen kişinin kalıntılarıyla doğrudan ilişkilendirilir. Yunan ve Roma büstleri gibi diğerleriyse kalıntıları sonsuza kadar kaybolmuş olabilecek ünlü kişilerin doğru suretlerini yansıtırlar. Xi'an (Çin) yakınında bulunmuş doğal boyutlardaki sıra dışı pişmiş toprak ordu MÖ 3. yüzyıl askerlerine ait binlerce farklı modelden meydana gelmektedir. Her biri sadece genel özellikleriyle temsil edilmesine rağmen, benzersiz bir birey "kütüphanesi" oluşturmalarının dışında saç şekilleri, zırh ve silahlar hakkında paha biçilmez bilgiler sunarlar. Elimizde daha geç dönemlere ait, bazen Ortaçağ'dan itibaren Avrupa kraliyet ailesi üyeleri ve diğer önemli kişilerin doğal boyutta cenaze büstleri ya da mezar tasvirleri olarak kullanılmış birçok yüz kalıbı ya da ölü maskesi vardır.

Yüzlerin Tespiti ve Rekonstrüksiyonu. Ara sıra kemikler ve portreler karşılaştırma amacıyla üst üste getirilerek tarihi kişilikler tanımlanabilir. Belçikalı bilim adamı Paul Janssens kemik ve portre fotoğraflarını birbiri üzerine bindiren bir yöntem geliştirmiştir. Bu yolla mezar yapılarının restorasyonu sırasında iskeletlerin kimlikleri doğrulanabilir. Mesela MS 15. yüzyılda yaşamış Fransız düşes Marie de Bourgogne'a ait olduğu düşünülen bir kafatasının fotoğrafı, mezar yapısındaki heykel başının resmi üzerine getirilmiş ve mükemmel bir eşleşme sağlanmıştır. Fotoğraflar ve kemiklerin bindirilmesi, 1918'de öldürüldükten sonra gömüldükleri Rus ormanındaki çukurda birkaç yıl önce kazılan Çar II. Nikola, eşi Aleksandra ve çocuklarının kafataslarını tespit etmek için kullanılmıştır.

Bir Etrüsk kadınının yüz konstrüksiyonuyla ilgili bir örnek vaka, lahit portresinin bilgisayarlı fotoğraf karşılaştırmasıyla birlikte arka sayfadaki kutuda ele alınmıştır. Bazı yüz rekonstrüksiyonları şimdi, kafatasının kas grubu kalınlığı hakkında veri içeren bir bilgisayara bağlı lazer taramalı kameralarla yapılmaktadır. Ardından bilgisayar kontrolündeki bir makine

11.11–15 *Geçmişten yüzler. (yukarıda) Tollund Adamı, Danimarka'da bulunmuş Demir Çağı turbiyer bedeni. (sağda) Thames Nehri'nde bulunmuş Roma imparatoru Hadrianus'a (MS 117-138) ait tunç baş. (en sağda ve ortanın altında) Tutankhamon'un 1923'te açılan mumyası, sargıların içinde küçülmüş bir vücudu gün ışığına çıkardı. Genç kralın gerçek boyu uzun kemiklerin ölçülmesiyle hesaplandı. Tutankhamon'un yüz hatlarının rekonstrüksiyonu ise kafatası temel alınarak gerçekleştirilen bilgisayarlı tomografi taramalarıyla yapılmıştır. Üç farklı ekip birbirine çok yakın rekonstrüksiyonlar meydana getirmiştir; buradaki onlardan biridir. (aşağıda) Bolivya'da, Titicaca Gölü'ndeki Pariti Adası'ndan Tiwanaku Dönemi'ne (MS 500-1100) ait 1000 yıllık bir vazo üzerinde kırışık yüzlü yaşlı bir adam ve ördek betimlenmiştir.*

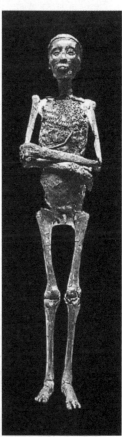

YÜZ REKONSTRÜKSİYONLARI

Daha 19. yüzyılda Alman anatomi uzmanları Schiller, Kant ve Bach gibi ünlülerin kafataslarından tasvirlerini üretmek için yüz rekonstrüksiyonu girişimlerinde bulunmuşlardır. Fakat tekniğin 20. yüzyıldaki en iyi bilinen temsilcisi, fosil insan kalıntılarından Korkunç İvan'a kadar çeşitli kalıntılar üzerinde çalışmış Rus Mikhail Gerasimov'dur. Gerasimov'un yaptıkları şimdi gerçekçi rekonstrüksiyondan ziyade "yaratıcı yorum" olarak görülmektedir. Yöntem artık yüksek bir doğruluk seviyesine ulaşmıştır.

Yakın zamandaki en ilgi çekici rekonstrüksiyonlardan biri, 2200 yıl önce Orta İtalya'da ölmüş soylu bir Etrüsk kadını olan Seianti Hanunia Tlesnasa'nın iyi korunmuş iskeletidir. Tlesnasa'nın kalıntıları 1887'den beri üzerinde adı yazan pişmiş topraktan muhteşem bir boyalı lahit içinde British Museum'da korunuyordu. Lahdin kapağında, ölen kadının bir yastığa dayanarak uzanmış hâlde ve mücevherli elinde bir tunç aynayla doğal boyutta bir heykeli bulunmaktadır. Bu, belki de Batı sanatındaki en erken tanımlanabilir portredir, ama gerçekten de Seianti'ye mi aittir?

Yıllar boyunca lahit içindeki kemiklerin gerçekten söz konusu kadına ait olup olmadığına dair şüphe duyuldu. Judith Swaddling ve John Prag başkanlığındaki bir ekip kadının kalıntılarını araştırmaya koyuldu ve heykelin başıyla karşılaştırmak için uzman Richard Neave'den kadının kafatasından yüzünün rekonstrüksiyonunu yapması istendi.

11.16 *Richard Neave bir yüz rekonstrüksiyonuyla uğraşıyor.*

Antropologlar iskeletten yola çıkarak kadının yaklaşık 1,5 m boyunda ve ölüm anında orta yaşlı olduğu sonucuna vardı. Kemiklerindeki hasarlar ve yıpranmalara ilaveten neredeyse dişsiz oluşu başta ileri yaşı düşündürdü, ancak gerçekte büyük ihtimalle ata binerken meydana gelmiş ciddi yaralanmalar geçirmişti. Bunun sonucunda sağ kalçasını kırmış ve alt çenesinin sağ kısmındaki dişleri sökülmüştü. Çenenin kafatasıyla birleştiği yerdeki kemik hasar görmüştü ve ağzını iyice açtığında büyük acı çekiyor olmalıydı. Bu, kadının çorba ve lapa dışında bir şeyler yemesini ve geri kalan dişlerini temiz tutmasını –onlar da daha sonra dökülmüştü- engelliyordu. Seianti aynı zamanda ağrılı kireçlenmeye ve artan sakatlıklara sahipti.

Günümüze kalmış iki dişin mine analizi kadının 50 yaşında öldüğünü doğruladı ve kemiklerin radyokarbon tarihlemesi MÖ 250-150 sonucunu verdi ki, bu da iskeletin gerçekten eski ve doğru döneme ait olduğunu kanıtlıyordu. Yüz rekonstrüksiyonu oldukça obez, orta yaşlı bir kadın ortaya çıkardı. Bu, lahitteki tasvirle ne kadar uyuşuyordu?

Profilden bakınca farklılıklar vardı, zira sanatçı Seianti'ye daha düzgün bir burun vermişti, ama cepheden benzerlikler çok daha barizdi. Son teyit yüz oranlarını ve özelliklerini eşleştirmek için bilgisayar destekli bir teknikten geldi. Rekonstrüksiyonun ve portrenin bilgisayardaki görüntülü karşılaştırması aynı kişinin söz konusu olduğunu şüpheye yer bırakmayacak şekilde ortaya koydu. Lahit üzerindeki tasvir onu birkaç yıl daha genç, sıkı gerdan ve kızlara özgü daha küçük dudakla gösterir. Diğer bir deyişle heykeltıraş bu kısa, cüsseli ve orta yaşlı kadının portresinde bazı hoşnut edici düzeltmeler yapmış, fakat aynı zamanda Seianti'ye çok benzeyen bir tasvire imza atmıştır.

11.17–18 *Seianti Hanunia Tlesnasa'nın kemiklerini içeren pişmiş toprak lahit (solda). Lahit kapağı ölen kadının bir sureti şeklindedir, fakat bu gerçek görünümünü ne derece doğru yansıtıyordu? Lahitte bulunmuş kafatasına göre yapılan rekonstrüksiyon (altta).*

sert köpükten üç boyutlu bir model kesmektedir. Örneğin bu yöntem York'tan bir Viking balıkçısının yüzünü yeniden yaratmak için kullanılmıştır. Böyle rekonstrüksiyonlar sergi ve televizyon programları için faydalı olduğu gibi bir bireyin tespitine de yardım edebilir, fakat düzenli olarak yapılmaz.

Bedenlerle ya da iskeletlerle ilişki olarak bulunmuş herhangi bir takı ya da kıyafet, bu insanların yaşarlarken nasıl göründükleri konusundan önemli bilgiler sağlar. Ayak izleri de ayak giyecekleri hakkında ipuçları verir. Buzul Çağı'na ait ayak izlerinin neredeyse tümü çıplak ayaklar tarafından bırakılmıştır, fakat Fransa'daki Üst Paleolitik mağarası Fontanet'de bulunanlar görünüşe göre yumuşak makosen izleridir.

Akrabalık İlişkileri Nasıldı?

İki birey arasındaki bağı, kafatası şekline (beslenme alışkanlığı gibi birçok faktörden etkilenebilir) bakarak, saçları analiz ederek ve eski DNA'yı inceleyerek değerlendirmek giderek daha olanaklı hâle gelmektedir. Aynı sonuç farklı yöntemlerle, öncelikle dental morfoloji çalışılarak elde edilebilir. Bazı dental anomaliler (büyümüş ya da fazladan diş ve özellikle yirmilik dişlerin eksikliği) aileden gelen özelliklerdir.

Kan grupları yumuşak dokulardan, kemikten ve hatta 30.000 yıl yaşındaki diş minesinden tespit edilmiştir, çünkü kan gruplarının ortaya çıkmasından sorumlu polisakkaridler sadece kırmızı kan hücrelerinde değil, bütün dokularda bulunurlar ve çok iyi korunurlar. Aslında, radyoimmün testiyle yapılan protein analizi (antikorlara verilen tepkinin tespiti) artık binlerce, hatta milyonlarca yıl yaşındaki protein moleküllerini belirleyebilmekte ve fosil, soyu tükenmiş ya da yaşayan organizmaların taksonomik ilişkilerini çözebilmektedir. Yakın gelecekte erken homininlerin genetik bağları hakkında yararlı bilgiler elde edebiliriz.

Kan grupları basitçe ebeveynlerden geçtiği için, farklı sistemler –en iyi bilinenleri, insanların A, B, AB ve 0 grubu kan tiplerine ayrıldığı A-B-0 sistemidir– bazen farklı vücutlar arasındaki fiziksel ilişkileri açıklığa kavuşturmaya yardım eder. Mesela, Tutankhamon'un 1907'de Teb'deki Mezar Yapısı 55'te bulunmuş kimliği belirsiz gömütle bir şekilde ilişkisi olduğundan şüpheleniliyordu. Kafataslarının şekli ve çapı birbirine yakındı ve radyografileri üst üste bindirildiğinde neredeyse tam bir uyum söz konusuydu. Dolayısıyla Robert Connolly ve meslektaşlarının iki mumyadan aldıkları dokular üzerindeki analizleri, bunların A grubuna ve M ile N antijenlerine sahip alt grup 2'ye ait olduklarını göstermiştir. Bu olgu iskelet benzerlikleriyle birlikte ikisinin yakın akraba

11.19 *Kalıtımın düzenleyicisi olan genler bir vücudu oluşturmak ve ona işlev kazandırmak için gerekli kalıtsal talimatları taşıyan hücresel DNA'dan (deoksiribonükleik asit) meydana gelirler. Genler her yeni yaşayan hücre nesli tarafından kopyalanır ya da "çoğaltılır"; hücresel DNA hücrelerin şablonunu içerir ve yeni bir hücre üretildiğinde kopyalanır. Dolayısıyla hücreler laboratuvarda üretildiğinde DNA yetiştirilmiş olur. Bazen insanlar ya da hayvanlardan bir hücresel DNA kesiti bir bakteri içine yerleştirilebilir ve laboratuvarda yetiştirilebilir. Buna "klonlama" adı verilmektedir. Hücrenin içindeki mitokondriler (küçük örgencikler) yoğun olarak üzerinde çalışılan nispeten küçük DNA sarmalları içerir (mitokondriyal DNA; mtDNA olarak kısaltılır).*

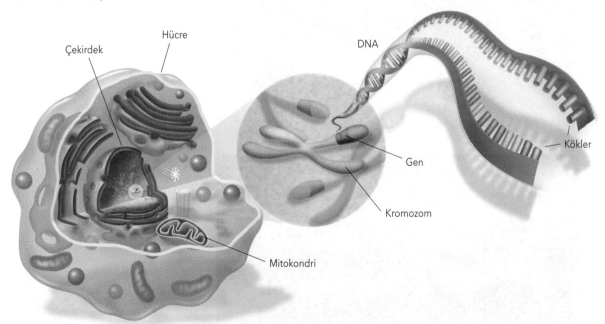

Çekirdek

Hücre

DNA

Kökler

Gen

Kromozom

Mitokondri

NEOLİTİK AİLEYİ BULMAK

Saksonya'daki (Almanya) Eulau'da, 2005'te, arkeologlar dört adet birbirine yakın gruplandırılmış ve iyi korunmuş çoklu gömüt buldular. Yaklaşık 4600 yıl önceye, Şeritli Mallar (Corded Ware) kültürüne (Neolitik Çağ) ait her bir gömüt grubu birbirine bakacak şekilde defnedilmiş yetişkinler ve çocuklardan meydana geliyordu. Eş zamanlı gömülmüş olmaları ve mücadele izleri bu insanların bir tür şiddet olayına kurban gittiklerini gösteriyordu. Araştırmada arkeolojik ve antropolojik yöntemlerle birlikte bireylerin kökenlerini tespit edebilmek için radyojenik izotop ve akrabalıklarını incelemek için eski DNA analizleri kullanılarak çok disiplinli bir yaklaşım benimsendi.

Bir Aile Grubunu Belirleme

Özellikle bir mezar ("Mezar 99") en net sonuçları verdi. Anatomik analizler 40 ila 60 yaşlarında bir adamın, 35 ila 50 arasındaki bir kadının ve 4-5 ile 8-9 yaşında iki erkek çocuğun varlığını gösterdi. İki yetişkin de çocuklarından birine bakacak şekilde gömülmüştü ve kollarıyla elleri birbirine bağlı hâldeydi. DNA analiziyle bu insanların anne, baba ve onların oğulları olduğu anlaşıldı. Kadın erkek çocuklarla aynı mitokondriyal DNA'ya sahipken, erkek çocukların Y kromozom haplogrubu adamınkiyle uyuşuyordu. Bu, bir çekirdek aile birimi için bilinen en erken genetik kanıttır.

Şiddet ve Sosyal Kökene Dair Kanıtlar

Diğer üç mezar çoğu kadın ve çocuklardan ibaret toplam 9 kişi barındırmaktaydı. Çoğu, kadın omurgasına saplanmış çakmaktaşı mermiyat ve iki kırılmış kafatası gibi şiddetli bir ölüme ait izler taşımaktaydı. Bazı bireylerin elleri ve ön kollarındaki

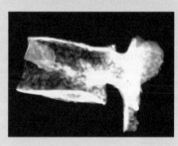

11.20–21 *Eulau'daki Mezar 99 ve vücutların nasıl yerleştirildiğini gösteren rekonstrüksiyon.*

11.22–23 *Bir kadının omuruna saplanmış çakmaktaşı ok ucunun fotoğrafı ve radyografı. Kadın vahşi bir baskının kurbanlarından olabilir.*

kesik izleri görünüşe göre kendini korumaya yönelik girişimlerin sonucuydu. Belki de bir yağma sırasında katledilmişler ve daha sonra hayatta kalanlar tarafından gömülmüşlerdi. Ölüler arasında ergen ya da genç yetişkin yoktu. Çok az mezar eşyası –erkekler ve oğlanlar için taş baltalar, kadınlar ve kızlar için çakmaktaşı aletler, hayvan dişlerinden pendentler- bulundu. Kesilmiş hayvan kemikleri mezar başına en az bir yemek sunusu yapıldığını göstermektedir.

Diş minesinin izotop analizleri çocuklukta beslenmeyle topraktan alınmış stronsiyum düzeylerini göstermektedir (s. 314'e bakınız) ve farklı bölgelerden gelen bireyler arasında çeşitlilik gösterirler. Eulau'da aynı analizler erkekler ve çocukların yerli olduğunu, kadınların ise başka bir yerden geldiklerini göstermiştir ki, bu da dışarıdan evliliği akla getirir (yani kadınlar erkeklerin yaşadıkları yere gelip çocuklarını orada doğurmuşlardır).

olduklarını neredeyse kesinleştirmektedir. Bu mesele şimdi belki de DNA analiziyle çözümlenmiştir. İddiaya göre analiz, Mezar Yapısı 55'teki gizemli vücudun Tutankhamon'un babası Akhenaton'a ait olduğunu doğrulamaktadır ve ayrıca Tutankhamon'un annesi, büyük baba ve büyük annesini, eşini ve çocuklarını da tanımlamıştır. Bununla birlikte sonuçlar tüm uzmanlar tarafından kabul edilmemiştir.

Genetik biliminden elde edilen bu sonuçlar DNA aracılığıyla aile bağlarının anlaşılabileceği anlamına gelmektedir (s. 443'teki çizime bakınız). İsveçli bilim adamı Svante Pääbo 1985'te, Mısırlı bir oğlanın 2400 yıllık mumyasından ilk kez mitokondriyal DNA çıkarmayı ve klonlamayı başarmıştır. Bu kadar uzun süre içinde DNA molekülleri kimyasal etki yüzünden parçalanır. Dolayısıyla işlevsel bir geni, dahası canlı bir bedeni yeniden yapılandırmak söz konusu değildir. Fakat mesela Mısır mumyalarının DNA zincirlerine dair bilgiler, kraliyet aileleri üyelerinin arasındaki bağlara işaret edebilir ve genellikle inanıldığı gibi bir hanedan içinde ensest evliliklerin yapılıp yapılmadığını ortaya çıkarabilir. Mısır'daki Hagasa'dan MÖ 2200'e ait altı mumya üzerindeki DNA analizi, bunların bir aile olduğunu göstermiştir (Neolitik Almanya'dan bir ailenin DNA'sı üzerindeki yakın tarihli bir çalışma için karşı sayfadaki kutuya bakınız). Hâlihazırda bütün dünyadaki mumyalardan alınan binlerce doku örneği, gelecekte hastalıkların yayılmasından insan göçlerine kadar çeşitli çalışmalarda kullanılmak üzere İngiltere'deki Manchester'da bir veritabanında toplanmaktadır.

Glen Doran ve meslektaşları Florida'da eski insan beynine ait hücrelerden genetik malzeme çıkarmışlardır. Beyine ait kalıntılar Titusville'deki bir turba bataklığı olan Windover Göleti'ndeki 7000-8000 yıl öncesine ait 168 bireyin 92'sinde ele geçmiştir. Bazı kafatasları tarayıcıya konulduklarında, büyük oranda hasar görmeden iyi korunmuş beyinleri muhafaza ettikleri anlaşılmıştır. Bunlardan çıkarılan DNA ile söz konusu Kızılderili grubundan hâlen yaşayan olup olmadığı keşfedilebilir.

Kemiklerde ve dişlerde kalmış çok küçük DNA kalıntılarını elde etmek artık mümkündür. "Polimeraz zincirleme tepkisi" adındaki bir tekniği kullanan Oxford'lu araştırmacılar, yok denecek kadar az DNA miktarlarını arttırmayı başarmışlardır. Ekip Kudüs çölündeki Wadi Mamed'ten 5000 yıllık bir insan uyluk kemiği gibi fosillerden DNA çıkarmış ve kopyalamıştır.

Pääbo ayrıca 1988'de Florida'daki Little Salt Spring'de bulunmuş Arkaik Dönem Kızılderililerine (7000 yaşının üzerinde) ait beyinler, kemikler ve dişlerden bazı DNA molekülleri elde etmeyi başarmıştır. Moleküller fazladan bir insan grubunun Amerikaya geldiğini (buraya göç etmiş üç soydan ayrı bir grup – s. 473'deki kutuya bakınız), fakat bir süre sonra öldüklerini düşündüren önceden bilinmeyen bir mitokondriyal DNA zinciri içeriyorlardı. Bu, hiçbir yakın akrabası hayatta kalmamış bir Kızılderili grubunun yakın tarihte soyunun tükendiğini gösteren tek kanıtlanmış örnektir.

Matthias Krings, Svante Pääbo ve meslektaşları 40.000 yıllık hominin fosili kalıntılarından DNA (bu örnekte mtDNA) çıkararak çok büyük bir ilerleme kaydetmiştir. Daha da dikkat çekici olanı, 2010'da 40.000 yıllık hominin fosili kalıntılarına ait 4 milyon DNA ana çiftlerinin –tüm bir Neanderthal genomu– analizidir. Aşağıda tartışıldığı üzere (s. 472) bu, Neanderthal'ler hakkındaki güncel düşünceleri değiştirmekte ve biyolojik antropolojide yeni bir dönem açmaktadır.

Dolayısıyla genetik mühendislikteki yakın tarihli gelişmeler, gelecekteki insan evrimi, geçmiş insan ilişkileri ve hastalıkların kaynakları ve yayılımlarıyla ilgili heyecan verici olanaklar sunmaktadır.

Bu bölümde şimdiye kadar atalarımızın fiziksel özellikleri hakkında nasıl daha fazla çıkarım yapabileceğimizi öğrendik, fakat bu hâlâ durağan bir manzaradır. Bir sonraki adım, bu bedenlerin işleyiş şekillerinin ve yapabileceklerinin nasıl yeniden kurgulanacağını öğrenmektir.

İNSAN BECERİLERİNİN DEĞERLENDİRİLMESİ

İnsan vücudu harikulade bir makinedir. Bazıları güç ve dayanıklılık, diğerleriyse sıkı kontrol ve özel beceriler isteyen birçok eylemi yerine getirebilir. Ama bunları her zaman icra etmemişti. O zaman çeşitli insan becerilerinin gelişim izlerini nasıl izleyebiliriz?

Yürüme

En temel ve insana özgü niteliklerden biri iki ayak üzerinde yürüme alışkanlığıdır, yani iki ayaklılık. Bir dizi yöntem bu özelliğin evrimine dair içgörüler sunar. İskeletin belirli bölümleri ve vücut oranları üzerinde yapılan analizler en basit yöntemdir, ama erken atalarımızdan geriye kalanlar genellikle kafataslarıdır. Bunun bir istisnası, Etiyopya'nın Afar bölgesindeki Hadar'da bulunmuş 4,8 milyon yıllık "Lucy" adlı Australopithecus iskeletinin (bilimsel ismi *Australopithecus afarensis*) %40'ı tam kalıntılarıdır. Lucy'nin iskeletinin üst yarısına büyük önem verilmiştir. Amerikalı paleoantropologlar Jack Stern ve Randall Susman Lucy'nin yürüyebildiğine, ama yiyecek ve korunma için hâlâ ağaçlara ihtiyaç duyduğuna inanmaktadır. Kanıt olarak kavramayı akla getiren uzun, kavisli, çok kaslı ayak ve ellerini göstermektedirler.

11.24–25 *Laetoli ayak izleri. (üstte) Erkek homininler tarafından 3,6-3,75 milyon yıl önce bu Doğu Afrika buluntu yerinde bırakılmış dikkat çekici ayak izlerinden biri. (altta) Laetoli ayak izlerinden bir tanesinin soldaki kontur yapısı, yumuşak zemine yapılmış sağdaki modern erkek ayak izine şaşırtıcı biçimde benzemektedir.*

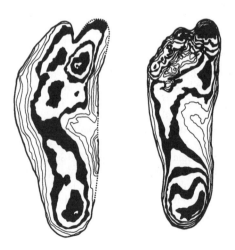

Bir başka Amerikalı araştırmacı Bruce Latimer ve meslektaşları Lucy'nin iki ayaklılığa tam anlamıyla adapte olduğunu düşünürler. Kavisli el ve ayak parmaklarının ağaçlarda geçmiş bir yaşamın kanıtı olduğundan şüphe ederler ve alt uzuvların "dik yürüme için bütünüyle yeniden düzenlenmiş" olduğu neticesine varmışlardır. Ayak bileğinin yönü modern insanınkine yakındır ve bu da ayağın bir büyük maymuna kıyasla yanlamasına hareket için yeteri kadar esnek olmadığına işaret eder. Lucy'nin vücut oranları iki ayaklılıkla uyumsuz değildir, ama modern insanların yürüyüş şeklini henüz kazanamamıştır, çünkü leğen kemiği bir dereceye kadar şempanzeninkine benzemektedir. Son çalışmalar şimdi Lucy ve akrabalarının ayaklarında sert kemerler bulunduğunu, dolayısıyla bunları kavrama için kullanamayacaklarını göstermiştir. Buna karşılık, *Ardipithecus ramidus* (4,4 milyon yıl önce) ve *Australopithecus sediba* (2 milyon yıl) gibi daha eski türlerin ayak kemikleri, her ikisinin de hem iki ayaklı hem de ağaç tırmanıcı olduklarını düşündürmektedir.

Güney Afrika'daki Sterkfontein'de 3,5 milyon yıllık bir *Australopithecus africanus*'a ait "Küçük Ayak"ın, yani dört adet eklemli ayak kemiğinin yakın tarihte analiziyle tartışma alevlenmiştir. Bazı uzmanlar bunların değişmeden kalmış anatomik özellikler olduğu ve bu Australopithecus'ların bütün zamanlarını yerde iki ayak üzerinde geçirdikleri konusunda ısrar etmektedir.

Dik yürümeye yönelik farklı türden bir kanıt **kafataslarında** bulunabilir. Mesela kafataslarının tabanındaki bel kemiğinin girdiği deliğin konumu vücut hareket hâlindeyken aldığı pozisyon hakkında çok şey anlatır. Kaya gibi sert bir matrisin içinde kapalı kalmış fosil kafatasları bile bilgisayarlı tomografi (CAT ya da CT) sayesinde incelenebilmektedir. Bunda 5 mm aralıklarla yapılan x-ışını taramaları, bilgisayarın istenilen şekilde dikey ve eğik görüntüler yaratmak üzere yeniden biçimlendirebileceği bir dizi kesit yaratır. Böyle bir kafatası herhangi bir açıdan görülebilir. Teknik ayrıca mumyaları sargılarını çıkarmadan çalışmak ve hangi organların hâlen yerlerinde bulunduğunu anlamak için de kullanılır (s. 454-455'deki kutuya bakınız).

Hollandalı araştırmacılar Frans Zonneveld ve Jan Wind, Güney Afrika'daki Sterkfontein'den "Bayan Ples" olarak bilinen 2-3 milyon yıllık *Australopithecus africanus*'a ait eksiksiz bir kafatası üzerinde CAT taraması tekniğini kullanmışlardır. Taramalar tek parça fosil kafatası içine gömülü hâldeki iç kulağın yarım daire kanallarını ortaya çıkarmıştır. Bu özellikle önemlidir, çünkü kafanın hareket hâlinde nasıl konumlandığına dair bir emaredir: Yatay kanalın dik yürüyen insanlarda kafanın pozisyonuyla ilgisi vardır. "Bayan Ples"teki açı, onun yürürken kafasını modern insanlarınkine göre daha öne eğimli bir açıyla tuttuğunu düşündürmüştür.

Hollandalı anatomi uzmanı Fred Spoor ve meslektaşları bir dizi farklı homininde söz konusu kanalları çalışmış ve Australopihecus türlerinde bu özelliğin kesinlikle –ağaçlara tırmanmakla iki ayaklılığın karışımı görüşünü destekler

11.26–27 *(üstte solda) Romanya'daki Vârtop Mağarası'ndan Neanderthal ayak izi. Yaklaşık 62.000 yıldan daha eski ve 22 cm uzunluğunda olan iz, 1,46 metrelik bir vücuda aittir. (üstte sağda) Güneydoğu Avustralya'daki Willandra Göller Bölgesi'nde 2002'de bulunmuş 457 ayak izinden biri olan ve yaklaşık 20.000 yıl öncesine tarihlenen bu iz bir erken Homo sapiens'e aittir. Burada hem erkekler hem de kadınlara ilaveten çeşitli yaşlar ile koşma ve yürüme hızları temsil edilmektedir.*

İzler üzerinde fotogrametri kullanılarak yapılmış daha detaylı bir çalışma izlerin bütün kıvrımlarını ve dış hatlarını gösteren bir çizim meydana getirdi. Sonuç olarak, topuk ve ayak başparmağı izlerindeki derinlik gibi, en az yedi noktada modern izlerle benzerlik öne çıkıyordu. Michael Day ve E. Wickens Laetoli izlerin stereofotoğraflarını da çekti ve bunları benzer toprak şartlarında modern erkek ve kadınların bıraktığı izlerle karşılaştırdı. Bir kez daha sonuçlar, Kenya'daki Ileret'te yakın zamanda keşfedilmiş 1,5 milyon yıl öncesine ait izlerde açıkça görülen iki ayaklılığa dair muhtemel bir kanıt sağladılar. Dolayısıyla ayak izleri sadece uzak atalarımıza ait yumuşak dokuların nadir izlerini sunmakla kalmayıp, kemik analizinden elde edilebilecek olanlara göre dik yürümeyle ilgili çok daha net kanıtlar da barındırır.

Fosil izlere dair çalışmalar hiçbir suretle böyle uzak dönemlerle sınırlı değildir. Mesela Fransa'daki mağaralarda son Buzul Çağı'nın sonlarına tarihlenen yüzlerce iz bilinmektedir. Detaylı silikon reçine kalıpları kullanan Léon Pales bu mağaralardaki insanların nasıl davrandığını ortaya çıkarmıştır. Çoğu izin çıplak ayaklar tarafından bırakılmış olduğunu zaten belirtmiştik. Büyük kısmı görünüşe göre mağaranın karanlık derinliklerini araştırmaktan korkmayan çocuklara aitti. Fontanet Mağarası'nda bir köpek yavrusunu ya da tilkiyi kovalayan bir çocuğun izlerini takip etmek mümkündür. Niaux Mağarası'ndaki izler ise çocuk ayaklarının günümüze göre daha dar ve kemerli olduğunu gösterir.

Dünyadaki en büyük Pleistosen ayak izi koleksiyonu 2003'te Avustralya'nın güneydoğusundaki Willandra Göller

nitelikte– büyük maymunumsu olduğunu bulmuştur. *Homo erectus* da bu açıdan modern insanlara daha çok benzemektedir.

Eski Ayak İzleri. İnsan hareketinin geride bıraktığı gerçek kalıntılardan, yani erken homininlerin ayak izlerinden birçok şey öğrenilebilir. En iyi bilinen örnekler Tanzanya'daki Laetoli'de Mary Leakey tarafından bulunmuştur. Ayak izlerinin üstü ve altındaki volkanik tüflerin potasyum-argon tarihlerine göre bunlar 3,6-3,75 yıl önce küçük homininler tarafından bırakılmışlardır. Bunlar yağmurla çamur hâline gelmiş ve sonradan bir beton gibi sertleşmiş nemli volkanik kül alanı üzerinde yürümüşlerdi.

İzlerin şekilleri üzerine yaptıkları gözlemler Mary Leakey ve meslektaşlarına ayakların yüksek bir taban kemerine, yuvarlak bir topuğa ve ileri yönelmiş büyük bir parmağa sahip olduğunu gösterdi. Bu özellikler ağırlıktan kaynaklanan basınç şekilleriyle birlikte dik yürüyen insanların izlerindekilere benziyordu. Ayak boyunca uygulanan basınç ve atılan adımın uzunluğu (ortalama 87 cm) homininlerin (olasılıkla Australopithecus'un erken bir türü) muhtemelen yavaş yürüdüğüne işaret ediyordu. Kısacası, tespit edilebilen tüm morfolojik özellikler, yürüme eylemini gerçekleştiren ayakların bizimkilerden çok az farklı olduğunu ima etmekteydi.

11.28 *Norfolk'ta (İngiltere) 2013'te keşfedilmiş Happisburgh ayak izleri. Bu insan ayak izleri belki de 800.000 yıl kadar erken bir tarihe aittir ve muhtemelen Homo antecessor tarafından bırakılmıştır.*

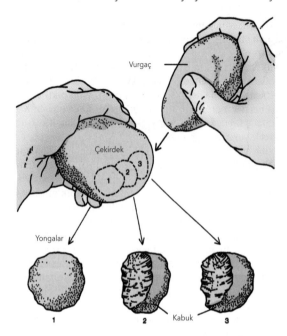

Vurgaç

Çekirdek

3
2
1

Yongalar

1

2
Kabuk
3

11.29 *Nick Toth'un deneyleri, sağlak bir taş alet ustasının ürettiği yongalardan genellikle %56'sında kabuğun burada gösterildiği gibi sağda olacağını göstermiştir. Kenya'daki Koobi Fora'dan 1,5 milyon yıllık aletler neredeyse aynı orana sahiptir.*

Bölgesi'nde bulunmuştur. Görsel olarak 19 ilâ 23.000 yıl önceye tarihlenen patikalardaki 450 iz bir istikamete doğru yönelmiştir ve bir düzine birey tarafından –yetişkinler, gençler ve çocuklar– o zamanlar nemli bir killi yüzeyi geçtikleri sırada bırakılmıştır. Muhtemelen 2 metrenin üzerindeki bir erkek saatte 20 km hızla koşarken, 15 cm uzunluğundaki en küçük izler 1 m uzunluğundaki bir çocuğa aitti.

Daha yakın tarihli izler Japon çeltik tarlalarından, Arjantin kıyılarındaki erken Holosen arazi yüzeylerinden ve özellikle İngiltere'nin Mersey halicinde bulunan 3600 yıllık çamur düzlüklerinden bilinmektedir. Sonuncusundaki 145 ayak izi 1,66 m uzunluğunda ortalama bir erkek ve 1,45 uzunluğunda bir kadına aittir. Kadınlar gibi yavaş yürüyen (belki de deniz kabuklusu topluyorlardı) birçok çocuk yanında hızlı ilerleyen erkekler bulunuyordu. Bazı izler eksik ya da kaynaşmış parmaklar gibi anomaliler gösterir ki, bu da sağlık koşulları hakkında potansiyel bilgiler verir.

Hangi Ellerini Kullandılar?

Bugün çoğu insanın solak değil de sağlak olduğunu biliyoruz. Aynı durum tarihöncesinde de izlenebilir mi? Bu konudaki bulguların büyük kısmı Avustralya ve başka yerlerdeki kaya barınakları dışında Fransa, İspanya ve Tazmanya'daki birçok Buzul Çağı mağarasında bulunan **negatif baskı** ve

izlerden gelmektedir. Bir sol el negatif baskısı yapıldığında bu, sanatçının sağlak olduğunu gösterir ya da tersi (el aşağı bakarken baskının yapıldığı düşünülürse). Boya ağız yoluyla püskürtülmüş olduğunda bile baskın elin bu işleme yardım ettiğini düşünülebilir. Ellerin avuçlar aşağı bakar şekilde çizildiği Fransız Gargas Mağarası'ndaki –daha sonra yeniden değineceğiz (bkz. görseller 11.35-36)– 158 desenden 136'sı sol ve sadece 22'si sağ olarak tanımlanmıştır. Dolayısıyla sağlaklık baskındır. Bir Buzul Çağı figürünün elinde bir şey tuttuğu birkaç örnek sahnede ise, söz konusu nesne her zaman olmasa da çoğunlukla sağ eldedir.

Sağlaklığa ait ipuçları başka yöntemlerle de bulunabilir. Sağlakların sağ taraflarındaki kemikler daha uzun, güçlü ve kaslı olmaya meyillidir. Marcellin Boule 1911 gibi erken bir tarihte, La Chapelle aux Saints Neanderthal iskeletinde sağ üst kol kemiğinin soldakine göre dikkat çekici ölçüde güçlü olduğuna dikkat çekmişti. Benzer gözlemler La Feraisse I iskeleti ve Neanderthal'in kendisi üzerinde de yapılmıştır. İngiliz Wharram Percy köyünden MS 11-16. yüzyıllara ait iskeletlerin %81'inde sağ kolların soldakilerden ve %16'sında sol kolların sağdakilerden uzun olduğu ortaya çıkarılmıştır.

Kırıklar ve **kesik** izleri bir diğer kanıt kaynağıdır. Sağlak askerlerin sol taraflarından yara almaya eğilimleri vardır. İsrail'deki Negev Çölü'ne gömülmüş 40 ya da 50 yaşındaki 2000 yıllık Nebati savaşçısının kafatasında, sol kolunda ve kaburgalarında iyileşmiş çatlaklar mevcuttu. Fosil insanların dişleri üzerindeki çizikler hakkında yaptığı çalışmada Pierre-François Puech (7. Bölüm), yaklaşık 500.000 yıl öncesine ait Mauer (Heidelberg) çene kemiğinin altı ön dişinde izler tespit etti. Bunlar bir taş alet tarafından yapılmıştı ve yönleri çene sahibinin sağlak olduğunu gösteriyordu.

Aletler de açıklayıcı olabilmektedir. MÖ 3000 civarına ait Alp göl köylerinde porsuk ağacından uzun saplı Neolitik kaşıklar korunmuştur. Sol kenarlarındaki aşınma izlerinden, bunları kullananların sağlak olduğunu tespit etmiştir. Fransız Lascaux Mağarası'nda bulunmuş Buzul Çağı halatı sağa doğru kıvrılan liflerden oluşuyordu; bu yüzden sağlak biri tarafından örülmüştü.

Bazen taş aletlerin sağ elle mi yoksa sol elle mi kullanıldığı anlaşılabilir. Hatta bu olgunun ne kadar geriye gittiğini belirlemek bile mümkündür. Taş alet yapımı deneyleri sırasında sağlak Nick Toth çekirdeği sol ve vurgacı sağ elinde tutmuştur. Alet yapılırken çekirdek saat yönünde döndürüldü ve süreç sırasında dilgilerin kenarlarında kabuğun (çekirdeğin dış yüzeyi) hilal biçimli küçük bir kısmı kaldı. Toth'un yongalamasından sonra dilgilerin %56'sında kabuklar sağdaydı ve %44'ü sola doğru yönelmişti. Solak bir alet yapımcısı bunun aksi bir örnek üretecektir. Toth bu kriterleri, Kenya'da Koobi Fora'daki bir dizi erken buluntu yerine ait muhtemelen *Homo habilis*'in benzer şekilde ürettiği çaytaşı alet (1,5 milyon yıldan daha eski) üzerinde uyguladı. Yedi buluntu yerinde yongalardan %57'sinin sağa, %43'ünün sola yönelimli olduğunu buldu. Bu şablon günümüzde üretilenlerle neredeyse aynıydı.

448

11.30 *Bir şempanzenin ses yollarıyla (sağda) bir insanınkilerin (en sağda) karşılaştırılması. İnsan ses borusu daha aşağıda ve kafatası tabanı daha kavislidir. Bu özelliklerin kökenleri fosil kayıtlarında incelenebilmektedir.*

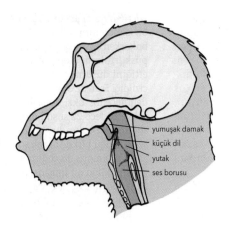

yumuşak damak
küçük dil
yutak
ses borusu

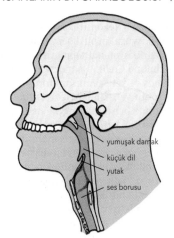

yumuşak damak
küçük dil
yutak
ses borusu

Modern insanların yaklaşık %90'ı sağlaktır. Bir eli kullanmada tercih yapan tek memeli biziz. Beynin ince kontrol ve hareketten sorumlu bölümü sol lobdadır ve yukarıdaki buluntular hominin beyninin yaklaşık 2 milyon yıldan beri zaten yapısal ve işlevsel anlamda asimetrik olduğunu düşündürmektedir. Marcellin Boule 70.000-35.000 yıl öncesinin Neanderthal'leri arasında La Chapelle aux Saints bireyinin diğerlerine göre biraz daha büyük bir sol lobu olduğunu belirtmiştir ve Cebelitarık'taki ve La Quina'daki Neanderthal örneklerinde de aynı keşif yapılmıştır.

Konuşma Ne Zaman Gelişti?

Dakik kontrol ve hareket gibi konuşma da beynin sol kısmı tarafından kontrol edilir. Bazı bilim insanları, *kafatası boşluğu kalıpları* sayesinde erken dil becerileri hakkında bir şeyler öğrenebileceğimize inanırlar. Bunlar kafatasının içine kauçuk lateks dökerek yapılır. Beynin dış yüzeyi kafatasının iç yüzeyinde zayıf izler bırakır ve lateks sertleştiğinde bu yüzeyin eksiksiz bir suretini oluşturur. Yöntem kafatasının hacmi konusunda tahmini bir değer verir. Buna bağlı olarak Ralph Holloway Koobi Fora'dan rekonstrüksiyonu yapılmış iki kafatasını (KNM-ER 1470 ve 1805) incelemiş ve beyin hacimlerini ölçmüştür. Genellikle *Homo habilis*'e atfedilen 1,89 milyon yıl öncesine ait kafatası 1470, 752 ya da 775 cc hacmindeydi. 1,65 milyon yıl öncesine tarihlenen veya *Homo* ya da *Australopithecus*'a ait kafatası 1805 ise bir Australopithecus türünün büyüklüğüne (582 cc) sahipti. Amerikalı bilim adamı Dean Falk'a göre 1470'in kafatası boşluğu kalıbı açıkça insan özellikleri gösterirken, 1805'inki daha ziyade bir goril ya da şempanzeninkine benzeyen bir beyindir.

Beynin konuşma merkezi sol lobun yüzeyinde çıkıntı yapan bir şişliktir ve teorik olarak kalıbın bunu göstermesi gerekir. Phillip Tobias'ın analizlerini sürdüren Dean Falk, kuşkusuz 1470'in beyninde bu bölümün zaten dil için uzmanlaştığını

ve homininin belki de konuşma yeteneğini geliştirdiğini ileri sürmektedir. Fakat bütün bilim insanları fosil homininlerdeki bu türden özelliklerin güvenilir bir açıklama için yeterli olduğu konusunda ikna olmamıştır.

Hassas tutuş ve hareket ile konuşma beynin aynı kısmında bulunduğundan, bazı bilim insanları ikisi arasında bir bağ bulunduğunu öne sürmektedir. Buradan hareketle, aletlerdeki simetrinin dili anlamak için gerekli düşünsel kapasite artışına işaret edebileceği tezini geliştirmişlerdir. Acheul tipi el baltası formunun giderek yaygınlaşması ve mükemmelleşmesi ya da alet kategorilerinin sayısındaki artış düşünsel –dolayısıyla dilsel– kapasitede artışa işaret edebilir. Öte yandan diğerleri, alet yapımının ve dilin aynı şekilde kavranmadığını ya da öğrenilmediğini ileri sürerek üç boyutlu (teknolojik) becerilerle dilsel davranış arasında bir bağın olduğunu reddeder. Aletlerdeki bariz standartlaşmanın, bizim arkeolojik sınıflandırmalarımız kadar malzeme ve üretim sürecindeki teknolojik kısıtlamaların muhtemel sonucu olduğunu da söylemektedirler. Onlara göre tek başına taş aletler bize dil hakkında fazla bir şey söylemez.

Bununla birlikte moleküler genetik alanındaki araştırmaların konuyla ilgili ilerlemeler kaydediyor oluşu cesaretlendiricidir. Londra'da yaşayan bir ailenin üç kuşağındaki ciddi konuşma bozukluğu (gerçek isimlerini saklamak amacıyla KE olarak kısaltılmıştır), FOXP2 olarak adlandırılan özel bir gendeki mutasyona bağlanmıştır. Bu gen üzerinde yapılan moleküler genetik araştırmalar, özel bir biçiminin (insanlar için normal) bütün insanlarda bulunduğunu, ama diğer primatlarda görülmediğini ve 100.000 yıl önce meydana gelmiş tercihli bir mutasyon olabileceğini akla getirmektedir. Bu pozitif mutasyon IQ'daki çarpıcı gelişmelerden ziyade ağız ve yüzün ince hareketlerini kontrol etme kapasitesiyle ilgilidir. Dolayısıyla moleküler genetik gelişmiş bir dilin –fakat onun altında yatan sembolik becerileri değil– evrimsel tarihini hâlihazırda ortaya çıkarmaktadır.

Ses Yolunun Rekonstrüksiyonu. Konuşma becerisini incelemede başvurulan bir diğer yaklaşım boğazdaki ses yolunun rekonstrüksiyonunu yapmaya çalışmaktır. Philip Lieberman ve Edmund Crelin, Neanderthal'lerin, şempanzelerin, yeni doğmuş ve yetişkin insanların ses yollarını karşılaştırdıktan sonra yetişkin bir Neanderthal'de üst boğazın en çok günümüz bebeklerininkine benzediğini ileri sürmüştür. Neanderthal'lerin modern ses borusundan (gırtlağın üstündeki boşluk ya da hançere) mahrum olduğunu ve bu yüzden tam anlamıyla anlaşılır bir dil yerine çok kısıtlı sesli sesleri çıkarabildiklerini savunmaktadır. Bu iddia zayıf kanıtlara dayanmaktadır ve genel kabul görmemiştir.

Bununla birlikte, ses yolu çalışmaları farklı bir yöntem kullanan Jeffrey Laitman'dan destek görmüştür. Kendisi, boğaz için bir "tavan" görevi gören kafatası tabanının şeklinin ses borusunun pozisyonuna bağlı olduğunu belirtmiştir. Memelilerde ve çocuklarda taban düzdür ve ses borusu yüksektir; altında küçük bir yutak vardır. Fakat yetişkin insanlarda taban kavislidir ve ses borusu alçaktır. Daha büyük bir yutak daha iyi bir ses ayarlamasına izin verir.

Fosil homininlere dönen Laitman, Australopithecus türlerinin kafa tabanının düz ve dolayısıyla yutağın küçük –fakat maymunlara göre biraz daha büyük– olduğunu görmüştür. Australopithecus türleri büyük maymunlardan daha iyi seslendirme yapabiliyordu, ama muhtemelen ünlüler konusunda başarılı değillerdi. Üstelik maymunlar gibi, ama insanlardan farklı olarak sıvı alırken aynı zamanda nefes de alabiliyorlardı. Homo erectus'un (1,6 milyon-300.000 yıl öncesi) kafatası tabanının kavisli oluşu, ses borusunun alçaldığına işaret eder. Laitman'a göre modern örneğin tam kavsi muhtemelen Homo sapiens'in ortaya çıkışıyla kesişmektedir, ama büyük ihtimalle Neanderthal'lerin (Homo neanderthalensis) modern insanlara göre daha kısıtlı ses aralığı olduğunu kabul etmektedir.

Neanderthal'lerin konuşma becerisiyle ilgili tartışma İsrail'deki Kebara Mağarası'nda 60.000 yıllık bir hançere kemiğinin (dil kemiği) bulunmasıyla yeniden alevlenmiştir. Hançere U şeklinde bir kemiktir ve onun hareketi kendisine bağlı ses borusunun pozisyon ve hareketini etkiler. Boyutu, şekli ve üzerindeki kas bağı izleri kemiği modern insanlarla aynı gruba sokar ve bu yüzden Lieberman'ın varsayımına gölge düşürerek Neanderhal'lerin aslında dil konuşma becerilerine sahip olduğunu düşündürür. Ancak bazı bilim insanları dilin beynin ve zihinsel kapasitenin bir işlevi olduğuna, tek başına hançere kemiğinin varlığının boyundaki ses borusu düzeyi kadar vazgeçilmez görünmediğine işaret etmişlerdir.

Bununla birlikte, kafatasının tabanında, omuriliğin beyne bağlandığı yere bitişik bir delik olan hipoglossal (dil altı) kanalın analizi, 400.000 yıl önce bunların boyut açısından modern insanlarınkine benzer olduğunu göstermiştir. Bu da kanalların dile uzanan bir sinirler bütünü içerdiğini ve dolayısıyla insana özgü konuşma becerisinin düşünülenden çok daha önce –kuşkusuz Neanderthal'lerden uzun zaman önce– evrim geçirmiş olabileceğini akla getirmektedir.

ESKİ YAMYAMLAR?

Yamyamlığı ortaya çıkarmaya yönelik geleneksel dürtü, 30 küsur yıl önce antropolog William Arens'ın ezber bozan çalışmasıyla büyük bir darbe aldı. Arens ilk kez etnografik ve etnotarihi kayıtlardaki yamyamlık iddialarının büyük ölçüde güvenilmez olduğunu ortaya koydu. Son onyıllarda tafonominin daha iyi anlaşılmasıyla birlikte, dünyadaki çok farklı gömüt törenlerinin daha iyi tanınması ve olguların daha tarafsız değerlendirilmesi, tarihöncesi yamyamlığa dair birçok iddianın çürütülmesine yardım etmiştir. Bu arada eskisinden daha akla yakın kanıtlara dayanan yeni iddialar ortaya atılmıştır.

En Erken Kanıtlar

Kuzey İspanya'daki Burgos yakınlarında bulunan Atapuerca'da (s. 158-159'daki kutuya bakınız), Gran Dolina obruğunda keşfedilmiş belki 1 milyon yıldan daha yaşlı Homo antecessor'un kemikleri, yamyamlık kanıtı olarak kabul edilen çok sayıda kesik izi barındırır ve bu sonucu reddetmek zordur. Yamyamlığın şempanze de dâhil başka türlerde de görüldüğü bilinmektedir ve günümüzde açlık ya da akıl sağlığının bozulduğu durumlarında meydana gelebilmektedir. Dolayısıyla yamyamlığın tarihöncesinde zaman zaman ortaya çıktığından şüphe etmemiz için neden yoktur. Gran Dolina örneğine dönersek, atalarımızın neye benzediği ya da nasıl yaşadıkları hakkında çok az bilgimiz olduğu tarihöncesinin böylesine uzak bir noktasında yamyamlığın varlığından şüphe duymamız için neden bulunmamaktadır ve herhangi bir cenaze törenine veya ölülere yönelik ikincil uygulamalara dair kanıt yoktur. Bugünkü bilgimiz dâhilinde kesik izlerinin muhtemel başka açıklaması bulunmamaktadır. Büyük ihtimalle kesim izleridir ve dolayısıyla insan etinin başka insanlar tarafından tüketimine işaret etmektedir.

Bununla birlikte, Atapuerca'daki daha geç bir buluntu yeri olan Sima de los Huesos (s. 396-397'deki kutuya bakınız), ayrıca dünyada bir çeşit cenaze törenine ait en erken kanıtı –belki 600.000 yıllık– içerir. Dünyanın her köşesinde etnografik ve etnotarihi kayıtlar, çok sayıda ve sıklıkla tuhaf gömüt geleneklerinin varlığını göstermiştir. Bunlardan bazıları ya ölümden kısa süre ya da çok sonra bedenler topraktan çıkarılınca kemiklerin kesilmesi, kırılması ve yakılmasını kapsar. Arkeolojik kayıtlar tarihöncesine kadar uzanan çok farklı dönemlere ait ve makul bir biçimde böyle uygulamalara atfedilebilecek birçok örneğe sahiptir. Dolayısıyla Atapuerca, günümüzden 600.000 yıl öncesinden başlayarak bütün insan kalıntılarının büyük ihtiyatla yorumlanması gerektiğini gösterir, zira gömüt gelenekleri bu tarihten sonra hep varolan bir ihtimaldir ve aslında insanlığın belirgin işaretlerinden biridir.

Kanıt Kategorileri

İnsan kalıntılarının yamyamlıktan mı yoksa gömüt faaliyetlerinden mi (ya da savaştan mı) kaynaklandığına karar vermek için iki temel kanıt kategorisi vardır. Birincisi kesme, ezme ya da yanık izleri taşıyan insan kemiklerinin varlığıdır. Yamyamlığın tanımlanması için özel kıstasları ayırmaya yönelik girişimler olmuştur, fakat bunlardan hiçbiri gerçekten tanısal değildir ve alternatif açıklamalar her zaman mevcuttur. İkincisi, insan kalıntılarının kendileriyle aynı işaretleri taşıyan ve benzer muameleler görmüş hayvan kemikleriyle karışmış hâlde bulunmasıdır, zira hayvan kemikleri açıkça yemek artıkları olduğuna göre, insan kemikleri için de bu tanım geçerlidir. Ne var ki her şey bu kadar basit olmayabilir, çünkü arkeolojik kayıtları bırakan, her türlü karmaşık ve tuhaf davranışı gösterme kapasitesine sahip bir tür olan insandır. İnsan ve hayvan kemiklerinin illa ki aynı eylemin sonuçları olması gerekmez; dolayısıyla basit ve "aşikâr" sonuçlara varmaktan kaçınılmalıdır.

Yamyamlığa kanıt olarak ileri sürülen Neanderthal örneklerinde görüldüğü gibi veriler her zaman muğlaktır. Hırvatistan'daki Krapina Mağarası'nda 1899'da ele geçen yüzlerce Neanderthal kemik parçası bir yamyam ziyafetiyle ilişkilendirilmişti. Kemikler kötü şekilde kırılmış, çizilmiş ve hayvan kemikleriyle karıştırılmıştı; etin yenmek için kemiklerinden sıyrıldığı düşünülmekteydi. Fakat Mary Russell buluntuları yeniden inceleyince izlerin etlerinden sıyrılmış kemiklerdekilerden farklı olduğunu, fakat ikinci kez gömülen Kuzey Amerika yerlilerinin kemiklerinde görülenlere çok benzediğini fark etti. Diğer bir deyişle, Krapina cesetleri yenilmemiş, yeniden gömülmeleri için kazınarak temizlenmişlerdi. Üstelik Russell'ın yeni analizleri kemikler üzerindeki birçok hasarın mağara tavanının çökmesi, dolguların yaptığı ezilme ve kazılarda dinamit kullanılmasıyla açıklanabileceğini gösterdi.

Güneydoğu Fransa'daki Fontbrégoua'da, MÖ 4000'e tarihlenen bir Neolitik mağaranın farklı çukurlarında insan ve hayvan kemikleri bulundu. Bunlarda belirgin kesik izleri vardı ve hepsi aynı pozisyondaydı. Altı insanın kemikleri ölümlerinden kısa süre sonra taş aletlerle etlerinden ayrılmış ve uzuv kemikleri kırılarak açılmıştı. Et ya da ilik tüketimine dair bir kanıt olmamasına karşın Paola Villa ve meslektaşları buluntuları en makul tarihöncesi yamyamlık örneği olarak sundular. Öte yandan Avustralya'dan etnografik kanıtlar bunun pekâlâ bir gömüt geleneği olabileceğini düşündürmekteydi. Aynı şekilde, Alman arkeolog Heidi Peter-Röche Orta ve Doğu Avrupa'da yamyamlığa dair birçok iddiayı yeniden değerlendirerek uygulamaya dair kesinlikle hiçbir kanıt bulamadı. İkinci gömüt törenleri bütün buluntuları açıklıyordu.

Amerika'nın güneybatısındaki Eski Pueblo'lar arasında MS 1100 civarında yamyamlığa dair bazı etkileyici kanıtlar bulunduğu iddia edilmiştir. İnsan dokusu içeren insan dışkısı bu kanıtlar arasındadır, ancak alternatif açıklamalar yapmak yine mümkündür: Sadece gömüt gelenekleri değil, aynı zamanda savaşta düşman cesetlerine yönelik aşırı şiddet ve kesme söz konusudur. Dışkı ise gerçekte leşçi bir kırkurdundan olabilir.

Yamyamlıkla ilgili birçok eski iddia etkili bir şekilde çürütülmüş olmasına ragmen sadece *Homo antecessor*'un yaşadığı uzak geçmişte değil, fakat daha sonraları Neanderthal'lerde, hatta modern insanlar arasında zaman zaman görülme ihtimali mevcuttur, fakat kanıtlar her zaman için muğlaktır. Bunlara hevesli ve melodramatik düşünceler yerine, dikkatli ve tarafsız değerlendirmelerle yaklaşmak gerekir. Açlık durumlarında uygulama arada sırada ortaya çıkmış olabilir, ama "geleneksel yamyamlığın" kanıtlanması daha zordur. Her hâlükârda yamyamlık bazen gerçekleşmişse bile insan etinin beslenme alışkanlıklarına olan katkısı çok düşük ve düzensiz olmalıydı; diğer canlıların, özellikle de büyükbaş otoburların yanında sönük kalıyordu.

11.32 *Yük hayvanlarının olmadığı Mezoamerika'da bu Aztekler gibi hamallar yükleri alınlarına asılı kayışlarla taşıyorlardı.*

Diğer Davranış Türlerinin Tespiti

Dişlerin Kullanımı. Yedinci Bölüm'de gördüğümüz üzere, erken atalarımızın dişleri üzerindeki izler, onların bazen ağızlarını nesneleri kavramak ve kesmek amacıyla bir çeşit üçüncü el gibi kullandıklarını ortaya koymaktadır. Neanderthal'lerde bu durum, nispeten genç yetişkinlerin dişlerinde bile aşırı derece aşınma yanında yüksek sıklıkta mine aşınması ve mikroçatlaklarla kendisini belli eder.

Diş hijyeninin geçmişi arkeologların ilgisi dışında gibi görünebilir, ama artık bilimin bazen erken atalarımızın kürdan kullandığını gösterebilmesi şüphesiz ilgi çekicidir. David Frayer ve Mary Russell Hırvatistan'daki Krapina'dan Neanderthal'lerin çiğneme dişleri üzerinde oyuklar ve striyasyonlar tespit etmişlerdir. Bunlar küçük ve sivri uçlu bir aletle dişler sürekli karıştırıldığı zaman oluşacak türden izlerdir. Böyle izler *Homo erectus* ve *Homo habilis*'in dişlerinde de gözlenmiştir.

MS 16. yüzyıl gibi çok daha yakın bir dönem için, Danimarka kralı III. Christian'ın ön dişleri taramalı elektron mikroskobu altında analiz edildiğinde ortaya çıkan striyasyonların şekli ve yönü, kralın dişlerini aşındırıcı toz sürülmüş nemli bir bezle temizlediğine işaret etmektedir.

Ellerin ve Parmakların Kullanımı. Günümüze kalmış eller ve parmakları çalışarak el becerisi ve işçilik belirlenebilir. Randall Susman şempanzelerin aksine insanlarda başparmak tarak kemiğinin başının, uzunluğuna göre geniş olduğunu göstermiştir. Bu kemik *Homo erectus*'ta benzer biçim aldığı için bundan çıkan sonuç, bu homininin alet kullanımı ve üretimi için gerekli gücü üretecek kapasitede iyi kaslanmış bir başparmağa sahip olması gerektiğidir. Öte yandan *Australopithecus afarensis*'in parmağı bu potansiyelden yoksundu. Bir vurgacı beş parmağıyla tutamazdı, ama yine de elleri büyük maymunlara kıyasla alet kullanımına daha yatkındı [son yıllarda yapılan keşifler *Homo* türleri öncesinde de taş alet yapılmış olduğunu göstermektedir –ç.n.].

Neanderthal baş ve işaret parmağı kalıpları taranmış ve üç boyutlu dinamik simülasyonlarda kullanılmışlardır. Bunlar Neanderthal'lerin el becerilerinin modern insanlarınkinden çok farklı olmadığını ortaya koymuştur. Lindow Adamı'nın bakımlı el tırnakları onun ağır ya da kaba işler yapmadığını düşündürmektedir.

İskelet Üzerindeki Stresler. İnsanlar hayatları boyunca durmadan birçok eylemi tekrar ederler ve bu eylemler sıklıkla fiziksel antropologların analiz edebildiği ve açıklamaya çalıştığı etkiler yaratırlar.

Erik Trinkaus kalça kemiğinin uçlarındaki hafif düzleşme ve diğer kanıtlara dayanarak **çömelmenin** Neanderthal'ler arasında alışkanlık hâline gelmiş bir özellik olduğunu öne sürmektedir. Şili kıyısındaki Arica'dan gelen tarihöncesi Chinchorro kadın mumyalarında, ayak bileği eklem kemiklerinde oluşmuş çömelme yüzeylerinin de çömelerek çalışma –belki sahilde deniz kabuklarını açmak– yüzünden meydana geldiği düşünülmektedir.

Yük taşıma bel omurgasında dejeneratif değişimlere yol açabilir. Yeni Zelanda'da bu türden değişimler iki cinsiyette de bulunmuştur, ama dünyanın diğer bölgelerinde bunlar ağırlıklı olarak erkeklerle ilişkilendirilir. Öte yandan, Neolitik Orkney'de taşıma işlerinin çoğunu kadınlar üstlenmiş gibi görünmektedir. Orkney'deki Isbister oda mezarında bulunmuş iskeletleri analiz eden Judson Chesterman, bazı kafataslarının tepesinde görünür bir çukurun farkına varmıştır. Bu çukur, boyun kaslarının kafatasının arkasına belirgin şekilde daha fazla tutunmuş olmasıyla bir arada değerlendirilir. Aynı özellikler kadınların sırtlarındaki yükleri başları üzerinden geçen bir kayış ya da halatla taşıdıkları Afrika ülkesi Kongo'dan bilinmektedir. Orta ve Güney Amerika'nın bazı kısımlarında, Japonya'nın kuzeyinde ve başka bölgelerde kayış alnın üzerinden geçer ve burada benzer bir çukur oluşturabilir. Çok sayıda Aztek

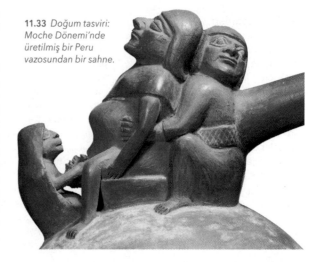

11.33 *Doğum tasviri: Moche Dönemi'nde üretilmiş bir Peru vazosundan bir sahne.*

elyazması Kolomb öncesi dönemde yüklerini bu şekilde taşıyan hamalları tasvir eder.

Cinsel Davranış ve Doğum. Sanat ve edebiyat geçmişin sayısız insan faaliyetiyle ilgili kanıtlar sağlar ve cinsel ilişki gibi bazıları başka bir kaynaktan tespit edilemeyebilir. Peru'nun yaygın ve zarif süslemeli Moche çanak çömleği, MS 200-700 arasında cinsel davranış üzerine canlı ve detaylı bir manzara sunar. Eğer doğru bir kayıt olarak alınırlarsa, görünüşe göre anal ve oral seksin (nadiren eşcinsellik ve hayvanlarla cinsel münasebet) büyük bir ağırlığı vardı (bunlar tercihten ziyade doğum kontrolüne mi yönelikti?). Çanak çömlek üzerindeki betimlerden Moche kadınlarının doğumda aldıkları pozisyonları da öğreniyoruz.

Yamyamlık. Yamyamlığın –yani insanların insan eti yemesi– farklı dönemlerde vuku bulduğuna dair iddialar vardır ve bunlar genellikle çok zayıf kanıtlara dayandırılır. On dokuzuncu yüzyıldan beri birçok arkeolog mağaralarda ya da başka yerlerde buldukları bazı insan iskelet kalıntılarını yamyam ziyafetlerinin artıkları olarak yorumlamaya meyletmiştir. Birçok durumda bu açıklamanın tercih ediliş sebebi belirsizdir ya da basitçe hafirin hevesinden kaynaklanır. İnsan kemiklerinin tafonomisi henüz tam olarak anlaşılamamıştı ve yamyamlığın "ilkel" bir özellik olduğu, bu yüzden tarihöncesinde bulunması gerektiği düşünülüyordu. Böyle iddialar hâlen düzenli olarak ortaya çıkmaktadır ve yamyamlık hikâyelerini seven medya da bunlara büyük bir önem atfetmektedir (önceki sayfalardaki kutuya bakınız).

HASTALIK, DEFORMASYON VE ÖLÜM

Şimdiye kadar insan bedenlerinin rekonstrüksiyonunu yaptık ve insan becerilerini değerlendirdik. Fakat resmin diğer ve genellikle daha olumsuz yönüne de bakmak gereklidir: İnsanların yaşam kalitesi nasıldı? Sağlık durumları neydi? Kalıtsal farklılıkları var mıydı? Ne kadar uzun yaşadıklarını bilebiliriz, peki ama nasıl ölüyorlardı?

Bozulmamış bedenlerin bulunduğu yerlerde kesin ölüm nedeni bazen ortaya çıkarılabilmektedir. Aslında, Pompeii ve Herculaneum'daki boğularak ölmüş insanlarda olduğu gibi koşullar açıklayıcıdır (Vezüv Yanardağı'nın patlamasının etkisi). Ne var ki, bize kadar gelebilmiş çok daha fazla sayıdaki iskelette ölüm nedeni sadece yalnızca nadiren anlaşılabilmektedir, çünkü ölüme yol açan çoğu hastalık kemiklerde iz bırakmaz. Paleopatoloji (eski hastalıkların incelenmesi) ölümden ziyade hayat hakkında çok daha fazla bilgi verir ve bu arkeolog için büyük yarar sağlar.

Buna bağlı olarak adli antropologlar (kalıntıları tespit eden ve kazanlar) ve antropologlar (kalıntıları tanımlayan ve ölüm nedeni ya da şartlarını belirtenler) insan kalıntılarının kurtarılması ve çalışılmasında kendilerine yardım etmesi için

11.34 *(üstte) Thames Nehri'nde bulunmuş 5000 yıllık bir çömlekteki delikten Londra polisince alınmış bir parmak ucu kalıbı.*

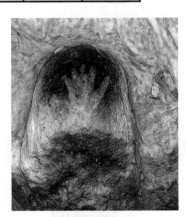

11.35–36 *Fransa'daki Geç Buzul Çağı mağarası Gargas'tan negatif el baskıları. Baskılardan birinin fotoğrafı (sağda). Belirli "kesik" tipleriyle birlikte bulunmuş ellerin sayılarını gösteren tablo (üstte). Parmakların gerçekten kesik mi olduğu yoksa kıvrılarak mı gösterildiği üzerine tartışma sürmektedir.*

VÜCUTLARIN İNCELENMESİ

İnsan kalıntılarını incelerken, en az zararı verip en fazla bilgiyi elde etmek esastır. Mısır firavunlarının mumyaları gibi bazı örneklerde otoriteler sadece sıra dışı durumlarda incelemeye izin vermektedir. Fakat bir vücudun "içini" görerek kayda değer bilgiler sağlanabilir ve modern teknoloji bilim insanının emrine birtakım etkili yöntemler vermiştir.

Hasarsız Teknikler

X-ışınları (ya da daha doğru şekliyle radyograf) altında kefenlerin ve sargılı mumyaların sergiledikleri -insan kalıntılarının beklendiği yerlerde hayvan vücutların bulunması, bir kefende birden fazla beden ya da takı topluluğu- çoğu kez arkeologları şaşırtır. **Kseroradiyografi** bir adım daha ileri gider. Bu teknik daha ziyade x-ışınlarıyla fotokopinin birleşimi gibidir: Bir selenyum levha üzerine üflenen renkli toz aracılığıyla elektrostatik görüntüler üretir. Sonuç normal x-ışınlarından çok daha keskin bir netliktir ve geniş poz aralığı hem yumuşak hem de sert dokuların aynı görüntüde açık şekilde ortaya çıkmasını sağlar. "Kenar iyileştirmesi" vücut hatlarını bir kalem çizimi gibi belirtir. Teknik sargılı ya da kefen içindeki mumyalar için kullanılabilir. Firavun II. Ramses'in başına uygulandığında, kseroradiyografi mumya ustasının burnu desteklemek için yerleştirdiği çok küçük bir hayvan kemiğini ortaya çıkarmış ve burun gerisindeki boşlukta küçük boncuklardan bir yığın fark edilmiştir.

Bir tarayıcı kullanan **bilgisayarlı eksenel tomografi** (computerized axial tomography=CT ya da CAT) sargılı mumyaların ve diğer vücutların hasarsız incelenmesine izin veren bir başka önemli yöntemdir. Vücut bir makineden geçirilir ve tüm vücudun kesitsel "dilimleri"nden bir görüntü elde edilir. CAT tarayıcıları farklı yoğunluktaki dokularla çalıştığında daha etkilidir; yumuşak organların da görüntülenebilmesini sağlarlar. Sarmal tarayıcılar vücudun çevresinde spiral şeklinde bir yol izlerler ve dilimlerden ziyade kesintisiz görüntüler üretirler ki, bu çok daha hızlı bir yöntemdir.

İç organlara bakmanın bir diğer yolu olan **manyetik rezonans görüntüleme** (magnetic resonance imaging=MRI) vücuttaki hidrojen atomlarını güçlü bir manyetik alan içinde hizaya koyar ve radyo dalgalarıyla rezonans üretmelerini sağlar. Ölçüm sonuçları vücudun kesitsel görüntüsünü üreten bir bilgisayara yüklenir. Ancak bu yöntem sadece su içeren nesneler için uygundur ve dolayısıyla kurumuş mumyaların incelenmesine sınırlı bir katkısı vardır.

Fiberoptik endoskopi –ışık kaynağına sahip dar ve elastik bir tüp- sayesinde araştırmacılar bir vücudun içine bakabilir, neyin korunduğunu ve mevcut durumu görebilir. Endoskopi bazen hastalık kadar mumyalama sürecinin de ayrıntılarını ortaya koyar. Fibroskop V. Ramses'in kafasına sokulduğunda, kafatasının tabanında beyni dışarı çıkarmak için kullanılmış beklenmedik bir delik gösterdi (beyin genellikle parçalanıp burundan çıkarılıyordu). Daha sonra boş kafatasına bir parça bez yerleştiriliyordu.

Hasarlı Teknikler

Vücuttan mikroskobik analiz için örnekler alınmasında sakınca bulunmadığı durumlarda bilim insanının emrinde birkaç teknik bulunur (fiberoptik endoskopi de (yukarıda) doku almak için bazen kullanılmaktadır.

Doku örnekleri alınınca sodyum bikarbonatlı bir solüsyonun içine koyularak su kazandırılır, parafin mumunun içine yerleştirilir, ince kesitler şeklinde doğranır ve mikroskop altında daha net görünmeleri için boyanırlar. Bu tekniği Mısır mumyaları üzerinde deneyen araştırmacılar hem kırmızı hem de beyaz kan hücreleri bulmuşlar, hatta damar hastalığını teşhis edebilmişlerdir.

Son olarak **çözümsel elektron mikroskopisi** (taramalı elektron mikroskopisine benzer) dokudaki elementlerin analiz edilmesine ve miktarının ölçülmesine izin verir. Rosalie David'in Manchester mumya ekibi bunu bir Mısır örneğine uyguladığında, akciğerdeki partiküllerin yüksek oranda silika içerdiğini ve bunların muhtemelen kum olduğunu -Eski Mısır'da besbelli oldukça yaygın bir akciğer sorunu olan toz hastalığının kanıtı- keşfettiler.

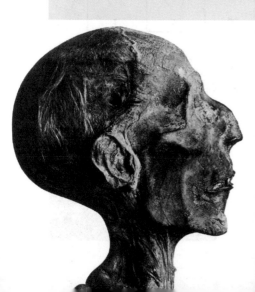
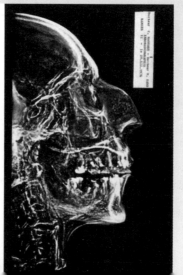

11.37–38 *II. Ramses'in mumyası 1970'lerde özel tıbbi işlemlere tabi tutulmak üzere Paris'e götürüldüğünde kseroradiyografi kullanılmıştı.*

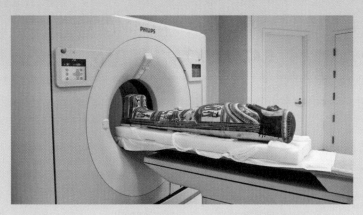

11.39–43 *Eski Mısır'da MÖ 800 civarında Karnak Tapınağı'nda şarkıcı-rahibe olarak hizmet etmiş Meresamun'un tabutu 1920'de Chicago'daki Oriental Institute tarafından alınmış ve açılmadan muhafaza edilmişti. Teknoloji geliştikçe üç kez CAT taramasına –son olarak 2008'de 56 dilimlik teknoloji harikası bir tarayıcı kullanılmıştır– tabi tutuldu. Veriler üç boyutlu olarak işlenebilmekte, farklı şekillerde hareket ettirilebilmekte, üst üste gelen katmanları kaldırılabilmekte, belirli kemikler ve ilgilenilen vücut kısımları analiz için diğerlerinden ayrılabilmektedir. Film sekansları hazırlamak da mümkündür. Takı ve dişlere ait özelliklerden omurga bozukluklarına ve ölüm sonrası küçük çatlaklara kadar önceki taramalarda gözden kaçmış birçok detay su yüzüne çıkarılmıştır.*

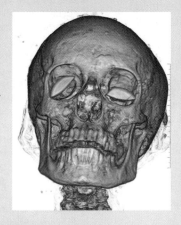

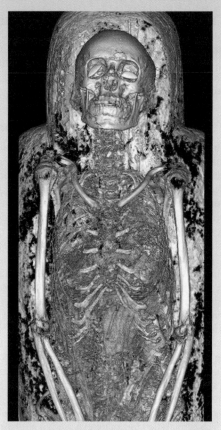

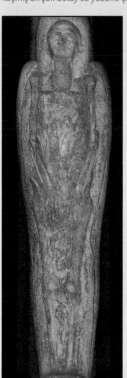

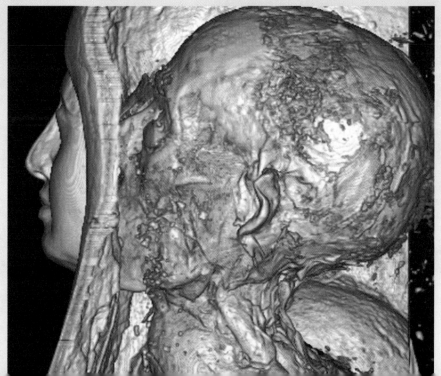

arkeoloji dâhilinde geliştirilmiş teknikleri giderek daha çok kullanmaktadır. Doğrusu, şimdi yeni bir alt disiplin ortaya çıkmaktadır: Ruanda ve eski Yugoslavya'da rastlanan türden toplu gömütlerde bireylerin tespiti kadar cinayet kurbanlarına ait kalıntıların çıkarılması ve değerlendirilmesine de katkıda bulunan **adli arkeoloji**.

Yumuşak Dokulardan Gelen Kanıtlar

En bulaşıcı hastalıklar kemiklerde nadiren izlenebilir iz bıraktığından, eski hastalıkların uygun şekilde analizi sadece günümüze gelmiş yumuşak dokular üzerinden (ya da eski biyomoleküller vasıtasıyla, aşağıya bakınız) gerçekleştirilebilir. *Yüzey dokusu* bazen egzama gibi hastalıklara dair bulguları açığa vurabilir. Aynı zamanda bazı turbiyer bedenlerindeki kesik gırtlaklar türünden şiddetli ölüm sebeplerini meydana çıkarır.

İç doku söz konusu olduğunda araştırmacının elinde bir dizi yöntem mevcuttur. Radyograflar birçok bilgi sağlayabilir ve Mısır mumyaları üzerinde kullanılmıştır, ama artık daha güçlü yöntemlerden yararlanılabilmektedir (s. 454-455'teki kutuya bakınız). Önceki bir bölümde bahsi geçen *ayak izleri, el izleri* ve *el baskıları* sayesinde bazen kaybolmuş bir yumuşak doku incelenebilir. *Parmak izleri* Çek Cumhuriyeti'nde Pavlov ve Dolní Věstonice'deki Gravette Dönemi (yaklaşık 26.000 yıl önce) buluntu yerlerinde ele geçmiş bir düzine yanmış lös parçası üzerinde ya da Babil kil diskleri ve Ninova'dan çivi yazılı tabletlerde (MÖ 3000) bulunmuştur. Eski Yunan vazoları ve çanak çömlek parçalarındaki parmak izleri de farklı çömlekçileri tanımlamaya yardım etmiştir.

Bazı el izleri ya da negatif baskıları ilginç patolojik kanıtlar sunabilir. Dört mağaradan üçünde, özellikle Fransa'daki Gargas'ta yüzlerce Son Buzul Çağı el baskısı bulunmuştur. Bunlar belirgin olarak ciddi hasarlıdır; bazılarının dört parmağı da eksiktir. Baskıların parmaklar kıvrılarak bir çeşit işaret dili olarak mı yapıldığı yoksa bir mutasyon ya da hastalıktan kaynaklanan gerçek bir hasarın mı yansıtıldığı hâlen tartışılmaktadır.

Öteki sanat kolları bütün dönemler için hastalıklar hakkında kanıtlar sağlar. Batı Avrupa'da Ortaçağ kiliseleri ve katedrallerindeki küçük oyma figürler çeşitli sağlık sorunlarını ve hastalıkları betimler. Meksika'nın taş levhalar üzerine işlenmiş Monte Albán *danzante* figürleri bazen bir çeşit erken tıp sözlüğü olarak yorumlanır. Bunlarda belirtiler ve iç organlar tasvir edilmiştir, ama yaygın görüş figürlerin öldürülmüş ya da kurban edilecek esirleri temsil ettiğidir (10 ve 13. bölümler).

Bakteriler, Parazitler ve Virüsler

Özellikle yumuşak dokunun korunduğu durumlarda genellikle bir tür parazit bulunacaktır. Bununla birlikte vücut ve saç bitleri de tespit edilebilir (bitler İsrail'de ele geçmiş tarakların üzerinde de bulunmuştur). Parazitler bir uzman

GRAUBALLE ADAMI: BATAKLIKTAKİ BEDEN

Grauballe

Danimarka'da bulunan Grauballe'deki bataklık kömürcüleri 1952'de çok iyi korunmuş bir turbiyer bedenine rastladılar. Beden sol ayağı uzatılmış, sağ eliyle ayağı bükülmüş hâlde boylu boyunca uzanmaktaydı. Hem 1952'de hem de birkaç yıl önce yeni tekniklerle beden üzerinde farklı disiplinlerden üyelere sahip ekipler tarafından yapılmış çeşitli çalışmalar, şimdi radyokarbonla MÖ 400-200 arasına, muhtemelen yaklaşık MÖ 290'a tarihlenen bu bireyin hayatı ve ölümüne dair dikkat çekici içgörüler sunmuştur.

Yaş ve Cinsiyet
Beden yaklaşık 30 yaşındaki bir erkeğe aittir. Bulunduğu zaman 1 cm uzunluğunda sakalı ve bıyığı vardı, fakat bunlar konservasyon sırasında düşmüşlerdir. Yüzdeki kıllar haftada 2,5-3,5 mm kadar uzadıklarından ve ölüm sonrası deri büzülmesi sakalın 4-5 mm kadar dışarı çıkmasına sebep olduğundan, Grauballe Adamı öldüğünde iki haftalık sakalı vardı.

Vücut Yapısı
Grauballe Adamı görünüşe göre dönem için ortalama bir fiziğe sahipti. Boyunun 1,65 - 1,70 m arasında olduğu tahmin edilmektedir, ancak kalıntıların büzülmesi yüzünden kesin değildir.

11.44 *Grauballe Adamı'nın 1952 kazısındaki durumu.*

Görünüm

Bedenle birlikte herhangi bir kıyafet ya da eşya ele geçmemiştir. Saçı 15 cm uzunluğundadır ve nispeten düz uçları bir makasla kesildiğini düşündürmektedir. Şimdi kızılımsı-kahverengidir, fakat bunun sebebi bataklığa gömülmesi olabilir; dolayısıyla saçın gerçek rengi konusunda kesin konuşmak imkânsızdır. Parmak izleri iyi korunmuştur ve yuvarlak tırnaklarıyla avuç içindeki net izler ağır el işleri yapmadığına işaret etmektedir. Aynı şey Kuzeybatı Avrupa'daki birçok erkek turbiyer bedeni için de geçerli görünmektedir.

Sağlık Durumu

Anlaşılan Grauballe Adamı zinde ve sağlıklıydı -vücudu herhangi bir rahatsızlık ya da hastalık belirtisi göstermemektedir- fakat göğüs omurlarında 30 yaşında önce nadiren ortaya çıkan kireçlenme başlangıcı tespit edilmiştir. Hâlâ 21 dişi bulunmasına rağmen, ölümünden sonra bir kısmı düşmüştü. Kaba taneli besinler yüzünden yıpranmışlardı ve diş analizi çocukluğunun erken dönemlerinde aç kaldığı ya da sağlığının kötü olduğu zamanlar geçirdiğini ortaya çıkardı. Yer yer görülen periyodontit ve çukurlar zaman zaman çok kötü bir diş ağrısına maruz kaldığı anlamına geliyordu. Saç analizi, son aylarında çoğu proteinin hayvanlardan geldiği bir kara temelli bir beslenme düzeni olduğunu

11.45 *Danimarka'daki Moesgaard Müzesi'nde sergilendiği hâliyle Grauballe Adamı'nın vücudu.*

kanıtlamıştır. Son öğünü çok az sayıda ot türüne ait tohumların hâkim olduğu (%80 oranında), fakat tahıl kepeği de içeren bir tür lapa, kötü bir müsliydi. Bazıları domuza ait az miktarda kemik kalıntısı etin varlığına işaret ediyordu. Yemek besleyiciydi, ancak lezzetli olmayacaktı; bunun günlük beslenme düzeni olup olmadığı bilinmemektedir. Meyve ve yeşilliklerin yokluğu Grauballe Adamı'nın kışın öldüğünü göstermektedir.

Nasıl Öldü?

Grauballe Adamı'nın ölüm sebebi, başı sertçe geriye çekiliyken yapılmış kulaktan kulağa uzanan derin bir kesikti. Kesik o kadar derindi ki, şahdamarı ve kartoid arterleri büyük ve keskin bir bıçak ağzı tarafından kesilmişti. İlk başta başın şakak bölgesinden aldığı darbenin keskin olmayan bir aletle yapıldığı düşünülmüştü, fakat yakın tarihli bir bilgisayarlı tomografi bunun ölüm sonrası gerçekleştiğini ortaya koydu. Ancak sol kaval kemiğindeki

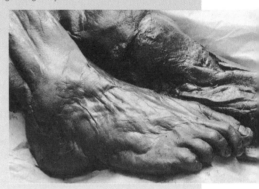

11.46 *Kazıdan kısa süre sonra Grauballe Adamı'nın çok iyi korunmuş ayakları.*

eğik bir çatlak kesinlikle ağır bir darbeyle -belki de boğazı rahat kesilsin diye onu diz çöktürmek için- meydana gelmiştir. Grauballe Adamı'nın ya da diğer turbiyer bedenlerinin neden öldüğünü bilmiyoruz -belki kurban ya da infaz edilmiş bir suçlu- ancak üzerinde yapılan çok çeşitli test ve analizler sayesinde hayatı ve ölümü hakkında çok şey bilmekteyiz.

11.47 *Şahdamarı ve kartoid arterleri koparmış bu derin boyun kesiği Grauballe Adamı'nın ölüm nedeniydi.*

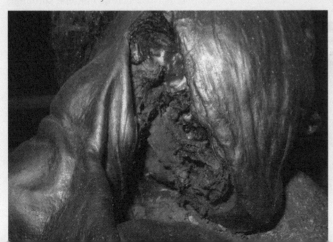

11.48 *Grauballe Adamı'nın çatlamış sol kaval kemiğinin bilgisayarlı tomografisi. Çatlağın en muhtemel sebebi, ağır bir nesneden gelen bir darbedir. Bunun kişi hayattayken ya da ölüm anına yakın meydana geldiği düşünülmüşse de, kesin konuşmak imkânsızdır.*

tarafından morfolojilerine göre ayırt edilirler. Böyle muazzam sayıda infestasyon Mısır mumyalarında –aslında hepsinde vardır– bulunmuştur. Bunun sebebi şüphesiz yetersiz hijyen yanında hastalıkların bulaşma sebepleri ve yolları konusundaki bilgi eksikliğidir. Mısırlılarda amipli dizanteri ve bilharziyaya yol açan etken parazitler mevcuttu; bağırsaklarında da birçok işgalci bulunuyordu. Yeni Dünya'daki Kolomb öncesi mumyalarda kamçı kurdu ve yuvarlak kurt yumurtaları görülmüştür. Danimarka'daki Grauballe Adamı, kamçı kurdu *Trichuris*'in faaliyetleri yüzünden neredeyse sürekli karın ağrısı çekiyor olmalıydı, zira içinde milyonlarca yumurta bulunmuştur (önceki sayfada kutuya bakınız).

Parazitlere dair bir başka önemli kanıt insan dışkısıdır (7. Bölüm). Dışkıyla çıkan parazit yumurtalarının sert kabukları vardır ve dolayısıyla çok iyi korunurlar. Parazitler İsrail, Colorado ve Peru sahilinden fosil dışkılar içinde bulunmuştur, fakat Nevada'nın Lovelock Mağarası'ndan 50 dışkı örneğinde ise hiçbir şey bulunmadığını belirtmek gerekir. Ilıman enlemlerde ve açık alanlardaki avcı-toplayıcıların parazit barındırmaması olağandışı değildir. Diğer taraftan, Raul Patrucco ve meslektaşlarının Peru'daki Los Gavilanes'ten 6000 yıllık örnekler üzerinde yaptığı analizler *Diphyllobothrium* adlı tenyanın yumurtalarını tespit etmiştir. Bunlar pişmemiş ya da yarı pişmiş deniz yiyecekleri alındığında insana geçmektedir. Yeni Dünya'nın diğer bölgelerinden dışkı örneklerinde tenya, kılkurdu, başıdikenliler yumurtaları yanında kene, akar ve bit kalıntıları bulunmuştur. Parazitler ayrıca Ortaçağ lağım çukurlarında ortaya çıkarılmıştır. Diğer taraftan, Fransa'daki Arcy-sur-Cure'de, 25.000-30.000 yıl öncesine tarihlenen bir Üst Paleolitik mağarada insan dışkısından gelmiş olması neredeyse kesin parazit bağırsak solucanları *Ascaris*'in yumurtalarına rastlanmıştır.

Eğer yumuşak doku korunmuşsa, belirli parazitlerin sebep olduğu hastalıklar tanımlanabilir. Şili çölünden MÖ 7050'den MS 1500'e kadar tarihlenen bazı tarihöncesi mumyalarda

11.49 *Yaklaşık 900 yıllık bir Peru mumyasının akciğerlerindeki gözle görülür yumruların nedeni, lezyondaki hastalık DNA'sının izole edilmesiyle tüberküloz olarak saptanmıştır. Bu, tüberkülozun Amerika kıtasına Avrupalı koloniciler tarafından getirilmediğine kanıttır.*

Chagas hastalığına ait klinik izlere –iltihaplı ve büyümüş bir kalp ve mide– ya da DNA'ya sahiptir. Bu organların kasları, kan emici böceklerin dışkılarıyla deri üzerine bıraktıkları parazitler tarafından istilaya uğramıştır.

Yara kabukları ve *virüsler* de yumuşak dokuda tanınabilecek hâlde günümüze gelebilirler ve hatta muhtemelen dikkatsiz bir arkeolog için tehlike arz eder. Mikropların faaliyet göstermeden toprakta ne kadar kalabildiklerini kesin olarak bilmiyoruz. Çoğu uzmana göre bir ya da iki yüzyıl sonra hâlâ tehlike arz etmeye devam ettikleri şüphelidir, fakat şarbon sporlarının bir Mısır piramidinde hayatta kaldıkları iddia edilmiştir ve bazı bulaşıcı mikroorganizmalar Kuzey Kutbu'nun donmuş topraklarında, gömülü bedenlerin içinde korunarak yaşamını sürdürebilir. Özellikle ortadan kaybolmuş ya da nadir görülen hastalıklara karşı bağışıklığımız artık zayıfladığından, çürüyen kemik ve dokudaki tehlikeler bizim için gerçek olabilir.

Daha güvenli bir yaklaşım genetik bilimi tarafından sağlanır, çünkü bazı hastalıklar arkalarında DNA izi bırakır. Örneğin çiçek hastalığı ve çocuk felcinin sebebi virüslerdir ve bir virüs basitçe bir DNA ya da onun "koruyucu bir protein mantosu" içindeki yakın akrabası RNA'dır. Bir virüs kendi DNA'sını talihsiz konağa bırakarak bulaşır ve konağın bazı hücreleri virüslerin üretimine dönüştürülür. Bu yolla virüs hastalıkları virüsün DNA'sına ait kalıntılar bırakabilir. Dolayısıyla eski genetik malzemenin analizi belirli hastalıkların tarihini izlemeye izin verir. Mesela, Amerikalı patoloji uzmanı Arthur Aufderheide ve meslektaşları 900 yıllık bir Peru mumyasının akciğerlerindeki lezyonlardan tüberküloz bakterisinin DNA kalıntılarını elde etmiş ve böylece bu mikrobun Amerika kıtasına Avrupalı koloniciler tarafından getirilmediğini kanıtlamıştır. Yeni DNA analizi teknikleri de sadece tüberkülozun değil, fakat aynı zamanda hıyarcıklı veba ve cüzzamın tarihiyle virülansına da açıklık getirmiştir.

İskeletlerde Deformasyon ve Hastalık Bulguları

Daha önce gördüğümüz gibi iskeletlere ait malzeme korunmuş yumuşak dokulardan daha yaygındır ve oldukça fazla paleopatolojik bilgi sunabilirler. Kemik üzerindeki etkiler, şiddet ya da kazanın neden oldukları ve hastalıkla ya da kalıtımsal bozuklukla ortaya çıkanlar şeklinde ayrılabilir.

Şiddetli Hasar. Şiddet veya kazalarla –travma olarak bilinir– ilgili durumlarda, genellikle bir uzman tarafından yapılacak doğrudan gözlem hasarın nasıl meydana geldiğini ve sonuçlarının kurban açısından ne kadar ciddi olduğunu ortaya çıkarabilir. Mesela İtalya'daki Grimaldi'den çocuklara ait Üst Paleolitik iskeletlerinin birinde belkemiğine saplanmış ok uçları vardı. Mortimer Wheeler tarafından Güney İngiltere'deki Maiden Castle yüksek kalesinde bir Britonun omurgasına saplanmış hâlde bulunan bir Roma mancınık şarapneli gibi, bunun açtığı yara da muhtemelen ölümcüldü.

Douglas Scott ve Melissa Connor'ın Montana'da meydana gelmiş ünlü Little Big Horn Savaşı'na –burada General Custer ve 265 adamının hepsi 1876'da Sioux ve Cheyenne'ler tarafında yok edilmişti– ait iskelet kalıntıları üzerine yaptığı bir çalışma, öldürücü darbeler için sopa ve savaş baltalarının yaygın olarak kullanıldığını göstermiştir. Yirmi beş yaşındaki zavallı bir asker 44'lük bir mermiyle göğsünden yaralanmış ve ardından Colt marka bir altıpatlarla kafasından vurulmuş ve nihayet kafası bir savaş sopasıyla parçalanmıştı. Kemiklerin yumuşak dokuyla kaplandığı durumlarda x-ışını incelemesi gereklidir (s. 454-455'teki kutuya bakınız).

İfşa ettikleri çok ilginç kişisel öykülere karşın, bireysel yaralar ya da kırıklar sonuçta tıp tarihi açısından çok sınırlı bir ilgi alanıdır. Arkeolog için en faydalı unsurlar, bunların sıklığı ve türüdür. Bir avcı-toplayıcı topluluğu, bir çiftçi topluluğundan farklı tehlikelerle karşılaşmış olacaktır ve dolayısıyla onların iskelet travmaları da farklılık gösterecektir. Amaç, mümkün mertebe grupların ve toplulukların bütünündeki patolojileri çalışmak olmalıdır.

Diğer türde arkeolojik kanıtlarda olduğu gibi, değişimlerin (bu durumda kırılmış ya da deforme kafataları türünden hasarlar) toprağa gömüldükten sonraki fiziksel ve kimyasal etkilerle meydana gelme ihtimaline karşı uyanık davranılmalıdır. Hatta bazı insan toplulukları, büyüme çağındaki çocukların alınlarını bir tahtayla ya da tahtasız bağlayarak veya yassılaştırmak için düzenli aralıklarla baskı uygulayarak kafataslarını kasten şekillendirmişlerdir.

Büyük yaralanmaların ardından bireyin sağ kaldığı anlaşılmışsa bu, grubun yardıma muhtaç üyelerine yardım etme kabiliyetini ve isteğini göstermektedir. Bu olgu çok uzak geçmişte meydana gelmiştir. Irak'ın kuzeyindeki Şanidar Mağarası'nda bulunmuş iki Neanderthal'den 40'lı yaşlarındaki bir erkek, sol gözüne aldığı darbeyle kısmen kör olmuştur. Aynı adamın ayrıca çocukluktaki bir yaralanmadan ötürü işe yaramayan çürümüş bir sağ eli, bir ayak kemiğinde çatlak ve diziyle ayak bileğinde kireçlenme vardı. Kendisi ancak üyesi bulunduğu topluluğun yardımıyla hayatta kalmış olabilirdi. Bununla birlikte insanların adaptasyonda başarılı olduklarını da akıldan çıkarmamak gerekir.

Kemiklerin Bilinçli Değiştirilmesi. İskeletler insanlar yaşarken veya öldükten sonra çeşitli şekillerde değiştirilebilir. Mayalar gibi bazı toplumlar, çocukların kafataslarını bir tahtayla veya tahta olmadan, alınlarını ya da kafalarının arkasını sıkıca sararak bilinçli şekilde değiştirmişlerdir. Böylece geri dönülmesi imkânsız sıradışı biçime sahip hayat boyu sosyal statü veya grup aidiyeti işareti oluşturulmuştur. Şanidar Mağarası'nda bulunmuş iki Neanderthal'in analizi, Erik Trinkaus'a bilinçli kafatası şekillendirmesinin bu kadar erken bir tarihte uygulandığını düşündürtmüştür.

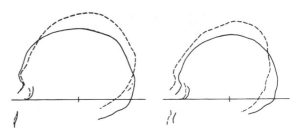

11.50 *Kafatası deformasyonu. (sağda) Bir Melanezya erkeğinin yapay olarak deforme edilmiş kafatasının -kesik çizgiler- ve normal bir erkek kafatasının konturu. (sağda) Avustralya'daki Kow Bataklığı'ndan 13.000 yıllık kafatası (kesik çizgiler) ve modern bir erkek Aborjinin kafatası. Kow kafatasının bilinçli olarak deforme edildiği görülmektedir.*

Görünüşe bakılırsa uygulama Pleistosen ya da Erken Holosen Avustralya'sında da mevcuttu. Peter Brown kafatası şekillendirmeden kaynaklı değişimleri tespit edebilmek için kasten şekillendirilmiş Melanezya kafataslarını normal olanlarla karşılaştırmıştır. Ardından sonuçları Kow Bataklığı'nın da dâhil olduğu Victoria'daki erken Avustralya arkeolojik alanlarından kafataslarına uygulamış ve bunların yapay olarak biçimlendirildiğini kuşkuya yer bırakmayacak şekilde ortaya koymuştur. En erken örnek olan Kow Bataklığı 5, 13.000 yaşındaydı.

Çocuk kafataslarını şekillendirme dışında başka uygulamalar da tespit edilebilmektedir. Etiyopya'dan yaklaşık 300.000 yaşında büyük bir *Homo erectus* ya da arkaik *Homo sapiens* erkeği "Bodo"nun kafatasında taramalı elektron mikroskobu kullanan Tim White, kafa derisinin yüzüldüğü sonucunu çıkarmıştır. Analiz biri sol yanakta, göz çukurunun altında, diğeri alnında olmak üzere iki kesik izi gösterdi. Bunlar kemik sertleşmeden ve fosilleşmeden evvel, dolayısıyla ölümden önce ya da hemen sonra yapılmıştı. Kafa derisi yüzülmüş Kolomb öncesi Kızılderili kafalarının –definden önce törensel amaçlarla– aynı bölgelerinde benzer izler mevcuttur.

İnsan Kemiğinden Hastalık Tespiti. Kemiği etkileyen az sayıda hastalık bunu üç yolla yapar: Kemik formasyonuna, tahribine ya da her ikisine yol açarlar. Üstelik çeşitli hastalıklarla ilişkilendirilen kemik lezyonu sayıları ve iskeletteki konumları itibarıyla farklılık gösterebilir. Bazı hastalıklar oldukça açık izler bırakırken, diğerleri hiç bırakmaz. İlk grup çeşitli enfeksiyonlar, beslenme bozuklukları ve kanser türlerini içerir. Aynı zamanda kemiklerin genel büyüklükleri ve biçimlerine bakarak büyüme bozukluklarını tespit etmek mümkündür.

Örneğin bir bakteriyel enfeksiyon olan **cüzzam**, çene kemiğinin üst kısmını ve ekstremiteleri belirgin bir şekilde tahrip eder. Ortaçağ Danimarka'sında ve Avrupa'nın diğer yerlerinde –fakat Kolomb öncesi Yeni Dünya'da değil– buna dair açık örnekler vardır. Yakın tarihte, İsrail'de birkaç iskeletten cüzzam bakterisine ait DNA izole edilmiştir. Belirli **kanser** türleri de kemik üzerinde belirgin etkiler yaratır. Fransa'da

İNUİTLERDE YAŞAM VE ÖLÜM

Grönland'ın batı kıyısındaki Qilakitsoq'da, 1972'de, bir kaya çıkıntısının altında MS 1475'e tarihlenen küçük bir İnuit yerleşmesine ait iki ortak gömüt bulundu. Sekiz beden düşük sıcaklık ve nem yokluğunun birleşmesiyle doğal olarak mumyalanmıştı. Gömütlerden birinde dört kadın ve altı aylık bir çocuk, diğerinde iki kadın ve 4 yaşında bir oğlan vardı. Üst ve iç giysileri de (pantolonlar, anoraklar ve botlar dâhil 78 parça) mükemmel durumda günümüze ulaşmıştı.

Vücutların cinsiyeti sargısız olanların cinsel organlarından, bozulmamış mumyaların da x-ışını incelemesinden belirlendi. Buna ilaveten söz konusu toplumda yüz dövmeleri çoğunlukla yetişkin kadınlarla sınırlıydı.

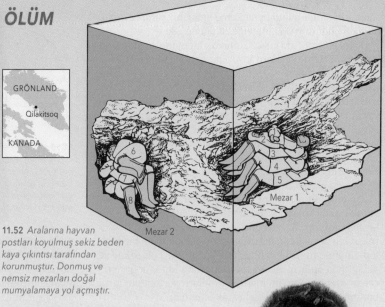

11.52 Aralarına hayvan postları koyulmuş sekiz beden kaya çıkıntısı tarafından korunmuştur. Donmuş ve nemsiz mezarları doğal mumyalamaya yol açmıştır.

Mezar 1

Mezar 2

Elli yaşında olan kadınlardan biri bir tarihte sol köprücük kemiğini kırmıştı. Kemik hiçbir zaman kaynamamış, muhtemelen sol kolunun işlevini kısıtlamıştı. Dahası, nazo-farinjiyal kanser (genzin arkasında) çevresine yayılarak sol gözünde körlüğe ve kısmi sağırlığa yol açmıştı.

Bazı nitelikleri belirli faaliyetlere atfedilebilmekteydi: Sol başparmak tırnağının üzerindeki taze çizikler, sinirleri bıçağı parmağına dayayarak kestiğini (ve bu arada sağlak olduğunu) göstermekteydi. Ayrıca, kuşkusuz

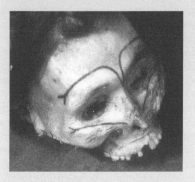

11.51 Kızılötesi fotoğraf bu kadının yüzündeki dövmeyi açık şekilde ortaya çıkarmıştır.

Yaş tespiti diş gelişimi ve diğer fiziksel özelliklere göre yapıldı. Kadınlardan üçü ergenliklerinin sonlarında/20'lerinin başlarında ölmüşlerdir, fakat diğer üçü yaklaşık 50'lerine kadar yaşamışlardı ki, 20. yüzyılın başlarında bile Grönland'da kadınların ortalama ölüm yaşı sadece 29 iken bu iyi bir yaştı.

Oğlan ve bir kadın büyük acı çekmiş olabilirdi: Oğlanın x-ışını görüntüleri genellikle Down sendromuyla ilişkilendirilen türden bir leğen kemiği deformasyonuna sahip olduğunu gösterdi. Calvé-Perthe hastalığı da bir kalça kemiğine hasar vermişti ve belki emeklemek zorunda kalmıştı.

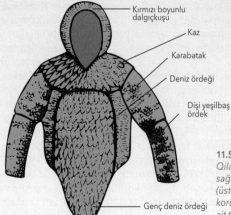

Kırmızı boyunlu dalgıçkuşu

Kaz

Karabatak

Deniz ördeği

Dişi yeşilbaş ördek

Genç deniz ördeği

11.53–54 Soğuk ve kuru şartlar Qilakitsoq'ta dikkat çekici buluntular sağlamıştır. Altı yaşındaki bu çocuk (üstte) bütün mumyalar arasında en iyi korunmuş olanıdır. Bir kadının kıyafetine ait tüyler farklı kuşlardan özenle seçilmiş ve daha sıcak tutması için doğrudan giyilmiştir.

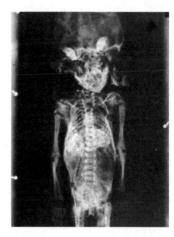

derileri çiğnemekten ve dişlerini kıskaç gibi kullanmaktan dolayı alttaki ön dişlerini kaybetmişti.

Alaska örneğiyle bir başka benzerlik, en genç kadının akciğerlerinde muhtemelen fok yağı kandillerinden kaynaklanan yüksek miktarda is bulunmasıydı. Öte yandan mumyalardan alınan saç örneklerinde çıkan düşük cıva ve kurşun düzeyleri, bölgenin bugünkü düzeylerinden çok daha aşağıdaydı.

Bu insanların nasıl öldükleri gizemini korumaktadır. Her hâlükârda açlıktan dolayı ölmemişlerdir. Kanserli kadın, çocukluğundaki bir hastalık ya da yetersiz beslenmeden dolayı geç kemik büyümesine delalet eden Harris çizgilerine sahipti, fakat öldüğünde iyi beslenmiş hâldeydi. En genç kadının kalın bağırsaklarında hatırı sayılır miktarda hazmedilmiş yiyecek vardı. Oğlanın deri kolajeni üzerinde yapılan izotop analizi (s. 313) gösterdi ki beslenme düzeninin %75'ini deniz ürünleri (foklar, balinalar, balıklar) ve sadece %25'ini karasal gıdalar (geyik, tavşan, bitkiler) meydana getiriyordu.

Son olarak, bu bireyler arasındaki muhtemel akrabalık ilişkilerinin değerlendirilmesi için analiz yapıldı. Doku tiplemesi bazı bireylerin birbiriyle ilişkili olmadığını, diğerlerinde ise böyle bir ihtimal bulunduğunu ortaya çıkardı. İki genç kadından biri üzerinde gömülü dört yaşındaki oğlanın annesi, ellili yaşlarındaki diğer iki kadın ise (kanserli olan dâhil) kız kardeş olabilirdi. Aynı zamanda belki de tek sanatçının elinden çıkma benzer yüz dövmeleri vardı ve bu bölgeden bilinen en erken portrenin (MS 1654 civarı) üzerindekilere benziyorlardı. Bir başka kadının bir dövmesi ve işçiliği öylesine değişikti ki ayrı bir bölgeden gelmiş ve evlilik yoluyla gruba katılmış olması muhtemeldi.

11.55 *Deri giysiler de soğukta iyi korunmuştur. Bu kısa pantolonlar geyik derisinden yapılmıştır.*

11.56 *Tutankhamon'un mezar yapısından mumyalanmış küçük bir ceninin x-ışını analizinde, bir kız olan çocuğun neden ölü doğduğunu açıklayabilecek Sprengel deformasyonu taşıdığı anlaşılmıştır.*

bulunmuş La Ferrassie 1 adıyla bilinen yaşlı Neanderthal erkeğinin bacak kemiklerindeki patolojik değişiklikler muhtemelen akciğer kanserinin sonucudur.

Avustralyalı arkeolog Dan Potts ve meslektaşları Birleşik Arap Emirlikleri'ndeki 4000 yıllık bir mezarın içinde dünyanın en eski **çocuk felci** kurbanını keşfettiler. Yaklaşık 18-20 yaşındaki bir kıza ait olan iskelet küçük boyut, kas bağlarında iltihaplanma, bütün uzun kemiklerde incelme, diğerinden 4 cm daha kısa bir bacak, eğik kuyruk sokumu ve asimetrik leğen kemiği gibi tipik hastalık belirtilerini göstermekteydi.

Kemiğin radyograf analizi **Harris çizgileri** olarak bilinen büyüme duraklamasına dair kanıtlar sunabilir (bu çizgileri tespit eden çalışma için karşı sayfadaki kutuya bakınız). Bunlar normalde kemiklerin boş iç kısımlarında bulunan dar radyoopak kemik birikimleridir. Çocuklukta ya da ergenlik çağında hastalık ya da yanlış beslenmenin ardından büyüme yeniden başladığında birikirler. Genellikle alt kaval kemiğinde (incik kemiği) en açık şekilde görülürler. Çizgilerin sayısı büyüme sırasındaki zor dönemlerin sıklığına dair kaba bir rehber sağlayabilir. Eğer çizgiler bir iskelet grubunun tümünde varsa, yaygın yiyecek sıkıntılarına ya da belki de insan sağlığını etkileyecek kadar önemli sosyal eşitsizliklere işaret edebilir. Aynı şekilde el ve ayak parmaklarındaki **Beau çizgileri**, hastalık ya da yetersiz beslenmeden dolayı meydana gelen sığ oluklardır. MÖ 3300'e ait Alp Buz Adamı'nın günümüze kalmış bir el parmağında bulunan üç çizgi, ölümünden 4,3 ve 2 ay önce felç nöbeti ya da kötü bir beslenme düzenine sahip olduğunu göstermektedir (s. 70-71'deki kutuya bakınız).

Kemikteki deformasyon çoğu kez kalıtsal bir anomaliyi açığa vurur; yani bir kişi deformasyonla doğmuş ya da doğumdan hemen sonra geliştirmiş olabilir (III. Richard'ın çarpık belkemiği gibi; s. 462-463'teki kutuya bakınız). Tutankhamon'un mezar yapısında bulunmuş iki mumya kadın cenininden birinde yapılan x-ışını analizi, *Sprengel deformitesini* –kalıtsal olarak yüksekte kalmış sol kemiğin ve *spina bifidanın* varlığı – ortaya çıkardı. Bunlar, belki de Tutankhamon'un öz evladı olan bu çocuğun neden ölü doğduğunu açıklamaktadır (önceki sayfada görsele bakınız). Genel olarak konuşmak gerekirse, firavunların kendi öz kız kardeşleriyle evlenme âdetinin çocuklarda çok sık kalıtsal anomaliye neden olması beklenebilir.

Mısır ayrıca kalıtsal doğum rahatsızlığı olan *cücelikle* ilgili iskelet bulguları sağlamaktadır. Aynı duruma Alabama'nın Paleo-Kızılderilileri arasında da rastlanmıştır. Ancak cüce bir erkeğe ait en eski kanıt MÖ 10. binyıldan gelmektedir. İtalya'nın Calabria bölgesindeki bezemeli Riparo del Romito barınağına gömülmüş 17 yaşındaki erkeğin boyu 1,1-1,2 m civarındaydı. İngiltere'de Roma dönemi Cirencester'ından 450 iskeleti analiz eden Calvin Wells, omurgada bir dizi kalıtsal hastalık ve beş iskelette spina bifida occultaya dair kanıt ortaya çıkarmıştır.

Sanat da kalıtsal deformasyonlar hakkında bilgi sağlar. Meksika'nın Olmek sanatında en yaygın motiflerden biri, "jaguar-insan motifi" olarak bilinen kedigillere özgü yüz özelliklerine sahip antropomorfik çocuk figürüdür. Böyle figürlerde genellikle ayrık alın, aralık ve gergin ağız ve çıkıntı yapan köpek dişleri gösterilmiştir. Vücut çoğunlukla aşırı şişman ve cinsiyetsizdir. Carson Murdy motifin kalıtsal deformasyonları temsil ettiğini ileri sürer ve Michael Coe daha ileri girerek ayrık alının bir dizi kafatası deformasyonuyla ilişkili spina bifidaya işaret ettiğini ortaya atmıştır. Böyle durumlar genellikle her bin doğumda bir kez meydana gelir ve bu yüzden belirli bir sosyal grupla, hatta tek bir geniş aileyle sınırlı olabilir. Carson Murdy, bir şef ailesinin mevkilerini pekiştirmek için bu olguyu sanatta ve dinde kullandığı; çocuklarındaki deformasyonları doğaüstü jaguarın özellikleriyle ilişkilendirdikleri varsayımında bulunmuştur. Eğer ailede "jaguar kanı" varsa, çocukların "jaguar-insan" olarak doğmaları doğaldı.

Yetişkinler söz konusu olduğunda tarihöncesi ve erken tarihi dönem toplumlarındaki belki de en yaygın hastalık, vücuttaki herhangi bir eklemi etkileyebilen *kireçlenmedir*. Mesela Mesa Verde'de (Colorado) MS 550-1300 arasındaki zaman diliminde 35'in üzerindeki herkes –bazıları diğerlerinden daha fazla– kemik kireçlenmesine maruz kalmıştır.

Bazen vücut safra kesesiyle böbrekteki taşlar gibi kemikten farklı sert yapılar meydana getirir ve bunlar iskeletle birlikte ortaya çıkarılacak şekilde korunurlar. Doğrudan gözlem (ya da mumyaların x-ışını analizi) bu sıra dışı yapıların çoğunu tanımlamamızı sağlar.

Kurşun Zehirlenmesi. Kemik analizi –uzun kemiklerdeki kurşun çizgilerini ortaya çıkaran x-ışınları dâhil– toksik maddelerden zehirlenme tehlikesinin hiçbir suretle bizim zamanımızla sınırlı olmadığını gösterir. İngiltere'deki Poundbury'nin bazı Romalı sakinlerine ait kemiklerde, muhtemelen beslenme alışkanlıkları yüzünden dikkat çekici ölçüde yüksek kurşun

III. RICHARD

BİRLEŞİK KRALLIK

Leicester

Dünya 2012'de, İngiltere kralı III. Richard'a (1452-1485) ait olduğuna inanılan bir iskeletin Leicester'da ortaya çıkarıldığı haberiyle şaşkınlık yaşadı. Shakespeare tarafından Plantagenet hanedanının hain bir kambur olarak ölümsüzleştirilmiş son kralı III. Richard, 1485'te Bosworth Field'daki savaşta öldürülmüş ve Leicester'ın Greyfriars Kilisesi'nde toprağa verilmişti. Ancak bir başka hikâyeye göre, bedeni daha sonra mezarından çıkarılıp yakındaki ırmağa atılmıştı. Her hâlükârda kilise 16. yüzyılda yıkıldı.

Proje, profesyonel ve akademiden arkeologlar, amatör bir grup (III. Richard Derneği) ve Leicester belediyesinin sıra dışı bir işbirliğiydi. Kazı, şimdi bir park yeri olan alanda 2012 Ağustos'unda başladı ve kısa sürede kilise temellerinin bir kısmı ortaya çıkarıldı. Söz konusu iskelet ise ilk gün, koronun altında, yüksek statüye işaret eden bir yerde bulundu. Ceset çukur tabanı ve eğimli kenarları olan çarpık açılmış, bedene göre çok kısa bir mezarın içindeydi. Öte yandan korodaki diğer mezarlar düzgün dikdörtgenler şeklinde

11.57 *Kral III. Richard'a ait gömütün bulunduğu Leicester park alanındaki kazılar. Açılan mezar fotoğrafın alt kısmında görülebilmektedir. Richard'ın kalıntıları Mart 2015'te resmi bir törenle Leicester Katedrali'ne yeniden defnedilmiştir.*

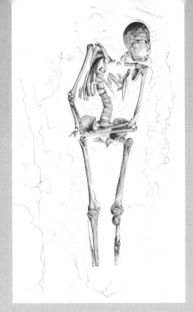

11.58 *Kral III. Richard'ın iskeleti omurganın belirgin eğriliğini göstermektedir.*

açılmışlardı ve doğru boyutlardaydılar. Görünüşe göre III. Richard'ın bedenine pek saygı gösterilmemişti: Alt uzuvlar uzatılmıştı, fakat gövdesi kuzeye doğru döndürülmüş ve başı çukurun bir kenarına yaslanmıştı. Diğer bir deyişle, anlaşılan ceset önce ayaklarından başlanarak küçük çukura tıkılmıştı ki, bu da büyük bir telaş ya da saygısızlığı akla getirmekteydi. Bir tabut ya da kefene dair hiçbir kanıt yoktu.

Eğer bu kişi gerçekten Richard ise, telaş bedeninin yazın en sıcak zamanında birkaç gün boyunca halka açık şekilde sergilenmiş olmasından kaynaklanabilirdi. Ellerin bileklerde kavuşmuş olması, bağlandıklarını gösteriyordu. Ayaklar 19. yüzyılda işçilerin yaptığı hafriyat yüzünden kayıptı, fakat bunun dışında iskelet 135 kemik ve 29 dişle iyi durumdaydı. İskelet ince yapılı, kemik büyümesi ve diş gelişimine göre 20'lerin ya da 30'larının sonlarında (Richard öldüğünde 32 yaşındaydı) bir yetişkine aitti. En dikkat çekici özelliği ise ağır bir skolyoza sahip olması, yani omurgasının

11.59–60 *Leicester iskeletinin yüz rekonstrüksiyonu III. Richard'a ait birkaç portreye dikkat çekici şekilde benzemektedir, ama heykeltıraş kafatasının kime ait olduğunu bildiğinden, bu bir gözü kapalı sınama değildi.*

bir yana doğru eğik durumuydu (söylentilerin aksine kambur değildi).

Skolyoz 10-13 yaşları arasında gelişmişti. Yaşı ilerledikçe sırttaki bazı kemik bağ dokuları kemikleşerek bu eğrilmeyi katılaştırmış ve bu arada osteoartrit gelişmişti. İlerleyen skolyoz Richard'ın kalbiyle akciğerlerine baskı uygulamış ve muhtemelen nefes darlığıyla acıya sebebiyet vermişti. Böyle bir sağlık problemi yaşamasaydı, baldır kemikleri, boyunun dönem ortalamasının üzerinde sayılabilecek 1,73 m civarında olacağını gösteriyordu, fakat engelliliği boyunu ciddi oranda, belki 1,42 m'ye kadar düşürecekti ve sağ omuzu sola göre daha yüksekte kalacaktı. Başka bir ifadeyle bu adamın, Richard'ın görünümüne dair birkaç çağdaş anlatıya uyan şekilde tıknaz bir gövdesi ve aynı hizada olmayan omuzları vardı. Kalıntıların radyokarbon analizi 1485'teki savaşla uyumlu olan MS 1460-1485 arasını verdi.

Dişler biraz yıpranmıştı, ama hiç oyuk yoktu ve yuvarlak kurtlar tarafından enfekte edilmişti. Farklı laboratuvarların kaburgalardaki nitrojen ve karbona uyguladıkları analizler, yüksek proteinli bir beslenme düzenini gösteriyordu. Bunun %25'i yüksek statüye işaret eden deniz mahsullerinden meydana gelmekteydi. Çocukken sindirdiği sıvılardan oksijen ve stronsiyum izotopları su kaynağının jeolojik özelliklerini gösterdi ve sonuçlar Richard'ın doğduğu Northamptonshire ile uyumluydu. Bu durumda söz konusu kişi 7 yaşında daha batıya, muhtemelen Welsh Marches'a (Richard 1459'da Ludlow Kalesi'nde ikamet etmişti)

gitmişti. Diğer taraftan, hayatını son birkaç yılına ait oksijen izotop oranında ciddi bir artış vardı. Araştırmacılar bunun bira ve yiyecekten değil, üzüm suyundan -şarap- dolayı olduğunu ileri sürdüler. Günde bir şişe şarap böyle yüksek bir orana yol açabilirdi!

İskelet hepsi de ölüm anında meydana gelmiş en az on bir yaraya sahipti, zira hiçbir iyileşme belirtisi göstermiyorlardı. Kafatasının arkasındaki iki büyük yara bir baltalı kargı ve bir kılıca ait darbelerle uyumluydu ve muhtemelen ani ölüm getirmişlerdi. Kafatasının tepesine doğru, olasılıkla bir hançerden kaynaklanan daha küçük bir delici yara da mevcuttu. Kafatası yaralarından hiçbiri 15. yüzyıl miğferi giyen birine etki edemezdi. Diğer iki yara -sağ kaburgada ve sağ kasıkta (muhtemelen sağ kalçaya saplamadan ötürü) birer kesik de zırh kuşanmış biri için risk değildi. Dolayısıyla bunlar ölümden sonra meydana gelmiş "aşağılayıcı yaralar"dı. Kısacası bu kişi neredeyse kesin olarak savaşta ölmüştü ve bu tarih aralığına en yakın savaş Leicester'ın 24 km batısındaki Bosworth'te gerçekleşmişti. Son olarak, mitokondriyal DNA üzerinde ilk genetik analizler yapılmış ve Richard'ın kız kardeşi York düşesi Anne'in günümüzde devam eden soyundan iki kişiyle bağlantısı ortaya çıkarılmıştır. Bu yüzden araştırmacılar iskeletin kimliğini "makul şüphenin ötesinde" kanıtladıklarına inanmaktadırlar. Haklı olup olmadıkları bir yana, proje arkeolojinin dünya medyasında sık ve sıra dışı kitle ilgisi yaratma potansiyelini sergilemiştir.

oranı bulunuyordu. Aynı zamanda Yunanistan'daki 3000 yıllık bir Miken mezar yapısında olasılıkla yüz pudrası olarak kullanılmış kozmetik amaçlı kurşuna rastlanmıştır.

Kanada'nın Kuzeybatı Toprakları'ndaki Beechey Adası'na 140 yıl önce gömülmüş üç İngiliz denizci, seyredilebilir bir kuzey geçişi bulabilmek için yapılan 1845 tarihli Franklin keşif gezisinin üyelerindendi. Donmuş toprak içinde korunmuş vücutları Kanadalı antropolog Owen Beattie ve meslektaşları tarafından topraktan çıkarıldı. Kemik örnekleri üzerinde yapılan analizler, eğer keşif sırasında vücuda alınmışsa zehirlenmeye yetecek kadar büyük miktarda kurşun ortaya çıkardı. Zehirlenme muhtemelen kurşunla lehimlenmiş yiyecek konserveleri, kurşun sırlı çanak çömlek ve içi ince kurşun levhalarla kaplanmış konteynerlerden kaynaklanmıştı. İskorbüt gibi diğer koşullarla birlikte değerlendirildiğinde, bu zehirlenme öldürücü olabilirdi.

Kemiklerdeki kurşun ayrıca Kolonyal Amerikalıların yaşamlarına dair içgörüler sağlar. Arthur Aufderheide Maryland (Virginia) ve Georgia mezarlıklarından 17 ve 19. yüzyıla ait kemikleri analiz etmiştir. Aufderheide, buralarda gömülenlerin muhtemelen çanak çömlek sırındaki kurşun yanında, yiyecek-içecek saklamak, hazırlamak ve servis etmek için kullanılan kalay-kurşun alaşımı kaplardan zehirlenmeye maruz kaldıklarını ortaya çıkardı. Ancak sadece zenginler kendilerini bu yolla zehirleyecek malzemeleri satın alma güce sahipti ve bu da kurşun içeriğinden sosyal bulgular elde etmenin anahtarıydı. Georgia ve Virginia'dan iki büyük çiftlikte bulunan nüfusta, beyaz kiracı çiftçiler vücutlarında özgür ya da köle siyahlardan daha fazla, ama zengin çiftlik sahiplerine göre daha az kurşun biriktirmeye meyilliydi. Diğer taraftan, beyaz hizmetkârların, özellikle de beyaz kiracı çiftçiler için çalışanların kurşun oranları genellikle

11.61 *Japonya'daki Osaka'da, Fujiidera şehrinde bulunan Jomon Dönemi arkeolojik alanına ait bir yetişkin kadın kafatası ve çene kemiği. Dişler muhtemelen törensel ve dekoratif nedenlerle çıkarılarak süslenmiştir.*

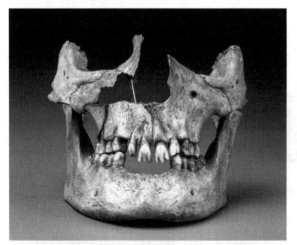

düşüktü. Bu durum söz konusu kişilerin işverenlerinden kesin bir şekilde ayrıma tabi tutulduğunu düşündürmektedir.

Dişler

Yiyecekler sadece kemikleri etkilemez; aynı zamanda dişler üzerinde doğrudan etkileri vardır. Dolayısıyla diş yapısının durumu çok çeşitli bilgiler verebilir. Mesela II. Ramses gibi eski Mısırlıların dişleri üzerindeki analizler sık ve ciddi aşınmalarla ağır çürümeler tespit etmiştir. Bunlar sadece yemeğe karışmış kum tanecikleri değil, aynı zamanda yiyeceklerin kıvamı ve bitkilerdeki sert maddelerin varlığından ileri gelmiştir. Buna ilaveten x-ışını analizi diş çürükleri ve lezyonlarını açığa çıkarabilmektedir. Roma Herculaneum'undan gelen iskeletlerin diş çürüğü azdı ve bu da eski Mısır'da olduğu gibi bugüne kıyasla düşük şeker alımına işaret ediyordu. Çok fazla florür içeren su tedariği muhtemelen çürüklerin düşüklüğüne katkıda bulunmuştu.

Diş yapısını incelerken sağlıklı dişlerin bazen törensel ya da estetik amaçlarla söküldüğünü akılda tutmak gerekir. Bu uygulama Japonya'da Jomon Dönemi'nde (özellikle yaklaşık 4000 yıl önce) çok yaygındı ve 14 ya da 15 yaşının üzerindeki kadın ve erkeklere yapılıyordu. Belirli kesici dişler ve küçük azı dişleri çekilmişti. Aslına bakılırsa, Geç Jomon Dönemi'nde (3000-2000 yıl önce) üç farklı bölgesel tarz ortaya çıkmıştır.

Avustralya'da Aborjinlerin diş kırma geleneği –erkekliğe geçiş töreninin bir parçası olarak bir ya da iki üst kesici dişin çıkarılması– New South Wales'deki Nitchie'de bulunan 7000 yıllık bir gömütte tespit edilmiştir. Görünüşe göre Batı Avustralya'daki Cossack'tan 6500 yıllık kafatasında da bir diş ölümden çok önce çekilmiştir.

Son olarak dişçiliğe ait erken kanıtlar mevcuttur. Anlaşıldığı kadarıyla Pakistan'daki Mehrgarh'ta dişler üzerindeki yuvarlak delikler çakmaktaşı delgilerle 9000 yıl önce yapılmıştır. Dünyanın en eski diş dolgusu Slovenya'daki Lonche Mağarası'nda tespit edilmiştir ve 6500 yıl öncesine tarihlenir. Yaklaşık 24-30 yaşlarındaki bir erkeğe ait bu çatlak köpek dişi, muhtemelen çiğneme esnasında ağrıyı ve hassasiyeti hafifletmek için balmumuyla kaplanmıştır. Bir diğer erken tarihli dolgu İsrail'de, Negev Çölü'nde 2000 yıl önce gömülmüş bir Nebati savaşçının (daha önceki bir bölümde değinilmiştir) dişinde keşfedilmiştir. Joe Zias'ın incelemeleri dişlerden birinin oksitleşmiş bir tel yüzünden yeşil renk aldığını tespit etti. Dişçinin savaşçıyı aldatmış olması mümkündür. Altın bir tel yerleştirmek yerine aşındırıcı ve zehirli tunç tel yerleştirmişti. En eski takma diş ise altın tel ve iki fildişi dişten yapılmış MÖ 6-4. yüzyıla tarihlenen Fenike kaynaklı bir örnektir. Aynı dönemde Etrüsklerden yirmi tane bilinmektedir. Bu takma dişler altından ve insan ya da hayvan dişlerinden yapılmış olabilir. Demirden bir takma diş ise Paris yakınlarındaki Chantambre'dan 1900 yaşında bir Galyalı'nın çenesine kusursuz biçimde takılmıştır.

Muhtemelen Leonardo da Vinci'nin Mona Lisa'sına ilham kaynağı olmuş İtalyan asilzadesi Isabella d'Aragona'nın

(1470-1524) kafatasında yapılan inceleme, dişlerinin siyah bir tabakayla kaplı olduğunu göstermiştir. Isabella bunu çıkarmak için umutsuzca o kadar çok uğraşmıştı ki, kesici dişlerindeki mine bütünüyle aşınmıştı. Siyah tabakanın analizi, bunun cıva zehirlenmesi sonucu meydana geldiğini ortaya çıkardı. Söz konusu dönemde frengi ve diğer sağlık sorunlarının, özellikle deri komplikasyonlarının tedavisi için cıva buharının içe çekilmesi yaygındı. Uzun süren tedavinin sonucu ciddi diş iltihabıydı ve Isabella'nın ölümü frengiden ziyade sorunun cıvayla tedavisinden kaynaklanmış olabilir.

Tıbbi Bilgi

Yazılı belgeler erken tıbbı anlamamız için önemlidir. Mısır yazılı belgeleri diş kaybını önlemek amacıyla bunları bir arada tutacak tel kullanımından bahseder. Roma metinleri de bize diş tedavisiyle ilgili bazı bilgiler verirler. Genel tıp söz konusu olduğunda, Mısır'dan tıbbi papirüsler ve Yunanistan ile Roma yanında daha geç kültürlerden çok miktarda yazılı belge ve sanatsal kanıt mevcuttur.

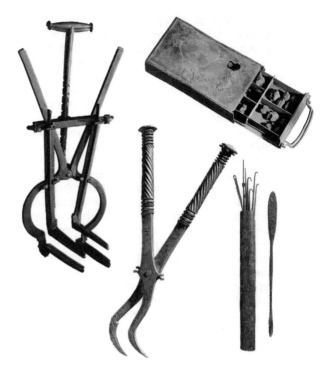

11.62–63 *Tıp bilgisi: (yukarıda) Pompeii'deki "Cerrahın Evi"nden Roma cerrah aletleri; (aşağıda) Güney İngiltere açıklarında Fransız filosuyla 1545'te yapılan savaşta batmış İngiliz gemisi Mary Rose'un batığında cerrahın sandığı açılmamış hâlde kabininde bulunmuştur. Sandık cerrahın teçhizatını eksiksiz sergiler, ancak çelik bıçaklı aletlerin sadece ahşap sapları korunmuştur.*

Tıbbi beceriye dair en yaygın ve etkileyici arkeolojik kanıt trepanasyon, yani muhtemelen kafatası kırığından dolayı beyinde oluşan baskıyı azaltmak; baş ağrıları veya sara hastalığıyla mücadele etmek üzere kafatasından bir kemik parçasını kesip çıkarmaktır. Bilhassa Andlar bölgesinden 1000'in üzerinde örnek bilinmektedir ve bunların yarıdan fazlası tamamen iyileşmiştir. Doğrusu bazı kafataslarından yedi parça çıkarılmıştır. Şaşırtıcı bir şekilde bu uygulama en az 7000 veya 8000 yıl öncesine kadar gitmektedir. Fransa'da yaklaşık 6900 yıl öncesine tarihlenen bir Erken Neolitik ön kol amputasyonuna dair kanıt mevcuttur.

Erken tıbbi uzmanlıkla ilgili diğer kanıtlar arasında Mısır'dan MÖ 3. binyıla ait ön kol kemikleriyle birlikte bulunmuş ağaç kabuklarından kırık tahtaları vardır. Eski Mısırlılar ayrıca ahşap ya da kartonajdan (sertleştirilmiş kumaş) yapılmış yapay ayak parmakları kullanmışlardır. Dorset'teki Poundbury Camp'te bulunan MS 4. yüzyıla ait Roma-İngiliz mezarlığından parçalara ayrılmış bir cenin iskeleti üzerinde kesik izleri bulunmuştu. Bunlar, Romalı doktor Soranus'tan öğrendiğimiz, anneyi kurtarmak üzere ölü bebeği rahimden çıkarmak için yapılan ameliyatın bıraktığı izlere tam anlamıyla uymaktadır. Diğer taraftan Roma yakınlarındaki bir mezarlıktan gelen 2. yüzyıla ait bir uyluk kemiği, bacağı kesen cerrah testeresinin tırtıklı izlerini taşır.

Cerrah teçhizatı örnekleri arasında Pompeii'de kazılmış alet setleri ve İtalya'daki Toskana açıklarında bir batıkta ele geçmiş içi dolu Roma tıp sandığı (ilaçların konulduğu kapaklı ahşap silindir kutular da dâhil) yer alır. Benzer bir set, 1982'de denizden çıkarılmış 16. yüzyıl İngiliz savaş gemisi Mary Rose'un batığında bulunmuştur ve küçük şişeler, kavanozlar, jiletler, bir üretral şırınga, bıçaklar, testereler içerir.

Sri Lanka'nın Polonnaruva şehri dışındaki bir Budist manastırına bitişik MS 11. yüzyıl hastanesinin kalıntıları arasında, gelişmiş tıbbi bakım düzeyine işaret eden tıbbi ve cerrahi aletler ve sırlı saklama kapları bulunmuştur.

Peru'da MS 450-750 arasındaki Chimú Dönemi'ne ait bir cerrahi alet seti gün ışığına çıkarılmıştır. Sette bisturi, forseps, yün ve pamuk bandajlar, ama en ilginci, çocuk aldırma sırasında rahmi temizlemek için kullanılan modern aletlere çok benzer bazı metal alet edevatlar vardı. Eski Peruluların bu beceri düzeyine erişmiş olmaları şaşırtıcı değildir. Başka kanıtlar sayesinde rutin olarak trepanasyon yaptıklarını ve kusurlu uzuvları desteklemek üzere yapay parçalar eklediklerini biliyoruz. Çanak çömleklerinde hamilelik ve doğumun değişik safhalarının da dâhil olduğu detaylı tıbbi bilgiler sergilenmektedir. Maya elyazmaları ve Azteklerle ilgili İspanyol kayıtlarından Yeni Dünya halklarının halüsinojenik mantar kullanımını da içeren gelişmiş tıbbi uzmanlık düzeyine sahip oldukları açıktır.

Bu şekilde arkeologlar ve paleoantropologlar geçmiş insanların sağlık durumlarını anlamak için çok çeşitli yöntemlere başvururlar. Bu yaklaşımları yiyecekler hakkında bulgularla birleştirerek (7. Bölüm'de anlatıldığı gibi), atalarımızın beslenme biçimlerinin kalitesini, içinde yaşadıkları toplumların karakteri ve büyüklüğünü incelemeye artık geçebiliriz.

BESLENMENİN DEĞERLENDİRİLMESİ

Beslenme, bir diyetin insan vücudunu fiziksel ve sosyal çevresinde belirli bir düzeyde tutma becerisinin ölçümü olarak tanımlanabilir. Elbette geçmişteki belirli bir insan grubunun iyi beslenip beslenmediğini öğrenebilmekle ilgileniriz. Arkeolog Charles Higham Tayland'ın kuzeydoğusundaki araştırmaları sırasında MÖ 1500-100 arasındaki tarihöncesi insanların ellerinin altında bol miktarda yiyecek bulunduğunu ve hiçbir hastalık veya yetersiz beslenme işareti göstermediklerini ortaya çıkarmıştır; bazıları 50 yaşından fazla yaşamıştır. Fakat birçok yönden daha bilgilendirici olan, kemik kalınlığını ve iskelet büyümesini belirgin şekilde etkileyebilecek şekilde eksik beslenme biçimidir. Dahası, farklı dönemlerdeki beslenme biçimlerinin karşılaştırılması, avcılık ve toplayıcılıktan tarıma geçiş gibi köklü hayat düzeni değişimlerini anlamamıza büyük katkıda bulunur.

Yetersiz Beslenme

Yetersiz beslenmenin iskeletteki işaretleri nelerdir? Önceki bölümde, gelişim sırasında geç büyüme dönemlerini belirten Harris çizgilerinden ve bunların bazen yetersiz beslenme

11.64 *Yetersiz beslenmeye dair kanıt: Mısır'daki Sakkara'da bulunan Unas piramidini çevreleyen kompeksin duvar kabartmalarında bir detay kıtlık kurbanlarını betimler, MÖ 2350 civarı.*

kaynaklı olduğundan bahsetmiştik. Benzer bir olgu *dişlerde* görülür: Bir uzmanın diş kesitinde tespit edebileceği mine üzerindeki yetersiz mineralleşmiş lekeler, süt, balık ya da hayvan yağları yönünden eksik bir beslenme biçimiyle ortaya çıkan büyüme sorununu yansıtır. C vitamini eksikliği, özellikle diş etiyle altındaki çene kemiğinde değişimlere yol açan ve dünyanın birçok farklı yerindeki insan kalıntılarında bulunan iskorbüt hastalığına yol açar. Hastalık İngiltere'deki Norfolk'tan bir Anglo-Sakson bireyde tespit edilmiştir. İskorbüt ayrıca 19. yüzyıla kadar kötü beslenen denizciler arasında yaygındı.

Bir iskelete ait kemiklerin genel boyutu ve durumu beslenme düzeninin çeşitli yönleri hakkında işaretler barındırır. Daha önce değinildiği gibi, yemeğin içindeki kum veya öğütme taşından gelen parçacıklar dişler üzerinde ciddi etkiler bırakabilir. California Kızılderilileri arasında aşırı diş aşınması, meşe palamutlarındaki (Kızılderililerin ana besini) taneni çıkarmak için –yemekte artık bırakan– bir kum tabakasından geçirme alışkanlıklarına bağlanabilir.

Yetersiz beslenmeye dair ilave kanıtlar *sanat ve edebiyat* tarafından sağlanabilmektedir. B vitamini eksikliğine (beriberi) MÖ 3. yüzyıla ait *Su Wen* adlı bir Çin metninde rastlanır ve Strabon da Romalı askerler arasında bir vakadan bahseder. Mısır sanatı, Sakkara'dan yaklaşık MÖ 2350 yaşına tarihlenen meşhur "kıtlık" tasviri gibi sahneler sunar.

Beslenme Düzenlerinin Karşılaştırılması: Tarımın Doğuşu

Kemiğin kimyasal analizi içgörümüzü daha ileriye taşır. Bireyin yediklerine göre değişiklik gösteren kararlı karbon ve nitrojen izotoplarıyla (7. Bölüm'e bakınız) birçok şey yapılmıştır. Kemiğin bileşimindeki karbon izotopları –tarihleme amacıyla kullanılan ^{14}C izotopu değil, kararlı olanlar– belirli bitkiler ya da deniz ürünleri açısından zengin bir beslenme düzeninin ortaya çıkarılmasında kullanılabilir. Özellikle mısır tüketimi tespit edilebilir ve böylece tarihöncesi Yeni Dünya'nın çeşitli kısımlarında yiyecek bulma stratejilerindeki değişim ortaya koyulabilir. Örneğin Kuzey Amerika'nın

doğusunda yaklaşık bin yıl önce insan kemiklerinin kararlı karbon izotop imzasındaki bir değişim, arkeolojik alanlarda mısırın temsilinde görülen belirgin bir farkla çok iyi bir biçimde uyuşmaktadır. Bu, bağımsız kanıt grupları –kemiklerin bileşenleri ve kömürleşmiş bitki kalıntıları– biribirlerini tamamlayarak geçmiş hakkında çıkarılan sonuçlara duyulan güveni arttırır.

Clark Larsen Georgia kıyısındaki 33 arkeolojik alandan 269 avcı-toplayıcı (MÖ 2200-MS 1150) ve 342 tarım topluluğu (MS 1150-1550) iskeletini karşılaştırmıştır. Larsen zaman içinde diş sağlığında kötüleşmenin Mısır tüketiminin artmasından olduğunu keşfetti. Öte yandan, avcı olmaktan kaynaklanan mekanik stresle alakalı eklem rahatsızlıkları türünün azaldığını buldu (her iki dönemde yaşamış erkeklerde kemik kireçlenmesi kadınlardan daha fazla görülüyordu).

Buna ilaveten yüz ve çenelerin boyutlarında bir küçülme vardı. Fakat sadece kadınların dişleri küçülmüştü; diş çürükleri de aynı şekilde artış göstermekteydi. Kafatası ve genel iskelet boyutlarında en belirgin düşüş yine kadınlardaydı (muhtemelen protein alımındaki düşüş ve karbonhidrattaki artışla ilgiliydi). Bu sonuçlar, tarıma geçişin belki de avlanma ve balıkçılık işleriyle uğraşan erkeklerden ziyade toprağı ekime hazırlayan, ekim yapan, hasadı kaldıran ve yemek pişiren kadınları daha fazla etkilediğini düşündürmektedir. Dolayısıyla, bütün bunlar bir araya getirildiğinde, Kuzey Amerika'nın doğusundan gelen veriler mısır tarımının erkek ve kadınlardaki farklı etkilerini vurgular.

Daha geniş çaplı bir analiz düzeyinde tarıma geçişin farklı yönlerinden –sadece değişen beslenme biçimi değil, aynı zamanda yerleşik yaşam tarzı, nüfusun belirli noktalarda yoğunlaşması, kaynaklara erişmede farklılıklar vs.– kaynaklanan etkileri ayırt etmek zordur. Yine de iskelet patolojisi çalışmaları birçok alanda bir şablon oluşturmaya başlamıştır ve bunlar tarıma geçiş sonucunda (ve yerleşimin grup büyüklüğüyle devamlılığı) yaygın olarak enfeksiyon ve yetersiz beslenmenin de dâhil olduğu kronik stres oranlarında artış yaşandığını akla getirmektedir. Georgia örneğinde olduğu gibi, mekanik stresteki bir düşüş yerini beslenme biçimi stresindeki artışa bırakmıştır.

NÜFUS ÇALIŞMALARI

Bu bölümün önceki alt başlıklarında bireylere ya da küçük insan gruplarına göz atmıştık. Şimdi tartışmayı daha büyük gruplara ve bütün bir topluma, *demografik arkeoloji* olarak bilinen araştırma alanına taşıma vakti geldi. Bu disiplin nüfusun büyüklük, yoğunluk ve büyüme hızı gibi çeşitli yönlerine ait arkeolojik verilerden yapılan tahminler yanında, kültür değişiminde nüfusun rolüyle de ilgilidir. Arkeolojik ve demografik bulgulara dayalı simülasyon mo-

delleri nüfus, kaynaklar, teknoloji ve toplum arasındaki bağın anlaşılması için kullanılabilir. Kuzey Amerika ve Avustralya'daki ilk insan yerleşimleriyle Avrupa'ya tarımın yayılımını aydınlatmaya yardım etmiştir.

Buna ortak bir alan, öncelikle iskelet kalıntılarından doğum ve ölüm oranları, nüfus yapısı ve ortalama yaşam süresi gibi nüfus parametrelerini hesaplamakla ilgilenen *paleodemografidir*. Şimdiye kadar bahsedilen bütün teknikler, farklı dönemlerde her iki cinsiyetin yaşam süresini araştırmaya ya da doğum sayısı vasıtasıyla doğurganlığı tespit etmeye katkıda bulunarak yardımcı olabilirler. Hastalık veya yetersiz beslenmenin çalışılması, farklılık gösteren hayat kalitesini açığa çıkarmak için cinsiyet ve yaş verileriyle bir arada kullanılabilir. Fakat geriye temel bir soru kalmaktadır: Nüfus ve buradan hareketle nüfus yoğunluğu arkeolojik bulgulardan nasıl ortaya çıkarılabilir?

İki ana yaklaşım bulunmaktadır. İlki grup büyüklüğüyle toplam arkeolojik alanın kapladığı saha, kapalı alan, arkeolojik alan uzunluğu, arkeolojik alan hacmi veya mesken sayıları arasındaki ilişkiye dayanarak yerleşim bulgularından rakamlar çıkarmaktır. İkincisi ise, belirli bir çevrenin zenginliğini hayvan ve bitki kaynaklarına göre belirlemek ve böylece söz konusu çevrenin belli bir teknoloji düzeyinde kaç kişiyi destekleyebileceğini (çevrenin "taşıma kapasitesi") değerlendirmeye çalışmaktır. Amacımız için ilk yaklaşım en verimli olanıdır. Tek bir arkeolojik alanda belirli bir zamanda kaç meskenin işgal edildiğini olabilecek en iyi şekilde tespit etmek gerekir ve bunun ardından hesaplamaya girişilebilir (Amerika'nın güneybatısındaki su altında kalmış ya da çok kuru arkeolojik alanlarda ahşap mesken kalıntılarından, ağaç halkası tarihlemesi sayesinde bunların inşa edildikleri, yerleşildikleri ve terk edildikleri yıllar kesin olarak belirlenebilmektedir. Genellikle böyle sonuçlar, arkeologların düşündüğünden çok daha az yapının içinde belirli bir safhada yaşandığına işaret eder). İskân edilmiş taban alanlarını incelemek nüfus rakamlarını elde etmek için potansiyel olarak en kesin yoldur. En ünlü denklem nüfus bilimci Raoul Naroll tarafından ortaya atılmıştır. On sekiz modern kültür üzerindeki incelemelerinden gelen bulguları kullanan Naroll, bir tarihöncesi arkeolojik alanda nüfusun, metrekare bazındaki toplam zemin alanının onda birine eşit olacağını öne sürmüştür.

Bu iddia daha sonra, mesken çevrelerindeki çeşitlenmeyi hesaba katmak gerektiğini düşünen arkeologlar tarafından geliştirilmiş ve değiştirilmiştir. Fakat nasıl ki Naroll'un orijinal formülü genelleştirilmişse, bazı daha yakın tarihli formüller de belki de çok dar bir bakış açısıyla özellikle tek bir alana odaklanmaktadır: "Pueblo nüfusu = toplam zemin alanının metrekare cinsinden üçte biri" gibi. S.F. Cook ve R.F. Heizer tarafından geliştirilmiş bir yaklaşık hesap formülüne göre –eğer metrik olmayan veriyle işe başlanıyorsa– ilk altı kişinden her birine 25 ayak kare (2,325 m²) verilir ve ardından diğer her insana da 100 ayak kare (9,3 m²) ayrılır.

Polonya'daki *Linearbandkeramik* (LBK) kültürünün evleri örneğinde, Sarunas Milisauskas önce Naroll'ın formülünü uyguladı ve toplam 10 ev için 177 kişi sonucuna ulaştı. Daha sonra bir meslektaşından gelen etnografik bulguları kullandı – her uzun evdeki bir ocak bir aile, dolayısıyla bir evin uzunluğunun her 4 ya da 5 metresi için bir aile– ve aynı evler için 200 insan rakamını buldu.

Samuel Casselberry bu türden çoklu aile meskenleri için işlemi daha da geliştirdi. Etnografik bulgulara başvurarak Yeni Dünya'nın çoklu aile evleri için bir formül meydana getirdi ve "nüfus = toplam zemin alanının metrekare cinsinden altıda biri" eşitliğini öne sürdü. Bunu Polonya LBK uzun evlerinde uygulayan Casselberry'nin 10 ev için elde ettiği 192 insan rakamının Milisaukas'ın ikinci sonucuna olan yakınlığı, bu türden yöntemlerin istikrarlı şekilde daha fazla güvenirlik kazandığını göstermektedir. Buradaki önemli etmen, kullanılan etnografik verilerin arkeolojik kayıtlarda incelenen mesken tiplerine benzer olanlardan gelmesidir.

Başka teknikler de mümkündür. Mesela, Yeni Zelanda'daki Auckland'de bulunan bir *pa*nın (yüksek kale) nüfusunu tayin etmeyi hedefleyen çalışmasında Aileen Fox, Maori çekirdek ailelerinin MS 18. yüzyıl sonu ve 19. yüzyıl başında nispeten küçük olduğunu gösteren etnografik verilerden yararlanmıştı. Arkeolojik bulgular ortalama bir hanenin *pa* terasları üzerinde iki depo çukurundan faydalandığına işaret etmekteydi.

İki veri grubu da birlikte, her iki depo çukuruna altı yetişkin formülüne vardı. Dolayısıyla arkeolojik alandaki 39 çukur 18 hane ve 108 kişiye –daha önce düşünüldüğünden daha az bir rakam– işaret etmekteydi. İnsan yapımı nesnelerin sıklığı veya yiyecek kalıntılarının miktarından da nüfus tahminleri yapılabilir, ama bu hesaplamalar daha da fazla varsayıma bağlıdır.

Bir yerel avcı-toplayıcı grubunda veya takımında toplamda yaklaşık 25, bir kabilede ise 500 civarı insan bulunduğuna dair genel toplamlar veren de yine etnografyadır (öncelikle Kalahari Çölü'nün !Kung San halkı ve Avustralya

İsim	Tip	Yoğunluk (km²)
Aranda, Avustralya	Avcı-toplayıcılar	0.031
Paiute, Nevada	Avcı-toplayıcılar	0.035
Kung, Botswana	Avcı-toplayıcılar	0.097
Shoshone, California	Avcı-toplayıcılar	0.23
Tsimshian, Yeni Gine	Avcı-toplayıcılar	0.82
Maring, ABD	Çiftçiler	15
ABD	Ulus	32
Dugam Dani, Yeni Gine	Çiftçiler	160
Birleşik Krallık	Ulus	255
Bangladeş	Ulus	1127
New York, ABD	Şehir	10,407
Delhi, Hindistan	Şehir	29,149
Dharavi, Bombay, Hindistan	Gecekondu	Yaklaşık 315.000

11.65 *Günümüzde dünyada nüfus yoğunlukları: Toplamlar daha karmaşıklaştıkça nüfus belirgin şekilde artarak dünyanın bazı büyük şehirlerinde şaşırtıcı düzeylere ulaşır.*

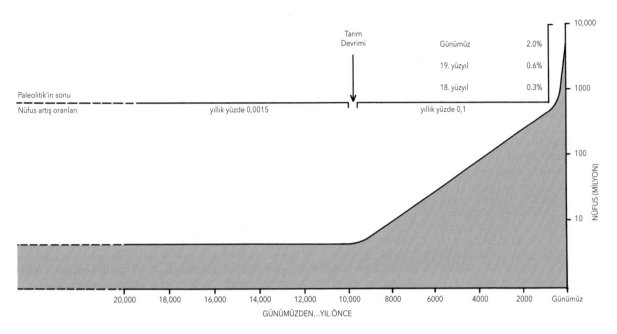

11.66 *Dünya nüfusundaki eğilimler: Tarım devriminden sonra büyüme hızı önemli ölçüde artmış ve son iki yüzyılda belirgin bir biçimde hızlanmıştır.*

Aborjinleri). Avustralya ve diğer yerlerdeki takımların büyüklükleri zaman içinde ve mevsimlerle birlikte büyük değişiklik gösterirler; genellikle 25'in altındadırlar. Buradan çıkan sonuç, böyle rakamların sadece kabataslak bir rehber olabileceğidir. Yine de tarihöncesi toplumlar için kesin nüfus rakamları belirleyemeyeceğimizi düşünürsek, bu türden rakamlar şüphesiz doğru büyüklük sırasında bulunan yararlı tahminler sağlar. En kaba tahminler bile insanın çevre üzerindeki potansiyel etkisi ya da inşa projeleri ve benzerleri için mevcut insan gücü hakkında bir fikir verir.

Peki büyük alanlardaki nüfus? Arkeolojik kanıtların söz konusu olduğu yerlerde sadece her bir bölgede arkeolojik alan sayılır; her bir kültürel safhada aynı zaman içerisinde bunlardan kaç tanesinde yerleşildiği belirlenir; ilgili her arkeolojik alanın nüfusu hesaplanır ve ardından nüfus yoğunluğu için yaklaşık bir rakama ulaşılır. Tarihi dönemler için bazen yazılı kanıtları kullanmak mümkündür. Mesela nüfus sayımları,

tahıl ithalatı ve diğer veriler bazında Yunanistan'daki Klasik dönem Attika bölgesinin nüfusu MÖ 431'de 315.000 ve MÖ 323'te 258.000'di. Bir başka Klasik Dönem örneğinde, bu sefer bir bölgeden ziyade bir şehirde, Pompeii ve Ostia'ya ilaveten yüzlerce endüstri öncesi ve modern şehirlerin nüfus yoğunlukları temel alınarak antik Roma'nın nüfusu yakın zamanda 450.000 olarak hesaplanmıştır. Genel olarak demografik tahminleri ele almanın en iyi yolu iki ya da üç bağımsız yöntem kullanmak ve bunların uyuşup uyuşmadıklarına bakmaktır.

Ne var ki, tarihöncesi boyunca geniş alanlara dair nüfus hesapları tahminlerden öteye geçmez. Paleolitik ve Mezolitik'te dünya nüfusunu üzerine tahminler 5 ila 20 milyonun üzeri arasında değişmektedir. Belki de gelecekte farklı ekonomik gruplar ve geçmiş çevrelerin taşıma kapasiteleriyle ilgili daha fazla bilgiyle, dünya nüfusu hakkındaki cazip soruyu cevaplayabiliriz.

ÇEŞİTLİLİK VE EVRİM

Son olarak, insan kalıntılarından insan topluluklarının kökenleri ve yayılımını tanımlama meselesine geliyoruz. Modern teknikler, bu türden çalışmaların İkinci Dünya Savaşı öncesine nazaran daha sağlam ve nesnel bir temele sahip olmalarını sağlamıştır.

Gen Çalışmaları: İçimizdeki Geçmiş

Erken nüfus hareketleri hakkındaki en iyi kanıtların çoğu artık "yaşayan bedenin arkeoloji"sinden, yani hepimizin taşıdığı genetik malzemede bulunan ipuçlarından elde edilmektedir. Örneğin insanların ilk kez Amerika kıtasına ne zaman geldiği gibi eski bir mesele yakın zamanda açıklığa kavuşmuştur ve bu da fosil kanıtlarından değil, modern Kızılderililerdeki genetik işaretçilerin yayılımından anlaşılmıştır (s. 473'teki kutuya bakınız).

Florida'da elde edilen fosil beyinlerden (s. 445'e bakınız) çıkarılanlar gibi geçmiş DNA'ları modern Kızılderililerinkiyle karşılaştırmak mümkündür. Eğer eski DNA artık mevcut olmayan özelliklere sahipse, bu durum söz konusu geçmiş insan grubunun ortadan kaybolduğunu ya da çok büyük bir değişikliğe uğradığını gösterebilir. Yaklaşık 8500 yıl öncesine tarihlenen "Kennewick Adamı" örneğinde, DNA sonuçları bu anlamda kraniyal analizlerden ayrılmaktadır (s. 558'e bakınız).

Rebecca Cann, Mark Stoneking ve Allan Wilson 1987'de etkili bir yazı kaleme almışlardır. Makale, hücre çekirdeğinde değil, fakat başka cisimlerde (mitokondriler) bulunan ve sadece kadınlardan geçen mitokondriyal DNA (mtDNA) üzerinde durmaktadır. mtDNA her iki ebeveynin genlerinin karışımı olan çekirdek DNA'sının aksine yalnız anneden geldiği için, nesiller boyunca sadece mutasyonla

değişen bir aile kaydını korur. Cann ve meslektaşları beş kıtadan (Afrika, Asya, Avrupa, Avustralya ve Yeni Gine) 147 modern kadına ait mtDNA'yı analiz etmiş ve Sahara altı Afrika soyunun aralarında en fazla farkı gösterdiğini saptamışlardır. Bu, mtDNA'larının mutasyon geçirmek için en fazla zamana, dolayısıyla en eski atalara sahip olduğunu ima etmektedir. Bu da türümüz *Homo sapiens*'in Sahra altı Afrika'da ortaya çıktığına işaret eder. mtDNA'nın mutasyon oranı için bir değer (bir milyon yılda %2-4) kullanan Cann ve meslektaşları, hepimizin soyundan geldiği 200.000 yıl önce yaşamış atasal kadına Eve (Havva) ismini takmışlardır. Ne var ki Havva'nın bir annesi olduğu ve diğer insanlarla aynı zamanda yaşadığı vurgulanmıştır. Aslında, çekirdek DNA'mızdaki genetik çeşitlilik, Havva'ya ya da onun çocuklarının çocuklarına birçok başka erkek ve kadın tarafından yapılmış muhtemel katkılarla açıklanabilir. Önemli nokta, Havva'nın ilk kadın *olmadığı*, fakat bugün dünyadaki herkesin atası olduğudur. Aynı tarihte yaşamış diğer kadınların da torunları olmuştur, fakat Havva *herkesin* soyağacında görünen tek kadındır.

11.67 *Modern insanların kökeniyle ilgili iki görüş. (solda) "Çok Merkezli Kuram": Bu görüşe göre Homo erectus'un 1 milyon yıl önce Afrika'dan göç etmesinden sonra modern insanlar dünyanın farklı kısımlarında bağımsız şekilde evrim geçirmişlerdir. (sağda) "Afrika'dan Çıkış": Genetik veriler şimdi modern insanların ilk kez Afrika'da evrimleştiğini, 60.000 yıl önce buradan diğer kıtalara göç ettiklerini ve eski Homo erectus topluluklarının yerini aldıklarını göstermektedir.*

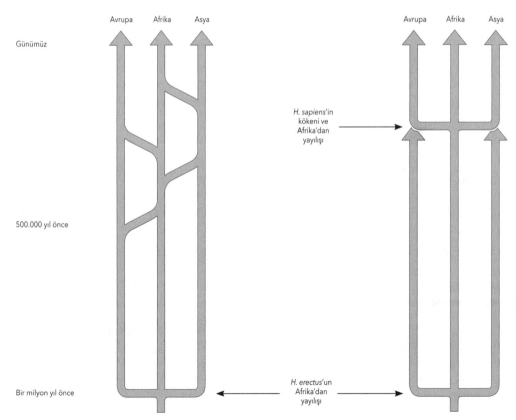

GENETİK VE DİL TARİHLERİ

Nüfus tarihini incelemek için dilbilimle birlikte genetik yöntemler giderek daha fazla kullanılmaktadır. Dünyanın birçok yerinde bir insan topluluğu tarafından konuşulan dil, o topluluğun sahip olacağı genetik karakteristikler için en iyi tahmin unsurudur (mesela kan gruplarında görüldüğü gibi).

Laurent Excoffier ve meslektaşları Afrika halklarını inceleyerek farklı insan topluluklarının kanlarında gammaglobulin çeşitlerinin sıklığı üzerine çalıştılar. Sıklık değerleri muhtelif topluluklar arasındaki benzerliklerle farklılıkları hesaplamak için kullanıldı ve ardından bunlar ağaç şeklinde haritalandırıldı.

Genetik kanıtlara dayalı bu sınıflandırmanın, aslında Afrika halklarını dil ailelerine göre düzenlendiği anlaşıldı. Mesela genetik sınıflandırma (gammaglobulin sıklıklarına dayalı) Bantu dili konuşan toplulukları bir arada gruplamaktadır. Kuzey Afrika'nın Afro-Asyatik diller konuşan halkları bir başka grubu meydana getiriyordu ve Khoisan dil ailesini kullanan pigmeler yine başka bir grubun üyesiydiler. Genetik niteliklerle dil arasındaki böylesine çarpıcı bir karşılıklı ilişki etkileyiciydi.

Luca Cavalli-Sforza ile meslektaşları genetik ve dilbilimsel sınıflandırmalar arasında çok yaygın bir ilişki bulunduğunu ileri sürerek her ikisinin de benzer evrimsel süreçlerin ürünü olduğunu iddia ettiler. Fakat dil değişimi, bireysel genlerin mutasyon oranı tarafından yönlendirilen genetik değişimden çok daha hızlı gerçekleşir. Bunun yerine, aradaki karşılıklı bağlantı kısmen dil değişiminin altında yatan süreçler yardımıyla açıklanır (s. 488-489'daki kutuya bakınız).

Eğer tarımın yayılımı bir bölgeye yeni bir dil konuşan yeni bir insan topluluğu getiriyorsa, dil değişimine genetik değişim de eşlik edebilir.

DNA ve Diller

Konuştukları dillerle tanımlanan toplulukların yakınlığını çalışmak için mtDNA (mitokondriyal) ve Y kromozomu araştırmaları giderek daha fazla kullanılmaktadır. Belirli zaman ve yerlerle bağlantılı insan kalıntılarından alınmış eski DNA erişilebilir olduğunda –Montana'daki Anzick arkeolojik alanından "Clovis Oğlanı" gibi (s. 474'e bakınız)- durum daha karmaşık, ama yine de daha güvenilir bir hâl alır.

Moleküler genetiğin nüfus çalışmalarına ve tarihi dilbilime uygulanması hâlen emekleme dönemindedir, ama elde edilecek potansiyel veri nicel anlamda muazzamdır ve bu, şüphesiz giderek genişleyen bir alandır.

Amerika kıtasındaki mtDNA çalışmalarından gelen bazı kanıtlar, belirli bir dili konuşanların komşularından farklı haplogrup sıklıklarına sahip olabildiğini ve aslında söz konusu özel haplogrupların belli dilleri kullananların karakteristiği gibi görülebileceğini düşündürmektedir. Bu "nüfusa özel çokbiçimlilik" olgusu ve bunun belirli dillerle olan bağlantısı daha fazla araştırmaya ihtiyaç duymaktadır (s. 231'e bakınız), ancak gördüğümüz gibi Afrika insan toplulukları için (belirli dillerden ziyade dil ailelerinin karşılaştırıldığı yerlerde) aşikârdır.

Moleküler genetikçiler ayrıca genellikle Khoisan dil ailesine atfedilen saklamalı dillerin konuşucuları Afrika dil gruplarını da (!Kung ve Hadza dâhil) incelemişlerdir. mtDNA'yı kullanarak bu farklı grupların sadece genetik anlamda çok uzaktan akraba olduklarını, ortak atalarının tahmini 27.000 yıl kadar öncesine gittiğini meydana çıkarmışlardır. Eğer paylaştıkları özel dilbilimsel nitelikler gerçekten ortak bir atadan alındıysa, dikkati çekecek kadar uzun bir dönem boyunca korunmuşlardır.

Makroaileler

Rus ve İsrailli dilbilimciler Eski Dünya'nın batısındaki bir kısım büyük dil ailelerinin (Hint-Avrupa, Afro-Asyatik, Ural-Altay, Dravid ve Kartvelyan) "Nostratik" adını verdikleri daha kapsayıcı (ve daha eski) tek bir makroaile içinde sınıflandırılabileceğine dair tartışmalı bir görüş öne sürdüler. Amerikalı dilbilimci Joseph Greenberg benzer bir "Avrasyatik" makroailesi önermekle birlikte, sınırları farklı çizmiştir. Greenberg 1963'te Afrika'nın çeşitli dillerini sadece dört makroaile içinde gruplamış ve bu önerisi geniş kabul görmüştür, fakat Amerika kıtasının yerel dilleri için ancak üç makroaileye yer vermesi (Eskimo-Aleut, NaDene ve "Amerind") tarihi dilbilimciler tarafından çok eleştirilmiştir.

Buna rağmen moleküler genetikçilerin elde ettiği kanıtlar Greenberg'ün görüşünün destekleyicileri olarak kabul edilmiştir ve gördüğümüz gibi Afrika'da onun sınıflandırmasıyla moleküler genetik veriler arasında karşılıklı bir ilişki bulunmaktadır. Bir bütün olarak sorun aynı zamanda Amerika, Avustralya (arka sayfadaki kutuya bakınız) ve diğer kıtalarda insan yerleşmeleri meselesiyle at başı gitmektedir. Birçok dilbilimcinin şüpheleri göz önüne alındığında, şimdilik arkeologların "Amerind" ya da "Nostratik" gibi kavramlara karşı ihtiyatla yaklaşmaları muhtemelen akıllıca olacaktır. Genetik veriler dilbilimsel "kümeciler" ile (uzun mesafeli dilbilimsel bağlantılara ve makroailelere şüphe duyan "bölünmeciler"e karşı, bunların savunucusu grup) iyi uyum sağlayabilecek bir sınıflandırmayı desteklese bile başka açıklamalar olabilir. Dilbilimsel manzara netleşinceye kadar ihtiyat sürecektir.

Türümüzün tahminen yaklaşık 60.000 yıl önce başlamış Afrika'dan çıkış süreci sonucunda yayıldığı açıktır. Artık yaygın olarak kabul edilen bu görüş, "Çok Merkezli Kuram" olarak bilinen alternatifin karşısındadır. Buna göre dünyanın farklı kısımlarında atamız *Homo erectus*'un *Homo sapiens*'e evrilmesini de içeren bir evrimsel süreç mevcuttu. Ancak bunun yerine, *Homo erectus*'tan gelen ve Afrika dışında yaşayan nesillerin soyu tükenmiş ve yaklaşık 60.000 yıl kadar önce yeni *sapiens* insanlar onların yerini almıştır. Bu görüş, erkek soyundan gelen (ve aynı şekilde bir sonraki kuşağa geçerken yeniden şekillenmeyen) Y kromozomu üzerindeki incelemeler tarafından desteklenmektedir.

mtDNA ve Y kromozomu çalışmalarıyla elde edilen kanıtlar türümüz için ağırlıklı olarak "Afrika kaynaklı" bir kökene işaret etmekle kalmaz, aynı zamanda Afrika çıkışlı ilk insan hareketlerinin giderek daha doğru ve iyi tarihlenen bir resmiyle birlikte bunun ardından insanların dünya üzerindeki çeşitli yayılma şekillerini bize sunar. Yeni bir disiplin olan arkeogenetik hâlihazırda dil çalışmalarıyla birleştirildiğinde ilginç sonuçlar ortaya çıkarmaktadır. Şu anki sonuçlar deneyseldir, ama gelecek on yılda çok daha açık bir manzara ortaya çıkması muhtemeldir. Kendi hücrelerimizin arkeolojisi biz ve geçmişimiz hakkında daha fazlasını söylemeye başlamıştır, ancak yaşayan halklara dayalı genetik çalışmalar, sadece geçmiş halkların soyundan gelenler varsa bize onlar hakkında bir şeyler anlatabilir; tamamen yok olanlara dair hiçbir şey aktaramaz. Bunun için eski DNA'ya dönmemiz gerekir.

Eski Genom Biliminin Doğuşu: Neanderthal DNA'sı

Şimdiye kadar moleküler genetik biliminin uygulanışında çalışmaların çoğu yaşayan halklardan alınan örneklerin incelenmesinden geldi. Fakat eski gömütlere ve diğer insan kalıntılarına ait eski DNA tarafından yapılan katkının büyük önem arz ettiği yakında anlaşılacaktır. Kayda değer ilerleme, Almanya'nın batısındaki Neander Vadisi'nde –ismini "Neanderthal İnsanı"'na [*thal* Almanca "vadi" demektir –ç.n.] vermiştir– 1856'da keşfedilmiş orijinal fosillerden birinde bulunan Neanderthal DNA'sının incelenmesiyle elde edilmiştir. Münih'te Matthias Krings ve Svante Pääbo, Pennsylvania Üniversitesi'nde Anne Stone ve Mark Stoneking'le birlikte genetik malzeme elde etmeyi ve ardından mtDNA katmanlarını amplifiye etmeyi başardılar. Üst üste binen amplifikasyonları kullanarak 360'ın üzerinde baz çifti uzunluğunda mtDNA sırasını elde ettiler.

Bunlar insanlardaki benzer sıralarla karşılaştırıldığında 27 farklılık bulundu. İnsanlarla şempanzeler arasında tahmini 4 ila 5 milyon yıl öncesine giden ayrılma tarihini ve sabit mutasyon oranlarını kabul ederek, Neanderthal mtDNA'sıyla çağdaş insan mtDNA'sının birbirinden ayrılma tarihi olarak 550.000-690.000 yıl öncesine ulaştılar (insanlar arasındaki

120.000-150.000 yıllık farklılık oranıyla kıyaslayarak). Daha yakın tarihli bazı hesaplamalar, insan ve Neanderthal ata toplumlarının ayrıldığı zamanı epeyce geç bir tarihe, yaklaşık 370.000 yıl öncesine koyar.

İnsanlar için verilen bu ayrılma tarihleri, insanın kökenleri hakkındaki güncel düşüncelerle ve "Afrika'dan Çıkışı" varsayımıyla iyi uyuşmaktadır. Asıl sürpriz, insan-Neanderthal ayrımının önce düşünüldüğünden daha erken tarihte gerçekleşmiş olduğudur. Neanderthal'ler hâlâ bizim "kuzenlerimiz" gibi düşünülebilir, ama eskiden kabul edildiğine kıyasla çok daha uzak kuzenlerimizlerdir.

Yakın bir tarihte, Svante Pääbo tarafından yürütülen Leipzig'teki Max Planck Evrimsel Antropoloji Enstitüsü merkezli Neanderthal genom projesi, Hırvatistan Vindija Mağarası'ndan 40.000-38.000 yaşında Neanderthal kemiklerini kullanarak bütün bir Neanderthal genomunun taslak sıralamasını yayımlamıştır. Bu eski DNA'ya dayalı şimdilik en büyük projedir ve Neanderthal genomunun kabaca 3,2 milyar baz çiftinin modern insan geniyle hemen hemen aynı olduğuna işaret eder. Modern insanlarla Neanderthal'ler arasındaki ayrımın günümüzden önce 400.000 ve 270.000 arasında meydana geldiği tahmin edilmektedir ki bu, yukarıda bahsedilen mtDNA temelli olana göre daha yakın tarihli bir tahmindir. Aynı zamanda Neanderthal'lerin modern Afrikalılardan ziyade yaşayan Avrupalılara ve Asyalılara çok daha yakın oldukları gözlemlenmiştir. Bu durumu, Neanderthal'lerden modern insanlara genomun %1 ila 4 arasında bir gen akımının olduğu sonucuna vararak açıklamışlardır. Söz konusu gen akımının günümüzden önce 80.000-50.000 yıl arasında meydana geldiği kabul edildiğinde ve Neanderthal'lerin modern Çinli ya da Papua Yeni Gineli kadar bir Fransızla da çok yakın akraba oldukları düşünüldüğünde, "Bu, günümüzdeki Afrikalı olmayanların atası

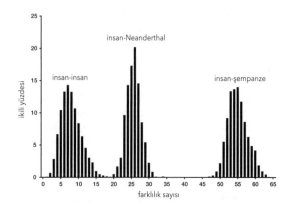

11.68 *İnsanlar, Neanderthal'ler ve şempanzeler arasındaki ikili DNA dizileme yayılımları (x ekseni: dizileme farklılıklarının sayısı; y ekseni: ikili karşılaştırmaların yüzdesi) insan-Neanderthal farklılıklarının daha önce düşünüldüğünden daha fazla, dolayısıyla Neanderthal'lerin insan türünün daha uzak kuzeni olduğunu göstermektedir.*

11.69 *Torroni, Forster ve meslektaşlarının önerdiği tarihlere dayalı Sibirya'dan Kuzey Amerika'ya doğru üç muhtemel göç yolunu gösteren harita. Bu, gelecek araştırmaların değiştirebileceği belki de çok basit bir açıklamadır.*

Kuzeydoğu Asya ve Sibirya uzun zamandan beri Yeni Dünya'nın ilk kolonicilerinin yola çıktığı yerler olarak kabul edilmiştir. Fakat Bering Boğazı'ndan Amerika kıtasında tek bir ya da birkaç büyük göç dalgası mı vardı? Bu olay veya olaylar ne zaman gerçekleşmişti? Son yıllarda dilbilim ve genetik alanlarındaki araştırmalardan yeni ipuçları ortaya çıkmıştır.

Dilibilimsel Kanıtlar

Dilbilimci Joseph Greenberg 1950'lerden beri bütün yerel Amerikan dillerinin sadece üç ana makroaileye dâhil olduğunu iddia ediyordu: Amerind, NaDene ve Eskimo-Aleut. Bu iddia başlıca üç göç fikrinin doğmasına neden oldu.

Greenberg, Amerika yerlileri tarafından eskiden konuşulmuş 1000'den fazla dili açıklamak için birden fazla büyük göç dalgasını tercih eden çoğu dilbilimcinin arasında azınlıktaydı.

YENİ DÜNYA VE AVUSTRALYA HALKLARININ KÖKENLERİNİN ARAŞTIRILMASI

Genetik Kanıtlar

Önce mitokondriyal DNA (mtDNA), ardından Y kromozumu çalışmalarından gelen moleküler genetik kanıtlar şimdi daha net içgörüler sunmaktadır. Her şeyden önce her bir kıtanın (Avrupa, Asya, Amerika) kuzey enlemlerinde Buzul Çağı şartlarının genetik varyasyonlar üzerindeki potansiyel etkileri hesaba katılmalıdır. 1993'te hem Sibirya hem de Amerika'nın kuzey enlemlerinde ana mtDNA haplogruplarının tümden eksik olduğu keşfedilmiştir. Ardından 1994'te Andrew Merriwether ve meslektaşları bütün Amerika yerlilerinin tek bir yeni nüfus dalgasının soyundan geldiği önerisini sundular, çünkü Amerika kıtasındaki dört ana mtDNA haplogrubu (A, B, C, D) burada neredeyse her yerde bulunuyordu. Merriwether şuna dikkat çeker (1999, 126): "Bütün bu tiplere sahip tek bir göç dalgası ve onun gelişi sırasında ya da sonrasını takiben dilbilimsel ve kültürel çeşitlilik çok daha kısıtlıdır."

Forster, Torroni ve meslektaşları 1996'da bu ilk giriş dalgası için 25.000-20.000 yıl öncesini vermiş ve bunu takiben Amerika, Sibirya ve Avrupa'daki Son Buzul Maksimum'dan sonra - günümüzden 16.000 yıl önce- kuzey enlemlere doğru bir genişleme ortaya atmışlardır. Bu, Greenberg'ün Amerind'i neden bir dil ailesi olarak kabul ettiğini (çoğu dilbilimci tarafından hararetle tartışılmaktadır, ama genetik açıdan çok mantıklıdır) ve daha geç tarihli genişlemelerin ürünü olan NaDene ve Eskimo-Aleut'un neden ayrı dil aileleri gibi göründüklerini açıklar. Amerika yerlisi Kızılderili erkeklerin %85'i tarafından taşınan belirli bir mutasyona (bazen "Amerika Yerlisi Adem"e atfedilir) işaret eden Y kromozomu kanıtları benzer imalar içermektedir.

Bazı arkeologlar bugün için Amerika kıtasına ilk yerleşen insanların Son Buzul Maksimum'dan, yani 20.000 yıldan önce geldiğini kabullenmekte isteksiz davranmaktadır. Rusya'daki Kamçatka'da bulunan ve Alaska'ya bakan Uşki buluntu yerinden yeni kanıtlar konuyla alakalı olabilir. Yaklaşık 14.000 yıllık Clovis buluntu yeriyle ve ondan birkaç bin yıl daha erken Clovis öncesi buluntularla çağdaş olan 17.000 yıl öncesine ait bu yer, Kuzey Amerika'daki iki yüzeyli endüstrisinin uygun bir önceli kabul ediliyordu. Fakat Uşki'den 2003'te alınan radyokarbon tarihleri buluntu yerini yaklaşık 13.000 yıl öncesine yerleştirdi ve Clovis'le olan benzerlikler için başka bir açıklamaya ihtiyaç duyuldu. Hafirler Ted Goebel, Michael Waters ve Margarita Dikova'nın belirttiği gibi "Belki de Clovis Kuzey Amerika sınırları dâhilinde, bulunduğu yerde gelişti ve Son Buzul Maksimum'da (>24.000 Cal GÖ) Sibirya'dan gelen çok daha erken bir göçten türedi. Sadece Kuzeydoğu Asya ve Amerika kıtasındaki yeni kazılar bu meseleyi çözecektir."

Avustralya

Çağdaş Avustralya yerli nüfusu üzerinde yapılan moleküler genetik araştırmaları şimdi Avustralya'nın en erken iskânına ışık tutmaya başlamıştır. Avustralya ve Hint Okyanusu çevresindeki diğer birçok halk arasında bulunan derin mtDNA ve Y kromozomu dallanma modeli, yaklaşık 50.000 yıl önceki ilk iskândan sonra kaydadeğer bir tecrite işaret etmektedir. Avustralya'ya doğru sadece ikincil bir küçük gen akışı tespit edilmiştir ki, bu da Avustralya'yla Yeni Gine arasındaki kara köprüsünün 8000 yıl kadar önce sulara gömülmesinden evvel gerçekleşmiş olabilirdi. Bu durum daha geç Avustralya prehistoryasında Pama-Nyungan dil ailesinin doğuşu ya da sırtlı dilgi taş alet endüstrisinin gelişimi gibi önemli ilerlemelerin dışardan harekete geçirilip geçirilmediğini tartışmaya açacaktır.

erken modern insanların Ortadoğu'daki Neanderthal'lerle Avrasya'ya göçlerinden önce karışmalarıyla açıklanabilir." Böyle bir senaryo arkeolojik kayıtlarla uyum içindedir, zira araştırmalar modern insanların Yakındoğu'da 100.000 yıl önce ortaya çıktığını göstermiştir; Neanderthal'ler ise aynı bölgede bu tarihten sonrasına, muhtemelen 50.000 yıl öncesine kadar görünmektedir (Green ve diğerleri 2010, 718). Bu sonucun tartışmalı olduğu ortaya çıkmıştır. Neanderthal genom projesinin yaptıkları yine de insanlık geçmişini anlamamıza yönelik önemli bir adımı temsil eder.

Sibirya'daki Denisova'dan bir başka fosil kalıntısına ait eski DNA analiziyle durum daha karmaşıklaşmıştır. Analiz sonucuna göre söz konusu birey ne insan ne de Neanderthal'di, fakat insan ve Neanderthal soyundan 1 milyon yıl önce ayrılmış bir türe dâhil bir hominindi. Diş ve parmak kemiğinin bütün gen dizilimi Denisova'lıların hem Batı Avrasya Neanderthal'lerinden hem de modern insanlardan farklı bir evrimsel geçmişten geldiğini düşündürmekle birlikte, yeni bir tür iddiasının geleneksel olarak daha çarpıcı kafatası ve iskelet kısımlarıyla desteklenmesi gerekir.

Leipzig'teki Max Planck Evrimsel Antropoloji Enstitüsü'nden Matthias Meyer ve meslektaşlarının Orta Pleistosen'den (300.000 yıldan daha yaşlı) bir homininin mitokondriyal genom dizilimini başarılı şekilde yeniden elde etmesi, bir diğer önemli dönüm noktasıdır. Örnek, İspanya'daki Sierra de Atapuerca'da bulunan Sima de los Huesos'tan bir uyluk kemiğiydi (s. 396-397'deki kutuya bakınız). Bu, şimdiye kadar elde edilmiş en eski hominin DNA dizilimidir ve dolayısıyla Pleistosen'de hominin evrimi hakkında eski DNA aracılığıyla daha fazla çalışma yapılabilmesinin yolunu açarak bir ilki gerçekleştirmiştir. İskelet kalıntıları *Homo heidelbergensis* ile ilgili özellikler göstermektedir. İlginç ve beklenmedik şey ise, 200.000 yıldan daha fazla bir süre sonra Denisova'lıların mitokondriyal genomlarına giden soyla çok yakından alakalı olmasıdır. Birçok antropolog Neanderthal'lerin Sibiryalı çağdaşları Denisova'lılardan ziyade Neanderthal'lerin kendisiyle daha yakın bir ilişki bekleyecekti.

"Modern" İnsanların Eski DNA'sı

Moleküler genetiğin insanın kökenlerine (buna kendi türümüz *Homo sapiens*'in "Afrika'dan Çıkış" kuramının formülasyonu da dâhildir) dair ilk önemli uygulamalar, ilişkileri ve köken tarihleri (filogenetik) hakkında çıkarımların yapılabildiği geniş bir yaşayan nüfus yelpazesinden alınan örneklere dayanmaktadır. İyi korunmuş eski kalıntılardan –kemik, diş, saç, hatta insan dışkısından– alınan eski DNA (bazen "eDNA" olarak da kısaltılır) ile çalışmak, bunların örneklerle ilgilenen teknisyenlerin DNA'sı tarafından kirletilmeleri sorununu gündeme getirir. Eski DNA Neanderthal'lerin iskelet kalıntılarından geldiğinde, bunları tespit etmek daha kolaydır ve kısmen bundan dolayı eski DNA ile ilgili çoğu başarılı erken çalışma Neanderthal kalıntıları üzerinde

yürütülmüş olanlardır. Kendi türümüze ait anatomik açıdan modern insanların eski DNA'sı üzerine çalışmalar sadece yakın bir tarihte, Üst Paleolitik ve aslında aynı zamanda Holosen'de, geçmiş 12.000 yıla ait tarihöncesi insan kalıntılarıyla başlamıştır.

Soğuk ortamlar eski DNA'nın korunması için ideal şartlar sunar ve dolayısıyla en pozitif sonuçlar şimdiye kadar Kuzey Avrupa, Sibirya ya da Kuzey Amerika'dan gelmiştir. Radyokarbonla yaklaşık 45.000 yıl öncesine tarihlenen Batı Sibirya'daki Ust'-Ishim'de bir nehir kıyısında ele geçmiş uyluk kemiği parçası özellikle ilginç sonuçlar vermiş, Y kromozomu ve mitokondriyal DNA yanında otozomal veriler de sunmuştur. Bu, yüksek kalitede genom dizilimi sağlamış en eski anatomik olarak modern insandır. Genetik çeşitlilik bakımından Ust'-Ishim bireyinin ait olduğu nüfus günümüz Afrikalılarından çok günümüz Avrasyalılarına benziyordu. Qiaomei Fu ve meslektaşları Ust'-Ishim bireyinin, Altay Dağları'nda belgelenmiş 47.000 yıl öncesine ait "İlk Üst Paleolitik" alet endüstrisinin Asya koluyla ilişkisinin mümkün olduğu sonucuna varmışlardır. O hâlde bu birey günümüz toplumlarında herhangi bir torun bırakmamış Avrupa ve Orta Asya'ya erken tarihli bir modern insan yayılımını temsil etmektedir. Ust'-Ishim bireyinin ait olduğu nüfus günümüz Batı ve Doğu Avrasya halklarından, bunların birbirinden ayrılmasından önce (ya da aynı tarihlerde) kopmuştur. Fu ve meslektaşlarının bu eski DNA sonuçlarıyla ilgili yayını (2014) erken insan yayılımları ve demografik süreçleri hakkındaki böyle çalışmalardan ne kadar fazla şey ümit edebileceğimizin göstergesidir.

Eski DNA alanındaki araştırmaların hızı, 2014'te Kopenhag'tan Morten Rasmussen ve meslektaşlarının Batı Montana'daki Anzick mezarlığından radyokarbonla 12.500 yıl öncesine tarihlenmiş bir erkek çocuğun genom analiziyle de gösterilmiştir. Clovis endüstrisi aletleriyle birlikte ele geçen kalıntılar, adı geçen kültürle doğrudan ilişkilendirilebilen tek insan gömütüne aittir. Çocuğun mtDNA'sı "İlk Amerikalılar" tarafından taşınan kurucu soylardan birine aitti ve Y kromozom soyu da Amerika yerlileriyle ortaktı. Çekirdek genomunun Avrasyalılar ve Amerika yerlileriyle karşılaştırması, diğer Avrasyalılara nazaran Sibiryalılara daha yakın olduğunu gösterdi. Bu sonuçlar Reich ve meslektaşlarının yakın tarihli Amerika yerlileri nüfus tarihinin rekonstrüksiyonuna uymaktaydı: Aznik oğlanı ilk Kızılderili "göçü"nün bir parçasıydı ve bunu göçü daha sonra NaDene, ardından Eskimo-Aleut dilleri konuşanların ataları izlemiş, bu da s. 473'te bahsedilen modele uyumlu bir süreç ortaya çıkarmıştır. Yaklaşık 4000 yıl önce Batı Grönland'da yaşamış bir Paleo-Eskimo erkeğinin saçından 2008'de alınan neredeyse eksiksiz mtDNA genomu, eski DNA'nın bir başka katkısıdır.

Avrupa'da eski DNA, sadece yaşayan halklara ait DNA'lara bel bağlanırsa durumun göründüğünden daha karmaşık olabileceğini göstermiştir. Kökenleri Anadolu ya da Yakındoğu'da bulunan bir erken Avrupalı çiftçi grubu şimdi Almanya ve İsveç'deki erken Neolitik gömütlerden (ve Tyrol "Buz Adamı"ndan; s. 70-71'deki kutuya bakınız) alınmış örneklerden tanımlanabilmektedir. Bir Batı Avrupa çiftçi grubu da İspanya ve Lüksemburg'taki avcı-toplayıcı (Mezolitik) kontekstlerinden örnekler sayesinde tespit edilebilmektedir. Mal'ta da dâhil Sibirya arkeolojik alanlarından bir eski Kuzey Avrasya grubu bilinmektedir. Büyük ölçüde

iklimsel sebeplerden dolayı Güneydoğu Avrupa'dan henüz örnekler almak mümkün olmamıştır, fakat tarımın ilk geldiği zaman dilimi civarında Avrupa'nın erken halklarına dair bir resim kademeli olarak açığa çıkmaktadır. Eski DNA şüphesiz Tunç ve Demir çağlarında Avrupa'nın nüfus tarihine dair yeni içgörüler sunacaktır.

Illinois'daki Norris Farm'da yer alan Oneota mezarlığından MS 1300 civarına ait eski DNA örnekleri s. 231'de

KİMLİK SORUNU

tartışılmıştır.
Bu bölümde insanların arkeolojisiyle ilgilenirken, "Neye Benziyorlardı?" başlığı biyolojik antropolojinin birçok tekniği kullanılarak bir dizi perspektiften ele alındı. Konu doğal olarak bireylerle gruplar arasındaki farklılıkları kapsar ve biyolojik çeşitliliğin muhtelif sorunlarını içerir. Öte yandan, "Kimlerdi?" sorusu onların kimliklerini nasıl inşa ettiklerine ya da başkaları tarafından kimliklerinin hem bireysel hem de toplu olarak nasıl algılandığına dayanan daha karmaşık bir sorudur.

Moleküler genetik teknikler bugün insan soyağaçlarını izleme konusunda çok etkiliyken ve bunu yaparak dünyanın insanlarca iskân tarihini ana hatlarıyla belirtirken, başvurulan muhtelif sınıflandırıcı kategorilerin –haplotipler– öneminin giderek daha çok belirsizleşmesi belki de bir paradokstur. Bu

bölümün başında belirtildiği gibi, sözde nesnel bir düşünce olarak "ırk" kavramı giderek doğruluğunu kaybetmektedir ve sorunludur. Açık olan, insanların gerçekten sıklıkla soya dayanarak kendileri için sosyal gruplar meydana getirdikleri ve bu grupların üyeleri nezdinde kayda değer bir önem arz ettikleridir. Dahası insan dilleri öyle bir çeşitliliğe sahiptir ki, onları konuşan gruplar genellikle kendilerini doğal sosyal gruplar olarak görürler; birçok etnik grup bu türdendir. Bu manada etnisite sosyal bir olgudur ve 5. Bölüm'de "Sosyal Arkeoloji" başlığı altında incelenecektir (ayrıca s. 194'teki "Geçmiş Etnik Kimlikler ve Dil" hakkındaki kutuya bakınız). Bireyin arkeolojisi elbette etnik konuların ötesine geçerek toplumsal cinsiyet, yaş, akrabalık, sınıf, din gibi konuları ve diğer sınıfsal boyutları içine alır. Bu meseleler 5 ve 10. bölümlerde daha ayrıntılı işlenecektir.

ÖZET

▌ Geçmiş halkların fiziksel kalıntıları onların hayatları hakkında doğrudan kanıt sağlar. Biyoarkeoloji, arkeolojik alanlardan gelen insan kalıntılarının incelenmesidir. İnsanların vücutları bütün olarak mumyalama ve donma gibi farklı biçimlerde korunabilmelerine rağmen, arkeologlar tarafından ortaya çıkarılan insan kalıntılarının çok büyük bir kısmı iskeletler ve kemik parçaları şeklindedir.

▌ İnsan kalıntıları analizinin önemli bir bölümü fiziksel özelliklerin belirlenmesidir. Mesela yetişkin iskelet kalıntılarının ait olduğu cinsiyet leğen kemiğinin dışında diğer kemiklerin şekilleri gözlemlenerek anlaşılabilir. Dişler bir bireyin ölüm anındaki görece yaşını, yani genç, yetişkin veya yaşlı olduklarını belirlemeye yardım edebilir. Hatta kafatası özelliklerini dikkatlice inceleyerek bir bireyin görünüşünü yeniden canlandırmak mümkündür.

▌ Mumyalar gibi bozulmamış vücutlar bulunduğu zaman kesin ölüm nedeni bazen ortaya çıkarılabilmektedir. İskelet kalıntıları söz konusu olduğunda ölüm nedeni sadece nadiren belirlenebilir, çünkü çoğu hastalık kemik üzerinde iz bırakmaz. Yalnızca şiddet, kaza, doğuştan deformasyon ve bir avuç hastalığın etkileri kemikler üzerinde görülebilir.

▌ Erken tıbba ilişkin kanıtlar yazılı ve fiziksel kaynaklardan elde edilmektedir. Yazıyı geliştirmiş toplumlar bir dizi hastalığı ve onların tedavilerini kaydetmişlerdir. Fiziksel olarak arkeolojik kalıntılar zaman zaman ameliyat izleri barındırabilir. Cerrah aletleri tüm dünyadaki arkeolojik kontekstlerde ele geçmiştir.

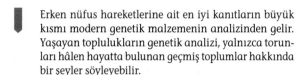

Demografik arkeoloji toplulukların büyüklüğü, yoğunluğu ve büyüme oranı hakkında tahminler yapabilmek için arkeolojiden faydalanır. Bu, yerleşme verileri kadar belirli bir çevrenin hayvan ve bitki kaynakları zenginliğine dair analizler sayesinde yapılabilir.

Erken nüfus hareketlerine ait en iyi kanıtların büyük kısmı modern genetik malzemenin analizinden gelir. Yaşayan toplulukların genetik analizi, yalnızca torunları hâlen hayatta bulunan geçmiş toplumlar hakkında bir şeyler söyleyebilir.

İLERİ OKUMA

Aşağıdakiler insan kalıntıları çalışmalarına dair iyi bir giriş niteliğindeki eserlerdir:

Aufderheide, A.C. 2003. *Scientific Study of Mummies.* Cambridge University Press: Cambridge & New York.

Blau, S. & Ubelaker, D.H. 2008. *Handbook of Forensic Archaeology and Anthropology.* Left Coast Press: Walnut Creek.

Brothwell, D. 1986. *The Bog Man and the Archaeology of People.* British Museum Publications: Londra; Harvard University Press: Cambridge, Mass.

Chamberlain, A.T. & Parker Pearson, M. 2001. *Earthly Remains. The History and Science of Preserved Human Bodies.* British Museum Press: Londra; Oxford University Press: New York.

Larsen, C.S. 2002. *Skeletons in our Closet: Revealing our Past through Bioarchaeology.* Princeton University Press: Princeton.

Mays, S. 2010. *The Archaeology of Human Bones.* (2. basım) Routledge: Londra.

Roberts, C.A. 2012. *Human Remains in Archaeology: A Handbook.* (gözden geçirilmiş baskı) Council for British Archaeology: York.

Waldron, T. 2001. *Shadows in the Soil: Human Bones and Archaeology.* Tempus: Stroud.

White, T., Black M. & Folkens, P. 2011. *Human Osteology* (3. basım). Academic Press: New York.

Hastalık ve deformasyon için şu eser bir giriş sunarlar:

Ortner, D.J. 2003. *Identification of Pathological Conditions in Human Skeletal Remains.* (2. basım) Academic Press: Londra.

Roberts, C. & Manchester, K. 2010. *The Archaeology of Disease* (3. basım) Alan Sutton: Stroud; Cornell University Press: Ithaca.

Nüfus çalışmaları için bkz.:

Chamberlain, A. 2006. *Demography in Archaeology.* Cambridge University Press: Cambridge & New York

Neanderthal'lerin ve modern insanların evrimi için bkz.:

Johanson, D. & Edgar, B. 2006. *From Lucy to Language.* (2. basım) Simon & Schuster: New York.

Stringer, C. & Andrews, P. 2010. *The Complete World of Human Evolution.* (2. basım) Thames & Hudson: Londra & New York.

Moleküler genetiğin uygulanışı ve kararlı izotop çalışmaları için bkz.:

Brown, T. A. & Brown, K. 2011. *Biomolecular Archaeology: an Introduction.* Wiley Blackwell: Oxford

Cavalli-Sforza, L.L., Menozzi, P.& Piazza, A. 1994. *The History and Geography of Human Genes.* Princeton University Press: Princeton.

Jobling, M.A., Hurles, M.E. & Tyler-Smith, C. 2004. *Human Evolutionary Genetics: Origins, Peoples & Disease.* Garland Science: New York.

Jones, M. 2001. *The Molecule Hunt: Archaeology and the Hunt for Ancient DNA.* Allen Lane: Londra & New York.

Matisoo-Smith, E. & Horsburgh, K. A. 2012. *DNA for Archaeologists.* Left Coast Press: Walnut Creek, CA.

Olson, S. 2002. *Mapping Human History: Discovering the Past through our Genes.* Bloomsbury: Londra; Houghton Mifflin: Boston.

Renfrew, C. 2002. "Genetic and language in contemporary archaeology", şurada: Cunliffe, B., Davies, W. & Renfrew C. (ed.) *Archaeology, the Widening Debate.* British Academy: Londra, 43-72.

Renfrew, C. & Boyle, K. (ed.). 2000. *Archaeogenetics: DNA and the Population Prehistory of Europe.* McDonald Institute: Cambridge.

Sykes, B. (ed.). 1999. *The Human Inheritance: Genes, Languages and Evolution.* Oxford University Press: Oxford.

Wells, C. 2002. *The Journey of Man, a Genetic Odyssey.* Princeton University Press: Princeton.

ŞEYLER NEDEN DEĞİŞTİ?

Arkeolojide Açıklama

"Neden?" sorusunun cevabını vermek arkeolojideki en zor iştir. Aslında herhangi bir bilim dalında veya bilgi alanında en zorlu ve ilginç görevdir, çünkü bu soruyla birlikte, şeylerin sadece görünüşlerinden öteye geçerek olayların örüntüsünü *anlamanın* yollarını arayan bir analiz düzeyine ulaşırız.

İnsanlığın geçmişiyle ilgili birçok kişiyi motive eden bu hedeftir. Ölmüş ve göçüp gitmiş olanları inceleyerek, kendimizin ve çağdaşlarımızın yaşamlarının gidişatıyla ilgili bir şeyler öğrenme isteği vardır. Erken ve uzak tarih-öncesi dönemler yanında daha yakın tarihi dönemleri de çalışmamıza izin veren arkeoloji, beşeri bilimler arasında kayda değer bir zaman derinliği sağlaması açısından eşsizdir. Dolayısıyla, eğer insan ilişkilerinde bir örüntü varsa, arkeolojik zaman ölçütü bunları ortaya çıkarabilir.

İlginç ve kışkırtıcı *Why the West Rules – For Now (Dünyaya Neden Batı Hükmediyor - Şimdilik*, 2011) adlı çalışmasında arkeolog ve tarihçi Ian Morris "tarih modelleri ve bunların gelecek hakkında ne ifşa ettiği" üzerine yazmıştır ve "tarih yasalarının bir sonraki aşamada neler olabileceğine dair oldukça iyi bir fikir verdiğini" söyleme cesaretini göstermektedir. Morris'in vizyonu bizim "tüm insanlık tarihine tek bir hikâyeymiş gibi bakarak genel şeklini, neden o şekle sahip olduğunu kavramadan önce belirlememizi" talep eder (Morris 2011, 22). Yaklaşımı üç araca ihtiyaç duyar: biyoloji, sosyoloji (yani sosyal bilimler) ve coğrafya. Bu faktörlerin karşılıklı etkileşimlerinden tarih ortaya çıkar.

Geçmişte değişim hakkındaki geleneksel açıklamalar yayılım (difüzyon) ve göç kavramlarına odaklamıştı. Buna göre bir gruptaki değişimler, komşu ve üstün bir grubun ya gelişi ya da etkisiyle meydana gelmekteydi. Fakat 1960'larda Yeni Arkeoloji'nin süreçsel yaklaşımı önceki açıklamaların yetersizliklerini ortaya çıkardı. Arkeolojik araştırmaya dayanak oluşturacak hiçbir iyi kurulmuş kuram topluluğu yoktu (bu, büyük ölçüde hâlen geçerlidir, ama birçok teşebbüs olmuştur).

Yeni Arkeoloji başlarda teori ve modellerin, hepsinden önemlisi de genellemelerin belirgin şekilde kullanımını içeriyordu. Ancak adaptasyonun ekolojik yönleri ve yeterlikle, aynı zamanda yaşamın tamamen faydacıl ve işlevsel yanlarıyla gereğinden fazla ilgilendiği için eleştirilmiştir (başka bir deyişle fazla "işlevselci" olmakla). Bu sırada Marksizmden etkilenen alternatif bir bakış açısı, sosyal ilişkilere ve iktidarın kullanımına daha çok vurgu yapmaktaydı.

Süreçsel "işlevselciler"e tepki olarak 1970'lerden itibaren bazı arkeologlar yapısalcı, ardından postyapısalcı ve nihayetinde yorumsal ya da postsüreçsel arkeolojiye yöneldi. Bunlar artık arkeolojik açıklamalarda geçmiş toplumların fikirleri ve inançlarının göz ardı edilmemesi gerektiğini vurgulayarak yararlı bir hizmette bulundular.

O tarihten beri arkeologlar insanların düşünme biçimleriyle, sembolleri nasıl oluşturup kullandıklarıyla ve bilişsel konularla daha sistematik şekilde ilgilenmektedirler. Bugün "bilişsel arkeoloji" olarak tanımlanan bir yaklaşım, süreçsel arkeoloji geleneğinde çalışırken sosyal ve bilişsel yönleri vurgulamanın yollarını arar.

Bugüne kadar tek ve genel olarak kabul görmüş bir yaklaşım ortaya koyulamamıştır.

GÖÇ VE YAYILMACI AÇIKLAMALAR

Yeni Arkeoloji, geleneksel arkeolojik açıklamaların noksanlarını daha da bariz kılmıştır. Bu noksanlar geleneksel yönteme dair bir örnekle açıklanabilir: belirli bir alanda ve dönemde, önceki formlardan farklı ve yeni dekoratif motiflere sahip çanak çömlek türünün ortaya çıkışı. Geleneksel yaklaşım kendine göre sistematik bir yolla, bu çanak çömlek üslubunu zamansal ve konumsal açıdan daha yakın incelemeyi isteyecektir. Arkeologtan çanak çömleğin bulunduğu yerleri gösteren bir yayılma haritası çıkarması ve aynı zamanda görüldüğü arkeolojik alanlardaki stratigrafik kesitte yerini tespit etmesi beklenir. Bir sonraki basamak, çanak çömleği "sürekli yinelenen buluntu grupları" olarak tanımlanan bir arkeolojik kültür içine yerleştirmektedir.

Geleneksel yaklaşım kullanılarak her bir arkeolojik kültürün belirli bir **halkın**, yani arkeolog tarafından biraz önce özetlenen yöntemle tespit edilen iyi tanımlanmış bir etnik grubun maddi anlamda göstergesi olduğu öne sürülür. Bu etnik bir sınıflandırmadır, ama elbette "halklar" tarihöncesine ait olduğundan, onlara ihtiyari adlar verilmelidir. Genellikle çanak çömleğin ilk bulunduğu yere (Amerika'nın Güneybatısı'ndaki Mimbres halkı veya Neolitik İngiltere'nin Windmill Hill halkı) ya da bazen çanak çömleğin kendisine göre (örneğin Beaker Halkı) adlandırılacaklardır.

Bundan sonraki adım, gözlemlenen değişimleri açıklamak için bir halk **göçü** üzerinde düşünmenin mümkün olup olmadığına bakmaktır. Bu insan grubu için uygun bir vatan bulabilir miyiz? Birbirine yakın bölgelerde çanak çömlek buluntu gruplarını dikkatlice incelemek böyle bir vatan hatta belki de bir göç yolu için fikir verebilir.

Eğer göç teorisi işe yaramazsa, bunun yerine başvurulacak dördüncü bir yaklaşım, kültürel buluntu grubuna has özelliklerin **benzerlerini** daha uzak bölgelerde aramaktır. Eğer bütün bir buluntu grubu dış bir kaynağa atfedilemiyorsa, belki de ilişkilendirebilecek özgün nitelikleri vardır. Daha uygar bölgeler arasında bağlantılar bulunabilir.

Eğer böyle "benzerlikler" keşfedilebilirse, gelenekçi bilim insanı bunların buluntu grubumuzdaki nitelikler için kaynak, bir bakıma çıkış noktası olduklarını ve kültürel **yayılım** aracılığıyla onlara iletildiğini savunacaktır. Doğrusu istenirse, radyokarbon tarihlemesinin ortaya çıkışından önce bu benzerlikler ve özellikler bizim farazi örneğimizde çanak çömlek buluntularını tarihlemek üzere kullanılabilirdi, çünkü uygarlığın merkezine yakın yerlerde bulunan nitelikler ve özellikler, o uygarlığın tarihi kronolojisiyle karşılaştırılmaları sayesinde zaten neredeyse kesin şekilde tarihlenecektir

Böyle açıklamalara ait birçok gerçek örnek bulmak kolay olacaktır. Mesela Yeni Dünya'da, New Mexico'nun Chaco Kanyonu'nda ve onunla birlikte Mesa Verde'de (Colorado) görülen çok çarpıcı mimari gelişmeler, Meksika'nın güneyindeki daha "gelişmiş" uygarlıklarla tam da bu türden karşılaştırmalara dayanılarak açıklanmıştır. Ne var ki geleneksel açıklamalar bugün kolayca reddedilebilecek varsayımlara dayanmaktadır. Öncelikle, gelenekçiler arasında, arkeolojik "kültürler"in sadece bilim insanı yararına uygun şekilde düzenlenmiş sınıflandırıcı terimlerden ziyade bir şekilde gerçek kişileri temsil edebileceğine dair bir kavram yerleşmiştir. İkinci

12.1 *Göç: müspet bir örnek. Polinezya adalarındaki ilk yerleşmeyle ilgili sorun, görünüşe göre özellikle çizi bezekli bir çanak çömlek tarafından karakterize edilen Lapita kültürüne ait buluntu grupları sayesinde çözülmüştür. Lapita arkeolojik alanları çoğunlukla kesintisiz yerleşime dair kanıtlara sahip küçük köylerdi. Bunlar ada sakinlerinin radyokarbon tarihlerine göre MÖ 1600-1000 arasında doğuya doğru Yeni Gine'nin kuzeyinden Batı Polinezya'daki Samoa'ya kadar uzanan hızlı hareketlerinin bir kaydını sağlar. Lapita göçmenlerinin Polinezyalıların ataları olduğu, Melanezya'da kalanların (çoğunluk) ise büyük oranda günümüz Malenezyalılarının soyunu meydana getirdikleri genellikle kabul edilir.*

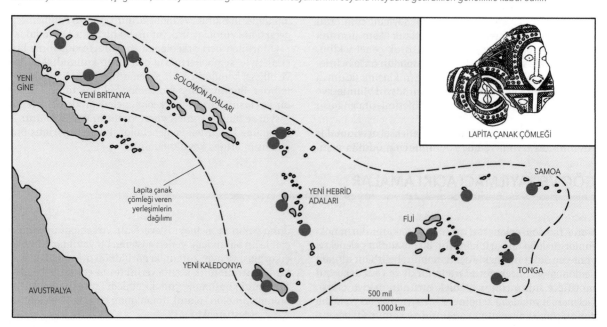

YENİ GİNE

YENİ BRİTANYA

SOLOMON ADALARI

LAPİTA ÇANAK ÇÖMLEĞİ

Lapita çanak çömleği veren yerleşimlerin dağılımı

YENİ HEBRİD ADALARI

SAMOA

FİJİ

YENİ KALEDONYA

TONGA

AVUSTRALYA

500 mil

1000 km

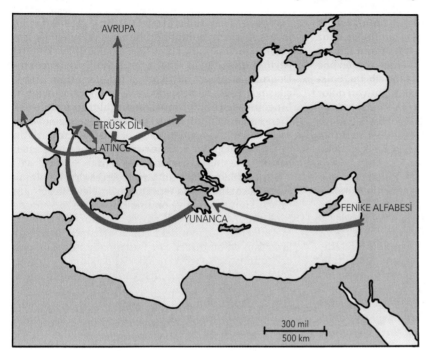

12.2–3 *Yayılım: müspet bir örnek. Alfabe, bir yerdeki bir icadın difüzyon yoluyla diğer yerlere yayıldığını gösteren bir örnektir. Doğu Akdeniz kıyısında MÖ 12. yüzyıl civarında, Fenikeliler Sami dil ailesine mensup dillerini yazıya dökmek için basitleştirilmiş fonetik bir alfabe (şimdi Mısır hiyerogliflerinden alındığına inanılmaktadır) icat ettiler. MÖ 1. binyıla gelindiğinde alfabe Yunanlar tarafından kendi dillerini yazmak üzere adapte edilmişti. Bu, en sonunda günümüzde kullanılan Latin alfabesinin temelini oluşturdu (Fenike alfabesi aynı zamanda İbrani, Arami, Arap ve diğer birçok alfabenin doğumuna sebep olmuştur). Ancak elbette önce Etrüsk, sonra da Romalılara ait Latin alfabesiyle yazabilmek için Yunan alfabesinin İtalya'da benimsenmesi ve üzerinde değişiklikler yapılması gerekiyordu. Roma alfabesinin Avrupa'nın büyük bölümünde ve daha sonra dünyanın geri kalanında kullanılmaya başlaması Latince sayesinde olmuştur.*

olarak, etnik birliklerin ya da "halklar"ın arkeolojik kayıtta bu kuramsal kültürlerle eşitlenmesini içeren bir görüş mevcuttur. Aslında etnik grupların arkeolojik kalıntılarda her zaman göze çapmadıkları açıktır. Üçüncüsü, bir alanla bir diğerinin kültürel buluntu gruplarında benzerlikler belirlendiği zaman, bunun çok rahatlıkla bir halkın göçü şeklinde açıklanabileceği farz edilir. Elbette göçler meydana gelmiştir (aşağıya bakınız), ama çoğu kez düşünülenin aksine arkeolojik olarak belgelenmeleri o kadar kolay değildir.

Son olarak, kültür yayılımı aracılığıyla açıklama ilkesi vardır. Bugün bu açıklamanın abartıldığı ve neredeyse her zaman gereğinden fazla basitleştirildiği düşünülmektedir, çünkü özellikle ticaret aracılığıyla oluşan bölgeler arasındaki temas her bir bölgenin gelişimi için çok büyük önem taşımasına karşın, bunun etkileri detaylı şekilde hesaba katılmalıdır. Sadece yayılım bağlamında yapılacak açıklama yeterli değildir.

Yine de göçlerin geçmişte gerçekleştiğini ve nadir durumlarda bunların arkeolojik olarak belgelenebileceğini belirtmek gerekir. Pasifik'teki Polinezya adalarının kolonileştirilmesi bir örnek teşkil eder. Lapita kültürü olarak bilinen bir buluntu topluluğu –özellikle çizi bezekli çanak çömlek– ada sakinlerinin MÖ 1600-1000 arasında yerleşilmemiş geniş bir alan üzerinden doğuya, Yeni Gine'nin kuzeyinden Samoa kadar uzağa yaptığı hızlı bir yolculuğun kaydını sunar (karşı sayfadaki haritaya bakınız). Buna ilaveten, bir yerde yapılan icatlar sıklıkla komşu bölgeler tarafından benimsenmektedir ve süreç-

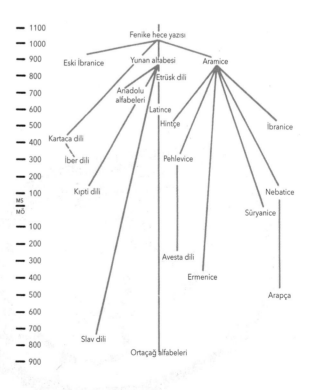

YAYILIMCI AÇIKLAMANIN REDDİ:
BÜYÜK ZİMBABVE

Modern Zimbabve'deki Masvingo yakınlarda bulunan dikkat çekici Büyük Zimbabve anıtı, Afrika'nın bu bölgesi ilk kez 19. yüzyılda Avrupalılar tarafından keşfedildiğinden beri yoğun spekülasyon konusu olmuştur, zira burada çok güzel bir taş işçiliğine sahip gelişmiş ve etkileyici bir yapı bulunmaktaydı.

İlk bilim insanları Büyük Zimbabve'yi kuzeydeki "daha uygar" topraklardan gelen mimar ve ustalara atfederek geleneksel açıklama modelini takip ettiler. İngiliz kâşif Cecil Rhodes'un buraya yaptığı bir ziyarette yerel Karange kabilesinin şefleri "bir zamanlar beyaz adamlara ait olan eski tapınağı görmek" için "Büyük Usta"nın geldiğini söylediler. Bir yazar 1896'da Büyük Zimbabve'nin Fenike kökenli olduğunu belirtti.

Arkeolojik alanın ilk hafiri olan J.T. Bent Yakındoğu'daki daha gelişmiş kültür kontekstleriyle paralellikler – benzer noktalar– kurmaya çalıştı ve şu sonuca vardı: "Kalıntılar ve bunların içindekiler bilinen hiçbir Afrika ırkıyla bağlantılı değildir." Bunu inşa edenleri Arap Yarımadası'na yerleştirdi ve böylece göç temelli bir görüş sundu.

Çok daha sistematik kazılar yürüten Getrude Caton-Thompson (s. 38) ise 1931 tarihli raporunu söyle bitirmişti: "Her köşeden toplanarak incelenen mevcut tüm kanıtlar, Bantu kökeni ve Ortaçağ tarihlemesiyle uyuşmayan tek bir buluntu vermemiştir." Canton-Thompson'ın titiz belgeleme çalışmasına rağmen diğer arkeologlar "daha yüksek kültür merkezlerinden" kaynaklanan "etkilenmeler"den bahsediyor ve yayılım açıklamasının tipik örneğini benimsiyorlardı. Portekizli tüccarlar esin kaynaklarından biri olarak gösterilmekteydi. Fakat eğer anıtın tarihi Avrupalı seyyahlardan erkene yerleştirilecekse, o zaman Hint Okyanusu'ndaki Arap tüccarlar bir alternatif olarak sunulmaktaydı. R. Summers 1971 gibi geç bir tarihte iyi bilinen bir yayılımcı görüşü kullanarak şunları yazabiliyordu: "Portekizli bir duvarcı ustasının Zimbabve'ye ulaşmış ve orada yaşayan bir büyük şefin hizmetine girmiş olması çok zorlama bir ihtimal değildir... Bunun kadar muhtemel, ama daha az akla yatkın başka bir açıklama, bir gezgin Arap ustasının sorumlu tutulabileceğidir."

Sonraki araştırmalar Gertrude Caton-Thompson'ın vardığı sonuçları doğrulamıştır. Büyük Zimbabve şimdi bu bölgedeki büyük anıtların en kaydadeğer örneği olarak görülmektedir.

Arkeolojik alanın daha erkene giden bir geçmişi olmasına karşın, burada anıtsal yapı inşaatı muhtemelen MS 13. yüzyılda başlamış ve arkeolojik alan en parlak devrini 15. yüzyılda yaşamıştı. Çeşitli arkeologlar artık bu büyük başarıyı mümkün kılacak bölgesel ekonomik ve sosyal şartlara dair tutarlı bir resim sunabilmektedir. Daha "gelişmiş" bölgelerden gelen önemli etkiler –yayılım– artık bu resmin bir parçası değildir. Günümüzde yayılımcı açıklamanın yerini süreçsel çerçeve dâhilinde bir izah almıştır.

12.6 Irkçılık ve arkeoloji: Rodezya hükümetinin 1938 tarihli posterinde itaatkâr bir siyah köle (karşı sayfada, üstte) ruhani görünümlü Saba Melikesi'ne altın sunusu yapıyor.

12.7 Konik kule (karşı sayfada, altta) arkeolojik alandaki en etkileyici mimari unsurlardan biridir.

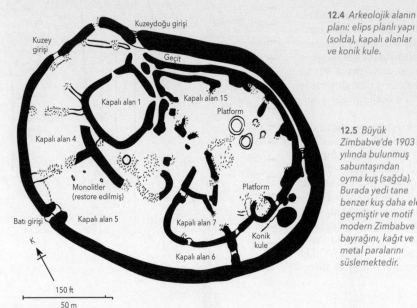

12.4 Arkeolojik alanın planı: elips planlı yapı (solda), kapalı alanlar ve konik kule.

Kuzeydoğu girişi

Kuzey girişi

Geçit

Kapalı alan 1

Kapalı alan 15

Platform

Kapalı alan 4

Monolitler (restore edilmiş)

Platform

Batı girişi

Kapalı alan 5

Kapalı alan 7

Kapalı alan 6

Konik kule

K

150 ft
50 m

12.5 Büyük Zimbabve'de 1903 yılında bulunmuş sabuntaşından oyma kuş (sağda). Burada yedi tane benzer kuş daha ele geçmiştir ve motif modern Zimbabve bayrağını, kağıt ve metal paralarını süslemektedir.

ten yayılım olarak bahsetmek hâlen gayet uygundur (yukarıda Roma alfabesinin kökenleriyle ilgili görsele bakınız).

İlk önce göçle, sonra yayılmayla açıklanan, ardından bunların reddildiği iyi bir örnek, Büyük Zimbabve'dir (karşı sayfadaki kutuya bakınız). Moleküler genetiğin bugün erken insan göçlerinde oynadığı rol için de arka sayfadaki kutuya bakabilirsiniz.

SÜREÇSEL YAKLAŞIM

Süreçsel yaklaşım bir toplum içinde ve toplumlar arasında işleyen farklı süreçleri izole edip çalışmayı dener. Bunu yaparken çevreyle olan ilişkilere, geçim kaynaklarına ve ekonomiye, toplum dâhilindeki sosyal ilişkilere ve farklı sosyal birimler arasında gerçekleşen etkileşimlerin etkilerine vurgu yapar.

Kent Flannery 1967'de süreçsel yaklaşımın neyi değiştireceğini aşağıdaki gibi özetlemiştir:

Süreç okulunun üyeleri insan davranışını her biri hem kültürel hem de kültür dışı olguları kapsayan çok büyük sayıdaki sistemler arasında bir çakışma noktası (ya da "bağlantı") olarak –çoğunlukla ikincisi– görür. Mesela bir Kızılderili grubu, yavaşça erozyona uğrayan bir ırmak taşkın yatağındaki mısır yetiştirme sistemine dâhil olarak en iyi tarım arazilerinin yukarılara doğru taşınmasına yol açabilir. Aynı anda, yırtıcılar veya hastalıktan dolayı yoğunluğu 10 yıllık döngüler içinde azalıp çoğalan yaban tavşanı nüfusuyla ilgili bir sisteme katılabilir. Buna ilaveten, yılın önceden tespit edilmiş belirli zamanlarında, kendisinden geçim ürünleri aldığı farklı bir bölgede yerleşmiş bir Kızılderili grubuyla bir değiş tokuş sistemine dâhil olabilir vs. Bütün bu sistemler Kızılderili bireyin zamanı ve enerjisi için rekabet hâlindedir. Onun yaşam tarzının devamı sistemler arasındaki dengeye bağlıdır. Kültürel değişim, büyüyen, yer değiştiren ya da diğerlerini destekleyen ve farklı bir düzlemde dengeye ulaşan bir veya birden fazla sistemdeki küçük varyasyonlar aracılığıyla meydana gelir.

Dolayısıyla süreç okulunun stratejisi her bir sistemi soyutlamak ve ayrı bir değişken olarak çalışmaktır. Elbette nihai hedef bütün bir bağlantı modelini tüm bağlantılı sistemlerle birlikte yeniden kurgulamaktır, ama böylesine karmaşık bir analiz süreç teorisyenlerinin yeteneklerinin çok ötesindedir (Flannery 1967, 120).

Bu ifade derhal daha sonraki bir bölümde tartışılacak sistem düşüncesi diline doğru yönelir. Fakat bu bağlamda sistem dilini kullanmak her zaman gerekli değildir.

MOLEKÜLER GENETİK, NÜFUS DİNAMİKLERİ VE İKLİM DEĞİŞİMİ: AVRUPA

Moleküler genetik araştırmaları artık nüfus geçmişi, özellikle de kıtalardaki ilk insanlar hakkında önemli ve yeni bilgiler vermeye başlamıştır (s. 471 ve 473'teki kutulara bakınız). Karalardaki ilk kolonileştirmenin öyküsü kaçınılmaz olarak Polinezya vakasındaki gibi göç kaynaklıdır (s. 478). Bununla birlikte yerel halkların demografisi hakkında daha çok çalışmaya ihtiyaç duyulmaktadır.

Erken Avrupa örneği örüntülerin nasıl değiştiğini gösterir. Luca Cavalli-Sforza ve meslektaşlarının 32 klasik genetik işaretleyiciyle ilgili temel veri bileşenlerini içeren çalışması, değişkenliğin ilk temel bileşenine ait aşağıdaki haritayı ortaya çıkarmıştır. Bu, güneydoğudan kuzeybatıya doğru belirgin dereceli değişimleri göstermektedir. Böyle bir harita, üzerine yeniden yazılabilen bir parşömen ya da farklı zamanlarda farklı süreçlerin etkilerine dair bir bileşik katmandır ve bunları açmanın bir yolu yoktur. Ancak araştırmacılar modeli demografik bir "dalgalı ilerleme", bir demik difüzyon olarak gördükleri

tarımın Neolitik Çağ'ın başında, MÖ 6500 civarında Anadolu'dan Avrupa'ya yayılmasına bağlamışlardır. Bu, daha erken Üst Paleolitik nüfusunun genetik işaretleyicilerini demik difüzyon sürecinin daha az belirgin olduğu kuzeybatıda hâkim konumda bırakacaktı.

DNA çalışmalarının yarattığı etki bu resmi önemli ölçüde değiştirdi. Herşeyden önce Brian Sykes, Martin Richards ve meslektaşlarının mitokondriyal DNA (mtDNA) üzerinde yaptıkları çalışma modern Avrupa halklarında birtakım haplogrupların mevcut olduğunu ortaya koydu. Üstelik her bir haplogrubun sırayla dağılımını çalışarak ilk yayılımın – genellikle Avrupa'ya ilk varış- tarihi için bir tahminde bulunmak mümkün görünüyordu. Bu, araştırmacıların modern Avrupa gen havuzunda %20'lik bir kısmın aslında 8500 yıl önce Anadolu'dan gelen ilk çiftçilerce sağlandığını düşünmelerine yol açtı (J haplogrubu). Yaklaşık %10'u türümüzün 50.000 yıl önce Avrupa'ya ilk yerleşmelerinden kalmaydı, fakat

%70'lik en büyük katkı görünüşe göre yayılımı 14.000 ve 11.000 yıl öncesine tarihlenen ve yine Avrupa'ya Anadolu'dan gelmiş haplogruplara aitti. Şu hâlde Anadolu'nun Avrupa gen havuzuna olan güçlü katkısıyla uyum içindedirler, fakat asıl süreci daha erkene, Üst Paleolitik'e yerleştirmektedirler. Bu çalışma, Y kromozomu verilerinin daha net bir model sunduğu erken tarihli iskelet kalıntılarını kullanan DNA araştırmaları tarafından desteklenmiştir. Sonuç olarak "erken çiftçilerin özgün ve karakteristik genetik imzası, Avrupa'da tarımın başladığı sırada Yakındoğu'dan önemli bir nüfus girişini akla getirmektedir" (Haak ve diğerleri, 2010).

İklim Değişikliği
Antonio Torroni ve meslektaşları 10.000-15.000 yıl önce, Son Buzul iklimsel maksimumdan sonra, Güneybatı Avrupa'nın "Atlantik bölgesi"nden başlayan büyük bir nüfus genişlemesinin meydana geldiğini ileri sürmüşlerdir. Söz konusu genişleme, 15.000 yıl kadar önce Kuzey İberya ya da Güneybatı Fransa'da ortaya çıkmış bir yerli Avrupa haplogrubuyla (haplogrup V) ilişkilendirilmektedir.

Bu görüş Y kromozomu çalışmalarından güçlü bir destek görmektedir. Aslında Lewis Binford'un işaret ettiği gibi, iklimsel etkenlerin çok

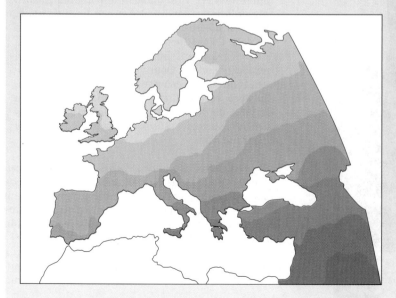

12.8 *32 genetik işaretleyicinin birinci temel bileşenini kullanan Avrupa ve Batı Asya birleşim haritası (solda). Cavalli-Sforza bunu ve diğerlerini, tarımın yayılmasıyla birlikte Anadolu'dan Avrupa'ya yönelen bir nüfus "dalgalı ilerleme modeli" olarak yorumlamıştır. Ölçek tartışmalı olmakla birlikte 1/100'dür.*

12.9 *Haplogrup V'in 10.000-15.000 yıl önceki muhtemel anavatanını (koyu alan) ve buzul maksimumdan sonraki yayılım modelini gösteren Avrupa haritası (karşıda).*

ciddi olarak hesaba katılması gerektiği giderek netleşmektedir. Geç Buzul soğuk maksimum boyunca, 15.000 yıl öncesinde, Avrupa'nın nüfusu bölgesel sığınak yerlerine çekilmişti ve bir sonraki binyılda Avrupa Anadolu'dan ziyade bu yerlerden yeniden kolonize edilmiştir. Üzerinde hâlen tartışılmakla birlikte açıklama, şu an için mtDNA ve Y kromozomu verileri Anadolu kaynaklı birtakım kolonizasyon vakalarından ibaret bir resim çiziyor gibi görünmektedir, ancak Avrupa kaynaklı diğer çok önemli demografik hadiseler son buzul döneminde ve sonrasındaki iklimsel değişimler tarafından tetiklenmiştir.

Eski DNA çalışmaları şimdi önemi giderek artan roller üstlenmektedir (s. 472-474'e bakınız). Anadolu'ya gelen ilk çiftçileri belgelemelerinin yanı sıra, daha geç tarihli demografik değişimlere de işaret ederler. Bunlar belirli arkeolojik kültürlerle ilişkilendirilebilecek gelişme ve yayılma dönemlerini ortaya koyabilir. Eski DNA araştırmalarının ilerlemesi arkeogenetik çalışmalarına zamansal derinlik sağlama imkânı sunar.

Üstelik burada Flannery çevre –kendisi "kültür dışı olgu" olarak adlandırır– üzerinde fazlasıyla durmaktadır. Yeni Arkeoloji'nin ilk yıllarında onu eleştirenlerden bazıları ekonomiye, özellikle de geçim kaynaklarına gereğinden çok önem verildiğini, ama sosyal ve bilişsel de dâhil olmak üzere insan deneyimine dair diğer yönlerin yeteri kadar vurgulanmadığını düşünmüşlerdi. Fakat bu durum süreçsel arkeolojin ilk elde başardığını ve koruduğu gücü zayıflatmaz. Toplumların farklı yönlerinin işleyişine dair analizlere odaklanmak ve bunların nasıl birbiriyle uyuştuğunu çalışmak toplumun bir bütün olarak zaman içindeki gelişimini anlamaya yardım edebilir.

Bir diğer önemli nokta Yeni Arkeoloji resmen ortaya çıkmadan önce, 1958'de ortaya koyulmuştu. O tarihte Gordon Willey ve Philip Phillips şunları yazmıştı: "Arkeoloji bağlamında süreçsel açıklama, belirsiz bir şekilde kültürel-tarihi süreç diye tanımlanan şeyin doğasını çalışmaktır. Uygulamada, kültürel-tarihi entegrasyonun yöntemleri tarafından sunulan ilişkilerdeki düzenliliği keşfetme girişimini ima eder" (Willey ve Phillips 1958, 5-6). Diğer bir deyişle açıklama, kısmen genelleme unsurunu ve "düzenliliklerin" keşfini içerir. Bir sonraki bölümde göreceğimiz gibi, bugün tartışmaların çoğu, açıklamada genellemenin rolü ve analiz ettiğimiz tarihi olayların ne derece emsalsiz oldukları, dolayısıyla geri plandaki herhangi bir sürecin genel örnekleri gibi asla değerlendirilemeyeceği üzerine dönmektedir.

Bir sonraki bölümde göreceğimiz gibi, bugün tartışılanların büyük kısmı açıklamada genellemenin rolü ve analiz ettiğimiz tarihi olayların ne derece tekil oldukları, dolayısıyla herhangi bir temel sürecin genel örneği olarak alınamayacakları üzerinde durmaktadır.

UYGULAMALAR

Binford 1968'de tarım devriminin ilk genel açıklamalarından birini (Yeni Arkeoloji'nin bir olaylar sınıflandırması yapmaya koyulduğu alan) yayımladı. "Post-Pleistocene Adaptations" adlı makalesinde, Yeni Arkeoloji'nin kendisine hedef olarak tayin ettiği bir tür genelleyici açıklama sundu (arka sayfadaki kutuya bakınız). Yine de, aşağıda görüleceği üzere bu genel yaklaşım, sosyal ve bilişsel etkenlere kıyasla çevre, demografi ve geçim kaynaklarına daha fazla önem vererek insani ilişkiler hakkında gereğinden fazla "işlevsel" bir bakış açısı benimsediği için eleştirilebilir.

Binford'un yaklaşımını Barbara Bender'in 1978'deki yöntemiyle karşılaştırmak ilginç olacaktır. Kapsamlı bir Marksist perspektiften çalışan Bender, tarımın başlamasından önce şölenler aracılığıyla komşuları üzerinde hâkimiyet kurmaya çalışan yerel gruplar arasında rekabet bulunduğunu, gösterişli törenler ve değiş tokuş

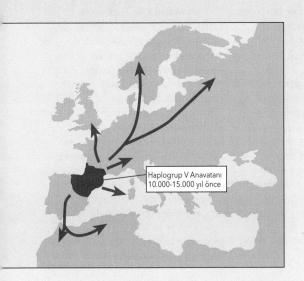

Haplogrup V Anavatanı
10.000-15.000 yıl önce

TARIMIN KÖKENLERİ: SÜREÇSEL YORUM

Lewis Binford 1968'de "Post-Pleistocene Adaptations" başlıklı bir makale kaleme alarak tarımın veya yiyecek üretiminin kökenlerini açıklamaya koyuldu. Daha önce de bilim insanları, özellikle de Gordon Childe ve Robert Braidwood (s. 284-285'teki kutuya bakınız) benzer teşebbüslerde bulunmuşlardı. Fakat Binford'un açıklaması onu diğerlerinden ayıran ve tam anlamıyla Yeni Arkeoloji'nin ürünü yapan önemli bir özelliğe sahipti. Zira tarımın kökenlerini sadece Yakındoğu ya da Akdeniz'de değil -gerçi bu alanlara odaklanmıştı- tüm dünya çapında açıklamak için yola çıkmıştı. Son Buzul Çağı sonunda (yani Pleistosen Devri'nin sonu, dolayısıyla makalesinin başlığı) meydana gelen olaylara dikkat çekti.

Binford yorumunu demografi etrafında kurdu. Küçük topluluklar içindeki nüfus dinamikleriyle ilgileniyordu. Önceden gezici olan bir grup bir kez yerleşik hâle geçince -gezinmeyi bırakırsa- nüfusunun kayda değer ölçüde artacağını vurguladı, çünkü hareketli grubun aksine yerleşik köyde bir annenin yetiştirebileceği çocukların sayısını ciddi olarak kısıtlayan koşullar artık işlemez. Mesela bundan böyle küçük çocukları bir yerden bir diğerine taşımak gibi bir sıkıntı yoktur. Dolayısıyla Binford Yakındoğu'da bazı toplulukların (MÖ 9000 civarında Natuf kültürüne ait olanların) gerçekte yiyecek üretiminden önce yerleşik oldukları gerçeğinde meselenin esasını gördü. Bir kez yerleşik hayata geçtikten sonra hayatta kalan çocukların sayısındaki büyük artış neticesinde ciddi bir nüfus baskısı olacağını tahmin edebiliyordu. Bu, önceden marjinal ve değersiz görülmüş yabani tahıllar gibi yerel olarak elde edilen bitki besinlerinin daha fazla kullanılmasına yol açacaktı. Yoğun tahıl tüketimi ve bunların işlenme yöntemlerinden düzenli ekim ve hasat döngüsü gelişecekti. Dolayısıyla kültüre

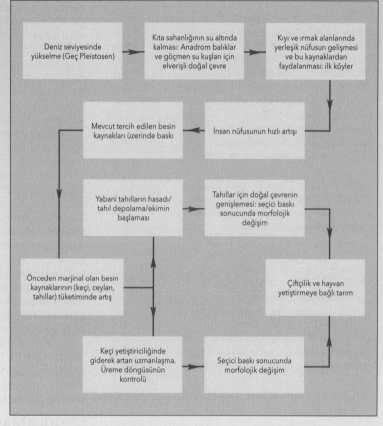

alma faaliyetine doğru giden bitki-insan ilişkisi oluşum aşamasında olacaktı.

Fakat her şeyden önce neden bu tarım öncesi gruplar yerleşik düzene geçmişlerdi? Binford'un görüşüne göre Pleistosen sonunda yükselen deniz seviyelerinin (kutup buzullarının erimesinden dolayı) iki önemli etkisi olmuştu. Birincisi avcı-toplayıcıların yararlanabileceği kıyı ovalarının yararlanabileceği kıyı ovalarının alanı daralmıştı. İkincisi ise deniz seviyelerindeki yükselmenin yarattığı yeni yaşam alanları insan gruplarının göçmen balıklara ("anadrom" türler, yani yumurtlamak için denizden nehre yukarı doğru yüzen somon gibi balıklar) ve göçmen su kuşlarına sürekli erişimlerini sağladı.

Kuzey Amerika'nın kuzey kıyısı sakinlerinin daha yakın tarihlerde yaptığı gibi bu zengin kaynakları kullanan avcı-toplayıcı gruplar ilk kez yerleşik şekilde varlık göstermenin bir yolunu buldular. Artık hareket etmek zorunda değillerdi.

Yukarıdaki özet Binford'un açıklamasını anahatlarıyla çok kısa aktarır. Bugün bazı açılardan çok basit görülür (s. 284-285'teki kutuya bakınız). Bununla birlikte birçok güçlü bir yönü vardır, zira Yakındoğu'ya odaklanmasına rağmen aynı savlar benzer şekilde dünyanın diğer kesimlerine de uygulanabilir. Binford göç ya da yayılımdan kaçınmış ve durumu süreçsel koşullara göre analiz etmiştir.

için kaynak tüketiminin yaşandığını öne sürdü. Geçim kaynaklarını arttırma ihtiyacına, dolayısıyla arazi kullanımında yoğunlaşmaya ve besin üretiminin artmasına yol açan işte bu taleplerdi.

Süreçsel arkeoloji ilk zamanlarında makul bir şekilde *işlevsel-süreçsel* olarak tanımlanabilir. Birçok işlevsel-süreçsel açıklamanın, görünürde geçim kaynağıyla ilgili problemlerin egemen olduğu avcı-toplayıcı ve erken tarım topluluklarına uygulanması dikkat çekici ve anlaşılırdır. Ancak daha karmaşık toplumları çalışmak için bu yaklaşımın daha gelişmiş hâli olarak *bilişsel-süreçsel* terimiyle tanımlayabileceğimiz bir yöntem yakın zamanda daha fazla umut vaat eder gibi görünmektedir, zira salt işlevsel-süreçsel arkeolojinin oldukça bütünselci yaklaşımına dayanmaz; bireylerin fikirleri ve eylemlerini de hesaba katmaya isteklidir (bunlar arkeolojik kaynaklarda nadiren doğrudan tespit edilmesine rağmen). Bu bağlamda postsüreçsel arkeolojinin bazı hedeflerine yanıt verir, ama bilim dışı söz sanatları olmaksızın ve bazen ikincisinin destekçileri tarafından savunulan ölçüsüz empatiye dayanmaksızın…

12.11 *Almanya'daki Hochdorf'ta bir Demir Çağı kabile şefinin mezarından tunç kazan. Bu törensel ve prestijli içki kabı Akdeniz dünyasından ithal edilmişti ve şefin (ve halefinin) iktidarını anlatan ve pekiştiren değerli yüksek statü nesnesiydi.*

Marksist Arkeoloji

Yeni Arkeoloji'nin başlangıçtaki etkisini takiben teorik tartışmalardaki artıştan sonra, 1960'lar ve 70'lerde Fransız antropologlar tarafından yeniden incelenen Karl Marx'a ait bazı çalışmaların içeriğini arkeolojide uygulamaya yönelik bir ilgi ortaya çıktı. Fakat daha 1930'larda Gordon Childe gibi açıkça Marksist arkeologların, Marksist arkeolojinin ilkeleriyle geniş anlamda uyum içinde olan analizler ürettikleri hatırlanmalıdır (arka sayfadaki kutuda değinilmiştir). Childe'ın *Man Makes Himself* (*Kendini Yaratan İnsan*, 1936) adlı eseri, Neolitik (tarım) ve şehirleşme devrimi kavramlarını tanıttığı parlak bir örnektir. Buna ilaveten, Sovyet arkeologlar değişimin Fransız Neo-Marksizmine nazaran daha gelenekçi bir Marksizme dayalı açıklamalarını sundular. Igor Diakonoff'un Mezopotamya'da devlet toplumlarının ortaya çıkışıyla ilgili açıklaması iyi bir örnektir ve buna aşağıda değinilecektir.

Antonio Gilman (1981), Michael Rowlands ve Susan Frakenstein (1978), Jonathan Friedman ve Michael Rowlands (1978) gibi Fransız Neo-Marksizminden ("yapısal Marksizm") etkilenmiş arkeologlar tarafından geliştirilen yorumların geleneksel Marksist yapıya genel olarak uyduğu sıkça görülür. Buna uymayanlar –ideolojik ve bilişsele (sözde "üst yapı"ya) yapılan Neo-Marksist vurgunun özellikle önemli olduğu yerlerde– aşağıda belirtilmiştir.

Gilman'ın çalışması, İspanya ve Portekiz'in Neolitik ve Tunç çağlarında eşitlikçi toplumdan sınıf toplumuna geçişi açıklama amacındadır. Daha önceki bazı yorum-

lar kısmen merkezi idareye (bir şef tarafından organize edilmiş) sahip bir toplumun böyle merkezi bir figür olmaksızın, belirli yönleriyle eşitlikçi bir toplumdan daha etkili işleyeceğini vurgulamıştı. Öte yandan Gilman, şeflik kurumunun özellikle bir bütün olarak topluma faydalı olup olmadığını sorgulamıştır. Şeflerin güçlerini çatışma vasıtasıyla elde ettiklerini ve silah zoruyla iktidarda kaldıklarını; halkı sömürerek nispeten rahat bir yaşam sürdüklerini ortaya attı. Çıkarların çatışması kavramı, toplumun sınıfları ya da iş kolları arasındaki rekabet ve fakirlerin seçkinler tarafından sömürülmesi tipik Marksist görüşlerdir.

Frankenstein ve Rowlands Orta Avrupa Demir Çağı'nda hiyerarşinin ortaya çıkışını açıklamak üzere bir model geliştirmişlerdir. Bunda, yerel şeflerin Akdeniz'den ithal ettikleri prestij mallarının önemini vurguladılar. Bir kez daha şefler itibarlı konumlarından gayet iyi yararlanıyorlardı. Pazarda ithal mallarıyla etkili biçimde tekel oluşturuyorlar, en iyilerini kendilerine saklıyorlar ve diğer ithal mallarını en güvendikleri yandaşlarına veriyorlardı. Marksist modele göre şef, bir bütün olarak topluluğun iyiliği için bilge bir memur gibi fedakârca davranmak yerine "yağmaya" iştirak etmektedir.

Friedman ve Rowlands "uygarlığın" evrimi için daha geniş bir uygulama alanına sahip "epigenetik" adını verdikleri bir model geliştirmişlerdir. Her bir uygarlıkta, söz konusu toplumdaki sosyal ilişkilerde ve farklı sosyal gruplardaki gerilimlerde başlıca değişim noktalarını belirlerler.

Burada süreçsel analize uygun olmayan herhangi bir şey yoktur ve bu sebeple iki yaklaşım birbirinden açık şekilde ayrılamaz. Bu, Marksist analizlerin işlevsel-sü-

MARKSİST ARKEOLOJİNİN TEMEL ÖZELLİKLERİ

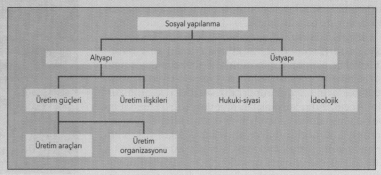

12.12–13 *Marx'a (solda) göre toplumun içyapısı.*

Marksist arkeoloji özellikle geleneksel modeliyle temel olarak Charles Darwin ve Lewis Henry Morgan'dan (1. Bölüm'e bakınız) etkilenmiş Karl Marx ile Friedrich Engels'in yazılarına dayanır. Marksist arkeolojinin birtakım özelliklerini burada sıralayabiliriz:

1 Evrimcidir: İnsanlık tarihindeki değişim süreçlerini kapsamlı tarihi ilkeler aracılığıyla anlamaya çabalar.

2 Materyalisttir: Tartışmanın başlangıç noktasını insan mevcudiyetinin somut gerçeklerine yerleştirirken hayati gereklilikerin üretimine vurgu yapar.

3 Bütüncüldür: Toplumun bir bütün olarak işleyişi ve o bütünün parçaları arasındaki ilişkiler hakkında net bir görüşe sahiptir (8. maddeye bakınız).

4 Marx farklı "üretim biçimleri"ne karşılık gelen farklı insan toplumlarının bir tipolojisini kurmuştur. Bunlar kapitalizm öncesi model, ilkel komünizm, antik (yani Yunan ve Roma), Asya tipi ve feodal üretim biçimleridir.

5 Bir toplumda değişim temelde üretim güçleri (teknoloji dâhil) arasındaki *çelişkiler* ve üretim ilişkileriyle (aslen sosyal organizasyon) meydana gelir.

Karakteristik olarak bu çelişkiler sınıflar arası çatışmalarla ortaya çıkar (eğer söz konusu toplumda hâlihazırda gelişmiş belirgin sosyal sınıflar varsa). Böyle bir vurgu birçok Marksist yorumun özelliğidir. Bu, değişimin dâhili ihtilaf yoluyla meydana geldiği bir dünyanın *kavgacı* bir tasavvuru olarak açıklanabilir; daha yüksek verimliliğe yönelik işleyen seçici baskının ve değişimlerin sıkça karşılıklı olarak kazançlı kabul edildiği Yeni Arkeoloji'de ilk zamanlar benimsenmiş *işlevselci* görüşle karşılaştırılabilir.

6 Geleneksel Marksizm'de toplumun ideolojik üstyapısı, bütün bir bilgi ve inanç sistemi büyük oranda ekonomik temel olan üretici altyapı tarafından belirlenir. Bu konu, üst ve altyapıyı baskın ve bağımlıdan ziyade kendi aralarında bağlantılı ve karşılıklı etkileşimli olgular olarak gören Neo-Marksistler tarafından (ana metine bakınız) tartışılmaktadır. Bunu desteklemek için Marx'ın yazılarındaki pasajları işaret ederler.

7 Marx yukarıda bahsettiğimiz gibi, inanç sisteminin maddi varoluş şartlarından, yani ekonomik temelden etkilendiği, aslında onun tarafından üretildiği bilgi sosyolojisi alanında öncüydü. Bu, ekonomik temel evrimleştikçe toplumun inanç sisteminin de sistematik olarak evrim geçireceğini ima eder.

8 Marx'ın toplumun içyapısı hakkındaki görüşü yukarıdaki tabloda gösterilmiştir. Analiz, insan toplumlarının sokulabileceği muhtelif ve farklı sosyal oluşumlara uygulanabilmektedir.

9 Ana akım süreçsel arkeoloji içindeki sistemler yaklaşımının yukarıdaki analize çok ortak noktası vardır. Fakat "Marksist" terimini benimsemek çoğu kez siyasi imaları da beraberinde getirir. Birçok Marksist arkeolog doğal olarak Marx'ın toplum analizini günümüz toplumlarına da uygular ve bunları süregelen bir sınıf çatışmasına dâhil olmuş görür. Farazi kapitalist seçkinlerle bir ihtilafta kendilerini proletaryanın yanına koyarlar. Çoğu süreçsel arkeolog kendi siyasi görüşlerini mümkün olduğunca profesyonel işlerinden ayırmayı tercih edecektir. Marksist arkeologların büyük kısmı bu türden bir ayrımın pratik olmadığını savunacak ve böyle bir iddiada bulunanların gerekçelerinden şüphe duyacaklardır.

Sosyal yapılanma

- **Altyapı**
  - Üretim güçleri
    - Üretim araçları
    - Üretim organizasyonu
  - Üretim ilişkileri
- **Üstyapı**
  - Hukuki-siyasi
  - İdeolojik

reçsel arkeolojiyle paylaştığı olumlu özellikler, toplumlar arasındaki uzun vadeli değişimleri bir bütün olarak değerlendirme isteği ve bunların bünyesindeki sosyal ilişkilerin tartışılmasıdır. Diğer taraftan, bu türden birçok Marksist analiz Yeni Arkeologların süreçsel çalışmalarıyla kıyaslandığında, somut arkeolojik verileri kullanmak konusunda oldukça yetersiz kalır. Teorik arkeolojiyle saha arkeolojisi arasındaki boşluk her zaman etkili biçimde kapatılamamaktadır ve Marksist arkeolojiyi eleştirenler, Karl Marx'ın temel ilkeleri bir yüzyıl önce ortaya koymasından sonra Marksist arkeologlara düşen tek şeyin sadece bunları detaylandırmak olduğunu gözlemlerler; arazideki araştırmalar gereksizdir. Bu farklılıklara karşın, işlevsel-süreçsel ve Marksist arkeolojinin birçok ortak yönü vardır. Yapısalcı ve postsüreçsel yaklaşımlarla karşılaştırıldıklarında bu daha da belirgindir.

Evrimsel Arkeoloji

Birkaç yıldan beri, biyolojik evrimden sorumlu süreçlerin kültürel değişime de yol açtıkları fikriyle birlikte, yeni evrimsel düşünce ve Charles Darwin'in doğrudan etkisi arkeolojide bir tür Rönesans yaşamaktadır. Bugün birkaç düşünce akımı belirlenebilmektedir.

Mevcut yaklaşımlar davranışsal insan ekolojisi ilkesiyle, yani bir ekolojik bağlamda evrim ve uyumlayıcı yayılmayı [birbiriyle bağlantılı türlerin yeni ortamlara yayılması ve bunları doldurmak üzere evrim geçirmeleri –ç.n.] inceleyen insan davranışının ekolojik evrimiyle geniş kapsamlı bir mutabakat içindedir. Modern insan davranışlarının doğal seçilim geçmişimizi nasıl yansıttığı üzerine odaklanır. Temel varsayımı, insanların her zaman çevresel koşullara uyumluluklarını geliştirecek şekillerde esnek tepkiler vermiş olduklarıdır. Diğer bir deyişle doğal seçilim, türümüzün belirli stratejileri benimsemekle ortaya çıkacak bedelleri ve yararları ölçüp biçebileceğini garantiye almıştır.

Bu yaklaşım, evrim kuramı ve optimizasyon ilkelerinin uygulanması yoluyla insanın davranışsal ve kültürel çeşitliliğine odaklanır. Mesela ideal yiyecek arama teorisi, bir organizmanın mümkün olan en düşük enerji miktarını harcayarak en yüksek enerjiyi tüketmek için çabalayacağını ileri sürmektedir. Davranışsal insan ekolojisi çalışmaları özelliklerin, davranışların ve geçmişin uyumlayıcı yayılımlarını ekolojik bağlamda çalışır. Hedefi, ekolojik ve sosyal faktörlerin davranışsal esnekliği nasıl etkilediğini ve şekillendirdiğini sadece insan topluluklarının kendi içlerinde değil, birbirleri arasında da tespit etmektir. Kısaca, insan davranışındaki çeşitlilikleri basitçe hayatın farklı ve rekabet eden taleplerine yönelik adaptif çözümler olarak açıklamak ister. Fakat bu düşünce ekolojik boyuta önem vermekle birlikte, birçok arkeolog insan bilişselliğinin özel niteliklerini yeteri

kadar vurgulamadığını ve yararlı adaptasyonların geliştirilmesiyle aktarılmasında insan kültürünün rolünü netleştirmediğini düşünmektedir. Bugün için söz konusu yönlerin altını çizen üç düşünce mevcuttur.

Britanya'da, Thomas Huxley geleneğinde bir evrim savunucusu olan Richard Dawkins, daha 1976'da kültürel evrimin, "mem"lerin [insandan insana veya kültürden kültüre yayılan bir fikir, davranış ya da üslup ögesi –ç.n.] kopyalanmasından meydana getirildiğini öne sürmüştü. Buradaki mem, DNA içinde moleküler form alan ve biyolojik evrimin araçları olarak kabul edilen genlerin benzeridir. Burada kopyalayıcı, kopyalama sırasında kendi yapısını doğrudan geçiren varlıktır ve Dawkins "ezgiler, fikirler, sloganlar, moda, çömlek yapma ya da kemer inşa yöntemleri memlerin örnekleridir" şeklinde bir önerme ileri sürmüştür. Ben Cullen'ın tercih ettiği kopyalayıcı Kültürel Virüs idi ve kültürel temas yoluyla yayılım sürecini, Kültürel Virüslerin aktarımının sonucu olarak görüyordu. Ancak muhalifler, kültürel kopyalama süreci için herhangi bir özel mekanizmanın yokluğunda (genlerin somut hâli olan DNA ile kıyaslamak üzere), bunların metaforlardan daha fazlasını temsil etmediğini ve söz konusu sürece dair daha fazla içgörü sunmadığını iddia eder.

John Tooby ile Leda Cosmides gibi evrimsel antropologlar, modern aklı biyolojik evrimin bir neticesi olarak kabul eder ve böylesine karmaşık bir varlığın meydana gelmesi için tek yolun doğal seçilim olduğunu savunurlar. Özellikle de insan aklının, Pleistosen'de avcı-toplayıcıların yüzleştikleri seçilim baskıları altında evrim geçirdiğini ve zihinlerimizin o yaşam tarzına adapte olmuş hâlde kaldığını öne sürmüşlerdir. Bazı yazarlar onları izleyerek aklın evrimini açıkça evrimsel bir çerçevenin içine yerleştirmenin yollarını aramışlardır. Dan Sperber *sapiens* öncesinde zihnin farklı faaliyetler (avlanma, planlama, sosyal zekâ, doğal tarih zekâsı, konuşma vs.) için bir dizi modülle işlediğini kabul ederek "aklın modülerliği"nden bahsetmiştir. Steven Mithen ise türümüzün doğumunu belirleyen "insan devrimi"ni, uzmanlaşmış bilişsel alanların birlikte çalışmaya başlamasıyla ortaya çıkan yeni bir bilişsel değişkenliğin sonucu olduğunu ileri sürmüştür. Bunlar çok ilginç içgörülerdir, fakat henüz beynin donanımı ve evrimi üzerine bir nörolojik analiz tarafından desteklenmemiştir. Bunları eleştiren biri, mem örneğinde olduğu gibi, savın fizyolojik mekanizmalara ait herhangi bir kesin içgörüden yoksun mecazi nitelikli basit bir anlatıdan ibaret olduğunu öne sürebilir.

Evrimsel arkeolojinin Amerika Birleşik Devletleri'ndeki savunucuları ne açıklayıcı yöntem olarak mem ya da Kültürel Virüsün kullanılmasını önerirler ne de evrimsel psikoloji veya evrimsel antropolojiyi benimserler. Bununla birlikte, Darwinci evrim teorisinin arkeolo-

DİL AİLELERİ VE DİL DEĞİŞİMİ

Hindistan'da çalışan bilim adamı Sir William Jones 1876'da birçok Avrupa diline (Latince, Yunanca, Kelt dilleri, İngilizce dâhil German dilleri) ilaveten Eski İran dili ve Sanskritçenin (birçok modern Hindistan ve Pakistan dilinin atası) kelime dağarcığı ve dilbilgisi açısından birbiriyle bağlantılı olacak kadar fazla benzerlik barındığını fark etti. Bunlar birlikte Hint-Avrupa ailesi olarak bilinen grubu oluşturuyordu.

O tarihten beri birçok dil ailesi tespit edilmiştir ve her bir ailenin atası olan protodilden geliştiği genellikle kabul edilir. Her bir protodilin aslen nerede ve ne zaman konuşulmuş olduğu ise tarihi dilbilimciler ve tarihöncesi arkeologlar arasında tartışma konusudur. Hint-Avrupalıların kökeni uzun zamandan beri Avrupa tarihöncesinde sıkıntılı bir meseledir. 1930'lar ve 40'larda Adolf Hitler ile Nasyonal Sosyalistlerin "Ari" (yani Hint-Avrupa) ırkının üstünlüğüne dair iddiaları neticesinde tatsız siyasi imalar kazanmıştır.

Tartışma kaçınılmaz olarak bir hayli spekülatiftir, zira söz konusu dillerin yazılı şekilde kaydedilmelerine dek doğrudan kanıtların varlığı söz konusu değildir, fakat arkeologlar bu sorunları daha sistematik bir yolla ele almaya başlamışlardır. Tarihi dilbilimciler de diller arasındaki ilişkileri araştırmak için filogenetik yöntemleri giderek daha fazla kullanmaktadırlar (bilgisayar programlarının çok miktarda verinin altından kalkabildiği yerlerde).

Belirli bir dil bilinen bir bölgede dört sürecin birinden geçerek konuşulmaya başlanır: kolonizasyon; birbirinden uzak dilsel toplulukların lehçeleri gittikçe farklılaşarak sonunda yeni diller meydana getirdiği ayrışma (Latinceden türeyen Fransızca, İspanyolca, Portekizce, İtalyanca vb. diller gibi); çağdaş dillerin birbirinden aldıkları kelime, cümle ve gramatik formlar aracılığıyla birbirini etkilediği geçişme; bölgedeki bir dilin bir diğerinin yerini aldığı yer değiştirme. Dilin yer değiştirmesi birkaç şekilde meydana gelebilir:

1 Geniş bir bölgede kademeli olarak hâkim konuma yükselen bir ticaret dilinin ya da *lingua franca*nın meydana gelmesiyle

2 Az sayıdaki yeni gelenin iktidarı ele geçirmesi ve dillerini çoğunluğa empoze etmesiyle

3 Yeni gelen grubun daha etkili şekilde sayısını arttırmasını sağlayacak kadar önemli bir teknolojik yenilikle (en iyi örnek tarımın yayılımıdır)

4 Farklı diller konuşan birbirine yakın toplulukların sürekli ilişki içinde olduğu temas etkili dil değişimiyle.

Günümüzde Afrika Bantu dillerinin (Nijerya-Kongo) işgal ettiği geniş yayılım alanı, Batı Afrika kaynaklı tarımın dağılımı ve diğer teknolojik yeniliklerin (demir işçiliği dâhil) sonucu olarak kabul edilmektedir. Peru Andları'ndaki Quechua ve Aymara dillerinin dağılımı bu modelin daha gelişmiş bir versiyonuyla değerlendirilmiştir.

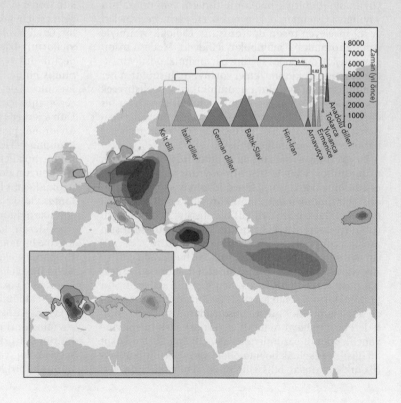

12.14 *Remco Bouckaert ve meslektaşlarının sadece dilbilimsel veriye dayanarak oluşturdukları Hint-Avrupa dillerinin Anadolu'dan yayılım modeli. Dendogramdaki her bir üçgen tek bir dilden, Proto Hint-Avrupa'dan zaman içinde gelişmiş bir grup ilişkili dilleri temsil eder. Bu, tarım/dil dağılımı teziyle uyumludur.*

Bir diğer tarım/dil dağılımı Polinezya dillerini de içeren Güneydoğu Asya ve Pasifik'in Avustronezya dil ailesi tarafından sergilenmektedir. İlk Polinezyalıların yayılımı (s. 478) Lapita kültürünün yayılımıyla ilişkilendirilmiş olabilir, ama moleküler araştırmalar şimdi resmin daha karmaşık olduğunu göstermektedir.

Hint-Avrupa dillerinin yayılımı genellikle seçkinlerin egemenliğine (Tunç Çağı'nın başında Karadeniz'in kuzeyinden gelen atlı göçebelerin meydana getirdiği seçkinler) dair bir örnek olarak kabul edilir, ancak Proto Hint-Avrupa dilinin Avrupa'ya MÖ 6000 civarında Anadolu'dan geldiğini öne süren alternatif bir görüş ortaya konmuştur. Anadolu teorisi yakın tarihte Russell Gray ve Quentin Atkinson'un bilgisayar destekli Hint-Avrupa dilleri için dil ağacı ayrışması analiziyle desteklenmiştir. Remco Bouckaert'ın işbirliğiyle haritalandırılmış (çizime bakınız) olmakla birlikte, dilbilimsel verinin bu yorumu daha gelenekçi birtakım tarihi dilbilimciler tarafından eleştirilmiştir. Yeni bir sava göre Kelt dilleri batıda, doğuda daha erken Proto-Hint Avrupa yayılımını izleyerek Atlantik kıyı şeridinde ortaya çıkmış olabilir.

On birinci Bölüm'de belirtildiği gibi (s. 471'deki kutuya bakınız) dil ailelerinin dağılımı ile genetik işaretçiler arasında bağlantılar vardır ve her ikisi de dünya nüfus tarihi hakkında bize öğretecekleri çok şey olduğunu göstermektedir. Bu, arkeolojik araştırmaların gelişeceği alanlardan biridir.

jik kayıtlara uygulanmasını savunurlar ve "varlığını kalıtsallığa borçlu, zamana bağlı bir değişim çizgisi" olarak tanımlanan soy kavramının değerini vurgularlar. Dünyanın değişik kısımlarında, nesilden nesile geçen kültürel özelliklerin mirasını yansıtan uzun süreli kültürel geleneklere haklı olarak dikkat çekerler. Mendel'in aktarımın genetik mekanizmalarını açıklığa kavuşturmasından ya da Crick ve Watson'ın DNA'nın yapısındaki moleküler temeli ortaya koymasından çok önce, Darwinci evrim teorisinin türlerin evrimine çözüm getirdiğini ve genel kabul gördüğünü bize hatırlatmaları doğrudur. İnsan kültürünün aktarımının Darwinci evrimsel kavramlarla nasıl anlaşılabileceğini mantıklı bir şekilde gösterdikleri savunulabilir. Ancak bunu söz konusu kavramlarla analiz etmenin, hâlihazırda arkeoloğun elinde bulunmayan yeni içgörüler sunacağı o kadar kesin değildir. Evrimsel arkeoloji kültürel değişim süreçlerini şimdiye kadarkilerden daha tutarlı ya da ikna edici şekilde açıklayan vaka incelemeleri üretmemiştir; şu an karşılaştıkları zorlu görev budur.

AÇIKLAMANIN BİÇİMİ: GENEL YA DA ÖZEL

Artık açıklamayla ne kastettiğimizi daha dikkatli bir şekilde sormanın zamanı geldi. Açıklamaya çalışabileceğimiz farklı şeyler yukarıda değerlendirildi. Değişik türdeki problemlerin farklı açıklamalara ihtiyaç duyabileceği öngörüldü. Geçmişteki belirli durumlara ya da olaylar örüntüsüne ilişkin bir açıklama, bunların nasıl bu ya da başka şekilde meydana geldiklerini anlamamız için çalışır. Burada anahtar anlamaktır: Eğer "açıklama" bizim anlayışımıza bir şey katmıyorsa, o (bizim için) bir açıklama değildir. İlk tahmin olarak, soruna yönelik bütünüyle zıt iki yaklaşımı ayırt edebiliriz.

İlk yaklaşım özeldir: Çevredeki detaylar hakkında daha fazlasını bilmek ister. Eğer geçmiş koşullardan, açıklamayı umduğumuz olaylara zemin hazırlayan olgulardan yeteri kadar saptanırsa olayın kendisinin bizim için çok daha açık bir hâl alacağı inancı üzerinden işler. Böyle bir açıklama bazen "tarihi" olarak adlandırılmakla birlikte, bütün tarihçilerin bu tanımdan memnun olmayacağını belirtmek gerekir.

Bazı tarihi açıklamalar söz konusu tarihi halkların düşüncelerine dair elde edebileceğimiz herhangi bir içgörüye büyük önem verir ve bundan dolayı zaman zaman *idealist* diye adlandırılırlar. R.G. Collingwood, Caesar'ın neden Rubicon Irmağı'nı geçtiğini öğrenmemiz için Caesar'ın aklının içinde bulunmak, dolayısıyla çevresel detaylarla onun hayatı hakkında olabildiğince çok şey bilmemiz gerektiğini söylemişti.

Yeni Arkeoloji genelleme üzerine çok daha fazla vurgu yapmıştır. Gördüğümüz gibi Willey ve Phillips, 1958'de "düzenlilikler"den bahsediyorlardı ve ilk Yeni Arkeologlar bu örneği izleyerek zaman biliminin felsefesine dönmüşlerdir. Maalesef bunun için yüzlerini bütün açıklamaların en iddialı genellemelere, yani *doğa kanunlarına* dayanarak sınırlandırılmasını savunan Carl Hempel'e çevirmişlerdi. Kanun benzeri bir önerme evrensel bir önermedir ve belirli koşullarda (ve diğer şeyler eşit olduğunda) X her zaman Y'ye işaret eder ya da Y, belirli sabit ilişkiye göre X ile birlikte değişir. Hempel'e göre, açıklamak istediğimiz olaylar ya da örüntü ("ifade biçimi/ mantığı") iki şey bir araya getirilerek izah edilebilir: detaylı geçmiş koşullar ve uygulandığı zaman tümdengelimli akıl yürütme sayesinde gerçekten ne olduğunu tahmin etmeye izin verecek kanun. Kanun benzeri önerme, geçmişle ilgili önermeyle birlikte "açıklayanlar"ı meydana getirir. Açıklama biçimi *tümdengelimli* kabul edilir, çünkü netice geçmiş koşullardan ve kanundan çıkarılmıştır. Aynı zamanda *nomotetiktir*, zira kanun benzeri önermelere dayanır (Eski Yunanca *nomos*, yani "yasa"dan). Hempel'in bu sistemi bazen tümdengelimli nomotetik veya T-N açıklama türü olarak adlandırılır.

İki veya üçüncü nesil Yeni Arkeologlardan sadece birkaçı arkeolojiyi evrensel kanunlar biçiminde yazmaya kalkmıştır. Dikkat çekici bir örnek Patty Jo Watson, Steven LeBlanc ve Charles Redman'ın kaleme aldığı *Explanation in Archaeology* (1971) adlı kitaptır. Ancak birçok arkeolog, çok önemsiz veya sahte olmayan insan davranışları hakkında evrensel kanunlar koymanın çok zor olduğunu görmüştür. Kanadalı arkeolog Bruce Trigger gibi gelenekçiler, tarihin *historiyografik* olarak tanımlanabilecek geleneksel izahlara dönüş yapmasını savunmuştur. Kuşkusuz Yeni Arkeologların bilim felsefesi konusundaki ilk deneysel girişimleri başarılı olmadı. Kent Flannery gibi daha kurnaz arkeologlar "kanun ve düzen" okulunun bir yanlış yaptığını ve sadece makul olmaktan uzak "Mickey Mouse kanunları" [Mickey Mouse Protection Act: zaman aşımından dolayı Mickey Mouse karakterinin kamu malı olmasını engelleyen telif hakkı yasasına verilen isim –ç.n.] ürettiklerini kabul etmiştir. Flanery'nin gözde örneği şuydu: "Bir arkeolojik alanın nüfusu arttıkça, saklama çukurlarının sayısı artacaktır." Bu tespite kırıcı bir biçimde "Vay canına, Bay Bilim!" cevabını vermişti. Yeni Arkeoloji'yi eleştirenlerden bazıları, bu başarısızlığı değerlendirip okulun genel anlamda "aşırı bilimsel" (yani kendisini kesin bilimlere dayanarak düşünmeden inşa eden) olduğunu düşünmüşlerdir. Şüphesiz kanun benzeri açıklamaya çok fazla bel bağlamak pozitivist olarak tanımlanabilir. Fakat Yeni Arkeoloji'nin olumlu katkılarından biri, bir savın dayandığı varsayımları olabildiğince kesin ve apaçık şekilde ortaya koyma âdetini takip etmesidir.

Süreçsel arkeolojinin hâkim geleneği içinde 1970'lerin ortalarından beri yazan arkeologlar hâlen bilim felsefesinden bir şeyler öğrenmenin peşindedir, ama faydalandıkları

kişi artık Carl Hempel değildir. Karl Popper'ın çalışması, benimsediği yaklaşım açısından daha az katıdır; her bir önermenin elden geldiğince sınamaya ve verilerin karşıt açıklamalara açık olmasında ısrar eder. Bu yolla, yanlış önermeler ve genellemeler çürütülebilir. Üstelik bu yazarlar, tümdengelimli akıl yürütmeyle ilgili yanlış bir şey olmadığını söylemektedir. Bir varsayım formüle etmek, eğer doğruysa ondan bir çıkarım ortaya koymak ve ardından varsayımı taze verilerle sınayıp bu neticelerin gerçekten arkeolojik kayıtta olup olmadığına bakmak gayet mantıklıdır. Bu *kuramsal-çıkarımsal* ya da K-Ç yaklaşımıdır ve T-N yaklaşımının kanun benzeri önermelere duyduğu aynı inancı barındırmaz. Bilimsel çalışmayı salt kontrolsüz hayalgücü egzersizinden ayıran, kişinin inançlarını ve varsayımlarını acı gerçekle yüzleştirmeye gönüllü olmasıdır –ya da bilim filozoflarıyla birlikte süreçsel arkeologlar bunu savunur.

Birey ve Eylemlilik

Daha yakın bir tarihte, Popper'ın (ve Friedrich von Hayek gibi serbest piyasa ekonomistlerinin) yaklaşımını izleyen bazı süreçsel arkeologlar, bireylerin düşünceleriyle eylemlerini hesaba katmakta ve erken toplumların fikirlerini yeniden kurgulamanın yollarını aramakta daha istekli görünmektedir. Onların *metodolojik bireycilik* diye tanımlanan yaklaşımları, "bilimsel" olduğunu öne sürmektedir (bilim için Popper'ın çürütülebilirlik kavramını kıstas kabul ederek), fakat artık geçmiş sembol sistemlerini inceleme girişimini, ilk Yeni Arkeologların yapacakları gibi "paleopsikoloji" iddiasıyla göz ardı etmemektedirler. Kişinin kendisini bir birey olarak deneyimlemesinin ne ölçüde insan doğasının bir parçası olduğu sorgulanmıştır. Julian Thomas "uzak geçmişe birey kavramını empoze etmenin tehlikeli ve potansiyel olarak narsist bir görüş" olduğunu savunmuştur. Bu konular eylemlilik kuramının (s. 503'e bakınız) kapsamına girecek problemleri ortaya çıkarmaktadır.

Arkeolog Ian Hodder, arkeologların Yeni Arkeoloji tarafından savunulan genelleyici yaklaşımı ve bilimsel yöntemi terk etmeleri ve R.G. Collingwood'un idealist-tarihi bakış açısına dönmenin çarelerini arayıp özel sosyal geçmiş bağlama (aşağıya bakınız) önem vermeleri gerektiğini ileri sürmüştür. Fakat belki de, bir yanda Lewis Binford'un (Carl Hempel geçmişinden) diğer yandaki Ian Hodder'e (R.G. Collingwood geçmişinden) karşı durduğu iki uç arasında bir orta yol mevcuttur. İkisi arasında, Karl Popper ve James Bell'in ifade ettiği gibi, bir yaklaşımın uç pozitivizmi ya da diğerinin bilimsel yöntemi bütünüyle reddi olmaksızın bireyin rolünü dikkate alma imkânı vardır.

Toplumda bir değişim etmeni olarak bireyin rolüne yeniden yapılan vurgu, daha önce sunulmuş bir dizi sava geri gider. Öncelikle bizi 10. Bölüm'de ortaya koyulan *bilişsel haritaya* ve yine metodolojik bireyciliğe geri götürür. Bu aynı zamanda, mekân ve hafıza tartışılırken ve yine 10.

Bölüm'de ele alınan *bireysel deneyim* kavramıyla, dolayısıyla fenomenolojik yaklaşımla ilgilidir. Toplum içindeki birey ve *kimlik* kavramı 5. Bölüm'de ve *sanatçı kişinin* konumu 10. Bölüm'de değerlendirilmiştir. Aşağıda tekrar değinildiği gibi (s. 504-505'teki kutuya bakınız), bir *özne* ya da *aktör* olarak birey, devlet toplumlarının kökenleri tartışılırken yeni baştan dikkate alınmıştır. Bu, farklı perspektiflerden yaklaşımların yeni ve önemli içgörüler sunduğu bir alandır.

AÇIKLAMA DENEMELERİ: TEK YOKSA DAHA FAZLA NEDEN Mİ?

Kişi arkeolojide gerçekten önemli soruları sormaya başlar başlamaz mesele karmaşıklaşır, çünkü gördüğümüz gibi, birçok önemli soru tek bir olaya değil, bir olaylar grubuna gönderme yapar. Son Buzul Çağı'nın sonlarında tarımın dünya çapında gelişimine yukarıdaki ana metinde zaten önemli sorulardan biri olarak değinmiştik. Lewis Binford'ın açıklama denemesi tarımın kökenleriyle ilgili kutuda anlatılmıştır. Kent Flannery'nin yaklaşımı aşağıda tartışılmıştır.

Önemli sorulardan bir diğeri, şehirleşmenin gelişimi ve devlet toplumlarının ortaya çıkışıdır. Bu süreç görünüşe göre dünyanın farklı yerlerinde birbirinden bağımsız olarak meydana gelmiştir. Her örnek bir anlamda şüphesiz tekildir. Fakat aynı zamanda bunların daha genel bir olgu veya sürecin özgün halleri (kendi özgün yönleriyle birlikte) olduğu savunulabilir. Tam olarak aynı şekilde bir biyolog, her bir türün ya da her bir bireyin bir tür içindeki tekilliğini reddetmeksizin farklı türlerin ortaya çıkışını sağlayan süreci tartışabilir (Darwin'in yaptığı gibi).

Şimdi şehirleşmenin ve devletin kökenlerine odaklanırsak, bunun çok farklı açıklamaların önerildiği bir alan olduğunu görürüz.

Tek Nedenli Açıklamalar: Devletin Kökenleri

Farklı açıklamalara sırayla bakarsak, bunlardan bazılarının kendi açılarından oldukça makul olduklarını fark ederiz. Ancak çoğu kez, bir açıklama belirli bir alana uygulandığında –mesela Mezopotamya'da ya da Mısır'da devletin doğuşuna, fakat zorunlu olarak Meksika veya İndus Vadisi'ne değil– diğerinden daha etkili işler. Aşağıda verilen örneklerin her biri bugün için noksan görünmektedir; yine de hepsi hâlen geçerli kabul edilen bir noktaya temas eder.

Hidrolik Kuramı. 1950'lerde yazan tarihçi Karl Wittfogel, büyük uygarlıkların doğuşunu önemli ırmaklara ait alüvyonlu ovaların büyük çaplı sulanmasıyla açıklamıştır. Ona göre erken uygarlıklardaki ciddi nüfus yoğunluğuna yol açan, dolayısıyla şehirleşmeye imkân sağlayan verimlilik ve yüksek rekoltenin sebebi işte tek başına buydu. Ancak sulama aynı zamanda etkili bir idareye, yani sulama kanallarını açacak ve bakımlarını vb. yapacak işgücünü kontrol edip düzenleyen bir grup insanın otoritesine ihtiyaç duyacaktı. Dolayısıyla sulamayla "hidrolik organizasyon" birlikte olmalıydı ve Wittfogel bunlardan farklılaşmış liderlik kurumunun, daha fazla verimlilik ve zenginliğin vb. ortaya çıktığı sonucuna vardı.

Wittfogel, sulu tarım üzerine kurulu bu uygarlıkların karakteristik idari sistemlerini "oryantal despotizm"in bir türü olarak sınıflandırdı. Bu düşünce biçiminin uygulandığı uygarlıklar arasında şunlar vardı:

- Mezopotamya: yaklaşık MÖ 3000'den itibaren Sümer uygarlığı ve halefleri
- Eski Mısır: yaklaşık MÖ 3000'den itibaren Nil Vadisi
- Hindistan/Pakistan: yaklaşık MÖ 2500'den itibaren İndus Vadisi uygarlığı
- Çin: Şang uygarlığı, yaklaşık MÖ 1500 ve halefleri

Hem Meksika Vadisi hem de Maya uygarlığında tarımla ilgili olarak (gerçi bunlarda sulama büyük bir nehre dayalı değildi) benzer iddialarda bulunuldu.

İç İhtilaf. Rus tarihçi Igor Diakonoff 1960'ların sonlarında devletin kökenlerine dair farklı bir açıklama geliştirdi. Onun modelinde devlet, zenginlikten kaynaklanan sınıf çatışmasına düzen empoze eden bir organizasyon olarak görülür. Toplumdaki dâhili farklılaşma ana sebeptir ve diğer sonuçlar da bundan doğar.

Savaş. Komşu eşit yönetimler arasındaki savaş bir değişim aracı olarak görülmektedir (s. 401'e bakınız). Bazı durumlarda eşit yönetimler arasında çok az uzun vadeli etkileri olmaksızın döngüsel ihtilaflar yaşanır. Diğerlerinde sonuç, daha büyük ve kapsamlı devlet toplumlarının fethi ve oluşumudur. Kent Flannery yakın zamanda devlet toplumlarının başlangıçtaki şekillenmelerinde askeri liderlerin tarih boyunca belgelenmiş şahsi rollerini vurgulamıştır (bunu postsüreçsel yazarların aradığı bireyin "eylemlilik" yönüne dair bir örnek olarak belirtmiştir).

Nüfus Artışı. Birçok arkeolog tarafından desteklenen bir açıklama nüfus artışı meselesine eğilir. On sekizinci yüzyılda yaşamış İngiliz bilim adamı Thomas Malthus *An Essay on the Principle on Population* (1798) başlıklı çalışmasında insan nüfusunun gıda stoku tarafından izin verilen sınıra kadar büyüme eğilimde olduğunu ileri sürdü. Sınır ya da "taşıma kapasitesi"ne erişildiğinde, daha fazla nüfus artışı yiyecek sıkıntısına yol açar ve bu da sırayla yükselen ölüm oranlarıyla düşük doğurganlığa (bazı durumlarda silahlı çatışmaya) sebep olur. Bu durum nüfus için bir üst limit belirler.

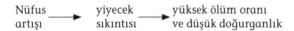

Nüfus artışı → yiyecek sıkıntısı → yüksek ölüm oranı ve düşük doğurganlık

Esther Boserup *Conditions of Agricultural Growth* (1965) adlı önemli kitabında, Malthus'un savını etkili bir biçimde tersine çevirmiştir. Malthus yiyecek stokunu esasen sınırlı görmüştü. Boserup ise nüfus artarsa tarımın yoğunlaşacağını (çiftçiler aynı araziden daha fazla yiyecek üretecektir) savunmuştur. Diğer bir deyişle, toprağın nadasa bırakıldığı süreleri kısaltarak, saban kullanarak ya da sulamayla çiftçiler verimliliklerini arttırabilir. Bundan sonra nüfus artışı yeni seviyelere çıkacaktır.

Nüfus artışı → yeni tarım yöntemlerinin uygulanması → tarım üretiminde yükselme

Dolayısıyla nüfusun artması tarımın yoğunlaşmasına ve zanaat uzmanlaşmasının da dâhil olduğu daha büyük idari ehliyet ve ölçek ekonomisi ihtiyacına yol açar. İnsanlar daha çok çalışırlar, çünkü buna mecburlardır ve toplum daha üretkendir. Daha büyük nüfus birimleri ve buna bağlı olarak yerleşim biçiminde değişiklikler mevcuttur. Sayı arttıkça herhangi bir karar mekanizması hiyerarşi oluşturmak zorunda kalacaktır. Merkezileşme sorunları ve merkezi bir devlet mantıklı bir neticedir.

Bu fikirler, onları küçük ölçekli toplumları incelerken kullanan Amerikalı arkeolog Gregory Johnson'ın çalışmasına çok iyi uyacak şekle getirilebilir. Johnson, Güneybatı Afrika'daki !Kung San yerleşimlerine ait yakın tarihli etnografik anlatılardan, organizasyon düzeyinin yerleşimin büyümesiyle arttığını göstermiştir. Küçük konak yerlerinde temel sosyal birim 3-4 bireyden meydana gelen birey ya da çekirdek aile iken, büyük konak yerlerinde yaklaşık 11 kişilik geniş aileler vardı. Yeni Gine'dekiler gibi daha büyük ölçekli toplumlarda, anlaşmazlıkları denetlemek ve toplumun bir bütün olarak etkili işlemesini sağlamak için hiyerarşik toplumsal sistemlere gereksinim duyulmuştur.

Çevresel Sınırlama. Robert Carneiro daha önce bahsedilmiş bazı değişkenleri kullanan farklı bir yaklaşım önermiştir (karşı sayfadaki kutuya bakınız). Peru'daki devlet toplumunun oluşumunu kendisine örnek alarak, çevrenin empoze ettiği kısıtlamalara ("sınırlama") ve savaşın rolüne vurgu yapan bir açıklama geliştirmiştir.

DEVLETİN KÖKENLERİ: PERU

Robert Carneiro 1970 tarihli bir yazısında, Peru kıyısında devletin kökenlerine dair bir açıklama önererek çevresel tehdit diye adlandırdığı bir etkene vurgu yapmıştır (bu noktada ana metinde verilen Esther Boserup'un ilgili fikirleriyle bağlantılıdır).

Peru kıyısındaki erken köyler bir çölle çevrili yaklaşık 78 dar vadi içinde bulunuyordu. Bu köyler büyüdü, fakat toprak küçük topluluklar için uygun olduğu sürece çok büyümemek için bölündüler. Sonuçta belirli bir vadide tüm toprağın sürüldüğü bir noktaya ulaşıldı. Bu olduğu zaman hâlihazırda üzerinde tarım yapılan yerler daha yoğun bir şekilde işlenmeye (teraslar ve sulamayla) ve önceden sürülmemiş elverişsiz topraklarda tarım yapılmaya başlandı.

Carneiro nüfus artışının tarımsal yoğunlaşmadan kaynaklanan üretim artışını geride bıraktığını ve savaşın önemli bir etken hâline geldiğini ileri sürdü. Geçmişte silahlı çatışma sadece intikam arzusu içindi, fakat şimdi toprak elde etme ihtiyacına bir cevaptı.

Savaşta yenilmiş bir köy muzaffer köye bağımlı hâle geliyor ve topraklarına el konuluyordu. Üstelik mağlup edilmiş halk için dağlar ve denizle çevrili vadi ortamından kaçmanın hiçbir yolu yoktu. Eğer kendi toprağında kalırsa bunu vergi ödeyerek yapabilirdi. Bu şekilde beylik ortaya çıktı ve toplumun sınıflar hâlinde tabakalaşması başladı.

Carneiro'ya göre toprak sıkıntısı sürdükçe artık daha büyük siyasi birimler –beylikler– arasındaki savaş da devam etti; siyasi birimlerin boyutu büyük oranda arttı ve merkezileşme gelişti. Bu sürecin

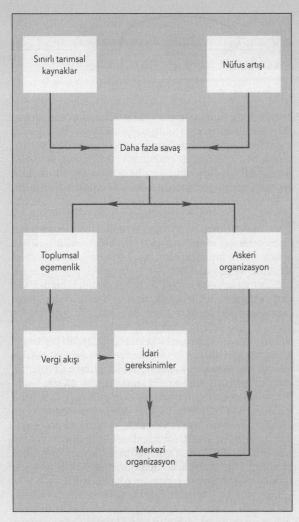

Sınırlı tarımsal kaynaklar

Nüfus artışı

Daha fazla savaş

Toplumsal egemenlik

Askeri organizasyon

Vergi akışı

İdari gereksinimler

Merkezi organizasyon

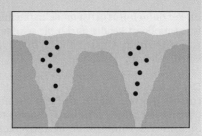

12.16 *Dağlar tarafından ayrılmış iki vadideki köyler.*

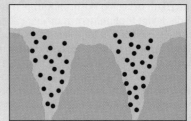

12.17 *Nüfus artışı şimdi bazıları marjinal topraklar üzerinde bulunan daha fazla köyün ortaya çıkmasına neden olur.*

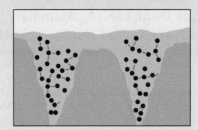

12.18 *Köyler arasındaki rekabet savaşa yol açar.*

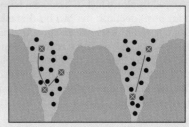

12.19 *Bazı köylerin diğerleri üzerindeki hâkimiyeti onları beylik merkezi yapar.*

neticesi devletin oluşumuydu. Bütün Peru İnkaların tek ve güçlü imparatorluğu altında birleşene kadar önce vadi çapında, ardından birçok vadiye hükmeden krallıklar ortaya çıktı.

Carneiro akabinde siyasi birimlerin sayısındaki düşüş ve boyutlarındaki artışın hâlen sürmekte olduğunu, bunun gelecekte bir tarihte bir dünya devletinin ortaya çıkışına yol açacağını iddia etmiştir.

Diğer tek nedenli açıklamalar gibi aslında bu da bir arada işleyen bir dizi etkenden yararlanır, fakat etkenleri tercih ederken çok seçicidir.

12.15 *Carneiro'nun karmaşık toplumların doğuşuyla ilgili açıklamasına ait akış diyagramı (yukarıda).*

Ayrıca diğer bütün tek nedenli açıklamalarda olduğu üzere bir "asli neden"e sahiptir: bütün bir olay silsilesini başlatan ve bunlar geliştikçe itici güç olarak görevini yapmaya devam eden temel bir süreç. Bu örnekte asli neden nüfus artışıdır.

Her zaman olduğu gibi asli neden açıklaması, bize söz konusu nedeni neyin harekete geçirdiğini söylemez.

12.20 *Bir beylik diğerlerine egemen olur ve devlet doğar.*

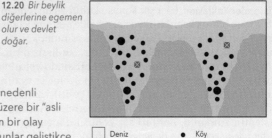

 Deniz   • Köy

Vadi   Beylik

Dağ   Bağımlı beylikler

— Çatışma/Savaş

Bir kez daha nüfus artışı modelin önemli bir bileşenidir, fakat modelin kendisi farklı bir şekilde bir araya getirilmiştir. Savaş zamanı oluşan güçlü liderlik anahtar etkenlerdendir.

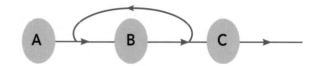

Dış Ticaret. Anavatan dışındaki topluluklarla olan ticaret bağlarının önemi, devletin oluşumuna açıklama getirmeye çalışan çeşitli arkeologlar tarafından vurgulanmıştır. Bunların en ayrıntılı olanlarından biri, Amerikalı arkeolog William Rathje'nin Maya düzlüklerinde devlet toplumlarının ortaya çıkışıyla ilgili ortaya koyduğu modeldir. Rathje, temel hammaddelerden yoksun düzlüklerde, bunların düzenli olarak teminini garanti altına alan daha bütünleşmiş ve gelişmiş toplulukların doğuşuna yönelik baskının fazla olacağını savunmuştur. Varsayımını düzlükteki ormanlarda klasik Maya uygarlığının doğuşunu açıklamak için kullanmıştır.

Çok Değişkenli Açıklamalar

Devletin kökenine dair önceki açıklamalar ana bir değişkene, farklı değişkenler işin içinde olsa bile temel bir aşamaya dayanıyordu. Ancak gerçekte, birçok etken geçerli olduğu zaman, tek nedenli açıklamalarda bir şeyler ziyadesiyle basit kalır. Şu ya da bu şekilde, aynı anda birden fazla etkenle ilgilenmek gerekir. Böyle açıklamalar **çok değişkenli** olarak adlandırılır. Elbette yukarıda özetlenen açıklamaların hiçbiri gerçekten **tek nedenli** olabilecek kadar basit değildir; her biri bir dizi etken içerir. Ancak bunlar sistematik şekilde entegre olmamıştır. Dolayısıyla çeşitli bilim insanları, eş zamanlı çeşitlenen çok sayıdaki değişkenle başa çıkabilmenin yollarını aramıştır. Bu açıkça karmaşıktır ve sistem terminolojisi –önceki bölümde Kent Flannery'nin 1967'deki süreçsel arkeoloji tanımında oldukça basit şekilde tanıştırılmıştı– işte bu noktada çok büyük yarar sağlayabilir.

Sistemler Yaklaşımı. Eğer söz konusu kültür ya da toplum bir **sistem** olarak kabul ediliyorsa, o hâlde o sistem içinde çeşitlenen farklı şeyleri değerlendirmek, sınamak, listelemek ve açıkça belirtmek mantıklıdır. Şüphesiz nüfus büyüklüğü bu **sistem parametreleri** arasında yer alacaktır. Yerleşim şekli, farklı tahıllar, malzemeler vs.nin üretimine ve sosyal organizasyonun çeşitli yönlerine dair ölçümlerin hepsi sistemin parametreleri olacaktır. Sistemin zamanla, her biri söz konusu dönem içinde sistem değişkenlerinin değerleri tarafından tanımlanmış birbiri ardına gelen **sistem evreleri** sayesinde ilerlediğini düşünebiliriz. Bir sıra dâhilindeki birbirini izleyen sistem evreleri, sistemin **yolunu** (eğrisini) belirler.

Sistemin genelini, bir bütün olarak sistemin farklı faaliyetlerini yansıtan bir dizi **alt sisteme** bölmek uygundur (s. 178'deki diyagrama bakınız). Her bir alt sistemin, temsil ettiği faaliyetin türü tarafından tanımlandığını düşünebiliriz. Bunun içinde, böyle faaliyetlere dâhil olan insanlar, nesnelerle malzemeler ve çevrenin ilgili yönleri olacaktır. Her bir alt sistem bütün sistemlerle ortak şekilde kullanışlı bir olgu olan **geri beslemeyi** sergileyecektir. Kavram sibernetik (kontrol teorisi) alanından alınmıştır.

Burada anahtar fikir, **girdisi** ve **çıktısı** olan bir sistemdir. Eğer bu girdinin bir bölümü, girdinin süregelen bir kısmını oluşturmak üzere geriye yönlendirilirse, o zaman "geri besleme" olarak adlandırılır. Bu önemlidir, çünkü sisteme belli bir anda olan şey, bir sonraki anda sistem durumuna etki edebilir.

Eğer geri besleme negatifse, harici girdideki bir değişim asıl değişime karşı koymak üzere girdi olarak geri giden bir **negatif geri besleme** üretir. Bu çok kayda değer bir durumdur, zira değişime karşı koyma istikrara neden olur. Bütün yaşayan sistemler bu şekilde negatif geri beslemeyi kullanır. Mesela, insan vücudunun ısısı öyle bir şekilde işler ki, vücut ısısı yükseldiği zaman terleriz: Çıktı, girdi etkisini (yani dış ısıda bir yükselme) azaltacak şekildedir. Bir sistem negatif geri beslemenin işleyişi sayesinde sabit bir durumda kalıyorsa, buna **iç denge** (homeostatis; Eski Yunanca homeo, "aynı" ve stasis, "daimi" ya da "baki" kelimelerinden) denir. Aynı şekilde bütün insan toplumları önceki gibi devam etmelerini sağlayacak araçlara sahiptir. Eğer değillerse, doğalarını varlıklarının her dakikası değiştirmek zorunda kalacaklardır.

Bununla birlikte **pozitif geri besleme** meydana gelebilir. Bu olduğu zaman, (çıktıda) meydana gelen değişim girdide pozitif etki yaratacak ve böylece benzerinden daha fazlasını kabul edecektir. Büyüme ve onunla birlikte bazen değişim meydana gelir. Pozitif geri besleme aşamalı büyüme ve değişimin, nihayet tamamen yeni formların doğuşunun altında yatan anahtar süreçlerden biridir. Buna **morfojenez** adı verilir.

Dolayısıyla, her bir alt sistem çiftinin etkileşimlerine sırasıyla bakarak bir alt sistemin diğerine olan etkisi değerlendirilebilir.

Kent Flannery 1968 tarihli bir makalesinde, sistemler yaklaşımını MÖ 8000-2000 yılları arasındaki dönemde Mezoamerika'da besin üretiminin kökenleri meselesine uyguladı. Flannery'nin sibernetik modeli, faydalanılan farklı hayvan ve bitki türleri için kullanılan muhtelif tedarik sistemlerinin ve belirli bir zamanda iki ya da daha fazla eylemin görece iyi tarafları arasındaki seçimin (kendi terimiyle "düzenleme") analizini içeriyordu. Flannery, sistemler modelinde, farklı türlerin elde edilebilirliğinde yaşanan mevsimsel varyasyonların empoze ettiği kısıtlamaları ve negatif geri besleme olarak düzenleme gereksinimini hesaba kattı. Başka bir ifadeyle, bu iki etken mevcut besin tedarik modelinin istikrarını sürdürmek ve değişmesine engel olmak üzere işliyordu. Ancak zaman içinde, iki küçük tür olan bezelye ve mısırdaki genetik değişimler, onları hem daha verimli yaptı hem de daha kolay hasat edilebilir hâle getirdi. Bu değişimlerin etkileri, büyüyen bir sapma ya da pozitif geri besleme şeklinde söz konusu türlere giderek daha fazla bel bağlanmasına yol açtı. Dolayısıyla bu sürecin harekete geçirdiği nihai netice –insan nüfusu tarafından ne öngörülmüş ne de planlanmış– kültüre almaydı. Flannery'nin makalesini bitirirken söylediği gibi:

> Bu yaklaşımın prehistoryacılar için manası açıktır: Kültüre alınmış ilk mısır koçanının, ilk kabın, ilk hiyeroglifin ya da başka bir çığır açıcı yeniliğin gerçekleştiği ilk arkeolojik alanın keşfedilmesini ummak boşunadır. Önceden var olan örüntülerden çıkan bu türden sapmalar öyle küçük çaplı ve rastlantısal şekilde meydana gelir ki, izlerini ortaya çıkarmak mümkün değildir. Tarihöncesi kültürde bu ufak sapmaları önemli değişimler hâline gelecek şekilde büyüten nedensel süreçleri incelemek çok daha yararlı olacaktır (Flannery 1968, 85).

Sistemler yaklaşımı kuşkusuz işe yarar, ancak eleştirilere maruz kalmıştır. Postsüreçsel arkeologlar (aşağıya bakınız) genelde süreçsel arkeoloji için yaptıkları eleştirilerin çoğunu buna da yöneltirler: aşırı bilimsel ve mekanik olması; bireyi dışlaması; sistemler fikrinin, dünya seçkinlerince bilimin imkânları az olanları kontrol edebilecekleri şekilde kullanıldığı bir hâkimiyet sistemine katkı sağlaması gibi.

Prensipte bilimsel açıklamaya karşı olmayan araştırmacıların eleştirileri özellikle ilginçtir. En çarpıcı fikirlerinden biri, yaklaşımın nihayetinde açıklayıcıdan ziyade tanımlayıcı olduğudur; yani dünyayı, içinde neyin meydana geldiğini gerçekten açıklamaksızın taklit etmesidir (fakat birçok kişi buna, dünyanın nasıl işlediğini göstermenin, açıklamanın işlevlerinden biri olduğu cevabını verecektir). Eleştirenler aynı zamanda, birçok durumda çeşitli değişkenlere gerçek değerler vermenin zor olduğunu söylemektedir. Bununla beraber, yaklaşımın bir toplumun muhtelif bileşenlerinin ifadelendirilmesi için pratik bir çerçeve sunduğu konusunda hemfikirdirler. Ayrıca bilgisayar modellemesine ve simülasyonuna çok elverişlidir (sonraki başlığa bakınız). Modeller karmaşıklaşabilir; öyle ki genel şablonu görmek güçleşir. Fakat kişi devlet toplumları gibi karmaşık sistemlerle ve bunların doğuşu gibi zor konularla uğraştığı zaman bu bir ceremedir.

Simülasyon

Simülasyon dinamik bir modelin, yani zaman içindeki değişimle ilgili bir modelin formülasyonunu içerir. Simülasyon çalışmaları açıklamaların geliştirilmesinde çok yardımcıdır. Bir simülasyon üretmek için kişinin kafasında bir kurallar dizisi doğuran özel bir model bulunması gerekir ya da bunu geliştirmelidir. Bundan sonra başlangıç verilerinin veya bazı başlangıç koşullarının girişini yapar. Modeli yinelenen şekilde uygulayarak (genellikle bilgisayar yardımıyla) gerçek dünyayla bağlantılı bir inandırıcılık taşıyan ya da taşımayan bir dizi sistem durumuna ulaşır.

Dolayısıyla bir simülasyon, zaten biçimlenmiş bir modelin çözümlemesidir, örneğidir (ve bazen testidir). Elbette gerçekte hiçbir simülasyon ilk keresinde mükemmel işlemez, ama simülasyon tecrübesi modeli geliştirebilir. O

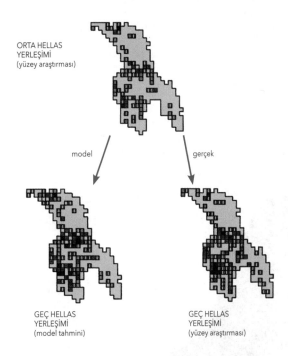

ORTA HELLAS
YERLEŞİMİ
(yüzey araştırması)

model   gerçek

GEÇ HELLAS
YERLEŞİMİ
(model tahmini)

GEÇ HELLAS
YERLEŞİMİ
(yüzey araştırması)

12.22 *A.J. Chadwick'in Tunç Çağı Messenia'sındaki yerleşim artışını gösteren simülasyonu. Minnesota Üniversitesi Messenia Araştırması hâlihazırda Orta ve Geç Hellas dönemlerinde yerleşim dağılımını haritalandırmıştır. Chadwick'in amacı, Orta Hellas yerleşim modeli başlangıç noktası olarak alındığında Geç Hellas modeline yol açacak bir simülasyon modeli geliştirip geliştiremeyeceğini görmekti. Diyagram araştırmalarda keşfedilmiş Orta ve Geç Hellas arkeolojik alanlarının dağılımıyla birlikte en uygun simülasyon sonucunu göstermektedir. Bunun için çevresel (yani topraklar) ve insani (mevcut yerleşimlerin yoğunluğu) etkenlerin bir birleşimi kullanılmıştır. 2x2 km'lik hücrelerdeki gölgelemenin yoğunluğu sırasıyla bir, iki ve üç yerleşimi belirtir.*

KLASİK MAYA UYGARLIĞININ ÇÖKÜŞÜ

Yaygın kanının aksine Maya uygarlığı tek, ani ve tümden bir çöküş yaşamamıştır. İspanyollar 16. yüzyılın başında Kuzey Yucatán'a vardıklarında Maya dili konuşan yoğun bir nüfusun yüzlerce yerel siyasi birimde yaşadığını gördüler. Bazı ileri gelen hükümdarlar 60.000 kadar uyruğa sahip olmakla övünüyorlardı. Tapınaklar ve saraylar önemli şehirlerde baskındı. Rahipler karmaşık takvimlerle birlikte yıllık tören döngülerini düzenleyen kehanet kitaplarına başvuruyorlardı.

Klasik öncesinden Klasik Maya'ya

Arkeologlar artık Maya toplumunda çöküş ve yeniden doğuş döngülerinin 1500 yıl boyunca olağan olduğunu bilmektedirler. En erken "büyük" çöküş, Orta ve Geç Klasik Öncesi dönemde gelişmiş Nakbe, El Mirador, Tintal ve diğer büyük merkezlerin bulunduğu Kuzey Guatemala Mirador Havzası'nda yaşanmıştı. Bu bölge MÖ 150 civarına gelindiğinde büyük ölçüde terk edilmişti (ve hiçbir zaman yeteri kadar gelişmemişti). Burada ve diğer yerlerde ekosistemlerin giderek bozulduğuna dair kanıtlar vardır. Klasik Dönem'in (MS 250-900) Güney Maya düzlükleri de birçok yerel çöküşe şahit olduğu sırada Maya başkentleri ve onların hanedan soyları güçlenip zayıflamış, 10. yüzyılda da nihai çöküş gerçekleşmişti.

Güney Düzlüklerde Çöküş

Güney Düzlükler'de Klasik Maya toplumunun nihai çöküşü, hem kapsamı hem de söz konusu bölgede bir daha toparlanma olmadığından dolayı uzun zamandan beri en ünlü ve açıklanması zor meseledir. Bu geniş alan MS 750'de 40-50 büyük krallık arasında bölünmüş birkaç milyon insanı barındırıyordu. Fakat sekiz yüzyıl sonra Avrupalılar ilk kez bölgeyi boydan boya geçtiğinde neredeyse tamamen terk edilmiş hâldeydi. Seyyahlar 19. yüzyılda ormanlarla kaplı görkemli kalıntıların bezediği bir araziden bahsederek feci bir çöküşe dair romantik bir bakış açısı yarattılar. Yirminci yüzyılın başlarına gelindiğinde bilim insanları Maya anıtlarına işlenmiş tarihleri (şimdi bunların krali/seçkin ilişkileriyle ilgili olduğunu biliyoruz) çözmüşlerdi. Bunlar Maya uygarlığının MS 2. yüzyılda başlayan istikrarlı büyümesine ve gücüne, ardından MS 790 civarında ulaştığı doruk noktasına ve sonunda merkezi hâkimiyetin çöküşüne işaret eden anıtsal inşaat faaliyetlerinde 120 yıl boyunca hızlı bir düşüş yaşandığını göstermekteydi. Bu bulgularda sadece seçkinlerin faaliyetleri doğrudan yansıtılmasına karşın, sistematik arkeolojik kayıtlar ve bağımsız kronolojik bilgilerin yokluğunda, her Klasik Dönem siyasi sisteminin ve halkın bir ya da iki nesil içinde feci bir çöküşten zarar gördüğü düşünülmekteydi.

Artık çöküş sürecinin bu eski modelin ima ettiğinden daha karmaşık ve uzun süreli olduğunu biliyoruz. Birçok bilim insanı çöküşün en azından MS 760 gibi erken bir tarihte, Batı Petexbatun bölgesindeki Dos Pilas ve Aguateca gibi merkezlerin iyi belgelenmiş yıkıcı savaş dönemlerinde terk edildiği sırada başladığını kabul etmektedir. Diğer yerlerdeki merkezler bir süre daha anıtlar dikmeye devam etmiştir, ancak MS 909'da eski epigrafik gelenekler kaybolmuştur. Krali inşaat projeleri durmuş –bazen ani şekilde– ve krali gömütler kesilmiştir. Bazı siyasi birimler ve başkentler aniden ve açık şiddet izleriyle çökmüş olmakla birlikte, diğerleri yavaş yavaş (ve görünüşe göre barışçıl şekilde) terk edilmiştir. Eğer tüm bakış açımız Güney Düzlükleri'yle sınırlı kalacaksa, bu durumda merkezi siyasi kurumların çözülmesi kabaca 150 yıllık bir dönem içinde meydana gelmiştir (Lamanai ve Coba gibi bazı görkemli merkezler bu sıkıntıları aşmıştır).

İşlevini yitirmiş Klasik Dönem başkentlerinde nüfusa ne olduğu daha karmaşık ve tartışmalı bir sorundur; ayrıca mevcut arkeolojik bulgularla değerlendirilmesi de zordur. Görünüşe göre birçok bölge gerçekten ani demografik değişimler geçirmiştir, fakat diğerleri değil. Örneğin Copan'da seçkinlerin faaliyetleri yaklaşık MS 1000'e kadar ikincil kraliyet komplekslerinde devam etmiştir ve genel nüfus dört yüzyıl boyunca giderek azalmıştır. Klasik Güney Maya geleneği o kadar uzun süreli ve çeşitliydi ki bazı arkeologlar onu tanımlamak için "çöküş" demeyi reddetmiştir.

12.23 *Guatemala'daki Tikal'de MS 740-740 arasında inşa edilmiş Tapınak I, büyük ve etkileyici törensel komplekslerin yapıldığı büyük Maya merkezlerinden biriydi. Ancak anlaşıldığı kadarıyla burası MS 950'den sonra tamamen terk edilmiştir. Yüksek nüfus yoğunluğu ve aşırı tarımın çevre üzerinde yıkıcı etkiler bırakmış olması mümkündür.*

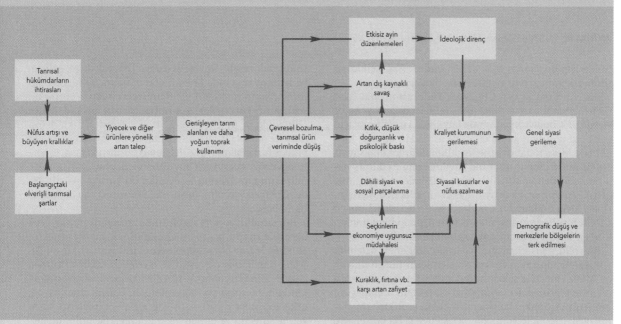

12.24 *Klasik Maya'nın çöküşünü tetiklemiş olabilecek etkileşimler.*

Çöküşün Açıklanması

Çöküşe dair herhangi bir açıklama bütün bu karmaşıklığı hesaba katmalıdır ve en iyi yaklaşım, kapsamlı genellemeler yapmadan önce belirli başkentlere ya da siyasi birimlere ne olduğuna karar vermektir. Klasik Dönem'deki çöküşün açıklanmasına yönelik çabalarımız aynı zamanda Maya tarım stratejileri, insanların kaynak üzerinde nasıl hak iddia ettikleri ve sosyal, siyasi, ekonomik kurumlara ait detaylar hakkındaki bilgi eksikliğimiz (veya anlaşmazlıklarımız) yüzünden sekteye uğramaktadır. Yine de arkeologlar baskıcı işgücü talebi yüzünden çiftçilerin efendilerine karşı ayaklanması gibi bazı eski etkili açıklamaları ya terk etmişler ya da önemlerini azaltmışlardır.

Çoğu arkeolog tek bir sebebin ne olduğunu açıklayamayacağı konusunda hemfikirdir. Bunun yerine aşırı nüfus, tarımsal toprakların düşen kalitesi, açlık, hastalık, savaş, sosyal huzursuzluk, iklim değişikliği ve ideolojik bunalım gibi bir dizi birbiriyle bağlantılı sıkıntılar Geç Klasik Maya uygarlığını artarak etkilemişti (diyagrama bakınız). Bu sıkıntıların hiçbiri yeni değildi ve daha

önceki Maya krallıkları bunları atlatmıştı. Ancak Geç Klasik Maya uygarlığı her zamankinden çok daha kalabalık ve ihtilaflıydı; yüzyıllarca süren insan kullanımıyla şekillenmiş ve bozulmuş sıra dışı kırılganlıkta bir ekosistem miras almıştı. Nüfus 8. yüzyılda zirve noktasına ulaşmış ve tarımsal alanların kapasitesini aşmıştır. Klasik toplumun sallantılı yapısı çökmüştü ama bu, gürültülü bir düşüşten ziyade bir bunalımdı.

Bazı sebepler diğerlerine göre şüphesiz daha önemliydi. Yakın tarihte paleoiklim uzmanları göl ve deniz tabanı çökeltileri üzerinde kullandıkları yeni oksijen izotop analiz yöntemleri sayesinde MS 770-1100 arasında irili ufaklı bir dizi kuraklık ortaya koymuştur. Bazıları bu dönemin çöküşün tek önemli nedeni olduğuna inanmaktadır. Diğerleri ise paleoiklim verilerinin tutarsızlığı ve düzlüğün en kurak kısmında –özellikle Chichen Itza'da– yaşamış kuzeyli Mayaların bu tarihler arasında gelişmesi nedeniyle aynı fikri paylaşmamaktadır. Kuraklık dönemleri Güney Maya uygarlığına tarihi boyunca zarar vermiştir ve 8 ile 9. yüzyıllardaki uzun süreli kuraklıklar, giderek bozulan ve kırılgan hâle gelen bir arazide yiyecek üretimini etkilemiş olabilir.

Maddi baskılar muhtemelen en önemli unsurlar olmasına karşın aynı zamanda çöküşün sosyal ve ideolojik

bileşenleri de vardı. Savaşlar sıklaşmış ve bazı merkezlerde iç huzursuzluklar baş göstermişti. Copan gibi krallıklardaki saray dışı aileler giderek iddialı ve rekabetçi olmaya başlamıştır. Cancuen ve diğer merkezlerden gelen kanıtlar kraliyet ailelerinin şiddetli bir şekilde yok edildiğini göstermekle birlikte, faillerin kimliği her zaman açık değildir. Eski Mayalar ideolojileri, özellikle de mısıra sadece bir yiyecek değil, aynı zamanda neredeyse bir mitolojik madde olarak saplantı derecesindeki ilgileri yüzünden kendilerini sınırlamışlardı. Maya siyasi hayatının merkez kurumu olan kraliyet hükümdarların doğaüstü kudretlerini vurguluyordu. Krallar kendilerini refah ve istikrarın en büyük garantörleri olarak lanse ediyorlardı, ama kritik 8 ve 9. yüzyıllarda bu vaatlerini yerine getiremedikleri açıktı. Çöküşle ilgili birçok şey yavaş yavaş meydana gelmişti, fakat krallık ve onun sembolik bağıntılarının –krali anıtlar, sanat, gömütler, saraylar, yazıtlar– reddi görünüşe göre her yerde ani olmuştur. Maya nüfusunun yüzyıllarca varlığını koruduğu yerlerde bile Klasik Dönem'in eski krallık usulleri yeniden canlandırılmamıştır. Kuzey Maya'nın Klasik sonrası yöneticileri hanedan temsili için farklı stratejiler benimsemiştir.

hâlde simülasyonun esas değeri budur: Asıl açıklama simülasyonun kendisinden ziyade modeldir.

Bir örnek olarak A.J. Chadwick Yunanistan'daki Tunç Çağı Messenia'sında yerleşim gelişimini modellemeye karar vermiştir. Chadwick yerleşimin büyümesi ve gelişmesi için çok basit kuralları kabul etmiş ve ardından bunları tarihöncesi Messenia arazisine uygulamak üzere bilgisayarı kullanmıştır. Sonuç, zamana yayılan simule edilmiş yerleşim modelleridir. Üstelik bunlar, gelişimlerini bildiğimiz gerçek yerleşim modelleriyle ilginç benzerlikler gösterirler. Dolayısıyla simülasyon, Chadwick'in üretici modelinin en azından yerleşim gelişim sürecinin özünü yakalamakta kısmen başarı kazandığını düşündürmektedir.

Bu yolla, esas itibarıyla yukarıda özetlenen sistemler yaklaşımından hareket edip sistemlerin bütün olarak gelişimini modellemek de mümkündür. Bu noktada çeşitli alt sistemlerin eklemlenmesi ya da karşılıklı etkileşimi incelenir. Ardından bu eklemlemelerin pratikte tam olarak nasıl işleyebileceğini, bir alt sistemdeki bir parametre değerinin diğer alt sistemlere ait parametreleri nasıl değiştireceğini belirtmek gerekir.

Simülasyon kişinin, kendisi tarafından belirlenmesi (ya da gerçek bir örnekten alması) gereken bütün parametrelerin ilk değerlerinden başlayarak pratikte başından sonuna kadar buna dâhil olmasına izin verir. Massachusetts Teknoloji Enstitüsü'nde Jay Forrester'in başkanlık ettiği Sistem Dinamikleri modelleme grubu, çeşitli alanlarda bu tekniğin öncülüğünü yapmıştır. Bunlara şehirlerin gelişimi ve dünya ekonomisinin geleceği de dâhildir.

Bu simülasyon teknolojisi arkeolojide genel olarak emekleme safhasındadır, ama kullanıldığı birkaç çalışma mevcuttur. Örneğin, Jeremy Sabloff ve arkadaşları bunu Klasik Maya uygarlığının MS 900 civarında çöküşünü modellemek için kullanarak kendi önerilerini ve modellerini ortaya koymuşlardır. Sonuçlar, modelin makul neticeler elde edebileceği konusunda yol göstericidir, ancak yeni teoriler de ortaya çıkmıştır.

Amerikalı arkeolog Ezra Zubrow, Forrester'in yaklaşımı üzerinde değişiklikler yaparak bunu, antik Roma'nın MÖ 1. yüzyıl sonunda imparator Augustus zamanından MS 1. yüzyılın başına kadar gelişimini modellemek amacıyla kullanmıştır. Zubrow'un amacı Roma için tamamen

simule edilmiş bir davranış ortaya koymak değil, gelişim ve istikrar üzerinde önemli etkiler yapacak hassas parametrelerin hangileri olduğunu sınamaktı. Zubrow'un sonuçlarından bazıları, çok ani gelişme ve düşüş döngüsü (200 yılda üç tane) şablonu ortaya çıkardı. Farklı değişkenlerle (mesela işgücü büyüklüğünü iki katına çıkararak) birlikte farklı bilgisayar çalışmaları yürüterek, modele göre hangi değişimlerin çok büyük önem taşıyacağını görmek mümkündür. Aslında işgücünün iki katına çıkarılması büyük bir etki yaratmamıştır, ama tekrar iki katı arttırmak bunu başarmıştır.

Bu, simülasyonun sistemin davranışını inceleyecek bir araştırma aracı olarak kullanılmasına bir örnektir. Şimdiye kadar böyle simülasyonlarla yapılanlar ön çalışma niteliğinde olmuştur ve incelenen erken kültürden ziyade, simülasyonların süreçleri ve potansiyelleri hakkında daha fazla şey öğrenilmiştir. Üstelik simülasyon, arkeolog Steven Mithen'ın yaptığı gibi bireylerin karar verme sürecini ve birden fazla failin etkileşimini modellemek üzere düzenlenebilir.

Sistem Çöküşü

Geçmişe bakıldığında birçok toplum ve uygarlık ani bir çöküş yaşamış gibi görülebilir. Bu durum Edward Gibbon'ın 1766 ve 1788 arasında yayımlanmış ünlü çalışması *The History of the Decline and Fall of the Roman Empire*'da (*Roma İmparatorluğu'nun Gerileyiş e Çöküş Tarihi*) örneklendirilmiştir ve hâlen zarif düzyazı üslubundan dolayı övgü alır. Klasik Maya uygarlığının çöküşü s. 496-497'deki kutuda ele alınmıştır. Olay arkeologlar tarafından on yıllarca tartışılmış ve bilim insanlarıyla popüler yazar Jared Diamond'ın *Collapse: How Societies Choose to Fail or Succeed* (*Çöküş.Medeniyetler Nasıl Ayakta Kalır ya da Yıkılır?*, 2005) eseri konuyu yeniden ele almışlardır. Bunu çeşitli bilimsel tartışmalar izlemiştir ve birçok toplumda gerileme hızının (yani "çöküş") çoğu örnekte abartıldığı konusunda aşağı yukarı fikir birliğine varılmıştır. Kanıtların daha yakından incelenmesi, sıklıkla gerilemenin ilk bakışta olduğundan daha yavaş gerçekleştiğini ve Peru'nun eski Nazca toplumundaki gibi ekolojik ve kültürel faktörlerin işin içinde olduğunu ortaya koymuştur.

POSTSÜREÇSEL YA DA YORUMSAL AÇIKLAMA

Burada işlevsel-süreçsel arkeoloji olarak adlandırdığımız erken Yeni Arkeoloji, 1970'lerin ortalarından sonra birkaç cihetten eleştirilere maruz kaldı. Mesela ilk zamanlarda, *Time and Tradition* (1978) adlı kitabında Bruce Trigger, yorumlayıcı yasalar formülleştirmenin çarelerini arayan yaklaşımı (nomotetik yaklaşım) çok sınırlayıcı

olduğu için eleştirmişti. Trigger, historiyografik yaklaşımı, yani geleneksel tarihçinin kapsamlı tanımlayıcı yaklaşımını tercih etmişti. Önerilen sözde yasaların değersiz niteliklerini hor gören, toplumların ideolojik ve sembolik yönlerine daha fazla önem verilmesi gerektiğini düşünen Kent Flannery tarafından da eleştirilerde bulunulmuştur. Aynı şekilde Ian Hodder, arkeolojinin en yakın bağlarının tarihle olduğunu belirtmiş ve tarihte bireyin rolünün etraflıca takdir edilmesini istemiştir. Hodder ayrıca mantıklı biçimde "maddi kültürün aktif rolünü" vurgulayarak, meydana getirdiğimiz nesneler ve maddi dünyanın, maddi kayıtlarda somutlaşan (kültürel oluşum süreciyle; 2. Bölüm'e bakınız) sosyal gerçekliğimizin basit yansımaları olmadığının altını çizmiştir. Aksine, toplumun işlemesini sağlayan maddi kültür ve bilfiil nesnelerdir. Mesela modern bir toplumda birçoklarını çalışmaya teşvik eden şey zenginliktir. Hodder daha da ileri giderek maddi kültürün "anlamlı şekilde oluşturulduğunu", düşünceleri ve eylemlerini göz önünde bulundurmamız gereken bireylerin bilinçli hareketlerinin sonucu olduğunu ileri sürer.

Bu eleştirilerden yola çıkan bazı İngiliz (özellikle Ian Hodder, Michael Shanks ve Christopher Tilley) ve Amerikalı (bilhassa Mark Leone) arkeologlar, yeni yaklaşımlar formüle ederek, işlevsel-süreçsel arkeolojinin (aslında aynı zamanda büyük ölçüde geleneksel Marksist arkeolojinin de) kendilerine göre bazı kısıtlamalarının üstesinden gelmişler, böylece 1990'ların postsüreçsel arkeolojisini yaratmışlardır. Postsüreçsel tartışma bugün için büyük ölçüde sona ermiş ve geride, mevcut süreçsel ya da bilişsel-süreçsel gelenekle bir arada 21. yüzyılın yorumsal arkeolojilerini şekillendirecek bir dizi ilginç (ve bazen bütün olarak çelişkili) yaklaşım bırakmıştır.

Bu yorumsal arkeolojilere katkıda bulunanlar arasında şunlar vardır (ayrıca s. 44'teki kutuya bakınız):

- Neo-Marksizm (Althusser, Balibar, Lukacs)
- Feyerabend tarafından savunulan bilimsel yönteme "pozitivizm sonrası" (anarşik) bakış açısı
- Claude Lévi-Strauss'un yapısalcılığı
- Ernst Cassirer ve Martin Heidegger'in fenomenolojik yaklaşımı
- Dilthey, Croce ve Collingwood tarafından başlatılmış ve yakın zamanda Ricoeur'ün geliştirdiği yorumbilimsel (yorumsal) yaklaşım
- Frankfurt Okulu filozoflarının (Marcuse, Adorno) ve Habermas'ın geliştirdiği Eleştirel Kuram
- Barthes, Foucault ve Derrida'nın postyapısalcılığı (dekonstrüktivizm)
- Giddens ve Bourdieu'nün yaklaşımıyla tanımlanan yapılaştırma teorisi
- Arkeolojiye feminist yaklaşımlar (s. 45 ve 225-230)

Yapısalcı Yaklaşımlar

Birkaç arkeolog, Fransız antropolog Claude Lévi-Strauss'un yapısalcı fikirlerinden ve Amerikalı Noam Chomsky'nin dilbilim alanında gerçekleştirdiği gelişmelerden etkilenmiştir. Yapısalcı arkeologlar, insan eylemlerinin inançlar ve sembolik kavramlar tarafından yönlendirildiğini, uygun çalışma konusunun nesneleri yapmış ve arkeolojik kaydı yaratmış insan faillerin zihinlerindeki düşünce yapıları –fikirler– olduğunu vurgularlar. Bu arkeologlar farklı kültürlerde insan zihninde yinelenen şablonlar bulunduğunu iddia eder. Söz konusu şablonların birçoğu pişmiş/çiğ; sol/sağ; kirli/temiz; kadın/erkek vb. şeklinde kutupsal karşıtlarda görülebilmektedir. Buna ilaveten, hayatın bir alanında görülen düşünce kategorilerinin diğerlerinde de görüleceğini, böylece mesela sosyal ilişkiler alanında "sınırlılık" ya da sınırlara dair bir zihin uğraşının, çanak çömlek bezmelerinde görülen "sınırlılık" gibi farklı alanlarda saptanabileceğini ileri sürerler.

André Leroi-Gourhan'ın Paleolitik mağara sanatının yorumlanmasıyla ilgili çalışması (s. 398-399'daki kutuya bakınız), yapısalcı ilkeleri kullanan öncü bir projeydi. Hayvan tasvirlerinin açıklanmasına yönelik bu girişim için yaklaşım özellikle uygun görünmektedir. Bir diğer önemli yapısalcı çalışma, halkbilim uzmanı Henry Glassie tarafından Amerika Birleşik Devletleri'ndeki Orta Virginia'da aile toplu konutları üzerine yapılmıştır. Burada Glassie insan/doğa, özel/kamu, iç/dış, akıl/duygu gibi yapısal ikilikleri kullanır ve onları çoğu MS 18 ve 19. yüzyıla ait evlerin planlarına ve diğer özelliklerine uygular. Yazılı kaynaklara sadece sınırlı atıfta bulunarak temelde maddi kültür üzerinden çalıştığı için çalışması şüphesiz arkeolojik yorumla ilgilidir. Fakat Glassie, konusunun içinde çalıştığı aynı kültürel geleneğe ait olduğunu ileri süremeseydi açıklamalarının mantıklı görünüp görünmeyeceği başka bir meseledir.

Eleştirel Kuram

Eleştirel Kuram, 1970'lerde öne çıkan Alman toplum düşünürlerinin oluşturduğu "Frankfurt Okulu" tarafından geliştirilmiş yaklaşıma verilen isimdir. Onların yaklaşımı, bütün bilginin tarihsel, çarpık iletişim olduğuna ve "nesnel" bilgiyi arama iddiasının aldatıcılığına vurgu yapar. Bu düşünürler yorumsal ("yorumbilimsel") yöntemleriyle mevcut düşünce sistemlerinin kısıtlamalarını aşacak daha açık fikirli bir bakış açısı arayışındadır, çünkü sosyal konuları bilimsel yollarla ele aldıklarını iddia eden araştırmacıların (arkeologlar da dâhil), modern toplumda hegemonya kurulmasını sağlayan "kontrol ideolojisi"ni örtülü olarak desteklediklerini kabul ederler.

Açıkça politik olan bu eleştiri, arkeoloji için ciddi bir anlam ifade eder, zira bu okulun filozofları nesnel olgu diye bir şeyin bulunmadığını önemle belirtir. Olgular sadece bir dünya görüşü ve kuramla bağlantılı olarak anlam kazanır. Okulun takipçileri, süreçsel arkeologların kullandığı sınama kıstaslarını eleştirir ve bu süreci bilim dallarına ait "pozitivist" yaklaşımların arkeoloji ve tarihe ithali olarak görürler.

AVRUPA MEGALİTLERİNİ AÇIKLAMAK

Avrupa tarihöncesinin eskiden beri süregelen problemlerinden biri sözde megalitik anıtlardır. Bunlar büyük taşlardan ("megalit"; Yunanca *megas* [büyük] ve *lithos* [taş] kelimelerinden) inşa edilmiş etkileyici tarihöncesi yapılardır. Genelde taşlar bir toprak yığınının altına gömülmüş ve bir kenarından giriş yapılan tek bir oda olacak şekilde düzenlemişlerdir. Odalar büyük ve aynı zamanda uzun bir giriş koridoruna sahip olabilir. Bu yapıların içinde çoğu kez insan kalıntıları ve insan yapımı nesneler bulunur. Çoğunun toplu gömüt odaları olarak, yani birden fazla insana hizmet ettikleri açıktır.

Megalitik anıtlar Avrupa'nın Atlantik kıyılarında yaygın şekilde görülür. Ayrıca iç kısımlarda, İspanya, Portekiz ve Fransa'nın büyük kesiminde ortaya çıkar, fakat kıyıdan yaklaşık 100 km daha ötede rastlanılmaz ve genellikle Orta ile Doğu Avrupa'da bulunmazlar. Çoğu megalit Neolitik Çağ'a –ilk çiftçilerin dönemi– aittir. Tunç Çağı'nın başlangıcında birçok yerde kullanımdan kalkmışlardır.

Konu hakkında birçok soru işareti ortaya çıkmıştır. Batı Avrupa'nın Neolitik sakinleri bu büyük taş anıtları nasıl dikebilmişlerdi? Neden diğer bölgelerde bunlara rastlanmıyordu? Neden daha önce veya sonra değil de bu dönemde

12.25 *Batı Avrupa'daki megalit anıtların dağılımı.*

ATLANTİK OKYANUSU

AKDENİZ

inşa edilmişlerdi? Sergiledikleri çeşit ve yayılımın açıklaması neydi?

Göç ve Yayılımcı Açıklamalar

Megalitler, 19. yüzyılda, Batı Avrupa'ya göç etmiş tek bir insan grubunun eseri olarak görülmekteydi. Açıklamaların büyük bölümü ırkçı bir çerçevede sunulmaktaydı. Fakat ırk ayrımının açıkça belirtilmediği durumlarda bile açıklamalar etnik temelliydi: Anıtların sorumlusu yeni bir göçmen grubuydu.

Yirminci yüzyılın başlarında barbar batı üzerinde Doğu Akdeniz'deki daha yüksek uygarlıkların etkisini öne süren alternatif açıklamalar getirildi. Bir taraftan Girit ile Yunanistan, diğer taraftan İtalya ve İspanya arasındaki ticari bağlantılar fikir dolaşımının kaynağı olarak kabul edildi. Dolayısıyla Girit mezar yapılarında MÖ 3200 civarında görülen toplu gömüt geleneğinin birkaç yüzyıl içinde İspanya'ya ulaştığı düşünüldü. Buradan da yayılım mekanizmalarıyla diğer yerlere yayılmış olacaktı. Bu görüş, İspanya, Portekiz ve ardından diğer bölgelerdeki megalitlerin Girit'tekilerden *daha geç* tarihli olduğu fikrini de beraberinde getirdi.

İşlevsel-Süreçsel Açıklama

Radyokarbon tarihleri Batı Avrupa megalit mezar yapılarının birçok örnekte Girit'tekilerden daha erken olduğunu açıkça gösterdi. Şimdi yerel toplulukların ölülerin defni için kendi geleneklerini oluşturdukları düşünülmeye başlanmıştı. İyi bir süreçsel açıklama böyle bir gelişmeyi, iş başındaki yerel sosyal ve ekonomik süreçler açısından anlatmalıydı.

Renfrew (s. 204-205'teki kutuya bakınız) Neolitik Çağ'da birçok yerde yerleşim modelinin dağınık eşitlikçi gruplar şeklinde olduğunu iddia etti. Her bir ortak mezar yapısı dağınık topluluğun ilgi merkezi olarak hizmet görecek ve ona ait alanın tanımlanmasına yardım edecekti. Megalitler segmenter toplumların alan işaretleyicileriydi.

Bununla bağlantılı bir fikir Amerikalı Arthur Saxe'ın çalışmasından yararlanan İngiliz arkeolog Robert Chapman tarafından ortaya atıldı: Ölüler için resmi gömüt alanları (yani mezar yapıları) toprak mülkiyeti için rekabetin bulunduğu toplumlarda görülmekteydi. Ataların kemiklerini barındıran aile mezar yapılarını sergilemek, alan içindeki ata topraklarının sahiplenilmesi ve kullanımını meşru kılıyordu. Bu açıklama uygun şekilde "işlevsel" olarak tanımlanabilirdi, çünkü mezar yapılarının toplumda sosyal ve ekonomik anlamda nasıl yararlı bir işleve hizmet ettiğini göstermekteydi.

Neo-Marksist Açıklama

Christopher Tilley 1980'lerin başında İsveç'in Orta Neolitik megalitlerinde (süreçsel açıklama gibi) yerel etkenleri vurgulayan bir açıklama geliştirdi. Tilley böyle anıtların bu küçük toplumlarda bireylerin iktidarı kullanmasıyla ilgili olduğunu savundu. Bu kişiler megalitlerle alakalı ayinleri, toplum üzerindeki kontrollerinin keyfi doğasını gizlemek ve toplum içindeki eşitsizlikleri meşrulaştırmak için kullanıyorlardı. Bir mezar yapısı içindeki farklı bireylere ait vücut parçalarının karıştırılmış olması toplumun organik bütünlüğünü vurgulamakta, dikkatleri aslında var olan güç ve mevki eşitsizliğinden uzaklaştırmaktaydı. Mezar yapıları ve ayinler kurulu düzeni normal ya da doğalmış gibi gösteriyordu.

Tilley'nin bir grup içindeki hâkimiyete dayalı açıklaması tipik bir Marksist yorumdur. Öte yandan ayin ve ideolojinin altta yatan çelişkileri örtmesi ise Neo-Marksist düşünce için karakteristiktir.

Postsüreçsel Açıklama

Ian Hodder hem süreçsel hem de Neo-Marksist bakış açısını eleştirirken sembolik yönlere dikkat çekmiştir. Önceki açıklamaların özellikle megalitlerin bulunduğu tarihi bağlamı uygun şekilde değerlendirmediklerini savunmuştur. Özel kültürel bağlam hesaba katılmadığı sürece geçmiş sosyal faaliyetlerin etkilerinin anlaşılamayacağını iddia eder.

Hodder Batı Avrupa'daki birçok oda mezarın sembolik olarak Orta ve Batı Avrupa'daki erken ve modern evlere atıfta bulunduğunu savunmaktadır: "Mezarlar ev anlamına gelir." Ona göre, "Batı Avrupa'da megalitlerin etkin şekilde sosyal stratejilere iştirak etme biçimleri mevcut bir sosyal bağlama dayanıyordu. Mezar yapılarının varlığı ancak Avrupa toplumu içindeki değerlerle yüklü anlamları incelendiği zaman layıkıyla değerlendirilebilir" (Hodder, 1984, 53). Hodder tartışmaya söz konusu toplumlarda kadınların rolü gibi ilave meseleleri de katmaktadır. Amacı ise belirli bir konteksteki mezar yapısının onu inşa edenler için taşıdığı anlamı bir şekilde kavrayabilmektir.

Alasdair Whittle bu dönemde toplumu dönüştüren dürtünün ekonomik ya da demografik (yani tarım) değil düşünsel olduğunu ve tarım tekniklerinin ancak daha sonra geniş çapta benimsendiğini iddia ederek anıtları inşa edenlerin çiftçi kimliklerini sorgulamıştır. Bu, postsüreçsel bakış açısını uç noktalara taşımak olur.

Karşılaştırma

İşlevsel-süreçsel, Neo-Marksist ve postsüreçsel açıklamaların tümü dâhili etkenlere büyük önem atfeder, ancak birbiriyle çelişirler mi? Aslında çelişmediklerini ve her üçünün de aynı anda işlediğini düşünüyoruz.

Anıtların bölgesel işaretleyiciler yanında bölgesel inanç ve faaliyetler için odak noktası olarak topluma yarar sağladığına dair süreçsel yorum, bunların kendi sosyal statülerini devam ettirmek isteyen ileri gelenler tarafından toplum üyelerinin yönlendirilmesi için kullanıldığını öne süren Marksist görüşle çelişmez. Ayrıca bu iki görüş, belirli kontekstlerde mezar yapılarının özel anlamlar taşıdığı ve zengin megalit mezar tiplerinin daha fazla değerlendirilmesi gerektiği ("Yeni Wessex Okulu"ndan yorumsal arkeologların yapmaya devam ettiği gibi) düşüncesiyle çatışmak zorunda değildir (s. 223'e bakınız).

Bu görüşler Ian Hodder tarafından *Reading the Past* (*Geçmişi Okumak*, 1991) kitabında ve Michael Shanks ve Christopher Tilley'in *Reconstructing Archaeology* (1987) adlı çalışmalarında geliştirilmiştir. Söz konusu bilim adamları, şimdiye dek arkeolojinin kullandığı çoğu akıl yürütme sürecinin doğruluğunu sorgulamışlardır.

Süreçsel arkeologların bu fikirlere yanıtı, onların izinden gitmenin, görünüşe bakılırsa bir insanın geçmişe dair görüşünün en az diğerininki kadar iyi olduğu anlamına geldiğine ("görecelik") ve bunların arasında sistematik olarak bir seçim yapma umudunun bulunmadığına işaret etmektedir. Bu durum, 14. Bölüm'de tartışılan uçan daireler, dünya dışı güçler ya da insan aklının hayal edebileceği her türlü fantezi cinsinden açıklamaların önerildiği "uç" ya da "alternatif" arkeolojilere yol açacaktır. Eleştirel Kuram taraftarların bu tenkitlere nasıl cevap verebileceği tam olarak açık değildir.

Neo-Marksist Düşünce

Daha önce değinildiği gibi, Neo-Marksist ("yapısalcı Marksist") düşüncenin bir özelliği, ideolojik üst yapının, toplumun ekonomik temeline bağımlıymış gibi düşünülmemesi gerektiğini vurgulamasıdır. Bu, erken toplumlarda değişimin şekillenmesinde ideolojiye daha fazla önem verilmesine imkân tanır.

Bir örnek, Mark Leone'nin Maryland'deki Annapolis'te, bölge için daha derin bir tarihi kimlik oluşturmakla ilgili bir araştırma projesinin parçası olarak yaptığı çalışma tarafından sunulmuştur. Leone'nin örneği, zengin bir toprak sahibi olan William Paca'nın 18. yüzyıla ait bahçesidir. Bahçe arkeolojik açıdan çalışılmış ve rekonstrüksiyonu yapılmıştır.

Leone Annapolis bahçesini detaylı olarak inceler ve bir köle toplumuyla bireysel özgürlüğü teşvik etmek için bağımsızlık ilan eden bir toplumun sunduğu çelişkiyi vurgular. Bu çelişki Paca'nın hayatında da görülmektedir. "Bu zıtlığı maskelemek için, Paca'nın iktidar mevki yasa uygulamasına ve doğaya yerleştirilmiştir. Bu, hem yasa uygulaması hem de bahçecilikte yapılmıştır" diye yazmaktadır.

Bu yeni Marksist bakış açısı, sömürgecilik çağından önceki yerel nüfusa ve onların başarılarına önem veren bir tarih (ve arkeoloji) inşa etmek gibi anlaşılabilir bir isteğe sahip bazı Üçüncü Dünya ülkelerinin yeni yeni gelişen yerel arkeolojilerinde yankı bulmuştur.

BİLİŞSEL ARKEOLOJİ

1980'lerde ve 1990'larda, 1970'lerin işlevsel-süreçsel arkeolojisindeki bazı kısıtlamaları aşan yeni bir bakış açısı doğdu. Bu yeni sentez postsüreçsel arkeolojideki her türlü uygun gelişmeden bir şeyler öğrenmeye istekli olmakla birlikte, süreçsel arkeolojinin ana akımında kalmaktadır; sadece tarif etmekten ziyade açıklamak ister. Aynı zamanda kuramsal yapısı içinde genellemenin rolünü vurgular ve sadece varsayımlar formüle etmenin değil, onları verilerle sınamanın da altını çizer. Eleştirel Kuram'ın uç noktası gibi görünen genel göreliliği reddeder ve eski toplumlarda "anlam"a dair ayrıcalıklı içgörü sunma iddiasındaki ya da "evrensel anlam ilkeleri" beyan eden yapısalcı (ve diğer) arkeologlara şüpheyle yaklaşırlar.

Buraya kadar, Yeni Arkeoloji'nin olumlu başarılarını reddetmede postsüreçsel arkeolojinin devrimsel iddialarını kabul etmez. Onun yerine, kendisini (eleştirenler doğal olarak karşı çıkacaktır) arkeolojik düşünüşün ana akımı içinde, 20 yıl önceki işlevsel-süreçsel arkeolojinin doğrudan mirasçısı (ve Marksist arkeolojiyle çeşitli diğer gelişmelerin taraftarı) olarak kabul eder.

Bilişsel-süreçsel arkeoloji, önceli işlevsel-süreçsel arkeolojiden birkaç noktada ayrılır:

1 Erken toplumların bilişsel ve sembolik yönlerini kendi açıklamalarına dâhil etmenin bilfiil yollarını arar (aşağıya bakınız).
2 İdeolojinin toplumlarda aktif bir güç olduğunu kabul eder; Neo-Marksist arkeologların savunduğu gibi birçok açıklamada kendisine bir rol verilmesi gerektiği ve ideolojinin insanların zihinlerinde işlediği gerçeğini anlar.
3 Maddi kültürü yaşadığımız dünyayı meydana getiren aktif bir etken olarak görülür. Bireylerle toplumlar kendi gerçekliklerini inşa eder. Ian Hodder ve meslektaşlarının etkin bir şekilde iddia ettiği gibi, maddi kültürün o yapı içinde ayrılmaz bir yeri vardır.
4 Toplumlardaki içsel çatışmanın rolü, Marksist arkeologların her zaman vurguladığı üzere daha etraflıca düşünülmesi gereken bir konudur.
5 Eskinin tamamen bireyle bağlantılı, aslında sıklıkla anekdotsal tarihi açıklaması gözden geçirilmelidir. Bu nokta, çevrimsel değişim ve bunun altında yatan uzun vadeli eğilimleri değerlendirmiş Fransız tarihçi Fernand Braudel'in çalışması tarafından iyi şekilde örneklendirilmiştir.
6 Bilişsel-süreçsel arkeoloji yöntemsel bireycilik olarak bilinen felsefi yaklaşımın salt sezgisine veya uç nesnelliğine gömülmeden bireyin yaratıcı rolünü hesaba katabilir.
7 Bilim felsefesinin uç "pozitivist" bakışı artık sürdürülemez. "Olgular"a kuramdan bağımsız nesnel bir mevcudiyetleri varmış gibi bakılamaz. Fizikteki evrensel yasalar gibi "kültür süreci yasaları" formüle etmenin arkeolojide açıklama için verimli bir yol olmadığı artık anlaşılmıştır.

Bu son noktayı daha fazla tartışmak gerekir. Bilim filozofları, bir önermenin doğruluğunu değerlendirmeye yönelik iki yaklaşımı uzun süreden beri karşılaştırmaktadır. Bunlardan bir tanesi önermeyi ilgili olgularla mukayese ederek değerlendirir. Eğer söz konusu önerme doğruysa o zaman olgularla uyuşması gerekir (buna **uyuşma** yaklaşımı denir). Diğeri ise önermeyi, inanç yapımız dâhilinde doğru olduğuna inandığımız diğer önermelerle tutarlı olup olmadığına (ya da uyumluluk, yani **tutarlık** yaklaşımı) göre ölçer.

Şimdi, bilim insanının bu iki işlemden ilkini takip edeceği düşünülebilirse de, pratikte herhangi bir değerlendirme bu ikisinin bir kombinasyonunu temel alır, çünkü olguların gözlemleri temel alması gerekir ve gözlemler de dünya hakkında kuramlara dayalı bir tür çıkarım çerçevesi kullanılmadan yapılamaz. Olguların kuramda değişiklik yaptığını; yine kuramın olguların tespitinde kullanıldığını düşünmek daha uygundur.

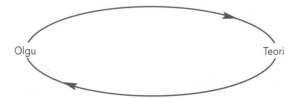

Olgu — Teori

Bilişsel-süreçsel arkeologlar, işlevsel-süreçsel öncelleri gibi kuramların olgularla sınanması gerektiğine inanırlar. Görünüşe göre, gerçek konusunda tamamen tutarlık görüşünü izleyen Eleştirel Kuram'ın göreliliğini ve 1990'ların postsüreçsel arkeolojisini reddeder. Ancak olgu ve kuram arasındaki ilişkinin 40 yıl önce bazı bilim filozoflarının düşündüğünden daha karmaşık olduğunu kabul eder.

Sembol ve Etkileşim

Yeni Arkeoloji'nin başlangıçta sosyal yapıları incelemeyi arzu ettiği anlatılmış ve bu yoldaki ilerleme 5. Bölüm'de yeniden ele alınmıştı. Fakat Yeni Arkeoloji kültürün sembolik yönlerini araştırmakta yavaş kalmıştı ve bilişsel-süreçsel arkeolojinin yakın zamandaki gelişiminin nedeni de buydu.

Toplumda dini ayinlerin rolü geçmiş 30 yıl boyunca kültürel antropolog Roy Rappaport tarafından yeni bir yöntemle incelenmiştir. Kendisini tamamen Yeni Gine'de çalıştığı tarım toplumuna vermenin yollarını arayıp onun sembolik formlarına bütünüyle aşina olmak yerine, mesafe koyma stratejisi –topluma dışarıdan bakma, toplumun ayinsel davranışlarında gerçekte ne yaptığını (ne yaptığını söylediğini değil) seyretme– izledi. Bu konum, çalıştığı toplumun her zaman dışında kalan ve anlam meselelerini o toplumun üyeleriyle tartışma imkânına sahip olmayan arkeolog için uygun bir konumdur. Rappaport toplum içinde ayinin kullanılma yollarını çalışmıştır ve ilgi odağı, sembollerin asıl anlamlarından ziyade işlevleri olmuştur.

Onun çalışması, sembol konularıyla etraflıca meşgul olmuş birkaç ilk nesil Yeni Arkeologdan biri olan Kent Flannery'yi etkiledi. Joyce Marcus ve Kent Flannery'nin *Zapotec Civilization* (1996) adlı kitabı, toplumun bütüncül görünüşünü oluşturmak için sembolik ve bilişsel konuların geçim kaynakları, ekonomi ve sosyal meselelerle bütünleştirildiği ender arkeolojik çalışmalardan biridir. Bu muazzam proje 13. Bölüm'de detaylı olarak ele alınmıştır.

Din ve modern Komünizm gibi diğer ideolojiler kuşkusuz sadece toplumların düşünüş tarzlarında değil, aynı zamanda eylem ve davranışlarında da büyük değişikliklere yol açmıştır ve bu da arkeolojik kayıtta izlerini bırakacaktır. Resmi sembolizmin tüm alanı ve onun içindeki dini sembolizm şimdi dünyanın çeşitli kısımlarında arkeolojik araştırmaların odağı hâline gelmiştir.

Postsüreçsel veya yorumsal arkeoloji, olgu sınıflarını ya da genel süreçleri açıklama konusunda beceri sergileyememiştir, çünkü postsüreçsel düşüncede odak noktası söz konusu konteksteki özel koşullar üzerindedir ve daha geniş ya da kültürlerarası genellemeler kabul edilmez. Diğer taraftan bilişsel-süreçsel arkeoloji genellemeye ve aslında Kent Flannery'nin yine önceki bir çalışmasındaki gibi bireyi aktif bir aktör olarak analize dâhil etmeye daha fazla gönüllüdür.

Ana akım süreçsel gelenekteki iki yakın tarihli çalışma artık bilişsel veya düşünsel boyuta yapılan vurguyu iyi örnekler. Sosyolog Michael Mann'ın çalışmalarından yararlanan Timothy Earle, *How Chiefs Come to Power* (1997) adlı eserinde Danimarka, Hawaii ve Andlar'dan birbirinden çok farklı üç örnek vaka incelenmesinden faydalanarak ekonomik iktidar, askeri iktidar ve iktidar kaynağı olarak ideolojiye birbirini izleyen bölümler ayırır.

Arkaik devletlere ayrılmış ve benzer şekilde konuyu karşılaştırmalı bakış açısından ele alan yakın tarihli bir çalışmada (Feinman ve Marcus, 1998) Richard Blanton erken devletlerde iktidarın kaynaklarını incelemiş ve "iktidarın bilişsel-sembolik altyapısını" iktidarın nesnel altyapısıyla" karşılaştırmıştır. Terminoloji tam anlamıyla uygun olmayabilir, zira kim nesnelliğin sınırları hakkında hüküm verecektir? Fakat netice, bilişsel boyutu işlevsel-süreçsel yaklaşımın ilk günlerindeki gibi sadece bir yan tesir olarak ele almaktan ziyade, ekonomik meselelerle birlikte tam anlamıyla analize entegre etmektir. Bu türden çalışmalarda süreçsel arkeolojinin başlangıçta yaşadığı kısıtlamalar aşılmış ve değişimin kökenleri genelleştirici bir bağlam içinde bilişsel ve sembolik boyuta daha büyük önem vererek incelenmiştir.

Bilişsel-süreçsel ve yorumsal yöntemlerin ne dereceye kadar birbirlerine yaklaşacakları "nesnelerin içselleştirilmesi" (bilişsel-süreçsel gelenekte) kavramıyla ve "maddi iç içe geçmişlik" (yorumsal gelenekte) arasındaki benzerlikler tarafından açıklanabilir. Bu, Çatalhöyük ve yakın tarihli *Religion in the Emergence of Civilisation* (Hoddder, 2010) çalışmasındaki diğer arkeolojik alanlarda erken "din"in gelişimi hakkında yapılan son tartışmalarda örneklerle verilmiştir.

EYLEMLİLİK VE NESNELERİN İÇSELLEŞTİRİLMESİ

Eylemlilik

Yirmi yılda farklı kavramsal geleneklere mensup arkeologla, bir ya da bilişsel ve sembolik, diğer yanda ise, pratik ve üretken olanın çeşitli yollarla uyuşturulduğunu görmüştür. Hedeflerden biri bireyin kısa vadeli maksatlılığını ya da aracılığını, kümülatif eylemlerin uzun vadeli ve genellikle kasıtsız sonuçlarıyla uzlaştırmaktır. Arzulanan şey, bazen kültürlerarası düzeyde görülen genel değişim süreçlerinin ana hatlarını, özel kültür tarihlerinin daha ince özellikleriyle birlikte çizmektir.

Eylemlilik kavramı, değişime önayaklık eden unsur olarak bireyin rolünün tartışılmasına imkân vermek için ortaya atılmıştır (karşı sayfaya bakınız), fakat özellikle antropolog Alfred Gell onu insanlar kadar nesnelere de uygulanabilecek bir nitelik olarak kullandığı zaman terimin kapsamı açık değildir. Eylemlilik üzerine yapılan çeşitli tartışmalar arkeologların bireyin aktör olarak rolünü aydınlatma isteğini açıkça göstermektedir. Ancak bireyin bir soyutlamaya –ki bunda birey artık belirgin değildir– olan katkılarını tasavvur etmek bazen şüpheli bir araç ve nadiren de erken literatürde mevcut yöntemsel bireycilikte bir ilerleme gibi görünmektedir. John Robb'un da yazdığı üzere "eylemlilik muğlak olmak gibi kötü bir şöhrete sahiptir", ama yine de erken teolojik tartışmalardaki bireyin "hür iradesi" gibi gerçek problemlere işaret etmektedir.

Bu meseleler soyut bir düzeyde hayli tartışmaya yol açmış ve birey olarak insanı kavramsallaştırmanın ya da tanımlamanın ne kadar zor olduğunu net olarak göstermişlerdir. Joanna Brück şöyle yazmıştır: "Eğer insanlar diğerleriyle olan bağlarına göre kurulurlarsa, o hâlde hiçbir zaman Batı'nın kullandığı liberal anlamda 'özgür failler' değillerdir. Gerçekte, eylem kapasiteleri başkalarıyla ilişkilerinden doğar ve onlardan ayrılamaz. Bu durumda eylemlilik basitçe sınırlı insan bedenleri içinde değil, fakat kişiyi yaratan daha geniş sosyal ilişki kümelerinde yer alır" (2001, 655).

Ortaya çıkan sonuç, eylemliliğin iktidar gibi bireyler değil, ilişkilerin özelliği olduğu ve esasen sosyal nitelikler taşıdığıdır. John Robb'un vurguladığı gibi, eylemlilik evrensel bir yeterlik ya da özellik değildir, fakat belirli tarihi ortamlar dâhilinde tanımlanır. Bundan çıkan netice, kültürler arası karşılaştırmalar yapıldığında ya da değişime dair daha genel açıklamalar geliştirilirken kullanılması zor bir terim olduğudur.

Maddesellik ve Nesnelerin İçselleştirilmesi

Değişimin bilinçli ve çoğu kez amaçlı insan faaliyetlerinden doğduğu fikri, yeni geliştirilmiş nesnelerin içselleştirilmesi ya da maddeleştirme kuramıyla ilişkilendirilir. Bunun takipçileri, diğerleri gibi pratik olan ve bilişsel olan ile maddi ve kavramsal olan arasındaki insan ilişkileri tartışmalarında ikiliğin üstesinden gelmenin yollarını ararlar. Esasında teknik olanlar da dâhil, pek çok yenilik ve insan toplumlarındaki uzun vadeli değişimlerin maddesel olduğu kadar sembolik bir boyutu da vardır. Filozof John Searle'ün "kuramsal olgular" dediği, sosyal yaratılar da buna dâhildir.

Nesnelerin içselleştirilmesi kuramı (ya da maddeleştirme) birey olarak insanın maddi dünyayla deneyimlediği bağlantıya odaklanır. Böyle bir bağlantı sıklıkla bireylerin yaptığı nesneler aracılığıyla meydana gelir ve neticede binalar ve tekneler gibi karmaşık yapılar yaratılır. İçselleştirme süreci doğal olarak yine nesneler kullanarak ya da üreterek diğer bireylerle etkileşimi içerir.

Nesnelerin içselleştirilmesi sadece insanlarla sınırlı değildir; bir kuş yuvasını yaparken de meydana gelir. Fakat insanlarınki bilgi sahibi ve bilinçli olduğu kadar vasıflıdır da. Lambros Malafouris insan bilişselliğinin nasıl somutlaştığını ve ortaya koyulduğunu göstermiştir (s. 430'a bakınız). Kör bir adamın değneği ve çömlekçi çarkının içselleştirme sürecini genişlettiğini tartışmıştır. Bu doğal olarak avcılık, tarım ve ateş teknolojisinin de dâhil olduğu çeşitli üretim teknolojilerini kapsar.

Arkeolojik düşünme ve uygulamanın yardımcısı olarak nesnelerin içselleştirilmesi pratik ve gerçekçidir, zira bunun günümüze gelebilmiş ürünleri arkeolojinin özünü meydana getirir. Bu yaklaşım aynı zamanda antropolojik ve sosyolojik araştırmaların son zamanlarda üzerinde durduğu maddesellikle de uyum içindedir.

DEĞİŞİMİN ARACISI OLARAK BİREY

Steven Mithen avcı-toplayıcılarla ilgili *Thoughtful Foragers* adlı kitabında "karar verici bireylere odaklanmanın arkeolojide uygun açıklamalar geliştirmeye yönelik bir tutum" olduğunu iddia etmiştir. *Fragments from Antiquity* başlıklı eserinde İngiliz Neolitik'ini ve İlk Tunç Çağı'nı ele alan John Barrett, bireylerin algı ve inançlarını sosyal gerçekliğin ayrılmaz bir parçası olarak görür. Bunlar olmaksızın kültür değişimi doğru şekilde anlaşılamaz. Dolayısıyla değişimin kavranabilmesi için (10. Bölüm'de değinildiği üzere) bilişsel bir yaklaşım zaruridir. Daha yakın bir tarihte Kent Flannery tarih sahnesinde bir aktör olarak bireyin rölünü, Güney Afrika'daki Zulu devleti ve I. Kamehameha'nın idaresinde Hawaii gibi tarihsel olarak belgelenmiş örneklerden yararlanarak vurgulamıştır.

Bireysel eylemleri ve onların sembolik bağlamlarını kapsayan bir yaklaşımın iyi bir örneği, John Robb'ın tarihöncesi İtalya'da değişimle ilgili çalışmasıdır. Robb İtalya'da yaş, toplumsal cinsiyet ve prestij açısından kişisel eşitsizlikleri dikkatlice değerlendirmiş ve Tunç Çağı'nın başlarına doğru erkek toplumsal cinsiyet hiyerarşisinin gelişmesine dair bulguları incelemiştir. Kendisinin de işaret ettiği gibi, Alpler'deki Monte Bego ve Val Camonica'da bulunan

12.27 *Kuzey İtalya'daki Val Camonica'dan bir kaya oyması, mızraklı bir erkek figürünü belirgin boynuzları olan bir erkek geyiği avlarken muhtemelen bir köpekle birlikte göstermektedir.*

kazıma kaya resimleri belirli kavramları temsil eden suretler kullanır. Erkek avcıların, çift sürenlerin, sığırların ve hançerlerin birlikteliği ve tekrarı, bu sembollerin öncelikle erkek toplumsal cinsiyetini sergilemek ve ifade etmek için kullanıldığını düşündürmektedir.

	figür	simge
Sosyal erkeklik	Erkek	hançer
Avcılık/geyiğin yakalanması	Geyik	Geyik boynuzları
Çift sürme/öküzlerin idaresi	Öküz	Boynuzlar

Robb, bireyin eylemlerinin içinde yaşadığı sosyal sistem tarafından biçimlendirilmesine rağmen belirli eylemlerin de o sosyal sistemi inşa edebileceğini, yeniden düzenleyebileceğini ve değiştirebileceğini ileri süren yeni sosyal değişim teorilerine dayanır. Diğer bir deyişle sosyal sistemler insan eylemlerinin hem vuku bulduğu ortam hem de onların neticesidir.

Kült mağaraları, gömütler ve figürinler gibi insan suretlerinden gelen kanıtları temel alarak Robb, İtalya Neolitik çağında (MÖ 6000-3000) toplumun muhtemelen "erkekle kadın arasında birbirini tamamlayan kavramsal zıtlıklar" içerdiğini ileri sürmüştür. Ruth Whitehouse'un işaret ettiği gibi görünüşe göre kült mağaraları hem kadınlar hem de erkekler tarafından kullanılmaktaydı. Bununla birlikte iç kısımlarda sadece erkeklerin faaliyetleri temsil edilmektedir. Gömütler köylerin içindeki basit inhumasyonlardır ve mezar hediyeleri barındırmaz. Ancak erkekler yaygın olarak sağ, kadınlar ise sol taraflarına doğru yerleştirilmişlerdir. Bu döneme ait mevcut figürlerde kadın tasvirleri baskındır. Hepsi birlikte alındığında bu kanıtlar Neolitik toplumda toplumsal cinsiyet ayrımının önemli olmakla birlikte toplumsal cinsiyet hiyerarşisinin bulunmadığını düşündürmektedir.

Tunç ve Demir Çağlarındaki Değişimler

Neolitik Çağ'ın dengeli toplumsal cinsiyet karşıtlıkları Bakır ve Tunç çağlarında (MÖ 3000'den sonra) erkeği kadının üzerinde tutan bir toplumsal cinsiyet hiyerarşisine dönüşmüştür. Bu değişimin temel kanıtı sanattan gelir. Kadın figürleri ortadan kaybolur; şematik insan suretlerinin anıtsal taş tasvirleri olan stellerde erkekler çoğunlukla hançer gibi kültürel simgelerle, kadınlar ise göğüsleriyle tanımlanır. Diğer sanat formlarında üç yeni tema ortaya çıkar: silahlar (özellikle hançerli erkekler), av simgeleri (bilhassa boynuzlardan tanımlanan geyikler) ve toprak sürme (boynuzlarından tanımlanan öküzler). Erkek formunun yine erkek kültürel simgeleriyle –erkekler/hançerler; geyikler/ boynuzlar; öküzler/boynuzlar- sürekli ilişkilendirilmesi, erkek toplumsal cinsiyetini sergilemek ve ifade etmek için kullanılan bir sembolik sistem yaratır. Bu sistemden de erkeklik gücü ve ruhunun ideolojisi ortaya çıkar. Bu sırada kültürel simgelerle temsilleri ya da ilişkileri olmadığı için kadınlar nötr ve kültürel olarak değersiz kalmıştır. Bununla birlikte Robb, erkek toplumsal cinsiyet sembollerinin karmaşık bir toplumsal cinsiyet meselesinde sadece bir yönü anlatıyor olabileceği konusunda uyarıda bulunur.

Demir Çağı'nda (MÖ 1000'den sonra) Tunç Çağı'nın toplumsal cinsiyet hiyerarşisi sınıf temelli bir hiyerarşi hâlini almıştır. Bu, genelleştirilmiş bir erkek iktidarının, yeni bir kadın seçkinler grubuyla tamamlanan aristokratik savaşçı kahramanlığının iktidarına dönüşmesiyle meydana gelmiştir. Sanat eserleri ve gömütler kanıtlarımız için temel kaynaklardır.

Erkek gömütlerine bırakılan mezar hediyeleri şimdi basit hançerlerden ziyade kılıçlar, kalkanlar ve askeri donanımlardır. Steller, heykeller (Capestrano savaşçısı gibi - görsele bakınız) ve kaya sanatındaki tasvirler eskinin av ve toprak sürme imgelerinden ziyade savaşa ağırlık verir. Kadın mezarlarında takılar ve ağırşaklar vardır. Stellerde betimlenen kadınlar kültürel olarak kıyafet ve şıklıkla (sadece göğüslerle değil) belirtilir. Bu buluntular kadın sembolik kaydının sınıf farklılıklarını ifade etmek üzere genişlediğini gösterir.

Robb çalışmasında toplumsal cinsiyet eşitsizliğinin kökenlerini açıklama

12.28 *Erkek iktidarının ideolojisini yaratmak: Muhtemelen bir mezar taşı olan doğal boyuttaki Capestrano savaşçısı İtalya'nın Abruzzi bölgesindendir ve MÖ 6. yüzyıla tarihlendirilebilir.*

iddiasında değildir, fakat tarihöncesi İtalya'da toplumun gelişimine ışık tutmaktadır. Anlam ve sosyal eylem kavramlarından yararlanarak toplumsal cinsiyet simgeciliğinin erkekleri avcılık, ekonomik yoğunlaşma, ticaret gibi çeşitli ve değişken kurumlara katılmaya nasıl sevk etmiş olabileceğini ve bu kurumların toplumsal cinsiyet ideolojisini nasıl yeniden ürettiğini gösterir. Bunları göreciliğe sığınmadan ve sadece empatik "kavrayışa" dayanmadan yapar.

ÖZET

Arkeolojinin zor, fakat önemli bir görevi "neden" sorusunu cevaplamaktır ve aslında arkeolojinin büyük bir parçası şeylerin neden değiştiğini araştırmaya odaklanmıştır. Maddi ve toplumsal kültürdeki değişimler 1960'lardan önce göç ve kültürel yayılımla açıklanıyordu.

Yeni Arkeoloji'nin 1960'lardan sonra yerleşen süreçsel yaklaşımı, bir toplum içindeki farklı süreçleri izole etmeye teşebbüs etmiştir. Değişim ve ilerlemenin ana nedeni olarak insanların eylemlerine vurgu yapmak yerine süreçsel arkeologlar, toplumun nasıl bulunduğu hâle geldiğini açıklamak için insanlığın çevresiyle olan ilişkisine, geçim kaynaklarına ve ekonomiye, ideolojiye ve toplum dâhilinde işleyen diğer süreçlere bakarlar.

Süreçsel arkeoloji sıklıkla tarımın ortaya çıkışı ve devletin kökenleri gibi önemli sorularla ilgilenir. Böyle olaylar, yayılım gibi tek bir kaynağa atfedilmekten ziyade birden fazla açıklamaya sahip olarak görülür.

Bir toplum içindeki sınıf mücadelelerine odaklanan Marksist arkeoloji, süreçsel arkeolojinin fikirleriyle çelişmez. Biyolojik evrimden sorumlu sürecin aynı zamanda kültürel değişime yön verdiği fikrine odaklanan evrimsel arkeoloji, aynı zamanda süreçsel arkeolojiyle uyum içindedir.

Erken süreçsel arkeolojinin "işlevselci" yaklaşımına tepki olarak 1980'ler ve 90'larda gelişen sözde postsüreçsel yaklaşımlar, arkeolojik yorumların öznelliğini vurgulamış ve yapısalcı düşünce ve Neo-Marksist analizden yararlanmıştır.

Arkeolojiye yeni bilişsel-süreçsel yaklaşımlar 1990'larda erken süreçsel arkeolojinin bazı sınırlamalarını aşmanın yollarını aramıştır. Geçmiş toplumların genel düşünceleriyle inançlarına daha fazla önem verilmekte ve kültürel değişime dair varsayımların sınanmasındaki zorluklar fark edilmektedir.

Bilişsel arkeolojinin hedeflerinden biri, değişimin açıklanmasında bireyin izinin sürülmesidir. Bir bireyin kısa vadedeki maksatlılığı olarak tanımlanan aracılığın aslında kültürel değişime yol açacak uzun vadeli ve görünmeyen sonuçları olabilir. Çağdaş arkeolojinin bir diğer hedefi de insanların dünyayla ilişki kurma biçimlerinde maddi kültürün aktif rolünü anlamaktır.

İLERİ OKUMA

DeMarrais, E., Gosden, C. & Renfrew, C. (ed.). 2004. *Rethinking Materiality: The Engagement of Mind with the Material World.* McDonald Institute : Cambridge.

Dobres, M.A. and Robb, J. (ed.). 2009. *Agency in Archaeology.* Routledge: Londra.

Earle, T. 1997. *How Chiefs Come to Power: The Political Economy in Prehistory.* Stanford University Press: Stanford.

Feinman, G.M. & Marcus J. (ed.). 1998. *Archaic States.* School of American Research Press: Santa Fe.

Gamble, C. 2007. *Origins and Revolutions: Human Identity in Earliest Prehistory.* Cambridge University Press: Cambridge & New York.

Hodder, I. & Hutson, S. 2004. *Reading the Past* (3. basım). Cambridge University Press: Cambridge & New York (bağlamsal ve postsüreçsel alternatif).

Johnson, M. 2010. *Archaeological Theory. An Introduction* (2. basım). Wiley-Blackwell: Chichester & Malden, M.A.

Malafouris, A. & Renfrew, C. (ed.). 2010. *The Cognitive Life of Things. Recasting the Boundaries of the Mind.* McDonald Institute: Cambridge.

Malafouris, A. 2013. *How Things Shape the Mind, a Theory of Material Engagement.* MIT Press: Cambridge, MA.

Mithen, S. 1996. *The Prehistory of the Mind.* Thames & Hudson: Londra & New York.

Morris, I. 2010. *Why the West Rules - For Now. The Patterns of History and What They Reveal About the Future.* Farrar, Strauss and Giroux: New York; Profile: Londra.

Renfrew, C. 2003. *Figuring It Out: The Parallel Visions of Artists and Archaeologists.* Thames & Hudson: Londra & New York.

Renfrew, C. 2007. *Prehistory. Making of the Human Mind.* Weidenfeld & Nicolson: Londra; Modern Library: New York.

Renfrew, C. & Zubrow, E.B.W. (ed.). 1994. *The Ancient Mind: Elements of Cognitive Archaeology.* Cambridge University Press: Cambridge & New York.

Shennan, S. 2002. *Genes, Memes and Human History.* Thames & Hudson: Londra & New York.

Whiten, A., Hinde, R.A., Stringer, C.B., & Laland, K.N. (ed.). 2011. *Culture Evolves. Philosophical Transactions of the Royal Society* series B vol. 366, 938-1187. Royal Society: Londra.

AYRIM III

Arkeoloji Dünyası

Arkeolojinin temel malzemeleri ve bir zaman-mekân çerçevesi saptamak için mevcut yöntemler Ayrım I'de ele alındı. Geçmişle ilgili olarak sorabileceğimiz soruların kapsamı ve bunları cevaplamak için elde bulunan teknikler de Ayrım II'de gözden geçirildi. Burada, Ayrım III'te amacımız çeşitli tekniklerin nasıl uygulandığını görmektir. Bir fiili arazi projesinde elbette kişi bütün soruları bir kerede cevaplamak isteyecektir (hiçbir arkeolog bunlardan sadece birini, aynı zamanda diğerleriyle alakalı gözlemler yapmadan ele alamaz). On Üçüncü Bölüm'de beş adet seçilmiş örnek vaka, aynı anda farklı soruların nasıl yöneltilebileceğini göstermektedir. Bölgesel bir çalışmada ilgili kanıtların konumu, keşfedilen kalıntılar için bir zaman kesitinin tesisi, çevrenin araştırılması, toplumun niteliği ve aslında bu kitabın çeşitli bölümlerinde ortaya konulan problemlerin tümüyle ilgileniriz. Büyük bir projenin başında bulunan herhangi bir yönetici, bir anlamda araştırmanın çeşitli yollarını izleyebilmek için uzlaşmaya varmalıdır. Burada amaç, bilgilendirici örnekler eşliğinde aslen pratikte böyle uzlaşmalara makul bir başarıyla nasıl varıldığını açıklamaktır. Dolayısıyla uygulamada arkeolojik araştırmanın tadından bir şeyler verebilmeyi umuyoruz.

Bununla birlikte, bir arkeolojik araştırma bölgesel ölçekte olsa bile tek başına değerlendirilemez. Arkeoloji dünyasının, bundan dolayı da bütün olarak toplumun sadece bir parçasıdır. O yüzden elinizdeki kitabın son bölümü toplumsal arkeolojiye –arkeoloğu bütünüyle topluma bağlayan ahlaki, pratik ve siyasi ilişkilere- ayrılmıştır. Neticede arkeolojinin hedefi insanlığın geçmişine dair bilgi, kanaat ve içgörü sağlamaktır. Bu sadece tek başına arkeolog değil, fakat bütün olarak toplumun yararı içindir. Toplum arkeoloğu finanse eder ve son tahlilde tüketici olan da toplumdur. Bu ilişki incelemeye değerdir.

Son bölüm hepsi farklı alanlarda dünyanın farklı bölgelerinde çalışan kadrolu profesyonel arkeologların kariyerlerine bakarak ilham vermeyi ümit etmektedir.

ARKEOLOJİ İŞ BAŞINDA 13
Arkeolojinin Tarihçesi

Bu bölümde arkeologlar tarafından kullanılmış çeşitli yöntem ve fikirleri incelemeyi amaçladık. Arkeoloji tarihinin sürekli gelişen bir arayış olduğunu ve bu arayışta arazide ortaya çıkarılan buluntuların, çoğunlukla ilerleme için sorulacak yeni sorular ve elde edilecek yeni içgörülerden daha az önemli olduğunu vurgulamaya çalıştık. Dolayısıyla bir arkeolojik girişimin başarısı önemli biçimde doğru soruları sormayı öğrenmeye ve bunları cevaplamanın en verimli yollarını bulmaya dayanır.

İşte bu sebeple kitabın bölümleri bir dizi anahtar sorunun etrafında düzenlenmiştir. Kaçınılmaz şekilde bu, birtakım önemli konulara bölüm bölüm odaklanmak anlamına gelmektedir. Fakat gerçekte, arkeoloğun hayatı böyle değildir, çünkü araziye araştırma planınız ve cevaplanacak bir yığın soruyla çıktığınızda, aslında beklediğinizden oldukça farklı, ama açıkça önemli başka bir şey bulabilirsiniz. Çok dönemli bir arkeolojik alanı kazan arkeolog, yerleşmenin başlıca tek, belki de erken safhasıyla ilgileniyor olabilir. Fakat bu, ona hiçbir kayıt tutmaksızın üstteki tabakaları dümdüz etme hakkını vermez. Son bölümde değineceğimiz gibi kazı tahribattır ve bu da arkeoloğa bazıları her zaman hoş karşılanmayan, ama kaçınılmaz bir dizi sorumluluk yükler. Gerçeğin merhametsiz ışığı altında arkeolojinin pratiği, tahmin edildiğinden genellikle çok daha karmaşıktır ve bu yüzden zorludur.

Bu özellikle organizasyon düzeyinde böyledir. Arazide bir projeye başlamak para gerektirir ve elinizdeki kitabın amacı böyle projelerin parasal kaynaklarını ya da organizasyonunu incelemek değildir. On Dördüncü Bölüm'de değindiğimiz gibi, arkeolojik alanlar yasalar tarafından korunmaktadır ve arazi çalışması ve kazı yapmak için ilgili mercilerden izin almak gerekir. Ardından etkili bir kazı ekibini bir araya getirmek gelir. Peki ya ulaşım, konaklama ve yiyecek? Kazıdan sonra kazı raporunun hangi kısmını kim yazacak? Fotoğraflar uygun mu? Buluntular çizimlerle doğru şekilde belirtilmiş mi? Yayını kim finanse edecek? Bunlar arazi arkeoloğunun pratikte sorunlarıdır.

Bu kitap her şeyden önce bildiklerimizi nasıl bildiğimiz ve nasıl bulacağımız –felsefi anlamda arkeolojinin epistemolojisi– hakkındadır. Resmi tamamlamak için arkeolojiyi iş başında görmek, sorularla yöntemlerin bir araya gelerek ilgili alan uzmanlıklarıyla birlikte bilgi dağarcığımızda bazı özgün ilerlemeler sağlayan birkaç gerçek arazi projesini ele almak önemlidir.

Sorduğumuz soruların kendileri hâlihazırda neyi ne kadar bildiğimize bağlıdır. Bazen arkeolog bakir bir alanda –daha önce hiç araştırılmamış ya da az araştırılmış– çalışmaya başlar. Mesela Güneydoğu Asya uzmanı Charles Higham'ın Tayland'daki çalışması böyledir (dördüncü örnek vakamıza bakınız; "Khok Phanom Di: Güneydoğu Asya'da Tarımın Kökenleri")

Diğer taraftan Meksika'daki Oaxaca Vadisi'nde –ilk örnek vakamız– Kent Flannery ve meslektaşları otuz küsur yıl önce çalışmaya başladıkları sırada Olmek ve Mayaların büyük başarıları zaten iyi bilinmesine rağmen, Mezoamerika'da karmaşık toplumun evrimi hakkında çok az şey anlaşılmıştı. Flannery ve ekibinin çalışması yeni modellerin sürekli formülasyonunu içeriyordu. Bu çalışma yeni olguların (verilerin) yeni sorulara (ve yeni kuramlara) ve bunların da karşılığında yeni olguların keşfine yol açtığı şeklindeki bilinen gerçeğin mükemmel bir örneğini oluşturur.

Florida'nın Calusa Projesi'ne ayrılmış ikinci vaka, neredeyse tamamen avcılığa, balıkçılığa ve toplayıcılığa dayalı yerleşik, karmaşık ve güçlü bir toplumun sergilediği bir paradokstur. 1980'lere dek Calusa hakkında bilinen hemen her şey İspanyol etnotarihi anlatılarından geliyordu, ama arkeoloji bu tarihöncesi kültürün birçok yönü hakkında bildiklerimizi dönüştürmekte ve genişletmektedir.

Üçüncü örnek vakamız Val Attenbrow ve çalışma arkadaşlarının güneydoğu Avustralya'daki Yukarı Mangrove Irmağı'nda yürüttükleri araştırma projesini ele alır. Burada arkeologlar çok hareketli küçük avcı-toplayıcı gruplara ait izleri çalışmak ve zaman içindeki çevresel değişimlere teknolojik açıdan tepkilerini tespit etmek istemişlerdir.

Son 50 yılda tarihöncesi Avustralya ve Güneydoğu Asya hakkındaki bilgilerimizin dönüşümü, modern arkeolojideki en heyecan verici ilerlemelerden biridir. Hem çevresel hem de arkeolojik çalışmalara yakından entegre olmuş Yukarı Mangrove Irmağı ve Khok Phanom Di projeleri bu dönüşümde önemli roller oynamıştır.

Beşinci örnek vakamız İngiltere'nin York şehrindeki York Arkeoloji Vakfı'nın çalışmasına eğilir. Bu, farklı türden bir projedir. Modern şehir dokusunun bütün sıkıntıları içinde çalışan York ekibi, buluntularını kamuya sunmanın yeni ve etkili bir şeklini bulmuşlardır ve ziyaretçi merkezleri JORVIK, bu yönüyle toplumsal arkeolojiye son 25 yıl boyunca yol göstermiştir.

OAXACA PROJELERİ: ZAPOTEK DEVLETİNİN KÖKENLERİ VE YÜKSELİŞİ

Meksika'nın güney yaylalarında bulunan Oaxaca Vadisi, bir zamanlar Zapoteklerin başkenti olan tepe üstü şehri Monte Albán ile anılır ve muhteşem mimarisi, oyma taş levhalarıyla ünlüdür. Burada, 1930'dan itibaren büyük Meksikalı arkeolog Alfonso Caso'nun 18 sezonluk arazi çalışması bölgenin zaman silsilesini ilk kez ortaya koymuştur. Ancak geçen on yıllarda araştırma tüm vadiyi içine alacak şekilde genişletilmiştir. İki tane uzun vadeli ve tamamlayıcı proje yürütülmüştür. Bunlardan ilki 1966-1973 yılları arasında Kent Flannery'nin ve 1974'ten 1981'e kadar o ve Joyce Marcus tarafından yönetilen, erken dönemlere –Monte Albán'ın parlak günlerinden önce– odaklanmıştır. Amaç bölgede tarımın kökenlerini ve karmaşık toplumun gelişimini açıklığa kavuşturmaktı. Richard E. Blanton, Stephen Kowalewski ve Gary Feinman'ın yürüttüğü ikinci proje, Monte Albán'ın egemenliğindeki daha geç dönemleri ele almıştır. Aşağıda her iki projenin Klasik Öncesi Dönem'e kadar (yaklaşık MS 100) olan çalışmaları dışında tarımın doğuşu, Oaxaca Vadisi'nde devletin oluşumu ve Zapotek devletinin ortaya çıkışına nasıl yeni bir ışık tuttuğuna bakacağız.

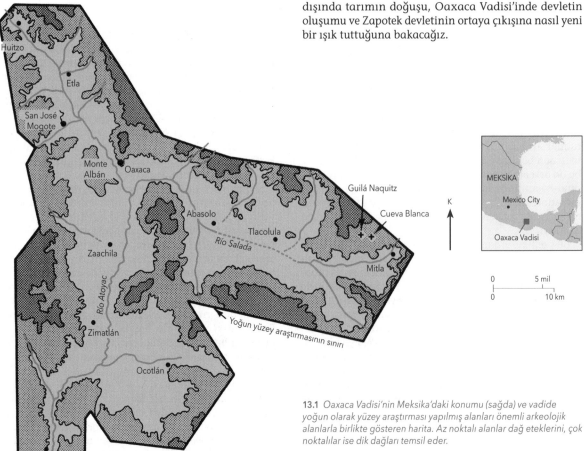

13.1 *Oaxaca Vadisi'nin Meksika'daki konumu (sağda) ve vadide yoğun olarak yüzey araştırması yapılmış alanları önemli arkeolojik alanlarla birlikte gösteren harita. Az noktalı alanlar dağ eteklerini, çok noktalılar ise dik dağları temsil eder.*

Genel Bilgiler

Oaxaca Vadisi Meksika'nın güney yaylalarındaki tek geniş ırmak vadisidir. Görünüş itibariyle lades kemiğini andıran vadi iki ırmak tarafından sulanır; dağlarla çevrili olup 1420-1740 m yüksekliğindedir ve yağış miktarının belirgin dalgalanmalar gösterdiği yarı kurak, yarı tropik –yağışlı ve kuru mevsimler arasında tahmin edilebilir; yıldan yıla ise edilemez– bir çevreye sahiptir.

Vadideki birçok yerleşmeyi yüzey araştırmasıyla zaten tespit etmiş Ignacio Bernal'in çalışmalarını geliştiren Flannery-Marcus projesi, kazılacak arkeolojik alanları tespit etmeden önce seçilen bölgelerde olabildiğince çok erken arkeolojik alan araştırmaya ve lokalize etmeye başladı. Aslında, arazi temizleme ve kanal inşası görüş alanını açtıkça yüzey araştırması sürekli arkeolojik alanlar keşfetmektedir. Havadan yapılan araştırma özellikle faydalı olmuştur, çünkü seyrek bitki örtüsü içinde tek ağaçlar düzeyinde detaylar tanımlanabilmektedir.

Guilá Naquitz ve Tarımın Kökenleri

Avcı toplayıcılıktan yiyecek üreme geçişi açıklığa kavuşturmak üzere planlanmış bir kazı Guilá Naquitz (Beyaz Kaya) küçük kaya barınağındaki kazıydı.

Yüzey Araştırması ve Kazı. Aynı alandaki 60'tan fazla mağaranın yüzeyinden toplanan buluntular, Guilá Naquitz'in de dâhil olduğu dört mağarada kazı gerektirecek kadar çanak çömlek öncesi malzeme (mermiyat uçları gibi) ve dolgu (1,2 m'ye kadar) bulunduğunu düşündürdü. Buluntu yerine ulaşım koşulları iyileşince stratigrafik kesitini tespit etmek, çanak çömlek tabakalarının *in situ* durumunda olup olmadığını değerlendirmek ve bitki kalıntılarının kesitte ne kadar geriye gittiğine karar vermek için test kazıları yapıldı. Stratigrafi karmaşıktı, ama belirgin renk değişimlerinden dolayı açıktı.

Yiyecek kalıntılarının iyi durumda olması bekleniyordu, çünkü buluntu yeri Oaxaca Vadisi'nin en kuru kesiminde yer almaktaydı. Gerçekten de Flannery-Marcus ekibi korunma koşullarının mükemmel olduğunu gördüler, ama buluntuların düşük yoğunluğu, alet gruplarının niteliğini belirlemek için küçük mağaranın bütünüyle ya da büyük kısmının kazılacağı anlamına geliyordu. Sonuçta, mağaranın kaya çıkıntısı altındaki çanak çömleksiz yerleşimin tümü, 64 tane bir metrekarelik açmanın kazılmasıyla kaldırıldı. Eleme ve ayırma teknikleri en küçük nesnelerin bile elde edilmesini sağladı.

Tarihleme. Naquitz'de bulunmuş odun kömürlerinden elde edilen radyokarbon tarihleri, çanak çömleksiz dönem yerleşme tabanlarının MÖ 8740'den 6770'e uzandığını gösterdi (henüz tam anlamıyla analiz edilmemiş ve yayımlanmamış Klasik öncesi ile sonrası yerleşme de vardı).

13.2 *Guilá Naquitz kaya barınağı içinde süren çalışmalar, 1966. Oaxaca'daki Mitla'dan gelen Zapotek Kızılderilileri D tabakasını (kültüre alınmış bitkilere ait kanıtları içeren ilk tabaka) kazıyorlar.*

MÖ 8750 tarihi, nesli tükenmiş faunayla karakterize edilen Paleo-Kızılderili döneminden Holosen faunasına sahip erken Arkaik Dönem'e varsayılan geçişin yakınındadır.

Çevre. Farklı tabakalardan gelen polen örneklerinin analizi, alanın bitki örtüsündeki değişim için bir silsile sağladı: Akasya, meşe, çam ormanlarındaki dalgalanmalar ve yaklaşık MÖ 8000'den itibaren kültüre alınmış bitki kaynaklarının kullanımıyla birlikte silsilenin başından itibaren yabani bitki kaynaklarının bir koleksiyonunu sağladı.

Elde edilen mikrofauna –kemirgenler, kuşlar, kertenkeleler ve karasal salyangozlar– bölgedeki modern temsilcileriyle karşılaştırılarak çanak çömleksiz dönemin çevresine daha fazla ışık tuttu. Çevrenin insan kaynaklı değişimler dışında bugünkünden çok daha farklı olmadığı anlaşıldı. Dolayısıyla bugünkü arazi geçmişle ilgili herhangi bir açıklamayla bağlantılıdır.

Beslenme. Kabuklu yemişler ve tohumları yiyen kemirgenler mağarada çok aktifti; bunun için kaya barınağındaki besin kaynaklarından ne kadarının insanlar tarafından getirildiğini baştan tespit etmek çok önemliydi. Yaşam düzlemlerinde çukurlar belirgindi ve bunların içerikleri incelenebilirdi. Palamut ya da kabuklu yemişler gibi yaygın olarak tüketilen maddelerin hiçbirini barındırmıyorlardı. Buna ilaveten, tabanlardaki bitki türlerinin dağılımı, kemirgenlerin saklama yerlerine işaret eden tipik küçük çukurlardan ziyade, insana özgü bir düzene sahip büyük atık alanlarını göstermekteydi. Bazı bitki kalıntıları aynı zamanda yemek hazırlığına dair izler taşıyordu. Kısacası, araştırmacılar kaya barınağındaki neredeyse tüm besin kaynaklarının insanlar tarafından getirildiği konusunda emin olabilirlerdi.

Maalesef çanak çömleksiz tabakalardan toplanmış fosil dışkıların hepsi görünüşe göre hayvanlara (muhtemelen kır kurdu ya da tilkinin) aitti. Ancak bu hayvanlar muhtemelen mağaradaki yiyeceklerin artıklarıyla beslenmişti ve dolayısıyla dışkılarının içindeki kavrulmuş bitki kalıntıları (hint inciri ve agav) insan beslenme biçimiyle ilgili ipuçları sağladı.

Beslenmeye dair daha açık işaretler çeşitli yöntemlerin bir kombinasyonuyla elde edildi. Bu yöntemler bitki ve hayvan kalıntılarına ait verileri; bölgedeki çeşitli türlerin yoğunluğu, mevsimselliği ve yıllık varyasyonlarına ait bilgiler sağlayan modern bitki sayımlarını ve kaya barınağındaki yiyeceklerin besinsel açıdan analizini (kaloriler, protein, hayvan yağları, karbonhidratlar) içeriyordu. Sonuç, her bir yaşam düzlemi için varsayılan bir beslenme biçimi ve Guilá Naquitz çevresinin üretkenlik tahminiydi. Son olarak, bütün bu bilgiler çanak çömlek öncesi dönem mağara sakinlerinin "ortalama beslenme biçimini" yeniden kurgulamak ve onları beslemek için gerekli alanı hesaplamak amacıyla bir havuzda toplandı.

Agavla mesquite ağacı zarfları ve tohumlarının yanında aslen palamutların baskın olduğu 21.000'in üzerinde tanımlanabilir bitki kalıntısı elde edildi. Düzinelerce başka tür küçük miktarlarda temsil edilmekteydi. Dolayısıyla, yenilebilir bitkiler çok çeşitli olmasına rağmen, yerleşimcilerin seçilmiş birkaç temel besini benimsedikleri belli oldu. Palamutlar muhtemelen sonbaharda toplanmalarının

ardından yıl içinde kullanılmak üzere saklanıyordu, çünkü buradaki hayatın ana ögelerinden biri, farklı yiyeceklerin elde edilebilirliğinde görülen büyük mevsimsel çeşitlilik/değişkenliktir. Her bir tabakadaki bitki kalıntılarının, birkaç ila birkaç yüz metrekareye kadar değişen bir alanın hasadını yansıttığı anlaşılmıştır.

Yakın tarihte, kaya barınağından gelen morfolojik olarak kültüre alınmış bazı sakızkabağı (*Cucurbita pepo*) tohumları, AMS aracılığıyla doğrudan 10.000-8000 yıl öncesine tarihlenmiştir ki, bu da Mezoamerika'daki diğer kültüre alınmış bitkilerden (mısır, fasulye gibi) birkaç binyıl daha erkene işaret eder. Guilá Naquitz'ten iki mısır koçanı günümüzden 6000 yıl öncesine giden AMS tarihleri vermiştir.

En az 360 tanımlanabilir kalıntı, yiyecek için avlanmış ya da tuzağa düşürülmüş hayvanlardan gelmektedir. Bunlar hem parça (vücudun hangi bölümünden geldikleri ve mağaradaki konumları not edilmiştir) hem de asgari birey sayısı olarak sayılmıştır (tüketilen et miktarını veya kalıntılara karşılık gelecek alanı hesaplamak için; s. 294-295'teki kutuya bakınız). Bütün türler bugün de bölgede yaygındır veya ateşli silahların gelişine kadar yaygın olacaktı. Görünüşe göre temel et kaynağı beyaz kuyruklu geyikti.

13.3–4 *(altta) Guilá Naquitz'te bitkiler, özellikle meşe palamutları, agav, mesquite kabukları ve tohumları beslenmede baskındır. Burası ağırlıklı olarak Ağustos'tan (mesquite hasadı) Ocak başına kadar (meşe palamudu hasadının sonu) iskân görüyordu. (sağda) Tüketilen hayvanlar.*

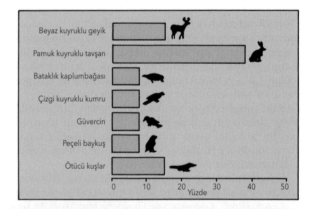

Bitki	Nisan	Mayıs	Haziran	Temmuz	Ağustos	Eylül	Ekim	Kasım	Aralık	Ocak	Şubat	Mart	Tüketilen gram	Temsil edilen kilokalori
meşe palamudu													629	1812
agav													140	176
hint inciri													97	12
guaje tohumları													54	19
murici													30	21
mesquite kabukları				kabuklar			saklanan tohumlar						14	42
çitlembik													13	4
frenk inciri													12	9
kadife çamı yemişleri													5	30
fasulye			çiçekler			tohumlar							3	4
tek yapraklı çam yemişi			çiçekler										1	6
yabani soğan			çiçekler					soğanlar					1	0
kabakgiller					çiçekler		tohumlar						1	4

Guilá Naquitz'in beslenme alanı şu şekilde hesaplanmıştır: Bitkisel yiyecekler muhtemelen en fazla 5-15 hektarlık; geyik en azından 17 hektarlık; hammaddeler ise 50 km'ye kadar olan bir alandan geliyordu.

Teknoloji. Küçük bir konak yeri olan Guilá Naquitz, Oaxaca Vadisi'nin çanak çömleksiz döneminden bilinen tüm taş alet yelpazesini içermiyordu. Çanak çömleksiz tabakalardan ele geçmiş 1716 tane yontmataş parçası arasında en az 1564'ünün düzeltilmeden kullanılmış olması, çoğunun daha fazla işlenmeden "ham" hâlde kullanıldıklarına işaret ediyordu. Neredeyse her yaşam düzleminde çekirdek formunda yonga üretimine dair bulgular vardı. Bulunan sadece 7 mermiyat ucu, hayvan kemiklerinden gelen kanıtları bir perspektife yerleştirdi ve mağaranın iskân edildiği mevsim boyunca avcılığın temel bir faaliyet olmadığını gösterdi. Yan kazıyıcılar ve bıçaklar doğrama ve deri hazırlamak için kullanılmış olabilirdi. Taş kaynaklarıyla ilgili bir araştırma, çoğu aletin yapımında kullanılmış kaba malzemenin birkaç kilometre içinde mevcut olduğunu, fakat daha yüksek kalitede çakmaktaşının 25 ve 50 km uzaktaki kaynaklardan elde edildiğini gösterdi.

Çoğu öğütme taşının bitki işleme için kullanıldığı varsayıldı, çünkü aynı tabakalarda bitki kalıntıları bulunmuştu. Kumaş malzemeleri de korunmuştu –ağ işi, sepet işi, ip, Mezoamerika'daki en erken radyokarbon tarihlerine sahip örnekler (MÖ 7000'den önce)– ve birkaç ahşap nesne yanında kamış ya da kaktüs vardı. Ayrıca ateş yakmak ve sap takmak için malzemeler mevcuttu. Ara sıra ortaya çıkan odun kömürü parçaları araştırma ekibi tarafından radyokarbon tarihlemesi ve mağara sakinlerinin yakacak olarak tercih ettiği ağaçları tespit etmek amacıyla kullanıldı. Daha sonra, sömürge ve modern dönemlere dek belirgin olarak çam ağacını tercih edecek –muhtemelen bu ağacın bazı bölgelerde kayboluşunu açıklar– Oaxaca Vadisi'ndeki Klasik Öncesi Dönem köy sakinlerinin aksine, çanak çömleksiz dönemde kereste kullanımının yaygın olduğu anlaşılmıştır.

Toplumsal Organizasyon ve İş Bölümü. Yaşam düzlemindeki malzemenin dağılımı, faaliyet alanları ve iş organizasyonunu değerlendirmek için üç ayrı bilgisayar analizine tabi tutuldu. Faaliyet alanları –dağılımdaki kümelenmeler– ilişki açısından tanımlandı. Mesela bir değişkendeki artışın (yemiş kabukları ya da çitlembik tohumları gibi) diğer değişkenlerin yükselişi ya da düşüşüyle ilgili iyi bir tahmin unsuru olduğu gösterildi. Buradan her bir yaşam düzleminde metrekare başına düşen farklı öğelerin sıklıklarından ibaret ham veriler, bilgisayar tarafından yoğunluk kontur haritalarına dönüştürüldü.

Altı yaşam düzlemi incelendiğinde, muhtemelen mağaradaki işlerin organize edilme biçimindeki düzenlilikleri yansıtan tekrarlı örüntüler ortaya çıktı. Bu örüntüler oldukça karmaşıktır ve basit şekilde erkekler ile kadınların çalışma alanları olarak ayrılamazlar. Bunlar doğrama, çiğ bitki tüketimi, alet yapımı, yemek hazırlama ve pişirme, atıkların bırakılması için ayrılmış alanları içeriyordu. Ancak etnografik araştırma, çalışma alanlarında bazı ayrımların yapıldığını göstermekteydi. Mağaraya giren ve mağara içindeki patikalar da analizler neticesinde birbirlerinden ayrıldı.

Flannery ve Marcus, Guilá Naquitz'in en fazla dört veya beş kişi, belki de bir aile tarafından kullanılmış küçük bir mikrogrup konak yeri olduğu sonucuna vardılar. Buraya esasen sonbaharda, ağustos sonu/eylül başı (mesquite ağaçlarının hasat zamanı) ile aralık/ocak başı (yemiş hasadı sezonunun sonu) arasında yerleşilmişti. Yabani bitki toplama başlıca faaliyetti, fakat avcılık diğer buluntu yerine

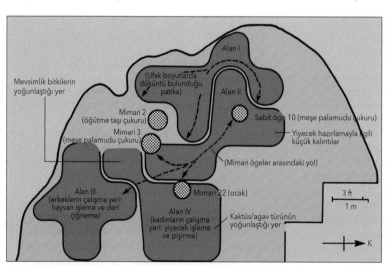

13.5 *Guilá Naquitz'teki D Bölgesi'inde faaliyet alanları ve patikaların rekonstrüksiyonu. Alan I meşe palamudu, çitlembik ve çakmaktaşı döküntüleri barındıran kıvrımlı bir patika olarak açıklanmıştır. Diğer bir patika olan Alan II, meşe palamudu depolama yeri ve yiyecek hazırlama yerleri arasında uzanır. Alan III muhtemelen bir ya da iki kişi (olasılıkla erkekler) tarafından hayvanların işlendiği kısımdı. Alan IV ise bir ya da iki kişi tarafından (muhtemelen kadınlar) hem mevsimlik hem de kaktüs/agav türü bitkilerin hazırlanıp pişirildiği yer olabilir.*

nazaran daha az öne çıkıyordu. Çanak çömleksiz dönemin sonuna doğru yiyecek üretimine geçiş yaşandı. Buradaki faaliyetlerin eksiksiz bir resmi, bunların kendi dönemlerini ne derece emsal olduğunu ya da sıra dışı olduklarını değerlendirmek üzere, artık bu alandaki ve Mezoamerika'nın diğer bölgelerindeki buluntu yerlerinden gelen sonuçlarla karşılaştırılmalıdır.

Neden Değişim Yaşandı? Tarımsal hayat tarzının benimsenmesine dair daha fazla içgörü edinmek için Robert G. Reynolds uyarlanabilir bir bilgisayar simülasyon modeli tasarladı. Bunda, beş kişilik farazi bir sömürücü mikrogrup hiçbir şey bilmeden işe başlıyor, mağaranın çevresinden 11 temel bitkisel besini deneme yanılma yöntemiyle, uzun bir dönem içinde toplamanın nasıl planlanacağını kademe kademe öğreniyorlardı. Simülasyonun her aşamasında sömürücüler, bitkilerin verimini değiştiren öngörülemez yağışlı, kuru ve ortalama yıl silsileleri karşısında kalori ve protein alım verimlerini arttırmak için çabalamaya programlanıyorlardı.

Grubun geçmiş performansları hakkındaki veriler sistemin hafızasına geri yollandı ve her bir değişimle birlikte adaptasyon stratejilerine dair kararları etkiledi. Sistem hemen hemen hiç geliştirilemeyecek bir verimlilik düzeyine erişince, tarımsal bitkiler simülasyona girildi ve bütün süreç yeniden başlatıldı. Öncelikler değişti ve yeni bir dizi strateji geliştirildi. Yağışlı, kuru ve ortalama yılların sıklığındaki değişimler yanında, nüfus düzeyindeki değişiklikler de denendi.

Yerleşik geri besleme ilişkileriyle beraber yapay zekâ kuramına dayanan bu modelin sonuçları, farazi toplayıcıların bir grup istikrarlı kaynak toplama programı geliştirdiği (kuru ve ortalama yıllar için bir, yağışlı yıllar için bir başkası) ve henüz başlamış tarımı takiben kaynak kullanımında değişimlerin yaşandığıydı. Bunlar Guilá Naquitz'dekileri yakından yansıtıyordu. Simülasyonda hiçbir mutlak zaman birimi kullanılmadığı gibi –gerçek hayatta bir grubun aynı stratejilere erişmesinin ne kadar süreceğini bilmiyoruz– tarım için nüfus baskısı gibi bir "tetikleyici" de sisteme girilmedi. Sadece kaynaklar elde edilebilir hâle getirildi –komşu bir bölgeden geliyorlarmış gibi– ve bunlar önce yağışlı yıllar, ardından güvenilir oldukları görülünce kuru ve ortalama yıllarda benimsendi.

Simule edilmiş iklim önemli derecede değiştiği veya nüfus artışı eklendiği zaman, kültüre alınmış bitkilerin sisteme kabul edilme oranı gerçekten yavaşladı. Bu durum, Oaxaca Vadisi'nde tarımın doğuşunu açıklamak için ne iklim değişikliğinin ne de nüfus artışının tek başına yeterli olduğunu göstermektedir. Çalışma daha ziyade, tarımın benimsenmesinde ana sebeplerden birinin (öngörülemeyen yağışlı, kurak ve ortalama yıllar yüzünden) yiyecek stoklarındaki yıllık değişimlerin etkilerini eşit olarak zamana yaymak olduğunu ima eder ve dolayısıyla zaten tarım öncesi dönemlerde geliştirilmiş bir stratejinin uzantısıdır.

Guilá Naquitz'deki araştırma projesi 15 yıldan fazla süren analizlerden sonra 1986'da, Kent Flannery'nin editörlüğünde yayımlanmıştır.

Erken Klasik Öncesi Dönem'de Köy Hayatı (MÖ 1500-850)

Projenin çalışmaları arasında belli bir detayla yayımlanmış bir diğeri, Oaxaca Vadisi'ndeki Erken Klasik Öncesi Dönem köyleriyle ilgilidir. Bu dönemde çit-çamur tekniğinde evlerin oluşturduğu gerçek anlamda kalıcı meskenler bölgede ilk kez yaygınlaşmıştır. Projenin amacı erken köyün nasıl işlediğini gösteren bir model yaratmaktı ve bunu gerçekleştirmek için tek bir evdeki mimari özellikler ve çalışma alanlarından hane birimlerine, ev gruplarına, köylerin tamamına, bir vadideki bütün köylere ve nihayetinde Mezoamerika içindeki bölgelerarası ağlara kadar köyü her düzeyde inceledi.

Yerleşme ve Toplum. Üçüncü Bölüm'de görüldüğü gibi, Flannery'nin ekibi nesneler, faaliyetler, arkeolojik alan tipleri vb.nin çeşitlenme aralığı hakkında açık bir fikir edinebilmek amacıyla her bir tabakadan mümkün olduğunca temsili örnek toplamaya özen gösterdi. Oaxaca projesinden önce, hiçbir Erken Klasik Öncesi Dönem evinin planı yayımlanmamıştı. Proje 30 evin kısmen ya da tam olarak korunmuş planları yanında başka evrelere ait olanlarınkini de açığa çıkardı. Naroll'un formülü kullanılarak (s. 468'e bakınız) bu evlerin (15-35 m²) çekirdek aileler için tasarlandığı tahmin edildi.

Her bir ev için faaliyet alanları işaretlendi ve etnografik analojiler aracılığıyla bunlar geçici olarak erkek ve kadın çalışma alanlarına bölündü. Detaylı bir analizden sonra hane faaliyetleri üç tipe ayrıldı:

1 *Yaygın faaliyetler* yiyecek temini, hazırlanması ve saklanmasını içerir (kazı, eleme ve yüzdürmeyle ele geçmiş öğütme araçları, saklama çukurları ve çömlekler, yiyecek kalıntılarıyla açığa çıkmıştır); bazı alet hazırlama faaliyetleri de bu grup içinde sayılmıştır.
2 Muhtemel *uzman faaliyetleri* sadece bir ya da iki evde bulunmuştur; ayrıca belirli türde taş ve kemik aletlerin üretimini içerir.
3 Muhtemel *bölgesel uzmanlaşmalar* bir bölge içinde sadece bir ya da iki köyde mevcuttur; bunlar bazı deniz kabuğu süsü üretimini veya kuş tüyü işlemeyi kapsar; tuz üretimi tuzlu pınarların yakınında yer alan Fábrica San José gibi köylerle sınırlıdır.

Proje aynı zamanda bir Klasik Öncesi Dönem köyünün planını gösteren ilk haritaları da (esas olarak Tierras Largas'ın) yayımlamıştır. Özellikle Santo Domingo Tomaltepec'te sosyal mevkideki farklılıklara dair bulgular ortaya çıkmıştır.

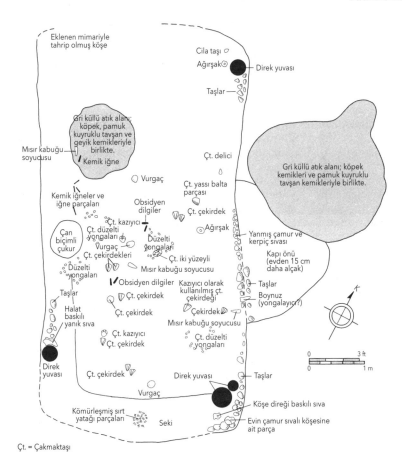

Eklenen mimariyle
tahrip olmuş köşe

Cila taşı

Ağırşak — Direk yuvası

Taşlar

Gri küllü atık alanı;
köpek, pamuk
kuyruklu tavşan ve
geyik kemikleriyle
birlikte.

Mısır kabuğu
soyucusu

Kemik iğne

Çt. delici

Vurgaç

Çt. yassı balta
parçası

Gri küllü atık alanı; köpek
kemikleri ve pamuk kuyruklu
tavşan kemikleriyle birlikte.

Kemik iğneler ve
iğne parçaları

Obsidyen
dilgiler

Çt. çekirdek

Çan
biçimli
çukur

Çt. düzelti
yongaları

Ağırşak

Yanmış çamur ve
kerpiç sıvası

Vurgaç

Düzelti
yongaları

Çt. çekirdekleri

Çt. iki yüzeyli

Mısır kabuğu soyucusu

Kapı önü
(evden 15 cm
daha alçak)

Düzelti
yongaları

Obsidyen dilgiler

Kazıyıcı olarak
kullanılmış çt.
çekirdeği

Taşlar

Taşlar

Çt. çekirdek

Boynuz
(yongalayıcı?)

Halat
baskılı
yanık sıva

Çt. çekirdek

Çekirdek

Mısır kabuğu soyucusu

Çt. kazıyıcı

Çt. çekirdek

Çt. düzelti
yongaları

Direk
yuvası

Çt. çekirdek

Direk yuvası

Taşlar

Vurgaç

Kömürleşmiş sırt
yatağı parçaları

Seki

Köşe direği baskılı sıva

Evin çamur sıvalı köşesine
ait parça

0   3 ft
0   1 m

Çt. = Çakmaktaşı

13.6–7 *Erken Klasik Öncesi Oaxaca. (solda) Tierras Targas'tan yaklaşık MÖ 900'e tarihlenen bir evin planı ve buluntuların konumları. (üstte) Zapotek işçileri pirinç örgü tel eleğe kül, su ve sodyum silikattan meydana gelen bir çözelti döküyor. Tierras Largas gibi Erken Klasik Öncesi arkeolojik alanlardaki kül katmanlarından gelen odun kömürü parçalarını "yüzdüren" proje, kazı esnasında çıplak gözle görülemeyecek yanmış mısır tanelerini, fasulyeleri, asmakabağı tohumlarını, acı biber tohumlarını, hint inciri tohumlarını ve diğer yiyecek kalıntılarını elde edebilmiştir.*

Burada bir konut grubu –nispeten yüksek statüden olduğu sonucuna varılmıştır– sadece yüksek kalite kerpiç ve taştan bir ev platformuna değil, aynı zamanda daha düşük statüdeki çit çamur evlere göre çok miktarda hayvan kemiği, ithal obsidyen ve deniz kabuklusuna sahipti. Anlamlı bir biçimde, yerel olarak elde edilebilir (dolayısıyla prestiji az) çakmaktaşı, düşük statü alanındaki aletlerin daha büyük bir kısmını meydana getirmekteydi. Diğer köylerde kamu binalarına ait alanlar olabilir, ama bölgeleme Klasik ve Klasik sonrası arkeolojik alanlarına göre daha az biçimseldir.

Erken Klasik Öncesi Dönem yerleşimleri araştırmalarına göre büyüklük açısından kayda değer ölçüde çeşitlilik gösteriyordu. Yaklaşık %90'ı bir ila bir düzine haneden oluşan en fazla 60 kişilik ve 12 hektarlık küçük köylerden meydana gelmekteydi. Çoğu yüzyıllar boyunca değişmeden kaldı, fakat birkaçı büyüdü. San José Mogote, MÖ 850'ye gelindiğinde 70 hektara ulaşarak o tarihte Oaxaca Vadisi'ndeki en büyük yerleşme ve yaklaşık 20 köylük bir ağın merkezi hâline geldi. Flannery ve Marcus, köylerin aralarında yaklaşık 5 km mesafe bırakılarak kurulmasına, çevresel ya da tarımsal faktörlerden ziyade aşırı kalabalık-

laşmadan kaçınmak için sosyal yönden karar verildiğini varsaymışlardır, çünkü mevcut ekilebilir arazi daha yakına kurulmuş yerleşimlere kolaylıkla destek olabilirdi.

Yerleşim Havzaları ve Ticaret. Muhtelif yerleşimlerin havza sahaları değerlendirildi. San José Mogote temel tarımsal gereksinimlerini 2,5 km çapındaki bir alandan karşılayabilirdi; temel mineral gereksinimini ve önemli mevsimlik yabani bitkileri 5 km; geyik eti, ev inşası için malzeme ve tercih edilen yakacak odunlar 15 km içinden getirilmek zorundaydı. Diğer bölgelerle ticaret çoğunlukla 50 km çapındaki bir alandan egzotik mallar getiriyordu, fakat bazen bu 200 km'ye kadar çıkabilmekteydi.

Görünüşe göre obsidyen ticareti Erken Klasik Öncesi Dönem'de bütün köylerin katılımıyla eşitlikçi bir değiş tokuş biçimini almıştı. Muhtelif kaynaklardan gelen malzeme her bir topluluktaki haneler arasında dağıtılmak üzere zincir benzeri bir köy ağı boyunca hareket ediyordu. Anlaşılan, kıyıdan getirilen işlenmemiş deniz kabukları, büyük köylerde aynı zamanda çiftçi olan yarı zamanlı uzman zanaatkârlar tarafından, onlara ait yaşam düzlemindeki buluntu malzeme çeşitlerinden anlaşıldığına göre süs eşyalarına dönüştürülüyordu.

Ne Düşünüyorlardı? Neye Benziyorlardı?

Oaxaca Erken Klasik Öncesi Dönem projesi din ve gömüte dair bulguları da inceledi. Kontekst üzerinde yapılan çalışmayla üç düzeyde törensel eşyalar tespit edildi: birey, hane ve topluluk.

Topluluk düzeyinde, sadece belirli köyler konutlardan ziyade açıkça kamu yapılarına sahipti ve bunlarda gerçekleştirilen bazı faaliyetlerin törensel nitelikte olduğu, muhtemelen çevredeki küçük köylere de hizmet sunduğu kabul edildi. Sarmal deniz kabuklarından borazanlarla kaplumbağa kabuklarından davullar da muhtemelen topluluk düzeyindeki törenlerde (yerel etnografik veriler bunu destekler) işlev görüyordu ve kıyı düzlüklerinden getirilmişlerdi.

Hane düzeyinde, evlerin içindeki kireç sıvalı gizemli sığ tekneler törensel amaçlı, en azından pratik olmayan mimari şeklinde açıklanmıştır. Ataların ve kostümlü, maskeli dansçıların figürinleri de aynı şekilde yorumlanmıştır. Etnografik kaynaklara dayanan hafirler, teknelerin kehanet için kullanıldığına inanmaktadırlar. Bunlar suyla doldurulduktan sonra, kadınlar içlerine mısır ya da fasulye atıyor ve ortaya çıkan şekil yorumlanıyordu. Etnografya ve etnotarih, balık kılçıklarının kişisel kendini yaralama ve kan dökme ayinlerinde kullanıldığını göstermektedir. Deniz balıklarına ait kılçıklar vadiye özellikle ithal edilmişti.

Bireysel düzeyde, evler gibi gömütler de hiyerarşinin katı bir sınıf sisteminden ziyade basitten karmaşığa doğru bir süreklilik sergilemektedir. Santo Domingo Tomaltepec'in dışındaki mezarlık 80 bireye ait 60'ın üzerinde mezara sahiptir ve bunlardan 55'inin yaşıyla cinsiyeti belirlenmiştir. Mezarlıkta hiç bebek yoktu (bunlar genellikle evlerin yanına gömülüyorlardı) ve sadece bir çocuk mevcuttu. En yaşlı insan 50 yaşındaydı. Erkekler ve kadınların sayısı kabaca eşitti, ama kadınların çoğu 20 ila 29 yaş arasında ölmüşken, erkeklerin büyük kısmı 30'larına kadar yaşayabilmişlerdi.

Bütün gömütler yüzükoyun yatırılmıştı ve hemen hepsi çoğunlukla uzanmış hâlde doğuya bakıyorlardı. Fakat birkaç erkek bükülmüş olarak defnedilmişti, ama bunlar tüm mezarlığın sadece %12,7'sini meydana getirmesine rağmen, kaliteli mezar çanak çömleklerinin %50'si, yeşim boncukların %88'ine sahiptiler. Ayrıca bunların çoğu da taş levhalarla kapatılmıştı.

Geç Klasik Öncesi Dönem'de Toplumsal Gelişmeler (MÖ 850-MS 1000)

Bir taraftan Kent Flannery, diğer taraftan Richard Blanton'ın başlattığı iki uzun vadeli proje tasarısının nihai ortak hedefi, kalıtsal sınıflara sahip toplumların yükselişine ve Zapotek devletinin evrimine yol açan süreçlerin tanımlanmasıydı.

Richard Blanton, Stephen Kowalewski, Gary Feinman ve meslektaşları aslen Meksika Vadisi'nde çığır açan araştırma yöntemlerini kullanarak vadi çapında yoğun yerleşim araştırmaları geçekleştirdiler ve ardından birbirini takip eden safhalar için haritalar hazırladılar. Ayrıca, başlıca arkeolojik alanlardan Monte Albán'da çok detaylı bir yüzey araştırması yaptılar. Burasının MÖ 500 civarına ait yeni ve bir zamanlar bölgenin ana merkezi görevini görmüş bir yerleşim olduğu ortaya çıktı. Bu sırada Flannery ve arkadaşlarının yukarıda değinilen en az dokuz köyde yürüttükleri kazılar, Klasik Öncesi Dönem boyunca evlerin, saklama çukurlarının, faaliyet alanlarının, gömütlerin ve diğer unsurların gelişimine dair bulgular elde etti. Kömürleşmiş tohumlar, hayvan kemikleri, polen kalıntıları ve yerleşim havzası analizi araştırmalarıyla sürdürülen beslenme kaynakları konusu, yine çalışmanın özel odak noktasıydı.

Sosyal organizasyon, birbirini takip eden dönemlere ait konutların karşılaştırılması, mezarların çalışılması ve daha genel erken dönem kurumlarından doğan çeşitli Zapotek devlet kurumlarının gelişimini belgelemek için kamu yapılarının değerlendirilmesiyle araştırılmıştır. Erken Zapotek hiyeroglif yazısı önemli bir çalışma odağıydı. Çanak çömlek üzerindeki tasarım ögeleri üzerine Stephen Plog'un yürüttüğü çalışmalar, yerleşimlerin karmaşık bölgesel yerleşme ağları geliştikçe belirli küçük köy gruplarının bir sivil-törensel merkezin hizmetlerini paylaştıklarını gösterdi.

Yukarıda değinildiği gibi, daha Erken Klasik Öncesi Dönem'de San José Mogote yerleşimi vadide üstünlük kurmuştu. Ancak bunu izleyen Orta Klasik Öncesi Dönem'de (MÖ 850-500) yüzey araştırmasıyla üç tabakalı bir yerleşim hiyerarşisi gözlemlendi. Yerleşme hiyerarşisi büyüklüğe göre tanımlanmıştır ve idari işlevler konusunda daha açık göstergeler bulunmamaktadır. Ancak törensel işlevler çok daha belirgindir. San José Mogote belki de 1400 kişilik nüfusuyla bir ana merkez, 20 kadar köyün toplanma noktası olarak en parlak dönemine erişmiştir. Düzeltilmiş bir tepe üzerinde kamu binalarına ayrılmış bir akropolisle öne çıkmaktaydı. Anıt 3'ten önemli bir buluntu, üzerinde yayılarak uzanmış bir insan figürü taşıyan oyma bir taş levhadır (karşı sayfada üstteki çizime bakınız).

Söz konusu işlenmiş levha, kapsamlı anlamlar taşıyan keşiflerden biridir, zira Monte Albán'da ortaya çıkarılmış bir sonraki safhaya ait insan figürlü taş levhaların habercisidir. Dolayısıyla San José Mogote'de MÖ 500'den öncesine giden bir öncel bulmak özel bir önem taşımaktadır. Ek olarak bu, erken dönemde esirlerin kurban edildiğinde dair bir işaret gibi algılanabilir. San José figürünün ayakları arasına, günün tarihini ya da isim gününü ("Bir Deprem") gösterdiği düşünülen işaretler işlenmişti. Bu, 260 günlük

13.8–10 *Dansçılar (danzante) artık öldürülmüş esirler olarak açıklanmaktadır. (sol üstte) Danzante taş oymacılığının kökenleri, San José Mogote'deki Anıt 3'te bulunan Rosario evresine (MÖ 600-500) ait bu figüre kadar izlenebilir. (sağ üstte) San José'nin en büyük Rosario evresi kamu binası. Resimdeki işçi 28 no.lu yapının yanında durmaktadır. Monte Albán danzante figürlerinden birine ait fotoğraf ve aynı arkeolojik alandaki L Yapısı'nda bu figürlerin muhtemel düzenini gösteren çizim.*

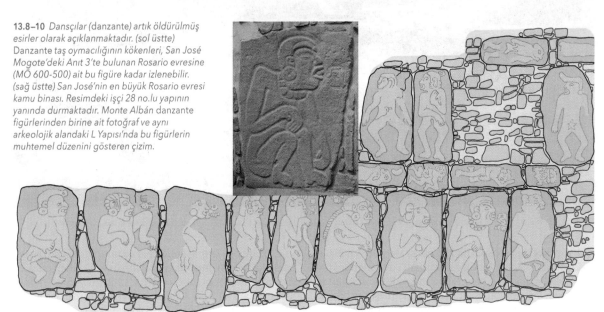

takvimin söz konusu dönemde hâlihazırda kullanıldığını ima etmektedir (s. 140-141'deki kutuya bakınız).

Monte Albán. Önemli bir arkeolojik alan olan Monte Albán MÖ 500 civarında vadinin kolları arasındaki "sahipsiz topraklar"da, bir dağda kurulmuştur. Görünüşe göre Monte Albán'ın temelleri, San José Mogote'yle vadinin kuzeyinde ve merkezindeki diğer yerleşmeler tarafından atılmıştır. Ancak, vadinin güneyinde, kendisini tahkimatlandırmış rakip merkez Tilcajete onlara katılmamıştır. Charles Spencer ve Elsa Redmond'un çalışmaları Monte Albán'ın Tiljacete'ye

en az iki kez saldırdığını, MÖ 20 civarında mağlup ederek onu Zapotek devletine ilhak ettiğini göstermektedir.

Monte Albán safha II'ye (MÖ 200-MS 100) gelindiğinde, bir Zapotek devletinin varlığı açıktır. Monte Albán, yöneticileri saraylarda yaşayan bir şehir hâline gelmişti. Rahiplerin çalıştığı tapınaklar hem burada hem de ikinci ve üçüncü derece merkezlerde bulunmaktaydı. Birden fazla sütuna yazılmış metinlerden oluşan törensel yazıtlar binaların üzerinde görünür. Bunların Monte Albán tarafından boyun eğdirilmiş 40'tan fazla yeri listelediği düşünülmektedir.

13.11 *Monte Albán'daki merkez meydana bakış ve restore edilmiş muhtelif tapınaklar. Burası MÖ 500'de bir dağ zirvesine kurulmuştur.*

Devletin ortaya çıkışına dair bu görüş MÖ 500'den 200'e kadar sürmüş Monte Albán'daki safha I'i aydınlatmaktadır. Ancak maalesef Monte Albán'ın kendisinde bulgular tamamıyla net değildir. Bununla birlikte yerleşimin büyük olduğu –safha I'in sonunda 10.000-20.000 kişinin vatanıydı– tespit edilmiştir. Üç yüz *danzante* levhası bu döneme aittir. Bereket versin ki, Monte Albán kanıtları, San José Mogote gibi çağdaşı olan ikinci derece merkezlerden gelen bulgularla desteklenmektedir.

Sonuç

Oaxaca Vadisi'nde devlet toplumunun doğuşuna dair bu analizin anahtarı, öncelikle birbirini takip eden çanak çömlek üsluplarına dayanan sağlam bir kronoloji olmuştur. Daha sonra radyokarbon tarihleri kesin kronoloji sunmuştur. Ardından yerleşim gelişiminin art arda gelen safhaları incelenebilmiştir.

Oaxaca projelerinin başarısındaki unsurlardan biri yerleşmeler için *yoğun arazi yüzey araştırmasının* kullanılmasıdır. Sonuçta, herhangi bir örnekleme stratejisi yerine vadinin bütününde araştırma yapmak tercih edilmiştir. İkinci unsur, tarımın gelişmekte olduğu erken dönemler için önem arz eden *ekolojik yaklaşım* idi, ancak bu, sulama gibi tarımsal yoğunlaştırma sistemlerinin bulunduğu daha geç dönemler için de önemlidir. Yerleşim hiyerarşisinden, yerleşimlerdeki evlerin farklılıklarından ve gömütlerden gelen bulgular kullanılarak *sosyal organizasyona* yapılan vurgu çok önemli bir özellikti; aynı şekilde işlevsel-süreçsel arkeoloji ve *din ve sembolik sistemlere* verilen önem de öyledir. Bunlar Kent Flannery, Joyce Marcus ve meslektaşlarının *Cloud People* (1983) ve *Zapotec Civilization* (1996) adlı kitaplarında yayımlanmıştır. Diğer yandan söz konusu eserler, onların araştırmalarıyla ilgili tam ve erişilebilir bir yayın konusundaki adanmışlıklarını örneklemektedir. Bu yüzden Oaxaca projeleri sonuçları kadar yöntemleri dolayısıyla da yoğun bir ilgi konusudur.

FLORIDA CALUSA HALKI: KARMAŞIK BİR AVCI-TOPLAYICI TOPLUMU

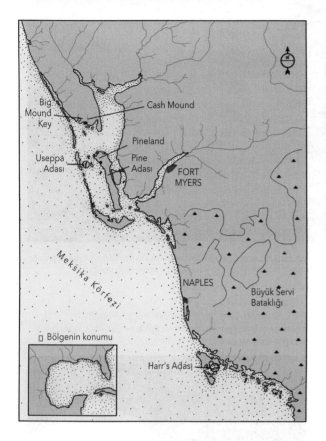

13.13 *Sanatçının Calusa kanoları ve evlerini gösteren rekonstrüksiyonu. Calusa halkı bu şekilde bir yapay kanal ağı boyunca uzun mesafeler kat etmişlerdir.*

13.12 *Metinde geçen başlıca arkeolojik alanlar ve yerlerle bölgeyi detaylı olarak gösteren Güneybatı Florida haritası.*

Florida'nın güneybatı Körfez Sahili'ndeki Calusa halkı, neredeyse tamamen balıkçılık, avcılık ve toplayıcılığa dayalı olup da siyasi açıdan güçlü, yerleşik ve merkezileşmiş bir toplumun sıra dışı bir örneğidir. Avrupalılar bu bölgeye ilk kez 1500'lerde geldiklerinde, böylesine gelişmiş ve güçlü bir toplum buldukları için hayrete düşmüşlerdi. Yaklaşık 20.000 kişilik bir nüfusa sahip bu toplum o tarihlerde kalıcı kasabalarda, toprak tahkimatlar ve tapınaklar arasında yaşıyor, karmaşık bir dinin gereklerini yerine getiriyor ve bölgeyi büyük kanallar boyunca baştan aşağı kanolarla kat ediyorlardı.

1983'ten beri William Marquardt tarafından yürütülen Florida Doğa Tarihi Müzesi'nin Calusa projesi, bu önemli, fakat hakkında çok az şey bilinen tarihöncesi toplumun bütün yönlerini araştırmak, böyle karmaşık ve ileri bir toplumun tarıma başvurmadan nasıl gelişebildiğini anlamak için yola çıkmıştır. Proje aynı zamanda insanın çevreyle etkileşimini incelemek ve Avrupalılarla temasın Calusa halkı üzerindeki etkisini anlamakla ilgiliydi.

Calusa'nın, Güneybatı Florida'nın ırmak ağızlarındaki kalbi balık ve deniz kabukluları açısından zengin; aynı zamanda geyik, kaplumbağa ve rakun gibi yabani hayvanlar ve av hayvanlarının bol olduğu subtropikal bir kıyı çevresiydi. Calusa halkının yiyecek, ilaç ve çeşitli nesneler için malzeme olarak kullandığı bir dizi bitki mevcuttu.

Daha önceden elde bulunan bilgilerin çoğu, 16 ve 17. yüzyıllarda İspanyol yazarların etnografik tarih anlatımlarından gelmekteydi. Arkeologlar bölgede ilk kez 19. yüzyılın sonlarında çalışmaya başladılar, ama gözlemleri değerli olmakla beraber, sadece sınırlı kazılar yapılmıştı ve dolayısıyla bu projenin başlamasından önce Calusa halkı hakkında çok az şey biliniyordu.

Yüzey Araştırması ve Kazı

Arkeolojik kalıntılar iyi korunmuş platformlar, höyükler, meydanlar ve kanallardan meydana gelmektedir. Eski höyüklerin zaman içinde çoğalmak yerine belirli mimari şablonlarla

13.14 *Calusa halkının arkeolojik kalıntıları iyi korunmuş platformlar, höyükler, meydanlar, kanallar ve muazzam çöplük alanlarından -günlük hayata ait yüzlerce yıllık atıklar- meydana gelir. Fotoğraftaki, Pineland arkeolojik alan kompleksinde bulunan 9 m yüksekliğindeki Brown Höyüğü'dür.*

uyum içinde meydana getirildiğine dair bazı kanıtlar vardır. Günlük yaşamın yüzlerce yıllık artıklarını yansıtan bazı höyükler neredeyse tamamen deniz salyangozu ve sarmal deniz kabuklarından oluşmuştur, ama bunlara ilaveten çöp, kemik, kül, çömlek parçalarını da içerirler. Sadece deniz kabuklarının meydana getirdiği bir höyük olan Big Mound Key, 15 hektardan fazla yüzölçümüyle dünyadaki en büyük arkeolojik alanlardan biridir. Su basmış dolguların korunma koşulları çok iyidir ve çökeltilerde, Kuzey Amerika'nın başka hiçbir yerinde bulunmayan bazı eski botanik kalıntılar da dâhil genelde kuru arkeolojik alanlara yabancı insan yapımı nesneler vardır.

Hem kıyı hem de ırmak alanlarındaki yüzey araştırmaların kapsamı çok eksiktir. Arkeolojik araştırmalar Buck Key, Galt Adası, Cash Mound, Horr Adası, Useppa Adası ve Big Mound Key'yi de içeren birtakım yerlerde yürütülmüştü, fakat ilginin çoğu Pine Adası'ndaki Pineland Arkeolojik Alan Kompleksi'ne yönelmiştir. 81 hektarlık bir alanı kaplayan bu kompleks, MÖ 50'den itibaren 1500 yıllık bir zaman dilimini kapsayan arkeolojik alan kümelerinden ibarettir ve kumdan mezar tümülüslerini, suni bir kanalı, bir dizi devasa kabuk yığınını içerir. Antropolog Frank Cushing 1896'da burayı ziyaret ettiğinde bugünkünün iki katı bir alanı kaplıyordu ve kanal hâlâ 9 m genişliğinde, 1,8 m derinliğindeydi.

Burada zaman içinde yapılan değişikliklerin iç yüzünü öğrenebilmek için yığınlar ve diğer sediman örneklerini toplamak üzere toprak burguları kullanıldı. Örnekler toprak altı radarıyla birlikte yüzeyin altındaki arkeolojik dolguların kapsamını belirlemeye yardım etti. Ayrıca eski iklimi ve

13.15 *Su basmış kültür topraklarındaki korunma koşulları mükemmeldi. Resimde kazı ekibinin üyeleri ahşap ve ip kalıntıları üzerinde çalışmaktadır.*

doğal kaynakların mevsimselliğini incelemek için karotlar aracılığıyla veri toplanmıştır.

Proje alanında insanların 12.000 yıllık geçmişi vardır. Kabuk yığınları, Horr Adası'nın kumullarının sırtlarında istiridye yığınlarının alt kesimine yakın yerlerden alınan örneklere göre MÖ 5000 ve Useppa Adası'nda MÖ 4500 dolaylarında yükselmeye başlamıştı, fakat deniz seviyesindeki yükselişler alçaktaki Orta Arkaik ya da daha erken dönem (MÖ 5000 öncesi) kıyı arkeolojik alanlarını su altında bırakmıştı. MÖ 2800'e gelindiğinde, Horr Adası'ndaki bir arkeolojik alan hâlihazırda muhtelif balıkları ve deniz kabuklularını tüketen bir halk tarafından yıl boyunca iskân ediliyordu. Pineland'de yapılan kazılar burasının MS 50'den 18. yüzyıla kadar iskân edildiğini gösteren radyokarbon tarihleri sundu.

Projenin başlangıcında, ekipten bazıları kendi yığınlarını, yani balık, deniz kabukluları ve diğer hayvan kalıntılarını koydukları deneysel höyükler oluşturdular. Ayda bir biriktirilen malzemelere ne olduğunu gözlemlediler. Yığınlar sadece bir yıl açıkta bırakıldıktan sonra yapılan kazılar, biriktirilmiş balıklar ve deniz kabuklusu artıklarının sadece %77'sinin bulunabildiği; kayıplara çiğ balıkları çabucak tüketen, ama pişmiş olanlara dokunmayan kuşların neden olduğunu gösterdi.

Paleoiklimler ve Mevsimsellik

Mangrov ağaçlarıyla çevrilmiş Körfez Sahili ırmak ağızları bugün bildiğimiz hâline 6000 yıl önce gelmiştir. Eski Kızılderili köylerinin mevcut deniz seviyelerine göre konumu, bin yıl boyunca okyanusun yükselişi ve çekilişini izlemeye yardımcı olabilir. Mesela Pineland'de MS 100-300 ve 500-700 arasında tarihlenen çöp yığınlarının bugün arkeolojik alandaki en alçak tabakalarda su altında bulunması, deniz seviyesinin çöp yığınları birikmeye başladığı dönemde daha düşük olduğunu göstermektedir.

Delikli süngerlerle taraklı istiridye gibi canlılar ırmak ağızındaki tuzluluk oranına dair güvenilir göstergelerdir ve sudaki tuz miktarı deniz seviyesindeki yükseliş ve düşüşlerden etkilendiği için, Cash Mound'da kazılan kabuklar MS 270 civarında deniz seviyesinin bugünden daha yüksek olduğunu, ama MS 680'de düştüğünü düşündürmektedir.

Sıcaklığın iyi bir belirtisi olan midye kabuklarının (6. Bölüm'e bakınız) kimyası üzerindeki ön çalışmalara göre, MS 500-650 yılları Calusa halkının gördüğü en soğuk dönemdi. Kışlar ortalama 2,2-3,4 °C sıcaklığıyla Küçük Buzul Çağı'ndan (MS 1350-1500) daha soğuktu. Midye kabuklarının yorumlanması toplama mevsimi hakkında da bilgi verir. Mesela, 1987'de Josslyn Adası'ndaki bir kazıda ele geçmiş 51 kabuk kış sonu-bahar başı arasında toplanmıştı.

Odun kömürü analizi siyah mangrov, çınar ve çamın yakacak olarak kullanıldığını ortaya çıkarmıştır. Öte yandan Key Marco ve Pineland'den bazı oymalarda servi ağacı kullanılmıştı.

Beslenme Alışkanlıkları

İspanyol kayıtları Calusa halkının tahıl yetiştirmediğine işaret eder ve şimdiye kadar ele geçmiş neredeyse bütün arkeobotanik kalıntılar kültüre alınmamış bitkilere aittir (bununla birlikte küçük ev bahçelerinin MS 100 civarında işlendiğine dair bazı kanıtlar vardır). İnce elemeyle elde edilen kömürleşmiş ahşap ve tohumlar, Calusa halkının deniz

13.16 *Jeokronoloji, jeomorfoloji ve ada setleri meydana getiren sahil sırtlarının yüksekliğine göre Güneybatı Florida'nın ortalama deniz seviyesi eğrisi.*

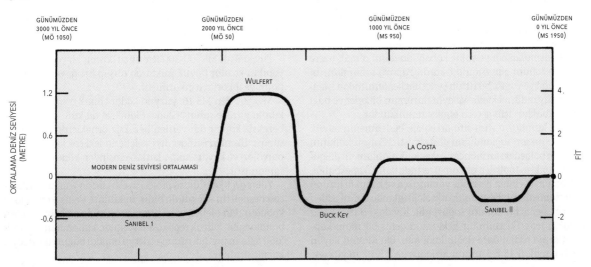

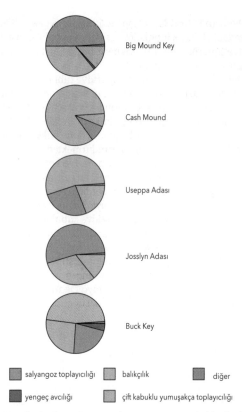

Big Mound Key

Cash Mound

Useppa Adası

Josslyn Adası

Buck Key

■ salyangoz toplayıcılığı ■ balıkçılık ■ diğer

■ yengeç avcılığı ■ çift kabuklu yumuşakça toplayıcılığı

13.17 *Yararlanılan kaynağın asgari birey sayısına göre farklı arkeolojik alanlarda tahmini geçim faaliyetlerinin çeşitliliğini gösteren diyagramlar.*

üzümü, kaktüs meyveleri, kordilin, muhtelif kök ve tohumları topladığını ve yediğini ortaya çıkarmıştır.

Pineland'de MS 100-300'e tarihlenen su basmış çöp yığını malzemelerinde yapılan kazılar, acı biber (*Capsicum*; Amerika Birleşik Devletleri'nin doğusunda ilk kez tanımlanmıştır), papaya (Kuzey Amerika'da ilk kez bulunmuştur) ve sayısız yabani asmakabağı ve sakız kabağı da dâhil olmak üzere yüzlerce tohum gün ışığına çıkardı. Papaya tohumlarının büyüklüğü ve yapısı, bu türün yerleşimciler tarafından işlendiğini düşündürmektedir ve aynı durumun biberler ve bazı sakız kabakları için geçerli olması mümkündür.

Yazılı kanıtların yanı sıra arkeoloji, beslenmenin büyük ölçüde balıktan sağlandığını göstermiştir. Calusa halkının yaşadığı bölgedeki tarihöncesi arkeolojik alanlara ait dolgularda yapılan analizler, otuzun üzerinde balık, köpekbalığı, kedi balığıyla ellinin üzerinde yumuşakça ve kabuklu türünü tanımlamıştır. Şüphesiz balık arkeolojik alanda temsil edilen etin çok geniş bir kısmını sağlıyordu. Kıyıdaki bazı devasa kabuklu tepeciklerinin bir hektardan geniş bir alanı kaplamalarına (daha önce değinildiği gibi, Big Mound Key'in kapladığı alan 15 hektardan fazladır) ve 2 ila 7 m yüksek-

liğinde olmalarına rağmen, kabukluların nispeten düşük besin değeri yüzünden yumuşakça etinin beslenmeye katkısı yine de balıktan düşüktür. Bununla birlikte yumuşakçalar önemli, güvenilir, kolay toplanabilen bol bir kaynak olmalıydı. Kaplumbağalar ve çeşitli av hayvanları temel besinleri tamamlıyordu.

Deniz alası, gül balığı ve deniz yayın balığının tüketim mevsimleri, bunlara ait otolitlerin (işitme aygıtının bir parçası), modern örneklerle karşılaştırılmasıyla anlaşılır (s. 305'e bakınız). Bunlar, deniz kabukları ve balık kılçıklarındaki mevsimlik büyüme şekilleriyle birlikte, Arkaik Dönem'de (MÖ 6500-1000) Horr Adası'nda yaşamış insanların yazın deniz tarakları topladıklarını, sonbaharda ise balık avladıklarını göstermiştir.

Bütün bir yıl boyu mevcut olan ve Calusa halkı tarafından iyi bilinen bu bol doğal kaynakların, onları genellikle diğer yerlerdeki örneklerin aksine tarıma dayalı olmayan bir toplumsal karmaşıklık ve gelişmişlik düzeyine ulaştırdığı öne sürülmüştür. Calusa halkı aynı zamanda dalyanlar, tuzaklar ve livarlar kurup bakımlarını yaparak balık mahsulünü arttırmış olabilirlerdi.

Teknoloji

Key Marco'daki su basmış arkeolojik alanda 1896'dan beri yapılan kazılar iyi korunmuş ağlar, ipler, halatlar ve çıpalar ortaya çıkarmıştır. Servi ağacından değnekler ve sukabakları duba; büyük deniz salyangozu kabuklarıyla kireçtaşı parçaları çapa; küçük deniz kabukları ise ağ ağırlıkları olarak kullanılmıştı. Çok sayıda kemik uç ve iğne muhtemelen bileşik balık oltalarının çengellerini temsil ediyordu.

Kabuklardan yaklaşık 90 farklı tür nesne yapılmıştı. Bunların arasında baltalar, keserler, çekiçler, fincanlar, kâseler, ahşap ve deniz kabuğu işlemek için aletler vardı. Useppa Adası'ndaki kazılar, zarif deniz kabuğu aletlerin her yapım aşamasıyla ilgili yan ürünler ve artıklar içeren yaklaşık 3500 yıl öncesine (Geç Orta Arkaik Dönem) ait bir işlik tabanını gün ışığına çıkarmıştır.

Pineland'de MS 100-300'lere ait su basmış bir çöp yığınında yapılan kazılar büyük miktarda ahşap artığı ve bükülmüş palmiye ipi ortaya çıkarmıştır.

MÖ 500'den MS 16. yüzyıla kadar çanak çömleğin çoğu, kumlu yüzeye sahip "Glades Plain" ya da kum katkılı sade bezeksiz kaplar adı verilen bezeksiz örneklerdir. Analizler sünger dikenleri (sünger dış iskeletlerindeki çok küçük silikalı parçalar) ve kuvars kumu katkısı cinsinden kilde çeşitlilikler saptamıştır.

Yıllar geçtikçe Calusa projesi üyeleri insan yapımı tarihöncesi nesnelerin –üç çatallı balık zıpkınları, deniz salyangozu kabuğundan aletler, yerel liflerden ipler, deniz kabuğundan baltalar gibi– birçok replikasını yaptılar, kullandılar ve farklı faaliyetlerin ürettiği aşınma izlerini orijinal buluntularınkiyle karşılaştırdılar.

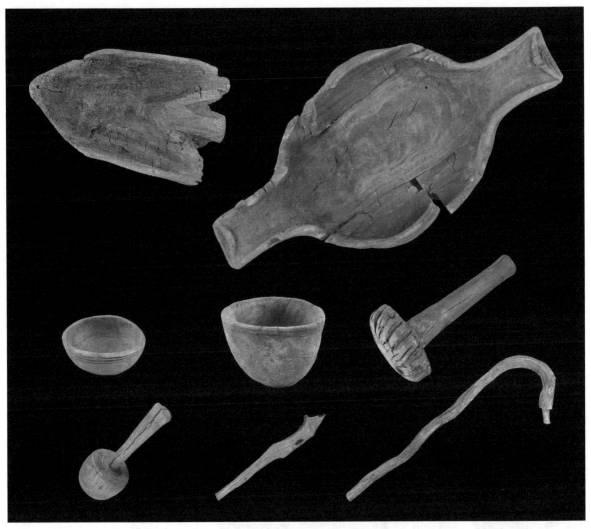

13.18 *Kazılarda ahşap ve diğer organik malzemelerden yapılmış çok çeşitli nesneler ele geçmiştir. Bu fotoğrafta kâseler, farklı kap ve aletler görülmektedir.*

Ne Türden Temasları Vardı?

Şimdilik Calusa ve Karayip halkları arasında tarihöncesi temasa dair işaret bulunmamaktadır, ama Amerika Birleşik Devletleri'nin doğusundaki diğer yerlilerle doğrudan ya da dolaysız temaslar iyi belgelenmiştir. Mesela Pineland'deki kazılar, gümüş tozuna döndürüldükten sonra Amerika yerlileri tarafından yüz boyası ve tören pudrası olarak kullanılmış bir mineral olan iki küçük galenit (kurşun cevheri) parçasını ortaya çıkarmıştır. Galenit Florida'nın hiçbir yerinde doğal olarak bulunmaz ve atomik absorpsiyon spektrometrisiyle yapılan analizler bu örneklerin Güneydoğu Missouri'den geldiğini göstermiştir. Pineland'de ele geçmiş bir sürtmetaş

balta muhtemelen Georgia'dan gelmişti. Etnotarihi kayıtlar şefin hayvan derisi, keçe, tüy ve 160 km uzaktaki kasabalardan esirler şeklinde hediyeler aldığını ortaya koymaktadır.

Toplumsal Organizasyon ve İnançlar

Etnotarihi kayıtlardan bilinenlere göre, Avrupalılar buraya geldiklerinde Calusa halkı birkaç düzine ila birkaç yüz bireyden müteşekkil yerleşik köylerde yaşıyorlardı. Toplum soylular, halk ve esirlerden meydana geliyordu; devletin başı ya da kral olarak şef bulunmaktaydı. Bir görgü tanığının anlatımı, 1566'da İspanyollarla bir anlaşma yapmak için Calusa kralının ayakta 2000 kişiyi olacak kadar geniş bir yapıda törenlere nasıl ev sahipliği yaptığını aktarır.

Hükümdar topluluklar arasında yiyeceğin yeniden dağıtımından sorumluydu ve dinde önemli bir rol sahibi olarak, topluluğu ayakta tutacak çevresel zenginliği sağlayan ruhlara aracılık edebilme yeteneğine sahipti. İspanyollar ayrıca duvarları oyma ve boyalı maskelerle bezeli büyük bir tapınağı tarif ederler.

Kadınların rolü ya da mevkii hakkında çok az bulgu vardı. Bunun sebebi kısmen İspanyolların çoğu kez erkeklerle etkileşim içinde olmasıydı. Çoğu yerel kadın pekâlâ İspanyollardan uzak durmuş olabilir ve İspanyollar da muhtemelen kararları erkeklerin aldığını düşünmüşlerdi. Kayıtlar maskeli rahiplerin alaylarına şarkı söyleyen kadınların eşlik ettiğini göstermektedir. Genellikle erkeklerin lider olmasına rağmen, Calusa halkı içinde bir kraliçeye (cacica) atıfta bulunan bir yazılı kanıt mevcuttur.

Okeechobee Gölü yakınındaki Fort Center tarihöncesi arkeolojik alanında göl üzerine kurulmuş bir platform, görünüşe göre ölüleri koruyan ya da onlara nezaret eden, bazıları kazıkların tepesine gerçekçi şekilde oyulmuş hayvan şekilleriyle bezenmişti. Bu betimler çok çeşitli kuş türlerini içerir, ama hangisinin törensel önem taşıdığı konusunda fikir yürütmek imkânsızdır. Pineland'de, servi ağacından oyulmuş MS 9. yüzyıla ait bir kuş kafası ve üst gagası –muhtemelen bir turna; bir kostüm veya kukla kısmını temsil ediyor olabilir– bulunmuştur.

Calusa halkının ölen üyelerinin büyük kısmı anlaşılan kum tümülüslere gömülmüştür. Bunlardan birkaçı kazılmış ve çalışılmıştır, fakat şimdiye kadar çok az antropolojik ka-

nıt ele geçmiştir. Fort Center'da göl platformu, yaklaşık MS 200-800'de bir araya getirilmiş 300 civarında insan iskelet kalıntısını koymak için kullanılmıştı. Neticede platform suyun içine çökmüş ve kemiklerin sıra dışı şekilde korunmasını sağlamıştır.

İspanyolların Calusa halkını Hıristiyanlığa geçirme çabaları başarıya ulaşmamıştı, ama 1698'e gelindiğinde Avrupa kaynaklı hastalıklar, kölelik ve diğer Kızılderililerle yapılan savaşlar yüzünden nüfus belki de 2000 kadar düşük bir rakama gerilemişti. 1700'lerin ortalarına gelindiğinde ise, Calusa halkı kültürleri dışında tamamen yok oldu.

Sonuç

Hem popüler hem de akademik yayınlar, müze sergileri, düzenli bir bülten, gezici sergiler yanında "The Year of the Indian: Archaeology of the Calusa People" başlıklı 1989'dan 1992'ye kadar süren ana proje sayesinde, genel proje ilk ve orta dereceli öğrencileri, onların öğretmenlerini ve Güneybatı Florida sakinlerini bölgenin tarihöncesine yönelik araştırmadan haberdar etmiş ve buna katılımını sağlamıştır. Son yıllarda Pineland arkeolojik alanında Randell Araştırma Merkezi açılmış ve eğitici gezinti yollarıyla birlikte bir öğretim çadırı kurulmuştur.

Bu zengin ve karmaşık arazi ve bu arazinin geçmişte Calusa halkıyla olan etkileşimini daha fazla takdir etmek, toplu konutlar ve diğer inşa faaliyetlerinin tehdidi karşısında onu koruyup kollama ihtiyacını daha iyi kavramayı beraberinde getirecektir.

13.19 Proje ekibinden biri kazıdan neler olup bittiğini "Kızılderili Yılı" çerçevesinde öğrencilere anlatıyor. Söz konusu proje üç kazı sezonu, iki yerel müze sergisi, çocuklar için bir yaz programı, bir multimedya slayt gösterisi, dersler, uygulamalı derslik sergileri, arkeolojik alan ziyaretleri ve buluntu replika araştırmasını içermektedir.

AVCI-TOPLAYICILAR ARASINDA ARAŞTIRMALAR: YUKARI MANGROVE IRMAĞI, AVUSTRALYA

Güneydoğu Avustralya'da, Sydney'nin 75 km kuzeyindeki Sydney Havzası'nda bulunan Yukarı Mangrove Irmağı'nda arkeolojik çalışmalar 1978'de, Mangrove Creek barajının inşasından önce yapılan kurtarma kazılarıyla başladı. Burası parçalı bir araziye sahip Hawkesbury kumtaşı bölgesine dâhildir ve yüksekliği 25-200 m arasında değişir. Vadilerin kenarları sarptır ve uçurumlar 8 m'ye kadar yükselir. Bazıları kaya barınakları da olan birçok kaya oluşumu vardır. Şimdi alan büyük ölçüde okaliptus ormanıdır ve ağaçların aşağısında sık fundalıklar, eğreltiotları, otlar yetişmektedir.

Hazırlık Çalışmaları ve Projenin Hedefleri

Bölgedeki arkeolojik alanların zenginlikleri, zamansal derinliği ve yapılacak işin hacmi ortaya koyulduktan sonra Val Attenbrow projenin başına getirildi ve burası onun doktora araştırmasının odağı oldu. Çalışmayı vadi tabanının ötesine (baraj sularının altında kalacak alan), bitişik yamaçlara ve sırtlara doğru genişletmeye karar verdi.

İlk arazi çalışmasıyla ortaya çıkan başlıca gizemlerden biri, zaman içinde arkeolojik alan sayısındaki artıştı. Bu durum büyüyen bir nüfus anlamına gelebilirdi, ancak yerleşimin son bin yılında buluntu sayılarında bir düşüş vardı. Görünüşte çelişkili olan bu iki bulgu nasıl birbirleriyle bağdaştırılabilirdi? Bunda rol alanlar arasında arazi kullanım şekillerindeki ve kaynakların tüketimindeki değişimler var mıydı?

Aborjinlerle İşbirliği

Bugün Yukarı Mangrove Irmağı, Darkinjung Yerel Aborjin Arazisi Kurulu'nun Aborjin arkeolojik alanları ve Aborjinlerin önemli saydığı diğer yerlerin bakımı ve idaresi için danışmanlık yaptığı bir alan içindedir. Bununla birlikte, Aborjin arazi kurulları 1984'e kadar New South Wales'de kurulmamıştı. Bundan birkaç yıl önce arazi çalışması başladığında başvurulacak bir Aborjin organizasyonu bulunmuyordu. New South Wales Ulusal Parklar ve Yaban Hayatı Hizmetleri ile Avustralya Müzesi tarafından bazı Aborjinler işe alındı. Ayrıca birkaç yerel Aborjin sakin arazi çalışmasında görev aldı ve aynı zamanda taş aletlerin analizinde yardımcı oldu.

Kazılar küçük bir kaya barınağında bir insan kafatası parçası ortaya çıkardı. Çalışmalar o açmada hemen durdu. Aborjinler insan kalıntılarının kazılmasından

13.20 *Yukarı Mangrove Irmağı, Ağustos 1979.*

ya da incelenmesinden hoşlanmadıkları için ortaya çıkan buluntu sadece kaydedilmiş ve açma yeniden doldurulmuştur.

Yüzey Araştırması

Sistematik yüzey araştırması, arkeolojik kanıtları toprak üstünde görülebilen arkeolojik alanları tespit etti; geri kalanı kazılarla bulundu. Yaşamaya uygun görünen tüm kaya barınakları da incelendi. Bunlardan en büyüğü 46 m genişliğinde ve 13,5 m yüksekliğindeydi, fakat çoğu 15 m'den daha geniş değildi. buluntu yerleri ağırlıklı olarak taş aletlerin ve fauna kalıntılarının günümüze geldiği dolgulardı, ancak kaya barınaklarında pigment figürler, öğütme çukurları ve bazı açık hava kazıma resim alanları da bulunuyordu.

Arkeolojik kaydın tarafsız bir örneğini elde etmek için Attenbrow 100 km²'lik havza için rastgele tabakalı örnekleme programı yaptı. Havzanın %10'unda her tipte arkeolojik alanı araştırmak ve ardından kaydedilmiş tüm arkeolojik dolguları kazmak için bunu kullandı. Havzayı vadi tabanlarına, sırt yamaçlarına ve sırt zirvelerine böldü. Ana konak yerlerinin vadi tabanında ve sırt zirvelerinde

13.22 *Loggers Kaya Barınağı. Barınağın 2 m derinliğindeki dolgusunda günümüzden 13.000 yıl geriye giden yerleşim izlerine dair kanıtlar ortaya çıkarılmıştır. Burada ayrıca pigmentle yapılmış kangurugiller (valabi ya da kanguru), yılanbalıkları, balık ve yunus resimlerinden meydana gelen küçük bir panel bulunmaktadır. Bunlar iç bölge sakinlerinin doğudaki kıyı ve güneydeki Hawkesbury Irmağı'nın ağız bölgesiyle temasta bulunduklarını göstermektedir.*

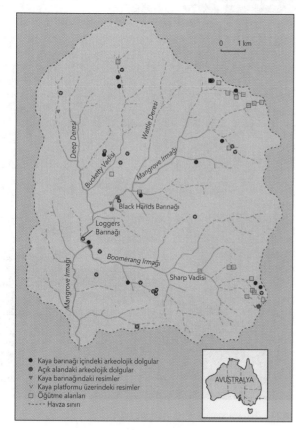

13.21 *Yukarı Mangrove Irmağı havasındaki rastlantısal örnekleme birimlerinde kaydedilmiş arkeolojik alanlar. Arkeolojik alanlardaki kümelenme, örnekleme birimlerinin yerlerini yansıtmaktadır. Bunlardan her biri 0,25 km² boyutlarındadır. Sadece dış sırtların tepelerindekiler 1 km² ölçülerindedir.*

bulunması daha muhtemeldi, zira ikinci grup bölgeden geçen ve tarihten bilinen yollardı. Tabanlarla yamaçlar 0,25 km², daha düz sırt zirveleri de 1 km²'lik alanlara ayrıldı. Her birim numaralandırıldı ve her bir tabakanın %10'u rastlantısal numara tabloları aracılığıyla seçildi. Seçilenler havza boyunca dağıtıldı.

Orman örtüsü ve sıklıkla sarp arazi nedeniyle yüzey araştırmaları yürüyerek yapıldı. Dört ya da beş kişi görünürlük ve araziye bağlı olarak birbirinden 10-30 m mesafedeki hatlar üzerinde ilerlediler. Hat üzerindeki tüm kaya sığınakları kullanım ve süslemelere; düz alanlar taş aletlere; düz kumtaşı alanlar ise oymalar ve öğütme çukurlarına ait işaretler için araştırıldı. Ayrıca ağaçlar da kalkan, kap ve barınak yapımı için kabuklarının çıkarılmasına işaret eden izler (yani taş aletler ya da betimler) için incelendi. Yoğun bitki örtüsünden dolayı, vadi tabanını bozan ağaç kesimleri olmadığı sürece açık hava konak yerlerini tespit etmek çok zordu.

Kazı Yöntemleri

Kazı önce 10 cm'lik aralıklarla çakılı çubuklarla bölünmüş 1 m²'lik açmalar, daha sonra 5 cm aralıklı 50 cm'lik kare açmalar kullanılmasıyla stratigrafik olarak yürütüldü. Kaya barınaklarındaki dolgular, taş aletler ve fauna kalıntıları gibi malzemelerin biriktiği kumlu-alüvyonlu dolgulardı. Bununla birlikte Sydney Havzası'nın kumtaşı sedimanları kemikleri iyi korumaz ve genellikle 3500 yıldan daha uzun süre sağlam kalmazlar.

Attenbrow'un doktora araştırması için toplamda 29 yer kazılmıştır: arkeolojik dolgular ve/veya çizilmiş ve şablonu çıkarılmış desenlere sahip 23 kaya barınağı, 2 açık hava buluntu yeri ve kaya barınakları içinde 4 potansiyel dolgu (bunlardan üçünde insan yapımı taş aletler bulunmuştur). Her durumda kazı bir örnekleme çalışmasıydı; dolgunun sadece %2-7 kadarı, genellikle 0,25 m²'lik bir ya da bitişik iki çukur incelendi. Daha büyük alanlar, daha zengin ve kalın dolguları olan (2 m) Loggers ve Black Hands isimli iki kaya barınağında 1 m²'lik açmalar açılarak kazıldı. Kazılan dolgular eleklerden geçirildi ve derelerde ıslak elemeye tabi tutuldu.

Tarihleme

Birçok arkeolojik alanı radyokarbon yöntemiyle tarihlemek mümkün oldu, zira yeterli miktarda odun kömürü ele geçmişti. Buna ilaveten, dolgularda bulunan buluntu tipleri ve hammaddelerin meydana getirdiği kesit, kültürel gelişmelerin net bir resmini oluşturmaya imkân verdi. Kaya barınaklarındaki dolguların birikmesi için gerekli zaman da bir etkendi. Genelde, elde edilen radyokarbon tarihleri başka tipte kanıtlar sayesinde yapılan tahminleri geçerli kıldı. Loggers Kaya Barınağı'ndaki bilinen en eski yerleşim yaklaşık 13.000 yıl önce başlamıştı; Black Hands Barınağı ise sadece yaklaşık Cal GÖ 3300'e tarihlendirilmektedir. Birkaç arkeolojik alan 500 yıldan daha kısa bir zaman önce iskân edilmiştir.

Ne Tür Bir Toplumdu?

Yukarı Mangrove Irmağı'nın erken kolonyal dönemde (MS 18. yüzyıldan 19. yüzyıla kadar) yerleşim gördüğüne dair bazı kanıtlar mecut olmasına rağmen, bu alanda Aborjin halkların bulunduğuna dair kayıtlı bir tarihsel gözlem yoktur. Dolayısıyla onların toplumlarına dair bir rekons-

13.23 *Loggers Barınağı'nda 1978 Ağustos'unda yapılan kazılar. Dolguda insan elinden çıkma taş aletler bulunmuştur. Hayvan kemikleri ise sadece üstteki 90 cm kalınlığında toprakta ele geçmiştir. Bunlar kanguru, valabi, bandikut faresi, opossum, yılan ve kertenkelelere aittir.*

trüksiyonunu yapmak için öncelikle arkeolojik kanıtlara bel bağlanması gerekmektedir. Bu halkların avcı-toplayıcı olduğu açıktır ve yerleşme alanlarıyla mevcut yiyecek kaynakları, burada yaşayan toplulukların nispeten küçük ve çok hareketli olduklarını düşündürmektedir. Çoğu kaya barınağı sadece küçük gruplara ev sahipliği yapabilirdi; öte yandan daha büyük gruplar geniş ırmak düzlüklerinin bitki örtüsü olmayan yerlerinde (fakat bu yerler kışın soğuk ve buzluydu) yaşayabilirdi. Komşu bölgelerdeki Aborjin gruplara ilişkin bilgilere dayanarak, avlanmaya ve toplayıcılığa çıkan yiyecek arama gruplarının büyüklüğü mevcut mevsimsel kaynaklara bağlı olacak, fakat tek bir çekirdek aileden (anne, baba ve çocuklar) birden fazla aileye kadar çeşitlilik gösterecekti. En büyük toplantılar, birkaç yılda bir gerçekleşen erkekliğe geçiş törenleriydi.

Yukarı Mangrove Irmağı sakinlerinin kendi arazileri içindeki birçok kısa vadeli konak yeri arasında hareket ettiği kuvvetle muhtemeldir. Grupların büyüklükleri havaya, mevsime ve mevkiye göre değişiyordu.

Çevresel Rekonstrüksiyon

Mussel, Deep Creek ve Loggers kaya barınaklarına ait iyi korunmuş zengin fauna buluntu grupları çevresel rekonstrüksiyonun temelini oluşturmuştur. Mussel ve Deep Creek'te günümüzden 1200-1000 yıl önce fauna kalıntılarında bir değişim –özellikle büyük keselillerde (kanguru/valabi)– vardır. Alt tabakalarda buluntu grupları *Macropus giganteus* (doğu gri kangurusu) ve *M. rufogriesus* (kızıl boyunlu valabi) tarafından temsil edilmektedir. Bunlar nispeten kuru ve açık ağaçlık araziye işaret eder. Daha üst tabakalarda *M. giganteus* yoktur ve bununla bağlantılı olarak genellikle yoğun ve sulu bitki örtüsüyle ilişkilendirilen *Wallabia bicolor* (bataklık valabisi) sayısında artış gözlemlenir.

Fauna değişikliğine büyük ihtimalle bitki örtüsünde bir değişimin yol açtığı düşünülmüştür ve komşu bölgelerde yapılmış çalışmalardan, yoğunlaşan El Niño şartlarından dolayı GÖ 4. binyılın ortalarında daha soğuk ve kuru bir dönemin yaşandığı bilinmektedir. Bazı kesimlerde bu durum GÖ 1500'e kadar sürmüştür, fakat yerel polen karotları dönemin GÖ 2000 civarında sona erdiğini gösterme eğilimindedir. Şüphesiz fauna değişikliğinin başladığı zaman dilimine gelindiğinde söz konusu alanda kuru hava şartlarından günümüzdeki gibi daha nemli bir rejime geçiş vuku bulmuştur, fakat iki olayı mevcut kanıtlarla birbirine bağlamak kolay değildir.

Teknoloji

Yakın tarihli etnografik bulgular sayesinde Aborjin avcı-toplayıcıların taşınabilir alet çantası bulundurduklarını biliyoruz. Erkekler mızraklar, bumeranglar, kalkanlar, sürtmetaş nacaklar, mızrak atıcılar ve küçük aletler taşımak için ağ çantalar kullanıyorlardı. Kadınlar ise kazma çubukları, ağ çantalarla ağaç kabuğundan sepetler ve bazen sürtmetaş baltalar taşımaktaydılar. Aletler çoğunlukla ahşap ve bitkisel malzemeden yapılmıştı. Kışın hayvan derisinden mantolar giyiyorlardı, ama aksi takdirde baş, kol ve bel kuşakları hariç çıplaktılar. Ne yazık ki arkeolojik olarak genellikle korunagelmiş yegâne nesneler taş, kemik ya da kabuklardan yapılmış olanlardır ve sadece taş nesneler Güneydoğu Avustralya'da 3000 yıldan fazla varlığını koruyabilmektedir. Ahşap sadece sıra dışı şartlarda korunabilmektedir.

Mangrove Irmağı yerleşimleri boyunca yongalanmış aletler –çoğunlukla kazıma, kesme ve parçalama için standart olmayan düzeltili yongalar– kullanılmıştı. Bazı düzgün aletler de –Bondi uçları ve geometrik mikrolitler gibi

13.24 *Silikatlaşmış tüften sırtlı taş aletler. Bu taş malzeme Yukarı Mangrove Irmağı havzasında bulunmamaktadır ve dolayısıyla aletler ve/veya taşın kendisi kuzeydeki Hunter Vadisi'nden ya da Nepean Irmağı'ndan getirilmiştir.*

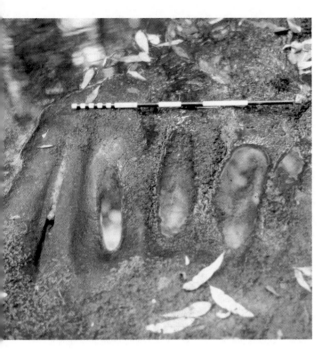

13.25 *Sharp Vadisi'nin kumtaşı yatağında bir grup sürtme oluğu. Geniş oluklar sırtlı taş nacak başlarının kulllanılan kenarları keskinleştirilmesiyle elde edilmiştir. Soldaki dar oyuk ise belki de ahşap mızrakların sivriltilmesi için kullanılmıştır.*

sırtlı nesneler– bulunmaktadır. Bondi uçlarının kullanım izi ve kalıntı analizleri çok çeşitli işlevleri (kesme, parçalama, delme, kazıma vs.) ve görevleri (ahşap ve yumuşak bitkisel malzemeleri işleme, kemik, deri yüzme ve kasaplık) ortaya koymuştur. Bazı hammaddeler –jasper, kuvars, kuvarsit-kumtaşı konglomeraların aşınmasıyla ortaya çıkan dere yataklarındaki çaytaşları ve yumrulardan elde edilmiştir, fakat silikalı konglomera ve süngertaşı yerel olarak mevcut değildi.

Bazalttan yapılmış sürtmetaş nacak başları da Yukarı Mangrove Irmağı'nda ele geçmiştir. Etnografik olarak bunların sapı vardı ve ahşap işleme yanında savaş gibi çok çeşitli faaliyetlerde kullanılıyordu. Sürtme çukurlarına sahip buluntu yerleri bu aletlere son biçimlerinin verilmesi ve sürtülmeleriyle ilgili olabilir.

Zaman içinde taş alet buluntu gruplarında değişimler gözlemlenebilmektedir. Örneğin sırtlı aletler yaklaşık GÖ 8500'de ortaya çıkmış, 3500-1500 arasında popüler olmuş ve ardından ortadan kaybolmuştur (ya da bazı yerlerde sayıca azalmıştır). Alet tiplerinde, bunların üretim teknolojilerinde ve yapımında kullanılan hammaddelerde de değişimler yaşanmıştır. Sürtmetaş baltalar GÖ 3500-3000 civarında görülmeye başlanmış ve son 1500-1000 yılda sayıları artmıştır.

Ne Tür Temasları vardı?

Tarihi kayıtlar alandaki bazı sırt zirvelerinin ana seyahat güzergâhları olduğunu açıkça belirtir. Sırtlı baltalar için kullanılan bazalt kaynaklarından biri 10 km güneyde bulunmaktaydı, fakat diğer baltalara ait henüz bilinmeyen kaynaklar çok daha uzak mesafelerde olabilir. Bununla birlikte, bazı yongalanmış aletler için kullanılan süngertaşı ve silikalı konglomera başka bölgelerden –muhtemelen kuş uçuşu 35-60 km uzaktan– getirilmişti. Bunlar doğrudan erişimle elde edilmiş olabilir, ama komşu gruplarla yapılan değiş tokuş sonucunda alınmaları daha muhtemeldir. Böyle bir ticaret sıklıkla çok uzaklardan insanları bir araya getiren erkekliğe geçiş törenlerinde yapılır.

Ne Düşünüyorlardı?

Çalışılan alanda hem oymalar hem de kaya resimleri vardır. İki açık hava kumtaşı platformda büyük keselilere ait petroglifler vardı. Kaya barınaklarında kırmızı ve beyaz pigment ya da odun kömürüyle yapılmış tasvirler (bir buluntu yerindeki en yüksek sayı 66'dır; bazılarında emu izlerine benzer kazıma motifler bulunur) vardır. Boyalı tasvirler büyük keseliler, ekidneler, kuşlar, yılanbalıkları, yılanlar, dingolar, yunuslar, balıklar, negatif el baskıları ve erkeklerle kadınları içerir. Yerel tanıklıkların yokluğunda bunların dini ya da dünyevi olup olmadıklarını anlamak elbette imkânsızdır, ama Aborjinlerin hayatında bu aslında geçerli bir ayrım değildir. İnsan biçiminde boynuzlu figürler, erken kolonyal dönemde Güneydoğu Avustralya'da

13.26 *İki ekidne, bir dingo ve boynuzlu bir antropomorfik figür. Sonuncusu Güneydoğu Avustralya'nın dini inançlarında görülen ata figürü, yani Baiame olarak tanımlanır. Kaya barınağı duvarlarındaki olağanüstü tasvirlerden dolayı Dingo ve Boynuzlu İnsan Sureti (Dingo & Horned Antropomorph) olarak adlandırılır.*

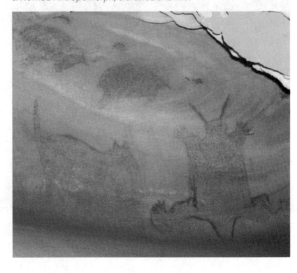

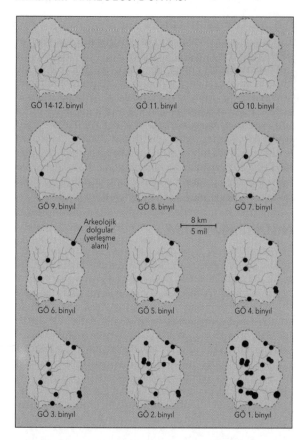

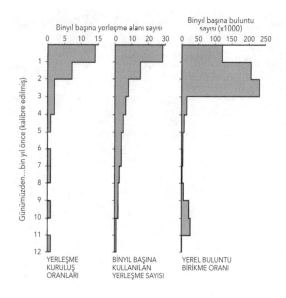

13.27 *(üstte) Yukarı Mangrove Irmağı havzasında iskâna dair kanıtların bulunduğu yaklaşık 14.000 yıl boyunca kurulan yerleşme oranları, kullanılan konaklama yerleri ve buluntu birikme oranları.*

13.28 *(solda) Yukarı Mangrove Irmağı havzasında konaklama yerlerinin dağılımı, her bin yılda kullanılan alan sayısının arttığını ve zaman içinde değişen arazi kullanım şekillerini gösterir.*

13.29 *(altta) Black Hands Barınağı'ndan beyaz el ve ön kol negatif baskılarıyla içi siyaha boyanmış bir kanguru kafası, Ağustos 1978. Ölçek aralıkları 10 cm.*

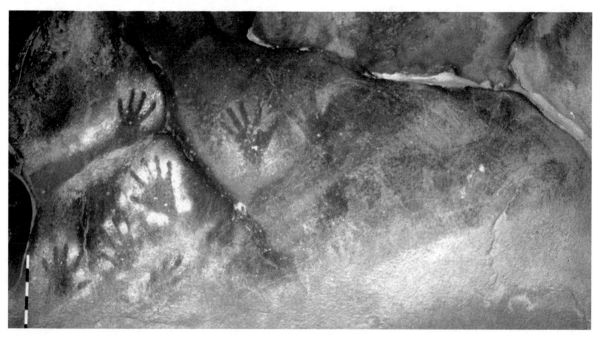

varlığı bilinen inanç sisteminde genellikle atalara ait önemli bir varlık olarak (Baiame) tanımlanır. Bu tasvirlerin tarihleri hakkında hiçbir şey bilinmemektedir, fakat iki yelkenli gemi tasviri bölgenin İngiliz yerleşiminden sonra Aborjin hakları tarafından ziyaret edildiğine işaret eder.

Neden Değişim Yaşandı?

Yukarı Mangrove Irmağı yanında Güneydoğu Avustralya'nın diğer kısımlarındaki çalışmalardan, sırtlı alet üretiminde dramatik bir artış yaşandığı açıktır. Görünüşe göre bu, daha soğuk ve kuru şartlar getiren Orta ve Geç Holosen'deki (yaklaşık Cal GÖ 3500-1500/1000) bazı yoğun El Niño olaylarının yol açtığı çevresel değişimlere karşı yaygın bir bölgesel tepkinin parçasıdır. Bununla birlikte ne tür bir kültürel değişimin işin içinde olduğu hakkında kesin konuşmak zordur. Attenbrow aslen eğer bu nesneler mızrak kancalarıysa belki de fauna değişikliğiyle bağlantılı olabileceklerini öne sürmüştür, fakat yakın tarihli kullanım izi ve kalıntı analizleri bunların birçok başka kullanımları olduğunu göstermektedir. Görünüşe göre bu aletlerin kullanım şekillerinde zaman içinde büyük bir değişim yaşanmamıştır, ancak GÖ 3500-1500 arasında çok daha fazla kullanılmışlardır. Belki de bu, değişen kaynak dengeleri ve düşük kaynak mevcudiyetiyle ilgilidir. Sadece gelecek araştırmalar sorunu çözecektir.

Sonuç

Ana konak yerleri ve nesne birikimindeki artış, bu bölgeyi GÖ 3000-1500 arasında etkilemiş daha soğuk ve kuru şartlarla kesişmektedir. Bu soğuk ve kuru dönem şüphesiz Güneydoğu Avustralya'nın bitki örtüsüyle büyük keseli nüfusu üzerinde etkisini göstermiştir ve avcı-toplayıcıları, sırtlı aletler kullanmaları ve muhtemelen bileşik aletlerde sırtlı aletlerin kullanım alanlarını genişletmeleri için teşvik etmiştir.

Son 1500 yılın daha sıcak ve nemli şartlar beraberinde daha az sayıda ana konak yerine dönüşü getirmemiştir. Öte yandan ana konak yerlerindeki buluntu sayılarında düşüş ve aynı zamanda faaliyet yerleri olarak tanımlanmış ana konak yerlerinde artış vardır. Buluntuların azalması sırtlı aletlerin üretimindeki düşüşle ilişkilendirilebilir ya da daha nemli şartların geri gelişi belki de alanın daha az kullanımına sebep olmuştur. Yine de ana konak yerlerinin ve faaliyet noktalarının dağılımındaki değişimler, alanla kaynakların kullanımında yeniden yapılandırmaya gidildiğini göstermektedir. Artbölgedeki avcı-toplayıcı faaliyetleriyle sadece yaklaşık 1000-900 yıl önce kabuktan olta iğneleriyle tanışmış orta ve güney New South Wales kıyı kesimlerindeki faaliyetler arasında bulunan uzun vadeli ilişkiler, daha fazla araştırma gerektirecek bir başka alandır.

KHOK PHANOM DI: GÜNEYDOĞU ASYA'DA PİRİNÇ TARIMININ KÖKENLERİ

Projenin Hedefleri

Yeni Zelandalı arkeolog Charles Higham ve Taylandlı arkeolog Rachanie Thosarat 1984-1985'te, Orta Tayland'daki Siyam Körfezi'nde 22 km içeride düz bir ovada konuşlanmış 5 hektarlık bir alanı kaplayan 12 m'yüksekliğinde büyük bir höyüğü kazdılar. Höyük modern Bangkok'un doğusuna doğru arabayla bir saat uzaklıktadır. Khok Phanom Di adı "iyi höyük" anlamına gelir ve kilometrelerce öteden görülür. Buradaki üzerinde pirinç yetişen düzlükler, dünyanın en zengin tarımsal ekosistemlerinden birini meydana getirmekteydi, ama arkeolojik açıdan çok az şey biliniyordu. Dolayısıyla projenin esas hedefi büyük bir insan nüfusunun bel bağladığı bir tarımsal sistemin kökenlerini ve gelişimini araştırmaktı.

Araştırmacılar

Kuzeydoğu Tayland'daki alanlar 1970'lerin başında oldukça kapsamlı şekilde araştırılmış ve Ban Chiang ve Non Nok Tha gibi arkeolojik alanlar ortaya çıkarılmıştı. Buralarda Chester Gorman ve diğerlerinin yaptığı kazılar, MÖ 1500 civarına tarihlenen yerel bir tunç işleme geleneğine dair

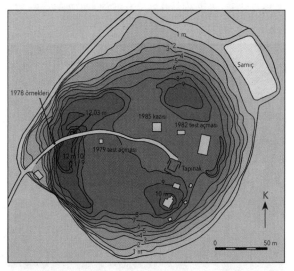

13.30 *Tayland'daki neredeyse yuvarlak Khok Phanom Di höyüğünün planı. Höyük 5 hektarlık bir alanı kaplar ve taşkın ovasından yüksekliği 12 metrenin biraz üzerindedir.*

kanıtlar elde etti, ancak bu tarih şimdi Ban Non Wat'taki çalışmalarla MÖ 1000'e indirilmiştir. Diğer yandan, Orta Tayland ve kıyılar Khok Phanom Di projesinin başlamasına kadar çok az sistematik arkeolojik çalışmaya sahne olmuştu. Höyük, 1970'lerin sonunda Taylandlı arkeologlar tarafından keşfedilmiş, 1978'de örnekler toplanmış, ardından 1979 ve 1982'de test açmaları açılmıştı. Taylandlı hafir Damrongkiadt Noksakul'un bulduğu en erken gömüte ait insan kemiği üzerinde yapılan radyokarbon tarihlemesi MÖ 4800 tarihini verdi. Eğer yeni kazılar bu erken tarihte höyükte pirinç yetiştiriciliğine dair izler bulabilirse, Çin'den bilinen en erken kültüre alınmış pirinç tarihleri tartışmaya açılacaktı.

Geriye Ne Kaldı?

Höyükte, bazı malzemelerin korunma durumları olağanüstüydü: Bazı direk çukurları hâlen orijinal ahşabını muhafaza etmişti ve bazı tabakalar yaprak, yemiş, pirinç çeltiği parçaları ve balık pulları gibi organik kalıntılar yönünden zengindi. En az 154 insan gömütü, kemikleri ve süs eşyaları bozulmamış olarak gün ışığına çıkarıldı. Bunlar Güneydoğu Asya'da bulunmuş en büyük ve şüphesiz menşei en sağlam insan kalıntılarıydı. Bazı mezarlarda dokunmamış kumaş olduğu anlaşılan beyaz renkli malzemeler ele geçti. Bazıları dövülmüş ağaç kabuğundan, diğerleriyse Tayland'da doğal olarak bulunan asbestin bilinen en erken kullanımına

13.31–32 *Khok Phanom Di. Yeni Zelandalı ve Taylandlı arkeologlar Charles Higham ve Rachanie Thosarat'ın başkanlığında 1984-1985 yıllarında kazılar yürütülmüştür. (altta) Çatı kazıyı örtmektedir. Arkeolojik alan yerel Budist baş keşişi tarafından seçilmiştir. (sağda) Hafirler sıradışı derinlikte ve detaylı bir stratigrafik silsileyle karşılaşmışlardır.*

işaret eden levhalardır. Asbest antik dünyada neredeyse yok edilemez ve ateşe dayanıklı oluşuyla çok değerliydi. Bedenler ahşap taşıyıcılar üzerine yerleştirilmişti.

Nerede?

Höyüğün merkez kısmına 10x10 m² ölçülerinde –arkeolojik alanın uzamsal boyutu hakkında yeterli bilgi verecek kadar büyük– bir açma açıldı. Açmanın yeri yerel Budist tapınağının baş keşişi tarafından seçilmişti, zira kendisine ait ağaçların zarar görmesi engellemek istiyordu. Açmanın üzerine yağışlı mevsimlerde de çalışmaya izin verecek bir çatı inşa edildi ve suyun kazı alanını basmasını önlemek üzere tuğla duvarlar örüldü.

Yedi ayı geçen sıkı ve sürekli çalışma sonunda kazı, 7 m gibi kayda değer bir derinlikte doğal düz çamur tabakasıyla

karşılaşılınca sona erdi. Kazılmış tonlarca malzemenin yıllar sürecek laboratuvar çalışması ekibi bekliyordu.

Khok Phanom Di'yi kazmaya başlamadan önce Higham, Thosarat ve diğer üç meslektaşı Bang Pakong Vadisi'nin bu kısmında altı hafta boyunca bir yüzey araştırması yaptı. 20 m aralıklarla araştırma alanını yürüdüler, hava fotoğraflarını incelediler, yerel köylüler ve Budist rahiplerle görüştüler. Araştırma hiç değilse Khok Phanom Di'nin tek olmadığını, bölgedeki birkaç erken köyden biri olduğunu gösterdi. Higham ve Thosarat 1991'de bu arkeolojik alanlardan biri olan Nong Nor'u kazmak üzere vadiye geri döndüler (s. 537'ye bakınız).

Ne Zaman?

Araziden edinilen izlenimler ve önceki kazılarda insan kemiğinden elde ettiği erken tarihler ışığında Khok Phanom Di'nin ilk kez MÖ 5. binyılda iskân edildiği düşünüldü. Buradaki çok sayıda ocak radyokarbon tarihlemesi için odun kömürü örneği sağladı. Wellington'daki (Yeni Zelanda) laboratuvarda analiz edilen altı örneğin sonuçları bir erken tarih veriyordu, ama tarih dizisi tutarlı bir şablon sunmuyordu. Ardından Avustralya Ulusal Üniversitesi laboratuvarı 12 örneğe dayanarak kendi içinde tutarlı bir tarih sıralaması sundu. Ancak ilginçtir ki, bu sonuçlar arkeolojik alanın düşünüldüğünden çok daha kısa bir süre –bin yıldan ziyade birkaç yüzyıl– iskân edildiğini göstermekteydi. Higham ve Thosarat yerleşmenin MÖ 2000 civarında 500 yıl kadar iskân gördüğü (düzeltilmiş tarihlerden sonra) sonucuna vardı. Bazı açılardan bu durum hayal kırıklığı yaratsa da (pirinç yetiştiriciliği için erken tarihler bulmak yönünden), yine de yerleşime ait 154 gömüt pekâlâ kesintisiz bir gömüt geleneğini –dünyanın herhangi bir yerindeki herhangi bir arkeolojik alan için nadir bir olguyu– temsil edebilirdi. Bu durum, gerçekte üst üste gelmiş yığın gömütlerle aynı düzeyde ilerleyen kültürel kalıntı birikimine yol açtı.

Sosyal Organizasyon

Mezarların aralarında mesafe olan öbekler hâlinde ortaya çıktığı hemen fark edildi. Bunların yoğunlaşmalarını üç boyutlu olarak plan üzerinde işaretlemek için bilgisayar grafikleri kullanıldı. Yirmi nesil boyunca topluluktaki akrabalık sistemine dair içgörü sağlayan çok detaylı bir gömüt kesiti geliştirildi (nesil başına 20 yıl verilirse, bu 400 yıllık bir zaman aralığına denk gelir ve radyokarbon tarihlerinin yerleşim ömrü için verdiği 500 yıla tatmin edici bir yakınlıktadır). Mezar buluntularının –deniz kabuğundan takılar, çanak çömlek, kil örsler ve açkı taşları– görünüşleri ve niceliklerindeki çeşitlilikler küme analizi denilen çok değişkenli çözümleme istatistikleri, temel bileşen analizi ve çok boyutlu ölçekleme yoluyla analiz edildi. Genel servet açısından erkekler ve kadınlar arasındaki farkın önemli

olmadığı, ama daha geç safhalarda bazı farklılıklar sergilediği anlaşıldı: Kil örsler sadece kadınlar ve gençlerle birlikte, beyaz kaplumbağa kabuğundan süsler ise sadece erkeklerle birlikte bulunmaktaydı. Ayrıca söz konusu geç safhalarda kadınların egemenliği söz konusuydu; bazıları dikkat çekici zengin buluntularla beraber gömülmüştü. "Prenses" adı takılan bir tanesinde, deniz kabuğundan 120.000'in üzerinde boncuk ve başka nesneler ele geçti. Bu miktara ve zenginliğe tarihöncesi Güneydoğu Asya'da daha önce hiç rastlanmamıştı. Ancak "Prenses"in soyundan gelenler sadece birkaç mezar eşyasıyla gömülmüştü. Sosyal mevkinin miras yoluyla devralındığı bir toplum söz konusu değildi.

Yine de çocukların ve onlarla birlikte gömülmüş yetişkinlerin zenginliği arasında açık bir bağlantı vardı; yoksul çocuklara yoksul yetişkinler eşlik ediyordu ya da her iki kategori de zengindi. Görünüşe göre bireyin serveti, mezar eşyalarının miktarı üzerinde belirleyici bir etmen değildi. Doğumdan sonra yaşamlarını yitirmiş bebekler kendi mezarlarına ya da bir yetişkinle birlikte gömülmüştü, fakat mezar eşyaları yoktu. Bununla birlikte ölmeden önce birkaç ay hayatta kalmış olanlara yetişkinlerle aynı gömü ritüeli uygulanmıştı.

Fiziksel antropolog Nancy Tayles'in insan kalıntılarına yaptığı analiz (s. 536'ya bakınız), iki ana gömüt öbeğinin iki ayrı aile grubundaki birbirini izleyen nesilleri temsil ettiğini ortaya koydu. Kafataslarında, dişlerde ve kemiklerdeki genetik olarak belirlenmiş bir dizi kalıtsal özellik, bazı bireyler arasındaki ilişkilerin tespitine izin verdi. Bu bağlar her bir öbeği oluşturan bireylerin akraba olduğunu doğruladı. Her iki cinste de diş çekilerek meydana getirilmiş örüntüler saptandı. En yaygın olanı, hem erkeklerde hem de kadınlarda birinci üst ön kesicilerin çekilmesiydi, ama sadece kadınlarda bütün alt kesiciler çıkarılmıştı. Bazı örüntülerdeki tutarlılık, bunların aynı aile soyuna ait üyelerin işaretleri olmasına uymaktaydı.

Çevre

Arkeolojik alan düz pirinç arazileriyle çevrilidir ve şimdi denizin 22 km doğusunda kalmaktadır. Ancak önceleri, denizin bugünkü seviyesinden daha yüksek olduğu MÖ 4000-1800 arasında oluşmuş eski kıyı çizgisinde yer alan bir ırmak ağzında bulunuyordu. Bu tespit, paleoekolojist Bernard Maloney tarafından arkeolojik alanın 200 m kuzeyinde bulunan Bang Pakong Vadisi sedimanlarından alınmış karotlardaki kömürleşmiş malzemenin radyokarbon tarihlemesinden elde edilmişti. Beşeri ve doğal çevreyi MÖ 6. binyıla kadar belgeleyen bu karotlar, aynı zamanda polen tanecikleri, eğreltiotu sporları ve yaprak kalıntıları içeriyordu. Bugün pirinç yetiştiriciliğinin göstergesi olan kömürleşmiş malzeme, eğreltiotu sporları ve yabani ot polenlerinin zirve yaptığı birkaç dönem –MÖ 5300, 5000 ve 4300– vardı. Pirinç doğrudan polenden tespit edilememesine rağmen, ağaç türlerindeki azalma, arazi yakmada artış ve pirinç tarlalarındaki yabani otların fazlalaşması bu bölgede 5. binyılda tarıma işaret ediyor olabilirdi. Karotlardan gelen bitki fitolitlerinin analizi en azından kısmen bu varsayımı doğruladı. Pirinç fitolitleri (yabani ya da kültüre alınmış olup olmadıkları belirlenememiştir) 5. binyıl tabakasındaki tarım arazilerine özgü yaban otlarıyla birlikte bulunmasına karşın, bunlar kısa süre ortadan kaybolmuş ve Khok Phanom Di'nin ilk iskânından yaklaşık 1000 yıl önce, MÖ 3000 civarına kadar da görülmemişti. Ancak fitolitler en erken yakma vakalarının büyük ihtimalle tarımsal faaliyetten ziyade yakacak üretiminden kaynakladığını düşündürüyordu. Dolayısıyla yakma tarımla ilişkilendirilebilse bile, avcı-toplayıcıların çıkardığı veya olağan yangınlar da işin içinde olabilirdi.

Kazılan açmadaki dolgular, kısıtlı yaşam alanlarına sahip küçük deniz hayvanları olan ostrakodlar ve foraminiferidler içeriyordu. Bunların birbirini takip eden tabakalardaki sıklıkları, arkeolojik alanın geçmişte gerisinde çayırlı tatlı su bataklıkları yer alan bir ırmak ağzı üzerinde ya da yakınında yer aldığını gösteriyordu. Ancak sonuçta deniz geri çekildi ve yakın çevredeki tatlı su gölcükleriyle birlikte hafif tuzlu su ortama hâkim oldu.

Kazıdaki organik kalıntılar paleoetnobotanikçi Jill Thompson tarafından yüzdürme tekniğiyle toplandı. Buradan kömürleşmiş tohumlar, pirinç kalıntıları, küçük salyangozlar elde edildi. Arkeolojik alanın tabanına yakın bulunan bazı çanak çömlek parçalarının üzerinde kaya midyelerinin oluşturduğu kabuk, burasının bir zamanlar deniz seviyesinin altında bulunduğunu ve gelgit dalgaları sırasında su altında kaldığını işaret ediyordu. Memelilere, balıklara, kuşlara, kaplumbağalara ait binlerce kemik parçası yanında yengeç ve deniz kabuklusu kalıntıları da ele geçmiştir. Bunların analizi timsah ve erken safhalarda karabatak gibi açık kıyı kuşları; daha geç safhalarda pelikanla balıkçıl gibi bataklık ve mangrov kuşlarının varlığını açığa çıkarmıştır. Son olarak deniz ve ırmak türleri yerlerini karga ve genişgaga gibi ağaçlık ve ormanlık alan türleri dışında kuru ortamları tercih eden oklu kirpi ve bandikut faresi türünden hayvanlara bırakmıştı. Benzer şekilde, balık kalıntıları erken safhalarda ırmak ağzı, fakat daha sonra tatlı su türlerinin egemen olduğunu gösterdi. Yumuşakçalar kumlu kıyı ve deniz türlerinden mangrov, ırmak ağzı, tatlı su ve nihayet kara türlerine doğru bir değişim sergilemişti.

Bu yüzden yerleşimin başlangıçta bir ırmak ağzı üzerinde hafif yüksek bir yerde, bazı açık kumlu alanların bulunduğu açık bir sahile kurulduğu aşikârdı. Sedimentasyon yerleşimin kıyıdan uzaklığını arttırırken deniz yavaş yavaş geri çekildi. Sonuç olarak ırmağın kendisi batıya doğru uzaklaştı. Irmak ağzı dışında bir yaşam alanına yönelik bu dönüşüm, nehre erişimi engelleyerek bir akmaz gölün meydana gelmesine, hatta ırmağı yerleşimden uzağa taşıyan büyük bir taşkına yol açabilirdi.

Beslenme Alışkanlıkları

Arkeolojik alanda bir milyonun üzerinde yumuşakçu kabuğu yanında hayvan kemikleri ve tohumlar da gün ışığına çıkarıldı. Kabukların hepsi laboratuvara götürülemeyeceğinden en yaygın tür olan midyenin kabukları arazide sayıldı ve %10'u saklandı. *Anadara granosa* adı verilen bu kum midyesi türü çamur tabakalarına adapte olur ve ırmak ağzı alanlarında bulunur. Deniz yumuşakçalarının %99,4'ünü sadece sekiz tür meydana getirmekteydi ve hepsi de besin kaynağıydı.

Ne var ki yiyecek artıklarından ve diğer kanıtlardan anlaşıldığı kadarıyla bugün olduğu gibi o zamanlar da balık ve pirinç temel yiyeceklerdi. Kırklı yaşların ortalarında ölmüş bir kadının mezarında, iskeletin leğen kemiği bölgesinde –başta düşünüldüğü gibi cenin değil– son yemeğine ait çok miktarda küçük kemik bulundu. Bunlar ve pul kalıntıları küçük bir tatlı su balığı olan *Anabas testudineus*, yani tırmaşık balığa aitti. Pullar arasında iğneli vatoza ait dişlerle birlikte küçük pirinç kepekleri vardı. Bir başka mezardaki insan dışkısı mikroskop altında incelendiğinde, morfolojik açıdan pirincin kültüre alındığını gösteren çok sayıda pirinç çeltiği parçası görüldü. Çeltikler arasında, genellikle pirinç gibi saklanan ürünlerde bulunan testereli böcekler (*Oryzaphilus surinamensis*) ve onlar gibi yerleşimin ambarlarına dadanmış olması gereken farelere ait kıllar bulundu. Son olarak fırınlanmalarından önce bazı kaplara pirinç çeltiği katkısı eklenmişti. Bir kısım çanak çömlek parçasının dış yüzeyinde, yoğun bir pirinç çeltiği konsantrasyonu içeren ince bir kil tabakası vardı ve arkeolojik dolguların içinde pirinç kepekleri ele geçti.

Kilden ağ ağırlıkları gibi zaman içinde seyrekleşen balık oltaları da balıkçılık için ilave kanıtlar sağladı. Birkaç büyük hayvanın –çoğunlukla makaklar ve domuzlar– temsil edilmiş olması, bunların yiyecek anlamında çok az önem arz ettiğini gösteriyordu. Domuzların evcil veya yabani mi oldukları anlaşılamamıştır. Köpek dışında hiçbir evcil hayvan kesin olarak tanımlanamamıştır.

Teknoloji

Kil yatakları açısından zengin bir alanda bulunan Khok Phanom Di, iskânı boyunca bir çanak çömlek üretim merkeziydi. Kalın kül alanları, muhtemelen insanların kaplarını fırınladıkları yerlere işaret etmekteydi ve bazı mezarlar kil örsler, kil silindirler, açıklama çakılları gibi kapların şekillendirilmesi ve süslenmesi için kullanılan aletler içermekteydi. Kap süsleme teknikleri arkeolojik alanın yüzyıllarca süren iskânı boyunca esas itibarıyla değişmeden kalmıştı, ama yeni formlar ve motifler de uygulanıyordu. Burası tonlarca çanak çömlek, 250.000 kabuk boncuk ve binlerce başka insan yapımı nesne –çoğu mezar eşyası olarak, ama diğerleri kırık ya da kayıp olduğunda atılmıştı– üretmişti.

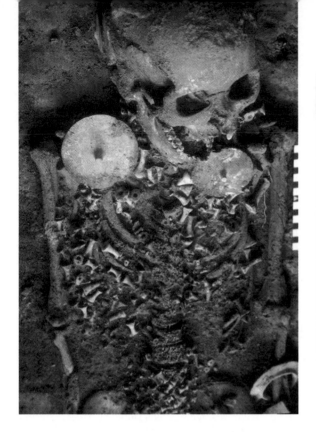

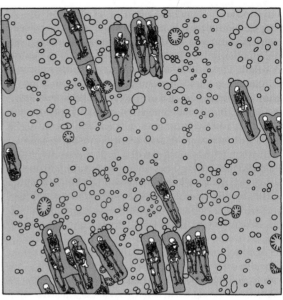

13.33–34 *(yukarıda) Gömüt Evresi 4'te ölüler düzgün sıralar hâlinde ayrı ayrı gömülmüştür. (sağda) 120.000'in üzerinde boncuğu olan deniz kabuğundan takılar, bir başlık, bilezik ve kaliteli çanak çömlekle gömülmüş "Prenses."*

13.35 *(altta) İki tarihöncesi aile soyağacı. Gömüt evreleri (GE) 2 ve 6 arasındaki iskelet kalıntılarının analizi sayesinde arkeologlar C ve F olmak üzere iki kalıtımsal silsileyi tespit etmiştir. Aileleri bu şekilde nesiller boyunca izleyebilmek çok nadirdir.*

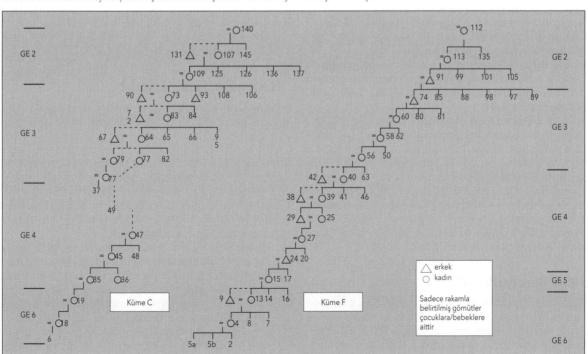

Görünüşe bakılırsa bazı kabuklar, üzerlerinde yapılan değişikliklerle alet olarak kullanılmıştı. Çukur yüzeylerinde ince çizikler ve cilalanmış alanlar vardı. Benzer kabuklarla yapılan deneyler, bu izlerden bazılarının, kabukların keskin kenarlarını bilemek için kumtaşıyla aşındırmaktan ileri geldiğini gösterdi. Bir dizi muhtemel kullanım denendi: yabani otların kesilmesi, kap üzerine kazı bezekler yapma, ağaç kabuğundan dokumaların kesimi, balık işlemek, gulgas (tropik besin bitkisi), et ve saç kesmek. Bundan sonra tarihöncesi ve modern deneysel örnekler taramalı elektron mikroskobu altında incelenince bazı işler hemen tespit edilebildi: Kabukların kap bezemesi yapmak, balık temizlemek ya da ağaç kabuğu dokumaları kesmek için kullanılmadığı açıktı. Şimdilik en muhtemel işlevleri, sadece aynı türden çiziklere ve cilaya neden olmayan, aynı zamanda kabukların sıkça bilenmesini de gerektiren pirinç gibi bir bitkiyi kesmekti.

Dokuma kumaşa dair kanıt günümüze gelmemiş olmasına rağmen, ip desenli kapların bolluğu ve balık ağlarının varlığı (bulunan ağ ağırlıklarından dolayı) kalın sicim ve halat kullanıma işaret etmekteydi. Kalem şekilli uca ve yivli tepeye sahip küçük kemik aletler, geçici olarak dokumada kullanılan mekikler şeklinde açıklanmıştır.

Ne Türden Temasları Vardı?

Arkeolojik alandaki bazı taş keserlerden alınan ince kesitler malzemelerin muhtemel kaynaklarını belirlemeye yardım etti. Taş ocaklarının andezit, volkanik kumtaşı ve silt kaynaklarının bulunduğu doğudaki yüksek arazilerde yer alması gerektiği anlaşıldı. Kalkerli kumtaşından bir keser 100 km kuzeybatıdan gelmiş olmalıydı.

Arkeolojik alanda neredeyse hiç taş yonga bulunmadığından, yerleşimcilerin kaliteli kaplar ve deniz kabuğundan takılar karşılığında keserleri hazır yapılmış olarak elde etmeleri mümkündü.

İnsan kemiklerindeki izotopların analizi Gömüt Evresi 3B'de, pirinç ekimine dair ilk kanıtların ortaya çıktığı kesitin yaklaşık yarısında, bazı kadınların buraya farklı bir çevreden geldiği anlaşıldı. Bu muhtemelen evlilik aracılığıyla gerçekleşmiş bir temasa işaret ediyordu: Yerel erkekler deniz seviyesinin tatlı su bataklıklarına izin verecek kadar düşük olduğu zamanlarda pirinç tarımı tekniklerini getiren Neolitik kadınlarıyla evlenmiş olabilirlerdi. Ancak Gömüt Evresi 5'te deniz seviyesi tekrar yükselmiş ve insanlar kıyıda avcı-toplayıcılığa geri dönmüşlerdir.

Neye Benziyorlardı?

Güneydoğu Asya'nın toprak koşullarında kemiğin korunması sıra dışıdır, ancak Khok Phanom Di'deki kazılarda zaman içinde birikmiş 154 gömütten meydana gelen bir "dikey mezarlığa" rastlanmıştır. Kemiklerin konservasyonu ve Nancy

Tayles'in iki yıl süren analizleri sonucunda mümkün olduğu kadarıyla ve kullanılan diğer göstergelerle –mesela leğen kemiğindeki skarlaşma bir kadının doğum yapıp yapmadığını gösterir– yaşları ve cinsiyetleri belirlenebildi. Sağlık açısından, yerleşimin sakinleri nispeten uzundu ve sağlam bir beslenme alışkanlığına işaret eden güçlü kemik gelişimi sergiliyorlardı. Yine de 20'lerinde ve 30'larında ölmüşlerdi; yarısı da doğum sırasında ya da doğumdan hemen sonra hayatını kaybetmişti. Kafataslarındaki kalınlaşma muhtemelen bir kan bozukluğu olan talasemi (çelişkili biçimde bu durum sıtma sivrisineğine karşı bir nevi bağışıklık sağlayabiliyordu) kaynaklıydı. Yetişkinler de bazı diş hastalıklarına maruz kalmışlardı ve tüketilen yumuşakça miktarına bağlı olarak ciddi diş aşınmasından muzdariptiler.

Bu erken grupta erkekler –ama kadınlar değil– özellikle sağ taraflarında eklem bozulması yaşamışlardı ve bu muhtemelen kanoda kürek çekmek için uzuvların düzenli ve etkin şekilde kullanılmasına bağlıydı. Kadınlar ve erkekler diş aşınması ve çürümesinden anlaşıldığı üzere farklı beslenme biçimlerine sahiptiler.

Sonraki bir safha çocuk ölümlerinde dikkat çekici bir düşüş gösterir, ama erkekler önceye göre daha küçük ve daha az dayanıklıydı. Eklemlerindeki bozulmanın azlığı nispeten pasif kaldıklarını gösteriyordu. Ayrıca, şüphesiz yumuşakçaların az temsil edildiği farklı bir beslenme biçimi yüzünden daha sağlıklı dişleri vardı.

Bir gömütte bulunmuş insan dışkısından, sindirim sistemine besin niteliğindeki su bitkileri aracılığıyla giren bağırsak kelebeğine (*Fasciolopsis buski*) ait bir yumurta bulunmuştur. Ancak şiddet ya da savaşa ait bir kanıta rastlanmamıştır. İnsan kemiklerinde göze çarpan herhangi bir yaralanma veya travma bulunmamaktadır.

Neden Değişim Yaşandı?

Çeşitli kategorilerdeki bütün bu kanıtlar oldukça tutarlı bir resim arz eder. İlk önceleri yerleşimciler ırmağın yakınındaydı ve açıklardaki yumuşakça kolonileri takı üretimi için uygundu. Yüksek çocuk ölümü oranı ve anemiye karşın erkekler aktif ve dayanıklıydı. Muhtemelen kano kürekleri çekmekten sağ tarafları güçlenmişti. Bazı insanlar zengin mezar eşyalarıyla birlikte gömülmüştü. Erkekler balıkçılık ve deniz kabuğu toplamakla meşgulken, kadınlar muhtemelen kurak mevsimde çanak çömlek yapıyor ve yağışlı mevsimde de pirinç tarlalarında çalışıyorlardı.

Etnografik verilerden, bu türden çevresel ortamlarda yaklaşık her 50 yılda bir sadece taşkınlara değil, aynı zamanda tarlaların zarar görmesine ve ırmakların yatak değiştirmesine yol açan büyük sellerin beklenebileceği bilinmektedir. Hafirler Khok Phanom Di'de yaklaşık 10 nesil sonra çevresel ve arkeolojik kayıtlarda meydana gelen değişimlere bunun sebep olduğuna inanmaktadır: Büyük ırmak yatağında taşmış ve daha doğuda bir mecra bulmuştur. Bu tarihe gelindiğinde deniz çoktan belli bir uzaklığa çekilmiş ve alüvyonlu su takı için kullanılan yumuşakça kabuklarını yok etmişti

Değişimin ardından gömütlerde kabuk boncuklar nadiren bulunmuştur ve kaplar daha az süslü bir hâl almıştır. Erkeklerin dayanıklılığı ve aktifliği azalmıştı. Balık oltaları ve ağ ağırlıkları artık yapılmıyordu; deniz ve ırmak ağzı balık türleri yumuşakçalarla birlikte azalmıştı. Yerleşim artık kıyıya kolay ulaşıma sahip değildi; dolayısıyla erkekler ırmak ağzına ve denize kayıklarla gitmeyi bırakmışlardı.

Geç safhada zenginlikte çarpıcı bir artış vardı ve gömütler daha gösterişliydi. Çanak çömlekler ise daha büyüktü ve muazzam bir beceriyi yansıtıyorlardı. Şimdi mezarlıkta kadınlar baskındı ve bunlardan biri çok gelişmiş el bileği kaslarına sahipti. Bundan dolayı, Melanezya adalarından etnografik anlatımların ışığında zenginlik, prestij ve güç artışının değiş tokuş faaliyetlerinden ileri geldiği varsayımı ortaya atıldı. Kadınlar üzerinde yoğunlaşmış bir zanaat uzmanlığı gelişim göstermişti. Artık yerel olarak elde edilmesi zor kabuklarla takas edilen şaheser değerinde çanak çömlekleri onlar üretiyordu. Bundan ötürü becerileri toplumda mevkiye dönüştü. Erkekler daha çok hizmete yönelik bir rol üstlenirken kadınlar girişimcilere dönüşmüş ya da tersine, erkekler kendi mevkilerini yükseltmek için kadınların becerilerinden yararlanmış ve kadınları nadir ve prestijli kabuk takılarla beraber büyük mezarlara defnetmiş olabilirlerdi.

Sonuç

Projenin başlıca özgün hedeflerinden biri Güneydoğu Asya'da pirinç tarımının kökenleri ve gelişmesini açıklamaktı. Arkeolojik alandaki yerleşimin kendisi, pirinç yetiştiriciliğinin daha kuzeye doğru Çin'in Yangtze Vadisi'nde MÖ 10.000 ve 5000 arasında başladığını ve oradan güneye yayıldığını (aslında Kore'de yaklaşık MÖ 13.000'e tarihlenen görünüşe göre daha da erken kültüre alınmış pirinç yakın zamanda bulunmuştur) savunan geleneksel görüşü tersine çevirmek için çok geç tarihliydi (MÖ 2000). Fakat Khok Phanom Di çevresindeki sedimanlara ait karotların polen ve fitolit analizleri, en azından Tayland'ın bu kısmında yabani ya da kültüre alınmış pirinçle ilgili MÖ 5 binyıl kadar erkene giden bazı tarımsal faaliyetler hakkında zor bulunur veriler sağlamıştır. Aynı ekip tarafından 14 km güneydeki Nong Nor'da yürütülen daha yakın tarihli çalışmalar, bu konunun aydınlanmasına yardımcı olmuştur. Nong Nor ilk evresinde MÖ 2400 civarına tarihlenen bir yerleşimden meydana geliyordu. Çanak çömleğiyle kemik ve taş aletleri erken Khok Phanom Di'ninkilerle hemen hemen aynıydı, fakat ne pirinç ne de kabul toplama bıçakları veya taş çapalar vardı. Higham ve Thosarat bu durumun bir kıyısal avcı-toplayıcı geleneğini yansıttığını, pirinç tarımının Tayland'a MÖ 2000-1700 arasında aslen Yangtze Vadisi'nden geldiğini düşünmektedirler. Bu açık-

lamaya göre Khok Phanom Di'nin erken sakinlerinin ya yeni kaynağı kabul etmişler ya da belki de bizzat bitkiyle deneyler yapmışlardı.

Khok Phanom Di'nin kazıları ve analizi birkaç nedenden ötürü örnek teşkil etmektedir. Öncelikle çok disiplinli yaklaşım kullanarak iyi korunmuş tek bir mezarlık alanından ne kadar çok bilgi elde edilebileceğini gösterir. Arkeolojik alanın stratigrafisi, insan kemikleri, yumuşakça kabukları, odun kömürü örnekleri, bitki kalıntıları ve insan yapımı nesneleri üzerinde yıllarca süren analizler çok çeşitli raporların yayımlanmasıyla sonuçlanmıştır. Bunlardan en dikkat çekici olan, geniş çaplı yedi ciltlik (Higham ve diğerleri 1990-2005) bir araştırma raporudur ve Higham ile Thosarat'ın daha kısa bir sentez raporudur (1994). Her şeyden önemlisi, proje, iyi odaklanmış bir araştırmanın geniş çaplı genel önem arz eden bir konuya –Güneydoğu Asya'da tarımın kökenleri– yeni bir ışık tutabileceğini hem de dünyanın az araştırılmış bir bölgesinde yerel arkeolojik kaydına dair bilgilerimizi fazlasıyla arttırdığını göstermiştir.

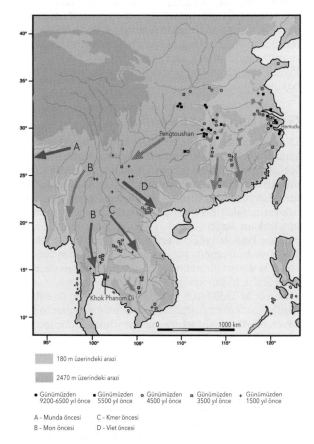

13.36 *Güneydoğu Asya'da pirinç tarımı ve dillerinin yayılımını gösteren harita.*

YORK VE ARKEOLOJİNİN TANITIMI

York Avrupa'nın en büyük erken şehirlerinden biridir ve geçmişte zaman zaman Kuzey Britanya'nın en önemli yeri, Londra'dan sonra en dikkate değer şehriydi. Aynı zamanda İngiltere'nin en büyük katedrallerinden York Minster burada bulunuyordu. Sırasıyla bir Roma lejyon karargâhı, önce piskoposluk, ardından Anglo-Sakson döneminde başpiskoposluk merkezi ve büyük bir Viking kasabası olan York, Normanlar zamanında ve Ortaçağ'da önemini sürdürmüştür. Bugün ise, antik ile modernin birbirine çok yakın olduğu sürekli iskân görmüş bir şehirde arkeolojinin karmaşıklığını çok iyi sergiler.

York Arkeoloji Vakfı'nın çalışmasını tartışmak için buraya almamızın özellikle iki nedeni vardır. Öncelikle başlangıç ve gelişim hikâyesi, Pekin, Delhi ya da merkez Manhattan'dakilerle aynı kurtarma sorunlarını yaşayan York'ta şehir arkeolojisinin koruma sorunlarına dair iyi bir profesyonel yanıt sağlar. İkinci olarak ve belki de daha önemlisi, vakıf geniş kitlelerin ilgisini çekmeyi amaçlayan tekniklerin öncüsü olmuş ve bunu başarmak için yenilikçi ve çok başarılı yaklaşımlar –en dikkat çekici olan Jorvik Viking Merkezi'dir– geliştirmiştir (aşağıda s. 545-547'ye bakınız).

Genel Bilgiler ve Hedefler

1820'ler kadar erken bir tarihten beri York'un arkeolojisi yerel antika meraklılarının, özellikle de Yorkshire Felsefe Topluluğu'nun ilgisini çekmişti. York'taki ilk büyük çaplı araştırma İngiltere Tarihi Anıtlar Kraliyet Komisyonu tarafından yürütüldü. Bu araştırma Roma dönemi York'una ışık tuttu, fakat 1960'larda komisyonun diğer çalışmaları York'un Anglo-Sakson ve Viking dönemlerini açığa çıkardı; 1966 ve 1972 arasında çökme tehlikesi içindeki York Katedrali altında yapılan kazılar, MS 71'den 1080'e kadar kesintisiz bir iskân kaydı –Avrupa'daki en önemli silsilelerden birini– ortaya koydu.

Ne var ki 1960'ların sonunda iç çevre yolu önerileri tehlike çanlarının çalmasına sebep oldu ve buna, o tarihlerde Britanya'da şehirleşmenin yarattığı tahribatın kamu bilincinde yer etmesi de katıldı. York Arkeoloji Vakfı 1972'de bir menfaat birliğinden doğdu ve Peter Addyman ilk müdür oldu. Amacı, imarla tahrip olmadan önce arkeolojik kanıtları korumaktı –"kayıtla koruma" olarak adlandırılmıştır– ve Addyman sadece tehdit altındaki arkeolojik alanları kazmaya karar verdi.

O sene birtakım arkeolojik alanlarda kurtarma kazıları hâlihazırda yapılıyordu. Mesela, Lloyds Bankası binasının altında 9'dan 11. yüzyıla kadar tarihlenen ince tabakalar hâlinde ve organik malzemeler açısından

13.37 *York, Ouse ve Foss ırmaklarının birleştiği noktada bulunmaktadır.*

zengin 5 m yüksekliğinde dolgular bulundu (görsel 13.41'e bakınız). Bunlar dolgu içinde kaldıkları zamandan beri hava almamışlardı ve normalde günümüze kalmayacak türden kumaş, deri ve ahşap nesneler, endüstriyel atıklar, dışkılar ve biyolojik organizmalar gibi çok çeşitli organik malzemeler korunmuştu. Şehrin Pavement-Coppergate bölgesindeki geniş çaplı kazıların, bir Viking şehri planını emsalsiz biçimde ortaya çıkaracağı beklenebilirdi. Bu hâliyle şehir, İskandinavyalı istilacıların Kuzey İngiltere'ye hâkim olduğu tarihte, MS 1066'daki Norman istilasından evvelki Anglo-Sakson dönemindeki gibi korunmuştu.

İlk günlerde izin ve yardımları hiçbir şekilde garanti olmayan bazı müteahhitlerle sorunlar yaşandı. Bu sorunlardan, özellikle de York'ta karşılaşılanlardan ulusal mevzuat, yani 1979 tarihli "Eski Anıtlar ve Arkeolojik Alanlar Yasası" (The Ancient Monuments and Archaeological Areas Act) doğdu. Sonuç olarak, York'un merkezi ülkedeki beş Arkeolojik Önem Taşıyan Alan'dan biri olarak belirlendi. Sonraki on yıl boyunca her yıl 4,5 ay kazı mecburiyetinin getirilmesi sayesinde kazılar yapıldı ve birçok benzer çalışma yürütüldü. Ancak 1989'da Queen's Hotel arkeolojik alanındaki karmaşık koşullar yüzünden bu kanun hükmünün yetersizliği ortaya çıktı. Aynı yıl Londra'da bulunan Shakespeare'in Rose tiyatrosunda benzer problemler baş gösterdi (görsel 15.9'a bakınız).

Ardından, 1990'da English Heritage Komisyonu ve York Belediyesi, York Üniversitesi'nden Martin Carver ile Ove Arup & Partners adlı mühendislik firmasından şehir arkeolojisinin yöntemleri ve amaçları üzerine bir rapor hazırlamalarını istedi. Rapor York dolgularının tahmini

13.38 *Coppergate'te alışveriş merkezi ve Jorvik Viking Merkezi kurulmadan önce süren kazılar.*

kanıtların kullanılması gerektiği kabul edilmektedir. Mesela vakfın amaçlarından biri, Ortaçağ York'uyla ilgili yeni arkeolojik verileri yer isimleri, belgeler ve ayaktaki binalardan gelenlere entegre etmektir. Ancak, çalışmanın seyri sırasında ortaya çıkan fırsatların sonucunda gelişen özel ve orijinal vakıf hedeflerden biri, buluntuları topluma yeni ve yaratıcı şekillerde sunmaktı (aşağıya bakınız).

Burada York Arkeoloji Vakfı'nın çalışmalarına odaklanmayı seçmemize rağmen, bunlar elbette tek başına vakıf tarafından yürütülmemişlerdir. İngiltere Tarihi Anıtlar Kraliyet Komisyonu'nun York Katedrali altında yaptığı kazılara değinilmişti. Bu türden büyük bir kentsel proje, her zaman birtakım organizasyonların müşterek çalışmasıdır. York Arkeoloji Vakfı ve Kraliyet Komisyonu'na ilaveten York Üniversitesi Arkeoloji Bölümü, York Belediye Meclisi ve ulusal English Heritage Komisyonu önemli roller üstlenmişlerdir. York'taki arkeolojik çalışmanın başarısı böyle bir işbirliğine dayanıyordu ve aslında her yerdeki kentsel arkeoloji uygulamaları için önemli bir ders niteliğindedir.

Araştırma, Kayıt ve Konservasyon

Bir kent arkeolojik alanında, belirli miktarda potansiyel olarak değerli bulgu, inşaat faaliyetinin sonucu olarak kontrolsüz şekilde ortaya çıkar. Böyle bulgular yine de genel resime başarıyla katılabilir. Peter Addyman'ın 1974'te yazdığı gibi:

"Şehrin her yerinde o veya bu şekilde çukurlar açılmaktadır. 1972'de sadece belediye yetkilileri tarafından açılanların 1500'ün üzerinde olduğu hesaplanmıştır. Dolayısıyla vakıf, sistematik şekilde belgelenmiş tesadüfi buluntular sayesinde yerleşmenin geçmişteki kapsamı, karakteri ve yoğunluğu hakkında kanıt toplama politikasını benimsemiştir."

Mevcut bilginin ustalıkla kullanılması aynı zamanda nasıl ilerleneceğini konusunda fikir verebilir. Örneğin, kazının ilk zamanlarında ortaya çıkan ya da önceden bilinen Roma kalesi planına dair belirtiler, diğer izlerin nerede bulunabileceğini tahminen gösteren farazi bir plan çizilmesine izin verdi. York'taki kentsel araştırmanın sonuçları, İngiliz Ulusal Haritacılık Bürosu'nun vakıf ve İngiltere Tarihi Anıtlar Kraliyet Komisyonu işbirliğiyle 1988'de hazırladığı iki haritaya işlenmiştir. Bunlardan ilki Roma ve Angliyen, ikincisi de Viking ve Ortaçağ York'u hakkında bilinenleri özetliyordu.

Şehir dışı Roma York'u vakıf tarafından yakın zamanda incelenmiştir: Son kırk yılda inşaat ya da altyapı amacıyla açılmış hemen her çukura bakılmıştır. Bu, görünüşte ümit verici olmayan ve küçük çaplı kazı ve gözlemden nelerin bir araya getirilebileceğini gösterir.

haritasını ve eğer araştırma öncelikleri varsa kazılabilecek, yoksa da korunabilecek arkeolojik alanlar bir araştırma programı sunuyordu. Rapordaki birtakım fikirler, bilhassa "değerlendirme" kavramı, bu sırada Britanya hükümeti tarafından hazırlanan ve arkeolojiyle imara yeni bir felsefe getiren bir belgeye –Planlama Politikası Kılavuzu raporu 16 (Planning Policy Guidance paper 16)– entegre edildi.

Rapor 16 arkeolojinin yeri doldurulamaz bir kaynak olduğunu vurgular ve arkeolojik dolgular tehdit altında kaldığında, hukukun güncel mevzuat yerine korumadan yana olmasını öngörür. Aynı zamanda gerekli arkeolojik çalışma masraflarının müteahhit firma tarafından karşılanacağı koşulunu koyar. 1990'dan itibaren York Arkeoloji Vakfı'nın çoğu çalışması, müteahhit tarafın anlaşmalı yüklenicisi olarak York Kent Arkeoloğu tarafından belirtilmiş projelerin yürütülmesidir.

York Arkeoloji Vakfı'nın hedefleri "son iki bin yıl içinde tüm şehirleşme sürecinin geniş kapsamlı incelenmesini" içerir ve şehir içindeki küçük çaplı çalışmalar ve büyük imar projelerinin sunabileceği fırsatlara pragmatik bir yaklaşımı barındırır. Buna ilaveten, farklı sınıflardan

Yukarıda belirtildiği gibi, York Arkeoloji Vakfı'nın ömrü boyunca Britanya'daki kentsel arkeolojinin şartları Addyman'ın1992'de fark ettiği gibi değişmiştir:

"Büyük çaplı kazılar döneminin kapanmış olması muhtemeldir. Bir anlamda vakfın ilk yirmi yılı York arkeolojisi için altın çağ olarak görünmektedir, çünkü geniş kapsamlı kazılar şehir hakkındaki arkeolojik bilgileri değiştirmiştir. Ancak 1990'lar, arkeolojiye ait kaynakların sadece sürdürülebilir kullanımına izin veren daha sorumlu bir çağdır. Kazıya daha seçici yeni yaklaşım, yeni kuramsal yöntemlere ihtiyaç duyacaktır. Uzaktan algılama yoluyla tahribatsız değerlendirme üzerinde durulacaktır; mesela radar, arkeolojik alanı ve anıt kayıtları yaratma yoluyla mevcut verilerin bağdaştırılması, tahmine dayalı bilgisayar modelleri ve Coğrafi Bilgi Sistemleri'nin kullanımı..."

Böyle yöntemler York'ta kullanılmış ve kazılar başından beri, her bir stratigrafik birim için hazır basılı "kontekst kartı" hazırlayarak standart kayıt sistemi geliştirilmeye başlanmıştır. Düşük maliyetli bilgisayarların gelişmesiyle birlikte, muazzam miktardaki buluntuyla başa çıkabilmek için Bilgisayar Destekli Buluntu Kayıt Sistemi ve 40 yıldan fazla süren kazılarda üretilmiş kazı ve buluntu verilerinin soruşturulmasına izin veren Birleşik Arkeolojik Veritabanı geliştirilmişti. Bu, şimdi dünyadaki diğer projelerde de kullanılmaktadır. Veritabanında araziden müze teşhirine kadar tüm süreçlerin statigrafi ve buluntu verisi tutulmaktadır.

Kayıt sistemleri geliştirildi ve rafine hâle getirildi; stereoskopik olarak izdüşümü alınmış fotoğraf çiftlerine ait ölçümlere dayalı fotogrametri, York'taki English Heritage fotogrametri birimi tarafından temel çizim kaydı üretmek için kullanıldı. Coppergate Angliyen miğferinin nihai kaydı (aşağıya bakınız) yine fotogrametri ve holografiyle alınmıştır. Bazı durumlarda, Jewbury'deki Ortaçağ mezarlığı gibi arkeolojik alanların kayıt altına alınmasında bile basit, fakat kullanışlı düzeltilmiş fotoğraflama tekniğinden faydalanılmıştır. Burada, her bir gömütün düzeltilmiş dikey fotoğraflaması mezarlığın çok çabuk şekilde belgelenmesine imkân tanımıştır. İnsan kalıntıları şimdi yeniden gömülmüştür, dolayısıyla yeni bilgilerin tek kaynağını fotoğraflar oluşturmaktadır.

Konservasyon çalışması da büyük bir endişe konusuydu ve deriyle ahşap dâhil olmak üzere su altında kalmış malzemeler için 1981'de bir laboratuvar kuruldu. Bu arada laboratuvarın, Coppergate'teki Viking yapılarına ait 6 metrelik uzun kalaslar gibi yapı ögeleriyle ilgilenmesi gerekiyordu. Vakıf laboratuvarı şimdi bölgesel konservasyon merkezlerinden biridir. York Arkeolojik Ahşap

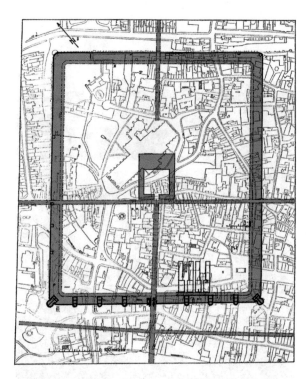

13.39 Modern şehir planı üzerine oturtulan York'taki Roma lejyon kalesinin sınırları.

Merkezi 1993'te bu laboratuvarda açılmıştır ve English Heritage'ın ulusal ıslak ahşap bakım merkezidir.

Bu çalışmayla beraber, York Üniversitesi Arkeoloji Bölümü'nden Julian Richards ve Paul Miller York için bir CBS geliştirmiştir. Dolgular ve anıtlar yanında tesadüfi buluntularla ilgili veriler bu yolla saklanabilmektedir ve belli bir dönemde York'ta yüzey modelleri yaratmak için kullanılmıştır.

Geçmiş ve Tarihleme

Roma işgali, Anglo-Sakson dönemi, İskandinav ("Viking") istilaları ve Normanların MS 1067'de gelişleri tarihi kayıtlardan açıkça ortaya koyulmaktadır (aşağıya bakınız). Fakat özellikle Anglo-Sakson ve Viking dönemlerine dair detaylı stratigrafik kesitler, çanak çömlek ve diğer buluntuların gelişim seyrini daha iyi tanımlamaya izin vermiştir.

Şimdi çeşitli arkeolojik alan kontekstlerinin belgelenmiş ilişkilerini bağdaştırmak ve genel açıklayıcı dönem ayrımı oluşturmak için bir bilgisayar programı kullanılmaktadır. Mesela, yeni Lloyds Bankası'nın Pavement adlı sokaktaki şantiyesinde stratigrafik kesit radyokarbon tarihlemesi için örnekler sundu ve bunlarla birlikte sikkeler, York malları ve Torksey malları olarak bilinen çanak çömleklerin kesin kronolojik kontrolünü sağlamıştır. Coppergate arkeolojik alanıyla ilgili bir dizi dendrokronolojik sonuç çanak çömlek kronolojisini doğrulamış ve daha da geliştirmiştir.

Kentsel Gelişim Safhaları

Bir kentsel arkeolojik alandaki derin stratigrafinin çalışılması, bilhassa yazılı kaynakların bol kanıt sağladığı yerlerde şehir yaşamıyla ilgili özel içgörüler sunar. Yerleşmedeki her ana safhanın ismini yazılı kaynaklardan (ve sıklıkla yerel sikkelerden) biliyoruz. Ayrıca en azından Ortaçağ'da arazi kullanım hakkıyla alakalı bildirgeler, kontratlar ve diğer belgeleri kazılan mevcut kent parselleriyle karşılaştırma ihtimali vardır. Dolayısıyla MS 11. yüzyılın sonlarında yürütülmüş ulusal arazi etüdü olan Fatih William'ın "Arazi Tahriri" (Domesday Book), şehrin Coppergate ve Pavement bölgesinde All Saints ile St. Crux olmak üzere iki kilise kaydetmiştir ve MS 1176 tarihli bir tapu "St. Crux kilisesi cemaat bölgesindeki Ousegate'de bulunan araziye" gönderme yapmaktadır. William'ın Arazi Tahriri'nde Shambles'ın da adı geçmekte ve bu sokak hattının en azından Norman fethinden önce mevcut olduğunu göstermektedir. Böylece birbirini takip eden kent safhalarının iç yüzü anlaşılarak York'taki gelişmenin resmi meydana getirilebilmiştir:

Tarihöncesi York: Şehrin surla çevrili tarihi çekirdeğinin banliyölerinde Neolitik ve Tunç Çağı yerleşimine dair bugün çok az bulgu vardır. Heslington'daki York Üniversitesi Kampüs 2'deki kazılar, Britanya'nın en eski beyin kalıntılarını içeren istisnai bir Demir Çağı kafatası ortaya çıkarmıştır. Bu sıra dışı korunma koşullarına izin veren kimyasal süreçler incelenmektedir.

Eburacum (Roma York'u). Lejyon karargâhı ve bitişiğindeki Roma kasabası (ya da *colonia*) sistematik şekilde araştırılmıştır. Lejyon karargâhının (*principia*) kalıntıları York Minster'in altında görülebilir. Dikkat çekici

13.40 York kazıları çok farklı tipte ve aşamadaki korunma koşullarında bulunan muazzam miktarda buluntu ortaya çıkarmıştır. York Arkeoloji Vakfı'nın laboratuvarları bu malzemeyi korumak ve analiz etmek için kurulmuştur.

keşiflerden biri, şehrin altındaki taş lağım sistemiydi. Buradan elde edilen organik malzemeler çalışmak için değerli örnekler sağladı. Depolardan geldiği düşünülen ve açıkça çok miktarda bozulmuş tahıla ait kalıntıların çalışılması da bilgilendirici olmuştur. Bunlara ilaveten bazilika, koğuş blokları, *centurio* evleriyle yol ve geçitlere dair kanıtlar, York'u Roma İmparatorluğu'ndaki en iyi bilinen lejyon karargâhı yapmaktadır. Gladyatörlere ait olduğu anlaşılan iskeletler gömütlerde ele geçmiştir ve adli arkeoloji yanında menşeilerine yönelik izotop analiziyle araştırılmaktadır.

Eoforwic (Angliyen York'u). Roma İmparatorluğu'nun 4. yüzyıl sonunda çökmesi York'ta dikkat çekici bir nüfus azalmasına yol açtı ve takip eden iki yüzyıldan birkaç kalıntı mevcuttur. Tarihi kayıtlar York'un 7. yüzyılda önemli bir merkez olduğunu ve MS 735'te başpiskoposluk makamına ev sahipliği yaptığını söylemektedir. Angliyen ya da Anglo-Sakson York'unun yapıları hakkında hâlen çok fazla şey bilinmemektedir, ama bir başpiskoposluk kilisesine, önemli bir manastır okuluna ve neredeyse kesinlikle bir krali saraya sahip olmalıydı (henüz bulunamamıştır). Bununla birlikte, Angliyen yerleşmesiyle ilgili bulgular, Ouse ile Foss ırmaklarının bileşme noktasındaki Fishergate'te York Arkeoloji Vakfı tarafından yapılan kazılarda ortaya çıkmıştır. Çalışmalar dönemin ekonomisine dair değerli içgörüler sağlar ve arkeolojik alanın Kuzey Avrupa'yla yapılan ticarette zaten önemli bir yere sahip olduğunu gösterir. Bu döneme ait muhteşem bir miğfer Coppergate'te gün ışığına çıkarılmıştır (aşağıya bakınız). Vikingler MS 866'da York'u ele geçirdiklerinde yoğun nüfuslu bir şehir değil, bunun yerine Roma kalesinin duvarlarıyla Ouse Irmağı'nın karşısındaki manastır merkezinin hâkim olduğu eski Roma şehrinin alanı üzerinde dağılmış ve her biri muhtemelen farklı işleve sahip bir dizi ufak yerleşimden müteşekkil küçük bir kasaba bulacaklardı. York'taki çalışmaların canlı bir biçimde gösterdiği gibi, onların yarattığı şehir çok farklı bir yerdi.

Jorvik (Viking ya da Anglo-İskandinav York'u). Coppergate bölgesi ve ötesinde yapılan kazılar, İngiltere'de bir Viking dönemi şehri için şimdiye kadarki en açık kanıtları sunmuştur. Şehrin kiliseleri taşken, saz çatılı evler ve işlikler ahşaptan yapılmıştı. Bunlara ait korunmuş kalıntılar, Jorvik Viking Merkezi'ndeki rekonstrüksiyonlara temel oluşturmuştur. Roma surlarının kalıntıları, York'un Anglo-İskandinav sakinlerine aşinaydı: Harap olmuş Roma koğuşlarının bazı kısımları oltu taşı işçiliği gibi hafif endüstriyel faaliyetlere ev sahipliği yapacak şekilde yeniden kullanıldı ve karargâhın duvarlarından geriye kalanlar zengin bir mezarlığı çevreliyordu. Bu dönemde eski Roma şehri surları içinde birçok cemaat kilisesi ve

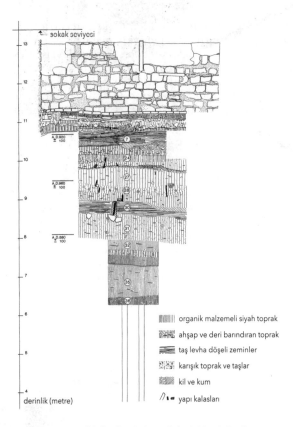

13.41 *Pavement olarak adlandırılan sokaktaki Lloyds Bankası arkeolojik alanına ait stratigrafik kesit detaylı bir kronoloji için temel oluşturmuştur.*

mezarlık kuruldu. Coppergate kazılarından (1976-1981) beri ilk kez Hungate'te yakın zamanda çeşitli yapılardan meydana gelen bir Viking Dönemi sokak cephesi bulundu. Bu, şehrin 10. yüzyılda genişlediğini kanıtlamakla birlikte, zanaat ve ticaret Coppergate'teki kadar çeşit ve nicelik göstermiyordu.

York (Norman istilacıların MS 1067'de gelmesinden itibaren Ortaçağ şehri [ve modern şehir]). Kapsamlı kazılar, 15. yüzyılın başına kadar Kuzey İngiltere'nin en önemli şehri olan 8000 ila 15.000 nüfuslu Ortaçağ York'unun planını açıklığa kavuşturmuştur. St. Peter Katedrali'nin (York Katedrali) yapımına bugünkü arkeolojik alanda, 1070 tarihinde başlamıştı. On ikinci yüzyıl taş evlerine ait kalıntılar 14. yüzyıl ve sonrasının ahşap iskeletli evleriyle birlikte günümüze gelmiştir. York Üniversitesi ile yapılan son işbirliği, baş piskopos Roger tarafından yaptırılmış çok eski bir Gotik kilise korosu binasının –belki de İngiltere'nin en eski Gotik yapısı– varlığını ortaya koymaktadır. Ortaçağ York'una ait diğer etkileyici ka-

Figür etiketleri (şekil içi):
sokak seviyesi
A.D.920 ± 100
A.D.960 ± 100
A.D.880 ± 100
derinlik (metre)

organik malzemeli siyah toprak
ahşap ve deri barındıran toprak
taş levha döşeli zeminler
karışık toprak ve taşlar
kil ve kum
yapı kalasları

13.42 *Şehrin altında hâlen korunan bir Roma kanalizasyonunun incelenmesi.*

lıntılar arasında şehir surları, iki şatoya ait izler, cemaat kiliseleri ve lonca salonları bulunmaktadır.

Endüstriyel York. York'ta ilk kez Huntergate alanında kapsamlı 18, 19 ve erken 20. yüzyıl evleri kazılmıştır. Bunlara ilaveten Leetham & Son'ın devasa değirmenini de içeren büyük çaplı endüstriyel kalıntılar gün ışığına çıkarılmıştır. Bu alan Edward dönemi reformcusu Seebohm Rowntree tarafından çalışılmış ve gecekondu mahallesi olarak tanımlanmıştır. Burası, refah devleti kavramının temelini oluşturan etkili *Poverty – A Study of Town Life* başlıklı çalışması için örnek vaka görevini görmüştür. Bölgenin yıkılmadan önceki sakinlerine ait sözlü tarih anılarıyla birlikte çalışmalar, Rowntree'nin buradaki topluluğun hayatıyla ilgili betimlerinin yeniden değerlenmesine izin verecektir.

Çevre

York kazılarının en ilginç özelliklerinden biri, sadece genel iklimsel konuların ve dış mahallelerdeki kırsal durumun değil, aynı zamanda şehir içindeki ekolojik şartlar ve faaliyetlerin çalışılması olmuştur.

Ouse Irmağı'na yakın Tanner Row arkeolojik alanında, su altındaki Roma iskân dolguları kazıları çok bilgilendirici oldu. Bitki, omurgasız ve omurgalı kalıntıları, hendeklerin kat ettiği yerleşim öncesi çayır alanları, büyük oranda ahır gübresi, diğer artıklar ve bir dizi ithal yiyecekten ibaret zengin bir "atık sahası" hakkında kanıtlar sağladı.

Irmağın Ortaçağ'da ya da bugün olduğundan daha temiz olduğuna dair bulgular vardı (s. 265'e bakınız).

Foss Irmağı'nın kıyıları altındaki su basmış tabakalar Viking dönemi York'uyla ilgili çok ilginç bulgular verdi. Mesela, özellikle 16-22 Coppergate'teki böcek kalıntıları, her biri belirli böcek topluluklarına uygun sıcaklık ve alt katman toprağı yaratan belirli bir insan faaliyetinin sonucunda ortaya çıkmış küçük çaplı kentsel çevrelerin rekonstrüksiyonuna izin verir. Örneğin, iç mekân zeminlerine özgü insan piresi ve bitini içeren belirgin bir "ev faunası" vardı. Öte yandan lağım çukurları, içlerindeki atıklar sıklıkla uzun süre açıkta kaldığından enfeksiyon tehlikesi içeriyordu. Bitin yayılımı bazı yapıların hane, diğerlerinin işlik olduğuna işaret ediyordu.

Yapıların çevresinde ve arkasındaki avlularda, dolguları tahıl kepeği, meyve çekirdekleri (çakal eriği ve yabani erik gibi) ve bolca bağırsak paraziti yumurtası içeren çukurlar vardı. Ağaçlık alan bitkileri ve böcekleri oldukça yaygındı. Bunun sebebi muhtemelen temizlik için kullanılan yosunlarla birlikte gelmeleriydi.

Koyun bitinin varlığı yün tedarikine ve boyamasına işaret ediyordu. Boya bitkileri arasında kızılkök, çivitotu ve kara Avrupa'sından kurt pençesi mevcuttu (s. 340'a bakınız). Boya banyosu artıkları yer yer kalın tabakalar oluşturmuştu. Muhtemelen arı yetiştiriliyordu. Bunlar sıklıkla iki dolguda bulunuyordu. Bal büyük ihtimalle ekşi çakal erikleri ve diğer yabani meyveleri daha yenebilir hâle getirmek için kullanılmıştı. Hayvan kemikleri ve bitkisel yiyecek kalıntıları, Britanya'daki diğer kentsel kazı projelerinde olduğu gibi York'ta da kapsamlı şekilde çalışıldı.

Teknoloji ve Ticaret

Kazılar şehre özgü zanaatlar hakkında yoğun bulgular gün ışığına çıkardı. Ancak en dikkat çekici buluntular Coppergate arkeolojik alanındaki Viking dolgularrın-

13.43 *Coppergate'ten insan biti* Pediculus humanus. *York kazıları bu türden bol miktarda kanıt sunmuştur.*

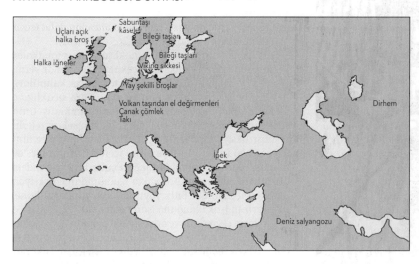

13.44 *Viking dönemi York'unun Avrupa'dan geçerek Asya'ya uzanan geniş ticaret bağlantıları vardı. Bu harita Jorvik'e gelen temel ithal malları göstermektedir.*

dan geldi. Gümüş işçiliği önemli bir endüstriydi ve 10. yüzyılda doruk noktasına erişmişti. Bununla birlikte altın, kurşun, kalay, bakır ve kurşun-kalay alaşımları da işlenmekteydi. Metal arıtımına dair kanıtlar hem küpelasyon hem de ayırma (altın ve gümüşün ayrılması) yanında potalar, tüyerler, külçeler, nesne kalıpları ve aletleri içermektedir.

Çağdaş sikke kalıplarına ait buluntular, gümüşün çoğunlukla sikke darbında ve muhtemelen yerleşimde çalışan yetkililerin nezdinde kullanıldığını düşündürmektedir. Sikke kalıplarının kendileri demirdendir ve 10. yüzyıl ortasındaki yoğun demir işçiliğine bağlanabilirler.

Aynı alandan çoğunlukla Viking dönemine ait 221 iplik, kordon ve ayrıca yün, keten, ipek dokuma örneği, zamanın tekstil endüstrilerine dair önemli içgörüler sağlamıştır. Tezgah ağırlığı buluntuları, uçları ağırlıklı dikey dokuma tezgâhının kullanıldığını göstermektedir.

Üretilen dokumaların çoğu yündü, fakat muhtemelen yatak çarşafı ve iç giysiler için keten dokunuyordu. Kızılkök ve çivit otu (yukarıya bakınız) gibi boya malzemeleri ele geçmiştir. Dolayısıyla dokumacıların iyi kalitede dayanıklı dokumalar ürettikleri açıktır. Daha kaliteli kumaşlar ticaretle gelmiş olabilir. Şüphesiz ipekler bu yolla York'a ulaşmıştı ve belki de Viking tüccarlar tarafından Çin'den Orta Asya'ya uzanan İpek Yolu'yla bağlantılı Rusya'dan getirilmişti. En azından bazı ipeklerin Bizans malı olması muhtemeldir.

Metal işçiliği, ithal kumaşlar ve önceleri "deneme baskıları" diye açıklanan, ama şimdi gümrük makbuzları oldukları düşünülen diğer buluntular York'un birbirini izleyen dönemlerinde ticaret bağlantılarına dair kapsamlı bir resim çizmeye izin verir.

Bilişsel Boyut

York'taki dört kentsel gelişim safhasının tümü okuryazarlığın bulunduğu dönemlerdi. Her bir döneme ait yazılı kaynaklar günümüze geldiği ve bunlara ilaveten kazılarda sikkelerle yazıtlar bulunduğu için, şehir sakinlerinin dünya görüşleri ve düşünce süreçleriyle ilgili bol miktarda bulgu vardır. Bir 14. yüzyıl çöp çukurunda bulunmuş müstehcen bir şiir ve yasal bir belge olduğu anlaşılan Ortaçağ balmumu yazı tabletleri –8 şimşir yaprağın yazı içeren 14 balmumu kaplı yüzeyi vardı– özel ilgiye mazhar olmuştur.

Kazılarda ele geçmiş çarpıcı buluntulardan biri, Dominic Tweddle tarafından detaylı şekilde çalışılmış Coppergate miğferidir. Miğfer Vikinglerin gelişinden öncesine (MÖ 8. yüzyıl), yani Angliyen dönemine aittir. Sutton Hoo'daki ünlü tekne gömütünde bulunmuş örnekle birlikte Britanya ve Avrupa'dan bilinen teşhir miğferlerinden biridir. Olağanüstü bir teknolojinin eseridir:

13.45 *Onuncu yüzyıl York'undan bir sikke kalıbı (sağda), kurşun deneme parçası ve gümüş peniler.*

Ense zincir zırhla korunmaktaydı ve zincirdeki kusurlu bir bağlantının çok dikkatli biçimde onarıldığı ortaya çıkarılmıştır.

Bu nesneyi teknik, sosyal ve bilişsel boyutların bir kesişimi; önemli bir bireyin sosyal mevkisini pekiştirmek ve yansıtmak için akıllıca kullanılmış üstün teknolojik başarı ve sanatsal beceri olarak görmek mümkündür. Özellikle burun siperi, Roma İmparatorluğu'nun sonu ve onu takip eden yüzyılların Kuzey Avrupa "Karanlık Çağlar"ına ait belirgin özelliklerden girift hayvan sanatının çok zarif bir örneğidir.

Bu önemli buluntunun konservasyonu tek başına kapsamlı bir süreçti ve miğfer bugün Coppergate'teki buluntu yerine sadece birkaç yüz metre uzaklıktaki Yorkshire Castle Müzesi'nde görülebilir. Sokak isimlerinin bilişsel bir boyut taşıdığı belirtilmelidir. "Coppergate" İngilizce "gate" kelimesinden değil, Norsça *gata*dan gelir ve "kadeh ustalarının sokağı" anlamına gelir.

Kimin Geçmişi? York'ta Toplumsal Arkeoloji

Kazıdan ve ön araştırmadan sonra bir arkeoloğun ilk işi yayın yapmaktır, ama maalesef tüm buluntuların gün ışığını görmesine dek genellikle yıllar geçer. Bu

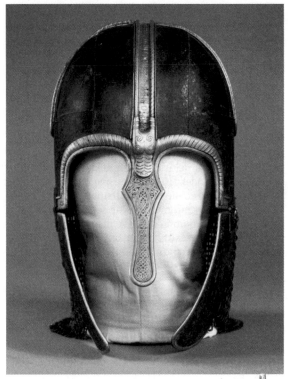

13.48–49 *York'taki öne çıkan buluntulardan biri, Coppergate'te bulunmuş MS 8. yüzyıla ait bu Angliyen miğferdir. Burun koruması zarif bir girift motifle süslenmiştir.*

13.46–47 *Ele geçen 14. yüzyıl şimşir yazı tabletlerinden biri (solda) ve rekonstrüksiyonu yapılmış hâli (üstte). Metin balmumu dolgu üzerine yazılıyordu.*

nedenle birçok hafir her yıl sezonun hemen sonrasında hayli kapsamlı ara raporlar yayımlarlar ve bu, Peter Addyman'in izlediği yaklaşımdı. Aynı zamanda, nihai rapor sorunu konusunda, kendisinden sonra birçok başka proje tarafından benimsenen yeni bir yaklaşım geliştirdi. Kazı monografilerinin basılmasından önce çeşitli uzmanlardan gelecek bütün raporları beklemek yerine, masasına ulaşmış bireysel yazıları daha kısa ciltler veya fasiküller hâlinde yayımlama kararı aldı. Bunları hepsi *The Archaeology of York* başlığı altında 20 büyük ve karma cilt meydana getirmiştir. Tasarlanan ciltlerin çoğundaki çalışmalar geçen 35 yıl içinde yayımlanmıştır ve bunlara çevresel arkeolojiyle ilgili bir dizi öncü çalışma da dâhildir.

Bununla birlikte, York Arkeoloji Vakfı'nın en dikkat çekici özelliği, heyecan verici yeni yöntemler kullanarak halkı –yerel halkı ve sayıları giderek artan turistleri–

işin içine dâhil etme ve eğitme konusundaki başarısıdır. Bağımsız bir hayır kurumu olan vakıf, bağışlar yoluyla az miktar bir mali destek almaktadır, fakat gelirin çoğu yenilikçi Jorvik Viking Merkezi'ne gelen ziyaretçilerden sağlanır. Bu yer, ticari amaçlı Coppergate Alışveriş Merkezi'nin zemin katına dâhildir.

Jorvik Viking Merkezi 1984'te açıldığında, arkeolojinin sonuçlarını yeni yollarla topluma ulaştırmada çığır açan bir girişimdi. Merkez 2001, ardından 2010'da yenilenmiştir ve ziyaretçiler şimdi, bir zamanlar arkeolojik alanda yer almış Viking sokaklarının yeni ve otantik yaratımını asılı araçlarla gezebilmektedir. İlk kazıdan buluntular üzerindeki 30 yıllık çalışmaları takip eden bu rekonstrüksiyon, en küçük ayrıntısına kadar doğrudur ve ustaca düzenlenmiş manzaralar, sesler, hatta kokular tarafından tamamlanmaktadır. Açılışından sonraki dört yıl içinde gelirler, rekonstrüksiyonu için alınan borcu (faiziyle birlikte) karşılamıştır. 16 milyondan fazla kişi

13.50–51 (altta) Jorvik Viking Merkezi'nde ziyaretçiler asılı araçlarla Viking York'unda dolaştırılırlar ve o dönemde kasabadaki bütün faaliyetleri, sesleri ve kokuları tecrübe edebilirler. Özenle araştırılmış ve hem York'taki kazılara hem de İskandinavya'daki benzer Viking arkeolojik alanlarından bilgilere dayanan merkez, 10. yüzyıl York'unun gerçekçi bir manzarasını sunar. (sağ altta) Merkezdeki yeni bir galeri, ziyaretçilere kalas iskeletli ve çit çamurlu evler ve yerleşimcilerin elden çıkardığı nesnelerin sergilendiği rekonstrüksiyonu yapılmış Coppergate kazısı üzerinde yürüme imkânı tanır.

burayı ziyaret etmiştir. Öncü arkeolojik ticari girişim olarak bu model dünyada yaygın şekilde izlenmiştir.

Bazıları Jorvik'teki yeraltı "zaman taşıtları"na atfedilen "zaman kapsülü" yakıştırmasını ciddi arkeolojiden ziyade Disneyland'a yakın durduğu gerekçesiyle eleştirmektedir. Fakat "Jorvik tecrübesi"ni yaşayan hemen herkes bundan zevk aldığını ve bir şeyler öğrendiğini –bu bilgi sadece Viking York'unda evlerin arka bahçelerinin ne kadar kötü koktuğu olsa bile– söylemektedir.

Ayrıca, değişen programlara sahip iki sergi alanı bulunmaktadır. Bunlarda Viking zanaatkârlığı ve kemik bulgularından 10. yüzyıl York'unda insanların nasıl yaşayıp öldüğünü anlamak gibi konular işlenmektedir. Bu alanlarda arkeologlar ve "Vikingler" –bunlar sadece kostümlü oyuncular değil, kendi araştırmalarını yapan ve kendi konuları üzerinde uzman kişilerdir– görev almaktadır. Halkla etkileşim birçok uygulamalı faaliyetle birlikte teşvik edilmektedir.

Vakıf 1990'da Arkeolojik Kaynak Merkezi'ni (Archaeological Resource Centre; DIG olarak kısaltılmıştır) 15. yüzyıla ait dönüştürülmüş St. Saviour Kilisesi'nde açtı. Burada okul grupları ve halk arkeoloji alanında birinci elden deneyim yaşayabilmektedir. Ana ögeler stratigrafik dolgusu olan sahte bir açmayı ve arkeologların yaptığı işin tanıtımını içermektedir. Ziyaretçiler buluntuları sıralayabilir ve kaydedebilir, bunların geçmiş yaşama dair neler söylediklerini anlamaya çalışırlar. Stonegate dışındaki Coffee Sokağı'nda

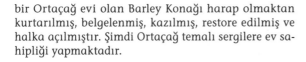

13.52 *Jorvik Viking Merkezi'ndeki bir sergi, bir zamanlar bu yerleşimi kaplamış sokaklarda yapılan kazılara dayalı kanıtlardan yola çıkarak Viking York'undan karakteristik bir sahneyi yeniden yaratmıştır.*

13.53 *(yukarıda) Restore edilmiş Barley Konağı.*

13.54 *(altta) Özel olarak dönüştürülen 15. yüzyıl kilisesindeki Arkeolojik Kaynak Merkezi'nde (DIG) halk ve okul grupları buluntuları düzenleyip araştırmacıları iş başında izleyerek arkeologların neler yaptığını öğrenir.*

bir Ortaçağ evi olan Barley Konağı harap olmaktan kurtarılmış, belgelenmiş, kazılmış, restore edilmiş ve halka açılmıştır. Şimdi Ortaçağ temalı sergilere ev sahipliği yapmaktadır.

Sosyal Yardımlar

York Arkeoloji Vakfı 2005-2010 arasında Miras Piyangosu Fonu (Heritage Lottery Fund) tarafından finanse edilen Büyük York Topluluğu Arkeoloji Projesi'ni bünyesinde barındırmıştır. Vakıfta çalışan toplum arkeoloğu, halkı ve özel ilgi gruplarını çevrelerini inceleme ve yorumlama konusunda teşvik etmekte ve yardım sağlamaktadır. Düzenlenen "Çalışma Günleri"ndeki uygulamalı yaklaşımlarla öğrendikleri yeni yetenekleri kullanmaktadırlar. Öğrenme zorluğu çeken insanların temsil edildiği York People First grubu Hungate kazılarında elde edilen 19 ve 20. yüzyıl hayatına dair kanıtlara dayanarak York's Theatre Royal'da bir oyun sergilemişlerdir. Vakıf şimdi toplum arkeoloğu projesinin finansmanını üstlenmiştir ve Yorkshire'daki projelerde rolünü genişleterek olabildiğince çok kişiye arkeolojiyle ilgilenme imkânı sunmaktadır. York Arkeoloji Vakfı hem ticari hem de eğitsel açıdan başarılı bir kent arkeolojisi projesinin başlıca örneğidir. Vakfın çalışma sonuçlarını paylaşma konusunda aldığı sorumluluk ve bunu başarmak için yaratıcı ve etkili yollar geliştirme konusundaki üstünlüğü toplumsal arkeolojiye büyük bir katkıdır.

İLERİ OKUMA

Beş örnek vaka için temel kaynaklar:

Oaxaca:

Blanton, R.E. 1978. *Monte Albán: Settlement Patterns in the Ancient Zapotec Capital*. Academic Press: New York & Londra.

Flannery, K.V. & Marcus, J. (ed.). 1983. *The Cloud People: Divergent Evolution of the Zapotec and Mixtec Civilizations*. Academic Press: New York.

Flannery, K.V. (ed.). 1986. *Guilá Naquitz. Archaic Foraging and Early Agriculture in Oaxaca, Mexico*. Academic Press: New York.

Marcus, J. & Flannery, K.V. 1996. *Zapotec Civilization: How Urban Society Evolved in Mexico's Oaxaca Valley*. Thames & Hudson: Londra & New York.

Spencer, C.S. & Redmond, E.M. 2003. Militarism, resistance, and early state development in Oaxaca, Mexico. *Social Evolution & History*, 2:1, 25-70. Uchitel Publishing House: Moskova.

Calusa:

Marquardt, W.H. (ed.). 1992. *Culture and Environment in the Domain of the Calusa*. Monograph 1, University of Florida, Institute of Archaeology and Paleoenvironmental Studies: Gainesville.

Marquardt, W.H. (ed.). 1999. *The Archaeology of Useppa Island*. Monograph 3, University of Florida, Institute of Archaeology and Paleoenvironmental Studies: Gainesville.

Marquardt, W.H. 2001. The emergence and demise of the Calusa. *Societies in Eclipse: Archaeology of the Eastern Woodlands Indians, A.D. 1400-1700*. Brose, D., Cowan, C.W., & R. Mainfort (ed.). Smithsonian Institution Press: Washington, D.C., 157-171.

Marquardt, W.H. 2014. Tracking the Calusa: a retrospective. *Southeastern Archaeology* 33 (1), 1-24.

Marquardt, W.H. & Walker, K.J. 2001. Pineland: a coastal wet site in southwest Florida. *Enduring Records: The Environmental and Cultural Heritage of Wetlands*. Purdy, B. (ed.), Oxbow Books: Oxford, 48-60.

Walker, K.J. & Marquardt, W.H. (ed.). 2004. *The Archaeology of Pineland. A Coastal Southwest Florida Village Complex, ca. A.D. 50-1700*. Institute of Archaeology and Paleoenvironmental Studies, Monograph 4. University Press of Florida: Gainesville.

Yukarı Mangrove Irmağı:

Attenbrow, V. 2003. Habitation and land use patterns in the Upper Mangrove Creek catchment, NSW central coast, Australia: *Shaping the Future Pasts: Papers in Honour of J. Peter White* J. Specht, V. Attenbrow & R. Torrence. (ed.), 20-31. *Australian Archaeology* 57.

Attenbrow, V. 2004. What's Changing? Population Size or Land-Use Patterns? The archaeology of Upper Mangrove Creek, Sydney Basin. *Terra australis* No. 21. Pandanus Press, ANU: Canberra.

Attenbrow, V. 2007. Emu Tracks 2, Kangaroo & Echidna, and Two Moths. Further radiocarbon ages for Aboriginal sites in the Upper Mangrove Creek catchment, New South Wales. *Australian Archaeology* 65, 51-54.

Attenbrow, V. 2010. *Sydney's Aboriginal Past. Investigating the Archaeological and Historical Records*. (2. basım) UNSW Press: Sydney.

Attenbrow, V., Robertson, G. & Hiscock, P. 2009. The changing abundance of backed artefacts in South-eastern Australia: a response to Holocene climate change? *Journal of Archaeological Science* 36, 2765-2770.

Hiscock, P. 2008. *Archaeology of Ancient Australia*. Routledge: Londra (özellikle 12. Bölüm).

Robertson, G. Attenbrow, V. & Hiscock, P. 2009. The multiple uses of Australian backed artefacts. *Antiquity* 83 (320), 296-308.

Khok Phanom Di:

Higham, C. ve diğerleri. 1990-1993. *The Excavation of Khok Phanom Di, a Prehistoric Site in Central Thailand*. Cilt 1-4. Society of Antiquaries: Londra.

Higham, C. & Thosarat R. 1994. *Khok Phanom Di: Prehistoric Adaptation to the World's Richest Habitat*. Harcourt Brace College Publishers: Fort Worth.

Kealhofer, L. & Piperno, D.R. 1994. Early agriculture in southeast Asia: phytolith evidence from the Bang Pakong Valley, Thailand. *Antiquity* 68, 564-572.

Tayles, N.G. 1999. *The Excavation of Khok Phanom Di, a Prehistoric Site in Central Thailand. Cilt V. The People*. Society of Antiquaries: Londra.

Thompson, G.B. (ed.). 1996. *The Excavation of Khok Phanom Di, a Prehistoric Site in Central Tahiland. Cilt IV. Subsistence and Environment: the Botanical Evidence*. Society of Antiquaries: Londra.

York:

Ana kaynaklar York Arkeoloji Vakfı ve İngiliz Arkeoloji Kurulu tarafından yayımlanan *Archaeology of York* serileridir. Münferit yayınların detayları www.yorkarchaeology.co.uk adresinde bulunabilir.

Dean, G. 2008. *Medieval York*. The History Press: Stroud.

Hall, R.A. 1994. *Viking Age York*. Batsford/English Heritage: Londra.

Hall, R.A. 1996. *York*. Batsford/English Heritage: Londra.

Hall, R.A. 2011. "Eric Bloodaxe Rules OK": The Viking Dig at Coppergate, York: *Great Excavations: Shaping the Archaeological Profession* J. Schofield (ed.), 181-193. Oxbow Books: Oxford.

Hall, R.A. ve diğerleri 2014. *Anglo-Scandinavian Occupation at 16-22 Coppergate: Defining a Townscape*. Council for British Archaeology: York.

Ottoway, P. 2004. *Roman York*. (2. basım) Tempus Publishing: Stroud.

KİMİN GEÇMİŞİ? 14
Arkeoloji ve Toplum

Bu kitap arkeologların geçmişi araştırma yollarıyla, cevaplayabileceğimiz sorular ve onları yanıtlama yöntemleriyle ilgilenir. Fakat çok daha kapsamlı sorular sormanın zamanı gelmiştir: Bilimsel merakın ötesinde neden geçmişi bilmek isteriz? Geçmiş bize ne ifade eder? Farklı bakış açıları olan diğerleri için anlamı nedir? Hem, geçmiş kime aittir?

Bu meseleler bizi hem özel hem de toplumsal sorumluluk konusuna götürür. Bunun sebebi Atina'daki Parthenon veya Büyük Zimbabve gibi ulusal bir anıt onları inşa edenlerin torunları için şüphesiz özel bir anlam taşıması mıdır? Bütün insanlık için bir anlam ifade etmezler mi? Eğer öyleyse, soyu tükenme tehlikesiyle karşı karşıya kalan bitki ve hayvan türleri gibi zarar görmelerini engellemek gerekmez mi? Eğer eski arkeolojik alanların yağmalanmasından üzüntü duyuluyorsa, bunlar özel arazide olsalar bile durdurulmamalı mıdır? Geçmişi kim sahiplenir ya da sahiplenmelidir?

Bunlar çok kısa süre içinde doğru ve yanlış, uygun eylem ve sakıncalı eylem türünden etik sorunlar hâline gelir. Arkeologların özel bir sorumluluğu vardır, çünkü 3. Bölüm'de gördüğümüz gibi kazının kendisi aslında tahrip eder. Gelecekte, çalışanların bir arkeolojik alan hakkındaki bilgileri bizimkinin çok üzerine çıkamayacaktır, çünkü kanıtları yok etmiş, sadece önemli gördüğümüz kısımları belgelemiş ve bunları uygun şekilde yayımlamış olacağız.

Geçmiş büyük bir iştir; hem turizmde hem de müzayede salonlarında. Geçmiş politik açıdan çok yüklüdür; ideolojik anlamda güçlü ve önemlidir ve geçmiş ya da ondan geriye kalanlar, giderek artan bir tahribe maruz kalmaktadır. Bu sorunlar hakkında neler yapabiliriz?

GEÇMİŞİN ANLAMI: KİMLİK ARKEOLOJİSİ

Geçmişin ne ifade ettiği sorusu, aslında geçmişin *bizim* için ne anlama geldiği sorusunu ima eder, çünkü bu, açıkça farklı insanlar için farklı anlamlar taşır. Moğol saltanatının büyük anıtlarına bakan bir Hintli, Hindu ya da Müslüman kimliğine göre farklı şeyler görecektir ve Avrupalı bir turist bu yapılara yine farklı gözlerle bakacaktır. Aynı şekilde, bir Avustralya Aborjini, beyaz bir Avustralyalıya nazaran Mungo Gölü gibi erken bir arkeolojik alandan çıkan insan fosillerine ya da Kakadu Ulusal Parkı'ndaki resimlere çok başka bir anlam yükleyebilir. Farklı toplulukların geçmiş hakkında farklı algılamaları vardır ve bunlar sıklıkla arkeolojinin ötesindeki diğer kaynaklardan beslenir.

Bu noktada, geçmişte gerçekten ne olduğu sorusunun ve neden olduğuna dair açıklamaların ilerisine geçip anlam, önem ve açıklama konularına giriyoruz. Dolayısıyla geçen birkaç on yılda arkeolojide açığa çıkan çoğu kaygının tamamen konuyla ilgili hâle geldiği nokta yine budur. Geçmişi nasıl açıkladığımız, nasıl sunduğumuz (mesela müze sergilerinde) ve ondan ne gibi dersler çıkarmayı seçtiğimiz, büyük oranda öznel kararların sonucudur. Bunlar da sıklıkla ideolojik ve siyasi meseleleri kapsar.

Çok geniş anlamda, David Lowenthal'un *The Past is a Foreign Country* (1985) adlı eserinde çok iyi özetlediği gibi geçmiş hepimizin geldiği yerdir. Birey olarak bizler kişisel ve genetik geçmişe –anne babalarımız, büyüklerimiz ve soylarından geldiğimiz atalarımız– sahibiz. Batı dünyasında bu kişisel geçmişe karşı giderek artan ilgi, aile soy ağaçları ve "köklere" yönelik heveste görülmektedir. Bizim bireysel kimliğimiz ve genelde ismimiz kısmen nispeten yakın geçmişte bizim için tanımlanmış olmakla birlikte, kendimizle özdeşleştirdiğimiz bu unsurlar büyük oranda kişisel tercihin neticesidir. Bu miras sadece manevi de değildir. Dünyadaki arazi kullanım hakkının büyük kısmı ve diğer varlıkların çoğu miras yoluyla alınır. Bu anlamda maddi dünya bize geçmişten gelir ve şüphesiz zamanı geldiğinde bizim tarafımızdan geleceğe bırakılacaktır.

Milliyetçilik ve Semboller

Kültürel mirasımız müşterek olarak dilimizin, inancımızın, geleneklerimizin kökenlerini barındıran uzak geçmişte yer alır. Arkeoloji ulusal kimliğin tanımlanmasında giderek daha fazla rol oynamaktadır ve bu durum özellikle yazılı tarihleri çok geriye gitmeyen milletler için geçerlidir; gerçi söz konusu milletler sözlü tarihe yazılı tarih kadar değer verir. Yakın zamanda ortaya çıkan yeni ulusların milli amblemleri, özel ve erken yerel bir altın çağın karakteristik nesnelerinden alınmıştır: Zimbabve devletinin adı bir arkeolojik alandan gelir.

Yine de bazen arkeoloji ve geçmişten alınan imgelerin ulusal kimliğe odaklanmak ve onun değerini arttırmak için kullanıldığında ihtilaflara neden olmaktadır. Eski Yugoslavya'dan bağımsızlığını yeni kazanmış Makedonya'nın benimsediği isim ve ulusal amblem yüzünden yakın tarihli bir kriz patlak vermiştir. Yunanistan için Makedonya sadece sınırları içindeki çağdaş bir eyaleti (*nome*) temsil etmemekte, ünlü Yunan generali Büyük İskender'in krallığını da tanımlamaktadır. Dolayısıyla ulusal dili Yunanca bile olmayan bir devletin bu ismi sahiplenmesi bir hakaret olarak algılanmıştır. Bu durum, Makedonya Cumhuriyeti'nin ulusal sembolü olarak, Yunanistan toprakları içindeki Vergina'da bulunmuş bir mezar yapısının muhteşem eşyalar arasında, ya II. Philippos (İskender'in babası) ya da III. Philippos'a (İskender'in üvey kardeşi) ait altın bir sandık üzerinde bulunan yıldız betimini seçmesiyle daha da şiddetlenmiştir. Bu simgenin kullanımı yüzünden doğan kızgınlık, bir anlaşmaya varılıncaya dek Yunanistan'da Avrupa Birliği üyeleriyle ilişkileri bozacak kadar büyük bir milliyetçi hezeyana yol açtı.

Sri Lanka'da Tamil Kaplanları ile çoğunluğu elinde tutan Sinhala hükümeti arasında 1983'ten 2009'a kadar süren talihsiz savaşın sonunda, adanın kuzeyinde Sinhal ve Tamil (toplamın %20'si) arasındaki etnik gerginliğin sona ermesi ve barış gelmesi gerekirdi. Ne yazık ki arkeolojiyi siyasi amaçlarla kullanmak isteyen "dar görüşlü" güçler bulunmaktadır. Bunların arasında, Sinhal tarafındaki başlıca aktör, koalisyonda yer alan Budist keşişler partisi Jathika Hela Urumaya'dır (JHU). Budist partisi, başbakandan kuzeydeki bir düzine Budist arkeolojik alanının yeniden inşa edilmesi talebinde bulunmuştur. Budist geleneğine göre Sinhaller Kuzey Hindistan'dan MÖ 500 civarında sürgün edilmiş bir Aryan prensin soyundan geliyordu ve Tamiller de 200 yıl sonra Güney Hindistan'dan giriş yapmış bir halk olarak görülmekteydi. Diğer taraftan arkeolojik araştırmalar Kuzey Sri Lanka'daki iskânın, daha erken bir Tamil göçüne işaret edecek şekilde MÖ 500'den çok daha eskiye gittiğini göstermektedir. Tamiller JHU'nun yaklaşımını kendi konumlarını baltalayan bir çaba olarak görmektedir. Etkin bir Tamil bilim insanı tarafından "arkeoloji bölümü hükümetin cariyesi" yorumu yapıldığı belirtilmiştir. Burada Kuzey Hindistan'daki Ayodhya'da bulunan Babri Mescit'e dair ihtilafın yankıları hissedilmektedir (arka sayfaya bakınız). Tek fark Sri Lanka'da üstünlüğün Hindularda değil, Budistlerde olmasıdır.

Arkeoloji ve İdeoloji

Geçmişin mirası milliyetçi ve etnik hassasiyetin ötesine uzanır. Mezhepsel fikirler sıklıkla büyük anıtlarda ifade

14.1–3 *Geçmişi günümüzün propagandası olarak sahiplenmek: (üstte) Bu duvar resmi Saddam Hüseyin'i Babil'in (arkeolojik alan şimdi modern Irak'tadır) MÖ 6. yüzyıldaki kralı Nabukadnezzar olarak modern silahlarla çevrilmiş hâlde tasvir eder. (sağda ve sağ üstte) Büyük İskender'in babası Makedonya kralı II. Philippos ya da İskender'in üvey kardeşi III. Philippos göz alıcı bir yıldızla bezeli tabutun içinde defnedilmişti. Bu motif daha sonra eski Yugoslavya'dan kopmuş Makedonya Cumhuriyeti'nin pullarında kullanılmıştır.*

bulurlar ve birçok Hıristiyan kilisesi kasıtlı olarak yıkılmış "pagan" tapınaklarının üzerine inşa edilmiştir. Sadece birkaç örnekte Hıristiyanlar böyle tapınaklardan faydalanmışlardır –Atina'daki Parthenon gibi– ve en iyi korunmuş Yunan tapınaklarından biri Sicilya'daki Siraküza'da bulunan katedraldir. Ne yazık ki tamamen tutucu gerekçelerle eski anıtların tahribi geçmişte kalmış bir şey değildir (karşı sayfadaki kutuya bakınız).

Üstelik geçmiş tutucu dinlerin bile ötesinde ideolojik rollere sahiptir. Çin'de devlet başkanı Mao geçmişin bugüne hizmet etmesi gerektiğini ileri sürerdi ve 1960'larda Kültür Devrimi'nin en parlak zamanlarında bile Çin'deki arkeolojik alanların kazısı kesinlikle sürdü. Bugün ülkede eski kültürel yadigârlar hakkında yaygın endişeler vardır. Sanat hazinelerine hükümdarların varlıklarından ziyade yetenekli işçilerin yapıtları diye bakılmakta, bunlar sınıf mücadelelerinin yansımaları olarak görülmektedir. Öte yandan aristokratların sarayları ve mezar yapıları çalışan halkın acımasız sömürüsünü vurgular. Komünist mesaj daha basit nesnelerin aracılığıyla da iletilir. Mesela Zhoukoudian Alt Paleolitik buluntu yerlerindeki müze, alet yapımı ve kullanımıyla temsil edilen emeğin, büyük insansı maymunlardan insanlara geçişimizde belirleyici etmen olduğunu iddia eder.

ARKEOLOJİ ETİĞİ

Etik, ahlak bilimidir; yani neyi yapmanın doğru ya da yanlış olduğuyla ilgilenir. Arkeolojide giderek daha fazla dalın etik (veya etik olmayan) bir boyuta sahip olduğu kabul edilmektedir. Arkeoloji kimlikle (son bölümde bahsedildiği üzere) ve topluluklar, uluslar ve aslında insanlığın kendi varlığıyla kesinlikle bağlantılı olduğundan, etik mahiyette önemli pratik sorunlara değinir. Bunlar sıklıkla zor sorunlardır; zira birbiriyle çatışan ilkelerle uğraşırlar.

Latin yazar Terentius'un "Homo sum: nihil humanum mihi alienum est" –"Ben bir insanoğluyum, bu yüzden hiçbir insan bana yabancı değildir"– dediği söylenir. Böyle bir düşünüş İnsan Hakları Evrensel Bildirgesi'nin merkezindedir. Birçok antropolog 17. yüzyıl İngiliz şairi Alexander Pope'u güncelleştirerek "insanlığın doğru şekilde öğrenilmesinin insan sevgisi" olduğunu düşünür. Buradaki ima, insan deneyiminin tamamının bizim çalışma alanımız olması gerektiğidir. Böyle fikirler mesela fosil homininlerin çalışılmasını teşvik eder ve Avustralya Aborjinlerine ya da Kennewick Adamı'na ait kalıntıların (s. 558) anlaşılmasını, biyolojik antropoloğun çalışmasında gerekli bir kısım olarak görür. İşte ilkelerden biri budur. Fakat diğer taraftan, kendi akrabalarımızın ve atalarımızın dünyevi kalıntılarına makul ölçüde saygı göstermek olağandır. Birçok kabile toplumunda bu türden bir saygı, sıklıkla yasada –örneğin Amerika Yerli Mezarlarının Korunması ve İadesi Yasası'nda (Native American Graves Protection and Repatriation Act; s. 558'e bakınız) yer bulan yükümlülükler dayatır. O hâlde bu, daha fazla incelenmeleri bilime katkı sağlayabilecek eski insan kalıntılarının yeniden gömülmesine (ve neticede tahribine) yol açmış olan ikinci bir ilkedir. İki ilkeden hangisi doğrudur? Bu ahlaki ikilem olarak tanımlanabilecek şeydir; çözülmesi zordur ve bu bölümdeki birkaç alt başlığı kapsar.

Mülkiyet hakkı bir önceki alt başlıkta tartışılmış bu türden bir başka ilkedir, fakat özel mülkiyet sahibinin (koleksiyoncular dâhil) yasal hakları daha büyük toplulukların çok bariz haklarıyla çatışabilir. Dolayısıyla ticari mülkiyetin müteahhidi korumacıyla aynı fikirde olmayabilir. Koruma ve imar arasındaki gerilim aşağıda, koruma ve tahriple ilgili alt başlıkta ele alınmıştır. Eski eser koleksiyoncusunun alım gücü arkeolojik alanların yasa dışı kazılarla tahrip edilmesine (yağmalama/definecilik) yol açtığında benzer sorunlar ortaya çıkar.

Maddi kültürün önemli sosyal anlama sahip bir unsur olarak önemi giderek daha fazla takdir edilmektedir. Burada giderilemeyecek sorunlar mevcuttur, çünkü ilkeler çatışmasının ürünleridir. Arkeolojik etik şimdi yükselişte olan bir konudur.

POPÜLER ARKEOLOJİYE KARŞI SAHTE ARKEOLOJİ

Arkeolojinin amacı geçmiş hakkında daha fazla şey öğrenmektir ve arkeologlar herkesin insan geçmişi hakkında –nereden geldik, şimdiki durumumuza nasıl eriştik?– belli bir bilgisi olması gerektiğine inanırlar. Arkeoloji sadece arkeologlar için değildir. Bu yüzden daha geniş bir kesimle etkili olarak iletişim kurmak önemlidir. Fakat bu önemli görevi bozacak birkaç alan vardır. Bunlardan ilki, çoğunlukla ticari amaç- larla gelişen –yani geçmiş hakkında abartılı, ama temelsiz hikâyelerin üretilmesi– sahte arkeolojidir. Bazen bu hikâyeleri anlatanlar onlara gerçekten inanıyor olabilirler, fakat çoğu kez Dan Brown'un çok satan ve popüler romanı Da Vinci Şifresi'nde olduğu gibi yazarın başlıca amacı para kazanmaktır. Arkeoloji aynı zamanda sahte kanıtlar üretilerek ve arkeolojik dolandırıcılık yapılarak da amacından saptırılabilir.

YIKIM SİYASETİ

Dini aşırılık birçok tahrip eyleminin sorumlusudur. Mesela Kuzey Hindistan'daki Uttar Pradeş eyaletinde, Ayodhya'da bulunan ve MS 16. yüzyılda Moğol prensi Babür tarafından inşa edilmiş Babri Mescit, Aralık 1992'de Hindu kökten dinciler tarafından tahrip edilmiştir. Cami, Hindu destanı *Ramayana*'daki Ayodhya ile zaman zaman ilişkilendirilen bir yerde bulunuyordu ve bazı Hindular tarafından Hindu

tanrısı/kahramanı Rama'nın doğum yeri olarak bilinmekteydi. Bir mahkeme 2003'te Hindistan Arkeolojik Araştırma Merkezi'ni burada bir Hint tapınağı bulunup bulunmadığını araştırması için görevlendirmiştir.

Bamiyan Buda'ları

Taliban'ın Mart 2001'de Afganistan'da, Hindukuş Dağları'ndaki Bamiyan'da kumtaşı yarlara oyulmuş muhtemelen MÖ 3. yüzyıla ait iki devasa Buda heykelini patlatması, şuursuzca bir yıkım eylemi olarak dünyayı şoke etmiştir. Taliban aynı zamanda Kabil'deki Afganistan Ulusal Müzesi'ndeki çok daha eski bir geçmişe ait birçok buluntuyu da yok etmiştir. Heykeller, fildişleri ve diğer eserler Hellenistik Dönem'e aitti ve Taliban'la çatışma hâlindeki bir yerel grubun hiçbir şekilde amblemi değillerdi. Bunlar sadece bu türden tasvirleri dine saygısızlık olarak gören kökten dincilerin hedefindeki insan tasvirleriydi.

Taliban'ın Buda'ları yok etmesi görünenden çok daha anormaldi, zira amaçları daha önceden açıklanmıştı (bugün nüfusun sadece çok küçük bir kısmı Hindu'dur).

Birleşmiş Milletler Genel Sekreteri Kofi Annan heykellerin kurtarılması için baskı yapmış ve UNESCO Genel Müdürü Koichiro Matsuura "Afgan

14.4 *Uçurum yüzeyine olasılıkla MÖ 3. yüzyılda oyulmuş Bamiyan'ın devasa Buda'ları şimdi yerle bir edilmiştir (sol üstte).*

14.5–6 *Anıtsal Buda heykelinin şok edici tahribi (sağ üstte). Bu türden tarihi anıtlar artık siyaset ve savaşın hedefleri hâline gelmişlerdir. (sağda) Bugün heykelden geriye kalanlar.*

halkının mirası olan kültürel servetin soğukkanlı ve hesaplı tahribini seyretmek bir felaketti" diye açıklama yapmıştır. Elli beş İslam ülkesinin temsil edildiği İslam Konferansı'ndan bir heyet 2001 Mart'ının başında Kandahar'daki Taliban karargâhına gitmiştir.

Ne var ki sırasıyla 53 ve 36 m yüksekliğindeki heykellerin –dünyanın en yüksek Buda heykelleri– tahribi önceden gerçekleşmişti. Patlayıcılar onları bütünüyle yok etmişti. Kalan parçalardan heykelleri restore etmek konuşulduysa da replikadan veya taklitten başka bir şey olmayacak tasvirlerden daha fazlası pek ümit edilmemektedir.

Bamiyan Buda'larının kaderi istisnaydı: Tahripleri bir savaş eylemi değildi. Kabil'deki müzede olduğu gibi iktidar için rekabet eden grupların çatışmasında değil, sadece aşırı bir dini doktrinin gerçekleştirilmesi dâhilinde yok edilmişlerdir.

Fanatizm İş Başında

Şubat 2015'te yayımlanan bir videoyla Irak'taki sözde "İslam

14.7 IŞİD savaşçıları Irak'taki Musul Müzesi'nde bulunan Hatra kökenli bir heykeli tahrip ediyorlar.

Devleti" (IŞİD), son yılların en çarpıcı fanatik tahribatlarını duyurdu. Bunlar arasında, Kuzey Irak'taki Musul yakınlarında bulunan Ninova'nın Yeni Asur Dönemi (MÖ 7. yüzyıl) Nergal Kapısı'na ait iyi korunmuş insan yüzlü kanatlı boğanın matkapla delinmesi de vardı. Videonun Musul Müzesi'nde çekilmiş kısmında ayrıca, Irak'ın batı çölündeki Hatra karavan şehri yöneticilerine ait Parth dönemine (MS 2-3. yüzyıllar) tarihlenen doğal

boyutta heykellerin tahribi de mevcuttu. Ne gariptir ki, bunlar yazılı tarihin en erken Arap hükümdarlarıydı ve Hatra İslam öncesi dönemin en iyi korunmuş Arap yerleşimidir ya da daha doğrusu yerleşimiydi, zira IŞİD güçlerinin arkeolojik alanda sistematik tahribat yaptığına dair haberler vardır.

Nisan 2015'te yayımlanan bir IŞİD videosu, Musul'un 30 km batısındaki Nimrud Kuzeybatı Sarayı'nın dinamitle patlatılmasını gösteriyordu. MÖ 9. yüzyılda Asur İmparatorluğu'nu yönetmiş olan kral Asurnasirpal'in sarayı olan bu yapı, 19. yüzyılda Layard tarafından kazılmış ve yayımlanmıştı. Kabul salonu ve kapı girişleri dünyanın ilk imparatorluklarından birinin merkezi hakkında canlı bir fikir veriyordu.

Ninova kalıntılarının kasti tahribatı Birleşmiş Milletler Genel Sekreteri Ban Ki-moon tarafından "savaş suçu" olarak nitelendirilmiştir.

14.8 Irak'taki Ninova'da büyük bir kanatlı boğanın yüzü elektrikli iş aletleriyle yok ediliyor.

Uçlardaki Arkeoloji

Yirminci yüzyılın sonlarına doğru, disiplinin sınırlarında geçmişin alternatif yorumlarını sunan "Öteki Arkeolojiler" ortaya çıkmıştır. Bir bilim insanının gözünde bunlar hayal mahsulü ve abartılıdır. Bunlar burçların yaygın olarak okunduğu, New Age peygamberlerinin alternatif yaşam tarzlarını tavsiye ettiği ve halktan birçok kişinin "mısır tarlası çemberleri"nin ya da megalitik anıtların uzaylı işi olduğuna inandığı postmodern bir çağın tezahürüdür. Birçok arkeolog bu türden popülist yaklaşımları "sahte arkeoloji" olarak adlandırır ve kasıtlı bir yanılmanın gösterilebildiği ya da anlaşılabildiği ünlü Piltdown Adamı gibi sahtekârlıklarla aynı kefeye koyar. 1900'ün başlarında meydana gelen Piltdown Adamı vakası insan kafatası kalıntıları, bir kuyruksuz maymunun çene kemiği ve Güney İngiltere'de, Sussex'teki Piltdown'daki bir Alt Paleolitik çakıl çukurundan bazı dişleri içeriyordu. Bu keşifler kuyruksuz maymunlarla insanlar arasındaki "kayıp halka"nın bulunduğu iddiasına yol açtı. Piltdown Adamı (*Eoanthropus dawsoni*) tamamıyla sahte olduğunun ortaya çıktığı 1953'e kadar ders kitaplarında önemli bir yere sahipti. Yeni tarihleme yöntemleri kafatasının nispeten geç bir tarihte ölmüş (620 yıllık olduğu anlaşılmıştır) insana ait olduğunu, çene kemiğinin de bir orangutandan alındığını ve ikisinin "birleştirildiğini" kanıtlamıştır. Hem kafatası hem de çene kemiği eski ve biribirleriyle ilişkili görünmeleri için pigmentle (potasyum dikromat) işlemden geçirilmişti. Bugün birçok kişi keşfi yapan Charles Dawson'ın bizzat sahtekar olduğuna inanmaktadır.

Bununla birlikte bir arkeolog, yaz gündönümünde Stonehenge'de törenler yapan (eğer ilgili otorite olan English Heritage izin verirse) sözde Druidleri inançlarının arkeolojik kanıtlarla desteklenmediğine nasıl ikna edebilir? Bu, bizi bu bölümün ana meselesine geri getirir: "Kimin Geçmişi?" Avustralya Aborjinlerindeki Düş Zamanı inanışı, günümüz bilimsel açıklamalarıyla fiilen çelişse bile bunun gerçekliğini sorgulamamız gerektiği açık değildir. İçtenlikle benimsenen inançlarla arkeoloğun halkı bilgilendirme ve safça inanılan saçmalıkları ayırt etme görevini hangi noktada farklı görürüz?

En popüler ve uzun ömürlü efsanelerden biri, MÖ 5. yüzyılda Yunan filozof Platon'un naklettiği ve kendisi tarafından Yunan bilge Solon'a atfedilen "kayıp Atlantis"tir. Solon Mısır'ı ziyaret ederek çok eski dini ve tarihi bir geleneğin varisleri olan rahiplerle görüşmüştü. Rahipler ona Herakles Sütunları'nın (modern Cebelitarık Boğazı) ötesinde, Atlantik Okyanusu'nda bulunan kayıp bir kıta efsanesini anlatmışlardır. Bu gelişmiş uygarlık yüzyıllar önce "bir günde" sulara gömülmüştür. Ignatius Donnelly 1892'de *Atlantis, the Antediluvian World* kitabını yayımlayarak bu efsaneyi geliştirmiştir. Bu, dünyadaki bütün medeniyetleri tek bir mucizevi yolla açıklamaya çalışan ilk çalışmadır. Bu türden teoriler genellikle belirli özellikler barındırırlar:

1 Halkı günümüzdekileri aşan birçok beceriye sahip dikkat çekici bir kayıp dünyayı göklere çıkarırlar.

2 Tarihöncesi ve erken devlet toplumlarının birçok başarısını tek bir açıklamayla izah ederler: Bütün bunlar söz konusu kayıp uygarlığın becerikli sakinleri tarafından yapılmıştır.

3 Bu dünya muazzam boyutlarda bir felaketle yok olmuştur.

4 Bu dünyanın bulunduğu anavatandan geriye hiçbir şey kalmadığı gibi, günümüze gelmiş herhangi bir nesne de yoktur.

Donnelly'nin savının temel yapısı Immanuel Velikovsky (meteorlar ve astronomik olaylar) ve yakın tarihte Graham Hancock (kayıp kıtasını Antarktika'ya yerleştirir) tarafından çeşitli şekillerde tekrar edilmiştir. Erich von Däniken tarafından büyük bir kazanç kapısı olarak geliştirilen popüler alternatif, ilerlemenin kaynağı olarak uzayı gösterir ve

14.9 *Piltdown Adamı: Kafatası, çene kemiği ve dişlerin tarihlenmesiyle bunların aynı değil, fakat yakın yaşlara ait olduğu ve birbiriyle ilişkilerinin bulunmadığı ortaya çıkmıştır.*

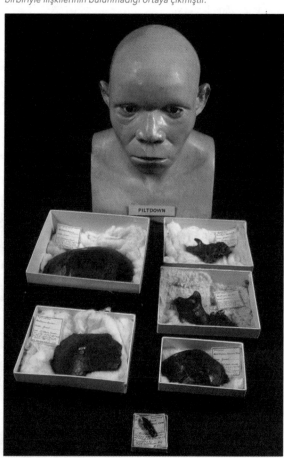

ilk uygarlıkların başarılarını dünyayı ziyaret etmiş uzaylılara bağlar. Ancak nihayetinde bu türden tüm teoriler arkeolojinin gün ışığına çıkardığı çok daha dikkat çekici bir hikâyeyi –insanlığını tarihini– önemsizleştirmektedir.

Arkeolojide Sahtekârlık

Arkeolojide sahtekârlık yeni bir şey değildir ve çok çeşitli şekillerde –Troia hafiri Heinrich Schliemann'ın kanıtları tahrifatından, Britanya'nın Piltdown Adamı gibi kötü şöhretli sahtekârlık vakalarına kadar– ortaya çıkabilir. Bilhassa ciddi bir örnek, 2000 gibi yakın bir tarihte, önde gelen bir Japon arkeoloğun kazılara nesneler gömdüğünü itiraf etmesiyle yaşanmıştır. Shinichi Fujimura'nın –eski eserleri ortaya çıkarma konusundaki olağanüstü becerisinden dolayı kendisine "Tanrı'nın elleri" deniyordu– kazarak gün ışığına çıkardığı ve yeni buluntular gibi gösterdiği "keşifleri" önceden kameraya alınmıştır. Fujimura kendisini koleksiyonundan buluntuları kullanarak sahtekârlık yapmaya zorlayan şeyin daha erken arkeolojik alanlar bulma baskısı olduğu iddiasında bulunarak düzinelerce nesneyi gizlice gömdüğünü itiraf etmiştir.

Fujimura Tokyo'nun kuzeyindeki Kamitakamori arkeolojik alanında kazılmış 65 parçadan 61'inin ve Kuzey Japonya'daki Şoshinfudozaka arkeolojik alanında 2000'de bulunmuş 29 parçanın sahte olduğunu kabul etti. Daha sonra 42 arkeolojik alandan gelen kanıtlarla oynadığını açıkladı. Fakat 2004'te Japonya Arkeoloji Cemiyeti kazmış olduğu 168 arkeolojik alanın tamamen sahte olduğunu ilan etti. Japon arkeoloji otoriteleri anlaşılabilir şekilde olayın 1970'lerin ortalarından beri gün ışığına çıkarılmış (Fujimura'nın uzmanı olduğu) Japonya Alt Paleolitik Dönem kanıtlarına potansiyel etkisi konusunda endişelenmişlerdir.

Görünüşe bakılırsa benzer hadiseler hâlihazırda çoğalmaktadır. Bu durum kısmen, Japonya'daki gibi kişinin kariyerini ilerletmesi için ün kazanmanın önemli olabileceği ve son buluntuların ilan edildiği konferanslar karşısında bilimsel yayınların sıkça ikinci plana düştüğü yerlerde arazi çalışmalarının giderek "medyatikleşmesine" bağlanabilir. Göz kamaştırıcı keşifler artık bazen bilimsel tartışma ve eleştirel görüşten daha önemli görülmektedir. Yine de taklit eserlerin üretilmesi ya da gömülmesi sahtekârlığın uç noktalarından biridir.

Daha Geniş Bir Hedef Kitle

Çoğu araştırmanın öncelikli hedefi özellikli soruları cevaplamaksa da, arkeolojinin temel amacı insanlık geçmişinin daha iyi anlaşılmasını sağlamaktır. Bu yüzden ustaca yapılan kitleselleştirmeye –arkeolojik alan ve müze sergileri, kitaplar, televizyon ve giderek artan şekilde Internet– ihtiyaç duyulmaktadır. Fakat her arkeolog bunlara zaman ayırmaya hazır değildir ve çok azı bunda beceriklidir.

Hafirler sıkça halkı arkeolojik alandaki çalışmalara engel olarak görür. Öte yandan daha açık fikirli olanlar toplumun ilgisini teşvik ederek finansal ve başka tür desteklerin kazanılabileceğini fark etmektedir. Bunun için Doğu İngiltere'de, su altındaki alçak arazi niteliği taşıyan Tunç Çağı arkeolojik alanı Flag Fen'de olduğu gibi bilgilendirme bültenleri, halka açık günler ve hatta uzun vadeli projelerde ücretli günlük turlar düzenlerler. Japonya'da kazı biter bitmez sonuçların yerinde sunumu yapılır. Detaylar bir önceki gün basına verilir; böylece halk arkeolojik alana gelmeden önce yerel gazetenin sabah baskısından bilgi edinmiş olur.

Şüphesiz toplumda arkeolojiye yönelik hevesli bir iştah vardır. Bir anlamda geçmiş, 19. yüzyılda tümülüslerin kazılması ve mumyaların halk önünde açılmasından beri bir eğlence türü hâline gelmiştir. Eğlence artık daha bilimsel ve eğitici bir biçime bürünebilir, ama arkeoloji gelişecekse hâlihazırda rakip popüler cazibe merkezleriyle baş etmek zorundadır.

GEÇMİŞ KİMİNDİR?

Geçen on yıllara dek arkeologlar eski arkeolojik alanlar ve antik eserlerin mülkiyeti konusu üzerinde çok az düşünmüşlerdi. Birçok arkeolog, ekonomik ve siyasi egemenlikleri dünya üzerindeki antik eserleri toplama ve arkeolojik alanları kazma hakkını neredeyse otomatikman kendilerine veriyor gibi görünen endüstrileşmiş batı ülkelerinden geliyordu. Ancak İkinci Dünya Savaşı'ndan itibaren eski koloniler, kendi geçmişlerini gün ışığına çıkarmaya ve mirasları üzerinde kontrol sağlamaya hevesli bağımsız devletler hâline gelmiştir. Bu yüzden çözümü zor sorunlar ortaya çıkmıştır. Koloni çağında batı müzeleri için toplanmış eserler ortaya çıktıkları topraklara iade edilmeli midir? Geçmiş insan toplumlarının soyundan gelenler tarafından dini ya da başka gerekçelerle itiraz edilmesine rağmen arkeologlar onlara ait gömütleri kazmalı mıdır?

14.10 *Japon arkeolog Shinichi Fujimura tarafından yerleştirilmiş Kamitakamori'den el baltası grubu.*

Müzeler ve Kültürel Varlıkların İadesi

İskoçyalı bir diplomat olan Lord Elgin, Atina akropolisini taçlandıran büyük MÖ 5. yüzyıl tapınağı Parthenon'u süsleyen mermerlerden bazılarını 19. yüzyılın başında yerlerinden söktü. Bunu o tarihte Yunanistan'ı elinde tutan Türklerden izin alarak yapmıştı ve daha sonra mermerleri, hâlen özel bir galeri içinde sergilendikleri British Museum'a sattı. Yunanlar şimdi "Elgin Mermerleri"ni geri istemektedir. Bunları yerleştirmek için Akropolis'in eteklerinde muhteşem bir Yeni Akropolis Müzesi inşa etmişlerdir. Müzenin üst katından ziyaretçiler Parthenon'un muhteşem manzarasını seyredebilirler. Atina'da kalmış Parthenon heykelleri doğru orijinal konumlarında durmaktadır ve hâlen Londra'da bulunan "Elgin Mermerleri" yerine alçı kalıplar kullanılmıştır. Bu, özünde uluslararası şöhrete sahip bir müzenin bir kültür varlığını anavatanına iade etmesi için baskı gördüğü belki de en iyi örnektir.

Bununla beraber Avrupa ve Kuzey Amerika müzelerine yöneltilen çok sayıda başka iddia da vardır. Mesela Berlin'deki Altes Museum, Mısır'dan yasa dışı yollarla çıkarılmış Nefertiti'nin ünlü büstüne sahiptir. Yunan hükümeti, Yunanistan'ın Osmanlı idarecilerinden satın alınmış en önemli Louvre parçası Milo Venüs'ünü Fransa hükümetinden resmen geri talep etmiştir.

Türk hükümeti son yıllarda, Türkiye'den yasa dışı yollarla çıkarıldığını iddia ettiği eski eserlerin iadesi konusunda inisiyatifi ele almıştır. "Lidya Hazinesi"ni New York Metropolitan Sanat Müzesi'nden (müze şimdi kötü şöhretli "Euphronios Vazosu"nun İtalya'ya iadesini de kabul etmiştir; aşağıya bakınız) geri almayı başarmıştır. Washington'a 2011'de yaptığı resmi bir ziyaretten sonra Türkiye'nin o tarihteki başbakanı Recep Tayyip Erdoğan,

14.11 British Museum'daki "Elgin Mermerleri"ne ait bir parça: Atina'daki Parthenon frizinden bir atlı, MÖ 440 civarı.

14.12 Parthenon'un (camdan görülmektedir) hâlen Atina'da bulunan parçalarını barındırmak üzere inşa edilen Yeni Akropolis Müzesi'ne bir gün "Elgin Mermerleri"nin de geleceği ümit edilmektedir.

"Yorgun Herakles" heykelinin üst yarısını Boston Güzel Sanatlar Müzesi'nden geri almıştır. Müzenin iadeye uzun süre yanaşmadığı bu eser, ülke dışına yasa dışı yollarla çıkarılmıştı. Türk hükümeti ayrıca Alman müzelerindeki eski eserlerin iadesi için de baskı uygulamaktadır. İadelerin gerçekleşmemesi durumunda Türkiye'de her yıl büyük kazılar yapan Alman Arkeoloji Enstitüsü'nün kazı izinlerinin iptalini gündeme getirmiştir. Türkiye artık diğer Avrupa ülkelerindeki heykel ve buluntularının da peşine düşebilir.

Mezar Kazıları: Ölüleri Rahatsız Etmeli miyiz? Gömütleri kazma meselesi aynı derecede karmaşık olabilir. Tarihöncesi gömütleri için sorun o kadar büyük değildir, çünkü ilgili kültürdeki inançlar ve istekler hakkında doğrudan yazılı bilgimiz yoktur. Bununla birlikte tarihi zamanlara ait gömütler için dini inançlar tarafımızdan detaylı şekilde bilinmektedir. Mesela eski Mısırlılar, Çinliler, Yunanlar, Etrüskler, Romalılar ve ilk Hıristiyanların, ölülerin rahatsız edilmesinden endişe duyduklarını biliyoruz. Yine de mezar yapılarının arkeolojinin doğmasından çok önce hırsızlık faaliyetlerine maruz kaldıkları akılda tutulmalıdır. Mısır firavunları MÖ 12. yüzyılda Teb'deki mezar yapılarının toptan soyulmasına dair bir soruşturma yürütmek üzere bir komisyon görevlendirmişlerdi. Tutankhamon'unki de dâhil hiçbir Mısır krali mezar yapısı soygunculardan tamamıyla kendini kurtaramamıştır. Aynı şekilde, Roma mezar taşları şehirlerde ve kalelerde inşaat malzemeleri olmuştur. Antik Roma'nın limanı Ostia'da ise bir umumi tuvalette oturma yeri olarak mezar yazıtları bile kullanılmıştır!

Amerika Yerlileri. Kuzey Amerika'daki bazı Amerika yerlileri için arkeoloji geçmişteki yanlışlar hakkındaki şikâyetlerin odak noktası hâline gelmiştir. Yerliler son yıllarda şikâyetlerini güçlü bir şekilde ifade etmişlerdir ve netice olarak arkeolojik kazıları engelleyici yasal mekanizmalar oluşturan siyasi nüfuzlarını kullanabilmiş ya da şimdi müzelerde bulunan koleksiyonların yerli Amerika halklarına iadesi için çağrıda bulunabilmişlerdir. Arkeoloji geçmişteki yanlışlarla ilgili şikâyetlerin odak noktası hâline gelmiştir. Malzemenin iadesi ve/veya yeniden gömülmesi sorunu dışında, bazen yeni kazılara karşı sert itirazlar yapılmaktadır. Örneğin Chumash halkı, bir yıllık çalışmadan sonra kemiklerin iade edilip yeniden gömüleceği taahhüdüne rağmen, California'daki en erken insan kalıntıları olabilecek buluntuların bilim insanları tarafından çıkarılmasına izin vermemiştir. Yaklaşık 9000 yaşında olduğu düşünülen kemikler Los Angeles'in 100 km batısındaki Santa Rosa Adası'nda bir kayalık üzerinde aşınmaktaydı. California Eski Eserler Yasası'na göre kemiklerin kaderi en muhtemel torunlarının elindedir ve Chumash halkı yüzlerce kalıntısı çeşitli üniversitelere ve müzelere dağılmış atalarının iskeletlerine

geçmişte yapılanlar dolayısıyla kızgındır. Birçok Maori gibi onlar da kemiklerin "doğanın kanununa uygun şekilde" yok olmalarını başka insanların ellerini sürmesine tercih etmiştir.

Avustralya'da (aşağıya bakınız) olduğu üzere, tek ve müşterek bir yerel gelenek yoktur. Amerika yerlilerinin ölülere ve ruhlara karşı çok çeşitli tutumları vardır. Bu soruna çözüm rıza, taviz ve işbirliğinde yatmaktadır. Arkeologlar çoğu zaman bilinen bireylerin ya da hayattaki itiraz sahiplerinin oldukça yakın atalarına ait çok yakın tarihli kalıntıların iadesini kabullenmektedir. Arkeolojik konteksti olmayan ve dolayısıyla bilime çok az katkı sağlayacak malzemenin çoğu da geri verilmiştir.

Daha eski ve önemli malzemenin yeniden gömülmesi ise zorlu bir meseledir. Kuzey Amerika'daki Amerikan Arkeoloji Topluluğu ve diğer antropoloji dernekleri, bir soyun hayattaki üyelerinin izlenebildiği durumlar hariç bu türden yeniden gömmeye itiraz eden yasa tasarıları geçirmiş olmasına rağmen, şimdi müzakereye dayalı büyük çaplı yeniden gömmeye yönelik açık bir eğilim vardır. 1990'da geçen Amerika Yerlilerine Ait Mezarların Korunması ve İadesi Yasası, federal hükümetlerce finanse edilen 5000 kadar enstitüyle hükümet dairesinin koleksiyon envanteri çıkarmasını ve Amerikan yerlilerine ait

14.13 *Florida'da bulunmuş Seminole kemikleri 1989'da arkeologlar ve Amerika yerlileri tarafından Wounded Knee'de yeniden gömülüyor.*

iskeletlerin, mezar buluntularının, kültürel malvarlığının, "kültürel bağlantı"larının tespit edilmesini istemektedir. İstendiği takdirde bunların ilgili kabilelere ya da yerel Hawaii organizasyonuna teslimi zorunludur.

Yasadaki "kültürel bağlar" gibi terimlerde ve tarihöncesi malzeme bağlamında, çeşitli kanıt türlerinin değerlendirilmesinde sorunlar vardır. Aslında yasa sözlü geleneklerin geçerliliğini açıkça kabul eder; bu nedenle bir kabile, eğer sözlü gelenek kalıntılarının bulunduğu aynı bölgede söz konusu kabile halkının yaratıldığını söylüyorsa, tarihöncesi kalıntılar üzerinde hak iddia edebilir. Ancak bu iddialar mahkemede araştırıldığında, yasanın sözlü gelenekle bilimsel kanıtların dengeli bir değerlendirmesine ihtiyaç duyduğu anlaşılmıştır. Amerika Yerlilerine Ait Mezarların Korunması ve İadesi Yasası'nda yapılan 2010 tarihli bir değişiklikle, kültürel açıdan bağlantısı olmasa bile kabile arazilerinde ya da yerli yerleşmelerinde bulundukları sürece nesneler kabile haklarına dâhil edilmiştir.

İhtilaf ve yasal mücadele, 1996'da Washington Eyaleti'nde bulunmuş ve radyokarbonla günümüzden 9300 yıl öncesine tarihlenen "Kennewick Adamı"na ait kemiklerin peşini bırakmamıştır. Önde gelen sekiz antropolog, kemikleri çalışmak üzere buluntu yeri üzerinde yasal hakkı bulunan Kara Kuvvetleri Mühendisler Sınıfı'na dava açmış, ama Mühendis Sınıfı Amerika Yerlilerine Ait Mezarların Korunması ve İadesi Yasası uyarınca iskeleti yeniden gömülmesi için yerel Umatilla kabilesine vermek istemiştir. Bilim insanları test yapmak konusunda çok istekliydiler, çünkü ön incelemeler Kennewick Adamı'nın bir 19. yüzyıl yerleşimcisi olduğunu düşündürmekteydi. Dolayısıyla kalıntıların erken tarihi Amerika kıtasının iskânı hakkında karmaşık, önemli ve heyecan verici sorular ortaya atmaktadır. Öte yandan Umatilla kabilesi, sözlü geleneklerinin kendilerini zamanın başlangıcından beri bu toprakların bir parçası kabul ettiğini, dolayısıyla buradan çıkacak bütün kemiklerin atalarına ait olduğunu –tarihleme veya genetik analiz için tahrip edilmemelerini– ısrarla vurgular. Bir sulh hâkimi 2002'de bilim insanlarının kemikleri çalışma hakkını onaylamış ve sonraki yasal başvurulara rağmen 2005 Haziran'ında milyonlarca dolarlık yasal harca mal olan mücadele nihayet kazanılınca analiz tüm imkânlar seferber edilerek başlamıştır.

Kennewick Adamı'nın kafatası üzerindeki incelemeler, onun ne Amerika yerlisi olduğunu ne de soyundan geldiklerini iddia eden kuzeybatı kabileleriyle de yakın bağları bulunduğunu gösterdi. Buna karşılık Ainu ve Polinezyalılar gibi Pasifik çevresi gruplarıyla daha fazla bağlantısı vardı. Ne var ki yakın tarihli DNA analizleri aslında diğer halklardan daha fazla modern Amerika yerlilerine yakın olduğunu ortaya koydu.

"Clovis Oğlanı" 1968'de Montana'daki Anzick çiftliğinde 1968'de bulunduğunda (s. 474'e bakınız), bazı

14.14 *Rekonstrüksiyon sırasında Kennewick Adamı'nı yüz hatları ve kille şekillendirilmiş kaslar.*

incelemelerin ardından kalıntıları Anzick ailesine iade edilmiştir. Bu sırada ailenin kızı Sarah Anzick kanser ve genom araştırmaları yapmaktaydı ve kemiklerden genetik malzemenin dizilimini çıkarmayı düşündü, fakat Kennewick Adamı üzerine yapılan benzer tartışmalardan kaçındı. Eskse Willerslev'in Kopenhag'taki laboratuvarı 2010'da bir eski insana -Grönland'dan bir Paleo-Eskimo- ait ilk genom dizilimlerinden birini elde etmeyi başarınca, Anzick "Clovis Oğlanı"nın da aynı şekilde diziliminin çıkarılabileceği düşünüldü ve parlak sonuçlar elde edildi. Bu noktada Willerslev tavsiye aldı ve kendisine gömütlerin özel arazide bulunduğu, Amerika Yerlilerine Ait Mezarların Korunması ve İadesi Yasası hükümlerinin geçersiz olduğu ve istişarenin gerekmediği söyledi. Yine de Willerslev, Montana Kızılderili Rezervi'nde dolaşarak topluluk üyeleriyle konuştu. Karga kabilesinin üyesi Shane Doyle'un kendi araştırma ekibinde yer alması (aynı zamanda sonuçları paylaşan Nature makalesinin Sarah Anzick ile ortak yazarı) katkı sağladı. Doyle "Clovis Oğlanı"na ait kalıntıların yeniden gömülmesini isteyen Montana kabileleriyle başka istişarelerde de bulundu. Meselenin incelikle ele alınışı eski DNA'nın elde edilmesine ve sonuçların yayımlanmasına imkân sağladı; ardından da Amerika yerlilerinin istekleri doğrultusunda kalıntılar tekrar defnedildi.

Avustralya Aborjinleri. Avustralya'da mevcut Aborjin bağımsızlık atmosferi ve giderek artan Aborjin siyasi gücü, sömürgecilik döneminde yapılmış yanlışlara, antropologların Aborjin inançlarına ve hissiyatına neredeyse hiç saygı göstermedikleri bir döneme odaklanmıştır. Kutsal arkeolojik alanlar araştırılmış ve yayımlanmış, gömüt alanlarının kutsallığı bozulmuş, saklanmak ya da müzelerde sergilenmek üzere kültür ve iskelet kalıntıları topraktan çıkarılmıştır. Dolayısıyla Aborjinler dolaylı olarak laboratuvar örnekleri gibi görülmüştü. Kaçınılmaz surette bütün bu malzemenin, özellikle de kemiklerin kaderi büyük bir sembolik önem arz ediyordu. Ne yazık ki diğer ülkelerde olduğu gibi burada da söz konusu insan kalıntılarının çoğunu toplamış arkeolog olmayan kişilerin cürümleri için arkeologlar suçlanmaktadır.

Avustralya'nın bazı kesimlerindeki Aborjinlerin fikirleri genel olarak bütün insan iskelet kalıntılarının (bazen kültürel malzemelerinin de) kendilerine iade edilmesi ve ancak bundan sonra akıbetlerine karar verilmesidir. Bazı durumlarda bizzat Aborjinler kalıntıların antropologlar tarafından uygun nitelendirildiği ve genellikle kendi kontrolleri altında olan şartlarda saklanmasını istemektedir. Aborjinlerin haklılığı tartışılmaz bir etik örnek teşkil ettiği için Avustralya Arkeoloji Derneği ya oldukça geç tarihli ya da "soy devamlılığının izlenebildiği yerlerde bireylere ait" kalıntıları yeniden gömülmeleri için iade etmeye isteklidir. Ne var ki bu türden kalıntılar az çok istisnadır. Melbourne Üniversitesi'nin Murray Black Koleksiyonu birkaç yüzyıldan 14.000 yıla kadar değişen yaşta 800'ün üzerinde Aborjin iskelet kalıntısına sahiptir. Bunlar 1940'larda yerel Aborjinlere danışılmaksızın kazılmıştı. Uzmanların yokluğu yüzünden koleksiyon hiçbir surette etraflıca çalışılmamıştır, fakat yine de kemikler ilgili yerel Aborjin topluluklarına iade edilmiştir. Kow Bataklığı'ndan 19.000-22.000 yıl yaşında sıra dışı bir dizi gömüt 1990'da Aborjin topluluğuna geri verilmiş ve gömülmüştür. Daha yakın bir tarihte, dünyanın bilinen en erken kremasyonu (günümüzden 26.000 yıl öncesi) Mungo bölgesi Aborjinlerinin denetimine bırakılmıştır ve Aborjin yaşlıları Mungo'dan gelen bütün iskelet kalıntılarını (30.000 yıl kadar eskidir) gömebileceklerini belirtmişlerdir.

Arkeologlar anlaşılır biçimde binlerce yıl yaşındaki malzemelerin iadesi beklentileri karşısında endişelenmektedir. Bazıları ayrıca Aborjinlerin –başka yerlerdeki yerel halklar gibi– yakın geçmişteki bütün atalarının ölülere karşı saygılı davranmadıklarını unutmaya meyilli olduklarına işaret etmektedir. Fakat Avrupalıların elinde Aborjinlerin çektikleri göz önünde bulundurulursa, onların iddialarını anlayışla karşılamak gerekir.

Sualtı Kültür Mirasının Korunması

Batıkların mülkiyeti ve korunması sıklıkla tartışmalara konu olmaktadır ve bazen kurtarıcıların antika pazarında satacak eski eser bulmak için bunları yağmaladıkları açıktır. Batıkların mülkiyeti 1962 tarihli Birleşmiş Milletler Denizcilik Yasası Konvansiyonu ile belirlenmiştir ve prensipte her devlet en düşük gelgit suyu seviyesinden itibaren 12 deniz mili dâhilinde kendi karasularında yasalarını uygulayabilir. Savaş gemilerine ait tarihi batıklar da koruma altındadır. UNESCO'nun 2001 tarihli Sualtı Mirası Koruma Konvansiyonu batıkların mülkiyetini düzenlemez, ama karara imza atan devletlerin uyması gereken önemli prensipleri ortaya koyar. İlk seçenek *in situ* korumadır ve "ticari olmayan fayda" ilkesi çok önemlidir: Buluntular satılamaz ya da telafisi mümkün olmayan başka yollarla dağıtılamaz.

Devletler çoğu kez kendi yargı yetkilerini kullandıkları karasuları içindeki batıkları korumak için yasalara sahiptir. Mesela, Birleşik Krallık'ın 1973 tarihli Batıkların Korunması Kanunu, belirli batıklar için koruma sağlar. Üstelik 1979 tarihli Eski Anıtlar ve Arkeolojik Alanlar Yasası altında bulunan "deniz envanterindeki eski anıtlar" ile ilgili bir hüküm Alman Açık Deniz Filosu'na ait Orkney Adaları'ndaki Scapa Flow'da bulunan batıklarını da kapsamaktadır. Ancak bu, batıkları yetkisiz araştırma ve yağmalamadan tamamen koruyamamaktadır.

Batıkların sistematik incelemesi elbette sualtı arkeolojisinin başlıca işidir (s. 113-115 ve 380-381'deki kutulara bakınız), fakat tarihi batıklardan ticari anlamda faydalanmaya devam edileceğine dair ciddi endişeler vardır. Örneğin Lizbon merkezli Arqueonautas şirketi sualtı arkeolojik operasyonları için Cape Verde ve Mozambik hükümetleriyle özel bir lisans için görüşmüştür, ancak şirket "tekrarlanan kargo malları" olarak tanımladığı sikkeler ve Çin porselenlerinin de dâhil olduğu buluntuları satmamaktadır.

Odyssey Marine Exploration 2008'de, 1744'te Birleşik Krallık'ın karasuları ötesinde 75 m derine batmış Britanya donanmasının amiral gemisi HMS *Victory*'nin kalıntılarını tespit ettiğini duyurunca adada ciddi bir kaygı duyuldu. Birleşik Krallık hükümeti kendisine ait batıklar hakkında yasama yetkisine sahipti, fakat *Victory*'yi Maritime Heritage Foundation adında bir hayır vakfına bağışladığı duyulunca şaşkınlık yaşandı. Kısa süre sonraki basın bildirisinde, Odyssey vakfın bir anlaşma imzalayarak firmayı proje masraflarını üstleneceğini ve ele geçecek sikkelerle diğer buluntulardan %50-80 arası bir yüzde vereceğini açıkladı. Bu duyuru hayli tartışma yol açtı, zira Birleşik Krallık hükümeti, ki her kazı projesini onaylaması gerekiyordu, UNESCO'nun 2001 tarihli "ticari olmayan fayda" hükmüne taraftı. Hükümet yakın tarihte bu hükme bağlılığını yeniden belirtmiş ve böylece geriye herhangi bir kurtarma operasyonunun nasıl finanse edileceği gibi sorular kalmıştır. Endişeli sualtı arkeologlarının 2015 başlarında hükümet kararının yargıda incelenmesine yönelik girişimlerinden sonra, hükümet Maritime Heritage Foudation ya da Odyssey'nin HMS *Victory* kalıntılarında kurtarma çalışmasını sürdürmesiyle ilgili kararını ertelemiştir. Dolayısıyla sorun henüz uygun şekilde çözüme kavuşturulmamıştır. Bu, birçok sualtı arkeoloğu tarafından gelecekte İngiliz tarihi batıklarından ticari olarak yararlanılıp yararlanılmayacağına dair bir emsal dava olmuştur.

KOLEKSİYONCULARIN VE MÜZELERİN SORUMLULUKLARI

Geçen yıllarda özel koleksiyonların, hatta yüz yıllarca geçmişin muhafızları ve koruyucuları olarak görülmüş müzelerin bazı durumlarda tahribatın aracısı hâline geldikleri açıktır. Yasadışı antikaların –kanunsuz ve gizli yollarla kazılmış ve hiçbir yayımlanmış kaydı olmayan– pazarı arkeolojik alanların yağmalanması için teşvik edici olmuştur. Yağma, ilkeden yoksun özel koleksiyoncular ve etik davranmayan müzeler tarafından doğrudan ya da dolaylı olarak finanse edilmektedir. Tüm dünyada yağmacılar tahripkâr faaliyetlerine devam etmektedirler. Bunların çeşitli dillerde karşılıkları vardır: Yunanistan'da *arkhaiokapiloi*, Latin Amerika'da *huaqueros* olarak bilinirler. İtalya'da ise iki özel kelime kullanılır: *clandestini* ve *tombaroli*. Bunlar güzel ve satılabilir nesneleri topraktan çıkarırlar. Fakat arkeolojik kontekstlerinden koparılmış bu nesneler geçmiş hakkında yeni bir şey söyleyecek güce artık sahip değillerdir. Birçoğunun yolculuğu dünyadaki daha az titiz müzelerde sona ermektedir. Bir müze buluntunun kontekstini ve sergilenen nesnenin hangi arkeolojik alandan geldiğini belirtemediği zaman, bu genellikle söz konusu nesnenin yasa dışı pazardan geldiğini gösterir.

Böyle bir soyguncu (*clandestino*) olan Tarquinia'dan Luigi Perticarari 1986'da anılarını yayımlamıştır ve yaptığı iş için pişmanlık duymamaktadır. Perticarari Etrüsk mezar yapıları hakkında diğer bütün arkeologlardan daha fazla ilk elden bilgiye sahiptir, fakat faaliyetleri bu bilgilerin paylaşılma ihtimalini yok etmektedir. Kendisi 30 yıl boyunca MÖ 8-3. yüzyıllara tarihlenen 4000'in üzerinde mezar yapısını boşalttığını iddia etmektedir. Demek oluyor ki dünyanın müze ve özel koleksiyonlardaki Etrüsk eserleri çoğalırken Etrüsk gömü gelenekleri ve toplum düzeni hakkında bildiklerimiz yerinde saymaktadır.

Aynı şeyler Yunanistan'ın Kiklat Adaları'ndan gelen MÖ 2500 civarına ait dikkat çekici mermer heykeller için de geçerlidir. Dünya müzelerindeki bu eserlerin nefes kesen zarafetlerini takdir ediyoruz, ama bunların nasıl üretildikleri ya da onları yapan Kiklat topluluklarının sosyal ve dini yaşamları hakkında çok az şey biliyoruz. Kontekst yine kayıptır.

Amerika'nın güneybatısında Klasik Dönem Mimbres arkeolojik alanlarının (yaklaşık MS 1000) %90'ı şimdi ya yağmalanmış ya da tahrip edilmiştir (karşı sayfadaki kutuya bakınız). Güneybatı Colorado'da Eski Pueblo arkeolojik alanlarının %60'ına zarar verilmiştir. Çömlek avcıları çift yönlü telsizler, tarayıcılar ve gözcülerle donanmış olarak geceleri çalışmaktadır. Bu kişiler mevcut yasalara göre eğer suçüstü yakalanırlarsa ceza alırlar ki, bu da neredeyse imkânsızdır.

Güney Amerika'nın *huaqueros*ları da sadece en pahalı buluntularla –bu durumda altın– ilgilenir. Mezarlıklar bütünüyle çukur tarlası hâline getirilmekte, kemikler, çanak çömlek parçaları, mumya sargıları ve diğer nesneler paramparça edilip etrafa dağıtılmaktadır. Kuzeybatı Peru'da Moche uygarlığına ait Sipán'da 1987-1990 arasında kazılmış mezar yapıları, sadece yerel Perulu arkeolog Walter Alva'nın ısrarı ve cesaretiyle kurtarılmıştır.

Yasa dışı antikalar söz konusu olduğunda gözler aslında müzelere ve özel koleksiyonculara çevrilmektedir. Pennsylvania Üniversitesi Müzesi'nin öncülüğünde dünyanın çoğu büyük müzesi, 1970'den beri bulundukları ülkelerden yasal olarak dışarı çıkarıldıkları kanıtlanamayan eserleri satın almamakta ya da hediye olarak kabul etmemektedir. Fakat New York'taki Metropolitan Sanat Müzesi gibi diğerlerinin geçmişte böyle endişeleri olmamıştır. O tarihlerde müzenin müdürü olan Thomas Hoving şunları söylemiştir: "Yaptığımız şey, Napoleon'un bütün hazineleri Louvre'a getirdiği zaman yapmış olduğundan daha yasa dışı değil." Büyük bir zenginliğe sahip Paul J. Getty Müzesi bu konuda ciddi bir sorumluluğa sahiptir ve yakın tarihte daha titiz bir alım politikası benimsemiştir.

Shelby White ve merhum Leon Levy'nin koleksiyonlarını 1990'da sergilemiş Metropolitan Sanat Müzesi ile Barbara Fleischman ve merhum Lawrence Fleischman'ın koleksiyonlarını 1994'de ziyaret açmış (ve daha sonra satın almış) –her iki koleksiyonda da menşei bilinmeyen çok fazla eser vardır– Getty Müzesi gibi müzeler, tahribin bir parçası olan satıcıları ödüllendirmek için büyük paralar harcandığı ortamlarda koleksiyonculuğun ve nihayetinde yağmacılığın yaygınlaşmasında pay sahibidir. "Koleksiyoncuların asıl yağmacılar olduğu" da ileri sürülmüştür. Peter Watson'ın açıklayıcı çalışması The Medici Conspiracy'de (2006) İtalyan hükümetiyle müzeler arasındaki şaşırtıcı olaylar anlatılır: Hükümet Getty'nin önceki eski eserler küratörüne karşı cezai kovuşturma başlatmıştır (aşağıya bakınız). Metropolitan Sanat Müzesi'nin en ünlü eski eserlerinden biri olan "Euphronios Vazosu"nu, menşei hakkında sağlam

TAHRİP VE TEPKİ: MİMBRES HALKI

AMERİKA BİRLEŞİK DEVLETLERİ
• Mimbres

Arkeolojinin yakın tarihindeki en melankolik öykülerinden biri Mimbres'e aittir. Güneydoğu Amerika'nın Mimbres çömlekçileri yarımküre kâselerin içlerine enerjik insan ve hayvan formları resmederek tarihöncesinde özgün bir sanat geleneği yaratmışlardı. Günümüzde bu kâselere arkeologlar ve sanatseverler tarafından paha biçilememektedir. Fakat kâselere duyulan hayranlık, Mimbres arkeolojik alanlarının Amerika Birleşik Devletleri'nde ya da aslına bakılırsa dünyada görülmemiş ölçüde sistematik yağmasına yol açmıştır.

Mimbres halkı küçük bir ırmak olan Rio Mimbres boyunca, bazı açılardan sonraki Pueblo halkınınkilere benzer çamurdan evlerde yaşıyorlardı. Bugünkü bilgilerimize göre boyalı çanak çömlekler MS 550 civarında ortaya çıktı ve doruk noktasına Klasik Mimbres Dönemi'nde, MS 1000-1130 arasında ulaştı.

Mimbres arkeolojik alanlarındaki sistematik arkeolojik çalışmalar 1920'lerde başlamış, fakat genelde iyi yayımlanmamıştır. Ancak defineciler kısa süre sonra kazma ve kürekle Mimbres kaplarını çıkarıp ilkel sanat pazarında satabileceklerini keşfettiler. Bu yasadışı bir eylem de değildi. Amerika Birleşik Devletleri kanunlarında özel mülk sahibinin arazisinde herhangi bir şekilde kazı yapmasını ya da başkalarına arkeolojik alanları tahrip etmek için izin vermesini engelleyecek bir madde yoktu.

Mimbres arkeolojik alanlarını bütün çanak çömleğe zarar vermeden kepçelerle kazılmasını sağlayacak bir teknik 1960'ların başlarında geliştirildi. Makine operatörleri kontrollü yıkımla nispeten daha az derin toprağı kaldırabildiklerini ve çoğu kabı kırılmadan çıkarabildiklerini fark ettiler. Bu süreç sırasında arkeolojik alanlar

14.15 *Ritüel kafa kesmeyi betimleyen bir Klasik Dönem Mimbres kâsesi.*

elbette tahrip edildi ve malzeme için bir arkeolojik kontekst kurma ümitleri de kayboldu.

Nihayet 1973'ten beri arkeoloji anlamında ortak bir tepki mevcuttur. Steven LeBlanc'ın başkanlığındaki Mimbres Vakfı bazı yağmalanmış arkeolojik alanlarda kazı yapabilmek için mali destek sağlamayı başarmıştır. Vakıf aynı zamanda bu arkeolojik alanların sahiplerine, yağmanın bizi Mimbres'in geçmişini öğrenmekten nasıl alıkoyduğunu anlatmışlardır. Kısmen tahrip edilmiş birkaç arkeolojik alanda 1975-1978 arasında bir dizi arazi çalışması gerçekleştirildi. Böylece Mimbres arkeolojisinin en azından ana hatları belirlenerek kronoloji somut bir temele oturtulmuştur.

Mimbres Vakfı ayrıca arkeolojik kazıların pahalı bir konservasyon biçimi olduğuna kanaat getirmiş ve koruma amacıyla iyi durumdaki (ya da kısmen korunmuş) bir kısım arkeolojik alanı satın almaya karar vermiştir. Üstelik bu daha geniş çapta örnek alınan bir ders olmuştur. Mimbres Vakfı üyeleri diğer arkeologlar ve hayırseverlerle güçlerini birleştirerek ulusal Arkeolojik Koruma Örgütü'nü kurmuşlardır. Amerika Birleşik Devletleri'ndeki çeşitli arkeolojik alanlar bu yolla satın alınmış ve korunmuştur. Dolayısıyla öykü bir anlamda mutlu sonla bitmiştir, fakat hiçbir şey Mimbres kültürü ve sanatını gerçekten anlayabilme fırsatını geri getiremez. Bu, yüzyılın başlarında toptan ve yıkıcı yağmanın başlamasından önce yapılabilirdi. Ne yazık ki dünyanın diğer kısımlarında anlatılacak benzer hikâyeler vardır.

14.16 *Hayvan formları Mimbres sanatında sevilen bir konuydu. Kâsenin dibindeki "ölüm deliği" betimlenen canlının ruhunun serbest kalmasını sağlıyordu.*

kanıt elde edemediği için 1972'de müzeye bir milyon dolar ödeyerek geri almıştır. Romalıların söylediği gibi "caveat eruptor" ("Alıcı dikkatli ol") burada geçerlidir.

Londra'daki Kraliyet Akademisi'nin George Ortiz antik eserler koleksiyonu sergisi 1994'te tartışmalara neden olmuş ve birçok arkeolog bunun Kraliyet Akademisi'ne itibar getirmediğini düşünmüştür. Sanat eleştirmeni Rober Hughes doğru şekilde şunu gözlemlemiştir: "Hikâyenin bir kısmı, koleksiyonerin bir şöhret olarak ve müzenin de bilim kadar gösteri işiyle de ilgili bir temaşa gibi yeniden kült hâline getirilmesidir."

Bununla birlikte durumun iyileştiğine dair işaretler vardır. Kültürel Nesnelerin Ticareti (İhlal) Yasası 2003'te Birleşik Krallık parlamentosu tarafından onaylanmıştır. Artık ilk kez Birleşik Krallık'ta, ister sınırlar içinde isterse dışında olsun, kaçak kazılarda çıkmış eski eserlerin bilerek ticaretini yapmak yasa dışıdır. New York'ta ise Amerika Birleşik Devletleri yargıtayı Haziran 2003'te antikacı Frederick Schultz'u Mısır'dan çalınmış eserleri satmaktan dolayı mahkûm etmiştir. Schultz Antik, Oryantal ve İlkel Sanatlar Ulusal Antikacılar Birliği'nin eski başkanıdır ve geçmişte ABD'deki önemli müzelere eski eserler satmıştır. Bu kadar tanınmış bir antikacı için verilen hapis kararı, bazı ön plandaki koleksiyoncular ve müze müdürlerinin

gelecekte menşei muğlak eserler alırken "gerekli özeni" göstermeleri konusunda açık bir mesajdır.

"Yorgun Herakles." MS 2. yüzyıla tarihlenen Roma Dönemi mermer Herakles heykeli şimdi iki parça hâlindedir. Alt parça 1980'de Türkiye'deki Perge'de kazılmıştır ve Antalya Müzesi'ndedir. Buna uyan üst parça ise merhum Leon Levy tarafından kısa süre sonra satın alınmıştır ve 2011'e kadar Levy'nin gelirinin yarısını bağışladığı Boston Güzel Sanatlar Müzesi'nde sergilenmiştir. Müze ve Levy'nin dul eşi Shelby White 20 yıldan fazla bir süre parçayı Türkiye'ye vermekten kaçındılar, fakat Türkiye başbakanının kişisel girişiminden sonra "gönüllü" olarak iadesini kabul ettiler.

Sevso Definesi. Geç Roma Dönemi gümüş yemek kaplarından meydana gelen muhteşem bir buluntu grubu Northampton Markisi tarafından bir yatırım olarak satın alınmış, fakat ardından New York'taki bir müzayedede Macaristan, Hırvatistan ve Lübnan eserler üzerinde hak iddia etmiştir. Eserler Lord Hampton'a verilmiştir ve o da definenin satılamaz olduğunu görerek Londra'daki eski hukuk danışmanlarını satış zamanındaki yetersiz bilgilendirmeleri yüzünden dava etmiştir. Mahkeme öncesi yapılan görüşmeler sonunda, 1999'da söylenenlere göre gizlilik şartıyla 15 milyon sterlin ödenmesine karar verilmiştir. Macaristan başbakanı Viktor Orbán 2014'te, Lord Northampton'ın elinde bulunan on dört kaptan yedi tanesinin 15 milyon Euro karşılığında ülkesine verildiğini duyurmuştur.

Getty Olayı. Los Angeles'taki J. Paul Getty Müzesi 2005'te, eski eserler küratörü Marion True'nun (daha sonra işten

14.17 *"Yorgun Herakles" (solda): Türkiye'de 1986'da ele geçmiş ve Antalya Müzesi'nde bulunan alt kısım, 2011'de Boston Güzel Sanat Müzesi'nin iade ettiği üst kısımla birleştirilmiştir.*

14.18 *Yakın tarihli en büyük eski eser kaçakçılığı skandallarından biri olan Sevso Definesi'nden muhteşem bir gümüş kap (sağda). Bu, 2014'te Macaristan'a iade edilmiş yedi parçadan biridir.*

14.19 *Getty Müzesi'ne 1985'te getirilmiş Getty kourosu (solda) olarak bilinen buluntu yeri belirsiz bu heykelin taklit olduğu düşünülmektedir.*

14.20 *Minyatür tunç kalkanlar (sağda; şimdi British Museum'dadır) 1985'te metal dedektörlü defineciler tarafından yağmalanmış Salisbury Definesi'ne aittir.*

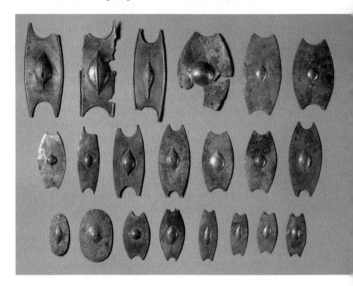

çıkarılmıştır) İtalya'da kaçak kazılmış eserleri satın almasıyla ilgili mahkemeye çıkması yüzünden ilgi odağı olmuştur. Mahkeme davayı bir karara bağlamadan zaman aşımı devreye girmiştir, ancak Getty Müzesi anlaşma yaparak birçok yağmalanmış eseri İtalya'ya iade etmiştir.

Salisbury Definesi. Güneybatı İngiltere'deki Salisbury'de tunç baltalar, hançerler ve başka nesnelerden meydana gelen muazzam bir Tunç ve Demir çağları metal işçilik koleksiyonu 1985'te "gece şahinleri" (gece çalışan metal dedektörlü gizli defineciler) tarafından kaçak kazılarla ortaya çıkarılmıştır. Buluntuların çoğu British Museum'dan Ian Stead'in araştırmaları sonucunda bir polis baskınıyla ele geçirilmiştir.

UCL Arami Büyü Kâseleri. 2005'te University College London (UCL) Norveçli tanınmış koleksiyoncu Martin Schøyen tarafından incelenmesi için verilen 654 Arami büyü kâsesinin (MS 6-7. yüzyıla tarihlenmekte ve Irak'tan geldikleri sanılmaktadır) menşeini bulmak üzere bir araştırma komitesi kurdu. Bunun sebebi kâselerin bulundukları ülkeden yasa dışı yollarla çıkarıldıklarına dair iddialardı. UCL Temmuz 2006'da komitenin raporunu aldı, fakat ardından kâseleri Schøyen'e geri verdi ve kendisiyle raporun yayımlanmasını engelleyen mahkeme dışı gizli bir anlaşma yaparak Schøyen'e gizli bir miktar ödeme yapmayı kabul etti. Rapor daha sonra Wikileaks'te yayımlandı. Bu olay kurumların ister ödünç alma ister hediye yoluyla eski eserleri kabulünde "gerekli özenin" gösterilmesi konusunu vurgular. UCL Arami büyü kâselerinin hikâyesi anlatılmayı beklemektedir. Şu an nerede oldukları bilinmemektedir.

Geçmişe ve zamanımıza ulaşmış eski eserlere duyulan sevgiyle saygının bizi böylesine tahripkâr ve haris davranışlara itmesi ironiktir. Eğer arkeoloji işine devam edecek ve bize ortak mirasımız ve bugünlere nasıl geldiğimiz konusunda yeni bilgiler sunacaksa "Geçmiş Kime Aittir?" aslında temel meseledir. Bu bağlamda "Geçmişin bir geleceği var mı?" sorusunu pekâlâ sorabiliriz. Bu bir sonraki bölümde ele alınacak konudur.

14.21 *Sahibine zarar verebilecek iblisler, tanrılar ve diğer saldırgan güçleri bağlamak için üzerine siyah mürekkepli Arami yazısı işlenmiş MS 6-7. yüzyıla ait büyü kâsesi.*

ÖZET

Geçmiş farklı insanlar için farklı anlamlar taşır ve kişisel kimlik geçmiş tarafından belirlenir. Geçmişin, ulusal büyüklük hissini pekiştirip bugünü meşru kılarak ulusal kimliğin tanımlanması için kullanıldığı yerlerde arkeoloji giderek daha fazla rol oynamaktadır. Günümüzde en az eski dönemlerdeki kadar güçlü olan etnik kimlik de meşruluk için bazen yıkıcı sonuçlar doğurarak geçmişe bel bağlar.

Etik neyin doğru neyin yanlış olduğunu ya da ahlakı araştıran bilimdir ve arkeolojinin birçok dalında etik boyutun bulunduğu kabul edilir. Son birkaç onyıla dek arkeologlar "geçmiş kime aittir?" türünden sorular üzerinde çok az düşünüyorlardı. Şimdi her arkeolojik karar etik konuları hesaba katmalıdır.

Uçlardaki arkeolojinin alternatif teorilerini basitçe saçma diyerek göz ardı edemeyiz, çünkü bunlara çok yaygın şekilde inanılmaktadır. Bu kitabı okuyan ve arkeolojinin nasıl işlediği anlayan herhangi biri bu türden iddiaların neden asılsız olduğunu zaten görecektir. Gerçek panzehir bir tür sağlıklı şüpheciliktir: "Kanıt nerede?" diye sormak. Bilgi soru sormakla artar. Bu, elinizdeki kitabın ana temasıdır ve çılgın uç fikirleri çürütmek için zor sorular sormak ve cevaplara şüpheyle yaklaşmaktan daha iyi bir yol yoktur.

Her ülke arkeolojisi insan çeşitliliğinin, dolayısıyla insanlık durumunun anlaşılması için kendine özgü katkılarda bulunur. Önceki bilim insanları yerli halkların hisleri ve inançları konusunda aleni saygısızlıklarda bulunmuş olmalarına karşın, günümüzde bu sorunlara duyulan ilgi yerel geçmişin kullanılmasına yönelik çabalar değildir.

Arkeolojik tahribatın belki de en üzüntü verici olanı arkeolojik alanların yağmalanmasından kaynaklanır. Bu eylemler yüzünden fiyatı çok yüksek nesneler aranırken bütün bilgiler yok olur. Müzeler ve koleksiyoncuların bunda kısmen payları vardır. Müzeler eski eserleri anavatanlarına iade etme konusunda baskı altındadırlar. Polis artık sanat eseri ve eski eser hırsızlığıyla kaçakçılığının uluslararası suçlarda uyuşturucu ticaretinden sonra ikinci olduğunu dikkate almaktadır.

İLERİ OKUMA

Brodie, N., Kersel, M., Luke, C. & Tubb, K.W. (ed.). 2008. *Archaeology, Cultural Heritage, and the Antiquities Trade.* University Press of Florida: Gainesville.

Burke, H. Smith, C., Lippert, D., Watkins, J.E. & Zimmerman, L. 2008. *Kennewick Man: Perspectives on the Ancient One.* Left Coast Press: Walnut Creek.

Fairclough, G., Harrison, J., Schofield J. & Jameson, H. (ed.). 2008. *Heritage Reader.* Routledge: Londra.

Feder, K. 2010. *Frauds, Myths and Mysteries: Science and Pseudoscience in Archaeology.* (7. basım) McGraw-Hill: New York.

Graham, B. & Howard, P. (ed.). 2008. *The Ashgate Research Companion to Heritage and Identity.* Ashgate Publishing: Farnham.

Greenfield, J. 2007. *The Return of Cultural Treasures.* (3. basım) Cambridge University Press: Cambridge & New York.

Logan, W. & Reeves, K. (ed.). 2008. *Places of Pain and Shame: Dealing with "Difficult" Heritage.* Routledge: Londra.

Lynott, M.J. & Wylie, A. 2002. *Ethics in American Archaeology.* (2. basım) Society for American Archaeology: Washington D.C.

Renfrew, C. 2000. *Loot, Legitimacy and Ownership: The Ethical Crisis in Archaeology.* Duckworth: Londra.

Tubb, K.W. 1995. *Antiquities Trade or Betrayed: Legal, Ethical and Conservation Issues.* Archetype: Londra.

Vitelli, K.D. & Colwell-Chanthaphonh, C. 2006. *Archaeological Ethics.* (2. basım) Altamira Press: Walnut Creek.

Watson, P. & Todeschini, C. 2006. *The Medici Conspiracy.* Public Affairs: New York.

Geçmişin Geleceği
Kültürel Kaynak Nasıl Yönetilir?

Arkeolojinin geleceği nedir? Bu disiplin insanın tarihi, türümüzün evrimi ve insanlığın başarılarına dair yeni bilgiler üretmeye devam edebilir mi? Bu, günümüzden bütün arkeologların ve aslında insanın geçmişiyle ilgilenen herkesin yüzleştiği ikilemlerden biridir. Küresel ısınma ve artan kirlilik nasıl gezegenimizin gelecekteki ekolojisini tehdit ediyorsa, bugün geçmişin kaydı da tutarlı ve enerjik bir yanıt gerektiren tahripkâr güçlerle karşı karşıyadır.

Bu güçlerden bazıları önceki bölümlerde tartışılmıştır ve diğerlerinden de burada bahsedilecektir. Asıl soru hâlen durmaktadır: Ne yapılabilir? Karşımızda duran sorun budur ve çözümü hem arkeoloji disiplininin hem de onun anlamaya çalıştığı malzeme kaydının geleceğini belirleyecektir. Burada iki paralel yaklaşımı inceliyoruz: konservasyon (koruma) ve onarım (hasar azaltma). İkisi bir arada son yıllarda arkeolojik uygulamalara geçerli çözümler sunabilecek yeni yaklaşımlar üretmişlerdir.

GEÇMİŞİN TAHRİBİ

Üç temel tahrip etkeni vardır ve hepsi de insan kaynaklıdır. Bir tanesi yolların, taş ocaklarının, barajların, iş merkezlerinin vs. inşasıdır. Bunlar göze çarparlar ve tehdit en azından kolaylıkla fark edilebilir. Farklı bir tür tahrip –tarımın yoğunlaşması– daha yavaştır, ama kapsamı geniştir ve dolayısıyla uzun vadede çok daha fazla tahripkârdır. Başka yerlerde ıslah projeleri çevrenin doğasını değiştirerek kuru arazilerin su altında kalmasına ve Florida gibi sulak arazilerin de drenajla geri kazanılmasına yol açmaktadır. Sonuç dikkate değer arkeolojik kanıtların tahribidir. Üçüncü bir tahrip etkeni ise ihtilaftır ve en belirgin şekilde tehditkâr hâli de Ortadoğu'nun savaş bölgelerinde yaşanmaktadır.

Göz ardı etmememiz gereken iki insan kaynaklı tahribat daha vardır. Birincisi, arkeolojiye ekonomik açıdan önemli katkıları olmasına rağmen arkeolojik alanların etkili konservasyonunu zorlaştıran turizmdir. İkincisi ise 14. Bölüm'de gördüğümüz gibi yeni değildir, fakat boyutu dramatik şekilde büyümüştür: arkeolojik alanların maddi kazanç için yağmalanması ve sadece para eden nesneler aranırken diğer her şeye zarar verilmesi. Son yirmi yılda kaybolan eski eserler, dünya tarihindeki en yüksek sayıya ulaşmıştır.

İnşaat ve Ticari İmar Faaliyetleri. On dokuzuncu yüzyıla gelindiğinde, eski anıtlar ve tarihi yapıların korunması gerektiği anlaşılmıştı, fakat her türlü inşaat ya da rekonstrüksiyonun arkeolojik mirasa tehdit oluşturabileceği ancak 20. yüzyılın ortalarında tam anlamıyla anlaşılabilmiştir. Avrupa'da, İkinci Dünya Savaşı sonrasındaki sistematik yeniden inşa faaliyeti sırasında, eski yerleşim merkezlerindeki yeni binalara ait temellerin çok fazla önemli malzemeyi gün ışığına çıkardığı görüldü. Bu kent arkeolojisinin doğuşuna yol açmıştır. Bunu, yeni yolların yapımı da dâhil yeni inşaatların daha önce varlıkları bilinmeyen arkeolojik alanları ortaya çıkardığının anlaşılması takip etmiştir. Bu sayede, bir sonraki bölümde tartışılacağı üzere birçok ülkede ilk sistematik kurtarma kazılarına ve kültürel kaynak yönetimine imkân sağlamıştır.

Maalesef devletin koruyuculuğu her zaman eski anıtların selametini sağlamamaktadır. Peru'daki gayrimenkul inşaatları Temmuz 2013'te Lima yakınlarındaki El Paraiso'da bulunan 5000 yıllık piramit tapınağı buldozerle yok etmişlerdir. Amerika kıtasındaki en eski anıtsal yapılardan biri olan piramit ciddi şekilde hasar görmüştür. Bu özellikle çirkin bir olaydı, zira yapı hâlihazırda kazısı yapılan halka açık bir anıttı. İyi bilinmeyen veya tanınmayan arkeolojik alanlara yönelik tahribat çok yaygındır. Bu yüzden kültürel kaynak yönetimi çok önemli bir girişim hâline gelmiştir.

Tarımsal Tahribat. Dünyada eskiden ekilmemiş ya da yoğun olmayan geleneksel yöntemlerle ekilmiş daha fazla arazi makineli tarıma açılmıştır. Traktör ve derin pulluk, kazı sopası ve basit sabanın yerini almıştır. Diğer alanlarda orman çiftlikleri şimdi eskiden açık olan toprakların üzerindedir ve ağaç kökleri eski yerleşim alanlarıyla açık hava anıtlarını tahrip etmektedir.

Birçok ülke müteahhitler ve inşaatçıların faaliyetleri üzerinde belirli bir kontrol sağlamasına karşın, arkeolojik alanları tarımın zararlarından korumak çok daha zor bir iştir. Yayımlanmış birkaç çalışma konuyu ciddiyetle ele alır. Bunlardan biri Britanya'da kağıt üzerinde korunan arkeolojik alanların –Ulusal Anıtlar Listesi'ndekiler– bile gerçekten güvende olmadığını göstermektedir. Danimarka ve belli bazı ülkelerde durum daha iyi olabilir, ancak diğer yerlerde sadece en göze çarpan arkeolojik alanlar koruma altındadır. Açık alanlardaki daha alçakgönüllü anıtlarla açık hava yerleşimlerinde bu koruma yoktur ve bunlar aynı zamanda makineleşmiş tarımdan zarar görenlerdir.

Çatışma ve Savaş Sırasındaki Tahribat. Geçen yıllardaki en tedirgin edici şiddet hareketleri arasında, dünyanın çeşitli ülkelerindeki silahlı çatışmalarda anıtların ve arkeolojik malzemenin süregelen –bazen bilinçli– tahri-

batı vardır. Daha İkinci Dünya Savaşı'nda İngiltere'deki tarihi binalar Alman bombardımanlarında kasıtlı olarak hedef alınmıştı.

Eski Yugoslavya'da 1990'lardaki etnik savaşlar kilise ve camilerin bilinçli tahribine yol açmıştır. En üzücü kayıplardan biri, 1566'da Kanuni Sultan Süleyman tarafından yaptırılmış eski Mostar Köprüsü'dür. Yerleşik halk (çoğunlukla Müslüman) için büyük önem taşıyan köprü Hırvat toplarının kesintisiz atışları sonunda 9 Kasım 1993'te yıkılmış, ancak daha sonra onarılmıştır. J.M. Halpern'in (1993, 50) ironik şekilde gözlemlediği gibi, "mimari tahribatın etnoarkeolojisini" bekleyebiliriz.

Koalisyon güçlerinin 2003'teki Irak işgalinde Bağdat Ulusal Müzesi'ni koruyamamaları, erken Sümer uygarlığına ait en dikkat çekici buluntulardan biri olan ünlü Warka Vazosu da dâhil olmak üzere koleksiyonların yağmalanmasına –vazo diğer önemli eski eserlerle birlikte müzeye iade edilmiştir– imkân sağlamıştır. Koalisyon'un başarısızlığı göründüğünden daha şok edicidir, çünkü Amerika Birleşik Devletleri'nden arkeologlar savaştan önce Savunma Bakanlığı temsilcileriyle görüşerek onları

15.1–2 *Warka Vazosu (solda) 2003'teki Irak işgalinde Irak Ulusal Müzesi'nden çalınmıştı. Bereket versin ki bulunmuştur (en solda). Kırıklar muhtemelen eskidir.*

15.3 *Bosna'daki 16. yüzyıla ait Mostar Köprüsü 1993'teki savaş sırasında yıkılmış, fakat yeniden inşa edilmiştir.*

müzeler ve arkeolojik alanlardaki yağmaya karşı uyarmışlardır. Aynı şekilde İngiliz arkeologlar da savaşın başlamasından aylar önce Başbakan'a ve Dışişleri Bakanlığı'na tehlikeleri anlatmışlardı. Müzedeki koleksiyonun sadece bazı kısımları alınmıştı ve görünüşe göre hem vitrinleri parçalayan, heykellerin başlarını kıran, ofisleri dağıtan sokak yağmacılarının hem de belki de ne aradığını bilen ve depoların anahtarlarına erişimi olan kişilerin işiydi. Dünyadaki en güzel Mezopotamya silindir mühür ko-

15.4 *Tutankhamon'un mezar yapısına ait buluntular 2011'de Kahire Müzesi'nden çalınmış ve ardından Mısırlı otoritelerce ele geçirilmiştir.*

leksiyonunu denizaşırı koleksiyonculara satmak üzere alanlar da muhtemelen bunlardı.

Birleşik Krallık'ın Amerika Birleşik Devletleri tarafından birkaç yıl önce imzalanan Hague Silahlı Çatışmalarda Kültürel Varlıkların Korunmasına Dair Konvansiyon'unu ya da protokollerini henüz imzalamamış olması daha da tuhaf görünmektedir. İngiliz hükümeti imzalama niyetini beyan etmiştir, fakat –konvansiyonun ilk taslağından 50 yıl sonra– "protokolün uygulanmasıyla ilgili kapsamlı yasal, icrai ve siyasi istişareler gerekeceğini" öne sürmektedir.

Savaştan Gelen Servet. Yirmi birinci yüzyılda savaş kültürel mirasa aynı talihsizlikleri yaşatmaya devam etmektedir. Taliban'ın 2001'de Bamiyan Buda'larını yok etmesi (s. 552) ve Bağdat Ulusal Müzesi'nin yağmalanmasını Mısır, Irak ve Suriye'de yeniden baş gösteren istikrarsızlık izlemiştir. Mısır'da 2001'de gerçekleşmiş "Arap Baharı" sırasında, sivil itaatsizlik hırsızların Kahire Müzesi'ne girmesine ve birtakım önemli eski eserleri çalmasına sebep olmuşsa da, otoriteler düzeni hızla sağlamışlardır. Huzursuzluk aynı zamanda yağmacılara satılabilir eski eser aramak için bazı yerleşimleri tahrip etme fırsatı vermiştir. Kahire'nin 200 km güneyinde, Mısır şehri Malawi'deki Eski Eserler Müzesi'ne 2013'te giren görevden alınmış başbakan Muhammed Mursi'nin taraftarları, müzeyi yağmalayarak burada muhafaza edilen iki mumyayı yakmışlar, lahitler ve heykelleri tahrip etmişlerdir.

Küratörler koleksiyondaki 1080 eserden 1040'ının kayıp olduğunu açıklamışlardır. Bunlar muhtemelen büyüyen yasa dışı eski eserler pazarına doğru yola çıkmışlardı.

Düzenin yıkılması Irak ve Suriye'deki birçok arkeolojik alanın yeniden yağmalanma sürecine yol açmıştır. Sözde "İslam Devleti"nin Musul Müzesi'yle Ninova, Nimrud ve Hatra arkeolojik alanlarında yaptıkları kasıtlı tahribatı gösteren videoları 2015'in başında yayımlanmıştır (s. 553'e bakınız), ancak satılacak eser bulmak amacıyla yapılan yağma çok daha geniş kapsamlıdır. Suriye'deki Tunç Çağı şehri Mari bu yüzden ciddi şekilde zarar görmüştür. Uydu görüntülerinin 2013'te gösterdiği üzere, Suriye'deki Dura Europos da geniş çapta yağmaya maruz kalmıştır. Üstelik haberlere göre IŞİD kaçak eserlere "vergi" de koymuştur. Bunlardan biri olan siyah bazalttan bir Asur steli, Interpol sayesinde Londralı müzayede şirketi Bonham's tarafından satıştan (satış öncesi tahmini fiyatı 795.000 sterlindi) çekilmiştir

YANIT: ARAŞTIRMA, KONSERVASYON VE ZARAR HAFİFLETME

Geçmişe ait maddi kalıntıların, ulusal mirasın önemli bir parçası olarak değer verildiği dünyanın birçok ülkesinde yanıt, toplumsal arkeolojinin geliştirilmesi olmuştur; yani kamusal, dolayısıyla hem ulusal hem de bölgesel yönetimin bu mirasın yok yere tahribatından kaçınmak için sorumlulukları kabul etmesi. Elbette bunun uluslararası bir boyutu da vardır.

Bunun kabulü, geri kalan ne varsa genellikle koruyucu yasaların desteğiyle koruma altına alınması için adımlar alınmasını ima eder. Genellikle gerekli ve kaçınılmaz imar faaliyetleri bir kez başladı mı –mesela otoyol inşa etmek, ticari kalkınmanın yürütülmesi ya da bir araziyi tarıma uygun hâle getirmek– süreçte tahrip olması muhtemel her türlü arkeolojik kalıntının araştırılması ve kaydedilmesi için adımlar atılması gerekir. Bu yolla imarın etkileri hafifletilebilir.

Bu yaklaşımlar herhangi bir potansiyel imar faaliyeti karşısında, imara açılacak alanların dâhilinde ne tür arkeolojik kalıntılarını bulunabileceğine dair bilgiye duyulan ihtiyacın altını çizmiştir. Kültürel mirasa yönelik tehdide yanıt olarak ortaya koyulan uygulamalar mantıklı ve doğal bir sırayı takip etmelidir: araştırma, koruma ve zararın hafifletilmesi.

Amerika Birleşik Devletleri içinde kültürel miras varlıklarını korumaya yönelik "zarar hafifletme" yasaları, arkeolojik kalıntıların korunacağı garantisini vermez. Yasalar seçeneklerin gözden geçirilmesini şart koşar ve kültür varlığının değerinin imar projesinin değerine göre ölçüldüğü bir sürecin başlatılmasını zorunlu kılar. Nadir durumlarda, arkeolojik alanın değeri o kadar yüksektir ki, korunmasına karar verilir ve proje ya iptal edilir ya da yeri yeniden belirlenir. Ancak çoğu kez, hasar görmesi kaçınılmaz arkeolojik kalıntılar bilimsel incelemeyle tahrip edilir. Bu, imar ihtiyaçlarıyla kültürel miras arasındaki bir uzlaşmadır. Ne var ki araştırma sırasında bulunmuş arkeolojik alanların büyük kısmı önem kıstaslarına uymaz ve inşaat sırasında sadece kayda geçirilir ve yok edilir.

Çin'de hızlı ilerleyen imar faaliyetleri, yeni yapı işleri karşısında kurtarma arkeolojisinin ne ölçüde uygulanacağı konusunda ciddi bölgesel farklar oluşmasına sebebiyet vermiştir. Sichuan eyaletindeki Jinsha Müzesi yol gösterici olmuştur, fakat diğer imar faaliyetleri bu kadar uygun muamele görmemiştir. Uzun Irmak üzerindeki Üç Boğaz Projesi'ne arkeolojik kurtarma için 37,5 milyon dolar ayrılmıştır, fakat arkeologlar bunun üç katı bir meblağın gerekli olduğunu düşünmektedir. Bununla birlikte hükümet 1997'de kültürel miras aleyhine yapılan eylemleri suç saymıştır. Güneydoğu Çin'de bir Neolitik Dönem şehir merkezi olan Liangzhu arkeolojik alanı UNESCO miras listesindedir ve güzel bir müzeye sahiptir. Dolayısıyla son yıllarda ziyaretçi ve turizm potansiyelinin farkına varılmıştır, fakat gelişen ekonomilerin çoğunda olduğu gibi imara karşı verilen tepkiler bir örnek değildir.

Araştırma

Büyük imar faaliyetlerine girişmeden önce, planlama aşamasının anahtarlarından biri arkeolojik zenginlik olarak tanımlanabilecek varlıklara yönelik muhtemel etkilerinin araştırılması ya da değerlendirilmesidir. Amerika Birleşik Devletleri'nin benimsediği terminolojide (aşağıya bakınız) bu bir "çevresel değerlendirme" (bu genellikle "çevresel etki raporuna"dönüşür) gerektirmektedir. Böyle bir değerlendirme arkeolojinin ötesine geçerek daha yakın geçmişi ve çevrenin diğer yönlerini –tehdit altındaki bitki ve hayvan türleri gibi– kapsamına alır. Kültürel miras ve özellikle onun maddi kalıntılarının dikkatli şekilde değerlendirilmesi gerekir.

Bugün böyle bir keşif çoğunlukla hava fotoğrafları kadar uydu görüntülerini de içerecektir. Aynı zamanda Coğrafi Bilgi Sistemleri'nin yardımıyla haritalandırmaya da ihtiyaç duyar. Buna ilaveten arazi yürüyüşleriyle (bazen "yer değerlendirmesi" denir) elde edilen yer üstü bulgularının kullanıldığı arazi yüzey araştırmasını kapsar. Böylece imar faaliyetleri başlamadan önce bilinmeyen arkeolojik alanların –ve mevcut tarihi yapılar ve üstyapı, tarihi araziler ve geleneksel kültürel mülkler– yerleri saptanabilir ve değerlendirilebilir.

Konservasyon ve Zararın Hafifletilmesi

Bugün birçok ülke önemli anıtları ve arkeolojik alanlar için belirli koruma önlemleri almaktadır. İngiltere'de 1882 gibi erken bir tarihte ilk eski eserler yasası çıkarılmış ve ilk kez eski eserler müfettişi atanmıştır: enerjik arkeolog ve öncü hafir General Augustus Lane-Fox Pitt-Rivers (s. 33'teki kutuya bakınız). Yasayla korunacak eski eserler için bir "tablo" hazırlanmıştır. En önemli anıtlardan bir kısmı "himaye" altına alınarak Eski Eserler Müfettişliği'nin gözetimi altında konservasyonları yapılmış ve halka açılmıştır.

Amerika Birleşik Devletleri'nde arkeolojik korunmayla ilgili ilk önemli federal kanun, 1906'da Theodore Roosevelt'in imzaladığı Amerikan Eski Eserler Yasası'dır. Yasa üç hükmü ortaya koymuştur: Federal topraklarda tarihi ya da tarihöncesi kalıntıların veya anıtların izinsiz olarak tahribi, yok edilmesi ve kazılması yasaklanmıştır; devlet başkanının federal topraklarda ulusal anıtları ve bunlarla ilintili rezervleri tesis etme konusunda yetkisi vardır; nitelikli kurumlara, geçmişe dair bilgilerin artması ve malzemenin korunması amacını taşıyorsa federal topraklarda kazı ve arkeolojik malzemenin toplanması için izin verilebilir.

Amerikan Eski Eserler Yasası, Amerika Birleşik Devletleri'nde arkeolojinin temellerini ve esas ilkelerini ortaya koymuştur. Bunun içinde federal korumanın federal topraklarla sınırlı olması (bununla birlikte bazı münferit eyaletlerce yerel yönetimlerin kendi kanunları olabilir); kazının bilgi edinmek ve kamu yararına araştırma yapmak isteyenler için izinli faaliyet olduğu; izinsiz arkeolojik faaliyetlerin ve vandallığın yasal yollarla cezalandırılacağı; arkeolojik varlıkların, diğer hükümet organlarından bağımsız olarak devlet başkanının koruma rezervleri kuracak kadar önemli olduğu gibi maddeler bulunur. Bu ilkeler birçok başka federal kanunla varlığını sürdürmektedir. Bugün arazide aktif arkeologların bilmesi ve uyması gerek başlıca kanunlar şunlardır: Ulusal Tarihi Koruma Yasası (1966), Ulusal Çevre Politikaları Yasası (1969), Arkeolojik ve Tarihi Koruma Yasası (1974), Arkeolojik Varlıkları Koruma Yasası (1979), Terkedilmiş Deniz Batıkları Yasası (1987) ve Amerika Yerlilerine Ait Mezarları Koruma ve İade Yasası (1990). Bunlar ve bir dizi başka kanun Amerika Birleşik Devletleri'ndeki federal topraklarda arkeolojik varlıkları koruma, muhafaza etme, yönetmeyle ilgili temel ilke ve uygulamaları güncellemiş ve genişletmiştir.

Benzer kanunlar birçok başka ülkenin anıtları için de geçerlidir. Fakat kültürel kaynak yönetimi alanında daha az dikkat çeken ve daha düşük önemdeki arkeolojik alanlarla ilgili sorunlar çıkmaktadır. Her şeyden önce, eğer varlıkları bilinmiyorsa veya henüz yeteri kadar tanınmamışlarsa arkeolojik alanların korunması zordur. Burada araştırmanın hayati önemi en açık şekilde ortaya çıkmaktadır.

Arkeolojik kaydın konservasyonu kültürel kaynak yönetiminin temel ilkesidir. Arazi sahibiyle ortaklık antlaşması yapılarak –mesela tanınmış arkeolojik alanlarda toprağın tarım amaçlı sürülmemesi– bu gerçekleştirilebilir. Kıyı erozyonunun (bu çok zor olabilir) ya da yanlış arazi kullanımının etkilerini hafifletmek için önlemler alınabilir. En önemlisi, hassas arkeolojik alanlarda ticari büyümeden kaçınmak için etkili planlama kanunları kullanılabilir. Aslında giderek daha fazla benimsenen yaklaşım, münferit arkeolojik alanlara odaklanmaktan ziyade tabiat ve onun konservasyonunu düşünmektir.

Ticari ya da endüstriyel gelişimi göz önünde bulundururken, zararı azaltmanın bir yolu arkeolojik kayda gelecek hasarlardan planlı bir şekilde kaçınmaktır. Ancak bazı durumlarda, imar zorunlu olarak arkeolojik kaydın tahribi anlamına gelmektedir. İşte bu noktada kurtarma arkeolojisi ya da kazısı uygundur. Nadiren, özellikle önemli arkeolojik kalıntılar ortaya çıkarıldığında inşaat faaliyetleri tamamen durdurulabilir (bir örnek için arka sayfaya bakınız).

Büyük imar faaliyetleri söz konusu olduğunda –mesela otoyol ya da boru hattı– inşaat süresince büyük ya da küçük birçok arkeolojik alanla karşılaşılacağı şüphesizdir. Planlama sürecinin araştırma ayağında bunların çoğu tespit edilecek, gözlemlenecek, incelenecek, kaydedilecek ve değerlendirilecektir. Eğer proje iptal edilemiyorsa, zararı hafifletecek bir plan, arkeolojik kaydın nasıl korunacağı ya da önemli bilgilerin nasıl elde edileceğini gösteren adımlarla ilerlenir. Bazı durumlarda önemli arkeolojik alanlara gelecek zarardan kaçınmak için otoyolun güzergâhını değiştirmek mümkün olabilmektedir. Bu, zarar hafifletmenin bir yoludur, fakat eğer proje devam etmek zorundaysa "önleyici" arkeoloji kazı da dâhil olmak üzere uygun örnekleme yöntemleriyle arkeolojik alanı incelemeyi de kapsayacaktır.

Örneğin Britanya'da önemli bir Neolitik arkeolojik alan olan Durrington Walls önce lokalize edilmiş, ardından yol inşası sırasında sistematik olarak kazılmıştır. Burasının önemli bir taş anıt –hendekle çevrili çok büyük bir alan– ve bir dizi büyük yuvarlak ahşap yapıya dair açık bulgular sunan bu türdeki ilk arkeolojik alan olduğu anlaşılmıştır (s. 204-205'teki kutuya bakınız).

Birçok ülkede arkeolojik araştırmaya ayrılmış bütçenin önemli bir kısmı bilinçli olarak bu türden projelere verilmektedir. Arkeolojik kayda yönelik zararın kaçınılmaz olduğu ve bu zararın böyle hafifletilebileceği yerlerde yürütülmektedirler. İmar kaynaklı zarar yüzünden geleceği her hâlükârda tehdit altında ve benzer bilgiler sağlayabilecek potansiyel olarak bilgilendirici bir arkeolojik alan varken, tehlikede bulunmayanların kazılmaması gerektiği iddia edilmektedir. Önemli araştırma konularının bu türden zarar hafifletme süreçleri sırasında cevaplanabildiği giderek daha fazla anlaşılmaktadır.

MEXICO CITY'DE KONSERVASYON:
BÜYÜK AZTEK TAPINAĞI

Hernán Cortés komutasındaki İspanyol fatihler Aztek başkenti Tenochtitlan'ı 1521'de işgal ettiklerinde buradaki binaları tahrip etmişler ve aynı alanda kendi başkentleri Mexico City'yi kurmuşlardı.

Burada 1790'da şimdi meşhur olan Aztek ana tanrıçası Coatlicue ve Büyük Takvim Taşı bulundu, fakat 20. yüzyıla kadar sistematik arkeolojik çalışmalar başlamadı.

İnşaat çalışmaları sırasında ortaya çıktıkları zaman şehir içindeki çeşitli kalıntılarda nispeten küçük çaplı kazılar yürütüldü. Fakat 1975'te daha uyumlu bir girişim başlatıldı ve Meksika Havzası Projesi'nin Fetih Öncesi Anıtlar Bölümü'ne bağlı bir

enstitü kuruldu. Enstitünün amacı sürekli büyüyen şehrin arkeolojik kalıntıları tahrip etmesini durdurmaktı. Büyük Aztek Tapınağı'nın 1948'de keşfedildiği alanın kazılması amacıyla 1977'de bir Tenochtitlan Müzesi Projesi başlatıldı. Elektrik işçileri bir dizi kabartmayla süslü büyük bir taş buldukları zaman 1978'in başında proje kökten değişti. Ulusal Antropoloji ve Tarih Enstitüsü'nün Kurtarma Arkeolojisi Bölümü işi devraldı ve birkaç gün içinde 3,15 m çapında devasa bir monolit ortaya çıkarıldı. Monolitin üzerinde, efsaneye göre kardeşi savaş tanrısı Huitzilopochtli tarafından öldürülen Aztek tanrıçası Coyolxauhqui'nin

parçalara ayrılmış vücudu tasvir edilmişti.

Eduardo Matos Moctezuma'nın başkanlığındaki Tenochtitlan Müze Projesi, sonraki birkaç yıl içinde Meksika'daki en dikkat çekici arkeolojik alanlardan birini gün ışığına çıkaran Büyük Tapınak Projesi hâlini aldı.

Kimse Büyük Tapınak'ın ne ölçüde korunduğunu anlayamamıştı. İspanyollar ayaktaki yapıyı 1521'de yerle bir ettiğinde, bu piramit bir dizi yeni inşaatın son halkasıydı. Son tapınağın kalıntıları altında kazılar daha eski tapınakları gün ışığına çıkardı.

Bu mimari kalıntılara ilaveten tapınağın iki tanrısı Huitzilopochtli ve yağmur tanrısı Tlaloc'a yapılmış harikulade sunular –obsidyen ve yeşim nesneler, pişmiş toprak ve taş heykeller, nadir mercan ve ağzında turkuaz bir topla gömülmüş jaguar kalıntıları– bulundu.

Mexico City'nin büyük bir kesimi şimdi kalıcı müze ve ulusal anıt hâline dönüştürülmüştür. Meksika ise en büyük Kolomb öncesi yapılarından birini yeniden kazanmış ve Büyük Aztek Tapınağı bir kez daha Tenochtitlan'ın harikalarından biri olmuştur.

15.5 *1978'te keşfedilen Büyük Takvim Taşı, Büyük Tapınak kazılarının başlamasını sağlamıştır. Burada tanrıça Coyolxauhqui başı kesilmiş ve vücudu parçalara ayrılmış hâlde -ağabeyi savaş tanrısı Huitzilopochtli tarafından öldürülmüştür- gösterilmektedir.*

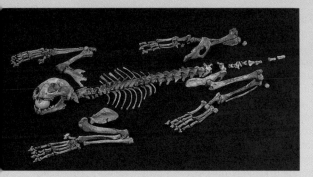

15.6 *Büyük Tapınağın yedi yapı katının dördüncüsünde bulunmuş jaguar iskeleti (üstte). Ağzındaki yeşim taş ölünün ruhunu temsil etmesi amacıyla koyulmuş olabilir.*

15.7 *Büyük Tapınak kazı alanı (sağda) ve anıtın birbirini takip eden evrelerinin kanıtı merdiven basamakları. Yapı aslen tepesinde savaş tanrısı Huitzilopochtli ve yağmur tanrısı Tlaloc'a adanmış çifte tapınak bulunan bir piramit formundaydı. Resmin ortasında, merdivenlerin zemienindeki Coyolxauhqui taşında konservasyon çalışmaları sürmektedir.*

15.8 *Yeni bir keşif: Tanrı Tlaltecuhtli'yi ("Toprağın Efendisi") betimleyen bu ağır taş levha (altta) 2006'da yerleşimde bulunmuş, ardından 2010'da Templo Mayor Müzesi'ne taşınmıştır.*

15.9 *Kültürel mirasımıza tehditler: Beton ayaklar -modern bir ofis dairesinin temelleri- Shakespeare'in bazı oyunlarını 1590'larda ilk kez sahneleyen Londra'daki Rose Tiyatrosu'nun arkeolojik kalıntıları çevresindeki zemine gömülmüştür.*

Amerika Birleşik Devletleri'nde Kültürel Kaynak Yönetimi Uygulamaları

Son kırk yılda Kuzey Amerika arkeolojisi tarihi yapıların ve arkeolojik alanların, kültürel olarak önemli arazilerin ve diğer kültürel ve tarihi yerlerin yönetilebilmesi için hazırlanmış yasa, düzenleme ve profesyonel uygulamalardan meydana gelen karmaşık kültürel kaynak yönetimi sistemine dâhil edilmiştir. Kültürel kaynak yönetimi sıklıkla "uygulamalı arkeoloji" olarak bilinir.

Ulusal Tarihi Korunma Yasası ve Ulusal Çevre Politikaları Yasası Amerika Birleşik Devletleri'ndeki kültürel kaynak yönetiminin yasal temelini meydana getirir. Söz konusu kanunlar ABD hükümetinin, faaliyetlerinin çevresel etkilerini göz önünde bulundurma konusunda aracı olmasını ("çevresel etki raporu"na kaynak sağlayan "çevresel değerlendirme" aracılığıyla) talep eder. Buna tarihi, arkeolojik ve kültürel alanlara olan etkiler de dâhildir. Tüm ABD eyaletlerinde "Eyalet Tarih Koruma Memurluğu" adında bir makam oluşturulmuştur. Her arazide büro kendi uyum programını yürütmektedir.

Birleşik Devletler kurumlarının dâhil olduğu inşaat ve arazi kullanımı projeleri –ister federal arazide ister federal finansman alan ya da federal izin başka bir arazide olsun– bunların çevresel, kültürel ve tarihi kaynaklar üzerindeki etkilerini tespit etmek üzere gözden geçirilmelidir. Devlette, yerel yönetimlerde, federal dairelerde, akademik

kurumlarda ve özel danışmanlık şirketlerindeki kültürel kaynak yönetimi programları bu ihtiyaçtan doğmuştur. Eyalet Tarihi Koruma memurları birçok kültürel kaynak yönetimi faaliyetini koordine eder; tarihi ve tarihöncesi arkeolojik alanlar, yapılar, binalar, bölgeler ve araziler hakkında dosyalar tutar.

Ulusal Tarihi Koruma Yasası'nın 106. bölümü Amerika Birleşik Devletleri'nde çoğu kültürel kaynak yönetimi işinin yasal temelini oluşturur. Bünyesindeki mevzuat, federal kurumların faaliyetlerinden etkilenebilecek her türlü tarihi yeri (arkeolojik alanlar, tarihi binalar, Kızılderililerin kutsal kabile arkeolojik alanları vs.) Eyalet Tarihi Koruma memurları, kabileler ve diğerlerine danışarak tespit etmelerini ister. Çoğu kez projenin etkileri hakkında ne yapacaklarını belirlemeleri –hepsi de Eyalet Tarihi Koruma memurları ve diğer ilgililerle birlikte– talep edilir. Tespit işi sıklıkla hem arkeolojik alanları bulmak hem de onları değerlendirmek için arkeolojik yüzey araştırmaları gerektirir. Değerlendirme, Ulusal Tarihi Sit Alanları Sicili'ne –Birleşik Devletler'de önemli tarihi ve kültürel yerlerin, arkeolojik alanların, yapıların, yörelerin ve toplulukların listesi– uygunluğuna karar vermek için yayımlanmış ölçütlerin uygulanmasını kapsar.

Eğer kurum ve onun danışman ortakları önemli arkeolojik alanların mevcut olduğunu ve bunların kötü yönde etkileneceklerini görürlerse, etkiyi hafifletmenin yollarını ararlar. Çoğunlukla bu, projenin hasarı düşürme, en aza indirme, hatta hasardan kaçınma amacıyla yeniden tasarlanmasını içerir. Arkeolojik alanların söz konusu olduğu yerlerde alınan karar, yok olmadan önce verilerin elde edilmesi için kazı yapılması yönündedir. Eğer taraflar ne yapacakları üzerinde anlaşamazlarsa, Tarihi Koruma Danışma Kurulu nihai bir görüş bildirir ve sorumlu federal kurum son kararını verir.

Amerika Birleşik Devletleri'ndeki araştırmaların ve veri toplama projelerinin çoğu özel şirketler tarafından –bazen kültürel kaynak yönetimi işinde uzmanlaşmış olanlar; başka zamanlarda büyük mühendislik, planlama ya da çevresel etki değerlendirme şirketlerinin şubeleri– yürütülür. Bazı akademik enstitüler, müzeler ve kâr amacı gütmeyen organizasyonlar da kültürel kaynak yönetimiyle ilgili görevler alabilir. Kültürel kaynak yönetimi temelli araştırmalar ve kazılar şimdi Amerika Birleşik Devletleri'ndeki arazi arkeolojisinin %90'ını meydana getirmektedir.

Bölüm 6'daki değerlendirme sistemi mükemmel arkeolojik araştırmalar ortaya koyar, fakat araştırmaların menfaatleri diğer kamu menfaatleriyle, özellikle de Amerikan yerli kabileleri ve başka toplulukların çıkarlarıyla dengelenmelidir. İşin niteliği büyük oranda bütün katılımcıların –kurum işverenleri, Eyalet Tarihi Koruma memurları, kabile ve topluluk temsilcileri, özel sektör arkeologları– dürüstlüğüne ve becerilerine bağlıdır. Tekrarlanan sorunlar arasında arazideki kalite kontrolü, arazi sonuçlarının önemli araştırma başlıklarına uygulanması, sonuçların yayımlanması ve başka yollarla yaygınlaştırılması, ele geçen buluntuların uzun süreli korunması ve işletilmesi vardır.

Bu sürece ait iyi bir örnek, kapsamlı Arizona'daki METRO Demiryolu Projesi'dir (arka sayfadaki kutuya bakınız), ama bütün kültürel kaynak yönetimi projeleri bu kadar iyi ya da sorumlu şekilde yürütülmemektedir. Özellikle binlerce kişinin dâhil olduğu küçük projelerde işlerin gelişigüzel yapılması ve çok az verinin toplanması kolaydır. Fakat öte yandan büyük arkeoloji projeleri muazzam sayıda buluntu ortaya çıkarmaktadır ve bunların çevresel olarak kontrol edilen tesislerde korunması gerekmektedir. Bu durum zaman geçtikçe ve yeni kazılara başlandıkça giderek daha büyük bir sorun olmaya başlamaktadır. Mississippi ve Alabama'dan geçen 375 km'lik yeni su kanallarından müteşekkil ve 682 arkeolojik alan tespit etmiş Tennessee-Tombigbee kanal projesi araştırmaları gibi 1970'ler ve 80'lerin büyük projelerinden beri, kazı ihtiyacını en aza indirecek şekilde uzaktan algılamaya ve arkeolojik varlıkların yönetim planlamasına önem verilmektedir.

Amerika Birleşik Devletleri'ndeki birçok devlet dairesi böyle planları zorunlu kılmıştır. Örneğin Savunma Bakanlığı, kontrolündeki tüm araziler için Entegre Kültürel Kaynak Yönetimi Planı (Integrated Cultural Resource Management Plan=ICRMP) hazırlar. Aynı şekilde Arazi Yönetimi Dairesi (Bureau of Land Management=BLM) Entegre Kaynak ve Rekreasyon Alan İdaresi Planları (Integrated Resource and Recreation Area Management Plans=IRRAMP) hazırlar. Böyle planlar uygun eğitim almış ve bu kaynaklara duyarlı insanlarca hazırlandığı sürece arkeolojik kaynakların korunmasına çok büyük katkı sağlarlar.

Amerikan Arkeoloji Topluluğu da standartları geliştirmek için Profesyonel Arkeologlar Sicili'nin mali açıdan desteklenmesine katkıda bulunmuştur. İç İşleri Bakanlığı, çeşitli arazi yönetim büroları ve hatta bazı yerel yönetimler tarafından profesyonel talepler ve nitelikler ortaya koyulmuştur. Arkeolojik çalışma için alınacak izinlerin şartları ehliyet, deneyim ve makul geçmiş performanslar talep edecek şekilde oluşturulmuştur.

Mal Bulanın mıdır?

Endüstri, konut ya da tarım amaçlı imar faaliyetlerinin arkeolojik varlıklar açısından yarattığı sorunlara ilaveten rastlantı sonucu keşfedilen arkeolojik buluntular konusu vardır. Elbette bunlar arkeolojik alanların sistematik şekilde yağmalanmasına yol açabilir. Koleksiyoncular ve müzeler için uygun buluntular sağlamak için arkeolojik alanların bilinçli olarak tahribi sorunu 14. Bölüm'de ele alınmıştı. Yine de birçok arkeolojik keşfin şans eseri yapıldığı gerçeği ortadadır. Son yıllarda metal buluntuların çıkmasının beklendiği ülkelerde metal dedektörü kullanımı giderek artmıştır. Bu aletlerden eski eser bulmak için faydalanılması

birçok ülkede yasa dışı olmasına karşın, Birleşik Krallık'ta durum böyle değildir. Bazı arkeologlar metal dedektörüyle aramanın yasaklanmasıyla kültürel varlıkların daha iyi korunacağını söylese de, bu popüler bir uğraş olmuştur. Fakat en azından Taşınabilir Eski Eserler Projesi için devlete bütçesi ayrılmıştır (karşı sayfaya bakınız). Buna göre metal dedektörü kullananlar bulduklarını gönüllü olarak bir zabıt memuruna rapor edebilirler ve aslında çoğu da öyle yapmaktadır. Üstelik tasarı önemli bir bilgi kaynağı hâline gelmiş ve profesyonel arkeolojik araştırmalara kıyasla bazı buluntu tiplerinin dağılımı hakkında daha fazla bilgi sunmuştur.

Uluslararası Koruma

Dünyanın yönetimi şu anda Birleşmiş Milletler'deki ulusların etkili otonomilerine dayandığından, konservasyon ve zarar hafifletme önlemleri de aynı şekilde ulus devlet düzeyinde sürmektedir. Sadece bazı vakalarda, sıklıkla merkezi Paris'te (Fransa) bulunan UNESCO'nun (The United Nations Educational, Scientific and Cultural Organization) vasıtasıyla daha geniş bir perspektif öne çıkmaktadır.

Dünya Mirası Listesi. 1972'deki Dünya Mirası Konvansiyonu'ndan doğan etkili bir inisiyatif, Dünya Mirası Komitesi'nin Dünya Mirası Listesi'ne önemli arkeolojik alanları dâhil etmesidir. Kitabın yazıldığı sırada listede 779 kültürel alana (bazıları s. 578-579'da gösterilmiştir) ek olarak 197 doğal ve 31 karma sit alanı bulunuyordu. Liste tek başına koruma ve şüphesiz gerçekte konservasyonu destekleyecek ilave uluslararası kaynaklar sağlamamakla birlikte, sorumlu ulus devletin tanımlanan standartları karşılama teminatını teşvik eder.

Bunun yanında tehdit altındaki arkeolojik alanların ihtiyaçlarını vurgulayan Tehdit Altındaki Dünya Mirası Listesi vardır. Büyük Buda heykeli yok edilmiş olmasına rağmen Afganistan'daki Bamiyan Vadisi hâlen listededir (s. 552'ye bakınız). Palmyra ile birlikte eski Halep ve Şam şehirlerinin de dâhil olduğu bazı Suriye şehirleri yeni eklenmiştir. Kitabın yazıldığı sırada Kuzey Irak'taki Ninova, Nimrud ve Hatra da dâhil bazı yerleşmelerin adları henüz yoktu, ancak ne yazık ki bunlar gerçekte tehlike altındadır ve hâlihazırda ciddi tahribata uğramışlardır. Tarihi Musul şehrindeki (Kuzey Irak) birçok eski cami de İslami ayrılıkçılığın sonucu olarak yok edilmiştir ve Irak'ın tarihi mirası ciddi tehdit altındadır.

Eski Eser Kaçakçılığıyla Mücadele. Eski eser kaçakçılığıyla ilgili başlıca uluslararası önlem, UNESCO'nun 1970 tarihli Kültürel Varlıkların Yasa Dışı Ticareti ve Mülkiyet Devri'nin Engellenmesi Konvansiyonu'dur. Fakat konvansiyonun ilkeleri doğrudan uluslararası kanunlar tarafından dayatılmaz; daha ziyade ulusal mevzuatlara ve ülkeler arasın-

UYGULAMADA KÜLTÜREL KAYNAK YÖNETİMİ: METRO DEMİRYOLU PROJESİ

Archaeological Consulting Services tarafından 2005-2008 arasında Arizona'daki 31,5 kilometrelik Orta Phoenix/Doğu Vadisi Hafif Raylı Koridoru'nda yürütülen araştırmalar dokuz yeni arkeolojik alan keşfetmiş ve bu kalabalık şehir alanında daha önce kaydedilmiş yirmi arkeolojik alan hakkındaki bilgilerimiz büyük ölçüde artmıştır. İşin çoğu Phoenix şehrinde Pueblo Grande Hohokam ve Tempe'deki La Plaza arkeolojik alanlarında gerçekleştirilmiştir, fakat diğer buluntular proje güzergâhının geri kalanı izlenirken ortaya çıkarılmıştır. Proje Phoenix bölgesinin 1500 yıllık iskânı süresince birkaç farklı halka ev sahipliği yaptığını doğrulamıştır.

Hafif Raylı Transit Projesi, Valley Metro Rail Şirketi (METRO) tarafından yürütülmekteydi ve her projede olduğu gibi inşaattan önce ve inşaat sırasında arkeolojik incelemelerin yapılması yasal olarak zorunluydu.

15.10 *Pueblo Grande arkeolojik alanında süren kazılar.*

İncelemeler sırasında 100'den fazla mimari kalıntıya, 250.000'in üzerinde buluntuya rastlandı, zira ray hattı Hohokam halkının yerleşmiş olduğu çok sayıda tarihöncesi arkeolojik alanı kat etmekteydi. Önemli bir yerleşim olan Pueblo Grande'nin yaklaşık MS 450/500'den 1450/1500'e dek 1000 yıl kadar iskân gördüğü zaten biliniyordu.

15.11 *Phoenix şehir alanı ve kırmızıyla gösterilmiş yeni ray hattı.*

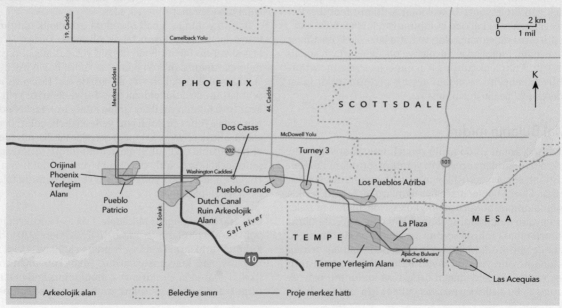

19. Cadde · Camelback Yolu · 0 — 2 km · 0 — 1 mil · Merkez Caddesi · PHOENIX · 44. Cadde · K · SCOTTSDALE · Dos Casas · McDowell Yolu · 202 · Turney 3 · Orijinal Phoenix Yerleşim Alanı · Washington Caddesi · 101 · Los Pueblos Arriba · Pueblo Patricio · 16. Sokak · Pueblo Grande · Dutch Canal Ruin Arkeolojik Alanı · Salt River · La Plaza · MESA · TEMPE · 10 · Tempe Yerleşim Alanı · Apache Bulvarı/Ana Cadde · Las Acequias

■ Arkeolojik alan · ⬚ Belediye sınırı · — Proje merkez hattı

Yerlilerin İştiraki

Önceden belirlenmiş doğrudan etkilenecek alanlarla sınırlı olan proje yerel Amerika yerlileri, The City of Phoenix Archaeologist ve Four Southern Tribes Cultural Resources Working Group'un da dâhil olduğu çok çeşitli gruplara baştan itibaren ve sürekli olarak danışmıştır. Bütün bu gruplarla güven inşa etmek ve onlara saygı göstermek özellikle gömütler konusunda çok önemliydi. Proje bu amacına şüphesiz ulaştı, çünkü irtibata geçilen tüm gruplarla mükemmel bir çalışma ilişkisi kuruldu ve sürdürüldü.

Örneğin, Salt River Pima-Maricopa Kızılderili topluluğu tüm keşiflerle ilgili olarak kendileriyle saygı çerçevesinde temasa geçilmesinden, genel olarak Archaeological Consulting Services'ın bilgilendirici ve işbirliğine dayalı yapısından özellikle memnun olduklarını belirttiler. İştirak eden diğer gruplar arasında Gila Irmağı Kızılderili topluluğu, Fort McDowell Yavapai ulusu ve Hopi kabilesi bulunmaktaydı. Kabilelerle yapılan görüşmelerde, kazı ve kurtarmanın uygun olduğuna karar verilirse, bulunan her türlü insan kalıntısı ve nesnenin yeniden gömülmesi için topluluklara verileceği üzerinde anlaşıldı.

Arkeolojik Araştırma

Her biri farklı türde incelemeye ihtiyaç duyan dört "hassasiyet alanı" belirlendi (URS inşaat şirketinin arkeoloğu tarafından). Alan 1 bilinen insan kalıntıları içeren tarihöncesi yerleşim yerlerini kapsıyordu. Bu alanlardaki inşaat faaliyetleri tüm yer üstü müdahalelerini izleyecek bir arkeoloğa ihtiyaç duyuyordu. Açmalar 1,5 m'den az bir derinliğe kadar mekanik olarak kazıldı ve mimari kalıntılar tanımlandı. Aynı zamanda kazılan toprak buluntular için arandı. Bir kalıntıya rastlandığında inşaat kısa süreliğine duruyor ve arkeologlar daha fazla araştırmaya gerek olup olmadığına bakıyorlardı. Gömütler gibi önemli buluntular çalışma başlamadan önce kazılıyor ve kaldırılıyordu. Alan 2 potansiyel insan kalıntılarına sahip tarihöncesi arkeolojik yerleşim alanı olarak tanımlanmıştı. Bir kez daha toprağa müdahale eden inşaat faaliyetleri yakından izlendi ve bunu tek bir arkeoloğun yapması dışında süreç Alan 1'dekiyle aynıydı. Alan 3 bilinen arkeolojik alanlar dışında, kültürel kaynaklar açısından orta derece hassasiyete sahip yerlerden meydana gelmekteydi; büyük ihtimalle tarihi ve tarihöncesi kanal düzenlemeleri mevcuttu. Buradaki kazılar yer yoklaması şeklindeydi. Alan 4 bilinen hiçbir arkeolojik kaynağın bulunmadığı ve sistematik gözetimin gerekmediği yerleri tanımlamaktaydı. İnşaatçılar herhangi bir kültürel malzeme bulunduğunda sadece arkeologları bilgilendirmekle yükümlüydüler. İnşaat ekiplerine neye dikkat edeceklerine dair eğitim verildi ve süreç boyunca temasta kalındı; açık açmaların zaman zaman nokta denetimleri yapıldı.

Proje sırasında hem tarihöncesi hem de tarihi malzemeler keşfedildi. En önemlileri arasında Tempe'deki Plaza arkeolojik alanında, bir tümülüs mezarda ele geçmiş bazı nadir Hohokam bakır çanları vardı.

15.13 La Plaza'dan bir Hohokam kerpiç duvarlı mekânı.

TAŞINABİLİR ESKİ ESERLER VE BİRLEŞİK KRALLIK
"TAŞINABİLİR ESKİ ESERLER YASASI"

Her ülke taşınabilir kültür varlıklarının nasıl korunacağı sorunuyla karşılaşır. Konuya yaklaşımlar çok çeşitli olmakla birlikte birçok ülkede arkeolojik önem taşıyan bütün nesnelerin bildirilmesi zorunludur ve çoğu durumda devlet bunların mülkiyetini üzerine alır. Nesneleri bulanların ödüllendirilmesi için düzenlemeler ve arkeolojik alanlarda metal dedektör kullanımına dair koruma ve kısıtlamalar vardır. Britanya bu alanda kanuni düzenlemeler getirmekte çok yavaş kalmıştır. Britanya ve Galler'de Define Yasası ancak 1996'da geçmiştir. Bu yüzden farklı bir yaklaşım

Ancak projenin kapsamı sınırlıdır: Sadece altın ya da gümüş nesneler ya da 300 yıldan eski sikke defineleri ve onlarla ilişkili buluntulara uygulanmaktadır (bkz. www.finds.org.uk/treasure).

Taşınabilir Eski Eserler Projesinin İşleyişi

British Museum'dan Robert Bland'in öncülük ettiği proje halkın, özellikle metal dedektörleriyle arama yapanların keşfettiği bütün arkeolojik buluntuların gönüllü olarak bildirilmesini teşvik eder. Yerel temelli 40 buluntu irtibat memuru metal dedektörü sahiplerinin derneklerindeki toplantılara katılır

ve halkın kayıt için buluntu getirdiği organizasyonlar düzenler.

Projenin önemli bir yönü definecilerin doğru yöntemlerle, mesela arkeolojik alanların tahrip edilmemesi konusunda eğitilmesidir. Dedektör kullanıcısı Dave Crisp Nisan 2010'da 52.500 sikkelik Frome definesini bulduğunda, defineyi barındıran çömleği kendisi çıkarmamış, fakat arkeologların kazı yapmasına izin vererek definenin nasıl gömüldüğüne dair önemli bilgilerin korunmasını sağlamıştı.

Uzman buluntu danışmanlarından müteşekkil bir ekip bir çevrimiçi veritabanına girilen bulguların niteliğini kesinleştirirler. Bu veritabanı 2014'ün sonunda, 650.000 kayıt içinde bir milyonun üzerinde buluntu içeriyordu ve araştırmaların (90'ın üzerinde yükseklisans ve doktora tezi bu verileri kullanmıştır) giderek daha fazla kullandığı özel bir kaynak hâline gelmiştir. Veriler buluntu tiplerinin dağılımı hakkında eskisine göre daha fazla fikir vermektedir ve birçok yeni arkeolojik alanı gün ışığına çıkarmaktadır. Örneğin bir çalışma Warwickshire ve Worcestershire'daki Roma arkeolojik alanlarının sayısında proje verileri sayesinde %30 artış olduğunu göstermiştir.

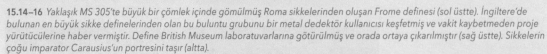

15.14–16 *Yaklaşık MS 305'te büyük bir çömlek içinde gömülmüş Roma sikkelerinden oluşan Frome definesi (sol üstte). İngiltere'de bulunan en büyük sikke definelerinden olan bu buluntu grubunu bir metal dedektör kullanıcısı keşfetmiş ve vakit kaybetmeden proje yürütücülerine haber vermiştir. Define British Museum laboratuvarlarına götürülmüş ve orada ortaya çıkarılmıştır (sağ üstte). Sikkelerin çoğu imparator Carausius'un portresini taşır (altta).*

benimsenmiştir: Taşınabilir Eski Eserler Projesi.

İkili bir yol izlenmektedir: Define Yasası kapsamına giren buluntuların kanunen bildirilmesi ve müzelere satın almaları için teklif yapılması gerekmektedir. Eğer müze buluntuyu almak isterse nesnenin piyasa değerine endeksli bir para ödülü vermek zorundadır ve bu ödül onu bulan kişiyle arazi sahibi arasında eşit şekilde paylaştırılır. Tasarı bağlamında 2013'te 996 buluntu bildirilmiş ve bunun üçte biri müzeler tarafından satın alınmıştır.

daki karşılıklı düzenlemelere dayanır. Koleksiyoncuların ve müzelerin sorumlulukları 14. Bölüm'de ele alınmıştı. Hiç olmazsa yakın zamanda yağmalanmış eski eserleri piyasada satmanın giderek zorlaştığını gösteren işaretler vardır, fakat sorun hâlâ çok büyüktür.

Savaş Zamanlarında Kültürel Mirasın Korunması. 1954 tarihli Hague Silahlı Çatışma Durumlarında Kültürel Varlıkların Korunması Konvansiyonu ve ilgili protokolleri prensipte belli bir koruma sunmaktadır. Ancak pratikte etkili olamamışlardır ve daha önce belirtildiği gibi henüz Birleşik Krallık tarafından imzalanmamışlardır (ABD ise ancak yakın tarihte onaylamıştır). Her iki ülkede 2003 Irak işgali sırasındaki eksik yönlerinden dolayı eleştirilmiştir.

Bu uluslararası inisiyatiflerin hepsi önemlidir ve potansiyel olarak dikkat çekicidir. Belki gelecekte daha iyi desteklenebilirler, fakat geçmişin geleceğini koruma altına alan etkili önlemlerin çoğu temelde hâlâ ulusal düzeyde işlemektedir.

Yayın, Arşivler ve Kaynaklar: Topluma Hizmet

Çevresel etkilerin değerlendirilmesi için yürütülen araştırmalar ve zararın hafifletilmesine yönelik kazı prosedürleri sayesinde yapılan keşiflerin hızı kayda değerdir. Fakat kayıtlar çoğu kez sağlıklı şekilde yayımlamamaktadır veya bu yapılmadığında ya uzmanlara ya da halkın erişimine sunulmamaktadır. Amerika Birleşik Devletleri'nde çevresel etki raporları ve zarar hafifletmeye yönelik her türlü önlemin devlet arşivine bildirilme zorunluluğu vardır, fakat yayımlama zorunluluğu getirilmemiştir. Yunanistan'da hükümet, devlet tarafından mali destek verilen kazıların resmi kaydı Arkhaiologikon Deltion'u yıllarca yayımlayamamıştır. Fransa'da ve bir dereceye kadar Almanya'da bu kayıtlar daha iyidir. Ancak sadece birkaç ülke genellikle devlet kaynaklarıyla yürütülen oldukça önemli faaliyetlerin etkili yayınını yapmakla övünebilir.

Bazı ülkelerde bu, akademik arkeologların (üniversiteler ve müzelerde çalışanlar) işleriyle müteahhit ya da devletin finanse ettiği sözleşmeli arkeoloji yapanlarınki arasında bir ayrıma yol açmıştır, fakat her ikisi de zararı hafifletmek için çalışmaktadır. İlk grubun işi sorun odaklıdır ve aslında ulusal ya da uluslararası arkeoloji dergileriyle detaylı monografilerde yayımlanmaktadır. Sözleşmeli arkeoloğun işi bazen dikkatlice koordine edilerek bilgilendirici bölgesel ve ulusal araştırmalara kadar gidebilir. Fakat birçok durumda bunların yayımlanmasında o kadar iyi bir koordinasyon görülmez.

Bu sorunların çözümleri henüz çok belirgin değildir, fakat bir ihtimal kendini açıkça göstermektedir: çevrimiçi yayın. Bu bağlamda bazı büyük müzeler yolu açarak ko-

UNESCO'nun Tehlike Altındaki Dünya Mirası Listesi'nde bulunan "kültürel" sit alanları, 2014

- Bamiyan Vadisi'nin arkeolojik kalıntıları ve kültürel coğrafyası (Afganistan)
- Jam minaresi ve arkeolojik kalıntıları (Afganistan)
- Potosí şehri (Bolivya)
- Humberstone ve Santa Laura güherçile işlikleri (Şili)
- Abu Mena (Mısır)
- Bagrati Katedrali ve Gelati Manastırı (Gürcistan)
- Mtskheta Tarihi Anıtları (Gürcistan)
- Başkent Asur (Kalat Şergat) (Irak)
- Samarra arkeolojik yerleşmesi (Irak)
- Eski Kudüs şehri ve duvarları (İsrail)
- Timbuktu (Mali)
- Askia'nın Mezarı (Mali)
- Hz. İsa'nın doğum yeri: Yeniden Doğuş Kilisesi ve Hac Yolu, Beytüllahim (Filistin)
- Filistin: Zeytinlik ve Bağ Arazileri - Güney Kudüs'ün Kültürel Arazisi, Battir (Filistin)
- Panama'nın Karayipler kıyısındaki tahkimatlar: Portobelo-San Lorenzo (Panama)
- Chan Chan Arkeolojik Bölgesi (Peru)
- Kosova'daki Ortaçağ anıtları (Sırbistan)
- Eski Halep şehri (Suriye)
- Eski Bosra şehri (Suriye)
- Eski Şam şehri (Suriye)
- Eski Kuzey Suriye şehirleri (Suriye)
- Crac des Chevaliers ve Qal'at Salah El-Din (Suriye)
- Palmyra arkeoljik alanı (Suriye)
- Kasubi'deki Buganda krallarının mezar yapıları (Uganda)
- Liverpool - Deniz Ticareti Şehri (Birleşik Krallık)
- Coro ve limanı (Venezuela)
- Tarihi Zabid şehri (Yemen)

UNESCO Dünya Mirası Listesi'ndeki sit alanları

15.17–22 *(soldan saat yönünde) Afganistan'daki Jam şehrinde yalancı mermer ve sırlı fayanslarla süslü bir 12. yüzyıl minaresi; Endonezya Borobodur'da bulunan 8. yüzyıl Budist tapınağındaki 500 Buda heykelinden biri; Lalibela'da 12. yüzyıla ait kayaya oyulmuş Etiyopya Ortodoks kilisesi; Irak'daki Samarra'da bulunan büyük 9. yüzyıl camiinin spiral minaresi. Meksika'daki mükemmel korunmuş Maya şehir Uxmal'ın "oval" piramidi; 16. yüzyıl Babür imparatoru Ekber Şah'ın başkenti olan Hindistan'daki Fatehpur Sikri.*

leksiyonlarını çevrimiçi olarak sunmuşlardır. Birkaç söz-leşmeli arkeolog şimdi çevresel etki tablolarını ya da zarar hafifletme raporlarını bu şekilde erişilebilir kılmaktadır, ancak bu bir gün zorunluluk hâline gelebilir: mali destek için öncelikli bir şart. Birleşik Krallık'ta Taşınabilir Kültür Varlıkları Projesi (yukarıya bakınız) çevrimiçi olarak erişime açılmış ve profesyonel araştırmacılarla halk arasındaki

geleneksel engellerin kısmen yıkılmasına yardım etmiştir. Muhtemelen gelecekte kazı bulguları da çevrimiçi olacaktır ve böylece bunlara genellikle normalin aksine hızlı bir şekilde erişilebilecektir. Nihayetinde araştırmalarını büyük bölümünü finanse eden topluma bilgilendirme zorunluluğu da yerine getirilecektir.

MİRAS YÖNETİMİ, SERGİLEME VE TURİZM

Maddi geçmişin, yani erken dönemlerden bize kadar gelen kalıntıların geleceği, neyin korunduğuna, bir anlamda şansa bağlıdır. Genellikle korunma ilgisizlikten kaynaklanır ve bunun da sonucu kalıntıların bozulmadan günümüze gelmesidir. Fakat gördüğümüz gibi bu, konservasyon ve tahribat etkenlerinin yarattığı zararın hafifletilmesi meselesidir.

Risk Altındaki Miras. Arkeolojik kalıntıların iyi bilindiği ve prensipte korunduğu yerlerde ciddi konservasyon ve yöne-tim sorunları çıkabilir. MÖ 79'da patlayan Vezüv'ün kül-leri altında kalmış Roma şehri Pompeii en bilinen vakadır (s. 24-25'teki kutuya bakınız). Şimdi ihmal ve bürokratik yozlaşma yüzünden kazılmış kalıntılar çok kötü korun-ma şartları içindedir. Yağmur suyu ciddi tahribata yol aç-maktadır. Pompeii'nin kardeş şehri Herculaneum daha iyi durumdadır. Herculaneum Konservasyon Projesi 2001'de faaliyete geçirilmiştir. Geçen on yılda 20 milyon Euro büt-çeyle bozunma tersine çevrilmiş ve şehir sürdürülebilir bir konservasyon düzeyi tutturmuştur. Şubat 2013'te Avrupa Birliği ve İtalya hükümeti Pompeii'deki onyılların ihmalini tersine çevirmek üzere 105 milyon Euro'luk acil bir projeyi hayata geçirmiştir: Büyük Pompeii Projesi. Pompeii'de so-runların boyutu büyüktür, fakat Herculaneum'daki başarı umut vermektedir.

Pakistan'da, İndus uygarlığının büyük şehir merkezi Mohenjodaro'da durum daha vahimdir. Pompeii gibi bu-rası da UNESCO Dünya Mirası Listesi'ndedir, fakat para ve hükümetin ihmali dışında halledilmesi gereken başka sorunlar vardır. Sorun tuzdur. Yazın 50 derecelik sıcaklıkta buharlaşan su, arkeolojik alandaki güneşte kurutulmuş ve pişirilmiş kerpiç tuğlaları tuzlu hâle getirerek ufalan-malarına neden olmaktadır. Pakistan hükümeti yetkilileri 2013'te bir konservasyon planı oluşturmuşlardır, ama ne kadar etkili olacağı zaman içinde görülecektir.

Meksika'daki büyük Teotihuacan şehri gibi (s. 98-99) görünüşte iyi korunan arkeolojik alanlarda bile tespiti zor sorunlar çıkabilmektedir. Yerleşmedeki en büyük piramit olan Güneş Piramidi farklı kuruma düzeylerinden muz-dariptir: Yapının güney yüzü kuzeyden daha kurudur. Problem sıra dışı bir şekilde tespit edilmiştir. Ulusal Özerk Meksika Üniversitesi'nden bir araştırma ekibi piramidin içini araştırmak ve iç odalar bulmak için piramit merkezinin

altına muon dedektörleri yerleştirmişlerdi. Muonlar çoğu malzemenin içinden geçen, fakat daha yoğunlarından yansıyan atom altı parçacıklardır ve dolayısıyla pirami-din içini haritalandırma imkânı sunmaktaydılar. Ne var ki projenin asıl keşfi, nem farkı yüzünden piramidin bir kesimindeki toprak yoğunluğunun diğerine göre %20 daha düşük olduğuydu. Bu uyumsuzluğun nasıl giderileceğine dair bir karar henüz alınmış değildir, ancak en azından problem teşhis edilmiştir ve neyse ki piramidin muhtemel çöküşü engellenecektir.

Mirasın Tanıtımı. Bütün bunlarda, İngilizce konuşulan ülke-lerin yaygın olarak "miras" (*heritage*) adını verdiği endüst-rinin önemini anlamak önemlidir. Bu üretilmiş termino-lojinin kökeni, 1983'e ve İngiltere Tarihi Yapılar ve Anıtlar Komisyonu'nun English Heritage isminin, yeni bir logo ve pazarlama stratejisiyle yeniden oluşturulmasına kadar gitmektedir. English Heritage ve National Trust koruma örgütüyle birlikte şimdi İngiltere'deki kamu malı olan tarihi sit alanları ve yapıların çoğunu işletmektedir. Diğer ülkelerde olduğu gibi İngiltere'nin politikası da "miras"ı masraflarını karşılayacak hâle getirmektir ve dolayısıyla bu adlandırma genelde pek hoş karşılanmayan ticari imalar içermektedir. Aslında "İngiltere'nin birçok geleneksel görkemli evini" işleten National Trust "Disneyleştirme" suçlamasıyla karşı karşıya kalmıştır: Mesela sorumluluğundaki mülklerde, genellikle Disneyland ile onun hayali Pamuk Prenses ve Yedi Cüceler temsillerindeki figürler tarzında, önceki yüzyıl-ların sakinlerini taklit edecek şekilde giyinmiş üniformalı personeli çalıştırdığı için eleştirilmiştir.

Ekonomik getiri amacıyla miras tanıtımı elbette yeni bir olgu değildir. İki yüzyıl boyunca Roma yerleşimleri Pompeii ve Herculaneum'un turistik amaçlarla nasıl reklamlarının yapıldığını ve daha eski Roma anıtlarının bile gelenek-sel aristokratik Büyük Seyahat'in bir parçası olduğunu 1. Bölüm'de görmüştük. Geçmiş kalıntıların bilgilendirici ve özgün bir şekilde sunulması neredeyse dünyadaki her ülke için turizm endüstrisinin önemli bir parçasıdır. Yunanistan, Mısır, Peru veya Meksika'da olduğu gibi (örneğin s. 570-571'deki kutuya bakınız) arkeolojiye ayrılmış kaynakların büyük bir kısmını meydana getirmektedir. Turizm endüstri-sinin yakın zamanda kendisini gösterdiği Çin gibi ülkelerde

15.23 İtalya'daki Pompeii'yi ziyaret eden turist kafileleri. Antik kent, 200 yıldan fazla bir süre büyük bir ziyaret merkezi olarak tanıtılmıştır ve şimdi İtalya'nın en popüler yerlerinden biridir.

durum giderek buna dönmektedir. Ziyaretçilerin önemli bir bölümü söz konusu ülkenin vatandaşları olan "yerli turistlerdir." Müzeler gitgide daha fazla kültür tapınakları olarak görülmekte ve denizaşırı ziyaretçileri çekerek milli ekonomiye ciddi kazanç sağlama konusunda önemli bir rol üstlenmektedir.

Maddi miras arkeoloji turizminden daha fazlasıdır: Ulusal, etnik ve dinsel bağlılıklardan beslenir. Canterbury (İngiliz Kilisesi'nin ilk katedrali ve ana kilisesi) başpiskoposu Frederick Temple'ın 1922'de yazdıklarından alıntılamak gerekirse: "İngilizce konuşan her erkek ve kadının hayatları boyunca en az iki kez Canterbury'yi ziyaret etmesi zorunlu bir görevdir." Buna katılmayacak hiçbir turist rehberi olamaz!

Bu bölümde konservasyon ve toplumsal bir ilgi alanı olarak kültür mirası yönetimi üzerinde durulmuştur. Sonuçta halkın kendi adına korunan bu arkeolojik alanları ve anıtları ziyaret etmesi bir haktır. Bunların yönetimi ve sergilenmesi sorumluluk isteyen bir iştir. Şimdi ister arazi çalışanları sıfatıyla aktif arkeolojik bir rolde, isterse yönetici ya da turist rehberi olarak birçok insana iş sağlayan bir endüstridir.

Kökeni 18. yüzyıla kadar geri giden müze küratörlüğünün uzmanlığı, maaşlı arkeologlardan (böyle bir küratörün kariyeri ve işi 16. Bölüm'de anlatılmıştır) daha eskidir. Aslında her iki faaliyet de birlikte gelişmişlerdir. Müzelerin harika dünyası ve önemli arkeolojik alan müzeleri Akdeniz'in geleneksel uygarlık merkezlerinde ortaya çıkmış olabilir, ama şimdi dünyanın her yerinde rakipleri vardır.

GEÇMİŞİ KİM YORUMLAR VE SUNAR?

Geçmişin topluma açık "sunumu" ile ortaya çıkan bazı ideolojik meselelerden daha önce bahsedilmişti: Milliyetçi amaçlar, muhafazakâr hedefler ve siyasi gündem kültürel miras iddiası taşıyan şeylerin taraflı yorumlarına ve sunumuna yol açar. Fakat milliyetçi ve dini duyarlılıkların ötesinde başka konular vardır. Feminist arkeolojinin bazı ilgi alanlarına 1 ve 5. bölümlerde değinilmişti. Arkeolojiyle ilgili eserlerde erkek ağırlığının erkek egemen görüşlere yol açmasının nedenlerinden biri, elbette profesyonel arkeologların büyük oranda erkek olmasıdır. Günümüzün akademi dünyasında kadın öğrenciler eskiden kendilerine verilmeyen imkânlara sahip olmakla birlikte, eğitim personeli içinde erkeklere nazaran kadın sayısının düşüklüğü bir gerçektir (erkek egemen bu dünyada başarıya ulaşmış iki kadın uzmanın –biri Tayland diğeri ABD'de– kariyerleri 16. Bölüm'de anlatmıştır). Şimdiye kadar geçmiş genellikle erkekler tarafından –müze uzmanlığı için de durum genelde aynıdır– yorumlanmıştır.

Viktoryen görüşler ve yorumlar ya da en azından bunlardan 19. yüzyıla ait olanları, yorum ve sergilemenin birçok alanında varlığını sürdürmektedir. Bu durum Batı için geçerlidir ve daha önce belirtildiği gibi Çin'deki arkeolojik sergilerin büyük kısmı hâlen neredeyse tamamen Marx ve Engels'in bir yüzyıl önceki eserlerine dayanır.

Bazı sömürgeci ve ırkçı önyargılardan tümüyle kurtulmak mümkün olmuşsa da, daha incelikli peşin hükümler sürmektedir. Örneğin Girit'in Minos uygarlığı hâlâ onu bir yüzyıl önce keşfetmiş Sir Arthur Evans'ın gözüyle sunulur. John Bintliff'in gözlemlediği gibi (1984: 35), "Evans'ın barış içindeki refah dolu bir dünyayı, durağan tanrısal otokratları ve iyiliksever bir aristokrasiyi yeniden canlandırması, kendi zamanında Avrupa'nın genel siyasi, sosyal ve duygusal 'endişelerine' çok şey borçludur."

Üstelik müze sergilerinde sıklıkla öne çıkan öge estetik ilgilerdir. Böyle bir sergileme biçimi, kolaylıkla sergilenen nesnelerin "sanat eserleri" olarak bütün tarihi bağlamlarından koparıldığı bir yaklaşıma yol açabilir. Böylece bir şekilde, arınmış güzellik arayışını ("In Pursuit of Absolute", Ortiz Koleksiyonu'ndaki menşei belirsiz çoğu eski eseri barındıran 1994 tarihli halka açık serginin

15.24 *Mexico City'deki Ulusal Antropoloji Müzesi dünyadaki en iyi arkeoloji müzelerinden biridir. Giriş katında eski kültürler Maya, Aztek, Olmek ve Mixtek toplumlarına ait ayrı salonların olduğu bölgesel bir temele göre sergilenmektedir. Bunlarla ilişkili modern yerel kültürlerin maddesel kültürleri ise üst katta eski ve yeni arasında yakın bir bağlantı meydana getirilmektedir.*

başlığıydı) teşvik eder. Arkeolojik kontekstin önemsenmediği bu bakış açısı, rahatlıkla amansız "sanat eseri" alımlarına ve arkeolojide etik standartların hiçe sayılmasına neden olabilir (s. 560-564'e bakınız).

Geçen yirmi yıl içinde müze çalışmaları çok haklı sebeplerle, geçmişin yorumu ve sergilenmesi işinin çok karmaşık bir uğraş olduğunu kabul eden sağlam bir disiplin hâline gelmiştir. Birkaç yıl önce Avrupa'da 13.500, Kuzey Amerika'da 7000 ve dünyanın geri kalanında belki 2000 müze olduğu tahmin ediliyordu. Fakat bu müzeleri

kim ziyaret eder ve sergiler kimi hedef alır? Bunlar şimdi sistematik olarak ele alınan konulardır.

Müzelerin geçmişe ve şimdiye dair farklı bakış açılarının iletildiği "düş mekânları" olduğu artık genel olarak kabul edilmektedir. Müzeler yerel ve ulusal kimliklerin tanımlandığı "bellek tiyatrolarıdır." İnsan yapımı bir nesnenin sergilenmesi eylemi tek başına onu bir sanat eseri ya da ortak bir inancın tarihi şahidi olarak tanıtabilir.

TÜM İNSANLAR VE HALKLAR İÇİN GEÇMİŞ

Her bölgenin (her ulus ve her etnik grup) kendi geçmişine katkıda bulunan bir arkeolojisi olması ve bu arkeolojiyle tarihin en iyi uluslararası standartlara göre yerel çalışanlar tarafından üretilmesi ve yayımlanması gibi bir vizyon, birçok kişinin katılacağı bir engelle karşı karşıyadır. Böyle bir hedefin önündeki zorluk, çelişkili olarak İngilizce olabilir. İngilizce uluslararası bir dil

olmaya yakın bir konumda bulunduğu ve zaten hava trafik kontrolüyle uluslararası finansal piyasalarda kullanıldığı için bu tuhaf bir iddia gibi görünebilir. İngilizce kesinlikle dünyadaki en popüler ikinci dildir.

Bununla birlikte Rus arkeolog Leo Klejn yakın bir tarihte, arkeolojik söylemde İngilizcenin hâkimiyetine karşı bazı çevrelerde görülen hoşnutsuzluğa işaret etmiştir. İngiliz ve Kuzey Amerikalı arkeologların katıldığı bir konferansın sıklıkla bir şekilde "uluslararası" olarak kabul edilirken daha az yaygın diller konuşan bilim insanlarının bulunduğu konferansların böyle tanımlanmadığı görülür. Klejn'in bahsettiği kırgın bilim insanlarından bazıları Norveçli arkeolog Bjornar Olsen'in de dâhil olduğu İskandinav ve İspanyollardır. Aslında bu kitapta bahsedilen süreçsel arkeologlarla yorumsal ya da postsüreçsel arkeologlar arasındaki teorik tartışmalar başlangıçta büyük ölçüde İngiliz ve Amerikalı arkeologlar arasında başlamış, bazı İskandinav bilim insanları da (fakat genellikle İngilizce konuşarak) katkıda bulunmuşlardır. Olsen bir "bilimsel sömürgecilik"ten bahsetmektedir. Şüphesiz İngilizcenin dilbilimsel hegemonyası olarak tanımlanabilecek olgunun tarihi geçmişi altında yatan şey, Britanya'nın bir yüzyıl ya da daha önceki sömürgeci tutumudur. Bunu iki dünya savaşının sonuçları ve ardından Amerika Birleşik Devletleri'nin 20. yüzyıldaki İngilizce temelli siyasi üstünlüğü izlemiştir.

Bununla birlikte modern zamanlarda ne İspanya ne de İskandinavya'nın başarılı bir sömürgeci ya da emperyalist genişlemenin alıcı tarafında olmadığı belirtilmelidir; aslında tam tersidir. Sömürge idaresindeki topraklarda durumun gerçekten daha vahim olduğu, Avustralya Aborjin ya da Kanada yerlileri arkeolojisinin giderek daha fazla takdir görmesiyle anlaşılmaktadır. Bunlar 1. Bölüm'de tartışıldığı üzere Dünya Arkeoloji Kongresi'nin üzerinde durduğu meselelerdir ve henüz çözülmemişlerdir.

Sorun sadece Avrupa ya da Amerikan sömürgeciliğinin yerli halklara olan etkisi değildir. Zira dünyanın başka bölgelerinde yerliyle şehirli arasındaki ayrım MS 15. yüzyılda yaşanan Avrupa genişlemesinin ötesine geçmektedir. Hintli arkeolog Ajay Pratap konuya yakın zamanda *Indigenous Archaeology in India* başlıklı çalışmasında değinmiş, farkın Avrupalı sömürgecilerle yerel halklar arasında değil, fakat daha ziyade Hint anayasasının belirlenmiş kastlarla kabileler arasında yaptığı ayrımda olduğunu söylemiştir. Bu, sömürge döneminden çok daha öncesine giden bir ihtilaftır. Kast sistemi çok daha az göze çarpsa bile, "kabile" ve "kabile dışı" ayrımı bugün hâlen canlıdır. Çin'de Han Çinlilerinin üstünlüğü MÖ 1. binyıla kadar gitmektedir ve Japonya ile Asya'nın diğer kesimlerinde etnik azınlıklarla bazen baskın çoğunluk arasındaki ilişkiler bin yıldan fazla bir geçmişe sahiptir.

Yine de bir bakıma arkeoloji, özellikle de tarihöncesi arkeoloji, dil egemenliği ve etnik ayrımla ilgili sorunların üstesinden gelebilecek bir konumdadır. Zira arkeolojinin ana konusu kelimeler değil, maddi kalıntılardır ve tarihöncesi arkeoloğunun inceleyip yorumlamaya çalıştığı iletişim nitelik olarak sözel değildir. Bu, arkeolojinin en büyük gücüdür. Her bölge ve her halkın kendi arkeolojisi vardır. Bunları yorumlamak aslında bir meydan okumadır ve buna karşılık vermek elinizdeki kitabın asıl meşgalesi olmuştur.

GEÇMİŞ NE İŞE YARAR?

Eğer televizyon programları ve dergi makaleleri bir ölçüt olarak kabul edilecekse, arkeolojinin popülaritesi son yıllarda kayda değer şekilde artmıştır. Şüphesiz üniversitelerdeki arkeoloji öğrencilerinin sayısı birçok ülkede çok artmıştır ve dünyadaki büyük müzelerin ziyaretçileri giderek çoğalmaktadır. Gördüğümüz gibi, birçok ülkede kamu kaynakları konservasyona ayrılmaktadır ve müteahhitlerin kültürel çevreye yapacakları etkinin zararlarını hafifletmek için uygun önlemleri almaları zorunludur. Fakat bu kaynaklar sadece dünyadaki vatandaşların ilgilerini karşılamak için mi harcanmaktadır? Asıl amaçları ziyaret edilmeleri için güzel tarihi alanlar yaratmak mıdır?

Bundan daha fazlasının geçerli olduğuna inanıyoruz. Bugün insanlığın bir geçmişi –hepimizin erişebileceği, inceleyebileceği ve değerlendirebileceği, somut maddi kanıtlarla güvenli bir şekilde kaydedilmiş bir geçmiş– olduğunu hissetmesi ve buna inanması gerektiği giderek daha fazla farkına varılan bir gerçektir, zira köklerimiz olmadan kayboluruz. Geçmiş nesiller boyunca bu kökler arkadaşlarımız, ailelerimiz ve içinde bulunduğumuz mevcut topluluklar tarafından iyi temsil edilmiştir. Fakat çok daha derin ve daha uzak bir geçmiş anlamında hepimiz buna dâhiliz. Dünya üzerinde birçok insanın yaşamına anlam veren çok farklı dinler vardır, fakat bunlar kitapta tartıştığımız insanın kökeni ve erken tarihi hakkında konularda fikir birliği içinde değildir ya da öyle görünmektedirler. Bazıları etkileyici ve aydınlatıcı yaratılış hikâyeleri sunar. Bunların her biri erken insan gelişimine dair maddi kanıtlarla zenginleştirilebilir. Buluntular dünyanın her köşesinde mevcuttur ve daha fazlası sürekli gün ışığına çıkarılmaktadır.

Arkeolojik keşiflerin oranına bakarsak daha öğrenecek çok şeyin olduğu fazlasıyla açıktır. Konunun bu kadar ilgi çekmesinin ve her zaman böyle kalacak olmasının tek bir nedeni vardır: Konservasyon ve zarar hafifletme uygulamaları sürdürüldüğü sürece insanın geçmişi, bir anlamda insan olmanın ne anlama geldiği hakkında daha fazla şey öğrenmeye devam edeceğiz. Geçmişimizin geleceğinin böyle olacağını umuyoruz ve şüphesiz bu çok yarar sağlayacaktır.

ÖZET

▌ Birçok ulus devlet konservasyonla ilgili politikalara sahip olması gerektiğine inanır ve bu konservasyon yasaları sıklıkla arkeolojiye uygulanır. Kültürel kaynak yönetimi geçen onyıllar boyunca kurtarma arkeolojisinin taleplerini karşılamak üzere gelişmiştir ve bu işi özel şirketler üstlenmektedir. İnşaat, tarımın yoğunlaşması, turizm ve definecilik arkeolojik alanlara zarar veren ya da onları yok eden insan faaliyetleridir.

▌ Güçlü yasal temeller üzerine kurulmuş kültürel kaynak yönetimi ya da "uygulamalı arkeoloji" Amerikan arkeolojisinde önemli bir rol oynamaktadır. Bir proje federal topraklarda olduğunda, federal bütçeyi kullandığında ya da federal izine ihtiyaç duyduğunda, kanun kültürel kaynakların tanımlanmasını, değerlendirilmesini ve eğer bu proje iptal edilemiyorsa onaylanmış bir zarar hafifletme planına uygun bir şekilde sorunların üzerine gidilmesini şart koşar. Çok sayıda özel sözleşmeli arkeoloji şirketi Amerika Birleşik Devletleri'ndeki arkeologların büyük kısmını çalıştırmaktadır. Bu şirketler bir rehber büro ve bir Eyalet Tarihi Koruma Memurluğu'nun gözetiminde zarar hafifletme şartlarını yerine getirmekle yükümlüdür. Nihai raporların yayımlanması zorunludur, ancak bunların tutarsız nitelikleri ve genellikle kısıtlı dağıtımı sorun olmaya devam etmektedir.

▌ Arkeologların bulduklarını rapor etme yükümlülükleri vardır. Kazı belli bir dereceye kadar tahripkârdır; yayımlanmış malzeme genellikle bir arkeolojik alanda bulunanların tek kaydıdır. Modern kazıların belki de %60'a yakını 10 yıldan sonra yayımlanmamış hâlde kalmaktadır. Hükümetler ve profesyonel organizasyonlar yayın yapmayan arkeologlara karşı daha sert tavır almaktadır ve genellikle çalışmalarını yayımlamamış olanlara kazı izni vermemektedir. Internet ve popüler medya arkeolojinin temel amaçlarından birini yerine getirmesine yardım edebilir: insanların geçmişi daha iyi anlamasını sağlamak.

▌ Geçmişin yorumlanması ve sunumuna dair milliyetçi ve dini görüşlere ilaveten, hâlen erkek egemen olan arkeoloji dünyasında toplumsal cinsiyet önyargılarının farkında olmamız gerekir. Giderek artan şekilde müzeler, yerel ve ulusal kimliklerin tanımlandığı "anı sahneleri" olarak görülmektedir.

▌ Bir diğer önyargı kaynağı, İngilizcenin arkeoloji söyleminde çok yaygın olması ve dünyanın farklı kesimlerinde bir etnik grubun ya da sınıfın bir diğerine olan hâkimiyetidir. Sözel olmayan maddi kültüre önem veren prehistorik arkeoloji bu zorlukları aşacak konumdadır.

İLERİ OKUMA

Carman, J. 2002. *Archaeology and Heritage, an Introduction.* Continuum: Londra.

Graham, B. & Howard, P. (ed.). 2008. *The Ashgate Companion to Heritage and Identity.* Ashgate Publishing: Farnham.

King, T.F. 2005. *Doing Archaeology: A Cultural Resource Management Perspective.* Left Coast Press: Walnut Creek.

King, T.F. 2008. *Cultural Resource Laws and Practice, an Introductory Guide* (3. basım). Altamira Press: Walnut Creek.

Pratap, A. 2009. *Indigenous Archaeology in India: Prospects of an Archaeology of the Subaltern* (BAR International Series 1927). Archaeopress: Oxford.

Sabloff, J.A. 2008. *Archaeology Matters: Action Archaeology in the Modern World.* Left Coast Press: Walnut Creek.

Smith, L. & Waterton, E. 2009. *Heritage, Communities and Archaeology.* Duckworth: Londra.

Sørensen, M.L. & Carman, J. (ed.). 2009. *Heritage Studies: Approaches and Methods.* Routledge: Londra.

Tyler, N. Ligibel, T.J. & Tyler, I. 2009. *Historic Preservation: An Introduction to its History, Principles and Practice* (2. basım). W.W. Norton & Company: New York.

YENİ ARAŞTIRMACILAR 16
Arkeolojide Kariyer Yapmak

Bu kitabın önceki baskılarını okuyan birçok kişi arkeolojide nasıl kariyer sahibi olunabileceğini merak etmiştir. Bu kariyer arkeolojik araştırma alanında (bir üniversitede ya da serbest araştırmacı olarak), bir devlet görevlisi olarak idari kapasitesi daha yüksek bir mevkide veya kültür mirası turizminde yapılabilir. Bu yüzden hepsi de hayatını arkeoloji yaparak kazanan altı profesyoneli kendi hikâyelerini anlatmak için davet ettik. Her biri faal olarak yeni bilgiler üretmek için araştırma yapmaktadır. Bu anlamda onlar 1. Bölüm'de bahsedilen öncü "araştırmacılar"ın meslektaşları ve ardıllarıdır. Hiçbiri rastgele seçilmemiştir; farklı davetler farklı yanıtlar doğurabilirdi. Fakat hepsi de insan geçmişine ait bilginin inceleme, rekonstrüksiyon ve yayımlanmasını içeren muazzam bir uluslararası girişimin parçasıdır.

Bu kişilerin hepsi arkeolog olmakla birlikte kariyerlerinin farklı basamaklarındadır. Geçmişleri de aynı şekilde çeşitlidir. Buna rağmen çoğunun ortak bir noktası vardır: Arkeolojiye şans eseri başlamışlardır. Bu şaşırtıcı değildir, çünkü arkeoloji mesleği tıp, hukuk ya da perakende satıcılık gibi yaygın bir meslek olmamıştır. Fakat her biri bir şekilde bu meraka yenilmiştir. Söz konusu merak, yani Glyn Daniel'ın bir zamanlar dediği gibi "geçmişe yönelik ilgi" ya da insanlık geçmişinin çekiciliği onları motive eden şeydir. Hepsi bunu kendince ifade etmektedir.

Dile getirdikleri keyif ("Şimdiye kadar keşfettiğim en tatminkâr şey") binlerce yıl boyunca saklı kalmış nesneleri keşfetmek ve ortaya çıkarmaktan ibaret değildir; bilgiye bir anlam yüklemek, geçmişi anlaşılır kılmaktır. Şimdi kültürel kaynak yönetimi işinde olan Douglas C. Comer Coğrafi Bilgi Sistemleri teknolojisinden yararlı bilgi çıkarmanın verdiği mutluluktan bahseder. Shadreck Chirikure ise "bütün insanlığın mirası olan" Oranjemund batığının ortaya çıkarılmasına yardım etmiş olmaktan dolayı memnuniyetini kaleme almıştır.

Yazarlardan ikisi arkeolojinin ilk evrelerinde çok etkili Avrupa ve Amerika Birleşik Devletleri arasındaki Atlantik ötesi eksenin dışındaki ülkelerde (Tayland ve Güney Afrika) çalışmaktadır. Her biri eksen dâhilindeki merkezlerde (sırasıyla Michigan ve Londra) lisansüstü eğitimlerini almışlardır. Şimdi ise kendi ülkelerinde lisans öğrencilerine –yeni araştırmacılar olacak öğrencilere– öğretmenlik yaparak tümüyle uluslararası, belki de gerçekten çoğulcu bir dünya arkeolojisini geliştirmektedirler.

Bu uluslararası anlayışın bir kısmı aslında kişinin önceki fiziki şartlarının dışındaki yerlerde ve insanlarla çalışmanın getirdiği zengin deneyimdir. Jonathan N. Tubb Ürdün'deki kazıya ilk gidişini şöyle anlatır: "Neredeyse oradaki ilk günümde bölge bana aitmiş gibi hissettim." Bu onun gelecekteki kariyerini şekillendirmiştir. Birçoğumuz şehirde doğmuş ve yetiştirilmiştir; öyle ki arkeolojik arazi çalışması şehir ya da üniversiteden çok farklı bir çevrede avcı-toplayıcılar veya taşradaki çiftçilerle çalışma ve yaşama deneyimini birinci elden sunar. Rasmi Shoocongdej iki kaya barınağında müzeler ve rehber eğitim programları geliştirmek için kendi ülkesinde yerel topluluklarla işbirliği deneyimi hakkında yazmıştır. Çok seyahat etmesine ve farklı yerlerde çalışmış olmasına karşın, Gill Hey anavatanının (İngiltere) tarihöncesini hâlâ en heyecan verici ve tatminkâr deneyim olarak görmektedir. Yerel toplulukların arkeolojik başarıları ilgi çekici ve ilham verici görmelerinden dolayı memnuniyet duymaktadır.

Her yazar hem bugün hem de gelecekle ilgilidir ve o gelecekte bir fark yaratmayı arzulamaktadır. Lisa J. Lucero, Klasik Maya'nın görünüşe göre uzun vadeli bir kuraklıkla gelen çöküşüne dair çalışmasıyla bugünkü iklim değişikliğini anlayabileceğimizi ümit etmektedir. Bütün yazarlar diğer ülkelerden bilim insanlarıyla etkileşim içinde olmayı ve kendi toplumlarıyla temasta bulunmayı işlerinin parçası sayarlar. Bugünün arkeoloğu tıpkı dünün arkeoloğu gibi insan geçmişine dair bilgisi ve insanlığın geleceğine ilgisiyle geniş ufuklu bir insandır.

LISA J. LUCERO: ÜNİVERSİTE PROFESÖRÜ, ABD

Arkeolog Olmaya Nasıl Karar Verdim?

Lisede bile tarihe dayandığını iddia eden bir film ya da kitabın ne ölçüde gerçekleri anlattığını hep bilmek isterdim. Bu merak beni Colorado Devlet Üniversitesi'nde antropoloji diploması almaya yönlendirdi. İkinci yılımda hedefimi arkeolojide doktora olarak genişlettim. Arkeoloji programı heyecan verici olan UCLA'de lisansüstü eğitime katıldım. Arkeologlar çoğu kez eski toplumları yöneten seçkinleri inceliyordu, fakat benim ilgi alanım –akranlarım ve profesörlerimin desteğiyle– siyasi iktidarın temelleri hakkındaki fikirlerim üzerine çalışmaktı. Klasik Maya (MS 250-900) örneğinde hükümdarların gücü halkın işgücüne ve çiftçilere dayanmaktaydı. Onların hikâyesine ışık tutmanın tek yolu yıllardır yaptığım gibi halk tabakasına ait evleri kazmaktı. Maya ailelerinin yüzyıllarca süren yeniden inşaatları ve yerleşimlerini temsil eden Maya höyüklerini kazmak harika bir şeydir. Aileler atalarını ayaklarını bastıkları zeminin altına gömerek onları kelimenin tam anlamıyla evlerine yakın tutmuşlardır. Dört disiplini (arkeolojiyle kültürel, dilbilimsel ve biyolojik antropolojiyi bir arada çalışmak) kapsayan eğitimim antropolojiye giriş dersleri vermeme imkân tanımakta, fakat aynı zamanda daha geniş bir açıdan bir Maya arkeoloğu olarak bulduklarımı değerlendirmeyi sağlamaktadır.

Karşılaştırmalı bakış açısı kullanarak eğitim aldım; sonuçta hepimiz insanız ve geçmişi, zaman ve uzam boyunca farklı toplumların özelliklerini anlarsak takdir edebiliriz. Uzam ve zamanda görülebilecek özellik kısa vadeli tepkilerle teknolojiye bel bağlamaktır. İlkinde sadece nadiren iyi sonuç alınır ve diğeri de artan nüfus ve küresel iklim değişikliği karşısında mevcut ihtiyaçlara artık cevap vermeyebilir.

İlk İşime Nasıl Girdim?

Urbana-Champaign'deki Illinois Üniversitesi'ne geçmeden önce 10 yıl çalıştığım New Mexico Devlet Üniversitesi'ndeki ilk işim için birkaç mülakata girdim. Akademik ortamı gerçekten severim; sevmem de gerekir, çünkü hiçbir zaman onun dışında olmadım! Zamanımın çoğunu bazıları hem lisans (mesela Belize'deki arkeoloji arazi okulları) hem de lisansüstü (yükseklisans, doktora) öğrencilerini içeren çeşitli araştırma projeleri ve eğitimle geçirmekteyim.

Bugüne Kadar Keşfettiğim En Değerli Şey

Yirmi yıllık arkeoloji çalışmalarımda özellikle tek bir şey bulmuş değilim. Asıl tatmin edici şey, kendiminki

16.1 *Lisa J. Lucero Orta Belize ormanlarındaki Maya yerleşimi Yalbac'ı kazarken.*

de dâhil insan toplumları hakkında sorduğum giderek daha nitelikli olan sorulardı. Beni hayrete düşüren şey ise türümüzün direnci olmuştur; tarihimizde çok fazla engelin üstesinden geldik. Tekerrür eden bir tarihten –özellikle de uzun vadeli iklim değişikliklerine tepkilerimiz– kaçınmak için işe yaramamış geçmiş stratejilerin teşhisi çok değerlidir.

Ne Araştırıyorum ve Araştırmalarım Nasıl Fark Yaratabilir?

Son 10 yıl içinde iklim değişikliğinin –bu durumda uzun vadeli kuraklıklar– Klasik Maya krallarının çöküşünde nasıl bir rol oynadığıyla ilgilenmekteydim. Bu nasıl meydana gelmişti? En büyük ve en güçlü merkezler verimli topraklar üzerindeydi, fakat kesintisiz yer üstü suyundan mahrumdular. İlk Maya kralları her yıl altı aylık yağışlı mevsim sırasında yağmur suyunu tutmak için giderek karmaşıklaşan sarnıçlar inşa etmişlerdi. Bunlar hemen hiç yağış olmayan yılın dört aylık döneminde susuz çiftçileri ve halkı desteklemeye yetiyordu. Sistem yüzyıllar boyunca varlığını sürdürdü ve krallara –mükemmel su idarecileri olarak– başkalarının işlerine ve mallarına sahip olma yolu sağladı. Üstlendikleri törenler, oyunlar ve şölenler kendilerinin güçlerini ve tanrılarla yakın ilişkilerini göstermekteydi. Bu sistemi ne sona erdirebilirdi? Bir yıldan fazla sürmüş birkaç tane kuraklık vakası. Birkaç on yıl içinde krallar Güney Maya Düzlükleri'nden geri dönmemek üzere kayboldular ve çiftçiler küçük topluluklar hâlinde yaşama döndüler ya da bütün yönlere doğru –hâlen yaşadıkları Meksika, Guatemala, Belize'nin bazı kısımlarına– göçtüler. İşte bir arkeolog ve bir hümanist olarak fark yaratabileceğim nokta budur. Ekibim ve ben Orta Belize'de, dalgıçların paleoiklimsel veri (sediman karotları, fosiller, toprak örnekler vs.) toplamak için araştırdığı derin bir oburğun kenarındaki bir su tapınağını kazıyoruz. Geçmişten çıkardığımız dersleri, küresel iklim değişikliğinden kaynaklanan bugünkü sorunlara uygulamaya çalışıyorum. Tropik kuşaktaki iklim değişikliği ve sürdürülebilirlik meselelerinde uzman bilim insanlarını bir araya getiren bazı organizasyonlarla ilişki içindeyim. Hedeflerimiz iki yönlüdür: geçmişin hatalarından kaçınmak ve eski toplumların sürdürülebilir yaşam yöntemlerini nasıl uyguladıklarını göstermek.

Urbana-Champaign Illinois Üniversitesi
E-posta: ljlucero@illinois.edu

GILL HEY: SÖZLEŞMELİ ARKEOLOG, BİRLEŞİK KRALLIK

Arkeolog Olmaya Nasıl Karar Verdim?

Çocukken ailem beni ve erkek kardeşimi sık sık tarihi sit alanlarına götürürdü; Yorkshire'daki Bolton Abbey yakın çevrede bulunan favorimdi, ama Stonehenge ve Avebury'yi ziyaret ettiğim Wiltshire'daki aile kampında arkeoloji hayallerimi gerçekten süslemeye başladı. Bu, Silbury Hill Neolitik höyüğünün kazısının televizyonda yayımlanmasıyla çakışmıştı ve önemli keşifler yapılmamış olsa bile televizyon karşısında çakılı kaldım. Bana göre heyecan höyüğün kimler tarafından niye meydana getirildiği -gerçek bir kim yaptı vakası- gizemini çözmeye çalışmaktı. Bundan sonra her zaman bir arkeolog olmak istedim, fakat mümkün olabileceğini düşünmedim. Üniversitede dersleri değiştirebileceğimi öğrendiğim zaman hayalim gerçekleşti.

İlk İşime Nasıl Girdim?

Lisans öğrenimimi uygulamalı arazi çalışmasını çok ciddiye alan Reading Üniversitesi'nde yaptığım için şanslıydım. Her Pazartesi kazıya gidiyorduk (Mortimer Wheeler usulünde 1x1 m ölçülerinde açma açtığım tek kazıydı ve bir kazıda ayak ve inç ölçülerini kullanmıştım!) ve tatillerimizde üç hafta kazılara katılmamız gerekiyordu. Arkeolojideki ilk yılımın yazında Kanada'ya gitme planları yaparken, İskoçya'nın doğusunda, bir Roma şehri olan Caerwent'te bir Paskalya kazısı bulmayı başardım. Orada, o zamanın deyimiyle "gezerek çalışan" sıra dışı bir grup insanla çalıştım. Bunlar bir arkeolojik alandan diğerine gidiyordu, zira sürekli arkeolojik kazı işi nadiren bulunuyordu. Kanada'ya hiçbir zaman gitmedim, ama sonraki tüm tatillerimde çalıştım. Mezuniyetimden sonra tanışmış olduğum insanlar için kısa dönemli sözleşmelerle kazılar yapmaya devam ettim. Yavaş yavaş yükseldim ve kendi arkeolojik alan kazılarımı yönetmeye başladım. En keyifli ve değerli olanı, 1978-1988 arasında, dokuz yıl boyunca arazi çalışmalarını yönetici olarak yürüttüğüm Peru'daki Cusichaca Arkeolojik Projesi'ydi. İlk sürekli işim Peru işinin bittiği ve paraya ihtiyacım olduğu bir zamanda geldi: Oxford Archaeological Unit'te ikinci derece bir mevki olan insan gücü kaynakları müdürlüğündeki yönetici kadrosuna başvurdum.

Şimdi Ne Yapıyorum?

Şu anda Avrupa'daki en büyük sözleşmeli arkeoloji firmalarından ve aynı zamanda bir kültürel miras derneği olan Oxford Archaeology'nin (Oxford Archaeological Unit'in halefi) yönetim kurulu başkanıyım. Esasen ticari sektör için çalışıyoruz, fakat temel hedefimiz araştırma yapmak ve insanları çalışmalarımız hakkında bilgilendirmek ve eğitmektir.

Çalışmalarımızın çoğu projelendirme sisteminin bir parçası olarak, konut ya da yol projeleri gibi inşaatlardan önce arkeolojik incelemeler yapmaları zorunlu olan müşterilerimize yöneliktir. Masa başı değerlendirmelerine ilaveten tarihi çevrenin nasıl yönetilmesi gerektiğiyle ilgili çalışmalar da yaparız ve çalışmalarımızın sonuçlarını daima yayımlarız. Bünyesinde 280'den fazla elemana sahip bir şirket olarak, büyük altyapı projelerinde uzmanlaşmış bulunuyoruz. Arazi işçileri ve araştırmacılarla birlikte buluntu, çevresel ve jeoarkeolojik analiz, gömüt arkeolojisi, tarihi binalar ve yüzey araştırması alanlarında uzmanlar çalıştırıyoruz.

Bir mütevelli heyetine rapor veriyorum ve şirket olarak stratejimizi geliştirmek ve ortaya koymakla sorumluyum. Ayrıca baş maliyecimiz ve işletme müdürümüzle birlikte finansal durumumuzun sağlıklı olmasını sağlıyorum. Hâlihazırda harici ve dâhili bağlantılarımızı geliştirirken, araştırma ve toplum arkeolojisindeki rolümüzü arttıracak beş yıllık bir stratejiyi başlatmak

16.2 *Oxford Archaeology'nin yönetim kurulu başkanı Gill Hey, Oxfordshire'daki Thame'de, bir Demir Çağı çukurunda bulunmuş kısmi at gömütünü kazıyor.*

üzereyiz. Hâlen kendi ilgi alanlarım var bana ait birkaç arkeolojik alanın raporlarını bitiriyorum, fakat asıl görevim şirketi tanıtmak, temsil etmek ve saygınlığını sürdürmektir.

Araştırma Alanlarım

Doktoramı Andlar'ın doğu kesiminde, Cuzco ile Macchu Picchu arasındaki Cusichaca Vadisi'nin erken yerleşmeleri üzerine yaptım. İnkaların imparatorluklarını genişletmeye başladıkları zaman vadiyi nasıl egemenlikleri altına aldıklarını ve değiştirdiklerini anlamaya yönelik kazılar sırasında, beklenmedik şekilde bir İnka kalesi altında yaklaşık MÖ 600'e kadar giden kalıntılar keşfettik. Çalışmam en erken yerleşimciler üzerindeki farklı etkiler, ev mimarileri, gömü gelenekleri ve buluntu tipleri hakkındaydı. Dünyanın farklı yerlerinde farklı dönemlere ait arkeolojik alanlarda çalışmış olmama rağmen, yine de asıl ilgim Britanya Neolitik'i ve Tunç Çağı'dır. Özellikle bir yaşam biçimi olarak avcılık ve toplayıcılığın yerini tarım aldıktan sonra Britanya'da neler olduğunu ve insanların yeni bir dünya görüşünü nasıl benimsediklerini ve ne şekilde farklı bir toplum yarattıklarıyla ilgileniyorum.

Bugüne Kadar Yaptığım ya da Keşfettiğim En Değerli Şey

Cusichaca Arkeoloji Vakfı için Peru'da çalışmak harika bir deneyimdi ve yönetici Anne Kendal'a orada kazma fırsatını bana verdiği için müteşekkirim, ancak Oxford yakınlarındaki Yarnton'da, Thames Nehri'nin taşkın yatağında geniş bir Neolitik araziyi gün ışığına çıkarmak yaptığım en değerli şeydir. Bir makine taşkın alüvyonunu temizlerken 5800 yıllık erken bir Neolitik uzun evine ait direk deliklerinin ortaya çıkışını amirimle birlikte ayakta izlediğimiz günü asla unutmayacağım. Bu yapılar İngiltere'de o kadar sıra dışıydı ki (1990'larda bugünkünden daha fazla) bir tanesini az çok şans eseri bulmuş olmak neredeyse nefes kesiciydi. Yapıyı sonraki altı bin yıl boyunca iskân edilmiş ve evrim geçirmiş çağdaş bir arazi içinde oturtmak hem heyecan verici hem de memnuniyet vericiydi.

Arkeolog Olmak Benim İçin Neden Önemli ve Nasıl Fark Yaratabilirim?

Önceki nesillerin topluma yaptığı katkılara ve şimdi olduğumuz hâle nasıl geldiğimize ışık tutmak arkeolojinin asıl görevlerinden biridir. Kamu projelerinde çalıştıktan ve çevrelerindeki keşifler hakkında birçok yerel sakinle konuştuktan sonra, onların arkeolojiyi nasıl ilginç ve ilham verici bulduklarını şahsen gördüm ve işimin özellikle bu yönü beni fazlasıyla tatmin etmektedir.

Ayrıca kişinin kendi iş çevresine de katkı yapmasının önemli olduğuna inanıyorum ve şimdi arkeoloji sektöründe nüfuzumu kullanabilecek ve daha iyi bir çalışma ortamı sağlayabilecek konumdayım. Arkeolog olarak işe başladığımda düzgün bir kariyer yapısı bulunmamaktaydı; eğer insanlar başarıya ulaşıyorsa, bunun sebebi kısmen şans, kısmen de fiziki ve zihinsel açıdan kuvvetli olmalarıydı. Ücretler çok düşüktü ve barınma da çok ilkeldi. Uzaktaki ilk kazımda kamp yapıyorduk ve arazide sadece bir tane soğuk su musluğu vardı. Yıkanmak için haftada bir kez yardımsever bir yerel otele gidiyorduk (otel sahibinin bu hizmetinin karşılığını bolca bira içerek veriyorduk!). Bereket versin ki son 20 yıl içinde her şey çok gelişti. Eğer arazideyseniz arkeoloji elbette dayanıklılık ve fiziksel zindelik gerektirir, fakat arkeolojide başarı, iyi bir arkeolog olmakla ilgilidir. Eğitim fırsatları, uygun maaş ve makul şartlar sağlamakla arkeolog olmayı başkaları için kolaylaştırmayı ümit ediyorum. Buna ilaveten işin tatminkâr ve heyecan verici olmasını sağlamak istiyorum. Ticari ortamda (sözleşmeli) olsun olmasın, yaptığımız arkeolojik işin araştırma değerine odaklanmak benim için çok değerlidir. Şahsen eğer bilgiye ufak da olsa bir katkım varsa, kendimi memnun sayacağım.

Oxford Archaeology
E-posta: gill.hey@oxfordarch.co.uk
Internet adresi: http://www.oxfordarchaeology.com

RASMI SHOOCONGDEJ: ÜNVERSİTE PROFESÖRÜ, TAYLAND

Arkeolog Olmaya Nasıl Karar Verdim?

Tayland siyasetinde 1976'da meydana gelen olayları televizyonda seyrederken 15 yaşında olmalıydım. Gerçeklerin söylendiğinden emin değildim ve işte o zaman bende bir olay ne kadar eski bir tarihte olursa olsun gerçeği bulma isteği uyandı. Başlangıçta kariyer olarak gazeteciliği düşündüm, fakat ardından arkeolojiye ilgi duymaya başladım. Silpakorn Üniversitesi'ndeki üçüncü yılımda bir öğrenci gazetesi için Tayland kültürel mirası hakkında bir makale yazdım, bir arkeoloji kulübünün kurulmasına katkıda bulundum ve kırsaldaki okullar için gezici kültürel miras sergisi oluşturdum. Bu faaliyetler arkeoloji kariyerimde dönüm noktası oldu; geçmişin gazetecisi olmaktan zevk alıyordum.

İlk İşime Nasıl Girdim?

Silpakorn'daki Güzel Sanatlar Bölümü'nün Arkeoloji Anabilim Dalı'nda araştırma görevlisi olarak hizmet ettikten sonra 1984'te Michigan Üniversitesi'nde Güneydoğu Asya arkeolojisinde uzman Profesör Karl Hutterer ile çalıştım. Tayland'da antropolojik arkeoloji veya tarihöncesi arkeolojisi için yükseklisans programı yoktu. Yükseklisansımı 1986'da, doktoramı 1996'da aldım. Michigan'da çalışırken Silpakorn Üniversitesi'nde okutmanlık (Tayland'daki birkaç öğretim kadrosundan biri) için başvurdum ve arkeoloji öğretmek üzere 1987'de Tayland'a döndüm.

Şimdi Ne Yapıyorum?

Şu an Silpakorn Üniversitesi Arkeoloji Bölümü'nde doçentim ve eski bölüm başkanıyım. Zamanımın büyük bölümünü öğrencilerle birlikte çalışmaya adadım. Hedefim özellikle onları kültürel mirasa karşı bilinçlendirmek ve genel olarak topluma, Taylandlılara ve diğer etnik gruplara ait mirasın korunmasıyla ilgili kampanyalara dair sorumluluk geliştirmektir. Aynı zamanda Kuzey Tayland'daki Pang Mapha yaylasında 1998'de başlayan uzun vadeli bir araştırmanın da içindeyim.

Uluslararası faaliyetlerim arasında Dünya Arkeoloji Kongresi Konseyi'nde Güneydoğu Asya ve Pasifik bölgesi kıdemli temsilciliği, Hint-Pasifik Tarihöncesi Derneği'nin yönetim kurulu üyeliği, Uluslararası Anıtlar ve Sitler Konseyi (ICOMOS) uzman üyeliği; *Southeast Asian Archaeology International Newsletter*'ın kurucusu ve editörlüğü (Dr. Elisabeth Bacus'la birlikte) bulunmaktadır. Ayrıca *World Archaeology, Asian Perspectives, Bulletin of the Indo-Pacific Prehistory Association* ve *Archaeologies*'in danışma kurulu üyeliklerini yapmaktayım.

Araştırma Alanlarım

Araştırmalarım avcı-toplayıcıların hareketliliği, özellikle de Tayland'ın batı sınırıyla Myanmar'da (Burma) Pleistosen ve Pleistosen sonrası dönem (günümüzden 32.000-10.000 yıl önce) avcı-toplayıcıların hareket kabiliyeti üzerinedir. Diğer ilgi alanlarım arasında gömü gelenekleri, mağara arkeolojisi, İkinci Dünya Savaşı arkeolojisi, milliyetçilik ve arkeoloji, arkeoloji ve çok etnisiteli eğitim, definecilik ve arkeoloji ile sanat yer alır. Arazi tecrübelerim Kuzey, Batı, Orta ve Güney Tayland'ı, Kamboçya'yı, ABD'nin güneybatısını ve Güneydoğu Türkiye'yi kapsamaktadır.

Bugüne Kadar Yaptığım ya da Keşfettiğim En Değerli Şey

Diğer gelişen ülkelerde olduğu gibi Tayland'da da araştırma odaklı arkeoloji öncelikli değildir. Bunun yerine turizmi teşvik etmek üzere esasen arazi çalışmalarına ve kurtarma kazılarına ağırlık verilir. Tayland'daki arkeoloji uygulamalarının ülkemize ve genel olarak Güneydoğu Asya'ya uygulanabilir doğru teoriler ve yöntemlere ihtiyaç duyduğuna inandığım için sadece bunu yapabilmek amacıyla kendimi uzun vadeli, araştırma odaklı ve çok disiplinli bir projeye adadım.

Pang Mapha yaylası projesinde bilhassa önemli üç keşif ortaya çıkmıştır (Tayland'da şu an için bilinen Geç Pleistosen buluntu yerleri ondan azdır): Kuzey Tayland'da bulunmuş en eski iki *Homo sapiens* kalıntısı (günümüzden 13.000-12.000 yıl önce), Tayland'daki en büyük taş alet işliği (günümüzden 32.000-12.000 yıl önce) ve Tayland'daki diğer Demir Çağı arkeolojik alanlarına nazaran emsalsiz bir gömü karakterine sahip bir "kütük tabut kültürü" (GÖ 2600-1100). Tik ağacı kütüklerinden tabutlar direklerin üzerine koyuluyor ve kireçtaşı kayalıklardaki mağaralara bilinçli olarak yerleştiriliyordu. Benzer uygulama Çin'deki Yunnan, Malezya'daki Sabah, Endonezya'daki Sulawesi ve Filipinler'deki Luzon'dan bilinmektedir.

Geçmişin bugün ve geleceğe hizmet edebileceğine inandığım için, Pang Mapha projesinin bir bölümü, yerel toplulukların kendi arkeolojik miraslarıyla bağlantı kurmasını sağlamak için onlarla yakın şekilde çalışmak üzerinedir. Tarihi, inançları ve hâlen arkeolojik alanda bulunan tabutların anlamlarını sergilemek üzere sanat bağlantılı faaliyetler bunu gerçekleştirmektedir.

Benim İçin Arkeolog Olmak Neden Önemli ve Nasıl Fark Yaratabilirim?

İnsanlığın gerçeğini araştırmaya inanırım, dolayısıyla geçmişin gazetecisi olma hayalimi arkeoloji yaparak gerçekleştirmekteyim. Yerel ve özgün arkeolojik bilgiler ve uygun yöntemler arayışım Anglo-Amerikan uygulamalarıyla karşılıklı olarak ülkemde "dünya arkeoloji"lerine katkı sağlayabilecek bir arkeoloji geliştirmeme izin verecektir.

Yukarıda belirttiğim gibi Pang Mapha projesi Tayland'daki Shan (Tai), Karen, Lahu, Lisu, Hmong ve Lua gibi azınlıklar olan yerel etnik grupların mensuplarıyla çalışma fırsatı sunmuştur. Mesela Ban Rai ve Tham Lod adlı iki kazılmış kaya barınağında müze kurmak için yerel topluluklarla çalıştım ve hem çocuklar hem de yetişkinlere yönelik rehber eğitim programlarına katkıda bulundum. Bu şekilde aynı zamanda yerel topluluk üyelerini, sanatçılar ve Tayland, ABD, Fransa'dan çeşitli alanlara ait uzmanları bir araya getirerek onların bu

iki arkeolojik alanda kültürel kaynak yönetimi üzerine çalışabilecekleri bütüncül bir proje geliştirdim. Bangkok ve arkeolojik alanlardaki sergiler de dâhil olmak üzere sanat programları bu girişimin önemli bir parçasıydı. Bu çabaların tarihi eser kaçakçılığı ve arkeolojik alan tahribatlarına karşı mücadelede işbirliğini arttıracağını umuyorum. Yerel etnik gruplarla çalışmalarım dışında, dergilerde ve gazetelerde yazarak; halka açık konuşmalar ve çalıştayların yanı sıra arkeolojik belgeseller hazırlayarak Tayland ve Güney Asya kamuoyuyla birlikte kültürel mirasın korunması ve arkeolojik eğitim üzerine yoğunlaşıyorum.

Umarım ki çalışmalarım arkeolojinin sadece geçmişin bilimi değil, fakat aynı zamanda uzamsal ve zamansal sınırları aşan bir disiplin olduğunu, Pang Mapha'daki gibi birçok kültür ve etnik grupla çalışarak hem geçmiş hem de gelecekteki kültürel çeşitliliği anlayabileceğimizi gösterir.

Silpakorn Üniversitesi, Bangkok
E-posta: rasmi@su.ac.th
Internet sayfası: www.rasmischoocongdej.com

16.3 *Rasmi Shoocongdej Fransa'daki Bougon'da, 2006'da düzenlenen 11. Uluslararası Güneydoğu Asya Arkeolojisi Avrupa Topluluğu toplantısında Pang Mapha projesini sunuyor.*

DOUGLAS C. COMER: KÜLTÜREL KAYNAK YÖNETİMİ ARKEOLOĞU, ABD

Arkeolog Olmaya Nasıl Karar Verdim?

İdeal genç bir insanın normal olduğu ve normal olmanın da iyi bir fiziğe sahip olmak anlamına geldiği Sputnik çağının bir ürünüyüm. Ortaokulda ben ikisi de değildim. Günün birinde rehber öğretmenim beni sınıfımdaki herkese verilen ve ilgi alanlarımıza en uygun disiplinleri belirlemeye yarayan bir testin sonuçlarıyla ilgili olarak ofisine çağırdı. Kaşlarını çatarak ilgimin %99,5 oranında bilimsel kategoriye girdiğini söyledi. Hiç böyle bir şey görmemişti. Arkadaşım olup olmadığını sordu. Bunu hatırlarken şimdi bana öyle görünüyor ki insan yapımı eski nesnelere ya da tarihe karşı güçlü ilgimden dolayı değil de diğer insanlarla nasıl bağ kurabileceğimi bilmek istediğimden dolayı arkeolog oldum.

O günlerde arkadaşlarım benim gibi kayış ceplerinde hesap cetveli taşıyan iki erkek çocuktu. Biri dikkat çekici ölçüde uzun, diğeri ise yine sıra dışı şekilde kısaydı. Roket, satranç ve görsel-işitsel sanatlar kulüplerinin tek üyeleriydik. Görsel-işitsel sanatlar kulübünde bozulan sinema yansıtıcılarını tamir eder ve bunları özellikle teknolojiyle arası iyi olmayan öğretmenler için çalıştırırdık. Bunların hiçbiri fazla konuşma gerektirmezdi ki bu da bana uyuyordu. Utangaçlığım öyle acı verici bir raddedeydi ki utangaç olmayanlar asla anlayamazdı. Eğer evimi konuşmanın istenmediği ve insanın ilginç fikirlerle çevrili olduğu kütüphaneye taşıyabilseydim bunu yapardım. Hâl böyleyken başından beri bir bilim insanı olacağımı biliyordum.

Zamanın ruhu, bilimsel yaklaşımları uygulayarak insanlığın yararı için belli bir dereceye kadar bütün olayları tahmin ve kontrol edebilme kavramını bünyesinde barındırıyordu. Bunlara hava, depremler ve insan davranışı dâhildi. Lisedeyken matematikte uzman olmayı düşünmüştüm, fakat bir deneysel psikoloji dersi matematik yeteneklerimi insan deneylerinde kullanma fırsatını sağladı. Çok geçmeden zamanımın büyük kısmını laboratuvarda insan algısı üzerinde deneyler yaparak geçirmeye başladım. İnsanın dış dünyaya verdiği tepkileri ölçmek ve analiz etmek beni etkilemişti. Neden insanlar bir re minör tonu dinlerken rengi hafif farklı şekilde tarif ediyordu? Neden bazı insanlar arka plan gürültüsüne maruz bırakıldıklarında çoktan seçmeli testlerde başarı sağlarken diğerleri başarısız oluyordu? Etraflarındaki dünya insanları derinden etkiliyordu; yine de sıklıkla bunun farkında olmuyorlardı. Şimdi geriye bakınca araştırmamın akranım insanlarla bana güven veren bir biçimde etkileşime geçme fırsatı verdiğini görebiliyorum.

Fakat bugün hem Ay'a gidiyoruz hem de para kazanma peşindeyiz. Ben daha büyük sorular sormak istiyordum. Grand Valley Devlet Üniversitesi'ndeki bir antropoloji dersinde Leslie White'ın çalışmalarıyla tanıştım. Kendisinin büyük fikirleri vardı: Kültür, çevreye beden dışı adaptasyondu. Hayat, Termodinamiğin İkinci Yasası'nı etkisizleştiren bir süreçtir. *The Science of Culture* ve başka yerlerde White bu temel süreçlerin disiplin olgunlaştıkça ölçülebileceğini iddia etmişti. Benim gözümde bu, böyle verileri analiz ederek bizi kültürler ve insanlar olarak var eden etkenleri soyutlayabileceğimizi göstermektedir. Arkeoloji farklı düzeylerde fazlasıyla ölçülebilir veri üretir. Bu düzeyler arasında buluntu, arkeolojik alan ve arazi vardır. Arkeoloji ofis ortamındaki zorunlu sosyal etkileşimden sakınarak insanları incelememi sağladı. Bu yüzden arkeolog oldum.

İlk İşime Nasıl Girdim?

Antropolojide yüksek lisansımı verdiğimde, 1966 tarihli Ulusal Tarihi Koruma Yasası uzun yıllar süren bir aradan sonra ciddi şekilde uygulanmaya başlanmıştı. Hiç vakit kaybetmeden Colorado Devlet Karayolları Dairesi'nde iş buldum ve ilk olarak Güneybatı Colorado'daki Basketmaker III çukur evlerinin kurtarma kazısında çalıştım. Ardından Orman Hizmetleri'ne transfer olarak White River Ulusal Ormanı'nın kerestelik ağaç hâline getirilecek kısımlarında araştırmalar yaptım. Bunlardan bazılarının sonuçlarını analiz etme ve yayımlama şansım oldu. Bu sayede bir yıl sonra Amerika Birleşik Devletleri Milli Parklar İdaresi'nde kalıcı bir iş sahibiydim.

Şimdi Ne Yapıyorum?

Arazi arkeoloğu olarak yaptığım ilk işlerden dünyanın birçok yerinde faaliyet gösteren Cultural Site Research and Management (CSRM) adlı bir kültürel kaynak yönetimi danışmanlık firması açmaya giden yol aynı anda hem mümkün hem de uzak ihtimaldi. Mümkündü, çünkü kültürel kaynak yönetiminin bilimsel araştırma ve analize dayanması, özellikle ilgili verilerin yenilenebilir şekillerde ölçülmesi ve analiz edilmesi gerektiğine hep inanmışımdır. Yükseklisans tezim buluntu dağılımlarının istatistiki analizi üzerineydi; doktora tezim ise insan eliyle değiştirilmiş arazilerin ideolojiyi değiştirme ve şekillendirme yollarını inceliyordu. Çalışkan bir öğrenci olduğumdan coğrafi analiz teknolojilerini (mesela CBS, GPS, hava ve uydu gibi uzaktan algılama görüntüleri) çıkar çıkmaz benimsedim. Bu teknolojiler

Amerika Birleşik Devletleri Milli Parklar İdaresi'nin planlama ve yönetim yaklaşımıyla uyumluydu. Hem doğal hem de kültürel kaynakların dağılımına dayalı yönetim alanlarının kurulması, varlık hassasiyetinin değerlendirilmesi ve insanların bu varlıklarda nasıl seyahat ettikleri ve onlardan ne şekilde yararlandıklarını tespit etmek bunun bir parçasıdır. Alanlar bir kez oluşturulduktan sonra, her biri için uygun faaliyetler belirlenebilir ve varlık şartları izlenebilir. Tayland'da 1993-1994'te kullandığım bir Fulbright kıdemli uzman bursu, bana böyle bir yaklaşıma çok büyük bir ilgi ve dünyada buna gerçekten ihtiyaç duyulduğunu gösterdi. CSRM o zamandan beri Güneydoğu Asya, Ortadoğu, Amerika Birleşik Devletleri, Afrika, Orta ve Güney Amerika'da faaliyet göstermektedir. Bu faaliyetler aynı zamanda, Dünya Mirası Komitesi'ne kültürel meselelerde tavsiyelerde bulunan Uluslararası Anıtlar ve Sit Alanları Komitesi'ne (ICOMOS) üyeliğim aracılığıyla Dünya Mirası Kongresi'nin uygulamalarına katılmama yol açmıştır. Şimdi ise Uluslararası Arkeolojik Miras Yönetimi Komitesi'nin (ICAHM) eş başkanı olarak (Leiden Üniversitesi'nden Prof. Willem J.H. Willems'le birlikte) çalışmalarım devam etmektedir.

Bu kariyerin uzak ihtimal olan yönü, şimdi başka insanlarla iletişim kurmak amacıyla çok zaman harcamamdır. Sahip olduğum herhangi bir sosyal beceri, araştırma sonuçlarını kültürel kaynak yönetimine uygulama pratiğinde gerekli gördüğüm için vardır. Ne

16.4 *Ürdün'deki arazi çalışmasında Douglas C. Corner uydu görüntüsündeki kalıntıların konumunu doğruluyor.*

gariptir ki artık dünyanın birçok farklı yerinden arkeologlarla çalışmaktan zevk alıyorum. Hepimiz siyasi ve kültürel farklılıkları aşan bir arzuyu paylaşıyoruz. Burada insan ırkı için biraz iyimserlik bulmaktayım.

Araştırma Alanlarım

İlgi duyduğum araştırma alanları insanların mekânı, arkeolojik alan ve arazi de dâhil kullanma ve yapılandırma yolları etrafında yoğunlaşmaktadır. Arkeoloji ve kültürel varlık yönetiminde hava ve uydu kaynaklı uzaktan algılama teknolojilerini daha iyi hâle getirmeyi istemekteyim. Bu tek başına bir amaç değildir. Nerede olduklarını bilmeden arkeolojik varlıkları koruyamayız. Defineciler genellikle satılabilecek buluntular içeren arkeolojik alanların nerede olduğunu bilirler. Bunları bir malzeme için piyasa oluştuğunda soyarlar. Arkeolojik alanların ve kalıntıların keşfi, bunların ve bunlarla bulundukları çevre arasındaki ilişkileri anlamak için büyük imkânlar sunar.

Bugüne Kadar Yaptığım ya da Keşfettiğim En Değerli Şey

Birkaç yıl önce ben ve ekibim Güney California'da, Los Angeles'ın hemen açığındaki San Clemente Adası'nda bulunan arkeolojik alanlar için yapay açıklıklı radar (SAR) ve çok bantlı algılayıcılara ait görüntülere dayalı arkeolojik imzalar geliştirdim. İmzalar arkeolojik alanların en yoğun şekilde geleneksel öngörü modellerinin gözden kaçırdığı yerlerde bulunduğunu gösteriyordu, çünkü bunlar söz konusu modellerden beklenildiğinin aksine su kaynaklarından daha uzaktaydılar. Müteakip testler izlerin doğru olduğunu gösterdi. Görünür alan analizlerine göre arkeolojik alanların bulunduğu yerler, deniz memelisi sürüleriyle inşaat malzemesi olarak kullanılan kütüklerin görüldüğü, fakat gözden kaçırılabilecek deniz kesimleriydi. Bu yerler aynı zamanda San Clemente ve komşu adalardaki dağınık nüfus gruplarının av faaliyetlerini organize etmek için gerekli iletişimi sağlamak amacıyla en ideal biçimde konumlandırılmışlardı. Kaynaklar denizde kaybolmadan ya da uzaklaşmadan önce bunları toplamak için eş güdümlü bir girişime ihtiyaç olacaktı. Buradan çok uzakta, Ürdün'de, sonunda Petra şehrini inşa etmiş göçebe bir grup olan Nebatilerin tarım arazileri kurduğu yerleri tespit ettik. Buradaki gelişme mantıklı bir biçimde MS 1. yüzyılda Nabataea'da ortaya çıkan köyler ve tapınaklarla, dolayısıyla Petra'nın bir "aykırılığıyla" bağlantılıdır. Doğrusunu söylemek gerekirse yeryüzünde ya da hava ve uydu görüntülerinde bulduğum her şey benim için ilginçtir, fakat bence bu türden keşifler arkeolojik araştırmalar için yeni yollardır.

Arkeolog Olmak Benim İçin Neden Önemli ve Nasıl Fark Yaratabilirim?

Bugün bilginin geçmişe göre çok daha rahatlıkla elde edilebildiği bir zamanda yaşıyoruz. Yine de insanların neden bu şekilde davrandıklarıyla ilgili görünen çok fazla bilgi bulunmasına karşın yazılı ortamdaki veri ve olgu teyit kurallarının giderek terk edilmesiyle gerçeği hayalden ayırt etmek zorlaşmaktadır. Arkeoloji özenli belgeleme ve doğrulama yöntemleri içeren bilimin güvenilir geleneğine dayanmaktadır. Antropologlar olarak bizler insan gruplarının kendilerini tasavvur ettikleri geçmişleri aracılığıyla tanımladıklarını ve gelecek için bir yol çizdiklerini biliyoruz. Arkeoloji geçmişin maddi kanıtlarıyla ve bunların, bizim tasavvurlarımızı dünyanın gerçeklerine daha uyumlu hâle getiren bilimsel analiziyle ilgilenir.

Cultural Site Research and Management, Baltimore
E-posta: dcomer@culturalsite.com
Internet adresi: http://www.culturalsite.com

SHADRECK CHIRIKURE, ARKEOMETALÜRJİ UZMANI, GÜNEY AFRİKA

Nasıl Arkeolog Oldum?

Kader çoğu kez rüyalarda bile gerçekleşmeyecek kapıları açar! Eğer 15 yıl önce arkeolog olmak isteyip istemediğim sorulsaydı HAYIR derdim. Hayalim finans sektöründe çalışmaktı. Arkeolojiyle tanışmam tamamen tesadüf eseri oldu. Her şey Zimbabve Üniversitesi'nde 1997 ve 2001 yılları arasında Arkeoloji Bölümü'nden lisans ve lisansüstü eğitimi almamla başladı. Büyük uygarlıkları, insanlığın zaman içindeki gelişimini ve arkeolojinin yerel toplulukların gelişimini ortaya çıkarma potansiyelini öğrendik. Bir an önce keşfetmenin heyecanını, öğrenme ve toplumsal olayları çözmeyle birleştiren bu disiplinin bir parçası olmak istedim.

University College London'da Buluntu Araştırmaları alanında yüksek lisans eğitimi almak için English Heritage ve Arkeometalürjik Çalışmalar Enstitüsü bursu aldım. Eğer finans okusaydım neleri kaçıracağımı şimdiden hayal etmeye başlamıştım. Yüksek lisansta Afrika'daki endüstri öncesi arkeometalürji üzerine çalışmaya başladım. Wenner Gren Antropolojik Araştırmalar Vakfı'nın cömert bağışı ile Arkeoloji Enstitüsü ve Arkeometalürji Enstitüsü'nün Ronald Tylecote bursu sayesinde bu araştırmayı doktora düzeyinde genişletebildim.

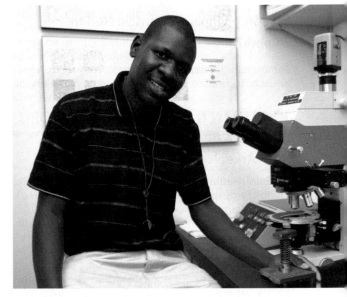

16.5 *Cape Town Üniversitesi Malzeme Laboratuvarı'ndan Shadreck Chirikure.*

İlk İşime Nasıl Girdim?

Arkeolojiden 2005'te aldığım doktoramla Cape Town Üniversitesi'nin Arkeoloji Bölümü'nde doktora sonrası araştırmacı pozisyonuna atanarak 2007'de öğretim üyesi oldum. Başlıca görevlerim arasında araştırma, eğitim, idare ve Afrika'da türünün tek örneği olan Malzeme Laboratuvarı'nı yönetmektir. Laboratuvar metal işleme ve çanak çömlek gibi Afrika'nın endüstri öncesi teknolojilerinin araştırılmasına adanmıştır. Projelerimiz metal üretiminin incelenmesinden (demir, kalay, bakır, tunç vb.) teknolojinin sosyal bağlamının anlaşılmasına kadar çeşitlilik gösterir. Diğerlerine ilaveten David Killick (Arizona Üniversitesi), Thilo Rehren ve Marcos Martinon-Torres (Arkeoloji Enstitüsü, University College London), Afrika kıtasında Webber Ndoro (Afrika Dünya Mirası Fonu, Johannesburg), Gilbert Pwiti (Zimbabve Üniversitesi) ve Innocent Pikirayi (Pretoria Üniversitesi) gibi yurtdışından önde gelen araştırmacılarla işbirliği yapmaktayım. Araştırma makalelerim için ödül kazandım (mesela 2008'de *Antiquity*'de Innocent Pikirayi ile yayımladığım çalışma için en iyi makale ödülü) ve *Shoreline* gibi ödüllü belgesellere katkıda bulundum.

Bugüne Kadar Yaptığım ya da Keşfettiğim En Değerli Şey

Malzeme Laboratuvarı'ndaki çalışmalarımın başarısı, 2008'de Namibya'da keşfedilmiş dünyaca ünlü Oranjemund batığının konservasyonu ve korunması üzerine çalışan uluslararası uzmanların başına getirilmemi sağladı. Bu 16. yüzyıl batığı büyük miktarda define barındırıyordu: 28 kg İspanyol ve Portekiz altın sikkesi, 4 kg İspanyol ve Portekiz gümüş sikkesi, 20 ton bakır külçe, 6 ton işlenmemiş fildişi ve geminin üst yapısıyla birlikte birçok başka buluntu. Geminin dünya tarihini taşıdığı düşünülürse bütün insanlığa ait bir mirasın korunmasına yardım etmek değerliydi.

Arkeolog Olmak Benim İçin Neden Önemli?

Zaman zaman arkeoloji üzerine gazete yazıları kaleme alır, arkeolojide kariyer ve güncel tartışmaları ele aldığım radyo programlarıyla dergilere konu olurum. Arkeoloji alanında akademisyen olmak miras koruma programları, araştırma programları, halk eğitimi ve miras girişimci projeleri aracılığıyla ulusal söyleme katkıda bulunmama izin verir.

Afrika'da arkeoloji 19. yüzyılın sonunda gelmiş ithal bir disiplindi. Yirminci yüzyıl boyunca ve bu yüzyılın başlarında, geçmişi yorumlayan çerçeve görüşler yerel deneyimleri ve yerel sakinlerin üzerinde çalışılan geçmişe nasıl bağlı olduklarını nadiren hesaba katmışlardır. Son birkaç yılda araştırmalarım Büyük Zimbabve, Khami ve Mapungubwe gibi önemli arkeolojik alanlar hakkında Afrika merkezli bir bilgi dağarcığı geliştirmek için yerel deneyimleri kullanmaya odaklanmıştır. Bu türden bir arkeoloji, arkeolojinin belli bir kesime hitap ettiğini düşünen topluluklarda giderek daha fazla kabul görmektedir.

Cape Town Üniversitesi
E-posta: Shadreck.Chirikure@uct.ac.za

JONATHAN N. TUBB, MÜZE KÜRATÖRÜ, BİRLEŞİK KRALLIK

Nasıl Arkeolog Oldum?

Arkeolojiyle tanışmam tamamen rastlantı eseridir. Coventry'de yaşayan 16 yaşında bir genç olarak kariyer seçimimi arkeolojiden yana yapmak (konuya herhangi bir ilgi göstersem bile) anlamsız görülürdü. Kimya, biyoloji ve matematikte uzmanlaştığım için normal olan biyokimyada bir gelecek kurmamdı ve 1970'lerde Londra Üniversitesi'nin bir parçası olan Bedford Yüksekokulu'nda başladığım şey de buydu. İlk yılımda dersleri giderek daha az doyurucu buldum. Ancak her gün okula yaptığım yolculuklarda yine Londra Üniversitesi'nin bir parçası olan ve merak uyandıracak şekilde "Arkeoloji Enstitüsü" adı verilmiş binadan haberim oldu. Kötü şeylerden korunmuş bir geçmişe sahip biri olarak, birisinin arkeoloji gibi ufak bir zümreye özgü bir alanda çalışabileceğini düşünemiyordum. Nihayetinde bir sabah binanın içinde dolaştım ve 1970'lerde karşınıza çıkabilecek türden kaderin bir cilvesiyle kısa süre sonra buraya öğrenci olarak kabul edildim. Bilimsel geçmişim (bunun için hâlâ minnettarım) çevresel arkeoloji okumamı dikte ettirdi ve çoğunlukla bunu ilginç bulmakla birlikte yükselen kıyı şeritlerine dört elle sarılamadım.

İlk yılımda davet edildiğim Ürdün'deki kazı/araştırma projesi, benim için kelimenin tam anlamıyla dönüm noktası oldu. Önemsizmiş gibi görünmesine rağmen, geldiğim ilk günden itibaren orasını *benim memleketimmiş* gibi hissettim. Bunlar benim çömleklerim, benim binalarımdı ve kariyerimin geri kalanını Doğu Akdeniz'e adayacağımı biliyordum. "Batı Asya Arkeolojisi, IV. Sınıf: Doğu Akdeniz" adlı bir uzmanlık dersine katıldım. Ders her şeyi içeriyordu; sadece bölgenin arkeolojisi ve tarihini değil, fakat aynı zamanda Eski Ahit çalışmaları, İncil İbranicesi ve Batı Sami epigrafisini de barındırmaktaydı. Üstelik Peter Parr dışında bana daha fazla ilham verecek bir danışman da bulamazdım. Onun sağduyulu yaklaşımı, doğrulanmamış teorilere ve teorik arkeologların en kötü aşırılıklarına sağlıklı bir şüphecilik aşılamıştır. Kendisi enstitü dâhilinde doktoramı yaparken danışmanım olarak kalmış (bu süreçte asıl ilgi alanımın Tunç Çağı Suriye-Filistin'i olduğunu anladım) ve arazi arkeolojisinde beni eğitmiştir. Onun eski Suriye'deki Kadeş'te bulunan Tell Nebi Mend kazılarına 1974'te katıldım. Bölgenin topraklarına özel bir ilgim olduğunu (bilhassa kerpiç) ve karmaşık stratigrafiye dair kalıcı bir merak beslediğimi keşfettim. Benim için bir höyüğün karmaşasını çözmek entelektüel sorgulamanın doruğudur. Beş yıl sonra projenin yardımcı müdürlüğüne atandım ve bu da bana kazının tüm stratigrafisi hakkında konuşma hakkı tanıdı.

16.6 *Jonathan N. Tubb, Batı Suriye'de büyük bir Tunç Çağı höyüğü olan Katna'da.*

İlk İşime Nasıl Girdim?

Kadeş'teki 1978 sezonunda şans eseri olarak bir İngiliz gazetesinde British Museum'daki Batı Asya Eserleri Bölümü için araştırma görevlisi alımına dair bir ilan gördüm. Başvuru tarihi geçmiş olmasına karşın kendiminkini gönderdim, mülakata girdim ve ardından iş bana teklif edildi. O zamandan beri British Museum'dayım ve araştırma görevlisinden eski Doğu Akdeniz bölümünün baş küratörü konumuna yükseldim.

Başlangıçta, ilk müzeye geldiğimde, Yakındoğu'nun bu kesimine ait koleksiyonlar çok sınırlıydı. Doğu Akdeniz'in profilini yükseltmeye ve Mezopotamya ya da İran bölümüyle aynı seviyeye çıkartmaya kararlıydım. Lakis'te (Tell ed-Duveyr) Wellcome-Marston Araştırma Gezisi'nin 1930'larda yaptığı kazılardan gelen buluntuları satın almak için Arkeoloji Enstitüsü'yle görüştüm. British Museum ilk kez Doğu Akdeniz'in güneyinden iyi kazılmış malzemeye ait büyük bir koleksiyona sahip olmuştu. Yaklaşık 17.000 parçanın çoğu sergilemeye değerdi. Satın alma 1983'te "Lachish: A Canaanite and Hebrew City" başlıklı küratörlüğünü yaptığım ilk sergiyi ortaya çıkardı.

Araştırma Alanlarım ve En Değerli Keşfim

British Museum'daki konumum bana aynı zamanda kendi adıma kazı yapma şansı tanıdı. Müzeden de destek alarak 1984'te Ürdün'deki İlk Tunç Çağı mezarlığı Tiwal esh-Sharqi'yi kazdım. Ertesi yıl ve yine British Museum'un cömert katkılarıyla Ürdün Vadisi'ndeki büyük Tell es-Sa'idiyeh höyüğünü (daha önce Pennsylvania Üniversitesi adına James Pritchard tarafından kazılmıştı) yeniden kazmak için izin aldım. Bugüne kadar dokuz sezon geçmiş ve sonuçlar bütün beklentileri aşmıştır. En heyecan verici buluntu yerleşimin 20. hanedanın firavunları tarafından yönetildiği tabakanın keşfiydi. Bu dönemde tamamen Mısır teknikleri kullanılarak yapılar inşa edilmiş ve kazılar şehir surunu, saray kompleksini, büyük bir malikâneyi, ana doğu kapısının bir kısmını ve muhteşem bir taş su sistemine ilaveten çoğu Mısır özellikleri gösteren 460 kadar mezar ortaya çıkarmıştır.

Ürdün Eski Eserler İdaresi British Museum'a buluntuların önemli bir bölümünü hibe etmiştir. Bölge için yeni bir galeri oluşturmak uzun zamandan beri benim arzumdu ve Tell es-Sa'idiyeh buluntuları Lakiş'ten gelenlerle birlikte bunu gerçekleştirdi. Raymond ve Beverly Sacker'ın bonkör yardımları sayesinde Eski Doğu Akdeniz Galerisi 1998'de açılmıştır.

Arkeolog ve Müze Küratörü Olmak Benim İçin Neden Önemli?

Müzede çalışmak ve büyük bir kazıyı yönetmek insanın ufkunu genişletir. Tek bir döneme veya malzeme sınıfına kendini kaptırma lüksüne sahip olamazsınız. Eğer bu uzmanlaşmadan ziyade genelleştirmeye doğru bir yol belirliyorsanız, muhtemelen kötü bir şey değildir. Şüphesiz benim ilgi alanlarım kariyerime başladığım zamanlara göre çok daha çeşitlidir. Doğal olarak kazı projemin yayımlanmasına oldukça fazla zaman ayırmaktayım, fakat "arkeoloji ve İncil" gibi belki de geçmiş bilimsel eğitimim dolayısıyla minimalistler (İncil'in arkeolojik kanıtları açıklamak veya bunun tersi için asgari şekilde kullanılabileceğini vurgulayanlar) safına geçtiğim özellikle çetrefilli bir konu da dâhil birçok başka alana kaydım. Ayrıca popüler düzeyde yazmaktan ve sunumlar yapmaktan zevk alırım ve bu belki de müzede geçirdiğim 30 yıl sonunda öğrendiğim en önemli derstir (yani herkesin ve herhangi birinin anlayacağı şekilde anlatılmadığı sürece arkeoloji anlamsızdır).

British Museum, Londra
E-posta: jtubb@britishmuseum.ac.uk

SÖZLÜK

(*İtalik* terimler sözlüğün başka yerlerinde açıklanmıştır)

açık alan kazısı Kazı amacıyla geniş yatay alanların açılması. Bu, özellikle tek bir döneme ait dolguların yüzeye yakın olduğu yerlerde –mesela Amerika yerlilerinin kalıntıları ya da Avrupa Neolitik topluluklarının uzun evleri– kullanılır. (3. Bölüm)

adli antropoloji Ölünün biyolojik profilini elde etmek için insan kalıntılarının bilimsel incelemesi. (11. Bölüm)

ağaç diyagramı Bireylerin arasındaki ilişkileri genellikle taksonomik mesafe bakımından hesaplayarak gözlemlediği benzerlik ve farklılıklara göre sergileyen diyagram. (11. Bölüm)

ağaç halkası tarihlemesi bkz. *dendrokronoloji*.

aleller DNA molekülünde aynı yeri paylaşan farklı genetik malzeme dizileri. Aynı genin alelleri, aynı DNA uzunluğu içinde bir ya da daha fazla yerde mutasyona göre birbirlerinden ayrılırlar.

amino asit rasemizasyonu Hem insan hem de hayvan kemiklerinin yaşını belirlemede kullanılan bir yöntem. Önemli özelliği küçük bir örnekle (10 g) 100.000 yıl yaşındaki, yani *radyokarbon tarihlemesi*nin kapsamından daha yaşlı malzemelere uygulanabilmesidir. (4. Bölüm)

alaşımlama İki ya da daha fazla metali yeni bir malzeme yaratmak üzere karıştırma tekniği; mesela tunç üretmek için bakır ve kalayın ergitilmesi. (8. Bölüm)

antropoloji İnsanlığı, bir hayvan olarak fiziksel özelliklerimizi ve *kültür* olarak adlandırdığımız biyoloji dışı karakteristiklerimizi inceleyen bilim dalı. Konu genellikle üç alt disipline ayrılır: *biyolojik (fiziki) antropoloji, kültürel (sosyal) antropoloji* ve *arkeoloji*. (Giriş)

Ara Alan Teorisi (Ara Kademe Teorisi) Ham arkeolojik verileri, bu verilerden elde edilebilecek geçmişe dair üst düzey genellemeler ve çıkarımlarla bağdaştıran bir kavramsal çerçeve. (Giriş)

araştırma planı Çoğunlukla (1) belirli bir problemi çözmek üzere bir stratejinin oluşturulmasını; (2) kanıtların toplanması ve kaydını; (3) bu verilerin işlenmesi ve yorumlanmasını; (4) sonuçların yayımlanmasını içeren bir arkeolojik araştırmanın sistematik planlanması. (3. Bölüm)

arazi arkeolojisi İnsan faaliyetinin geniş bir alanda yarattığı yapay arazi şekillerinin geniş perspektifi dâhilinde tekil bileşenler olarak görülen münferit

mimari buluntuların –yerleşimler de dâhil– incelenmesi. (1. Bölüm)

arkeoloji İnsanlık tarihini geride bıraktığı maddi kalıntılar aracılığıyla inceleyen *antropoloji*nin bir alt disiplini.

arkeolojik alan/buluntu yeri/buluntu alanı *Buluntular, mimari,* yapılar ile organik ve çevresel kalıntıların belirgin şekilde uzamsal olarak kümelenmesi; insan faaliyetlerinden arta kalanlar. (2. Bölüm)

arkeobotani Bkz. *paleoetnobotani*.

arkeomanyetik tarihleme Bazen paleomanyetik tarihleme olarak da adlandırılan teknik, dünyanın manyetik alanında zaman içindeki değişimlerin pişmiş toprak mimaride (fırınlar ve ocaklar) kalmış manyetizma şeklinde ölçülebileceği olgusuna dayanır. (4. Bölüm)

arkeolojik kültür Belirli bir yer ve zamanda belirli davranış kalıplarını temsil ettiği düşünülen ve sürekli olarak yinelenen buluntu toplulukları (krş. *kültür*). (1. Bölüm)

arkeozooloji Bazen zooarkeoloji olarak adlandırılan disiplin, arkeolojik alanlardaki hayvan kalıntılarının tanımlanması ve analizini içerir. Bu sayede insan beslenme alışkanlıklarının rekonstrüksiyonuna ve tabakalanma sırasına çağdaş çevrenin anlaşılmasına katkıda bulunur. (6 ve 7. bölümler)

artzamanlı Zaman içinde değişen olgulara dair; mesela kronolojik bir bakış açısı benimsemek (krş. *eş zamanlı*).

Asgari Birey Sayısı Hayvan kalıntılarındaki tür miktarını, tanımlanan bütün kemiklere tekabül edecek en az hayvan sayısının hesaplanmasına dayanarak belirleyen bir yöntem. Genellikle hayvanın sağ ya da sol yanından en çok gelen kemik veya dişe göre hesaplanır. (7. Bölüm)

aşınmaya bağlı yaş profili Genç ve yaşlı hayvanların canlı nüfustaki sayılarına göre olduklarından fazla temsil edilmesiyle tanımlanan kemik ya da diş yıpranmasına dayalı ölüm oranı modeli. Bu ya zayiat kurbanlarına (yani doğal nedenlerden veya insanlar dışındaki saldırılardan) ait leşlerin yendiğini ya da en zayıf bireylerin insanlar ve diğer yırtıcılar tarafından avlandığını ortaya koymaktadır. (7. Bölüm)

ateş teknolojisi (piroteknoloji) Ateşin insanlar tarafından amaçlı kullanımı ve kontrolü. (8. Bölüm)

atomik soğurma spektrometrisi Buluntu bileşenini *optik emisyon spektrometrisi*ne benzer şekilde analiz etme yöntemi. Enerjiyi görünür ışık dalgaları olarak ölçer. Kırk kadar farklı elementi yaklaşık

%1 hatayla belirleyebilmektedir. (8 ve 9. bölümler)

Australopithecus Yaklaşık 5 milyon yıl önce Doğu Afrika'da ortaya çıkmış bilinen en eski homininlere verilen toplu isim. (4. Bölüm)

avcı-toplayıcılar Besin kaynakları esasen avcılıkla yabani bitkiler ve meyvelerin toplanmasına dayalı, örgütsel yapısı güçlü akrabalık bağları üzerine kurulu *grup*lardan oluşan küçük ölçekli gezici ya da yarı-yerleşik toplumlara ait ortak terim. (Giriş)

basamaklı açma Kazının aşağıya doğru kademeli olarak daralan basamaklar şeklinde gerçekleştirildiği Yakındoğu'daki arkeolojik alanlar gibi çok derin dolgularda kullanılan bir *kazı* yöntemi. (3. Bölüm)

basit rastlantısal örnekleme Örnekleme yapılacak alanların bir rastgele sayı cetveline göre seçildiği bir *olasılıklı örnekleme* türü. Dezavantajları: (1) arkeolojik alan sınırlarını başlangıçta belirleme; (2) rastgele sayı cetvellerinin niteliği, bazı alanların örnek kare gruplarına paylaştırılması ve diğerlerine hiç dokunulması sonucunu doğurur. (12. Bölüm)

bifurkasyon bkz. *öz örgütlenme*.

bilgisayarlı tomografi Mumya gibi bedenlerin detaylı dâhili *görüntüleri*ni veren tarayıcıların kullandığı yöntem. Beden bir makineden geçirilir ve vücut boyunca ince enine kesitlere ait görüntüler üretilir. (11. Bölüm)

bilimcilik Bir tek bilimsel yöntem bulunduğuna ve bunun tek başına araştırmanın gidişatına geçerlilik sağlayacağına dair düşünce. (12. Bölüm)

bilişsel arkeoloji Maddi kalıntılardan geçmiş düşünce biçimlerinin ve sembolik yapıların çalışılması. (10. Bölüm)

bilişsel harita İnsan aklında var olduğuna ve eylemlerle kararlar kadar bilgi yapılarını da etkilediğine inanılan dünyaya dair açıklayıcı sistem.

bilişsel-süreçsel yaklaşım İşlevsel-süreçsel yaklaşımın materyalist yönelimine alternatiftir. (1) Erken toplumların diğer unsurlarıyla bilişsel ve sembolik olanların uyumu; (2) aktif örgütsel güç olarak ideolojinin rolüyle ilgilenir. *Metodolojik bireyciliğin* teorik yaklaşımını kullanır. (1 ve 12. bölümler)

birleşik yaklaşım Geleneksel normatif arkeolojiye karşılık Walter Taylor tarafından ortaya atılan (1948) bir metodolojik alternatif. Buna göre açıklayıcı modellerde tüm bir kültür sisteminin ele alınması gerekir. (1. Bölüm)

birleştirme (bkz. *yeniden birleştirme*).

biyoarkeoloji İnsan kalıntılarının incelenmesi (fakat Eski Dünya'da bazen hayvan kemikleri gibi diğer organik kalıntılara da uygulanmaktadır; 11. Bölüm).

biyolojik antropoloji bkz. *fiziksel antropoloji.*

bosing Ağır bir ahşap tokmak ya da uzun bir sapı olan kurşun dolu bir kapla yere vurmak suretiyle yapılan bir *yeraltı algılama* yöntemi. (3. Bölüm)

buluntu İnsanlar tarafından üzerinde değişiklik yapılmış veya üretilmiş herhangi bir taşınabilir nesne; mesela taş aletler, çanak çömlek ve metal silahlar. (3. Bölüm)

buluntu grubu Belirli bir yer ve zamanda yinelenen ve insan faaliyetlerinin toplamını temsil eden buluntu topluluğu. (3. Bölüm)

buzul karotları Arktik ve Antarktika kutup buzul bölgelerinden alınan sondalar. Bunlar tarihöncesi çevre rekonstrüksiyonları ve *kesin tarihleme* yöntemi için kullanışlı sıkıştırılmış buz tabakaları içerir. (4. Bölüm)

bütüncülük İnsan toplumlarına uygulandığında değişimi büyük çaplı çevresel, ekonomik ve sosyal güçlerin neticesi olarak *gören* ve bireylere ait emellerin, arzuların, inançların veya iradenin önemli bir etken olmadığını varsayan teorik bir yaklaşım. (12. Bölüm)

cenote Geç Maya sitesi Chichen Itza'dakine benzer bir tören kuyusu. Sembolik anlamda zengin eşyalar içinde biriktirilmekteydi. (10. Bölüm)

chinampas Azteklerin kanallardan çekilmiş çamurla meydana getirerek düzenledikleri kazanılmış verimli toprak parçaları.

CLIMAP Dünyanın farklı kesimlerinde, değişik dönemlerde deniz yüzey sıcaklıklarını gösteren paleoiklimsel haritalar üretmeye yönelik bir proje.

Coğrafi Bilgi Sistemleri (CBS) CBS farklı "katmanlarda" tutulan uzamsal/ sayısal coğrafi verilerin toplanması, düzenlenmesi, depolanması, erişimi, analizi ve gösterilmesi için tasarlanmış yazılım tabanlı sistemlerdir. Bir CBS aynı zamanda başka sayısal veriler de içerebilir. (3, 5, 6. bölümleri)

cüruf Metal işleme sırasındaki süreçlerden geriye kalan maddi artıklar. Bakırın ergitilmesinden geriye kalan cüruflarla demir üretiminden elde edilenler arasında ayrım yapmak gerekir. Pota cürufları (döküm süreçlerine aittir) yüksek bakır yoğunluğuyla izabe cüruflarından ayırt edilebilir. (8. Bölüm)

çarpan etkisi *Sistemler yaklaşımı*nda bir insan faaliyet alanındaki (alt sistem) değişimlerin bazen başka alanlardaki değişimlere ön ayak olduğu süreçleri ve sırasıyla orijinal alt sistemin kendisine yaptığı etkiyi anlatmak için kullanılan

terim. Örneklerden biri olan *negatif geri besleme* bazıları tarafından toplumsal değişimin temel mekanizmalarından biri olarak görülür. (12. Bölüm)

çekirdek Kendisinden başka alet ve nesnelerin yapılacağı taşımalık olarak kullanılan taş nesne. (8. Bölüm)

Çekirdek DNA'sı Hücrenin çekirdeğindeki kromozomlarda mevcut *DNA.* (5 ve 11. bölümler)

çevresel arkeoloji İnsanlarda bitki ve hayvan kullanım alışkanlıklarının rekonstrüksiyonuna ve geçmiş toplumların değişen çevresel şartlara nasıl uyum sağladığına yönelen bir disiplinlerarası –arkeoloji ve doğa bilimleri– alan. (6 ve 7. bölümler)

çevresel sınırlama Robert Carneiro tarafından devletin kökenleri için öne sürülmüş bir açıklama. Çevresel kısıtlamalar ve bölgesel sınırların oynadığı önemli rolü vurgular. (12. Bölüm)

çok boyutlu ölçeklendirme (MDSCAL) Analitik birimler arasında farklılıklar ve benzerlikleri hesaplayarak elde edilmiş sayısal veriler yoluyla uzamsal yapının geliştirilmesini amaçlayan çok değişkenli istatistik tekniği. (5. Bölüm)

çokbiçimcilik Bir nüfus ya da sosyal grupta iki ya da daha fazla süreksiz yapının aynı anda bulunması. (5. Bölüm)

çok değişkenli açıklama Tek nedenli yaklaşımların aksine aynı anda işleyen birkaç faktörün etkileşimine vurgu yapan kültür değişimi (mesela devletin kökeni) yorumu. (12. Bölüm)

çöplük (atık alanı) İnsan kullanımından kaynaklanan döküntü ve evsel atıkların birikmesi. Uzun süreli çöp birikimi *göreli tarihleme* için faydalı olan tabakalanmış dolgular meydana getirebilir. (7. Bölüm)

çubukla arama Dal, bakır çubuk, sarkaç veya başka bir alet kullanarak yapılan bir *yeraltı algılaması.* Bazıları bunlarda görülen kesintili hareketlerin gömülü nesnelere işaret ettiğini öne sürer. (3. Bölüm)

çürütmeci görüş Bilimin ampirik dünya hakkında teorilerden meydana geldiğini ve hedefinin mevcut teorilerde hatalar bularak daha iyi teoriler geliştirmek olduğunu ileri süren yaklaşım. Dolayısıyla teorilerin çürütülebilir olması (hataya ve sınmaya açık olması) önem taşımaktadır. (6. Bölüm)

defineler Çoğunlukla ihtilaf veya savaş zamanlarında kasten gömülmüş pahalı ya da değer verilen, fakat bir nedenle tekrar geri alınmamış eşya grupları. Metal defineler Avrupa Tunç Çağı için ana kanıt kaynağıdır. (2 ve 10. bölümler)

değiş tokuş sahası Pazar dışı toplumlarda değerli prestij nesneleri ve günlük mallar sıklıkla oldukça farklı şekillerde el değiştirirdi. Mesela prestij

değiş tokuşlarında değerli eşyalar yine değerli eşyalarla değiştirilirdi. Mallar ise karşılıklı kazanç sağlayan alışverişlerde daha az resmiyetle birbirileri arasında değiştirilmekteydi. Bu ayrı sistemler değiş tokuş sahaları olarak adlandırılır. (9. Bölüm)

demografi Nüfus yapısına etki eden süreçler ile bunların zamansal ve uzamsal dinamiklerinin araştırılması. (11. Bölüm)

dendrokronoloji Ağaç halkalarının incelenmesi. Halkalarda farklı büyümelere yol açan iklim şartlarındaki yıllık varyasyonlar hem çevresel değişim hem de kronolojik temel olarak kullanılabilir. (4. Bölüm)

deneysel arkeoloji Geçmiş davranışsal süreçlerin kontrollü bilimsel şartlar altında deneysel rekonstrüksiyonla incelenmesi. (2, 7, 8 ve 14. bölümler)

denge dışı sistemler bkz. *öz örgütlenme.*

derin deniz karotları Dünya çapında en tutarlı iklim değişikliği kayıtlarını sağlayan deniz tabanından çıkarılmış karotlar. Bunlar kesintisiz çökelme sayesinde okyanus tabanına yayılmış mikroskobik deniz organizmaları (foraminifera) kabuklarını içerirler. Bu kabuklardaki kalsiyum karbonatta bulunan iki oksijen izotopunun oran değişimleri, organizmaların yaşadığı zaman diliminde deniz sıcaklığıyla ilgili hassas bir göstergedir. (4. Bölüm)

devlet Net sınırlarla tanımlanan ve siyasi iktidarın işleyişinin meşru bir güç tarafından onaylandığı bir sosyal oluşuma özgü terim. (12. Bölüm) Kültürel evrimci modellerde en karmaşık sosyal gelişim basamağında imparatorluktan sonra ikinci sıradadır. (12. Bölüm)

din Doğa ya da insanüstü varlıklarla veya günlük maddi dünyanın ötesine geçen güçlerle bağıntılı bir inançlar sistemi. (10. Bölüm)

direnç ölçer bkz. *toprak direnci.*

diyatom analizi Bitki mikrofosillerine dayalı bir çevresel rekonstrüksiyon yöntemi. Diyatomlar tek hücreli alglerdir. Bunların silika hücre duvarları, ölmelerinin ardından hayatta kalarak göl ve ırmak tabanlarında büyük miktarlarda birikirler. Bunlar suyun soyu tükenmiş bitki topluluklarına ait dağılımı doğrudan yansıttıkları gibi, suyun tuzluluk ve asit oranıyla besleyicilik durumunu da gösterir. (6. Bölüm)

DNA (deoksiribonükleik asit) Yaşayan bütün organizmaların oluşumuna karar veren kalıtsal talimatların ("tasarım") bulunduğu madde. Kalıtımın düzenleyicileri olan *genler* DNA'dan meydana gelirler. (11. Bölüm)

doğal bakır (nabit) Doğada külçe hâlinde bulunan metalik bakır. Çekiçleme, kesme ve *tavlama*yla işlenebilir. (12. Bölüm)

doğal malzemeler Kültürel anlamı olan insan elinden çıkmamış organik ve çevresel kalıntılar; örneğin fauna ve flora malzemesi ile topraklar ve sedimanlar. (2 ve 6. bölümler)

duran dalga tekniği *Yeraltı algılamada* kullanılan ve *bosing*e benzeyen bir akustik teknik. (3. Bölüm)

duvar sanatı Mağara duvarları, kaya barınakları ya da büyük taş bloklar üzerindeki sanat eserlerini tanımlayan bir terim. (10. Bölüm)

dünya sistemi Tarihçi Wallerstein tarafından münferit siyasi birimlerin (ulus devletler) çok ötesine uzanan ticaret ağlarıyla ifade edilen ve bu ağları daha büyük bir faal birime bağlayan bir ekonomik birime verilen isim. (9. Bölüm)

düşüş analizi Arkeolojik kayıttaki ticari mal miktarında kaynaktan uzaklaştıkça yaşanan düşüşe dair düzenliliğinin incelenmesi. Bu, bir düşüş eğrisi olarak gösterilebilir ve malzeme miktarı (Y ekseni) kaynaktan uzaklığa göre (X ekseni) grafiğe dönüştürülür. (9. Bölüm)

ekolojik determinizm Çevredeki değişimlerin insan toplumundaki değişimleri belirlediğini savunan bir yorum. (12. Bölüm)

el baltası Genellikle doğal bir çaytaşını değiştirerek (çenterek veya yongalayarak) yapılan bir Paleolitik taş alet. (Giriş ve 8. Bölüm)

elektroliz Arkeolojik konservasyonda standart temizleme süreçlerinden biri. Buluntular kimyasal bir çözeltinin içine koyulur ve onları çevreleyen metal ızgarayla aralarından zayıf elektrik akımı geçirilerek aşındırıcı tuzların katottan (nesne) anoda (metal ızgara) doğru hareket etmesi sağlanır. Böylece birikmiş çökeltiler ortadan kalkarak nesne temizlenir. (2. Bölüm)

elektron sondalı çözümleme Nesnelerin bileşenlerini analiz etmek için kullanılan bu teknik, *x-ışını floresans spektrometri*sine benzer ve bir buluntunun kütlesindeki bileşenlerde görülen küçük değişiklikleri çalışmak için kullanışlıdır. (9. Bölüm)

elektron döngü rezonansı Kemik ve kabukta hapsolmuş elektronların, *termolüminesans*ın ihtiyaç duyduğu ısıtma olmaksızın ölçebilen teknik. Termolüminesanstaki gibi hapsolmuş elektronların sayısı örneğin yaşını belirtir. (4. Bölüm)

Eleştirel Kuram Alman toplum düşünürlerinin oluşturduğu "Frankfurt Okulu" tarafından geliştirilen bir teorik yaklaşım. Buna göre bütün bilgi tarihseldir ve bir anlamda taraflı iletişimdir. Dolayısıyla "tarafsız" bilgiye dair bütün iddialar aldatıcıdır. (12. Bölüm)

empatik yöntem İnsana özgü tecrübelerde ortak bir yapının bulunduğu savından hareketle kişisel sezgileri (Almanca *Einfühlung*) kullanarak başka insanların iç hayatlarını anlama.

İnsanların içsel tecrübelerini çalışmanın tarihöncesini ve tarihi *açıklamaya* vasıta olacağı fikri B. Croce, R.G. Collingwood ve *postsüreçsel* düşünce okulu mensuplarından oluşan *idealist* düşünürler tarafından ortaya atılmıştır. (12. Bölüm)

eolit Alt Pleistosen'de bulunan kaba çakıllar. Önceleri insan eylemliliğinin sonucu olduğu düşünülmüşse de, şimdi doğal oldukları genel kabul görmektedir. (8. Bölüm)

eş basınçlı yükselme Buzul Devri koşullarının yumuşamasıyla birlikte denize göre kara seviyelerinin yükselmesi. Sıcaklığın artmasını takiben buz ağırlığının düşmesi sonucu meydana gelir ve kara *yükselmiş kıyılar* meydana getirir. (6. Bölüm)

eşit yönetimler arası etkileşim Genellikle aynı bölge dâhilindeki özerk (kendi kendini yöneten) ve sosyopolitik birimler arasında her türlü değiş tokuş/alışveriş (taklit, öykünme, rekabet, savaş, mal ve bilgi). (9. Bölüm)

eşzamanlı Zamanda tek bir noktaya atfedilen bir olaya işaret eder; yani esasen değişimle ilgilenmeyen bir yaklaşımdır (krş. *artzamanlı*). (12. Bölüm)

etkileşim alanı Bölgesel ya da bölgeler arası bir değiş tokuş sistemi; örneğin Hopewell etkileşim alanı. (9. Bölüm)

etnisite Kabile grupları da dâhil olmak üzere etnik grupların varlığı. Bunları arkeolojik kayıtlarda ayırt etmek zor olmakla birlikte dil ve dilbilimsel sınırların incelenmesi etnik grupların sıklıkla dil bölgeleriyle uyum gösterdiğini ortaya çıkarmıştır (bkz. *ulus*). (5. Bölüm)

etnoarkeoloji Çağdaş kültürleri, maddi kültür üretiminin altında yatan davranışsal ilişkilerini anlama amacıyla çalışma. (Giriş ve 8. Bölüm)

etnografya Birinci elden gözlemlerle çağdaş kültürlerin incelenmesine odaklanan bir *kültürel antropoloji* alt dalı. (Giriş)

etnoloji *Kültürel antropoloji*nin bir alt dalı olarak insan toplumu hakkında genel ilkeler çıkarmak üzere çağdaş kültürlerin karşılaştırmalı incelenmesi. (Giriş)

evrim Genellikle giderek artan karmaşıklaşmanın eşlik ettiği büyüme ve gelişme süreci. Biyolojide bu değişim Darwin'in türlerin hayatta kalmasına temel teşkil eden doğal seçilim kavramına bağlıdır. Darwin'in çalışması, Pitt Rivers ve Montelius gibi bilim adamlarının öncülük ettiği buluntu *tipolojisi* araştırmalarının temelini attı. (1. Bölüm)

evrimsel arkeoloji Biyolojik evrimden sorumlu süreçlerin aynı zamanda kültürel değişimi yönlendirdiği fikri; yani Darwinci evrim teorisinin arkeolojik kayda uygulanması. Ayrıca bkz. *mem* (2, 7, 8 ve 14. bölümler)

faktör analizi Buluntu tipleri arasındaki farklılaşma derecesini tespit eden bir çok

değişkenli istatistiksel analiz. Herhangi iki değişken arasındaki göreli ilişkiyi ölçen bir bağlantı katsayısı matrisine dayanır.

faunal tarihleme Belirli memeli türlerindeki evrimsel değişimlerin gözlemlenmesine dayanarak kaba bir kronolojinin çıkarılmasını sağlayan bir *göreli kronoloji* yöntemi.

fayans İlk kez hanedanlar öncesi Mısır'da üretilmiş cam benzeri bir malzeme. Toz hâline getirilmiş kuvars hammaddenin camsı alkali sırla kaplanmasından meydana gelir. (8. Bölüm)

felâket teorisi René Thom tarafından geliştirilen bir matematiksel topoloji dalı. Sistemler içindeki doğrusal olmayan etkileşimlerin ani ve dramatik etkiler yaratma yollarını inceler. Böyle değişimlerin meydana gelebileceği sadece sınırlı sayıda yol olduğu ileri sürülmektedir ve bunlar temel afetler olarak tanımlanır. (11. Bölüm)

fenotip Bir organizmanın gelişimi sırasında genetik yapısıyla (*genotip*) ve çevre arasındaki etkileşim tarafından belirlenen genel görünümü. (11. Bölüm)

filogenetik diyagram Bir bireyin ya da grubun soyunu ve atalarını gösteren ağaç diyagramı (dendogram). (5 ve 11. bölümler)

fitolitler Bitki hücrelerinden gelen silika tanecikleri. Organizma çürüdükten ya da yandıktan sonra hayatta kalabilirler. Kül tabakaları, çanak çömlek, hatta taş aletler ve dişlerde bulunurlar. (6. Bölüm)

fiziki antropoloji İnsanın biyolojik ve fiziksel özellikleriyle bunların evrimlerini inceleyen antropoloji alt dalı. (Giriş)

fizyon izi tarihlemesi Birçok kaya ve mineralde mevcut bir uranyum izotopunun kendiliğinden parçalanmasıyla işleyen radyoaktif saate dayalı bir tarihleme yöntemi.

fosil buz kamaları Toprak donup büzüldüğü zaman donmuş yüzeydeki çatlakları dolduran buz kamalarının meydana getirdiği yer şekilleri. Buz kamaları çevresinde soğuyan iklimin ve donmuş toprak derinliğinin kanıtıdır. (6. Bölüm)

fosil dışkı *Koprolit*ler (fosilleşmiş dışkılar) gibi besin alışkanlıkları ve yiyecek arama faaliyetlerinin rekonstrüksiyonu için kullanılabilecek yemek artıkları içeren kurumuş dışkı.

fosil kütiküller Arkeolojik kayıt olarak çoğunlukla dışkının içinde günümüze gelen kütinden yapılma koruyucu yaprak üst zarı ya da ot sapları. Kütikül analizi çevresel rekonstrüksiyonda *palinoloji*ye yardımcıdır. (6. Bölüm)

gen çiftleri *DNA* molekülünde aynı yeri paylaşan farklı genetik malzeme dizisi. Aynı gene ait gen çiftleri eşit uzunluktaki DNA içinde bir ya da daha fazla yerde mutasyon üzerinden farklılaşırlar. (11. Bölüm)

genler Belirli bir bireyin DNA'sındaki özel genetik işaretleyici dizilere etki eden kalıtımın temel birimleri. (11. Bölüm)

genom bilimi Tüm bir genomun, yani bir organizmaya ait bütün DNA dizisinin incelenmesi. Bu, modern insan genomu için başarılmıştır ve şimdi Neanderthal *hominin*lerde sürdürülmektedir. Daha eski hominin fosillerindeki uygulamalar teknik anlamda çok daha zor olacaktır.

genotip *Fenotip*ten farklı olarak bir hücre ya da bireyin genetik bileşimi. (11. Bölüm)

glotokronoloji İki dilin kelime dağarcığındaki zamana bağlı değişikliklerini değerlendiren ve bunu bir aritmetik formül olarak ifade eden tartışmalı bir yöntem (*sözlük istatistiği*). (4 ve 5. bölümler)

göreli tarihleme Kronolojik silsilenin sabit bir zaman cetveline bağlı kalınmaksızın tespiti. Diğer bir deyişle buluntuların tipolojik sıra veya kronolojik diziliş içinde düzenlenmesi (krş. *kesin tarihleme*). (4. Bölüm)

görünür alan Coğrafi Bilgi Sistemleri kullanılarak ve arazinin sayısal yükselti modeli hesaplanarak belirli bir nokta ya da anıtın doğrudan görüş hattı içindeki (ve onu gören) yerleri gösteren harita. Bundan sonra her bir yerden teorik olarak görülebilecek arazi parçası hesaplanabilir. Bu haritalar birleştirilerek belirli bir grup anıtın arasındaki görüş mesafesini gösteren bir toplu görünür alan haritası ortaya çıkarılır. (3 ve 5. bölümler)

granülasyon Metal taneciklerini genelliklere aynı türden metal zemine lehimleme. Etrüskler tarafından sıkça kullanılmıştır. (8. Bölüm)

haplotip Bir *gen* grubu içindeki *alel*lerin özel bir kombinasyonu. (5 ve 11. bölümler)

hava keşfi Arkeolojik alanların keşfi ve belgelenmesi açısından önemli bir araştırma tekniği (ayrıca bkz. *yüzey araştırması*).

havadan lazer taraması bkz. LIDAR.

hediye alışverişi bkz. *mütekabiliyet*.

homininler Sadece insanların değil, aynı zamanda goriller ve şempanzeleri de içeren "hominidler" ve bunu şebekler ve orangutanlarla birleştiren "insansılar"dan ayrı olarak sadece insanların ait olduğu alt familya.

iç/öz denge *Sistemler yaklaşımı*nda, sistemin sabit bir denge durumunda tutulmasında *negatif geri bildirim*in etkisini tanımlamak için kullanılan bir terim.

idealist yorum Belirli bir olaya yol açan tarihi şartlara dair içgörülerin araştırılmasına, bunlara dâhil olmuş bireylerin fikirleri ve motivasyonları açısından vurgu yapan bir yorum türü.

ikonografi *Bilişsel arkeoloji*nin önemli bir parçası olan ikonografi, genellikle bariz dini ya da törensel öneme haiz sanatsal tasvirlerin incelenmesini içerir. Örneğin her biri belirli bir özelliğe sahip münferit tanrılar –mısır, mısır tanrısıyla; güneş, güneş tanrıçasıyla– bu şekilde ayırt edilebilir. (10. Bölüm)

ilişkilendirme Bir buluntunun genellikle aynı *matris*te bulunan diğer arkeolojik kalıntılarla birlikte görülmesi. (3. Bölüm)

ilkel değerli hediye nesneleri Dalton tarafından özellikle değer verilen nesnelerden oluşan zenginlik ve prestij simgeleri için ortaya attığı terim. Devlet olmayan toplumların törensel değiş tokuşlarında kullanılan bu nesnelere örnek olarak *kula* sistemlerindeki deniz kabuklarından kolye ve bilezikler verilebilir.

ince kesit analizi Taş bir nesne ya da çanak çömlek parçasından mikroskobik ince kesitlerin kesilerek malzemenin menşeini tespit etmek amacıyla taş mikroskobu altında incelenmesi. (9. Bölüm)

indüktif eşleşmiş plazma atomik emisyon spektrometrisi *Optik emisyon spektrometrisi*yle aynı temel ilkeleri paylaşır, fakat çok daha yüksek ısıların üretilmesi parazit sorununu azaltır ve daha kesin sonuçlar verir. (9. Bölüm)

insan davranışsal ekoloji İnsan davranışının evrimsel ekolojisi. Ekolojik bir bağlam içinde evrim ve uyumlayıcı yayılımın incelenmesi. (12. Bölüm)

işlevsel-süreçsel arkeoloji bkz. *süreçsel arkeoloji*.

iz element analizi *Nötron aktivasyon analizi* veya *x-ışını flüoresans spektrometrisi* kullanarak kayalardaki elementlerin oranının tespiti. Bu yöntemler taş aletlerin üretiminde faydalanılan hammadde kaynaklarının tanımlanması için yaygın olarak kullanılmaktadır. (7 ve 9. bölümler)

izotop analizi Tarihöncesi besin alışkanlıklarının rekonstrüksiyonu için önemli bir kaynak olan bu teknik, insan kemiğindeki temel izotopların oranlarını analiz eder. Yöntem farklı yiyeceklerin vücutta bıraktığı kimyasal izleri kaydeder. İzotop analizi aynı zamanda *tanımlama* çalışmalarında da kullanılmaktadır. (7. Bölüm)

jeoarkeoloji Yerküre oluşum süreçlerini, toprak ve sediman şekillerini incelemek için yerbilim yöntemleriyle kavramlarını kullanan bir çalışma alanı. (6. Bölüm)

jeokimyasal analiz Bir arkeolojik alanın yüzeyinden düzenli aralıklarla toprak örnekleri alarak bunların fosfat içeriğini ve diğer kimyasal özelliklerini ölçme. (3. Bölüm)

jeomanyetik terslenmeler Alt Paleolitik'in tarihlenmesiyle ilgili bir arkeomanyetizma alt disiplini. Dünya'nın manyetik alanındaki toptan ters dönmelerle ilgilenir. (4. Bölüm)

jeomorfoloji Coğrafi çevrenin formu ve gelişimini çalışan bir coğrafya alt disiplini. *Sedimantoloji* gibi uzmanlık alanlarını içerir. (6. Bölüm)

kabile Genellikle bir *takım*dan daha büyük, fakat nadiren birkaç bine erişen sosyal gruplar için kullanılan terim. Takımların aksine kabileler çoğunlukla yerleşik çiftçiler olmakla birlikte, ekonomileri çiftlik hayvanlarına dayalı göçebe pastoral grupları da içerir. Münferit topluluklar akrabalık bağlarıyla daha büyük topluma dâhil olma eğilimindedir. (5. Bölüm)

kafatası boşluğu kalıbı Bu kalıp, bir kafatasının içine kauçuk lateks dökülerek iç yüzeyin hatasız suretini üretilmesiyle elde edilir. Yöntem tahmini kafatası kapasitesini verir ve erken hominin kafataları için kullanılmıştır. (11. Bölüm)

kaplama Metalleri, mesela gümüşle bakırı ya da bakırla altını bağlamaya yarayan bir metal birleştirme yöntemi. (8. Bölüm)

karakterizasyon Ticari malların bileşenlerine ait karakteristik özelliklerin tanımlanmasını, dolayısıyla menşeilerinin tespitini sağlayan tekniklerin uygulanması (mesela petrografik *ince kesit analizi*; 9. Bölüm).

katastrofik yaş profili Kemik ya da diş yıpranması analizine dayalı bir ölümlülük modeli. Model yaş grubu ne kadar yaşlıysa o kadar az birey barındıran bir "doğal" yaş dağılımına karşılık gelir. Sıklıkla su baskınları, salgın hastalıklar ya da volkanik patlamalar gibi kontekstlerde görülür. (7. Bölüm)

katkı maddesi Sertlik, işlenebilirlik sağlayacak ve fırınlama sırasında çatlama ya da fireyi engelleyecek dolgu malzemeleri olarak işlev görmesi için çömlek kiline yapılan eklemeler. (8. Bölüm)

kaya cilası Manganez ve demir okside ilaveten kil mineralleri ve organik maddelerin doğal birikmeleri. Bunlar çevreye dair değerli bilgiler verirler ve radyokarbon yöntemleriyle birlikte incelendiklerinde bazı yeryüzü oluşumlarının, hatta üzerinde cila biriken bazı taş alet tiplerini asgari yaşını verebilirler.

kaynak tespiti bkz. *karakterizasyon*.

kazanılmış statü Kişinin bireysel başarıları sonucunda toplumda yerleşik bir konum elde edebilme becerisini yansıtan sosyal statü ve prestij (krş. *verilmiş statü*).

kazı Arkeolojide veri elde etmenin başlıca yolu. Toprak dolgularla onlara eşlik eden ve üstünü örten diğer malzemelerin sistematik olarak kaldırılmasını içerir. (3. Bölüm)

kemik kaynaşması İnsan iskeletlerinde ayrı kemiklerin birleşmesi.

kesin/mutlak tarihleme Tarihin sabit bir takvim sistemi gibi belirli bir zaman ölçeğine atfen belirlenmesi.

Ayrıca kronometrik tarihleme olarak da adlandırılır. (4. Bölüm)

kesintili denge (sıçramalı evrim) Niles Eldredge ve Stephen J. Gould tarafından ileri sürülmüş evrim teorisinin temel özelliği. Türlerdeki değişim, aralara hızlı evrimsel gelişme dönemleri giren bir tür Darwinci tedricilik olarak temsil edilir. (12. Bölüm)

keşif araştırması Arkeolojik alanların yerini belirlemek için kullanılan çok çeşitli teknikler: yüzey buluntuları ve mimarisinin kaydedilmesi, doğal ve mineral kaynaklardan örnekler alınması. (3. Bölüm)

kızılötesi soğurum spektroskopisi Hammaddelerin tanımlanmasında kullanılan bir teknik. Özellikle farklı kaynaklardan gelen kehribarların ayırt edilmesinde faydalı olmuştur: Kehribardaki organik bileşenler içlerinden geçen farklı kızılötesi radyasyon dalga boylarını soğurur. (9. Bölüm)

kontekst Bir buluntunun konteksti, genellikle yanı başındaki *matris*ten (etrafındaki malzeme, mesela çakıl veya kum), yerinden (matristeki yatay ve dikey konumu) ve diğer buluntularla (çoğunlukla aynı matris içindeki diğer arkeolojik kalıntılarla) *ilişkilendirilme*sinden meydana gelir. (2. Bölüm)

kontekst sıralaması Flinders Petrie'nin 19. yüzyılda öncülük ettiği bu *göreli kronoloji* yönteminde nesneler belirli kontekstlerde (genellikle gömütler) birlikte bulunma sıklıklarına göre düzenlenirler.

konum (menşei) Bir şeyin ilk ortaya çıktığı yer ya da bilinen (en erken) tarihi; ayrıca bir *buluntu*nun, *doğal malzeme*ninin veya *matris* içindeki *taşınmaz buluntu*nun yatay ve dikey pozisyonu (2. Bölüm).

koprolit Fosilleşmiş dışkı. Bunlardan beslenme alışkanlıkları ve yiyecek bulma faaliyetlerinin rekonstrüksiyonunu yapmak için yararlanabilir. Ayrıca bkz. *fosil dışkı*. (7. Bölüm)

kronolojik sıralama Bir grup nesne ya da buluntu grubunun kronolojik düzenlemesine dayalı göreli tarihleme tekniği. Birbirine en çok benzeyenler dizilişte yan yana yerleştirilirler. İki tür sıralama vardır: *sıklık sıralaması* ve *kontekst sıralaması*. (4 ve 5. bölümler)

kronometrik tarihleme Bkz. *mutlak kronoloji*.

kula değiş tokuş çemberi Melanezya'da ittifaklar kurmak ve pekiştirmek için uygulanan bir törensel, rekabet dışı değiş tokuş sistemi. Malinowski'nin bu sistem üzerine yaptığı çalışma antropoloji bir kavram olan *mütekabiliyet*in şekillenmesinde etkili olmuştur. (9. Bölüm)

kullanım izi analizi Taş aletlerin kenarlarındaki aşınma ya da hasar izlerinin incelenmesi. Bunlar aletlerin

nasıl kullanıldığına dair değerli bilgiler sağlar. (8. Bölüm)

kuramsal-çıkarımsal açıklama Varsayımların oluşturulmasına ve bunlardan *tümdengelim* yoluyla çıkarılan – ve daha sonra arkeolojik veriler karşısında sınanacak- sonuçlara dayalı bir yorum türü.

kült arkeolojisi Dinin inançlara karşılık olarak yapılmış düzenli eylemlere ait maddi izlerin incelenmesi. (10. Bölüm)

kültür Antropologların belirli bir topluma özgü biyolojik olmayan özelliklerine atıfta bulunurken kullandıkları terim (*arkeolojik kültür* ile karşılaştırınız). (1. Bölüm)

kültür Antropolog tarafından belirli bir topluma has biyoloji dışı özelliklere atıfta bulunulduğunda kullanılan terim (krş. *arkeolojik kültür*). (14. Bölüm)

kültürel antropoloji Antropolojinin alt disiplini. Toplumun biyoloji dışı, davranışsal yönleriyle ilgilenir; mesela insan davranışının altındaki sosyal, dilbilimsel ve teknolojik ögeler gibi. Kültürel antropolojinin iki önemli dalı *etnografya* (yaşayan kültürlerin incelenmesi) ve *etnoloji*dir (etnografik kanıtları kullanarak kültürlerin karşılaştırılması). Avrupa'da *sosyal antropoloji* olarak adlandırılır. (4. Bölüm)

kültürel ekoloji Julian Stewart tarafından insan toplumuyla çevresi arasındaki dinamik etkileşimi açıklamak üzere kullanılan bir terim. Bunda *kültür* başlıca uyumcu mekanizma olarak görülür. (1. Bölüm)

kültürel evrim Toplumsal değişimin, türlerin biyolojik evrimleri ardındaki süreçlerle analojiler yaparak anlaşılabileceğini savunan teori. (1. Bölüm)

kültürel grup Belirgin bir kimlik meydana getiren ve düzenli olarak ortaya çıkan birbirleriyle ilişkili nesneler, yapılar, gömüt tipleri ve ev planları topluluğu. (5. Bölüm)

kültürel kaynak yönetimi Arkeolojik mirasın, arkeolojik alanların korunması ve genellikle özel kanunlar dâhilinde kurtarma arkeolojisi aracılığıyla muhafaza edilmesi. (15. Bölüm)

kültürel tarih yaklaşımı Arkeolojik açıklamalarda geleneksel tarihçinin yöntemlerini kullanan bir yaklaşım (zengin ayrıntılarla işlenmiş özel şartları ve *tümevarımlı* çıkarım süreçlerine yapılan vurguları da içerir).

küme analizi Belirli buluntu *tiplerinin* ya da bunların içindeki diğer bileşenlerin varlığına ya da yokluğuna göre birimler ya da buluntu grupları arasında benzerlikleri değerlendiren bir çok değişkenli istatistik tekniği. (5. Bölüm)

kurtarma arkeolojisi Otoyol inşası, kanalizasyon projeleri veya imar öncesinde arkeolojik alanların tespiti

ve kaydı (çoğunlukla kazıyla). (3. ve 14. bölümler)

LANDSAT bkz. *uzaktan algılama*.

LIDAR (Lazerli Algılama ve Ölçme) Radarla aynı ilkeye göre çalışan bir *uzaktan algılama* tekniği. Alet hedefe ışık gönderir ve bunun bir kısmı alete geri yansır. Işığın hedefe varması ve geri dönmesi için harcadığı zaman hedefe olan uzaklığın tespiti için kullanılır. (3. Bölüm)

lös çökeltileri Rüzgârla sürüklenen ve buzulları yeni çözülmüş topraklarda ya da korunaklı alanlarda tekrar biriken ince kum boyutunda sarımsı tanecikler. (6. Bölüm)

maddi kültür Eski toplumların maddi kalıntılarını meydana getiren yapılar, aletler ve diğer nesneler. (Giriş)

makroaile Dilbilimde, genetik olarak birbirleriyle ilişkili olduklarını göstermeye yetecek kadar benzerliklere sahip dil ailesi gruplarını tanımlayan sınıflandırıcı bir terim (örneğin Nostratik makroailesi bazı dilbilimciler tarafından Hint-Avrupa, Afro-Asyatik, Ural, Altay ve Kartvelyan dil ailelerini kapsayan bir birlik olarak görülür). (11 ve 12. bölümler)

manyetik alan gradiyometresi Bir ölçme aygıtında kesintisiz okuma üreten bir *manyetik alan dedektörü* tipi. (3. Bölüm)

manyetik alan dedektörü *Yeraltı algılama*da kullanılan ve ölçme aygıtında kesintisiz okuma sağlayan bir manyetometre. (3. Bölüm)

Marksist arkeoloji Esasen Karl Marx ve Friedrich Engels'in eserlerine dayanan Marksist arkeoloji, sosyal değişimin materyalist bir modelini önerir. Bir toplumdaki değişim, üretim güçleri (teknoloji) ve üretim ilişkileri (sosyal organizasyon) arasındaki karşıtlıkların sonucu olarak görülür. Böyle karşıtlıkların farklı sosyal sınıfların mücadelesinden çıktığı kabul edilir.

matris Buluntuların yer aldığı veya onları taşıyan fiziksel malzeme. (2. Bölüm)

Maya takvimi Mayalar tarafından zamanı ölçmek için kullanılan ve iki farklı takvim sisteminden meydana gelen yöntem: (1) Daire Takvim günlük işleri; (2) Uzun Takvim tarihi günleri hesaplamak için kullanılmıştır. (4. Bölüm)

mem Richard Dawkins'e göre genlerin farazi benzeri. Dawkins kültürel evrimin mem çoğaltılmasıyla meydana getirildiğini ileri sürer. Ancak bu tür bir kültürel çoğaltılma için belirli bir mekanizma yoktur.

merkezi yer teorisi Coğrafyacı Christaller tarafından yerleşim arazisinin ara uzaklıklarını ve işlevini açıklamak üzere geliştirilmiştir. İdeal şartlar altında aynı boyut ve karakterdeki merkezi yerlerin birbirlerinden eşit mesafede olacaklarını ve kendilerine ait küçük uyduları bulunan ikincil merkezler tarafından çevrelenecekleri ileri sürülür.

metalografik inceleme Erken metalürjinin çalışılmasında kullanılan bir teknik. Bir nesneden alınan parlatılmış kesitin, metalin yapısını gösterecek şekilde aşındırılması ve mikroskobik analizini içerir. (8. Bölüm)

metodolojik bireycilik (bireyci yöntem) Toplumun incelenmesinde düşünce ve kararların eylemliliğini kabul eden, eylemlerle ortak kurumları bireylere ait karar ve eylemlerin ürünleri şeklinde açıklayan bir yaklaşım. (1 ve 12. bölümler)

Mezolitik Yaklaşık 10.000 yıl önce başlamış, *Paleolitik* ile *Neolitik* arasında bulunan ve *mikrolit*lerin baskın hâle gelişiyle ilişkilendirilen bir Eski Dünya kronolojik dönemi. (8. Bölüm)

mikrolit *Mezolitik Çağ*'ın ayırıcı özelliği olan ufak taş alet. Bunların çoğu muhtemelen bir sopaya takılı olarak kullanılmıştır. (8. Bölüm)

Mössbauer spektroskopisi Çanak çömlekteki nesne bileşenlerinin, özellikle de demir bileşenlerinin analizinde kullanılan bir teknik. Demir çekirdekleri tarafından soğurulan gamma radyasyonunun ölçümü örnekteki belirli demir bileşenleri, dolayısıyla kabın yapıldığı zamanki fırınlama şartları hakkında bilgi verir. (9. Bölüm)

mtDNA Mitokondriyal DNA. Hücrede enerji üretiminden sorumlu mitokondride bulunur. mtDNA 16.000 baz çiftini içeren dairesel bir yapıya sahiptir ve çekirdek DNA'sından farklıdır. mtDNA gen oluşumunun sonucu değildir, fakat tek başına dişinin soyundan gelir. (5, 11 ve 12. bölümler)

mütekabiliyet Alışverişlerin simetrik konumda, yani hiçbir tarafın diğerinden üstün olmadığı, eşit bir şekilde yapılan bir karşılıklı değiş tokuş usulü. (9. Bölüm)

negatif geri besleme *Sistemler yaklaşımı*nda dış girdilerin potansiyel yıkıcı etkilerine karşı koymak ya da "köreltmek" üzere işleyen süreç. Dengeleyici mekanizma olarak hareket eder (bkz. *iç/öz denge*). (12. Bölüm)

Neolitik Tarım ve dolayısıyla giderek artan yerleşik düzene geçişle tanımlanan bir Eski Dünya kronolojik dönemi. (4. Bölüm)

Neolitik Devrim V.G. Childe'ın 1941'de kullandığı bu terim, tarımın kökeni ve yerleşik köy hayatına geçişi sağlayan sonuçlarını (yani hayvancılık ve tarımın gelişmesi) tanımlar. (7. Bölüm)

nitelik İnsan yapımı bir nesnenin daha fazla parçalara ayrılamayacak asgari özelliği. Yaygın olarak incelenen nitelikler form, üslup, süsleme, renk ve hammaddedir. (3. Bölüm)

nötron aktivasyon analizi Nesnenin bileşenlerini analiz için kullanılan bir yöntem. Bir örneğin atom çekirdeklerine yavaş nötron bombardımanı yapılarak uyarılmasına dayanır. Yöntem ±%5 civarında bir yanılma payına sahiptir.

nötron saçılımı Toprak içindeki göreli nötron akışlarını ölçmek için toprağa bir sonda yerleştirilmesine dayanan bir *uzaktan algılama* tekniği. Taş, toprağa nazaran daha düşük bir sayım oranı ürettiğinden, yüzeyin altındaki mimari unsurlar çoğu kez tespit edilebilir. (3. Bölüm)

obsidyen İşlemesi ve çakmaktaşınınkine benzer sert kenarları dolayısıyla alet yapımında kullanılan bir tür volkanik cam. (4, 9 ve diğer bölümler)

obsidyen hidrasyon tarihlemesi Bu teknik açıkta kalan obsidyen yüzeylerindeki suyun emilme oranıyla ilgilidir. Yerel hidrasyon oranı bilindiğinde, eğer hidrasyon tabakasının kalınlığı doğru ölçülürse kesin tarih verebilir. (4. Bölüm)

olasılıklı örnekleme Küçük örnekleme alanlarına dayanarak bir arkeolojik alan ya da bölge hakkında güvenilir genel sonuçlar çıkarmak için olasılık teorisini kullanan bir örnekleme yöntemi. Dört örnekleme yöntemi vardır: (1) *basit rastlantısal örnekleme*; (2) *katmanlı rastlantısal örnekleme*; (3) *sistematik örnekleme*; (4) *katmanlı sistematik örnekleme*. (3. Bölüm)

olasılıksız örnekleme Öngörü, tarihi belge ya da bölgedeki uzun süreli tecrübeye dayalı örnekleme alanlarına ağırlık veren (*olasılıklı örnekleme*nin aksine) istatistik dışı örnekleme stratejisi. (3. Bölüm)

Oldowan endüstrisi Yongalardan ve çaytaşı aletlerden meydana gelen ve Doğu Afrika'ın Olduvai Boğazı'nda homininler tarafından kullanılmış en erken alet çantası. (4 ve 8. bölümler)

oluşum süreci Arkeolojik malzemenin toprağa gömülme şekillerini ve bundan sonraki geçmişlerini etkileyen süreçler. Kültürel oluşum süreçleri insanların bilinçli ya da rastlantısal faaliyetlerini içerir. Doğal oluşum süreçleri arkeolojik kaydın toprağa gömülmesi ya da günümüze gelmesine atıfta bulunur.

optik emisyon spektrometrisi Nesne bileşenlerini analiz etmek için kullanılan bir teknik. Elektronların uyarıldıklarında (yani yüksek derecelerde ısıtıldıklarında) belirli bir dalga boyunda ışık yaydıkları ilkesine dayanır. Çeşitli elementlerin varlığı ya da yokluğu, bunlara ait karakteristik dalga boylarının uygun tayf çizgisi incelenerek tespit edilir. Bu yöntem genellikle sadece %25'lik bir doğruluk sağlar ve yerini *indüktif olarak eşleşmiş plazma emisyon spektrometrisi*ne bırakmıştır.

Ortabatı Sınıflandırma Sistemi McKern tarafından (1939) Amerika Birleşik Devletleri'ndeki Great Plains'in stratigrafik silsilesini *buluntu grupları* arasındaki benzerlikler ilkesini kullanarak düzenlemek için kurulan sistem. (1. Bölüm)

otozomal DNA Otozmal kromozomlardan alınan DNA. İnsanlarda cinsiyet kromozomlarına, yani X ve *Y* *kromozomlarına* karşılık 22 çift sayılı kromozomlar. (4 ve 11. bölümler)

öykünme Rekabete eşlik eden en yaygın unsurlardan biridir. Bir toplumdaki âdetler, yapılar ve nesneler doğası bakımından genellikle rekabetçi olan taklit aracılığıyla komşu toplumlar tarafından benimsenebilir. (5 ve 9. bölümler)

özdirenç bkz. *toprak direnci araştırması*.

öz örgütleme Termodinamikten alınan bir teorinin sonuçlarından biri. Sistemler bir denge durumunun çok dışına çıktığı zaman düzenin kendiliğinden oluşacağını söyler. Yeni yapının doğuşu ayrım noktalarına ya da istikrarsızlık eşiklerinde meydana gelir (krş. *felaket teorisi*). (12. Bölüm)

paleoentomoloji Arkeolojik kontekstlerdeki böceklerin incelenmesi. Bozunmaya karşı oldukça dayanıklı olan böceklerin dış kabukları, tarihöncesi çevrelerin ve ekonomilerin rekonstrüksiyonu için önemlidir. (6. Bölüm)

paleoetnobotani (arkeobotani) Arkeolojik *kontekst*lerde ele geçen bitki kalıntılarının kurtarılması ve tanımlanması. Bunlar geçmiş çevrelerin ve ekonomilerin rekonstrüksiyonu için kullanılır. (7. Bölüm)

paleomanyetizm bkz. *arkeomanyetik tarihleme*.

Paleolitik Bilinen en erken alet üretimiyle tanımladığımız yaklaşık MÖ 10.000'den önceye ait arkeolojik dönem. (1, 4, 8 ve diğer bölümler)

palinoloji Geçmiş bitki örtüsü ve iklim şartlarının rekonstrüksiyonuna yardımcı fosil polenlerin incelenmesi ve analizi. (4 ve 6. bölümler)

paradigmatik görüş Bilimin bir dizi varsayımdan (paradigma) geliştiğini ve devrimci bilimin normal bilim çağını açan yeni bir paradigmanın kabulüyle birlikte sona ereceğini savunan bu yaklaşım Thomas Kuhn tarafından ortaya konmuştur. (12. Bölüm)

pazar değiş tokuşu Hem alışveriş için özel bir yerin varlığına hem de pazarlığın içinde gerçekleşebileceği türden sosyal ilişkilere işaret eden bir alışveriş türü. Çoğunlukla pazarlıkla oluşan bir fiyatlandırma sistemini içerir. (9. Bölüm)

pinger (ya da dalga radarı) Deniz tabanından 60 m derine inebilen *yan taramalı sonar*dan daha güçlü bir sualtı araştırma aygıtı. (3. Bölüm)

pistonlu karotiyer Okyanus tabanından çökeli sütunları çıkarmak için kullanılan bir alet. Farklı tabakalar için tarihler *radyokarbon, arkeomanyetik tarihleme* ya da *uranyum serisi* yöntemleriyle elde edilir. (6. Bölüm)

polen analizi bkz. *palinoloji.*

postsüreçsel arkeoloji İşlevsel-süreçsel arkeolojinin hissedilen kısıtlamalarına tepki ortaya koyulmuş bir yorum. Genellemeden sakınarak *Yapısalcılık, Eleştirel Kuram* ve Neo-Marksist düşüncenin etkisiyle "bireyselci" yaklaşımı entegre eden teorileri tercih eder. (12. Bölüm)

potasyum-argon tarihlemesi Milyonlarca yıllık kayaların tarihlenmesi için kullanılan bir yoldur, fakat yaklaşık 100.000 yıldan daha genç olmayan volkanik malzemeyle sınırlıdır. Afrika'daki erken hominin buluntu yerlerinin tarihlenmesi için başvurulan en yaygın yöntemlerden biridir. (9. Bölüm)

pozitif geri besleme *Sistemler yaklaşımı*nda sistem dâhilindeki değişen çıktı şartlarının, girdide daha fazla büyümeyi tetiklediği bir tepkiyi tanımlamak için kullanılan terim. Sistem değişikliğini veya morfojenezi meydana getiren başlıca etkenlerden biridir (ayrıca bkz. *çarpan etkisi*). (12. Bölüm)

pozitivizm Açıklamaların deneysel olarak doğrulanabilir olmasını, insan kurumlarında evrensel yasalar, yapılar ve dönüşümlerin bulunduğunu, şuur gibi bireysel unsurları içine katan kuramların kanıtlanamayacağını savunan teorik görüş. (12. Bölüm)

prestij malları Bir toplumun büyük değer ya da itibar atfettiği sınırlı erişimi olan değiş tokuş malları. (9. Bölüm)

radyoaktif bozunma Radyoaktif izotopların özgün yarı ömürlerine göre kendi bozunum ürünlerine ayrıştığı düzenli süreç (ayrıca bkz. *radyokarbon tarihlemesi*). (4. Bölüm)

radyoimmün testi Bir protein analizi yöntemi. Bu sayede fosillerde bulunan binlerce, hatta milyonlarca yıllık protein moleküllerini tanımlamak mümkündür. (11. Bölüm)

radyokarbon tarihlemesi Organik malzemedeki karbonun radyoaktif izotopunun (^{14}C) bozunmasını ölçen kesin tarihleme yöntemi (ayrıca bkz. *yarı ömür*). (4. Bölüm)

rastlantısal tabakalı örnekleme Bir bölge veya arkeolojik alanın tarım yapılan arazi ya da orman gibi doğal alanlara ve tabakalara bölünmesi. Bundan sonra birimler bir rastlantısal sayı yöntemiyle her alana büyüklüğüyle orantılı kare verecek şekilde seçilir. Böylece *basit rastlantısal örnekleme*nin doğasında var olan sapma sorununun üstesinden gelinebilir. (3. Bölüm)

reaves Tunç Çağı sınır duvarları. Örneğin İngiltere'deki Dartmoor'da bulunanlar münferit toplulukların bölge sınırlarını belirtir. (6. Bölüm)

sahte arkeoloji Geçmişe dair bilimsel olmayan kurmaca açıklamalar yapmak için arkeolojik kanıtların kullanılmasında seçici davranmak. (14. Bölüm)

sedimantoloji Sedimanların (yeryüzünün yüzeyinde biriken malzeme için kullanılan genel terim) yapısı ve oluşumunu incelemekle ilgilenen *jeomorfoloji* alt dalı. (6. Bölüm)

segmenter toplumlar Genellikle kendi ilişkilerini düzenleyen çiftçilerden ibaret nispeten küçük ve özerk gruplar. Bazı durumlarda daha büyük bir etnik birim meydana getirmek üzere diğer benzer segmenter toplumlarla birleşebilirler.

sığ sismik sistem bkz. *sualtı keşfi.*

sıklık sıralaması Esasen buluntularda gözlemlenen oransal çokluk ya da sıklıktaki değişimlerin ölçülmesine dayalı bir *göreli kronoloji* yöntemi (örneğin alet tipi ya da pişmiş toprak malzeme sayılır). (4. Bölüm)

sınıflandırma Olguları ortak özelliklerine göre gruplar veya tasnife dayalı şemalar şeklinde düzenleme (ayrıca bkz. *tip* ve *tipoloji*). (6. Bölüm)

sınıflı toplumlar Prestij ve mevkiye eşitsiz erişimin bulunduğu toplumlar; örneğin *kabileler* ve *devletler*. (5. Bölüm)

simetri analizi Bezeme üsluplarının analizine matematiksel bir yaklaşım. Desenlerin iki farklı simetri sınıfına ayrılabileceğini öne sürer: motifleri yatay olarak tekrarlayan şablonlar için 17, hem yatay hem de dikey tekrarlayanlar içinse 46 sınıf. Bu türden çalışmalar belirli bir kültürdeki motif düzenlemesinin rastgele olmadığını düşündürmektedir.

simülasyon Dinamik modellerin, yani zaman içindeki değişikliklerle ilgili modellerin, bilgisayar yardımıyla formülasyonu ve uygulanması. Simülasyon kullanışlı bir bulgusal araçtır ve yorumun geliştirilmesinde oldukça yardımcıdır. (12. Bölüm)

sismik yansıma ayrımlaması Su altında kalmış yeryüzü şekillerinin yerini tespit için *yankı sondajı* ilkesini kullanan bir akustik sualtı araştırma aygıtı. Bu yöntem 100 m derinliğindeki sularda deniz tabanının 10 m altına nüfuz edebilmektedir.

sistematik örnekleme Aralarında eşit mesafe bırakılmış yerlerden müteşekkil ızgara plan kullanan, yani diğer bütün kareleri seçen bir *olasılıklı örnekleme* türü. Düzenli aralık bırakma yöntemi, eğer dağıtımın kendisi düzenli aralıklıysa her bir örneği gözden kaçırma (ya da bulma) riskini beraberinde taşır. (3. Bölüm)

sistematik araştırma bkz. *yüzey araştırması.*

sistemler yaklaşımı İncelenen şeyin bağımsız parçaların birbirleriyle etkileşiminden meydana geldiğini kabul eden biçimsel analiz. Arkeolojide ise bir toplum ya da kültürün, onları oluşturan bileşenlerin etkileşimi ve karşılıklı bağlılıkları şeklinde incelendiği bir açıklama biçimi.

Bu bileşenlere sistem parametreleri denir ve nüfus büyüklüğü, yerleşim modeli, mahsul üretimi, teknoloji vb. unsurları içerir. (12. Bölüm)

sit dışı veri Dağılmış nesneler ve saban izleri gibi özelliklerin dâhil olduğu bir dizi veriden gelen ve çevrenin insan tarafından kullanımına dair önemli bulgular sunan kanıtlar. (3. Bölüm)

SLAR (yana bakışlı hava radarı) Bir uçağın yolladığı elektromanyetik radyasyon atımlarının geri yansımalarına ait radar görüntülerini kaydeden bir *uzaktan algılama* teknolojisi (krş. *termografi*). (3. Bölüm)

sonda Arkeolojik tabakaların derinliği ve niteliğinin tespiti için el ya da makineyle işleyen sonda temelli bir *yeraltı algılama* yöntemi. (3. Bölüm)

sosyal antropoloji bkz. *kültürel antropoloji.*

soy Ortak bir atadan geldiğini kabul eden bir grup. (5. Bölüm)

sözleşmeli arkeoloji Federal yasalar ya da devlet yasalarının koruması altında, sıklıkla otoyol inşası ya da şehir imar projelerinin öncesinde yapılan arkeolojik araştırma. Bunlarda arkeologlar gerekli incelemeleri yapmak üzere sözleşmeyle görevlendirilir. (14. Bölüm)

sözlük istatistiği Bir dizi ortak söz dağarcığı ve sözcük köklerindeki değişimlere dayanarak iki dil arasındaki dilsel ayrışmanın incelenmesi. (4. Bölüm)

stratigrafi *Tabakalanma*nın incelenmesi ve geçerliliğinin onaylanması; dikeyde zaman, yatayda ise mekân boyutunun analizi. Çoğunlukla buluntu birikiminin zamansal silsilesini tespit etmek için kullanılan *göreli tarihleme* yöntemidir. (3. Bölüm)

stel Bağımsız ayakta duran işlenmiş anıtsal taş. (4. Bölüm)

sualtı keşfi Sualtı keşfindeki jeofizik yöntemler şunları kapsar: (1) Bir araştırma gemisinin arkasında çekilen bir *proton manyetometresi.* Böylece Dünya'nın manyetik alanına bozan demir ve çelik nesneler saptanır; (2) Deniz tabanındaki kalıntıların grafik görüntüsünü elde etmek üzere ses dalgalarını yelpaze sinyaller şeklinde yayan bir *yan taramalı sonar;* (3) Yaydığı ses sinyalleri deniz tabanının altında kalmış mimariden ve nesnelerden yansıyan bir *dip altı profilleyici.* (3. Bölüm)

süreçsel arkeoloji Kültür değişiminin süreçlerini anlamak için temelde kültürün sosyal ve ekonomik yönleriyle çevre arasındaki dinamik ilişkinin altını çizen bir yaklaşım. Bilimsel yöntem dâhilinde problem tanımı, varsayım oluşturma ve bunları takiben sınamayı kullanır. Erken işlevsel-süreçsel arkeoloji, ideolojik ve sembolik unsurların entegrasyonuna vurgu yapan *bilişsel-süreçsel arkeoloji*yle karşılaştırılır. (Giriş ve 12. Bölüm)

şeflik   Mevki, yani farklı sosyal statü ilkesi temelinde işleyen bir toplumu tanımlamak için kullanılan terim. Farklı *soylar* kişinin şefe ne kadar yakın akraba olduğuna göre hesaplanan bir prestij ölçeği bazında derecelendirilir. Şefliğin genellikle kalıcı bir dini ve törensel merkezi vardır. Bunun yanında zanaatlarda yerel uzmanlaşmayla da ayırt edilir. (5. Bölüm)

tabakalanma   Katmanların veya tabakaların (dolgular olarak da adlandırılır) birbiri üzerine gelmesi veya birikmesi. Arka arkaya gelen tabakalardan en erkeni en altta, en geç olanı da en üstte yer alacak şekildeki bir sıra göreli kronolojik silsile meydana gelir. (3 ve 4. bölümler)

tafonomi   Kemik gibi organik malzemeleri ölümden sonra etkileyen süreçlerin incelenmesi. Kesim işlemlerinin sonuçlarını veya leşçi hayvanların faaliyetlerini değerlendirmek için diş ya da kesim izlerinin mikroskobik analizini de içerir. (7. Bölüm)

takım   Yabani (kültüre alınmamış) yiyecek kaynaklarından faydalanmak üzere mevsimlik hareket eden ve genellikle 100 kişiden az olan küçük ölçekli avcı ve toplayıcı toplumlara ilişkin terim. Sosyal organizasyonda akrabalık bağları önemli bir rol üstlenir. (5. Bölüm)

Tanımlanmış Örnek Sayısı   Hayvan kemiklerinin miktarını ölçmekte kullanılan brüt sayım. Farklı türlerin görece çokluğunu belirlemede yanıltıcı sonuçlar verebilir, zira iskeletler ve kemiklerin korunmasındaki farklılıklar bazı türlerin diğerlerinden daha fazla temsil edileceği anlamına gelir. (7. Bölüm)

tarihöncesi   İnsanlık tarihinin yazının icadından önceki dönemi. (Giriş)

tarihsel arkeoloji   Tarihsel olarak belgelenmiş toplumların arkeolojik incelemesi. Kuzey Amerika'da araştırmalar koloni ve koloni sonrası döneme yönelmiştir. Avrupa'da Ortaçağ ve Ortaçağ sonrası arkeolojisiyle karşılaştırılabilir. (Giriş ve 3. Bölüm)

tarihsel tikelcilik   Franz Boas ve öğrencilerine atfedilen antropolojiye yönelik detaylı bir tanımlayıcı yaklaşım ve Morgan ile Taylor'ın tercih ettiği genelleyici yoruma bir alternatif. (1. Bölüm)

tarihyazımcı yaklaşım   Esasen geleneksel tanımlayıcı tarihi çerçeveye dayalı bir yorum türü.

taşınabilir sanat   Buzul Çağı'nın mobil sanatı için kullanılan terim. Taş, boynuz, kemik ve fildişinden küçük nesnelerin üzerine yapılan kazımalar ve oymalardan meydana gelir. (10. Bölüm)

taşınmaz (mimari)
buluntu   Taşınamayan ya da bulunduğu yerden hareket ettirilemeyen bir *buluntu*; örneğin ocaklar, mimari elemanlar ya da toprak izleri. (3. Bölüm)

tavlama   Bakır ve tunç metalürjisinde istenilen şekli vermek için malzemenin ısıtılıp dövülmesini içeren mükerrer işlem. (8. Bölüm)

tefra   Volkanik kül. Örneğin Akdeniz'de *derin deniz karotları* Thera'daki volkanik patlamanın sebep olduğu kül yağışlarına dair kanıt sağlamış ve *stratigrafik* konumu bir *göreli tarihleme* oluşturulması için önemli bilgiler sunmuştur. (4. Bölüm)

tekbiçimcilik   Kaya tabakalanmalarının denizlerde, ırmaklarda ve göllerdeki süreçlere bağlı olduğu ilkesi. Diğer bir deyişle jeolojik olarak eski şartlar temelde bizim zamanımızdakilerine benziyordu ya da "aynısıydı." (1. Bölüm)

tek nedenli açıklama   Bir tek baskın açıklayıcı etken veya "ana kuvvet"e vurgu yapan kültür değişimine dair (mesela *devlet*in kökenleri için) açıklamalar. (12. Bölüm)

tektonik hareketler   Dünya'nın kabuğunu oluşturan levhaların yer değiştirmesi. Bu durum çoğu kez *yükselmiş kıyıların* ortaya çıkmasına neden olur. (6. Bölüm)

telkâri   İlk kez Yakındoğu'da kullanılmış tel ve lehimleme içeren narin bir perfore metal işçiliği.

tell   Çok uzun bir zaman dilimi içinde birbiri ardına gelen insan yerleşimleriyle meydana gelmiş höyük için kullanılan bir Yakındoğu terimi. (2. Bölüm)

termal algılama   *Hava keşfi*nde kullanılan bir tür *uzaktan algılama* yöntemi. Isıl özellikleri çevrelerinden farklı olan toprak altındaki yapıların üzerinde fark edilebilen zayıf ısı değişikliklerinden faydalanır. (3. Bölüm)

termografi   Toprak yüzeyinin ısısını kaydetmek için uçaktaki termal ya da ısı alıcılarını kullanan bir teknik. Toprak ısısındaki değişiklikler toprak altındaki yapıların varlığına işaret edebilir. (3. Bölüm)

termolüminesans   Dolaylı olarak radyokarbon bozunmaya dayanan bir tarihleme tekniği. Belirli bir zaman dilimi içinde radyokarbonla örtüşmesi faydalıdır, ama aynı zamanda daha erken dönemleri tarihleme potansiyeline de sahiptir. *Elektron döngü rezonansı*yla birçok ortak noktası vardır. (3. Bölüm)

Thiessen çokgenleri   Tek bir arkeolojik alan merkezli bölgesel ayrımlara dayanan yerleşim modellerini tanımlamanın biçimsel yöntemi. Çokgenler birbirine komşu arkeolojik alanlar arasında düz çizgiler çizilerek yaratılır. Her bir çizginin orta noktasında, bunlara dik açı yapan ikinci bir dizi çizgi çekilir. İkinci çizgilerin birleştirilmesi Thiessen çokgenlerini meydana getirir. (5. Bölüm)

tipoloji   Buluntuların ortak *nitelik*leri temel alınarak tiplerine göre sistematik şekilde düzenlenmesi. (1, 3 ve 4. bölümler)

toprak direnci   bkz. *toprak direnci araştırması*.

toprak direnci araştırması   Zemin oluşumları üzerinden elektrik akımı geçirerek iletkenlikteki değişimleri ölçen bir *yeraltı algılama* yöntemi. Bu genellikle nemli içeriğin sonucudur ve böylece toprak altındaki buluntular yeraltı suyunu tutma farkları sayesinde tespit edilebilir. (3 Bölüm)

total station   Arazi ölçümlerinde ve kazıların kaydedilmesinde kullanılan bir elektronik/optik alet.

trend yüzey analizi   Amacı, bazı bölgesel düzensizlikleri düzelterek bir coğrafi dağılımın ana unsurlarını vurgulamaktır. Bu yolla önemli yönelimler arka plan "gürültüsünden" daha net şekilde arındırılabilir. (9. Bölüm)

tümdengelim   Daha özel sonuçları daha genel önermelerden titiz akıl yürütmeyle çıkaran bir muhakeme süreci (krş. *tümevarım*). (12. Bölüm)

tümdengelimli nomolojik açıklama   Genel yasalardan çıkarılan varsayımların test edilmesine dayanan bir biçimsel açıklama yöntemi. (12. Bölüm)

tümevarım   Kişinin genel çıkarımlar elde etmek üzere bir dizi özel gözlemden genelleme yaptığı bir akıl yürütme yöntemi (krş. *tümdengelim*). (12. bölüm)

tüyer   İzabe işlemi sırasında kullanılan pişmiş toprak üfleme borusu. (8. Bölüm)

ulus   Belirli bir toprak üzerinde tarih boyunca yaşamış, kültür ve dil açısından nispeten istikrarlı ortak özelliklere sahip, aynı zamanda kendilerine verdikleri isimle (etnik isim) birliktelikleri ve farklılıklarının bilincinde olan etnik grup (bkz. *etnisite*). (5. Bölüm)

uranyum serisi tarihlemesi   Uranyum izotoplarının *radyoaktif bozunma*larına dayanan bir tarihleme yöntemi. Özellikle *radyokarbon tarihlemesi*nin zaman aralığı dışında olan günümüzden 50.000 yıl öncesi dönemler için faydalıdır.

uzaktan algılama   Uzak mesafeden özellikle hava ve uydu resimleriyle yüzeydeki unsurların görüntülenmesi. "Yer temelli uzaktan algılama", radar gibi jeofiziksel yöntemleri yerde kullanılan *termografi* gibi uzaktan algılama yöntemleriyle birleştirir. (3. Bölüm)

Üç Çağ Sistemi   Eski Dünya tarihöncesinde teknolojik dönem (taş, tunç, demir) silsilesi için C.J. Thomsen tarafından geliştirilmiş bir *sınıflandırma* sistemi. Nesneleri sınıflandırarak bir kronolojik sıranın oluşturulabileceği ilkesini yerleştirmiştir. (1. Bölüm)

üretim zinciri   *(chaîne opératoire)* Bir üretim silsilesinde eldeki malzemenin bitmiş ürüne dönüşmesini sağlayan düzenli eylemler, jestler ve süreçler (mesela bir taş aletin ya da çömleğinkinde). André Leroi-Gourhan'ın ortaya koyduğu kavram, arkeologların bitmiş nesneden süreçlere, üretim silsilesindeki maksatlılığa ve nihayetinde üretenin kavramsal şablonuna kadar geriye doğru çıkarım yapmalarına izin verdiği için önemlidir. (8. Bölüm)

üslup Sanat tarihçisi Ernst Gombrich'e göre üslup "bir eylemin icrası ve yapılışındaki herhangi bir karakteristik ve dolayısıyla tanınabilir gelenek." Arkeologlar ve antropologlar "üslup alanları"nı nesnelere dair ortak üretim ve süsleme yöntemlerini temsil eden alansal birimler olarak tanımlarlar. (10. Bölüm)

varv Buzul göllerinde biriken ince alüvyon çökeltiler. Bunlar yıllık birikimi tarihlemek için yararlı kaynaklardır. (4. Bölüm)

verilmiş statü Miras veya kalıtımsal etkenlerle elde edilmiş sosyal mevki ya da prestij (krş. *kazanılmış statü*; 5. Bölüm).

Wheeler kutu kareplanı Mortimer Wheeler tarafından Pitt-Rivers'ın çalışmalarından geliştirilmiş bir kazı tekniği. Kare açmaların arasında yollar bırakılarak farklı tabakalar arasında arkeolojik alan boyunca dikey profillerde bağlantı sağlanır. (3. Bölüm)

x-ışını kırınımı analizi Nesnelerin hammaddelerinde bulunan mineralleri tespit etmekte kullanılan bir teknik. Aynı zamanda sedimanlardaki belirli kil minerallerini, dolayısıyla sedimanın hangi özel kaynaktan geldiğini belirlemek için jeomorfolojik kontekstlerde kullanılır. (6. Bölüm)

x-ışını flüoresans spektrometrisi Nesne bileşenlerinin analizi için kullanılan bir teknik. Örnek yüzeydeki atomların elektronlarını uyarması için x-ışını demetleriyle radyasyona maruz bırakılır. (9. Bölüm)

XTENT modellemesi Hem *merkezi yer teorisi* hem de *Thiessen çokgenlerinin* yarattığı engellerin üstesinden gelen bir yerleşim hiyerarşisi oluşturma yöntemi. Her bir merkezin büyüklüğünün nüfuz alanıyla doğrudan orantılı olduğunu varsayan bu yöntem, merkezlere büyüklüklerine göre bölgeler atar. Böylece araştırma verilerinden farazi haritalar çıkarır. (5. Bölüm)

Y kromozomu Erkeklerde bulunan cinsiyet kromozomu. Diğer *çekirdek DNA*'larının aksine Y kromozomu DNA'sı birleşmeyle oluşmaz, fakat sadece erkek soyundan geçer. (5 ve 11. bölümler)

yan taramalı sonar Sualtı arkeolojisinde deniz tabanının en geniş görüntüsünü veren keşif yöntemi. Akustik bir verici bir geminin arkasında çekilir ve yelpaze şeklinde bir huzmeyle ses dalgaları gönderir. Bu sonik enerji atımları bir dönüştürücüye geri yansır –dönüş süresi kat edilen mesafeye bağlıdır– ve bir döner tambura kaydedilir. (3. Bölüm)

yankı sondajı Denize gömülmüş kıyı düzlükleri ve diğer yeryüzü şekillerinin topografisini izlemek üzere kullanılan bir akustik deniz altı araştırma tekniği (ayrıca bkz. *sismik yansıma ayrımlaması*). (6. Bölüm)

yapısalcı yaklaşımlar İnsan eylemlerinin, inançlar ve sembolik kavramlar tarafından yönlendirildiğini, bu yapıların temelinde çeşitli şekillerde kendisini gösteren düşünce yapılarının bulunduğunu vurgulayan açıklamalar.

yarı ömür Bir örnekteki radyoaktif izotopun yarısının bozunması için geçen zaman (ayrıca bkz. *radyoaktif bozunma*). (4. Bölüm)

yayılmacı yaklaşım V.G. Childe'ın ortaya attığı bu sav, mimariden metal işlemeye kadar medeniyete dair bütün unsurların Yakındoğu'dan Avrupa'ya nüfuz ettiğini ileri sürer. (1. Bölüm)

Yeni Arkeoloji 1960'larda taraftar bulan yeni bir yaklaşım. Arkeolojik yöntem ve teori için titizlikle sınanabilecek varsayımlar -sadece tanımlamalar yerine doğru açıklamalar olarak- barındıran açık bir bilimsel çerçeveyi savunur (ayrıca bkz. *süreçsel arkeoloji*). (Giriş ve 1. Bölüm)

yeniden birleştirme Bazen onarım olarak da adlandırılan bu yöntem, taş aletleri ve yonga parçalarını tekrar bir araya getirmeye dayanır. Böylece yonga ustasının işindeki süreçler hakkında değerli bilgiler sağlar. (8. Bölüm)

yeniden dağıtım Bir merkezi otoritenin etkinliğine işaret bir değişim biçimi. Mallar merkezi otorite tarafından alınır ya da sahiplenilir ve ardından bir kısmı aynı otorite tarafından diğer yerlere gönderilir. (9. Bölüm)

yeraltı algılama Yerde işleyen çeşitli uzaktan algılama yöntemleri için kullanılan genel isim. Hem toprağa giren (*sondaj, delgi ya da karot alma*) hem de girmeyen (jeofizik, jeokimya, *uzaktan algılama, çubukla arama*) teknikleri barındırır. (3. Bölüm)

yer keşfi Yazılı kaynakları değerlendirme, yer ismiyle ilgili kanıtlar, yerel folklor ve efsanelerini de içeren, fakat öncelikle fiili arazi çalışmasına ağırlık veren çok çeşitli arkeolojik alan tespit yöntemlerinin toplamı. (3. Bölüm)

yer radarı Toprağa yollanan kısa radyo dalgalarının yansımasına göre toprak şartlarında önemli değişiklikleri arayan bir *yeraltı algılama* yöntemi. (3. Bölüm)

yerleşim faydalanma alanı Bazen *yerleşim havzası analiziyle* karıştırılan bu yöntem, yerleşim sakinleri tarafından sürekli kullanılan alanın makul standart değerlendirmesini yapar. (6. Bölüm)

yerleşme havzası analizi Arkeolojik alanın içeriğine kaynak sağlayan bütün bir alana odaklanan bir çeşit sit dışı analizi. En basit şekliyle bir hizmet alanı, insan eliyle yapılmış ya da yapılmamış kalıntılar ve bunların kaynaklarından ibaret tam bir envanteri içerir. (6. Bölüm)

yol (eğri) *Sistemler yaklaşımında*, sistemin zamanla içinden ilerlediği birbirini takip eden evreler dizisi. Sistemin uzun vadeli davranışını temsil ettiği söylenebilir. (12. Bölüm)

yönetim birimi Siyasi olarak bağımsız ya da özerk olan basit ya da karmaşık sosyal birim. Karmaşık toplum örneğinde (devlet gibi) ikinci derecedeki birçok tabi unsurlardan meydana gelir. (5. Bölüm)

yükselmiş kıyılar Bunlar çoğunlukla *eş basınçlı yükselme* veya *tektonik hareketler* gibi süreçlerin neticesinde meydana gelen eski kıyı şeritlerinden geriye kalmışlardır. (6. Bölüm)

yüzdürme Küçük *organik malzemeleri* ve buluntuları ayırıp elde etmek için kazılmış matris içinde ıslak eleme (süzme) yöntemi. (6. Bölüm)

yüzey araştırması İki türü vardır: sistematik olmayan ve sistematik. İlki arazi yürüyüşünü, yani kişinin yolu üzerindeki toprağı taraması ve buluntularla mimariyi kaydetmesinden ibarettir. İkincisi olan karşılaştırmalı sistematik araştırma daha az özneldir ve bir kareleme sistemine sahiptir; öyle ki araştırma alanı sektörlere bölünür ve bunlarda sistematik şekilde yürünerek buluntuların kaydı daha doğru yapılır. (3. Bölüm)

zooarkeoloji bkz. *arkeozooloji*.

zümrelere göre örnekleme Olasılıklı *örneklemenin* bir türü. Örneklemedeki sapmayı azaltmak için *basit rastlantısal örnekleme*, zümrelere göre sırasız sistematik örnekleme ve *sistematik örnekleme*ye ait unsurları kullanır. (3. Bölüm)

NOTLAR VE KAYNAKÇA

YARARLI INTERNET SAYFALARI

Wikipedia arkeoloji portalı
http://en.wikipedia.org/wiki/Portal:Archaeology
Open Directory Project: Archaeology
http://www.dmoz.org/Science/Social_Sciences/Archaeology/
Archaeology newsletter: Explorator
http://tech.groups.yahoo.com/group/Explorator/

Organizasyonlar ve Toplulukar:
Amerika Arkeoloji Enstitüsü
http://www.archaeological.org/
Avustralya Arkeoloji Derneği
http://www.australianarchaeologicalassociation.com.au/
Kanada Arkeoloji Derneği
http://www.canadianarchaeology.com/
Amerikan Arkeoloji Topluluğu
http://www.saa.org/
Amerikan Antropoloji Derneği
http://www.aaanet.org/
İngiliz Arkeoloji Derneği
http://www.britarch.ac.uk/baa/
İngiliz Arkeoloji Kurumu
http://www.britarch.ac.uk/
Avrupa Arkeologlar Derneği
http://www.e-a-a.org/
Arkeologlar Enstitüsü
http://www.archaeologists.net/
Tarihi Arkeoloji Topluluğu
http://www.sha.org/
İncil Arkeolojisi Topluluğu
http://www.biblicalarchaeology.org/
Çevresel Arkeoloji Derneği
http://www.envarch.net/
Endüstriyel Arkeoloji Topluluğu
http://www.sia-web.org/
Dünya Arkeoloji Kongresi
http://www.worldarchaeologicalcongress.org/
Arkeolojik Bilimler Topluluğu
http://www.socarchsci.org/

Amerikan Şark Araştırmaları Okulu
http://www.asor.org/

Süreli Yayınlar:
Archaeology
http://www.archaeology.org/
Current Archaeology
http://www.archaeology.co.uk/
Çevrimiçi arama motoru
http://journalseek.net/

Diğerleri:
Arkeoloji bağlantıları
http://archnet.asu.edu/
http://archaeologic.com/
http://www.anthropologie.net/
The Archaeology Channel
http://www.archaeologychannel.org/
İnsan evrimi
http://humanorigins.si.edu/
http://www.talkorigins.org/
Paleolitik arkeoloji
http://www.donsmaps.com/
Mısırbilim
http://www.guardians.net/egypt/
http://www.newton.cam.ac.uk/egypt/
Yakındoğu arkeolojisi
http://www.ancientneareast.net/
Aborjin çalışmaları
http://www.ciolek.com/WWWVL-Aboriginal.html
Mezoamerika arkeolojisi
http://www.famsi.org
Arkeoastronomi Merkezi
http://www.wam.umd.edu/~tlaloc/archastro/
Tarihöncesi Ege
http://projectsx.dartmouth.edu/history/bronze_age/
Avrupa megalitik anıtları
http://www.stonepages.com/
Sahte arkeolojiye karşı
http://www.hallofmaat.com/

Not: Kutular için kaynaklar ilgili bölüm kaynakçalarının sonunda ayrı olarak listelenmiştir.

Bölüm 1: Araştırmacılar: Arkeolojinin Tarihçesi (s. 21-48)
Genel kaynaklar Bahn 1995, 1996, 2014; Daniel 1967, 1975, 1980; Dyson 2006; Gräslund 1987; Grayson 1983; Heizer 1969; Hood 1998; Schnapp 1996; Trigger 2006; Hodder & Hutson 2003. Otobiyografik retrospektifler: Willey 1974; Daniel & Chippindale 1989. **Avrupa** Schnapp 1996; Skeates 2000; Sklenár 1983 (**Orta Avrupa**). **Yeni Dünya** Alcina 1995; Kehoe 1998; Willey & Sabloff 1974, 1993; Meltzer ve diğerleri 1986; Bernal 1980 (Meksika); Burger 2009. **Avustralya** Horton 1991. **Afrika** Clark 1970; Robertshaw 1990. **Hindistan** Chakrabarti 1999.
s. 21 **Geçmişe dair alternatif, Batı harici görüşler** Bahn 1996; Gosden 2001a; Schnapp 1996.
s. 23 **Teotihuacan** Schávelzon 1983; **Huaca de**

Tantalluc Alcina 1995, s. 16.
s. 29 **Layard** Lloyd 1980; Waterfield 1963.
s. 32 **Schliemann** Traill 1995.
s. 32, 36 **Childe** Trigger 1980; Harris 1994.
s. 36–37 **Ekolojik yaklaşım** Steward 1955; Clark, J.G.D. 1952.
s. 36–37 **Clark** Fagan 2001.
s. 37 **Arkeolojik bilim** Brothwell & Pollard 2005; Jones 2001; Renfrew & Boyle 2000.
s. 40–42 **Yeni Arkeoloji** Binford 1968; Clarke, D.L. 1968 & 1972.
s. 41–42 **Dünya arkeolojisi** Braidwood & Howe 1960; MacNeish 1967–1972; Adams 1965; Leakey, M. 1984; Clark, J.D. 1970; Mulvaney & Kaminga 1999; Gould 1980; McBryde 1985.
s. 43–44 **Yeni düşünce akımları** Dobres & Hoffman 1999; Renfrew 2003; Hamilakis ve diğerleri 2002; Meskell 2000; Robb 1999; Sørensen 2000; Hodder 2001; Morris 2000.
s. 44–45 **Çoğalan geçmişler** Baram & Carroll 2000; Bond & Gilliam 1994; Buchli & Lucas 2001; Hall 2000; Lyons 2002; Said 1978 ve 1993; Smith & Clarke 1996; Schmidt &

Patterson 1995; Meskell 1998; Swidler ve diğerleri 1997; Shnirelman 2001; Ashworth ve diğerleri 2007; Smith & Wobst 2005.
s. 45 **Feminist arkeoloji** Conkey & Spector 1984; Diaz-Andreu & Sørensen 1998; Gimbutas 1991; Nelson 1997.

KUTULAR
s. 24–25 **Pompeii** Maiuri 1970; Wilkinson 2003; Berry 2007.
s. 27 **Evrim düşüncesi** Harris 1968; Steward 1955; White 1959; Donald 1991; Foley 2006; Renfrew 2006; Mace ve diğerleri 2005; Morell 2014; Heggarty 2014.
s. 30–31 **Kuzey Amerikalı öncüler** Willey & Sabloff 1993.
s. 33–35 **Arazi teknikleri** Bowden 1991 (Pitt-Rivers); Drower 1985 (Flinders Petrie); Hawkes 1982; Wheeler 1955 (Wheeler); Davies & Charles 1999 (Garrod); Burger 2009 (Tello).
s. 38–39 **Kadın öncüler** Claassen 1994; Diaz-Andreu & Stig-Sørensen 1998; Cohen & Sharp Joukowsky 2004.

s. 41 **Süreçsel arkeoloji** Binford 1968; Clarke, D.L. 1968.

s. 44 **Yorumlayıcı ya da postsüreçsel arkeolojiler** Genel: Hodder 1985, 1991; Shanks & Tilley 1987a ve 1987b; Leone 1982; ve Preucel & Hodder 1996; Johnson 2010. Bazı felsefi etkilerin tartışmaları için (Levi-Strauss, Ricoeur, Barthes, Derrida, Foucault vb.) bkz. Tilley 1990; ayrıca Bapty & Yates 1990; ve Preucel 1991. Bu yaklaşımlara eleştiriler için bkz. Binford 1987; Trigger 1989; Peebles 1990; Bell 1994; Bintliff 1991; Cowgill 1991, ve müteakip eleştiriler için Shanks & Tilley 1989. "Postsüreçsel"den ziyade "yorumlayıcı" için bkz. Dark 1995; Hodder ve diğerleri 1995. Fenomenolojik ve tatbiki yaklaşım için bkz. Embree 1997; Cassirer 1944; Tilley 1994; Treherne 1995; Thomas 1996; Barrett 1994.

s. 46–47 **Çatalhöyük'te yorumlayıcı arkeolojiler** Mellaart 1967; Hodder 1996, 1999, 2004, 2006; ayrıca bkz. Hodder 1997 and Hassan 1997; Meskell 1998; ayrıca şu sayfalara başvurunuz: http://www.catalhoyuk.com/ ve Mysteries of Çatalhöyük: http://www.smm.org/catal/

Kaynakça

ALCINA FRANCH, J. 1995 *Arqueólogos o Anticuarios. Historia antigua de la Arqueología en la América Española.* Ediciones del Serval: Barcelona.

ASHWORTH G.J., GRAHAM, G., & TUNBRIDGE, J.E. 2007. *Pluralising Pasts: Heritage, Identity and Place in Multicultural Societies.* Pluto Press: Londra.

BAHN, P.G. (ed.). 1995. *The Story of Archaeology. The 100 Great Discoveries.* Barnes & Noble: New York; Weidenfeld & Nicolson: Londra.

—— (ed.). 1996. *The Cambridge Illustrated History of Archaeology.* Cambridge Univ. Press.

—— (ed.). 2014. *The History of Archaeology. An Introduction.* Routledge: Londra.

BAPTY, I. & YATES, T. (ed.). 1990. *Archaeology after Structuralism.* Routledge: Londra.

BARAM, U. & CARROLL, L. (ed.). 2000. *A Historical Archaeology of the Ottoman Empire.* Kluwer: New York.

BARRETT, J.C. 1994. *Fragments from Antiquity, an Archaeology of Social Life in Britain, 2900–1200 BC.* Blackwell: Oxford.

BELL, J.R. 1994. *Reconstructing Prehistory: Scientific Method in Archaeology.* Temple University Press: Philadelphia.

BERRY, J. 2007. *The Complete Pompeii.* Thames & Hudson: Londra & New York.

BINFORD, L.R. 1968. Post-Pleistocene adaptations, şurada *New Perspectives in Archaeology* (S.R. Binford & L.R. Binford ed.), 313–41. Aldine Press: Chicago.

—— 1987. Data, relativism and archaeological science, *Man* 22, 391–404.

BINTLIFF, J. 1991. Post-modernism, rhetoric and scholasticism at TAG: the current state of British archaeological theory. *Antiquity* 65, 274–78.

BOND, G.C. & GILLIAM, A. (ed.). 1994. *Social Construction of the Past, Representation as Power.* Routledge: Londra.

BOWDEN, M. 1991. *Pitt Rivers.* Cambridge Univ. Press.

BRADLEY, R. 1998. *The Significance of Monuments.* Routledge: Londra.

BRAIDWOOD, R.J. & HOWE, B. 1960. *Investigations in Iraqi Kurdistan.* Studies in Ancient Oriental Civilization, No. 31.

Oriental Institute of the Univ. of Chicago.

BROTHWELL, D.R. & POLLARD, A.M. (ed.). 2005. *A Handbook of Archaeological Science.* John Wiley: Chichester.

BUCHLI, V. & LUCAS, G. (ed.). 2001. *Archaeologies of the Contemporary Past.* Routledge: Londra.

BURGER, R.L. 2009. *The Life and Writings of Julio C. Tello.* University of Iowa Press: Iowa City.

CASSIRER, E. 1944. *An Essay on Man. Introduction to the Philosophy of Human Culture.* Yale University Press: New Haven.

CHAKRABARTI, D.K. 1999. *India: An Archaeological History.* Oxford University Press: Yeni Delhi.

CLAASSEN, C. (ed.). 1994. *Women in Archaeology.* Pennsylvania Univ. Press: Philadelphia.

CLARK, J.G.D. 1952. *Prehistoric Europe: The Economic Basis.* Methuen: Londra.

CLARKE, D.L. 1968. *Analytical Archaeology.* Methuen: Londra.

—— (ed.). 1972. *Models in Archaeology.* Methuen: Londra.

COHEN, G.M. & SHARP JOUKOWSKY, M. (ed.). 2004. *Breaking ground: Pioneering Women Archaeologists.* Michigan University Press.

CONKEY, M. & SPECTOR, J. 1984. Archaeology and the study of gender, şurada *Advances in Archaeological Method and Theory* 7 (M.B. Schiffer ed.), 1–38. Academic Press: New York & Londra.

COWGILL, G. 1991. Beyond criticizing New Archaeology. *American Anthropologist* 95, 551–73.

DANIEL, G.E. 1980. *A Short History of Archaeology.* Thames & Hudson: Londra & New York.

—— (ed.). 1981. *Towards a History of Archaeology.* Thames & Hudson: Londra.

—— **& RENFREW, A.C.** 1988. *The Idea of Prehistory.* (Rev. ed.) Edinburgh Univ. Press; Columbia Univ. Press: New York.

—— **& CHIPPINDALE, C.** (ed.). 1989. *The Pastmasters.* Thames & Hudson: Londra & New York.

DARK, K.R. 1995. *Theoretical Archaeology.* Duckworth: Londra.

DAVIES, W. & CHARLES, R. (ed.). 1999. *Dorothy Garrod and the Progress of the Palaeolithic. Studies in the Prehistoric Archaeology of the Near East and Europe.* Oxbow Books: Oxford.

DIAZ-ANDREU, M. & SØRENSEN, M.L.S. (ed.). 1998. *Excavating Women. A History of Women in European Archaeology.* Routledge: Londra.

DOBRES, M.-A. & HOFFMAN, C.R. (ed.). 1999. *The Social Dynamics of Technology: Practice, Politics, and World Views.* Smithsonian Institution Press: Washington D.C.

DONALD, M. 1991. *Origins of the Modern Mind: Three Stages in the Evolution of Human Culture and Cognition.* Harvard University Press: Cambridge, Mass.

DROWER, M. 1985. *Flinders Petrie.* Gollancz: Londra.

DYSON, S.L. 2006. *In Pursuit of Ancient Pasts. A History of Classical Archaeology in the Nineteenth and Twentieth Centuries.* Yale University Press: New Haven.

EMBREE, L. (ed.). 1997. *Encyclopedia of Phenomenology.* Kluwer: Dordrecht.

FAGAN, B. 2001. *Grahame Clark. An Intellectual Biography of an Archaeologist.* Westview Press: Boulder & Oxford.

FOLEY, R. 2006. *Unknown Boundaries. Exploring*

human evolutionary studies. (Açılış dersi). Cambridge University Press.

GELL, A. 1998. *Art and Agency, an Anthropological Theory.* Oxford Univ. Press.

GIMBUTAS, M. 1991. *The Civilisation of the Goddess: the World of Old Europe.* Harper and Row: San Francisco.

GOSDEN, C. 2001a. Postcolonial archaeology: issues of culture, identity and knowledge, şurada *Archaeological Theory Today* (I. Hodder ed.), 214–40. Polity Press: Cambridge.

—— 2001b. Making Sense: archaeology and aesthetics. *World Archaeology* 33, 163–67.

GOULD, R.A. 1980. *Living Archaeology.* Cambridge Univ. Press.

GRÄSLUND, B. 1987. *The Birth of Prehistoric Chronology.* Cambridge Univ. Press.

GRAYSON, D.K. 1983. *The Establishment of Human Antiquity.* Academic Press: New York & Londra.

HALL, M. 2000. *Archaeology and the Modern World, Colonial Transcripts in South Africa and the Chesapeake.* Routledge: Londra.

HAMILAKIS, Y., PLUCIENNIK, M., & TARLOW, S. (ed.). 2002. *Thinking Through the Body: Archaeologies of Corporeality.* Kluwer; Plenum: New York.

HARRIS, D.R. (ed.). 1994. *The Archaeology of V. Gordon Childe.* UCL Press: Londra.

HARRIS, M. 1968. *The Rise of Anthropological Theory.* Thomas Y. Crowell: New York.

HASSAN, F. 1997. Beyond the surface: comments on Hodder's "reflexive excavation methodology." *Antiquity* 71, 1020–25.

HAWKES, J. 1982. *Mortimer Wheeler: Adventurer in Archaeology.* Weidenfeld & Nicolson: Londra.

HEGGARTY, P. 2014. Prehistory by Bayesian phylogenetics? The state of the art on Indo-European origins. *Antiquity* 88, 566–75.

HODDER, I. 1985. Postprocessual archaeology, şurada *Advances in Archaeological Method and Theory* (M.B. Schiffer ed.), 8, 1–26.

—— (ed.). 1996. *On the Surface: Çatalhöyük 1993–5.* McDonald Institute, Cambridge.

—— 1997. "Always momentary, fluid and flexible" towards a reflexive excavation methodology. *Antiquity* 71, 691–700.

—— (ed.). 2000. *Towards Reflexive Method in Archaeology: The Example of Çatalhöyük.* McDonald Institute: Cambridge.

—— (ed.). 2001. *Archaeological Theory Today.* Polity Press: Cambridge.

—— 2004. Women and Men at Çatalhöyük. *Scientific American* 290 (1), 66–73.

—— 2006. *Çatalhöyük: The Leopard's Tale.* Thames & Hudson: Londra & New York.

—— **& HUTSON, S.** 2003. *Reading the Past: Current Approaches to Interpretation in Archaeology.* (3. basım) Cambridge University Press: Cambridge & New York.

—— , **SHANKS, M. ve diğerleri.** 1995. *Interpreting Archaeology.* Routledge: Londra.

HOOD, R. 1998. *Faces of Archaeology in Greece: Caricatures by Piet de Jong.* Leopard's Head Press: Oxford.

HORTON, D. 1991. *Recovering the Tracks. The Story of Australian Archaeology.* Aboriginal Studies Press: Canberra.

HOUSTON, S.D. & TAUBE, K. 2000. Archaeology of the senses: perception and cultural expression in ancient Mesoamerica. *Cambridge Archaeological Journal* 10, 261–94.

JOHNSON, M. 2010. *Archaeological Theory, an Introduction.* (2. basım) Blackwell: Oxford.

JONES, M. 2001. *The Molecule Hunt: Archaeology and the Search for Ancient DNA.* Allen Lane: Londra & New York.

KEHOE, A.B. 1998. *The Land of Prehistory. A Critical History of American Archaeology.* Routledge: New York & Londra.

LEAKEY, M. 1984. *Disclosing the Past.* Weidenfeld & Nicolson: Londra.

LEONE, M. 1982. Some opinions about recovering mind. *American Antiquity* 47, 742–60.

LLOYD, S. 1980. *Foundations in the Dust.* Thames & Hudson: Londra & New York.

LYONS, C. 2002. Objects and identities: claiming and reclaiming the past, şurada *Claiming the Stones/Naming the Bones: Cultural Property and the Negotiation of National and Ethnic Identity* (E. Barkan & R. Bush ed.), 116–37. Getty Research Institute: Los Angeles.

MCBRYDE, I. (ed.). 1985. *Who Owns the Past?* Oxford Univ. Press: Melbourne.

MACE, R., HOLDEN, C.J., & SHENNAN S. (ed.). 2005. *The Evolution of Cultural Diversity, a Phylogenetic Approach.* Left Coast Press: Walnut Creek.

MACNEISH, R.S. ve diğerleri (ed.). 1967–1972. *The Prehistory of the Tehuacán Valley.* Univ. of Texas Press: Austin.

MAIURI, A. 1970. *Pompeii.* Instituto Poligrafico dello Stato: Rome.

MELLAART, J. 1967. *Çatal Hüyük, a Neolithic Town in Anatolia.* Thames & Hudson: Londra & New York.

MELTZER, D.J., FOWLER, D.D. & SABLOFF, J.A. (ed.). 1986. *American Archaeology Past and Future.* Smithsonian Institution Press: Washington D.C.

MESKELL, L. 1998. Twin Peaks: the archaeologies of Çatalhöyük, şurada *Ancient Goddesses* (L. Goodison & C. Morris ed.), 46–62. British Museum Press: Londra.
—— 2000. Writing the body in archaeology, şurada *Reading the Body: Representation and Remains in the Archaeological Record* (A.R. Raitman ed.). Univ. of Pennsylvania Press: Philadelphia.

MORELL, V. 2014. No Miracles: biologist Russell Gray uses evolutionary ideas to probe the origin of languages and complex thinking. *Science* 345, 1443–45.

MORRIS, I. 2000. *Archaeology as Cultural History.* Blackwell: Oxford.

MULVANEY, J. & KAMMINGA, J. 1999. *Prehistory of Australia.* Smithsonian Institution Press: Washington D.C. & Londra.

NELSON, S.M. 1997. *Gender in Archaeology. Analyzing Power and Prestige.* Alta Mira: Walnut Creek.

PEEBLES, C.S. 1990. From history to hermeneutics: the place of theory in the later prehistory of the Southeast. *Southeastern Archaeology* 9, 23–34.

POLLARD, J. 2001. The aesthetics of depositional practice. *World Archaeology* 33, 315–44.

PREUCEL, R.W. (ed.). 1991. *Processual and Postprocessual Archaeologies: Multiple Ways of Knowing the Past.* Center for Archaeological Investigation: Southern Illinois University at Carbondale.
—— & HODDER, I. 1996. *Contemporary Archaeology in Theory. A Reader.* Blackwell: Oxford.

RENFREW, C. 2003. *Figuring it Out, the Parallel Visions of Artists and Archaeologists.* Thames &

Hudson: Londra & New York.
—— 2006. Becoming human: the archaeological challenge. *Proceedings of the British Academy* 139, 217–238.
——, GOSDEN, C. & DEMARRAIS, E. (ed.). 2004. *Substance, Memory, Display: Archaeology and Art.* McDonald Institute: Cambridge.
—— & BOYLE, K. (ed.). *Archaeogenetics: DNA and the Population Prehistory of Europe.* McDonald Institute: Cambridge.

ROBB, J.E. (ed.). 1999. *Material Symbols, Culture and Economy in Prehistory.* Center for Archaeological Investigations: Carbondale.

ROBERTSHAW, P. (ed.). 1990. *A History of African Archaeology.* Currey: Londra; Heinemann: Portsmouth, N.H.

SAID, E. 1978. *Orientalism.* Routledge & Kegan Paul: Londra; Pantheon: New York.
—— *Culture and Imperialism.* Chatto & Windus: Londra; Knopf: New York.

SCHAVELZON, D. 1983. La primera excavación arqueológica de América. Teotihuacán en 1675. *Anales de Antropología* (Mexico) 20, 121–34.

SCHMIDT, P.R. & PATTERSON, T.C. (ed.). 1995. *Making Alternative Histories. The Practice of Archaeology and History in Non-Western Settings.* School of American Research Press: Santa Fe.

SCHNAPP, A. 1996. *The Discovery of the Past.* British Museum Press: Londra; Abrams: New York.

SHANKS, M. 1999. *Experiencing the Past: On the Character of Archaeology.* Routledge: Londra.
—— & TILLEY, C. 1987a. *Social Theory and Archaeology.* Polity Press: Cambridge.
—— & TILLEY, C. 1987b. *Re-constructing Archaeology: Theory and Practice.* Cambridge Univ. Press.
—— ve diğerleri. 1989. Archaeology into the 1990s. *Norwegian Archaeological Review* 22, 1–54.

SHNIRELMAN, V.A. 2001. *The Value of the Past: Myths, Identity and Politics in Transcaucasia.* National Museum of Ethnology: Osaka.

SKEATES, R. 2000. *The Collecting of Origins: Collectors and Collections of Italian Prehistory and the Cultural Transformation of Value (1550–1999).* BAR International Series 868. British Archaeological Reports: Oxford.

SKLENÁR, K. 1983. *Archaeology in Central Europe: the first 500 years.* Leicester Univ. Press; St Martin's: New York.

SMITH, C. & WOBST, H.M. 2005. *Indigenous Archaeologies: Decolonising Theory.* Routledge: Londra & New York.

SMITH, L. & CLARKE, A. (ed.). 1996. *Issues in Management Archaeology.* Tempus Publications: Univ. of Queensland.

SØRENSEN, M.L.S. 2000. *Gender Archaeology.* Polity Press: Cambridge.

STEWARD, J.H. 1955. *Theory of Culture Change, the Methodology of Multilinear Evolution.* Univ. of Illinois Press: Urbana.

SWIDLER, N., DONGOSKE, K.E., ANYON, R. & DOWNER, A.S. (ed.). 1997. *Native Americans and Archaeologists.* AltaMira: Walnut Creek.

TAYLOR, W.W. 1948. *A Study of Archaeology.* American Anthropological Association Memoir 69.

THOMAS, J. 1996. *Time, Culture and Identity.* Routledge: Londra.

TILLEY, C. (ed.). 1990. *Reading Material Culture.* Blackwell: Oxford.
—— 1994. *A Phenomenology of Landscape.* Berg: Oxford.

TRAILL, D. 1995 *Schliemann of Troy: Treasure and Deceit.* John Murray: Londra.

TREHERNE, P. 1995. The warrior's beauty: the masculine body and self-identity in Bronze Age Europe. *Journal of European Archaeology* 3.1, 105–44.

TRIGGER, B.G. 1980. *Gordon Childe.* Thames & Hudson: Londra.
—— 1989. Hyperrelativism, responsibility and the social sciences. *Canadian Review of Sociology and Anthropology* 26, 776–91.
—— 2006. *A History of Archaeological Thought.* (2. basım) Cambridge Univ. Press.

TYLOR, E.B. 1871. *Primitive Culture.* Henry Holt: New York.

WATERFIELD, G. 1963. *Layard of Nineveh.* John Murray: Londra.

WATSON, A. & KEATING, D. 2000. The architecture of sound in Neolithic Orkney, şurada *Neolithic Orkney in its European Context* (I. Ritchie ed.), 259–65. McDonald Institute: Cambridge.

WHEELER, R.E.M. 1955. *Still Digging.* Michael Joseph: Londra.

WHITE, L.A. 1959. *The Evolution of Culture.* McGraw-Hill: New York.

WILKINSON, P. 2003. *Pompeii. The Last Day.* BBC Books: Londra.

WILLEY, G.R. (ed.). 1974. *Archaeological Researches in Retrospect.* Winthrop: Cambridge, Mass.
—— & PHILLIPS, P. 1958. *Method and Theory in American Archaeology.* Univ. of Chicago Press.
—— & SABLOFF, J.A. 1974. *A History of American Archaeology.* Thames & Hudson: Londra (3. basım W.H. Freeman: New York, 1993).

Bölüm 2: Geriye Ne Kaldı? Kanıtların Çeşitliliği (s. 49-72)

s. 52–53 **Oluşum süreçleri** Schiffer 2002; Nash & Petraglia 1987; Binford 1981; Brain 1981.

s. 54–55 **Kültürel oluşum süreçleri** Schiffer 1976; Cockburn ve diğerleri 1998 (mumyalar); Redford 1984 (Akhenaton'un anıtlarının tahribi).

s. 56–59 **Organik malzemeler** Lister & Bahn 2007 (La Brea katran çukurları); Bowman 1983, 1994 (Vindolanda yazı tabletleri); Sheets 1994, 2006 (Cerén).

s. 59–63 **Su altındaki çevreler** Genel: Coles, B. & J. 1989; Coles, B. 1992; Coles, J. 1984, 1986; Coles, J. & B. 1996; Purdy 1988, 2001; Lillie & Ellis 2007; Menotti & O'Sullivan 2012; ve *Journal of Wetland Archaeology* (2001'den itibaren). Coles & Lawson 1987 (Avrupa arkeolojik alanları); Coles, B. & J. 1986 (Somerset Levels); Purdy 1991 (Florida); van den Sanden 1996 (bataklık bedenleri); Bocquet 1994; Bocquet ve diğerleri 1982 (göl arkeolojik alanları).

s. 63–66 **Kuru çevreler** Sheets 1984 (El Salvador); Jennings 1953 (Danger Mağarası); Lynch 1980; Zimmerman ve diğerleri 1971 (Aleut mumyası); Cockburn ve diğerleri 1998; Bahn 1996 (mumyalar, genel).

s. 66–69 **Soğuk çevreler** Lister & Bahn 2007; Guthrie 1990 (donmuş mamutlar); Rudenko 1970 (Pazırık); Hart Hansen ve diğerleri 1991 (Qilakitsoq); Beattie & Geiger 1987 (İngiliz denizciler).

KUTULAR

s. 53 **Deneysel arkeoloji** Bell ve diğerleri 1996; Ashbee & Jewell 1998.

s. 60–61 **Ozette** Gleeson & Grosso 1976; Kirk & Daugherty 1974.

s. 64–65 **Tutankhamon** Carter 1972; Reeves 1990; Wilson & others 2013.

s. 67 **Dağ "mumyaları"** Reinhard 2005; Wilson ve diğerleri 2013.

s. 68–69 **Kar Yaması Arkeolojisi** Callanan 2013; Spinney 2014; Vedeler & Bender Jørgensen 2013.

s. 70–71 **Buz Adam** Bahn 1995; Spindler 1994; Fleckinger & Steiner 1998; Dickson, J.H. ve diğerleri 2003; Vanzetti ve diğerleri 2010; Hall 2011.

Kaynakça

ASHBEE, P. & JEWELL, P. 1998. The Experimental Earthworks revisited. *Antiquity* 72, 485–504.

BAHN, P.G. 1995. Last days of the Iceman. *Archaeology* Mayıs/Haziran, 66–70.

—— (ed.). 1996. *Tombs, Graves and Mummies.* Weidenfeld & Nicolson: Londra; Barnes & Noble: New York.

BEATTIE, O. & GEIGER, J. 1987. *Frozen in Time.* Bloomsbury: Londra.

BELL, M., FOWLER, P.J. & HILLSON, S.W. (ed.). 1996. *The Experimental Earthwork Project 1960–1992.* Research Report 100, Council for British Archaeology: York.

BINFORD, L.R. 1981. *Bones – Ancient Men and Modern Myths.* Academic Press: New York & Londra.

BOCQUET, A. 1994. Charavines il y a 5000 ans. *Les Dossiers d'Archéologie* 199, Aralık.

—— ve diğerleri. 1982. La vie au Néolithique. Charavines, un village au bord d'un lac il y a 5000 ans. *Dossiers de l'Archéologie* No. 64, Haziran.

BOWMAN, A.K. 1983. *Roman Writing Tablets from Vindolanda.* British Museum Publications: Londra.

—— 1994. *Life and Letters on the Roman Frontier: Vindolanda and its People.* British Museum Publications: Londra.

BRAIN, C.K. 1981. *The Hunters or the Hunted? An Introduction to African Cave Taphonomy.* Univ. of Chicago Press.

CALLANAN, M. 2013. Melting snow patches reveal Neolithic archery. *Antiquity* 87, 728–45.

CARTER, H. 1972. *The Tomb of Tutankhamen.* Sphere: Londra.

COCKBURN, T.A., COCKBURN, E. & REYMAN, T.A. (ed.). 1998. *Mummies, Disease and Ancient Cultures.* (2. basım) Cambridge Univ. Press.

COLES, B. (ed.). 1992. *The Wetland Revolution in Prehistory.* Prehistoric Society/WARP: Exeter.

—— & COLES, J. 1986. *Sweet Track to Glastonbury. The Somerset Levels in Prehistory.* Thames & Hudson: Londra & New York.

—— & —— 1989. *People of the Wetlands.* Thames & Hudson: Londra & New York.

COLES, J. 1984. *The Archaeology of Wetlands.* Edinburgh Univ. Press.

—— 1986. Precision, purpose and priorities in Wetland Archaeology. *The Antiquaries Journal* 66, 227–47.

—— & COLES, B. 1996. *Enlarging the Past. The Contribution of Wetland Archaeology.* Society of Antiquaries of Scotland, Monograph Series 11: Edinburgh.

—— & LAWSON, A.J. (ed.). 1987. *European Wetlands in Prehistory.* Clarendon Press: Oxford.

DICKSON, J.H. ve diğerleri. 2003. The Iceman reconsidered. *Scientific American* 288 (5):

60–69.

FLECKINGER, A. & STEINER, H. 1998. *The Iceman.* Folio: Bolzano; South Tyrol Museum of Archaeology.

GLEESON, P. & GROSSO, G. 1976. Ozette site, şurada *The Excavation of Water-saturated Archaeological Sites (wet sites) on the Northwest Coast of North America* (D.R. Croes ed.), 13–44. Mercury Series 50: Ottawa.

GUTHRIE, R.D. 1990. *Frozen Fauna of the Mammoth Steppe.* Univ of Chicago Press.

HALL, S.S. 2011. Unfrozen. *National Geographic* 220 (5), Kasım, 118–33.

HART HANSEN, J.P., MELDGAARD, J. & NORDQVIST, J. (ed.). 1991. *The Greenland Mummies.* British Museum Publications: Londra; Washington D.C.: Smithsonian Institution Press.

JENNINGS, J.D. 1953. *Danger Cave.* Univ. of Utah Anth. Papers, No. 27: Salt Lake City.

KIRK, R. & DAUGHERTY, R.D. 1974. *Hunters of the Whale.* Morrow: New York.

LILLIE, M.C. & ELLIS, S. (ed.). 2007. *Wetland Archaeology and Environments: Regional Issues, Global Perspectives.* Oxbow Books: Oxford.

LISTER, A. & BAHN, P.G. 2007. (3. basım) *Mammoths.* Frances Lincoln: Londra/ University of California Press: Berkeley.

LYNCH, T.F. (ed.). 1980. *Guitarrero Cave. Early Man in the Andes.* Academic Press: New York & Londra.

MENOTTI, F. & O'SULLIVAN, M. 2012. *Oxford Handbook of Wetland Archaeology.* Oxford University Press.

MONTLUÇON, J. 1986. L'électricité pour mettre à nu les objets archéologiques. *La Recherche* 17, 252–55.

NASH, D.T. & PETRAGLIA, M.D. (ed.). 1987. *Natural Formation Processes and the Archaeological Record.* British Arch. Reports, Int. Series 352: Oxford.

PURDY, B.A. 1991. *The Art and Archaeology of Florida Wetlands.* CRC Press: Boca Raton.

—— (ed.). 1988. *Wet Site Archaeology.* Telford Press: Caldwell.

—— (ed.). 2001. *Enduring Records. The Environmental and Cultural Heritage of Wetlands.* Oxbow Books: Oxford.

REDFORD, D.B. 1984. *Akhenaten, the Heretic King.* Princeton Univ. Press.

REEVES, N. 1990. *The Complete Tutankhamun.* Thames & Hudson: Londra & New York.

REINHARD, J. 2005. *The Ice Maiden. Inca Mummies, Mountain Gods, and Sacred Sites in the Andes.* National Geographic: Washington DC.

RUDENKO, S.I. 1970. *Frozen Tombs of Siberia: The Pazyryk burials of Iron Age horsemen.* Dent: Londra; Univ. of California Press: Berkeley.

SCHIFFER, M.B. 1976. *Behavioral Archaeology.* Academic Press: New York & Londra.

—— 2002. *Formation Processes of the Archaeological Record.* Univ. of Utah Press: Salt Lake City.

SHEETS, P.D. (ed.). 1984. *Archaeology and Volcanism in Central America.* Univ. of Texas Press: Austin.

—— 1994. Tropical time capsule: An ancient village preserved in volcanic ash yields evidence of Mesoamerican peasant life. *Archaeology* 47, 4, 30–33.

—— 2006. *The Ceren Site. A prehistoric village buried by volcanic ash in Central America.* (2. basım) Wadsworth: Stamford.

SPINDLER, K. 1994. *The Man in the Ice: The*

preserved body of a Neolithic man reveals the secrets of the Stone Age. Weidenfeld & Nicolson: Londra.

SPINNEY, L. 2014. Out of the freezer. *New Scientist,* 11 Ocak, 36–39.

VAN DEN SANDEN, W. 1996. *Through Nature to Eternity. The Bog Bodies of Northwest Europe.* Batavian Lion International: Amsterdam.

VANZETTI, A. ve diğerleri. 2010. The Iceman as a burial. *Antiquity* 84: 681–92.

VENDLER, M. & BENDER JØRGENSEN, L. 2013. Out of the Norwegian glaciers: Lendbreen – a tunic from the early first millennium ad. *Antiquity* 87, 788–801.

WILSON, A.S. ve diğerleri. 2013. Archaeological, radiological, and biological evidence offer insight into Inca child sacrifice. *Proc. Nat. Acad. Sciences* 110, 13322–27.

ZIMMERMAN, M.R. ve diğerleri. 1971. Examination of an Aleutian mummy. *Bull. New York Acad. Medicine* 47, 80–103.

Bölüm 3: Nerede? Buluntu Yerleri ile Taşınmaz Buluntuların Araştırılması ve Kazısı (s. 73–130)

s. 74 **Tesadüfi keşif** Cotterell 1981 (Çin'in ilk imparatoru).

s. 74–75 **Yer keşfi: yazılı kaynaklar** Ingstad 1977 (L'Anse aux Meadows); Pritchard 1987 (İncil arkeolojisi); Wainwright 1962, Carver 1987 (yer ismi kanıtı).

s. 75–80 **Yüzey keşif araştırması** Genel: Ammerman 1981; Banning 2002; Bintliff & Snodgrass 1988; Nance 1983; Dunnell & Dancey 1983, Lewarch & O'Brien 1981 (sit dışı çalışmaları); Isaac 1981, Foley 1981, Bower 1986 (Afrika); Collins & Molyneaux 2003; Keller & Rupp 1983 (özellikle Cherry'nin makalesi) (Akdeniz).

s. 80 **Kapsamlı yüzey araştırma** Adams 1981, Redman 1982 (Mezopotamya); Flannery 1976, Blanton ve diğerleri 1982 (Mezoamerika); Cherry 1983. **Yoğun yüzey araştırma** Teotihuacan için aşağıdaki kaynaklara bakınız.

s. 80–88 **Hava keşfi** Genel kitaplar: Riley 1987; Aerial Archaeology Research Group 1990'dan beri *AARGNews* dergisini çıkarmaktadır; Bewley & Raczkowski 2002; Brophy & Cowley 2005. Verhoeven 2011, Verhoeven ve diğerleri 2012, 2013, Alekseev ve diğerleri 2013 (görüntüleme); Barber 2011 (tarih); Beck 2011 (çok bantlı/hiperspektral); Eisenbeiss 2011, Remondino ve diğerleri 2012, Mayr 2013; Casana ve diğerleri 2014 (İHA'lar ve termografi); Cowley ve diğerleri 2010, Hanson & Oltean 2013 (tarihi fotoğraflar); Cowley 2011 (kültürel kaynak yönetimi); Trier ve diğerleri 2009, Trier & Pilø 2012, Verhagen & Drãgut, 2012, Bennett ve diğerleri 2014 (kalıntı çıkarımı); Doneus 2013 (yöntem); Mills & Palmer 2007 ("zor" topraklar); Palmer & Cowley 2010 (yorum); Connah & Jones 1983 (Avustralya); Darling 1984 (Afrika); Jones 1994 (Yeni Zelanda); Kunow 1995, Gojda 2004 (Orta ve Doğu Avrupa); Oltean 2007 (Romanya); Sheets & McKee 1994 (Kostarika). Palmer & Cox 1993 (son gelişmeler); Palmer 1984, Cunliffe 2000 (Danebury); Wilson 2000 (hava fotoğraflarının yorumlanması); Stoertz 1997 (Yorkshire Wolds). Scollar ve diğerleri 1990 (bilgisayar görüntüsü işleme); Gumerman & Neely 1972 (renkli kızılötesi fotoğrafçılığı); Bewley ve diğerleri 2005, Devereux ve diğerleri 2005, Doneus & Briese 2006, 2008; Crutchley 2010, Opitz & Cowley 2013, Doneus ve diğerleri 2013 (LIDAR).

s. 88–93 **Yüksek irtifada uzaktan algılama** Comer & Harrower 2013; Allen ve diğerleri 1990 (GIS); Fowler 1996 (Stonehenge); Evans ve diğerleri 2007, 2013 (Angkor); Barisano ve diğerleri 1986; Ebert 1984; El-Baz 1997; Holcomb 1992; Lyons & Mathien 1980; McManamon 1984. Maya arkeolojisi: Adams, R.E.W. 1980, 1982; Adams, R.E.W. ve diğerleri 1981 (radar); Lasaponara & Masini 2006, 2007 (Quickbird); Beck ve diğerleri 2007, Goossens ve diğerleri 2006 (CORONA); Ur 2009, Wilkinson ve diğerleri 2010 (Mezopotamya yürüme yolları); De Laet ve diğerleri 2007, Garrison ve diğerleri 2008 (IKONOS); Altaweel 2005 (ASTER) Faulkner & Saunders 2014 (Lawrence).

s. 94–98 **Coğrafi Bilgi Sistemleri** Aldenderfer & Maschner 1996; Allen, Green & Zubrow 1990; Burrough & McDonnell 1998; Gaffney & van Leusen 1995; Heywood ve diğerleri 1998; Jones 1997; van Leusen 1993; Lock and Stančič 1995; Maschner 1996; Wheatley & Gillings 2002; Chapman 2006; Conolly & Lake 2006. Warren 1990 (öngörü ve modelleme).

s. 98–102 **Buluntu yeri yüzey araştırması** Flannery 1976, 51–52 (Hole'un Oaxaca araştırması). Pracchia ve diğerleri 1985 (Mohenjodaro). Cabrera Castro ve diğerleri 1982, Millon 1967, 1972/73, 1981, Manzanilla ve diğerleri 1994 (Teotihuacan).

s. 102-03 **Yeraltı algılama: sondalar** Thomas 1988 (St. Catherine Adası); Lerici 1959 (Etrüsk mezarları); Holden 1987, El-Baz 1988, 1997 (Gize'deki ikinci tekne çukuru); Dormion & Goidin 1987, Kérisel 1988 (Büyük Piramit içindeki Fransız ve Japon çalışmaları).

s. 103–09 **Yerden uzaktan algılama** Genel: English Heritage 2008; Wiseman & El-Baz 2007; Linford 2006; Clark 1996; Oswin 2009. Conyers 2004 (GPR); Goodman ve diğerleri 1995; Conyers & Goodman 1999 (Forum Novum dâhil); Goodman & Nishimura 1993 (Japonya); Gaffney & Gater 2003. White & Barker 1998 (Wroxeter). Ayrıca önemli yazılar içeren uzman dergiler, mesela *Archaeometry* (1958'den itibaren), *Archaeological Prospection* (1994'ten itibaren) ve *Prospezioni Archeologiche* (Fondazione Lerici, Roma, 1966'dan itibaren).

s. 104-05 **Toprak öz direnci** Clark, A. 1975a, 1996; Weymouth 1986 (radar ve diğer yöntemler).

s. 105 **Manyetik yöntemler** Birçok genel kaynaklar arasında şunlar: Clark, A. 1975b, 1996; Steponaitis & Brain 1976; Tite & Mullins 1970, 1971. Sualtı uygulamaları: Clausen & Arnold 1976; Foster 1970. Avustralya'daki uygulamalar: Stanley 1983.

s. 109 **Jeokimyasal yöntemler** Clark, A. 1977; Cook & Heizer 1965. Virginia'daki çalışmalar: Solecki 1951. Fosfat analizi Craddock ve diğerleri 1985; Eidt 1977, 1984; Proudfoot 1976; Sjöberg 1976; ve Cefn Graeanog'da, Conway 1983.

s. 110–28 **Kazı** Genel: Barker 1986, 1993; Hester ve diğerleri 2008; Joukowsky 1980; McIntosh 1999; Spence 1990; Tite 1972; Drewett 2010; Collis 2004; Roskams 2001; Carmichael ve diğerleri 2003. Wheeler'ın eseri hâlen kullanışlıdır: Wheeler 1954. Connah 1983 (Avustralya). Arkeolojik Alan Rehberi 1994, Hey & Lacey 2001 (Britanya). **Stratigrafi**

Harris 1989.

s. 124–25 **Digital excavation** De Reu ve diğerleri 2014; Berggren ve diğerleri 2014.

s. 128 **Bilgisayar sınıflandırması** Plog, F. & Carlson 1989.

KUTULAR

s. 76–77 **Sydney Kıbrıs Yüzey Araştırması Projesi** Given & Knapp 2003; http://archaeologydataservice.ac.uk/archives/view/scsp_var_2001/

s. 79 **Örnekleme stratejileri** En önemli genel kitaplar arasında: Mueller 1974, 1975; Cherry ve diğerleri 1978; Orton 2000. Makaleler şunları içerir: Binford 1964; Nance 1983; Plog 1976, 1978; Plog ve diğerleri 1978; South & Widmer 1977. Türkiye'deki örnekleme uygulamaları: Redman & Watson 1970. Redman ve Watson'ın zümrelere göre sırasız sistematik örnekleme üretme yöntemleri Hagget'ın benimsediğinden biraz farklıdır (1965: 197). Hagget bunu zümrelere göre sistematik sırasız olarak adlandırır ve bir ızgara blokundan bir karenin seçilmesi tam anlamıyla rastlantısal değildir. Ormanlardaki örneklemelerle ilgili özel sorunlar Chartkoff 1978 ve Lovis 1976'da (Kuzey Amerika) ele alınmıştır.

s. 82–83 **Havadan arkeolojik alan tespiti** Ana metin kaynaklarına bakınız; Brophy & Cowley 2005; Wilson 2000; Ninfo ve diğerleri 2009; Banton ve diğerleri 2014 (Stonehenge).

s. 86–87 **Yorum ve Haritalandırma** Palmer 2013.

s. 89 **Caracaol'da LIDAR** Chase ve diğerleri 2010.

s. 96–97 **Gize'de CBS** bkz. http://oi.uchicago.edu/research/projects/giz/ ve http://www.aeraweb.org/. Ayrıca Lehner 1985, 1987.

s. 100-01 **Tell Hallula'da çok dönemli yüzey araştırmaları** Mottram 2007, 2010.

s. 106–07 **Wroxeter'da jeofizik araştırmaları** White & Barker 1998; Gaffney & Gaffney 2000.

s. 108 **Manyetizma ölçümü** Clark, A. 1996; ve bkz. ana metin kaynakları.

s. 113 **Sualtı arkeolojisi** İyi genel kaynaklardan bazıları: Bass 1988, 2005; Delgado 1997; Throckmorton 1987; Green 2004. Birçok kullanışlı makale şu süreli yayınlarda bulunabilir: *International Journal of Nautical Archaeology*, *American Journal of Archaeology*, ve *National Geographic*. Derinlerdeki yeni araştırmalar için Ballard 1998, Hecht 1995, Stone 1999, Hills 2015, Marchant 2012.

s. 114–15 **Red Bay Batığı** Grenier 1988.

s. 117-19 **Jamestown'ın Yeniden Keşfi** Kelso & Straube 2004; Kelso 2006.

s. 120–22 **Amesbury Okçusu kazısı** Fitzpatrick 2011.

s. 126–27 **Bloomberg excavation** https://walbrookdiscovery.wordpress.com/

Kaynakça

ADAMS, R.E.W. 1980. Swamps, canals, and the locations of ancient Maya cities. *Antiquity* 54, 206–14.

—— 1982. Ancient Maya canals. Grids and lattices in the Maya jungle. *Archaeology* 35 (6), 28–35.

—— **BROWN, W.E. & CULBERT, T.P.** 1981. Radar mapping, archaeology, and ancient Maya land use. *Science* 213, 1457–63.

ADAMS, R.M. 1981. *Heartland of Cities: Surveys of Ancient Settlement and Land Use on the Central Floodplain of the Euphrates.* Univ. of Chicago Press.

AITKEN, M.J. 1959. Test for correlation between dowsing response and magnetic disturbance. *Archaeometry* 2, 58–59.

—— 1974. *Physics and Archaeology.* (2. basım) Oxford Univ. Press.

ALDENDERFER, M. & MASCHNER, H.D.G. (ed.). 1996. *Anthropology, Space and Geographic Information Systems.* Oxford Univ. Press: New York.

ALEKSEEV, A.A. ve diğerleri. 2013. *Virtual Archaeology: non-destructive methods of prospections, modeling, reconstructions.* Proceedings of the First International Conference held at the State Hermitage Museum, 4th June 2012. State Hermitage Publishers: St. Petersburg.

ALLEN, K.M.S., GREEN, S.W. & ZUBROW, E.B.W. (ed.). 1990. *Interpreting Space: GIS and Archaeology.* Taylor & Francis: Londra/New York.

ALTAWEEL, M. 2005. The use of ASTER satellite imagery in archaeological contexts. *Archaeological Prospection* 12, 151–66.

AMMERMAN, A.J. 1981. Surveys and archaeological research. *Annual Review of Anthropology* 10, 63–88.

ARKEOLOJİK ALAN REHBERİ. 1994. (gözden geçirilmiş 3. basım) Londra Arkeoloji Dairesi: Londra.

BAILEY, R.N., CAMBRIDGE, E., & BRIGGS, H.D. 1988. *Dowsing and Church Archaeology.* Intercept: Wimborne, Dorset.

BALLARD, R.D. 1998. High-tech search for Roman shipwrecks. *National Geographic* 193 (4), Nisan, 32–41.

BANNING, E.B. 2002. *Archaeological Survey, Manuals in Archaeological Method, Theory and Technique.* Kluwer/Plenum: New York.

BANTON, S. ve diğerleri. 2014. Parchmarks at Stonehenge, Temmuz 2013. *Antiquity* 88, 733–39.

BARISANO, E., BARTHOLOME, E., & MARCOLONGO, B. 1986. *Télédétection et Archéologie.* CNRS: Paris.

BARBER, M. 2011. *A History of Aerial Photography and Archaeology: Mata Hari's glass eye and other stories.* English Heritage: Swindon.

BARKER, P. 1986. *Understanding Archaeological Excavation.* Batsford: Londra.

—— 1993. *Techniques of Archaeological Excavation.* (3. basım) Routledge: Londra.

BASS, G.F. (ed.). 1988. *Ships and Shipwrecks of the Americas: A History Based on Underwater Archaeology.* Thames & Hudson: Londra & New York.

—— 2005 (ed.). *Beneath the Seven Seas: Adventures with the Institute of Nautical Archaeology.* Thames & Hudson: Londra & New York.

BECK, A.R. 2011. Archaeological applications of multi/hyper-spectral data: challenges and potential, şurada *Remote sensing for archaeological heritage management* (Europae Archaeologiae Consilium Occasional Papers 5) (D.C. Cowley ed.), 87–97. Archaeolingua: Budapeşte.

—— **ve diğerleri.** 2007. Evaluation of Corona and IKONOS high resolution satellite imagery for archaeological prospection in western Syria. *Antiquity* 81, 161–75.

BENNETT, R.H. ve diğerleri. 2014. The data explosion: tackling the taboo of automatic feature recognition in airborne survey data. *Antiquity* 88, 896–905.

BERGGREN, A. ve diğerleri. 2014. Revisiting reflexive archaeology at Çatalhöyük: integrating digital and 3D technologies at the trowel's edge. *Antiquity* 89, 433–48.

BEWLEY, R.H. & RACZKOWSKI, W. 2002. *Aerial Archaeology: Developing Future Practice.* NATO Science Series, Cilt 337.

BINFORD, L.R. 1964. A consideration of archaeological research design. *American Antiquity* 29, 425–41.

BINTLIFF, J.L. & SNODGRASS, A.M. 1988. Mediterranean survey and the city. *Antiquity* 62, 57–71.

BLANTON, R.E. ve diğerleri. 1982. *Ancient Mesoamerica: A Comparison of Change in Three Regions.* Cambridge Univ. Press.

BOWER, J. 1986. A survey of surveys: aspects of surface archaeology in sub-Saharan Africa. *The African Arch. Review* 4, 21–40.

BROPHY, K. & COWLEY, D. 2005. *From the Air. Understanding Aerial Photography.* Tempus: Stroud.

BURROUGH, P.A. & MCDONNELL, R.A. 1998. *Principles of Geographical Information Systems.* Oxford Univ. Press.

CABRERA CASTRO, R. ve diğerleri. 1982. *Teotihuacán 1980–82. Primeros Resultados.* Instituto Nac. de Antrop. e Historia: Mexico City.

CARMICHAEL, D.L., LAFFERTY, R.H., & MOLYNEAUX, B.L. 2003. *Excavation.* AltaMira: Walnut Creek.

CARVER, M. 1987. *Underneath English Towns. Interpreting Urban Archaeology.* Batsford: Londra.

CASANA, J. ve diğerleri. 2014. Archaeological aerial thermography: a case study at the Chaco-era Blue J community, New Mexico. *Antiquity* 45, 207–19.

CHAPMAN, H. 2006. *Landscape Archaeology and GIS.* Tempus: Stroud.

CHARTKOFF, J.L. 1978. Transect interval sampling in forests. *American Antiquity* 43, 46–53.

CHASE, A. ve diğerleri. 2010. Lasers in the jungle. *Archaeology* 63 (4), Temmuz/Ağustos, 27–29.

CHERRY, J.F. 1983. Frogs round the pond: Perspectives on current archaeological survey projects in the Mediterranean region, şurada *Archaeological Survey in the Mediterranean Area* (D.R. Keller & D.W. Rupp ed.), 375–416. British Arch. Reports, Int. Series 155: Oxford.

—— ve diğerleri. (ed.). 1978. *Sampling in Contemporary British Archaeology.* British Arch. Reports, Int. Series 50: Oxford.

CLARK, A. 1975a. Archaeological prospecting: a progress report. *Journal of Arch. Science* 2, 297–314.

—— 1975b. Geophysical surveying in archaeology. *Antiquity* 49, 298–99.

—— 1977. Geophysical and chemical assessment of air photographic sites. *Arch. Journal* 134, 187–93.

—— 1996. *Seeing Beneath the Soil: Prospecting Methods in Archaeology.* (2. basım) Routledge: Londra.

CLAUSEN, C.J. & ARNOLD, J.B. 1976. The magnetometer and underwater archaeology. *Int. Journal of Nautical Arch.* 5, 159–69.

COLLINS, J.M. & MOLYNEAUX, B.L. 2003. *Archaeological Survey.* AltaMira: Walnut Creek.

COLLIS, J. 2004. *Digging up the Past: An Introduction to Archaeological Excavation.* Sutton: Stroud.

COMER, D.C. & HARROWER, M.J. (ed.) 2013. *Mapping Archaeological Landscapes from Space.* Springer: New York.

CONNAH, G. (ed.). 1983. *Australian Field Archaeology. A Guide to Techniques.* Australian Institute of Aboriginal Studies: Canberra.

—— & JONES, A. 1983. Photographing Australian prehistoric sites from the air, şurada *Australian Field Archaeology. A Guide to Techniques* (G. Connah ed.), 73–81. AIAS: Canberra

CONOLLY, J. & LAKE, M. 2006. *Geographical Information Systems in Archaeology.* Cambridge University Press: Cambridge.

CONWAY, J.S. 1983. An investigation of soil phosphorus distribution within occupation deposits from a Romano-British hut group. *Journal of Arch. Science* 10, 117–28.

CONYERS, L.B. 2004. *Ground Penetrating Radar for Archaeology.* AltaMira: Walnut Creek, CA.

—— & GOODMAN, D. 1999. Archaeology looks to new depths. *Discovering Archaeology* 1 (1), Jan/Feb, 70–77.

COOK, S.F. & HEIZER, R.F. 1965. *Studies on the Chemical Analysis of Archaeological Sites.* Univ. of California Publications in Archaeology: Berkeley.

CORONA ATLAS OF THE MIDDLE EAST. http://corona.cast.uark.edu/index.html

COTTERELL, A. 1981. *The First Emperor of China.* Macmillan: Londra; Holt, Rinehart & Winston: New York.

COWLEY, D.C. (ed.). 2011. *Remote Sensing for Archaeological Heritage Management.* EAC Occasional Paper 5/Occasional Publication of the Aerial Archaeology Research Group No. 3. Archaeolingua: Macaristan.

—— ve diğerleri. (eds). 2010. *Landscapes through the Lens: Aerial Photographs and Historic Environment.* Oxbow: Oxford.

CRADDOCK, P.T. ve diğerleri. 1985. The application of phosphate analysis to the location and interpretation of archaeological sites. *Arch. Journal* 142, 361–76.

CRUTCHLEY, S. 2010. *The Light Fantastic. Using airborne lidar in archaeological survey.* English Heritage: Swindon.

CUNLIFFE, B. (ed.). 2000. *The Danebury Environs Programme: the prehistory of a Wessex landscape.* (2 cilt) Oxford Committee for Archaeology, Monographs 48–49.

DARLING, P.J. 1984. *Archaeology and History in Southern Nigeria: the ancient linear earthworks of Benin and Ishan.* Cambridge Monographs in African Archaeology. British Arch. Reports Int. Series 215: Oxford.

DASSIE, J. 1978. *Manuel d'Archéologie Aérienne.* Technip: Paris.

DE LAET, V. ve diğerleri. 2007. Methods for the extraction of archaeological features from very high-resolution IKONOS-2 remote sensing imagery, Hisar (southwest Turkey). *Journal of Archaeological Science* 34, 830–41.

DE REU, J. ve diğerleri. 2014. On introducing an image-based 3D reconstruction method in archaeological excavation practice. *Journal of Arch. Science* 41, 251–62.

DELGADO, J.P. (ed.). 1997. *British Museum Encyclopedia of Underwater and Maritime Archaeology.* British Museum Press: Londra; Yale Univ. Press: New Haven.

DONEUS, M. 2013. *Die Hinterlassene Landschaft – Prospektion und Interpretation in der Landschafts-Archäologie.* Verlag der Österreichischen Akademie der Wissenschaften: Viyana.

—— & BRIESE, C. 2006. Full-waveform airborne laser scanning as a tool for archaeological reconnaissance, s. 99–106 in S. Campana & M. Forte (ed.). *From Space to Place. Proceedings of the 2nd International Conference on Remote Sensing in Archaeology.* BAR Int. Series 1568: Oxford.

—— & —— 2008. Archaeological prospection of forested areas using full-waveform airborne laser scanning. *Journal of Archaeological Science* 35, 882–93.

—— ve diğerleri. 2013. Airborne laser bathymetry: detecting and recording submerged archaeological sites from the air. *Journal of Archaeological Science* 40, 2136–51.

DORMION, G. & GOIDIN, J-P. 1987. *Les Nouveaux Mystères de la Grande Pyramide.* Albin Michel: Paris.

DREWETT, P.L. 2011. *Field Archaeology. An Introduction.* (2. basım) Routledge: Londra.

DUNNELL, R.C. & DANCEY, W.S. 1983. The siteless survey: a regional data collection strategy, şurada *Advances in Archaeological Method and Theory* (M.B. Schiffer ed.) 6, 267–87. Academic Press: New York & Londra.

EBERT, J.I. 1984. Remote sensing applications in archaeology, şurada *Advances in Archaeological Method and Theory* (M.B. Schiffer ed.) 7, 293–362. Academic Press: New York & Londra.

EIDT, R.C. 1977. Detection and examination of anthrosols by phosphate analysis. *Science* 197, 1327–33.

—— 1984, *Advances in Abandoned Site Analysis.* Univ. of Wisconsin Press.

EISENBEISS, H. 2011. The potential of unmanned aerial vehicles for mapping. *Proceedings Photogrammetric Week* 2011, 147–54.

EL-BAZ, F. 1988. Finding a Pharaoh's funeral bark. *National Geographic* 173 (4), 512–33.

—— 1997. Space Age Archaeology. *Scientific American* 277 (2), 40–45.

ENGLISH HERITAGE. 2008. *Geophysical Survey in Archaeological Field Evaluation.* (2. basım) English Heritage: Swindon.

EVANS, D. ve diğerleri. 2007. A comprehensive archaeological map of the world's largest preindustrial settlement complex at Angkor, Cambodia. *Proc. National Acad. Sc.* 104: 14277–82.

—— ve diğerleri. 2013. Uncovering archaeological landscapes at Angkor using lidar. *Proc. Nat. Acad. Sciences* 110, 12595–600.

FAULKNER, N. & SAUNDERS, N. 2014. Excavating a legend. Lawrence of Arabia's desert campsite at Tooth Hill. *Current World Archaeology* 66, 30–35.

FITZPATRICK, A.P. (ed.). 2011. *The Amesbury Archer and the Boscombe Bowmen* (Volume 1). Wessex Archaeology Reports: Salisbury.

FLANNERY, K.V. (ed.). 1976. *The Early Mesoamerican Village.* Academic Press: New York & Londra.

FOLEY, R. 1981. *Off-site Archaeology and Human Adaptation in Eastern Africa.* British Arch. Reports, Int. Series 97: Oxford.

FOSTER, E.J. 1970. A diver-operated underwater metal detector. *Archaeometry* 12, 161–66.

FOWLER, M.J.F. 1996. High-resolution satellite imagery in archaeological application:

a Russian satellite photograph of the Stonehenge region. *Antiquity* 70, 667–71.

GAFFNEY, C. & GAFFNEY, V. (ed.). 2000. Non-invasive investigations at Wroxeter at the end of the 20th century. *Archaeological Prospection* 7 (2).

GAFFNEY, V. & GATER, J. 2003. *Revealing the Buried Past. Geophysics for Archaeologists.* Tempus: Stroud.

—— & VAN LEUSEN, P.M. 1995. Postscript – GIS environmental determinism and archaeology, şurada Lock and Stančič 1995, 367–82.

GARRISON, T. ve diğerleri. 2008. Evaluating the use of IKONOS satellite imagery in lowland Maya settlement archaeology. *Journal of Archaeological Science* 35, 2770–77.

GIVEN, M. & KNAPP. B. 2003. *The Sydney Cyprus Survey Project: Social Approaches to Regional Archaeological Survey.* UCLA Cotsen Institute of Archaeology: Los Angeles.

GOJDA, M. (ed.). 2004. *Ancient Landscape, Settlement Dynamics and Non-Destructive Archaeology: Czech Research Project 1997–2002.* Academia: Prague.

GOODMAN, D. & NISHIMURA, Y. 1993. A ground-radar view of Japanese burial mounds. *Antiquity* 67, 349–54.

——, —— & ROGERS, J.D. 1995. GPR time-slices in archaeological prospection. *Archaeological Prospection* 2, 85–89.

GOOSSENS, R. ve diğerleri. 2006. Satellite imagery and archaeology: the example of CORONA in the Altai Mountains. *Journal of Archaeological Science* 33, 745–55.

GREEN, J. 2004. *Maritime Archaeology, A Technical Handbook.* (2. basım) Elsevier: St Louis.

GRENIER, R. 1988. Basque Whalers in the New World: The Red Bay Wreck, şurada *Ships and Shipwrecks of the Americas* (G. Bass ed.), 69–84. Thames & Hudson: Londra & New York.

HAGGETT, P. 1965. *Locational Analysis in Human Geography.* Edward Arnold: Londra.

HANSON, W.S. & OLTEAN, I.A. (ed.). 2013. *Archaeology from Historical Aerial and Satellite Archives.* Springer: New York.

HARRIS, E. 1989. *Principles of Archaeological Stratigraphy.* (2. basım) Academic Press: New York & Londra.

HECHT, J. 1995. 20,000 tasks under the sea. *New Scientist*, 30 Eylül, 40–45.

HESTER, T.N., SHAFER, H.J. & FEDER, K.L. 2008. *Field Methods in Archaeology.* (7. basım) Left Coast Press: Walnut Creek.

HEY, G. & LACEY, M. 2001. *Evaluation of Archaeological Decision-making Processes and Sampling Strategies.* Oxford Archaeological Unit monograph: Oxford.

HEYWOOD, I., CORNELIUS, S. & CARVER, S. 1998. *Introduction to Geographical Information Systems.* Addison-Wesley: Reading, Mass.; Longman: Londra.

HILLS, P.J. 2015. In search of sunken treasure. *Scientific American* 312 (1), 56–63.

HOLCOMB, D.W. 1992. Shuttle imaging radar and archaeological survey in China's Taklamakan Desert. *Journal of Field Arch.* 19, 129–38.

HOLDEN, C. 1987. A quest for ancient Egyptian air. *Science* 236, 1419–20.

INGSTAD, A.S. 1977. *The Discovery of a Norse Settlement in America. Excavations at L'Anse aux Meadows, Newfoundland, 1961–1968.* Oslo, Bergen, Tromsø.

ISAAC, G. 1981. Stone Age visiting cards:

approaches to the study of early land use patterns, şurada *Pattern of the Past. Studies in Honour of David Clarke* (I. Hodder, G. Isaac & N. Hammond ed.), 131–55. Cambridge Univ. Press.

JONES, C. 1997. *Geographical Information Systems and Computer Cartography.* Longman: Londra.

JONES, K. 1994. *Nga Tohuwhenua Mai Te Rangi: A New Zealand Archaeology in Aerial Photographs.* Victoria Univ. Press: Wellington.

JOUKOWSKY, M. 1980. *A Complete Manual of Field Archaeology.* Prentice-Hall: Englewood Cliffs, N.J.

KELLER, D.R. & RUPP, D.W. (ed.). 1983. *Archaeological Survey in the Mediterranean Area.* British Arch. Reports, Int. Series 155: Oxford.

KELSO, W.M. 2006. *Jamestown: The Buried Truth.* University of Virginia Press: Charlottesville.

KELSO, W.M. & STRAUBE, B.A. 2004. *Jamestown Rediscovery 1994–2004.* APVA Preservation Virginia: Richmond.

KERISEL, J. 1988. Le dossier scientifique sur la pyramide de Khéops. *Archéologia* 232, Şubat, 46–54.

KUNOW, J. (ed.). 1995. *Luftbildarchäologie in Ostund Mitteleuropa.* Forschungen zur Archäologie im Land Brandenberg 3.

LASAPONARA, R. & MASINI, N. 2006. On the potential of QuickBird data for archaeological prospection. *International Journal of Remote Sensing* 27, 3607–14.

—— 2007. Detection of archaeological crop marks by using satellite QuickBird multispectral imagery. *Journal of Archaeological Science* 34, 214–21.

LEHNER, M. 1985. The development of the Giza necropolis: The Khufu Project. *Mitteilungen dt. archäol. Inst. Abt. Kairo* 41, 109–43.

—— 1997. *The Complete Pyramids.* Thames & Hudson: Londra & New York.

LERICI, C.M. 1959. Periscope on the Etruscan Past. *National Geographic* 116 (3), 336–50.

VAN LEUSEN, M. 1993. Cartographic modelling in a cell-based GIS, şurada *Computing the Past. Computer Applications and Quantitative Methods in Archaeology, CAA92* (J. Andresen, T. Madsen & I. Scollar ed.), 105–24. Aarhus Univ. Press.

—— 1998. Dowsing and Archaeology. *Archaeological Prospection* 5, 123–38.

LEWARCH, D.E. & O'BRIEN, M.J. 1981. The expanding role of surface assemblages in archaeological research, şurada *Advances in Archaeological Method and Theory* (M.B. Schiffer ed.) 4, 297–342.

LINFORD, N.T. 2006. The application of geophysical methods to archaeological prospection. *Reports on Progress in Physics* 69: 2205–57.

LOCK, G. & STANCIC, Z. (ed.). 1995. *Archaeology and Geographical Information Systems: a European perspective.* Taylor & Francis: Londra & Bristol, Penn.

LOVIS, W.A. 1976. Quarter sections and forests: an example of probability sampling in the northeastern woodlands. *American Antiquity* 41, 364–72.

LYONS, T.R. & MATHIEN, F.J. (ed.). 1980. *Cultural Resources: Remote Sensing.* U.S. Govt. Printing Office: Washington D.C.

MANZANILLA, L. ve diğerleri. 1994. Caves and geophysics: an approximation to the underworld of Teotihuacán, Mexico.

Archaeometry 36 (1), 141–57.

MARCHANT, J. 2012. Hunt for the ancient mariner. *Nature* 481, 426–28.

MASCHNER, H.D.G. (ed.). 1996. *New Methods, Old Problems: Geographic Information Systems in Modern Archaeological Research.* Center for Archaeological Investigations: Southern Illinois Univ.

MATTHIAE, P. 1980. *Ebla: An Empire Rediscovered.* Doubleday: New York.

MAYR, W. 2013. Unmanned aerial systems – for the rest of us. *Proceedings Photogrammetric Week 2013,* 151–63.

MCINTOSH, J. 1999. *The Practical Archaeologist.* (2. basım) Facts on File: New York; Thames & Hudson: Londra.

MCMANAMON, F.P. 1984. Discovering sites unseen, şurada *Advances in Archaeological Method and Theory* (M.B. Schiffer ed.) 7, 223–92. Academic Press: New York & Londra.

MILLON, R. 1967. Teotihuacán. *Scientific American* 216 (6), 38–48.

—— (ed.). 1972/3. *Urbanization at Teotihuacán.* 2 cilt. Univ. of Texas Press: Austin.

—— 1981. Teotihuacán: city, state and civilization, şurada *Archaeology (Supplement to the Handbook of Middle American Indians)* (J.A. Sabloff ed.), 198–243. Univ. of Texas Press: Austin.

MILLS, J. & PALMER, R. (ed.). 2007. *Populating Clay Landscapes.* Tempus: Stroud.

MOTTRAM, M. 2007. Estimating ancient settlement size: a new approach and its application to survey data from Tell Halula, north Syria. *Proceedings of the Second International Congress on the Archaeology of the Ancient Near East (Copenhagen 2000),* Cilt 2, s. 405–17. Eisenbrauns: Winona Lake.

—— 2010. *Continuity versus Cultural Markers: Results of the Controlled Surface Collection of Tell Halula in Northern Syria.* (basılmamış doktora tezi) The Australian National University: Canberra.

MUELLER, J.W. 1974. *The Use of Sampling in Archaeological Surveys.* Memoirs of the Soc. for American Arch. No. 28.

—— (ed.). 1975. *Sampling in Archaeology.* Univ. of Arizona Press: Tucson.

NANCE, J.D. 1983. Regional sampling in archaeological survey: the statistical perspective, şurada *Advances in Archaeological Method and Theory* (M.B. Schiffer ed.) 6, 289–356. Academic Press: New York & Londra.

NINFO, A. ve diğerleri. 2009. The map of Altinum, ancestor of Venice. *Science* 325, s. 577.

OLTEAN, I.A. 2007. *Dacia: Landscape, Colonization, Romanisation.* Routledge: Londra.

OPITZ, R.S. & COWLEY, D. (ed.). 2013. *Interpreting Archaeological Topography: 3D Data, Visualisation and Observation.* Oxbow Books: Oxford.

ORTON, C. 2000. *Sampling in Archaeology.* Cambridge Univ. Press.

OSWIN, J. 2009. *A Field Guide to Geophysics in Archaeology.* Springer: Berlin.

PALMER, R. 1984. *Danebury: an aerial photographic interpretation of its environs.* RCHM Supp. Series 6: Londra.

—— 2013. Interpreting aerial images, şurada *Interpreting Archaeological Topography* (R.S. Opitz & D.C. Cowley ed.), 76–87. Oxbow: Oxford.

PALMER, R. & COWLEY, D. 2010. Interpreting aerial imagery – developing best practice, şurada *Space, Time, Place. Third International Conference on Remote Sensing in Archaeology, 17th–21st August 2009, Tiruchirappalli, Tamil Nadu, India* (S. Campana ve diğerleri ed.), 129–35. BAR S2118: Oxford.

PLOG, F. & CARLSON, D.L. 1989. Computer applications for the All American Pipeline Project. *Antiquity* 63, 258–67.

PLOG, S. 1976. Relative efficiencies of sampling techniques for archaeological surveys, şurada *The Early Mesoamerican Village* (K.V. Flannery ed.) 136–58. Academic Press: New York & Londra.

—— 1978. Sampling in archaeological surveys: a critique. *American Antiquity* 43, 280–85.

PRACCHIA, S., TOSI, M., & VIDALE, M. 1985. On the type, distribution and extent of craft activities at Mohenjo-daro, şurada *South Asian Archaeology 1983* (J. Schotsmans & M. Taddei ed.). Istituto Universitario Orientale: Naples.

PRITCHARD, J.B. (ed.). 1987. *The Times Atlas of the Bible.* Times Books: Londra.

PROUDFOOT, B. 1976. The analysis and interpretations of soil phosphorus in archaeology, şurada *Geoarchaeology* (D.A. Davidson & M.L. Shackley ed.), 93–113. Duckworth: Londra.

RANDI, J. 1982. *Flim-Flam! Psychics, ESP, Unicorns and other Delusions.* Prometheus: Buffalo.

REDMAN, C.L. 1982. Archaeological survey and the study of Mesopotamian urban systems. *Journal of Field Arch.* 9, 375–82.

REMONDINO, F. ve diğerleri. 2012. UAV photogrammetry for mapping and 3D modeling – current status and future perspectives, şurada *International Archives of the Photogrammetry, Remote Sensing and Spatial Information Sciences, Vol. XXXVIII-1/C22 UAV-g 2011, Conference on Unmanned Aerial Vehicle in Geomatics, Zurich, Switzerland,* 1–7.

RILEY, D.N. 1987. *Air Photography and Archaeology.* Duckworth: Londra.

ROSKAMS, S. 2001. *Excavation.* Cambridge Univ. Press.

SCOLLAR, I., TABBAGH, A., HESSE, A., & HERZOG, I. (ed.). 1990. *Archaeological Prospecting and Remote Sensing.* Cambridge Univ. Press.

SHEETS, P. & MCKEE, B.R. (ed.). 1994, *Archaeology, Volcanism and Remote Sensing in the Arenal Region, Costa Rica.* Univ. of Texas Press: Austin.

SJÖBERG, A. 1976. Phosphate analysis of anthropic soils. *Journal of Field Arch.* 3, 447–54.

SOLECKI, R.S. 1951. Notes on soil analysis and archaeology. *American Antiquity* 16, 254–56.

SOUTH, S. & WIDMER, R. 1977. A subsurface sampling strategy for archaeological reconnaissance, şurada *Research Strategies in Historical Archaeology* (S. South ed.), 119–50. Academic Press: New York & Londra.

SPENCE, C. (ed.). 1990. *Archaeological Site Manual.* (2. basım) Museum of London: Londra.

STANLEY, J.M. 1983. Subsurface survey: the use of magnetics in Australian archaeology, şurada *Australian Field Archaeology. A Guide to Techniques* (G. Connah ed.), 82–86. AIAS: Canberra.

STEPONAITIS, V.P. & BRAIN, J.P. 1976. A portable Differential Proton Magnetometer. *Journal of Field Arch.* 3, 455–63.

STOERTZ, C. 1997. *Ancient Landscapes of the*

Yorkshire Wolds. RCHME: Swindon.

STONE, R. 1999. Researchers ready for the plunge into deep water. *Science* 283, 929.

TAYLOR, J. DU P. (ed.). 1965. *Marine Archaeology.* Hutchinson: Londra.

THOMAS, D.H. 1988. *St. Catherine's Island: An Island in Time:* Georgia Endowment for the Humanities: Atlanta.

THROCKMORTON, P. (ed.). 1987. *The Sea Remembers: Shipwrecks and Archaeology.* Weidenfeld: New York (*History from the Sea: Shipwrecks and Archaeology*; Mitchell Beazley: Londra).

TITE, M.S. 1972. *Methods of Physical Examination in Archaeology.* Seminar Press: Londra & New York.

—— **& MULLINS, C.** 1970. Electromagnetic prospecting on archaeological sites using a soil conductivity meter. *Archaeometry* 12, 97–104.

—— 1971. Enhancement of the magnetic susceptibility of soils on archaeological sites. *Archaeometry* 13, 209–19.

TRIER, Ø. & PILØ, I. 2012 Automatic detection of pit structures in airborne laser scanning data. *Archaeological Prospection* 19, 103–21. http://dx.doi.org/10.1002/arp.1421.

——, —— **ve diğerleri** 2009. Automatic detection of circular structures in high-resolution satellite images of agricultural land. *Archaeological Prospection* 16: 1–15. http://dx.doi. org/10.1002/arp.339.

UR, J.A. 2009. Emergent Landscapes of Movement in Early Bronze Age Northern Mesopotamia, şurada *Landscapes of Movement* (J.E. Snead ve diğerleri ed.), 180–203. University of Pennsylvania Museum Press: Philadelphia.

VERHAGEN, P. & DRAGUT, L. 2012. Object-based landform delineation and classification from DEMs for archaeological predictive mapping. *Journal of Archaeological Science* 39, 698–703. http://dx.doi.org/10.1016/j.jas.2011.11.001.

VERHOEVEN, G. 2011. Taking computer vision aloft – archaeological three-dimensional reconstructions from aerial photographs with PhotoScan. *Archaeological Prospection* 18, 67–73.

—— **ve diğerleri.** 2012. Computer vision techniques: towards automated orthophoto production. *AARGnews* 44, 8–11.

—— **ve diğerleri.** 2013. Undistorting the past: new techniques for orthorectification of archaeological aerial frame imagery, şurada *Good Practice in Archaeological Diagnostics* (C. Corsi ve diğerleri ed.), 31–67. Springer: İsviçre.

WAINWRIGHT, F. 1962. *Archaeology, Place-Names and History.* Routledge & Kegan Paul: Londra.

WARREN, R.E. 1990. Predictive Modelling of Archaeological Site Location: a case study in the Midwest, şurada *Interpreting Space: GIS and Archaeology* (K.M.S. Allen, S.W. Green, & E.B.W. Zubrow ed.), 201–15. Taylor and Francis: Londra & New York.

WEYMOUTH, J.W. 1986. Geophysical methods of archaeological site surveying, şurada *Advances in Archaeological Method and Theory* (M.B. Schiffer ed.) 9, 311–95. Academic Press: New York & Londra.

WHEATLEY, D. & GILLINGS, M. 2002. *Spatial Technology and Archaeology. The Archaeological Appliations of GIS.* Routledge: Londra.

WHEELER, R.E.M. 1954. *Archaeology from the*

Earth. Oxford Univ. Press (Penguin Books: Harmondsworth).

WHITE, R. & BARKER, P. 1998. *Wroxeter: Life and Death of a Roman City.* Tempus: Stroud.

WILKINSON, T.J., FRENCH, C., UR, J.A., & SEMPLE, M. 2010. The Geoarchaeology of Route Systems in Northern Syria. *Geoarchaeology* 25, 745–71.

WILSON, D.R. 2000. *Air Photo Interpretation for Archaeologists.* (2. basım) Tempus: Stroud.

WISEMAN, J.R. & EL-BAZ, F. 2007. *Remote Sensing in Archaeology* (CD-ROM ile). Springer: Berlin.

Bölüm 4: Ne Zaman? Tarihleme Yöntemleri ve Kronoloji (s. 131–76)

s. *132–33* **Stratigrafi** 3. Bölüm için kaynaklara bakınız; Lyell 1830.

s. *133–36* **Tipolojik silsileler** Montelius 1903 (oluşturulan ve kullanılan nesne tipolojilerinin klasik örneği); Petrie 1899 (bağlamsal dizilim); Brainerd 1951; Robinson 1951; Kendall 1969; Dethlefsen & Deetz 1966 (sıklık sıralaması).

s. *136* **Dilbilimsel tarihleme** Swadesh 1972; Renfrew, McMahon & Trask 2000; Forster & Toth 2003; Gray & Atkinson 2003; Dunn ve diğerleri 2005; Forster & Renfrew 2006; Atkinson & Gray 2006.

s. *136–37* **Pleistosen kronolojisi** Klein 1999; Sutcliffe 1985; Brothwell & Pollard 2005; Shackleton & Opdyke 1973. Pleistosen tarihlemelerinin gözden geçirilmesi hakkında öneriler için: Bassinot ve diğerleri 1994.

s. *137–38* **Derin deniz karotları** 6. Bölüm kaynaklarına bakınız. **Buzul karotları** Lorius ve diğerleri 1985; Jouzel ve diğerleri 1987; Anderson ve diğerleri 2006; Svensson ve diğerleri 2006.

s. *138* **Polen tarihlemesi** 6. Bölüm kaynaklarına bakınız.

s. *140–42* **Takvimler vb.** Genel: Tapsell 1984. Baines & Malek 1980, Bronk Ramsey ve diğerleri 2010, Shortland & Bronk Ramsey 2013 (Mısır); Coe ve diğerleri 1986 (Maya).

s. *142* **Varvlar** Zeuner 1958; Kitigawa & van der Plicht 1998. **Mağara çökelleri** Badertscher ve diğerleri 2014.

s. *143–46* **Ağaç halkası tarihlemesi** Genel: Baillie 1982, 1995; Eckstein 1984; Weiner 1992; Hillam ve diğerleri 1990; Kuniholm ve diğerleri 1996; Schweingruber 1988; Speer 2010; Kuniholm & Striker 1987 (Ege). Amerika'nın güneybatısıyla ilgili erken çalışmalar için: Douglass 1919–36. Kaynakça için bkz. http://www.ltrr.arizona.edu/bib/bibliosearch.html

s. *146–55* **Radyokarbon tarihlemesi** Genel: Bowman 1990, 1994; Mook & Waterbolk 1983; ayrıca Ralph 1971; Tite 1972; Fleming 1976. Özel: Libby 1952; Taylor 1987 (yöntemin tarihi); Stuiver & Polach 1977; Renfrew 1973, 1979; Pearson 1987; Stuiver & Pearson 1986, 1993; Stuiver & Reimer 1993; Becker 1993; Kromer & Spurk 1998; Stuiver ve diğerleri 1998; Bronk Ramsey 1994; Reimer ve diğerleri 2004 (kalibrasyon); Bard ve diğerleri 1990, 1993 (Barbados mercanı); Richards & Sheridan 2000 (deniz kalibrasyonu); Buck ve diğerleri 1994; Allen & Bayliss 1995; Bayliss ve diğerleri 1997; Bronk Ramsey 2009 (Bayes yöntemleri); Hedges 1981 (AMS); Pettitt & Bahn 2003; Rowe & Steelman 2003 (mağara sanatının tarihlenmesi); Pettitt ve diğerleri 2009; Combier & Jouve 2012 *L'Anthropologie* vol. 118 (2), 2014'teki birçok makale (Chauvet). http://www.radiocarbon.org & http://www.c14dating.com

s. 155–60 **Potasyum-argon** Aitken 1990; Dalrymple & Lanphere 1969; Schaeffer & Zähringer 1966; McDougall 1990; Walter ve diğerleri 1991. **Argon-argon** Renne ve diğerleri 1997; Wintle 1996. **Uranyum serileri** Schwarcz 1982, 1993; McDermott ve diğerleri 1993; Grün & Thorne 1997; Rink ve diğerleri 1995; Mağara kalsitlerinin tarihlendirilmesi için, Pike ve diğerleri 2012. **Fizyon izi** Aitken 1990; Wagner & Van den Haute 1992. Bishop & Miller 1982 bu yöntemlerin elde ettiği sonuçların örneklerini verir.

s. 160–61 **Termolüminesans** İyi kaynaklar: Aitken 1985, 1989, 1990; Fleming 1979; Wagner 1983; McKeever 1985; Aitken & Valladas 1993.

s. 162 **Optik tarihleme** David ve diğerleri 1997; Rees-Jones & Tite 1997; Aitken 1989, 1998; Smith ve diğerleri 1990; Roberts ve diğerleri 1994; Huyge ve diğerleri 2011 (Mısır).

s. 162 **Elektron döngü rezonansı** Aitken 1990; Schwarcz ve diğerleri 1989; Grün & Stringer 1991; Schwarcz & Grün 1993; Grün ve diğerleri 1996; Wintle 1996.

s. 162 **Genetik tarihleme** bkz. Jobling'te Bölüm 6.6, Hurles ve Tyler-Smith 2004; Forster 2004; Fu ve diğerleri 2014; Excoffier ve diğerleri 2013.

s. 162–64 **Kalibre edilmiş göreli tarihleme yöntemleri** Aitken 1990; Brothwell & Pollard 2005; Weiner 1955. Özel yöntemler: Bada 1985; Kimber & Hare 1992, Miller ve diğerleri 1999, Penkman ve diğerleri 2011 (aminoasit rasemizasyonu); Dorn 1997; Tarling 1983 (arkeomanyetizma).

s. 164–66 **Kronolojik bağlantılar** Kittleman 1979. Örnek vakalar: Harris & Hughes 1978 (Yeni Gine); Sheets 1979 (Orta Amerika); Jones 2007, Petraglia ve diğerleri 2007 (Toba).

s. 167–75 **Dünya kronolojisi** Scarre 1988, 2013; Fagan 1990, 1998; Gowlett 1993; Mithen 2003; Stringer & Andrews 2011.

KUTULAR

s. 140–41 **Maya takvimi** Coe 2000; Coe ve diğerleri 1986.

s. 147–50 **Radyoaktif bozunma/Kalibrasyon nasıl yapılır?** Ana metindeki atıflara bakınız.

s. 152–53 **Bayes analizi** Friedrich ve diğerleri 2006; Manning ve diğerleri 2006; Needham ve diğerleri 1998; Bronk Ramsey 2009; Bayliss ve diğerleri 2007; Bayliss & Whittle 2007; Cherubini ve diğerleri 2014.

s. 158–59 **Atapuerca** Atapuerca 2003; Bischoff 2003; Bischoff ve diğerleri 2007; Carbonell ve diğerleri 2008; Parés & Pérez-González 1995; Arsuaga ve diğerleri 2014.

s. 164–65 **Thera patlaması** Tartışmalar şurada: Doumas 1978, ve Renfrew 1979; tarihleme by Hammer ve diğerleri 1987. Baillie & Munro 1988; Hardy & Renfrew 1991; Kuniholm ve diğerleri 1996; Renfrew 1996; Barber ve diğerleri 1997; Manning 1999; Wiener 2009; Wiener & Earle 2014. Grönland buzul karotundaki tefra için Zielenski & Germani 1998. Yeni radyokarbon çalışmaları için bkz. Bronk Ramsey ve diğerleri 2004 ve 2010, Galimberti ve diğerleri 2004, Manning ve diğerleri 2006, ve Friedrich ve diğerleri 2006; Cherubini ve diğerleri 2014. Ahmose Steli: Ritner & Moeller 2014. Mağara çökeli tarihi:

Badertscher ve diğerleri 2014.

Kaynakça

AITKEN, M.J. 1985. *Thermoluminescence Dating.* Academic Press: Londra & New York.
—— 1989. Luminescence dating: a guide for non-specialists. *Archaeometry* 31, 147–59.
—— 1990. *Science-Based Dating in Archaeology.* Longman: Londra & New York.
—— 1998. *Introduction to Optical Dating.* Oxford Univ. Press
—— & VALLADAS, H. 1993. Luminescence dating, şurada *The Origin of Modern Humans and the Impact of Chronometric Dating* (M.J. Aitken ve diğerleri ed.), 27–39. Princeton Univ. Press.
ALLEN, M.J. & BAYLISS, A. 1995. The radiocarbon dating programme, şurada *Stonehenge in its Landscape: Twentieth-Century Excavations* (R.M.J. Cleal, K.E. Walker, & R. Montague ed.), 511–35. English Heritage: Londra.
ANDERSON, K.K. ve diğerleri. 2005. The Greenland Ice Core Chronology 2005, 15–42ka. Part 1: Constructing the Time Scale. *Quaternary Science Reviews* 25, 3246–3257.
ARSUAGA, J.L. ve diğerleri. 2014. Neanderthal roots: cranial and chronological evidence from Sima de los Huesos. *Science* 344 (6190), 1358–63.
ATAPUERCA. 2003. *Atapuerca. The First Europeans: Treasures from the Hills of Atapuerca.* Junta de Castillo y León: New York.
ATKINSON, Q.D. & GRAY, R.D. 2006. Are Accurate Dates an Intractable Problem for Historical Linguistics? şurada *Mapping Our Ancestors: Phylogenetic Approaches to Anthropology and Prehistory* (Lipe, C.P., O'Brien, M.J., Collard, M., & Shennan, S.J. ed.), 269–98. Aldine Transaction: New York.
BADA, J.L. 1985. Aspartic acid racemization ages of California Paleoindian skeletons. *American Antiquity* 50, 645–47.
BADERTSCHER ve diğerleri. 2014. Speleothems as sensitive recorders of volcanic eruptions: the Bronze Age Minoan eruption recorded in a stalagmite from Turkey. *Earth and Planetary Science Letters* 392, 58–66.
BAHN, P.G. 1998. *The Cambridge Illustrated History of Prehistoric Art.* Cambridge Univ. Press.
—— & VERTUT, J. 1997. *Journey through the Ice Age.* Weidenfeld & Nicolson: Londra; Univ. of California Press: Berkeley.
BAILLIE, M.G.L. 1982. *Tree-ring Dating and Archaeology.* Croom Helm: Londra; Univ. of Chicago Press.
—— 1995. *A Slice through Time: Dendrochronology and Precision Dating.* Routledge: Londra.
—— & MUNRO, M.A.R. 1988. Irish tree rings, Santorini and volcanic dust veils. *Nature* 332, 344–46.
BAINES, J. & MALEK, J. 1980. *Atlas of Ancient Egypt.* Facts on File: New York.
BARBER, P.C., DUGMORE, A.J., & EDWARDS, K.J. 1997. Bronze Age myths? Volcanic activity and human response in the Mediterranean and North Atlantic regions. *Antiquity* 71, 581–93.
BARD, E., ARNOLD, A., FAIRBANKS, G., & HAMELIN, B. 1993. ^{230}Th-^{234}U and ^{14}C ages obtained by mass spectrometry on corals. *Radiocarbon* 35, 191–99.
——, HAMELIN, B., FAIRBANKS, R.G., &

ZINDLER, A. 1990. Calibration of the ^{14}C timescale over the past 30,000 years using mass spectrometric U-Th ages from Barbados corals. *Nature* 345, 405–10.
BASSINOT, F.C. ve diğerleri. 1994. The astronomical theory of climate and the age of the Brunhes–Matuyama magnetic reversal. *Earth and Planetary Science Letters* 126, 91–108.
BAYLISS, A., BRONK RAMSEY, C. & MCCORMAC, F.G. 1997. Dating Stonehenge, şurada *Science and Stonehenge* (B. Cunliffe & C. Renfrew ed.), 39–60. British Academy: Oxford.
——, BRONK RAMSEY, C., VAN DER PLICHT, J., & WHITTLE, A. 2007. Bradshaw and Bayes: Towards a Timetable for the Neolithic. *Cambridge Archaeological Journal* 17(S), 1–28.
—— & WHITTLE, A. (ed.). 2007. Histories of the Dead: Building Chronologies for Five Southern British Long Barrows. *Cambridge Archaeological Journal* 17(S).
BECKER, B. 1993. An 11,000-year German oak and pine dendrochonology for radiocarbon calibration. *Radiocarbon* 35, 201–13.
BISCHOFF, J.L. 2003. The Sima de los Huesos hominids date beyond U/Th equilibrium (>350 kyr) and perhaps to 400–500 kyr: new radiometric dates. *Journal of Archaeological Science* 30, 275–80.
—— ve diğerleri. 2007. High-resolution U-Series dates from the Sima de los Huesos yield 600 kyrs: implications for the evolution of the Neanderthal lineage. *Journal of Archaeological Science* 34, 763–70.
BISHOP, W.W. & MILLER, J.A. (ed.). 1982. *Calibration of Hominoid Evolution.* Scottish Academic Press: Edinburgh.
BOWMAN, S. 1990. *Radiocarbon Dating.* British Museum Publications: Londra.
—— 1994. Using radiocarbon: an update. *Antiquity* 68, 838–43.
BRAINERD, G.W. 1951. The Place of Chronological Ordering in Archaeological Analysis. *American Antiquity* 16, 301–13.
BRONK RAMSEY, C. 1994. *OxCal Radiocarbon Calibration and Stratigraphic Analysis Program.* Research Laboratory for Archaeology: Oxford.
—— 2009. Bayesian Analysis of Radiocarbon Dates. *Radiocarbon* 51(1), 337–60.
——, DEE, M.W., ROWLAND, J.M., ve diğerleri. 2010. Radiocarbon-Based Chronology for Dynastic Egypt. *Science* 328, 1554–57.
——, MANNING, S.W., & GALIMBERTI, M. 2004. Dating the volcanic eruption at Thera. *Radiocarbon* 46 (1), 325–44.
BROTHWELL, D.R. & POLLARD, A.M. (ed.). 2005. *A Handbook of Archaeological Science.* Wiley: Chichester.
BUCHA, V. 1971. Archaeomagnetic Dating, şurada *Dating Techniques for the Archaeologist* (H.N. Michael & E.K. Ralph ed.), 57–117. Massachusetts Inst. of Technology: Cambridge, Mass.
BUCK, C.E., LITTON, C.D., & SCOTT, E.M. 1994. Making the most of radiocarbon dating: some statistical considerations. *Antiquity* 68, 252–63.
CARBONELL, E. ve diğerleri. 2008. The first hominin of Europe. *Nature* 452, 465–69.
COE, M.D. 2000. *The Maya.* (6. basım) Thames & Hudson: Londra & New York.
——, SNOW, D., & BENSON, E. 1986. *Atlas of Ancient America.* Facts on File: New York & Oxford.
CHERUBINI, P. ve dğerleri. 2014. The olive-

branch dating of the Santorini eruption. *Antiquity* 88, 267–78.

COMBIER, J. & JOUVE, G. 2012. Chauvet Cave's Art is not Aurignacian: A New Examination of the Archaeological Evidence and Dating Procedures. *Quartär* 59, 131–52.

DALRYMPLE, G.B. & LANPHERE, M.A. 1969. *Potassium-Argon Dating. Principles, Techniques and Applications to Geochronology.* W.H. Freeman & Co: San Francisco.

DAVID, B., ROBERTS, R., TUNIZ, C., JONES, R., & HEAD, J. 1997. New optical and radiocarbon dates for Ngarrabullgan Cave, a Pleistocene archaeological site in Australia. *Antiquity* 71, 183–88.

DETHLEFSEN, E. & DEETZ, J. 1966. Death's Heads, Cherubs, and Willow Trees: Experimental Archaeology in Colonial Cemeteries. *American Antiquity* 31, 502–10.

DORN, R. 1996. A change of perception. *La Pintura* 23(2), 10–11.

—— 1997. Constraining the age of the Côa valley (Portugal) engravings with radiocarbon dating. *Antiquity* 71, 105–15.

DORN, R.I. ve diğerleri. 1986. Cation-ratio and Accelerator Radiocarbon Dating of rock varnish on Mojave artifacts and landforms. *Science* 231, 830–33.

DOUGLASS, A.E. 1919, 1928 & 1936. *Climatic cycles and tree growth.* 3 cilt. Carnegie Institution of Washington: Washington.

DOUMAS, C. (ed.). 1978. *Thera and the Aegean World.* Thera Foundation: Londra.

DRAGOVICH, D. 2000. Rock art engraving chronologies and accelerator mass spectrometry radiocarbon age of desert varnish. *Journal of Arch. Science* 27, 871–76.

DUNN, M. ve diğerleri. 2005. Deep time relationships in Island Melanesia revealed by structural phylogenetics of language. *Science* 309, 272–5.

ECKSTEIN, D. 1984. *Dendrochronological Dating.* European Science Foundation: Strasbourg.

EVANS, J. 1875. The Coinage of the Ancient Britons and Natural Selection. *Proceedings of the Royal Institution of Great Britain* 7, 476–87.

EXCOFFIER, L. ve diğerleri. 2013. Robust demographic inferences from genomic and SNP data. *PLoS Genetics* 1003905.

FAGAN, B.M. 1990. *The Journey from Eden: The Peopling of Our World.* Thames & Hudson: Londra & New York.

—— 2009. *People of the Earth: An Introduction to World Prehistory.* (13. basım) Pearson Education: New York.

FLEMING, S. 1976. *Dating in Archaeology. A Guide to Scientific Techniques.* J.M. Dent: Londra; St Martin's Press: New York.

—— 1979. *Thermoluminescence Techniques in Archaeology.* Oxford Univ. Press: Oxford & New York.

FORSTER, P. & TOTH, A. 2003. Towards a phylogenetic chronology of ancient Gaulish, Celtic and Indo-European. *Proc. of the National Academy of Sciences of the USA* 100, 9079–84.

—— 2004. Ice ages and the mitochondrial DNA chronology of human dispersals: a review. *Philosophical Transactions of the Royal Society of Londra,* Series B 359, 255–64.

—— & RENFREW, C. (ed.). 2006. *Phylogenetic Methods and the Prehistory of Languages.* McDonald Institute, Cambridge.

FRIEDRICH, W.L. ve diğerleri. 2006. Santorini eruption radiocarbon dated to 1627–1600 B.C., *Science* 312, 548.

FU, Q. ve diğerleri. 2014. Genome sequence of a 45,000-year-old modern human from western Siberia. *Nature* 514, 445–49.

GALIMBERTI, M., BRONK RAMSEY, C., & MANNING, S.W. 2004. Wiggle-match dating of tree-ring sequences. *Radiocarbon* 46(2), 917–24.

GRAY, R.D. & ATKINSON, Q.D. 2003. Language-tree divergence trees support the Anatolian theory of Indo-European origin, *Nature* 426, 435–9

GRÜN, R. & STRINGER, C.B. 1991. Electron spin resonance and the evolution of modern humans. *Archaeometry* 33, 153–99.

—— & THORNE, A. 1997. Dating the Ngandong humans. *Nature* 276, 1575.

—— ve diğerleri. 1996. Dating of Florisbad hominid. *Nature* 382, 500–01.

HAMMER, C.U., CLAUSEN, H.B., FRIEDRICH W.L., & TAUBER, H. 1987. The Minoan eruption of Santorini in Greece dated to 1645 BC? *Nature* 328, 517–19.

HAMMOND, N. 1982. *Ancient Maya Civilization.* Cambridge Univ. Press.

HARDY, D. & RENFREW, C. (ed.). 1991. *Thera and The Aegean World III, Vol. 3. Chronology.* Thera Foundation: Londra.

HARRIS, E.C. & HUGHES, P.J. 1978. An early agricultural system at Mugumamp Ridge, Western Highlands Province, Papua New Guinea. *Mankind* 11, 437–44.

HEDGES, R.E.M. 1981. Radiocarbon dating with an accelerator: review and preview. *Archaeometry* 23, 3–18.

HILLAM, J. ve diğerleri. 1990. Dendrochronology of the English Neolithic. *Antiquity* 64, 210–20.

HUYGE, D. ve diğerleri. 2011. First evidence of Pleistocene rock art in North Africa: securing the age of the Qurta petroglyphs (Egypt) through OSL dating. *Antiquity* 85, 1184–93.

JOBLING, M.A., HURLES, M.E. & TYLER SMITH, C. 2004. *Human Evolutionary Genetics: Origins, Peoples and Disease.* Garland Science: New York ve Londra.

JONES, S.C. 2007. The Toba supervolcanic eruption: tephra-fall deposits in India and palaeoanthropological implications, şurada *The Evolution and History of Human Populations in South Asia* (M.D. Petraglia & B. Allchin, ed.), 173–200. Springer/Kluwer Academic Publishers: New York.

JOUZEL, J. ve diğerleri. 1987. Vostok ice core: a continuous isotope temperature record over the last climate cycle (160,000 years). *Nature* 329, 403–08.

KENDALL, D.G. 1969. Some problems and methods in statistical archaeology. *World Arch.* 1, 68–76.

KIMBER, R.W.L. & HARE, P.E. 1992. Wide range of racemization of amino acids in peptides from fossil human bone and its implication for amino acid racemization dating. *Geochimica et Cosmochimica Acta* 56, 739–43.

KITAGAWA, H. & VAN DER PLICHT, J. 1998. Atmospheric radiocarbon calibration to 45,000 yr B.P.: late glacial fluctuations and cosmogenic isotope production. *Science* 279, 1187–89.

KITTLEMAN, L.R. 1979. Geologic methods in studies of Quaternary tephra, şurada *Volcanic Activity and Human Ecology* (P.D. Sheets & D.K. Grayson ed.), 49–82. Academic Press: New York & Londra.

KLEIN, R.G. 2009. *The Human Career.* (3. basım)

Univ. of Chicago Press.

KROMER, B. & SPURK, M. 1998. Revision and tentative extension of tree-ring based ^{14}C calibration, 9200–11,855 cal BP. *Radiocarbon* 40, 1117–26.

KUNIHOLM, P.I. & STRIKER, C.L. 1987. Dendrochronological investigations in the Aegean and neighbouring regions 1983–1986. *Journal of Field Arch.* 14, 385–98.

—— ve diğerleri. 1996. Anatolian tree rings and the absolute chronology of the eastern Mediterranean, 2220–718 BC. *Nature* 381, 780–83.

LIBBY, W.F. 1952. *Radiocarbon Dating.* Univ. of Chicago Press.

LORIUS C. ve diğerleri. 1985. A 150,000 year climatic record from Antarctic ice. *Nature* 316, 591–96.

LYELL, C. 1830–33. *Principles of geology, being an attempt to explain the former changes of the earth's surface by reference to causes now in operation.* 3 cilt. John Murray: Londra.

MCDERMOTT, F. ve diğerleri. 1993. Mass-spectrometric U-series dates for Israeli Neanderthal/early modern hominid sites. *Nature* 363, 252–54.

MCDOUGALL, I. 1990. Potassium-argon dating in archaeology. *Science Progress* 74, 15–30.

MCKEEVER, S.W.S. 1985. *Thermoluminescence of Solids.* Cambridge Univ. Press.

MANNING, S.W. 1999. *A Test of Time.* Oxbow Books: Oxford.

—— ve diğerleri. 2006. Chronology for the Aegean Late Bronze Age 1700–1400 BC. *Science* 312, 565–69.

MICHELS, J.W. 1973. *Dating Methods in Archaeology.* Seminar Press: New York.

—— & BEBRICH, C.A. 1971. Obsidian Hydration Dating, şurada *Dating Techniques for the Archaeologist* (H.N. Michael & E.K. Ralph ed.), 164–221. Massachusetts Institute of Technology: Cambridge, Mass.

—— & TSONG, I.S.T. 1980. Obsidian Hydration Dating: A Coming of Age, şurada *Advances in Archaeological Method and Theory* 3 (M.B. Schiffer ed.), 405–44. Academic Press: Londra & New York.

MILLER, G.H. ve diğerleri. 1999. Pleistocene extinction of *Genyornis newtoni*: human impact on Australian megafauna. *Science* 283, 206–08.

MITHEN, S. 2003. *After the Ice. A Global Human History, 20,000–5000 BC.* Weidenfeld & Nicolson: Londra; Harvard Univ. Press (2004).

MONTELIUS, O. 1903. *Die Typologische Methode.* Stockholm.

MOOK, W.G. & WATERBOLK, H.T. 1983. *Radiocarbon Dating.* European Science Foundation: Strasbourg.

NEEDHAM, S. ve diğerleri. 1998. An Independent Chronology for British Bronze Age Metalwork: The Results of the Oxford Radiocarbon Accelerator Programme. *Archaeological Journal* 154, 55–107.

PARÉS, J.M. & PÉREZ-GONZÁLEZ, A. 1995. Paleomagnetic age for hominid fossils at Atapuerca archaeological site, Spain. *Science* 269, 830–32.

PEARSON, G.W. 1987. How to cope with calibration. *Antiquity* 60, 98–104.

—— & STUIVER, M. 1993. High-precision bidecal calibration of the radiocarbon timescale, 500–2500 BC. *Radiocarbon* 35, 25–33.

PENKMAN, K.E.H. ve diğerleri. 2011. A

chronological framework for the British Quaternary based on *Bithynia* opercula. *Nature* 476, 446–49.

PETRAGLIA, M. ve diğerleri. 2007. Middle Palaeolithic assemblages from the Indian subcontinent before and after the Toba supereruption. *Science* 317, 114–6

PETRIE, W.M.F. 1899. Sequences in prehistoric remains. *Journal of the Anthropological Institute* 29, 295–301.

PETTITT, P. & BAHN, P. 2003. Current problems in dating Palaeolithic cave art: Candamo and Chauvet. *Antiquity* 77, 134–41.

——, ——, & ZÜCHNER, C. 2009. The Chauvet Conundrum: Are Claims for the "Birthplace of Art" Premature? in *An Enquiring Mind. Studies in Honor of Alexander Marshack* (P.G. Bahn, ed.), 239–62. American School of Prehistoric Research Monograph series. Oxbow Books, Oxford.

PIKE, A.W.G. ve diğerleri. 2012. U-Series dating of paleolithic art in 11 caves in Spain. *Science* 336, 1409–13.

PITTS, M. & ROBERTS, M. 1997. *Fairweather Eden: Life in Britain half a million years ago as revealed by the excavations at Boxgrove.* Century: Londra.

RALPH, E.K. 1971. Carbon-14 Dating, şurada *Dating Techniques for the Archaeologist* (H.N. Michael & E.K. Ralph ed.), 1–48. Massachusetts Institute of Technology: Cambridge, Mass.

REES-JONES, J. & TITE, M.S. 1997. Optical dating of the Uffington White Horse, şurada *Archaeological Sciences 1995* (A. Sinclair, E. Slater & J. Gowlett ed.), 159–62. Oxbow: Oxford (Monograph 64).

REIMER, P.J. ve diğerleri. 2004. IntCal04 Atmospheric radiocarbon age calibration, 26–0ka BP. *Radiocarbon* 46, 1026–58.

—— & ——, 2009. IntCal09 and Marine09 radiocarbon age calibration curves, 0–50,000 years cal BP. *Radiocarbon* 51, 1111–50.

RENFREW, C. 1973. *Before Civilisation.* Jonathan Cape: Londra; Knopf: New York (Pelican: Harmondsworth).

—— 1979. The Tree-ring Calibration of Radiocarbon: An Archaeological Evaluation, şurada *Problems in European Prehistory* (C. Renfrew); 338–66. Edinburgh Univ. Press: Edinburgh; Cambridge Univ. Press: New York.

—— 1996. Kings, tree rings and the Old World. *Nature* 381, 733–34.

——, MCMAHON. A., & TRASK, L. (ed.). 2000. *Time Depth in Historical Linguistics.* McDonald Institute: Cambridge.

RENNE, P.R. ve diğerleri. 1997. ⁴⁰Ar/³⁹Ar dating into the historical realm: calibration against Pliny the Younger. *Science* 277, 1279–80.

RICHARDS, M.P. & SHERIDAN, J.A. 2000. New AMS dates on human bone from Mesolithic Oronsay. *Antiquity* 74, 313–15

RINK, W.J. ve diğerleri. 1995. ESR ages for Krapina hominids. *Nature* 393, 358–62.

RITNER, R.K. & MOELLER, N. 2014. A new translation of the Ahmose Tempest Stela as describing the Santorini explosion on Thera and the resulting need to reconstruct Egyptian and Biblical chronology. *Journal of Near Eastern Studies* 73, 1–19.

ROBERTS, R.G. ve diğerleri. 1994. The human colonisation of Australia: Optical dates of 53,000 and 60,000 years bracket human arrival at Deaf Adder Gorge, Northern Territory. *Quaternary Geochronology*

(Quaternary Science Reviews) 13, 575–83.

ROBINSON, W.S. 1951. A method for chronologically ordering archaeological deposits. *American Antiquity* 16, 293–301.

ROWE, M.W. & STEELMAN, K.L. 2003. Dating Rock Art. *The Mammoth Trumpet* 18 (2), Mart, 4–7, 14–15.

SCARRE, C. (ed.). 1988. *Past Worlds: The Times Atlas of Archaeology.* Times Books: Londra; Hammond: Maplewood, N.J.

—— (ed.). 2013. *The Human Past: World Prehistory and the Development of Human Societies.* (gözden geçirilmiş 3. basım) Thames & Hudson: Londra & New York.

SCHAEFFER, O.A. & ZÄHRINGER, J. (ed.). 1966. *Potassium-Argon Dating.* Springer Verlag: Berlin & New York.

SCHWARCZ, H.P. 1982. Applications of U-series dating to archaeometry, şurada *Uranium Series Disequilibrium: Applications to Environmental Problems* (M. Ivanovich & R.S. Harmon ed.), 302–25. Clarendon Press: Oxford.

—— 1993. Uranium-series dating and the origin of modern man, şurada *The Origin of Modern Humans and the Impact of Chronometric Dating* (M.J. Aitken ve diğerleri ed.), 12–26. Princeton Univ. Press.

—— & GRÜN, R. 1993. ESR dating of the origin of modern man, şurada *The Origin of Modern Humans and the Impact of Chronometric Dating* (M.J. Aitken ve diğerleri ed.), 40–48. Princeton Univ. Press.

—— ve diğerleri. 1989. ESR dating of the Neanderthal site, Kebara Cave, Israel, *Journal of Arch. Science* 16, 653–59.

SCHWEINGRUBER, F.G. 1988. *Tree Rings. Basics and applications of dendrochronology.* D. Reidel: Dordrecht & Lancaster.

SHACKLETON, N.J. & OPDYKE, N.D. 1973. Oxygen isotope and paleomagnetic stratigraphy of equatorial Pacific core V28–238. *Quaternary Research* 3, 39–55.

SHACKLEY, M.S. 1998. *Archaeological Obsidian Studies.* Plenum: New York.

SHEETS, P.D. 1979. Environmental and cultural effects of the Ilopango eruption in Central America, şurada *Volcanic Activity and Human Ecology* (P.D. Sheets & D.K. Grayson ed.), 525–64. Academic Press: New York & Londra.

SHORTLAND, A.J. & BRONK RAMSEY, C. (ed.). 2013. *Radiocarbon and the Chronologies of Ancient Egypt.* Oxbow: Oxford.

SMITH, B.W., RHODES, E.J., STOKES, S., SPOONER, N.A., & AITKEN, M.J. 1990. Optical dating of sediments: initial quartz results from Oxford. *Archaeometry* 32, 19–31.

SPEER, J.H. 2010. *Fundamentals of Tree-Ring Research.* University of Arizona Press: Tucson.

STRINGER, C. & ANDREWS, P. 2011. *The Complete World of Human Evolution.* (2. basım) Thames & Hudson: Londra & New York.

STUIVER, M. & POLACH, H.A. 1977. Discussion: Reporting of ¹⁴C Data. *Radiocarbon* 19, 355–63.

—— & PEARSON, G.W. 1986. High-precision calibration of the radiocarbon time scale, AD 1950–500 BC, şurada *Radiocarbon* 28 (2B), kalibrasyon sorunu: Proc. of the Twelfth International Radiocarbon Conference, 1985, Trondheim, Norway (M. Stuiver & R.S. Kra ed.).

—— & ——, 1993. High-precision bidecal calibration of the radiocarbon timescale, AD 1950–500 BC and 2500–6000 BC. *Radiocarbon*

35, 1–23.

—— & REIMER, P.J. 1993. Extended ¹⁴C data base and revised CALIB 3.0 ¹⁴C calibration program. *Radiocarbon* 35, 215–30.

——, ——, ve diğerleri. 1998. INTCAL98 radiocarbon age calibration, 24,000–0 cal BP. *Radiocarbon* 40, 1041–84.

SUTCLIFFE, A.J. 1985. *On the Track of Ice Age Mammals.* British Museum (Natural History): Londra.

SVENSSON A. ve diğerleri. 2006. The Greenland Ice Core Chronology 2006, 15–42ka. Part 2: Comparison to Other Records. *Quaternary Science Reviews* 25: 3258–3267.

SWADESH, M. 1972. *The Origin and Diversification of Language* (J. Scherzer ed.). Routledge & Kegan Paul: Londra; Aldine: Atheron, Chicago.

TAPSELL, R.F. 1984. *Monarchs, Rulers, Dynasties and Kingdoms of the World.* Thames & Hudson: Londra & New York.

TARLING, D.H. 1983. *Palaeomagnetism.* Chapman & Hall: Londra.

TAYLOR, R.E. 1987. *Radiocarbon Dating: An Archaeological Perspective.* Academic Press: New York & Londra.

—— & AITKEN, M.J. (ed.). *Chronometric Dating in Archaeology.* Plenum Press: New York.

TITE, M.S. 1972. *Methods of Physical Examination in Archaeology.* Seminar Press: Londra & New York.

WAGNER, G.A. 1983. *Thermoluminescence Dating.* European Science Foundation: Strasbourg.

—— & VAN DEN HAUTE, P. 1992. *Fission-Track Dating.* Enke, Stuttgart/Kluwer: Norwell, MA.

WALTER, R.C. ve diğerleri. 1991. Laser-fusion ⁴⁰Ar/³⁹Ar dating of Bed 1, Olduvai Gorge, Tanzania. *Nature* 354, 145–49.

WATCHMAN, A. 1993. Perspectives and potentials for absolute dating prehistoric rock paintings. *Antiquity* 67, 58–65.

WEINER, J. 1992. A bandkeramik wooden well of Erkelenz-Kückhoven. *Newsletter of the Wetland Archaeology Research Project* 12, 3–12.

WEINER, J.S. 2003 (1955). *The Piltdown Forgery: 50th Anniversary Edition.* Oxford Univ. Press: Londra & New York.

WIENER, M. 2009. Cold Fusion: The Uneasy Alliance of History and Science şurada *Tree Rings, Kings and Old World Archaeology and Environment* (S.W. Manning & M.J. Bruce ed.), 277–92. Oxbow Books: Oxford & Oakville.

—— & EARLE, J.W. 2014. Radiocarbon dating of the Thera eruption. *Open Journal of Archaeometry* 2, 60–64.

WINTLE, A.G. 1996. Archaeologically-relevant dating techniques for the next century. *Journal of Arch. Science* 23, 123–38.

ZIELINSKI, G.A. & GERMANI, M.S. 1998. New ice core evidence opposing a 1620s BC date for the Santorini "Minoan" eruption. *Journal of Arch. Science* 25.

Bölüm 5: Toplumlar Nasıl Örgütlenmişti?
Sosyal Arkeoloji (s. 179–232)

s. 180–83 **Toplumların sınıflandırılması, hiyerarşi ve eşitsizlik** Service 1971; Sanders & Marino 1970; Johnson & Earle 1987; Hastorf 1993; Wason 1994; Haas 2001; Alcock ve diğerleri 2001.

s. 184–86 **Merkezi Alan Teorisi** Christaller 1933. **Mezopotamya'daki yerleşim dokusu** Johnson 1972. **XTENT modeli** Renfrew &

Level 1979; Hare 2004.

s. 186–90 **Orta Alan Teorisi** Binford 1977, 1983. **Yazılı kaynaklar** *Archaeological Review from Cambridge* 1984, özellikle Postgate'in makalesi. **Sözlü gelenek** Wood 1985.

s. 191–93 **Etnoarkeoloji** Yellen 1977; Hodder 2009; Binford 1983; Whitelaw 2002; Arnold 1985; Dragadze 1980; Renfrew 1993, 1994; Shennan 1989; David & Kramer 2001. Leroi-gourhan/Binford tartışmasının iç yüzü için bkz. Audouze 1987 ve Valentin 1989.

s. 195–96 **Faaliyetlerin araştırılması** erken bir hominin buluntu yerinde Kroll & Isaac 1984.

s. 196–97 **Hareketli toplumlarda bölgeler** Foley 1981 sit dışı arkeolojisinin sorunlarını ve potansiyelini tartışır.

s. 198–99 **Yerleşik toplumların yerleşimleri** Binford ve diğerleri 1970 (Hatchery West); Hill 1970 (Broken K Pueblo); Whitelaw 1981 (Myrtos).

s. 199–200 **Gömütler aracılığıyla hiyerarşi** Shennan 1975 (Branč); Tainter 1980 (Middle Woodland gömütleri); Bietti Sestieri 1993; Morris 1987; Whitley 1991.

s. 200 **Faktör ve küme analizi** Tanım ve örnekler için bkz. Binford & Binford 1966, Hill 1970, O'Shea 1984, Doran & Hodson 1975.

s. 201 **Ortak eserler** Renfrew 1973, 1979 (Wessex ile Orkney); Barrett 1994; Bradley 1993; Thomas 1991; Whittle ve diğerleri 2011.

s. 201–02 **Kümülatif görünür alan analizi** Wheatley 1995.

s. 203 **Şölen** Miracle & Milner 2002.

s. 209–212 **Şeflikler ve devletler** Kaynaklar için kutuya bakınız.

s. 209 **Çok boyutlu ölçeklendirme** Tanım ve örnekler için bkz. Cherry 1977, Kruskal 1971.

s. 212–15 **Merkezin işlevleri** Kemp 1984–87 (Amarna); Hammond 1982 (Tikal); Millon 1981, Millon ve diğerleri 1973; Cowgill ve diğerleri 1984 (Teotihuacan); Postgate 1983 (Abu Salabikh); Biddle 1975 (Winchester).

s. 215–17 **Sosyal hiyerarşi** Freidel & Sabloff 1984 (Cozumel); Kemp 1989; Lehner 1985 (piramitler); Sabloff 1989 (Pacal); Biel 1985 (Hochdorf).

s. 217–20 **Ekonomik uzmanlaşma** Morris & Thompson 1985 (Huánuco Pampa): Tosi 1984 (Şehr-i Suhta).

s. 222–24 **Birey ve kimlik** Renfrew 1994; Sofaer Derevenski 1997; Moore & Scott 1997; Hall 1997; Jones 1997; Gamble 1998. Bourdieu 1977; Thomas 1996; Gilchrist 1994; Meskell 1998a, 1999; Fowler 2004; Hodder & Hutson 2003 (*habitus*). Foley Meydanı ve Afrika-Amerikan mezarlığı için: Harrington 1993; Yamin 1997a, 1997b; Fairbanks & Mullins-Moore 1980; Yentsch 1994. **Bireyin arkeolojisi** Fowler 2004; Treherne 1995.

s. 224–25 **Kimlik ve toplumun ortaya çıkışı** Meskell 2001; Naveh 2003; Verhoeven 2002; Whitley 2002; Wright & Garrard 2003.

s. 225–30 **Toplumsal cinsiyetin ve çocukluğun araştırılması** Gimbutas 1989, 1991; Hodder 1991; Ucko 1968; Malone 2008; Stoddart & Malone 2008 (Malta figürinleri); Meskell 1995; Billington & Green 1996; Marler 1997; Goodison & Morris 1998; Arnold 1991 (Vix prensesi); Claassen 1992, 1994; Conkey 1991; di Leonardo 1991; du Cros & Smith 1993; Gero & Conkey 1991; Gimbutas 1989; Hodder 1991; Robb 1994; Sørensen 1991 (Danimarka gömütleri); Marcus 1998 (Oaxaca için); Walde ve Willows 1991; Wright 1996; Meskell 1998 a, b, c, 1999; Claassen & Royce 1997;

Conkey & Gero 1997; Treherne 1995; Gilchrist 1999, Hays-Gilpin & Whitley 1998; Rautman 2000; Sørensen 2000. Sofaer Derevenski 2000; Grimm 2000; Moore & Scott 1997; Shennan 2002 (çocuklukta öğrenme ve kültürel aktarım).

s. 230–31 **Moleküler genetik** Thomas ve diğerleri 1998; Torroni ve diğerleri 1994; Stone & Stoneking 1998, 1999; Poloni ve diğerleri 1997; Wells ve diğerleri 2001; Zerjal ve diğerleri 2003; Forster & Renfrew 2011, 2014.

KUTULAR

s. 185 **Network analysis** Cherry 1977; Hage & Harary 1976; Barabàsi 2005; Knappett & others 2008; Knappett 2013; Brughmans 2010; Evans & Felder 2014.

s. 194 **Geçmiş etnik gruplar ve dil** Renfrew 1987, 1993; Marcus 1983a; Dragadze 1980; Marcus & Flannery 1996; Hall 1997; Jones 1997; Forster & Toth 2003.

s. 204–05 **Erken Wessex** Renfrew 1973; Barrett 1994; Bradley 1993; Thomas 1991; Cunliffe & Renfrew 1997.

s. 206–08 **Stonehenge'i yorumlamak** Parker Pearson & Ramilisonina 1998; Parker Pearson 2012; Bevins & others 2012; Darvill 2006; Darvill & Wainwright 2009.

s. 210–11 **Maya bölgeleri** Coe 1993; Marcus 1983b; Mathews 1991; Martin & Grube 2000; Renfrew & Cherry 1986 (Yönetimler arası ilişkiler); de Montmollin 1989; Houston 1993; Scherer & Golden 2009; Golden ve diğerleri 2008.

s. 218–19 **Spiro** Brown 1971, 2010.

s. 220–21 **İhtilaf ve savaş** Dawson 1996; Keeley 1997; LeBlanc 1999, 2003; Turner & Turner 1999; Flannery & Marcus 2003; Kelly 2000; Barrett & Scherer 2005; Thorpe 2003; Ferguson 2006; Houston & Inomata 2009; Milner 1999; Webster 2000.

s. 226–27 **Erken Ara Dönem'de Peru'da Toplumsal Cinsiyet İlişkileri** Gero 1992, 1995.

Kaynakça

ALCOCK, S.E. ve diğerleri (ed.). 2001. *Empires.* Cambridge Univ. Press.

ARNOLD, B. 1991. The deposed princess of Vix: the need for an engendered European prehistory, şurada *The Archaeology of Gender* (D. Walde & N.D. Willows ed.), 366–74. Archaeological Association: Calgary.

AUDOUZE, F. 1987. Des modèles et des faits: les modèles de A. Leroi-Gourhan et de L. Binford confrontés aux résultats récents. *Bull. Soc. Préhist. française* 84, 343–52.

BARABASI, A.-L. 2005. Network theory: the emergence of the creative enterprise. *Science* 308, 639–41.

BARRETT, J.C. 1994. *Fragments from Antiquity.* Blackwell: Oxford.

BARRETT, J.W. & SCHERER, A.K. 2005. Stone, bone and crowded plazas: evidence for Terminal Classic Maya warfare at Colha, Belize. *Ancient Mesoamerica* 16, 101–18.

BEVINS, R.E., IXER, R.A., WEBB, P.C., & WATSON, J.S. 2012. Provenancing the rhyolitic and dacitic components of the Stonehenge landscape bluestone lithology. *Journal of Archaeological Science* 39, 1005–19.

BIDDLE, M. 1975. Excavations at Winchester 1971. *Antiquaries Journal* 55, 295–337.

BIEL, J. 1985. *Der Keltenfürst von Hochdorf.* Konrad Theiss Verlag: Stuttgart.

BIETTI SESTIERI, A.M. 1993. *The Iron Age Community of Osteria dell'Osa.* Cambridge Univ. Press.

BILLINGTON, S. & GREEN, M. (ed.). 1996. *The Concept of the Goddess.* Routledge: Londra.

BINFORD, L.R. (ed.). 1977. *For Theory Building in Archaeology.* Academic Press: New York.

—— 2002. *In Pursuit of the Past.* Univ. of California Press: Berkeley & Londra.

——, **BINFORD, S.R., WHALLON, R., & HARDIN, M.A.** 1970. *Archaeology at Hatchery West.* Memoirs of the Society for American Archaeology No. 24: Washington D.C.

BINFORD, S.R. & BINFORD, L.R. 1966. A preliminary analysis of functional variability in the Mousterian of Levallois facies, *American Anthropologist* 68, 238–95.

BOURDIEU, P. 1977. *Outline of a Theory of Practice.* Cambridge Univ. Press.

BRADLEY, R. 1993. *Altering the Earth – the Origins of Monuments in Britain and Continental Europe.* Edinburgh Univ. Press.

BROWN, J.A. 1971. The dimensions of status in the burials at Spiro. *Society for American Archaeology Memoir* 25, 92–112.

—— 2010. Cosmological layouts of secondary burials as political instruments, şurada *Mississippian Mortuary Practices* (L.P Sullivan & R.C. Mainfort, Jr. ed.), 30–53. University Press of Florida: Gainesville.

BRUGHMANS, T. 2000. Connecting the dots: towards archaeological network analysis. *Oxford Journal of Archaeology* 29, 277–303.

CHERRY, J.F. 1977. Investigating the Political Geography of an Early State by Multidimensional Scaling of Linear B Tablet Data, şurada *Mycenaean Geography* (J. Bintliff ed.), 76–82. Britsh Assoc. for Mycenaean Studies: Cambridge.

CHRISTALLER, W. 1933. *Die Zentralen Orte in Süddeutschland.* Karl Zeiss: Jena.

CLAASSEN, C. (ed.). 1992. *Exploring Gender through Archaeology, Selected papers from the 1991 Boone Conference.* Monographs in World Archaeology 11. Prehistory Press: Madison.

—— (ed.). 1994. *Women in Archaeology.* Pennsylvania Univ. Press: Philadelphia.

—— & **ROYCE, E.A.** (ed.). 1997. *Women in Prehistory: North America and Mesoamerica.* Univ. of Pennsylvania Press: Philadelphia.

COE, M.D. 2000. *The Maya.* (6. basım). Thames & Hudson: Londra & New York.

CONKEY, M. 1991. Does it make a difference? Feminist thinking and archaeologies of gender, şurada *The Archaeology of Gender* (D. Walde & N.D. Willows ed.), 24–33. Archaeological Association: Calgary.

—— & **GERO, J.M.** 1997. Programme to practice: gender and feminism in archaeology. *Annual Review of Archaeology* 26, 411–37.

COWGILL, G.L., ALTSCHUL, J.H., & SLOAD, R.S. 1984. Spatial analysis of Teotihuacán: a Mesoamerican metropolis, şurada *Intrasite Spatial Analysis in Archaeology* (H.J. Hietala ed.), 154–95. Cambridge Univ. Press.

CUNLIFFE, B. & RENFREW, C. (ed.). 1997. *Science and Stonehenge.* British Academy: Oxford.

DAVID, N. & KRAMER, C. 2001. *Ethnoarchaeology in Action.* Cambridge Univ. Press.

DARVILL, T. 2006. *Stonehenge: the biography of a landscape.* History Press: Stroud.

—— & **WAINWRIGHT, G.** 2009. Stonehenge excavations 2008. *Antiquaries Journal* 89, 1–19.

DAWSON, D. 1996. *The Origins of Western Warfare*. Westview Press: Boulder.

DRAGADZE, T. 1980. The place of "ethnos" theory in Soviet anthropology, şurada *Soviet and Western Anthropology* (E. Gellner ed.), 161–70. Duckworth: Londra.

DU CROS, H. & SMITH, L. (ed.). 1993. *Women in Archaeology, A Feminist Critique*. Occ. Papers in Prehistory 23. Research School of Pacific Studies, Australian National Univ.: Canberra.

EVANS, J.A., CHENERY, C.A. & FITZPATRICK, A.P. 2006. Bronze Age childhood migration of individuals near Stonehenge revealed by strontium and oxygen isotope tooth enamel analysis. *Archaeometry* 48, 309–21.

EVANS, S. & FELDER, K. (ed.) 2014. Social network perspectives in archaeology. *Archaeological Review from Cambridge* 29, 1. Cambridge.

FAIRBANKS, C.H. & MULLINS-MOORE, S.A. 1980. How did slaves live? *Early Man* 2.2, 2–7.

FERGUSON, B.R. 2006. Archaeology, cultural anthropology and the origins and intensification of war, şurada *The Archaeology of Warfare, Prehistories of Raiding and Conquest* (E.N. Arkush & M.W. Allen ed.), 469–523. University Press of Florida: Gainsville.

FLANNERY, K.V. 1999 Process and agency in early state formation. *Cambridge Archaeological Journal* 9(1), 3–21.

—— & MARCUS, J. 2003. The origin of war: new ^{14}C dates from ancient Mexico. *Proc. of the National Academy of Sciences USA* 100, 11,801–05.

FOLEY, R. 1981. *Off-site archaeology and human adaptation in Eastern Africa*. British Arch. Reports: Oxford.

FORSTER, P. & RENFREW, C. 2011. Mother tongue and Y-chromosome. *Science* 333, 1390–91.

—— & —— 2014. Introduction: DNA, şurada Cambridge *World Prehistory* I, 9–18. Cambridge Univ. Press.

—— & TOTH, A. 2003. Towards a phylogenetic chronology of ancient Gaulish, Celtic and Indo-European. *Proc. of the National Academy of Sciences USA* 100, 9079–84.

FOWLER, C. 2004. *The Archaeology of Personhood, an Anthropological Approach*. Routledge: Londra.

FREIDEL, D. & SABLOFF, J.A. 1984. *Cozumel: Late Maya Settlement Patterns*. Academic Press: New York.

GAMBLE, C. 1998. Palaeolithic society and the release from proximity: a network approach to intimate relations. *World Arch.* 29, 426–49.

GERO, J.M. 1992. Feasts and Females: gender ideology and political meals in the Andes. *Norwegian Arch. Review* 25, 15–30.

—— 1995. La Iconografía Recuay y el Estudio de Genero. *Gaceta Arqueológica Andina* 25/26.

—— & CONKEY, M.W. (ed.). 1991. *Engendering Archaeology*. Blackwell: Oxford & Cambridge, Mass.

GILCHRIST, R. 1994. *Gender and Material Culture: the Archaeology of Religious Women*. Routledge: Londra.

—— 1999. *Gender and Archaeology, Contesting the Past*. Routledge: Londra.

GIMBUTAS, M. 1989. *The Language of the Goddess*. Harper and Row: New York.

—— 1991. *The Civilization of the Goddess: the world of Old Europe*. HarperCollins: New York.

GOLDEN, C., SCHERER, A.K., MUÑOZ, A.R., & VASQUEZ, R. 2008. Piedras Negras and Yaxchilan: divergent political trajectories in adjacent Maya polities. *Latin American Antiquity* 19(3), 249–74.

GOODISON, L. & MORRIS, C. (ed.). 1998. *Ancient Goddesses*. British Museum Press: Londra; Univ. of Wisconsin Press: Madison.

GRIMM, L. 2000. Apprentice flintknapping, relating material culture and social practice in the Upper Palaeolithic, şurada *Children and Material Culture* (J. Sofaer Derevenski ed.), 53–71. Routledge: Londra.

HAAS, J. (ed.). 2001. *From Leaders to Rulers*. Kluwer: New York.

HAGE, P. & HARARY, F. 1976. Close-proximity analysis: another variation on the minimum spanning tree problem, *Current Anthropology* 36, 677–83.

HALL, J.M. 1997. *Ethnic Identity in Greek Antiquity*. Cambridge Univ. Press.

HARE, T. 2004. Using measures of cost distance in the estimation of polity boundaries in the Postclassic Yautepec valley, Mexico. *Journal of Archaeological Science* 31, 799–814.

HARRINGTON, S.P.M.H. 1993. New York's great cemetery imbroglio. *Archaeology* Mart/Nisan, 30–38.

HASTORF, C.A. 1993. *Agriculture and the Onset of Political Inequality before the Inka*. Cambridge Univ. Press.

HAYS-GILPIN, K. & WHITLEY, D.S. (ed.). 1998. *Reader in Gender Archaeology*. Routledge: Londra.

HILL, J.N. 1970. *Broken K Pueblo: Prehistoric social organisation in the American Southwest*. Anthropological Papers of the Univ. of Arizona No. 18.

HODDER, I. 1991. Gender representation and social reality, şurada *The Archaeology of Gender* (D. Walde & N.D. Willows ed.), 11–16. Archaeological Ass.: Calgary.

—— 2009. *Symbols in Action*. Cambridge Univ. Press.

—— & HUTSON, S. 2003. *Reading the Past: Current Approaches to Interpretation in Archaeology*. (3. basım) Cambridge University Press: Cambridge & New York.

HOUSTON, S.D. 1993. *Hieroglyphs and History at Dos Pilas: Dynastic politics of the Classic Maya*. University of Texas Press: Austin.

—— & INOMATA, T. 2009. *The Classic Maya*. Cambridge University Press: Cambridge & New York.

JOHNSON, A.W. & EARLE, T. 1987. *The Evolution of Human Societies: from Foraging Group to Agrarian State*. Stanford Univ. Press.

JOHNSON, G.A. 1972. A test of the utility of Central Place Theory in Archaeology, şurada *Man, Settlement and Urbanism* (P.J. Ucko, R. Tringham & G.W. Dimbleby ed.), 769–85. Duckworth: Londra.

JONES, S. 1997. *The Archaeology of Ethnicity. Constructing Identities in the Past and Present*. Routledge: Londra.

KEELEY, L.H. 1997. *War before Civilization, the Myth of the Peaceful Savage*. Oxford Univ. Press: New York.

KEMP, B.J. 1984–87. *Amarna Reports I–IV*. Egypt Exploration Society: Londra.

—— 1989. *Ancient Egypt: Anatomy of a Civilization*. Routledge: Londra & New York.

KNAPPETT, C., EVANS, T. & RIVERS, R. 2008. Modelling maritime interaction in the Aegean Bronze Age. *Antiquity* 82, 1009–24.

—— (ed.) 2013. Network Approaches in Archaeology: New Approaches to Regional Interaction. Oxford Univ. Press.

KROLL, E.M. & ISAAC, G.L. 1984. Configurations of artifacts and bones at early Pleistocene sites in East Africa, şurada *Intrasite Spatial Analysis in Archaeology* (H.J. Hietala ed.), 4–31. Cambridge Univ. Press.

KRUSKAL, J.B. 1971. Multi-dimension scaling in archaeology: time is not the only dimension, şurada *Mathematics in the Archaeological and Historical Sciences* (F.R. Hodson, D.G. Kendall & P. Tautu ed.), 119–32. Edinburgh Univ. Press.

LEBLANC, S.A. 1999. *Prehistoric Warfare in the American Southwest*. University of Utah Press: Salt Lake City.

—— 2003. *Constant Battles, the Myth of the Peaceful, Noble Savage*. St. Martin's Press: New York.

LEHNER, M. 1985. The development of the Giza necropolis: The Khufu Project. *Mitteilungen dt. archäol. Inst. Abt. Kairo* 41, 109–43.

DI LEONARDO M. (ed.). 1991. *Gender at the Crossroads of Knowledge: Feminist Anthropology in the Postmodern Era*. Univ. of California Press: Berkeley.

MALONE, C.A.T. 2008. Metaphor and Maltese Art. *Journal of Mediterranean Archaeology* 21(1), 81–109.

MARCUS, J. 1983a. The genetic model and the linguistic divergence of the Otomangueans, şurada *The Cloud People* (K.V. Flannery & J. Marcus ed.), 4–9. Academic Press: New York & Londra.

—— 1983b. Lowland Maya Archaeology at the Crossroads. *American Antiquity* 48 (3), 454–88.

—— 1998. Women's Ritual in Formative Oaxaca. Figurine-making, Divination, Death and the Ancestors. (Memoirs of the Museum of Anthropology 11) University of Michigan.

—— & FLANNERY, K.V. 1996. *Zapotec Civilization. How Urban Society Evolved in Mexico's Oaxaca Valley*. Thames & Hudson: Londra & New York.

MARLER, J. (ed.). 1997. *From the Realm of the Ancestors: an anthology in honor of Marija Gimbutas*. Knowledge, Ideas and Trends Press: Manchester, Conn.

MARTIN, S. & GRUBE, N. 2000. *Chronicle of the Maya Kings and Queens*. Thames & Hudson: Londra & New York.

MATHEWS, P. 1991. Classic Maya Emblem Glyphs, şurada *Classic Maya Political History* (T. Patrick Culbert ed.), 19–29. Cambridge Univ. Press.

MESKELL, L. 1995. Goddesses, Gimbutas and "New Age" archaeology. *Antiquity* 69, 74–86.

—— 1998a. Running the gamut: gender, girls and goddesses. *American Journal of Archaeology* 102, 181–85.

—— 1998b. An archaeology of social relations in an Egyptian village. *Journal of Archaeological Method and Theory* 5, 208–41.

—— 1998c. Intimate archaeologies: the case of Kha and Merit. *World Arch.* 29 (3), 363–79.

—— 1999. *Archaeologies of Social Life: Age, Sex, Class etc. in Ancient Egypt*. Blackwell: Oxford.

—— 2001. Archaeologies of identity, şurada *Archaeological Theory Today* (I. Hodder ed.), 187–213. Polity Press: Cambridge.

MILLON, R. 1981. Teotihuacán: City, state and civilization, şurada *Archaeology (Supplement to the Handbook of Middle American Indians)* (J.A. Sabloff ed.), 198–243. Univ. of Texas Press: Austin.

——, DREWITT, R.B., & COWGILL, G.L. 1973. *Urbanization at Teotihuacán, Mexico. Vol. 1: The Teotihuacán Map.* Univ. of Texas Press: Austin.

MILNER, G.R. 1999. Warfare in prehistoric and early historic Eastern North America. *Journal of Archaeological Research* 7, 105–51.

MIRACLE, P. & MILNER, N. (ed.). 2002. *Consuming Passions and Patterns of Consumption.* McDonald Institute: Cambridge.

DE MONTMOLLIN, O. 1989. *The Archaeology of Political Structure: Settlement Analysis in a Classic Maya Polity.* Cambridge Univ. Press.

MOORE, J. & SCOTT, E. (ed.). 1997. *Invisible People and Processes: Writing Gender and Childhood into European Archaeology.* Leicester Univ. Press.

MORRIS, C. & THOMPSON, D. 1985. *Huánuco Pampa: An Inca City and its Hinterland.* Thames & Hudson: Londra & New York.

MORRIS, I. 1987. *Burial and Society. The Rise of the Greek City-State.* Cambridge Univ. Press.

NAVEH, D. 2003. PPNA Jericho: a socio-political perspective. *Cambridge Archaeological Journal* 13, 83–96.

O'SHEA, J. 1984. *Mortuary Variability, An Archaeological Investigation.* Academic Press: New York & Londra.

PARKER PEARSON, M. 2012. *Stonehenge Explained: Exploring the Greatest Stone Age Mystery.* Simon & Schuster: Londra (baskıda).

—— & RAMILISONINA. 1998. Stonehenge for the ancestors: the stones pass on the message. *Antiquity* 72, 308–26.

PEEBLES, C.S. 1987. Moundville from 1000–1500 AD in *Chiefdoms in the Americas* (R.D. Drennan & C.A. Uribe ed.), 21–41. Univ. Press of America: Lanham.

—— & KUS, S. 1977. Some archaeological correlates of ranked societies. *American Antiquity* 42, 421–48.

POLONI, E.S. ve diğerleri. 1997. Human genetic affinities for Y-chromosome haplotypes show strong correspondence with linguistics. *American Journal of Human Genetics* 61, 1015–35.

POSTGATE, J.N. (ed.). 1983. *The West Mound surface clearance (Abu Salabikh Excavations Vol. 1).* British School of Arch. in Iraq: Londra.

RAUTMAN, A.E. 2000. *Reading the Body. Representations and Remains in the Archaeological Record.* Univ. of Pennsylvania Press: Philadelphia.

REDMAN, C. 1978. *The Rise of Civilization.* W.H. Freeman: San Francisco.

RENFREW, C. 1973. Monuments, mobilization and social organization in neolithic Wessex, şurada *The explanation of culture change: models in prehistory* (C. Renfrew ed.), 539–58. Duckworth: Londra.

—— 1979. *Investigations in Orkney.* Society of Antiquaries: Londra.

—— 1984. *Approaches to Social Archaeology.* Edinburgh Univ. Press.

—— 1987. *Archaeology and Language.* Jonathan Cape: Londra.

—— 1993. *The Roots of Ethnicity: Archaeology, Genetics and the Origins of Europe.* Unione Internazionale degli Istitute di Archeologia, Storia e Storia dell'Arte in Roma: Rome.

—— 1994. The archaeology of identity, *The Tanner Lectures on Human Values* 15, (G.B. Peterson ed.), 283–348. Univ. of Utah Press: Salt Lake City.

—— & CHERRY, J.F. (ed.). 1986. *Peer Polity Interaction and Socio-Political Change.* Cambridge Univ. Press.

—— & LEVEL, E.V. 1979. Exploring dominance: predicting polities from centers, şurada *Transformations. Mathematical Approaches to Culture Change* (C. Renfrew & K.L. Cooke ed.), 145–67. Academic Press: New York & Londra.

ROBB, J. 1994. Gender contradictions, moral coalitions, and inequality in prehistoric Italy, *Journal of European Archaeology* 2 (1), 20–49.

SABLOFF, J.A. 1989. *The Cities of Ancient Mexico.* Thames & Hudson: Londra & New York.

SANDERS, W.T. & MARINO, J. 1970. *New World Prehistory.* Prentice-Hall: Englewood Cliffs.

SCHERER, A.K. & GOLDEN, C. 2009. Tecolote, Guatemala: archaeological evidence for a fortified Late Classic Maya political border. *Journal of Field Archaeology* 34, 285–305.

SERVICE, E.R. 1971. *Primitive Social Organization. An Evolutionary Perspective.* (2. basım) Random House: New York.

SHENNAN, S.J. (ed.). 1989. *Archaeological Approaches to Cultural Identity,* Unwin Hyman: Londra.

—— 2002. *Genes, Memes and Human History.* Thames & Hudson: Londra & New York.

SHENNAN, S. 1975. The Social Organisation at Brančč. *Antiquity* 49, 279–88.

SOFAER DEREVENSKI, J. 1997. Engendering children, engendering archaeology, şurada *Invisible People and Processes: Writing Gender and Childhood into European Archaeology* (J. Moore & E. Scott ed.), 192–202. Leicester Univ. Press: Londra.

—— (ed.) 2000. *Children and Material Culture.* Routledge: Londra.

SØRENSEN, M.L.S. 1991. The construction of gender through appearance, şurada *The Archaeology of Gender* (D. Walde & N.D. Willows ed.), 121–29. Archaeological Association: Calgary.

STODDART, S.K.F. & MALONE, C.A.T. 2008. Changing beliefs in the human body in prehistoric Malta 5000–1500 BC, şurada *Past Bodies. Body-Centred Research in Archaeology* (D. Boric & J. Robb ed.), 19–28. Oxbow Books: Oxford.

STONE, A.C. & STONEKING, M. 1998. mtDNA analysis of a prehistoric Oneota population: implications for the peopling of the New World. *American Journal of Human Genetics* 62, 1153–70.

—— &—— 1999. Analysis of ancient DNA from a prehistoric Amerindian cemetery. *Philosophical Trans. Royal Society of Londra, Series B* 354, 153–59.

TAINTER, J.A. 1980. Behavior and status in a Middle Woodland mortuary population from the Illinois valley. *American Antiquity* 45, 308–13.

—— & CORDY, R.H. 1977. An archaeological analysis of social ranking and residence groups in prehistoric Hawaii. *World Arch.* 9, 95–112.

THOMAS, J. 1991. *Rethinking the Neolithic.* Cambridge Univ. Press.

—— 1996. *Time, Culture and Identity.* Routledge: Londra.

THOMAS, J.G. ve diğerleri 1998. Origins of Old Testament priests. *Nature* 394, 138–39.

THORPE, I.J.N. 2003. Anthropology, archaeology and the origin of warfare. *World Archaeology* 35, 145–65.

TORRONI, A. ve diğerleri. 1994. Mitochondrial DNA and Y-chromosome polymorphisms in four native American populations from southern Mexico. *American Journal of Human Genetics* 54, 303–18.

TOSI, M. 1984. The notion of craft specialization and its representation in the archaeological record of early states in the Turanian Basin, şurada *Marxist Perspectives in Archaeology* (M. Spriggs ed.), 22–52. Cambridge Univ. Press.

TREHERNE, P. 1995. The warrior's beauty: the masculine body and self-identity in Bronze Age Europe. *Journal of European Archaeology* 3(1), 105–44.

TURNER, C.G. & TURNER J.A. 1999. *Man Corn: Cannibalism and Violence in the Prehistoric American Southwest.* University of Utah: Salt Lake City.

UCKO, P.J. 1968. *Anthropomorphic Figurines.* Royal Anthropological Institute Occ. Paper No. 24: Londra.

VALENTIN, B. 1989. Nature et fonctions des foyers de l'habitation No 1 à Pincevent. *Nature et Fonction des Foyers Préhistoriques.* Actes du Colloque de Nemours 1987, Mémoires du Musée de Préhistoire de l'Ile de France, 2, 209–19.

VERHOEVEN, M. 2002. Ritual and ideology in the Pre-Pottery Neolithic B of the Levant and southeast Anatolia. *Cambridge Archaeological Journal* 12, 195–216.

WALDE, D. & WILLOWS, N.D. (ed.). 1991. *The Archaeology of Gender.* Proc. of 22nd Annual Conference of the Archaeological Association, Univ. of Calgary.

WASON, P.K. 1994. *The Archaeology of Rank.* Cambridge Univ. Press.

WEBSTER, D. 2000. The not so peaceful civilization: a review of Maya war. *Journal of World Prehistory* 14(1), 65–118.

WELLS, R.S., YULDASHEVA, N. ve diğerleri. 2001. The Eurasian heartland: a continental perspective on Y-chromosome diversity. *Proceedings of the National Academy of sciences of the USA* 988, 10244–10249.

WHEATLEY, D. 1995. Cumulative viewshed analysis: a GIS-based method for investigating intervisibility, and its archaeological application, şurada *Archaeology and Geographical Information Systems: a European perspective* (G. Lock and Z. Stančič ed.), 171–85. Taylor & Francis: Londra & Bristol, Penn.

WHITELAW, T.M. 1981. The settlement at Fournou Korifi, Myrtos and aspects of Early Minoan social organisation, şurada *Minoan Society: Proceedings of the Cambridge Colloquium 1981* (O. Krzyszkowska & L. Nixon ed.), 323–46. Bristol Classical Press: Bristol.

WHITLEY, J. 1991. *Style and Society in Dark Age Greece.* Cambridge Univ. Press.

—— 2002. Objects with attitude: biographical facts and fallacies in the study of Late Bronze Age and Early Iron Age warrior graves. *Cambridge Archaeological Journal* 12, 217–32.

WHITTLE A., HEALEY F. & BAYLISS A. 2011. *Gathering Time: Dating the Early Neolithic Enclosures of Southern Britain and Ireland.* Oxbow: Oxford.

WOOD, M. 1985. *In Search of the Trojan War.* BBC Books: Londra.

WRIGHT, K. & GARRARD, A. 2002. Social identities and the expansion of stone bead-making in neolithic Western Asia: new evidence from Jordan. *Antiquity* 77, 267–84.

WRIGHT, R.P. (ed.). 1996. *Gender and*

Archaeology. Univ. of Pennsylvania Press: Philadelphia.

YAMIN, R. 1997a. New York's mythic slum. *Archaeology* Mart/Nisan, 44–53.

—— 1997b Lurid tales and homely stories of New York's Notorious Five Points, şurada *Archaeologists as Storytellers*, A. Praetzellis & M. Praetzellis (ed.), *Historical Archaeology* 32.1, 74–85.

YELLEN, J.E. 1977. *Archaeological Approaches to the Present*. Academic Press: New York & Londra.

YENTSCH, A.E. 1994. *A Chesapeake Family and their Slaves: A Study in Historical Archaeology*. Cambridge Univ. Press.

ZERJAL, T., XUE, Y. ve diğerleri 2003. The genetic legacy of the Mongols. *American Journal of Human Genetics* 72, 717–21.

Bölüm 6: Çevre Nasıldı? Çevresel Arkeoloji (s. 233–72)

s. 233 **Çevresel arkeolojiyle** ilgili genel çalışmalar şunları içerir Evans 1978; Fieller ve diğerleri 1985; Delcourt & Delcourt 1991; Roberts 1998; Bell & Walker 1992; Goudie 1992; Simmons 1989; Mannion 1991; Dincauze 2000; Redman 1999; Wilkinson & Stevens 2008; O'Connor & Evans 2005; Reitz & Shackley 2012; 1998'den itibaren *Environmental Archaeology*: Bradley 1985; Lowe & Walker 1997; Sutcliffe 1985; Williams ve diğerleri 1998. Holosen iklimi: Harding 1982. İklim değişikliği için Burroughs 2005, Van de Noort 2013.

s. 233–37 **Deniz karotları** Butzer 1983; Sancetta ve diğerleri 1973; Chappel & Shackleton, N.J. 1986; Shackleton, N.J. 1987. Also Thunell 1979 (Doğu Akdeniz'deki çalışmalar); Brassell ve diğerleri 1986 (yağ lipitleri). **Buzul karotları** Alley 2002; Alley & Bender 1998; Dahl-Jensen ve diğerleri 1998; Severinghaus ve diğerleri 1999; EPICA 2004; Charles 1997 (tropik veriler), Thompson ve diğerleri 1995, 1998 (And karotları). **Eski rüzgârlar** Wilson & Hendy 1971; Frappier ve diğerleri 2007 (kasırgalar); Parkin & Shackleton, N.J. 1973 (Batı Afrika hakkında).

s. 237–40 **Kıyı şeritleri** Genel: van Andel 1989; Masters & Flemming 1983; Thompson 1980; Lambeck ve diğerleri 2004 (balık çiftlikleri) Beringia'daki çalışmalar: Elias ve diğerleri 1996; West 1996; Dawson ve diğerleri 1990, Smith 2002 (tsunami). **Frankhthi'deki batık karalar:** van Andel & Lianos 1984; Shackleton, J.C. & van Andel 1980, 1986. **Yükselmiş kıyılar** Koike 1986 (Tokto Körfezi atık alanları); Giddings 1966, 1967 (Alaska kumsalları). **Mercan kayalıkları** Bloom ve diğerleri 1974 (Yeni Gine); Dodge ve diğerleri 1983. **Kaya sanatı** Chaloupka 1984, 1993 (Avustralya); CLIMAP çalışması CLIMAP 1976'ta anlatılmıştır.

s. 240–41 **Araziyi incelemek: jeoarkeoloji** Genel: French 2003; Goldberg & Macphail 2006; Pyddoke 1961; Rapp & Hill 2006; Shackley 1975; Sutcliffe 1985; ve *Geoarchaeology: an International Journal* (1986'dan itibaren).

s. 241–42 **Varvlar** Hu ve diğerleri 1999; **Irmaklar** Dales 1965 (İndus); Fisk 1944 (Mississippi); Adamson ve diğerleri 1980 (Blue & White Niles); Sneh & Weissbrod 1973 (Nil Deltası).

s. 242 **Mağaralar** Collcutt 1979; Laville 1976; Laville ve diğerleri 1980; Schmid 1969; Sutcliffe 1985.

s. 242–48 **Sediman ve topraklar** Clarke 1971; Courty 1990 (toprak mikromorfolojisi). Courty ve diğerleri 1990; Spence 1990 (arazide değerlendirme). Orliac 1975 (lateks tekniği); van Andel ve diğerleri 1986; Pope & van Andel 1984; van Andel ve diğerleri 1990; Runnels 1995; Jameson ve diğerleri 1995 (Argolis); Hebsgaard ve diğerleri 2009 ("kirli" DNA). **Loess** Bordes 1953 (Paris Havzası): Kukla 1975 (Orta Avrupa); 1987 (Orta Çin). **Gömülmüş arazi** Street 1986 (Miesenheim ormanı); Stine 1994 (korunmuş ağaç gövdeleri); Curry 2006 (Baltic).

s. 248 **Ağaç halkaları ve iklim** Fritts 1976; Schweingruber 1996; Speer 2010; Lara & Villalba 1993 (Şili ağaç halkaları); Stahle ve diğerleri 1998 (Jamestown); Grinsted & Wilson 1979 (ağaç halkalarının izotopik analizi).

s. 249–54 **Mikrobotanik kalıntılar** Polen analizi hakkında iyi genel kitaplar şunlardır: Traverse 1988; Faegri ve diğerleri 1989; Dimbleby 1985, 1969; Moore, Webb & Collinson 1991; Bryant & Holloway 1983; Edwards 1979; Wilkinson 1971. Also Bonnefille 1983 (Omo-Hadar poleni); Palmer 1976 (ot kütikülleri). **Fitolitlere** giriş çalışmaları: Piperno 2006; Pearsall 1982; Rovner 1983; Rapp & Mulholland 1992. Dişlerden ekstrasyon için, Armitage 1975; Middleton & Rovner 1994. Ayrıca Anderson 1980 (taş aletlerdeki fitolitler); Piperno 1985 (Panama'daki çalışma). **Diyatom analizi** Genel: Battarbee 1986; Mannion 1987. Also Bradbury 1975 (Minnesota'daki çalışma); Voorhips & Jansma 1974 (Hollanda). **Kaya cilaları** Dorn & DeNiro 1985. **Bitki DNA'sı** Poinar ve diğerleri 1998.

s. 254–56 **Makrobotanik kalıntılar** Yüzdürme hakkında genel makaleler şunlardır: Watson 1976, Williams 1973; also Pearsall 1989; kabarcıklı yüzdürme: Jarman, H.N. ve diğerleri 1972. Donmuş mamutlardan bitki kalıntıları: Lister ve Bahn 1994; bataklık bedenlerinden: van der Sanden 1996, 8. bölüm. **Ahşap ve kömür** Western 1969; Minnis 1987; ayrıca Deacon 1979 (Boomplaas Mağarası).

s. 256–59 **Mikrofauna** Andrews 1991 (baykuş kusukları); Klein 1984 (kumul yersıçanı); Evans 1972; Davies 2008 (kara yumuşakçaları); Koike 1986 (Tokyo Körfezi deniz yumuşakçaları). Böceklerle ilgili genel çalışmalar: Buckland 1976; Elias 1994; Osborne 1976; Levesque ve diğerleri 1997 (tatarcık larvası). Ayrıca Coope 1977; Coope ve diğerleri 1971 (kınkanatlılar); Atkinson ve diğerleri 1987 (Britanya Pleistosen'iyle ilgili çalışmalar); Girling & Greig 1985; Perry & Moore 1987 (karaağaç hastalığı); Addyman 1980; Addyman ve diğerleri 1976; Buckland 1976, 388–91 (York Roma dönemi kanalizasyonu).

s. 259–61 **Makrofauna** İyi giriş eserleri şunlardır: Davis 1987; O'Connor 2000; Travis 2010 (kolajen). **Büyük av hayvanlarının soyunun tükenmesi** Martin & Klein 1984; Levy 2011; Miller ve diğerleri 1999; ve *Advances in Vertebrate Paleobiology* 1999'un özel cildindeki makaleler. Eleştiri için bkz. Grayson & Meltzer 2003; Stuart 2015. Soy tükenmelerin "karma açıklaması" için: Owen-Smith 1987. Salgın hastalık teorisi için, MacPhee & Marx 1997, karşıt görüş, Lyons ve diğerleri 2004. Kuyrukluyıldız teorisi için,

Firestone ve diğerleri 2007; bunun karşısında, Surovell ve diğerleri 2009; Pinterve diğerleri 2011. Son çalışmalar, Barnosky ve diğerleri 2004; Avustralya için, Prideaux ve diğerleri 2007; Wroe & Field 2006; Rule ve diğerleri 2012. Ayrıca bkz. Lister & Bahn 2007.

s. 261–63 **Yeni teknikler: izotoplar** Zeder 1978; Heaton & other 1986. **Diğer kanıtlar** *Dossiers de l'Archéologie* 90, 1985 (yol izleri); Leakey 1987 (Laetoli yol izleri); Lister & Bahn 2007 (Mamut izleri ve dışkıları); Mead ve diğerleri 1986 (fosil dışkı).

s. 264–65 **İnsan çevresi** Burch 1971 (deneysel olmayan). **Ateş** Shahack-Gross ve diğerleri 1997 (kemikler üzerinde tanımlama); Brain & Sillen 1988 (Swartkrans); Goren-Inbar ve diğerleri 2004, Alperson-Afil 2008 (İsrail); Berna ve diğerleri 2012 (Wonderwerk); Schiegl ve diğerleri 1996 (İsrail mağaraları); Weiner ve diğerleri 1998 (Çin); Shahack-Gross ve diğerleri 2014 (Qesem). Legge 1972 (mağara iklimleri); Leroi-Gourhan 1981 (bitki döşekleri); Rottländer & Schlichtherle 1979, 264–66 (hayvan derileri); Nadel ve diğerleri 2004 (Ohalo); Cabanes ve diğerleri 2010 (Esquilleu); Wadley ve diğerleri 2011 (Sibudu).

s. 265–69 **Bahçeler** Leach 1984 (Maori); Cunliffe 1971 (Fishbourne); Jashemski 1979, 1986 (Pompeii); Farrar 1998 (Roma); Wiseman 1998; Lentz ve diğerleri 1996 (Céren); ayrıca bkz. *Garden History* 1972'den itibaren ve *Journal of Garden History* 1981'den itibaren. Ayrıca Miller & Gleason 1994. **Arazi kullanımı** Genel: Aston 1997. Flannery 1982 (Maya tepelik tarlaları); Bradley, R. 1978 (İngiliz tarla sistemleri); Miyaji 1995, He Jiejun 1999 (çeltik tarlaları); Coles & Coles 1996, 140; Weiner 1992 (kuyu). **Kirlenme** Addyman 1980 (York'ta kirlenme); Hong ve diğerleri 1994, 1996; Renberg ve diğerleri 1994, Shotyk ve diğerleri 1998, Rosman ve diğerleri 1997, Ferrari ve diğerleri 1999, Montero & Orejas 2000 (kurşun kirlenmesi). **Höyükler altındaki** saban izleri: Fowler & Evans 1967; Rowley-Conwy 1987. **Orman ve bitki örtüsü** Coles & Coles 1986 (Somerset Levels); Piggott 1973 (Dalladies höyüğü); Rue 1987 (Copan polen analizi).

s. 269–71 **Ada çevreleri** Çevresel tahrip genel: Diamond 1986. Dönüşüm ve soyların tükenmesi Kirch 1982'de tartışılmıştır (Hawaii), 1983 (Polinezya); Anderson 1989, Holdaway & Jacomb 2000 (Yeni Zelanda); Steadman 1995. **Paskalya Adası** Bahn & Flenley 2011.

KUTULAR

s. 235 **Deniz ve buzul karotları** Yukarıdaki ana metin kaynaklarına bakınız.

s. 236 **İklim döngüleri: El Niño** Kerr 1996; Rodbell ve diğerleri 1996; Sandweiss ve diğerleri 1996; Fagan 1999. Huaca de la Luna: Bourget 1996.

s. 242–43 **Mağara çökeltileri** Magee & Hughes 1982 (Colless Creek); Guillien 1970 (donma-çözülme etkileri); Gascoyne 1992; Bar-Matthews ve diğerleri 1997, Zhang ve diğerleri 2008 (mağara dolguları); Laursen 2010 (mağara buzulları).

s. 246–47 **Doggerland** Gaffney ve diğerleri 2007, 2009.

s. 250–51 **Polen analizi** Langford ve diğerleri 1986, Holt ve diğerleri 2011; Holt & Bennett 2014 (otomatikleştirilmiş polen tanımlaması); Behre 1986 (polen diyagramlarında insan etkisi); Greig 1982 (şehirleşmiş arkeolojik alanlarda polenler).

s. 262–63 **Elands Körfezi Mağarası** Parkington 1981; Buchanan 1988.

s. 266–67 **Cahokia ve CBS** Milner 1998.

s. 268 **Kuk Bataklığı** Golson 1990; Bayliss-Smith & Golson 1992; Hope & Golson 1995; Denham 2003; Denham ve diğerleri 2003, 2004, 2004a.

Kaynakça

ADAMSON, D.A. ve diğerleri. 1980. Late Quaternary history of the Nile. *Nature* 287, 50–55.

ADDYMAN, P.V. 1980. Eburacum, Jorvik, York. *Scientific American* 242, 56–66.

—— **ve diğerleri.** 1976. Palaeoclimate in urban environmental archaeology at York, England. *World Arch.* 8 (2), 220–33.

ALLEY, R.B. 2002. *The Two Mile Machine. Ice cores, abrupt climate change, and our future.* Princeton Univ. Press.

—— **& BENDER, M.L.** 1998. Greenland Ice Core: Frozen in Time. *Scientific American* 278 (2), 66–71.

ALPERSON-AFIL, N. 2008. Continual fire-making by hominins at Gesher Benot Ya'aqov, Israel. *Quaternary Science Reviews* 27, 1733–39.

VAN ANDEL, T.H. 1989. Late Quaternary sea level changes and archaeology. *Antiquity* 63 (241) 733–45. Also 1990, 64, 151–52.

—— **& LIANOS, N.** 1984. High-resolution seismic reflection profiles for the reconstruction of post-glacial transgressive shorelines: an example from Greece. *Quaternary Research* 22, 31–45.

—— , **RUNNELS, C.N., & POPE, K.O.** 1986. Five thousand years of land use and abuse in the Southern Argolid, Greece. *Hesperia: Journal of the American School of Classical Studies at Athens* 55 (1), 103–28.

—— , **ZANGGER, E., & DEMITRACK, A.** 1990. Land use and soil erosion in prehistoric and historical Greece. *Journal of Field Arch.* 17, 379–96.

ANDERSON, A. 1989. *Prodigious Birds: Moas and Moa-Hunting in New Zealand.* Cambridge Univ. Press.

ANDERSON, P.C. 1980. A testimony of prehistoric tasks: diagnostic residues on stone tool working edges. *World Arch.* 12, 181–94.

ANDREWS, P. 1991. *Owls, Caves and Fossils.* Univ. of Chicago Press.

ARMITAGE, P.L. 1975. The extraction and identification of opal phytoliths from the teeth of ungulates. *Journal of Arch. Science* 2, 187–97.

ASTON, M. 1997. *Interpreting the Landscape* (3. basım) Routledge: Londra.

ATKINSON, T.C., BRIFFA, K.R., & COOPE, G.R. 1987. Seasonal temperatures in Britain during the past 22,000 years, reconstructed using beetle remains. *Nature* 325, 587–92.

BAHN, F. & FLENLEY, J. 2011. *Easter Island, Earth Island.* (gözden geçirilmiş 3. baskı) Rapa Nui Press: Santiago.

BAR-MATTHEWS, M. ve diğerleri. 1997. Late Quaternary paleoclimate in the Eastern Mediterranean region from stable isotope analysis of speleothems at Soreq Cave, Israel. *Quaternary Research* 47, 155–68.

BARNOSKY, A.D. ve diğerleri 2004. Assessing the causes of late Pleistocene extinctions on the continents. *Science* 306, 70–75.

BATTARBEE, R.W. 1986. Diatom analysis, şurada *Handbook of Holocene Palaeoecology and Palaeohydrology* (B.E. Berglund ed.), 527–70. Wiley: Londra.

BAYLISS-SMITH, T. & GOLSON, J. 1992. Wetland agriculture in New Guinea Highlands, şurada *The Wetland Revolution in Prehistory* (B. Coles, ed.), 15–17. Prehist. Soc/WARP: Exeter.

BEHRE, K.-E. (ed.). 1986. *Anthropogenic Indicators in Pollen Diagrams.* Balkema: Rotterdam & Boston.

BELL, M. & WALKER, M.J.C. 1992. *Late Quaternary Environmental Change. Physical and Human Perspectives.* Longman: Londra.

BLOOM, A.L. ve diğerleri. 1974. Quaternary sea level fluctuations on a tectonic coast: New 230Th/234U dates from the Huon Peninsula, New Guinea. *Quaternary Research* 4, 185–205.

BERNA, F. ve diğerleri. 2012. Microstratigraphic evidence of in situ fire in the Acheulean strata of Wonderwerk Cave, Northern Cape province, South Africa. *Proc. Nat. Acad. Sciences* 109 (20), E1215–20.

BONNEFILLE, R. 1983. Evidence for a cooler and drier climate in the Ethiopian uplands towards 2.5 Myr ago. *Nature* 303, 487–91.

BORDES, F. 1953. *Recherches sur les limons quaternaires du bassin de la Seine.* Archives de l'Institut de Paléontologie Humaine, No. 26: Paris.

BOURGET, S. 1996. *Proyecto Arqueológico Huaca de la Luna: Informe Técnico 1995, Vol. I Textos* (S. Uceda & R. Morales ed.), 52–61. Universidad Nacional de La Libertad-Trujillo: Trujillo.

BRADBURY, J.P. 1975. Diatom stratigraphy and human settlement in Minnesota. *Geol. Soc. of America, Special Paper* 171, 1–74.

BRADLEY, R. 1978. Prehistoric field systems in Britain and north-west Europe: a review of some recent work. *World Arch.* 9, 265–80.

BRADLEY, R.S. 1985. *Quaternary Paleoclimatology: Methods of Paleoclimatic Reconstruction.* Allen & Unwin: Boston & Londra.

BRAIN, C.K. & SILLEN, A. 1988. Evidence from the Swartkrans cave for the earliest use of fire. *Nature* 336, 464–66.

BRASSELL, S.C. ve diğerleri. 1986. Molecular stratigraphy: a new tool for climatic assessment. *Nature* 320, 129–33.

BRYANT, V.M. & HOLLOWAY, R.G. 1983. The role of palynology in archaeology, şurada *Advances in Archaeological Method and Theory* 6 (M.B. Schiffer ed.), 191–224. Academic Press: Londra & New York.

BUCHANAN, W.F. 1988. *Shellfish in prehistoric diet. Elands Bay, S.W. Cape Coast, South Africa.* British Arch. Reports, Int. Series 455: Oxford.

BUCKLAND, P.C. 1976. The use of insect remains in the interpretation of archaeological environments, şurada *Geoarchaeology* (D.A. Davidson & M.L. Shackley ed.), 369–96. Duckworth: Londra.

BURCH, E.S. 1971. The nonempirical environment of the Arctic Alaskan Eskimos. *Southwestern Journal of Arch.* 27, 148–65.

BURROUGHS, W.J. 2005. *Climate Change in Prehistory.* Cambridge University Press.

BUTZER, K.W. 1983. Global sea-level stratigraphy: an appraisal. *Quaternary Science Reviews* 2, 1–15.

CABANES, D. ve diğerleri. 2010. Phytolith evidence for hearths and beds in the Late

Mousterian occupations of Esquilleu Cave (Cantabria, Spain). *Journal of Archaeological Science* 37, 2947–57.

CHALOUPKA, G. 1984. *From Palaeoart to Casual Paintings.* Northern Territory Museum of Arts and Sciences, Darwin. Monograph 1.

—— 1993. *Journey in Time.* Reed: Chatswood, NSW.

CHAPPELL, J. & SHACKLETON, N.J. 1986. Oxygen isotopes and sea level. *Nature* 324, 137–40.

CHARLES, C. 1997. Cool tropical punch of the ice ages. *Nature* 385, 681–83.

CLARKE, G.R. 1971. *The Study of Soil in the Field.* (5. basım) Oxford Univ. Press.

CLIMAP Project Members. 1976. The Surface of the Ice-Age Earth. *Science* 191, 1131–37.

COLES, B. & COLES, J. 1986. *Sweet Track to Glastonbury: The Somerset Levels in Prehistory.* Thames & Hudson: Londra & New York.

COLES, J. & COLES, B. 1996. *Enlarging the Past. The Contribution of Wetland Archaeology.* Soc. of Antiquaries of Scotland Mono. Series 11: Edinburgh.

COLLCUTT, S.N. 1979. The analysis of Quaternary cave sediments. *World Arch.* 10, 290–301.

COOPE, G.R. 1977. Quaternary coleoptera as aids in the interpretation of environmental history, şurada *British Quaternary Studies: Recent Advances.* (F.W. Shotton ed.), 55–68. Oxford Univ. Press.

—— , **MORGAN, A., & OSBORNE, P.J.** 1971. Fossil coleoptera as indicators of climatic fluctuations during the last glaciation in Britain. *Palaeogeography, Palaeoclimatology, Palaeoecology* 10, 87–101.

COURTY, M.-A. 1990. Soil micromorphology in archaeology, şurada *New Developments in Archaeological Science* (A.M. Pollard ed.), 39–59. Proc. of British Academy 77, Oxford Univ. Press.

—— **ve diğerleri.** 1990. *Soils and Micromorphology in Archaeology.* Cambridge Univ. Press.

CUNLIFFE, B.F. 1971. *Fishbourne.* Thames & Hudson: Londra.

CURRY, A. 2006. A Stone Age world beneath the Baltic Sea. *Science* 314, 1533–35.

DAHL-JENSEN, D. ve diğerleri. 1998. Past temperatures directly from the Greenland Ice Sheet. *Science* 282, 268–71.

DALES, G.F. 1965. Civilization and floods in the Indus valley. *Expedition* 7, 10–19.

DAVIES, P. 2008. *Snails. Archaeology and Landscape Change.* Oxbow: Oxford.

DAVIS, S.J.M. 1987. *The Archaeology of Animals.* Batsford: Londra; Yale Univ. Press: New Haven.

DAWSON, A.G., SMITH, D.E., & LONG, D. 1990. Evidence for a Tsunami from a Mesolithic site in Inverness, Scotland. *Journal of Arch. Science* 17, 509–12.

DEACON, H.J. 1979. Excavations at Boomplaas Cave: a sequence through the Upper Pleistocene and Holocene in South Africa. *World Arch.* 10 (3), 241–57.

DELCOURT, H.R. & DELCOURT, P.A. 1991. *Quaternary Ecology. A Palaeoecological Perspective.* Chapman & Hall: Londra.

DENHAM, T.P. 2003. Archaeological evidence for mid-Holocene agriculture in the interior of Papua New Guinea: a critical review, şurada *Perspectives on prehistoric agriculture in New Guinea. Archaeology in Oceania* (T.P. Denham

& C. Ballard ed.) Special Issue 38(3).
—— ve diğerleri. 2003. Origins of agriculture at Kuk Swamp in the Highlands of New Guinea. *Science* 301, 189–93.
—— ve diğerleri. 2004. New evidence and revised interpretations of early agriculture in Highland New Guinea. *Antiquity* 78, 839–57.
—— ve diğerleri. 2004a. Reading early agriculture at Kuk Swamp, Wahgi Valley, Papua New Guinea: the archaeological features (phases 1–3). *Proceedings of the Prehistoric Society* 70, 259–97.
DIAMOND, J.M. 1986. The environmentalist myth. *Nature* 324, 19–20.
DIMBLEBY, G. 1969. Pollen analysis, şurada *Science in Archaeology* (D.R. Brothwell & E.S. Higgs ed.), 167–77. (2. basım) Thames & Hudson: Londra.
—— 1978. *Plants and Archaeology*. Paladin: Londra.
—— 1985. *The Palynology of Archaeological Sites*. Academic Press: Londra & New York.
DINCAUZE, D.F. 2000. *Environmental Archaeology. Principles and Practice*. Cambridge Univ. Press.
DODGE, R.E. ve diğerleri. 1983. Pleistocene sea levels from raised coral reefs of Haiti. *Science* 219, 1423–25.
DORN, R.I. & DENIRO, M.J. 1985. Stable carbon isotope ratios of rock varnish organic matter: a new palaeo-environmental indicator. *Science* 227, 1472–74.
EDWARDS, K.J. 1979. Palynological and temporal inference in the context of prehistory, with special reference to the evidence from lake and peaty deposits. *Journal of Arch. Science* 6, 255–70.
ELIAS, S.A. (ed.). 1994. *Quaternary Insects and their Environments*. Smithsonian Institution Press: Washington & Londra.
—— ve diğerleri. 1996. Life and times of the Bering land bridge. *Nature* 382, 60–63.
EPICA COMMUNITY MEMBERS 2004. Eight glacial cycles from an Antarctic ice core. *Nature* 429, 623–28.
EVANS, J.G. 1972. *Land Snails in Archaeology*. Seminar Press: Londra.
—— 1978. *An Introduction to Environmental Archaeology*. Paul Elek: Londra.
FAEGRI, K., ve diğerleri (ed.) 1989. *Textbook of Pollen Analysis*. (4. basım) Wiley: Londra.
FAGAN, B. 1999. *Floods, Famines, and Emperors: El Niño and the Fate of Civilizations*. Basic Books: New York.
FARRAR, L. 1998. *Ancient Roman Gardens*. Sutton Press: Stroud.
FERRARI, C. ve diğerleri. 1999. Ice archives of atmospheric pollution from mining and smelting activities during Antiquity, şurada *Metals and Antiquity* (S.M. Young ve diğerleri ed.), 211–16. British Arch. Reports Int. Series 792. Oxford.
FIELLER, N.R.J., GILBERTSON, D.D., & RALPH, N.G.A. (ed.). 1985. *Palaeoenvironmental Investigations: Research Design, Methods and Data Analysis*. British Arch. Reports, Int. Series 258: Oxford.
FIRESTONE, R.B. ve diğerleri. 2007. Evidence for an extraterrestrial impact 12,900 years ago that contributed to the megafaunal extinctions and the Younger Dryas cooling. *Proceedings of the National Academy of Sciences* 104(41), 16016–21.
FISK, H.N. 1944. *Summary of the geology of the lower alluvial valley of the Mississippi River*.

Mississippi River Commission: War Dept., US Army.
FLANNERY, K.V. (ed.) 1982. *Maya Subsistence*. Academic Press: New York & Londra.
FOWLER, P.J. & EVANS, J.G. 1967. Plough marks, lynchets and early fields. *Antiquity* 41, 289–301.
FRAPPIER, A. ve diğerleri. 2007. A stalagmite proxy record of recent tropical cyclone events. *Geology* 7 (2), 111–14.
FRENCH, C. 2003. *Geoarchaeology in Action*. Routledge: Londra.
FRITTS, H.C. 1976. *Tree Rings and Climate*. Academic Press: New York & Londra.
GAFFNEY, V. ve diğerleri. (ed.). 2007. *Mapping Doggerland: The Mesolithic Landscapes of the Southern North Sea*. Archaeopress: Oxford.
—— & —— 2009. *Europe's Lost World: The Rediscovery of Doggerland*. CBA Research Report 160: Londra.
GASCOYNE, M. 1992. Paleoclimate determination from cave calcite deposits. *Quaternary Science Reviews* 11, 609–32.
GIDDINGS, J.L. 1966. Cross-dating the archaeology of northwestern Alaska. *Science* 153, 127–35.
—— 1967. *Ancient Men of the Arctic*. Knopf: New York.
GIRLING, M.A. & GREIG, J. 1985. A first fossil record for *Scolytus scolytus* (F.) (elm bark beetle): Its occurrence in elm decline deposits from Londra and the implications for Neolithic elm disease. *Journal of Arch. Science* 12, 347–51.
GOLDBERG, P. & MACPHAIL, R. I. 2006. *Practical and Theoretical Geoarchaeology*. Blackwell: Oxford.
GOLSON, J. 1990. Kuk and the development of agriculture in New Guinea: retrospection and introspection, şurada *Pacific Production Systems. Approaches to Economic Prehistory* (D.E. Yen & J.M.J. Mummery ed.), 139–47. Occ. Papers in Prehistory 18, Research School of Pacific Studies, Australian National Univ.: Canberra.
GOREN-INBAR, N. ve diğerleri. 2004. Evidence of hominin control of fire at Gesger Benot Ya'aqov, Israel. *Science* 304, 725–27.
GOUDIE, A. 1992. *Environmental Change. Contemporary Problems in Geography*. (3. basım) Oxford Univ. Press: Oxford & New York.
GRAYSON, D.K. & MELTZER, D.J. 2003. A requiem for North American overkill. *Journal of Arch. Science* 30: 585–93.
GREIG, J. 1982. The interpretation of pollen spectra from urban archaeological deposits, şurada *Environmental Archaeology in the Urban Context* (A.R. Hall & H.K. Kenward ed.), 47–65. Council for British Arch., Research Report 43: Londra.
GRINSTED, M.J. & WILSON, A.T. 1979. Variations of 13C/12C ratio in cellulose of *Agathus australis* (kauri) and climatic change in New Zealand during the last millennium. *New Zealand Journal of Science* 22, 55–61.
GUILLIEN, Y. 1970. Cryoclase, calcaires et grottes habitées. *Bull. Soc. Préhist. française* 67, 231–36.
HARDING, A. (ed.). 1982. *Climatic Change in Later Prehistory*. Edinburgh Univ. Press.
HEATON, T.H.E. ve diğerleri. 1986. Climatic influence on the isotopic composition of bone nitrogen. *Nature* 322, 822–23.
HEBSGAARD, M.B. ve diğerleri. 2009. 'The

Farm Beneath the Sand': an archaeological case study on ancient 'dirt' DNA. *Antiquity* 83, 430–44.
HE JIENJUN. 1999. Excavations at Chengtoushan in Li County, Hunan Province, China. *Bulletin of the Indo-Pacific Prehistory Association* 18: 101–03.
HOLDAWAY, R.N. & JACOMB, C. 2000. Rapid exctinction of the Moas (Aves: Dinornithiformes): model, text, and implications. *Science* 287: 2250–54.
HOLT, K.A. & BENNETT, K.D. 2014. Principles and methods for automated palynology. *New Phytologist* doi: 10.1111/nph.12848
HOLT, K. ve diğerleri. 2011. Progress towards an automated trainable pollen location and classifier system for use in the palynology laboratory. Review of Palaeobotany and Palynology 167, 175–83.
HONG, S. ve diğerleri. 1994. Greenland ice evidence of hemispheric lead pollution two millennia ago by Greek and Roman civilizations *Science* 265, 1841–43.
—— & —— 1996. History of ancient copper smelting pollution during Roman and medieval times recorded in Greenland ice. *Science* 272, 246–49.
HOPE, G. & GOLSON, J. 1995. Late Quaternary Change in the Mountains of New Guinea. *Antiquity* 69, 818–30.
HU, F.S. ve diğerleri. 1999. Abrupt changes in North American climate during early Holocene times. *Nature* 400:437–40.
JAMESON, M., RUNNELS, C.N., & VAN ANDEL, T.H. 1995. *A Greek Countryside. The Southern Argolid from Prehistory to the Present Day*. Cambridge Univ. Press.
JARMAN, H.N., LEGGE, A.J., & CHARLES, J.A. 1972. Retrieval of plant remains from archaeological sites by froth flotation, şurada *Papers in Economic Prehistory* (E.S. Higgs ed.), 39–48. Cambridge Univ. Press.
JASHEMSKI, W.F. 1979. *The Gardens of Pompeii, Herculaneum and the villas destroyed by Vesuvius*. Cilt 1. Caratzas Brothers: New Rochelle. 1994, Cilt 2.
—— 1986. L'archéologie des jardins de Pompéi. *La Recherche* 17, 990–91.
KERR, R.A. 1996. Ice rhythms: core reveals a plethora of climate cycles. *Science* 274, 499–500.
KIRCH, P.V. 1982. The impact of the prehistoric Polynesians on the Hawaiian ecosystem. *Pacific Science* 36, 1–14.
—— 1983. Man's role in modifying tropical and subtropical Polynesian ecosystems. *Archaeology in Oceania* 18, 26–31.
KLEIN, R.G. 1984. The large mammals of southern Africa: Late Pliocene to Recent, şurada *Southern Africa: Prehistory and Palaeoenvironments* (R.G. Klein ed.), 107–46. Balkema: Rotterdam & Boston.
—— & CRUZ-URIBE, K. 1984. *The Analysis of Animal Bones from Archaeological Sites*. Univ. of Chicago Press.
KOIKE, H. 1986. Jomon shell mounds and growth-line analysis of molluscan shells, şurada *Windows on the Japanese Past: Studies in Archaeology and Prehistory* (R.J. Pearson ve diğerleri ed.), 267–78. Center for Japanese Studies, Univ. of Michigan.
KUKLA, G.J. 1975. Loess stratigraphy of Central Europe, şurada *After the Australopithecines* (K.W. Butzer & G.L. Isaac ed.), 99–188. Mouton: The Hague.

—— 1987. Loess stratigraphy in Central China. *Quaternary Science Reviews* 6, 191–219.

LAMBECK, K. ve diğerleri. 2004. Sea level in Roman times in the Central Mediterranean and implications for recent change. *Earth and Planetary Science Letters* 224, 563–75.

LANGFORD, M., TAYLOR, G., & FLENLEY, J.R. 1986. The application of texture analysis for automated pollen identification, şurada *Proc. Conference on Identification and Pattern Recognition*, Toulouse, Haziran 1986, cilt 2, 729–39. Univ. Paul Sabatier: Toulouse.

LARA, A. & VILLALBA, R. 1993. A 3620-year temperature record from *Fitzroya cupressoides* tree rings in southern South America. *Science* 260, 1104–06.

LAURSEN, L. 2010. Climate scientists shine light on cave ice. *Science* 329, 746–47.

LAVILLE, H. 1976. Deposits in calcareous rock shelters: analytical methods and climatic interpretation, şurada *Geoarchaeology* (D.A. Davidson & M.L. Shackley ed.), 137–57. Duckworth: Londra.

——, RIGAUD, J-P., & SACKETT, J. 1980. *Rock shelters of the Périgord. Geological stratigraphy and archaeological succession.* Academic Press: Londra & New York.

LEACH, H. 1984. *1,000 Years of Gardening in New Zealand.* Reed: Wellington.

LEAKEY, M. 1987. Animal prints and trails, şurada *Laetoli, a Pliocene site in northern Tanzania* (M. Leakey & J.M. Harris ed.), 451–89. Clarendon Press: Oxford.

LEGGE, A.J. 1972. Cave climates, şurada *Papers in Economic Prehistory*, (E.S. Higgs ed.), 97–103. Cambridge Univ. Press.

LENTZ, D.L. ve diğerleri. 1996. Foodstuffs, forests, fields and shelter: a paleoethnobotanical analyis of vessel contents from the Cerén site, El Salvador. *Latin American Antiquity* 7 (3), 247–62.

LEROI-GOURHAN, A. 1981. Pollens et grottes ornées, şurada *Altamira Symposium* (1980), 295–97. Madrid.

LEVESQUE, A.J. ve diğerleri. 1997. Exceptionally steep north–south gradients in lake temperatures during the last deglaciation. *Nature* 385, 423–26.

LEVY, S. 2011. *What Ice Age Extinctions Tell us about the Fate of Earth's Largest Animals.* Oxford University Press.

LIMBREY, S. 1975. *Soil Science and Archaeology.* Academic Press: Londra & New York.

LISTER, A. & BAHN, P. 2007. (3. basım). *Mammoths.* Frances Lincoln: Londra / University of California Press: Berkeley.

LOWE, J.J. & WALKER, M.J.C. 1997. *Reconstructing Quaternary Environments.* (2. basım). Longman: Harlow.

LYONS, S.K. ve diğerleri. 2004. Was a 'hyperdisease' responsible for the late Pleistocene megafaunal extinction? *Ecology Letters* 7, 859–68.

MACPHEE, R.D. & MARX, P.A. 1997. The 40,000 year plague: humans, hyperdisease, and first contact extinctions, şurada *Natural Change and Human Impact in Madagascar* (S.M. Goodman & B.D. Patterson, ed.), 169–217. Smithsonian Institution Press: Washington D.C.

MAGEE, J.W. & HUGHES, P.J. 1982. Thinsection analysis and the geomorphic history of the Colless Creek archaeological site in northwestern Queensland, şurada *Archaeometry: An Australian Perspective*

(W. Ambrose & P. Duerden ed.), 120–28. Australian National University: Canberra.

MANNION, A.M. 1987. Fossil diatoms and their significance in archaeological research. *Oxford Journal of Arch.* 6, 131–47.

—— 1991. *Global Environmental Change.* Longman: Londra.

MARTIN, P.S. & KLEIN, R.G. (ed.). 1984. *Quaternary Extinctions: A Prehistoric Revolution.* Univ. of Arizona Press: Tucson.

MASTERS, P.M. & FLEMMING, N.C. (ed.). 1983. *Quaternary Coastlines and Marine Archaeology.* Academic Press: Londra & New York.

MEAD, J.I. ve diğerleri. 1986. Dung of *Mammuthus* in the Arid Southwest, North America. *Quaternary Research* 25, 121–27.

MIDDLETON, W. & ROVNER, I. 1994. Extraction of opal phytoliths from herbivore dental calculus. *Journal of Arch. Science* 21, 469–73.

MILLER, G.H. ve diğerleri. 1999. Pleistocene extinction of *Genyornis newtoni.* Human impact on Australian megafauna. *Science* 283, 205–08.

MILLER, N.F. & GLEASON, K.L. (ed.). 1994. *The Archaeology of Garden and Field.* Pennsylvania University Press: Philadelphia.

MILNER, G. 1998. *The Cahokia Chiefdom.* Smithsonian Institution Press: Washington, D.C.

MINNIS, P.E. 1987. Identification of wood from archaeological sites in the American Southwest. *Journal of Arch. Science* 14, 121–32.

MIYAJI, A. 1995. Ikejima-Fukumanji site at Osaka, Japan. *NewsWARP* (Newsletter of Wetland Archaeol. Research Project) 17, Mayıs, 6–11.

MONTERO, I. & OREJAS, A. 2000. Contaminación medioambiental en la antigüedad. Actividades minerometalúrgicas. *Revista de Arqueología* XXI, 236, Aralık, 6–15.

MOORE, P.D., WEBB, J.A., & COLLINSON, M.E. 1991. *Pollen Analysis* (2. basım) Blackwell Scientific: Oxford.

NADEL, D. ve diğerleri. 2004. Stone Age hut in Israel yields world's oldest evidence of bedding. *Proc. National Academy of Sciences* 101 (9), 6821–26.

O'CONNOR, T. 2000. *The Archaeology of Animal Bones.* Sutton: Stroud.

O'CONNOR, T. & EVANS, J.G. 2005. *Environmental Archaeology. Principles and Methods.* 2. basım Tempus: Stroud.

ORLIAC, M. 1975. Empreintes au latex des coupes du gisement magdalénien de Pincevent: technique et premiers résultats. *Bulletin de la Société Préhistorique française* 72, 274–76.

OSBORNE, P.J. 1976. Evidence from the insects of climatic variation during the Flandrian period: a preliminary note. *World Arch.* 8, 150–58.

OWEN-SMITH, N. 1987. Pleistocene extinctions: the pivotal role of megaherbivores. *Paleobiology* 13, 351–62.

PALMER, P. 1976. Grass cuticles: a new paleoecological tool for East African lake sediments. *Canadian Journal of Botany* 54, No. 15, 1725–34.

PARKIN, D.W. & SHACKLETON, N.J. 1973. Trade winds and temperature correlations down a deep-sea core off the Saharan coast. *Nature* 245, 455–57.

PARKINGTON, J. 1981. The effects of

environmental change on the scheduling of visits to the Elands Bay Cave, Cape Province, South Africa, şurada *Pattern of the Past. Studies in Honour of David Clarke* (I. Hodder ve diğerleri ed.), 341–59. Cambridge Univ. Press.

PEARSALL, D.M. 1982. Phytolith analysis: applications of a new paleo-ethnobotanical technique in archaeology. *American Anthropologist* 84, 862–71.

—— 1989. *Paleoethnobotany.* Academic Press: New York & Londra.

PERRY, I. & MOORE, P.D. 1987. Dutch elm disease as an analogue of Neolithic elm decline. *Nature* 326, 72–73.

PIGGOTT, S. 1973. The Dalladies long barrow: NE Scotland. *Antiquity* 47, 32–36.

PIPERNO, D.R. 1985. Phytolithic analysis of geological sediments from Panama. *Antiquity* 59, 13–19.

—— 2006. *Phytoliths. A comprehensive guide for archaeologists and paleoecologists.* AltaMira Press: Lanham, MD.

PINTER, N. ve diğerleri. 2011. The Younger Dryas impact hypothesis: a requiem. *Earth-Science Reviews* 106 (3–4), 247–64.

POINAR, H.N. ve diğerleri. 1998. Molecular coproscopy: dung and diet of the extinct Ground Sloth *Nothrotheriops shastensis. Science* 281, 402–06.

POPE, K.O. & VAN ANDEL, T.H. 1984. Late quaternary alluviation and soil formation in the Southern Argolid: its history, causes, and archaeological implications. *Journal of Arch. Science* 11, 281–306.

PRIDEAUX, G.J. ve diğerleri. 2007. An arid-adapted middle Pleistocene vertebrate fauna from south-central Australia. *Nature* 445, 422–25.

PYDDOKE, E. 1961. *Stratification for the Archaeologist.* Phoenix House: Londra.

RAIKES, R.L. 1984. *Water, Weather and Prehistory.* Raikes: Wales; Humanities Press: N.J.

RAPP, G. & HILL, C.L. 2006. *Geoarchaeology.* 2. basım Yale Univ. Press: New Haven.

—— & MULHOLLAND, S.C. (ed.). 1992. *Phytolith Systematics: emerging issues.* Cilt 1. Advances in Archaeological and Museum Science. Plenum: New York.

REITZ, E. & SHACKLEY, M. 2012. *Environmental Archaeology.* Springer: New York.

REDMAN, C.L. 1999. *Human Impact on Ancient Environments.* University of Arizona Press: Tucson.

RENBERG, I., PERSSON, M.W., & EMTERYD, O. 1994. Pre-industrial atmospheric lead contamination detected in Swedish lake sediments. *Nature* 368, 323–26.

RENFREW, J. 1973. *Palaeoethnobotany.* Methuen: Londra.

ROBERTS, N. 1998. *The Holocene: An Environmental History.* (2. basım). Blackwell: Oxford.

RODBELL, D.T. ve diğerleri. 1999. An ~15,000-year record of El Niño-driven alluviation in Southwestern Ecuador. *Science* 283, 516–20.

ROSMAN, K. ve diğerleri. 1997. Lead from Carthaginian and Roman Spanish mines isotopically identified in Greenland ice dated from 600 BC to 300 AD. *Environmental Science & Technology* 31 (12): 3413–16.

ROTTLÄNDER, R.C.A. & SCHLICHTHERLE, H. 1979. Food identification of samples from archaeological sites. *Archaeo Physika* 10, 260–67.

ROVNER, I. 1983. Plant opal phytolith analysis: major advances in archaeobotanical research, şurada *Advances in Archaeological Method and Theory* 6 (M.D. Schiffer ed.), 225–66. Academic Press: New York & Londra.

ROWLEY-CONWY, P. 1987. The interpretation of ard marks. *Antiquity* 61, 263–66.

RUE, D.J. 1987. Early agriculture and early Postclassic Maya occupation in western Honduras. *Nature* 326, 285–86.

RULES, S. ve diğerleri. 2012. The aftermath of megafaunal extinction: ecosystem transformation in Pleistocene Australia. *Science* 335, 1483–86.

RUNNELS, C.N. 1995. Environmental degradation in ancient Greece. *Scientific American* 272, 72–75.

SANCETTA, C., IMBRIE, J., & KIPP, N. 1973. Climatic record of the past 130,000 years in North Atlantic deep-sea core V23-82; correlation with the terrestrial record. *Quaternary Research* 3, 110–16.

VAN DER SANDEN, W. 1996. *Through Nature to Eternity. The Bog Bodies of Northwest Europe.* Batavian Lion International: Amsterdam.

SANDWEISS, D.H. ve diğerleri. 1996. Geoarchaeological evidence from Peru for a 5000 years B.P. onset of El Niño. *Science* 273, 1531–33.

SCHIEGL, S. ve diğerleri. 1996. Ash deposits in Hayonim and Kebara Caves, Israel: macroscopic, microscopic and mineralogical observations, and their archaeological implications. *Journal of Arch. Science* 23, 763–81.

SCHMID, E. 1969. Cave sediments and prehistory, şurada *Science in Archaeology* (D.R. Brothwell & E.S. Higgs ed.), 151–66. (2. basım) Thames & Hudson: Londra.

SCHWEINGRUBER, F.H. 1996. *Tree Rings and Environment: Dendroecology.* Paul Haupt Publishers: Berne.

SEVERINGHAUS, J.P. ve diğerleri. 1999. Abrupt climatic change at the end of the last glacial period inferred from trapped air in polar ice. *Science* 286: 930–34 (ayrıca bkz. 934–37).

SHACKLETON, J.C. & VAN ANDEL, T.H. 1980. Prehistoric shell assemblages from Franchthi Cave and evolution of the adjacent coastal zone. *Nature* 288, 357–59.

—— & —— 1986. Prehistoric shore environments, shellfish availability, and shellfish gathering at Franchthi, Greece. *Geoarchaeology: an International Journal* 1 (2), 127–43.

SHACKLEY, M. 1975. *Archaeological Sediments.* Butterworth: Londra.

—— 1982. *Environmental Archaeology.* Allen & Unwin: Londra.

SHAHACK-GROSS, R. ve diğerleri. 1997. Blackcoloured bones in Hayonim Cave, Israel: differentiating between burning and oxide staining. *Journal of Arch. Science* 24, 439–46.

—— ve diğerleri. 2014. Evidence for the repeated use of a central hearth at Middle Pleistocene (300 ky ago) Qesem Cave, Israel. *Journal of Arch. Science* 44, 12–21.

SHOTYK, W. ve diğerleri. 1998. History of atmospheric lead deposition since 12,370 ^{14}C yr BP from a peat bog, Jura Mountains, Switzerland. *Science* 281, 1635–40.

SIMMONS, I.G. 1989. *Changing the Face of the Earth. Culture, Environment, History.* Blackwell: Oxford.

SMITH, D.E. 2002. The Storegga disaster. *Current Archaeology* XV (11), 179, Mayıs, 472–73.

SNEH, A. & WEISSBROD, T. 1973. Nile Delta: The defunct Pelusiac branch identified. *Science* 180, 59–61.

SPEER, J.H. 2010. *Fundamentals of Tree-Ring Research.* University of Arizona Press: Tucson.

SPENCE, C. (ed.). 1990. *Archaeological Site Manual.* (2. basım) Museum of Londra.

STAHLE, D.W. ve diğerleri. 1998. The Lost Colony and Jamestown Droughts. *Science* 280, 564–67.

STEADMAN, D.W. 1995. Prehistoric extinctions of Pacific island birds: Biodiversity meets Zooarchaeology. *Science* 267, 1123–31.

STINE, S. 1994. Extreme and persistent drought in California and Patagonia during mediaeval times. *Nature* 369: 546–49.

STREET, M. 1986. Un Pompéi de l'âge glaciaire. *La Recherche* 17, 534–35.

STUART, A.J. 2015. Late Quaternary megafaunal extinctions on the continents: a short review. *Geological Journal* (baskıda).

SUROVELL, T.A. ve diğerleri. 2009. An independent evaluation of the Younger Dryas extraterrestrial impact hypothesis. *Proceedings of the National Academy of Sciences* 106(43), 18155–58.

SUTCLIFFE, A.J. 1985, *On the Track of Ice Age Mammals.* British Museum (Natural History): Londra.

THOMPSON, F.H. (ed.). 1980. *Archaeology and Coastal Change.* Soc. of Antiquaries, Occasional Paper, New Series 1.

THOMPSON, L.G. ve diğerleri. 1995. Late Glacial stage and Holocene tropical ice core records from Huascarán, Peru. *Science* 269, 46–50.

—— & —— 1998. A 25,000-year tropical climate history from Bolivian ice cores. *Science* 282, 1858–64.

THUNELL, R.C. 1979. Eastern Mediterranean Sea during the last glacial maximum: an 18,000 years B.P. reconstruction. *Quaternary Research* 11, 353–72.

TRAVERSE, A. 1988. *Paleopalynology.* Unwin Hyman: Boston.

TRAVIS, J. 2010. Archaeologists see big promise in going molecular. *Science* 330, 28–29.

VAN DE NOORT, R. 2013. *Climate Change Archaeology: Building Resilience from Research in the World's Coastal Wetlands.* Oxford Univ. Press.

VITA-FINZI, C. 1973. *Recent Earth History.* Macmillan: Londra.

—— 1978. *Archaeological Sites in their Setting.* Thames & Hudson: Londra & New York.

VOORHIPS, A. & JANSMA, M.J. 1974. Pollen and diatom analysis of a shore section of the former Lake Wevershoof. *Geologie en Mijnbouw* 53, 429–35.

WADLEY, L. ve diğerleri. 2011. Middle Stone Age bedding construction and settlement patterns at Sibudu, South Africa. *Science* 334, 1388–91.

WATSON, P.J. 1976. In pursuit of prehistoric subsistence: a comparative account of some contemporary flotation techniques. *Mid-Continental Journal of Archaeology* 1, 77–99.

WEINER, J. 1992. The Bandkeramik wooden well of Erkelenz-Kückhoven. *NewsWARP* (Newsletter of the Wetland Arch. Research Project) 12, 3–11 (ayrıca 16, 1994, 5–17).

WEINER, S. ve diğerleri. 1998. Evidence for the use of fire at Zhoukoudian, China. *Science* 281, 251–53.

WEST, F.H. (ed.). 1996. *American Beginnings. The Prehistory and Palaeoecology of Beringia.* Univ. of Chicago Press: Chicago & Londra.

WESTERN, A.C. 1969. Wood and charcoal in archaeology, şurada *Science in Archaeology* (D.R. Brothwell & E.S. Higgs ed.), 178–87. (2. basım) Thames & Hudson: Londra.

WILKINSON, K. & STEVENS, C. 2008. *Environmental Archaeology: Approaches, Techniques and Applications.* Tempus: Stroud.

WILKINSON, P.F. 1971. Pollen, archaeology and man. *Archaeology & Physical Anthropology in Oceania* 6, 1–20.

WILLIAMS, D. 1973. Flotation at Siraf. *Antiquity* 47, 288–92.

WILLIAMS, M. ve diğerleri. 1998. *Quaternary Environments.* (2. basım). Edward Arnold: Londra.

WILSON, A.T. & HENDY, C.H. 1971. Past wind strength from isotope studies. *Nature* 234, 344–45.

WISEMAN, J. 1998. The art of gardening. Eating well at a Mesoamerican Pompeii. *Archaeology* 51 (1), 12–16.

WROE, S. & FIELD, J. 2006. A review of the evidence for a human role in the extinction of Australian megafauna and an alternative explanation. *Quaternary Science Reviews* 25, 2692–703.

ZEDER, M.A. 1978. Differentiation between the bones of caprines from different ecosystems in Iran by the analysis of osteological microstructure and chemical composition, şurada *Approaches to Faunal Analysis in the Middle East* (R.M. Meadow & M.A. Zeder ed.), 69–84. Peabody Museum of Arch. & Ethnol., Bull. No. 2.

ZHANG, P. ve diğerleri. 2008. A test of climate, sun, and culture relationships from an 1810-year Chinese cave record. *Science* 322, 940–42.

Bölüm 7: Ne Yiyorlardı? Yiyecek ve Beslenme (s. 273-316)

s. 273–74 **Paleoetnobotanik** Genel: Renfrew 1973, 1991; van Zeist & Casparie 1984; Greig 1989; Pearsall 2009; Hastorf & Popper 1989; Brooks & Johannes 1990; Dimbleby 1978; Yeni Dünya için: Ford 1979; Gremillon 1997, Smith 1992, van Zeist ve diğerleri 1991; Lentz ve diğerleri 1996 (Cerén).

s. 274–77 **Makrobotanik kalıntılar**, özellikle şehir kontekstinde: Hall, A. 1986; Greig 1983; Dennell 1974 (dâhili kanıt), 1976. Hillman 1984a & b, 1985; Jones 1984 (etnografik modelleri ya da arkeolojik deneyleri kullanan harici analizler); Miller 1996 (dışkıdan gelen tohumlar).

s. 277–79 **Mikrobotanik kalıntılar** Madella ve diğerleri 2002 (Amud); Fujiwara 1979, 1982 (pirinç fitolitleri); Hillman ve diğerleri 1993 (bitkilerdeki kimyasallar). Bitki baskıları Reid & Young 2000 (tohum aşınması). Takase 2011, Obata ve diğerleri 2011 (Japonya).

s. 279–81 **Bitki işleme** Dennell 1974, 1976; Hubbard 1975, 1976. Also Hillman 1981 (kömürleşmiş kalıntılar); Jones ve diğerleri 1986 (ekin depolama). Bitki kalıntıları Genel: Hill & Evans 1987. Özellikle: Grüss 1932 (erken çalışmalar); Loy ve diğerleri 1992; Piperno & Holst 1998, Piperno ve diğerleri 2000 (nişasta taneleri); Pearsall ve diğerleri 2004 (Real Alto); Liu ve diğerleri 2010 (Çin); Nadel ve diğerleri 2012 (Ohalo); Mercader

2009 (Mozambik); Piperno & Dillehay 2008, Henry ve diğerleri 2012 (dişler); Rottländer & Schlichtherle 1979 (Neolitik çanak çömlek parçaları); Rottländer & Hartke 1982 (Roma çanak çömlek parçaları); Rottländer 1986 (Heuneburg); Hansson & Foley 2008 (amfora DNA'sı); Craig ve diğerleri 2013 (Japonya); Samuel 1996 (Mısır ekmeği ve birası); Hather 1994 (yeni teknikler); McGovern 1998; McGovern ve diğerleri 1996a, 1996b, McGovern 2003, 2009 (erken şaraplar); McGovern ve diğerleri 2004 (pirinç şarabı); Hastorf & DeNiro 1985 (izotop analizi); Evershed ve diğerleri 1991 (çömlek malzemesi analizi).

s. 281–82 **Bitkilerin kültüre alınması** Genel: Zohary & Hopf 1993; Hillman ve diğerleri 1989a. Özellikle: Hillman & Davies 1990; Tanno & Willcox 2006; Allaby ve diğerleri 2008 (kültüre alma oranları); Smith 1984 (*Chenopodium* çalışması); Butler 1989 (baklagiller). Fitolitler ve mısırın kültüre alınması: Piperno ve diğerleri 1985; Piperno ve diğerleri 2001, Tykot & Staller 2002, Pearsall ve diğerleri 2004 (Ekvador mısırı); Piperno & Pearsall 1998, Piperno & Stothert 2003 (Panama mısırı ve Ekvador sukabağı). Ubuka bataklığı, Japonya: Tsukuda ve diğerleri 1986. Buğday DNA'sı: Brown ve diğerleri 1993; Heun ve diğerleri 1997.

s. 282–83 **Pişirme ve elektron döngü rezonansı** Hillman ve diğerleri 1985. Lindow Adamı üzerindeki çalışma: Stead ve diğerleri 1986.

s. 283 **Okuryazar toplumlarda bitkilere dair kanıt** Crawford 1979, Darby ve diğerleri 1977, Saffirio 1972 (Mısır); Davies 1971 (Roma askeri diyeti); Garnsey 1988, Forbes & Foxhall 1978, Foxhall & Forbes 1982 (Yunan-Roma dünyası); UNESCO 1984, 86 (T'ang tahıl depoları).

s. 286 **Hayvan kaynakları** Genel: Reitz & Wing 2008; Davis 1987; Grayson 1984; Hesse & Wapnish 1985; Meadow 1980; Lyman 1994, 2008; O'Connor 2000; Campana ve diğerleri 2010; Sykes 2014. 1987'de bir uzman süreli yayın çıkmaya başlamıştır: *Archaeozoologia*.

s. 286–88 **İnsanların hayvanlardan yararlanması** Genel: Clutton-Brock & Grigson 1983; Blumenschine 1986; Blumenschine & Cavallo 1992. Olduvai/Koobi Fora çalışmaları Bunn 1981'de anlatılmıştır; Bunn & Kroll 1986; Potts & Shipman 1981; Shipman & Rose 1983; Potts 1988; Ferraro ve diğerleri 2013 (Kenya). Lomekwi: Harmand ve diğerleri 2015. Dikika: McPherron ve diğerleri 2010; Njau 2012; karşıt görüş, Domínguez-Rodrigo ve diğerleri 2012. Ayrıca Clutton-Brock & Grigson 1983'teki ve *Journal of Human Evolution* 15 (8) Aralık 1986'daki makalelere bakınız. Kemiklerin ezilmesi: Behrensmeyer ve diğerleri 1986; Olsen & Shipman 1988.

s. 288 **Makrofauna buluntu grupları** Eski Pueblo 1983 (Garnsey).

s. 289 **Yaş, cinsiyet ve mevsimsellik** Hesse 1984; Zeder & Hesse 2000; Silver 1969; Wilson ve diğerleri 1982.

s. 289–302 **Hayvanların evcilleştirilmesi** Genel: Clutton-Brock 1999; Collier & White 1976; Crabtree 1993; Davis 1987; Hemme 1990; Higgs & Jarman 1969; Jarman & Wilkinson 1972; Olsen 1979; Vigne ve diğerleri 2005; Zeder ve diğerleri 2006; Colledge ve diğerleri 2013. Meadow 1996 (Mehrgarh sığırı); Dransart 1991, 2002, ve Zeder ve diğerleri 2006'daki çeşitli makaleler (devegiller); Bahn

1978 (Buzul Çağı hayvanlarının kontrolü); Chaix ve diğerleri 1997 (ağızlıklı ayı). Hastalık ve deformasyon: Baker & Brothwell 1980. Telarmarchay devegilleri: Wheeler 1984. Troy ve diğerleri 2001; Hanotte ve diğerleri 2002; Blench & MacDonald 2000; Zhang ve diğerleri 2013 (sığır DNA'sı); Vila ve diğerleri 2001 (at DNA'sı); Larson ve diğerleri 2005 (domuz DNA'sı); Ovodov ve diğerleri 2011, Larson ve diğerleri 2012, Thalmann ve diğerleri 2013 (köpek DNA'sı); Loreille ve diğerleri 1997 (koyun/keçi DNA'sı); Travis 2010 (kolajen).

s. 302–03 **Küçük fauna: kuşlar** Serjeantson 2009; Anderson, A. 1989 (moa alanları, özellikle Hawksburn); Holdaway & Jacomb 2000; Stewart ve diğerleri 2013, 2014 (kabuk analizi). **Balık** Casteel 1974a; Brinkhuizen & Clason 1986; Wheeler & Jones 1989; ve balık eti ağırlıkları hakkında, Casteel 1974b. **Mikrofauna ve böcekler** Aumassip ve diğerleri 1982/3 (çekirgeler); Hall, R.A. & Kenward 1976 (York tahıl ambarları). **Yumuşakçalar** Claassen 1998; Meighan 1969; Shackleton 1969; Bailey 1975; Kirch & Yen 1982 (Tikopia); Stein 1992.

s. 305–06 **Mevsimsellik çalışmaları** Monks 1981. Oronsay balık otolitleri: Mellars & Wilkinson 1980. Genel yumuşakça mevsimselliği: Sheppard 1985.

s. 306–08 **Hayvan kaynaklarından yararlanma: balıkçılık ve avcılık** Andersen 1986, 2013 (Tybrind Vig teknesi); Noe-Nygaard 1974, 1975 (hayvan kemiklerindeki yaralar); Keeley & Toth 1981 (mikroaşınma analizi); Backwell & d'Errico 2001, 2008 (termitler). **Kan kalıntıları** Fiedel 1996; Lombard 2014; Eisele ve diğerleri 1995; Newman ve diğerleri 1996. **Yağ kalıntıları** Mulville & Outram 2005. Rottländer & Schlichtherle 1979 (Geissenklösterle ve Lommersum); Brochier 1983 (mağarada sürü bakımı); Schelvis 1992, Chepstow-Lusty 2011 (akarlar); Bull ve diğerleri 1999 (gübre); Wilkinson 1989, Forbes 2013 (sit dışı buluntu dağılımları). **Kaplardaki kalıntılar** Grüss 1933; Dudd & Evershed 1998, Craig ve diğerleri 2000 (süt); Rottländer & Hartke 1982 (Michelsberg); McGovern ve diğerleri 1999 (Midas); Patrick ve diğerleri 1985 (Kasteelberg). **Animal tracks** Leakey 1987 (Laetoli); Roberts ve diğerleri 1996 (Mersey); Price 1995 (İsveç).

s. 308–09 **İkincil Ürün Devrimi** Sherratt 1981; Bogucki 1986; Salque ve diğerleri 2013 (LBK sütçülüğü); Craig ve diğerleri 2005; Evershed ve diğerleri 2008; Dunne ve diğerleri 2012 (süt kalıntıları); Copley ve diğerleri 2003 Yang ve diğerleri 2014 (peynir).

s. 309–310 **Sanat ve edebiyat** Jett & Moyle 1986 (Mimbres alanı).

s. 310 **Bireysel öğünler** Hall 1974 (Çinli kadının mezarı).

s. 310–12 **İnsan kalıntıları: bireysel öğünler** Eski Pueblo bağırsakları: Reinhard ve diğerleri 1992; Bataklık adamlarının mide muhtevası: Brothwell 1986; van der Sanden 1996, 8. Bölüm. Lindow Adamı: Hillman 1986; Stead & Turner 1985; Stead ve diğerleri 1986. **Dışkı malzemesi** İnsan dışkısının tespiti: Bethell ve diğerleri 1994. Genel: Bryant & Williams-Dean 1975; Callen 1969; Reinhard & Bryant 1992. Tehuacan: Callen 1967; Callen & Cameron 1960. Nevada: Heizer 1969. Bearsden'deki çalışmalar: Knights ve diğerleri 1983. Lağım çukurları genel: Greig 1982.

İnsan sindirim sisteminden geçmiş organik kalıntıların korunma özellikleri Calder 1977'de listelenmiştir.

s. 312 **Dişler** Puech 1978, 1979a, 1979b; Puech ve diğerleri 1980; Fine & Craig 1981; Larsen 1983 (Georgia). **Fitolitler** Lalueza & Pérez-Pérez 1994.

s. 312–15 **İzotop yöntemleri: kemik kolajeni** Price 1989. **Karbon izotopu analizleri** Tauber 1981 (Danimarka); Schulting & Richards 2002, 2002a (yakın tarihli çalışmalar); Chisholm ve diğerleri 1982, 1983 (İngiliz Kolombiyası); Sponheimer & Lee-Thorp 1999, Balter ve diğerleri 2012 (Australopithecus'lar); Sponheimer ve diğerleri 2006 (lazer ablasyonu); van der Merwe ve diğerleri 1981 (Venezuela); Schwarcz ve diğerleri 1985 (Ontario); Sealy 1986; Richards ve diğerleri 2003 (Britanya); Ambrose & DeNiro 1986 (Doğu ve Güney Afrika). **Nitrojen izotopları** Schoeninger ve diğerleri 1983; Dorozynski & Anderson 1991, Richards ve diğerleri 2001, Richards & Schmitz 2008 (Neanderthal'ler); Svitil 1994 (Nübyeliler). **Stronsiyum analizi** Sillen 1994; Schoeninger 1981 (Yakındoğu); Schoeninger 1979 (Chalcatzingo); Schoeninger & Peebles 1981 (yumuşakçalar). Bkz. *Journal of Arch. Science* 18 (3), Mayıs 1991 (beslenme alışkanlığı sayısı).

KUTULAR

s. 276–77 **Paleoetnobotanik** Wendorf ve diğerleri 1980; Hillman ve diğerleri 1989b; Hillman 1989 (Wadi Kubbaniya).

s. 278 **Butser** Reynolds 1979, 2000; ve bkz. http://www.butser.org.uk.

s. 284–85 **Yakındoğu'da tarımın doğuşu** Bar-Yosef & Belfer-Cohen 1989; Bar-Yosef 1998; Harris 1996; Cowan & Watson 1992; Braidwood & Howe 1960; Hole ve diğerleri 1969; Mellaart 1967; Binford 1968; Flannery 1965; Higgs & Jarman 1969; Renfrew, J. 1973; Vita-Finzi & Higgs 1970; Nadel & Hershkovitz 1991; Nesbitt 1995; Smith 1998; Bender 1978; Kislev ve diğerleri 1992 (Ohalo); Bar-Yosef & Meadow 1995; Cauvin 2000; Heun ve diğerleri 1997; Bellwood 2005; Weiss ve diğerleri 2006; Fuller ve diğerleri 2011.

s. 290–91 **Star Carr** Legge & Rowley-Conwy 1988, Milner ve diğerleri 2013.

s. 292–93 **Tafonomi** Genel: Lyman 1994; Weigelt 1989; Behrensmeyer & Hill 1980; Bahn 1983; Noe-Nygaard 1977, 1987; Gifford 1981. Ayrıca Brain 1981 (Güney Afrika'daki çalışmalar); Binford 1981; Binford & Bertram 1977 (Kuzey Amerika'daki çalışmalar); Speth 1983 (Garnsey arkeolojik alanı); ayrıca 2003'ten beri çıkan *Journal of Taphonomy*.

s. 294–95 **Hayvan kemiklerinin ölçümü** Sorunlar: Grayson 1979, 1984. Et ağırlığının hesaplanması: Lyman 1979; Smith 1975. Et kesimi çalışmaları: White 1953, 1953/4. Moncin: Harrison ve diğerleri 1994.

s. 296–97 **Bizon sürme alanları** Kehoe 1967 (Boarding School). Kehoe 1973 (Gull Gölü). Diğer sürme alanları: Speth 1983 (Garnsey) and Wheat 1972 (Olsen-Chubbuck).

s. 298 **Hayvan dişleri** Genel: Hillson 1986. Klein & Cruz-Uribe 1984 (diş aşınması); Singer & Wymer 1982 (Klasies Irmak Ağzı Mağarası); Fisher 1984 (Michigan mastodonları); Bourque ve diğerleri 1978 (diş kesiti alma teknolojisi); Spiess 1979 (Abri Pataud çalışmaları); Lieberman ve diğerleri 1990 (bilgisayarlı geliştirme).

s. 300–01 **Jerf el Ahmar** Willcox & Stordeur 2012, Asouti & Fuller 2013.

s. 304–05 **Artık kabuk analizi** Büyüme çizgileri: Koike 1986 (Kidosaku); Koike 1980 (Natsumidai). Oksijen izotoplarından yumuşakça mevsimselliği: Bailey ve diğerleri 1983; Killingley 1981; Shackleton 1973.

Kaynakça

ALLABY, R.G. ve diğerleri. 2008. The genetic expectations of a protracted model for the origins of domesticated crops. *Proceedings of the Academy of Sciences* 105, 13982–86.

AMBROSE, S.H. & DENIRO, M.J. 1986. Reconstruction of African human diet using bone collagen carbon and nitrogen isotope ratios. *Nature* 319, 321–24.

ANDERSEN, S.H. 1986. Mesolithic dug-outs and paddles from Tybrind Vig, Denmark. *Acta archaeologica* 57, 87–106.

—— 2013. *Tybrind Vig: submerged Mesolithic settlements of Denmark*. Jutland Arch. Society, Moesgård Museum: Højbjerg.

ANDERSON, A. 1989. *Prodigious Birds: Moas and Moa-hunting in New Zealand*. Cambridge Univ. Press.

ASOUTİ, E. & FULLER, D.Q. 2013. A contextual approach to the emergence of agriculture in Southwest Asia: reconstructing Early Neolithic plant-food production. *Current Anthropology* 54 (3), 299–345.

AUMASSIP, G., BETROUNI, M., & HACHI, S. 1982/3. Une structure de cuisson de sauterelles dans les dépôts archéologiques de Ti-n-Hanakaten (Tassili-n-Ajjer, Algérie). *Libyca* 30/31, 199–202.

BACKWELL, L.R. & D'ERRICO, F. 2001. Evidence of termite foraging by Swartkrans early hominids. *Proc. Nat. Acad. Sciences* 98 (4), 1358–63.

—— & —— 2008. Early hominid bone tools from Drimolen, South Africa. *Journal of Arch. Science* 35, 2880–94.

BAHN, P.G. 1978. The "unacceptable face" of the West European Upper Palaeolithic. *Antiquity* 52, 183–92.

—— 1983. The case of the clumsy cave-bears. *Nature* 301, 565.

BAILEY, G.N. 1975. The role of molluscs in coastal economies: the results of midden analysis in Australia. *Journal of Arch. Science* 2, 45–62.

——, DEITH, M.R., & SHACKLETON, N.J. 1983. Oxygen isotope analysis and seasonality determinations: limits and potential of a new technique. *American Antiquity* 48, 390–98.

BAKER, J. & BROTHWELL, D. 1980. *Animal Diseases in Archaeology*. Academic Press: New York & Londra.

BALTER, V. ve diğerleri. 2012. Evidence for dietary change but not landscape use in South African early hominins. *Nature* 489, 558–60.

BAR-YOSEF, O. 1998. On the nature of transitions: the Middle to Upper Palaeolithic and the Neolithic Revolution. *Cambridge Arch. Journal* 8 (2), 141–63.

—— & BELFER-COHEN, A. 1989. The origins of sedentism and farming communities in the Levant. *Journal of World Prehistory* 3, 447–98.

—— & MEADOW, R.H. 1995. The origins of agriculture in the Near East, şurada *Last Hunters, First Farmers: New Perspectives on the Prehistoric Transition to Agriculture* (T.D. Price & A.B. Gebauer, ed.), 39–94. Sch. of American

Research Press: Santa Fe.

BEHRENSMEYER, A.K., GORDON, K.D., & YANAGI, G.T. 1986. Trampling as a cause of bone surface damage and pseudo-cutmarks. *Nature* 319, 768–71.

—— & HILL, A.P. (ed.). 1980. *Fossils in the Making, Vertebrate Taphonomy and Paleoecology*. Univ. of Chicago Press.

BELLWOOD, P. 2005. *First Farmers, the Origins of Agricultural Societies*. Blackwell: Oxford.

BENDER, B. 1978. Gatherer hunter to farmer: a social perspective. *World Arch.* 10, 204–22.

BETHELL, P.H. ve diğerleri. 1994. The study of molecular markers of human activity: the use of coprostanol in the soil as an indicator of human faecal material. *Journal of Arch. Science* 21, 619–32.

BINFORD, L.R. 1968. Post-Pleistocene adaptations, şurada *New Perspectives in Archaeology* (S.R. & L.R. Binford ed.), 313–41. Aldine: Chicago.

—— 1981. *Bones: Ancient Men and Modern Myths*. Academic Press: New York & Londra.

—— & BERTRAM, J.B. 1977. Bone frequencies and attritional processes, şurada *For Theory Building in Archaeology* (L.R. Binford ed.), 77–153. Academic Press: New York & Londra.

BLENCH, R.M. & MACDONALD, K.C. (ed.). 2000. *The Origins and Development of African Livestock: Archaeology, Genetics, Linguistics and Ethnography*. UCL Press: Londra.

BLUMENSCHINE, R.J. 1986. *Early Hominid Scavenging Opportunities*. British Arch. Reports, Int. Series 283: Oxford.

—— & CAVALLO, J.A. 1992. Scavenging and human evolution. *Scientific American, 267* (4), 70–76.

BOGUCKI, P. 1986. The antiquity of dairying in temperate Europe. *Expedition* 28 (2), 51–58.

BOURQUE, B.J., MORRIS, K., & SPIESS, A. 1978. Determining the season of death of mammal teeth from archaeological sites: a new sectioning technique. *Science* 199, 530–31.

BRAIDWOOD, R.J. & HOWE, B. 1960. *Prehistoric Investigations in Iraqi Kurdistan*. Oriental Institute: Chicago.

BRAIN, C.K. 1981. *The Hunters or the Hunted? An Introduction to African Cave Taphonomy*. Univ. of Chicago Press.

BRINKHUIZEN, D.C. & CLASON, A.T. (ed.). 1986. *Fish and Archaeology. Studies in Osteometry, Taphonomy, Seasonality and Fishing*. British Arch. Reports, Int. Series No. 294: Oxford.

BROCHIER, J.-E. 1983. Combustion et parcage des herbivores domestiques. Le point de vue sédimentologique. *Bulletin de Société Préhistorique française* 80, 143–45.

BROOKS, R.R. & JOHANNES, D. 1990. *Phytoarchaeology*. Leicester Univ. Press.

BROTHWELL, D. 1986. *The Bog Man and the Archaeology of People*. British Museum Publications: Londra.

—— & BROTHWELL, P. 1997. *Food in Antiquity: A Survey of the Diet of Early Peoples*. Johns Hopkins: Baltimore.

BROWN, T.A. ve diğerleri. 1993. Biomolecular archaeology of wheat: past, present and future. *World Arch.* 25, 64–73.

BRYANT, V.M. & WILLIAMS-DEAN, G. 1975. The coprolites of man. *Scientific American* 238, 100–09.

BULL, I.D. ve diğerleri. 1999. Muck 'n' molecules: organic geochemical methods for

detecting ancient manuring. *Antiquity* 73, 86–96.

BUNN, H.T. 1981. Archaeological evidence for meat-eating by Plio-Pleistocene hominids from Koobi Fora and Olduvai Gorge. *Nature* 291, 574–77.

—— & KROLL, E.M. 1986. Systematic butchery by Plio/Pleistocene hominids at Olduvai Gorge, Tanzania. *Current Anth.* 27, 431–52.

BUTLER, A. 1989. Cryptic-anatomical characters as evidence of early cultivation in the gram legumes (pulses), şurada *Foraging and Farming: The evolution of plant exploitation* (D.R. Harris & G.C. Hillman ed.). Unwin & Hyman: Londra.

CALDER, A.M. 1977. Survival properties of organic residues through the human digestive tract. *Journal of Arch. Science* 4, 141–51.

CALLEN, E.O. 1967. Analysis of the Tehuacán coprolites, şurada *The Prehistory of the Tehuacán Valley, 1: Environment and Subsistence* (D.S. Byers ed.), 261–89. Austin: Londra.

—— 1969. Diet as revealed by coprolites, şurada *Science in Archaeology* (D.R. Brothwell & E.S. Higgs ed.), 235–43. (2. basım) Thames & Hudson: Londra.

—— & CAMERON, T.W.M. 1960. A prehistoric diet revealed in coprolites. *New Scientist* 8, 35–40.

CAMPANA, D. ve diğerleri (ed.). 2010. *Anthropological Approaches to Zooarchaeology*. Oxbow Books: Oxford.

CASTEEL, R.W. 1974a. *Fish Remains in Archaeology and Paleo-environmental Studies*. Academic Press: New York & Londra.

—— 1974b. A method for estimation of live weight of fish from the size of skeletal elements. *American Antiquity* 39, 94–98.

CAUVIN, J. 2000. *The Birth of the Gods and the Origins of Agriculture*. Cambridge Univ. Press.

CHAIX, L. ve diğerleri. 1997. A tamed brown bear (*Ursus arctos L.*) of the Late Mesolithic from la Grande-Rivoire (Isère, France)? *Journal of Arch. Science* 24, 1067–74.

CHEPSTOW-LUSTY, A. 2011. Agro-pastoralism and social change in the Cuzco heartland of Peru: a brief history using environmental proxies. *Antiquity* 85, 570–82.

CHISHOLM, B.S., NELSON, D.E., & SCHWARCZ, H.P. 1982. Stable carbon isotope ratios as a measure of marine versus terrestrial protein of ancient diets. *Science* 216, 1131–32.

—— 1983. Marine and terrestrial protein in prehistoric diets on the British Columbia coast. *Current Anth.* 24, 396–98.

CLAASSEN, C. 1998. *Shells*. Cambridge Univ. Press.

CLUTTON-BROCK, J. 1999. *A Natural History of Domesticated Mammals*. Cambridge Univ. Press.

—— & GRIGSON, C. (ed.). 1983. *Animals and Archaeology, Vol. 1*. British Arch. Reports, Int. Series 163: Oxford.

COLLEDGE, S. ve diğerleri. 2013. *The Origins and Spread of Domestic Animals in Southwest Asia and Europe*. Left Coast Press: Walnut Creek, CA.

COLLIER, S. & WHITE, J.P. 1976. Getting them young? Age and sex inferences on animal domestication in archaeology. *American Antiquity* 41, 96–102.

COPLEY, M.S. ve diğerleri. 2003. Direct chemical evidence for widespread dairying in prehistoric Britain. *Proc. Nat. Acad. Science* 100

(4), 1524–29.

COWAN, C.W. & WATSON, P.J. (ed.). 1992. *The Origins of Agriculture. An international perspective.* Smithsonian Institution Press: Washington D.C.

CRABTREE, P.J. 1993. Early animal domestication in the Middle East and Europe, şurada *Archaeological Method and Theory 5* (M.B. Schiffer ed.), 201–45. Univ. of Arizona Press: Tucson.

CRAIG, O. ve diğerleri. 2000. Detecting milk proteins in ancient pots. *Nature* 408: 312.

—— **ve diğerleri.** 2005. Did the first farmers of central and eastern Europe produce dairy foods? *Antiquity* 79, 882–94.

—— **ve diğerleri.** 2013. Earliest evidence for the use of pottery. *Nature* 496, 351–54.

CRAWFORD, D.J. 1979. Food: Tradition and change in Hellenistic Egypt. *World Arch.* 11, 136–46.

DARBY, W.J., GHALIOUNGI, P., & GRIVETTI, L. 1977. *Food: The Gift of Osiris.* 2 cilt. Academic Press: New York & Londra.

DAVIS, S. 1987. *The Archaeology of Animals.* Batsford: Londra; Yale Univ. Press: New Haven.

DENNELL, R.W. 1974. Botanical evidence for prehistoric crop processing activities. *Journal of Arch. Science* 1, 275–84.

—— 1976. The economic importance of plant resources represented on archaeological sites. *Journal of Arch. Science* 3, 229–47.

DIMBLEBY, G. 1978. *Plants and Archaeology.* Paladin: Londra.

DOMÍNGUEZ-RODRİGO, M. ve diğerleri. 2012. Experimental study of cut marks made with rocks unmodified by human flaking and its bearing on claims of 3.4-million-year-old butchery evidence from Dikika, Ethiopia. *Journal of Arch. Science* 39, 205–14.

DOROZYNSKI, A. & ANDERSON, A. 1991. Collagen: a new probe into prehistoric diet. *Science* 254, 520–21.

DRANSART, P.Z. 1991. Herders and raw materials in the Atacama Desert. *World Archaeology* 22 (3), 304–19.

—— 2002. *Earth, Water, Fleece and Fabric: an ethnography and archaeology of Andean camelid herding.* Routledge: Londra.

DUDD, S.N. & EVERSHED, R.P. 1998. Direct demonstration of milk as an element of archaeological economies. *Science* 282, 1478–81.

DUNNE, J. ve diğerleri. 2012. First dairying in green Saharan Africa in the fifth millennium bc. *Nature* 486, 390–94.

EISELE, J.A. ve diğerleri. 1995. Survival and detection of blood residues on stone tools. *Antiquity* 69, 36–46.

EVERSHED, R.P., HERON, C., & GOAD, L.J. 1991. Epicuticular wax components preserved in potsherds as chemical indicators of leafy vegetables in ancient diets. *Antiquity* 65, 540–44.

—— **ve diğerleri.** 2008. Earliest date for milk use in the Near East and southeastern Europe linked to cattle dairying. *Nature* 455, 528–31.

FERRARO, J.V. ve diğerleri. 2013. Earliest archaeological evidence of persistent hominin carnivory. *PLoS ONE* 8(4): e62174.doi:10.1371/journal.pone.0062174

FIEDEL, S.J. 1996. Blood from stones? Some methodological and interpretative problems in blood residue analysis. *Journal of Arch. Science* 23, 139–47.

FINE, D. & CRAIG, G.T. 1981. Buccal surface wear of human premolar and molar teeth: a potential indicator of dietary and social differentiation. *Journal of Human Evolution* 10, 335–44.

FISHER, D.C. 1984. Mastodon butchery by North American Paleo-Indians. *Nature* 308, 271–72.

FLANNERY, K.V. 1965. The ecology of early food production in Mesopotamia. *Science* 147, 247–55.

FORBES, H.A. 2013. Off-site scatters and the manuring hypothesis in Greek survey archaeology. An ethnographic approach. *Hesperia* 82, 551–94.

—— **& FOXHALL, L.** 1978. "The Queen of all Trees". Preliminary notes on the Archaeology of the Olive. *Expedition* 21, 37–47.

FORD, R.I. 1979. Paleoethnobotany in American Archaeology, şurada *Advances in Archaeological Method and Theory* 2 (M.B. Schiffer ed.), 285–336. Academic Press: New York & Londra.

FOXHALL, L. & FORBES, H.A. 1982. *Sitometreia:* The role of grain as a staple food in classical antiquity, *Chiron* 12, 41–90.

FUJIWARA, H. 1979. Fundamental studies in plant opal analysis (3): estimation of the yield of rice in ancient paddy fields through quantitative analyses of plant opal. *Archaeology and Natural Sciences* 12, 29–42 (Japonca, İngilizce özetle birlikte).

—— 1982. Fundamental studies in plant opal analysis. Detection of plant opals in pottery walls of the Jomon period in Kumamoto Prefecture. *Archaeology and Natural Sciences* 14, 55–65 (Japonca, İngilizce özetle birlikte).

FULLER, D.O. ve diğerleri. 2011. Cultivation and domestication had multiple origins: arguments against the core area hypothesis for the origins of agriculture in the Near East. *World Archaeology* 43 (4), 628–52.

GARNSEY, P. 1988. *Famine and Food Supply in the Graeco-Roman World.* Cambridge Univ. Press.

GIFFORD, D.P. 1981 Taphonomy and Paleoecology: a critical review of Archaeology's sister disciplines, şurada *Advances in Archaeological Method and Theory* 4 (M.B. Schiffer ed.), 365–438. Academic Press: New York & Londra.

GRAYSON, D.K. 1979. On the quantification of vertebrate archaeofaunas, şurada *Advances in Archaeological Method and Theory* 2 (M.B. Schiffer ed.), 199–237. Academic Press: Londra & New York.

—— 1984. *Quantitative Zooarchaeology. Topics in the analysis of archaeological faunas.* Academic Press: New York & Londra.

GREIG, J. 1982. Garderobes, sewers, cesspits and latrines. *Current Arch* 85, 49–52.

—— 1983. Plant foods in the past: a review of the evidence from northern Europe. *Journal of Plant Foods* 5, 179–214.

—— 1989. *Archaeobotany.* Handbooks for Archaeologists 4. European Science Foundation: Strasbourg.

GREMILLION, K.J. (ed.). 1997. *People, Plants, and Landscapes: Studies in Paleoethnobotany.* Univ. of Alabama Press: Tuscaloosa.

GRÜSS, J. 1932. Die beiden ältesten Weine unserer Kulturwelt. *Forschungen und Fortschritte* 8, 23–24.

—— 1933. Über Milchreste aus der Hallstattzeit und andere Funde. *Forschungen und Fortschritte* 9, 105–6.

HALL, A. 1986. The fossil evidence for plants in medieval towns. *Biologist* 33 (5), 262–67.

HALL, A.J. 1974. A lady from China's past. *National Geographic* 145 (5), 660–81.

HALL, R.A. & KENWARD, H.K. 1976. Biological evidence for the usage of Roman riverside warehouses at York. *Britannia* 7, 274–76.

HANOTTE, O. ve diğerleri. 2002. African pastoralism: genetic imprints of origins and migrations. *Science* 296, 336–39.

HANSSON, M.C. & FOLEY, B.P. 2008. Ancient DNA fragments inside Classical Greek amphoras reveal cargo of 2400-year-old shipwreck. *Journal of Archaeological Science* 35, 1169–76.

HARRIS, D.R. (ed.).1996. *The Origins and Spread of Agriculture and Pastoralism in Eurasia.* UCL Press: Londra.

HARRISON, R.J., MORENO-LOPEZ, G., & LEGGE, A.J. 1994. *Moncin: un poblado de la Edad del Bronce (Borja, Zaragoza).* Collection Arqueologia No. 16, Gobierno de Aragon: Zaragoza, Cometa.

HASTORF, C.A. & DENIRO, M.J. 1985. Reconstruction of prehistoric plant production and cooking practices by a new isotopic method. *Nature* 315, 489–91.

—— **& POPPER, V.S.** (ed.). 1989. *Current Palaeoethnobotany: Analytical Methods and Cultural Interpretations of Archaeological Plant Remains.* Univ. of Chicago Press.

HATHER, J.G. (ed.). 1994. *Tropical Archaeobotany.* Routledge: Londra.

HEIZER, R.G. 1969. The anthropology of prehistoric Great Basin human coprolites, şurada *Science in Archaeology* (D.R. Brothwell & E.S. Higgs ed.), 244–50. (2. basım) Thames & Hudson: Londra.

HEMME, R.H. 1990. *Domestication.* Cambridge Univ. Press.

HENRY, A.G. ve diğerleri. 2012. The diet of Australopithecus sediba. *Nature* 487, 90–93.

HESSE, B. 1984. These are our goats: the origins of herding in West Central Iran, şurada *Animals and Archaeology, Vol. 3: Early Herders and their Flocks* (J. Clutton-Brock & C. Grigson ed.), 243–64. British Arch. Reports, Int. Series 202: Oxford.

—— **& WAPNISH, P.** 1985. *Animal Bone Archaeology: From objectives to analysis.* Taraxacum: Washington.

HEUN, M. ve diğerleri. 1997. Site of einkorn wheat domestication identified by DNA fingerprinting. *Science* 278, 1312–14. (ayrıca bkz. 279, s. 302 & 1433.)

HIGGS, E.S. & JARMAN, M.R. 1969. The origins of agriculture: a reconsideration. *Antiquity* 43, 31–41.

HILL, H.E. & EVANS, J. 1987. The identification of plants used in prehistory from organic residues, şurada *Archaeometry: Further Australasian Studies* (W.R. Ambrose & J.M.J. Mummery ed.), 90–96. Australian National Univ.: Canberra.

HILLMAN, G.C. 1981. Reconstructing crop husbandry practices from charred remains of crops, şurada *Farming Practice in British Prehistory* (R. Mercer ed.), 123–62. Edinburgh Univ. Press.

—— 1984a. Interpretation of archaeological plant remains: the application of ethnographic models from Turkey, şurada *Plants and Ancient Man* (W. van Zeist & W.A. Casparie ed.), 1–41. Balkema: Rotterdam.

—— 1984b. Traditional husbandry and processing of archaic cereals in modern times: part 1, the glume wheats. *Bull. of Sumerian Agriculture* 1, 114–52.

—— 1985. Traditional husbandry and processing of archaic cereals in modern times: part 2, the free-threshing cereals. *Bull. of Sumerian Agriculture* 2, 21–31.

—— 1986. Plant foods in ancient diet: the archaeological role of palaeofaeces in general and Lindow Man's gut contents in particular, şurada *Lindow Man. The Body in the Bog* (I.M. Stead ve diğerleri ed.), 99–115. British Museum Publications: Londra.

—— 1989. Late palaeolithic plant foods from Wadi Kubbaniya in Upper Egypt: dietary diversity, infant weaning and seasonality in a riverine environment, şurada *Foraging and Farming: the Evolution of Plant Exploitation* (D.R. Harris & G.C. Hillman ed.), 207–39. Unwin Hyman: Londra.

——, COLLEDGE, S.M., & HARRIS, D.R. 1989a. Plant-food economy during the Epi-Palaeolithic period at Tell Abu Hureyra, Syria: Dietary diversity, seasonality and modes of exploitation, şurada *Foraging and Farming: The Evolution of Plant Exploitation* (D.R. Harris & G.C. Hillman ed.) 240–68. Unwin Hyman: Londra.

——, MADEYSKA, E., & HATHER, J. 1989b. Wild plant foods and diet at Late Palaeolithic Wadi Kubbaniya: Evidence from charred remains, şurada *The Prehistory of Wadi Kubbaniya. Vol. 2: Studies in Late Palaeolithic Subsistence* (F. Wendorf ve diğerleri ed.). Southern Methodist Univ. Press: Dallas.

—— & DAVIES, M.S. 1990. Measured domestication rates in wild wheats and barley under primitive cultivation and their archaeological implications. *Journal of World Prehistory* 4, 157–222.

—— ve diğerleri. 1985. The use of Electron Spin Resonance Spectroscopy to determine the thermal histories of cereal grains. *Journal of Arch. Science* 12, 49–58.

—— ve diğerleri. 1993. Identifying problematic remains of ancient plant foods: A comparison of the role of chemical, histological and morphological criteria. *World Arch.* 25, 94–121.

HILLSON, S. 1986. *Teeth.* Cambridge Univ. Press.

HOLDAWAY, R.N. & JACOMB, C. 2000. Rapid extinction of the Moas (Aves: Dinornithiformes): model, test and implications. *Science* 287, 2250–54.

HOLE, F., FLANNERY, K.V., & NEELY, J.A. 1969. *Prehistory and Human Ecology of the Deh Luran Plain.* Museum of Anthropology: Ann Arbor.

HUBBARD, R.N.L.B. 1975. Assessing the botanical component of human palaeoeconomies. *Bull. Inst. Arch. Londra* 12, 197–205.

—— 1976. On the strength of the evidence for prehistoric crop processing activities. *Journal of Arch. Science* 3, 257–65.

JARMAN, M.R. & WILKINSON, P.F. 1972. Criteria of animal domestication, şurada *Papers in Economic Prehistory* (E.S. Higgs ed.), 83–96. Cambridge Univ. Press.

JETT, S.C. & MOYLE, P.B. 1986. The exotic origins of fishes depicted on prehistoric Mimbres pottery from New Mexico. *American Antiquity* 51, 688–720.

JONES, G.E.M. 1984. Interpretation of archaeological plant remains. Ethnographic models from Greece, şurada *Plants and Man* (W. van Zeistand & W.A. Casparie ed.), 43–61. Balkema: Rotterdam.

JONES, G. ve diğerleri. 1986. Crop storage at Assiros. *Scientific American* 254, 84–91.

KEELEY, L.H. & TOTH, N. 1981. Microwear polishes on early stone tools from Koobi Fora, Kenya. *Nature* 293, 464–65.

KEHOE, T.F. 1967. *The Boarding School Bison Drive Site.* Plains Anthropologist, Memoir 4.

—— 1973. *The Gull Lake Site: a prehistoric bison drive site in southwestern Saskatchewan.* Publications in Anth. & History No. 1: Milwaukee Public Museum.

KILLINGLEY, J.S. 1981. Seasonality of mollusk collecting determined from 0–18 profiles of midden shells. *American Antiquity* 46, 152–58.

KIRCH, P.V. & YEN, D.E. 1982. *Tikopia: the Prehistory and Ecology of a Polynesian Outlier.* Bishop Museum Bull. 238: Honolulu.

KISLEV, M.E., NADEL, D., & CARMI, I. 1992. Epipalaeolithic (19,000 BP) cereal and fruit diet at Ohalo II, Sea of Galilee, Israel. *Review of Palaeobotany and Palynology* 73, 161–66.

KLEIN, R.G. & CRUZ-URIBE, K. 1984. *The Analysis of Animal Bones from Archaeological Sites.* Univ. of Chicago Press.

KNIGHTS, B.A. ve diğerleri. 1983. Evidence concerning Roman military diet at Bearsden, Scotland, şurada the 2nd century AD. *Journal of Arch. Science* 10, 139–52.

KOIKE, H. 1980. *Seasonal dating by growth-line counting of the clam,* Meretrix lusoria. *Toward a reconstruction of prehistoric shell-collecting activities in Japan.* Univ. Museum Bull. 18, Univ. of Tokyo.

—— 1986. Prehistoric hunting pressure and paleobiomass: an environmental reconstruction and archaeozoological analysis of a Jomon shellmound area, şurada *Prehistoric Hunter-Gatherers in Japan – New Research Methods* (T. Akazawa & C.M. Aikens ed.), 27–53. Univ. Museum Bull. 27, Univ. of Tokyo.

LALUEZA, C.J.J. & PÉREZ-PÉREZ, A. 1994. Dietary information through the examination of plant phytoliths on the enamel surface of human dentition. *Journal of Arch. Science* 21, 29–34.

LARSEN, C.S. 1983. Behavioural implications of temporal change in cariogenesis. *Journal of Arch. Science* 10, 1–8.

LARSON, G. ve diğerleri. 2005. Worldwide phylogeography of wild boar reveals multiple centers of pig domestication. *Science* 307, 1618–21.

—— ve diğerleri. 2012. Rethinking dog domestication by integrating genetics, archeology and biogeography. *Proc. Nat. Acad. Sciences* 109 (23), 8878–83.

LEAKEY, M. 1987. Animal prints and trails, şurada *Laetoli, a Pliocene site in northern Tanzania* (M. Leakey & J.M. Harris ed.), 451–89. Clarendon Press: Oxford.

LEGGE, A.J. & ROWLEY-CONWY, P.A. 1987. Gazelle killing in Stone Age Syria. *Scientific American* 257 (2), 76–83.

—— & —— 1988. *Star Carr Revisited: a Reanalysis of the Large Mammals.* Birkbeck College, Centre for Extra-Mural Studies: Londra.

LEGGE, A.J. & ROWLEY-CONWY, P.A. 1988. *Star Carr Revisited: a Reanalysis of the Large Mammals.* Birkbeck College, Centre for Extra-Mural Studies: Londra.

LENTZ, D.L. ve diğerleri. 1996. Foodstuffs, forests, fields and shelter: a paleoethnobotanical analysis of vessel contents from the Cerén site, El Salvador. *Latin American Antiquity* 7 (3), 247–62.

LIEBERMAN, D.E., DEACON, T.W., & MEADOW, R.H. 1990. Computer image enhancement and analysis of cementum increments as applied to teeth of *Gazella gazella. Journal of Arch. Science* 17, 519–33.

LIU, L. ve diğerleri. 2010. What did grinding stones grind? New light on Early Neolithic subsistence economy in the Middle Yellow River Valley, China. *Antiquity* 84, 816–33.

LOMBARD, M. 2014. In situ presumptive test for blood residues applied to 62,000-year-old stone tools. *South African Arch. Bulletin* 69, 80–86.

LOREILLE, O. ve diğerleri. 1997. First distinction of sheep and goat archaeological bones by the means of their fossil DNA. *Journal of Arch. Science* 24, 33–37.

LOY, SPRIGGS, M., & WICKLER, S. 1992. Direct evidence for human use of plants 28,000 years ago: starch residues on stone artefacts from the northern Solomon Islands. *Antiquity* 66, 898–912.

LYMAN, R.L. 1979. Available meat from faunal remains: a consideration of techniques. *American Antiquity* 44, 536–46.

—— 1994. *Vertebrate Taphonomy.* Cambridge University Press.

—— 2008. *Quantitative Paleozoology.* Cambridge University Press.

MCGOVERN, P.E. 1998. Wine for eternity/ wine's prehistory. *Archaeology* 51 (4), Temmuz/Ağustos, 28–34.

—— 2003. *Ancient Wine: The Search for the Origins of Viniculture.* Princeton Univ. Press.

—— 2009. *Uncorking the Past: the quest for wine, beer and other alcoholic beverages.* University of California Press: Berkeley.

——, FLEMING, S., & KATZ, S. (ed.). 1996a. *The Origins and Ancient History of Wine.* Gordon & Breach: New York.

—— ve diğerleri. 1996b. Neolithic resinated wine. *Nature* 381, 480–01.

—— ve diğerleri. 1999. A funerary feast fit for King Midas. *Nature* 402, 863–64.

—— ve diğerleri. 2004. Fermented beverages of pre- and proto-historic China. *Proc. National Academy of Sciences* 101 (51), 17593–98.

MCPHERRON, S.P. ve diğerleri. 2010. Evidence for stone-tool-assisted consumption of animal tissues before 3.39 million years ago at Dikika, Ethiopia. *Nature* 466, 857–60.

MADELLA, M. ve diğerleri. 2002. The exploitation of plant resources by Neanderthals in Amud Cave (Israel): the evidence from phytolith studies. *Journal of Arch. Science* 29, 703–19.

MEADOW, R.H. 1980. Animal bones: problems for the archaeologist together with some possible solutions. *Paléorient* 6, 65–77.

—— 1996. The origins and spread of agriculture and pastoralism in northwestern South Asia, şurada *The Origins and Spread of Agriculture and Pastoralism in Eurasia* (D.R. Harris ed.), 390–412. UCL Press: Londra.

MEIGHAN, C.W. 1969. Molluscs as food remains in archaeological sites, şurada *Science in Archaeology* (D.R. Brothwell & E.S. Higgs ed.), 415–22. (2. basım) Thames & Hudson: Londra.

MELLAART, J. 1967. *Çatal Hüyük.* Thames &

Hudson: Londra.

MELLARS, P.A. & WILKINSON, M.R. 1980. Fish otoliths as evidence of seasonality in prehistoric shell middens: the evidence from Oronsay (Inner Hebrides). *Proc. Prehist. Soc.* 46, 19–44.

MERCADER, J. 2009. Mozambican grass seed consumption during the Middle Stone Age. *Science* 326, 1680–83.

VAN DER MERWE, N.J., ROOSEVELT, A.C., & VOGEL, J.C. 1981. Isotopic evidence for prehistoric subsistence change at Parmana, Venezuela. *Nature* 292, 536–38.

MILLER, N.F. 1996. Seed eaters of the ancient Near East: Human or herbivore? *Current Anth.* 37 (3), 521–28.

MILNER, N. ve diğerleri. 2013. *Star Carr. Life in Britain after the Ice Age.* Council for British Archaeology: York.

MONKS, G.M. 1981. Seasonality studies, şurada *Advances in Archaeological Method and Theory* 4 (M.B. Schiffer ed.), 177–240. Academic Press: New York & Londra.

MULVILLE, J. & OUTRAM, A.K. 2005. *The Zooarchaeology of Fats, Oils, Milk and Dairying.* Oxbow: Oxford.

NADEL, D. & HERSHKOVITZ, I. 1991. New subsistence data and human remains from the earliest Levantine Epipalaeolithic. *Current Anth.* 32, 631–35.

—— ve diğerleri. 2012. New evidence for the processing of wild cereal grains at Ohalo II, a 23,000-year-old campsite on the shore of the Sea of Galilee. Israel. *Antiquity* 86, 990–1003.

NESBITT, M. 1995. Plants and people in ancient Anatolia. *Biblical Archaeologist* 58: 2, 68–81.

NEWMAN, M.E. ve diğerleri. 1996. The use of immunological techniques in the analysis of archaeological materials – a response to Eisele; with report of studies at Head-Smashed-In buffalo jump. *Antiquity* 70, 677–82.

NJAU, J. 2012. Reading Pliocene bones. *Science* 336, 46–47.

NOE-NYGAARD, N. 1974. Mesolithic hunting in Denmark illustrated by bone injuries caused by human weapons. *Journal of Arch. Science* 1, 217–48.

—— 1975. Two shoulder blades with healed lesions from Star Carr. *Proc. Prehist. Soc.* 41, 10–16.

—— 1977. Butchering and marrow-fracturing as a taphonomic factor in archaeological deposits. *Paleobiology* 3, 218–37.

—— 1987. Taphonomy in Archaeology. *Journal of Danish Arch.* 6, 7–62.

OBATA, H. ve diğerleri. 2011. A new light on the evolution and propagation of prehistoric grain pests: the world's oldest maize weevils found in Jomon potteries, Japan. *PLoS ONE* 6(3): e14785. doi:10.1371/journal.pone.0014785.

O'CONNOR, T. 2000. *The Archaeology of Animal Bones.* Sutton: Stroud.

OLSEN, S.J. 1979. Archaeologically, what constitutes an early domestic animal?, şurada *Advances in Archaeological Method and Theory* 2 (M.B. Schiffer ed.), 175–97. Academic Press: New York & Londra.

—— & SHIPMAN, P. 1988. Surface modifications on bone: trampling versus butchering. *Journal of Arch. Science*, 15, 535–53.

OVODOV, N.D. ve diğerleri. 2011. A

33,000-year-old incipient dog from the Altai Mountains of Siberia. *PLoS One* 6 (7), e22821.

PATRICK, M., DE KONING, A.J., & SMITH, A.B. 1985. Gas liquid chromatographic analysis of fatty acids in food residues from ceramics found in the Southwestern Cape, South Africa. *Archaeometry* 27, 231–36.

PEARSALL, D.M. 2009. (2. basım) *Paleoethnobotany.* Left Coast Press: Walnut Creek.

—— ve diğerleri. 2004. Maize in ancient Ecuador: results of residue analysis of stone tools from the Real Alto site. *Journal of Arch. Science* 31, 423–42.

PIPERNO, D.R. 1984. A comparison and differentiation of phytoliths from maize and wild grasses: uses of morphological criteria. *American Antiquity* 49, 361–83.

—— & DILLEHAY, T.D. 2008. Starch grains on human teeth reveal early broad crop diet in northern Peru. *Proceedings of the National Academy of Sciences* 105(50), 19622–27.

—— & HOLST, I. 1998. The presence of starch grains on prehistoric stone tools from the humid neotropics: indications of early tuber use and agriculture in Panama. *Journal of Arch. Science* 25, 765–76.

—— & PEARSALL, D.M. 1998. *The Origins of Agriculture in the Lowland Neotropics.* Academic Press: Orlando.

—— & STOTHERT, K.E. 2003. Phytolith evidence for early Holocene *Cucurbita* domestication in Southwest Ecuador. *Science* 299, 1054–57.

—— ve diğerleri. 1985. Preceramic maize in Central Panama: Phytolith and pollen evidence. *American Anthropologist* 87, 871–78.

—— ve diğerleri. 2000. Starch grains reveal early root crop horticulture in the Panamanian tropical forest. *Nature* 407, 894–97.

—— ve diğerleri. 2001. The occurrence of genetically controlled phytoliths from maize cobs and starch grains from maize kernels on archaeological stone tools and human teeth, and in archaeological sediments from southern Central America and northern South America. *The Phytolitharien* 13 (2/3), 1–7.

POTTS, R. 1988. *Early hominid activities at Olduvai.* Aldine de Gruyter: New York.

—— & SHIPMAN, P. 1981. Cutmarks made by stone tools on bones from Olduvai Gorge, Tanzania. *Nature* 291, 577–80.

PRICE, N. 1995. Houses and horses in the Swedish Bronze Age: recent excavation in the Mälar Valley. *Past* (Newsletter of the Prehist. Soc.) 20, 5–6.

PRICE, T.D. (ed.). 1989. *The Chemistry of Prehistoric Human Bone.* Cambridge Univ. Press.

PUECH, P-F. 1978. L'alimentation de l'homme préhistorique. *La Recherche* 9, 1029–31.

—— 1979a. The diet of early man: evidence from abrasion of teeth and tools. *Current Anth.* 20, 590–92.

—— 1979b. L'alimentation de l'homme de Tautavel d'après l'usure des surfaces dentaires, şurada *L'Homme de Tautavel, Dossiers de l'Arch.* 36, 84–85.

—— , PRONE, A., & KRAATZ, R. 1980. Microscopie de l'usure dentaire chez l'homme fossile: bol alimentaire et environnement. *Comptes rendus Acad. Sciences* 290, 1413–16.

REID, A. & YOUNG, R. 2000. Pottery abrasion

and the preparation of African grains. *Antiquity* 74, 101–11.

REINHARD, K.J. & BRYANT, V.M. 1992. Coprolite analysis, şurada *Archaeological Method and Theory* 14 (M.B. Schiffer, ed.), 245–88. Univ. of Arizona Press: Tucson.

—— ve diğerleri. 1992. Discovery of colon contents in a skeletonized burial: soil sampling for dietary remains. *Journal of Arch. Science* 19, 697–705.

REITZ, E.J. & WING, E.S. 2008. *Zooarchaeology.* (2. basım) Cambridge Univ. Press.

RENFREW, J. 1973. *Palaeoethnobotany.* Methuen: Londra; Columbia: New York.

—— (ed.) 1991. *New Light on Early Farming. Recent developments in Palaeoethnobotany.* Edinburgh Univ. Press.

REYNOLDS, P.J. 1979. *Iron Age Farm. The Butser Experiment.* British Museum Publications: Londra.

—— 2000. Butser ancient farm. *Current Archaeology* XV (3), 171, Aralık. 92–97.

RICHARDS, M.P. & SCHMITZ, R.W. 2008. Isotope evidence for the diet of the Neanderthal type specimen. *Antiquity* 82, 553–59.

—— ve diğerleri. 2001. Stable isotope evidence for increasing dietary breadth in the European mid-Upper Paleolithic. *Proc. of the National Academy of Sciences USA* 98 (11), 6528–32.

—— ve diğerleri. 2003. Sharp shift in diet at onset of Neolithic. *Nature* 425, s. 366.

ROBERTS, G. ve diğerleri. 1996. Intertidal Holocene footprints and their archaeological significance. *Antiquity* 70, 647–51.

ROTTLÄNDER, R.C.A. 1986. Chemical investigation of potsherds of the Heuneburg, Upper Danube, şurada *Proc. 24th Int. Archaeometry Symposium* (J.S. Olin & M.J. Blackman ed.), 403–05. Smithsonian Institution Press: Washington D.C.

—— & HARTKE, I. 1982. New results of food identification by fat analysis, şurada *Proc. 22nd Symposium on Archaeometry* (A. Aspinall & S.E. Warren ed.), 218–23. Univ. of Bradford.

—— & SCHLICHTHERLE, H, I. 1979. Food identification from archaeological sites. *Archaeo-Physika* 10, 260–67.

SAFFIRIO, L. 1972. Food and dietary habits in ancient Egypt. *Journal of Human Evolution* 1, 297–305.

SAMUEL, D. 1996. Investigation of ancient Egyptian baking and brewing methods by correlative microscopy. *Science* 273, 488–90.

SALQUE, M. ve diğerleri. 2013. Earliest evidence for cheese making in the sixth millennium bc in northern Europe. *Nature* 493, 522–25.

VAN DER SANDEN, W. 1996. *Through Nature to Eternity. The Bog Bodies of Northwest Europe.* Batavian Lion International: Amsterdam.

SCHELVIS, J. 1992. The identification of archaeological dung deposits on the basis of remains of predatory mites (Acari; Gamasida). *Journal of Arch. Science* 19, 677–82.

SCHOENINGER, M.J. 1979. Diet and status at Chalcatzingo: some empirical and technical aspects of Strontium analysis. *American Journal of Phys. Anth.* 51, 295–310

—— 1981. The agricultural "revolution": its effect on human diet in prehistoric Iran and Israel. *Paléorient* 7, 73–92.

—— & PEEBLES, C.S. 1981. Effect of mollusc eating on human bone strontium levels.

Journal of Arch. Science 8, 391–97.
——, **DENIRO, M.J., & TAUBER, H.** 1983. Stable nitrogen isotope ratios of bone collagen reflect marine and terrestrial components of prehistoric human diet. *Science* 220, 1381–83.
SCHULTING, R. & RICHARDS, M.P. 2002. Finding the coastal Mesolithic in southwest Britain: AMS dates and stable isotope results on human remains from Caldey Island, South Wales. *Antiquity* 76, 1011–25.
—— 2002a. The wet, the wild and the domesticated: the Mesolithic-Neolithic transition on the west coast of Scotland. *European Journal of Archaeology* 5, 147–89.
SCHWARCZ, H.P. ve diğerleri. 1985. Stable isotopes in human skeletons of Southern Ontario: reconstructing palaeodiet. *Journal of Arch. Science* 12, 187–206.
SEALY, J.C. 1986. *Stable Carbon Isotopes and Prehistoric Diets in the South-Western Cape Province, South Africa*. British Arch. Reports, Int. Series No. 293: Oxford.
SERJEANTSON, D. 2009. *Birds*. Cambridge University Press.
SHACKLETON, N.J. 1969. Marine molluscs in archaeology, şurada *Science in Archaeology* (D.R. Brothwell & E.S. Higgs ed.), 407–14. (2. basım) Thames & Hudson: Londra.
—— 1973. Oxygen isotope analysis as a means of determining season of occupation of prehistoric midden sites. *Archaeometry* 15, 133–43.
SHEPPARD, R.A. 1985. Using shells to determine season of occupation of prehistoric sites. *New Zealand Journal of Arch.* 7, 77–93.
SHERRATT, A. 1981. Plough and pastoralism: aspects of the secondary products revolution, şurada *Pattern of the Past, Studies in Honour of David Clarke* (I. Hodder ve diğerleri ed.), 261–305. Cambridge Univ. Press.
SHIPMAN, P. & ROSE, J.J. 1983. Early hominid hunting, butchering and carcass-processing behaviours: approaches to the fossil record. *Journal of Anth. Arch.* 2, 57–98.
SILLEN, A. 1994. L'alimentation des hommes préhistoriques. *La Recherche* 25, 384–90.
SILVER, I.A. 1969. The ageing of domestic animals, şurada *Science in Archaeology* (D.R. Brothwell & E.S. Higgs ed.), 283–302. (2. basım) Thames & Hudson: Londra.
SINGER, R. & WYMER, J. 1982. *The Middle Stone Age at Klasies River Mouth in South Africa*. Univ. of Chicago Press.
SMITH, B.D. 1975. Towards a more accurate estimation of the meat yield of animal species at archaeological sites, şurada *Archaeozoological Studies* (A.T. Clason ed.), 99–106. North-Holland: Amsterdam.
—— 1984. *Chenopodium* as a prehistoric domesticate in Eastern North America: Evidence from Russell Cave, Alabama. *Science* 226, 165–67.
—— 1992. *Rivers of Change. Essays on early agriculture in Eastern North America*. Smithsonian Institution Press: Washington D.C.
—— 1998 (2. basım). *The Emergence of Agriculture*. W.H. Freeman: Londra; Scientific American Library: New York.
SPETH, J.D. 1983. *Bison Kills and Bone Counts: Decision Making by Ancient Hunters*. Univ. of Chicago Press.
SPIESS, A.E. 1979. *Reindeer and Caribou Hunters: An Archaeological Study*. Academic Press: New York & Londra.

SPONHEIMER, M. & LEE-THORP, J. 1999. Isotopic evidence for the diet of an early hominid, *Australopithecus africanus*. *Science* 283, 368–70.
—— ve diğerleri. 2006. Isotopic evidence for dietary variability in the early hominin *Paranthropus robustus*. *Science* 314, 980–82.
STEAD, I.M., BOURKE, J.B., & BROTHWELL, D. (ed.). 1986. *Lindow Man. The Body in the Bog*. British Museum Publications: Londra.
—— **& TURNER, R.C.** 1985. Lindow Man. *Antiquity* 59, 25–29.
STEIN, J. (ed.). 1992. *Deciphering a Shell Midden*. Academic Press: New York.
STEWART, J.R.M. ve diğerleri. 2013. ZooMS: making eggshell visible in the archaeological record. *Journal of Arch. Science* 40, 1797–804.
—— ve diğerleri. 2014. Walking on eggshells: a study of egg use in Anglo-Scandinavian York based on eggshell identification using ZooMS. *International Journal of Osteoarchaeology* 24, 247–55.
SVITIL, K.A. 1994. What the Nubians ate. *Discover*, Haziran, 36–37.
SYKES, N. 2014. *Beastly Questions. Animal Answers to Archaeological Issues*. Bloomsbury: Londra.
TAKASE, K. 2011. Plant seeds recovered from potsherds of the Final Jomon and Yayoi periods. *Meiji University Ancient Studies of Japan* 3, 41–63.
TANNO, K.I. & WILLCOX, G. 2006. How fast was wild wheat domesticated? *Science* 311, 1886.
TAUBER, H. 1981. 13C evidence for dietary habits of prehistoric man in Denmark. *Nature* 292, 332–33.
THALMANN, O. ve diğerleri 2013. Complete mitochondrial genomes of ancient canids suggest a European origin of domestic dogs. *Science* 342, 871–74.
TRAVIS, J. 2010. Archaeologists see big promise in going molecular. *Science* 330, 28–29.
TROY, C.S. ve diğerleri. 2001. Genetic evidence for Near-Eastern origins of European cattle. *Nature* 410, 1088–91.
TSUKUDA, M., SUGITA, S., & TSUKUDA, Y. 1986. Oldest primitive agriculture and vegetational environments in Japan. *Nature* 322, 632–64.
TYKOT, R.H. & STALLER, J.E. 2002. The importance of early maize agriculture in Coastal Ecuador. New data from La Emerenciana. *Current Anthropology* 43 (4), 666–77.
UNESCO. 1984. *Recent Archaeological Discoveries in the People's Republic of China*.
VIGNE, J.D. ve diğerleri. (ed.). *The First Steps of Animal Domestication: new archaeological approaches*. Oxbow: Oxford.
VILA, C. ve diğerleri. 2001. Widespread origins of domestic horse lineages. *Science* 291, 474–77.
VITA-FINZI, C. & HIGGS, E.S. 1970. Prehistoric economy in the Mount Carmel area of Palestine: site catchment analysis. *Proc. Prehist. Soc.* 36, 1–37.
WEIGELT, J. 1989. *Recent Vertebrate Carcasses and their Palaeobiological Implications*. Univ. of Chicago Press.
WEISS, E. 2006. Autonomous cultivation before domestication. *Science* 312, 1608–10.
WENDORF, F., SCHILD, R. & CLOSE, A. (ed.). 1980. *Loaves and Fishes. The Prehistory of Wadi Kubbaniya*. Southern Methodist Univ. Press:

Dallas.
WHEAT, J.B. 1972. *The Olsen-Chubbuck Site: a Paleo-Indian bison kill*. Soc. for American Arch., Memoir No. 26.
WHEELER, A. & JONES, A.K.G. 1989. *Fishes*. Cambridge Univ. Press.
WHEELER, J.C. 1984. On the origin and early development of camelid pastoralism in the Andes, şurada *Animals and Archaeology 3: Herders and their Flocks* (J. Clutton-Brock & C. Grigson ed.), 395–410. British Arch. Reports, Int. Series 202: Oxford.
WHITE, T.E. 1953. A method of calculating the dietary percentage of various food animals utilized by aboriginal peoples. *American Antiquity* 18, 393–99.
—— 1953/4. Observations on the butchering techniques of some Aboriginal peoples. *American Antiquity* 19, 160–4, 254–64.
WILKINSON, T.J. 1989. Extensive sherd scatters and land-use intensity: some recent results. *Journal of Field Archaeology* 16, 31–46.
WILLCOX, G. & STORDEUR, D. 2012. Large-scale cereal processing before domestication during the tenth millennium cal bc in northern Syria. *Antiquity* 86, 99–114.
WILSON, B., GRIGSON, C., & PAYNE, S. (ed.). 1982. *Ageing and Sexing Animal Bones from Archaeological Sites*. British Arch. Reports, Int. Series 109: Oxford.
VAN ZEIST, W. & CASPARIE, W.A. (ed.). 1984. *Plants and Ancient Man: Studies in Palaeo-ethnobotany*. Balkema: Rotterdam & Boston.
—— ve diğerleri. 1991. *Progress in Old World Palaeoethnobotany*. Balkema: Rotterdam.
YANG, Y. ve diğerleri. 2014. Proteomics evidence for kefir dairy in Early Bronze Age China. *Journal of Arch. Science* 45, 178–86.
ZEDER, M.A. & HESSE, B. 2000. The initial domestication of goats (*Capra hircus*) in the Zagros Mountains 10,000 years ago. *Science* 287, 2254–57.
—— ve diğerleri. (eds). 2006. *Documenting Domestication: New Genetic and Archaeological Paradigms*. University of California Press: Berkeley.
ZHANG, H. ve diğerleri. 2014. Morphological and genetic evidence for early Holocene cattle management in northeastern China. *Nature Communications* 4:2755, doi: 10.1038/ncomms3755.
ZOHARY, D. & HOPF, M. 1993. *Domestication of Plants in the Old World* (2. basım). Clarendon Press: Oxford.

Bölüm 8: Aletleri Nasıl Yaptılar ve Kullandılar? Teknoloji (s. 317–56)

s. 317 **Aletler** Wightman 2014, Gamble ve diğerleri 2014; **Endüstriyel arkeoloji** Hudson 1979, 1983; *World Archaeology* 15 (2) 1983; ve *Industrial Archaeology* (1964'ten beri) ile *Industrial Archaeology Review* (1976'dan beri) süreli yayınları. **Deneysel arkeoloji** Coles 1973, 1979; Ingersoll ve diğerleri 1977; Foulds 2013.
s. 318 **Ahşap sahte şekiller** Castro-Curel & Carbonell 1995; Solé ve diğerleri 2013.
s. 318–19 **İnsan eylemliliğinin tespiti** Barnes 1939; Patterson 1983; McGrew 1992; Toth ve diğerleri 1993, Mercader ve diğerleri 2002, 2007; Haslam ve diğerleri 2009 (şempanzeler); Visalberghi ve diğerleri 2013 (kapuçinler).
s. 319 **Etnografik analoji** Bray 1978, s. 177 (Tairona göğüslüğü).

s. *319–22* **Madenler ve ocaklar** Genel:
Shepherd 1980; *World Archaeology* 16
(2), 1984. Sieveking & Newcomer 1987
(çakmaktaşı ocakları); Bosch 1979 (Rijckholt);
Jovanovic 1979, 1980 (Rudna Glava); Protzen
1986, 1993 (İnkalar); Alexander 1982 (tuz);
Bahn 2011 (Paskalya Adası).

s. *322–23* **Taş nakliyatı** Protzen 1986 (İnka);
Thom 1984 (Brittany menhirleri). Genel:
Cotterell & Kamminga 1990.

s. *323–23* **İnşaat çalışması** Coulton 1977
(Yunanistan); Haselberger 1985 (Didyma
tapınağı); Haselberger 1995 (Pantheon).

s. *325–29* **Taş alet üretimi** Schick & Toth 1993;
Odell 2003; Boëda ve diğerleri 2008, Koller
ve diğerleri 2001 (sap takma). Etnografik
çalışmalar: Gould 1980; Gould ve diğerleri
1971; Hayden 1979a (Avustralya); Hayden
1987 (Maya); Toth ve diğerleri 1992,
Hampton 1999 (Yeni Gine). Çakmaktaşı bıçak
üretimiyle ilgili Mısır tasvirleri: Barnes 1947.
Replika çalışmaları Crabtree 1970; Sieveking
& Newcomer 1987; Toth 1987. Clovis ucu:
Frison 1989. Folsom ucu: Crabtree 1966;
Flenniken 1978. **Taş aletlerin ısıl işlemden**
geçirilmesi: Domanski & Webb 1992; Gregg
& Grybush 1976; Robins ve diğerleri 1978;
Rowlett ve diğerleri 1974. Florida çakmaktaşı:
Purdy & Brooks 1971. Güney Afrika: Brown
ve diğerleri 2009; Mourre ve diğerleri 2010.
Termolüminesans ile analiz: Melcer &
Zimmerman 1977. **Yeniden birleştirme**
Cahen & Karlin 1980; Olive 1988; Cziesia ve
diğerleri 1990. Uyarı niteliğinde bir görüş için:
Bordes 1980. Etiolles örneği: Pigeot 1988.

s. *329–32* **Mikroaşınma** Hayden 1979b; Meeks
ve diğerleri 1982; Vaughan 1985. Rusların
çalışmaları: Semenov 1964; Phillips 1988.
Tringham'ın çalışması: Tringham ve diğerleri
1974. Keeley'nin çalışması: Keeley 1974,
1977, 1980; Keeley & Newcomer 1977.
Boomplaas deneyi: Binneman & Deacon
1986. Japonların çalışmaları: Akoshima
1980; Kajiwara & Akoshima 1981. Vance
1987 mikroyongalamayı ele alır; Fischer
ve diğerleri 1984 (Danimarka mermiyat
uçlarıyla denemeler). Mermiyat ucu testleri ve
işlevleri için, Knecht 1997.

s. *332* **İşlevin tanımlanması** Pitts & Roberts
1997, bölüm 41 (el baltaları); de Beaune
1987a, 1987b (Paleolitik kandiller); Haury
1931 (Arizona boncukları).

s. *333–34* **Taş Devri sanatının teknolojisi** Bahn
2015; Bahn 1990; Clottes 1993. Marshack
1975 (Marshack'in çalışması); Lorblanchet
1991, 2010 (Pech Merle deneyleri); Pales &
de St Péreuse 1966 (Kabartma baskı yapma
tekniği); d'Errico 1987 (cila replikaları);
d'Errico 1996 (yüzey profilinin çıkarılması).

s. *334–37* **Hayvansal ürünlerin teknolojisi**
Genel giriş: Macgregor 1985. Johnson 1985;
Olsen 1989; d'Errico 1993a (doğal ya da
yapay kemik aletleri); d'Errico ve diğerleri
2001 (termit aletleri); Francis 1982 (Kızılderili
kabuk deneyleri); d'Errico 1993b (mikroskobik
ölçütler). **Üretim** Smith & Poggenpoel
1988 (Kasteelberg); Campana 1987. **İşlev**
Thompson 1954; Arndt & Newcomer 1986;
Knecht 1997; Pokines 1998 (kemik uç
deneyleri); Bahn 1976 (delikli çubuklar);
Campana 1979 (Natuf kültürü omuz bıçağı);
d'Errico ve diğerleri 1984a, 1984b (cila
replikaları).

s. *337–40* **Ahşap teknolojisi** Genel giriş: Noël &
Bocquet 1987. Britanya'ya özel atıf: Coles ve

diğerleri 1978. Kunduz izleri: Coles & Orme
1983; Coles & Coles 1986 pl. 25. Tekerlekli
araçlar: Piggott 1983. **Su araçları** Steffy 1994;
Bass 1972, 1988; Hale 1980; Jenkins 1980
(Keops teknesi); Welsh 1988 (*trieres*).

s. *340–42* **Bitki ve hayvan lifleri/kılları** Sepet
işi: Adovasio 1977. İp baskıları: Hurley 1979.
York'ta kumaş boyama: Hall & Tomlinson
1984; Tomlinson 1985. **Kumaşlar** Barber
1991 (genel); Anton 1987; Amano 1987
(Peru); Dwyer 1973 (Nazca); Broadbent 1985
(Chibcha). Mısır: Nicholson & Shaw 2009;
Cockburn ve diğerleri 1998. Hochdorf: Körber-
Grohne 1987, 1988; Adovasio ve diğerleri
1996 (Pavlov); Kvavadze ve diğerleri 2009
(Dzudzuana).

s. *342* **Lif mikroaşınması** Cooke & Lomas 1987.

s. *342* **Sentetik malzemeler** Bilimsel
analiz üzerine genel çalışmalar: Tite
1972; Rottländer 1983; ve *Dossiers de
l'Archéologie* 42, 1980 (L'analyse des objets
archéologiques).

s. *342–43* **Piroteknoloji** İyi bir genel giriş:
Rehder 2000. Termal şok: Vandiver ve
diğerleri 1989.

s. *344–45* **Çömlekçilik** Genel çalışmalar:
Anderson 1984; Barnett & Hoopes 1995;
Bronitsky 1986; Gibson & Woods 1990; Millet
1979; Orton & Hughes 2013; Rice 1982, 1987;
Rye 1981; Shepard 1985; Van der Leeuw &
Pritchard 1984. Ayrıca *World Archaeology* cilt
15 (3), 1984 (çanak çömlekler); 21 (1), 1989
(çanak çömlek teknolojisi). **Çömlek katkıları**
Bronitsky & Hamer 1986. **Çömleklerin
fırınlanması** Tite 1969. Kingery & Frierman
1974 (Karanovo çanak çömlekleri); Burns
1987 (Tayland'daki fırınlar); DeBoer &
Lathrap 1979 (Shipibo-Conibo).

s. *345–46* **Fayans** Aspinall ve diğerleri 1972.
Cam Frank 1982; ayrıca Biek & Bayley 1979;
Smith 1969; Bimson & Freestone 1987; Tait
1991; Rehren & Pusch 2005 (Mısır); Green
& Hart 1987 (Roma camı). Sayre & Smith
1961 (cam analizleri); Henderson 1980, 2013;
Hughes 1972 (İngiltere Demir Çağı).

s. *347* **Arkeometalürji** Genel çalışmalar:
Tylecote 1976. Ayrıca bkz. *World Archaeology*
20 (3), 1989. Coghlan 1951 (Eski Dünya);
Tylecote 1987 (Avrupa); Tylecote 1986
(Britanya); Benson 1979; Bray 1978 (Güney
Amerika).

s. *347–49* **Alaşımlama** Budd ve diğerleri 1992
(arsenik); Eaton & McKerrell 1976. Hendy &
Charles 1970 (Bizans sikkeleri).

s. *349–52* **Döküm** Long 1965; Bray 1978 (kayıp
balmumu yöntemi). Bruhns 1972 (korunmuş
kalıplar); Rottländer 1986 (artıklar); Barnard
& Tamotsu 1965; Barnard 1961 (Çin
metalürjisi).

s. *352–54* **Gümüş** Blanco & Luzon 1969 (Rio
Tinto). **İnce metal işçiliği** Alva & Donnan
1993. Shimada & Griffin 1994; Wulff 1966
(geleneksel yöntemler); Grossman 1972 (altın
işçiliği). **Kaplama** La Niece & Craddock 1993;
Lechtman 1984; Lechtman ve diğerleri 1982
(Loma Negra çalışması). **Demir** Coghlan
1956.

KUTULAR

s. *320* **Pedra Furada** Parenti ve diğerleri 1990;
Meltzer ve diğerleri 1994; Guidon ve diğerleri
1996; Parenti 2001; Lahaye ve diğerleri 2013;
Boëda ve diğerleri 2014.

s. *324* **Büyük taşların kaldırılması** Pavel 1992,
1995; ayrıca bkz. Scarre 1999.

s. *330–31* **Rekem** De Bie & Caspar 2000.
s. *336–37* **Somerset Levels** Coles & Coles 1986.
s. *348* **Metalografik inceleme** Thompson 1969.
s. *350–51* **Peru'da bakır üretimi** Shimada ve
diğerleri 1982; Shimada & Merkel 1991;
Burger & Gordon 1998; Shimada ve diğerleri
2007.
s. *355* **Erken çelik üretimi** Etnoarkeoloji genel:
Kramer 1979. Haya halkı, Tanzanya: Schmidt
1996, 1997, 2006; Killick 2004.

Kaynakça
ADOVASIO, J.M. 1977. *Basketry Technology.
A Guide to Identification and Analysis.* Aldine:
Chicago.
—— ve diğerleri. 1996. Upper Palaeolithic
fibre technology: interlaced woven finds from
Pavlov I, Czech Republic, *c.* 26,000 years ago.
Antiquity 70, 526–34.
AKOSHIMA, K. 1980. An experimental study of
microflaking. *Kokogaku Zasshi* (Journal of the
Arch. Soc. of Nippon) 66, 357–83 (İngilizce
özet).
ALEXANDER, J. 1982. The prehistoric salt trade
in Europe. *Nature* 300, 577–78.
ALVA, W. & DONNAN, C. 1993. *Royal Tombs
of Sipán.* Fowler Museum of Cultural History,
Univ. of California: Los Angeles.
AMANO, Y. 1979. *Textiles of the Andes.* Heian/
Dohosa: San Francisco.
ANDERSON, A. 1984. *Interpreting Pottery.*
Batsford: Londra.
ANTON, F. 1987. *Ancient Peruvian Textiles.*
Thames & Hudson: Londra.
ARNDT, S. & NEWCOMER, M. 1986. Breakage
patterns on prehistoric bone points: an
experimental study, şurada *Studies in the
Upper Palaeolithic of Britain and NW Europe*
(D.A. Roe ed.), 165–73. British Arch. Reports,
Int. Series 296: Oxford.
ASPINALL, A. ve diğerleri. 1972. Neutron
activation analysis of faience beads.
Archaeometry 14, 27–40.
BAHN, P.G. 1976. Les bâtons percés . . . réveil
d'une hypothèse abandonnée. *Bull. Soc.
Préhist. Ariège* 31, 47–54.
—— 1990. Pigments of the imagination. *Nature*
347, 426.
—— 2015. *Images of the Ice Age.* Oxford
University Press.
—— **& FLENLEY, J.** 2011. Easter Island, Earth
Island. (gözden geçirilmiş 3. basım) Rapa Nui
Press: Santiago.
BARBER, E.J.W. 1991. *Prehistoric Textiles. The
Development of Cloth in the Neolithic and Bronze
Ages.* Princeton Univ. Press.
BARNARD, N. 1961. *Bronze Casting and Bronze
Alloys in Ancient China.* Australian National
Univ.: Canberra.
—— **& TAMOTSU, S.** 1965. *Metallurgical
Remains of Ancient China.* Nichiosha: Tokyo.
BARNES, A.S. 1939. The differences between
natural and human flaking on prehistoric
flint implements. *American Anthropologist* 41,
99–112.
—— 1947. The technique of blade production
in Mesolithic and Neolithic times. *Proc.
Prehist. Soc.* 13, 101–13.
BARNETT, W.K. & HOOPES, J.W. (ed.). 1995.
*The Emergence of Pottery. Technology and
Innovation in Ancient Societies.* Smithsonian
Institution Press: Washington D.C.
BASS, G. (ed.). 1972. *A History of Seafaring based
on Underwater Archaeology.* Thames & Hudson:
Londra.

—— (ed.). 1988. *Ships & Shipwrecks of the Americas*. Thames & Hudson: Londra & New York.

DE BEAUNE, S. 1987a. *Lampes et godets au Paléolithique*. Supplément à Gallia Préhistoire.

—— 1987b. Paleolithic lamps and their specialization: a hypothesis. *Current Anth.* 28, 569–77.

DE BIE, M. & CASPAR, J.P. 2000. *Rekem. A Federmesser Camp on the Meuse River Bank*. (Acta Archaeologica Lovaniensia 10), Leuven Univ. Press.

BENSON, E.P. (ed.). 1979. *Pre-Columbian Metallurgy of South America*. Dumbarton Oaks Research Library: Washington D.C.

BIEK, L. & BAYLEY, J. 1979. Glass and other vitreous materials. *World Arch.* 11, 1–25

BIMSON, M. & FREESTONE, J.C. (ed.) 1987. *Early Vitreous Materials*. British Museum Occ. Paper 56. British Museum: Londra.

BINNEMAN, J. & DEACON, J. 1986. Experimental determination of use wear on stone adzes from Boomplaas Cave, South Africa. *Journal of Arch. Science* 13, 219–28.

BLANCO, A. & LUZON, J.M. 1969. Pre-Roman silver miners at Riotinto. *Antiquity* 43, 124–31.

BOEDA, E. ve diğerleri. 2008. Middle Palaeolithic bitumen use at Umm el Tiel around 70,000 BP. *Antiquity* 82, 853–61.

—— ve diğerleri. 2014. A new late Pleistocene archaeological sequence in South America: the Vale da Pedra Furada (Piau', Brazil). *Antiquity* 88, 927–55.

BORDES, F. 1980. Question de contemporanéité: l'illusion des remontages. *Bulletin Société Préhistoire française*, 77, 132–33; ayrıca bkz. 230–34.

BOSCH, P.W. 1979. A Neolithic flint mine. *Scientific American* 240, 98–103.

BRAY, W. 1978. *The Gold of El Dorado*. Times Newspapers Ltd: Londra.

BROADBENT, S.M. 1985. Chibcha textiles in the British Museum. *Antiquity* 59, 202–05.

BRONITSKY, G. 1986. The use of materials science techniques in the study of pottery construction and use, şurada *Advances in Archaeological method and Theory 9* (M.B. Schiffer ed.), 209–76. Academic Press: New York & Londra.

—— & HAMER, R. 1986. Experiments in ceramic technology. The effects of various tempering materials on impact and thermal-shock resistance. *American Antiquity* 51, 89–101.

BROWN, K.S. ve diğerleri. 2009. Fire as an engineering tool of early modern humans. *Science* 325, 859–62.

BRUHNS, K.O. 1972. Two prehispanic *cire perdue* casting moulds from Colombia. *Man* 7, 308–11.

BUDD, P. ve diğerleri. 1992. The early development of metallurgy in the British Isles. *Antiquity* 66, 677–86.

BURGER, R.L. & GORDON, R.B. 1998. Early Central Andean metalworking from Mina Perdida, Peru. *Science* 282, 1108–11.

BURNS, P.L. 1987. Thai ceramics: the archaeology of the production centres, şurada *Archaeometry: Further Australasian Studies* (W.R. Ambrose & J.M.J. Mummery ed.), 203–12. Australian National Univ.: Canberra.

CAHEN, D. & KARLIN, C. 1980. Les artisans de la préhistoire. *La Recherche* 116, 1258–68.

CAMPANA, D.V. 1979. A Natufian shaft-straightener from Mughâret El Wad, Israel: an example of wear-pattern analysis. *Journal of Field Arch.* 6, 237–42.

—— 1987. The manufacture of bone tools in the Zagros and the Levant. *MASCA Journal* 4 (3), 110–23.

CASTRO-CUREL, Z. & CARBONELL, E. 1995. Wood pseudomorphs from Level I at Abric Romani, Barcelona, Spain. *Journal Field Arch.* 22, 376–84.

CLOTTES, J. 1993. Paint analyses from several Magdalenian caves in the Ariège region of France. *Journal of Arch. Science* 20, 223–35.

COCKBURN, T.A., COCKBURN E., & REYMAN, T.A. (ed.). 1998. *Mummies, Disease and Ancient Cultures*. (2. basım). Cambridge Univ. Press.

COGHLAN, H.H. 1951. *Notes on the Prehistoric Metallurgy of Copper and Bronze in the Old World*. Pitt Rivers Museum: Oxford.

—— 1956. *Notes on Prehistoric and Early Iron in the Old World*. Pitt Rivers Museum: Oxford.

COLES, B. & COLES, J. 1986. *Sweet Track to Glastonbury. The Somerset Levels Project*. Thames & Hudson: Londra.

COLES, J.M. 1962. European bronze shields. *Proc. Prehist. Soc.* 28, 156–90.

—— 1973. *Archaeology by Experiment*. Hutchinson: Londra.

—— 1979. *Experimental Archaeology*. Academic Press: New York & Londra.

——, HEAL, S.V.E., & ORME, B.J. 1978. The use and character of wood in prehistoric Britain and Ireland. *Proc. Prehist. Soc.* 44, 1–46.

—— & ORME, B.J. 1983. *Homo sapiens* or *Cast or fiber? Antiquity* 57, 95–102.

COOKE, W.D. & LOMAS, B. 1987. Ancient textiles – modern technology. *Archaeology Today* 8 (2), Mart 21–25.

COTTERELL, B. & KAMMINGA, J. 1990. *Mechanics of Pre-Industrial Technology*. Cambridge Univ. Press.

COULTON, J.J. 1977. *Greek Architects at Work: problems of structure and design*. Cornell Univ. Press.

CRABTREE, D.E. 1966. A stoneworker's approach to analyzing and replicating the Lindenmeier Folsom. *Tebiwa* 9, 3–139.

—— 1970. Flaking stone with wooden implements. *Science* 169, 146–53.

CZIESIA, E. ve diğerleri. (ed.). 1990. *The Big Puzzle. International Symposium on Refitting Stone Artefacts*. Studies in Modern Archaeology, Cilt 1, Holos-Verlag: Bonn.

DEBOER, W.R. & LATHRAP, D.W. 1979. The making and breaking of Shipibo-Conibo ceramics, şurada *Ethnoarchaeology: Implications of Ethnography for Archaeology* (C. Kramer ed.), 102–38. Columbia Univ. Press: New York.

DOMANSKI, M. & WEBB, J.A. 1992. Effect of heat treatment on siliceous rocks used in prehistoric lithic technology. *Journal of Arch. Science* 19, 601–14.

DWYER, J.P. 1973 *Paracas and Nazca Textiles*. Museum of Fine Arts: Boston.

EATON, E.R. & MCKERRELL, H. 1976. Near Eastern alloying and some textual evidence for the early use of arsenical copper. *World Arch.* 8, 169–91.

D'ERRICO, F. 1987. Nouveaux indices et nouvelles techniques microscopiques pour la lecture de l'art gravé mobilier. *Comptes rendus de l'Acad. Science Paris* 304, série II, 761–64.

—— 1993a. Criteria for identifying utilised bone: the case of the Cantabrian "tensors." *Current Anth.* 34. 298–311.

—— 1993b. La vie sociale de l'art mobilier paléolithique. Manipulation, transport, suspension des objets en os, bois de cervidés, ivoire. *Oxford Journal of Arch.* 12, 145–74.

—— 1996. Image analysis and 3-D optical surface profiling of Upper Palaeolithic mobiliary art. *Microscopy and Analysis*, January, 27–29.

——, GIACOBINI, G., & PUECH, P-F. 1984a. Varnish replicas: a new method for the study of worked bone surfaces. *Ossa. International Journal of Skeletal Research* 9/10, 29–51.

—— 1984b. Les répliques en vernis des surfaces osseuses façonnées: études expérimentales. *Bull. Soc. Préhist. française* 81, 169–70.

—— ve diğerleri. 2001. Bone tool use in termite foraging by early hominids and its impact on our understanding of early hominid behaviour. *South African Journal of Science* 97, Mart/Nisan 71–75.

FISCHER, A. ve diğerleri. 1984. Macro and micro wear traces on lithic projectile points. Experimental results and prehistoric examples. *Journal of Danish Arch.* 3, 19–46.

FLENNIKEN, J.J. 1978. Reevaluating the Lindenmeier Folsom: a replication experiment in lithic technology. *American Antiquity* 43, 473–80.

FORBES, R.J. (seri) *Studies in Ancient Technology*. E.J. Brill: Leiden.

FOULDS, F.W.F. (ed.) 2013. *Experimental Archaeology and Theory, Recent Approaches to Archaeological Hypothesis*. Oxbow: Oxford.

FRANCIS, P. JR. 1982. Experiments with early techniques for making whole shells into beads. *Current Anth.* 23, 13–14.

FRANK, S. 1982. *Glass and Archaeology*. Academic Press: New York & Londra.

FRISON, G.C. 1989. Clovis tools and weaponry efficiency in an African elephant context. *American Antiquity* 54, 766–78.

GAMBLE, C., GOWLETT, J. & DUNBAR, R. 2014. *Thinking Big: How the Evolution of Social Life Shaped the Human Mind*. Thames & Hudson: Londra & New York.

GIBSON, A. & WOODS, A. 1990. *Prehistoric Pottery for the Archaeologist*. Leicester Univ. Press.

GOULD, R.A. 1980. *Living Archaeology*. Cambridge Univ. Press.

——, KOSTER, D.A., & SONTZ, D.A. 1971. The lithic assemblages of the Western Desert Aborigines of Australia. *American Antiquity* 36, 149–69.

GREEN, L.R. & HART, F.A. 1987. Colour and chemical composition in ancient glass: an examination of some Roman and Wealden glass by means of Ultraviolet-Visible-Infra-red Spectrometry and Electron Microprobe Analysis. *Journal of Arch. Science* 14, 271–82.

GREGG, M.L. & GRYBUSH, R.J. 1976. Thermally altered siliceous stone from prehistoric contexts: intentional vs unintentional. *American Antiquity* 41, 189–92.

GROSSMAN, J.W. 1972. An ancient gold worker's toolkit: the earliest metal technology in Peru. *Archaeology* 25, 270–75.

GUIDON, N. ve diğerleri. 1996. Nature and the age of the deposits in Pedra Furada, Brazil: reply to Meltzer, Adovasio & Dillehay. *Antiquity* 70, 408–21.

HALE, J.R. 1980. Plank-built in the Bronze Age. *Antiquity* 54, 118–27.

HALL, A.R. & TOMLINSON, P.R. 1984. Dyeplants from Viking York. *Antiquity* 58,

58–60.

HAMPTON, O.W. 1999. *Culture of Stone. Sacred and profane uses of stone among the Dani*. Texas A&M Univ. Press: College Station.

HASELBERGER, L. 1985. The construction plans for the temple of Apollo at Didyma. *Scientific American* 253, 114–22.

—— 1995. Deciphering a Roman blueprint. *Scientific American* 272 (6), 56–61.

HASLAM, M. ve diğerleri. 2009. Primate archaeology. *Nature* 460, 339–44.

HAURY, E.W. 1931. Minute beads from prehistoric pueblos. *American Anthropologist* 33, 80–87.

HAYDEN, B. 1979a. *Palaeolithic Reflections. Lithic technology and ethnographic excavations among Australian Aborigines*. Australian Inst. of Aboriginal Studies: Canberra.

—— (ed.). 1979b. *Lithic Use-wear Analysis*. Academic Press: New York & Londra.

—— (ed.). 1987. *Lithic Studies among the Contemporary Highland Maya*. Univ. of Arizona Press: Tucson.

HENDERSON, J. 1980. Some new evidence for Iron Age glass-working in Britain. *Antiquity* 54, 60–61.

—— 2013. *Ancient Glass. An Interdisciplinary Exploration*. Cambridge University Press.

HENDY, M.F. & CHARLES, J.A. 1970. The production techniques, silver content and circulation history of the twelfth-century Byzantine Trachy. *Archaeometry* 12, 13–21.

HUDSON, K. 1979. *World Industrial Archaeology*. Cambridge Univ. Press.

—— 1983. *The Archaeology of the Consumer Society*. Heinemann: Londra.

HUGHES, M.J. 1972. A technical study of opaque red glass of the Iron Age in Britain. *Proc. Prehist. Soc.* 38, 98–107.

HURLEY, W.M. 1979. *Prehistoric Cordage. Identification of Impressions on Pottery*. Taraxacum: Washington.

INGERSOLL, D., YELLEN, J.E., & MACDONALD, W. (ed.). 1977. *Experimental Archaeology*. Columbia Univ. Press: New York.

JENKINS, N. 1980. *The Boat beneath the Pyramid*. Thames & Hudson: Londra; Holt, Rinehart & Winston: New York.

JOHNSON, E. 1985. Current developments in bone technology, şurada *Advances in Archaeological Method and Theory* 8 (M.B. Schiffer ed.), 157–235. Academic Press: New York & Londra.

JOVANOVIC, B. 1979. The technology of primary copper mining in South-East Europe. *Proc. Prehist. Soc.* 45, 103–10.

—— 1980. The origins of copper mining in Europe. *Scientific American* 242, 114–20.

KAJIWARA, H. & AKOSHIMA, K. 1981. An experimental study of microwear polish on shale artifacts. *Kokogaku Zasshi* (Journal of the Arch. Soc. of Nippon) 67, 1–36 (İngilizce özet).

KEELEY, L.H. 1974. Technique and methodology in microwear studies: a critical review. *World Arch.* 5, 323–36.

—— 1977. The function of Palaeolithic stone tools. *Scientific American* 237, 108–26.

—— 1980. *Experimental determination of stone tool uses. A microwear analysis*. Univ. of Chicago Press.

—— & NEWCOMER, M.H. 1977. Microwear analysis of experimental flint tools: a test case. *Journal of Arch. Science* 4, 29–62.

KILLICK, D. 2004. What do we know about African iron working? *Journal of African*

Archaeology 2(1), 97–112.

KINGERY, W.D. & FRIERMAN, J.D. 1974. The firing temperature of a Karanovo sherd and inferences about South-East European Chalcolithic refractory technology. *Proc. Prehist. Soc.* 40, 204–05.

KNECHT, H. (ed.). 1997. *Projectile Technology*. Plenum Press: New York.

KOLLER, J. ve diğerleri. 2001. High-tech in the middle Palaeolithic. Neanderthal-manufactured pitch identified. *European Journal of Archaeology* 4 (3), 385–97.

KÖRBER-GROHNE, V. 1987. Les restes de plantes et d'animaux de la tombe princière d'Hochdorf, şurada *Trésors des Princes Celtes*. Exhibition catalog, Ministère de la Culture: Paris.

—— 1988. Microscopic methods for identification of plant fibres and animal hairs from the Prince's Tomb of Hochdorf, Southwest Germany. *Journal of Arch. Science* 15, 73–82.

KRAMER, C. 1979. *Ethnoarchaeology: Implications of Ethnography for Archaeology*. Columbia Univ. Press: New York.

KVAVADZE, E. ve diğerleri. 2009. 30,000-year-old wild flax fibers. *Science* 325, 1359.

LAHAYE, C. ve diğerleri. 2013. Human occupation in South America by 20,000 bc: The Toca da Tira Peia site, Piau', Brazil. *Journal of Arch. Science* 40, 2840–47.

LA NIECE, S. & CRADDOCK, P.T. 1993. *Metal Plating and Patination*. Butterworth Heinemann: Londra.

LECHTMAN, H. 1984. Pre-Columbian surface metallurgy. *Scientific American* 250, 38–45.

—— , ERLIJ, A., & BARRY, E.J. 1982. New perspectives on Moche metallurgy: Techniques of gilding copper at Loma Negra, Northern Peru. *American Antiquity* 47, 3–30.

VAN DER LEEUW, S.E. & PRITCHARD, A. (ed.). 1984. *The Many Dimensions of Pottery*. Univ. of Amsterdam.

LONG, S.V. 1965. Cire-perdue casting in pre-Columbian America: an experimental approach. *American Antiquity* 30, 189–92.

LORBLANCHET, M. 1991. Spitting images: replicating the spotted horses of Pech Merle. *Archaeology* 44, Kasım/Aralık, 24–31.

—— 2010. *Art Pariétal. Grottes Ornées du Quercy*. Rouergue: Rodez.

MACGREGOR, A. 1985. *Bone, Antler, Ivory and Horn Technology*. Croom Helm: Londra.

MCGREW, W.C. 1992. *Chimpanzee Material Culture. Implications for Human Evolution*. Cambridge Univ. Press.

MARSHACK, A. 1975. Exploring the mind of Ice Age man. *National Geographic* 147, 62–89.

MEEKS, N.D. ve diğerleri. 1982 Gloss and use-wear traces on flint sickles and similar phenomena. *Journal of Arch. Science* 9, 317–40.

MELCER, C.L. & ZIMMERMAN, D.W. 1977. Thermoluminescent determination of prehistoric heat treatment of chert artifacts. *Science* 197, 1359–62.

MELTZER, D.J., ADOVASIO, J.M., & DILLEHAY, T.D. 1994. On a Pleistocene human occupation at Pedra Furada, Brazil. *Antiquity* 68, 695–714.

MERCADER, J. ve diğerleri. 2002. Excavation of a chimpanzee stone tool site in the African rainforest. *Science* 296, 1452–55.

—— ve diğerleri. 2007. 4,300-year-old chimpanzee sites and the origins of percussive stone technology. *Proc. National Academy of*

Sciences 104, 3043–48.

MILLET, M. (ed.). 1979. *Pottery and the Archaeologist*. Institute of Arch.: Londra.

MOURRE, V. ve diğerleri. 2010. Early use of pressure flaking on lithic artifacts at Blombos Cave, South Africa. *Science* 330, 659–62.

NICHOLSON, P.T. & SHAW, I. 2009. *Ancient Egyptian Materials and Technology*. Cambridge Univ. Press.

NOEL, M. & BOCQUET A. 1987. *Les Hommes et le Bois: Histoire et Technologie du Bois de la Préhistoire à Nos Jours*. Hachette: Paris.

ODELL, G.H. 1975. Micro-wear in perspective: a sympathetic response to Lawrence H. Keeley. *World Arch.* 7, 226–40.

—— 2003. *Lithic Analysis*. Kluwer: New York.

OLIVE, M. 1988. *Une Habitation Magdalénienne d'Etiolles, l'Unité P15*. Mémoire 20 de la Soc. Préhist. française.

OLSEN, S.L. 1989. On distinguishing natural from cultural damage on archaeological antler. *Journal of Arch. Science* 16, 125–35.

ORTON, C. & HUGHES, M. 2013. *Pottery in Archaeology*. (gözden geçirilmiş 2. basım) Cambridge University Press.

PALES, L. & DE ST PÉREUSE, M.T. 1966. Un chevalprétexte: retour au chevêtre. *Objets et Mondes* 6, 187–206.

PARENTI, F. 2001. *Le Gisement Quaternaire de Pedra Furada (Piauí, Brésil). Stratigraphie, chronologie, évolution culturelle*. Editions Recherches sur les Civilisations: Paris.

—— , MERCIER, N., & VALLADAS, H. 1990. The oldest hearths of Pedra Furada, Brazil: thermoluminescence analysis of heated stones. *Current Research in the Pleistocene* 7, 36–38.

PATTERSON, L.W. 1983. Criteria for determining the attributes of man-made lithics. *Journal of Field Arch.* 10, 297–307.

PAVEL, P. 1992. Raising the Stonehenge lintels in Czechoslovakia. *Antiquity* 66, 389–91.

—— 1995. Reconstruction of the *moai* statues and *pukao* hats. *Rapa Nui Journal* 9(3), Eylül 69–72.

PHILLIPS. P. 1988. Traceology (microwear) studies in the USSR. *World Arch.* 19 (3), 349–56.

PIGEOT, N. 1988. *Magdaléniens d'Etiolles: Economie de Débitage et Organisation Sociale*. Centre National de la Recherche Scientifique: Paris.

PIGGOTT, S. 1983. *The Earliest Wheeled Transport*. Thames & Hudson: Londra.

PITTS, M. & ROBERTS, M. 1997. *Fairweather Eden. Life in Britain half a million years ago as revealed by the excavations at Boxgrove*. Century: Londra.

POKINES, J.T. 1998. Experimental replication and use of Cantabrian Lower Magdalenian antler projectile points. *Journal of Arch. Science* 25, 875–86.

PROTZEN, J-P. 1986. Inca Stonemasonry. *Scientific American* 254, 80–88.

—— 1993. *Inca architecture and construction at Ollantaytambo*. Oxford Univ. Press: Oxford & New York.

PURDY, B.A. & BROOKS, H.K. 1971. Thermal alteration of silica materials: an archaeological approach. *Science* 173, 322–25.

REHDER, J.E. 2000. *The Mastery and Uses of Fire in Antiquity*. McGill-Queen's University Press.

REHREN, T. & PUSCH, E.B. 2005. Late Bronze Age glass production at Qantir-Piramesses, Egypt. *Science* 308, 1756–58.

RICE, P.M. (ed.). 1982. *Pots and Potters: Current Approaches to Ceramic Archaeology.* State College: Pennsylvania State Univ. Press.
—— 1987. *Pottery Analysis: A Sourcebook.* Chicago Univ. Press.
ROBINS, G.V. ve diğerleri. 1978. Identification of ancient heat treatment in flint artefacts by ESR spectroscopy. *Nature* 276, 703–4.
ROTTLÄNDER, R.C.A. 1983. *Einführung in die naturwissenschaftlichen Methoden der Archäologie.* Verlag Arch. Venatoria, Band 6: Tübingen.
—— 1986. Chemical investigation of potsherds of the Heuneburg, Upper Danube, şurada *Proc. 24th Int. Archaeometry Symposium* (J.S. Olin & M.J. Blackman ed.), 403–5. Smithsonian Institution Press: Washington D.C.
ROWLETT, R.M., MANDEVILLE, M.D., & ZELLER, R.J. 1974. The interpretation and dating of humanly worked siliceous materials by thermoluminescence analysis. *Proc. Prehist. Soc.* 40, 37–44.
RYE, O.S. 1981. *Pottery Technology.* Taraxacum: Washington.
SAYRE, E.V. & SMITH, R.W. 1961. Compositional categories of ancient glass. *Science* 133, 1824–26.
SCARRE, C. (ed.) 1999. *The Seventy Wonders of the Ancient World. The Great Monuments and How they were Built.* Thames & Hudson: Londra & New York.
SCHICK, K.D. & TOTH, N. 1993. *Making Silent Stones Speak.* Simon & Schuster: New York; Weidenfeld & Nicolson: Londra.
SCHMIDT, P.R. (ed.). 1996. *The Culture and Technology of African Iron Production.* Univ. Press of Florida: Gainesville.
—— 1997. *Iron Technology in East Africa: Symbolism, Science and Archaeology.* Indiana University Press: Bloomington.
—— 2006. *Historical Archaeology in Africa.* AltaMira: Lanham, MD.
SEMENOV, S.A. 1964. *Prehistoric Technology.* Cory, Adams & McKay: Londra.
SHEPARD, A.O. 1985. *Ceramics for the Archaeologist.* Carnegie Institute.
SHEPHERD, R. 1980. *Prehistoric Mining and Allied Industries.* Academic Press: New York & Londra.
SHIMADA, I., EPSTEIN, S., & CRAIG, A.K. 1982. Batán Grande: a prehistoric metallurgical center in Peru. *Science* 216, 952–59.
—— & MERKEL, J.F. 1991. Copper-alloy metallurgy in Ancient Peru. *Scientific American* 265 (1), 62–68.
—— & GRIFFIN, J.A. 1994. Precious metal objects of the Middle Sicán. *Scientific American* 270 (4), 60–67.
—— ve diğerleri. 2007. Pre-Hispanic Sicán furnaces and metalworking: toward a holistic understanding. *Boletín del Instituto Frances de Estudios Andinos* (Lima).
SIEVEKING, G. & NEWCOMER, M.H. (ed.). 1987. *The Human Uses of Flint and Chert.* Cambridge Univ. Press.
SMITH, A.B. & POGGENPOEL, C. 1988. The technology of bone tool fabrication in the Southwestern Cape, South Africa. *World Arch.* 20 (1), 103–15.
SOLE, A. ve diğerleri. 2013. Hearth-related wood remains from Abric Romani layer M (Capellades, Spain). *Journal of Anthropological Research* 69 (4): 535–59.
STEFFY, J.R. 1994. *Wooden Ship Building and the*

Interpretation of Shipwrecks. Texas A&M Univ. Press: College Station.
TAIT, H. 1991. (ed.). *Five Thousand Years of Glass.* British Museum Press: Londra.
THOM, A. 1984. Moving and erecting the menhirs. *Proc. Prehist. Soc.* 50, 382–84.
THOMPSON, F.C. 1969. Microscopic studies of ancient metals, şurada *Science in Archaeology* (D.R. Brothwell & E.S. Higgs, ed.), 555–63. (2. basım) Thames & Hudson: Londra.
THOMPSON, M.W. 1954. Azilian harpoons. *Proc. Prehist. Soc.* 20, 193–211.
TITE, M.S. 1969. Determination of the firing temperature of ancient ceramics by measurement of thermal expansion. *Archaeometry* 11, 131–44.
—— 1972. *Methods of Physical Examination in Archaeology.* Seminar Press: Londra & New York.
TOMLINSON, P. 1985. Use of vegetative remains in the identification of dye plants from waterlogged 9th–10th century AD deposits at York. *Journal of Arch. Science* 12, 269–83.
TOTH, N. 1987. The first technology. *Scientific American* 256 (4), 104–13.
——, CLARK, D., & LIGABUE, G. 1992. The last stone ax makers. *Scientific American* 267 (1), 66–71.
—— ve diğerleri. 1993. Pan the tool-maker: investigations into the stone tool-making and tool-using capabilities of a Bonobo (*Pan paniscus*). *Journal of Arch. Science* 20, 81–92.
TRINGHAM, R. ve diğerleri. 1974. Experimentation in the formation of edge damage: a new approach to lithic analysis. *Journal of Field Arch.* 1, 171–96.
TYLECOTE, R.F. 1976. *A History of Metallurgy.* Metals Soc.: Londra.
—— 1986. *The Prehistory of Metallurgy in the British Isles.* Institute of Metals: Londra.
—— 1987. *The Early History of Metallurgy in Europe.* Longman: Londra & New York.
VANCE, E.D. 1987. Microdebitage and archaeological activity analysis. *Archaeology* Temmuz/Ağustos, 58–59.
VANDIVER, P.B., SOFFER, O., KLIMA, B., & SVOBODA, J. 1989. The origins of ceramic technology at Dolní Věstonice, Czechoslovakia. *Science* 246, 1002–08.
VAUGHAN, P. 1985. *Use-wear Analysis of Flaked Stone Tools.* Univ. of Arizona Press: Tucson.
VISALBERGHI, E. ve diğerleri. 2013. Use of stone hammer tools and anvils by bearded capuchin monkeys over time and space: construction of an archeological record of tool use. *Journal of Archaeological Science* 40, 3222–32.
WELSH, F. 1988. *Building the Trireme.* Constable: Londra.
WIGHTMAN, G.J. 2014. *The origins of Religion in the Paleolithic.* Rowman & Littlefield: Latham, MD.
WULFF, H.E. 1966. *The Traditional Crafts of Persia.* MIT Press: Cambridge, Mass.

Bölüm 9: Nasıl Bağlantıları Vardı? Ticaret ve Değiş Tokuş (s. 357-90)

s. 357–64 **Etkileşimin incelenmesi** Değiş tokuş, ekonomik ve etnografik arka plan: Mauss 1925; Polanyi 1957; Sahlins 1972; Thomas 1991; Wallerstein 1974 & 1980; Gregory 1982; Appadurai 1986; Anderson ve diğerleri 2010. Kula: Malinowski 1922; ayrıca Leach & Leach 1983. **Temasa dair kanıtlar** Morwood

ve diğerleri 1999; Marwick 2003; Evans ve diğerleri 2006. **İlkel değerli nesneler** Dalton 1977; Renfrew 1978 & 1986; ve özellikle Clark, J.G.D. 1986.
s. 365–74 **Ticari malların karakterizasyonu:** Tite 1972; Peacock 1982; Harbottle 1982; Catling & Millett 1965. Mermer kaynaklarının bulunması: Craig 1972; Herz & Wenner 1981. Jones 1986 (çanak çömlekler); Herz 1992, Barbin ve diğerleri 1992 (mermer); Beck & Shennan 1991 (kehribar); Kelley ve diğerleri 1994 (Ar-Ar tarihlemesi); Warashina 1992 (ESR).
s. 374–79 **Ticari malların yayılım düzenleri:** Hodder & Orton 1976; Renfrew & Shackleton 1970; Scarre & Healy 1993. Taş baltalar: Cummins 1974, 1979; Clark 1965; Petrequin ve diğerleri 2012. Obsidyen: Renfrew 1969; Renfrew & Dixon 1976; Renfrew, Dixon & Cann 1968; Cauvin 1998; Tykot & Ammerman 1997; Brooks ve diğerleri 1997; Bradley & Edmonds 1993; Ono ve diğerleri 2014; Adler ve diğerleri 2014. Roma çanak çömleği: Peacock 1982. Prehistorik çanak çömlek: Peacock 1969; Ardika ve diğerleri 1993. Batık alanları, deniz ticareti modelleriyle birlikte: Muckelroy 1980.
s. 382 **Üretim** Torrence 1986; ve Renfrew & Wagstaff 1982 (Melos); Singer 1984; Leach 1984 (Colorado Çölü); Kohl 1975 (klorit kâseler); Peacock 1982 (Roma Britanya'sı).
s. 382–84 **Tüketim** Sidrys 1977 (Maya obsidyeni).
s. 384–88 **Değiş tokuş: tüm sistem** Renfrew 1975 ve Pires-Ferreira 1976 (Meksika); Hedeager 1978 (ara bölge); Renfrew 1975 (ticaret ve devletin doğuşu); Wallerstein 1974 & 1980; Kohl 1987; Rowlands ve diğerleri 1987; Wolf 1982 ("dünya sistemi"); Wells 1980; Frankenstein & Rowlands 1978 (erken Demir Çağı toplumu); Rathje 1973 (Maya ticareti); Helms 1988 (dış kaynaklı bilgi). Ayrıca bkz. Hodges 1982 (erken Ortaçağ Avrupa'sı); Earle & Ericson 1977; ve *World Arch.* 5(2), 6(2/3), 11(1), 12(1), Güneydoğu Asya (boncuklar) Bellina 2003.

KUTULAR

s. 361 **Değiş tokuş modelleri** Polanyi 1957; Sahlins 1972.
s. 362–63 **Prestij değeri olan malzemeler** Clark, J.G.D. 1986.
s. 368–69 **Nesne bileşenleri** Tite 1972; Harbottle 1982.
s. 372 **Roma cam eşyaları** Tsukamoto 2014.
s. 373 **Baltık kehribarı** Mukherjee ve diğerleri 2008.
s. 377 **Düşüş analizi** Peacock 1982.
s. 380–81 **Uluburun batığı** Bass 1987; Bass ve diğerleri 1984, 1989; Pulak 1994.
s. 383 **Avustralya'daki diyorit** buluntular McBryde 1979, 1984; McBryde & Harrison 1981.
s. 389 **Etkileşim alanları:** Hopewell Brose & Greber 1979; Seeman 1979; Struever & Houart 1972; Braun 1986.

Kaynakça

ADLER, D.S., WIKLINSON, K.N. ve diğerleri. 2014. Early Levallois Technology and the Lower to Middle Palaeolithic Transition in the Southern Caucasus. *Science* 345, 1609–13.
ANDERSON, A., BARRETT, J.H., & BOYLE, K.V. (ed.). 2010. *The Global Origins and Development of Seafaring.* McDonald Institute: Cambridge.

APPADURAI, A. (ed.). 1986. *The Social Life of Things*. Cambridge Univ. Press.

ARDIKA, I.W. ve diğerleri. 1993. A single source for South Asian exported quality Rouletted Ware. *Man and Environment* 18, 101–10.

BARBIN, V., ve diğerleri. 1992. Cathodoluminescence of white marbles: an overview. *Archaeometry* 34, 175–85.

BASS, G.F. 1987. Oldest Known Shipwreck Reveals Splendors of the Bronze Age. *National Geographic*, 172 (Aralık) 693–732.

——, FREY, D.A., & PULAK, C. 1984. A Late Bronze Age Shipwreck, at Kaş, Turkey. *International Journal of Nautical Arch.* 13 (4), 271–79.

——, PULAK, C., COLLON, D., & WEINSTEIN, J. 1989. The Bronze Age Shipwreck at Ulu Burun: 1986 Campaign. *American Journal of Arch.* 93, 1–29.

BECK, C. & SHENNAN, S. 1991. *Amber in Prehistoric Britain*. Oxbow: Oxford.

BELLINA, B. 2003. Beads, social change and interaction between India and South-east Asia. *Antiquity* 77, 285–97.

BRADLEY, R. & EDMONDS, M. 1993. *Interpreting the Axe Trade*. Cambridge University Press.

BRAUN, D.P. 1986. Midwestern Hopewellian exchange and supralocal interaction, şurada *Peer Polity Interaction and Socio-Political Change* (C. Renfrew and J.F. Cherry ed.), 117–26. Cambridge Univ. Press.

BROOKS, S.O. ve diğerleri. 1997. Source of volcanic glass for ancient Andean tools. *Nature* 386, 449–50.

BROSE, D. & GREBER, N. (ed.). 1979. *Hopewell Archaeology: The Chillicothe Conference*. Kent State Univ. Press.

CATLING, H.W. & MILLETT, A. 1965. A Study of the Inscribed Stirrup-jars from Thebes. *Archaeometry* 8, 3–85.

CAUVIN, M.-C. (ed.). 1998. *L'obsidienne au Proche et Moyen Orient*. British Arch. Reports Int. Series 738: Oxford.

CLARK, J.G.D. 1965. Traffic in Stone Axe and Adze Blades. *Economic History Review* 18, 1–28.

—— 1986. *Symbols of Excellence: precious materials as expressions of status*. Cambridge Univ. Press.

CRAIG, H. & V. 1972. Greek marbles: determination of provenance by isotopic analysis. *Science* 176, 401–3.

CUMMINS, W.A. 1974. The neolithic stone axe trade in Britain. *Antiquity* 68, 201–05.

—— 1979. Neolithic stones axes – distribution and trade in England and Wales, şurada *Stone Axe Studies* (T.H. Clough & W.A. Cummins ed.), 5–12. CBA Research Report No. 23: Londra.

DALTON, G. 1977. Aboriginal Economies in Stateless Societies, şurada *Exchange Systems in Prehistory* (T.K. Earle & J.E. Ericson ed.), 191–212. Academic Press: New York & Londra.

EARLE, T.K. & ERICSON, J.E. (ed.). 1977. *Exchange Systems in Prehistory*. Academic Press: New York & Londra.

EVANS, J.A., CHENERY, C.A. & FITZPATRICK, A.P. 2006. Bronze Age childhood migration of individuals near Stonehenge revealed by strontium and oxygen isotope tooth enamel analysis. *Archaeometry* 48, 309–21.

FRANKENSTEIN, S. & ROWLANDS, M.J. 1978. The internal structure and regional context of Early Iron Age society in south-western Germany. *Bulletin of the Institute of Arch.* 15, 73–112.

GREGORY, C.A. 1982. *Gifts and Commodities*. Cambridge Univ. Press.

HARBOTTLE, G. 1982. Chemical Characterization in Archaeology, şurada *Contexts for Prehistoric Exchange* (J.E. Ericson & T.K. Earle ed.), 13–51. Academic Press: New York & Londra.

HEDEAGER, L. 1978. A Quantitative Analysis of Roman Imports in Europe North of the Limes (0–400 A.D.), and the Question of Roman-Germanic Exchange, şurada *New Directions in Scandinavian Archaeology* (K. Kristiansen & C. Paluden-Müller ed.), 191–216. National Museum of Denmark: Copenhagen.

HELMS, M.W. 1988. *Ulysses' Sail*. Princeton Univ. Press.

HERZ, N. 1992. Provenance determination of Neolithic to Classical Mediterranean marbles by stable isotopes. *Archaeometry* 34, 185–94.

—— & WENNER, D. 1981. Tracing the origins of marble. *Archaeology* 34 (5), 14–21.

HODDER, I. & ORTON, C. 1976. *Spatial Analysis in Archaeology*. Cambridge Univ. Press.

HODGES, R.J. 1982. *Dark Age Economics. The origins of towns and trade AD 600–1000*. Duckworth: Londra.

JONES, R.E. 1986. *Greek and Cypriot Pottery, A review of scientific studies*. Occasional Paper of the Fitch Laboratory 1, British School at Athens.

KELLEY, S., WILLIAMS-THORPE, O., & THORPE, R.J. 1994. Laser argon dating and geological provenancing of a stone axe from the Stonehenge environs. *Archaeometry* 36, 209–16.

KOHL, P.L. 1975. Carved chlorite vessels. *Expedition* 18, 18–31.

—— 1987. The use and abuse of World Systems theory. *Advances in Archaeological Method and Theory* 11 (M.B. Schiffer ed.), 1–36. Academic Press: New York & Londra.

LEACH, H.M. 1984. Jigsaw: reconstructive lithic technology, şurada *Prehistoric Quarries and Lithic Production* (J.E. Ericson & B.A. Purdy ed.), 107–18. Cambridge Univ. Press.

LEACH, J.W. & LEACH, E. (ed.). 1983. *The Kula. New Perspectives on Massim Exchange*. Cambridge Univ. Press.

MCBRYDE, I. 1979. Petrology and prehistory: lithic evidence for exploitation of stone resources and exchange systems in Australia, şurada *Stone Axe Studies* (T. Clough & W. Cummins ed.), 113–24. Council for British Arch.: Londra.

—— 1984. Kulin greenstone quarries: the social contexts of production and distribution for the Mount William site. *World Arch.* 16, 267–85.

—— & HARRISON, G. 1981. Valued good or valuable stone? Considerations of some aspects of the distribution of greenstone artefacts in south-eastern Australia, şurada *Archaeological Studies of Pacific Stone Resources* (F. Leach & J. Davidson ed.), 183–208. British Arch. Reports: Oxford.

MALINOWSKI, B. 1922. *Argonauts of the Western Pacific*. Dutton: New York; Routledge: Londra.

MARWICK, B. 2003. Pleistocene exchange networks as evidence for the evolution of language. *Cambridge Archaeological Journal* 13, 67–81.

MAUSS, M.G. 1925. *The Gift*. Routledge: Londra.

MORWOOD, M.J. ve diğerleri. 1999. Archaeological and palaeontological research in central Flores, east Indonesia: results of fieldwork 1997–98. *Antiquity* 73: 273–86.

MUCKELROY, K. (ed.). 1980. *Archaeology Under Water. An Atlas of the World's Submerged Sites*. McGraw-Hill: New York & Londra.

MUKHERJEE, A.J., ROSSBERGER, E., JAMES, M.A., ve diğerleri. 2008. The Qatna lion: scientific confirmation of Baltic amber in late Bronze Age Syria. *Antiquity* 82, 49–59.

—— 1982. *Pottery in the Roman World: an ethnoarchaeological approach*. Longman: Londra & New York.

ONO, A. ve diğerleri. (ed.) 2014. *Methodological Issues for Characterisation and Provenance Studies of Obsidian in Northeast Asia* (BAR International Series 2620). Oxford Univ. Press.

PETREQUIN, P. ve diğerleri. (ed.). 2012. *Jade: Grandes Haches Alpines de Néolithique Européen. Ve et IVe Millénaires av. J.-C.* Presses Universitaires de Franche-Comté: Besançon; Centre de Recherche Archéologique de la Vallée de l'Ain: Gray.

PIRES-FERREIRA, J.W. 1976. Obsidian Exchange in Formative Mesoamerica, şurada *The Early Mesoamerican Village* (K.V. Flannery ed.), 292–306. Academic Press: New York & Londra.

POLANYI, K. 1957. The economy as instituted process, şurada *Trade and Market in the Early Empires* (K. Polanyi, M. Arensberg, & H. Pearson ed.). Free Press: Glencoe, Illinois.

PULAK, C.M. 1994. 1994 excavation at Uluburun: The final campaign. *The INA Quarterly* 21 (4), 8–16.

RATHJE, W.L. 1973. Models for mobile Maya: a variety of constraints, şurada *The Explanation of Culture Change* (C. Renfrew ed.), 731–57. Duckworth: Londra.

RENFREW, C. 1969. Trade and culture process in European prehistory. *Current Anth.* 10, 151–69.

—— 1975. Trade as action at a distance, şurada *Ancient Civilizations and Trade* (J. Sabloff & C.C. Lamberg-Karlovsky ed.), 1–59. Univ. of New Mexico Press: Albuquerque.

—— 1978. Varna and the social context of early metallurgy. *Antiquity* 52, 199–203.

—— 1986. Varna and the emergence of wealth in prehistoric Europe, şurada *The Social Life of Things* (A. Appadurai ed.), 141–48. Cambridge Univ. Press.

—— & DIXON, J.E. 1976. Obsidian in western Asia: a review, şurada *Problems in Economic and Social Archaeology* (G. de G. Sieveking, I.H. Longworth, & K.E. Wilson ed.), 137–50. Duckworth: Londra.

——, DIXON, J.E., & CANN, J.R. 1968. Further analysis of Near Eastern obsidians. *Proc. Prehist. Soc.* 34, 319–31.

—— & SHACKLETON, N. 1970. Neolithic trade routes realigned by oxygen isotope analyses. *Nature* 228, 1062–65.

—— & WAGSTAFF, J.M. (ed.). 1982. *An Island Polity: the archaeology of exploitation in Melos*. Cambridge Univ. Press.

ROWLANDS, M., LARSEN, M., & KRISTIANSEN, K. (ed.). 1987. *Centre and Periphery in the Ancient World*. Cambridge Univ. Press.

SAHLINS, M.D. 1972. *Stone Age Economics*. Aldine: Chicago.

SCARRE, C. & HEALY, F. (ed.). 1993. *Trade and Exchange in Prehistoric Europe.* Oxbow Monograph 33: Oxford.
SEEMAN, M.L. 1979. *The Hopewell Interaction Sphere: the evidence for interregional trade and structural complexity.* Prehistory Research Series, Cilt 5 no.2. Indiana Historical Society: Indianapolis.
SIDRYS, R. 1977. Mass-distance measures for the Maya obsidian trade, şurada *Exchange Systems in Prehistory* (T.K. Earle, & J.E. Ericson ed.), 91–108. Academic Press: New York & Londra.
SINGER, C.A. 1984. The 63-kilometer fit, şurada *Prehistoric Quarries and Lithic Production* (J.E. Ericson & B.A. Purdy ed.), 35–48. Cambridge Univ. Press.
STRUEVER, S. & HOUART, G.L. 1972. An analysis of the Hopewell interaction sphere, şurada *Social Exchange and Interaction* (Univ. of Michigan Museum of Anthropology Anthropological Papers 46) (E.N. Wilmsen ed.), 47–79. Univ. of Michigan Museum of Anthropology: Ann Arbor.
THOMAS, N. 1991. *Entangled Objects.* Harvard Univ. Press.
TITE, M.S. 1972. *Methods of Physical Examination in Archaeology.* Academic Press: Londra.
TORRENCE, R. 1986. *Production and exchange of stone tools: prehistoric obsidian in the Aegean.* Cambridge Univ. Press.
TSUKAMOTO, K. 2014. Scientists: glass dish unearthed in Nara came from Roman empire. *The Asahi Shimbun,* 13 Kasım 2014.
TYKOT, R.H. & AMMERMAN, A.J. 1997. New directions in central Mediterranean obsidian studies. *Antiquity* 71, 1000–06.
WALLERSTEIN, I. 1974 & 1980. *The Modern World System.* 2 cilt. Academic Press: New York & Londra.
WARASHINA, T. 1992. Allocation of jasper archaeological implements by means of ESR and XRF. *Journal of Arch. Science* 19, 357–73.
WELLS, P.S. 1980. *Culture contact and culture change: Early Iron Age central Europe and the Mediterranean world.* Cambridge Univ. Press.
WOLF, E.R. 1982. *Europe and the People without History.* Univ. of California Press: Berkeley.

Bölüm 10: Ne Düşünüyorlardı? Bilişsel Arkeoloji, Sanat ve Din (s. 391-432)

s. 391–92 **Kuram ve yöntem** Bilim felsefesi: Bell 1994; Braithwaite 1953; Hempel 1966; Popper 1985. Bilişsel arkeoloji: Gardin & Peebles 1992; Renfrew ve diğerleri 1993; Renfrew & Zubrow 1994; Renfrew & Scarre 1998; Lock & Peters 1996; Ayrıca 1. Bölüm'deki Yorumsal ya da postsüreçsel arkeolojiler başlıklı kutuya bakınız. Metodolojik bireycilik: Bell 1994; Renfrew 1987.
s. 393–400 **İnsanlarda sembolleştirme yeteneklerinin ve dilin evrimi** Donald 1991; Mellars & Gibson 1996; Pinker 1994; Noble & Davidson 1996; Isaac 1976 (Paleolitik taş aletler). Özbilinçlilik ve zihin: Dennett 1991; Penrose 1989; Searle 1994; Barkow ve diğerleri 1992; Mithen 1990, 1996; Donald 2001. **Chaîne opératoire** ve üretim zinciri: Perlès 1992; van der Leeuw 1994; Karlin ve Julien 1992; Schlanger 1994. **Erken homininlerin** organize davranışları: Binford 1981. Moustier buluntu gruplarında değişkenlik üzerine karşıt görüşler: Binford 1973; Binford & Binford 1966; Bordes & de Sonneville-Bordes 1970; Mellars 1969, 1970.

Gamble 1986 Avrupa Paleolitik'i üzerine iyi bir genel bakış sunar.
s. 401–03 **Yazılı kaynaklar** Diringer 1962; Robinson 1995. Vinca kültürürün erken önyazısı: Renfrew 1973 (9. Bölüm); Winn 1981; Fischer 1997 (Paskalya Adası). **Savaş sanatının kavramlaştırılması** Chase 1991; Chase & Chase 1998; Sharer 1994, Bölüm 5; Webster 1998. **Klasik Yunanistan'da okuryazarlık** Cook 1987; Camp 1986.
s. 403–05 **Yerin tespiti: hafızanın konumu** Éliade 1965, 22; Schama 1995; Fritz 1978; Hodder 1990; Wheatley 1971; Tilley 1994; Chatwin 1987; Polignac 1984; Aveni 1990. Yeni Wessex okulu ve Neolitik anıtlar: Bradley 1998; Barrett 1994; Tilley 1994; Thomas 1991; Gosden 1994; Edmonds 1999; Richards 1994; Richards & Thomas 1984; Whittle & Pollard 1995. Chaco Kanyonu: Lekson ve diğerleri 1988; Marshall 1997; Sofaer 1997; Stein & Lekson 1992; Vivian ve diğerleri 1978. Nazca çizgileri: Aveni 1990.
s. 405–09 **Zaman birimleri** Michilaidou 2001; Heggie 1981; Aveni 1988 (Amerika kıtası). **Uzunluk birimleri** Heggie 1981; **Ağırlık birimleri** Mohenjodaro: Wheeler 1968; Renfrew 1985a; Mederos & Lamberg-Karlovsky 2001.
s. 409–11 **Planlama** O'Kelly 1982 (Newgrange); Wheatley 1971; Ward-Perkins 1974 (şehir planlaması); Lauer 1976 (Basamaklı Piramit).
s. 411–13 **Değer sembolleri** Genel: Clark, J.G.D. 1986; Shennan 1986. Mainfort 1985 (Fletcher mezarlığı); Renfrew 1978 (Varna altınları).
s. 413–20 **Dinin arkeolojisi** Durkheim 1912; Rappaport 1971, 1999; Renfrew 1985b (Phylakopi kutsal alanı), 1994; Parker Pearson 1984 (İskandinav bataklıklarındaki metal defineleri); Tozzer 1957 (Chichen Itza'daki *cenote*); Coe 1978 (Popol Vuh); Marcus & Flannery 1994. Erken kült dolguları: Garfinkel 1994; Rollefson 1983; Bradley 1990.
s. 420–22 **Ölümün arkeolojisi** Morris 1987; Whitley 1991.
s. 422–28 **Sanat ve tasvir** Gimbutas 1989 ve 1991'in öne sürdüğü ana tanrıça kültü örneği; Ucko 1968 karşı çıkmaktadır. *Danzante* figürleri: bkz. 13. Bölüm. Simetri analizi: Washburn & Crowe 1989; Washburn 1983. Eski toplumlarda mitoloji ve felsefe: Frankfort ve diğerleri 1946; Lévi-Strauss 1966. **Estetik sorunu** Taylor ve diğerleri 1994; Morphy 1989, 1992; Pfeiffer 1982; Bourdieu 1984; Renfrew 1992.
s. 428–30 **Müzik ve bilişsellik** Garfinkel 2003; Mithen 2005; Morley 2009; Solís ve diğerleri 2000; Zhang ve diğerleri 2004.
s. 430 **Zihin ve maddi bağlantı** Clark & Chalmers 1998; Malafouris 2004; Renfrew 2006; Searle 1995.

KUTULAR
s. 396–97 **Erken Düşünce** Leroi-Gourhan 2000 (Şanidar); Arsuaga 2003, Arsuaga ve diğerleri 2014; Carbonell ve diğerleri 2003; Atapuerca 2003; Bahn 1996; Bischoff ve diğerleri 2007 (Atapuerca); Joordens ve diğerleri 2014 (Trinil); Marshack 1997, d'Errico & Nowell 2000 (Berekhat Ram); Marquet & Lorblanchet 2003 (La Roche-Cotard); Henshilwood ve diğerleri 2002 (Blombos).
s. 398–99 **Paleolitik sanat** Konunun değerlendirilmesi: Bahn 2015. Yapısalcı

açıklama: Leroi-Gourhan 1968. Ayrıca: Leroi-Gourhan 1982. Chauvet ve diğerleri 1996, Clottes 2003 (Chauvet). Taşınabilir sanat: Marshack 1972a (sayma ve notasyon); ayrıca bkz. Marshack 1972b, 1975, 1991; d'Errico 1989; d'Errico & Cacho 1994.
s. 406–07 **Brodgar Burnu** Card 2010, 2012; Smith 2014; ayrıca bkz. http://www.orkneyjar.com/archaeology/nessofbrodgar/
s. 414–15 **Maya iktidar sembolleri** Maya sanatının siyasi sembolizmi: Marcus 1974; Schele & Miller 1986. Hammond 1982 "Maya zihnini" tartışır.
s. 418–19 **Göbeklitepe** Schmidt 2001; Schmidt 2006; Badisches Landesmuseum 2007.
s. 420–21 **Chavín** Burger 1984, 1992; Saunders 1989.
s. 424–25 **Antik Yunan sanatçıları** Beazley 1965; Boardman 1974. Kiklat figürinleri: Getz-Preziosi 1987. Atıfla ilgili genel sorunlar: Hill & Gunn 1977.
s. 426–27 **Mezoamerika'da kurban ve sembol** Patrik 1985; Sugiyama 1993; Cowgill 1997; Schuster 1999; Saturno, Stuart ve Beltran 2006.
s. 428–29 **Erken dönemde müzik** Conard ve diğerleri 2009; D'Errico ve diğerleri 2003; Morley 2009.
s. 431 **İdrak ve Nöroloji** Changeux ve Chavaillon 1996; Renfrew 2006; Stout ve diğerleri 2000.

Kaynakça
ARSUAGA, J.-L. 2003. *The Neanderthal's Necklace: In Search of the First Thinkers.* Four Walls Eight Windows: New York.
ATAPUERCA. 2003. *Atapuerca. The First Europeans: Treasures from the Hills of Atapuerca.* Junta de Castillo y Leon: New York.
AVENI, A.F. (ed.). 1988. *World Archaeoastronomy.* Cambridge Univ. Press.
—— (ed.). 1990. *The Lines of Nazca.* Univ. of Pennsylvania Press: Philadelphia.
BADISCHES LANDESMUSEUM. 2007. *Die Ältesten Monumente der Menschheit.* Badisches Landesmuseum: Karlsruhe.
BAHN, P.G. 2015. *Images of the Ice Age.* Oxford University Press.
BARKOW, J.H., COSMIDES, L., & TOOBY, J. (ed.). 1992. *The Adapted Mind: Evolutionary Psychology and the Generation of Culture.* Oxford Univ. Press.
BARRETT, J.C. 1994. *Fragments from Antiquity, an Archaeology of Social Life in Britain, 2900–1200 BC.* Blackwell: Oxford.
BEAZLEY, J. 1965. *Attic Black Figure Vase Painters.* Oxford Univ. Press.
BELL, J.A. 1994. *Reconstructing Prehistory: Scientific Method in Archaeology.* Temple Univ. Press: Philadelphia.
BINFORD, L.R. 1973. Interassemblage variability – the Mousterian and the "functional" argument, şurada *The Explanation of Culture Change* (C. Renfrew ed.), 227–54. Duckworth: Londra.
—— 1981. *Bones, Ancient Men and Modern Myths.* Academic Press: New York & Londra.
BINFORD, S.R. & BINFORD, L.R. 1966. A preliminary analysis of functional variability in the Mousterian of Levallois facies. *American Anthropologist* 68, 238–95.
BISCHOFF, J.L. ve diğerleri. 2007. High-resolution U-series dates from the Sima de los Huesos yield 600 kyrs: implications for the evolution of the Neanderthal lineage. *Journal*

of Archaeological Science 34, 763–70.

BOARDMAN, J. 1974. Athenian Black Figure Vases. Thames & Hudson: Londra & New York.

BORDES, F. & DE SONNEVILLE-BORDES, D. 1970. The significance of variability in Paleolithic assemblages. World Archaeology 2, 61–73.

BOURDIEU, P. 1984. Distinction: A Social Critique of the Judgement of Taste. Routledge: Londra.

BOYER, P. 1994. The Naturalness of Religious Ideas. A Cognitive Theory of Religion. Univ. of California Press: Berkeley.

BRADLEY, R. 1990. The Passage of Arms: an Archaeological Analysis of Prehistoric Hoards and Votive Deposits. Cambridge Univ. Press.

—— 1998. The Significance of Monuments. Routledge: Londra.

BRAITHWAITE, R.B. 1953. Scientific Explanation. Cambridge Univ. Press.

BURGER, R.L. 1984. The Prehistoric Occupation of Chavín de Huántar, Peru. Univ. of California Publications in Anthropology Cilt 14. Univ. of California Press: Berkeley.

—— 1992. Chavín and the Origins of Andean Civilization. Thames & Hudson: Londra & New York.

CAMP, J.M. 1986. The Athenian Agora. Thames & Hudson: Londra & New York.

CARBONELL, E. ve diğerleri. 2003. Les premiers comportements funéraires auraient-ils pris place à Atapuerca il y a 350,000 ans? L'Anthropologie 107 (1), 1–14.

CARD, N. 2010. Neolithic temples of the Northern Isles: stunning new discoveries in Orkney. Current Archaeology 241, 12–19.

——2012. The Ness of Brodgar. British Archaeology, Ocak-Şubat, 14–21.

CHANGEUX, J.-P. & CHAVAILLON. (ed.). 1996. Origins of the Human Brain. Oxford University Press

CHASE, A. 1991. Cycles of Time: Caracol in the Maya Realm, şurada Sixth Palenque Round Table, 1986 (M. Greene & V.M. Fields ed.), 32–42. University of Oklahoma Press: Norman.

CHASE, D.Z. & CHASE, A.F. 1998. Settlement patterns, warfare and hieroglyphic history at Caracol, Belize. Paper presented at the 97th Annual Meeting of the American Anthropological Association, Philadelphia, Aralık. 3, 1998.

CHATWIN, B. 1987. The Songlines. Johnathan Cape: Londra.

CHAUVET, J.-M. ve diğerleri. 1996. Chauvet Cave. The Discovery of the World's Oldest Paintings. Thames & Hudson: Londra; Abrams: New York.

CLARK, A. & CHALMERS, D. 1998. The extended mind. Analysis 58 (1), 10–23.

CLARK, J.G.D. 1986. Symbols of Excellence: precious materials as expressions of status. Cambridge Univ. Press.

CLOTTES, J. (ed.). 2003. Return to Chauvet Cave. Thames & Hudson: Londra. Chauvet Cave: The Art of Earliest Times. University of Utah Press: Salt Lake City.

COE, M.D. 1978. Lords of the Underworld: Masterpieces of Classic Maya Ceramics. Princeton Univ. Press.

CONARD, N., MALINA, M., & MÜNZEL, S. 2009. New flutes document the earliest musical tradition in southwestern Germany. Nature 460, 737–40.

COOK, B.F. 1987. Greek Inscriptions. British Museum Publications: Londra.

COWGILL, G. 1997. State and society at Teotihuacán, Mexico. Annual Review of Anthropology 26, 129–61.

DENNETT, D.C. 1991. Consciousness Explained. Viking: Londra.

D'ERRICO, F. 1989. Paleolithic lunar calendars: a case of wishful thinking? Current Anth. 30, 117–18.

—— & CACHO, C. 1994. Notation versus decoration in the Upper Palaeolithic: A case study from Tossal de la Roca, Alicante, Spain. Journal of Arch. Science 21, 185–200.

—— & NOWELL, A. 2000. A new look at the Berekhat Ram figurine: implications for the origins of symbolism. Cambridge Archaeological Journal 10 (1), 123–67.

DIRINGER, D. 1962. Writing. Thames & Hudson: Londra.

DONALD, M. 1991. Origins of the Modern Mind: Three Stages in the Evolution of Culture and Cognition. Harvard Univ. Press: Cambridge, Mass.

—— 2001. Minds So Rare. W.W. Norton: New York.

DURKHEIM, E. 1912. The Elementary Forms of the Religious Life. Çev.: J.W. Swain. Free Press: New York 1965.

EDMONDS, M. 1999. Ancestral Geographies of the Neolithic. Routledge: Londra.

ÉLIADE, M. 1965. Le sacré et le profane. Paris.

D'ERRICO, F. ve diğerleri. 2003. Archaeological evidence for the emergence of language, symbolism and music – an alternative multidisciplinary perspective. Journal of World Prehistory 17, 1–70.

FISCHER, S.R. 1997. Rongorongo. The Easter Island Script. History, Traditions, Texts. Clarendon Press: Oxford.

FRANKFORT, H. ve diğerleri. 1946. Before Philosophy. Penguin: Harmondsworth.

FRITZ, J.M. 1978. Palaeopsychology today: ideational systems and human adaptation in prehistory, şurada Social Archaeology, Beyond Subsistence and Dating (C.L. Redman ed.), 37–61. Academic Press: New York.

GAMBLE, C. 1986. The Palaeolithic Settlement of Europe. Cambridge Univ. Press.

GARDIN, J.-C. & PEEBLES, C.S. (ed.). 1992. Representations in Archaeology. Univ. of Indiana Press: Bloomington.

GARFINKEL, Y. 1994. Ritual burial of cultic objects: the earliest evidence. Cambridge Archaeological Journal 4, 159–88.

—— 2003. Dancing at the Dawn of Agriculture. Texas University Press: Austin.

GETZ-PREZIOSI, P. 1987. Early Sculptors of the Cyclades. Univ. of Michigan: Ann Arbor.

GIMBUTAS, M. 1989. The Language of the Goddess. Harper & Row: New York.

—— 1991. The Civilisation of the Goddess: the world of Old Europe. Harper & Row: San Francisco.

GOSDEN, C. 1994. Social Being and Time. Blackwell: Oxford.

HAMMOND, N. 1982. Ancient Maya Civilization. Rutgers Univ. Press, N.J.; Cambridge Univ. Press.

HEGGIE, D.C. 1981. Megalithic Science. Ancient Mathematics and Astronomy in Northwest Europe. Thames & Hudson: Londra & New York.

HEMPEL, C.G. 1966. Philosophy of Natural Science. Prentice-Hall: Englewood Cliffs, NJ

HENSHILWOOD, C.S. ve diğerleri. 2002.

Emergence of modern human behavior: Middle Stone Age engravings from South Africa. Science 295, 1278–80.

HERRMANN, F.-R. & FREY, O.-H. 1996. Die Keltenfürsten vom Glauberg. Archäologische Gesellschaft in Hessen: Wiesbaden.

HILL, J.N. & GUNN, J. (ed.). 1977. The Individual in Prehistory. Academic Press: New York & Londra.

HODDER, I. 1990. The Domestication of Europe. Blackwell: Oxford.

ISAAC, G. 1976. Stages of cultural elaboration in the Pleistocene: possible archaeological indications of the development of language capabilities, şurada Origins and Evolution of Language and Speech (S.R. Harnad, H.D. Stekelis, & J. Lancaster ed.), 275–88. Annals of the New York Acad. of Sciences, Cilt 280.

JOORDENS, J.C.A. ve diğerleri. 2014. Homo erectus at Trinil in Java used shells for tool production and engraving. Nature DOI: 10.1038/nature13962.

KARLIN, C. & JULIEN, M. 1994. Prehistoric technology: a cognitive science?, şurada The Ancient Mind: Elements of Cognitive Archaeology (C. Renfrew & E.B.W. Zubrow ed.), 152–64. Cambridge Univ. Press.

LAUER, J.-P. 1976. Saqqara. Thames & Hudson: Londra.

LECKSON, S.H. ve diğerleri. 1988. The Chaco Canyon community. Scientific American 259.1 (Temmuz), 100–09.

VAN DER LEEUW, S. 1994. Cognitive aspects of "technique," şurada The Ancient Mind: Elements of Cognitive Archaeology (C. Renfrew and E.B.W. Zubrow ed.), 35–142. Cambridge Univ. Press.

LEROI-GOURHAN, A. 1968. The Art of Prehistoric Man in Western Europe. Thames & Hudson: Londra.

—— 1982. The Dawn of European Art. Cambridge Univ. Press.

LEROI-GOURHAN, ARL. 2000. Rites et langage à Shanidar? Bulletin de la Société Préhistorique française 97 (2), 291–93.

LÉVI-STRAUSS, C. 1966. The Savage Mind. Weidenfeld & Nicolson: Londra; Univ. of Chicago Press.

LOCK, A. & PETERS, C.R. (ed.). 1996. Handbook of Human Symbolic Evolution. Oxford Univ. Press.

MAINFORT, R.C. 1985. Wealth, Space and Status in a Historic Indian Cemetery. American Antiquity 50, 555–79.

MALAFOURIS, L. 2004. The cognitive basis of material engagement: where brain, body and culture conflate, şurada E. DeMarrais, C. Gosden and C. Renfrew (ed.), Rethinking Materiality: the engagement of mind with the material world. Cambridge University Press, 53–62.

MARCUS, J. 1974. The iconography of power among the Classic Maya. World Arch. 6, 83–94.

—— & FLANNERY, K.V. 1994. Ancient Zapotec ritual and religion: an application to the direct historical approach, şurada The Ancient Mind: Elements of Cognitive Archaeology (C. Renfrew and E.B.W. Zubrow ed.), 55–75. Cambridge Univ. Press.

MARQUET, J.-C. & LORBLANCHET, M. 2003. A Neanderthal face? The proto-figurine from La Roche-Cotard, Langeais (Indre-et-Loire), France). Antiquity 77, 661–70.

MARSHACK, A. 1972a. The Roots of Civilization:

the cognitive beginnings of man's first art, symbol and notation. McGraw-Hill: New York; Weidenfeld & Nicolson: Londra. (2. basım 1991, Moyer Bell: New York).
—— 1972b. Cognitive aspects of Upper Paleolithic engraving. Current Anth. 13, 445–77. Ayrıca 15 (1974), 327–32; 16 (1975), 297–98.
—— 1975. Exploring the mind of Ice Age man. National Geographic 147 (1), 64–89.
—— 1991. The Taï plaque and calendrical notation in the Upper Palaeolithic. Cambridge Archaeological Journal 1, 25–61.
—— 1997. The Berekhat Ram figurine: a late Acheulian carving from the Middle East. Antiquity 71, 327–37.
MARSHALL, M.P. 1997. The Chacoan roads – a cosmological interpretation, şurada Anasazi – Architecture and American Design (B.H. Morrow & V.B. Price ed.), 6–74. Univ. of New Mexico Press: Albuquerque.
MEDEROS, A. & LAMBERG-KARLOVSKY, C.C. 2001. Converting currencies in the Old World. Nature 411.
MELLARS, P.A. 1969. The Chronology of Mousterian Industries in the Perigord region of South-West France. Proc. Prehist. Soc. 35, 134–71.
—— 1970. Some comments on the notion of "functional variability" in stone tool assemblages. World Arch. 2, 74–89.
—— & GIBSON, K. 1996. Modelling the Early Human Mind. McDonald Institute: Cambridge.
MICHAILIDOU, A. (ed.). 2001. Manufacture and Measurement: Counting, Measuring and Recording Craft Items in Early Aegean Societies (Meletemata 33, Research Centre for Greek and Roman Antiquity, National Hellenic Research Foundation, Athens). Boccard: Paris.
MITHEN, S. 1990. Thoughtful Foragers: A Study of Prehistoric Decision Making. Cambridge Univ. Press.
—— 1996. The Prehistory of the Mind. Thames & Hudson: Londra & New York.
—— 2005. The Singing Neanderthals: the Origins of Music, Language, Mind and Body. Weidenfeld & Nicolson: Londra; Harvard Univ. Press: Cambridge, Mass.
MORLEY, I. 2009. Ritual and music – parallels and practice, and the Palaeolithic şurada Becoming Human: Innovation in Prehistoric Material and Spiritual Culture (C. Renfrew & I. Morley ed.), 159–75, Cambridge University Press.
MORPHY, H. 1989. From dull to brilliant: the aesthetics of spiritual power among the Yolnyu. Man 24, 21–40.
—— 1992. Aesthetics in a cross-cultural perspective: some reflections on Native American basketry. Journal of the Anthropological Society of Oxford, 23, 1–16.
MORRIS, I. 1987. Burial and Ancient Society: the Rise of the Greek City State. Cambridge Univ. Press.
NOBLE, W. & DAVIDSON, I. 1996. Human Evolution, Language and Mind. Cambridge Univ. Press.
O'KELLY, M.J. 1982. Newgrange. Thames & Hudson: Londra & New York.
PARKER PEARSON, M. 1984. Economic and ideological change: cyclical growth şurada the prestate societies of Jutland, şurada Ideology, Power and Prehistory (D. Miller & C. Tilley ed.), 69–92. Cambridge Univ. Press.
PATRIK, L.E. 1985. Is there an archaeological

record?, şurada Advances in Archaeological Method and Theory 8 (M.B. Schiffer ed.), 27–62. Academic Press: New York.
PENROSE, R. 1989. The Emperor's New Mind. Oxford Univ. Press.
PERLES, C. 1992. In search of lithic strategies: a cognitive approach to prehistoric stone assemblages, şurada Representations in Archaeology (J.C. Gardin & C.S. Peebles ed.), 223–47. Univ. of Indiana Press: Bloomington.
PFEIFFER, J. 1982. The Creative Explosion: An Inquiry into the Origins of Art and Religion. Harper & Row: New York.
PINKER, S. 1994. The Language Instinct. William Morrow: New York.
PLOG, S. 1980. Stylistic Variation in Prehistoric Ceramics: Design Analysis in the American Southwest. Cambridge Univ. Press.
POLIGNAC, F. DE. 1984. La naissance de la cité grecque. La découvertes: Paris.
POPPER, K.R. 1985. Conjectures and refutations: the growth of scientific knowledge. (4. basım) Routledge & Kegan Paul: Londra.
RAPPAPORT, R.A. 1971. Ritual, Sanctity, and Cybernetics. American Anthropologist 73, 59–76.
—— 1999. Ritual and Religion in the Making of Humanity. Cambridge Univ. Press.
RENFREW, C. 1973. Before Civilization. The Radiocarbon Revolution and Prehistoric Europe. Johnathan Cape: Londra.
—— 1978. Varna and the Social Context of Early Metallurgy. Antiquity 52, 199–203.
—— 1985a. Towards an Archaeology of Mind. Cambridge Univ. Press.
—— 1985b. The Archaeology of Cult. The Sanctuary at Phylakopi. British School of Archaeology at Athens Supplementary Cilt No. 18: Londra.
—— 1987. Problems in the modelling of sociocultural systems. European Journal of Operational Research 30, 179–92.
—— 1992. The Cycladic Spirit. Thames & Hudson: Londra; Abrams: New York.
—— 2006. Becoming human: the archaeological challenge. Proceedings of the British Academy 139, 217–38.
—— ve diğerleri. 1993. What is cognitive archaeology? Cambridge Archaeological Journal 3, 247–70.
—— 1994. The archaeology of religion, şurada The Ancient Mind: Elements of Cognitive Archaeology (C. Renfrew & E.B.W. Zubrow ed.), 47–54. Cambridge Univ. Press.
—— & SCARRE, C. (ed.). 1998. Cognition and Material Culture: the Archaeology of Symbolic Storage. McDonald Institute: Cambridge.
—— & ZUBROW, E.B.W. (ed.). 1994. The Ancient Mind: Elements of Cognitive Archaeology. Cambridge Univ. Press.
RICHARDS, C.C. & THOMAS, J.S. 1984. Ritual activity and structured deposition in later Neolithic Wessex, şurada Neolithic Studies (R.J. Bradley & J. Gardiner ed.), 189–218. British Arch. Reports, 13: Oxford.
RICHARDS, J. 1994. The development of the Neolithic landscape in the environs of Stonehenge, şurada Neolithic Studies (R.J. Bradley & J. Gardiner ed.), 177–88. British Arch. Reports, 13: Oxford.
ROBINSON, A. 1995. The Story of Writing. Thames & Hudson: Londra & New York.
ROLLEFSON, G.O. 1983. Ritual and ceremony at neolithic 'Ain Ghazal (Jordan). Paléorient 9(2), 29–38.

SACKETT, J.R. 1973. Style, function and artifact variability in palaeolithic assemblages, şurada The Explanation of Culture Change (C. Renfrew ed.), 317–28. Duckworth: Londra.
SATURNO, W.A., STUART, D. & BELTRAN, B. 2006, Early Maya writing at San Bartolo, Guatemala. Science 311, 1281–3.
SAUNDERS, N. 1989. People of the Jaguar. Souvenir Press: Londra.
SCHELE, L. & MILLER, M.E. 1986. The Blood of Kings, Dynasty and Ritual in Maya Art. Kimbell Art Museum: Fort Worth; Thames & Hudson: Londra.
SCHLANGER, N. 1994. Mindful technology: unleashing the chaîne opératoire for an archaeology of mind, şurada The Ancient Mind: Elements of Cognitive Archaeology (C. Renfrew & E.B.W. Zubrow ed.), 143–51. Cambridge Univ. Press.
SCHMIDT, K. 2001. Göbeklitepe, southeastern Turkey. A preliminary report on the 1995–1999 excavations. Paléorient 26 (1), 45–54.
—— 2006. Sie bauten die ersten Tempel. Das rätselhafter Heiligtum der Stenzeitjäger. C.H. Beck Verlag. Munich.
SCHUSTER, A. 1999. New tomb at Teotihuacán. Archaeology 52 (1), 16–17.
SEARLE, J.R. 1994. The Rediscovery of the Mind. MIT Press: Cambridge, MA.
—— 1995. The Construction of Social Reality. Penguin, Harmondsworth.
SHARER, R.J. 1994. The Ancient Maya. (5. basım) Stanford Univ. Press: Stanford.
SHENNAN, S. 1986. Interaction and change in third millennium western and central Europe, şurada Peer-polity Interaction and Socio-political Change (C. Renfrew & J.F. Cherry ed.), 137–48. Cambridge Univ. Press.
SMITH, R. 2014. Before Stonehenge. National Geographic, Ağustos.
SOFAER, A. 1997. The primary architecture of Chaco Canyon, şurada Anasazi – Architecture and American Design (B.H. Morrow & V. Price ed.), 88–132. Univ. of New Mexico Press: Albuquerque.
SOLÍS, R.S. ve diğerleri. 2000. The Flutes of Caral-Supe: Approaches to the Archaeological Survey Acoustic-Set of America's Oldest Flute. Boletín del Museo de Arqueología y Antropología de la UNMSM 3(11), 2–9.
STEIN, J. & LEKSON, S. 1992. Anasazi ritual landscapes, şurada Anasazi Regional Organization and the Chaco System (D. Doyel ed.), 87–100. Maxwell Museum of Anthropology: Albuquerque.
STOUT, D. ve diğerleri. 2000. Stone tool-making and brain activation: positron emission tomography (PET) studies. Journal of Archaeological Science 27, 1215–1223.
SUGIYAMA, S. 1993. Worldview materialized in Teotihuacán, Mexico. Latin American Antiquity 4 (2), 103–29.
TAYLOR, T. ve diğerleri. 1994. Is there a place for aesthetics in archaeology? Cambridge Archaeological Journal 4, 249–69.
THOMAS, J. 1991. Rethinking the Neolithic. Cambridge Univ. Press.
TILLEY, C. 1991. Material Culture and Text: The Art of Ambiguity. Routledge: Londra.
—— 1994. A Phenomenology of Landscape. Berg: Oxford.
TOZZER, A.M. 1957. Chichen Itza and its Cenote of Sacrifice. Peabody Museum Memoirs 11 & 12.

UCKO, P.J. 1968. *Anthropomorphic Figurines.* Royal Anthropological Institute Occasional Paper No. 24: Londra.

VIVIAN, R.G. ve diğerleri. 1978. *Wooden Ritual Artefacts from Chaco Canyon in New Mexico.* Univ. of New Mexico Press: Tucson.

WARD-PERKINS, J.B. 1974. *Cities of Ancient Greece and Italy: planning in classical antiquity.* Sidgwick & Jackson: Londra.

WASHBURN, D.K. 1983. Symmetry analysis of ceramic design: two tests of the method on Neolithic material from Greece and the Aegean, şurada *Structure and Cognition in Art* (D.K. Washburn ed.), 138–63. Cambridge Univ. Press.

—— & CROWE, D. 1989. *Symmetries of Culture.* Univ. of Washington Press: Seattle & Londra.

WEBSTER, D. 1998. Warfare and status rivalry: Lowland Maya and Polynesian comparisons, şurada *Archaic States* (G.M. Feinman & J. Marcus ed.), 311–52. School of American Research Press: Santa Fe.

WHEATLEY, P. 1971. *The Pivot of the Four Quarters: A preliminary enquiry into the origins and character of the ancient Chinese city.* Edinburgh Univ. Press.

WHEELER, R.E.M. 1968. *The Indus Civilization.* (3. basım) Cambridge Univ. Press.

WHITLEY, J. 1991. *Style and Society in Dark Age Greece: the Changing Face of Pre-literate Society 1100–700 BC.* Cambridge Univ. Press.

WHITTLE, A. & POLLARD, J. 1995. Windmill Hill causewayed enclosure: the harmony of symbols, şurada *Social Life and Social Change: Papers in the Neolithic of Atlantic Europe* (M. Edmonds & C. Richards ed.). Cruithne Press: Glasgow.

WIESSNER, P. 1983. Style and social information in Kalahari San projectile points. *American Antiquity* 48, 253–76.

WINN, S.M.M. 1981. *Pre-Writing in Southeastern Europe: the Sign System of the Vinca Culture c. 4000 BC.* Western Publishers: Calgary.

WOBST, M. 1977. Stylistic behavior and information exchange, şurada *For the Director: Research Essays in Honor of James B. Griffin* (C.E. Cleland ed.), 317–42. Museum of Anthropology, Univ. of Michigan Papers 61.

ZHANG, J., XIAO, X., & LEE, Y.K. 2004. The early development of music. Analysis of the Jiahu bone flutes. *Antiquity* 78, 769–79.

Bölüm 11: Kimlerdi? Neye Benziyorlardı? İnsanların Biyoarkeolojisi (s. 433–76)

s. 433–35 **İnsan kalıntılarının** arkeolojik yönleriyle ilgili yararlı giriş kitapları: Blau & Ubelaker 2008; Larsen 2002; Roberts 2012; Mays 2010; Aufderheide 2003; Chamberlain & Parker Pearson 2004; Waldron 2001; Brothwell 1981, 1986; Ubelaker 1984; Boddington ve diğerleri 1987; White 1991; Cox & Hunter 2005; Dupras ve diğerleri 2006; Haglund ve diğerleri 2007. Ayrıca bkz. *International Journal of Paleopathology* (2010'dan itibaren). Irk ve fiziksel antropoloji: Gill & Rhine 1990. İnsan evrimi: Stringer & Andrews 2011; Johanson & Edgar 2006. Kremasyonlar: McKinley 2000. Mumyalar ve turbiyer bedenleri: Asingh & Lynnerup 2007; Cockburn ve diğerleri 1998; Brothwell 1986; Coles & Coles 1989; van der Sanden 1996. Mısır mumyaları: David & Tapp 1984; David 1986; El Mahdy 1989. İskit vücutları: Rudenko 1970. Danimarka vücutları: Glob 1973 (Tunç Çağı), 1969 (Demir Çağı). Pompeii

ve Herculaneum: Maiuri 1961; Gore 1984. Sutton Hoo gömütleri: Bethell & Carver 1987. Plasenta: Bahn 1991.

s. 435–37 **Hangi cinsiyet?** Genel: Genoves 1969a. Pales & de St Péreuse 1976 (La Marche portreleri); Snow 2013; Gunn 2006 (negatif el baskıları). DNA yöntemi: Stone ve diğerleri 1996; Skoglund ve diğerleri 2013; Faerman ve diğerleri 1998 (Aşkelon); Dışkıdan DNA: Sutton ve diğerleri 1996; Gremillion & Sobolik 1996.

s. 437–39 **Ömürleri ne kadardı?** Genel: Genoves 1969b; Zimmerman & Angel 1986; Milner & Boldsen 2012. Ölüm mevsimi: Klevezal & Shishlina 2001; Macchiarelli ve diğerleri 2006 (Neanderthal'ler). Taung çocuğu: Bromage & Dean 1985; Lacruz ve diğerleri 2005; Beynon & Dean 1988. Holly Smith'in çalışması: Smith 1986. **Bilgisayarlı tomografi** uygulaması: Conroy & Vannier 1987. Gibraltar Child: Dean ve diğerleri 1986; Belçikalı çocuk: Smith ve diğerleri 2007. Diş kökü minesi: Bang 1993. **Kemik mikroyapısından** yaşın tespiti: Kerley 1965; Pfeiffer 1980. Şimoyama ve Harada'nın kimyasal yöntemi: *New Scientist* 2 Mayıs 1985, 22. **Mezarlıklardan cinsiyet/yaş** belirlenmesinde sorunlar: Wood ve diğerleri 1992, Waldron 1994.

s. 439–43 **Uzunluk ve ağırlık** Genel: Wells, L.H. 1969. Uzun kemiklerden hesaplama: Trotter & Gleser 1958. **Yüz özellikleri** Genel: Jordan 1983; Tattersall 1992. Cotterell 1981 (terrakotta ordu); Puech & Cianfarani 1985, 32 (Janssens ve Marie de Bourgogne'un mezarı).

s. 443–45 **Akrabalık ilişkileri nasıldı?** Fosillerin radyoimmün testleri: Lowenstein 1985. Tutankhamun ve Smenkhkare'nin kan grupları: Connolly ve diğerleri 1969; Harrison & Abdalla 1972. Tutankhamon'un DNA'sı için: Hawass 2010; şüpheler için bkz. Marchant 2011. DNA çalışmaları: Ross 1992; Pääbo 1993; Herrmann & Hummel 1994. Mısır mumyalarından DNA: Pääbo 1985. Florida DNA: Doran 2002; Benditt 1989; Pääbo 1989; Doran 1992. Kemikten DNA: Hagelberg ve diğerleri 1989.

s. 445–48 **Yürüme** Genel: Robinson 1972; Meldrum & Hilton 2004. Ağaçlardaki Lucy: Stern & Susman 1983; İki ayaklı olarak Lucy: Latimer ve diğerleri 1987; Johanson & Edgar 1996; Ward ve diğerleri 2011; *ramidus* ve *sediba*: Haile-Selaissie ve diğerleri 2012; Clarke & Tobias 1995 (Küçük Ayak). Bilgisayarlı eksenel tomografi: White 1988; Spoor ve diğerleri 1994. **Ayak izleri** Laetoli: Leakey 1979; Day & Wickens 1980; Leakey & Harris 1987, 490–523; Tuttle ve diğerleri 1990. Bennett ve diğerleri 2009 (Ileret). Onac ve diğerleri 2005 (Romanya). Webb ve diğerleri 2006 (Avustralya). Pales'in çalışması ve Niaux izleri: Pales 1976; Roberts ve diğerleri 1996 (Mersey).

s. 448–49 **Kullanılan el** Genel: Babcock 1993; Corballis 1991. Buzul Çağı sanatında: Bahn & Vertut 1997. Ayrıca bkz. Davidson 1986 (Nebati); Puech 1978 (Mauer çenesi); Bay 1982 (aletlerden kanıtlar); Toth'un çalışması: Toth 1985.

s. 449–51 **Konuşma** Kafatası boşluğu kalıbı: Holloway 1983; Falk 1983. Konuşmanın kanıtı olarak taş aletler: Isaac 1976; karşı görüş; Dibble 1989. Genetik kanıt Lai ve diğerleri 2002; Enard ve diğerleri 2002.

Ses yolu Neanderthal: Lieberman 1998; Lieberman & Crelin 1974; karşı görüş: Carlisle & Siegel 1974. Hiyoid kemiği: Arensburg ve diğerleri 1989. Kafatası tabanı analizleri: Laitman 1986. Ayrıca bkz. *Science* 256, 1992, 33–34, & 260, 1993, 893; Kay ve diğerleri 1998 (dil altı).

s. 452–53 **Diğer davranışlar** Larsen 1997, 2000 (genel). **Dişler** Smith 1983 (Üçüncü el olarak Neanderthal dilleri); Frayer & Russell 1987 (Neanderthal kürdanları). Puech & Cianfarani 1985, 32–33 (Kral Christian). **Eller** Susman 1994 (ayrıca bkz. *Science* 268, 1995, 586–89, ve 276, 1997, 32); Niewoehner ve diğerleri 2003; Oberlin & Sakka 1993 (Neanderthal'lerin el becerisi). **İskelet stresi** Trinkaus 1975 (Neanderthal'lerin çömelmesi); Houghton 1980 (Yeni Zelanda); Hedges 1983 (Isbister); Capasso ve diğerleri 1999; Kennedy 1998. **Cinsellik** Kauffmann-Doig 1979 (Peru çanak çömleği). **Yamyamlık** s. 438-439'daki kutunun kaynaklarına bakınız.

s. 453–56 **Paleopataloji** Genel: Aufderheide & Rodríguez-Martín 1998; Hart 1983; Janssens 1970; Ortner & Aufderheide 1991; Ortner 2003; Roberts & Manchester 2010; Rothschild & Martin 1992. Ayrıca iki süreli yayın: *Dossiers de l'Archéologie* 97, Eylül 1985, "Les Maladies de nos Ancêtres" ve *World Archaeology* 21 (2) (1989), "The Archaeology of Public Health." *The International Journal of Palaeopathology* 2011'de beri. Adli arkeoloji: Tersigni-Tarrant & Shirley 2013.

s. 456 **Yumuşak doku** Králik & Novotny 2005 (tarihöncesi parmak izleri). Yunan vazoları için bkz. *Science* 275, 1997, 1425. Engellilerin el baskıları: Groenen 1988; Bahn 2015; Sueres 1991. Patolojilerin sanatsal tasvirleri: Örneğin *Dossiers de l'Archéologie* 97, Sept 1985, 34–41. Monte Albán figürleri: Marcus, şurada Flannery & Marcus 1983.

s. 456–58 **Parazitler ve virüsler** Patrucco ve diğerleri 1983 (Peru); Bouchet ve diğerleri 1996 (Arcy); Rothhammer ve diğerleri 1985, Aufderheide ve diğerleri 2004 (Chagas Hastalığı). Salo ve diğerleri 1994 (Tüberküloz) Gibbons 2013 (diğer hastalıklar).

s. 458–64 **Deformasyon ve hastalık** Grimaldi iskeleti: Dastugue & de Lumley 1976, 617. Little Big Horn: Scott & Connor 1986; Scott ve diğerleri 1989. Kafatası deformasyonu: Trinkaus 1982 (Neanderthal'ler); Brown 1981 (Avustralya Aborjinleri); Miller 2009 (Maya). Şanidar Adamı: Trinkaus 1983. Bodo'nun kafatası: *New Scientist* 9 Eylül 1982, 688. **Kemik kanıtlardaki hastalıklar** Fennell & Trinkaus (Neanderthal); Anon 1994. Harrison ve diğerleri 1979 (Tutankhamon'un mezarı); Frayer ve diğerleri 1988 (Paleolitik cüce); Murdy 1981 (Olmek "jaguar adamı"); Mays 1985 (Harris çizgileri); Capasso 1994 (Buz Adam). **Toksik zehirlenme** Genel: Ericson & Coughlin 1981. Molleson ve diğerleri 1985 (Poundbury kurşun analizi); Beattie & Geiger 1987 (donmuş denizciler); Aufderheide ve diğerleri 1985 (Amerikalı kolonicilerin kurşun analizi).

s. 464–65 **Dişler** Genel: Hillson 2005; Alt ve diğerleri 1998; Pain 2005 (Mısır). Campbell 1981/2 (Aborjinlerde diş avüsliyonu); Coppa ve diğerleri 2006 (Mehrgarh); Bernardini ve diğerleri 2012 (Slovenia); Davidson 1986 (Nebatiler); Freeth 1999; Crubézy ve diğerleri 1998 (sahte diş); d'Errico ve diğerleri 1988 (Isabella d'Aragona).

s. 465–66 **Tıbbi bilgi** Mednikova 2001, Arnott ve diğerleri 2003 (erken trepanasyon); Buquet-Marcon ve diğerleri 2009 (amputasyon); Pain 2007 (Mısır tıbbı); Watts 2001 (Mısır ayak parmakları); Molleson & Cox 1988 (çocuk); Prematillake 1989 (hastane); Urteaga-Ballon & Wells 1986 (Peru tıp çantası).

s. 466–67 **Beslenme** Genel: Cohen & Armelagos 1984. Higham & Thosarat 1998 (Tayland). Dişlerden kanıt: Hillson 1979 & 2005; Smith, P. 1972. **Kemiğin kimyasal analizi** Lambert ve diğerleri 1979 (Orta ve Geç Woodland arkeolojik alanları); Larsen 2000, 2002 (Georgia).

s. 467–69 **Nüfus** Genel: Hassan 1981; Hoppa & Vaupel 2002, Chamberlain 2006. Naroll 1962 (Naroll'un denklemi); Milisauskas 1972 (LBK tahminleri); Casselberry 1974 (Casselberry'nin formülü); Fox 1983 (Maori örneği). Diğer nüfus tahminleri: Brothwell 1972 (Britanya); Dobyns 1966 (Amerika); Storey 1997 (Roma).

s. 469–75 **Genler** Y kromozomu çalışması: Hammer 1995; Underhill 2003; Wells 2002. Mitokondriyal çalışmalar ve "Havva" kuramı: Cann ve diğerleri 1987; Forster & Renfrew 2003; *American Anthropologist 95,* 1993, 9–96'daki makaleler; Krings ve diğerleri 1997; Ward & Stringer 1997. mtDNA'nın yeniden bir araya getirilmesindeki muhtemel sorunlar: Eyre-Walker ve diğerleri 1999; Strauss 1999. Modern insanların kökenine dair son araştırmalar: Stringer & Andrews 2011; Johanson & Edgar 2006; Finlayson 2009; Matisoo-Smith & Horsburgh 2012. **Eski genomik** Krings ve diğerleri 1997; Noonan ve diğerleri 2006; Green ve diğerleri 2006; Lambert & Millar 2006; Haak ve diğerleri 2005; Jobling 2004; Green ve diğerleri 2010 (Neanderthal genomu); Krause ve diğerleri 2010, Reich ve diğerleri 2010 (Denisova'lılar); Meyer ve diğerleri 2014. **"Modern insanlar"ın eski DNA'ları** Ust'-Ishim için: Fu ve diğerleri 2014; Anzick için: Rasmussen ve diğerleri 2014; Raff & Holnick 2014; ayrıca Reich ve diğerleri 2012; Ruhlen 1994. Paleo-Eskimolar: Rasmussen ve diğerleri 2010. Avrupa için: Forster & Renfrew 2014b; Lazaridis ve diğerleri 2014; Haak ve diğerleri 2005.

KUTULAR

s. 438 **Spitalfields** Adam & Reeve 1991; Molleson & Cox 1993. Yaş tahmininin özündeki sorunlar hakkında bkz. Aykroyd ve diğerleri 1999.

s. 442 **Yüz rekonstrüksiyonları** Gerasimov 1971; Prag & Neave 1997; Wilkinson 2004. Seianti: Swaddling & Prag 2002.

s. 444 **Eulau Neolitik ailesi** Haak ve diğerleri 2008.

s. 450–51 **Yamyamlık** Arens 1979; Carbonell 2010 (Atapuerca); Russell 1987 (Krapina); Fontbrégua için bkz. Villa ve diğerleri 1986; Fontbrégua aleyhinde, Pickering 1989; Peter-Röcher 1994 (Avrupa); Anasazi yamyamlığı için, White 1992; Turner & Turner 1999; against, Bahn 1992, Bullock 1998; dışkı malzemesi için Marlar ve diğerleri 2000; aleyhinde, Dongoske ve diğerleri 2000.

s. 454–55 **Vücutların incelenmesi** Aufderheide 2003; Mısır mumyaları: Cockburn ve diğerleri 1998; David & Tapp 1984; David 1986; El Mahdy 1989; Goyon & Josset 1988; Harris & Weeks 1973.

s. 456–57 **Grauballe Adamı** Asingh & Lynnerup 2007.

s. 460–61 **Inuitlerde Yaşam ve ölüm** Hart Hansen ve diğerleri 1985, 1991.

s. 462–63 **III. Richard** Appleby ve diğerleri 2014; Buckley ve diğerleri 2013; Lamb ve diğerleri 2014; Pitts 2014.

s. 471 **Genetik bilimi ve dillerin tarihi** Cavalli-Sforza ve diğerleri 1994; Sims-Williams 1998; Renfrew 1992; McMahon & McMahon 1995; Excoffier ve diğerleri 1987; Bertranpetit ve diğerleri 1995; Barbujani & Sokal 1990; Blench & Spriggs 1997; Poloni ve diğerleri 1997; Forster & Renfrew 2014a. Mikroaileler için Dolgopolsky 1998; Greenberg 1963, 1987; Renfrew & Nettle 1999; Barbujani & Pilastro 1993; Ruhlen 1991; Nettle 1999a & b; Renfrew 2000; Renfrew & Boyle 2001; Bellwood & Renfrew 2003. Khoisan dilleri için bkz. Gonder ve diğerleri 2003.

s. 473 **Yeni Dünya ve Avustralya halklarının kökeni** Genel: Crawford 1998. Greenberg ve diğerleri 1986; Greenberg 1987; Torroni ve diğerleri 1992; Bateman ve diğerleri 1990 (dilbilimsel, diş ve genetik kanıtların değerlendirilmesi); Gibbons 1996 (son genetik veriler); Shields ve diğerleri 1993; Merriwether ve diğerleri 1994; Forster ve diğerleri 1996; Adovasio 2002; Dillehay 2002; Forster & Renfrew 2003; Renfrew 2000; Goebel ve diğerleri 2003; Pringle 2011; Waters ve diğerleri 2011; Kaifu ve diğerleri 2014. Avustralya için: Hudjashov, Kivisild ve diğerleri 2007; McConvell ve Evans 1997.

Kaynakça

ADAM, M. & REEVE, J. 1991. Excavations at Christ Church, Spitalfields, 1984–1986. *Antiquity* 61, 247–56.

ADOVASIO, J.M. 2002. *The First Americans.* Random House: New York.

ANON. 1994. At Tell Abraq, the earliest recorded find of Polio. *Research, The University of Sydney,* 1994, 20–21.

APPLEBY, J. ve diğerleri. 2014. Perimortem trauma in King Richard III: a skeletal analysis. *The Lancet* 385, 253–59.

ARENS, W. 1979. *The Man-Eating Myth.* Oxford Univ. Press.

ARENSBURG, B. ve diğerleri. 1989. A middle palaeolithic human hyoid bone. *Nature* 338, 758–60.

ARNOTT, R. ve diğerleri. (ed.). 2003. *Trepanation. History, Discovery, Theory.* Sweits & Zeitlinger: Lisse.

ASINGH, P. & LYNNERUP, N. (ed.). 2007. *Grauballe Man. An Iron Age Bog Body Revisited.* Jutland Archaeological Society: Moesgaard Museum/Aarhus University Press: Aarhus.

AUFDERHEIDE, A.C. 2003. *The Scientific Study of Mummies.* Cambridge University Press.

—— **ve diğerleri.** 1985. Lead in bone III. Prediction of social correlates from skeletal lead content in four colonial American populations. *American Journal of Phys. Anth.* 66, 353–61.

—— **& RODRIGUEZ-MARTIN, C.** (ed.). 1998. *The Cambridge Encyclopedia of Human Paleopathology.* Cambridge Univ. Press.

—— **ve diğerleri.** 2004. A 9,000-year record of Chagas' Disease. *Proc. National Academy of Sciences* 101, 2034–39.

AYKROYD, R.G. ve diğerleri. 1999. Nasty, brutish, but not necessarily short: a reconsideration of the statistical methods used to calculate age at death from adult human skeletal and dental age indicators. *American Antiquity* 64, 55–70.

BABCOCK, L.E. 1993. The right and the sinister. *Natural History* Temmuz, 32–39.

BAHN, P.G. 1991. Mystery of the placenta pots. *Archaeology* 44 (3), 18–19.

—— 1992. Review of "Prehistoric Cannibalism" T.D. White tarafından. *New Scientist* 11 Nisan, 40–41.

—— 2015. *Images of the Ice Age.* Oxford University Press.

BANG, G. 1993. The age of a stone age skeleton determined by means of root dentin transparency. *The Norwegian Arch. Review* 26, 55–57.

BARBUJANI, G. 1991. What do languages tell us about human microevolution?, *Trends in Ecology and Evolution* 6 (5), 151–56.

—— **& SOKAL, R.R.** 1990. Zones of sharp genetic change in Europe are also linguistic boundaries, *Proc. of the National Academy of Sciences USA* 87, 1816–19.

—— **& PILASTRO, A., DE DOMENICO S., & RENFREW, C.** 1994. Genetic variation in North Africa and Eurasia: neolithic demic diffusion versus paleolithic colonisation, *American Journal of Physical Anthropology* 95, 137–54.

—— **& PILASTRO, A.** 1993, Genetic evidence on origin and dispersal of human populations speaking languages of the Nostratic macrofamily, *Proc. of the National Academy of Sciences USA* 90, 4670–73.

BATEMAN, R. ve diğerleri. 1990. Speaking of Forked Tongues, *Current Anth.* 31, 1–24.

BAY, R. 1982. La question du droitier dans l'évolution humaine. *Bull. Soc. d'Etudes et de Recherches Préhistoriques des Eyzies* 32, 7–15.

BEATTIE, O. & GEIGER, J. 1987. *Frozen in Time. The Fate of the Franklin Expedition.* Bloomsbury: Londra.

BELLWOOD, P. & RENFREW, C. (ed.). 2003. *Examining the Farming/Language Dispersal Hypothesis.* McDonald Institute: Cambridge.

BENDITT, J. 1989. Molecular Archaeology. *Scientific American* 26, 12–13.

BENNETT, M.R. ve diğerleri. 2009. Early hominin foot morphology based on 1.5 million-year-old footprints from Ileret, Kenya. *Science* 33, 1197–201.

BERNARDINI, F. ve diğerleri. 2012. Beeswax as dental filling on a Neolithic human tooth. *PLoS ONE* 10.371/journal.pone.0044904

BERTRANPETIT, J. ve diğerleri. 1995. Human mitochondrial DNA variation and the origin of the Basques. *Annals of Human Genetics* 59, 63–81.

BETHELL, P.H. & CARVER, M.O.H. 1987. Detection and enhancement of decayed inhumations at Sutton Hoo, şurada *Death, Decay and Reconstruction* (A. Boddington ve diğerleri ed.), 10–21. Manchester Univ. Press.

BEYNON, A.D. & DEAN, M.C. 1988. Distinct dental development patterns in early fossil hominids. *Nature* 335, 509–14.

BLAU, S. & UBERLAKER, D.H. 2008. *Handbook of Forensic Archaeology and Anthropology.* Left Coast Press: Walnut Creek.

BLENCH, R. & SPRIGGS, M. (ed.). 1997. *Archaeology and Language I: Theoretical and Methodological Orientations.* Routledge: Londra.

BODDINGTON, A., GARLAND, A.N., & JANAWAY, R.C. (ed.). 1987. *Death, Decay and*

Reconstruction. Manchester Univ. Press.

BOUCHET, F. ve diğerleri. 1996. Paléoparasitologie en contexte pléistocène: premières observations à la Grande Grotte d'Arcy-sur-Cure (Yonne), France. *Comptes rendus Academie de Science Paris* 319, 147–51.

BROMAGE, T.G. & DEAN, M.C. 1985. Re-evaluation of the age at death of immature fossil hominids. *Nature* 317, 525–27.

BROTHWELL, D.R. 1972. Palaeodemography and earlier British populations. *World Arch.* 4, 75–87.

—— 1981. *Digging up Bones. The excavation, treatment and study of human skeletal remains.* (3. basım) British Museum (Natural History): Londra; Oxford Univ. Press.

—— 1986. *The Bog Man and the Archaeology of People.* British Museum: Londra.

BROWN, P. 1981. Artificial cranial deformation: a component in the variation in Pleistocene Australian Aboriginal crania. *Archaeology in Oceania* 16, 156–67.

BROWN, T.A. & BROWN, K.A. 1992. Ancient DNA and the archaeologist. *Antiquity* 66, 10–23.

BUCKLEY, R. ve diğerleri. 2013. "The king in the car park": new light on the death and burial of Richard III in the Grey Friars church, Leicester, şurada 1485. *Antiquity* 87, 519–38.

BULLOCK, P.Y. (ed.). 1998. *Deciphering Anasazi Violence.* HRM Books: Santa Fe.

BUQUET-MARCON, C. ve diğerleri. 2009. A possible Early Neolithic amputation at Buthiers-Boulancourt (Seine-et-Marne), France. *Antiquity* sayfası, Project Gallery Aralık 2009 (http://antiquity.ac.uk).

CAMPBELL, A.H. 1981/82. Tooth avulsion in Victorian Aboriginal skulls. *Arch. in Oceania* 16/17, 116–18.

CANN, R.L., STONEKING, M., & WILSON, A.C. 1987. Mitochondrial DNA and human evolution. *Nature* 325, 31–36

CAPASSO, L. 1994. Ungueal morphology and pathology of the human mummy found in the Val Senales (Easter Alps, Tyrol, Bronze Age). *Munibe* 46, 123–32.

—— ve diğerleri. 1999. *Atlas of Occupational Markers in Human Remains.* Journal of Palaeontology Monograph Publications 3: 1–184. Edigrafica SPA: Teramo.

CARBONELL, E. ve diğerleri. 2010. Cultural cannibalism as a paleoeconomic system in the European Lower Pleistocene. The case of Level TD6 of Gran Dolina (Sierra de Atapuerca, Burgos, Spain). *Current Anthropology* 51(4): 539–49.

CARLISLE, R. & SIEGEL, H. 1974. Some problems in the interpretation of Neanderthal speech capabilities. *American Anthropologist* 76, 319–22.

CASSELBERRY, S.E. 1974. Further refinement of formulae for determining population from floor area. *World Arch.* 6, 116–22.

CAVALLI-SFORZA, L.L. 1991. Genes, peoples and languages. *Scientific American* 265 (5), 72–78.

——, MENOZZI, P., & PIAZZA, A. 1994. *The History and Geography of Human Genes.* Princeton Univ. Press.

CHAMBERLAIN, A.T. 2006. *Demographic Archaeology.* Cambridge Univ. Press.

—— & PARKER PEARSON, M. 2004. *Earthly Remains. The History and Science of Preserved Human Bodies.* Oxford University Press: New York.

CLARKE, R.J. & TOBIAS, P.V. 1995. Sterkfontein Member 2 foot bones of the oldest South African hominid. *Science* 269, 521–24.

COCKBURN, T.A., COCKBURN, E., & REYMAN, T.A. (ed.). 1998. *Mummies, Disease and Ancient Cultures* (2. basım). Cambridge Univ. Press.

COHEN, M.N. & ARMELAGOS, G.J. (ed.). 1984. *Palaeopathology at the Origins of Agriculture.* Academic Press: New York & Londra.

COLES, B. & J. 1989. *People of the Wetlands: Bogs, Bodies and Lake-Dwellers.* Thames & Hudson: Londra & New York.

CONNOLLY, R.C. ve diğerleri. 1969. Kinship of Smenkhkare and Tutankhamen affirmed by serological micromethod. *Nature* 224, 325–26.

CONROY, G.C. & VANNIER, M.W. 1987. Dental development of the Taung skull from computerized tomography. *Nature* 329, 625–27.

COPPA, A. ve diğerleri. 2006. Early Neolithic tradition of dentistry. *Nature* 440, 756.

CORBALLIS, M.C. 1991. *The Lopsided Ape.* Oxford Univ. Press.

COTTERELL, A. 1981. *The First Emperor of China.* Macmillan: Londra.

COX, M. & HUNTER, J. 2005. *Forensic Archaeology: Advances in Theory and Practice.* Routledge: Londra.

CRAWFORD, M.H. 1998. *The Origins of Native Americans. Evidence from anthropological genetics.* Cambridge Univ. Press.

CRUBÉZY, E. ve diğerleri. 1998. False teeth of the Roman world. *Nature* 391, 29 (& 394, 534).

DASTUGUE, J. & DE LUMLEY, M-A. 1976. Les maladies des hommes préhistoriques du Paléolithique et du Mésolithique, şurada *La Préhistoire française* Cilt 1:1 (H. de Lumley ed.), 612–22. CNRS: Paris.

DAVID, R. (ed.). 1986. *Science in Egyptology.* Manchester Univ. Press.

—— & TAPP, E. (ed.). 1984. *Evidence Embalmed: Modern medicine and the mummies of Egypt.* Manchester Univ. Press.

DAVIDSON, E. 1986. Earliest dental filling shows how ancients battled with "tooth worms," *Popular Archaeology* Şubat, 46.

DAY, M.H. & WICKENS, E.H. 1980. Laetoli Pliocene hominid footprints and bipedalism. *Nature* 286, 385–87.

DEAN, M.C., STRINGER, C.B., & BROMAGE, T.G. 1986. Age at death of the Neanderthal child from Devil's Tower, Gibraltar, and the implication for studies of general growth and development in Neanderthals. *American Journal of Phys. Anth.* 70, 301–9.

DIBBLE, H.L. 1989. The implications of stone tool types for the presence of language during the Lower and Middle Palaeolithic, şurada *The Human Revolution* (P. Mellars & C. Stringer ed.), 415–32. Edinburgh Univ. Press.

DILLEHAY, T. 2000. *The Settlement of the Americas, a New Prehistory.* Basic Books: New York.

DOBYNS, H.F. 1966. Estimating Aboriginal American population. *Current Anth.* 7, 395–449.

DOLGOPOLSKY, A. 1998. *The Nostratic Macrofamily and Linguistic Palaeontology.* McDonald Institute: Cambridge.

DONGOSKE, K.E. ve diğerleri. 2000. Critique of the claim of cannibalism at Cowboy Wash. *American Antiquity* 65 (1), 179–90.

DORAN, G.H. 1992. Problems and potential of

wet sites in North America: the example of Windover, şurada *The Wetland Revolution in Prehistory* (B. Coles, ed.), 125–34. Prehist Soc/WARP: Exeter.

—— (ed.). 2002. *Windover. Multidisciplinary Investigations of an Early Archaic Florida Cemetery.* University Press of Florida: Gainesville.

DUPRAS, T.L. ve diğerleri. 2006. *Forensic Recovery of Archaeological Remains. Archaeological Approaches.* Taylor & Francis: Boca Raton.

EL MAHDY, C. 1989. *Mummies, Myth and Magic in Ancient Egypt.* Thames & Hudson: Londra & New York.

ENARD, W. ve diğerleri. 2002. Molecular evolution of *FOXP2*, a gene involved in speech and language. *Nature* 418, 869–72.

ERICSON, J.E. & COUGHLIN, E.A. 1981. Archaeological toxicology. *Annals of the New York Academy of Sciences* 376, 393–403.

D'ERRICO, F., VILLA, G., & FORNACIARI, G. 1988. Dental esthetics of an Italian Renaissance noblewoman, Isabella d'Aragona. A case of chronic mercury intoxication. *Ossa* 13, 207–28.

EXCOFFIER, L. ve diğerleri. 1987. Genetics and the history of sub-Saharan Africa. *Yearbook of Physical Anth.* 30, 151–94.

EYRE-WALKER, A. ve diğerleri. 1998. How clonal are human mitochondria? *Philosophical Trans. of the Royal Society of Londra Series B* 266, 477–83.

FAERMAN, M. ve diğerleri. 1998. Determining the sex of infanticide victims from the late Roman era through ancient DNA analysis. *Journal of Arch. Science* 25, 861–65.

FALK, D. 1983. Cerebral cortices of East African early hominids. *Science* 221, 1072–74.

FENNELL, K.J. & TRINKAUS, E. 1997. Bilateral femoral and tibial periostitis in the La Ferrassie 1 Neanderthal. *Journal of Arch. Science* 24, 985–95.

FINLAYSON, C. 2009. *The Humans Who Went Extinct.* Oxford University Press: Oxford & New York.

FLANNERY, K.V. & MARCUS, J. 1983. *The Cloud People: Divergent Evolution of the Zapotec and Mixtec Civilizations.* Academic Press: New York & Londra.

FORSTER, P. ve diğerleri. 1996. Origin and evolution of native American mtDNA variation: a reappraisal. *American Journal of Human Genetics* 59, 935–45.

—— 2004. Ice Ages and the mitochondrial DNA chronology of human dispersals: a review. *Philosophical Transactions of the Royal Society of Londra,* Series B 359, 259–64

—— & RENFREW, C. 2003. The DNA chronology of prehistoric human dispersals, şurada *Examining the Farming/ Language Dispersal Hypothesis* (P. Bellwood & C. Renfrew ed.), 89–98. McDonald Institute: Cambridge.

—— & —— 2014a. Introduction: DNA, şurada *Cambridge World Prehistory* I (C. Renfrew & P. Bahn ed.), 9–18. Cambridge University Press.

—— & —— 2014b. Europe and the Mediterranean: DNA, şurada *Cambridge World Prehistory* III (C. Renfrew & P. Bahn ed.), 1747–54. Cambridge Univ. Press.

FOX, A. 1983. Pa and people in New Zealand: an archaeological estimate of population. *New Zealand Journal of Archaeology* 5, 5–18.

FRAYER, D.W. & RUSSELL, M.D. 1987. Artificial grooves in the Krapina Neanderthal teeth.

American Journal of Phys. Anth. 74, 393–405.

—— ve diğerleri. 1988. A case of dwarfism in the Italian late Upper Paleolithic. *American Journal of Phys. Anth.* 75, 549–65.

FREETH, C. 1999. Ancient history of trips to the dentist. *British Archaeology* 43, Nisan 8–9.

FU, Q. ve diğerleri. 2014. Genome sequence of a 45,000-year-old modern human from Western Siberia. *Nature* 514, 445–49.

GENOVES, S. 1969a. Sex determination in earlier man, şurada *Science in Archaeology* (D. Brothwell & E.S. Higgs ed.), 429–39. (2. basım) Thames & Hudson: Londra.

—— 1969b. Estimation of age and mortality, şurada *Science in Archaeology* (D. Brothwell & E.S. Higgs ed.), 440–52. (2. basım) Thames & Hudson: Londra.

GERASIMOV, M.M. 1971. *The Face Finder.* Hutchinson: Londra.

GIBBONS, A. 1996. The peopling of the Americas. *Science* 274, 31–33.

—— 2013. On the trail of ancient killers. *Science* 340, 1278–82.

GILL, G.W. & RHINE, S. (ed.). 1990. *Skeletal Attribution of Race.* Anth. Paper 4, Maxwell Museum of Anthropology: Albuquerque.

GLOB, P.V. 1969. *The Bog People.* Faber: Londra.

—— 1973. *The Mound People. Danish Bronze Age man preserved.* Faber: Londra.

GOEBEL, T ve diğerleri. 2003. The archaeology of Ushki Lake, Kamchatka, and the Pleistocene peopling of the Americas. *Science* 301, 501–05.

GONDER, M.K. ve diğerleri. 2003. Demographic history of Khoisan speakers of Tanzania inferred from mtDNA control region sequences. Paper presented to the 72nd Annual Meeting of the American Association of Physical Anthropologists, Nisan 2003.

GORE, R. 1984. The dead do tell tales at Vesuvius. *National Geographic* 165 (5), 556–613.

GOYON, J-C. & JOSSET, P. 1988. *Un Corps pour l'Eternité. Autopsie d'une Momie.* Le Léopard d'Or: Paris.

GREEN, R.E, KRAUSE, J. ve diğerleri. 2006. Analysis of one million base pairs of Neanderthal DNA. *Nature* 444, 330–36.

——, —— ve diğerleri. 2010. A draft sequence of the Neanderthal genome. *Science* 328, 710–22.

GREENBERG, J.H. 1963. *The Languages of Africa.* Stanford Univ. Press.

—— 1987. *Language in the Americas.* Stanford Univ. Press.

——, TURNER, C.G., & ZEGURA, S.L. 1986. The settlement of the Americas: a comparison of the linguistic, dental and genetic evidence. *Current Anth.* 27, 477–97.

GREMILLION, K.J. & SOBOLIK, K.D. 1996. Dietary variability among prehistoric forager-farmers of eastern North America. *Current Anth.* 37, 529–39.

GROENEN, M. 1988. Les représentations de mains négatives dans les grottes de Gargas et de Tibiran. *Bull. Soc. Royale Belge d'Anth. et de Préhist.* 99, 81–113.

GUNN, R.G. 2006. Hand sizes in rock art. Interpreting the measurements of hand stencils and prints. *Rock Art Research* 23(1), 97–112.

HAAK, W., FORSTER, P. ve diğerleri. 2005. Ancient DNA from the first European farmers in 7500-year-old neolithic sites. *Science* 310, 1016–18.

—— ve diğerleri. 2008. Ancient DNA isotopes, and osteological analyses shed light on social and kinship organization of the Later Stone Age. *Proceedings of the National Academy of Sciences* 105, 18226–31.

HAGELBERG, E. & CLEGG, J.B. 1993. Genetic polymorphisms in prehistoric Pacific islanders determined by analysis of ancient bone DNA. *Proc. Royal Soc. Londra* B 252, 163–70.

——, SYKES, B. & HEDGES, R. 1989. Ancient bone DNA amplified. *Nature* 342, 485.

HAGLUND, W.D. ve diğerleri. 2007. *Human Remains. Recognition, Documentation, Recovery, and Preservation.* Routledge: Londra.

HAILE-SELASSIE, Y. ve diğerleri. 2012. A new hominin foot from Ethiopia shows multiple Pliocene bipedal adaptations. *Nature* 483, 565–69.

HAMMER, M.F. 1995. A recent common ancestry for human Y chromosomes. *Nature* 378, 376–78.

HARRIS, J.E. & WEEKS, K.R. 1973. *X-Raying the Pharaohs.* Macdonald: Londra.

HARRISON, R.G. & ABDALLA, A.B. 1972. The remains of Tutankhamun. *Antiquity* 46, 8–14.

—— ve diğerleri. 1979. A mummified foetus from the tomb of Tutankhamen. *Antiquity* 53, 19–21.

HART, G.D. (ed.). 1983. *Disease in Ancient Man.* Clarke Irwin: Toronto.

HART HANSEN, J.P., MELDGAARD, J., & NORDQVIST, J. 1985. The mummies of Qilakitsoq. *National Geographic* 167 (2), 190–207.

——, & —— (ed.). 1991. *The Greenland Mummies.* British Museum Press: Londra.

HASSAN, F.A. 1981. *Demographic Archaeology.* Academic Press: New York & Londra.

HAWASS, Z. 2010. King Tut's family secrets. *National Geographic* 218(3), September, 34–59.

HEDGES, J.W. 1983. *Isbister: A chambered tomb in Orkney.* British Arch. Reports, Int. Series 115: Oxford.

HERRMANN, B. & HUMMEL, S. (ed.). 1994. *Ancient DNA.* Springer-Verlag: New York.

HIGHAM, C. & THOSARAT, R. 1998. *Prehistoric Thailand, from Early Settlement to Sukhothai.* River Books: Bangkok; Thames & Hudson: Londra.

HILLSON, S.W. 1979. Diet and dental disease. *World Arch.* 11, 147–61.

—— 2005 (2. basım). *Teeth.* Cambridge Univ. Press.

HOLLOWAY, R.L. 1983. Cerebral brain endocast pattern of *Australopithecus afarensis* hominid. *Nature* 303, 420–22.

HOPPA, R.D. & VAUPEL, J.W. (ed.). 2002. *Paleodemography. Age distributions from skeletal samples.* Cambridge University Press.

HUDJASHOV, G., KIVISILD, T. ve diğerleri. 2007. Revealing the prehistoric settlement of Australia by Y chromosome and mtDNA analysis. *Proceedings of the National Academy of Sciences of the USA* 104, 8726–30.

HURTADO DE MENDOZA, D. & BRAGINSKI, R. 1999. Y chromosomes of Native American Adam. *Science* 283, 1439–40.

ISAAC, G.L. 1976. Stages of cultural elaboration in the Pleistocene: possible archaeological indicators of the development of language capabilities, şurada *Origins and Evolution of Language and Speech* (S.R. Harnad ve diğerleri ed.), 276–88. Annals of the New York Acad. of Sciences 280.

JANSSENS, P. 1970. *Palaeopathology.*

Humanities: New Jersey.

JOBLING, M.A. 2004. *Human Evolutionary Genetics: Origins, Peoples and Disease.* Garland Press: New York & Londra.

JOHANSON, D. & EDGAR, B. 2006 (2. basım). *From Lucy to Language.* Simon & Schuster: New York.

JONES, M. 2001. *The Molecule Hunt: Archaeology and the Search for Ancient DNA.* Allen Lane: Londra & New York.

JORDAN, P. 1983. *The Face of the Past.* Batsford: Londra.

KAIFU, Y. ve diğerleri (eds). 2014. *Emergence and Diversity of Modern Human Behavior in Paleolithic Asia.* Texas A&M Univ. Press: Texas.

KAUFFMANN-DOIG, F. 1979. *Sexual Behaviour in Ancient Peru.* Lima.

KAY, R.F. ve diğerleri. 1998. The hypoglossal canal and the origin of human vocal behavior. *Proc. of the National Academy of Sciences USA* 95, 5417–19.

KENNEDY, K.A.R. 1998. Markers of occupational stress: conspectus and research. *International Journal of Osteoarchaeology* 8 (5), 305–10.

KERLEY, E.R. 1965. The microscopic determination of age in human bone. *American Journal of Phys. Anth.* 73, 149–64.

KLEVEZAL, G.A. & SHISHLINA, N.I. 2001. Assessment of the season of death of ancient human from cementum annual layers. *Journal of Arch. Science* 28, 481–86.

KRALIK, M. & NOVOTNY, V. 2005. Dermatoglyphics of ancient ceramics, s. 449–97 şurada (J. Svoboda, ed.) *Pavlov I Southeast. A Window into the Gravettian Lifestyles.* Institute of Archaeology: Brno.

KRAUSE, J. ve diğerleri. 2007. Neanderthals in central Asia and Siberia. *Nature* 449, 902–4.

KRINGS, M., STONE, A., SCHMILTZ, R., ve diğerleri. 1997. Neanderthal DNA sequences and the origin of modern humans. *Cell* 90, 19–30.

LACRUZ, R.S ve diğerleri. 2005. Dental enamel hypoplasia, age at death, and weaning in the Taung child. *South African Journal of Science* 101 (11/12), 567–69.

LAI, C.S.L. ve diğerleri. 2001. A forkhead-domain gene is mutated in a severe speech and language disorder. *Nature* 413, 519–23.

LAITMAN, J.T. 1986. L'origine du langage articulé. *La Recherche* 17, No. 181, 1164–73.

LAMB, A. ve diğerleri. 2014. Multi-isotope analysis demonstrates significant lifestyle changes in King Richard III. *Journal of Arch. Science* 50, 559–65.

LAMBERT, B., SZPUNAR, C.B., & BUIKSTRA, J.E. 1979. Chemical analysis of excavated human bone from Middle and Late Woodland sites. *Archaeometry* 21, 115–29.

LAMBERT, D.M. & MILLAR, C.D. 2006. Evolutionary biology: ancient genomics is born. *Nature* 444, 275–6.

LARSEN, C.S. 1997. *Bioarchaeology: Interpreting Behaviour from the Human Skeleton.* Cambridge Univ. Press.

—— 2000. Reading the bones of La Florida. *Scientific American*, Haziran, 62–67.

—— 2002. *Skeletons in our Closet: Revealing our Past through Bioarchaeology.* Princeton University Press: New York.

LATIMER, B., OHMAN, J.C., & LOVEJOY, C.O. 1987. Talocrural joint in African hominoids: implications for *Australopithecus afarensis.* *American Journal of Phys. Anth.* 74, 155–75.

LAZARIDIS, I. ve diğerleri. 2014. Ancient human genomes suggest three ancestral populations for present-day Europeans. *Nature* 513, 409–16.

LEAKEY, M.D. 1979. Footprints in the ashes of time. *National Geographic* 155 (4), 446–57.

—— & HARRIS, J.M. (ed.). 1987. *Laetoli, a Pliocene Site in Northern Tanzania*. Clarendon Press: Oxford.

LIEBERMAN, P. 1998. *Eve Spoke*. Picador/Macmillan: Londra.

—— & CRELIN, E.S. 1974. Speech and Neanderthal Man. *American Anthropologist* 76, 323–25.

LOWENSTEIN, J.M. 1985. Molecular approaches to the identification of species. *American Scientist* 73, 541–47.

MACCHIARELLI, R. ve diğerleri. 2006. How Neanderthal molar teeth grew. *Nature* 444, 748–51.

MCCONVELL P. & EVANS, N. (ed.). 1997. *Archaeology and Linguistics: Aboriginal Australia in Global Perspective*. Oxford University Press, Melbourne.

MCKINLEY, J. 2000. The analysis of cremated bone, şurada *Human Osteology in Archaeology and Forensic Science* (Cox, M. & Mays, S. ed.), s. 403–21. Greenwich Medical Media: Londra.

MCMAHON, A.M.S. & MCMAHON, R. 1995. Linguistics, genetics and archaeology: internal and external evidence in the Amerind controversy. *Trans. of the Philological Society* 93, 123–225.

MAIURI, A. 1961. Last moments of the Pompeians. *National Geographic* 120 (5), 650–69.

MARCHANT, J. 2011. Curse of the Pharaoh's DNA. *Nature* 472, 404–06.

MARLAR, R.A. ve diğerleri. 2000. Biochemical evidence of cannibalism at a prehistoric Puebloan site in southwestern Colorado. *Nature*, 407, 74–78 (ayrıca bkz. *American Antiquity* 2000, 65, 145–78 & 397–406).

MATISOO-SMITH, E. & HORSBURGH, K.A. 2012. *DNA for Archaeologists*. Left Coast Press: Walnut Creek, CA.

MAYS, S.A. 1985. The relationship between Harris Line formation and bone growth and development. *Journal of Arch. Science* 12, 207–20.

—— 2010. *The Archaeology of Human Bones*. Routledge: Londra.

MEDNIKOVA, M.B. 2001. *Trepanations among Ancient Peoples of Eurasia*. (Rusça, İngiilzce özetle birlikte.) Scientific World: Moskova.

MELDRUM, J.D. & HILTON, C.E. (ed.). 2004. *From Biped to Strider. The Emergence of Modern Human Walking, Running and Resource Transport*. Kluwer: New York.

MERRIWETHER, D.A. 1999. Freezer anthropology: new uses for old blood. *Philosophical Trans. Royal Society of Londra, Series B* 354, 3–5.

MEYER, M. ve diğerleri. 2014. A mitochondrial genome sequence of a hominin from Sima de los Huesos. *Nature* 505, 403–06.

MILISAUSKAS, S. 1972. An analysis of Linear culture longhouses at Olszanica BI, Poland. *World Arch.* 4, 57–74.

——, ROTHAMMER, F., & FERRELL, R.E. 1994. Genetic variation in the New World: ancient teeth, bone and tissue as sources of DNA. *Experientia* 50, 592–601.

MILLER, M. 2009. Extreme makeover. *Archaeology* 62(1), 36–42.

MILNER, G.R. & BOLDSEN, J.L. 2012. Transition analysis: a validation study with known-age modern American skeletons. *American Journal of Physical Anthropology* 148, 98–110.

MOLLESON, T.I. & COX, M. 1988. A neonate with cut bones from Poundbury Camp, 4th century AD, England. *Bull. Soc. royale belge Anthrop. Préhist.* 99, 53–59.

—— & —— 1993. *The Spitalfields Project. Vol. 2, The Anthropology*. Council for British Arch. Research Report 86: York.

——, ELDRIDGE, D. & GALE, N. 1985. Identification of lead sources by stable isotope ratios in bones and lead from Poundbury Camp, Dorset. *Oxford Journal of Arch.* 5, 249–53.

MURDY, C.N. 1981. Congenital deformities and the Olmec were-jaguar motif. *American Antiquity* 46, 861–71.

NAROLL, R. 1962. Floor area and settlement population. *American Antiquity* 27, 587–89.

NETTLE, D. 1999a. *Linguistic Diversity*. Oxford Univ. Press.

—— 1999b. Linguistic diversity of the Americas can be reconciled with a recent colonization. *Proc. National Academy of Sciences USA* 96, 3325–29.

NICHOLS, J. 1992. *Linguistic Diversity in Space and Time*. Univ. of Chicago.

NIEWOEHNER, W.A. ve diğerleri. 2003. Manual dexterity in Neanderthals. *Nature* 422, 395.

NOONAN, J.P., COOP, G. ve diğerleri. 2006. Sequencing and analysis of Neanderthal genomic DNA. *Science* 314, 1113–8.

OBERLIN, C. & SAKKA, M. 1993. Le pouce de l'homme de Néanderthal, şurada *La Main dans la Préhistoire, D. d'Archéologie* 178, 24–31.

ONAC, B.P. ve diğerleri. 2005. U-Th ages constraining the Neanderthal footprint at Vârtop Cave, Romania. *Quarterly Science Reviews* 24, 1151–57.

ORTNER, D.J. 2003. *Identification of Pathological Conditions in Human Skeletal Remains*. Academic Press: Londra.

—— & AUFDERHEIDE, A.C. (ed.). 1991. *Human Paleopathology: Current syntheses and future options*. Smithsonian Institution Press: Washington D.C.

PÄÄBO, S. 1985. Preservation of DNA in ancient Egyptian mummies. *Journal of Arch. Science* 12, 411–17.

—— 1989. Ancient DNA. Extraction, characterization, molecular cloning and enzymatic amplification. *Proc. National Academy of Sciences USA* 86, 1939–43.

—— 1993. Ancient DNA. *Scientific American* 269, 60–66.

PAHL, W.M. 1980. Computed tomography – a new radiodiagnostical technique applied to medico-archaeological investigation of Egyptian mummies. *Ossa* 7, 189–98.

PAIN, S. 2005. Why the pharaohs never smiled. *New Scientist*, 2 Temmuz, 36–39.

—— 2007. The pharaohs' pharmacists. *New Scientist* 15 Aralık, 40–43.

PALES, L. 1976. *Les empreintes de pieds humains dans les cavernes*. Archives de l'Institut de Paléontologie Humaine No. 36. Masson: Paris.

—— & DE ST PÉREUSE, M.T. 1976. *Les Gravures de la Marche. II: Les Humains*. Ophrys: Paris.

PATRUCCO, R. ve diğerleri. 1983. Parasitological studies of coprolites of pre-

Hispanic Peruvian populations. *Current Anth.* 24, 393–94.

PETER-RÖCHER, H. 1994. *Kannibalismus in der prähistorischen Forschung*. Universitätsforschungen zur Prähistorischen Archäolgie, Band 20. Rudolf Habelt GmbH: Bonn.

PERELTSVAIG, A. & LEWIS, M. 2015. *The Indo-European Controversy: Facts and Fallacies in Historical Linguistics*. Cambridge Univ. Press.

PFEIFFER, S. 1980. Bone-remodelling age estimates compared with estimates by other techniques. *Current Anth.* 21, 793–94; and 22, 437–38.

PICKERING, M.P. 1989. Food for thought: an alternative to Cannibalism in the Neolithic. *Australian Arch.* 28, 35–39.

PITTS, M. 2014. *Digging for Richard III. How Archaeology Found the King*. Thames & Hudson: Londra.

POLONI, E.S. ve diğerleri. 1997. Human genetic affinities for Y-chromosome haplotypes show strong correspondence with linguistics. *American Journal of Human Genetics* 61, 1015–35.

PRAG, A.J.N. & NEAVE, R. 1997. *Making Faces, Using Forensic and Archaeological Evidence*. British Museum Press: Londra.

PREMATILLAKE, P. 1989. A Buddhist monastic complex of the mediaeval period in Sri Lanka, şurada *Domination and Resistance* (D. Miller ve diğerleri ed.), 196–210. Unwin Hyman: Londra.

PRINGLE, H. 2011. Texas site confirms pre-Clovis settlement of the Americas. *Science* 331, 1512

PUECH, P-F. 1978. L'alimentation de l'homme préhistorique. *La Recherche* 9, 1029–31.

—— & CIANFARANI, R. 1985. La Paléodontologie: étude des maladies des dents, şurada *Les Maladies de nos Ancêtres*. *Dossiers de l'Archéologie* 97, Eylül, 28–33.

RAFF, J.A. & BOLNICK, D.A. 2010. Genetic roots of the first Americans. *Science* 506, 162–63.

RASMUSSEN, M. ve diğerleri. 2010. Ancient human genome sequence of an extinct Palaeo-Eskimo. *Nature* 463, 757–61.

—— ve diğerleri. 2014. The genome of a late Pleistocene human from a Clovis burial site in western Montana. *Nature* 506, 225–29.

REICH, D. ve diğerleri. 2010. Genetic history of an archaic hominin group from Denisova Cave in Siberia. *Nature* 468, 1053–60.

—— ve diğerleri. 2012. Reconstructing Native American population history. *Science* 488, 370–73.

RENFREW, C. 1992. Archaeology, genetics and linguistic diversity, *Man* 27, 445–78.

—— 2000. At the edge of knowability, towards a prehistory of languages. *Cambridge Archaeological Journal* 10, 7–34.

—— (ed.). 2000. *America Past, America Present, Genes and Languages in the Americas and Beyond*. McDonald Institute: Cambridge.

—— 2002. Genetics and language in contemporary archaeology, şurada *Archaeology, the Widening Debate* (B. Cunliffe, W. Davies, & C. Renfrew ed.), 43–72. British Academy: Londra.

—— & NETTLE, D. (ed.). 1999. *Nostratic – Examining a Linguistic Macrofamily*. McDonald Institute: Cambridge.

ROBERTS, C.A. 2012. *Human Remains in Archaeology: a Handbook* (gözden geçirilmiş baskı). Council for British Archaeology: York.

—— & MANCHESTER, K. 2010. *The Archaeology of Disease.* (3. basım) History Press: Stroud (ayrıca Cornell University Press, 2007).

ROBERTS, G., GONZALEZ, S. & HUDDART, D. 1996. Intertidal Holocene footprints and their archaeological significance. *Antiquity* 70, 647–51.

ROBINSON, J.T. 1972. *Early Hominid Posture and Locomotion.* Univ. of Chicago Press.

ROSS, P.E. 1992. Eloquent remains. *Scientific American* 266 (5), 72–81.

ROTHHAMMER, F. ve diğerleri. 1985. Chagas' Disease in Pre-Columbian South America. *American Journal of Phys. Anth.* 68, 495–98.

ROTHSCHILD, B.M. & MARTIN, L. 1992. *Palaeopathology. Disease in the fossil record.* CRC Press: Boca Raton.

RUDENKO, S.I. 1970. *The Frozen Tombs of Siberia.* Dent: Londra.

RUHLEN, M. 1991. *A Guide to the World's Languages I.* Stanford Univ. Press.

—— 1994. *The Origin of Language: Tracing the Evolution of the Mother Tongue.* John Wiley: New York.

RUSSELL, M. 1987. Mortuary practices at the Krapina Neanderthal site. *American Journal of Phys. Anth.* 72, 381–97.

SALO, W.L. ve diğerleri. 1994. Identification of *Mycobacterium tuberculosis* DNA in a pre-Columbian Peruvian mummy. *Proc. National Academy of Sciences USA* 91, 2091–94.

VAN DER SANDEN, W. 1996. *Through Nature to Eternity. The Bog Bodies of Northwest Europe.* Batavian Lion International: Amsterdam.

SANTOS, F.R. ve diğerleri. 1999. The central Siberian origin for native American Y chromosome. *American Journal of Human Genetics* 64, 6199–628.

SCOTT, D.D. & CONNOR, M.A. 1986. Post-mortem at the Little Bighorn. *Natural History* Haziran, 46–55.

——, FOX, R.A., CONNOR, M.A., & HARMON, D. 1989. *Archaeological Perspectives on the Battle of the Little Bighorn.* Univ. of Oklahoma Press: Norman.

SHIELDS, G.F. ve diğerleri. 1993. mtDNA sequences suggest a recent evolutionary divergence for Beringian and northern North American populations. *American Journal of Human Genetics* 53, 549–62.

SIMS-WILLIAMS, P. 1998. Genetics, linguistics and prehistory: thinking big and thinking straight. *Antiquity* 72, 505–27.

SKOGLUND, P. ve diğerleri. 2013. Accurate sex identification of ancient human remains using DNA shotgun sequencing. *Journal of Arch. Science* 40 (12), 4477–82.

SMITH, B.H. 1986. Dental development in *Australopithecus* and early *Homo. Nature* 323, 327–30.

SMITH, F.H. 1983. Behavioral interpretation of change in craniofacial morphology across the archaic/modern *Homo sapiens* transition, şurada *The Mousterian Legacy* (E. Trinkaus ed.), 141–63. British Arch. Reports, Int. Series 164: Oxford.

SMITH, P. 1972. Diet and attrition in the Natufians. *American Journal of Phys. Anth.* 37, 233–38.

SMITH, T.M. ve diğerleri. 2007. Rapid dental development in a Middle Paleolithic Belgian Neanderthal. *Proceedings of the National Academy of Sciences* 104(51), 20220–25.

SNOW, D.R. 2013. Sexual dimorphism in

European Upper Palaeolithic cave art. *American Antiquity* 78 (4), 746–61.

SOKAL, R.R., ODEN, N.L., & WILSON, A.C. 1991. New genetic evidence supports the origin of agriculture in Europe by demic diffusion, *Nature* 351, 143–44.

——, —— & THOMSON, B.A. 1992. Origins of Indo-European: genetic evidence. *Proc. of the National Academy of Sciences, USA* 89, 7669–73.

SPOOR, F., WOOD, B., & ZONNEVELD, F. 1994. Implications of early hominid labyrinthine morphology for evolution of human bipedal locomotion. *Nature* 369, 645–48.

STEAD, I.M., BOURKE, J.B., & BROTHWELL, D. (ed.). 1986. *Lindow Man.* British Museum Publications: Londra.

STERN, J.T. & SUSMAN, R.L. 1983. The locomotor anatomy of *Australopithecus afarensis. American Journal of Phys. Anth.* 60, 279–317.

STONE, A.C., MILNER, G., & PÄÄBO, S. 1996. Sex determination of ancient human skeletons using DNA. *American Journal of Phys. Anth.* 99, 231–38.

—— & STONEKING, M. 1999. Analysis of ancient DNA from a prehistoric Amerindian cemetery. *Philosophical Trans. of the Royal Society of Londra, Series B* 354, 153–59.

STOREY, G.R. 1997. The population of ancient Rome. *Antiquity* 71, 966–78.

STRAUSS, E. 1999. Can mitochondrial clocks keep time? *Science* 283, 1435–38.

STRINGER, C. & ANDREWS, P. 2011. *The Complete World of Human Evolution.* (2. basım) Thames & Hudson: Londra & New York.

SUERES, M. 1991. Les mains de Gargas: approche expérimentale et statistique du problème des mutilations. *Travaux de l'Institut d'Art Préhistorique de Toulouse* 33, 9–200.

SUSMAN, R.L. 1994. Fossil evidence for early hominid tool use. *Science* 265, 1570–73.

SUTTON, M.Q., MALIK, M., & OGRAM, A. 1996. Experiments on the determination of gender from coprolites by DNA analysis. *Journal of Arch. Science* 23, 263–67.

SWADDLING, J. & PRAG, J. 2002. *Seianti Hanunia Tlesnasa. The Story of an Etruscan Noblewoman.* British Museum Occasional Paper 100. British Museum Presss: Londra.

TATTERSALL, I. 1992. Evolution comes to life. *Scientific American* 267 (2), 62–69.

TERSIGNI-TARRANT, M.T. & SHIRLEY, N. 2013. *Forensic Anthropology: An Introduction.* CRC Press: Boca Raton.

TORRONI, A. ve diğerleri. 1994. Mitochondrial DNA and Y-chromosome polymorphisms in four native American populations from southern Mexico. *American Journal of Human Genetics* 54.

—— ve diğerleri. 1992. Native American mitochondrial DNA analysis indicates that the Amerind and Nadene populations were founded by two independent migrations, *Genetics* 130, 153–62.

TOTH, N. 1985. Archaeological evidence for preferential right-handedness in the lower and middle Pleistocene, and its possible implications. *Journal of Human Evolution* 14, 607–14.

TRINKAUS, E. 1975. Squatting among the Neanderthals: a problem in the behavioural interpretation of skeletal morphology. *Journal of Arch. Science* 2, 327–51.

—— 1982. Artificial cranial deformation in the

Shanidar 1 and 5 Neanderthals. *Current Anth.* 23, 198–99.

—— 1983. *The Shanidar Neanderthals.* Academic Press: New York & Londra.

TROTTER, M. & GLESER, G.C. 1958. A reevaluation of estimation of stature based on measurements of stature taken during life and of long bones after death. *American Journal of Phys. Anth.* 16, 79–123.

TURNER, C.G. & TURNER, J.A. 1999. *Man Corn. Cannibalism and Violence in the Prehistoric Southwest.* Univ. of Utah Press: Salt Lake City.

TURNER, R.C. & SCAIFE, R.G. (ed.). 1995. *Bog Bodies. New Discoveries and New Perspectives.* British Museum Press: Londra.

TUTTLE, R., WEBB, D., & WEIDL, E. 1990. Further progress on the Laetoli trails. *Journal of Arch. Science* 17, 347–62.

UBELAKER, D.H. 1984. *Human Skeletal Remains.* (gözden geçirilmiş basım) Taraxacum: Washington.

UNDERHILL, P.A. 2003. Inference of neolithic population histories using Y-chromosome haplotypes, şurada *Examining the Farming/Language Dispersal Hypothesis* (P. Bellwood & C. Renfrew ed.), 65–78. McDonald Insitute: Cambridge.

URTEAGA-BALLON, O. & WELLS, C. 1968. Gynaecology in Ancient Peru. *Antiquity* 42, 233–34.

VILLA, P. ve diğerleri. 1986. Cannibalism in the Neolithic. *Science* 233, 431–37.

WALDRON, T. 1994. *Counting the Dead. The Epidemiology of Skeletal Populations.* Wiley: Chichester.

—— 2001. *Shadows in the Soil: Human Bones and Archaeology.* Tempus: Stroud/Charleston.

WARD, C.V. ve diğerleri. 2011. Complete fourth metatarsal and arches in the foot of *Australopithecus afarensis. Science* 331, 750–53.

WARD, R. & STRINGER, C. 1997. A molecular handle on the Neanderthals. *Nature* 388, 225–26.

WATERS, M.R. ve diğerleri. 2011. The Buttermilk complex and the origins of Clovis at the Debra L. Friedkin site, Texas. *Science* 213, 1599–603.

WATTS, G. 2001. Walk like an Egyptian. *New Scientist* 31 Mart, 46–47.

WEBB, S. ve diğerleri. 2006. Pleistocene human footprints from the Willandra Lakes, southeastern Australia. *Journal of Human Evolution* 50 (4), 405–13.

WELLS, L.H. 1969. Stature in earlier races of mankind, şurada *Science in Archaeology* (D. Brothwell & E.S. Higgs ed.), 453–67. (2. basım) Thames & Hudson: Londra.

WELLS, S. 2002. *The Journey of Man. A Genetic Odyssey.* Princeton Univ. Press.

WHITE, T.D. 1991. *Human Osteology.* Academic Press: New York.

—— 1992. *Prehistoric Cannibalism.* Princeton Univ. Press.

WILKINSON, C. 2004. *Forensic Facial Reconstruction.* Cambridge University Press.

WOOD, J.W. ve diğerleri. 1992. The osteological paradox. Problems of inferring health from the skeleton. *Current Anthropology* 33, 343–70.

ZIMMERMAN, M.R. & ANGEL, J.L. (ed.). 1986. *Dating and age determination of biological materials.* Croom Helm: Londra.

Bölüm 12: Şeyler Neden Değişti?
Arkeolojide Anlam (s. 477-506)

s. 477 **Giriş** Morris 2010.
s. 477–81 **"Geleneksel" açıklama** İngilizcede kültür=halk ilk varsayımı: Childe 1929; tarihçesi: Trigger 1978, 1989. Renfrew 1969 & 1973a (5. Bölüm) Childe'ın Vinča/Troia yayılmacı bağlantısını tartışır; 1982. Lapita: Green 1979; Bellwood 1987. Alfabenin yayılımı: Gelb 1952. Yerel yeniliklere karşı yayılım sorunu: Renfrew 1978a.
s. 481–85 **Süreçsel yaklaşım** Flannery 1967; Binford 1972, 2002. **Uygulamalar** Clark 1952 (İsviçre megalitleri). Binford 1968 (tarımın kökenleri) ve şimdi bkz. Binford 1999; Bender 1978 (alternatif model).
s. 485–87 **Marksizm** ve insan toplumu: Childe 1936. **Marksist arkeoloji:** Gilman 1976, 1981; Friedman & Rowlands 1978; Frankenstein & Rowlands 1978; Spriggs 1984. Yapısal Marksizm: Friedman 1974.
s. 487–89 **Evrimsel arkeoloji** Dawkins 1989, fakat bkz. Lake 1999; Kültürel Virüs Kuramı için Cullen 1993. Evrimsel psikoloji için: Tooby & Cosmides 1990; Barkow ve diğerleri 1992; ayrıca Mithen 1996; Sperber 1996. ABD ve ötesinde yeni evrimci düşünce için: Dunnell 1980, 1995; Durham 1991; Cavalli-Sforza & Feldman 1981; Boyd & Richerson 1985; Maschner 1996; O'Brien 1996; Lyman & O'Brien 1998; Bintliff 1999.
s. 489–91 **Açıklamanın biçimi: genel ya da özel** Thomas 2004;Hempel 1966. Bilimsel akıl yürütmeyle ilgili diğer izahatler: Braithwaite 1960; Popper 1985. Evrensel yasaların arkeolojiye uygulanması: Watson, LeBlanc, & Redman 1971, Flannery 1973 ve Trigger 1978 tarafından eleştirilmiştir. Collingwood 1946 ve Hodder 1986 çelişen idealist-tarihi bakış açısını ele alır.
s. 491–98 **Devletin kökenleri** Claessen ve diğerleri 2008. Alternatif kuramlar: Wittfogel 1957; Diakonoff 1969; Carneiro 1970, 1978; Renfrew 1972; Johnson & Earle 1987; Marcus 1990; Morris 1987. Tarımsal yoğunlaşma: Boserup 1965. Greg Johnson's work: Johnson 1982. Rathje'nin Maya çalışmaları: Rathje 1971. Mezoamerika tarımının kökenlerine sistemler yaklaşımı: Flannery 1968. **Simulasyon** Chadwick'in çalışması: Chadwick 1979. Sistem Dinamik Modelleme: Zubrow 1981 (antik Roma). Gilbert & Doran 1994; Mithen 1990. Çoklu etken simülasyonu: Drogoul & Ferber 1994. **Sistem çöküşü** Beresford-Jones 2011; Diamond 2005; Pyburn 2006; Tainter 1990; Lawler 2010.
s. 498–99 **Postsüreçsel açıklama** Yapısalcı yaklaşımlar: Glassie 1975; Arnold 1983 yakın tarihli bir örnek vakayı inceler. Ayrıca bkz. 1. Bölüm.
s. 499–501 **Eleştirel Kuram** Hodder 1986 ve Shanks & Tilley 1987a, 1987b. **Neo-Marksist düşünce.** Leone 1984 (Paca). Miller 1980 (Üçüncü Dünya).
s. 501–03 **Bilişsel arkeoloji** İyi örnekler şunlarda bulunmaktadır: Flannery & Marcus 1983; Schele & Miller, 1986; Conrad & Demarest 1984; Freidel 1981; Renfrew & Zubrow 1994; Earle 1997; Feinman & Marcus 1998; Blanton 1998; Rappaport 1999; Mann 1986; Flannery 1999. **Kesintili denge:** Gould & Eldredge 1977. Minos saraylarının doğuşu: Cherry 1983, 1984, 1986. **Felaket kuramı** Thom 1975; Zeeman 1977; Renfrew 1978a,1978b tarafından incelenmiştir. **Dengesiz sistemlerde öz örgütlenme** Prigogine 1979, 1987; Prigogine & Stengers

1984; Allen 1982; van der Leeuw & McGlade 1997. **Bilişsel-süreçsel ve yorumsal arkeolojilerin birleştiği noktalar** Schults 2010, Pels 2010 (nesnelerin içselleştirilmesi; Renfrew 2008, Malafouris 2007 (nesnelerin içselleştirilmesi). Hodder 2010.
s. 503–04 **Eylemlilik ve nesnelerin içselleştirilmesi** Arnold 2001; Barrett 2001; Dobres & Robb 2000; Fash 2002; Gell 1998; Smith 2001. Karşılaştırılmalı ve kültürlerarası perspektifler: Earle 2002; Feinman & Marcus 1998; Flannery 1999; Renfrew 2003; Trigger 2003. Maddi bağlantı: DeMarrais ve diğerleri 1996; Renfrew 2001; Renfrew 2003; Searle 1995. Arkeoloji ve kültür tarihi: Fash 2002; Morris 2000; Mizoguchi 2002. Evrimsel yaklaşımlar: Shennan 2002.

KUTULAR
s. 480–81 **Büyük Zimbabve** Garlake 1973.
s. 482–83 **Moleküler genetik ve nüfus dinamikleri** Cavalli-Sforza ve diğerleri 1994; Richards ve diğerleri 1996; Sykes 1999; Malaspina ve diğerleri 1998; Torroni ve diğerleri 1998; Semino ve diğerleri 2001; Renfrew & Boyle 2000; Bellwood & Renfrew 2003; Chikhi 2003; Haak ve diğerleri 2010.
s. 484 **Tarımın kökenleri** Binford 1968.
s. 486 **Marksist arkeoloji** yukarıdaki ana metin kaynaklarına bakınız.
s. 488–89 **Dil aileleri ve dil değişimi** Mallory 1989; Ruhlen 1991; Renfrew 1987b, 1990, 1991, 1992, 1994, 1996, 1998; Philipson 1977; Bellwood 1991, 1996; Bellwood & Renfrew 2003; Bellwood 2005; Forster & Renfrew 2006; Gray & Atkinson 2003; Bouckaert ve diğerleri 2012; Pereltsvaig & Lewis 2015; Heggarty & Renfrew 2014a, 2014b; Heggarty & Beresford-Jones 2010 (Quechua ve Aymara); Gray ve diğerleri 2009, Donohue & Denham 2010 (Avustronezya dili); Cunliffe & Koch 2011, Renfrew 2013 (Kelt dili).
s. 492–93 **Devletin kökenleri** Carneiro 1970.
s. 496–97 **Klasik Maya uygarlığının çöküşü** Culbert 1973; Hosler ve diğerleri 1977; Renfrew 1979; Doran 1981; Lowe 1985; Webster 2002. Devletlerin çöküşüyle ilgili çalışmalar: Tainter 1990; Yoffee & Cowgill 1988. Kuraklık: Hodell ve diğerleri 1995.
s. 500–01 **Avrupa megalitler** Farklı yorumlar: Renfrew 1976 and Chapman 1981 (işlevsel-süreçsel); Tilley 1984 (Neo-Marksist); Hodder 1984; Whittle 1996 (postsüreçsel): "Yeni Wessex Okulu" için 10. Bölüm'ün kaynakçasına bakınız s. 403–05.
s. 504–05 **Değişimin aracısı olarak birey** Holland 1956; Robb 1994; Mithen 1990; Barrett 1994; Flannery 1999; Brück 2001; Knapp ve van Dommelen 2008; Robb 2012. Malafouris 2013 (nesnelerin içselleştirilmesi).

Kaynakça
ALLEN, P.M. 1982. The genesis of structure in social systems: the paradigm of self-organization, şurada *Theory and Explanation in Archaeology* (C. Renfrew, M.J. Rowlands, & B.A. Segraves ed.), 347–74. Academic Press: New York & Londra.
ARNOLD, B. 2001. The limits of agency in the analysis of elite Iron Age Celtic burials. *Journal of Social Archaeology* 1, 210–24.
ARNOLD, D.E. 1983. Design structure and community organization in Quinua, Peru, şurada *Structure and Cognition in Art* (D.K. Washburn ed.), 40–55. Cambridge Univ. Press.

BARKOW, J.H., COSMIDES, L. & TOOBY, J. 1992. *The Adapted Mind: Evolutionary Psychology and the Generation of Culture.* Oxford Univ. Press.
BARRETT, J.C. 1994. *Fragments from Antiquity,* Oxford: Blackwell.
—— 2001. Agency, the duality of structure and the problem of the archaeological record, şurada *Archaeological Theory Today* (I. Hodder ed.), 141–64. Polity Press: Cambridge.
BELL, J.A. 1994. *Reconstructing Prehistory: Scientific Method in Archaeology.* Temple University Press: Philadelphia.
BELLWOOD, P. 1987. *The Polynesians* (gözden geçirilmiş basım) Thames & Hudson: Londra & New York.
—— 1991. The Austronesian dispersal and the origins of language. *Scientific American* 265, 88–93.
—— 1996. The origins and spread of agriculture in the Indo-Pacific region: gradualism and diffusion or revolution and colonization, şurada *Origin and Spread of Agriculture and Pastoralism in Eurasia* (D.R. Harris, ed.), 465–98. UCL Press: Londra.
—— 2005. *The First Farmers, the Origins of Agricultural Societies.* Oxford, Blackwell
—— **& RENFREW, C.** (ed.). 2003. *Examining the Farming/Language Dispersal Hypothesis.* McDonald Institute: Cambridge.
BENDER, B. 1978. Gatherer-hunter to farmer: a social perspective. *World Arch* 10, 204–22.
BERESFORD-JONES, D. 2011. *The Lost Woodlands of Ancient Nasca, A Case-study in Ecological and Cultural Collapse.* Oxford University Press.
BINFORD, L.R. 1968. Post-Pleistocene adaptations, şurada *New Perspectives in Archaeology* (S.R. Binford & L.R. Binford ed.), 313–41. Aldine: Chicago.
—— 1972. *An Archaeological Perspective.* Seminar Press: New York & Londra.
—— 1999. Time as a clue to cause? *Proceedings of the British Academy* 101.
—— 2002. *In Pursuit of the Past.* Univ. of California Press: Berkeley & Londra.
BINTLIFF, J. (ed.). 1999. *Structure and Contingency: Evolutionary Processes in Life and Human Society.* Leicester Univ. Press: Londra.
BLANTON, R. 1998. Beyond centralization: steps towards a theory of egalitarian behavior in archaic states, şurada *Archaic States* (G.M. Feinman & J. Marcus ed.). School of American Research Press: Santa Fe.
BOSERUP, E. 1965. *The Conditions of Agricultural Growth.* Aldine: Chicago.
BOUCKAERT, R. LENEY, P. ve diğerleri. 2012. Mapping the origins and expansion of the Indo-European language family. *Science* 337, 957–60.
BOURDIEU P. 1977. *Outline of a Theory of Practice.* Cambridge Univ. Press.
BOYD, R. & RICHERSON, J. 1985. *Culture and Evolutionary Process.* Univ. of Chicago Press.
BRAITHWAITE, R.B. 1960. *Scientific Explanation.* Cambridge Univ. Press.
BRÜCK, J. 2001. Monuments, power and personhood in the British Neolithic. *Journal of the Royal Anthropological Institute* 7, 649–67.
CARNEIRO, R.L. 1970. A theory of the origin of the state. *Science* 169, 733–38.
—— 1978. Political expansion as an expression of the principle of competitive exclusion, şurada *Origins of the state: the anthropology of political evolution* (R. Cohen & E.R. Service

ed.), 205–23. Institute for the Study of Human Issues: Philadelphia.

CAVALLI-SFORZA, L.L. & FELDMAN, M. 1981. *Cultural Transmission and Evolution: A Quantitative Approach.* Princeton Univ. Press.

——, MENOZZI, P. & PIAZZA, N. 1994. *The History and Geography of Human Genes.* Princeton Univ. Press.

CHADWICK, A.J. 1979. Settlement simulation, şurada *Transformations. Mathematical Approaches to Culture Change* (C. Renfrew & K.L. Cooke ed.), 237–55. Academic Press: New York & Londra.

CHAPMAN, R. 1981. The emergence of formal disposal areas and the "problem" of megalithic tombs in prehistoric Europe, şurada *The Archaeology of Death* (R. Chapman, I. Kinnes, & K. Randsborg ed.), 71–81. Cambridge Univ. Press.

CHERRY, J.F. 1983. Evolution, revolution, and the origins of complex society in Minoan Crete, şurada *Minoan Society. Proceedings of the Cambridge Colloquium 1981* (O. Krzyszkowska & L. Nixon ed.). Bristol Classical Press: Bristol.

—— 1984. The emergence of the state in the prehistoric Aegean. *Proceedings of the Cambridge Philological Society* 30, 18–48.

—— 1986. Polities and palaces: some problems in Minoan state formation, şurada *Peer polity interaction and socio-political change* (C. Renfrew & J.F. Cherry ed.), 19–45. Cambridge Univ. Press.

CHIKHI, L. 2003. Admixture and the demic diffusion model in Europe, şurada *Examining the Farming/Language Dispersal Hypothesis* (P. Bellwood & C. Renfrew ed.). McDonald Institute: Cambridge.

CHILDE, V.G. 1929. *The Danube in Prehistory.* Clarendon Press: Oxford.

—— 1936. *Man Makes Himself.* Watts: Londra.

CLAESSEN, H.J. ve diğerleri. 2008. Thirty Years of State Research. Special Issue: *Social Evolution and History: Studies in the Evolution of State Societies* 7(1), 1-272. Moskova.

CLARK, J.G.D. 1952. *Prehistoric Europe: the Economic Basis.* Methuen: Londra.

COLLINGWOOD, R.G. 1946. *The Idea of History.* Oxford Univ. Press.

CONRAD, G.W. & DEMAREST, A.A. 1984. *Religion and Empire. The Dynamics of Aztec and Inca Expansion.* Cambridge Univ. Press.

CULBERT, T.P. (ed.). 1973. *The Classic Maya Collapse.* Univ. of New Mexico Press: Albuquerque.

CULLEN, B. 1993. The Darwinian resurgence and the cultural virus critique. *Cambridge Archaeological Journal,* 3, 179–202.

CUNLIFFE, B. & KOCH, J.T. (ed.). 2011. *Celtic from the West.* Oxbow: Oxford.

DAWKINS, R. 1989. *The Selfish Gene.* Oxford Univ. Press.

DEMARRAIS, E., CASTILLO, L.J., & EARLE, T. 1996. Ideology, materialization and power ideologies. *Current Anthropology* 37, 15–31.

DIAKONOFF, I.M. 1969. The rise of the despotic state in Ancient Mesopotamia, şurada *Ancient Mesopotamia: socio-economic history* (I.M. Diakonoff ed.). Moskova.

DIAMOND, J. 2005. *Collapse: How societies choose to fail or succeed.* New York: Penguin; Allen Lane.

DOBRES, M.-A. & ROBB, J. (ed.). 2000. *Agency in Archaeology.* Routledge: Londra.

DONOHUE, M. & DENHAM, T. 2010. Farming and language in island south-east Asia.

Current Anthropology 51(2), 223–56

DORAN, J. 1981. Multi-actor systems and the Maya collapse, şurada *Coloquio: Manejo de Datos y Metodos Matemáticos de Arqueología* (G.L. Cowgill, R. Whallon, & B.S. Ottaway ed.), 191–200. UISPP: Mexico City.

DROGOUL, A. & FERBER, J. 1994. Multi-agent simulation as a tool for studying emergent processes in societies, şurada *Simulating Societies: the Computer Simulation of Social Phenomena* (N. Gilbert & J. Doran ed.), 127–42. UCL Press: Londra.

DUNNELL, R.C. 1980. Evolutionary theory and archaeology, şurada *Advances in Archaeological Method and Theory* 3 (M.B. Schiffer ed.), 38–99. Academic Press: New York & Londra.

—— 1995. What is it that actually evolves? şurada *Evolutionary Archaeology: Methodological Issues* (P.A. Teltser ed.), 33–50. University of Arizona Press: Tucson.

DURHAM, W.H. 1990. Advances in evolutionary culture theory. *Annual Review of Anthropology* 19, 187–210.

—— 1991. *Coevolution: Genes, culture and human diversity.* Stanford Univ. Press: Palo Alto.

EARLE, T. 1997. *How Chiefs Come to Power, the Political Economy in Prehistory.* Stanford Univ. Press.

—— 2002. *Bronze Age Economics, the Beginning of Political Economies.* Westview: Boulder.

FASH, W. 2002. Religion and human agency in Ancient Maya history: tales from the Hieroglyphic Stairway. *Cambridge Archaeological Journal* 12, 5–19.

FEINMAN, G.M. & MARCUS, J. (ed.). 1998. *Archaic States.* School of American Research Press: Santa Fe.

FLANNERY, K.V. 1967. Culture history vs. cultural process: a debate in American archaeology. *Scientific American* 217, 119–22.

—— 1968. Archaeological Systems Theory and Early Mesoamerica, şurada *Anthropological Archaeology in the Americas* (B.J. Meggers ed.), 67–87. Anthropological Society of Washington.

—— 1973. Archaeology with a capital "S," şurada *Research and Theory in Current Archaeology* (C.L. Redman ed.), 47–53. Wiley: New York.

—— 1999. Process and agency in early state formation. *Cambridge Archaeological Journal* 9, 3–21.

—— & MARCUS, J. 1983. *The Cloud People: Divergent Evolution of the Zapotec and Mixtec Civilizations.* Academic Press: New York & Londra.

FORSTER, P. & RENFREW, C. (ed.). 2006. *Phylogenetic methods and the Prehistory of Languages.* McDonald Institute: Cambridge.

FRANKENSTEIN, S. & ROWLANDS, M.J. 1978. The internal structure and regional context of Early Iron Age Society in south-western Germany. *Bulletin of the Institute of Archaeology* 15, 73–112.

FREIDEL, D. 1981. Civilization as a state of mind: the cultural evolution of the Lowland Maya, şurada *The Transition to Statehood in the New World* (G.D. Jones & R.R. Kautz ed.), 188–227. Cambridge Univ. Press.

FRIEDMAN, J. 1974. Marxism, structuralism and vulgar materialism. *Man* 9, 444–69.

—— & ROWLANDS, M.J. 1978. Notes towards an epigenetic model of the evolution of "civilisation," şurada *The Evolution of Social Systems* (J. Friedman & M.J. Rowlands ed.),

201–78. Duckworth: Londra.

GARLAKE, P.S. 1973. *Great Zimbabwe.* Thames & Hudson: Londra; McGraw-Hill: New York.

GELB, I.J. 1952. *A Study of Writing.* Univ. of Chicago Press.

GELL, A. 1998. *Art and Agency. An Anthropological Theory.* Oxford Univ. Press.

GIDDENS, A. 1984. *The Constitution of Society.* Univ. of California Press: Berkeley.

GILBERT, N. & DORAN, J. (ed.). 1994. *Simulating Societies: the Computer Simulation of Social Phenomena.* UCL Press: Londra.

GILMAN, A. 1976. Bronze Age dynamics in southeast Spain. *Dialectical Anthropology* 1, 307–19.

—— 1981. The development of social stratification in Bronze Age Europe. *Current Anth.* 22, 1–23.

GLASSIE, H. 1975. *Folk Housing in Middle Virginia.* Univ. of Tennessee Press: Knoxville.

GOULD, S.J. & ELDREDGE, N. 1977. Punctuated equilibria: the tempo and mode of evolution reconsidered. *Palaeobiology* 3, 115–51.

GRAY, R.D. & ATKINSON, Q.D. 2003. Language-tree divergence times support the Anatolian theory of Indo-European origin. *Nature* 426, 435–9.

——, DRUMMOND, A.J., & GREENHILL, S.J. 2009. Language phylogenies reveal expansion pulses and pauses in Pacific settlement. *Science* 323, 479–83.

GREEN, R.C. 1979. Lapita, şurada *The Prehistory of Polynesia* (J.D. Jennings ed.), 27–60. Harvard Univ. Press: Cambridge, Mass.

HAAK, W. ve diğerleri. 2010. Ancient DNA from European Early Neolithic Farmers reveals their Near Eastern affinities. *PLOS Biology* 8(11), 1–16.

HEGGARTY, P. & BERESFORD-JONES, D. 2010. Agriculture and language dispersals: limitations, refinements, and an alternative exception. *Current Anthropology* 51(2), 163–91.

—— & RENFREW, C. 2014a. Introduction: languages, şurada *Cambridge World Prehistory* (C. Renfrew & P. Bahn ed.), 19–44. Cambridge Univ. Press.

—— & —— 2014b. Western and Central Asian Languages, şurada *Cambridge World Prehistory* (C. Renfrew & P. Bahn eds), 1678–99. Cambridge Univ. Press.

HEMPEL, C.G. 1966. *Philosophy of Natural Science.* Prentice-Hall: Englewood Cliffs, NJ.

HODDER, I. 1984. Burials, houses, women and men in the European Neolithic, şurada *Ideology, Power and Prehistory* (D. Miller & C. Tilley ed.), 51–68. Cambridge Univ. Press.

—— (ed.). 2010. *Religion in the Emergence of Civilization.* Cambridge Univ. Press.

—— & HUTSON, S. 2003. *Reading the Past.* (3. basım) Cambridge Univ. Press: Cambridge & New York.

HODELL, D.A., CURTIS, J.H., & BRENNER, M. 1995. Possible role of climate in the collapse of Classic Maya civilization. *Nature* 375, 391–94.

HOLLAND, L.A. 1956. The purpose of the warrior image from Capestrano. *American Journal of Archaeology* 60, 243–7.

HOSLER, D.H., SABLOFF, J.A., & RUNGE, D. 1977. Simulation model development: a case study of the Classic Maya collapse, şurada *Social Processes in Maya Prehistory* (N. Hammond ed.), 553–90. Academic Press: New York & Londra.

JOHNSON, A.W. & EARLE, T. 1987. *The Evolution of Human Societies: from Foraging Group to Agrarian State.* Stanford Univ. Press.

JOHNSON, G.A. 1982. Organizational Structure and Scalar Stress, şurada *Theory and Explanation in Archaeology* (C. Renfrew, M.J. Rowlands, & B.A. Segraves ed.). Academic Press: New York & Londra.

KNAPP, A.B. & VAN DOMMELEN, P. 2008. Past practices: rethinking individuals and agents in archaeology. *Cambridge Archaeological Journal* 18, 15–34.

LAKE, M. 1999. Digging for memes: the role of material objects şurada cultural evolution, şurada *Cognition and Material Culture: the Archaeology of Symbolic Storage* (C. Renfrew & C. Scarre ed.), 77–88. McDonald Institute: Cambridge.

LAWLER, A. 2010. Collapse? What collapse? Societal change revisited. *Science* 330, 907–09.

VAN DER LEEUW, S. & MCGLADE, J. (ed.). 1997. *Time, Process and Structured Transformation in Archaeology.* Routledge: Londra.

LEONE, M. 1984. Interpreting ideology in historical archaeology: using the rules of perspective in the William Paca Garden in Annapolis, Maryland, şurada *Ideology, Power and Prehistory* (D. Miller & C. Tilley ed.), 25–35. Cambridge Univ. Press.

LOWE, J.W.G. 1985. *The Dynamics of Apocalypse: A systems simulation of the Classic Maya collapse.* Univ. of New Mexico Press: Albuquerque.

LYMAN, R.L. & O'BRIEN, M.J. (ed.). 1998. The goals of evolutionary archaeology: history and explanation. *Current Anthropology* 39, 615–52.

MALAFOURIS, L. 2007. The sacred engagement, şurada *Cult in Context: Reconsidering Ritual in Archaeology* (D.A. Barrowclough & C. Malone ed.), 198–205. Oxbow: Oxford.

—— 2013. *How Things Shape the Mind: A Theory of Material Engagement.* MIT Press: Cambridge, MA.

MALASPINA, P. ve diğerleri. 1998. Network analyses of Y-chromosome types in Europe, Northern Africa and Western Asia reveal specific patterns of geographic distribution. *American Journal of Human Genetics* 63, 847–60.

MALLORY, J.P. 1989. *In Search of the Indo-Europeans.* Thames & Hudson: Londra.

MANN, M. 1986. *The Sources of Social Power.* Cambridge Univ. Press.

MARCUS, J. (ed.). 1990. *Debating Oaxaca Archaeology.* Univ. of Michigan: Ann Arbor.

MASCHNER, H.D.G. (ed.). 1996. *Darwinian Archaeologies.* Plenum: New York.

MILLER, D. 1980. Archaeology and development. *Current Anth.* 21, 726.

MITHEN, S.J. 1990. *Thoughtful Foragers: a Study of Prehistoric Decision Making.* Cambridge Univ. Press.

—— 1996. *The Prehistory of the Mind.* Thames & Hudson: Londra & New York.

MIZOGUCHI, K. 2002. *An Archaeological History of Japan, 30,000 BC to AD 700.* Univ. of Pennsylvania Press: Philadelphia.

MORRIS, I. 1987. *Burial and Ancient Society: The Rise of the Greek City State.* Cambridge Univ. Press.

—— 2000. *Archaeology as Cultural History.* Blackwell: Oxford.

—— 2010. *Why the West rules – for now. The patterns of history and what they reveal about the future.* Farrar, Straus and Giroux: New York; Profile: Londra.

O'BRIEN, M. (ed.). 1996. *Evolutionary Archaeology.* Univ. of Utah Press: Salt Lake City.

PELS, P. 2010. Temporalities of "religion" at Çatalhöyük, şurada *Religion in the Emergence of Civilization* (I. Hodder ed.), 220–67. Cambridge University Press.

PERELTSVAIG, A. & LEWIS, M. 2015. *The Indo-European Controversy: Facts and Fallacies in Historical Linguistics.* Cambridge Univ. Press.

PHILLIPSON, D.W. 1977. The spread of the Bantu languages, *Scientific American* 236, 106–14.

POPPER, K.R. 1985. *Conjectures and Refutations: the growth of scientific knowledge.* (4. basım) Routledge & Kegan Paul: Londra.

PRIGOGINE, I. 1979. *From Being to Becoming.* Freeman: San Francisco.

—— 1987. Exploring complexity. *European Journal of Operational Research* 30, 97–103.

—— & STENGERS, I. 1984. *Order out of chaos: man's new dialogue with nature.* Heinemann: Londra.

PYBURN, K.A. 2006. The politics of collapse. *Archaeologies* 2, 3–7.

RAPPAPORT, R. 1999. *Ritual and Religion in the Makeup of Humanity.* Cambridge Univ. Press.

RATHJE, W.L. 1971. The Origin and Development of Lowland Classic Maya Civilisation. *American Antiquity* 36, 275–85.

RENFREW C. 1969. The Autonomy of the South-East European Copper Age. *Proc. Prehist. Soc.* 35, 12–47.

—— 1972. *The Emergence of Civilisation. The Cyclades and the Aegean in the Third Millennium BC.* Methuen: Londra.

—— 1973a. *Before Civilisation.* Jonathan Cape: Londra; Pelican: Harmondsworth.

—— (ed.) 1973b. *The Explanation of Culture Change: Models in Prehistory.* Duckworth: Londra.

—— 1976. Megaliths, Territories and Populations, şurada *Acculturation and Continuity in Atlantic Europe (Dissertationes Archaeologicae Gandenses XVI)* (S.J. de Laet ed.), 298–320.

—— 1978a. The anatomy of innovation, şurada *Social Organisation and Settlement* (D. Green, C. Haselgrove, & M. Spriggs ed.), 89–117. Brit. Arch. Reports: Oxford.

—— 1978b. Trajectory discontinuity and morphogenesis, the implications of catastrophe theory for archaeology. *American Antiquity* 43, 203–44.

—— 1979. System collapse as social transformation, şurada *Transformations. Mathematical Approaches to Culture Change* (C. Renfrew & K.L. Cooke ed.), 481–506. Academic Press: New York & Londra.

—— 1982. Explanation revisited, şurada *Theory and Explanation in Archaeology* (C. Renfrew, M.J. Rowlands, & B.A. Segraves ed.), 5–24. Academic Press: New York & Londra.

—— 1987a. Problems in the modelling of socio-cultural systems. *European Journal of Operational Research* 30, 179–92.

—— 1987b. *Archaeology and Language, the Puzzle of Indo-European Origins.* Jonathan Cape: Londra.

—— 1990. Models of change in language and archaeology. *Transactions of the Philological Society* 87, 103–78.

—— 1991. Before Babel: speculations on the origins of linguistic diversity. *Cambridge Archaeological Journal* 1, 3–23.

—— 1992. World languages and human dispersals: a minimalist view, şurada *Transition to Modernity, Essays on Power, Wealth and Belief* (J.A. Hall & I.C. Jarvie ed.), 11–68. Cambridge Univ. Press.

—— 1994. World linguistic diversity. *Scientific American* 268, 104–10.

—— 1996. Language families and the spread of farming, şurada *The Origin and Spread of Agriculture and Pastoralism in Eurasia* (D.R. Harris ed.), 70–92. UCL Press: Londra.

—— 1998. The origins of world linguistic diversity: an archaeological perspective, şurada *The Origin and Diversification of Language* (N.G. Jablonski & L.C. Aiello ed.), 171–92. California Academy of Sciences: San Francisco.

—— 2001. Symbol before concept, material engagement and the early development of society, şurada *Archaeological Theory Today* (I. Hodder ed.), 122–40. Polity Press: Cambridge.

—— 2003. *Figuring it Out, the Parallel Visions of Artists and Archaeologists.* Thames & Hudson: Londra & New York.

—— 2008. Neuroscience, evolution and the sapient paradox: the factuality of value and of the sacred, şurada *The sapient mind: where archaeology meets neuroscience* (C. Renfrew, C. Frith & L. Malafouris ed.), 165–76. Oxford University Press.

—— 2013. Early Celtic in the West, the Indo-European Context, şurada *Celtic from the West 2: Rethinking the Bronze Age and the Arrival of Indo-European in Atlantic Europe* (J.T. Koch ve B. Cunliffe ed.), 201–12. Oxbow: Oxford.

—— & ZUBROW, E.B.W. (ed.). 1994. *The Ancient Mind: Elements of Cognitive Archaeology.* Cambridge Univ. Press.

—— & SCARRE, C. (ed.). 1998. *Cognition and Material Culture: the Archaeology of Symbolic Storage.* McDonald Institute: Cambridge.

—— & BOYLE, K. (ed.). 2000. *Archaeogenetics: DNA and the Population Prehistory of Europe.* McDonald Institute: Cambridge.

RICHARDS, J. & VAN BUREN, M. (ed.). 2000. *Order, Legitimacy and Wealth in Ancient States.* Cambridge Univ. Press.

RICHARDS, M.R. ve diğerleri. 1996. Palaeolithic and neolithic lineages in the European mitochondrial gene pool. *American Journal of Human Genetics* 59, 185–203.

ROBB, J. 1994. Gender contradictions, moral coalitions, and inequality in prehistoric Italy. *Journal of European Archaeology* 2 (1), 20–49.

—— 2010. Beyond Agency. *World Archaeology* 42, 493–520.

RUHLEN, M. 1991. *A Guide to the World's Languages.* Stanford Univ. Press.

SALMON, M. 1982. *Philosophy and Archaeology.* Academic Press: New York & Londra.

SCHELE, L. & MILLER, M.E. 1986. *The Blood of Kings. Dynasty and ritual in Maya art.* Kimbell Art Museum: Fort Worth; 1992 Thames & Hudson: Londra.

SCHULTS, L. 2010. Spiritual entanglement: transforming religious symbols at Çatalhöyük, şurada *Religion in the Emergence of Civilization* (I. Hodder ed.), 220–67. Cambridge University Press.

SEARLE, J.R. 1995. *The Construction of Social Reality.* Allen Lane: Harmondsworth.

SEMINO, O. ve diğerleri. 2001. The genetic legacy of Palaeolithic *Homo sapiens sapiens* şurada extant Europeans: a Y-chromosome perspective. *Science* 290, 1155–59.
SHANKS, M. & TILLEY, C. 1987a. *Re-constructing Archaeology.* Cambridge Univ. Press.
—— 1987b. *Social Theory and Archaeology.* Polity Press: Oxford.
SHENNAN, S. 2002. *Genes, Memes and Human History.* Thames & Hudson: Londra & New York.
SMITH, A.T. 2001. The limitations of doxa, agency and subjectivity from an archaeological point of view. *Journal of Social Archaeology* 1, 155–71.
SPERBER, D. 1996. *Explaining Culture: a Naturalistic Approach.* Oxford Univ. Press.
SPRIGGS, M. (ed.). 1984. *Marxist Perspectives in Archaeology.* Cambridge Univ. Press.
SYKES, B. 1999. The molecular genetics of human ancestry. *Phil. Trans. of the Royal Society of Londra Series B* 354, 185–203.
TAINTER, J.A. 1990. *The Collapse of Complex Societies.* Cambridge Univ. Press.
THOM, R. 1975. *Structural Stability and Morphogenesis.* Benjamin: Reading, Mass.
THOMAS, J. 2004. *Archaeology and Modernity.* Routledge: London.
TILLEY, C. 1984. Ideology and the legitimation of power in the Middle Neolithic of Sweden, şurada *Ideology, Power and Prehistory* (D. Miller & C. Tilley ed.), 111–46. Cambridge Univ. Press.
TOOBY, J. & COSMIDES, J. 1990. The past explains the present: emotional adaptations and the structure of ancestral environments. *Ethology and Sociobiology* 10, 29–49.
TORRONI, A. ve diğerleri. 1998. mtDNA analysis reveals a major Late Paleolithic population expansion from Southwestern to Northeastern Europe. *American Journal of Human Genetics* 62, 1137–52.
TRIGGER, B. 1978. *Time and Tradition.* Edinburgh Univ. Press.
—— 1989. *A History of Archaeological Thought.* Cambridge Univ. Press.
—— 2003. *Understanding Early Civilisations, a Comparative Study.* Cambridge Univ. Press.
WATSON, P.J., LEBLANC, S.A., & REDMAN, C.L. 1971. *Explanation in Archaeology. An Explicitly Scientific Approach.* Columbia Univ. Press: New York & Londra.
WHITTLE, A. 1996. *Europe in the Neolithic, the Creation of New Worlds.* Cambridge Univ. Press.
WEBSTER, D. 2002. *The Fall of the Ancient Maya. Solving the Mystery of the Maya Collapse.* Thames & Hudson: Londra & New York.
WITTFOGEL, K. 1957. *Oriental Despotism, a Comparative Study of Total Power.* Yale Univ. Press: New Haven.
YOFFEE, N. & COWGILL, G.L. (ed.). 1988. *The Collapse of Ancient States and Civilizations.* Univ. of Arizona Press: Tucson.
ZEEMAN, E.C. 1977. *Catastrophe Theory, Selected Papers 1972–77.* Addison-Wesley: Reading, Mass.
ZUBROW, E.B.W. 1981. Simulation as a heuristic device in archaeology, şurada *Simulations in Archaeology* (J.A. Sabloff ed.), 143–88. Univ. of New Mexico Press: Albuquerque.

Bölüm 13: Arkeoloji İş Başında: Beş Örnek Vaka (s. 509–48)

Kaynakça
ADDYMAN, P.V. 1974. Excavations in York, 1972–3. First Interim Report. *Antiquaries Journal* 54, 200–32.
ARUP, OVE & UNIVERSITY OF YORK. 1991. *York Development and Archaeology.* English Heritage and City of York Council: York.
ATTENBROW, V. 2003. Habitation and land use patterns in the Upper Mangrove Creek catchment, NSW central coast, Australia, şurada *Shaping the Future Pasts: Papers in Honour of J. Peter White* (Specht, J., Attenbrow, V., & Torrence, R. ed.), *Australian Archaeology* 57, 20–31.
—— 2004. What's Changing? Population Size or Land-Use Patterns? The Archaeology of Upper Mangrove Creek, Sydney Basin. *Terra australis* No 21. Pandanus Press, ANU: Canberra.
—— 2007. Emu Tracks 2, Kangaroo & Echidna, and Two Moths. Further radiocarbon ages for Aboriginal sites in the Upper Mangrove Creek catchment, New South Wales. *Australian Archaeology* 65, 51–54.
—— 2010. *Sydney's Aboriginal Past. Investigating the Archaeological and Historical Records.* (2. basım) UNSW Press: Sydney.
——, ROBERTSON, G., & HISCOCK, P. 2009. The changing abundance of backed artefacts in south-eastern Australia: a response to Holocene climate change? *Journal of Archaeological Science* 36, 2765–70.
BAYLEY, J. 1992. *Non-Ferrous Metalworking from Coppergate.* Fasc. 17/7. York Archaeological Trust.
BENTLEY, A. ve diğerleri. 2007. Shifting gender relations at Khok Phanom Di, Thailand: Isotopic evidence from the skeletons. *Current Anthropology* 48(2), 301–14.
BENZ, B.F. 2001. Archaeological evidence of teosinte domestication from Guilá Naquitz, Oaxaca. *Proc. of the National Academy of Sciences USA* 98, 2104–06.
BLANTON, R.E. 1978. Monte Albán: *Settlement Patterns at the Ancient Zapotec Capital.* Academic Press: New York.
—— & KOWALEWSKI, S.A. 1981. Monte Albán and after in the Valley of Oaxaca, şurada *Archaeology. Supplement to the Handbook of Middle American Indians I* (J.A. Sabloff ed.), 94–116. Univ. of Texas Press: Austin.
BUCKLAND, P.C. 1976. *The Environmental Evidence from the Church Street Roman Sewer System.* Fasc. 14/1. York Archaeological Trust.
DEAN, G. 2008. *Medieval York.* The History Press: Stroud.
FLANNERY, K.V. (ed.). 1976. *The Early Mesoamerican Village.* Academic Press: New York & Londra.
—— (ed.). 1986. *Guilá Naquitz: Archaic Foraging and Early Agriculture in Oaxaca, Mexico.* Academic Press: New York.
—— & MARCUS, J. (ed.). 1983. *The Cloud People: Divergent Evolution of the Zapotec and Mixtec Civilizations.* Academic Press: New York.
——, MARCUS, J., & KOWALEWSKI, S.A. 1981. The Preceramic and Formative of the Valley of Oaxaca, şurada *Archaeology. Supplement to the Handbook of Middle American Indians I* (J.A. Sabloff ed.), 48–93. Univ. of Texas Press: Austin.
HALL, R.A. 1994. *Viking Age York.* Batsford/English Heritage: Londra.
—— 1996. *York.* Batsford/English Heritage: Londra.
—— 2011. "Eric Bloodaxe Rules OK": The Viking Dig at Coppergate, York, şurada *Great Excavations: Shaping the Archaeological Profession* (J. Schofield ed.), 181–93. Oxbow Books: Oxford.
—— ve diğerleri. 2014. *Anglo-Scandinavian Occupation at 16–22 Coppergate: Defining a Townscape.* Council for British Archaeology: York.
HIGHAM, C. & THOSARAT, R. 1994. *Khok Phanom Di. Prehistoric adaptation to the world's richest habitat.* Harcourt Brace College Publishers: Fort Worth.
—— & —— (ed.). 1998. *The Excavation of Nong Nor.* Univ. of Otago Studies, Prehistoric Anthropology 18: Dunedin.
—— & —— 2005. *The Excavation of Khok Phanom Di, A Prehistoric Site in Central Thailand: Volume VII: Summary and Conclusions.* Society of Antiquaries: Londra.
HISCOCK, P. 2008. *Archaeology of Ancient Australia.* Routledge: Londra.
KEALHOFER, L. & PIPERNO, D.R. 1994. Early agriculture in southeast Asia: phytolith evidence from the Bang Pakong Valley, Thailand. *Antiquity* 68, 564–72.
MCGOUN, W. 1993. *Prehistoric Peoples of South Florida.* Univ. of Alabama Press: Tuscaloosa.
MARCUS, J. & FLANNERY, K.V. 1996. *Zapotec Civilization. How Urban Society Evolved in Mexico's Oaxaca Valley.* Thames & Hudson: Londra & New York.
MARQUARDT, W.H. (ed.). 1992. *Culture and Environment in the Domain of the Calusa.* University of Florida Institute of Archaeology and Paleoenvironmental Studies, Monograph 1: Gainesville.
—— (ed.). 1999. *The Archaeology of Useppa Island.* Univ. of Florida Institute of Archaeology and Paleoenvironmental Studies, Monograph 3: Gainesville.
—— 2001. The emergence and demise of the Calusa, şurada *Societies in Eclipse: Archaeology of the Eastern Woodlands Indians, A.D. 1400–1700* (D. Brose, C.W. Cowan, & R. Mainfort ed.), 157–71. Smithsonian Institution Press: Washington, D.C.
—— 2014. Tracking the Calusa: a retrospective. *Southeastern Archaeology* 33 (1), 1–24.
—— & WALKER, K.J. 2001. Pineland: a coastal wet site in southwest Florida, şurada *Enduring Records: The Environmental and Cultural Heritage of Wetlands* (B. Purdy ed.), 48–60. Oxbow Books: Oxford.
ORDNANCE SURVEY. 1988. *Roman and Anglian York, Historical Map and Guide.* Ordnance Survey: Southampton.
—— 1988. *Viking and Medieval York, Historical Map and Guide.* Ordnance Survey: Southampton.
OTTAWAY, P. 2004. *Roman York.* (2. basım) Tempus Publishing: Stroud.
PIPERNO, D.R. & FLANNERY, K.V. 2001. The earliest archaeological maize (*Zea mays* L.) from highland Mexico: new accelerator mass spectrometry dates and their implications. *Proc. National. Academy Sciences, USA* 98: 2101–03.
ROBERTSON, G., ATTENBROW, V., & HISCOCK, P. 2009. The multiple uses of Australian backed artefacts. *Antiquity* 83(320), 296–308.
SMITH, B.D. 1997. The initial domestication of *Cucurbita pepo* in the Americas 10,000 years ago. *Science* 276, 932–34.

SPENCER, C.S. & REDMOND, E.M. 2003. Militarism, resistance and early state development in Oaxaca, Mexico. *Social Evolution & History* 2 (1): 25–70. Uchitel Publishing House: Moskova.

TAYLES, N.G. 1999. *The Excavation of Khok Phanom Di, a Prehistoric Site in Central Thailand. Vol. V. The People.* Society of Antiquaries: Londra.

THOMPSON, G.B. (ed.). 1996. *The Excavation of Khok Phanom Di, a Prehistoric Site in Central Thailand. Vol. IV. Subsistence and Environment: the Botanical Evidence.* Society of Antiquaries: Londra.

TWEDDLE, D. 1992. *The Anglian Helmet from Coppergate.* Fasc. 17/8. York Archaeological Trust.

WALKER, K.J. & MARQUARDT, W.H. (ed.). 2004. *The Archaeology of Pineland: A Coastal Southwest Florida Village Complex, ca. A.D. 50–1700.* Institute of Archaeology and Paleoenvironmental Studies, 4. Univ. of Florida: Gainesville.

YORK ARCHAEOLOGICAL TRUST. *The Archaeology of York* dizisi. Münferit yayınlar www.yorkarchaeology.co.uk adresinden görülebilir.

Bölüm 14: Kimin Geçmişi? Arkeoloji ve Kamu (s. 549–64)

s. 549 **Geçmişin anlamı** Bintliff 1988; Layton 1989a, 1989b.

s. 549–51 **İdeoloji ve milliyetçilik** Díaz-Andreu & Champion 1996; Graves-Brown ve diğerleri 1996; Jones 1997; Kohl & Fawcett 1995; Shnirelman 1996; Çin: Olsen 1987; Sri Lanka: Page 2010.

s. 551–55 **Arkeolojik etik** ve halkla ilişkiler konusunda genel giriş eserleri: Green 1984; King 1983; Vitelli 1996; Lynott & Wylie 2000; Cantwell ve diğerleri 2000. Arkeoloji ve siyaset: Ucko 1987; Garlake 1973 özellikle Büyük Zimbabve için. Bölgesel yaklaşımlar: *World Archaeology* 1981/2, 13 (2 & 3).

s. 555 **Sahte arkeoloji** Kült arkeolojisi ve sahte arkeoloji genel: Cole 1980; Fagan 2006; Feder 2010; Sabloff 1982; Stiebing 1984; Story 1976, 1980; Wilson 1972, 1975; Castleden 1998; Peiser ve diğerleri 1998. Ayrıca bkz. *Expedition* cilt 29 (2), 1987'de "Archaeological Facts and Fantasies." von Däniken için yukarıdaki kaynak dışında Ferrsi 1974. Bu konu hakkındaki birçok makale *The Sceptical Inquirer* dergisinde bulunabilir. **Sahtekârlık** Japonya'daki sahtecilik skandalı için bkz. *Nature* 2007, 445, s. 245 ve *Science* 2001; müzelerdeki sahte eski eserler: Muscarella 2000.

s. 555 **Daha geniş bir hedef kitle** Fagan 1984. Japonya'da arkeolojik alan sunumu: Kiyotari 1987, 100; Russell 2002.

s. 555–60 **Geçmiş kimindir? Kültürel varlıkların iadesi** Greenfield 2007; McBryde 1985; Mturi 1983; Matthews 2012. Elgin mermerlerine özel atıf: Hitchens 1987; St. Clair 1998, 1999. **Ölüleri rahatsız etmeli miyiz?** Bahn 1984; Bahn & Paterson 1986; Layton 1989; Morell 1995 (Mungo, Tasmanya, Yahudiler ve Amerika yerlisi saçları); Jones & Harris 1998. **Amerikan yerlileri** Price 1991; Swidler ve diğerleri 1997; Watkins 2001; Fine-Dare 2002; Brahic 2014; Callaway 2014. Kennewick Adamı: Chatters 2001; Downey 2000; Thomas 2000; Burke ve diğerleri 2008; Owsley & Jantz 2014. **Avustralya Aborjinleri** Ucko 1983;

Lilley 2000. **Sualtı kültür mirasının korunması** Pringle 2013.

s. 560 **Yağmanın verdiği zarar** Brodie ve diğerleri 2001, 2008; Chamberlin 1983. Güneybatı Amerika: Basset 1986; Monastersky 1990. Çin: *Newsweek* Ağustos 22 1994, 36–41; Afganistan: Ali & Coningham 1998. Yağma, yasadışı eski eserler pazarı: Tubb 1995; O'Keefe 1997; Watson 1997; Renfrew 2009; Prott 1997 (UNIDROIT); Ali & Coningham 1998 (Pakistan); Sanogo 1999 (Mali); Schmidt & McIntosh 1996 (Afrika); Watson 1999 (Peru).

s. 560–63 **Koleksiyoncular ve müzeler** Cook 1991; Elia 1993; Gill & Chippindale 1993; Haskell & Penny 1981; Hughes 1984; Messenger 1989; Nicholas 1994; Ortiz 1994; Pinkerton 1990; Renfrew 1993; UNESCO 1970; Vitelli 1984, 1996; ICOM 1994; True & Hamma 1994; Dorfman 1998; Watson & Todeschini 2006 ve 1996'dan beri *Culture Without Context* dergisi 1996. The Schultz davası: Lufkin 2003; Elia 2003; Hawkins 2003. "Yorgun Herakles": Rose & Acar 1995; von Bothmer 1990. Sevso Definesi: Sotheby's 1990; Mango & Bennett 1994; Renfrew 1999, 2014. Getty *kouros*u: Kokkou 1993; Felch & Frammolino 2011. Salisbury Definesi: Stead 1998. UCL kâseleri: Freeman ve diğerleri 2006 (UCL soruşturmasının raporu).

KUTULAR

s. 552–53 **Tahribin siyaseti** Mandal 1993; Frawley 1994; Sharma 1995; Sharma ve diğerleri 1992, Chakrabarti 2003 (Ayodhya).

s. 561 **Mimbres** LeBlanc 1983.

Kaynakça

ALI, I. & CONINGHAM, R.A.E. 1998. Recording and preserving Gandhara's cultural heritage. *Culture Without Context* 3, 10–16.

BAHN, P.G. 1984. Do not disturb? Archaeology and the rights of the dead. *Oxford Journal of Arch.* 3, 127–39.

—— **& PATERSON, R.W.K.** 1986. The last rights: more on archaeology and the dead. *Oxford Journal of Arch.* 5, 255–71.

BASSET, C.A. 1986. The culture thieves. *Science* 86, Temmuz/Ağustos, 22–29.

BINTLIFF, J.L. (ed.). 1988. *Extracting Meaning from the Past.* Oxbow Books: Oxford.

VON BOTHMER, D. (ed.). 1990. *Glories of the Past: Ancient Art from the Shelby White and Leon Levy Collection.* Metropolitan Museum of Art: New York.

BRAHIC, C. 2014. America's native son. *New Scientist*, 15 Şubat 2014, 8–9.

BRODIE, N., DOOLE, J., & RENFREW, C. (ed.). 2001. *Trade in Illicit Antiquities: the Destruction of the World's Archaeological Heritage.* McDonald Institute: Cambridge.

BRODIE, N., KERSEL, M., LUKE, C. & TUBB, K.W. (ed.). 2008. *Archaeology, Cultural Heritage, and the Antiquities Trade.* University of Florida Press: Gainesville.

BURKE, H. ve diğerleri. 2008. *Kennewick Man: Perspectives on the Ancient One.* Left Coast Press: Walnut Creek.

CALLAWAY, E. 2014. Ancient genome stirs up ethics debate. *Nature* 506, 162–63.

CANTWELL, A.-M., FRIEDLANDER, E., & TRAMM, M.L. (ed.). 2000. *Ethics and Anthropology: Facing Future Issues in Human Biology, Globalism and Cultural Property.* Cilt 295. New York Academy of Sciences: New

York.

CASTLEDEN, R. 1998. *Atlantis Destroyed.* Routledge: Londra.

CHAKRABARTI, D.K. 2003. Archaeology under the Judiciary: Ayodhya 2003. *Antiquity* 77, 579–80.

CHAMBERLIN, E.R. 1983. *Loot! The Heritage of Plunder.* Thames & Hudson: Londra.

CHATTERS, J.C. 2001. *Ancient Encounters. Kennewick Man and the First Americans.* Simon & Schuster: New York.

COLE, J.R. 1980. Cult archaeology and unscientific method and theory, şurada *Advances in Archaeological Method and Theory* 3 (M.B. Schiffer ed.), 1–33. Academic Press: New York & Londra.

COOK, B.F. 1991. The archaeologist and the art market: policy and practice. *Antiquity* 65, 533–37.

DÍAZ-ANDREU, M. & CHAMPION, T. (ed.). 1996. *Nationalism and Archaeology in Europe.* UCL Press: Londra.

DORFMAN, J. 1998. Getting their hands dirty? Archaeologists and the looting trade. *Lingua franca* 8 (4), 28–36.

DOWNEY, R. 2000. *Riddle of the Bones. Politics, Science, Race and the Story of Kennewick Man.* Copernicus: New York.

ELIA, R. 1993. A seductive and troubling work. *Archaeology* Ocak-Şubat 1993, 64–69.

—— 2003. US vs Frederick Schultz: A move in the right direction. *The Art Newspaper* 13:139 (Eylül), 24.

FAGAN, B. 1984. Archaeology and the wider audience, şurada *Ethics and Values in Archaeology* (E.L. Green ed.), 175–83. Free Press: New York.

FAGAN, G.G. (ed.). 2006. *Archaeological Fantasies. How Pseudoarchaeology misrepresents the past and misleads the public.* Routledge: Londra.

FEDER, K.L. 2010. *Frauds, Myths and Mysteries. Science and Pseudoscience in Archaeology* (7. basım) McGraw-Hill: New York.

FELCH, J. & FRAMMOLINO, R. 2011. *Chasing Aphrodite: the hunt for looted antiquities at the world's richest museum.* New York: Houghton Mifflin Harcourt.

FERRIS, T. 1974. *Playboy* Interview: Erich von Däniken. *Playboy* 21 (8), Ağustos, 51–52, 56–58, 60, 64, 151.

FINE-DARE, K.S. 2002. *Grave Injustice. The American Indian Repatriation Movement and NAGPRA.* Univ. of Nebraska Press.

FRAWLEY, D. 1994. *The Myth of the Aryan Invasion of India.* Voice of India: Yeni Delhi.

FREEMAN, D., MACDONALD, S., & RENFREW, C. 2006. *An Inquiry into the provenance of 654 Aramaic incantation bowls delivered into the possession of UCL by, or on the instruction of, Mr Martin Schøyen.* Erişim 1 Ekim 2011: http://www.wikileaks.ch/wiki/UK_possession_of_art_works_looted_from_Iraq:_Schoyen_UCL_Inquiry_report,_2009

GARLAKE, P. 1973. *Great Zimbabwe.* Thames & Hudson: Londra; McGraw-Hill: New York.

GILL, D.W.J. & CHIPPINDALE, C. 1993. Material and intellectual consequences of esteem for Cycladic figures. *American Journal of Archaeology* 97, 601–60.

GRAVES-BROWN, P., JONES, S., & GAMBLE, C. (ed.). 1996. *Cultural Identity and Archaeology.* Routledge: Londra.

GREEN, E.L. (ed.). 1984. *Ethics and Values in Archaeology.* Free Press: New York.

GREENFIELD, J. 2007. *The Return of Cultural Treasures.* (3. basım) Cambridge Univ. Press.
HASKELL, F. & PENNY, N. 1981. *Taste and the Antique.* Yale Univ. Press: New Haven & Londra.
HAWKINS, A. 2003. US vs Frederick Schultz: US cultural policy in confusion. *The Art Newspaper* 13:139 (Eylül), 24.
HITCHENS, C. 1987. *The Elgin Marbles: Should they be returned to Greece?* Chatto & Windus: Londra.
HUGHES, R. 1984. Art and Money. *New York Review of Books* 31 (19), 20–27.
ICOM. 1994. International Council of Museums. *One Hundred Missing Objects: Looting in Africa.* UNESCO: Paris.
JONES, S. 1997. *The Archaeology of Ethnicity.* Routledge: Londra.
JONES, D.G. & HARRIS, R.J. 1998. Archaeological human remains. Scientific, cultural and ethical considerations. *Current Anth.* 39, 253–64.
KING, T.F. 1983. Professional responsibility in public archaeology. *Annual Review of Anthropology* 12, 143–64.
KIYOTARI, T. (ed.) 1987. *Recent Archaeological Discoveries in Japan.* Center for E. Asian Cultural Studies/UNESCO.
KOHL, P.L. & FAWCETT, C. (ed.). 1995. *Nationalism, Politics and the Practice of Archaeology.* Cambridge Univ. Press.
KOKKOU, A. (ed.). 1993. *The Getty Kouros Colloquium.* N.P. Goulandris Foundation & J. Paul Getty Museum: Atina.
LAYTON, R. (ed.). 1989a. *Who Needs the Past? Indigenous Values and Archaeology.* Unwin Hyman: Londra.
—— (ed.). 1989b. *Conflict in the Archaeology of Living Traditions.* Unwin Hyman: Londra.
LEBLANC, S.A. 1983. *The Mimbres People.* Thames & Hudson: Londra & New York.
LILLEY, I. (ed.). 2000. *Native Title and the Transformation of Archaeology in the Postcolonial World.* Cilt 50. Univ. of Sydney.
LUFKIN, M. 2003. Why a federal court has upheld the prison sentence imposed on antiquities dealer Frederick Schultz. *The Art Newspaper* 13:139 (Eylül), 1–6.
LYNOTT, M.J. & WYLIE, A. (ed.). 2000. *Ethics in American Archaeology.* Society for American Archaeology.
MCBRYDE, I. (ed.). 1985. *Who Owns the Past?* Oxford Univ. Press: Melbourne.
MANDAL, D. 1993. *Ayodhya: Archaeology after Demolition.* Orient Longman: Yeni Delhi.
MANGO, M.M. & BENNETT, A. 1994. *The Sevso Treasure, Part One.* Journal of Roman Archaeology, Suppl. Series 12: Ann Arbor.
MATTHEWS, O. 2012. Reclaiming Hercules. *Newsweek,* Nisan 16, 2012, 44–46.
MESSENGER, P. MAUCH (ed.). 1989. *The Ethics of Collecting Cultural Property: Whose Culture? Whose Property?* Univ. of New Mexico Press: Albuquerque.
MONASTERSKY, R. 1990. Fingerprints in the sand. *Science News* 138, 392–94.
MORELL, V. 1995. Who owns the past? *Science* 268, 1424–26.
MTURI, A.A. 1983. The return of cultural property. *Antiquity* 57, 137–39.
MUSCARELLA, O.W. 2000. *The Lie Became Great: The Forgery of Ancient Near Eastern Cultures.* UNESCO/Styx Publications: Groningen.
NICHOLAS, L.H. 1994. *The Rape of Europa: the*

Fate of Europe's Treasures in the Third Reich and the Second World War. Knopf: New York.
O'KEEFE, P.J. 1997. *Trade in Antiquities: Reducing Destruction and Theft.* UNESCO & Archetype: Londra.
OLSEN, J.W. 1987. The practice of archaeology in China today. *Antiquity* 61, 282–90.
ORTIZ, G. 1994. *In Pursuit of the Absolute: Art of the Ancient World from the George Ortiz Collection.* Exhibition Royal Academy of Arts: Londra.
OWSLEY, D.W. & JANTZ, R.L. (eds). 2014. *Kennewick Man: the Scientific Investigation of an Ancient American Skeleton.* Texas A&M Press: College Station.
PAGE, J. 2010. Faith and archaeology are the new weapons in battle to control the spoils of war. *The Times,* 6 Nisan 2010.
PEISER, B.J., PALMER, T., & BAILEY, M.E. (ed.). 1998. *Natural Catastrophes during Bronze Age Civilisation.* British Arch. Reports, Int. Series 728: Oxford.
PINKERTON, L.F. 1990. Due diligence in fine art transactions. *Journal of International Law,* 22, 1–29.
PRICE, H.M. 1991. *Disputing the Dead: US law on Aboriginal remains and grave goods.* Univ. of Missouri Press: Columbia.
PRINGLE, H. 2013. Troubled waters for ancient shipwrecks. *Science* 340, 802–07.
PROTT, L.V. 1997. *Comment on the Unidroit Convention.* Institute of Art and Law: Londra.
RENFREW, C. 1993. Collectors are the real looters, *Archaeology* Mayıs/Haziran 1993, 16–17.
—— 2009. *Loot, legitimacy and ownership: the ethical crisis in archaeology.* (1999 Kroon konferansı) Duckworth: Londra.
—— 2014. Shame still hangs over the Sevso Treasure. *Art Newspaper* 257.
ROSE, M. & ACAR, O. 1995. Turkey's war on the illicit antiquities trade. *Archaeology* 48(2), 45–56.
RUSSELL, M. (ed.). 2002. *Digging Holes in Popular Culture: Archaeology and Science Fiction.* Oxbow Books: Oxford.
SABLOFF, J.A. 1982. Introduction, şurada *Archaeology: Myth and Reality. Readings from Scientific American,* 1–26. Freeman: San Francisco.
ST. CLAIR, W. 1998. *Lord Elgin and the Marbles.* (3. basım) Oxford Univ. Press.
—— 1999. The Elgin Marbles, questions of stewardship and accountability. *International Journal of Cultural Property* 8, 397–521.
SANOGO, K. 1999. The looting of cultural material in Mali. *Culture Without Context* 4, 21–25.
SCHMIDT, P.R. & MCINTOSH, R. (ed.). 1996. *Plundering Africa's Past.* Indiana Univ. Press: Bloomington.
SCIENCE 5 January 2001, s. 34–35; 23 Kasım 2001, 1634.
SHNIRELMAN, V.A. 1996. *Who Gets the Past? Competitions for Ancestors among Non-Russian Intellectuals in Russia.* Woodrow Wilson Center Press: Washington D.C.
SHARMA, R.S. 1995. *Looking for the Aryans.* Orient Longman: Yeni Delhi.
SHARMA, Y.D. ve diğerleri. 1992. *Ramajamna Bhumi: Ayodhya: New Archaeological Discoveries.* Historians' Forum: Yeni Delhi.
SOTHEBY'S. 1990. *The Sevso Treasure, a Collection from Late Antiquity.* Sotheby's (müzayede kataloğu): Zürih.

STEAD, I. 1998. *The Salisbury Treasure.* Tempus: Stroud.
STIEBING, W.H. 1984. *Ancient Astronauts, Cosmic Collisions and other Popular Theories about Man's Past.* Prometheus: Buffalo.
STORY, R.D. 1976. *The Space-Gods Revealed.* New English Library: Londra.
—— 1980. *Guardians of the Universe?* New English Library: Londra.
SWIDLER, N. ve diğerleri. (ed.). 1997. *Native Americans and Archaeologists. Stepping Stones to Common Ground.* AltaMira: Walnut Creek.
THOMAS, D.H. 2000. *Skull Wars. Kennewick Man, Archaeology and the Battle for Native American Identity.* Basic Books: New York.
TRUE, M. & HAMMA, K. 1994. *A Passion for Antiquities, Ancient Art from the Collection of Barbara and Lawrence Fleischman.* J. Paul Getty Museum: Malibu.
TUBB, K.W. (ed.). 1995. *Antiquities Trade or Betrayed. Legal, Ethical and Conservation Issues.* Archetype: Londra.
UCKO, P.J. 1983. Australian academic archaeology: Aboriginal transformations of its aims and practices. *Australian Arch.* 16, 11–26.
—— 1987. *Academic Freedom and Apartheid: The story of the World Archaeological Congress.* Duckworth: Londra.
UNESCO. 1970. Convention on the Means of Prohibiting and Preventing the Illicit Import, Export and Transfer of Ownership of Cultural Property. United Nations Educational, Scientific, and Cultural Organisation, General Conference, 16th Session, November 14, 1970, Paris.
VITELLI, K.D. 1984. The international traffic in antiquities: archaeological ethics and the archaeologist's responsibility, şurada *Ethics and Values in Archaeology* (E.L. Green ed.), 143–55. Free Press: New York.
—— (ed.). 1996. *Archaeological Ethics.* AltaMira: Walnut Creek.
WATKINS, J. 2001. *Indigenous Archaeology. American Indian Values and Scientific Practice.* AltaMira: Walnut Creek.
WATSON, P. 1997. *Sotheby's, the Inside Story.* Bloomsbury: Londra.
—— 1999. The lessons of Sipán: archaeologists and huaqueros. *Culture Without Context* 4, 15–19.
—— & TODESCHINI, C. 2006. *The Medici Conspiracy.* Public Affairs: Londra & New York.
WILSON, C. 1972. *Crash Go the Chariots.* Lancer Books: New York. (gözden geçirilmiş basım, Master Books: San Diego, 1976).
—— 1975. *The Chariots Still Crash.* Signet/New American Library: New York.

Bölüm 15: Geçmişin Geleceği. Kültürel Kaynak Nasıl Yönetilir? (s. 565–84)

s. 565–69 **Konservasyon ve tahribat** Burns 1991, Holloway 1995. Arkeolojik mirasa yaklaşımlar: Cleere 1984; Darvill 1987. Avustralya ve Yeni Zelanda'da konservasyon ve mevzuat: Mulvaney 1981. Savaş tahribatı: Chapman 1994; Halpern 1993 (Mostar); Polk & Schuster 2005 (Irak). İmar tahribi: Rose Tiyatrosu, İngiltere: Fagan 1990; Wainwright 1989. Çin: Lawler 2009. Savaştan gelen servet: El-Aref 2013 (Malawi Müzesi, Mısır); Stone & Bajjaly 2008 (Irak); Alberge & Arraf (IŞİD).
s. 569–73 **ABD'de kültürel varlık yönetimi** King 1998, 2002, 2005, 2008; Neumann & Sanford 2001a, 2001b.

s. 573 **Mal bulanın mıdır?** Brodie & Apostolidis 2007.

s. 573–77 **Uluslararası koruma** Tarihle yüzleşmek 2003; Curtis ve diğerleri 2011; Rothfield 2009. İnternet'te Dünya Mirası Listesi: http://whc.unesco.org/en/list.

s. 577 **Yayın** Callow 1985; Atwood 2007; Antiquity 31, 1957 (121–22) & 47, 1973 (261–62)'deki başyazılar. Sunum genel: Zimmerman 2003.

s. 580–81 **Miras yönetimi, sergileme ve turizm** Holtorf 2005; Merriman 2004; Sørensen & Carman 2009.

s. 581–82 **Geçmişi kim yorumlar?** Bintliff 1984; Kaplan 1994; Merriman 1991, 1999; Pearce 1992; Prentice 1993; Stocking 1985; Kavanagh 2000; Putnam 2001; Mack 2003; Raphael 1984; Shnirelman 2001; Swidler ve diğerleri 1997.

s. 582–83 **Tüm insanlar ve halklar için geçmiş** Eze-Uzomaka 2004; Gosden 2004; Klejn 2010; Olsen 1991; Smith 2009; Layton ve diğerleri 2006.

s. 583 **Geçmiş ne işe yarar?** Swain 2005; Renfrew 2003; Lowenthal 1985.

KUTULAR

s. 570–71 **Büyük Aztek Tapınağı** Matos Moctezuma 1980, 1988.

s. 574–75 **Uygulamada kültürel kaynak yönetimi: METRO Demiryolu Projesi** Stuart 2011.

s. 576 **Taşınabilir eski eserler** Bland 2005. Taşınabilir Eski Eserler Projesi İnternet sayfası: http://finds.org.uk/.

Kaynakça

ATWOOD, R. 2007. Publish or be punished. *Archaeology Magazine* 60 (2), s. 18, 60, 62.

BINTLIFF, J.L. 1984. Structuralism and myth in Minoan studies, *Antiquity* 58, 33–38.

BLAND, R. 2005. A pragmatic approach to the problem of portable antiquities: the experience of England and Wales. *Antiquity* 79, 440–47.

BRODIE, N. & APOSTOLIDIS, A. 2007. *History Lost*. Hellenic Foundation for Culture & Anemon Productions: Atina.

BURNS, G. 1991. Deterioration of our cultural heritage. *Nature* 352, 658–60.

CALLOW, P. 1985. An unlovely child: the problem of unpublished archaeological research. *Archaeological Review from Cambridge* 4, 95–106.

CHAPMAN, J. 1994. Destruction of a common heritage: the archaeology of war in Croatia, Bosnia and Hercegovina. *Antiquity* 68, 120–26.

CLEERE, H. (ed.). 1984. *Approaches to the Archaeological Heritage*. Cambridge Univ. Press.

CURTIS, J. ve diğerleri. 2011. *History for the Taking? Perspectives on Material Heritage*. British Academy: Londra.

DARVILL, T. 1987. *Ancient Monuments in the Countryside, an Archaeological Management Review*. English Heritage: Londra.

DAVIS, B. 1997. The future of the past. *Scientific American*, Ağustos, 89–92.

EL-AREF, N. 2013. Saving Egypt's heritage. *Al-Ahram*, 24 Ağustos.

EZE-UZOMAKA, I. 2000. *Museums, Archaeologists and Indigenous People: Archaeology and the Public in Nigeria* (BAR S904). Archaeopress: Oxford.

FACING HISTORY. 2003. Facing History: Museums and Heritage in Conflict and Post-Conflict Situations. *Museum International* 219/220 (özel sayı).

FAGAN, B. 1990. The Rose Affair. *Archaeology* 43(2), 12–14, 76.

GOSDEN, C. 2004. *Archaeology and Colonialism: cultural contact from 5000 BC to the present day*. Cambridge University Press.

HALPERN, J.M. 1993. Introduction. *Anthropology of East Europe Review* 11/1, 5–13.

HOLLOWAY, M. 1995. The preservation of past. *Scientific American* 272 (5), 78–81.

HOLTORF, C. 2005. *From Stonehenge to Las Vegas: Archaeology as Popular Culture*. AltaMira: Walnut Creek.

JENKINS, N.J. & KRAUSE, R.A. 1986. *The Tombigbee Watershed in Southeastern Prehistory*. Univ. of Alabama Press.

KAPLAN, F.E.S. (ed.). 1994. *Museums and the Making of "Ourselves."* Leicester Univ. Press.

KAVANAGH, G. 2000. *Dream Spaces. Memory and the Museum*. Leicester Univ. Press.

KING, T.F. 1998. *Cultural Resource Laws and Practice. An Introductory Guide*. AltaMira: Walnut Creek.

—— 2002. *Thinking about Cultural Resources Management*. AltaMira: Walnut Creek.

—— 2005. *Doing Archaeology: A Cultural Resource Management Perspective*. Left Coast Press: Walnut Creek.

—— 2008. *Cultural Resource Laws and Practice, an Introductory Guide* (3. basım). Altamira Press: Walnut Creek.

KLEJN, L.S. 2010. Review of Smith 2009. *Cambridge Archaeological Journal* 20, 449–51.

LAYTON, R., SHENNAN, S., & STONE, P. (ed.). 2006. *A Future for Archaeology. The Past in the Present*. UCL Press: Londra.

LAWLER, A. 2009. Archaeologists raise the old with the new. *Science* 325, 936–40.

LOWENTHAL, D. 1985. *The Past is a Foreign Country*. Cambridge Univ. Press.

MACK, J. 2003. *The Museum of the Mind*. British Museum Press: Londra.

MATOS MOCTEZUMA, E. 1980. Tenochtitlán: New finds in the Great Temple. *National Geographic* 158 (6), 766–75.

—— 1988. *The Great Temple of the Aztecs*. Thames & Hudson: Londra & New York.

MERRIMAN, N. 1991. *Beyond the Glass Case: the Past, the Heritage and the Public in Britain*. Leicester Univ. Press.

—— (ed.). 1999. *Making Early Histories in Museums*. Leicester Univ. Press.

—— (ed.). 2004. *Public Archaeology*. Routledge: Londra.

MULVANEY, D.J. 1981. What future for our past? Archaeology and society in the eighties. *Australian Arch.* 13, 16–27.

NEUMANN, T.W. & SANFORD, R.M. 2001a. *Cultural Resources Archaeology. An Introduction*. AltaMira: Walnut Creek.

—— & —— 2001b *Practicing Archaeology. A Training Manual for Cultural Resources Archaeology*. AltaMira: Walnut Creek.

OLSEN, B.J. 1991. Metropoleis and satellites in archaeology: on the power and asymmetry in global archaeological discourse, şurada *Processual and Post Processual Archaeologies: Multiple Ways of Knowing the Past* (R.W. Preucel, ed.). Southern Illinois University: Carbondale.

PEARCE, S.M. 1992. *Museums, Objects and Collections: a Cultural Study*. Leicester Univ. Press.

POLK, M & SCHUSTER, A.M.H. 2005. *The Looting of the Iraq Museum, Baghdad*. Abrams: New York

PRENTICE, R. 1993. *Tourism and Heritage Attractions*. Routledge: Londra.

PUTNAM, J. 2001. *Art and Artifact, the Museum as Medium*. Thames & Hudson: Londra & New York.

RAPHAEL, S. 1984. *Theatres of Memory: I, Past and Present in Contemporary Culture*. Verso: Londra.

—— 1988. *Theatres of Memory: II, Island Stories, Unravelling Britain*. Verso: Londra.

RENFREW, C. 2003. *Figuring It Out: What are we? Where do we come from? The parallel visions of artists and archaeologists*. Thames & Hudson: Londra & New York.

ROTHFIELD, L. 2009. *The Rape of Mesopotamia: Behind the Looting of the Baghdad Museum*. University of Chicago Press.

SHNIRELMAN, V.A. 2001. *The Value of the Past: Myths, Identity and Politics in Transcaucasia*. National Museum of Ethnology: Osaka.

SMITH, P.J. 2009. *A Splendid Idiosyncrasy: Prehistory at Cambridge 1915–1950* (BAR 495). Archaeopress: Oxford.

SØRENSEN, M.L.S. & CARMAN, J. (ed.). 2009. *Heritage Studies: Approaches and Methods*. Routledge: Londra.

STOCKING, G.W. (ed.). 1985. *Objects and Others, Essays on Museums and Material Culture*. Univ. Wisconsin Press: Madison.

STONE, P.G. & BAJJALY, J.F. (ed.). 2008. *The Destruction of Cultural Heritage in Iraq*. Boydell Press: Woodbridge.

STUART, G.S.L. 2011. *Tracks Through Time: The Archaeology of the METRO Light Rail Corridor*. Archaeological Consulting Services: Tempe, AZ.

SWAIN, H. (ed.). 2005. *Big Questions in History*. Jonathan Cape: Londra.

SWIDLER, N. ve diğerleri. (ed.). 1997. *Native Americans and Archaeologists. Stepping Stones to Common Ground*. AltaMira: Walnut Creek.

U.S. DEPARTMENT OF THE INTERIOR. 1979. *Archaeological and Historical Data Recovery Program*. National Park Service: Washington, D.C.

WAINWRIGHT, G.J. 1989. Saving the Rose. *Antiquity* 63 (240), 430–35.

YOUNG, P. 1996. Mouldering monuments. *New Scientist*, 2 Kasım, 36–38.

ZIMMERMAN, L.J. 2003. *Presenting the Past*. AltaMira: Walnut Creek.

Bölüm 16: Yeni Araştırmacılar. Arkeolojide Kariyer Yapmak (s. 585–95)

Kaynakça

DANIEL, G.E. 1976. Cambridge and the back-looking curiosity, an inaugural lecture. Cambridge University Press.

—— & CHIPPINDALE, C. (ed.). 1989. *The Pastmasters: eleven modern pioneers of archaeology*. Thames & Hudson: Londra & New York.

HAMMOND, N. 1990. Back-looking curiosities: the ethopoeia of archaeology. *Antiquity* 64, 163–67.

TEŞEKKÜR

Yazarlar ve yayıncılar aşağıdaki bilim insanlarına bu basım için verdikleri tavsiye, bilgi ve görseller için teşekkür eder: George Bass, Lise Bender, Joanne Berry, John Bintliff, Roger Bland, James Brown, Margaret Bruchez, Martin Callanan, Jeb Card, Nick Card, Jesse Casana, Michael D. Coe, Jon Czaplicki, Timothy Darvill, Alexis Dolphin, Stacy Drake, David Dye, Neil Faulkner, Joseph Ferraro, Rob Foley, Sally Foster, Dorian Fuller, Ervan Garrison, Charles Golden, Marianne Goodfellow, Margerie Green, Scott Hammerstedt, Oliver Harris, Gill Hey, Tom Higham, Ian Hodder, Elizabeth Horton, Stephen Houston, Josephine Joordens, Nicola Kalimeris, Alice B. Kehoe, Sean Kingsley, Niels Lynnerup, Simon Martin, David Maxwell, Kevin McGeough, David Miles, George Milner, Nicky Milner, Rebekah Miracle, Taryn Nixon, Jens Notroff, Rog Palmer, Mike Parker Pearson, Alistair Pike, Mike Pitts, Kelly Pool, Cemal Pulak, Jeroen de Reu, Ben Roberts, Charlotte Roberts, Gordon Roberts, Peter Rowley-Conwy, George Sabo, Klaus Schmidt, Izumi Shimada, Jason Ur, Marianne Vedeler, Bence Viola, Jason Wenzel, Roger White, George Willcox ve John Winterburn.

Eski basımlara katkısı bulunanlara da ayrıca teşekkür etmek isteriz: Peter Addyman, Cyril Aldred, Susan Alcock, Janet Ambers, Wal Ambrose, Tjeerd van Andel, David Anderson, Manolis Andronikos, Val Attenbrow, Arthur C. Aufderheide, Mike Baillie, Ofer Bar-Yosef, Graeme Barker, Gina Barnes, Sophie de Beaune, Peter Bellwood, Matthew Bennett, Lee Berger, Bob Bewley, Martin Biddle, Marc de Bie, Morris Bierbrier, Lewis Binford, John Boardman, Gerhard Bosinski, Steve Bourget, Sheridan Bowman, Michael Boyd, Bruce Bradley, Warwick Bray, Neil Brodie, Cyprian Broodbank, Don Brothwell, James Brown, Peter Bullock, Susan Bulmer, Sarah Bunney, Richard Burger, Simon Buteux, John Camp, Martin Carver, Zaida Castro-Curel, George Chaloupka, Andrew Chamberlain, John Cherry, Shadreck Chirikure, Henry Cleere, Kathy Cleghorn, John & Bryony Coles, Douglas C. Comer, Robin Coningham, Graham Connah, Larry Conyers & Deen Goodman, Malcolm Cooper, Ben Cullen, John Curtis, Ruth Daniel, Andrew David, Simon Davis, Heather Dawson, Janette Deacon, Albert Dekin, Richard Diehl, David Drew, Leo Dubal, Philip Duke, Christiane Eluère, Clark Erickson, Francisco d'Errico, Brian Fagan, Helen Fenwick, Andrew Fitzpatrick, Kent Flannery, John Flenley, Robert Foley, Charles French, Yuriko Fukasawa, Chris Gaffney, Vince Gaffney, Clive Gamble, Ignacio Garaycochea, Michel Garcia, Joan M. Gero, David Gill, David Goldstein, Jack Golson, Mrs D.N. Goulandris, Stephen Green, James Greig, Robert Grenier, Niède Guidon, Erika Hagelberg, Richard Hall, Sylvia Hallam, Norman Hammond, Fekri Hassan, Douglas Heggie, Christopher Henshilwood, Charles Higham, Gordon Hillman, Peter Hiscock, Rachel Hood, Stephen Hughes, John Isaacson, Simon James, Martin Jones, Rhys Jones, Hiroji Kajiwara, Thomas F. Kehoe, William Kelso, Dora Kemp, Patrick Kirch, Ruth Kirk, Bernard Knapp, Vernon J. Knight, Hiroko Koike, Alan Kolata, Roy Larick, Graeme Lawson, Tony Legge, Mark Lehner, Arlette Leroi-Gourhan, Peter Lewin, Paul Linford, Gary Lock, Michel Lorblanchet, Lisa J. Lucero, Jim Mallory, Caroline Malone, Joyce Marcus, William Marquardt, Alexander Marshack, Yvonne Marshall, Roger Matthews, Paolo Matthiae, Isabel McBryde, Augusta McMahon, Shannon P. McPherron, James Mellaart, Alan Millard, Mary Ellen Miller, Jean-Pierre Mohen, Gerda Møller, Theya Molleson, Elisabeth Moore, Iain Morley, Mandy Mottram, John Mulvaney, Hans-Jürgen Müller-Beck, Richard Neave; Needham, Mark Nesbitt, Lee Newsom, Andrea Ninfo, Yasushi Nishimura, J.P. Northover, F. van Noten, Michel & Catherine Orliac, Annette Parkes, John Parkington, Pavel Pavel, Christopher Peebles, Dolores Piperno, Stephen Plog, Mercedes Podestá, Mark Pollard, Nicholas Postgate, John Prag, Cemal Pulak, Jeffrey Quilter, Christopher Bronk Ramsey, Carmen Reigadas, Paul Reilly, Jane Renfrew, Peter Reynolds, Julian D. Richards, John Robb, Andrée Rosenfeld, Nan Rothschild, Rolf Rottländer, Makoto Sahara, Nicholas Saunders, Béatrice Schmider, Sue Scott, Payson Sheets, Brian Sheppard, Pat Shipman, Rasmi Shoocongdej, Pamela Smith, Elizabeth Somerville, Simon Stoddart, Ann Stone, Martin Street, Chris Stringer, Migaku Tanaka, Michael J. Tooley, Robin Torrence, Jonathan N. Tubb, Grahame Walsh, David Webster, Jurgen Weiner, John Weishampel, Fred Wendorf, David Wheatley, Todd Whitelaw, Michael Wiant, Gordon R. Willey, Richard Wilshusen, Roger Wilson, Pat Winker, Karen Wise ve Rebecca Yamin.

Jeremy Sabloff, Chris Scarre ve Michael Tite'a bu kitabın birçok bölümüne katkılarından dolayı özel teşekkürlerimizi sunuyoruz. Sözlük James McGlade tarafından hazırlanmıştır.

Görsel Kaynaklar

0.2 Londra Arkeoloji Dairesi Müzesi 0.3 Çatalhöyük Araştırma Projesi, Cambridge 0.4 David Anderson 0.5 Franck Goddio/Hilti Vakfı, fotoğraf Christophe Gerigk 0.6 Johan Reinhard 0.7 Kenneth Garrett 0.8 Imaginechina/Corbis 0.9 © Antony Gormley, White Cube Gallery'nin izniyle, Londra 1.1 O. Louis Mazzatenta/National Geographic/Getty Images 1.3, 1.4 Wiltshire Kültürel Miras Müzesi, Devizes 1.7 Soprintendenza Archaeologica di Pompeii 1.8 Giovanni Lattanzi 1.9 Jonathan Blair/Corbis 1.10 Museo Archaeologico Nazionale, Napoli 1.11 Charles Darwin, *Türlerin Kökeni'nden*, 1859 1.12 Özel Koleksiyon/Archives Charmet/Bridgeman Sanat Kütüphanesi 1.13 Çizen Magnus Petersen, 1846 1.15 F. Catherwood, *Views of Ancient Monuments in Central America, Chiapas and Yucatán*, Londra 1844 1.16 Ulusal Antropoloji Arşivleri, NMNH, Smithsonian Enstitüsü, Washington, D.C. 1.17, 1.18 Peabody Arkeoloji ve Etnoloji Müzesi'nin izniyle, Harvard Üniversitesi 1.19 Büyük Kanyon Milli Park Müzesi 1.20 Ulusal Antropoloji Arşivleri, NMNH, Smithsonian Enstitüsü 1.21 Peabody Arkeoloji ve Etnoloji Müzesi'nin izniyle, Harvard Üniversitesi 1.22 Ulusal Antropoloji Arşivleri, NMNH, Smithsonian Enstitüsü 1.23 St. Louis Sanat Müzesi, Eliza McMillan Vakfı 1.25–1.28 Pitt-Rivers Müzesi, Oxford Üniversitesi 1.29 Petrie Mısır Arkeoloji Müzesi, Londra Üniversitesi 1.30 Pitt-Rivers Müzesi, Oxford Üniversitesi 1.31 Hindistan Arkeoloji Araştırması 1.33 Museo Nacional de Arqueología, Antropología e Historia del Perú, Lima 1.34 Peabody Arkeoloji ve Etnoloji Müzesi'nin izniyle, Harvard Üniversitesi 1.36 İskoçya Antik ve Tarihi Anıtlar Kraliyet Komisyonu 1.37 Gordon Willey 1.38 Mary Allsebrook'un izniyle, Oxford 1.39 The Principal and Fellows of Newnham College, Cambridge 1.40 Colorado Üniversitesi Müzesi 1.41 Eriha Araştırma Fonu 1.42, 1.43 Peabody Arkeoloji ve Etnoloji Müzesi'nin izniyle, Harvard Üniversitesi 1.44 Jen ve Des Bartlett ve Bruce Coleman Ltd 1.45, 1.46 Atina Amerikan Klasikbilimler Okulu, Atina 1.47 Ray Smith 1.48 Ulusal Havacılık ve Uzay Müzesi, Smithsonian Enstitüsü, Washington, D.C. 1.49–1.53 Çatalhöyük Araştırma Projesi, Cambridge 2.2, 2.3 John Sibbick 2.7 Fototeka Hrvatskoga restauratorskog zavoda ve Robert Sténuit 2.8, 2.9 Augusta McMahon'un izniyle 2.10–2.17 Ruth Kirk 2.18, 2.19 İrlanda Ulusal Müzesi, Dublin 2.20 CountrySide Collection, Homer Sykes/Alamy 2.21 Sandro Vannini/Corbis 2.22 De Agostini/SuperStock 2.24 Mısır Müzesi, Kahire 2.25 Charles O'Rear/Corbis 2.26 Rudenko'dan 2.27, 2.28 Johan Reinhard 2.29 Fotoğraf Hojem/Callanan, NTU 2.30 Fotoğraf V. Wangen, Kültürel Tarih Müzesi, UiO 2.31, 2.32 Fotoğraf M. Vedeler, Kültürel Tarihi Müzesi, UiO 2.34 Viyana Haber Ajansı/Sygma/Corbis 2.35 Güney Tyrol Arkeoloji Müzesi, Bolzano, İtalya/Wolfgang Neeb/Bridgeman Images 3.1 Sanat Arşivi/Museo di Roma, Roma/Collection Dagli Orti 3.2 best-photo/istockphoto.com 3.3 Wolfgang Kaehler/Corbis 3.4–3.6 Dr. Bernard Knapp'ın izniyle 3.7, 3.8 Fotoğraf S. McPherron © OldStoneAge Research 3.11 Salisbury & Güney Wiltshire Müzesi 3.12 Amerikan Doğa Tarihi Müzesi, Kütüphane Hizmetleri Bölümü. Fotoğraf J. Bird 3.14 Tony Linck/SuperStock 3.15 © Crown Copyright: İskoçya Eski ve Tarihi Anıtlar Kraliyet Komisyonu 3.16 Rog Palmer 3.17 Andrea Ninfo'nun izniyle (A. Ninfo, Fontana, A, Mozzi, P. & Ferrarese, F. 2009'dan. The map of Altinum, ancestor of Venice. *Science* 325, 577 3.19 Sara Popovic 3.20 Rog Palmer 3.21 Jesse Casana 3.22 © Crown Copyright: Forestry Commission 3.23 © Marty Sedluk 3.24–3.26 John Weishampel'in izniyle, Caracol Arkeoloji Projesi 3.27 © J.B. Winterburn, kaynak Alb. George Pascoe, 1918 3.28 Alison Baldry/Great Arab Revolt Project 3.29 USGS 3.32, 3.33 USGS ve Jason Ur'un izniyle 3.34 NASA 3.35 Norman Hammond (Hammond, *Ancient Maya Civilization*, 1982, fig. 5.14, 5.15'den, çizen Richard Bryant) 3.38–3.43 © 2016 Ancient Egypt Research Associates. Çizim Rebekah Miracle 3.44 René Millon/Teotihuacan Haritalandırma Projesi 3.45 OGphoto/istockphoto. com 3.46–3.48 Mandy Mottram 3.49 Kenneth Garrett/National Geographic/Getty Images 3.50 Dean Goodman'ın izniyle, Jeofizik Arkeometri Laboratuvarı, Miami Üniversitesi, Japonya Birimi 3.51–3.54 Roger White'ın izniyle 3.55 Abingdon Arkeolojik Jeofizik 3.56 GSB, Bradford 3.57 Birmingham Müzesi

TEŞEKKÜR

ve Sanat Galerisi 3.59 Londra Arkeoloji Dairesi Müzesi 3.60 Robin
Coningham 3.63–3.65 Robert Grenier'in izniyle 3.67 Amerikan Arkeoloji
Merkezi, Kampsville Arkeoloji Merkezi 3.68 National Geographic Arşivi
3.69–3.75 Fotoğraflar Jamestown Rediscovery, William M. Kelso'nun
izniyle 3.76–3.81 Wessex Archaeology. Fotoğraf Elizabeth James (3.77,
3.81), çizen by Elizabeth James (3.79) 3.82 Vernon J. Knight, Jnr. 3.84
Janette Deacon 3.85 Graeme Barker 3.86–3.89 Jeroen de Reu 3.90–3.95
Londra Arkeoloji Dairesi Müzesi 4.1 Wheeler, Ancient India, Londra 4.3
1947 (renklendiren Drazen Tomic) 4.5 Kevin Fleming/Corbis 4.6 F. Hole,
K.V. Flannery, & J. Neely, Prehistory and Human Ecology of the Deh Luran
Plain, Michigan Üniversitesi Antropoloji Müzesi Raporları, No.1, fig. 64
(renklendiren Drazen Tomic) 4.8 E.R. Degginger/Bilim Fotoğraf
Kütüphanesi 4.11 Maya Hiyeroglif Yazıtları Külliyatı ve Gordon R. Willey
Mezoamerika Araştırmaları Laboratuvarları, Peabody Arkeoloji ve
Etnoloji Müzesi, Harvard Üniversitesi 4.14 Michael Worthington, Oxford
Ağaç Halkası Laboratuvarı 4.16 B. Arnold, Cortaillod-Est Editions du Ruau:
Saint-Blaise'dan (yeniden çizen M. Rouillard, şurada B. & J. Coles, Peoples
of the Wetlands 1989, 85; renklendiren Drazen Tomic)) 4.20, 4.21 Tom
Higham'ın izniyle 4.23 David Hurst Thomas ve Amerikan Doğa Tarihi
Müzesi 4.26 Ministère de la culture et de la communication, Direction
régionale des affaires culturelles de Rhône-Alpes, Service régionale de
l'archéologie 4.27 P. Deliss/Godong/Corbis 4.28 Fotoğraf Marcos Diez 4.29
Dr. Andrew Carter 4.30–4.33 Javier Trueba/Madrid Bilimsel Filmleri 4.37
Antik Sanat ve Mimari Koleksiyonu/Alamy 4.39 Bence Viola, Max Planck
Evrimsel Antropoloji Enstitüsü 4.41 Thera Vakfı – Petro M. Nomikos 4.42
G. Goakimedes 4.45 Elisabeth Daynes/Science Photo Library 4.46
Beawiharta/Reuters/Corbis 4.47 Peter Schouten/National Geographic
Society/Reuters/Corbis 4.48 Brett Eloff, Lee R. Berger ve Witwatersrand
Üniversitesi'nin izniyle 4.50 Walter Wurst 4.51 Irmgard Groth Kimball
4.52 Fotoğraf Heidi Grassley © Thames & Hudson Ltd., Londra 4.53
Interfoto/Alamy 4.54 Michael S. Yamashita/Corbis 5.6 Paolo Matthiae 5.7
Michael D. Coe 5.8 Photo Services des Antiquités de l'Égypte 5.9 Giovanni
Lattanzi 5.10 Michael D. Coe 5.11 Gary Urton 5.12 British Museum,
Londra 5.13 Musée de la Tapisserie, Bayeux 5.14 Bölge Müzesi, Gotland,
İsveç 5.15 Musée du Louvre, Paris 5.16 British Museum, Londra 5.17 Lewis
Winford 5.18 Peter Johnson/Corbis 5.20 Nigel Pavitt/JAI/Corbis 5.22
Robert Foley 5.29 Jeremy Walker/Alamy 5.30 Bryan Busovicki/iStockphoto.
com 5.32, 5.34 © Aerial-Cam Ltd. 5.35 © Aerial-Cam Ltd. for SoSP/UCL
5.36 Fotoğraf Timothy Darvill, SPACES Projesi. Her hakkı saklıdır 5.40
Charles Golden 5.41 Maya Hiyeroglif Yazıtları Külliyatı ve Gordon R.
Willey Mezoamerika Araştırmaları Laboratuvarları, Peabody Arkeoloji ve
Etnoloji Müzesi, Harvard Üniversitesi 5.43 Charles Golden 5.44 Gail
Mooney/Corbis 5.45 Martin Biddle 5.47 Giovanni Lattanzi 5.49 Tübingen
Üniversitesi Altorientalisches Seminar Katna Projesi/Fotoğraf K. Wita 5.50
çizim Philip Winton 5.51 Gavin Hellier/Robert Harding Resim
Kütüphanesi 5.52 Scott W. Hammerstedt 5.53 James A. Brown 5.54 Sam
Noble Oklahoma Doğa Tarihi Müzesi, Oklahoma Üniversitesi 5.55, 5.56
Werner Forman Arşivi/Universal Images Group/Getty Images 5.57 David
H. Dye 5.58 Arkansas Üniversitesi Koleksiyonları (kat. no. 37-1-120-2) 5.59
Joyce Marcus ve Kent D. Flannery 5.60 Musée du Louvre, Paris 5.61
Landesdenkmalamt Baden-Württemberg-Archäologische
Denkmalpflege'nin izniyle 5.62 Chester Higgins 5.63, 5.64 John Milner ve
Ortakları 5.67, 5.58 Joan Gero 5.69, 5.70 çizen Linda Mount-Williams 5.71
Caroline Malone ve Simon Stoddart (Malta Ulusal Arkeoloji Müzesi'nin
izniyle, Malta) 5.72 Musée du Pays Châtillonnais – Trésor de Vix,
Châtillon sur Seine, Côte d'Or 5.73 The Art Archive/Alamy 5.75 Godong/
Robert Harding World Imagery/Corbis 5.76 Illinois Devlet Müzesi'nin
izniyle 6.3 Steve Bourget 6.4 NOAA 6.7 W.M. Davis, 1933'ten
(renklendiren Drazen Tomic) 6.11 USGS 6.12 Bill Grove/iStockphoto.com
6.13 Chris Williams/iStockphoto.com 6.15 Michel Orliac 6.20 © Norwich
Kalesi Müzesi ve Sanat Galerisi, Norfolk Müzeler Dairesi 6.21 Vince
Gaffney 6.22 Martin Street 6.30, 6.31 Janette Deacon 6.33 J.G. Evans ve
diğerleri'nden, şurada Proceedings of the Prehistoric Society 51, 1985, s. 306
6.34 A. Marshack, The Roots of Civilization 1972, fig. 78b 6.38 John
Tarkington 6.41 Jurgen Weiner 6.42 National Geographic Arşivi 6.44
Fotoğraf Melvin L. Fowler 6.45 Tim Denham'ın izniyle 6.46 Fowler 1971,
fig. 10'dan (renklendiren Drazen Tomic) 6.47 P. Bellwood, The Polynesians
(gözden geçirilmiş basım) 1987, fig. 1'den (renklendiren Drazen Tomic)
6.48 Robert Harding World Imagery 6.49 John Flenley 7.1, 7.2 Arkeoloji
Enstitüsü, Çin Sosyal Bilimler Akademisi, Pekin 7.5, 7.6 John Coles (çizen
Diane Griffiths Peck) 7.7 Simon James 7.8, 7.9 Butser Tarihi Çiftliği 7.10
Delwen Samuel 7.11 Mangelsdorf'dan 7.12 akg-images 7.14 J.V. Ferraro ve
K.M. Binetti 7.15 Fotoğraf Curtis Marean © Dikika Araştırma Projesi 7.17–
7.19 York, Manchester ve Chester üniversitelerinin izniyle 7.20 British

Museum, Londra 7.21, 7.22 York, Manchester ve Chester üniversitelerinin
izniyle 7.23 © Dominic Andrews 7.24 Kathy Schick & Nicholas Toth 7.26
Dr. Chris Stringer'ın izniyle 7.30 Penelope Dransart 7.31 Thomas F. Kehoe
7.32 Alice B. Kehoe 7.33, 7.34 Thomas F. Kehoe 7.35 Alice B. Kehoe 7.37
Sandro Vannini/Corbis 7.38–7.41 George Willcox, Laboratoire Archéorient,
Centre National de la Recherche Scientifique'in izniyle 7.42, 7.43 G.
Wilcox, Les premiers indices de la culture des ciréales au Proche-Orient in La
Transition Néolithique en Méditerrannée, 2014, fig. 12 (7.42) ve 6 (7.43)'ten
uyarlanmıştır 7.45 Hiroko Koike 7.50 Matthew Bennett & Sarita Amy
Morse, Bournemouth Üniversitesi 7.51 Paul Bahn 7.52 Museo
Archaeologico Nazionale, Napoli 7.53 Mısır Müzesi, Kahire 8.1, 8.2 Catro-
Curel 8.3 Glen Flowers 8.5, 8.6 Paul Bahn 8.8 Peter Bellwood 8.9 Layard,
1853'ten 8.10 Dragon Haber ve Resim Ajansı 8.11 Pavel Pavel
(renklendiren Drazen Tomic) 8.12 Pavel Pavel 8.15, 8.17 Paul Bahn 8.18
Béatrice Schmider 8.19 Brian Fagan 8.20 Marc de Bie 8.23 Chris
Lorblanchet 8.24, 8.25 Paul Bahn 8.26–8.28 John & Bryony Coles 8.30
British Museum, Londra 8.31 © Justin Kerr, K3670 8.32 Antik Sanat ve
Mimari Koleksiyonu/Alamy 8.34 Ingenui/iStockphoto.com 8.35 David
O'Connor 8.37 Museu Barbier-Mueller d'Art Precolombi, Barselona 8.39
Dünya Tarihi Arşivi/Alamy 8.40 Museo Archaeologico Nazionale, Napoli
8.41–8.46 D. Brothwell & E. Higgs, Science in Archaeology, 1969, lev. XXV,
XXVI'dan 8.48 Sanat Arşivi/Gianni Dagli Orti 8.49 Izumi Shimada 8.52 J.
Rawson, Ancient China 1980, fig. 43'ten 8.54 Museo Arqueológico Nacional
Brüning, Lambayeque, Peru 9.7 Kenneth Garrett 9.8 Kunsthistorisches
Museum, Viyana 9.9 British Museum, Londra 9.10 Ohio Tarih Topluluğu,
Columbus 9.11 Werner Forman Arşivi 9.12 Saray Müzesi, Pekin 9.13
Fotoğraf Yvonne Mühleis © Landesamt for Denkmalpflege im RP
Stuttgart/Ulmer Museum 9.14 Ulusal Arkeoloji Müzesi, Atina 9.15 Alaska
Devlet Kütüphanesi ve Tarihi Koleksiyonları, Juneau 9.16 R.B. Mason &
E.J. Keall, Provenance and Petrography of Pottery from Medieval Yemen,
Antiquity 62 (236), Eylül 1988, 452–63'ten (renklendiren Drazen Tomic)
9.19, 9.20 Tokyo Ulusal Müzesi 9.21 Peter Frankenstein, Hendrik
Zwietasch, Landesmuseum Württemberg, Stuttgart 9.26, 9.27 Fulford &
Hodder 1975'ten, şurada Peacock 1982, fig. 86, 87 (renklendiren Drazen
Tomic) 9.29 British Museum, Londra 9.32–9.36 George Bass/Cemal Pulak,
Sualtı Arkeoloji Enstitüsü, Texas 9.39, 9.41 Isabel McBryde 9.47 Werner
Forman Arşivi 9.48 Ohio Tarih Topluluğu, Columbus 10.4 Kenneth Garrett
10.5 Javier Trueba/Madrid Bilimsel Filmleri 10.6 Musée départemental de
Préhistoire du Grand-Pressigny, Indre et Loire 10.7 Wim Lustenhouwer,
Vrije Universiteit Amsterdam 10.8 Chris Henshilwood'un izniyle
çoğaltılmıştır, Afrika Kültürel Miras Araştırma Enstitüsü, Cape Town,
Güney Afrika 10.10 Ministère de la culture et de la communication,
Direction régionale des affaires culturelles de Rhône-Alpes, Service
régionale de l'archéologie 10.11 AP/PA Photos 10.13 F. d'Errico ve C.
Cacho 1994, fig. 2 (renklendiren Ben Plumridge) 10.14–10.16 Pablo Aries
10.17 Sergey Lev 10.20 J. Oates, Babylon 1979, fig. 6'dan (renklendiren
Drazen Tomic) 10.21 A. Toynbee (ed.), Half the World 1973, s. 27'den
(renklendiren Drazen Tomic) 10.22 Agora Kazıları, Atina Amerikan
Klasikbilimler Okulu 10.23 Fotoğraf Scala, Florence 10.24 Richard A.
Cooke/Corbis 10.26 Maria Pavlova/iStockphoto.com 10.29, 10.30 © Hugo
Anderson Whymark 10.31–10.33 Orkney Arkeolojik Araştırma Merkezi
(ORCA), Highlands ve Islands Üniversitesi Arkeoloji Enstitüsü, Orkney
10.34 © Aaron Watson 10.40 K. Mendelssohn, The Riddle of the Pyramids
1974, fig. 9'dan (renklendiren Drazen Tomic) 10.41 Musée des Antiquitiés
Nationales, St. Germain-en-Laye 10.42 U. Seitz-Gray 10.45 British
Museum, Londra 10.46 Nathan Benn/Ottochrome/Corbis 10.47, 10.48
DAI, Fotoğraf Nico Becker 10.49, 10.50 Vincent J. Musi/National
Geographic Creative/Corbis 10.51 Michael D. Coe 10.55, 10.56 Museo de
Chavín de Huántar, Ancash, Peru 10.57 Doğa Tarihi Müzesi, Londra 10.58
Thera Vakfı – Petros M. Nomikos 10.59 Historska Museum, Lund
Üniversitesi 10.60 Vatikan Müzesi 10.61 Goulandris Vakfı, Kiklat Antik
Yunan Sanatı Müzesi, Atina 10.62 Kenneth Garrett 10.63 Saburo
Sugiyama 10.64 Jean Vertut 10.65 Institut for Ur-und Frühgeschichte und
Archäologie des Mittelalters, Universität Tübingen 10.66 Graeme Lawson
10.68 Dietrich Stout 11.1 Archäologisches Landesmuseum, Schloss Gottorf,
Schleswig 11.2 Sutton Hoo Derneği 11.3 Çatalhöyük Araştırma Projesi,
Cambridge 11.6 Doğa Tarihi Müzesi, Londra 11.7 Fransız Hastanesi,
Rochester 11.8 Doğa Tarihi Müzesi, Londra 11.11 Christian Kober/Robert
Harding World Imagery/Corbis 11.12 British Museum, Londra 11.13
Griffith Enstitüsü, Ashmolean Müzesi, Oxford 11.14 Elisabeth Daynes/
National Geographic Görsel Koleksiyonu 11.15 Antti Korpisaari 11.16
Richard Neave 11.17, 11.18 British Museum, Londra 11.19 Jacopin/Bilim
Fotoğraf Kütüphanesi 11.20 Landesamt für Denkmalpflege und
Archäologie Sachsen-Anhalt. Fotoğraf Juraj Lipták 11.21 Landesamt für

TEŞEKKÜR

Denkmalpflege und Archäologie Sachsen-Anhalt. Çizen Karol Schauer **11.22, 11.23** Christian Meyer **11.24** Afrika Fotoğraf Bankası Görselleri/ Alamy **11.26** Bogdan P. Onac, "Emil Racovita" Mağarabilimi Enstitüsü, Cluj **11.27** Matthew Cupper **11.28** © Gordon Roberts **11.31** Javier Trueba/ MSF/Bilim Fotoğraf Kütüphanesi **11.32** E. Matos Moctezuma, *The Great Temple of the Aztecs*, 1988, çiz. 23'ten **11.33** Staatliche Museen zu Berlin **11.35** Direction régionale des affaires culturelles de Midi-Pyrénées, Toulouse **11.36** C. Barrier, 1975, fig. 17'den (renklendiren Ben Plumridge) **11.37, 11.38** Muséum National d'Histoire Naturelle, Paris **11.39–11.43** Oriental Institute, Chicago Üniversitesi **11.44–11.47** Forhistorisk Museum, Moesgård, Denmark **11.48** Niels Lynnerup'un izniyle, Kopenhag Üniversitesi **11.49** Arthur C. Aufderheide, Minnesota Üniversitesi, Duluth **11.50** J. Flood, *Archaeology of the Dreamtime* 1983, fig. 4.3'ten (Brown 1981'den) **11.51** E. Løytved Rosenløv **11.53, 11.55** Grönland Ulusal Müzesi, Nuuk **11.56** Anatomi Bölümü, Liverpool Üniversitesi **11.57** Andrew Fox/ Corbis **11.58** Illustration Aman Phull © Thames & Hudson Ltd., London **11.59** Andrew Winning/Reuters/Corbis **11.60** SuperStock **11.61** Hideji Harunari'nin izniyle **11.62** Museo Archaeologico Nazionale, Napoli **11.63** Mary Rose Vakfı/P. Crossman **11.64** Photo Services des Antiquités de l'Egypte **12.5** Colin Hoskins/Alamy **12.6** Zimbabve Ulusal Arşivi, Harare **12.11** Keltenmuseum, Hochdorf **12.12** akg-images **12.23** Craig Chiasson/ iStockphoto.com **12.27** Footsteps of Man – rupestre.net **12.28** Gianni Dagli-Orti/Corbis **13.1, 13.2** Kent V. Flannery **13.6** B. Fagan, *In the Beginning* (6. basım) 1988, fig. 16.4'ten (Winter'dan, şurada Flannery (ed.) 1976, fig. 2.17) **13.7** Kent V. Flannery **13.8, 13.9** Joyce Marcus **13.10** Jeff Morse/iStockphoto.com **13.11** Dmitry Rukhlenko/iStockphoto.com **13.12, 13.13** William Marquardt (renklendiren Drazen Tomic) **13.14, 13.15** Florida Doğa Tarihi Müzesi Antropoloji Bölümü Koleksiyonu, FLMNH **13.16** William Marquardt (renklendiren Drazen Tomic) **13.18, 13.19** Florida Doğa Tarihi Müzesi Antropoloji Bölümü Koleksiyonu, FLMNH **13.20, 13.22– 26, 13.29** Dr. Val Attenbrow **13.30–13.36** Charles Higham **13.37–13.54** York Arkeoloji Vakfı **14.1** Karim Sahib/AFP/Getty Images **14.2** Yunanistan Kültür ve Turizm Bakanlığı **14.3** Sırp Pul Dükkânı'nın izniyle, Belgrad **14.4** Jean-Claude Chapon/AFP/Getty Images **14.5** CNN/Getty Images **14.6** Saeed Khan/AFP/Getty Images **14.7, 14.8** Balkis Press/ Abacapress/PA Photos **14.9** Mike Goldwater/Alamy **14.10** Hiroshi Kasiwara **14.11** British Museum, Londra **14.12** Peter Eastland/Alamy **14.13** Paul Bahn **14.14** Emmanuel Laurent/Eurelios/Bilim Fotoğraf Kütüphanesi **14.15, 14.16** Colorado Doğa Tarihi Müzesi, Boulder **14.17** Ingo Mehling **14.18** Magyar Nemzeti Múzeum, Budapest **14.19** J. Paul Getty Müzesi, Malibu, California **14.20, 14.21** British Museum, Londra **15.1** Marc Deville/Gamma-Rapho/Getty Images **15.2** Ulusal Müze, Bağdat **15.3** Orhan Cam/iStockphoto.com **15.4** STR/AFP/Getty Images **15.5** National Geographic Görsel Koleksiyonu/Alamy **15.6, 15.7** Büyük Tapınak Projesi'nin izniyle, Mexico City **15.8** Eduardo Verdugo/AP/PA Photos **15.9** Andrew Fulgoni **15.10, 15.12, 15.13** Archaeological Consulting Services, Ltd.nin izniyle, Tempe, Arizona **15.14, 15.15** Somerset İli Meclisi Kültürel Miras Hizmetleri **15.16** British Museum, Londra **15.17** David Adamec **15.18** Kirill Trifonov/iStockphoto.com **15.19** Jon Arnold Images Ltd./ Alamy **15.20** Robert Harding Görsel Kütüphanesi/Alamy **15.21** Dmitry Rukhlenko/iStockphoto.com **15.22** Nickolay Stanev/iStockphoto.com **15.23** Andy Myatt/Alamy **15.24** Wendy Connett/Alamy **16.1** Lisa J. Lucero'nun izniyle **16.2** Oxford Cotswold Archaeology'nin izniyle **16.3** Rasmi Shoocongdej'in izniyle **16.4** Douglas C. Comer'in izniyle **16.5** Shadreck Chirikure'nin izniyle **16.6** Jonathan N. Tubb'ın izniyle.

Yayıncılar aşağıdaki çizerlere teşekkür eder
(Aksi belirtilmediği sürece bu basımdaki çizimlerin renklendirilmesi Drazen Tomic ve Ben Plumridge tarafından yapılmıştır): James Andrews **1.5**; Igor Astrologo **0.1, 1.2, 1.14, 178** (Annick Boothe'dan), **5.24** (Shennan 1975'ten), **11.68** (Krings ve diğerleri 1997'den); Annick Boothe **2.5** (W. Rathje & M. Schiffer, *Archaeology* 1982, fig. 4.11'de uyarlanmıştır). **3.9–10** (Flannery (ed.) 1976, fig. 3.2, 5.2'den), **3.13** (Connah & Jones'dan, şurada Connah 1983, s. 77), **3.61** (*The Courier*, Unesco Nov. 1987, s. 16'dan, çizen M. Redknap), **3.62** (*National Geographic*, ek Ocak 1990), **3.96** (J. Deetz, *Invitation to Archaeology*, Natural History Press/Doubleday & Co., New York 1967'den), **4.2, 4.3** (Rathje & Schiffer, *Archaeology* 1982, fig. 4.17'den), **4.12** (Ben Plumridge'in düzenlemeleriyle), **4.17, 4.18–19** (4.18 Hedges & Gowlett'tan şurada *Scientific American* 254 (1), Ocak 1986, s. 84), **4.22** (Hedges & Gowlett 1986, s. 88'den), **4.34** (Scarre (ed.) 1988, s. 25'ten), **4.35, 4.36** (Aitken 1990, fig. 6.1, 6.7'den), **4.55** (K. Feder & M. Park, *Human Antiquity* 1989, fig. 12.1, 13.1'den uyarlanmıştır), **5.1** (Scarre (ed.) 1988, s. 78'den), **5.3, 5.5** (Johnson 1972'den), **5.19** (Hodder'dan), **5.23** (Scarre (ed.) 1988, s. 30'dan), **5.37** (Page ve Renfrew'dan), **5.48** (Lehner'den), **6.5–6**

(van Andel 1989'dan), **6.8** (Sutcliffe 1985, fig. 5.4'ten), **6.9** (Shackleton & van Andel 1980, fig. 1'den), **6.14** (K. Butzer, *Archaeology as Human Ecology* 1982, fig. 4.3'ten), **6.24** (Shackley 1981, fig. 4.3'ten), **6.25** (Scarre (ed.) 1988, s. 107'den), **6.26** (Sutcliffe 1985, fig. 6.4'den), **6.35** (Davis 1987, fig. 2.10, 2.12, 1.8'den), **6.36–37** (Davis 1987, fig. 5.5, 5.11'den), **6.40** (Parkington'dan), **6.50** (Anderson'dan), **7.3** (J. Greig, Plant Foods in the Past, *J. of Plant Foods* 5 1983, 179–214'ten), **7.25** (Brain'den), **7.30** (Davis 1987, fig. 6.13a'dan), **7.44** (M. Jones, *England Before Domesday*, 1986, fig. 30'dan), **7.46** (Koike'den), **7.47–48** (Koike'den), **7.49** (I. Longworth & J. Cherry (ed.), *Arch. in Britain since 1945* 1986, fig. 22'den), **8.4** (K. Oakley, *Man the Toolmaker* (6. basım) 1972, fig. 4'ten), **8.7** (Davis 1987, fig. 4.5'ten), **8.14** (J.P. Protzen, Inca Stonemasonry, *Scientific American* 254, Şubat 1986, 84'ten), **8.16, 8.38** (Hodges 1970, fig. 51, 52, 172'den), **8.47** (Hodges 1970, fig. 139'dan), **8.51** (Shimada'dan), **8.53** (R. Tylecote, *Metallurgy in Archaeology*, fig. 15'den), **8.55** (P. Schmidt & D.H. Avery'den şurada *Science* 201, Ekim 1978, 1087), **9.25** (Renfrew'den), **9.26–27** (Renfrew'dan), **9.42** (Sidrys'ten), **9.43** (Pires-Ferreira'dan şurada Flannery (ed.) 1976, fig. 10.16), **10.2** (Renfrew'dan), **10.39** (O'Kelly'den), **10.38, 10.52, 10.53** (Burger'dan), **11.4, 11.5** (Brothwell 1981, fig. 3.4'ten), **11.29** (Toth'tan), **11.30** (R. Lewin, *In the Age of Mankind* 1988, s. 181'den), **11.53, 11.66** (R. Lewin, *Human Evolution* 1984, s. 109'dan), **11.2–3** (Kirch'ten), **12.2–3** (Gelb'den); Sue Cawood **1.6, 2.4, 11.52** (*National Geographic*, Şubat 1985, 194'ten); Simon S.S. Driver **4.15** (Bannister & Smiley'den alınan bilgi şurada *Geochronology*, Tucson 1955), **4.49** (Drazen Tomic'in değişiklikleriyle) **5.2, 5.27–28** (Renfrew'dan); Aaron Hayden **10.3** (Karlin & Julien'den şurada Renfrew & Zubrow (ed.), 1994, fig. 15.1); ML Design **2.1** (A. Sherratt (ed.) *Cambridge Encyclopedia of Archaeology*, 1980, fig. 20.5'ten), **4.4, 4.30, 4.43** (Renfrew'dan), **6.16** (Butzer 1982, fig. 8.8'den), **7.13** (Zohary & Hopf'dan), **8.52, 9.3, 9.4, 9.23** (Peacock 1982, fig. 80'den), **9.30–31** (Renfrew'dan), **9.37** (Bass'dan), **9.40** (McBryde'dan), **9.49, 10.19, 12.4** (Garlake'ten), **12.16–20, 12.22, 12.25, 13.3–4** (Scarre 1988, 208'den), **13.5** (Flannery'den); Lucy Maw **6.1, 9.38, 10.37** (Mellaart'tan); Rog Palmer **3.15, 3.20**; Ben Plumridge **5.4** (Knappett ve diğerleri 2008'den), **5.53** (James A. Brown'dan), **12.14** (Bouckaert 2012'den), **15.11** (Archaeological Consulting Services, Ltd. den, Tempe, Arizona), tüm konum belirleyici haritalar; Andrew Sanigar **7.55** (N. Hammond'dan), **11.9** (T. Molleson'in sağladığı bilgiden), **11.67** (Leakey 1994, fig. 5.2'den); Drazen Tomic **2.23** (Ian Bott'tan), **2.36** (Tracy Wellman'dan), **3.36** (Tracy Wellman'dan), **3.58** (M. Carver, *Underneath English Towns* 1987, fig. 61'den), **3.83** (J. Coles, *Field Archaeology in Britain* 1972, fig. 61'den), **4.7** (Stringer & Gamble 1993, s. 43'ten), **4.24** (Whittle ve diğerleri, 2007, s. 125'ten), **4.25** (Galimberti ve diğerleri 2004 ve Friedrich ve diğerleri 2006'dan), **4.38** (Roberts ve diğerleri 1994, s. 577'den), **4.40** (English Heritage, *Archaeomagnetic Dating*, 2006'dan), **4.44** (Stringer & Andrews 2011, s. 12–13'ten uyarlanmıştır), **5.39** (C. Golden'dan), **5.42** (C. Golden'dan), **5.70** (Lois Martin'den), **5.74** (Grimm 2001 s. 57 fig. 5.3'ten), **6.17–19** (B. Coles, *Proceedings of the Prehistoric Society* 64, 1998'den), **6.29** (Hillman ve Pearsall 1989'dan), **6.39** (J. Parkington'dan), **7.28, 7.29** (T. Legge'nin sağladığı bilgiden), **7.36** (Klein'dan), **7.54** (Schoeninger & Moore, *Journal of World Prehistory* 6, 1992, s. 247–96'dan), **8.18l** (Bruce Bradley'den), **8.21–22** (Marc de Bie'den), **9.2** (Marwick, 2003, 60, fig. 3 & 4), **9.22, 9.44** (Renfrew'den), **9.45** (Renfrew'den), **10.25, 10.35** (Morley'den), **11.69, 13.17** (William Marquardt'ın sağladığı bilgiden), **13.21** (Fiona Roberts'tan), **13.27–28** (Fiona Roberts'tan); Tracy Wellman **3.37, 5.21** (Isaac'ten), **5.25–26** (Wheatley 1995'ten), **5.38a, 6.10** (Chaloupka 1984'den), **8.54a** (Alva & Donnan 1993, s. 173'ten, çizen A. Gutiérrez), **9.1, 11.10** (Houghton 1980'den), **11.25** (Day & E.H. Wickens'tan şurada *Nature* 286, Temmuz 1980, 386–87), **13.10** (Marcus'tan); Philip Winton **5.38b** (Mike Parker Pearson ve Ramilisonina, 1998, fig. 8'den), **5.38b** (Mathews 1991, fig. 2.6'dan), **5.51, 5.66** (Ronald Anthony'den), **6.27** (Piperno ve Ciochon, *New Scientist* 10/11/90'dan), **6.28, 6.43** (G. Milner & J. Oliver'ın verdiği bilgiden), **10.1, 10.10, 10.43** (Bartel, Frey ve diğerleri, 1998'den), **12.8** (Cavalli-Sforza ve diğerleri 1994, 5.11.1'den), **12.9** (Torroni ve diğerleri 1998, fig. 4'ten).

Metin bilgilendirmesi

DİZİN

DİZİN

yollu 201, 203, 204, 205, *5.27, 5.28*
çevresel: arkeoloji 16, 233-272, 290-291, 545; değerlendirme 568; etki 568, 572, 577, 580; sınırlama 492-494
çıpalar 115, 381, 522, *9.32, 9.37*
çiftçiler/çiftçilik 18, 29, 42, 82-83, 169, 181, 183, 198, 203, 222, 244, 265, 267, 313-314, 466, 467, 475, 482-483, *2.1, 3.15–17, 4.55–56, 5.2, 6.25*; aletler ve teknoloji 268, 275, 278, 279-281, 299, 337; ve "Ana Tanrıça" 45; Asya 284-285, *7.13*; birincil ve ikincil ürünler 203; bitkilerin kültüre alınması 275, 281-282, *7.3*; dağılım 471, 488-489; gübreleme 78, 277, 278; kökenler 36, 45; ve mevsimsellik 281-282; Neolitik 39, 46, 246; Roma 256, 283, *6.16*; tahıl 279; toprak kaybına bağlı terk 244; Tunç Çağı 274; ve uzman zanaatkârlar 203, 217, 220; Yakındoğu 169, 300; yoğun tarım 217, 285, 565; yöntemler 203
Çin 169, 281, 302, 309, 354, 430, 440, 551, 580, 581; bakır izabesi 269; Chengtoushan 265; çanak çömlek 55, 265, 281, 310, 319; Çin Seddi 49, 74, 214, *3.2*; demir 354; devlet toplumları 173; dökme demir 343; Han 265, 310, 583, *0.8*; hanedanlar 140, 243; iklim 245; ipek kaftan *9.12*; kalıplar 352, *8.52*; korunmuş erkek 440; Kültür Devrimi 17, 551; Lajia *7.1–2*; lös 245; mağaralar 243, 264; metinler 220, 467; mezar yapıları 216, 283, 310, 311, 422, 557, *0.8*; Ming 243; müzeler 551; öğütme taşları 280; pazarlar 361, 364; Peiligang 280; peynir 309; pirinç şarabı 281; pirinç tarımı 265; pişmiş toprak ordu 74, 102, 216, 440, *5.2, 5.50*; porselen 223, 374, 559, *5.63*; sulama 265; Şang 173, 216, 422, 491, *8.52*; şehriyeler *7.1–2*; tahıl ambarları 283; Tang 283, 283; tarım 169; tunç eserler 352, *8.52*; Üç Boğaz Projesi 568; Yangtze Vadisi 169, 537; yazı *10.21*; yazılı belgeler 187; yazıtlar 283; yeşim 378; Yuan 243; Zhou 422
çinko 263
Çin Seddi 49, 74, 214, *3.2*
çivi yazısı; tabletler 456; yazı 29, 190, 283, *5.12, 10.20*
çocuk katli 435
çocuklar 230; çocuk ölüm oranı 536; dışkılar 276; diş gelişimi 437; doğum 231, 452, 466, *11.33*; gömütler 199, 533, *11.3*; kalıntıların tanımlanması 435; Taung kafatası 293; ve toplumsal cinsiyet 228
çocuk ölüm oranı 536
çok bantlı (MS) araştırmalar 81, 90-91, 93, 592
çok boyutlu ölçeklendirme (MDSCAL) 209
çok değişkenli açıklamalar 491, 494-495, 506
çok değişkenli analizler 435, 533
çok eşlilik 227
çok kocalılık 227
çok kölektörlü indüktif eşleşmiş plazma kütle spektrometrisi 368, 370-371, *9.17*
Çok Merkezli Kuram 470, 472, *11.67*
çöller 12, 66, 72, 88, 90, 169, 240, 253, 274, 276, 314, 335, 340, 354, 405, 458, 553, *3.7–8, 7.50*; Atacama 299, *7.30*; Colorado 382; Kalahari 196, 335, 468; Nazca 405, *10.26*; Negev 253, 448, 464
çömlekler 65, 217, 281, 307, 374, 381, 466, 514, *4.6, 15.12*; ayrıca bkz. amforalar
çöp 59, 123, 132, 201, 251, 384, *2.1*
çöp yığınları 47, 198, 239, 294, 303, 304-305, 307, 520, 521, 522, *13.14*
çörtler 325, 328, 513, 515, *9.16*
çözümsel elektron mikroskopisi 454

çubuk grafikler 186, 200, *5.5*
Çukçi Denizi 239
çukurlar 104-105, 108, 111; çöp, *2.1*; hızlı sondaj 102; saklama 50, 58, 274, 275, 278, *7.3*

dağılımlar 431, 488-489
Daire Takvim, *4.12*
Dakota: göller 253
dalgalı ilerleme modeli 482, *12.8*
dalış takımı 113
Dalladies: mezar tümülüsü 269
Dalton, George 364
Danebury yüksek kalesi 84, *3.18*
Danger Mağarası 66, *2.6*
Daniel, Glyn 585
Däniken, Erich von 554
Danimarka 277, 306, 364, 452, 503; dalyanlar 281, 306; gömütler 62, 229, 269; tarihöncesi iskeletler 313; tekneler 306; Tunç Çağı 229, 313; turba bataklığı 278; turbiyer bedenleri 59, 311, 434, 440, *11.11*; turbiyer buluntuları 306; Ulusal Müzesi 28, *1.13*
danzante figürleri 423, 456, 518, *13.8–10*
darphaneler 212, 385, *5.46*
Dartmoor 265
Darvill, Timothy 208, *5.36*
Darwin, Charles 26, 27, 28, 29, 133, 486, 487, 491, *1.11, 1.12*
Daugherty, Richard 60
David, Rosalie 454
Davis, Edwin 30, *1.66*
Davis, Simon 7.27
Dawkins, Richard 27, 487
Dawson, Charles 554
Day, Michael 447
Deacon, Hillary 254
Deacon, Janette 332
Dean, Christopher 437
Dean, Jeffrey 145
Deep Creek barınağı 528
Deep Lake 241
Deetz, James *3.96*
define 55, 215, 378, 381, 413, 562, 594, *14.18, 14.20*
defineciler/definecilik; *bkz.* yağmacılar/ yağmacılık
defineler 55, 378-379, *5.14, 15.14–16*
deformasyon 302, 458, 461; Sprengel's 462, *11.56*
değerlendirme 200, 289, 502, 539, 568, 572
değerli taşlar 362, 369, 374; karakterizasyon 374
değirmenler, un 279, 543
değiş tokuş 179, 357, 384-385, 411, 483, 537; ve bilgi akışı 357-358, 387, *9.1*; dış 358; hediyeler 357, 360, 364, 374, 388; ve mütekabiliyet 360, 374, *9.4, 9.25*; pazar *9.6, 9.25*; prestij malları 357, 362, 364, 386, 389, *9.7–14, 9.47, 9.48*; rekonstrüksiyon 390; sembolik 386-387, 388; ve yeniden dağıtım 364, 377, *9.5, 9.25*; yönelimli 375, 377, *9.25*
Deh Luran Ovası 285; çanak çömlek 136, *4.6*
Deir el-Medine 229; Sennedjem'in mezar yapısı, *7.37*
dekonstrüktivizm 499
Delfina ince cidarlı gri çanak çömleği *9.43*
delgi(ler) 529; çakmaktaşı 464; uçları 381
demik difüzyon 482
demir 28, 56, 59, 105, 343, 354; altın kaplama 354; cevherleri 373; dövme 343, 354; indirgeme 354; izabe 343, 352, 354, 355; karakterizasyon 372, *9.18*; karbonlama 348, 354, *8.55*; korozyon bileşikleri 354; meteor demiri 354; oksidasyon 16; oksit 333; sahte diş 464; sertleştirilmiş, *8.46*
demircilik 354, 355

Demir Çağı 28, 42, 58, 59, 225, 354, *3.48*; Avrupa 229, 280, 352, 386, 475; Butser Çifliği 277, 278, *7.8, 7.9*; cam yapımı 346; çiftlik 278; dişler 252; göl köyleri 59; kadınlar 229; kap artıkları 307, 352; kaya sanatı 505; "kırık boncuk" 346; metal işçiliği 563; mezar eşyaları 505; mezar tümülüsü 66; sınıf temelli hiyerarşiler 505; silahlar 417; süt ürünleri 309; tarihleme 149; tekerlekler 317; tunç kazan *12.11*; tunik 68, *2.31–32*; turbiyer bedenleri 59, 311, 434, 440, 456-457, *11.11, 11.44–48*; tuz madeni 319; yüksek kaleler 84, 88, 280, 458, *3.18, 3.22*
demografi 40, 285, 476
demografik arkeoloji 467
dendroklimatoloji 248
dendrokronoloji bkz. ağaç halkası tarihlemesi
deneme açmaları 102
deney 53, 264, 275, 317, 319, 321, 322, 323, 324, 327, 328, 329, 332, 333, 334, 335, 337, 354, 356, *2.4, 8.10, 8.18*; tekrarlama 332, 333, 334, 350, 351
DeNiro, Michael 253, 281, 313
Denisova 474
deniz 26, 52, 56, 63; beslenme alışkanlığı 313; bitkiler 281, 312; derin deniz karotları 137-138, 234-235, *4.8*; ve iklim 233; inorganik malzemelerin korunması 56, *2.7*; kabuklar 334, 372, 389, 514, 515, *9.43*; ve kalibrasyon eğrisi 153; kaynaklar 238, 260, 313, 467; organizmalar 137, 153, 234; ayrıca bkz. foraminifera; bitkiler; sedimanlar 234-235, 243, 246; seviyeleri 237-240, 246-248, 260, 262-263, 484, *6.8, 6.18–19, 6.48–49*; sıcaklıklar 138, 234, 236, 240, 372, *4.8, 6.4*; tuzluluk 234; ayrıca bkz. sualtı arkeolojisi
Deniz Batıkları Yasası (1987) 569
deniz kabukları bkz. kabuklar
deniz kabukluları 262, 269, 303, 305, 313, 315, 448, 452, 519, 521, 522, 534; ayrıca bkz. yumuşakçalar
Dennell, Robin 275
Dennett, Daniel 393
depolama 60, 217, 244, 281, 300, *7.38–39*; çukurlar 50, 54, 274, 275, 278, *7.3*
depremler 166, 242, 270
deri 53, 56, 59, 66, 71, 220, *3.79*; ayakkabı *3.93*; kıyafet *11.55*; üzerindeki baskı izleri 254; ayrıca bkz. postlar
deri: hayvan 49, 58, 66, 193, 264, 286, 294-295, 340, 355, 366, 383, 528, *2.36, 5.2, 5.17, 11.52, 11.54, 11.55*
derin deniz karotları 137-138, 165, 166, 234, 235, 251, 272, *4.43, 6.2*
derisidikenliler 303
d'Errico, Francesco 335, 399
Derrida, Jacques 499
Devlet Arazileri Dairesi 266-267
devlet toplumları 169, 173, 181, 186, 203, 216, 491, *4.50–54, 5.2*
Dış Hebridler 307
dışkı (hayvan) 263, 278, 306, 307, 311; fosilleşmiş 254; gübre olarak 78, 277, 278, 307; parazitler 458; yakıt olarak 277; ayrıca bkz. koprolitler; dışkı (insan)
dışkılar 254, 310, 311-312, 316, 543; cinsiyet tespiti 437; DNA 436; kurumuş 274, 311; kütiküller 252; parazitler 456, 458; polen 250, 279; ayrıca bkz. koprolitler; hayvan dışkısı
Diakonoff, Igor 485, 491
Diamond, Jared 498
Dickens, Charles 223
Dickeson, Munro *1.23*
Dicle Nehri 323
Didyma, Türkiye: Apollon Tapınağı 323
DigitalGlobe 91
dijital bkz. sayısal
Dikika: kemikler *7.15*

dikme delikleri 50, 56, 72, 82, 201, 278, *2.1, 5.59, 7.22*
Dikova, Margarita 473
dik yürüme 445-446
dilbilim 27; ve genetik 471, 473; tarihleme 136
"dilim haritaları" 104, *3.50*
diller 359, 360, 390, 393, 488, *9.2, 12.2–3*; Afro-Asyatik 471; aileler 488, 489; Akadca 190; Altay 471; Arapça 136; Avustronezya 489; Aymara 488; Bantu 355, 488; Breton 194; Eski İran 488; etnik 388; ve etnisite 193, 194; ve genetik 471, 473, 489; German 488; Hint-Avrupa 136, 194, 471, 488, 489, *12.14*; İngilizce 488, 583, 584; jargon 41; Kelt 194, 488, 489; Latince 136, 488; Man dili 194; Maya 211; Otomi-Mangue 194; Quechua 488; Sami 136; Sanskritçe 488; Yerli Amerika dilleri 473; Yunanca 228, 488
Dilthey, Wilhelm 499
din 55, 201, 285, 388, 413, 414, 415, 416, 417, 502, *10.44*; aşırılık 552, 553; ayrıca bkz. Budizm; Hıristiyanlık; kültler; İslamiyet
Dinka halkı *5.2*
dişçilik 464; ayrıca bkz. dişler
dişler: Amesbury Okçusu *3.80*; analiz 312, 313, 359, 464, *9.18*; aşınma 316; ve beslenme alışkanlığı 310, 312, 313, 316, 462, 464, 467; büyüme halkaları 298, 437; ve çevresel veriler 261, 263; çürüme 312, 316, 464, 536; dolgular 464; evcil hayvanlar 293, 294, *7.27*; ve fitolitler 252, 279, 312; hayvan 61, 252, 254, 260, 261, 263, 288, 289, 291, 298; ve insan ilişkileri 443; kemikler üzerindeki izler 286; kırma 464; köpekbalığı 389; kullanımı 452; lazer ablasyonu 313; mine 157, 162, 261, 298, 312, 313, 359, 437, 444, 452, 464, 465, 467; ve ölüm yaşı 289, 298, 437, 475, *7.36*; sahte 464; sementum 298; sökme 464, *11.61*; striyasyonlar 312; tarihleme 157, 158, 162, 4.9; tartar 280; temizleme 452; ve yetersiz beslenme 467
diş minesi bkz. dişler
Divostin 198
diyatomlar 253, 254, 268, 366, *6.23, 6.28*
diyorit nesneler 383, 427, *9.39–41, 10.63*
Djehutihetep, Prens: heykel 322, *8.9*
DNA 37, 67, 70, 115, 295, 302, 359, 431, 443-445, 489, *11.19*; bitki 254, 279-280, 282; ve cinsiyet belirlenmesi 435-436; ve diller 471; eski 162-163, 230, 231, 282, 443, 444, 470, 472, 474-475, 482-483, 558-559; hastalıklar 458; kaya resimleri 333; klonlama 443, *11.19*; mitokondriyal (mtDNA) 162, 230-231, 443, 470-474, 482-483, *11.19*; tarihleme 160, 162-163, 167, 224, *4.45*; "toprak" 245
Dogger Adası 246, 247, *6.17–19*
doğal; afetler 56, 59; ayrıca bkz. volkanik patlamalar; oluşum süreçleri 52-53, 55-71, 72; seçilim 26, 27, 487; tarihi 22; sayfa 49
"doğal malzeme" 49, 50, 128, 233, *2.1*
doğüstü 55, 391
Doğu Akdeniz 285, 418; düzlükleri 284; obsidyen ticareti 378, *9.30–31*; tahıllar 282; tunç aletler ve silahlar 381; yabandomuzları, *7.27*
doğum, işaretler 536
doğum kontrolü 453
doğurganlık 67, 466, 491, 492, *12.24*; büyü 398; tanrıçalar 423-424, *10.57*
doğuş efsaneleri 22
doku 445, 451, 454, 461; bitki 312; sert 312, 445, 453, 445, 454; yumuşak 69, 71, 148, 306, 314, 434, 435, 438, 447, 456, 458

DİZİN